LAROUSSE

DICTIONNAIRE

Français Espagnol

Espagnol Français

LAROUSSE

21, rue du Montparnasse 75283 Paris Cedex 06

Sommaire

Au lecteur

Cette nouvelle édition du dictionnaire Larousse français-espagnol a été réalisée pour répondre aux besoins spécifiques des apprenants francophones. Elle est en effet destinée aux débutants et aux « faux-débutants » qui, dans le cadre d'un parcours scolaire ou d'auto-apprentissage, veulent entreprendre ou reprendre l'étude de la langue espagnole.

Aboutissement d'un travail collectif visant à rendre toute la richesse de la langue, à l'écrit comme à l'oral, ce nouveau Dictionnaire privilégie les expressions les plus courantes d'aujourd'hui et vous aide à fixer les bases de l'espagnol au niveau du vocabulaire et de la grammaire. Il a été complètement remis à jour à la lumière des nouveaux programmes qui s'appuient sur le Cadre européen commun de référence pour les langues (CECR) du Conseil de l'Europe. La contribution d'enseignants d'espagnol en contexte francophone a été précieuse, car elle a permis de prendre en compte les difficultés spécifiques de l'apprenant francophone.

Avec ses 55 000 mots et expressions, ses 80 000 traductions, ses exemples de constructions grammaticales, ses tournures idiomatiques, ses indications de sens et collocations soulignant la ou les traductions appropriées, ce dictionnaire couvre le vocabulaire général ainsi que certains domaines très présents dans la vie de tous les jours, tels que les nouvelles technologies, la cuisine, le sport…
Il constitue votre premier dictionnaire de référence de l'espagnol et, grâce à ses nombreux encadrés et à sa riche contextualisation, il vous deviendra vite indispensable dès que vous voudrez parler ou écrire en espagnol. Il vous permettra de vous exprimer de manière simple et sans hésitation, et vous ne risquerez plus de faire des contresens.

Sa nouvelle présentation graphique rend sa consultation plus aisée et plus efficace.

N'hésitez pas à nous faire part de vos observations questions ou critiques éventuelles : cet ouvrage n'en sera que meilleur !

■ L'ÉDITEUR

pour cette édition

Direction de la collection
Giovanni Picci

Rédaction
Chloé Bourbon, Paloma Cabot, Veronica Dersigny, Mery Martinelli,
Ignacio Muñoz, David Tarradas, Cécile Vanwalleghem

pour la grammaire
Valérie Grossi

Secrétariat d'édition
Verena Mair

Informatique éditoriale
Dalila Abdelkader, Anna Bardon, Fabrice Jansen

Composition
APS

Fabrication
Nicolas Perrier

Remerciements à
Monika Al Mourabit, Aurélie Prissette, Silvia Valmori

Direction éditoriale
Ralf Brockmeier

pour l'édition précédente

Monique Loison, Silvia Syriani

© Larousse, 2007

ISBN 978-2-03-583739-4
ISBN 978-2-03-583732-5
Larousse, Paris

abr	abréviation	*ÉLECTR*	électricité
adj	adjectif, adjectival	*ÉLECTRON*	électronique
ADMIN	administration	*Esp*	Espagne
adv	adverbe, adverbial	*euphém*	euphémisme
AÉRON	aeronautique	*excl*	exclamatif
AGRIC	agriculture	*f*	féminin
Amér	Amérique	*fam*	familier
ANAT	anatomie	*fig*	figuré
ARCHÉOL	archéologie	*FIN*	finance
ARCHIT	architecture	*gén*	généralement
arg crime	argot milieu	*GÉOGR*	géographie
arg mil	argot militaire	*GÉOL*	géologie
arg scol	argot scolaire	*GÉOM*	géometrie
art	article	*GRAMM*	grammaire
ASTROL	astrologie	*HIST*	histoire
ASTRON	astronomie	*hum*	humoristique
att	attributif	*impers*	impersonnel
AUTO	automobile	*IMPR*	imprimerie
aux	auxiliaire	*indéf*	indéfini
BIOL	biologie	*INFORM*	informatique
BOT	botanique	*injur*	injurieux
CHIM	chimie	*insép*	inséparable
CINÉ	cinéma	*interj*	interjection
COMM	commerce	*interr*	interrogatif
compar	comparatif	*inv*	invariable
conj	conjonction, conjonctif	*iron*	ironique
CONSTR	construction	*LING*	linguistique
COUT	couture	*litt*	sens propre
CULIN	cuisine	*LITTÉR*	littérature
déf	défini	*loc*	locution
dém	démonstratif	*m*	masculin
DR	droit	*m ou f*	masculin ou féminin - nom dont le genre est flottant : ex. un arobase ou une arobase
ÉCON	économie	*MATH*	mathématiques

MÉCAN	mécanique	*prép*	préposition, prépositionnel
MÉD	médecine		
MÉTÉOR	météorologie	*pron*	pronom
mf	masculin et féminin - même forme pour le masculin et le féminin : ex. démocrate	*prov*	proverbe
		PSYCHO	psychologie
		qqch	quelque chose
MIL	militaire	*qqn*	quelqu'un
MUS	musique	*rel*	relatif
MYTHOL	mythologie	*RELIG*	religion
NAUT	nautique	*SCOL*	scolaire
n	nom	*sép*	séparable
nm ou nf	nom dont le genre est flottant : ex. un arobase OU une arobase	*sing*	singulier
		sout	soutenu
nm, f	nom masculin, nom féminin - avec une désinence féminine : ex. menteur, euse	*suj*	sujet
		superl	superlatif
		TAUROM	tauromachie
nmf	nom masculin et féminin - même forme pour le masculin et le féminin : ex. démocrate	*TECHNOL*	technologie
		TÉLÉCOM	télécommunications
		tfam	très familier
npr	nom propre	*TV*	télévision
num	numéral	*TYPO*	typographie
péj	péjoratif	*UNIV*	université
pers	personnel	*v*	verbe
PHILO	philosophie	*vi*	verbe intransitif
PHOTO	photographie	*vp*	verbe pronominal
PHYS	physique	*vpi*	verbe pronominal intransitif
pl	pluriel	*vpt*	verbe pronominal transitif
POLIT	politique	*vt*	verbe transitif
poss	possessif	*vulg*	vulgaire
pp	participe passé	*ZOOL*	zoologie
p prés	participe présent		
préf	préfixe		

Table phonétique

	espagnol	français	commentaires		espagnol	français	commentaires
[i]	iris	fini		[ð]	cada, pardo		un d plus léger (en fin de mot, souvent omis dans la langue parlée)
[e]	estrella	bébé					
[a]	gato	lac		[g]	gas, tango, guerra	gaz	
[o]	otro	coco		[ɣ]	agosto, águila, agua		un g plus léger
[u]	uno	coucou	mais u dans que ou qui et gue ou gui est muet, comme en français (sauf dans güe ou güi)	[m]	mano, también	amour	
				[n]	nada, antes, avión	noir, tenir	
[ei̯]	peine, ley	Mireille		[ɲ]	año	agneau	
[ai̯]	aire	pagaille		[l]	ala tal	lire	
[oi̯]	boina, soy	cow-boy		[ɾ]	pero, tener, padre	roulé	
[au̯]	causa	baobab		[r]	rosa, perro		rr est un r allongé
[eu̯]	Europa		se prononce éou	[s]	solo, casa, cortés	soupe	
[ɟ]	yeso, hierba	yoga		[z]	resguardar	rose	
[j]	ayer	ailleurs, yoyo		[f]	fiesta, frío	faire	
[w]	huevo	oui, kiwi		[tʃ]	ocho, China	atchoum	
[p]	papá	pipe		[θ]	cerdo, cine, azul, paz		comme le th anglais dans thing, mais en Andalousie et en Amérique latine s comme dans savon
[t]	tiempo, tren	toi					
[k]	caro, cuco, cou saco, quiosco, que, kilo			[x]	jamón, región		comme le ch allemand dans Bach
[b]	boda, cam-bon bio, vaca, enviar			[ʎ]	lluvia, calle		se rapproche du son contenu dans million
[β]	caballo, cavar, curvo		un b plus léger				
[d]	donde	dire					

Comment utiliser ce dictionnaire

formes féminines

pluriels qui présentent des difficultés

information sur l'usage

signalisation précise des sens et des contextes

sous-entrées :
- mots composés, locutions et pluriels ayant leur propre sens
- verbes pronominaux

mise en évidence des entrées ne s'utilisant que dans des expressions figées

précisions sur la traduction

sigles, abréviations et acronymes en contexte

notes pour aider à expliquer en espagnol des spécificités culturelles françaises

signalisation de la catégorie grammaticale

information sur les niveaux de langue

information sur les domaines

signalisation des américanismes

indication du genre

explications lorsqu'il n'y a pas de traduction directe

équivalents culturels

hispanoamericano, na ◼ *adj* hispano-américain(e). ◼ *nm, f* Hispano-Américain (*m*), -e (*f*).
bisturí (*pl* **bisturíes** ou **bisturís**) *nm* bistouri (*m*).
manta ◼ *nf* couverture (*f*) ◦ **liarse la manta a la cabeza** *fig* sauter le pas, se jeter à l'eau. ◼ *nmf fam* bon (*m*) à rien, bonne (*f*) à rien.
mayúsculo, la *adj* **1.** (*erreur*) monumental(e) **2.** (*effort, surprise*) énorme. ◼ **mayúscula** *nf* majuscule (*f*).
acompañamiento *nm* **1.** cortège (*m*) **2.** escorte (*f*) **3.** MUS accompagnement (*m*) **4.** CULIN garniture (*f*).
caballito *nm* petit cheval (*m*). ◼ **caballitos** *nmpl* manège (*m*) (de chevaux de bois). ◼ **caballito de mar** *nm* hippocampe (*m*).
columpiar *vt* balancer. ◼ **columpiarse** *vp* se balancer.
regañadientes ◼ **a regañadientes** *loc adv fam* en rechignant.
abalear *vt* (*Amér*) tirer sur.
registro *nm* **1.** (*gén*, INFORM & MUS) registre (*m*) ◦ **inscribir en el registro civil** inscrire à l'état civil **2.** (*inspection*) fouille (*f*) **3.** perquisition (*f*) (*de la police*) **4.** signet (*m*).
IAE (*abr de* **Impuesto sobre Actividades Económicas**) *nm* impôt des travailleurs indépendants en Espagne.
TGV (*abr de* **train à grande vitesse**) *nm* ≃ AVE (*m*) (*alta velocidad española*) ◦ **prendre un TGV pour Marseille** tomar un TGV para Marsella.
andouille *nf* **1.** (*charcuterie*) pour expliquer ce que c'est, vous pouvez dire : es un embutido elaborado a base de tripas de cerdo. **2.** *fam* (*personne*) imbécil (*mf*) (*Esp*), huevón (*m*), -ona (*f*) (*Amér*).
jockey = **yóquey**.

renvoi des variantes orthographiques aux entrées principales

aA

a, A *nm inv (lettre)* a *(f)*, A *(f)* ▪ **prouver par a + b** demostrar sin dejar lugar a dudas ▪ **de A à Z** de arriba abajo. ■ **a** *(abr écrite de* **are)** a. ■ **A 1.** *(abr écrite de* **anticyclone)** A **2.** *(abr écrite de* **ampère)** A **3.** *(abr écrite de* **autoroute)** A ▪ **la circulation sur l'A13** la circulación en la A13.

à *prép*

1. INTRODUIT UN COMPLÉMENT D'OBJET INDIRECT
▪ **donner qqch à qqn** dar algo a alguien
▪ **parler à qqn** hablar a alguien
▪ **penser à qqch** pensar en algo

2. INDIQUE LE LIEU OÙ L'ON EST = en
▪ **il habite à Paris** vive en París
▪ **il a une maison à la campagne** tiene una casa en el campo

3. INDIQUE LE LIEU OÙ L'ON VA = a
▪ **aller à Marseille** ir a Marsella
▪ **un voyage à Madrid/aux Baléares** un viaje a Madrid/a las Baleares
▪ **de Nice à Séville** de Niza a Sevilla

4. INTRODUIT UN COMPLÉMENT DE TEMPS
▪ **à lundi !** ¡hasta el lunes!
▪ **à plus tard !** ¡hasta luego!
▪ **de 8 à 10 heures** de (las) 8 a (las) 10
▪ **au mois de février** en el mes de febrero

5. INDIQUE LA MANIÈRE
▪ **à pied** a pie
▪ **à bicyclette** en bicicleta
▪ **à haute voix** en voz alta

6. INTRODUIT UN CHIFFRE
▪ **ils sont venus à dix** vinieron diez
▪ **un livre à 2 euros** un libro a 2 euros
▪ **la vitesse est limitée à 50 km/h** la velocidad está limitada a 50 km/h

7. INDIQUE L'APPARTENANCE
▪ **ce livre est à moi** este libro es mío
▪ **c'est un ami à lui** es un amigo suyo

8. INDIQUE UNE CARACTÉRISTIQUE
▪ **des chaussures à talons** zapatos de tacón

9. SUIVI D'UN INFINITIF
▪ **une machine à écrire** una máquina de escribir
▪ **j'ai beaucoup de choses à faire** tengo muchas cosas que hacer.

Å *(abr écrite de* **angström)** Å.

AB 1. *(abr écrite de* **assez bien)** ≃ B **2.** *(abr de* **agriculture biologique)** AB.

abaisser *vt* **1.** *(rideau, voile)* bajar **2.** *(taux, prix)* reducir **3.** *sout (humilier)* degradar. ■ **s'abaisser** *vp* **1.** *(vitre, barrière)* bajarse **2.** *(s'humilier)* rebajarse ▪ **s'abaisser à faire qqch** rebajarse a hacer algo.

abandon *nm* **1.** *(d'une personne, d'une maison, etc)* abandono *(m)* ▪ **à l'abandon** abandonado(da) **2.** *(d'un droit)* renuncia *(f)* **3.** *(d'un bien)* cesión *(f)* **4.** *(confiance)* ▪ **avec abandon** con toda confianza.

abandonné, e *adj* abandonado(da).

abandonner *vt* **1.** *(quitter, négliger)* abandonar **2.** *(renoncer à)* renunciar a **3.** *(céder)* ▪ **abandonner qqch à qqn** ceder algo a alguien. ■ *vi (laisser tomber)* rendirse ▪ **j'abandonne !** ¡me rindo!

abasourdi, e *adj (stupéfait)* atónito(ta).

abat-jour *nm inv (en toile, en papier)* pantalla *(f)*.

abats *nmpl* **1.** *(de volaille)* menudillos *(mpl)* **2.** *(de bétail)* asaduras *(fpl)*.

abattement *nm* **1.** *(physique et moral)* abatimiento *(m)* **2.** *(déduction)* deducción *(f)* ▪ **abattement fiscal** deducción fiscal.

abattis *nmpl* despojos *(mpl)*.

abattoir *nm* matadero *(m)*.

abattre *vt* **1.** *(arbre)* talar **2.** *(tuer)* matar **3.** *(avion, mur)* derribar **4.** *fig (épuiser)* agotar **5.** *(démoraliser)* desmoralizar.

abbaye *nf* abadía *(f)*.

abbé *nm* **1.** *(d'église)* padre *(m)* **2.** *(de couvent)* abad *(m)*.

abbesse *nf* abadesa *(f)*.

abc *nm* abecé *(m)*.

abcès *nm* absceso *(m)*.

abdication *nf* abdicación *(f)*.

abdiquer ■ *vt* renunciar a. ■ *vi* **1.** *(roi)* abdicar **2.** *(abandonner)* claudicar.

abdomen *nm* abdomen *(m)*.

abdos *nmpl fam* **1.** *(muscles)* abdominales *(mpl)* **2.** *(exercices)* abdominales *(fpl)* ▪ **faire des abdos** hacer abdominales.

abeille *nf* abeja *(f)*.

aberrant, e *adj* aberrante.

abîme *nm* abismo *(m)*.

abîmer *vt* estropear. ■ **s'abîmer** *vp (se détériorer)* estropearse.

abject, e *adj* abyecto(ta).

abnégation *nf* abnegación *(f)*.

aboiement *nm* ladrido *(m)*.

abolir *vt* abolir.

abominable *adj* **1.** *(fait)* abominable **2.** *(temps)* horrible.

abondance *nf* abundancia *(f)* • **en abondance** en abundancia.

abondant, e *adj* **1.** *(gén)* abundante **2.** *(végétation)* frondoso(sa).

abonder *vi* abundar • **la région abonde en fruits** la fruta es abundante en la región • **abonder dans le sens de qqn** abundar en la misma opinión que alguien.

abonné, e *nm, f* **1.** *(à un journal)* suscriptor *(m)*, -ra *(f)* **2.** *(à un service, un théâtre)* abonado *(m)*, -da *(f)* **3.** *(à une bibliothèque)* socio *(m)*, -cia *(f)*.

abonnement *nm* **1.** *(à un journal)* suscripción *(f)* **2.** *(à un service, un théâtre)* abono *(m)* **3.** *(à une bibliothèque)* carné *(m)* de socio.

abonner *vt* • **abonner qqn à qqch** *(à un journal)* suscribir a alguien a algo • *(à un service, un théâtre)* abonar a alguien a algo • *(à une bibliothèque)* hacer socio(cia) a alguien de algo. ■ **s'abonner** *vp* abonarse • **s'abonner à qqch** *(journal)* suscribirse a algo • *(service, théâtre)* abonarse a algo • *(bibliothèque)* hacerse socio(cia) de algo.

abord *nm* • **être d'un abord difficile/agréable** mostrarse inaccesible/accesible. ■ **abords** *nmpl* inmediaciones *(fpl)*. ■ **d'abord** *loc adv* en primer lugar, primero. ■ **tout d'abord** *loc adv* ante todo.

abordable *adj* **1.** *(prix, produit)* asequible **2.** *(personne, lieu)* accesible.

abordage *nm* abordaje *(m)*.

aborder ◼ *vi* NAUT atracar. ◼ *vt* **1.** *(personne, question)* abordar **2.** *(virage)* entrar en.

aborigène *adj* aborigen.

aboutir *vi* **1.** *(réussir)* llegar a un resultado **2.** *(mener)* • **aboutir à** *ou* **dans** desembocar en **3.** *fig (déboucher)* • **aboutir à qqch** conducir a algo.

aboyer *vi* **1.** *(chien)* ladrar **2.** *fam (personne)* berrear.

abrasif, ive *adj* abrasivo(va). ■ **abrasif** *nm* abrasivo *(m)*.

abrégé, e *adj* abreviado(da).

abréger *vt* **1.** *(conversation)* acortar **2.** *(texte)* resumir **3.** *(mot)* abreviar.

abreuvoir *nm* abrevadero *(m)*.

abréviation *nf* abreviatura *(f)*.

abri *nm* abrigo *(m)* • **être à l'abri de qqch** *(des intempéries)* estar al abrigo de algo • *fig (de menaces, de soupçons)* estar libre de algo • **abri antiatomique** refugio *(m)* atómico.

Abribus® *nm* marquesina *(f)* de autobús.

abricot *nm* albaricoque *(m)*.

abricotier *nm* albaricoquero *(m)*.

abriter *vt* **1.** *(protéger)* proteger **2.** *(héberger)* alojar. ■ **s'abriter** *vp* resguardarse • **s'abriter de qqch** resguardarse de algo.

abrupt, e *adj* **1.** *(chemin, pente)* abrupto(ta) **2.** *(tons, manières)* brusco(ca).

abruti, e *adj* & *nm, f fam* estúpido(da).

abrutir *vt* **1.** *(abêtir)* embrutecer **2.** *(étourdir)* aturdir.

abrutissant, e *adj* **1.** *(travail)* agotador(ra) **2.** *(jeu, feuilleton)* embrutecedor(ra) **3.** *(bruit)* ensordecedor(ra).

abscisse *nf* MATH abscisa *(f)*.

absence *nf* **1.** *(de personne)* ausencia *(f)* • **en l'absence de qqn** en ausencia de alguien **2.** *(carence)* falta *(f)*.

absent, e *adj* & *nm, f* ausente • **être absent de** estar ausente de.

absenter ■ **s'absenter** *vp* • **s'absenter (de)** ausentarse (de).

absinthe *nf* **1.** *(plante)* ajenjo *(m)* **2.** *(boisson)* ajenjo *(m)*, absenta *(f)*.

absolu, e *adj* absoluto(ta).

absolument *adv* **1.** *(à tout prix)* sin falta • **il faut absolument qu'il vienne** tiene que venir sin falta • **il veut absolument sortir** por fuerza quiere salir **2.** *(totalement)* totalmente • **c'est absolument vrai** es totalmente cierto • **vous avez absolument raison** tiene usted toda la razón **3.** *(oui)* por supuesto • **absolument pas** en absoluto.

absolutisme *nm* absolutismo *(m)*.

absorbant, e *adj* absorbente.

absorber *vt* **1.** *(gén & ÉCON)* absorber **2.** *(ingérer)* ingerir.

abstenir ■ **s'abstenir** *vp* abstenerse • **s'abstenir de faire qqch** abstenerse de hacer algo.

abstention *nf* abstención *(f)*.

abstentionnisme *nm* abstencionismo *(m)*.

abstinence *nf* abstinencia *(f)*.

abstraction *nf* abstracción *(f)*.

abstrait, e *adj* abstracto(ta).

absurde ◼ *adj* absurdo(da). ◼ *nm* • **l'absurde** lo absurdo • **par l'absurde** por reducción al absurdo.

absurdité *nf* **1.** *(illogisme)* absurdo *(m)* • **l'absurdité de** *(situation, attitude, etc)* lo absurdo de **2.** *(parole, action)* disparate *(m)*.

abus *nm* abuso *(m)* • **abus de confiance** abuso de confianza • **abus de pouvoir** abuso de poder.

abuser *vi* *(exagérer)* abusar • **abuser de** *(tabac, alcool, pouvoir)* abusar de. ■ **s'abuser** *vp sout* engañarse.

abusif, ive *adj* abusivo(va).

acabit nm • **de cet acabit, du même acabit** péj de esta calaña, de la misma calaña.

acacia nm acacia (f).

académicien, enne nm, f académico (m), -ca (f).

académie nf 1. (gén) academia (f) 2. SCOL & UNIV ≃ distrito (m) universitario.

acajou adj inv & nm caoba.

acariâtre adj desabrido(da).

acarien nm ácaro (m).

accablant, e adj 1. abrumador(ra) 2. (travail) agobiante.

accabler vt 1. (surcharger) • **accabler qqn de qqch** (de travail) agobiar a alguien de algo • (d'injures, de reproches) colmar a alguien de algo 2. (accuser) confundir.

accalmie nf calma (f).

accéder vi • **accéder à** acceder a.

accélérateur nm acelerador (m)

accélération nf 1. (d'un mouvement, d'un véhicule) aceleración (f) 2. (d'un processus) aceleramiento (m).

accélérer vt & vi acelerar.

accent nm acento (m) • **mettre l'accent sur** fig poner énfasis en.

accentuation nf acentuación (f).

accentuer vt 1. (gén) acentuar 2. (intensifier) aumentar. ■ **s'accentuer** vp acentuarse.

acceptable adj aceptable.

acceptation nf aceptación (f).

accepter vt 1. aceptar 2. (permettre) admitir • **accepter de faire qqch** aceptar hacer algo • **accepter que** (+ subjonctif) consentir que (+ subjonctif).

acception nf acepción (f).

accès nm 1. (entrée) entrada (f) • '**accès interdit**' 'prohibida la entrada' 2. (voie, crise) acceso (m) • **avoir accès à qqch** tener acceso a algo • **cette porte donne accès au jardin** esta puerta da al jardín • **cette formation donne accès à...** esta carrera da acceso a... • **accès de colère** arrebato (m) de cólera • **accès de fièvre** acceso de fiebre.

accessible adj 1. (gén) accesible 2. (prix, produit) asequible.

accession nf acceso (m) • **accession à qqch** acceso a algo.

accessoire ■ adj accesorio(ria). ■ nm 1. (de théâtre, de cinéma) atrezo (m) 2. (de machine) accesorio (m) 3. (de mode) complemento (m) 4. (chose peu importante) • **l'accessoire** lo accesorio.

accident nm accidente (m) • **accident de la circulation** accidente de tráfico • **accident du travail** accidente laboral • **accident de voiture** accidente de coche. ■ **par accident** loc adv por casualidad.

accidenté, e adj & nm, f accidentado(da).

accidentel, elle adj 1. (rencontre) accidental, casual 2. (mort) por accidente.

acclamation nf aclamación (f).

acclamer vt aclamar.

acclimatation nf aclimatación (f).

acclimater vt (animal, végétal) aclimatar.

accolade nf 1. (signe graphique) llave (f) 2. (embrassade) abrazo (m).

accommodant, e adj 1. (personne) complaciente 2. (caractère) conciliador(ra).

accommodement nm acomodamiento (m).

accommoder vt 1. (viande, poisson) preparar 2. (adapter) • **accommoder qqch à qqch** adecuar algo a algo.

accompagnateur, trice nm, f acompañante (mf).

accompagnement nm 1. MUS acompañamiento (m) 2. CULIN guarnición (f) 3. (escorte) escolta (f).

accompagner vt acompañar • **accompagner qqch de qqch** acompañar algo con algo.

accompli, e adj consumado(da).

accomplir vt cumplir. ■ **s'accomplir** vp cumplirse.

accomplissement nm cumplimiento (m).

accord nm 1. (entente, traité) acuerdo (m) 2. (acceptation) aprobación (f) • **donner son accord à** dar su aprobación a 3. MUS acorde (m) 4. GRAMM concordancia (f). ■ **d'accord** loc adv de acuerdo • **être d'accord avec qqn/qqch** estar de acuerdo con alguien/algo • **tomber** ou **se mettre d'accord** ponerse de acuerdo.

accordéon nm acordeón (m).

accorder vt 1. (attribuer) • **accorder qqch à qqn** conceder algo a alguien • **accorder de l'importance/de la valeur à qqch** conceder importancia/valor a algo 2. (harmoniser) combinar 3. GRAMM • **accorder qqch avec** concordar algo con 4. (instrument) afinar.

accoster ■ vt 1. NAUT atracar 2. (personne) abordar. ■ vi NAUT atracar.

accotement nm arcén (m) (Esp), acotamiento (m) (Amér).

accouchement nm parto (m) • **accouchement anonyme** ou **sous X** parto anónimo • **accouchement sans douleur** parto sin dolor.

accoucher ■ vi dar a luz • **accoucher de** dar a luz a. ■ vt asistir al parto.

accouder ■ **s'accouder** vp • **s'accouder à** apoyar los codos en.

accoudoir nm brazo (m) (de sillón).

accouplement nm 1. (d'animaux) apareamiento (m) 2. TECHNOL acoplamiento (m).

accoupler vt 1. (animaux) aparear, acoplar 2. TECHNOL acoplar. ■ **s'accoupler** vp (animaux) aparearse.

accourir *vi* acudir.

accoutré, e *adj péj* ataviado(da).

accoutrement *nm péj* atavío *(m)*.

accoutumer *vt* • **accoutumer qqn à qqch/à faire qqch** acostumbrar a alguien a algo/a hacer algo. ■ **s'accoutumer** *vp* • **s'accoutumer à qqn/à qqch** acostumbrarse a alguien/a algo.

accréditation *nf* acreditación *(f)*.

accréditer *vt* acreditar • **accréditer qqn auprès de** acreditar a alguien ante.

accroc *nm* **1.** *(déchirure)* desgarrón *(m)* **2.** *(incident)* contratiempo *(m)*.

accrochage *nm* **1.** *(accident)* choque *(m) (Esp)*, estrellón *(m) (Amér)* **2.** *(d'un tableau)* colocación *(f)* **3.** *fam (dispute)* agarrada *(f)*.

accroche *nf* COMM eslogan *(m)*.

accrocher *vt* **1.** *(suspendre)* colgar • **accrocher qqch à** colgar algo en **2.** *(déchirer)* engancharse • **accrocher qqch à** engancharse algo en *ou* con **3.** *(heurter)* chocar con **4.** *(attacher)* enganchar • **accrocher qqch à** enganchar algo a **5.** *(retenir l'attention de)* impactar. ■ **s'accrocher** *vp* **1.** *(s'agripper)* agarrarse • **s'accrocher à qqn/à qqch** agarrarse a alguien/a algo • *fig* aferrarse a alguien/a algo **2.** *fam (se disputer)* agarrarse **3.** *fam (persévérer)* trabajar duro.

accroissement *nm* incremento *(m)*.

accroître *vt* incrementar. ■ **s'accroître** *vp* incrementarse.

accroupir ■ **s'accroupir** *vp* ponerse en cuclillas.

accueil *nm* **1.** *(d'hôtel, etc)* recepción *(f)* **2.** *(action)* acogida *(f)*.

accueillant, e *adj* acogedor(ra).

accueillir *vt* **1.** *(recevoir)* acoger **2.** *(héberger)* alojar, albergar.

accumulateur *nm* acumulador *(m)*.

accumulation *nf* acumulación *(f)*.

accumuler *vt* acumular. ■ **s'accumuler** *vp* acumularse.

accusateur, trice *adj & nm, f* acusador(ra).

accusation *nf* acusación *(f)*.

accusé, e *nm, f* acusado *(m)*, -da *(f)*. ■ **accusé de réception** *nm* acuse *(m)* de recibo.

accuser *vt* **1.** *(gén)* acusar • **accuser qqn de qqch** acusar a alguien de algo **2.** *(accentuer)* resaltar. ■ **s'accuser** *vp* **1.** *(se rendre coupable)* culparse **2.** *(mutuellement)* acusarse.

acerbe *adj* hiriente.

acéré, e *adj* **1.** *(lame)* acerado(da) **2.** *(esprit)* incisivo(va).

achalandé, e *adj (approvisionné)* • **bien achalandé** bien surtido.

acharné, e *adj* **1.** *(combat)* encarnizado(da) **2.** *(joueur)* empedernido(da) **3.** *(travail)* intenso(sa).

acharnement *nm* **1.** *(obstination)* empeño *(m)* **2.** *(rage)* ensañamiento *(m)*.

acharner ■ **s'acharner** *vp* **1.** *(attaquer)* • **s'acharner contre** *ou* **sur** *(ennemi, victime)* ensañarse con • *(sujet : malheur, sort)* perseguir **2.** *(s'obstiner à)* • **s'acharner à** obstinarse en.

achat *nm* compra *(f)* • **faire des achats** ir de compras.

acheminer *vt* transportar. ■ **s'acheminer** *vp* • **s'acheminer vers** encaminarse hacia • *fig* ir camino de.

acheter *vt* comprar • **acheter qqch à qqn** *ou* **pour qqn** comprar algo a *ou* para alguien • **acheter qqn** *fig* comprar a alguien.

acheteur, euse *nm, f* comprador *(m)*, -ra *(f)*.

achevé, e *adj sout* rematado(da).

achèvement *nm* terminación *(f)*.

achever *vt* **1.** *(terminer)* acabar **2.** *(tuer, accabler)* acabar con. ■ **s'achever** *vp* acabarse.

acide ◼ *adj* ácido(da). ◼ *nm* ácido *(m)*.

acidité *nf* **1.** *(gén)* acidez *(f)* **2.** *(de propos)* acritud *(f)*.

acidulé, e *adj (saveur)* ácido(da).

acier *nm* acero *(m)* • **acier inoxydable** acero inoxidable.

aciérie *nf* acería *(f)*.

acné *nf* acné *(m)* • **acné juvénile** acné juvenil.

acolyte *nm péj* acólito *(m)*.

acompte *nm* anticipo *(m)*.

Aconcagua *npr* • **l'Aconcagua** el Aconcagua.

à-côté *nm* **1.** *(point accessoire)* pormenores *(mpl)* **2.** *(gén pl) (gain d'appoint)* extras *(mpl)*.

à-coup *nm* sacudida *(f)* • **par à-coups** a trompicones.

acoustique ◼ *adj* acústico(ca). ◼ *nf* acústica *(f)*.

acquéreur *nm* adquisidor *(m)*, -ra *(f)*.

acquérir *vt* **1.** *(gén)* adquirir **2.** *(procurer)* granjear. ■ **s'acquérir** *vp* granjearse.

acquiescement *nm* consentimiento *(m)*.

acquiescer *vi* asentir • **acquiescer à** consentir en.

acquis, e *adj* adquirido(da) • **être acquis à** ser adicto a • **tenir qqch pour acquis** *(pour évident)* dar algo por sabido • *(pour décidé)* dar algo por hecho. ■ **acquis** *nm* **1.** experiencia *(f)* **2.** *(savoir)* conocimientos *(mpl)*.

acquisition *nf* adquisición *(f)*.

acquit *nm (reçu)* recibo *(m)* • **pour acquit** COMM recibí *(m)* • **par acquit de conscience** para mayor tranquilidad.

acquittement *nm* **1.** *(d'une dette)* pago *(m)* **2.** *(d'accusé)* absolución *(f)*.

acquitter *vt* **1.** *(régler)* pagar **2.** *(accusé)* absolver.

âcre *adj* agrio(gria).

acrobate *nmf* acróbata *(mf)*.

acrobatie *nf* acrobacia *(f)*.

acrylique ∎ *nm* acrílico *(m)*. ∎ *adj* acrílico(ca).

acte *nm* **1.** *(action)* acto *(m)* **2.** COMM escritura *(f)* **3.** DR acta *(f)* • **acte d'accusation** acta de acusación • **acte de mariage** certificado *(m)* de matrimonio • **acte de naissance** partida *(f)* de nacimiento • **faire acte de présence** hacer acto de presencia • **prendre acte de qqch** tomar nota de algo. ∎ **actes** *nmpl* actas *(fpl)*.

acteur, trice *nm, f* actor *(m)*, -triz *(f)*.

actif, ive *adj* activo(va). ∎ **actif** *nm* FIN activo *(m)* • **avoir qqch à son actif** *fig* tener algo en su haber.

action *nf* acción *(f)* • **bonne/mauvaise action** buena/mala acción.

actionnaire *nmf* accionista *(mf)*.

actionner *vt* accionar.

activement *adv* activamente.

activer *vt* **1.** *(travaux, processus)* acelerar **2.** *(feu)* avivar, atizar. ∎ **s'activer** *vp* **1.** *(s'affairer)* afanarse **2.** *(se dépêcher)* apresurarse.

activiste *adj* & *nmf* activista.

activité *nf* actividad *(f)* • **en activité** *(volcan)* en actividad.

actualisation *nf* actualización *(f)*

actualiser *vt* actualizar. ∎ **s'actualiser** *vp* actualizarse.

actualité *nf* actualidad *(f)* • **l'actualité politique/sportive** la actualidad política/deportiva. ∎ **actualités** *nfpl* • **les actualités** el noticiario.

actuel, elle *adj* actual.

actuellement *adv* actualmente, en la actualidad.

acuité *nf* **1.** *(intensité)* gravedad *(f)* **2.** *(sensibilité)* agudeza *(f)*.

acupuncture, acuponcture *nf* acupuntura *(f)*.

adage *nm* adagio *(m)*.

adaptateur, trice *nm, f* *(personne)* adaptador *(m)*, -ra *(f)*. ∎ **adaptateur** *nm* ÉLECTR adaptador *(m)*.

adaptation *nf* adaptación *(f)*.

adapter *vt* **1.** *(gén)* • **adapter qqch à qqn/à qqch** adaptar ou adecuar algo a alguien/a algo **2.** *(fixer)* acoplar **3.** *(œuvre)* adaptar. ∎ **s'adapter** *vp* • **s'adapter (à qqch)** adaptarse (a algo).

additif, ive *adj* aditivo(va). ∎ **additif** *nm* **1.** *(à un texte)* cláusula *(f)* adicional **2.** *(substance)* aditivo *(m)*.

addition *nf* **1.** *(ajout)* adición *(f)* **2.** *(calcul)* suma *(f)* **3.** *(note)* cuenta *(f)*.

additionner *vt* **1.** *(calculer)* sumar **2.** *(ajouter)* añadir • **additionner qqch d'eau** aguar algo.

adepte *nmf* adepto *(m)*, -ta *(f)*.

adéquat, e *adj* adecuado(da).

adéquation *nf* adecuación *(f)*.

adhérence *nf* adherencia *(f)*.

adhérent, e ∎ *adj* adherente ∎ *nm, f (membre - d'une association)* miembro *(m)* • *(- d'un parti)* afiliado *(m)*, -da *(f)*.

adhérer *vi* **1.** *(coller)* adherirse **2.** *(devenir membre de)* • **adhérer à** *(une association)* hacerse miembro de • *(un parti)* afiliarse a **3.** *(être d'accord avec)* • **adhérer à** adherirse a.

adhésif, ive *adj* adhesivo(va). ∎ **adhésif** *nm* adhesivo *(m)*.

adhésion *nf* **1.** *(à une idée)* adhesión *(f)* **2.** *(à un parti)* afiliación *(f)*.

adieu ∎ *interj* ¡adiós! • **dire adieu à qqch** despedirse de algo. ∎ *nm (gén pl)* adiós *(m)* • **faire ses adieux à** despedirse de.

adipeux, euse *adj* adiposo(sa).

adjectif *nm* adjetivo *(m)* • **adjectif attribut/épithète** adjetivo atributivo/epíteto.

adjoindre *vt* agregar • **adjoindre qqn à qqn** asignar alguien a alguien.

adjoint, e ∎ *adj* adjunto(ta). ∎ *nm, f* adjunto *(m)*, -ta *(f)* - **adjoint au maire** teniente *(m)* de alcalde.

adjonction *nf* agregación *(f)*.

adjudant *nm* ≃ brigada *(m)*.

adjuger *vt* **1** *(aux enchères)* adjudicar • **adjugé !** ¡adjudicado! **2.** *(décerner)* • **adjuger qqch à qqn** otorgar algo a alguien.

admettre *vt* **1.** *(accepter, recevoir)* admitir **2.** *(supposer)* suponer • **admettons que cela soit vrai** supongamos que sea cierto **3.** *(autoriser)* autorizar • **être admis à faire qqch** tener derecho a hacer algo.

administrateur, trice *nm, f* administrador *(m)*, -ra *(f)* • **administrateur de site (Web)** INFORM administrador de web.

administratif, ive *adj* administrativo(va).

administration *nf* administración *(f)*.

administrer *vt* administrar.

admirable *adj* **1.** *(personne, comportement)* admirable **2.** *(paysage, spectacle)* maravilloso(sa).

admiratif, ive *adj* *(regard, remarque)* de admiración.

admiration *nf* admiración *(f)*.

admirer *vt* admirar.

admissible *adj* **1.** *(acceptable)* admisible **2.** SCOL & UNIV admitido, -da *(f)* *(a la segunda parte de un examen)*.

admission *nf* admisión *(f)*.

ADN *(abr de* **acide désoxyribonucléique)** *nm* ADN *(m)* • **un test ADN** una prueba de ADN.

ado *nmf fam* adolescente *(mf)*.

adolescence *nf* adolescencia *(f)*.

adolescent, e *adj* & *nm, f* adolescente.

adopter *vt* **1.** *(gén)* adoptar **2.** *(loi)* aprobar.

adoptif, ive *adj* adoptivo(va).

adoption *nf* **1.** *(d'enfant)* adopción *(f)* ∘ **d'adoption** *(famille, pays)* adoptivo(va) **2.** *(de loi)* aprobación *(f)*.

adorable *adj* adorable.

adoration *nf* adoración *(f)*.

adorer *vt* adorar ∘ **adorer qqch/faire qqch** encantarle a uno algo/hacer algo.

adoucir *vt* **1.** *(gén)* suavizar **2.** *(eau)* descalcificar. ■ **s'adoucir** *vp* **1.** *(climat)* suavizarse **2.** *(personne)* serenarse.

adoucissant, e *adj* suavizante. ■ **adoucissant** *nm* suavizante *(m)*.

adoucisseur *nm* ∘ **adoucisseur (d'eau)** descalcificador *(m)*.

adresse *nf* **1.** *(domicile)* dirección *(f)* ∘ **partir sans laisser d'adresse** irse sin dejar señas **2.** *(habileté - physique)* maña *(f)* ∘ *(- intellectuelle)* ingenio *(m)* **3.** INFORM dirección *(f)* ∘ **adresse (de courrier) électronique** dirección de correo electrónico, dirección electrónica ∘ **adresse Web** dirección web **4.** *(intention)* ∘ **à l'adresse de qqn** a la atención de alguien.

adresser *vt* **1.** *(envoyer)* remitir ∘ **adresser qqch à qqn** remitir algo a alguien **2.** *(reproche, compliment)* hacer ∘ **adresser la parole à qqn** dirigir la palabra a alguien **3.** *(recommander)* ∘ **adresser qqn à qqn** mandar OU enviar alguien a alguien. ■ **s'adresser** *vp* ∘ **s'adresser à qqn** *(parler à qqn)* dirigirse a alguien ∘ *(être destiné à qqn)* estar destinado(da) a alguien.

adroit, e *adj* **1.** *(habile)* diestro(tra) **2.** *(ingénieux)* hábil.

adroitement *adv* **1.** *(avec dextérité)* con destreza **2.** *(avec finesse)* con habilidad.

aduler *vt* adular.

adulte *adj & nmf* adulto(ta).

adultère ◼ *nm* adulterio *(m)*. ◼ *adj* adúltero(ra).

advenir *vi* pasar ∘ **qu'adviendra-t-il de ce projet ?** ¿qué será de este proyecto?

adverbe *nm* adverbio *(m)*.

adversaire *nmf* adversario *(m)*, -ria *(f)*.

adverse *adj* **1.** *(opposé)* opuesto(ta) **2.** DR ▷ **partie**.

adversité *nf* adversidad *(f)*.

aération *nf* ventilación *(f)*.

aérer *vt* **1.** *(pièce)* ventilar **2.** *(linge)* airear, orear **3.** *fig (texte)* airear.

aérien, enne *adj* aéreo(rea).

aérobic *nm* aerobic *(m)*.

aérodrome *nm* aeródromo *(m)*.

aérodynamique ◼ *nf* aerodinámica *(f)*. ◼ *adj* aerodinámico(ca).

aérogare *nf* **1.** *(aéroport)* terminal *(f)* **2.** *(gare)* estación *(f)* terminal.

aéroglisseur *nm* aerodeslizador *(m)*.

aérogramme *nm* aerograma *(m)*.

aéronautique ◼ *nf* aeronáutica *(f)*. ◼ *adj* aeronáutico(ca).

aéronaval, e *adj* aeronaval.

aérophagie *nf* aerofagia *(f)*.

aéroport *nm* aeropuerto *(m)*.

aéroporté, e *adj* aerotransportado(da).

aérosol ◼ *nm* aerosol *(m)*. ◼ *adj inv* en aerosol.

aérospatial, e *adj* aeroespacial. ■ **aérospatiale** *nf* tecnología *(f)* aeroespacial.

affable *adj* afable.

affaiblir *vt* debilitar. ◼ **s'affaiblir** *vp* debilitarse.

affaire *nf* **1.** *(gén)* asunto *(m)* **2.** *(question)* cuestión *(f)* **3.** *(marché avantageux)* ganga *(f)* **4.** COMM negocio *(m)* **5.** *(polémique)* caso *(m)* ∘ **avoir affaire à qqn** *(traiter avec qqn)* tener que tratar con alguien ∘ **il aura affaire à moi** tendrá que vérselas conmigo ∘ **ça fera l'affaire** con esto me apaño. ■ **affaires** *nfpl* **1.** COMM negocios *(mpl)* **2.** *(objets personnels)* cosas *(fpl)* **3.** *(activités publiques et privées)* asuntos *(mpl)* ∘ **les Affaires étrangères** Asuntos exteriores.

affairé, e *adj* atareado(da).

affairer ■ **s'affairer** *vp* atarearse.

affairisme *nm* mercantilismo *(m)*.

affaisser ■ **s'affaisser** *vp* **1.** *(se creuser)* hundirse **2.** *(tomber)* desplomarse.

affaler ■ **s'affaler** *vp* repantingarse.

affamé, e *adj* hambriento(ta).

affecté, e *adj* afectado(da).

affecter *vt* **1.** *(consacrer)* destinar **2.** *(nommer)* ∘ **affecter qqn à** *(poste, lieu)* destinar a alguien a **3.** *(feindre)* fingir ∘ **affecter d'être heureux** fingir ser feliz.

affectif, ive *adj* afectivo(va).

affection *nf* **1.** *(sentiment)* afecto *(m)* **2.** *(maladie)* afección *(f)*.

affectionner *vt* *(chose)* adorar.

affectueux, euse *adj* afectuoso(sa).

affichage *nm* **1.** *(action d'afficher)* fijación *(f)* **2.** INFORM visualización *(f)* ∘ **affichage numérique** visualización numérica.

affiche *nf* cartel *(m) (Esp)*, afiche *(m) (Amér)*.

afficher *vt* **1.** *(liste, affiche)* fijar **2.** *fig (montrer)* hacer alarde de **3.** INFORM visualizar.

affilée ■ **d'affilée** *loc adv* de un tirón.

affiler *vt* afilar.

affiner *vt* refinar.

affinité *nf* afinidad *(f)* ∘ **avoir des affinités avec qqn** tener afinidades con alguien.

affirmatif, ive *adj* **1.** *(réponse)* afirmativo(va) **2.** *(ton)* categórico(ca). ■ **affirmatif** *adv* sí. ■ **affirmative** *nf* afirmación *(f)* ∘ **dans l'affirmative** en caso afirmativo ∘ **répondre par l'affirmative** responder afirmativamente.

affirmation *nf* afirmación *(f)*.

affirmer vt afirmar.

affleurer vi aflorar.

affliction nf sout aflicción (f).

affligé, e adj afligido(da).

affligeant, e adj penoso(sa).

affliger vt 1. sout (attrister) afligir 2. (accabler) • **être affligé de qqch** estar aquejado de algo. ■ **s'affliger** vp • **s'affliger de qqch** sout afligirse por algo.

affluence nf afluencia (f).

affluent nm afluente (m).

affluer vi afluir.

afflux nm 1. (gén) afluencia (f) 2. MÉD aflujo (m).

affoler vt 1. (inquiéter) alarmar 2. (troubler) turbar. ■ **s'affoler** vp (paniquer) perder la calma.

affranchir vt 1. (timbrer) franquear 2. (esclave) libertar

affranchissement nm 1. (timbrage) franqueo (m) 2. (libération) liberación (f).

affreux euse adj horrible.

affriolant, e adj provocativo(va).

affront nm afrenta (f).

affrontement nm enfrentamiento (m).

affronter vt 1. (personne) enfrentarse a ou con 2. (situation) afrontar.

affubler vt péj • **affubler qqn de qqch** ataviar a alguien con algo.

affût nm • **être à l'affût (de qqch)** fig estar al acecho (de algo).

affûter vt afilar.

afin ■ **afin de** loc prép a fin de, con el fin de. ■ **afin que** loc conj con el fin de que • **écris lisiblement afin que l'on puisse te lire** escribe de manera legible con el fin de que se pueda leer lo que escribes.

africain, e adj africano(na). ■ **Africain, e** nm, f africano (m), -na (f).

Afrique npr • **l'Afrique** África • **l'Afrique noire** el África negra • **l'Afrique du Nord** África del Norte • **l'Afrique du Sud** Sudáfrica.

afro adj inv afro.

after-shave ■ nm inv loción (f) para después del afeitado. ■ adj inv para después del afeitado.

AG (abr de **assemblée générale**) nf JG (f).

agaçant, e adj irritante.

agacer vt irritar.

âge nm edad (f) • **d'âge mûr** de edad madura • **d'un âge avancé** de edad avanzada • **l'âge ingrat** a edad del pavo • **prendre de l'âge** hacerse mayor • **quel âge as-tu ?** ¿cuántos años tienes? • **âge d'or** edad de oro • **âge mental** edad mental • **le troisième âge** la tercera edad.

âgé, e adj mayor • **être âgé de 20 ans** tener 20 años.

agence nf agencia (f) • **agence immobilière/matrimoniale** agencia inmobiliaria/matrimonial • **agence de publicité** agencia de publicidad • **agence de voyages** agencia de viajes.

agencer vt 1. (éléments) disponer 2. (espace) distribuir 3. (texte) estructurar.

agenda nm agenda (f) • **agenda électronique** agenda electrónica.

agenouiller ■ **s'agenouiller** vp arrodillarse.

agent nm agente (m) • **agent de change** agente de cambio y bolsa • **agent de police** ≃ guardia (m), agente (m) de policía • **agent secret** agente secreto.

agglomération nf 1. (amas) aglomeración (f) 2. (ville) núcleo (m) de población.

aggloméré nm conglomerado (m).

agglomérer vt aglomerar, conglomerar.

agglutiner vt aglutinar. ■ **s'agglutiner** vp aglutinarse.

aggraver vt agravar. ■ **s'aggraver** vp agravarse.

agile adj ágil.

agilité nf agilidad (f).

agir vi 1. (faire) actuar 2. (se comporter) comportarse 3. (influer) • **agir sur qqn/qqch** influir sobre alguien/algo 4. (être efficace) surtir efecto. ■ **s'agir** v impers • **il s'agit de faire qqch** se trata de hacer algo • **il s'agit de qqn/qqch** se trata de alguien/de algo • **de quoi s'agit-il ?** ¿de qué se trata?

agissements nmpl artimañas (fpl).

agitateur, trice nm, f POLIT agitador (m), -ra (f). ■ **agitateur** nm CHIM agitador (m).

agitation nf agitación (f).

agité, e adj agitado(da).

agiter vt agitar. ■ **s'agiter** vp 1. (bouger) moverse 2. fam (se dépêcher) espabilarse.

agneau nm 1. (animal, viande) cordero (m) 2. (fourrure) piel (f) de cordero.

agonie nf 1. (de personne) agonía (f) 2. fig (déclin) declive (m).

agoniser vi agonizar.

agrafe nf grapa (f) (Esp), grampa (f) (Amér).

agrafer vt 1. (papiers) grapar 2. (vêtement) abrochar.

agrafeuse nf grapadora (f) (Esp), corchetera (f) (Amér).

agraire adj agrario(ria).

agrandir vt ampliar. ■ **s'agrandir** vp crecer.

agrandissement nm ampliación (f).

agréable adj agradable.

agréer vt sout (accepter) • **agréer une demande** admitir una demanda • **Veuillez agréer mes salutations distinguées** ou **l'expression de mes sentiments distingués** le saluda atentamente.

agrégation *nf* oposición *(f)* a cátedra.

agrégé, e *nm, f* $\simeq$ catedrático *(m)*, -ca *(f)*.

agrément *nm sout* **1.** *(caractère agréable)* encanto *(m)* • **d'agrément** *(voyage)* de placer **2.** *(approbation)* consentimiento *(m)*.

agrès *nmpl* aparatos *(mpl)* de gimnasia.

agresser *vt* agredir.

agressif, ive *adj* agresivo(va).

agression *nf* agresión *(f)*.

agressivité *nf* agresividad *(f)*.

agricole *adj* agrícola.

agriculteur, trice *nm, f* agricultor *(m)*, -ra *(f)*.

agriculture *nf* agricultura *(f)*.

agripper *vt* agarrar.

agroalimentaire *adj* *(industrie, produit)* agroalimentario(ria).

agronome *adj* agrónomo(ma).

agrumes *nmpl* cítricos *(mpl)*.

aguets ■ **aux aguets** *loc adv* al acecho • **être aux aguets** estar al acecho.

ahuri, e ■ *adj* *(abasourdi)* asombrado(da). ■ *nm, f* *(idiot)* atolondrado *(m)*, -da *(f)*.

ahurissant, e *adj* pasmoso(sa).

aide ■ *nf* ayuda *(f)* • **venir en aide à qqn** venir en ayuda de alguien • **aide sociale** asistencia *(f)* social. ■ *nmf* ayudante *(mf)*. ■ **à l'aide de** *loc prép* con ayuda de. ■ **aide familiale** *nf* ayuda familiar. ■ **aide ménagère** *nf* ayuda doméstica.

S'EXPRIMER...

proposer son aide

¿Te/Le puedo ayudar? / **Puis-je t'aider/vous aider ?** ¿En qué te/le puedo ayudar? / **Que puis-je faire pour toi/vous ?** Si quiere, me ocupo de ello. / **Si vous voulez, je m'en charge.**

aide-comptable *nmf* auxiliar *(mf)* de contabilidad.

aide-éducateur, trice *nm, f* scol asistente *(m)* educativo, asistente *(f)* educativa.

aide-mémoire *nm inv* cuaderno *(m)* de notas.

aider *vt* ayudar • **aider qqn à faire qqch** ayudar a alguien a hacer algo. ■ **s'aider** *vp* **1.** *(s'assister mutuellement)* ayudarse **2.** *(avoir recours)* • **s'aider de qqch** valerse de algo.

aide-soignant, e *nm, f* auxiliar *(mf)* de clínica.

aïe *interj* **1.** *(de douleur)* ¡ay! **2.** *(de désagrément)* ¡vaya!

aïeul, e *nm, f sout* abuelo *(m)*, -la *(f)* *(Esp)*, papá grande *(m)*, mamá grande *(f)* *(Amér)*.

aïeux *nmpl sout* antepasados *(mpl)*.

aigle *nm* águila *(f)*.

aigre ■ *adj* **1.** *(saveur, propos)* agrio(gria) **2.** *(odeur)* acre. ■ *nm* • **tourner à l'aigre** *(discussion, débat)* subir de tono.

aigre-doux, aigre-douce *adj* agridulce.

aigrelet, ette *adj* **1.** *(vin)* ligeramente agrio *(agria)* **2.** *(voix)* agudo(da).

aigreur *nf* **1.** *(d'aliment)* agrura *(f)* **2.** *(de propos)* acritud *(f)*. ■ **aigreurs d'estomac** *nfpl* acidez *(f)* de estómago.

aigri, e *adj* & *nm, f* amargado(da).

aigu, uë *adj* **1.** *(gén)* agudo(da) **2.** *(lame)* afilado(da) *(Esp)*, filoso(sa) *(Amér)*. ■ **aigu** *nm* mus agudo *(m)*.

aiguillage *nm* rail cambio *(m)* de agujas • **c'est une erreur d'aiguillage** *fig* no era el buen camino.

aiguille *nf* **1.** *(gén)* aguja *(f)* • **aiguille à coudre** aguja de coser • **aiguille de pin** aguja de pino • **aiguille à tricoter** aguja de punto **2.** géogr pico *(m)*.

aiguiller *vt litt* & *fig* encarrilar.

aiguilleur *nm* rail guardagujas *(m inv)*. ■ **aiguilleur du ciel** *nm* controlador aéreo *(m)*, controladora aérea *(f)*.

aiguiser *vt* **1.** *(outil)* afilar **2.** *(sensation)* aguzar.

ail *nm* ajo *(m)*.

aile *nf* **1.** *(gén)* ala *(f)* **2.** *(de moulin)* aspa *(f)* **3.** *(de voiture, de nez)* aleta *(f)*.

aileron *nm* **1.** *(de requin)* aleta *(f)* **2.** *(d'avion)* alerón *(m)*.

ailier *nm* extremo *(m)*.

ailleurs ■ *adv* en otro lugar, en otra parte. ■ *nm* otro lugar *(m)*. ■ **d'ailleurs** *loc adv* **1.** *(de plus)* además • **il ne me plaît pas d'ailleurs, c'est réciproque** no me gusta y además yo a él tampoco **2.** *(du reste)* por cierto • **il est très jeune, et très compétent d'ailleurs** es muy joven y, por cierto, muy competente. ■ **par ailleurs** *loc adv* por otro lado, por otra parte.

aimable *adj* amable.

aimablement *adv* amablemente, con amabilidad.

aimant, e *adj* cariñoso(sa). ■ **aimant** *nm* imán *(m)*.

aimer *vt*

1. éprouver de l'affection pour quelqu'un = querer, amar *sout*
  • **David aime beaucoup sa mère** David quiere mucho a su madre
  • **aimer son prochain** amar al prójimo
2. éprouver de l'amour pour quelqu'un
  • **je t'aime** te quiero
3. apprécier quelque chose = gustar
  • **j'aime peindre** me gusta pintar
  • **j'aime qu'il fasse chaud** me gusta que haga calor
  • **j'aime bien cuisiner** me gusta cocinar.

■ **aimer mieux** *vt*

PRÉFÉRER
• **j'aime mieux lire que regarder la télévision** prefiero leer a ver televisión.

■ **s'aimer** *vp*

1. MUTUELLEMENT = quererse, amarse *sout* • **ces deux-là s'aiment vraiment** esos dos se quieren de verdad **2.** SOI-MÊME = gustarse • **je m'aime bien dans cette robe** me gusta como me queda este vestido.

À PROPOS DE...

aimer

Gustar se construit comme le verbe « plaire » en français.

aine *nf* ingle *(f)*.

aîné, e ■ *adj* mayor. ■ *nm, f* mayor *(mf)* • **elle est mon aînée de deux ans** es dos años mayor que yo.

ainsi *adv* **1.** *(de cette manière)* así • **pour ainsi dire** por así decirlo • **ainsi soit-il** así sea **2.** *(par conséquent)* así • **ainsi donc** así pues. ■ **ainsi que** *loc conj* **1.** *sout (comme)* como **2.** *(de même que, et)* así como.

aïoli = ailloli.

air *nm* aire *(m)* • **il a l'air sérieux** tiene cara de serio • **il a l'air de pleurer** parece que está llorando • **en l'air** *(paroles, promesses)* vano(na) • **en plein air** al aire libre • **prendre l'air** tomar el aire • **regarder en l'air** mirar hacia arriba • **air conditionné** aire acondicionado. ■ **airs** *nmpl* • **prendre de grands airs** darse muchos aires.

Airbag® *nm* airbag® *(m)*.

aire *nf* **1.** *(gén)* área *(f)* • **aire de jeux/de repos** área de juegos/de descanso **2.** *(nid)* aguilera *(f)*.

aisance *nf* **1.** *(facilité)* facilidad *(f)* **2.** *(richesse)* desahogo *(m)* • **vivre dans l'aisance** vivir desahogadamente.

aise ■ *nf* • **être à l'aise, être à son aise** estar cómodo(da) • **mettre qqn mal à l'aise** hacer que alguien se sienta a disgusto. ■ *adj* • **j'en suis bien aise !** *sout* ¡cuánto me alegro! ■ **aises** *nfpl* • **aimer ses aises** ser comodón • **prendre ses aises** instalarse a sus anchas.

aisé, e *adj* **1.** *(facile)* fácil **2.** *(riche)* acomodado(da).

aisément *adv* fácilmente.

aisselle *nf* axila *(f)*.

ajonc *nm* aulaga *(f)*.

ajourner *vt* **1.** *(reporter)* aplazar **2.** *(recaler)* suspender.

ajout *nm* añadido *(m)*.

ajouter *vt* añadir • **ajouter foi à qqch** dar crédito a algo. ■ **s'ajouter** *vp* • **s'ajouter à qqch** sumarse a algo.

ajuster *vt* **1.** *(pièce, vêtement)* ajustar **2.** *(coiffure, cravate)* arreglar **3.** *(tir)* apuntar. ■ **s'ajuster** *vp* ajustarse.

ajusteur *nm* ajustador *(m)*.

alangui, e *adj* lánguido(da).

alaouite *adj* alauí, alauita.

alarme *nf* alarma *(f)* • **donner l'alarme** dar la alarma.

alarmer *vt* alarmar. ■ **s'alarmer** *vp* alarmarse.

Albanie *npr* • **l'Albanie** Albania.

albâtre *nm* alabastro *(m)*.

albatros *nm* albatros *(m inv)*.

albinos *adj inv* & *nmf* albino(na).

album *nm* álbum *(m)* • **album (de) photos** álbum de fotos.

alchimiste *nmf* alquimista *(mf)*.

alcool *nm* alcohol *(m)* • **alcool à 90°/à brûler** alcohol de 90/de quemar.

alcoolique *adj* & *nmf* alcohólico(ca).

alcoolisé, e *adj* alcohólico(ca).

alcoolisme *nm* alcoholismo *(m)*.

Alcootest®, **Alcotest**® *nm* alcohómetro *(m)* • **passer un Alcootest** hacer la prueba de alcoholemia.

alcôve *nf* alcoba *(f)* • **nicho**.

aléatoire *adj* aleatorio(ria).

alentour *adv* *sout* alrededor. ■ **alentours** *nmpl* *(abords)* alrededores *(mpl)* • **aux alentours de** *(spatial)* cerca de • *(temporel)* alrededor de.

alerte ■ *adj* **1.** *(gén)* ágil **2.** *(esprit)* vivo(va). ■ *nf* alarma *(f)* • **donner l'alerte** dar la alarma • **alerte à la bombe** alarma de bomba.

alerter *vt* **1.** *(clamer)* alertar **2.** *(informer - police, pompiers)* avisar • *(- presse)* poner sobre alerta.

algèbre *nf* álgebra *(f)*

Alger *npr* Argel.

Algérie *npr* • **l'Algérie** Argelia.

algérien, enne *adj* argelino(na). ■ **Algérien, enne** *nm, f* argelino *(m)*, -na *(f)*.

algue *nf* alga *(f)* *(Esp)*, huiro *(m)* *(Amér)*.

alibi *nm* coartada *(f)*.

aliénation *nf* **1.** *(asservissement)* alienación *(f)* **2.** DR & MÉD enajenación *(f)* • **aliénation mentale** enajenación mental.

aliéné, e ■ *adj* **1.** *(asservi)* alienado(da) **2.** DR & MÉD enajenado(da). ■ *nm, f* enajenado *(m)*, -da *(f)*.

aliéner *vt* **1.** *(asservir)* alienar **2.** *(renoncer à)* renunciar a. ■ **s'aliéner** *vp* enajenarse.

alignement *nm* *(disposition)* alineación *(f)*.

aligner *vt* **1.** *(disposer en ligne)* alinear **2.** *(présenter)* exponer **3.** *(adapter)* • **aligner qqch sur**

qqch ajustar algo a algo. ■ **s'aligner** *vp* **1.** *(élèves, soldats)* ponerse en fila **2.** *(se conformer à)* • **s'aligner sur qqch** alinearse con algo.

aliment *nm* alimento *(m)*.

alimentaire *adj* **1.** *(produit)* alimenticio(cia) **2.** *(industrie)* alimentario(ria) • **c'est un travail purement alimentaire** trabajo en eso porque tengo que comer.

alimentation *nf* **1.** *(nourriture)* alimentación *(f)* **2.** *(approvisionnement)* abastecimiento *(m)*, suministro *(m)*.

alimenter *vt* **1.** *(nourrir)* alimentar **2.** *(approvisionner)* • **alimenter qqch en qqch** abastecer algo de algo, suministrar algo a algo **3.** *fig (entretenir)* dar pie a.

alinéa *nm* **1.** *(retrait de ligne)* sangría *(f)* **2.** *(paragraphe)* párrafo *(m)*.

aliter *vt* • **être alité** guardar cama. ■ **s'aliter** *vp* encamarse.

allaitement *nm* lactancia *(f)*.

allaiter *vt* amamantar.

alléchant, e *adj* **1.** *(gâteau)* apetitoso(sa) **2.** *(proposition)* tentador(ra).

allécher *vt* **1.** *(appâter)* atraer **2.** *(séduire)* tentar.

allée *nf* **1.** *(de parc)* paseo *(m)* **2.** *(de jardin)* camino *(m)* **3.** *(de cinéma, d'avion)* pasillo *(m)* *(entre sillas o butacas)* **4.** *(trajet)* • **allées et venues** idas y venidas.

allégé, e *adj* **1.** *(aliment)* light **2.** *(régime)* bajo(ja) en calorías.

alléger *vt* **1.** *(poids)* aligerar **2.** *(impôts)* reducir **3.** *(douleur)* aliviar.

allégorie *nf* alegoría *(f)*.

allègre *adj* **1.** vivo(va) **2.** *(humor)* jovial.

allégresse *nf* júbilo *(m)*.

alléguer *vt* alegar • **alléguer que** alegar que.

Allemagne *npr* • **l'Allemagne** Alemania.

allemand, e *adj* alemán(ana). ■ **allemand** *nm* LING alemán *(m)*. ■ **Allemand, e** *nm, f* alemán *(m)*, -ana *(f)*.

aller *nm*

1. PARCOURS = ida *(f)*
   • **l'aller m'a paru long** la ida me ha parecido larga
2. BILLET = billete *(m)* de ida
   • **un aller pour Madrid** un billete de ida para Madrid.

aller *vi*

1. SE DÉPLACER D'UN LIEU À UN AUTRE = ir a
   • **aller faire qqch** ir a hacer algo
   • **aller chercher les enfants à l'école** ir a buscar a los niños a la escuela
   • **allons-y !** ¡vamos!
2. CONVENIR, ÊTRE ADAPTÉ À = ir, sentar, pegar con
   • **cette robe te va bien** este vestido te va ou sienta bien

   • **ces chaussures ne vont pas avec cette robe** estos zapatos no pegan con este vestido
3. INDIQUE UN ÉTAT = estar
   • **– comment ça va ? – ça va** – ¿qué tal? – bien
   • **je vais bien** estoy bien
   • **aller mieux** estar mejor
4. DANS DES EXPRESSIONS
   • **allez !** ¡venga!
   • **cela va de soi** es evidente
   • **cela va sans dire** ni que decirlo
   • **il y va de sa vie** su vida está en juego.

aller *v aux*

SUIVI DE L'INFINITIF, POUR EXPRIMER LE FUTUR IMMÉDIAT = ir a
   • **je vais arriver en retard** voy a llegar tarde.

■ **s'en aller** *vp*

irse
   • **allez-vous-en !** ¡iros!, ¡marchaos!

allergie *nf* alergia *(f)* • **allergie à qqch** alergia a algo.

allergique *adj* alérgico(ca) • **allergique à qqch** alérgico(ca) a algo.

aller-retour *nm* ida y vuelta *(f)*.

alliage *nm* aleación *(f)*.

alliance *nf* **1.** *(union)* alianza *(f)* **2.** *(anneau)* anillo *(m)* de boda **3.** *(mariage)* enlace *(m)* • **par alliance** *(parent)* político(ca). ■ **Alliance française** *nf* • **l'Alliance française** la Alianza Francesa *(institución encargada de la enseñanza y promoción de la lengua y cultura francesas en el extranjero)*.

allié, e *nm, f* aliado *(m)*, -da *(f)*.

allier *vt* **1.** *(métaux)* alear **2.** *fig (personne, groupe)* aliar. ■ **s'allier** *vp* aliarse • **s'allier à** aliarse con.

alligator *nm* aligátor *(m)*.

allô *interj* **1.** *(en décrochant)* ¿diga? **2.** *(sollicitant une réponse)* ¿oiga?

allocation *nf* subsidio *(m)* • **accorder/verser une allocation** conceder/dar un subsidio • **allocation (de) chômage** subsidio de desempleo • **allocation (de) logement** subsidio de vivienda • **allocations familiales** prestaciones familiares.

allocs *(abr de allocations familiales) nfpl fam* • **les allocs** las prestaciones familiares.

allocution *nf* alocución *(f)*.

allonger ◪ *vt* **1.** *(vêtement, silhouette)* alargar **2.** *(étendre - membre)* estirar • *(- personne)* tender **3.** *fam (argent)* apoquinar **4.** *fam (coup)* largar **5.** CULIN *(sauce)* aclarar. ◪ *vi (jours)* alargarse. ■ **s'allonger** *vp* **1.** *(se coucher)* echarse **2.** *(devenir plus long)* alargarse.

allopathique *adj* alopático(ca).

allumage *nm* encendido *(m)*.

allume-cigares *nm inv* encendedor *(m) (de coche)*.

allume-gaz *nm inv* encendedor *(m) (de cocina)*.

allumer *vt* 1. *(gén)* encender 2. *(éclairer)* encender la luz de 3. *fam (exciter)* poner caliente.

allumette *nf* cerilla *(f) (Esp)*, cerillo *(m) (Amér)*.

allumeuse *nf fam péj* calientabraguetas *(f inv)*.

allure *nf* 1. *(vitesse)* velocidad *(f)* • **à toute allure** a toda marcha 2. *(prestance)* porte *(m)* • **avoir de l'allure** tener clase 3. *(apparence)* aspecto *(m)*.

allusion *nf* alusión *(f)* • **faire allusion à qqch/à qqn** referirse a algo/a alguien.

alluvions *nfpl* aluviones *(mpl)*.

almanach *nm* almanaque *(m)*.

aloès *nm* áloe *(m)*.

aloi *nm* • **de bon/de mauvais aloi** de buen/malgusto.

alors *adv* entonces • **et alors, qu'est-ce qui s'est passé ?** y, ¿qué pasó? • **il va se mettre en colère et alors ?** se va a enfadar ¿y qué? • **ou alors** o si no • **alors, qu'est-ce qu'on fait ?** bueno ¿qué hacemos? • **ça alors !** ¡vaya! ■ **jusqu'alors** *loc adv* hasta entonces • **il n'avait rien dit jusqu'alors** no había dicho nada hasta entonces ■ **alors que** *loc conj* 1. *(exprimant le temps)* cuando, mientras que • **l'orage éclata alors que nous étions dehors** la tormenta estalló cuando estábamos fuera 2. *(exprimant l'opposition)* aunque • **on m'accuse alors que je suis innocent** me acusan aunque soy inocente.

alouette *nf* alondra *(f)*.

alourdir *vt* 1. *(véhicule, paquet)* volver pesado(da) 2. *fig (impôts, charges)* incrementar 3. *(phrase, style)* recargar.

aloyau *nm* solomillo *(m)*.

Alpes *npr* • **les Alpes** los Alpes.

alphabet *nm* alfabeto *(m)* • **alphabet braille** alfabeto Braille • **alphabet Morse** alfabeto Morse.

alphabétique *adj* alfabético(ca).

alphabétiser *vt* alfabetizar.

alpin, e *adj* alpino(na).

alpinisme *nm* alpinismo *(m)*.

alter ego *nm inv* alter ego *(m inv)*.

altérer *vt* alterar. ■ **s'altérer** *vp* alterarse.

alter-mondialisation *nf* altermundialización *(f)*.

alter-mondialiste *adj* & *nmf* altermundialista.

alternance *nf* alternancia *(f)* • **en alternance** alternativamente.

alternatif, ive *adj* 1. *(périodique)* alterno(na) 2. *(parallèle)* alternativo(va). ■ **alternative** *nf* alternativa *(f)*.

alternativement *adv* alternativamente.

alterner ■ *vt* alternar • **faire alterner qqch et qqch** alternar algo con algo. ■ *vi* alternarse • **alterner avec qqch** alternarse con algo.

altier, ère *adj sout* altanero(ra).

altitude *nf* altura *(f)* altitud *(f)* • **le village est situé à 1 500 m d'altitude** el pueblo está a 1.500 m de altitud.

alto *nm* 1. *(voix)* contralto *(m)* 2. *(instrument)* viola *(f)*.

alu *fam* ■ *nm* Albal® *(m)*. ■ *adj* • **papier alu** papel *(m)* Albal®.

aluminium *nm* aluminio *(m)*.

alvéole *nm ou nf* 1. *(cavité)* celdilla *(f)* 2. ANAT alvéolo *(m)*.

amabilité *nf* amabilidad *(f)* • **avoir l'amabilité de faire qqch** tener la amabilidad de hacer algo.

amadouer *vt* engatusar.

amaigrir *vt* enflaquecer.

amaigrissant, e *adj* adelgazante.

amaigrissement *nm* adelgazamiento *(m)*.

amalgame *nm* amalgama *(f)* • **il ne faut pas faire l'amalgame entre ces deux situations** no hay que mezclar las dos situaciones.

amalgamer *vt* amalgamar.

amande *nf* almendra *(f)*.

amandier *nm* almendro *(m)*.

amant *nm* amante *(m)* • **avoir/prendre un amant** tener/echarse un amante.

amarre *nf* amarra *(f)*.

amarrer *vt* amarrar.

amas *nm* montón *(m)*.

amasser *vt* amontonar *(Esp)*, arrumar *(Amér)*.

amateur *nm* 1. *(par plaisir)* aficionado *(m)*, -da *(f)* • **en amateur** como afición • **être amateur de qqch** ser aficionado a algo 2. SPORT amateur *(mf)* 3. *péj (dilettante)* • **c'est un travail d'amateur** es un trabajo de aficionados.

Amazonie *npr* • **l'Amazonie** la Amazonia.

amazonien, enne *adj* amazónico(ca).

ambassade *nf* embajada *(f)*.

ambassadeur, drice *nm, f* embajador *(m)*, -ra *(f)*.

ambiance *nf* ambiente *(m)*.

ambiant, e *adj* ambiente.

ambidextre *adj* & *nmf* ambidextro(tra).

ambigu, uë *adj* ambiguo(gua).

ambiguïté *nf* ambigüedad *(f)*.

ambitieux, euse *adj* & *nm, f* ambicioso(sa).

ambition *nf* 1. *(désir de réussite)* ambición *(f)* 2. *(souhait)* ilusión *(f)* • **avoir l'ambition de faire qqch** tener la ilusión de hacer algo.

ambivalent, e *adj* ambivalente.

ambre *nm* ámbar *(m)*.

ambré, e *adj* ambarino(na).

ambulance *nf* ambulancia *(f)*.

ambulant, e *adj* ambulante.

âme *nf* alma *(f)* • **âme sœur** alma gemela.

amélioration *nf* mejora *(f)*.

améliorer *vt* mejorar. ■ **s'améliorer** *vp* mejorarse.

amen *adv* amén.

aménagement *nm* **1.** *(de lieu)* habilitación *(f)*, acondicionamiento *(m)* **2.** *(de programme)* planificación *(f)*.

aménager *vt* **1.** *(lieu)* habilitar, acondicionar **2.** *(programme)* planificar.

amende *nf* multa *(f)*.

amender *vt* **1.** *(projet de loi)* enmendar **2.** *(sol)* abonar. ■ **s'amender** *vp* enmendarse.

amener *vt* **1.** *(emmener)* llevar **2.** *(faire venir avec soi)* traer **3.** *(inciter)* • **amener qqn à faire qqch** inducir a alguien a hacer algo **4.** *(occasionner)* acarrear **5.** *fig (conclusion, dénouement)* planificar.

amenuiser *vt* **1.** *(amoindrir)* achicar **2.** *(économies, espoir)* disminuir. ■ **s'amenuiser** *vp* reducirse.

amer, ère *adj* amargo(ga) *(Esp)*, amargoso(sa) *(Amér)*.

américain, e *adj* americano(na), norteamericano(na). ■ **américain** *nm* LING (inglés) americano *(m)*. ■ **Américain, e** *nm, f* americano *(m)*, -na *(f)*, norteamericano *(m)*, -na *(f)*.

Amérique *npr* • **l'Amérique** América • **l'Amérique centrale** América Central, Centroamérica • **l'Amérique latine** América Latina, Latinoamérica • **l'Amérique du Nord** América del Norte, Norteamérica • **l'Amérique du Sud** América del Sur, Sudamérica.

amertume *nf* **1.** *(goût)* amargor *(m)* **2.** *(rancœur)* amargura *(f)*.

améthyste *nf* amatista *(f)*.

ameublement *nm* mobiliario *(m)*.

ami, e ■ *adj* amigo(ga) *(Esp)*, compa *(Amér)*. ■ *nm, f* amigo *(m)*, -ga *(f)* • **petit ami** novio *(m)*.

amiable ■ **à l'amiable** *loc adv* • **régler qqch à l'amiable** solventar algo amistosamente.

amiante *nm* amianto *(m)*.

amibe *nf* ameba *(f)*.

amical, e *adj* amistoso(sa). ■ **amicale** *nf* asociación *(f)*.

amidon *nm* almidón *(m)*.

amidonner *vt* almidonar.

amincissant, e *adj* adelgazante.

amiral *nm* almirante *(m)*.

amitié *nf* **1.** *(rapports amicaux)* amistad *(f)* **2.** *(affection)* afecto *(m)*. ■ **amitiés** *nfpl* • **faire ses amitiés à qqn** dar recuerdos a alguien.

ammoniac *nm* *(gaz)* amoniaco *(m)*.

ammoniaque *nf* amoniaco *(m)*.

amnésie *nf* amnesia *(f)*.

amniocentèse *nf* amniocentesis *(f inv)*.

amnistie *nf* amnistía *(f)*.

amnistier *vt* amnistiar.

amoindrir *vt* disminuir.

amonceler *vt* amontonar.

amont *nm* curso *(m)* alto • **en amont** *(d'une rivière)* río arriba • *fig* antes.

amoral, e *adj* **1.** *(qui ignore la morale)* amoral **2.** *(débauché)* inmoral.

amorce *nf* **1.** *(d'explosif, d'hameçon)* cebo *(m)* **2.** *fig (commencement)* inicio *(m)*.

amorcer *vt* **1.** *(explosif, hameçon)* cebar **2.** *fig (commencer)* iniciar.

amorphe *adj* **1.** *(personne)* amuermado(da) **2.** *(matériau)* amorfo(fa).

amortir *vt* **1.** *(choc, bruit)* amortiguar **2.** *(dette, achat)* amortizar.

amour *nm* *(gén)* amor *(m)* • **faire l'amour** hacer el amor.

amoureux, euse ■ *adj* **1.** *(personne)* enamorado(da) • **tomber amoureux de qqn** enamorarse de alguien **2.** *(geste)* amoroso(sa) **3.** *(regard)* de amor. ■ *nm, f* enamorado *(m)*, -da *(f)* • **amoureux de qqch** amante *(mf)* de algo. ■ **amoureux** *nm* novio *(m)* *(Esp)*, enamorado *(m)* *(Amér)*.

amour-propre *nm* amor propio *(m)*.

amovible *adj* amovible.

AMP *(abr de* **assistance médicale à la procréation***) nf* reproducción *(f)* asistida • **ils ont eu un bébé grâce à l'AMP** tuvieron un bebé gracias a la reproducción asistida.

ampère *nm* amperio *(m)*.

amphétamine *nf* anfetamina *(f)*.

amphi *nm* *fam* anfiteatro *(m)*.

amphibie ■ *adj* anfibio(bia). ■ *nm* anfibio *(m)*.

amphithéâtre *nm* anfiteatro *(m)*.

ample *adj* amplio(plia) • **pour de plus amples informations** para más información.

amplement *adv (largement)* ampliamente • **amplement suffisant** más que suficiente.

ampleur *nf* **1.** *(de vêtement)* holgura *(f)* **2.** *(de mouvement)* amplitud *(f)* **3.** *(de voix)* potencia *(f)* **4.** *fig (d'événement)* importancia *(f)*.

ampli *nm* *fam* ampli *(m)*.

amplificateur, trice *adj* amplificador(ra). ■ **amplificateur** *nm* amplificador *(m)*.

amplifier *vt* **1.** *(mouvement, image)* ampliar **2.** *(son, problème)* amplificar **3.** *(fait)* exagerar.

amplitude *nf* amplitud *(f)*.

ampoule *nf* **1.** *(de lampe)* bombilla *(f)* *(Esp)*, bombillo *(m)* *(Amér)* **2.** *(de peau, de médicament)* ampolla *(f)*.

amputation *nf* amputación *(f)*.

amputer vt 1. MÉD amputar 2. fig (couper, recortar.

Amsterdam npr Amsterdam.

amulette nf amuleto (m).

amusant, e adj divertido(da).

amuse-gueule nm inv fam pinchito (m).

amusement nm diversión (f).

amuser vt divertir. ■ **s'amuser** vp 1. (se distraire) divertirse ● **tu t'es bien amusé ?** ¿te lo has pasado bien? ● **il s'amusait à regarder les gens qui passaient** se dedicaba a mirar a la gente que pasaba 2. fam (perdre son temps) ● **je ne vais pas m'amuser à tout recompter** no voy a ponerme ahora a contarlo todo de nuevo.

amygdale nf amígdala (f).

an nm año (m) ● **avoir sept ans** tener siete años ● **le Nouvel An** el año nuevo.

anabolisant nm anabolizante (m).

anachronique adj anacrónico(ca).

anachronisme nm anacronismo (m).

anagramme nf anagrama (m).

anal, e adj anal.

analgésique ■ adj analgésico(ca). ■ nm analgésico (m).

anallergique adj hipoalergénico(ca)

analogie nf analogía (f).

analogique adj analógico(ca).

analogue ■ adj análogo(ga). ■ nm equivalente (m).

analphabète adj & nmf analfabeto(ta).

analphabétisme nm analfabetismo (m).

analyse nf 1. (gén) análisis (m inv) 2. (psychanalyse) psicoanálisis (m inv).

analyser vt 1. (gén) analizar 2. (psychanalyser) psicoanalizar.

analyste nmf 1. (gén) analista (mf) 2. (psychanalyste) psicoanalista (mf).

analyste-programmeur, euse nm, f analista (m) programador, analista (f) programadora.

analytique adj 1. (gén) analítico(ca) 2. (psychanalytique) psicoanalítico(ca).

ananas nm piña (f).

anarchie nf anarquía (f).

anarchique adj anárquico(ca).

anarchiste adj & nmf anarquista

anatomie nf anatomía (f).

anatomique adj anatómico(ca).

ancestral, e adj ancestral.

ancêtre nm 1. (ascendant) antepasado (m) 2. fig (initiateur) precursor (m) 3. (forme première) predecesor (m). ■ **ancêtres** nmpl (aïeux) ancestros (mpl).

anchois nm 1. (frais) boquerón (m) 2. (mariné) anchoa (f).

ancien, enne ■ adj 1. (gén) antiguo(gua) ● **la Grèce ancienne** la antigua Grecia 2. (avant un nom) (précédent) ex. ■ nm, f antiguo alumno (m), antigua alumna (f).

anciennement adv antiguamente.

ancienneté nf antigüedad (f).

ancrage nm 1. NAUT anclaje (m) 2. fig (enracinement) arraigamiento (m).

ancre nf ancla (f) ● **jeter/lever l'ancre** echar/levar anclas.

Andalousie npr ● **l'Andalousie** Andalucía.

Andes npr ● **les Andes** los Andes.

Andorre npr ● **(la principauté d')Andorre** (el principado de) Andorra.

andouille nf 1. (charcuterie) pour expliquer ce que c'est, vous pouvez dire : es un embutido elaborado a base de tripas de cerdo. 2. fam (personne) imbécil (mf) (Esp), huevón (m), -ona (f) (Amér).

âne nm 1. ZOOL asno (m), burro (m) 2. fam (personne) burro (m).

anéantir vt 1. (ville, efforts) aniquilar 2. (démoraliser) asolar.

anecdote nf anécdota (f).

anecdotique adj anecdótico(ca).

anémie nf 1. MÉD anemia (f) 2. fig (affaiblissement) debilitamiento (m).

anémique adj 1. MÉD anémico(ca) 2. fig (faible) débil.

anémone nf anémona (f).

ânerie nf fam burrada (f).

ânesse nf asna (f), burra (f).

anesthésie nf anestesia (f) ● **anesthésie locale/générale** anestesia local/general.

anesthésier vt 1. MÉD anestesiar 2. fig (opinion, population) neutralizar.

anesthésique ■ nm anestésico (m). ■ adj anestésico(ca).

anesthésiste nmf anestesista (mf).

anfractuosité nf anfractuosidad (f).

ange nm ángel (m) ● **ange gardien** ángel de la guarda ● **être aux anges** fig estar en la gloria.

angélique ■ adj angelical. ■ nf BOT angélica (f).

angélus nm ángelus (m inv)

angine nf angina (f).

anglais, e ■ adj inglés(esa). ■ **anglais** nm LING inglés (m). ■ **Anglais, e** nm, f inglés (m), -esa (f). ● **à l'anglaise** loc adv al vapor ● **filer à l'anglaise** fig despedirse a la francesa. ■ **anglaises** nfpl (boucles) tirabuzones (mpl).

angle nm 1. (gén) ángulo (m) 2. (coin) esquina (f).

Angleterre npr ● **l'Angleterre** Inglaterra.

anglican, e adj & nm, f anglicano(na).

anglophone adj & nmf anglófono(na).

anglo-saxon, onne *adj* anglosajón(ona). ■ **Anglo-Saxon, onne** *nm, f* anglosajón *(m)*, -ona *(f)*.

angoissant, e *adj* angustioso(sa).

angoisse *nf* angustia *(f)*.

angoisser *vt* angustiar. ■ **s'angoisser** *vp* 1. *(être anxieux)* angustiarse 2. *fam (s'inquiéter)* agobiarse.

Angola *npr* ▸ **l'Angola** Angola.

anguille *nf* ZOOL anguila *(f)*.

anguleux, euse *adj* anguloso(sa).

anicroche *nf* obstáculo *(m)*.

animal, e *adj* 1. *(propre à l'animal)* animal 2. *fig (instinctif)* instintivo(va). ■ **animal** *nm* 1. *(bête)* animal *(m)* ▸ **animal sauvage/domestique** animal salvaje/doméstico 2. *fam (personne)* animal *(m)*.

LES ANIMAUX
- l'âne / el asno
- la baleine / la ballena
- le canard / el pato
- le cerf / el ciervo
- le chat / el gato
- la chauve-souris / el murciélago
- le cheval / el caballo
- la chèvre / la cabra
- le chien / el perro
- le cochon / el cerdo
- le crocodile / el cocodrilo
- le dauphin / el delfín
- l'écureuil / la ardilla
- l'éléphant / el elefante
- la girafe / la jirafa
- la grenouille / la rana
- l'hippopotame / el hipopótamo
- le kangourou / el canguro
- le lama / la llama
- le lapin / el conejo
- le lion / el león
- le loup / el lobo
- le mouton / la oveja
- l'oiseau / el pájaro
- l'ours / el oso
- le perroquet / el loro
- le pingouin / el pingüino
- le poisson / el pez
- la poule / la gallina
- le requin / el tiburón
- le rhinocéros / el rinoceronte
- le serpent / la serpiente
- le singe / el mono
- la souris / el ratón
- le tigre / el tigre
- la tortue / la tortuga
- la tortue marine / la tortuga marina
- la vache / la vaca
- le zèbre / la cebra.

LES CRIS DES ANIMAUX
- l'âne brait / el asno rebuzna
- le canard cancane / el pato parpa
- le cerf brame / el ciervo brama
- le chat miaule / el gato maulla
- le cheval hennit / el caballo relincha
- la chèvre béguète / la cabra bala
- le chien aboie / el perro ladra
- le cochon grogne / el cerdo gruñe
- l'éléphant barrit / el elefante brama
- la grenouille coasse / la rana croa
- l'hirondelle gazouille / la golondrina trina
- le lion rugit / el león ruge
- le loup hurle / el lobo aúlla
- le mouton bêle / la oveja bala
- l'oiseau chante / el pájaro canta
- la poule glousse / la gallina cloquea
- le serpent siffle / la serpiente silba
- la vache mugit / la vaca muge.

animateur, trice *nm, f* 1. *(gén)* animador *(m)*, -ra *(f)* 2. RADIO & TV presentador *(m)*, -ra *(f)*.

animation *nf* 1. *(gén)* animación *(f)* 2. *(spectacle)* actuación *(f)*.

animé, e *adj* animado(da).

animer *vt* 1. *(conversation, fête)* animar 2. *(émission)* presentar. ■ **s'animer** *vp* animarse.

animosité *nf* animosidad *(f)*.

anis *nm* anís *(m)*.

ankyloser ■ **s'ankyloser** *vp* anquilosarse.

annales *nfpl* anales *(mpl)* ▸ **annales du bac** *si vous souhaitez expliquer de quoi il s'agit à un hispanophone, vous pouvez dire :* es un manual que recopila anualmente temas y modelos de los ejercicios del examen final de la selectividad francesa.

anneau *nm* 1. *(de rideau)* anilla *(f)* 2. *(bague, de reptile)* anillo *(m)* 3. *(de chaîne)* eslabón *(m)*.

année *nf* año *(m)* ▸ **année fiscale/lumière** año fiscal/luz ▸ **année scolaire** curso *(m)* escolar.

annexe ■ *adj* adicional. ■ *nf* anexo *(m)*.

annexer *vt* 1. *(pays)* anexionar 2. *(joindre)* adjuntar ▸ **annexer qqch à qqch** adjuntar algo a algo.

annexion *nf* anexión *(f)*.

annihiler *vt* aniquilar.

anniversaire ■ *nm* 1. *(de naissance)* cumpleaños *(m inv)* 2. *(d'un autre événement)* aniversario *(m)*. ■ *adj* 1. *(de naissance)* de cumpleaños 2. *(d'un autre événement)* de aniversario.

annonce *nf* anuncio *(m)* ▸ **annonce commerciale** anuncio (comercial) ▸ **petite annonce** anuncio por palabras.

annoncer *vt* anunciar.

annonceur, euse *nm, f* locutor *(m)*, -ra *(f)*. ■ **annonceur** *nm* COMM anunciante *(mf)*.

annonciateur, trice *adj* que presagia.

Annonciation *nf inv* Anunciación *(f).*

annoter *vt* anotar.

annuaire *nm* anuario *(m).* **annuaire télépho-nique** guía *(f)* telefónica.

annuel, elle *adj* anual.

annuité *nf* 1. *(paiement)* anualidad *(f)* 2. *(année de service)* año *(m).*

annulaire *adj* & *nm* anular.

annulation *nf* anulación *(f).*

annuler *vt* 1. *(gén)* anular 2. INFORM cancelar. ▪ **s'annuler** *vp* anularse.

anoblir *vt* ennoblecer.

anode *nf* ánodo *(m).*

anodin, e *adj* anodino(na).

anomalie *nf* anomalía *(f).*

ânon *nm* borriquillo *(m),* borriquito *(m).*

ânonner ▪ *vi* balbucear. ▪ *vt* murmurar.

anonymat *nm* anonimato *(m).*

anonyme *adj* 1. *(sans nom)* anónimo(ma) 2. *(impersonnel)* impersonal.

anorak *nm* anorak *(m).*

anorexie *nf* anorexia *(f).*

anormal, e ▪ *adj* 1. *(gén)* anormal 2. MÉD subnormal 3. *(intolérable)* ▪ **il est anormal que** no es normal que. ▪ *nm, f* subnormal *(m,f).*

ANPE *(abr de* **Agence nationale pour l'emploi)** *nf* ≃ INEM *(m) (Instituto Nacional de Empleo)* ▪ **s'inscrire à l'ANPE** ≃ darse de alta en el INEM.

anse *nf* 1. *(d'ustensile)* asa *(f) (de un objeto redondo)* 2. GÉOGR ensenada *(f).*

antagoniste *adj* & *nmf* antagonista.

antarctique *adj* antártico(ca). ▪ **Antarctique** *nm* ▪ **l'Antarctique** *(continent)* la Antártida ▪ *(océan)* el Antártico.

antécédent *nm* antecedente *(m).*

antenne *nf* 1. *(d'insecte, de télévision, de radio)* antena *(f)* ▪ **antenne parabolique** antena parabólica 2. *(succursale)* delegación *(f).*

antenne-relais *nf* TÉLÉCOM antena *(f)* *(de telefonía móvil).*

antérieur, e *adj* anterior.

antérieurement *adv* anteriormente.

antériorité *nf* anterioridad *(f).*

anthologie *nf* antología *(f).*

anthracite ▪ *nm* antracita *(f).* ▪ *adj inv* gris antracita.

anthropologie *nf* antropología *(f).*

anthropophage *adj* & *nmf* antropófago(ga).

antiacarien, enne *adj* antiácaros. ▪ **antiacarien** *nm* antiácaros *(m).*

anti-âge ▷ **crème**.

antialcoolique ▷ **ligue**.

antibactérien, enne *adj* antibacteriano(na).

antibiotique ▪ *nm* antibiótico *(m).* ▪ *adj* antibiótico(ca).

antibrouillard ▪ *nm* faro *(m)* antiniebla. ▪ *adj inv* antiniebla.

anticellulitique *adj* anticelulítico(ca).

antichambre *nf* antecámara *(f).* ▪ **faire antichambre** *fig* hacer antesala.

anticipation *nf* anticipación *(f).*

anticipé, e *adj* 1. anticipado(da) 2. *(paiement)* por adelantado.

anticiper ▪ *vt* anticipar. ▪ *vi* ▪ **anticiper (sur qqch)** anticiparse (a algo).

anticorps *nm* anticuerpo *(m).*

anticyclone *nm* anticiclón *(m).*

antidépresseur ▪ *nm* antidepresivo *(m).* ▪ *adj m* antidepresivo(va).

antidopage, antidoping *adj inv* ▪ **contrôle antidopage** control *(m)* antidoping.

antidote *nm* antídoto *(m).*

antiécologique *adj* antiecológico(ca).

anti-effraction *adj* antirrobo.

antigel *adj inv* & *nm* anticongelante.

antiglobalisation *adj* antiglobalización.

Antilles *nfpl* ▪ **les Antilles** las Antillas.

antilope *nf* antílope *(m).*

antimilitariste *adj* & *nmf* antimilitarista.

antimite *adj inv* & *nm* matapolillas.

antimondialisation *nf* antiglobalización *(f).*

antimondialiste *adj* & *nmf* antiglobalizador(ora), antiglobalista.

antipathie *nf* antipatía *(f).*

antipathique *adj* antipático(ca).

antipelliculaire *adj* anticaspa.

antipersonnel *adj inv* antipersonal, antipersonas ▪ **une mine antipersonnel** una mina antipersonal.

antiphrase *nf* antífrasis *(f inv).*

antipode *nm* GÉOGR antípoda *(f).*

antiquaire *nmf* anticuario *(m),* -ria *(f).*

antique *adj* 1. *(gén)* antiguo(gua) 2. *péj (vieux)* del año de la nana.

antiquité *nf* antigüedad *(f).* ▪ **Antiquité** *nf* ▪ **l'Antiquité** la Antigüedad.

antirabique ▷ **vaccin**.

antirides *adj* antiarrugas.

antirouille *adj inv* antioxidante.

antisémite *adj* & *nmf* antisemita.

antisémitisme *nm* antisemitismo *(m).*

antiseptique ▪ *nm* MÉD antiséptico *(m).* ▪ *adj* MÉD antiséptico(ca).

antisida *adj* antisida.

antisismique *adj* antisísmico(ca).

antislash *nm* INFORM barra *(f)* invertida.

antitabac *adj* antitabaco.

antithèse *nf* antítesis *(f inv).*

antitranspirant, e *adj* antitranspirante.
antiviral, aux *nm* antiviral *(m)*.
antivirus *nm* INFORM antivirus *(m inv)*.
antivol *adj inv* & *nm* antirrobo.
antre *nm* antro *(m)*.
anus *nm* ano *(m)*.
anxiété *nf* ansiedad *(f)*.
anxieux, euse *adj* & *nm, f* ansioso(sa).
aorte *nf* aorta *(f)*.
août *nm* agosto *(m)*. • *voir aussi* **septembre**
apaisement *nm* **1.** *(moral)* sosiego *(m)* **2.** *(physique)* alivio *(m)*.
apaiser *vt* **1.** *(personne)* aplacar, apaciguar **2.** *(conscience)* acallar **3.** *(douleur)* calmar **4.** *(faim)* aplacar **5.** *(passion)* apagar. ■ **s'apaiser** *vp* **1.** *(personne)* apaciguarse **2.** *(faim)* aplacarse **3.** *(tempête, douleur)* calmarse.
apanage *nm* sout patrimonio *(m)*. • **être l'apanage de qqn/de qqch** ser atributo propio de alguien/de algo.
aparté *nm* aparte *(m)*. • **prendre qqn en aparté** coger a alguien aparte.
apartheid *nm* apartheid *(m)*.
apathie *nf* apatía *(f)*.
apathique *adj* & *nmf* apático(ca).
apatride *adj* & *nmf* apátrida.
APEC *(abr de* **association pour l'emploi des cadres)** *nf* ≃ INEM *(m) (para ejecutivos y directivos)*.
apercevoir *vt* divisar. ■ **s'apercevoir** *vp* • **s'apercevoir de qqch/que** darse cuenta de algo/de que.
aperçu *nm* idea *(f)* aproximada.
apéritif, ive *adj* de aperitivo. ■ **apéritif** *nm* aperitivo *(m)*. • **prendre l'apéritif** tomar el aperitivo.
apesanteur *nf* ingravidez *(f)*.
à-peu-près *nm inv* aproximación *(f)*.
apeuré, e *adj* atemorizado(da).
aphasie *nf* afasia *(f)*.
aphone *adj* afónico(ca).
aphrodisiaque ◼ *nm* afrodisíaco *(m)*. ◼ *adj* afrodisíaco(ca).
aphte *nm* llaga *(f) (en la boca)*.
apiculteur, trice *nm, f* apicultor *(m)*, -ra *(f)*.
apiculture *nf* apicultura *(f)*.
apitoyer *vt* inspirar compasión. ■ **s'apitoyer** *vp* apiadarse • **s'apitoyer sur son sort** apiadarse de su suerte.
ap. J.-C. *(abr écrite de* **après Jésus-Christ)** d. de JC., d. JC. • **en 138 ap. J.-C.** en el año 138 d. de JC.
aplanir *vt* allanar.
aplati, e *adj* aplastado(da).
aplatir *vt* **1.** *(écraser)* aplastar **2.** *(couture)* sentar **3.** *(cheveux)* alisar.

aplomb *nm* **1.** *(stabilité)* aplomo *(m)* **2.** *(audace)* desfachatez *(f)*. ◼ **d'aplomb** *loc adv* • **être d'aplomb** *(meuble)* estar derecho(cha) • *(personne)* encontrarse bien.
APN *nm abrév de* **appareil photo numérique**.
apocalypse *nf* apocalipsis *(m inv)* • **d'apocalypse** *(scène)* apocalíptico(ca).
apogée *nm* apogeo *(m)*.
apolitique *adj* apolítico(ca).
apologie *nf* apología *(f)*.
apoplexie *nf* apoplejía *(f)*.
apostrophe *nf* **1.** *(signe graphique)* apóstrofo *(m)* **2.** *(interpellation)* apóstrofe *(m ou f)*.
apostropher *vt* sout increpar.
apothéose *nf* apoteosis *(f inv)*.
apôtre *nm* apóstol *(m)*.
apparaître ◼ *vi* **1.** *(se montrer, se manifester)* aparecer **2.** *fig (se dévoiler)* salir a la luz. ◼ *v impers* • **il apparaît que...** parece ser que...
apparat *nm* aparato *(m)*, pompa *(f)* • **d'apparat** *(diner, habit)* de gala • *(discours)* solemne.
appareil *nm* **1.** *(gén)* aparato *(m)* **2.** *(téléphone)* teléfono *(m)* • **qui est à l'appareil ?** ¿quién es?
◼ **appareil digestif** *nm* aparato *(m)* digestivo.
◼ **appareil photo** *nm* cámara *(f)* fotográfica
• **appareil photo numérique** cámara fotográfica digital.
appareillage *nm* **1.** *(équipement)* utillaje *(m)* **2.** NAUT *(manœuvres)* preparativos *(mpl)* para zarpar • *(départ)* salida *(f) (de un barco)*.
appareiller ◼ *vt* *(assortir)* emparejar. ◼ *vi* NAUT zarpar.
apparemment *adv* aparentemente, al parecer.
apparence *nf* apariencia *(f)* • **malgré les** OU **en dépit des apparences** a pesar de las apariencias • **sauver les apparences** guardar las apariencias. ◼ **en apparence** *loc adv* en apariencia.
apparent, e *adj* **1.** *(gén)* aparente **2.** *(couture, poutre)* a la vista.
apparenté, e *adj* • **apparenté à** *(personne, chose)* emparentado con.
apparenter ◼ **s'apparenter** *vp* • **s'apparenter à qqch** semejarse a algo.
appariteur *nm* bedel *(m) (de facultad)*.
apparition *nf* aparición *(f)*.
appart *nm* fam piso *(m)*.
appartement *nm* piso *(m)*.
appartenir *vi* pertenecer • **appartenir à qqch/à qqn** pertenecer a algo/a alguien • **il ne m'appartient pas de prendre cette décision** no me corresponde tomar esta decisión.
appât *nm* **1.** *(à la pêche)* cebo *(m)* **2.** *fig (attrait)* afán *(m)*.
appauvrir *vt* empobrecer. ◼ **s'appauvrir** *vp* empobrecerse.

appel *nm* **1.** *(gén)* llamada *(f)* *(Esp)*, llamado *(m)* *(Amér)* • **faire appel à qqn** *(exiger)* recurrir a alguien • **faire appel à qqch** *(exiger)* requerir algo • **appel au secours** OU **à l'aide** llamada de socorro OU de auxilio • **appel (téléphonique)** llamada *(telefónica)* • **appel en PCV** llamada a cobro revertido • **appel longue distance** llamada a larga distancia **2.** DR apelación *(f)*, recurso *(m)* • **faire appel** DR apelar, recurrir • SCOL presentar un recurso • **sans appel** inapelable **3.** SCOL • **faire l'appel** pasar lista **4.** *(signe)* • **faire un appel de phares** dar luces. ■ **appel d'offres** *nm* licitación *(f)*.

appeler *vt* **1.** *(gén)* llamar **2.** *(exiger)* requerir **3.** *(entraîner)* llevar a • **la violence appelle la violence** la violencia engendra violencia. ■ **s'appeler** *vp* llamarse • **comment t'appelles-tu ?** ¿cómo te llamas? • **je m'appelle Jean** me llamo Jean.

appellation *nf* denominación *(f)*.

appendice *nm* apéndice *(m)*.

appendicite *nf* apendicitis *(f inv)*.

appentis *nm* cobertizo *(m)*.

appesantir *vt* entorpecer. ■ **s'appesantir** *vp* entorpecerse • **s'appesantir sur qqch** *(insister sur)* alargarse en algo.

appétissant, e *adj* **1.** *(nourriture)* apetitoso(sa) **2.** *(personne)* apetecible.

appétit *nm* apetito *(m)* • **bon appétit !** ¡buen provecho! • **couper l'appétit à qqn** quitar el apetito a alguien • **manger de bon appétit** comer con mucho apetito.

applaudir ■ *vt* aplaudir. ■ *vi* • **applaudir à qqch** *fig* aplaudir algo.

applaudissements *nmpl* aplausos *(mpl)*.

application *nf* *(gén &* INFORM*)* aplicación *(f)*.

applique *nf* aplique *(m)*.

appliquer *vt* aplicar • **appliquer sur** aplicar en. ■ **s'appliquer** *vp* **1.** *(convenir)* aplicarse **2.** *(s'efforcer)* • **s'appliquer à faire qqch** esmerarse en hacer algo.

appoint *nm* suelto *(m)* • **faire l'appoint** dar cambio. ■ **d'appoint** *loc adj* adicional • **un radiateur d'appoint** una estufa adicional • **un salaire d'appoint** un sobresueldo.

appointements *nmpl* sueldo *(m)*.

apport *nm* **1.** FIN aportación *(f)* **2.** *(de chaleur, aliments)* aporte *(m)* • **un apport en vitamines** un aporte vitamínico **3.** *fig (contribution)* contribución *(f)* **4.** DR bienes *(mpl) (aportados al matrimonio)*.

apporter *vt* **1.** *(objet)* traer • **apporter qqch à qqn** traer algo a alguien **2.** *(raison, preuve)* aportar **3.** *(changement, amélioration)* acarrear • **apporter qqch à qqn** acarrear algo a alguien.

apposer *vt* **1.** *(affiche)* fijar **2.** *(signature)* firmar.

apposition *nf* aposición *(f)* • **en apposition** en aposición.

appréciable *adj* apreciable.

appréciation *nf* **1.** *(estimation)* apreciación *(f)* **2.** *(jugement)* juicio *(m)* **3.** SCOL opinión *(f)*.

apprécier *vt* apreciar • **apprécier de faire qqch** gustarle a alguien hacer algo.

appréhender *vt* **1.** *(craindre)* temer • **appréhender de faire qqch** tener miedo de hacer algo **2.** *(arrêter)* aprehender.

appréhension *nf* aprensión *(f)*.

apprendre *vt* **1.** *(étudier)* aprender • **apprendre qqch/à faire qqch** aprender algo/a hacer algo **2.** *(enseigner)* • **apprendre qqch à qqn** enseñar algo a alguien • **apprendre à qqn à faire qqch** enseñar a alguien a hacer algo **3.** *(être informé de)* enterarse de • **apprendre que** enterarse de que **4.** *(faire connaître)* • **apprendre qqch à qqn** informar de algo a alguien.

apprenti, e *nm, f* aprendiz *(m)*, -za *(f)*.

apprentissage *nm* aprendizaje *(m)*.

apprêter *vt* preparar. ■ **s'apprêter** *vp* **1.** *(se préparer)* • **s'apprêter à faire qqch** disponerse a hacer algo **2.** *(s'habiller)* • **s'apprêter pour qqch** arreglarse para algo.

apprivoiser *vt* **1.** *(animal)* domesticar **2.** *(personne)* domar.

approbateur, trice *adj* de aprobación.

approbation *nf* aprobación *(f)*.

approche *nf* **1.** *(d'un événement)* proximidad *(f)* **2.** *(d'une personne)* llegada *(f)* • **à l'approche de** *(lieu)* al acercarse a • *(événement, date)* al aproximarse **3.** *(point de vue)* enfoque *(m)* **4.** *(ébauche)* aproximación *(f)*.

approcher ■ *vt* **1.** *(rapprocher)* acercar **2.** *(aborder)* • **approcher qqn** acercarse a alguien. ■ *vi* acercarse • **approcher de qqch** acercarse a algo. ■ **s'approcher** *vp* acercarse • **s'approcher de qqn/de qqch** acercarse a alguien/a algo.

approfondir *vt* **1.** *(creuser)* hacer más profundo **2.** *(développer)* profundizar en.

approprié, e *adj* apropiado(da), adecuado(da) • **approprié à qqch** adecuado a algo.

approprier *vt* **1.** *(adapter)* acomodar, adaptar **2.** *(Belgique) (nettoyer)* limpiar. ■ **s'approprier** *vp* apropiarse de.

approuver *vt* aprobar.

·S'EXPRIMER...

approuver quelqu'un

¡Sí, eso es! / **Oui, exactement !** ¡Pienso lo mismo! / **C'est aussi ce que je pense** ¡Pienso lo mismo! / **C'est aussi ce que je crois !** ¡Buena idea! / **Bonne idée !** ¡Es una excelente idea! / **C'est une excellente idée !** ¡Estupendo! / **Merveilleux !**

approvisionnement *nm* **1.** provisión (*f*) **2.** *(d'un magasin)* abastecimiento (*m*).

approvisionner *vt* **1.** *(compte en banque)* ingresar dinero en **2.** *(magasin)* abastecer.

approximatif, ive *adj* aproximado(da).

approximation *nf* aproximación (*f*).

approximativement *adv* aproximadamente.

appt *(abr écrite de* **appartement***)* piso ◦ **appt à louer** se alquila piso.

appui *nm* apoyo (*m*).

appui-tête *nm* reposacabezas (*m inv*).

appuyé, e *adj* **1.** *(regard)* insistente **2.** *(plaisanterie)* pesado(da).

appuyer ⬛ *vt* apoyar. ⬛ *vi* ◦ **appuyer sur qqch** *(presser qqch)* apretar algo ◦ *(insister sur)* hacer hincapié en algo. ⬛ **s'appuyer** *vp* **1.** *(se tenir)* ◦ **s'appuyer sur** *ou* **contre qqch/qqn** apoyarse en *ou* contra algo/alguien **2.** *(se baser)* ◦ **s'appuyer sur** basarse en **3.** *(compter)* ◦ **s'appuyer sur** contar con **4.** *fam (supporter, prendre en charge)* ◦ **s'appuyer qqn/qqch** apechugar con algo/con alguien.

apr. *(abr écrite de* **après***)* d.

âpre *adj* **1.** *(goût, ton)* áspero(ra) **2.** *(concurrence)* duro(ra) **3.** *(combat)* cruel **4.** *(discussion)* violento(ta) **5.** *(critique)* severo(ra).

après ⬛ *prép* **1.** *(gén)* después de ◦ **après dîner** después de cenar ◦ **après cela** después de eso ◦ **après quoi** después de lo cual **2.** *(indiquant l'attachement, l'hostilité)* ◦ **soupirer après qqn** suspirar por alguien ◦ **aboyer après qqn** abroncar a alguien ◦ **se fâcher après qqn** enfadarse con alguien. ⬛ *adv* después ◦ **le mois d'après** el *ou* al mes siguiente ◦ **la rue d'après** la calle siguiente ◦ **un mois après** un mes después ◦ **celui qui vient après** el que viene detrás. ⬛ **et après** *loc adv* **1.** *(employée interrogativement)* *(questionnement sur la suite)* ¿y después? **2.** *(exprime l'indifférence)* ¿y qué? ⬛ **après coup** *loc adv* después. ⬛ **après tout** *loc adv* después de todo. ⬛ **d'après** *loc prép* según ◦ **d'après lui** según él ◦ **d'après moi** en mi opinión. ⬛ **après que** *loc conj* (+ indicatif) después de que ◦ **je le verrai après qu'il aura fini** lo veré cuando lo haya terminado.

après-demain *adv* pasado mañana.

après-guerre *nm ou nf* posguerra (*f*).

après-midi *nm inv ou nf inv* tarde (*f*).

après-rasage ⬛ *adj inv* para después del afeitado. ⬛ *nm* loción (*f*) para después del afeitado.

après-ski *nm* descansos (*mpl*).

après-vente ▷ **service**.

apr. J-C *(abr écrite de* **après Jésus-Christ***)* d. de JC, d. JC.

à-propos *nm inv* pertinencia (*f*) ◦ **avoir le sens de l'à-propos** intervenir de manera oportuna.

APS *(abr de* **advanced photographic system***)* *nm* APS (*f*).

apte *adj* ◦ **apte à qqch/à faire qqch** apto(ta) para algo/para hacer algo ◦ **apte (au service)** MIL apto para el servicio militar.

aptitude *nf* aptitud (*f*) ◦ **aptitudes à** *ou* **pour faire qqch** aptitudes para hacer algo.

aquagym *nf* gimnasia (*f*) acuática.

aquarelle *nf* acuarela (*f*).

aquarium *nm* acuario (*m*).

aquatique *adj* acuático(ca).

aqueduc *nm* acueducto (*m*).

aqueux, euse *adj* acuoso(sa).

arabe *adj* & *nm* árabe. ⬛ **Arabe** *nmf* árabe (*mf*).

arabesque *nf* arabesco (*m*).

Arabie *npr* ◦ **l'Arabie** Arabia ◦ **l'Arabie saoudite** Arabia Saudí.

arachide *nf* cacahuete (*m*) (*Esp*), maní (*m*) (*Amér*).

araignée *nf* araña (*f*). ⬛ **araignée de mer** *nf* centolla (*f*), centollo (*m*).

arbalète *nf* ballesta (*f*).

arbitrage *nm* arbitraje (*m*).

arbitraire *adj* arbitrario(ria).

arbitre *nm* árbitro (*m*).

arbitrer *vt* arbitrar.

arboriculture *nf* arboricultura (*f*).

arbre *nm* **1.** *(gén)* árbol (*m*) **2.** *(axe)* eje (*m*) ◦ **arbre à cames** árbol (*m*) de levas ◦ **arbre de transmission** eje de transmisión.

LES ARBRES	
• l'abricotier / el albaricoquero
• le bambou / el bambú
• le cerisier / el cerezo
• le chêne / el roble
• l'érable / el arce
• le hêtre / el haya
• l'olivier / el olivo
• l'oranger / el naranjo
• le palmier / la palmera
• le pêcher / el melecotonero
• le pin / el pino
• le platane / el plátano
• le poirier / el peral
• le pommier / el manzano
• le sapin / el abeto.

arbrisseau *nm* arbolillo (*m*).

arbuste *nm* arbusto (*m*).

arc *nm* **1.** *(gén* & ARCHIT*)* arco (*m*) ◦ **arc de cercle** arco de circunferencia ◦ **arc de triomphe** arco de triunfo **2.** *(courbe)* curva (*f*).

arcade *nf* **1.** *(piliers)* arcada (*f*) **2.** *(couloir)* soportales (*mpl*). ⬛ **arcade sourcilière** *nf* arco (*m*) de la ceja.

arc-bouter ■ **s'arc-bouter** vp • **s'arc-bouter contre** apoyarse en.

arceau nm **1.** ARCHIT arco (m) de bóveda **2.** (objet) aro (m).

arc-en-ciel nm arco iris (m inv).

archaïque adj arcaico(ca).

archange nm arcángel (m).

arche nf **1.** ARCHIT arco (m) **2.** RELIG • **arche de Noé** arca (f) de Noé.

archéologie nf arqueologia (f).

archéologique adj arqueológico(ca).

archéologue nmf arqueólogo (m), -ga (f).

archet nm arco (m).

archevêque nm arzobispo (m).

archipel nm archipiélago (m).

architecte nmf arquitecto (m), -ta (f).

architecture nf **1.** (de bâtiment) arquitectura (f) **2.** fig (de roman) estructura (f).

archives nfpl archivo (m) (Esp), biblioteca (m) (Amér).

archiviste nmf archivero (m), -ra (f).

arctique adj ártico(ca). ■ **Arctique** nm • **l'Arctique** el Ártico.

ardemment adv ardientemente.

ardent, e adj (gén) ardiente.

ardeur nf **1.** (gén) ardor (m) **2.** (au travail) dinamismo (m).

ardoise nf pizarra (f).

ardu, e adj arduo(dua).

are nm área (f).

arène nf ruedo (m). ■ **arènes** nfpl plaza (f) de toros.

arête nf **1.** (de poisson) espina (f) **2.** (de toit) caballete (m) **3.** (de montagne) cresta (f) **4.** (du nez) línea (f).

argent nm **1.** (métal, couleur) plata (f) **2.** (monnaie) dinero (m) • **argent liquide** dinero en metálico • **argent de poche** dinero de bolsillo, dinero para gastos menudos • (que ocnnent les parents) paga (f).

argenté, e adj plateado(da).

argenterie nf plata (f) (vajilla y cubertería).

argentin, e adj argentino(na). ■ **Argentin, e** nm, f argentino (m), -na (f).

Argentine npr • **l'Argentine** (la) Argentina (f).

argile nf arcilla (f).

argileux, euse adj arcilloso(sa).

argot nm **1.** (langue populaire) argot (m) **2.** (jargon) jerga (f).

argotique adj de argot.

argument nm argumento (m) • **argument de vente** argumento (de venta).

argumentaire nm COMM argumentación (f).

argumentation nf argumentación (f).

argumenter vi & vt argumentar.

argus nm • **être coté à l'argus (de l'automobile)** aparecer en la lista oficial de precios del mercado de los coches de ocasión.

aride adj **1.** (terre) arido(da) **2.** (cœur, esprit) insensible.

aridité nf **1.** (sécheresse, difficulté) aridez (f) **2.** (froideur) insensibilidad (f)

aristocrate nmf aristócrata (mf).

aristocratie nf aristocracia (f).

aristocratique adj aristocrático(ca).

arithmétique ◼ nf aritmética (f). ◼ adj aritmético(ca).

armateur nm armador (m).

armature nf **1.** (gén) armazón (m) **2.** fig (base) estructura (f)

arme nf arma (f) • **arme à feu/blanche** arma de fuego/b anca. ■ **armes** nfpl **1.** (armée) • **les armes** la milicia **2.** (blason) armas (fpl) • **faire ses premières armes** hacer sus pinitos • **fourbir ses armes** velar las armas.

armée nf **1.** (troupes, ejército (m) • **l'armée de l'air/de terre** el ejército del aire/de tierra **2.** (service militaire) servicio (m) militar • **être à l'armée** hacer la mili **3.** (unité militaire) cuerpo (m) de ejército. ■ **Armée du Salut** nf • **l'Armée du Salut** el Ejército de Salvación.

armement nm **1.** (gén) armamento (m) • **l'industrie de l'armement** la industria armamentista **2.** (d'un appareil photo) arrastre (m).

Arménie npr • **l'Arménie** Armenia.

armer vt **1.** (personne, groupe) armar • **être armé pour qqch/pour faire qqch** fig estar preparado para algo/para hacer algo **2.** (fusil) cargar **3.** (appareil photo) arrastrar.

armistice nm armisticio (m).

armoire nf armario (m) • **c'est une armoire à glace !** fig ¡está cuadrado!

armoiries nfpl escudo (m) de armas.

armure nf armadura (f).

armurier nm armero (m).

arnaque nf fam estafa (f) (Esp), calote (m) (Amér).

arnaquer vt fam estafar.

aromate nm especia (f).

arôme nm **1.** (odeur - d'un plat) olor (m) • (- du vin) bouquet (m) • (- d'une fleur) fragancia (f) **2.** (goût) aroma (m).

arpège nm arpegio (m).

arpenter vt **1.** (marcher) ir y venir (por una habitación) **2.** (mesurer) apear.

arqué, e adj arqueado(da) • **avoir les jambes arquées** tener las piernas arcueadas.

arr. abrév de **arrondissement**.

arrache-pied ■ **d'arrache-pied** loc adv sin descanso.

arracher vt **1.** *(gén)* arrancar • **arracher qqch des mains de qqn** quitarle algo a alguien de las manos **2.** *(sortir)* • **arracher qqn à qqch** *(pensées, occupations)* sacar a alguien de algo.

arrangeant, e adj acomodaticio(cia).

arrangement nm **1.** *(entente & MUS)* arreglo *(m)* **2.** *(disposition)* colocación *(f)*.

arranger vt **1.** *(gén)* arreglar **2.** *(organiser)* concertar **3.** *(convenir à)* convenir • **ça ne m'arrange pas** fam no me viene bien **4.** MUS hacer arreglos. ■ **s'arranger** vp **1.** *(dispute, situation)* arreglarse **2.** *(se mettre d'accord)* ponerse de acuerdo **3.** *(se débrouiller)* • **s'arranger pour faire qqch** arreglárselas para hacer algo.

arrdt. abrév de **arrondissement**.

arrestation nf detención *(f)* • **être en état d'arrestation** estar detenido(da).

arrêt nm **1.** *(de mouvement, station)* parada *(f)* • **être à l'arrêt** *(véhicule)* estar parado(da) • **tomber en arrêt devant qqch** quedarse parado(da) ante algo **2.** *(interruption)* interrupción *(f)*, suspensión *(f)* • **sans arrêt** sin cesar • **arrêt maladie** baja *(f)* por enfermedad • **arrêt de travail** baja *(f)* (laboral) **3.** DR fallo *(m)*.

arrêté nm **1.** ADMIN orden *(f)* gubernativa **2.** FIN liquidación *(f)* de deuda.

arrêter ■ vt **1.** *(véhicule, machine)* parar • **on n'arrête pas le progrès** el progreso es imparable **2.** *(date)* fijar **3.** *(voleur)* detener **4.** *(études, etc)* dejar **5.** *(compte, dette)* liquidar **6.** INFORM apagar. ■ vi *(cesser)* parar • **arrêter de** dejar de. ■ **s'arrêter** vp pararse • **s'arrêter à qqch** *(prêter attention à)* fijarse en algo • **s'arrêter de faire qqch** dejar de hacer algo.

arrhes nfpl paga *(f)* y señal.

arrière ■ adj inv trasero(ra) • **la marche arrière** la marcha atrás • **les roues arrière** las ruedas traseras. ■ nm **1.** *(de véhicule)* parte *(f)* de atrás • **à l'arrière** en la parte de atrás, detrás • **assurer ses arrières** protegerse las espaldas **2.** SPORT defensa *(m)*. ■ **en arrière** loc adv atrás. ■ **en arrière de** loc prép detrás de.

arriéré, e ■ adj péj **1.** *(personne)* retrasado(da) **2.** *(idées)* anticuado(da) **3.** *(pays, région)* atrasado(da). ■ nm atraso *(m)*.

arrière-boutique nf trastienda *(f)*.

arrière-garde nf retaguardia *(f)* • **un combat d'arrière-garde** una última tentativa.

arrière-goût nm regusto *(m)*.

arrière-grand-mère nf bisabuela *(f)*.

arrière-grand-père nm bisabuelo *(m)*.

arrière-pensée nf segunda intención *(f)* • **sans arrière-pensée** de buena fe.

arrière-plan nm segundo plano *(m)*.

arrière-saison nf final *(m)* del otoño.

arrière-train nm trasero *(m)*.

arrimer vt estibar.

arrivage nm **1.** *(de marchandises)* arribada *(f)* **2.** iron *(de touristes)* hornada *(f)*.

arrivée nf **1.** *(venue)* llegada *(f)* **2.** *(d'air, d'essence)* entrada *(f)*.

arriver ■ vi **1.** *(venir)* llegar • **arriver à** *(lieu, heure)* llegar a • **arriver de** *(provenance)* llegar de • **arriver en** ou **par** *(moyen)* llegar en • **arriver jusqu'à** llegar hasta, alcanzar • **quoi qu'il arrive** pase lo que pase **2.** *(réussir)* triunfar • **arriver à faire qqch** conseguir hacer algo. ■ v impers pasar, suceder • **il arrive à tout le monde de se tromper** todos podemos equivocarnos • **il m'est arrivé une drôle d'aventure** me ha pasado una cosa curiosa • **il arrive qu'en mai il fasse frais** puede (suceder) que en mayo haga frío.

arrivisme nm péj arribismo *(m)*.

arrobas, arobas nf arroba *(f)*.

arrogance nf arrogancia *(f)*.

arrogant, e adj arrogante.

arroger ■ **s'arroger** vp arrogarse.

arrondi nm redondeo *(m)*.

arrondir vt redondear.

arrondissement nm **1.** ADMIN distrito *(m)* **2.** *(de somme)* redondeo *(m)*.

arroser vt **1.** *(jardin)* regar **2.** *(sujet : rivière)* bañar **3.** fam *(repas)* regar **4.** fam *(célébrer)* remojar • **il faut arroser ça !** ¡esto hay que remojarlo! **5.** fam *(mélanger)* • **arroser son café** echar unas gotas en el café **6.** fam *(soudoyer)* untar.

arrosoir nm regadera *(f)*.

arsenal nm arsenal *(m)*.

arsenic nm arsénico *(m)*.

art nm arte *(m)* • **avoir l'art de** iron tener el don de • **art dramatique** arte dramático • **le septième art** el séptimo arte. ■ **arts** nmpl artes *(fpl)* • **arts et métiers** artes y oficios • **arts martiaux** artes marciales • **arts plastiques** artes plásticas.

art. *(abr écrite de* **article**) art., arto. • **conformément à l'art. 34** conforme al art. 34.

Arte npr Arte *(canal cultural franco-alemán)*.

artère nf arteria *(f)* • **grande artère** *(rue)* gran arteria.

artériel, elle adj arterial.

artériosclérose nf arteriosclerosis *(f inv)*.

arthrite nf artritis *(f inv)*.

arthrose nf artrosis *(f inv)*.

artichaut nm alcachofa *(f) (Esp)*, alcaucil *(m) (Amér)*.

article nm artículo *(m)* • **article de fond** artículo de fondo • **à l'article de la mort** in artículo mortis.

articulation nf **1.** *(gén)* articulación *(f)* **2.** DR exposición *(f)* **3.** *(liaison)* estructuración *(f)*.

articuler vt **1.** *(gén)* articular • **articulez !** ¡vocalice! **2.** DR exponer.

artifice nm artimaña (f).

artificiel, elle adj artificial.

artificiellement adv de manera artificial.

artillerie nf artillería (f) • **artillerie lourde** fig artillería pesada.

artilleur nm artillero (m).

artisan, e nm, f artesano (m), -na (f).

artisanal, e adj artesanal.

artisanat nm **1.** (art) artesanía (f) **2.** (ensemble des artisans) artesanado (m).

artiste nmf artista (mf) • **artiste peintre** pintor (m), -ra (f). ◼ adj artístico(ca).

artistique adj artístico(ca).

as nm **1.** (gén) as (m) • **as de carreau/de cœur/ de pique/de trèfle** as de diamantes/de corazones/de picas/de tréboles **2.** (au tiercé) uno (m).

AS (abr de **association sportive**) nf inv AD (f) • **être un supporter de l'AS Monaco** ser un hincha de la AD Mónaco.

ascendant, e adj ascendente. ◼ **ascendant** nm ascendiente (m).

ascenseur nm **1.** ascensor (m) (Esp), elevador (m) (Amér) **2.** INFORM ascensor.

ascension nf **1.** (montée) ascensión (f) • **l'ascension d'une montagne** la ascensión a una montaña **2.** (réussite) ascenso (m). ◼ **Ascension** nf RELIG • **l'Ascension** la Ascensión.

ascète nmf asceta (mf).

aseptisé, e adj aséptico(ca).

aseptiser vt aseptizar.

asiatique adj asiático(ca). ◼ **Asiatique** nmf asiático (m), -ca (f).

Asie npr • **l'Asie** Asia • **l'Asie centrale** Asia central • **l'Asie du Sud-Est** (el) Sureste asiático.

asile nm **1.** (refuge) asilo (m) **2.** (psychiatrique) manicomio (m).

asocial, e adj antisocial. ◼ nm, f inadaptado (m), -da (f).

aspect nm aspecto (m) • **à l'aspect de qqch** sout (a la vue de) por el cariz de algo.

asperge nf espárrago (m).

asperger vt • **asperger qqn de qqch** salpicar a alguien con algo.

aspérité nf aspereza (f).

aspersion nf aspersión (f).

asphalte nm asfalto (m).

asphyxie nf asfixia (f).

asphyxier vt asfixiar.

aspic nm áspid (m).

aspirant, e adj aspirante. ◼ **aspirant** nm (dans la marine) ≃ guardiamarina (m).

aspirateur nm aspirador (m).

aspiration nf aspiración (f). ◼ **aspirations** nfpl (désirs) aspiraciones (fpl).

aspirer ◼ vt aspirar. ◼ vi • **aspirer à qqch/à faire qqch** aspirar a algo/a hacer algo.

aspirine nf aspirina® (f).

assagir vt **1.** (personne) volver juicioso(sa) **2.** (passion) moderar. ◼ **s'assagir** vp sentar la cabeza.

assaillant, e adj & nm, f asaltante.

assaillir vt asaltar • **assaillir qqn de qqch** (questions, etc) acosar a alguien con algo.

assainir vt sanear.

assaisonnement nm aliño (m).

assaisonner vt **1.** CULIN aliñar • **assaisonner de** fig amenizar con **2.** fam (gronder) reñir.

assassin, e adj **1.** (regard) asesino(na) **2.** (critique) mordaz. ◼ **assassin** nm asesino (m), -na (f).

assassinat nm asesinato (m).

assassiner vt asesinar.

assaut nm asalto (m) • **donner l'assaut à** asaltar • **monter à l'assaut de** lanzarse al asalto de • **prendre qqch d'assaut** tomar algo por asalto.

assécher vt **1.** (terre) desecar **2.** (réserve d'eau) desaguar.

ASSEDIC, Assedic (abr de **Association pour l'emploi dans l'industrie et le commerce**) nfpl • **toucher les ASSEDIC** ≃ cobrar el paro.

assemblage nm **1.** (montage) montaje (m) **2.** (réunion) combinación (f) **3.** TECHNOL ensamblaje (m).

assemblée nf **1.** (public) reunión (f) **2.** ADMIN junta (f) **3.** POLIT asamblea (f). ◼ **Assemblée nationale** nf • **l'Assemblée nationale** ≃ el Congreso de los Diputados.

assembler vt **1.** (monter) montar **2.** (réunir) reunir **3.** TECHNOL ensamblar. ◼ **s'assembler** vp (personnes) congregarse.

assener, asséner vt asestar.

assentiment nm consentimiento (m).

asseoir vt **1.** (sur un siège) sentar • **faire asseoir qqn** hacer sentar a alguien **2.** (fondations) asentar **3.** (réputation) basar **4.** (impôt) establecer. ◼ **s'asseoir** vp sentarse • **asseyez-vous !** (messieurs) ¡siéntense! • (monsieur) ¡siéntese! • **s'asseoir sur qqch** sentarse en algo.

assermenté, e adj **1.** (fonctionnaire, traducteur) jurado(da) **2.** (témoin) juramentado(da).

assertion nf aserción (f).

asservir vt esclavizar.

assesseur nm asesor (m), -ra (f).

assez adv **1.** (suffisamment) suficiente • **assez de** suficiente • **assez de chaises** suficientes sillas • **assez de lait** suficiente leche • **en avoir assez de qqch/de qqn** estar harto(ta) de algo/de alguien **2.** (plutôt) bastante • **il roule assez vite** conduce bastante rápido • **assez bien** bastante bien.

assidu, e adj **1.** (élève) asiduo(dua) **2.** (travail) constante.

assiduité *nf* **1.** *(zèle)* perseverancia *(f)* **2.** *(fréquence)* asiduidad *(f)* • **avec assiduité** con asiduidad, asiduamente. ■ **assiduités** *nfpl péj* & *sout (attentions)* atenciones *(fpl)*.

assiéger *vt* asediar.

assiette *nf* **1.** *(gén)* plato *(m)* • **assiette anglaise** ≃ entremeses *(mpl)* variados • **assiette creuse** *ou* **à soupe** plato hondo *ou* sopero • **assiette à dessert** plato de postre • **ne pas être dans son assiette** *fam* no encontrarse bien **2.** *(de cavalier)* equilibrio *(m)* **3.** *(d'impôt)* base *(f)* imponible.

assigner *vt* **1.** *(fonds, tâche)* asignar **2.** DR • **assigner qqn en justice** citar a alguien a juicio.

assimiler *vt* **1.** *(aliment, connaissance)* asimilar **2.** *(confondre)* confundir • **assimiler qqch à qqch** confundir algo con algo **3.** *(intégrer)* integrar.

assis, e *adj* sentado(da). ■ **assise** *nf (base)* cimientos *(mpl)*. ■ **assises** *nfpl* **1.** DR ≃ sala *(f)* de lo penal **2.** *(congrès)* congreso *(m)*.

assistance *nf* **1.** *(gén)* asistencia *(f)* • **prêter assistance à qqn** prestar asistencia a alguien **2.** *(auditoire)* audiencia *(f)*. ■ **Assistance publique** *nf* • **l'Assistance publique** la Asistencia social.

assistant, e *nm, f* **1.** *(auxiliaire)* asistente *(mf)* • **assistante sociale** asistente *(f)* social **2.** *(enseignant)* auxiliar *(mf)* de conversación.

assister ■ *vi* • **assister à qqch** asistir a algo. ■ *vt* • **assister qqn** *(le seconder)* ayudar a alguien • *(lui porter secours)* prestar asistencia a alguien.

association *nf* asociación *(f)* • **association humanitaire** asociación humanitaria • **association sportive** asociación deportiva.

associé, e ■ *adj* asociado(da). ■ *nm, f* socio *(m)*, -cia *(f)*.

associer *vt* **1.** *(personnes, idées)* asociar • **associer qqch à qqch** asociar algo con algo **2.** *(faire participer)* • **associer qqn à qqch** hacer participar a alguien en algo. ■ **s'associer** *vp* **1.** *(collaborer)* asociarse • **s'associer à** *ou* **avec qqn** asociarse con alguien **2.** *(participer)* • **s'associer à qqch** participar en algo **3.** *(se combiner)* • **s'associer à qqch** combinarse con algo.

assoiffé, e *adj* **1.** *(d'eau)* sediento(ta) **2.** *(de pouvoir, d'argent)* ávido(da).

assombrir *vt* **1.** *(plonger dans l'obscurité)* oscurecer **2.** *fig (attrister)* ensombrecer. ■ **s'assombrir** *vp* **1.** *(devenir sombre)* oscurecerse **2.** *fig (s'attrister)* ensombrecerse.

assommer *vt* **1.** *(frapper)* tumbar **2.** *fam (ennuyer)* aburrir **3.** *(accabler)* agobiar.

Assomption *nf* RELIG • **l'Assomption** la Asunción.

assorti, e *adj* **1.** *(coordonné)* combinado(da) • **assorti à** combinado con • **bien/mal assorti** bien/mal combinado **2.** *(complémentaire)* • **ce couple est bien assorti** hacen buena pareja **3.** *(approvisionné)* surtido(da).

assortir *vt* **1.** *(objets)* combinar • **assortir qqch à qqch** combinar algo con algo **2.** *(magasin)* surtir.

assoupi, e *adj* **1.** *(endormi)* adormilado(da) **2.** *(affaibli)* adormecido(da).

assoupir *vt* adormecer, dormir. ■ **s'assoupir** *vp* adormilarse.

assouplir *vt* **1.** *(corps)* dar flexibilidad **2.** *(matière)* ablandar **3.** *(règlement)* hacer flexible **4.** *(caractère)* suavizar. ■ **s'assouplir** *vp* **1.** *(physiquement)* adquirir flexibilidad **2.** *(moralement)* suavizarse.

assourdir *vt* **1.** *(personne)* ensordecer **2.** *(bruit)* amortiguar.

assouvir *vt sout* **1.** *(appétit)* saciar **2.** *(passions)* satisfacer.

assujettir *vt* **1.** *(soumettre)* someter • **assujettir qqn à qqch** someter a alguien a algo **2.** *(fixer)* fijar.

assumer *vt* asumir.

assurance *nf* **1.** *(gén)* seguridad *(f)* • **j'ai reçu l'assurance qu'on m'aiderait** me han asegurado que me ayudarían • **veuillez recevoir l'assurance de mes sentiments distingués** le saluda atentamente **2.** *(contrat)* seguro *(m)* • **assurance maladie/tous risques** seguro de enfermedad/a todo riesgo. ■ **assurance-vie** *nf* seguro *(m)* de vida.

assuré, e *nm, f* asegurado *(m)*, -da *(f)* • **assuré social** beneficiario *(m)* de la Seguridad Social.

assurément *adv sout* ciertamente.

assurer ■ *vt* **1.** *(gén)* asegurar • **il m'a assuré de sa bonne foi** me aseguró que era de buena fe • **il m'a assuré qu'il viendrait** me aseguró que vendría **2.** *(garantir)* garantizar • **assurer des revenus fixes** garantizar ingresos fijos. ■ *vi fam* dar la talla. ■ **s'assurer** *vp* asegurarse • **s'assurer de qqch/que** *(confirmer)* asegurarse de algo/de que • **s'assurer qqch** *(obtenir)* asegurarse algo • **s'assurer contre qqch** asegurarse contra algo.

astérisque *nm* asterisco *(m)*.

asthme *nm* asma *(m)*.

asticot *nm* gusano *(m)* blanco.

astiquer *vt* sacar brillo.

astre *nm* astro *(m)*.

astreignant, e *adj* esclavizante.

astreindre *vt* • **astreindre qqn à qqch/à faire qqch** obligar a alguien a algo/a hacer algo.

astringent, e *adj* astringente. ■ **astringent** *nm* astringente *(m)*.

astrologie *nf* astrología *(f)*.

astrologue *nmf* astrólogo *(m)*, -ga *(f)*.

astronaute *nmf* astronauta *(mf)*.

astronautique nf astronáutica (f).

astronome nmf astrónomo (m), -ma (f).

astronomie nf astronomía (f).

astronomique adj astronómico(ca).

astuce nf 1. (ingéniosité) astucia (f) 2. (ruse) truco (m) 3. (plaisanterie) broma (f).

astucieux, euse adj 1. (personne) astuto(ta) (Esp), abusado(da) (Amér) 2. (idée) ingenioso(sa).

asymétrique adj asimétrico(ca).

atelier nm 1. (d'artisan) taller (m) 2. (de peintre) estudio (m).

athée adj & nmf ateo(a).

athéisme nm ateísmo (m).

Athènes npr Atenas.

athlète nmf atleta (mf).

athlétisme nm atletismo (m).

atlantique adj atlántico(ca). ■ **Atlantique** npr • **l'Atlantique** el Atlántico.

atlas nm atlas (m).

atmosphère nf 1. GÉOGR atmósfera (f) 2. (air) aire (m) 3. (ambiance) ambiente (m).

atmosphérique adj atmosférico(ca).

atome nm átomo (m) • **ne pas avoir un atome de** fig no tener ni pizca de.

atomique adj atómico(ca).

atomiseur nm pulverizador (m).

atone adj 1. (voyelle) átono(na) 2. (regard) inexpresivo(va).

atours nmpl sout atavío (m).

atout nm 1. (carte) triunfo (m) • **atout carreau/cœur/pique/trèfle** triunfo de diamantes/corazones/picas/tréboles 2. fig (ressource) ventaja (f), baza (f).

âtre nm sout hogar (m) (chimenea).

atroce adj 1. (crime) atroz 2. (souffrance, temps) espantoso(sa).

atrocité nf 1. (horreur) atrocidad (f) 2. (calomnie) calumnia (f).

atrophie nf atrofia (f).

atrophier vt atrofiar. ■ **s'atrophier** vp atrofiarse.

attabler ■ **s'attabler** vp sentarse a la mesa.

attachant, e adj entrañable.

attache nf atadura (f). ■ **attaches** nfpl 1. (relations) vínculos (m) 2. (parenté) lazos (m) 3. (poignets et chevilles) • **avoir les attaches fines** tener las muñecas y los tobillos finos.

attaché, e nm, f agregado (m), -da (f) • **attaché culturel** agregado cultural • **attaché de presse** responsable (mf) de prensa.

attaché-case nm maletín (m).

attachement nm apego (m).

attacher ■ vt 1. (animal, paquet) atar • **attacher qqch à qqch** atar algo a algo 2. (ceinture, manteau) abrochar. ■ vi pegarse. ■ **s'attacher** vp 1. (se prendre d'affection) • **s'attacher à qqn/à**

qqch encariñarse con alguien/con algo 2. (se fermer) • **s'attacher avec** ou **par qqch** abrocharse con algo 3. (s'appliquer) • **s'attacher à qqch/à faire qqch** esmerarse en algo/en hacer algo.

attaquant, e adj & nm, f atacante.

attaque nf ataque (m) • **avoir une attaque** tener un ataque.

attaquer vt 1. (gén) atacar 2. DR (jugement) impugnar • **attaquer qqn en justice** llevar a alguien a los tribunales 3. fam (commencer) liarse con algo • **on attaque ?** ¿nos ponemos? ■ **s'attaquer** vp • **s'attaquer à qqn** (le combattre) atreverse con alguien • fig atacar a alguien • **s'attaquer à qqch** (problème, dossier) enfrentarse a algo.

attardé, e ■ adj retrasado(da). ■ nm, f retrasado (m), -da (f) (mental).

attarder ■ **s'attarder** vp • **s'attarder à qqch** detenerse en algo • **s'attarder à faire qqch** entretenerse haciendo algo.

atteindre vt 1. (toucher, attraper) alcanzar 2. (affecter) afectar 3. (arriver) llegar a.

atteint, e adj 1. (malade) afectado(da) 2. fam (fou) tocado(da). ■ **atteinte** nf (portée) • **hors d'atteinte** fuera de alcance.

attelage nm 1. (chevaux) tiro (m) 2. (harnachement) arreos (mpl).

atteler vt 1. (animal) uncir 2. (véhicule) enganchar.

attelle nf tablilla (f).

attenant, e adj contiguo(gua) • **attenant à qqch** lindante con algo.

attendre ■ vt esperar • **j'attends que la pluie cesse** espero que deje de llover • **attendre qqch de qqn/de qqch** esperar algo de alguien/de algo. ■ vi esperar. ■ **s'attendre** vp • **s'attendre à qqch** esperarse algo • **s'attendre à ce que** esperarse que • **il s'attendait à ce qu'elle lui donne cette réponse** se esperaba que le diera esa respuesta. ■ **en attendant** loc adv mientras tanto.

attendrir vt 1. fig (personne) enternecer, ablandar 2. (viande) macerar. ■ **s'attendrir** vp enternecerse • **s'attendrir sur qqn/sur qqch** enternecerse por algo.

attendrissant, e adj 1. (personne) enternecedor(ra) 2. (geste) conmovedor(ra).

attendu, e ■ adj esperado(da). ■ **attendu** ■ nm DR considerando (m). ■ prép en vista de. ■ **attendu que** loc conj en vista de que.

attentat *nm* atentado *(m)* ▪ **attentat à la bombe** atentado con bomba ▪ **attentat à la pudeur** atentado contra la moral.

attentat-suicide *nm* atentado *(m)* suicida.

attente *nf* **1.** *(action d'attendre)* espera *(f)* **2.** *(espoir)* expectativa *(f)* ▪ **contre toute attente** contra todo pronóstico ▪ **répondre à l'attente de qqn** responder a las expectativas de alguien.

attenter *vt* ▪ **attenter à qqch** atentar contra algo ▪ **attenter à ses jours** atentar contra su vida.

attentif, ive *adj* atento(ta).

attention ▨ *nf* atención *(f)* ▪ **à l'attention de** a la atención de ▪ **faire attention que** vigilar que ▪ **faire attention à qqch** tener cuidado con algo ▪ *(à un détail)* poner atención en algo. ▨ *interj* ¡cuidado!

attentionné, e *adj* considerado(da) ▪ **attentionné avec qqn** atento con alguien.

attentisme *nm* política *(f)* de espera.

attentivement *adv* **1.** atentamente **2.** *(avec soin)* detenidamente.

atténuante ▭▷ **circonstance**.

atténuation *nf* atenuación *(f)*.

atténuer *vt* atenuar. ▪ **s'atténuer** *vp* atenuarse.

atterrir *vi* **1.** *(avion)* aterrizar **2.** *fam (personne)* parar.

atterrissage *nm* aterrizaje *(m)*.

attestation *nf* **1.** *(certificat)* certificado *(m)* ▪ **attestation médicale** certificado médico **2.** *(preuve)* prueba *(f)*.

attester *vt* **1.** *(confirmer)* atestiguar **2.** *(certifier)* testificar.

attique ▨ *adj* HIST ático(ca). ▨ *nm* ARCHIT ático *(m)*.

attirail *nm fam* trastos *(mpl)*.

attirance *nf* atracción *(f)*.

attirant, e *adj* atractivo(va).

attirer *vt* **1.** *(gén)* atraer ▪ **attirer qqn à** OU **vers soi** atraer a alguien hacia sí **2.** *(provoquer)* ▪ **attirer des ennuis à qqn** acarrear problemas a alguien. ▪ **s'attirer** *vp* *(l'estime, le soutien, la critique, etc)* ganarse.

attiser *vt* **1.** *(feu)* atizar **2.** *fig & sout (sentiment)* avivar.

attitré, e *adj* **1.** *(représentant, fournisseur)* acreditado(da) **2.** *(place)* reservado(da) **3.** *iron (habituel)* habitual.

attitude *nf* **1.** *(posture)* postura *(f)* **2.** *(comportement)* actitud *(f)*.

attouchements *nmpl* caricias *(fpl)*.

attractif, ive *adj* atractivo(va).

attraction *nf* **1.** *(gén)* atracción *(f)* **2.** *(centre d'intérêt)* (centro *(m)* de) atracción.

attrait *nm* atracción *(f)*. ▪ **attraits** *nmpl* **1.** *sout (séduction)* encantos *(mpl)* **2.** *(intérêt)* atractivos *(mpl)*.

attrape-nigaud *nm* engañabobos *(m inv)*.

attraper *vt* **1.** *(gén)* coger **2.** *(prendre au piège)* atrapar **3.** *fam (train, avion)* coger por los pelos **4.** *fam (gronder)* reñir **5.** *(surprendre)* pillar **6.** *fam (tromper)* engañar ▪ **il m'a bien attrapé !** ¡me la ha dado con queso!

attrayant, e *adj* atrayente.

attribuer *vt* **1.** *(qualité, mérite)* atribuir **2.** *(prix, privilège)* otorgar. ▪ **s'attribuer** *vp* atribuirse.

attribut *nm* atributo *(m)*.

attribution *nf* **1.** *(de prix, rôle)* adjudicación *(f)* **2.** *(d'une tâche, place)* asignación *(f)* **3.** *(d'un fait, mérite)* atribución *(f)*. ▪ **attributions** *nfpl* *(compétences)* atribuciones *(fpl)* ▪ **ne pas entrer dans les attributions de qqn** no entrar en las atribuciones de alguien.

attrister *vt* entristecer. ▪ **s'attrister** *vp* ▪ **s'attrister (de)** entristecerse (por).

attroupement *nm* **1.** *(de badauds)* aglomeración *(f)* **2.** *(de manifestants)* concentración *(f)*.

attrouper ▪ **s'attrouper** *vp* aglomerarse.

aubade *nf* alborada *(f)*.

aubaine *nf* ganga *(f)*.

aube *nf* alba *(f)* ▪ **à l'aube** de madrugada ▪ **à l'aube de** *(au matin)* en la madrugada de ▪ *fig (au commencement de)* en los albores de.

aubépine *nf* espino *(m)* blanco.

auberge *nf* hostal *(m)*, posada *(f)* vieilli ▪ **auberge de jeunesse** albergue *(m)* juvenil.

aubergine ▨ *nf* berenjena *(f)*. ▨ *adj inv (couleur)* berenjena *(en apposition)*.

aubergiste *nmf* posadero *(m)*, -ra *(f)*.

auburn *adj inv* trigueño(ña).

aucun, e ▨ *adj* **1.** *(sens négatif)* ninguno(na) ▪ **il n'y a aucun bus dans la rue** no hay ningún autobús en la calle ▪ **il n'y a aucune boutique ici** no hay ninguna tienda aquí **2.** *(sens positif)* cualquier ▪ **il lit plus qu'aucun autre enfant** lee más que cualquier otro niño. ▨ *pron* **1.** *(sens négatif)* ninguno(na) ▪ **il n'en veut aucun** no quiere ninguno ▪ **aucun d'entre nous** ninguno de nosotros **2.** *(sens positif)* cualquiera ▪ **il parle mieux qu'aucun de nous** habla mejor que cualquiera de nosotros ▪ **d'aucuns** *sout* algunos.

audace *nf* **1.** *(hardiesse)* audacia *(f)* **2.** *(insolence)* osadía *(f)* **3.** *(innovation)* atrevimiento *(m)*.

audacieux, euse ▨ *adj* **1.** *(hardi)* audaz **2.** *(insolent)* atrevido(da). ▨ *nm, f* atrevido *(m)*, -da *(f)*.

au-dedans *loc adv* dentro, por dentro. ▪ **au-dedans de** *loc prép* dentro de.

au-dehors *loc adv* (por) fuera. ▪ **au-dehors de** *loc prép* fuera de.

au-delà ⬛ *loc adv* **1.** *(plus loin)* más allá **2.** *(davantage)* mucho más. ⬛ *nm* • **l'au-delà** RELIG el más allá. ■ **au-delà de** *loc prép* más allá de • **au-delà du pont** pasado el puente.

au-dessous *loc adv* debajo. ■ **au-dessous de** *loc prép* debajo de.

au-dessus *loc adv* encima. ■ **au-dessus de** *loc prép* por encima de • **au-dessus de sept ans** de más de siete años.

au-devant *loc adv* delante. ■ **au-devant de** *loc prép* • **aller au-devant de** ir al encuentro de.

audience *nf* audiencia *(f)*.

Audimat® *nm* *(taux d'audience)* índice *(m)* de audiencia.

audionumérique *adj* audionumérico(ca).

audiovisuel, elle *adj* audiovisual. ■ **audiovisuel** *nm* **1.** *(secteur)* imagen *(f)* y sonido **2.** *(techniques)* medios *(mpl)* audiovisuales.

audit *nm* auditoría *(f)*.

auditeur, trice *nm, f* **1.** *(gén)* oyente *(mf)* **2.** *(de conférence)* asistente *(mf)* **3.** *(de radio)* radioyente *(mf)*. ■ **auditeur** *nm* FIN auditor *(m)*, -ra *(f)*. ■ **auditeur libre** *nm* UNIV oyente *(mf)*.

audition *nf* **1.** *(gén)* audición *(f)* • **audition de témoins** audición de los testigos **2.** THÉÂTRE prueba *(f)*.

auditionner *vt* escuchar.

auditoire *nm* auditorio *(m)*.

auditorium *nm* auditórium *(m)*, auditorio *(m)*.

auge *nf* comedero *(m)*.

augmentation *nf* **1.** *(gén)* aumento *(m)* **2.** *(de taux)* incremento *(m)* **3.** *(de prix)* subida *(f)*.

augmenter ⬛ *vt* **1.** *(gén)* aumentar **2.** *(durée)* alargar **3.** *(prix, salaire)* subir • **augmenter qqn** conceder un aumento (de sueldo) a alguien, subir el sueldo a alguien. ⬛ *vi* aumentar.

augure *nm* augurio *(m)* • **de bon/mauvais augure** de buen/mal augurio.

auguste *adj* sout augusto(ta).

aujourd'hui *adv* **1.** *(ce jour)* hoy **2.** *(à notre époque)* hoy (en día).

aumône *nf* limosna *(f)* • **faire l'aumône à qqn** dar limosna a alguien • **elle lui a fait l'aumône d'un regard** se dignó mirarle.

auparavant *adv* antes.

auprès ■ **auprès de** *loc prép* **1.** *(près de)* junto a **2.** *(comparé à)* al lado de **3.** *(dans l'opinion de, en s'adressant à)* ante.

auréole *nf* aureola *(f)*.

auriculaire ⬛ *adj* auricular. ⬛ *nm* (dedo) meñique *(m)*.

aurore *nf* **1.** *(aube)* aurora *(f)* • **se lever aux aurores** levantarse de madrugada **2.** fig & sout *(commencement)* albores *(mpl)*.

ausculter *vt* auscultar.

auspice *nm* (gén pl) auspicio *(m)* • **sous les auspices de qqn** bajo los auspicios de alguien

aussi *adv*

1. ÉGALEMENT = también
  • **moi aussi** yo también
  • **il parle anglais et aussi espagnol** habla inglés y también español
2. DANS UNE COMPARAISON = tan
  • **il n'est pas aussi intelligent que son frère** no es tan inteligente como su hermano
3. À CE POINT
  • **je n'ai jamais rien vu d'aussi beau** nunca he visto nada tan bonito
  • **aussi incroyable que cela puisse paraître** por muy increíble que parezca
4. INTRODUIT UNE EXPLICATION = por lo tanto
  • **aussi ai-je immédiatement fait appel à ses services** por lo tanto recurrí inmediatamente a sus servicios.

■ **(tout) aussi bien** *loc adv*

también
  • **j'aurais ou (tout) aussi bien refuser** también habría podido negarme.

■ **aussi bien... que** *loc conj*

tanto... como, tan... como
  • **cela peut être aussi bien lui qu'elle** puede ser tanto él como ella
  • **tu le sais aussi bien que moi** lo sabes tan bien como yo
  • **on n'est jamais aussi bien servi que par soi-même** si quieres ser bien servido, sírvete a ti mismo.

aussitôt *adv* en seguida. ■ **aussitôt que** *loc conj* tan pronto como.

austère *adj* austero(ra).

austérité *nf* austeridad *(f)*.

austral, e *adj* austral.

Australie *npr* • **l'Australie** Australia.

australien, enne *adj* australiano(na). ■ **Australien, enne** *nm, f* australiano *(m)*, -na *(f)*.

autant *adv*

1. DANS UNE COMPARAISON
  • **je l'aime autant que toi** lo quiero tanto como tú
  • **il y a autant de femmes que d'hommes** hay tantas mujeres como hombres
2. EXPRIME L'INTENSITÉ, LE DEGRÉ ÉLEVÉ = tanto(ta)
  • **je ne pensais pas qu'ils seraient autant** no pensaba que fueran tantos
  • **autant de personnes, autant d'avis** tantas opiniones como personas
  • **autant de patience** tanta paciencia
  • **tu ne peux pas en dire autant** no puedes decir lo mismo

• **n'importe qui peut en faire autant** cualquiera puede hacer igual
3. SUIVI DE L'INFINITIF = más vale, mejor
• **autant dire la vérité** mejor decir la verdad.

■ **autant que** *loc conj*

• **autant que possible** en la medida de lo posible
• **(pour) autant que je sache** que yo sepa.

■ **d'autant** *loc adv*

otro tanto
• **cela augmente d'autant nos intérêts** esto aumenta nuestros intereses otro tanto.

■ **d'autant moins** *loc adv*

• **d'autant moins que...** tanto menos cuanto que..., menos aún cuando...
• **il ose d'autant moins me téléphoner qu'il me doit beaucoup d'argent** no se atreve a llamarme menos aún cuando me debe mucho dinero.

■ **d'autant plus** *loc adv*

todavía más
• **d'autant plus que...** tanto más cuanto que..., más aún cuando...
• **je le crains d'autant plus qu'il est mon père** le tengo miedo tanto más cuanto que es mi padre.

■ **d'autant que** *loc conj*

DANS LA MESURE OÙ = ya que, visto que
• **je ne comprends pas que ma voiture soit tombée en panne, d'autant que je venais de la faire réviser** no entiendo que el coche haya tenido una avería, ya que acababa de hacerla revisar.

■ **pour autant** *loc adv*

sin embargo
• **elle a beaucoup étudié, mais elle n'a pas réussi son examen pour autant** estudió mucho y sin embargo no aprobó el examen
• **pour autant que je sache** que yo sepa.

autarcie *nf* autarquía *(f)*.
autel *nm* altar *(m)*.
auteur *nm* autor *(m)*, -ra *(f)*.
authentique *adj* **1.** *(document, œuvre)* auténtico(ca) **2.** *(sentiment)* verdadero(ra) **3.** *(événement)* real • **c'est une histoire authentique** es una historia real.
autisme *nm* autismo *(m)*.
autistique *adj* autístico(ca).
auto *nf* coche *(m)* (Esp), carro *(m)* (Amér).
autobiographie *nf* autobiografía *(f)*.
autobronzant, e *adj* autobronceador(ra).
■ **autobronzant** *nm* autobronceador *(m)*.

autobus *nm* autobús *(m)* (Esp), camión *(m)* (Amér).
autocar *nm* autocar *(m)*, autobús *(m)* (de línea regular).
autochtone *adj & nmf* autóctono(na).
autocollant, e *adj* adhesivo(va). ■ **autocollant** *nm* pegatina *(f)*.
autocouchette ▷ **train**.
autocritique *nf* autocrítica *(f)*.
autocuiseur *nm* olla *(f)* a presión.
autodéfense *nf* autodefensa *(f)*.
autodétruire ■ **s'autodétruire** *vp* autodestruirse.
autodéveloppement *nm* autoayuda *(f)*.
autodidacte *adj & nmf* autodidacta.
auto-école *nf* autoescuela *(f)*.
autofinancement *nm* autofinanciación *(f)*.
autofocus ◣ *adj* autofocus *(inv)*. ◣ *nm (appareil)* autofocus *(m inv)*.
autogestion *nf* autogestión *(f)*.
autographe ◣ *adj* autógrafo(fa). ◣ *nm* autógrafo *(m)*.
automate *nm* robot *(m)*.
automatique ◣ *adj* automático(ca). ◣ *nm* (pistola *(f)*) automática.
automatisation *nf* automatización *(f)*.
automatiser *vt* automatizar.
automatisme *nm* **1.** *(de machine)* automatismo *(m)* **2.** *fig (réflexe)* reflejo *(m)*.
automne *nm* otoño *(m)*.
automobile *adj & nf* automóvil *(m)*.
automobiliste *nmf* automovilista *(mf)*.
autonettoyant, e *adj* autolimpiable.
autonome *adj* **1.** *(gén)* autónomo(ma) **2.** *(personne)* independiente.
autonomie *nf* autonomía *(f)*.
autonomiste *adj & nmf* autonomista.
autoproclamer ■ **s'autoproclamer** *vp* autoproclamarse.
autopropulsé, e *adj* autopropulsado(da).
autopsie *nf* autopsia *(f)*.
autoradio *nm* autorradio *(m)*.
autorail *nm* autovía *(f)* (tren).
auto-reverse *adj & nm* autorreverse.
autorisation *nf* autorización *(f)* • **avoir l'autorisation de faire qqch** tener la autorización para hacer algo.
autorisé, e *adj* autorizado(da).
autoriser *vt* **1.** *(donner la permission à)* • **autoriser qqn à faire qqch** autorizar a alguien a hacer algo **2.** *(donner la possibilité de)* dar cabida a.
autoritaire *adj & nmf* autoritario(ria).
autorité *nf* autoridad *(f)* • **faire autorité** sentar cátedra • **autorité parentale** patria potestad *(f)*.

autoroute *nf* autopista (f) ▪ **autoroute de l'information** autopista de la información.

auto-stop *nm* autostop (m), autoestop (m) ▪ **faire de l'auto-stop** hacer autostop.

autostoppeur, euse *nm, f* autostopista (mf), autoestopista (mf).

autour *adv* alrededor. ▪ **autour de** *loc prép* **1.** (en cercle) alrededor ▪ **2.** (près de) alrededor de.

autre ▪ *adj indéf* otro(tra) ▪ **un autre homme** otro hombre ▪ **l'un et l'autre projet** uno y otro proyecto ▪ **ni l'une ni l'autre maison** ni una casa ni la otra ▪ **c'est un (tout) autre homme que son père** es un hombre totalmente distinto a su padre. ▪ *pron indéf* el otro, la otra ▪ **ce livre ou l'autre** este libro o el otro ▪ **l'un et l'autre sont venus** han venido uno y otro ▪ **nul autre** nadie más ▪ **quelqu'un d'autre** otra persona ▪ **rien d'autre** nada más. ▪ **entre autres** *loc adv* entre otras cosas.

À PROPOS DE...

autre

Notez l'absence de l'article indéfini devant les pronoms *otro, otra*.

autrefois *adv* en otro tiempo, antes.

autrement *adv* **1.** (différemment) de otro modo ▪ **autrement dit** dicho de otro modo ▪ **je n'ai pas pu faire autrement que d'y aller** no tuve más remedio que ir **2.** (sinon) si no ▪ **obéis ! autrement tu seras puni** obedece si no te voy/van a castigar **3.** sout (beaucoup plus) mucho más ▪ **c'est autrement mieux** es mucho mejor.

Autriche *npr* ▪ **l'Autriche** Austria

autrichien, enne *adj* austriaco(ca). ▪ **Autrichien, enne** *nm, f* austríaco (m), -ca (f).

autruche *nf* avestruz (m).

autrui *pron* el prójimo.

auvent *nm* **1.** (en toile) toldo (m) **2.** (en dur) tejadillo (m).

auxiliaire ▪ *adj* auxiliar. ▪ *nmf* (assistant) ayudante (mf). ▪ *nm* GRAMM auxiliar (m).

av. (abr écrite de **avenue**) Avda.

avachi, e *adj* **1.** (vêtement, chaussure) deformado(da) **2.** fam (traits, visage) molido(da).

aval[1] *nm inv* curso (m) bajo ▪ **en aval** (d'une rivière) río abajo ▪ fig después.

aval[2] *nm* (caution) aval (m) ▪ **donner son aval à qqch/à qqn** avalar a algo/a alguien.

avalanche *nf* **1.** (en montagne) alud (m) **2.** fig (profusion) ▪ **une avalanche de qqch** una avalancha (f) de algo.

avaler *vt* **1.** (manger) engullir **2.** fam (croire) tragarse **3.** fam (supporter) tragar.

avance *nf* **1.** (progression) avance (m) **2.** (distance - dans l'espace) ventaja (f) ▪ (- dans le temps) adelanto (m) **3.** (somme d'argent) adelanto (m), anticipo (m). ▪ **avances** *nfpl* ▪ **faire des avances à qqn** hacer proposiciones a alguien. ▪ **à l'avance** *loc adv* por adelantado ▪ **une heure à l'avance** una hora antes. ▪ **d'avance** *loc adv* **1.** (dans le temps) de adelanto ▪ **une heure d'avance** una hora de adelanto ▪ **payer d'avance** pagar por adelantado **2.** (dans l'espace) de ventaja ▪ **3 km d'avance** 3 km de delante. ▪ **en avance** *loc adv* ▪ **être en avance** ir adelantado(da) ▪ **être en avance sur qqch** (époque, concurrence) ir por delante de algo ▪ (horaire, programme) ir adelantado(da) en algo. ▪ **par avance** *loc adv* sout de antemano.

avancement *nm* **1.** (développement) progreso (m) **2.** (promotion) ascenso (m).

avancer ▪ *vt* **1.** (dans l'espace, dans le temps) adelantar **2.** (tête, main) alargar **3.** (faire progresser) avanzar **4.** (argent) ▪ **avancer qqch à qqn** adelantar algo a alguien. ▪ *vi* **1.** (progresser) avanzar **2.** (faire saillie) sobresalir ▪ **avancer dans/sur qqch** adentrarse en algo **3.** (montre, horloge) adelantar **4.** (servir) ▪ **ça ne t'avance à rien** con eso no adelantas nada. ▪ **s'avancer** *vp* **1.** (s'approcher) acercarse ▪ **s'avancer vers qqn/vers qqch** acercarse a alguien/a algo **2.** (prendre de l'avance) adelantarse **3.** (s'engager) comprometerse.

avanies *nfpl* sout vejaciones (fpl).

avant ▪ *prép* antes de, antes que ▪ **avant les vacances** antes de las vacaciones ▪ **avant moi** antes que yo. ▪ *adv* antes ▪ **d'avant** anterior ▪ **la semaine d'avant** la semana anterior ▪ **bien avant** mucho antes. ▪ *adj inv* delantero(ra) ▪ **les roues avant** las ruedas delanteras. ▪ *nm* **1.** (d'un véhicule) delantera (f) **2.** SPORT delantero (m). ▪ **avant de** *loc prép* ▪ **avant de faire qqch** antes de hacer algo. ▪ **avant que** *loc conj* antes de que. ▪ **en avant** *loc adv* hacia adelante. ▪ **en avant de** *loc prép* por delante de. ▪ **avant tout** *loc adv* ante todo.

À PROPOS DE...

avant

Notez que lorsque la préposition « avant » est suivie d'un pronom personnel complément, elle se traduit par *antes que* suivi du pronom personnel sujet.

avantage *nm* ventaja (f) ▪ **se montrer à son avantage** mostrar e. mejor perfil.

avantager *vt* favorecer.

avantageux, euse *adj* **1.** (profitable, économique) ventajoso(sa) **2.** (flatteur) favorecedor(ra) **3.** sout (présomptueux) presuntuoso(sa).

avant-bras *nm inv* antebrazo (m).

avant-centre *nm* delantero *(m)* centro.

avant-coureur *adj m* • **des signes avant-coureurs** signos precursores.

avant-dernier, ère *adj* penúltimo(ma).

avant-garde *nf* vanguardia *(f)* • **d'avant-garde** *(technique)* de vanguardia • *(idée)* vanguardista.

avant-goût *nm* anticipo *(m)*.

avant-hier *adv* anteayer.

avant-première *nf* preestreno *(m)*.

avant-projet *nm* anteproyecto *(m)*.

avant-propos *nm inv* prólogo *(m)*.

avant-veille *nf* antevíspera *(f)*.

avare ◪ *adj* **1.** *(pingre)* avaro(ra) **2.** *(peu prodigue)* • **être avare de qqch** ser parco(ca) en algo. ◪ *nmf* avaro *(m)*, -ra *(f)*.

avarice *nf* avaricia *(f)*.

avarie *nf* avería *(f)*.

avatar *nm* *(transformation & INFORM)* avatar *(m)*. ■ **avatars** *nmpl* *(mésaventures)* avatares *(mpl)*.

---

avec *prép*

1. INDIQUE L'ACCOMPAGNEMENT **= con**
  • **elle est venue avec un de ses amis** vino con un amigo suyo
  • **avec moi** conmigo
  • **avec toi** contigo
  • **avec soi** consigo

2. INDIQUE UNE CARACTÉRISTIQUE **= con**
  • **une chambre avec vue** una habitación con vistas

3. À L'ÉGARD DE, ENVERS **= con**
  • **il est gentil avec nous** es amable con nosotros

4. INDIQUE LA MANIÈRE **= con**
  • **avancer avec prudence** avanzar con cautela
  • **parler avec gentillesse** hablar amablemente

5. INDIQUE LE MOYEN **= con**
  • **boire avec une paille** beber con una pajita.

---

avec *adv*

con
  • **tiens mon sac, je ne peux pas courir avec** toma mi bolso, no puedo correr con él
  • **il faut faire avec** hay que darse por contento, hay que conformarse
  • **j'ai perdu mon portefeuille et mes papiers avec** he perdido la cartera y la documentación.

Ave (Maria) *nm inv* Avemaría *(m)*.

avenant, e *adj* **1.** *sout* *(personne)* afable **2.** *(comportement)* agradable **3.** *(maison)* bonito(ta). ■ **avenant** *nm* DR cláusula *(f)* adicional. ■ **à l'avenant** *loc adv* al paso.

avènement *nm* **1.** *(de roi)* llegada *(f)* al trono **2.** *fig & RELIG* advenimiento *(m)*.

avenir *nm* **1.** *(futur)* futuro *(m)* • **d'avenir** *(domaine, métier)* con futuro **2.** *(de personne)* porvenir *(m)*. ■ **à l'avenir** *loc adv* en lo sucesivo.

avent *nm* RELIG adviento *(m)*.

aventure *nf* aventura *(f)*.

aventureux, euse *adj* **1.** *(personne, caractère)* aventurado(da) **2.** *(projet)* arriesgado(da) **3.** *(vie)* azaroso(sa).

aventurier, ère *nm, f* aventurero *(m)*, -ra *(f)*.

avenu, e *adj* • **nul et non avenu** nulo y sin valor.

avenue *nf* avenida *(f)*.

avéré, e *adj* probado(da).

avérer ■ **s'avérer** *vp* *(se révéler)* revelarse • **la situation s'avère difficile** la situación resulta difícil.

averse *nf* chaparrón *(m)*.

aversion *nf* aversión *(f)*.

averti, e *adj* **1.** *(expérimenté)* sagaz **2.** *(connaisseur)* iniciado(da) • **être averti de qqch** estar al corriente de algo.

avertir *vt* **1.** *(mettre en garde)* advertir **2.** *(prévenir)* avisar • **avertir qqn de qqch** avisar a alguien de algo.

avertissement *nm* **1.** *(menace de sanction - SPORT)* amonestación *(f)* • *(- école)* aviso *(m)* **2.** *(signe)* advertencia *(f)* **3.** *(conseil)* consejo *(m)* **4.** *(préambule)* preámbulo *(m)* **5.** *(avis)* aviso *(m)*.

avertisseur, euse *adj* de aviso. ■ **avertisseur** *nm* claxon *(m)*. ■ **avertisseur d'incendie** *nm* alarma *(f)* de incendios.

aveu *nm* confesión *(f)* • **de l'aveu de** según el testimonio de • **faire un aveu à qqn** confesarle algo a alguien.

aveugle *adj & nmf* ciego(ga).

aveuglement *nm* *fig* obcecación *(f)*.

aveuglément *adv* ciegamente.

aveugler *vt* **1.** *(personne, fenêtre)* cegar **2.** *(éblouir)* deslumbrar **3.** *fig* *(troubler)* ofuscar.

aveuglette ■ **à l'aveuglette** *loc adv* a ciegas.

aviateur, trice *nm, f* aviador *(m)*, -ra *(f)*.

aviation *nf* aviación *(f)*.

avide *adj* ávido(da) • **avide de qqch** ávido(da) de algo • **avide de faire qqch** ansioso, -sa *(f)* por hacer algo.

avidité *nf* avidez *(f)*.

avilir *vt* envilecer. ■ **s'avilir** *vp* envilecerse.

aviné, e *adj* **1.** *sout* *(personne)* achispado(da) **2.** *(haleine)* que huele a vino.

avion *nm* avión *(m)* • **en avion** en avión • **par avion** *(courrier)* por vía aérea • **avion à réaction** avión a reacción, reactor *(m)*.

aviron *nm* remo *(m)*.

avis *nm* **1.** *(opinion)* opinión *(f)*, parecer *(m)* • **changer d'avis** cambiar de opinión • **donner**

un **avis défavorable** no dar la aprobación
• **donner un avis favorable** dar el visto bueno
• **être d'avis que** ser del parecer ou de la opinión que • **à mon avis** a mi parecer, en mi opinión **2.** (annonce, message) aviso (m) • **sauf avis contraire** salvo objeciones • **avis de décès** notificación (f) de defunción • **avis de virement** aviso de transferencia. ■ **avis de recherche** nm aviso (m) de búsqueda.

avisé, e adj prudente • **être bien/mal avisé de faire qqch** hacer bien/mal en hacer algo.

aviser ◼ vt • **aviser qqn de qqch** informar a alguien de algo. ◼ vi decidir. ◼ **s'aviser** vp **1.** sout (s'apercevoir) • **s'aviser de qqch** percatarse de algo • **s'aviser que** percatarse de que **2.** (oser) • **s'aviser de faire qqch** atreverse a hacer algo • **ne t'avise pas de rentrer tard** no se te ocurra volver tarde.

aviver vt avivar.

av. J-C (abr écrite de **avant Jésus-Christ**) a. de JC, a. JC • **Rome aurait été fondée en 753 av. J-C** Roma fue fundada probablemente en el año 753 a. de JC.

avocat, e nm, f **1.** DR abogado (m), -da (f) • **avocat d'affaires/de la défense** abogado de empresa/de la defensa • **avocat général** ≃ fiscal (mf) del Tribunal Supremo **2.** (défenseur) defensor (m), -ra (f). ■ **avocat** nm (fruit) aguacate (m) (Esp), palta (f) (Amér).

avoine nf avena (f).

avoir nm

FORTUNE = haber
• **c'est tout son avoir** es todo lo que posee.

avoir v aux

haber
• **il a déjà mangé** ya ha comido.

avoir vt

1. POSSÉDER = tener
• **il a deux enfants/une belle maison** tiene dos hijos/una casa preciosa
• **il a les cheveux blonds** tiene el pelo rubio
2. ÉPROUVER
• **avoir de la sympathie pour qqn** tener simpatía a alguien
• **avoir du chagrin** sentir dolor
• **avoir faim** tener hambre
• **avoir sommeil** tener sueño
• **avoir mal** dolerle a uno
• **j'ai mal à la tête/au dos** me duele la cabeza/la espalda
• **j'ai mal aux oreilles** me duelen los oídos
3. ÊTRE ÂGÉ DE = tener
• **elle a vingt ans** tiene veinte años
4. OBTENIR
• **avoir son permis de conduire** sacarse el carné de conducir

• **avoir sa licence** licenciarse
5. DANS DES EXPRESSIONS
• **en avoir après qqn** tener algo contra alguien
• **j'en ai pour cinq minutes** sólo serán cinco minutos
• **se faire avoir** dejarse engañar.

■ **avoir à** v + prép

DEVOIR = tener que
• **tu n'avais pas à lui parler sur ce ton** no tenías que haberle hablado en ese tono
• **tu n'avais qu'à me le demander** bastaba con que lo pidieras.

■ **il y a** v impers

1. PRÉSENTATIF = hay
• **il y a des problèmes** hay problemas
• **qu'est-ce qu'il y a ?** ¿qué pasa?
2. TEMPOREL = hace
• **il y a dix ans** hace diez años.

À PROPOS DE...

avoir

« Avoir » se traduit principalement par **tener** ou **haber**. **Haber** es l'auxiliaire qui permet de former tous les temps composés.

avoisinant, e adj **1.** (lieu, maison) próximo(ma) **2.** (sens, couleur) parecido(da).

avortement nm **1.** MÉD aborto (m) **2.** fig (de projet) fracaso (m).

avorter vi **1.** MÉD abortar **2.** fig (échouer) fracasar.

avorton nm **1.** péj (nabot) engendro (m) **2.** (animal, plante) abortón (m).

avouer vt **1.** (confesser) confesar **2.** (admettre, reconnaître) reconocer, admitir. ■ **s'avouer** vp **1.** (coupable) declararse **2.** (vaincu) darse por.

avril nm abril (m). • voir aussi **septembre**

axe nm **1.** (gén) eje (m) • **dans l'axe de** (dans le prolongement de) en la misma línea de ou que **2.** (de politique) línea (f).

axer vt • **axer qqch sur qqch** centrar algo en algo.

axiome nm axioma (m).

ayant droit nm derechohabiente (m).

azalée nf azalea (f).

azerbaïdjanais, e adj azerbaiyano(na). ■ **Azerbaïdjanais, e** nm, f azerbaiyano(na).

azimut nm • **tous azimuts** loc adv **1.** fam (offensive) en todos los frentes **2.** fam (débat, arrestations, négociations) a todos los niveles.

azote nm nitrógeno (m).

aztèque adj azteca ■ **Aztèque** nmf azteca (mf).

azur nm azur (m).

b, B nm inv (lettre) b (f), B (f). ■ **B** (abr écrite de bien) ≃ N.

BA nf fam buena acción (f) • **faire sa BA** hacer una buena acción.

babiller vi balbucear.

babines nfpl belfos (mpl).

bâbord nm babor (m) • **à bâbord** a babor.

babouin nm zambo (m) (mono).

Babylone npr Babilonia.

baby-sitter nmf canguro (mf).

baby-sitting nm • **faire du baby-sitting** hacer de canguro.

bac nm 1. fam (abr de baccalauréat) • **bac blanc** simulacro (m) de examen (para familiarizarse con el examen que el alumno encontrará en la convocatoria oficial) • **passer son bac** ≃ examinarse de selectividad • **avoir un bac + 2/3/4/5** haber cursado 2/3/4/5 años de carrera universitaria 2. (bateau) transbordador (m) 3. (de réfrigérateur) bandeja (f) • **bac à glace** bandeja para los cubitos de hielo • **bac à légumes** verdulero (m) 4. (d'évier) pila (f) 5. IN-FORM • **bac à papier** bandeja (f) para papel.

baccalauréat nm ≃ selectividad (f).

bâche nf cubierta (f) de lona.

bachelier, ère nm, f bachiller (mf).

bachot vieilli nm abrév de baccalauréat.

bacille nm bacilo (m).

bâcler vt hacer deprisa y corriendo • **c'est du travail bâclé** es una chapuza.

bactérie nf bacteria (f).

badaud, e nm, f curioso (m), -sa (f), mirón (m), -ona (f).

badge nm 1. (de fantaisie) chapa (f) 2. (d'identification) tarjeta (f) 3. INFORM pase (m) electrónico.

badgeuse nf lector (m) electrónico.

badigeonner vt 1. (mur) encalar 2. (plaie) cubrir 3. (tarte) recubrir.

badiner vi sout bromear • **ne pas badiner avec qqch** no jugar con algo.

badminton nm bádminton (m).

BAFA, Bafa (abr de brevet d'aptitude aux fonctions d'animation) nm ≃ Diploma de Monitor de Tiempo Libre.

baffe nf fam torta (f) (bofetada).

baffle nm bafle (m).

bafouiller vi & vt farfullar.

bâfrer fam vi engullir. vt zamparse.

bagage nm 1. (valise, sac) equipaje (m) • **bagage à main** equipaje de mano 2. (connaissances) bagaje (m) • **bagage intellectuel/culturel** bagaje intelectual/cultural.

bagagiste nm mozo (m) de equipajes.

bagarre nf pelea (f).

bagarrer vi pelear. ■ **se bagarrer** vp pelearse.

bagatelle nf 1. (objet sans valeur) bagatela (f) 2. (petite somme d'argent) cuatro perras (fpl) • **coûter la bagatelle de 1.500 euros** iron costar la friolera de 1.500 euros 3. fig (chose futile) tontería (f).

bagdadi, e adj bagdadí.

bagdadien, enne adj = **bagdadi**. ■ **Bagdadien, enne** nm, f bagdadí (mf).

bagnard nm presidiario (m).

bagne nm 1. (prison) presidio (m) 2. fig (situation) muermo (m).

bagnole nf fam coche (m).

bague nf 1. (bijou, anneau) anillo (m), sortija (f) • **bague de fiançailles** sortija de compromiso 2. (de cigare) vitola (f) 3. (de roulement, de serrage) manguito (m) 4. (d'oiseau) anilla (f).

baguer vt anillar.

baguette nf 1. (pain) ≃ barra (f) (de pan) 2. (petit bâton) varilla (f) • **baguette magique** varita (f) mágica 3. (pour manger) palillo (m) 4. (de chef d'orchestre) batuta (f).

bahut nm 1. (buffet) aparador (m) 2. (coffre) arca (f) 3. arg scol (lycée) cole (m).

baie nf 1. (fruit) baya (f) 2. GÉOGR bahía (f). ■ **baie vitrée** nf ventanal (m).

baignade nf 1. (action) baño (m) • '**baignade interdite**' 'prohibido bañarse' 2. (lieu) playa (f).

baigner vt 1. (gén) bañar 2. (remplir) • **baigner qqch de qqch** inundar algo de algo. vi (être immergé dans) nadar. ■ **se baigner** vp bañarse.

baigneur, euse nm, f bañista (mf). ■ **baigneur** nm (poupée) muñeco (m).

baignoire nf 1. (de salle de bains) bañera (f) (Esp), tina (f) (Amér) 2. THÉÂTRE palco (m) de platea.

bail nm DR contrato (m) de arrendamiento • **ça fait un bail que...** fam fig hace un siglo que...

bâillement nm bostezo (m).

bâiller vi 1. (personne) bostezar 2. (vêtement) dar de sí.

bailleur, eresse nm, f arrendador (m), -ra (f). ■ **bailleur de fonds** nm socio (m) capitalista.

bâillon nm mordaza (f).

bâillonner vt 1. (mettre un bâillon) amordazar 2. fig (réduire au silence) acallar.

bain nm baño (m) • **prendre un bain** tomar un baño, bañarse • **bain de mer** baño de mar

• **bain moussant** baño de espuma • **bain à remous** baño de burbujas • **prendre un bain de soleil** tomar el sol.

bain-marie *nm* baño *(m)* María • **au bain-marie** al baño María.

baïonnette *nf* bayoneta *(f)*.

baisemain *nm* besamanos *(m inv)*.

baiser ◼ *nm* beso *(m)*. ◼ *vt* **1.** *(embrasser)* besar **2.** vulg *(coucher avec)* follar **3.** vulg *(tromper)* dar por el culo. ◼ *vi* vulg follar.

baisse *nf* **1.** *(gén)* bajada *(f)* • **à la baisse** a la baja • **en baisse** en baja **2.** *(de température)* descenso *(m)*.

baisser ◼ *vt* bajar. ◼ *vi* *(diminuer - température, prix)* descender, bajar • *(- vue, talent)* debilitarse • **le jour baisse** anochece. ◼ **se baisser** *vp* agacharse.

bajoue *nf* **1.** *(d'animal)* carrillada *(f)* **2.** péj *(de personne)* moflete *(m)*.

Bakou *npr* Bakú.

bal *nm* baile *(m)* • **bal populaire** *ou* **musette** baile popular • **bal masqué** *ou* **costumé** baile de máscaras *ou* de disfraces.

balade *nf fam* paseo *(m)*.

balader *fam* *vt* **1.** *(traîner avec soi)* cargar con **2.** *(emmener en promenade)* pasear. ◼ **se balader** *vp fam* darse una vuelta.

baladeur, euse *adj* *(lampe)* portable. ◼ **baladeur** *nm* Walkman® *(m)*.

balafre *nf* cuchillada *(f)* *(en la cara)*.

balafré, e *adj* marcado(da).

balai *nm* **1.** *(de nettoyage)* escoba *(f)* **2.** *(d'essuie-glace)* limpiaparabrisas *(m inv)* **3.** fam *(année d'âge)* taco *(m)* • **il a cinquante balais** tiene cincuenta tacos.

balai-brosse *nm* cepillo *(m)* *(para fregar)*.

balance *nf* **1.** *(gén)* balanza *(f)* **2.** *(état d'équilibre)* equilibrio *(m)* **3.** argot *(dénonciateur)* soplón *(m)*, -ona *(f)*, chivato *(m)*, -ta *(f)*. ◼ **Balance** *nf* ASTROL Libra *(f)*.

balancer ◼ *vt* **1.** *(bouger)* balancear **2.** fam *(lancer)* tirar **3.** fam *(jeter)* tirar a la basura **4.** argot *(dénoncer)* chivar. ◼ *vi sout* **1.** *(hésiter)* vacilar **2.** *(osciller)* oscilar. ◼ **se balancer** *vp* **1.** *(sur une chaise)* balancearse **2.** *(sur une balançoire)* columpiarse **3.** fam • **se balancer de qqch** *(s'en moquer)* importarle a uno un bledo algo.

balancier *nm* **1.** *(de pendule)* péndulo *(m)* **2.** *(de funambule)* balancín *(m)*.

balançoire *nf* columpio *(m)*.

balayer *vt* **1.** *(nettoyer)* barrer **2.** fig *(écarter)* desechar **3.** *(sujet : caméra, projecteur)* dar una pasada por *ou* entre **4.** *(sujet : radar)* barrer.

balayette *nf* escobilla *(f)*.

balayeur, euse *nm, f* barrendero *(m)*, -ra *(f)*. ◼ **balayeuse** *nf* barredora *(f)*.

balayures *nfpl* basuras *(fpl)*.

balbutier ◼ *vi* **1.** *(bafouiller)* balbucear **2.** fig *(débuter)* estar en sus primeros balbuceos. ◼ *vt* *(excuses)* murmurar.

balcon *nm* **1.** *(de maison)* balcón *(m)* **2.** *(de théâtre)* palco *(m)* **3.** *(de cinéma)* anfiteatro *(m)*.

baldaquin *nm* dosel *(m)*, baldaquino *(m)*.

Baléares *npr* • **les Baléares** (las) Baleares.

baleine *nf* ballena *(f)*.

balise *nf* **1.** *(marque, dispositif)* baliza *(f)* **2.** INFORM etiqueta *(f)*.

baliser ◼ *vt* balizar. ◼ *vi fam* *(avoir peur)* tener canguelo.

baliverne *nf (gén pl)* pamplina *(f)*.

balkanique *adj* balcánico(ca).

Balkans *npr* • **les Balkans** los Balcanes.

ballade *nf* balada *(f)*.

ballant, e *adj* • **les bras ballants** con los brazos colgando.

ballast *nm* **1.** *(chemin de fer)* balasto *(m)* **2.** NAUT lastre *(m)*.

balle *nf* **1.** *(d'arme, de marchandises)* bala *(f)* • **balle perdue** bala perdida **2.** *(de jeu, de sport)* pelota *(f)* **3.** fam *(franc)* ≃ pela *(f)* • **la balle est dans ton camp** te toca a ti.

ballerine *nf* **1.** *(danseuse)* bailarina *(f)* **2.** *(chaussure)* zapatilla *(f)* de ballet.

ballet *nm* **1.** *(gén)* ballet *(m)* **2.** fig *(activité intense)* baile *(m)*.

ballon *nm* **1.** SPORT balón *(m)* • **ballon de football/de basket/de rugby** balón de fútbol/de baloncesto/ce rugby **2.** *(jouet, montgolfière)* globo *(m)* **3.** *(réservoir)* • **ballon d'eau chaude** termo *(m)* de agua caliente • **ballon d'oxygène** botella *(f)* de oxígeno • fig balón *(m)* de oxígeno **4.** fam *(verre de vin)* vaso *(m)*.

ballonné, e *adj* hinchado(da) • **avoir le ventre ballonné** tener el vientre hinchado.

ballot *nm* **1.** *(de marchandises)* fardo *(m)* **2.** vieilli *(imbécile)* memo *(m)*, -ma *(f)*.

ballottage *nm* POLIT • **scrutin de ballottage** segunda vuelta *(f)* • **il y a ballottage** no hay un resultado mayoritario • **en ballottage** sin mayoría.

ballotter ◼ *vt* *(secouer)* sacudir. ◼ *vi* traquetear.

balluchon = **baluchon**.

balnéaire *adj* costero(ra) • **une station balnéaire** una ciudad costera.

balourd, e *adj* & *nm, f* palurdo(da).

balte *adj* báltico(ca). ◼ **Balte** *nmf* báltico *(m)*, -ca *(f)*.

Baltique *npr* • **la Baltique** el Báltico.

baluchon, balluchon *nm* petate *(m)* • **faire son baluchon** fam liar el petate.

balustrade *nf* **1.** ARCHIT balaustrada *(f)* **2.** *(rambarde)* barandilla *(f)*.

bambin *nm* chiquillo *(m)*, -lla *(f)*.

bambou nm bambú (m).

ban nm (applaudissements) aplauso (m) • **mettre qqn au ban de la société** marginar a alguien de la sociedad. ■ **bans** nmpl (de mariage) amonestaciones (fpl) • **publier** OU **afficher les bans** publicar las amonestaciones.

banal, e adj 1. (ordinaire) trivial • **c'est pas banal !** fam ¡es extraordinario! 2. (sans originalité) corriente.

banaliser vt 1. trivializar 2. (véhicule) camuflar.

banalité nf 1. (caractère) trivialidad (f) 2. (lieu commun) tópico (m).

banane nf 1. (fruit) plátano (m) 2. (sac) riñonera (f) 3. (coiffure) tupé (m).

bananier, ère adj bananero(ra). ■ **bananier** nm 1. (arbre) plátano (m) 2. (cargo) bananero (m).

banc nm banco (m) • **le banc des accusés** el banquillo de los acusados. ■ **banc d'essai** nm banco (m) de pruebas. ■ **banc de poissons** nm banco (m) de peces. ■ **banc de sable** nm banco (m) de arena.

bancaire adj bancario(ria).

bancal, e adj 1. (personne) patituerto(ta) 2. (meuble) cojo(ja) 3. fig (raisonnement, idée) errado(da) 4. fig (phrase) mal estructurado (m), mal estructurada (f).

bandage nm 1. (de blessé) vendaje (m) 2. (de roue) llanta (f).

bande nf 1. (de tissu, de papier) tira (f) 2. (de film, d'enregistrement) cinta (f) • **bande magnétique/vidéo** cinta magnética/de vídeo 3. (bandage) venda (f) • **bande Velpeau**® venda (f) 4. (groupe) pandilla (f) • **en bande** en pandilla 5. NAUT escora (f) 6. INFORM & RADIO (de billard) banda (f) • **bande de fréquence** banda de frecuencia. ■ **bande dessinée** nf cómic (m). ■ **bande d'arrêt d'urgence** nf carril (m) de emergencia.

bande-annonce nf tráiler (m), avances (mpl).

bandeau nm 1. (sur les yeux) venda (f) • **avoir un bandeau sur les yeux** fig tener una venda en los ojos 2. (dans les cheveux) cinta (f).

bander ◊ vt 1. (plaie) vendar • **bander les yeux de qqn** vendar los ojos a alguien 2. (arc) tensar. ◊ vi vulg empalmarse.

banderole nf banderola (f).

bande-son nf banda (f) sonora.

bandit nm 1. (hors-la-loi) bandido (m), -da (f) 2. (escroc) estafador (m), -ra (f).

bandoulière nf bandolera (f) • **en bandoulière** en bandolera.

banlieue nf afueras (fpl) • **la proche banlieue** el extrarradio.

banlieusard, e nm, f habitante (mf) de las afueras.

bannière nf estandarte (m).

bannir vt desterrar.

banque nf 1. (gén) banco (m) • **banque d'affaires** banco de negocios • **banque de données** banco de datos • **banque d'organes/du sang/du sperme** banco de órganos/de sangre/de esperma 2. (activité, somme au jeu) banca (f). ■ **Banque centrale européenne** nf • **la Banque centrale européenne** el Banco Central Europeo. ■ **Banque de France** nf • **la Banque de France** el Banco Nacional de Francia.

banqueroute nf (faillite) bancarrota (f) • **faire banqueroute** quebrar.

banquet nm banquete (m).

banquette nf banqueta (f) • **banquette arrière** asiento (m) trasero.

banquier, ère nm, f 1. FIN banquero (m), -ra (f) 2. (au jeu) banca (f).

banquise nf banco (m) de hielo.

baptême nm bautismo (m) • **baptême de l'air** bautismo del aire.

baptiser vt bautizar.

baquet nm cubeta (f).

bar nm 1. (café, unité de pression) bar (m) • **bar à café** (Suisse) cafetería (f) 2. (poisson) lubina (f).

baraque nf 1. (cabane) barraca (f) 2. fam (maison) casa (f).

baraqué, e adj fam • **être baraqué** estar cachas.

baraquement nm zona (f) de barracas.

baratin nm fam charlatanería (f).

baratiner fam ◊ vt camelar. ◊ vi contar cuentos.

barbare ◊ adj 1. péj (invasion, peuple) bárbaro(ra) 2. (crime, mœurs) salvaje. ◊ nm bárbaro (m), -ra (f).

barbarie nf barbarie (f).

barbe nf barba (f) • **faire qqch au nez et à la barbe de qqn** hacer algo en las barbas de alguien • **quelle** OU **la barbe !** fam ¡qué lata! ■ **barbe à papa** nf algodón (m) (de azúcar).

barbelé, e adj espinoso(sa). ■ **barbelé** nm alambrada (f) de espino.

barbiche nf perilla (f).

barbiturique nm barbitúrico (m).

barboter ◊ vi (se baigner) chapotear. ◊ vt fam (voler) birlar.

barboteuse nf pelele (m) (prenda).

barbouiller vt 1. (salir) embadurnar 2. péj (peindre, écrire) pintarrajear 3. (donner la nausée à) revolver el estómago • **être barbouillé, avoir l'estomac barbouillé** tener el estómago revuelto.

barbu, e adj barbudo(da). ■ **barbu** nm (personne) barbudo (m).

barder ◊ vt CULIN enalbardar • **être bardé de qqch** fig (décorations, diplômes) estar cargado de algo. ◊ vi fam • **ça va barder !** ¡se va a armar (una)!

barème nm baremo (m).

baril nm barril (m).

bariolé, e adj abigarrado(da).

barmaid nf camarera (f) (Esp), moza (f) (Amér).

barman nm camarero (m) (Esp), barman (m) (Esp), mozo (m) (Amér).

baromètre nm barómetro (m).

baron, onne nm, f barón (m), -onesa (f).

baroque adj **1.** (style) barroco(ca) **2.** (idée) extravagante.

barque nf barca (f).

barquette nf **1.** (tartelette) tartaleta (f) **2.** (de fruits) cestita (f) **3.** (de beurre) tarrina (f) **4.** (de congélation) bandeja (f).

barrage nm **1.** (de rivière) presa (f), embalse (m) (Esp), represa (f) (Amér) **2.** (de rue) barrera (f) • **barrage de police** cordón (m) policial.

barre nf **1.** (morceau - de bois) vara (f) • (- de métal, chocolat) barra (f) • **barre fixe** barra fija • **barres parallèles** (barras) paralelas **2.** (gouvernail) timón (m) • **être à la barre** estar al timón • fig (diriger) llevar la batuta **3.** (trait) raya (f) • **la barre du t** el palote de la t **4.** INFORM • **barre de défilement** barra de desplazamiento • **barre d'espacement** espaciador (m) • **barre d'état** barra de estado • **barre de menu** barra (f) de menús • **barre d'outils** barra (f) de herramientas **5.** DR barra (f) • **appeler à la barre** llamar al estrado (a declarar).

barreau nm **1.** (de métal, de bois) barrote (m) **2.** DR • **le barreau** el Colegio de Abogados.

barrer vt **1.** (rue, route) cortar **2.** (mot, phrase) tachar **3.** (chèque) barrar **4.** (bateau) llevar el timón de. ■ **se barrer** vp fam (partir) abrirse.

barrette nf (à cheveux) pasador (m).

barreur, euse nm, f timonel (mf).

barricade nf barricada (f).

barrière nf barrera (f) • **barrière douanière** barrera arancelaria.

barrique nf barrica (f) • **être gros comme une barrique** estar gordo como un tonel.

bar-tabac nm bar (m) con estanco.

baryton nm barítono (m).

bas, basse adj bajo(ja). ■ **bas** ■ nm **1.** (partie inférieure) parte (f) de abajo, parte (f) inferior **2.** (vêtement) media (f) • **bas résille** media de rejilla. ■ adv bajo • **parler bas** hablar bajo • **mettre bas** parir. ■ **à bas** loc adv • **à bas la dictature !** ¡abajo la dictadura! ■ **en bas de** loc prép abajo • **il l'attend en bas de chez elle** la espera abajo. ■ **en bas** loc adv abajo • **la voiture est en bas** el coche está abajo.

basalte nm basalto (m).

basané, e adj moreno(na).

bas-côté nm arcén (m) (Esp), acotamiento (m) (Amér).

bascule nf **1.** (balance) báscula (f) **2.** (balançoire) balancín (m).

basculer ■ vi **1.** (tomber à la renverse) volcar (Esp), voltear (Amér) **2.** fig (vie, film) • **basculer dans qqch** dar un vuelco hacia ou a algo. ■ vt **1.** (renverser) tumbar **2.** (appel) pasar.

base nf **1.** (gén) base (f) • **de base** (connaissances) básico(ca) • (salaire) base • **à base de qqch** a base de algo • **sur la base de 20 € de l'heure** sobre una base de 20 euros la hora **2.** (de colonne) basa (f). ■ **base de données** nf INFORM base (f) de datos. ■ **base de loisirs** nf base (f) de ocio.

baser vt MIL • **être basé à** estar destacado en. ■ **se baser** vp • **se baser sur qqch** basarse en algo.

bas-fond nm (de l'océan) bajío (m), bajo (m). ■ **bas-fonds** nmpl **1.** (de société) bajos fondos (mpl) **2.** (quartiers pauvres) barrios (mpl) bajos.

basilic nm (plante) albahaca (f).

basilique nf basílica (f).

basique adj básico(ca).

basket nf zapatilla (f, de deporte • **lâche-moi les baskets !** fam ¡déjame en paz!

basket-ball nm baloncesto (m).

basque ■ adj vasco(ca). ■ nm LING vasco (m), euskera (m). ■ nf (de vêtement) faldón (m) • **être toujours pendu aux basques de qqn** estar siempre pegado a las faldas de alguien. ■ **Basque** nmf vasco (m), -ca (f).

bas-relief nm bajorrelieve (m).

basse nf MUS (personne, voix) bajo (m) • (instrument) contrabajo (m).

basse-cour nf **1.** (volaille) aves (fpl) de corral **2.** (partie de ferme) corral (m).

bassement adv vilmente.

bassin nm **1.** (cuvette) barreño (m) **2.** (pièce d'eau) estanque (m) **3.** (de piscine) piscina (f) (Esp), pileta (f) (Amér) • **grand bassin** piscina para adultos • **petit bassin** piscina para niños **4.** ANAT pelvis (f inv) **5.** GÉOL cuenca (f). ■ **Bassin parisien** nm • **le Bassin parisien** la depresión parisina.

bassine nf barreño (m).

bassiste nmf **1.** (contrebassiste) contrabajo (m) **2.** (de rock ou de jazz) bajo (m).

basson nm MUS (instrument) bajón (m), fagot (m) • (personne) bajonista (mf).

bastingage nm borda (f).

bastion nm bastión (m).

baston nf tfam paliza (f) • palos (mpl).

bas-ventre nm bajo vientre (m).

bât nm albarda (f) • **c'est là que le bât blesse** fig ése es su punto débil.

bataille nf **1.** MIL batalla (f) • **en bataille** (cheveux) desgreñado(da) • (bizarre) riña (f) **3.** (jeu de cartes) ≃ guerrilla (f).

bataillon *nm* batallón *(m)*.

bâtard, e ◪ *adj* **1.** *(gén)* bastardo(da) **2.** *péj (hybride)* híbrido(da). ◪ *nm, f péj (enfant illégitime)* bastardo *(m)*, -da *(f)*. ■ **bâtard** *nm* **1.** *(pain)* ≈ barra *(f)* de cuarto corta **2.** *(chien)* chucho *(m)*.

bateau ◪ *nm* **1.** *(embarcation - petite)* barca *(f)* • *(- grande)* barco *(m)* • **bateau à moteur** *(- petit)* barca a motor • *(- grand)* barco a motor • **bateau de pêche** *(- petit)* barca de pesca • *(- grand)* (barco) pesquero *(m)* • **bateau à voile** barco de vela • **mener qqn en bateau** *fam fig* quedarse con alguien **2.** *(de trottoir)* vado *(m)*. ◪ *adj inv* **1.** *(encolure, lit)* barco **2.** *(sujet, thème)* trillado(da).

bateau-bus *nm* barco-bus *(m)* (pl barcos-buses ou barco-buses) • **prendre le bateau-bus** tomar el barco-bus.

bâti, e *adj* edificado(da) • **bien/mal bâti** *(personne)* bien/mal proporcionado. ■ **bâti** *nm* **1.** COUT hilván *(m)* **2.** CONSTR armazón *(m ou f)*.

batifoler *vi* retozar.

bâtiment *nm* **1.** *(édifice)* edificio • **il est** ou **travaille dans le bâtiment** trabaja en la construcción **2.** *(navire)* navío *(m)*.

bâtir *vt* **1.** *(construire)* construir **2.** COUT hilvanar **3.** *(théorie)* elaborar **4.** *(fortune)* labrarse.

bâtisse *nf* caserón *(m)*.

bâton *nm* **1.** *(canne)* bastón *(m)* **2.** *(morceau - de bois)* palo *(m)* • *(- de rouge à lèvres, de craie)* barra *(f)* • **bâton de réglisse** palo ou barra de regaliz • **mettre des bâtons dans les roues à qqn** poner trabas a alguien • **à bâtons rompus** sin orden ni concierto.

bâtonnet *nm* bastoncillo *(m)*.

batracien *nm* batracio *(m)*.

battant, e ◪ *adj* que bate, que golpea • **sous une pluie battante** bajo un chaparrón • **le cœur battant** con el corazón palpitante. ◪ *nm, f (personne)* luchador *(m)*, -ra *(f)*. ■ **battant** *nm* **1.** *(de porte, de fenêtre)* batiente *(m)* **2.** *(de cloche)* badajo *(m)*.

battement *nm* **1.** *(mouvement, bruit)* golpeteo *(m)* • **battement d'ailes** aleteo *(m)* • **battement de cils** ou **de paupières** parpadeo *(m)* • **battement de cœur** latido *(m)* **2.** *(intervalle de temps)* tiempo *(m)* libre • **une heure de battement** una hora libre.

batterie *nf* batería *(f)* • **batterie de cuisine** batería de cocina • **recharger ses batteries** *fig* cargar las pilas.

batteur, euse *nm, f* **1.** MUS *(personne)* batería *(mf)* **2.** AGRIC trillador *(m)*, -ra *(f)* **3.** SPORT bateador *(m)*, -ra *(f)*. ■ **batteur** *nm* CULIN batidora *(f)*. ■ **batteuse** *nf* AGRIC trilladora *(f)*.

battre ◪ *vt* **1.** *(frapper - personne)* pegar • *(- tapis)* sacudir **2.** *(vaincre - SPORT)* ganar • *(- en politique)* derrotar **3.** CULIN batir • **battre les blancs**

en neige batir las claras a punto de nieve **4.** *(cartes)* barajar. ◪ *vi* **1.** *(cœur, pouls)* latir **2.** *(porte)* golpetear **3.** *(frapper)* • **battre des mains** tocar palmas • **battre de l'aile** ir ou andar de capa caída • **battre son plein** estar en su apogeo • **battre en retraite** batirse en retirada. ■ **se battre** *vp* **1.** *(combattre)* pelearse • **se battre contre qqn** pelearse con alguien **2.** *(s'acharner)* luchar • **se battre pour/contre qqch** luchar por/contra algo.

battue *nf* batida *(f)*.

baume *nm* bálsamo *(m)* • **mettre du baume au cœur de qqn** servir de consuelo a alguien.

bavard, e *adj & nm, f* charlatán(ana).

bavardage *nm* **1.** *(papotage)* charloteo *(m)* • **puni pour bavardage** castigado por hablar **2.** *(gén pl) (racontar)* habladuría *(f)*.

bavarder *vi* **1.** *(parler)* charlar **2.** *péj (jaser)* cotillear.

bave *nf* baba *(f)*.

baver *vi* **1.** *(personne, animal)* babear • **en baver** *fam* pasarlas canutas **2.** *(stylo)* chorrear.

bavette *nf* **1.** *(viande)* lomo *(m)* bajo **2.** *(de tablier)* peto *(m)* **3.** *(bavoir)* babero *(m)* • *fam* **tailler une bavette (avec qqn)** pegar la hebra (con alguien), estar de palique (con alguien).

baveux, euse *adj* **1.** *(qui bave)* baboso(sa) **2.** *(peu cuit)* • **une omelette baveuse** una tortilla poco hecha.

bavoir *nm* babero *(m)*.

bavure *nf* **1.** *(tache)* tinta *(f)* corrida **2.** *(erreur)* error *(m)*.

bazar *nm* **1.** *(boutique)* bazar *(m)* **2.** *fam (attirail)* bártulos *(mpl)* • **quel bazar !** ¡vaya leonera!

bazarder *vt fam* quitar de en medio.

BCBG *(abr de* **bon chic bon genre)** *adj & nmf inv fam* pijo(ja) • **un mec très BCBG** un tío muy pijo.

BCE *(abr de* **Banque centrale européenne)** *nf* BCE *(m)*.

BCG *(abr de* **bacille Calmette-Guérin)** *nm* BCG *(f)*.

bcp *abrév de* **beaucoup**.

bd *abrév de* **boulevard**.

BD[1] *(abr écrite de* **banque de données)** *nf* BDD • **stocker des infos dans une BD** almacenar información en una BDD.

BD[2]**, B.D., bédé** *(abr de* **bande dessinée)** *nf* **1.** *(livre)* tebeo *(m)*, cómic *(m)* **2.** *(genre littéraire)* • **la BD** el cómic.

beach-volley *nm* volley-playa *(m)* • **jouer au beach-volley** jugar al volley-playa.

béant, e *adj* muy abierto(ta).

béat, e *adj* **1.** *(content de soi)* plácido(da) **2.** *(niaisement heureux)* beatífico(ca).

beau, belle *adj* **1.** *(esthétique - objet)* hermoso(sa) • *(- personne)* guapo(pa) **2.** *(joli)* bonito(ta)

3. *(important)* imponente **4.** *(noble,* admirable **5.** *iron (mauvais)* menudo(da) • **j'ai attrapé une belle grippe !** ¡menuda gripe he pillado! **6.** *(à valeur indéfinie)* • **un beau jour** un buen día • **un beau matin/soir** una buena mañana/noche • **avoir beau jeu de faire qqch** resultarle a alguien fácil hacer algo • **c'est la belle vie !** ¡esto es vida! ▪ **beau** ▨ *adv* • **il fait beau** hace buen tiempo • **j'ai beau essayer, je n'y arrive pas** por más *ou* mucho que lo intente, no lo consigo. ▨ *nm* • **le beau** lo hermoso • **être** *ou* **rester au beau fixe** *(temps)* mantenerse • *(conjoncture)* estar en un buen momento • **faire le beau** *(chien)* ponerse a cuatro patas • *(paon, personne)* pavonearse. ▪ **belle** *nf* **1.** *(femme)* amada *(f)* **2.** *(dans un jeu)* desempate *(m)* • **se faire la belle** tomar las de Villadiego. ▪ **de plus belle** *loc adv* con más fuerza que antes • **je lui ai dit de se taire, mais il a recommencé à crier de plus belle** le he dicho que se callara, pero ha vuelto a gritar con más fuerza que antes.

beaucoup ▨ *adv* **1.** *(grand nombre, grande quantité)* • **beaucoup de** mucho(da) • **beaucoup de gens** mucha gente • **il n'a pas beaucoup de temps** no tiene mucho tiempo • **beaucoup d'accidents** muchos accidentes **2.** *(modifiant un verbe, un adjectif comparatif)* mucho • **il boit beaucoup** bebe mucho • **c'est beaucoup mieux** es mucho mejor. ▨ *pron inv* muchos(chas) • **nous sommes beaucoup à penser que** somos muchos los que pensamos que. ▪ **de beaucoup** *loc adv* con diferencia.

À PROPOS DE...

beaucoup

Lorsqu'il se rapporte à un nom, « beaucoup » ne se traduit pas par un adverbe mais par un adjectif, qui s'accorde en genre et en nombre avec ce nom.

beauf *nm péj* **1.** *(Français moyen)* pour définir ce concept pour lequel les hispanophones n'ont pas de terme précis, vous pouvez dire : este término se utiliza para designar a un ciudadano medio de ideas conservadoras, poco abierto y de gustos un poco horteras. **2.** *fam (beau-frère)* cuñado *(m)*.

beau-fils *nm* **1.** *(gendre)* yerno *(m)* **2.** *(par remariage)* hijastro *(m)*.

beau-frère *nm* cuñado *(m)*.

beau-père *nm* **1.** *(père du conjoint)* suegro *(m)* **2.** *(par remariage)* padrastro *(m)*.

beauté *nf* belleza *(f)* • **de toute beauté** bellísimo(ma) • **en beauté** *(magnifiquement)* triunfalmente • **être en beauté** estar guapísimo(ma) • **se faire une beauté** arreglarse.

beaux-arts *nmpl* bellas artes *(fpl)*.

beaux-parents *nmpl* suegros *(mpl)*.

bébé ▨ *nm* **1.** *(enfant)* bebé *(m)* **2.** *(animal - de mammifère)* cachorro *(m)* • *(- d'oiseau)* polluelo *(m)* **3.** *fam (personne immature)* crío *(m)*, -a *(f)*. ▨ *adj inv* crío(a) *(en apposition)*.

bébé-éprouvette *nm* bebé probeta *(m)*.

bec *nm* **1.** *(d'oiseau)* pico *(m)* • **ouvrir le bec** *fam (pour parler)* abrir el pico • **clouer le bec à qqn** *fam* cerrar el pico a alguien **2.** *(d'instrument de musique)* boquilla *(f)* **3.** *(d'objet)* pitorro *(m)* • **bec verseur** pitorro **4.** GÉOGR lengua *(f)* de tierra. ▪ **bec de gaz** *nm* farol *(m)* de gas.

bécane *nf fam* **1.** *(bicyclette)* bici *(f)* **2.** *(moto)* moto *(f)* **3.** *(machine)* máquina *(f)* **4.** *(ordinateur)* ordenador *(m)*.

bécasse *nf* **1.** *(oiseau)* becada *(f)* **2.** *fam (femme sotte)* pava *(f)*.

bec-de-lièvre *nm* labio *(m)* leporino.

bêche *nf* laya *(f)*.

bêcher ▨ *vt (terrain)* layar. ▨ *vi fam (personne)* fardar.

bécoter *vt fam* besuquear. ▪ **se bécoter** *vp fam* besuquearse.

becquée *nf* bocado *(m)* • **donner la becquée** dar de comer.

becqueter, béqueter *vt (oiseau)* picotear.

bedaine *nf fam* barrigón *(m)*.

bédé = **BD**[2].

bedonnant, e *adj* barrigón(ona).

bée ☞ **bouche**.

bégayer ▨ *vi* tartamudear. ▨ *vt (excuses)* mascullar.

bègue *adj & nmf* tartamudo(da).

béguin *nm fam* • **avoir le béguin pour qqn/ qqch** estar encaprichado(da) con alguien/algo.

beige *adj & nm* beige.

beignet *nm* CULIN buñuelo *(m)*.

bêler *vi* balar.

belette *nf* comadreja *(f)*.

belge *adj* belga. ▪ **Belge** *nmf* belga *(mf)*.

Belgique *npr* • **la Belgique** Bélgica.

Belgrade *npr* Belgrado.

bélier *nm* **1.** *(animal)* carnero *(m)* **2.** *(poutre)* ariete *(m)*. ▪ **Bélier** *nm* Aries *(m)*.

belle-famille *nf* familia *(f)* política.

belle-fille *nf* **1.** *(épouse du fils)* nuera *(f)* **2.** *(par remariage)* hijastra *(f)*.

belle-mère *nf* **1.** *(mère du conjoint)* suegra *(f)* **2.** *(par remariage)* madrastra *(f)*.

belle-sœur *nf* cuñada *(f)*.

belligérant, e *adj & nm, f* beligerante.

belliqueux, euse *adj* belicoso(sa).

belvédère *nm* mirador *(m)*.

bémol *adj & nm* bemol.

bénédiction *nf* **1.** RELIG bendición *(f)* **2.** *(assentiment)* beneplácito *(m)*.

bénéfice *nm* beneficio *(m)* ∘ **au bénéfice de** *(au profit de)* a beneficio de.

bénéficiaire ◼ *adj (marge)* de beneficio. ◼ *nmf (personne)* beneficiario *(m)*, -ria *(f)*.

bénéficier *vt* ∘ **bénéficier de qqch** beneficiarse de algo.

bénéfique *adj* beneficioso(sa).

Benelux *npr* ∘ **le Benelux** el Benelux.

benêt *adj* & *nm* bendito.

bénévole ◼ *adj* benévolo(la), benevolente. ◼ *nmf (personne)* voluntario *(m)*, -ria *(f)*.

bénin, igne *adj* **1.** *(maladie, accident)* leve **2.** *(tumeur)* benigno(na) **3.** *sout (bienveillant)* apacible.

bénir *vt* bendecir.

bénitier *nm* pila *(f)* (del agua bendita).

benjamin, e *nm, f* benjamín *(m)*, -ina *(f)*.

benne *nf* **1.** *(de camion)* volquete *(m)* **2.** *(de grue)* pala *(f)* **3.** *(de téléphérique)* cabina *(f)* **4.** *(wagonnet)* vagoneta *(f)*.

benzine *nf* bencina *(f)*.

BEP, Bep *(abr de* **brevet d'études professionnelles)** *nm* ≃ Título de Técnico de Formación Profesional.

béqueter = **becqueter**.

béquille *nf* **1.** *(pour marcher)* muleta *(f)* **2.** *(de deux-roues)* patilla *(f)*.

berceau *nm* **1.** *(lit d'enfant, lieu d'origine)* cuna *(f)* **2.** ARCHIT bóveda *(f)* de cañón.

bercer *vt (bébé)* acunar.

berceuse *nf* **1.** MUS ∘ *(chanson)* nana *(f)*, canción *(f)* de cuna ∘ *(morceau de musique)* nana *(f)* **2.** *(Québec) (fauteuil)* mecedora *(f)*.

béret *nm* boina *(f)*.

berge *nf* **1.** *(bord)* orilla *(f)* **2.** *fam (année d'âge)* taco *(m)*.

berger, ère *nm, f (personne)* pastor *(m)*, -ra *(f)*. ◼ **bergère** *nf (fauteuil)* poltrona *(f)*. ◼ **berger allemand** *nm* pastor *(m)* alemán.

bergerie *nf* aprisco *(m)*.

Berlin *npr* Berlín.

berline *nf* berlina *(f)*.

berlingot *nm* **1.** *(bonbon)* caramelo *(m)* (en forma de rombo) **2.** *(emballage)* bolsa *(f)*.

berlinois, e *adj* berlinés(esa). ◼ **Berlinois, e** *nm, f* berlinés *(m)*, -esa *(f)*.

berlue *nf* ∘ **avoir la berlue** ver visiones.

bermuda *nm* bermudas *(fpl)*.

berne *nf* ∘ **en berne** a media asta.

berner *vt* engañar.

besogne *nf* trabajo *(m)*.

besoin *nm* **1.** *(gén)* necesidad ∘ **avoir besoin de qqch** necesitar algo ∘ **avoir besoin de faire qqch** necesitar hacer algo ∘ **au besoin** en caso de necesidad **2.** *(dénuement)* ∘ **être dans le besoin** estar en la indigencia.

bestial, e *adj* bestial.

bestiole *nf* bicho *(m)*.

bétail *nm* ganado *(m)*.

bête ◼ *adj* **1.** *(stupide)* tonto(ta) **2.** *(simple)* ∘ **c'est tout bête** es muy fácil **3.** *(regrettable)* ∘ **c'est bête !** ¡qué tonto!, ¡qué tontería! ◼ *nf* bestia *(f)*.

bêtise *nf* tontería *(f)* *(Esp)*, babosada *(f)* *(Amér)*.

béton *nm* hormigón *(m)* ∘ **béton armé** hormigón armado.

betterave *nf* remolacha *(f)* ∘ **betterave fourragère** remolacha forrajera ∘ **betterave sucrière** *OU* **à sucre** remolacha azucarera.

beugler *vi* **1.** *(bovin)* mugir **2.** *fam (personne, radio)* berrear.

beurre *nm* mantequilla *(f)* ∘ **au beurre noir** *(œil)* morado(da) ∘ **compter pour du beurre** *(être sans importance)* no ser tomado(da) en consideración ∘ **faire son beurre** *fam (s'enrichir)* hacer su agosto ∘ **mettre du beurre dans les épinards** *fam* redondear el presupuesto ∘ **vouloir le beurre et l'argent du beurre** *fam* querer el oro y el moro.

beurrer *vt* untar con mantequilla.

beuverie *nf* cogorza *(f)*.

bévue *nf* metedura *(f)* de pata.

Bhoutan *npr* ∘ **le Bhoutan** Bután.

biais *nm* **1.** *(ligne oblique)* sesgo *(m)* ∘ **de** *OU* **en biais** en diagonal ∘ **al sesgo** ∘ **regarder de biais** mirar de reojo **2.** COUT bies *(m inv)* **3.** *(point de vue)* ángulo *(m)* **4.** *(moyen détourné)* truco *(m)*. ◼ **par le biais de** *loc prép* por medio de ∘ **il a obtenu ce poste par le biais d'un ami** ha conseguido el puesto por medio de un amigo.

biaiser *vi* **1.** *fam (agir, parler indirectement)* andarse con rodeos **2.** *(être de travers)* estar sesgado(da).

bibande *adj* bibanda.

bibelot *nm* bibelot *(m)*.

biberon *nm* biberón *(m)* *(Esp)*, mamadera *(f)* *(Amér)* ∘ **donner le biberon** dar el biberón.

bibi *pron fam* mi menda.

bible *nf* biblia *(f)*. ◼ **Bible** *nf* ∘ **la Bible** la Biblia.

bibliographie *nf* bibliografía *(f)*.

bibliothécaire *nmf* bibliotecario *(m)*, -ria *(f)*.

bibliothèque *nf* **1.** *(meuble)* librería *(f)*, biblioteca *(f)* **2.** *(édifice &* INFORM*)* biblioteca *(f)*.

biblique *adj* bíblico(ca).

bicarbonate *nm* bicarbonato *(m)* ∘ **bicarbonate de soude** bicarbonato sódico.

biceps *nm* biceps *(m inv)*.

biche *nf* ZOOL cierva *(f)*.

bicolore *adj* bicolor.

bicoque *nf fam* casucha *(f)*.

bicross *nm* bicicross *(m)*.

bicyclette *nf* bicicleta *(f)*.

bide *nm fam* 1. *(ventre)* barriga *(f)* 2. *(échec)* fracaso *(m)*.

bidet *nm* bidé *(m)*.

bidon ◼ *nm* 1. *(récipient)* bidón *(m)* 2. *fam (ventre)* barriga *(f)*. ◼ *adj inv fam (faux)* falso(sa).

bidonville *nm* barrio *(m)* de chabolas.

bielle *nf* biela *(f)*.

Biélorussie *npr* • **la Biélorussie** Bielorrusia.

bien *adj inv*

1. EN PARLANT D'UNE CHOSE = bien • **il est bien, ce bureau** está bien este despacho

2. EN PARLANT D'UNE PERSONNE = bueno, -a *(f)* • **il est bien comme prof** es buen profesor.

bien *nm*

1. SENS MORAL • **le bien et le mal** el bien y el mal

2. INTÉRÊT = bien *(m)* • **je te dis ça pour ton bien !** ¡te lo digo por tu bien! • **les vacances m'ont fait du bien** las vacaciones me han sentado bien

3. RICHESSE, PROPRIÉTÉ = bien *(m)* • **biens de consommation** bienes de consumo

4. DANS DES EXPRESSIONS • **dire du bien de qqn/de qqch** hablar bien de alguien/de algo • **en tout bien tout honneur** con buenas intenciones.

bien *adv*

1. DE MANIÈRE SATISFAISANTE = bien • **tu vas bien ?** ¿estás bien? • **on mange bien ici** aquí se come bien • **il ne s'est pas bien conduit** no se ha portado bien

2. SENS INTENSIF = muy, mucho • **bien souvent** muy a menudo • **elle est bien jolie** es muy guapa • **on a bien ri** nos reímos mucho • **en es-tu bien sûr ?** ¿estás completamente seguro (de ello)?

3. AU MOINS • **il y a bien trois heures que j'attends** hace por lo menos tres horas que espero

4. POUR RENFORCER UN COMPARATIF = mucho • **il est parti bien plus tard** se fue mucho más tarde

5. POUR CONCLURE OU POUR INTRODUIRE • **bien, c'est fini pour aujourd'hui** bueno, se acabó por hoy • **très bien, je vais avec toi** muy bien, voy contigo • **bien, je t'écoute** bien *ou* bueno, te escucho

6. EN EFFET • **c'est bien lui** efectivamente es él

• **c'est bien ce que je disais** es justo lo que yo decía

7. DANS DES EXPRESSIONS • **c'est bien fait pour toi !** ¡te lo has merecido!

bien *interj*

• **eh bien !** (muy) bien! • **eh bien, qu'en penses-tu ?** y bien, ¿tú qué opinas?

◼ **bien de** *loc adv*

• **il a bien de la chance** tiene mucha suerte.

◼ **bien entendu** *loc adv*

SERT DE RÉPONSE AFFIRMATIVE = desde luego, por supuesto • **je viendrai aussi bien entendu** por supuesto también vendré.

◼ **bien que** *loc conj*

+ *subjonctif*

aunque • **bien qu'il ait terminé son travail, il ne sortira pas** aunque haya terminado el trabajo, no saldrá.

◼ **bien sûr** *loc adv*

ÉVIDEMMENT = claro, desde luego, por supuesto • **tu viens ? – bien sûr !** ¿vienes? – ¡claro!

bien-aimé, e ◼ *adj* querido(da). ◼ *nm, f* amado *(m)*, -da *(f)*.

bien-être *nm inv* bienestar *(m)*.

bienfaisance *nf* beneficencia *(f)*.

bienfaisant, e *adj* beneficioso(sa).

bienfait *nm* 1. *(faveur)* favor *(m)* 2. *(effet bénéfique)* efecto *(m)* benéfico.

bienfaiteur, trice *nm, f* benefactor *(m)*, -ra *(f)*.

bien-fondé *nm* pertinencia *(f)*.

bienheureux, euse *adj* dichoso(sa).

bientôt *adv* pronto • **à bientôt** hasta pronto.

bienveillance *nf* benevolencia *(f)*.

bienveillant, e *adj* benevolente.

bienvenu, e ◼ *adj (qui arrive à propos)* oportuno(na). ◼ *nm, f* • **un café serait le bienvenu** un café sería bienvenido • **soyez la bienvenue** sea usted bienvenida. ◼ **bienvenue** *nf* bienvenida *(f)* • **souhaiter la bienvenue à qqn** dar la bienvenida a alguien.

bière *nf* 1. *(boisson)* cerveza *(f)* • **bière blonde/brune** cerveza rubia/negra • **bière pression** cerveza de barril 2. *(cercueil)* ataúd *(m)*.

bifidus *nm* bifidus *(m)* • **yaourt au bifidus** yogur *(m)* con bifidus.

bifteck *nm* bistec *(m)*.

bifurcation *nf* bifurcación *(f)*.

bifurquer *vi* **1.** *(route, voie ferrée)* bifurcarse **2.** *(voiture)* girar **3.** *fig (personne)* orientarse hacia.

bigamie *nf* bigamia *(f)*.

bigarré, e *adj* abigarrado(da).

bigoudi *nm* bigudí *(m)*.

bijou *nm* joya *(f)*.

bijouterie *nf* joyería *(f)*.

bijoutier, ère *nm, f* joyero *(m)*, -ra *(f)*.

bikini *nm* bikini *(m)*.

bilan *nm* balance *(m)* ◆ **déposer son bilan** declararse en quiebra ◆ **faire le bilan de qqch** hacer (el) balance de algo.

bilatéral, e *adj* **1.** *(contrat, décision)* bilateral **2.** *(stationnement)* a ambos lados *(de la calzada)*.

bile *nf* MÉD bilis *(f inv)*.

biliaire *adj* biliar.

bilingue *adj & nmf* bilingüe.

billard *nm* **1.** *(jeu)* billar *(m)* **2.** *(table de jeu)* mesa *(f)* de billar.

bille *nf* **1.** *(d'enfant)* canica *(f)* *(Esp)*, bolita *(f)* *(Amér)* **2.** *(de billard)* bola *(f)* **3.** *(de bois)* madero *(m)* **4.** *fam (tête)* careto *(m)*.

billet *nm* billete *(m)* ◆ **billet d'avion/de train** billete de avión/de tren ◆ **billet (de banque)** billete (de banco) ◆ **billet de loterie** billete de lotería.

billetterie *nf* **1.** *(de banque)* cajero *(m)* automático **2.** *(de gare, théâtre)* taquilla *(f)* *(Esp)*, boletería *(f)* *(Amér)*.

billion *nm* billón *(m)*.

bimensuel, elle *adj* bimensual. ■ **bimensuel** *nm* bimensual *(m)*.

bimoteur *adj & nm* bimotor.

binaire *adj* binario(ria).

biner *vt* binar.

binocles *nmpl fam* lentes *(mpl)*.

binôme *nm* MATH binomio *(m)*.

bio *adj inv* biológico(ca).

biocarburant *nm* biocarburante *(m)*.

biochimie *nf* bioquímica *(f)*.

biodégradable *adj* biodegradable.

bioéthique *adj* bioético(ca).

biographie *nf* biografía *(f)*.

biologie *nf* biología *(f)*.

biologique *adj* biológico(ca).

biomasse *nf* biomasa *(f)*.

biopsie *nf* biopsia *(f)*.

biorythme *nm* biorritmo *(m)*.

bioterrorisme *nm* bioterrorismo *(m)*.

biper *vt* llamar al busca.

biréacteur *nm* birreactor *(m)*.

bis[1] **e** *adj* **1.** *(pain, toile)* bazo(za) **2.** *(teint)* moreno(na).

bis[2] **⊠** *adv* **1.** *(numéro)* bis **2.** *(à la fin d'un spectacle)* ◆ **crier bis** gritar ¡otra! ◆ **bis ! bis !** ¡otra! ¡otra! **⊠** *nm (répétition)* bis *(m)*.

bisannuel, elle *adj* bienal.

biscornu, e *adj* **1.** *(maison)* de forma irregular **2.** *(idée)* retorcido(da).

biscotte *nf* biscote *(m)*.

biscuit *nm* **1.** *(gâteau sec)* galleta *(f)* **2.** *(porcelaine)* porcelana *(f)* sin esmaltar.

bise *nf* **1.** *(vent)* cierzo *(m)* **2.** *fam (baiser)* beso *(m)*.

biseau *nm* bisel *(m)* ◆ **en biseau** *(vitre)* biselado(da).

bison *nm* bisonte *(m)*.

bisou *nm fam (baiser)* besito *(m)* ◆ **gros bisou** *(formule d'adieu)* un beso muy fuerte.

bistouri *nm* bisturí *(m)*.

bistrot, bistro *nm* **1.** *fam (café)* bar *(m)* **2.** *fam (restaurant)* restaurante *(m)*.

bit *nm* INFORM bit *(m)*.

bivouac *nm* vivaque *(m)*.

bivouaquer *vi* acampar.

bizarre *adj* extraño(ña), raro(ra).

bizutage *nm* novatada *(f)*.

black-out *nm* **1.** *(panne de courant)* apagón *(m)* **2.** *fig (censure)* ◆ **faire le black-out** correr un tupido velo.

blafard, e *adj* pálido(da).

blague *nf* **1.** *(plaisanterie)* chiste *(m)* **2.** *(farce)* broma *(f)* **3.** *(maladresse)* metedura *(f)* de pata.

blaguer *fam* **⊠** *vi (plaisanter)* bromear. **⊠** *vt (taquiner)* burlarse de.

blagueur, euse *adj & nm, f fam* bromista.

blaireau *nm* **1.** *(animal)* tejón *(m)* **2.** *(de rasage)* brocha *(f)* de afeitar **3.** *fam (individu antipathique)* pringado(da).

blâme *nm* **1.** *(désapprobation)* censura *(f)* **2.** *(sanction)* sanción *(f)*.

blâmer *vt* **1.** *(désapprouver)* censurar **2.** *(sanctionner)* sancionar.

blanc, blanche *adj* **1.** *(gén)* blanco(ca) **2.** *(page, nuit)* en blanco. ■ **blanc** *nm* **1.** *(couleur, linge)* blanco *(m)* **2.** *(linge de maison)* ◆ **le blanc** la ropa blanca **3.** *(sur papier)* espacio *(m)* en blanco **4.** *(dans conversation)* silencio *(m)* **5.** *(de volaille)* pechuga *(f)* **6.** *(d'œuf)* clara *(f)* **7.** *(vin)* vino *(m)* blanco ◆ **à blanc** *(chauffer)* al rojo blanco ◆ *(tirer)* al blanco. ■ **blanche** *nf* MUS blanca *(f)*.

blanc-bec *nm péj & vieilli* mocoso *(m)*.

blancheur *nf* blancura *(f)*.

blanchir **⊠** *vt* **1.** *(mur, tissu, argent)* blanquear **2.** *(linge)* lavar **3.** *(légumes)* escaldar **4.** *fig (accusé)* exculpar. **⊠** *vi (cheveux)* encanecer.

blanchissage *nm* **1.** *(du linge)* lavado *(m)* **2.** *(du sucre)* refinado *(m)* *(del azúcar)*.

blanchisserie *nf* lavandería *(f)*.

blanchisseur, euse *nm, f* lavandero *(m)*, -ra *(f)*.

blasé, e ∎ *adj* hastiado(da). ∎ *nm, f* desganado *(m)*, -da *(f)* ▪ **faire le blasé** hacerse el desganado.

blason *nm* blasón *(m)*.

blasphème *nm* blasfemia *(f)*.

blasphémer ∎ *vt* blasfemar contra. ∎ *vi* blasfemar.

blatte *nf* cucaracha *(f)*.

blazer *nm* blazer *(m)*, americana *(f, (Esp)*, saco *(m) (Amér)*.

blé *nm* **1.** *(céréale)* trigo *(m)* ▪ **blé en herbe** trigo en ciernes **2.** *fam (argent)* pasta *(f)*.

blême *adj* pálido(da).

blennorragie *nf* blenorragia *(f)*, blenorrea *(f)*.

blessant, e *adj* hiriente.

blessé, e *nm, f* herido *(m)*, -da *(f)*.

blesser *vt* **1.** *(physiquement)* herir ▪ **être blessé au bras** ser herido en el brazo **2.** *(sujet : souliers)* hacer daño **3.** *(moralement)* ofender. ∎ **se blesser** *vp* herirse, hacerse daño.

blessure *nf* herida *(f)*.

blet, blette *adj* pasado(da).

bleu, e *adj* **1.** *(couleur)* azul **2.** CULIN poco hecho(cha). ∎ **bleu** *nm* **1.** *(couleur)* azul *(m)* **2.** *(meurtrissure)* cardenal *(m)*, morado *(m)* **3.** *(colorant)* azulete *(m)* **4.** *(novice)* recluta *(m)* **5.** *(fromage)* queso *(m)* azul. ∎ **bleu de travail** *nm* mono *(m)* de trabajo.

bleuet *nm* aciano *(m)*.

bleuir ∎ *vt* **1.** *(chose)* azular **2.** *(partie du corps)* amoratarse. ∎ *vi* *(devenir bleu)* volverse azul.

bleuté, e *adj* azulado(da) *(Esp)*, azuloso(sa) *(Amér)*.

blindé, e *adj* **1.** *(véhicule, porte)* blindado(da) **2.** *fam fig (personne)* curtido(da). ∎ **blindé** *nm* vehículo *(m)* blindado.

blinder *vt* **1.** *(véhicule, porte)* blindar **2.** *fam fig (personne)* curtir.

blizzard *nm* ventisca *(f)*.

bloc *nm* **1.** *(gén)* bloque *(m)* ▪ **en bloc** en bloque ▪ **bloc d'alimentation** INFORM bloque de alimentación ▪ **bloc d'habitations** bloque de viviendas **2.** *(groupe)* coalición *(f)* **3.** *(ensemble d'éléments)* módulo *(m)* ▪ **bloc opératoire** quirófano *(m)*.

blocage *nm* **1.** *(des prix, salaires)* congelación *(f)* **2.** *(de roue)* bloqueo *(m)* **3.** PSYCHO bloqueo *(m)* (mental).

blockhaus *nm* blocao *(m)*.

bloc-moteur *nm* bloque *(m)* del motor.

bloc-notes *nm* bloc *(m)* de notas.

blocus *nm* bloqueo *(m)*.

blond, e *adj* & *nm, f* rubio(bia) *(Esp)*, güe-o(ra) *(Amér)*. ∎ **blond** *nm* rubio *(m)* ▪ **blond cendré/**

platine/vénitien rubio ceniza/platino/bermejo. ∎ **blonde** *nf* **1.** *(cigarette)* rubio *(m)* **2.** *(bière)* rubia *(f)*.

blondeur *nf* rubio *(m)*.

bloquer *vt* **1.** *(gén)* bloquear **2.** *(prix, salaires)* congelar **3.** *(jour)* juntar. ∎ **se bloquer** *vp* bloquearse.

blottir ∎ **se b**·ottir *vp* acurrucarse.

blouse *nf* **1.** *(de travail, d'écolier)* bata *(f)* **2.** *(chemisier)* blusa *(f)*

blouson *nm* cazadora *(f)* *(Esp)*, campera *(f)* *(Amér)*.

blue-jean *nm* vaqueros *(mpl)*.

blues *nm inv* **1.** MUS blues *(m inv)* **2.** *fam (mélancolie)* depre *(f)*.

bluff *nm* fantasmada *(f)*.

bluffer *fam* ∎ *vi* tirarse un farol. ∎ *vt* embaucar.

blush *nm* colorete *(m)*.

boa *nm* boa *(f)* ▪ **boa constricteur** boa constrictor.

boat people *nmpl* boat people *(mpl)*.

bobard *nm* fam trola *(f)*.

bobine *nf* **1.** *(de fil)* bobina *(f)* **2.** *(de ruban)* carrete *(m)* **3.** *fam (visage)* jeta *(f)*.

bobo *(abr de* Eourgeois bohème*)* *nmf fam* bobo *(mf)*, bohemio burgués *(m)*, bohemio burguesa *(f)*.

bobonne *nf pej* maruja *(f)*.

bobsleigh, bob *nm* bobsleigh *(m)*.

bocage *nm pour décrire ce que ce type de paysage, vous pouvez dire :* se trata de un paisaje típico del oeste de Francia formado por campos y prados cercados con setos o árboles.

bocal *nm* tarro *(m)*.

body-building *nm* body-building *(m)*.

bœuf *nm* **1.** *(animal)* buey *(m)* **2.** *(viande)* vaca *(f)*.

bof *interj fam* ¡bah!

bogue, bug *nm* INFORM bug *(m)*.

bohème *adj* & *nmf* bohemio(mia).

bohémien, enne ∎ *adj* bohemio(mia) *(de la Bohemia)*. ∎ *nm, f (gitan)* gitano *(m)*, -na *(f)*.

boire ∎ *vt* **1.** *(avaler)* beber ▪ **boire de l'eau/du vin** beber agua/vino **2.** *(absorber)* chupar. ∎ *vi* beber.

bois ∎ *nm* **1.** *(forêt)* bosque *(m)* **2.** *(matériau - de construction)* madera *(f)* ▪ *(- de chauffage)* leña *(f)* ▪ **en bois** de madera ▪ **chèque en bois** fig cheque sin fondos. ∎ *nmpl* **1.** MUS instrumentos *(mpl)* de viento **2.** *(cornes)* cornamenta *(f)*.

boisé, e *adj* poblado(da) de árboles.

boiserie *nf* carpintería *(f)*.

boisson *nf* bebida *(f)* ▪ **s'adonner à la boisson** darse a la bebida ▪ **boisson alcoolisée** bebida alcohólica.

boîte *nf* **1.** *(récipient)* caja *(f)* ▪ **en boîte** *(en conserve)* en lata ▪ **boîte de conserve** lata *(f)* de conservas • **boîte à gants** guantera (f) • **boîte aux lettres** buzón (m) • **boîte aux lettres électronique** INFORM buzón (m) de correo electrónico • **boîte à musique** caja de música • **boîte postale** apartado (m) de correos • **boîte de vitesses** caja de cambios • **boîte vocale** INFORM buzón (m) de voz **2.** fam (entreprise) empresa (f) **3.** fam (discothèque) discoteca (f).

boiter vi cojear.

boiteux, euse adj & nm, f cojo(ja).

boitier nm **1.** (gén) caja (f) **2.** (d'appareil photo) cuerpo (m).

bol nm tazón (m), bol (m) • **bol alimentaire** bolo (m) alimenticio • **prendre un bol d'air** tomar el aire.

bolet nm boleto (m) (seta).

bolide nm bólido (m).

Bolivie npr • **la Bolivie** Bolivia.

bolivien, enne adj boliviano(na). ◼ **Bolivien, enne** nm, f boliviano (m), -na (f).

bombance nf fam vieilli • **faire bombance** ir de francachela ou de cuchipanda.

bombardement nm bombardeo (m).

bombarder vt **1.** MIL bombardear • **bombarder qqn/qqch de qqch** bombardear a alguien/algo con algo **2.** fam fig (accabler) • **bombarder qqn de qqch** bombardear a alguien de algo **3.** fam fig (nommer) nombrar de sopetón (para un cargo).

bombardier nm bombardero (m).

bombe nf **1.** (projectile, scandale) bomba (f) • **bombe atomique/incendiaire/à retardement** bomba atómica/incendiaria/de efecto retardado **2.** (de cavalier) gorra (f) (de jinete) **3.** (atomiseur) espray (m).

bombé, e adj abombado(da).

bomber nm (cazadora (f)) bomber (f).

bon, bonne adj **1.** (gén) bueno(na) **2.** (dans l'expression d'un souhait) feliz • **bon anniversaire !** ¡feliz cumpleaños! • **bonne année !** ¡feliz año nuevo! **3.** (sens intensif) largo(ga) • **deux bonnes heures** dos horas largas **4.** (réponse, solution, etc) correcto(ta) • **être bon à** servir para • **être bon pour qqch/pour faire qqch** fam no escaparse de algo/de hacer algo. ◼ **bon** ◼ adv • **il fait bon** hace buen tiempo • **sentir bon** oler bien • **tenir bon** aguantar. ◼ interj (marque de satisfaction) ¡bueno! ◼ nm **1.** (coupon) bono (m) • **bon de commande** nota (f) de pedido, orden (f) • **bon du Trésor** bono del Tesoro, obligación (f) del Estado **2.** (gén pl) (personne) • **les bons et les méchants** los buenos y los malos.

bonasse adj bonachón(ona).

bonbon nm **1.** (friandise) caramelo (m) **2.** (Belgique) (gâteau sec) galleta (f).

bonbonne nf bombona (f).

bonbonnière nf bombonera (f).

bond nm brinco (m) • **faire un bond** (bondir) dar un brinco • (progresser) dar un salto • **faire faux bond à qqn** fallarle a alguien.

bonde nf **1.** (d'évier) desagüe (m) **2.** (bouchon) tapón (m) **3.** (trou) piquera (f).

bondé, e adj abarrotado(da).

bondir vi **1.** (sauter) brincar **2.** (s'élancer) abalanzarse • **bondir sur qqch/sur qqn** saltar sobre algo/sobre alguien **3.** fig (réagir violemment) saltar.

bonheur nm **1.** (félicité) felicidad (f) • **faire le bonheur de qqn** (le rendre heureux) hacer feliz a alguien • (lui être utile) resolver la papeleta a alguien **2.** (chance) suerte (f) • **par bonheur** por suerte • **porter bonheur** dar suerte.

bonhomme ◼ adj bonachón(ona). ◼ nm **1.** fam péj (homme) tío (m) **2.** (petit garçon) hombrecito (m) **3.** (représentation) muñeco (m) • **bonhomme de neige** muñeco de nieve.

bonification nf **1.** (de terre, vin) mejora (f) **2.** SPORT prima (f).

bonjour nm **1.** (le matin) buenos días (m) (Esp), buen día (m) (Amér) **2.** (salut) ¡hola! • **dire bonjour** saludar.

bonne nf criada (f) (Esp), mucama (f) (Amér).

bonnement adv • **tout bonnement** simplemente.

bonnet nm **1.** (coiffure) gorro (m) • **bonnet de bain** gorro de baño **2.** (de soutien-gorge) copa (f).

bonneterie nf **1.** (industrie) industria (f) de géneros de punto **2.** (marchandise) géneros (mpl) de punto **3.** (magasin) tienda (f) de géneros de punto, mercería (f).

bonsoir nm **1.** (dans l'après-midi) buenas tardes (fpl) **2.** (la nuit) buenas noches (fpl).

bonté nf **1.** (bienveillance) bondad (f) • **avoir la bonté de faire qqch** sout tener la bondad de hacer algo **2.** (gén pl) (acte d'amabilité) atención (f).

bonus nm **1.** (supplément) plus (m) **2.** (assurance automobile) bonificación (f).

booléen, enne adj booleano(na).

booster vt fam impulsar, disparar.

bord nm **1.** (extrémité, côté) borde (m) • **à ras bord** hasta el borde • **au bord de** (très près de) al borde de • (sur le point de) a punto de **2.** (rivage) orilla (f) • **au bord de la mer** a orillas del mar • (vacances) en la playa, en la costa **3.** (lisière) lindero (m) **4.** (bordure - de vêtement) ribete (m) • (- de chapeau) ala (f) **5.** (dans un moyen de transport) • **à bord de qqch** a bordo de algo • **passer par-dessus bord** caer por la borda.

bordeaux ◼ adj inv (couleur) burdeos (en apposition). ◼ nm (vin) burdeos (m inv).

bordel nm tfam **1.** (maison close) burdel (m) **2.** fig (désordre) follón (m).

bordélique adj fam caótico(ca).

border vt **1.** (être en bordure de) bordear **2.** (vêtement) ribetear **3.** (lit) remeter **4.** (personne au lit) arropar **5.** NAUT costear.

bordereau nm **1.** (liste) relación (f) detallada **2.** (formulaire) impreso (m) **3.** (facture) albarán (m).

bordure nf **1.** (bord) borde (m) • **en bordure de qqch** al borde de algo **2.** (de fleurs) bordura (f) **3.** (de vêtement) ribete (m).

borgne ◼ adj **1.** (personne) tuerto(ta) **2.** fig (hôtel) de mala muerte. ◼ nmf (personne) tuerto (m), -ta (f).

borne nf **1.** (marque) mojón (m) **2.** fam (kilomètre) kilómetro (m) **3.** fig (limite) límite (m) • **dépasser les bornes** pasarse de la raya • **sans bornes** sin límites **4.** INFORM • **borne interactive** terminal (m) interactivo.

borné, e adj **1.** (restreint) limitado(da) **2.** (obtus) corto(ta) de alcances.

borner vt limitar. ◼ **se borner** vp • **se borner à faire qqch** limitarse a hacer algo • **se borner à qqch** limitarse a algo.

bosniaque adj bosnio(nia). ◼ **Bosniaque** nmf bosnio (m), -nia (f).

Bosnie npr • **la Bosnie** Bosnia.

bosquet nm bosquecillo (m).

bosse nf **1.** (à la suite d'un coup) chichón (m) **2.** (de bossu, chameau) giba (f), joroba (f) **3.** (du crâne) protuberancia (f) **4.** (de terrain) montículo (m).

bosser vi fam currar.

bossu, e adj & nm, f jorobado(da).

botanique ◼ adj botánico(ca). ◼ nf botánica (f).

botte nf **1.** (chaussure) bota (f) • **botte de** ou **en caoutchouc** bota de goma **2.** (de légumes) manojo (m) **3.** (d'escrime) estocada (f).

botter vt fam **1.** (donner un coup de pied à) dar una patada a **2.** vieilli (plaire à) chiflar.

bottier nm zapatero (m).

Bottin ® nm fam guía (f) telefónica.

bottine nf botín (m).

bouc nm **1.** (animal) macho (m) cabrío • **bouc émissaire** fig chivo (m) expiatorio **2.** (barbe) perilla (f).

boucan nm fam jaleo (m).

bouche nf boca (f) • **bouche d'incendie/de métro** boca de incendios/de metro • **rester bouche bée** quedarse boquiabierto(ta).

bouché, e adj **1.** (obstrué) atascado(da) **2.** (vin) embotellado(da) **3.** (oreille) taponado(da).

bouche-à-bouche nm boca a boca (m) • **faire du bouche-à-bouche à qqn** hacer el boca a boca a alguien.

bouchée nf bocado (m).

boucher[1] vt **1.** (bouteille, trou) tapar **2.** (obstruer, passage) interceptar • (- vue) tapar.

boucher[2]**, ère** nm, f carnicero (m), -ra (f).

boucherie nf carnicería (f).

bouche-trou nm **1.** (personne) figurante (m), -ta (f) **2.** (objet) relleno (m).

bouchon nm **1.** (de bouteille, flacon) tapón (m) (Esp), tapa (f) (Amér) **2.** (de canne à pêche) flotador (m) **3.** (embouteillage) atasco (m) (Esp), atorón (m) (Amér).

boucle nf **1.** (de ceinture, soulier) hebilla (f) **2.** (de cheveux, d'avion) rizo (m) **3.** (de fleuve) meandro (m) **4.** INFORM bucle (m). ◼ **boucle d'oreille** nf pendiente (m) (Esp, aro (m) (Amér).

bouclé, e adj rizado(da) • **cet enfant est tout bouclé** ese niño tiene el pelo rizadito.

boucler vt **1.** (attacher) abrocharse **2.** fam (fermer) cerrar • **boucle-la !** ¡cierra el pico! **3.** fam (enfermer) encerrar **4.** (quartier) acordonar **5.** (cheveux) rizar (Esp), enchinar (Amér) **6.** fam (terminer) acabar • **la boucle est bouclée** fig volvemos a estar en el punto de partida.

bouclier nm escudo (m) • **se faire un bouclier de qqch** fig escudarse en algo.

bouddhiste adj & nmf budista.

bouder ◼ vi (être renfrogné) enfurruñarse. ◼ vt **1.** (personne) esquivar **2.** (chose, pasar de.

bouderie nf enfurruñamiento (m).

boudeur, euse ◼ adj enfurruñado(da). ◼ nm, f gruñón (m), -ona (f).

boudin nm **1.** CULIN morcilla (f) **2.** fam péj (personne) feto (m).

boue nf **1.** (terre) barro (m) **2.** fig (infamie) lodo (m).

bouée nf boya (f) • **bouée de sauvetage** salvavidas (m inv).

boueux, euse adj fangoso(sa).

bouffe nf fam manduca (f).

bouffée nf **1.** (d'air) bocanada (f) **2.** (de parfum) tufarada (f) **3.** (de cigarette) calada (f) **4.** (de colère) arrebato (m).

bouffi, e adj (yeux, visage) abotargado(da).

bouge nm **1.** (taudis) cuchitril (m) **2.** (café) antro (m).

bougeoir nm palmatoria (f).

bougeotte nf • **avoir la bougeotte** fam ser (un) culo de mal asiento.

bouger ◼ vt (déplacer, mover. ◼ vi **1.** (remuer, sortir) moverse **2.** (vêtement) alterarse, deformarse **3.** (changer) agitarse.

bougie nf **1.** (chandelle) vela (f) (Esp), veladora (f) (Amér) **2.** (de moteur) bujía (f).

bougon, onne adj & nm, f gruñón(ona).

bougonner vi fam refunfuñar.

bouillant, e adj **1.** (eau, café) hirviendo, hirviente **2.** fig (tempérament, personne) ardiente.

bouillie nf (de bébé) papilla (f) • **réduire en bouillie** (légumes) hacer puré de • (personne) hacer papilla.

bouillir vi (liquide) hervir • **faire bouillir qqch** hervir algo.

bouilloire nf hervidora (f).

bouillon nm 1. (soupe) caldo (m) 2. (bouillonnement) borbotón (m) • **à gros bouillons** a borbotones.

bouillonner vi 1. (liquide, torrent) borbotear, borbollar 2. fig (s'agiter) hervir.

bouillotte nf bolsa (f) de agua caliente.

boul. abrév de **boulevard**.

boulanger, ère adj & nm, f panadero(ra).

boulangerie nf panadería (f).

boule nf 1. (de billard, de pétanque) bola (f) 2. (de loto) ficha (f) • **boule de neige** bola de nieve • **faire boule de neige** fig hacerse una bola de nieve. ■ **boules** nfpl fam • **avoir les boules** (avoir peur) no tenerlas todas consigo • (être furieux) estar furioso.

bouleau nm abedul (m).

bouledogue nm buldog (m).

boulet nm 1. (de canon) bala (f) 2. (de forçat) grillete (m) 3. fig (fardeau) cruz (f).

boulette nf 1. (de pain, papier) bolita (f) 2. (de viande) albóndiga (f) 3. fam fig (bévue) • **faire une boulette** meter la pata.

boulevard nm 1. (rue) bulevar (m) 2. THÉÂTRE comedia (f) ligera.

bouleversant, e adj conmovedor(ra).

bouleversé, e adj emocionado(da).

bouleversement nm 1. (émotion) conmoción (f) 2. (changement) alteración (f).

bouleverser vt 1. (émouvoir) conmocionar, trastornar 2. (modifier) perturbar 3. (mettre en désordre) revolver.

boulgour nm (trigo) bulgur (m) • **salade/gratin de boulgour** ensalada (f)/gratén (m) de bulgur.

boulier nm ábaco (m).

boulimie nf bulimia (f).

boulon nm perno (m).

boulonner ■ vt (visser) empernar. ■ vi fam (travailler) currar.

boulot nm fam trabajo (m).

bouquet nm 1. (de fleurs) ramo (m) 2. (du vin) buqué (m) 3. (de feu d'artifice) castillo (m) (de fuegos artificiales) 4. TV • **bouquet de programmes** paquete (m) de programas • **bouquet numérique** plataforma (f) digital 5. (crevette) langostino (m).

bouquin nm fam libro (m).

bouquiner vt & vi fam leer.

bouquiniste nmf librero (m) de viejo (en los muelles del Sena).

bourbier nm 1. (lieu) barrizal (m) 2. fig (situation) lodazal (m).

bourde nf 1. (baliverne) bola (f) (mentira) 2. fam (erreur) • **faire une bourde** meter la pata.

bourdon nm 1. (insecte) abejorro (m) 2. (cloche) campana (f) mayor • **avoir le bourdon** fam tener morriña.

bourdonnement nm 1. (d'insecte, de moteur) zumbido (m) 2. (de voix) murmullo (m).

bourdonner vi zumbar.

bourgeois, e ■ adj 1. (gén) burgués(esa) 2. (cuisine) casero(ra). ■ nm, f burgués (m), -esa (f).

bourgeoisie nf burguesía (f).

bourgeon nm yema (f).

bourlinguer vi fam fig correr mundo.

bourrade nf empujón (m).

bourrage nm (de coussin) relleno (m).

bourrasque nf borrasca (f).

bourratif, ive adj fam pesado(da).

bourreau nm verdugo (m) • **bourreau des cœurs** rompecorazones (m inv).

bourrelet nm 1. (de graisse) michelín (m) 2. (de porte) burlete (m).

bourrer vt 1. (coussin) rellenar 2. (valise) abarrotar 3. (fusil, pipe) cargar 4. fam (gaver) atiborrar • **ça bourre !** ¡llena!

bourrique nf 1. (ânesse) burra (f) 2. fam (personne) burro (m), -rra (f).

bourru, e adj fig huraño(ña).

bourse nf 1. (porte-monnaie) monedero (m) 2. (d'études) beca (f). ■ **Bourse** nf FIN Bolsa (f) • **Bourse de commerce** bolsa de comercio, lonja (f) • **Bourse des valeurs** bolsa de valores.

boursier, ère ■ adj 1. (élève) becario(ria) 2. FIN bursátil. ■ nm, f 1. (étudiant) becario (m), -ria (f) 2. FIN bolsista (mf).

boursouflé, e adj abotargado(da).

boursoufler vt abotargar.

bousculade nf 1. (cohue) avalancha (f) 2. (précipitation) prisa (f).

bousculer vt 1. (pousser) empujar, dar un empujón a 2. (presser) meter prisa a 3. fig (idées reçues, habitudes) tirar, hacer caer.

bouse nf • **bouse (de vache)** boñiga (f) (de vaca).

bousiller vt fam 1. (bâcler) chapucear 2. (casser) cargarse.

boussole nf brújula (f).

bout nm 1. (extrémité) punta (f) 2. (fin) final (m) • **au bout de qqch** al cabo de algo • **d'un bout à l'autre** de punta a punta, de cabo a rabo • **jusqu'au bout** hasta el final • **être à bout d'arguments** quedarse sin argumentos • **pousser qqn à bout** sacar a alguien de sus casillas • **venir à bout de** acabar con 3. (morceau) trozo (m).

boutade nf broma (f).

boute-en-train nm inv alma (f) • **le boute-en-train de la soirée** el alma de la fiesta.

bouteille *nf* botella *(f)*.

boutique *nf* tienda *(f)*.

bouton *nm* **1.** COUT & ÉLECTR botón *(m)* • **bouton de manchette** gemelo *(m)* **2.** *(sur la peau)* grano *(m)* **3.** *(de porte)* tirador *(m)* **4.** *(bourgeon)* botón *(m)*, yema *(f)*.

bouton-d'or *nm* botón *(m)* de oro.

boutonner *vt* abotonar.

boutonneux, euse *adj* lleno(na) de granos.

boutonnière *nf* ojal *(m)*.

bouton-pression *nm* cierre *(m)*, presilla *(f)*.

bouture *nf* esqueje *(m)*.

bouvier *nm* *(chien)* perro *(m)* pastor belga.

bovin, e *adj* **1.** *(animal)* bovino(na), vacuno(na) **2.** *fig (regard)* bovino(na). ■ **bovin** *nm* bovino *(m)*.

bowling *nm* **1.** *(jeu)* bolos *(mpl)* **2.** *(lieu)* bolera *(f)*.

box *nm* **1.** box *(m)* **2.** *(pour voiture)* cochera *(f)*, garaje *(m)* • **le box des accusés** el banquillo de los acusados.

boxe *nf* boxeo *(m)* *(Esp)*, box *(m)* *(Amér)*.

boxer[1] ■ *vi* boxear. ■ *vt* dar puñetazos a.

boxer[2] *nm* *(chien)* bóxer *(m)*.

boxeur *nm* boxeador *(m)*.

boyau *nm* **1.** *(chambre à air)* tubular *(m)* **2.** *(corde)* cuerda *(f)* *(de tripa)* **3.** *(galerie)* galería *(f)* estrecha. ■ **boyaux** *nmpl* *(intestins)* tripas *(fpl)*.

boycotter *vt* boicotear.

BP *(abr de* **boîte postale)** *nf* Apdo.

bracelet *nm* **1.** *(bijou)* pulsera *(f)* **2.** *(de montre)* correa *(f)*.

bracelet-montre *nm* reloj *(m)* de pulsera.

braconner *vi* **1.** *(chasser)* practicar la caza furtiva **2.** *(pêcher)* practicar la pesca furtiva.

braconnier, ère *nm* **1.** *(chasseur)* cazador *(m)* furtivo, cazadora *(f)* furtiva **2.** *(pêcheur)* pescador *(m)* furtivo, pescadora *(f)* furtiva.

brader *vt* liquidar • **on brade !** ¡rebajamos los rebajas!

braderie *nf* liquidación *(f)*.

braguette *nf* bragueta *(f)*.

braille *nm* braille *(m)*.

braillement *nm* *péj* berrido *(m)*.

brailler ■ *vi* berrear. ■ *vt* cantar a grito pelado.

braire *vi* rebuznar.

braise *nf* brasa *(f)*.

bramer *vi* bramar.

brancard *nm* **1.** *(civière)* camilla *(f)* **2.** *(d'attelage)* varal *(m)*.

brancardier, ère *nm, f* camillero *(m)*, -ra *(f)*.

branchage *nm* ramaje *(m)*.

branche *nf* **1.** *(d'arbre)* rama *(f)* • **en branches** *(épinards, céleri)* en rama **2.** *(de lunettes)* patilla *(f)* **3.** *(de compas)* brazo *(m)* **4.** *(secteur, discipline)* ramo *(m)*.

branché, e *adj* *fam (à la mode)* moderno(na).

branchement *nm* conexión *(f)*.

brancher *vt* **1.** *(à une prise)* enchufar **2.** *(à un réseau)* conectar **3.** *fam (orienter)* • **brancher qqn sur qqch** orientar a alguien hacia algo **4.** *fam (plaire à)* molar • **ça te branche de venir au ciné ?** ¿te molaría venir al cine?

branchies *nfpl* branquias *(fpl)*.

brandir *vt* blandir.

branlant, e *adj* *(meuble)* cojo(ja).

branle-bas *nm inv* trajín *(m)*.

braquage *nm* **1.** AUTO giro *(m)* *(del volante)* **2.** *(attaque)* atraco *(m)*.

braquer ■ *vt* **1.** *(diriger)* • **braquer qqch sur qqch/sur qqn** *(arme)* apuntar a algo/a alguien con algo • *(lampe)* dirigir algo hacia algo/hacia alguien • *(regard)* fijar algo en algo/en alguien **2.** *(contrarier)* llevar la contraria a **3.** *fam (attaquer)* atracar. ■ *vi* girar. ■ **se braquer** *vp* *(personne)* rebotarse.

bras *nm* brazo *(m)* • **bras droit** *fig* brazo *(m)* derecho, mano *(f)* derecha • **bras de fer** *(jeu)* pulso *(m)* • **bras de mer** brazo de mar • **à bras ouverts** con los brazos abiertos • **avoir le bras long** tener mucha influencia.

brasier *nm* hoguera *(f)*.

bras-le-corps ■ **à bras-le-corps** *loc adv* por la cintura.

brassage *nm* **1.** *(de bière)* braceado *(m)* **2.** *fig (mélange)* mezcla *(f)*.

brassard *nm* brazalete *(m)*.

brasse *nf* *(nage)* braza *(f)* • **brasse papillon** mariposa *(f)*.

brassée *nf* brazada *(f)*.

brasser *vt* **1.** *(mélanger)* remover • **brasser la bière** elaborar cerveza **2.** *fig (manipuler)* • **brasser de l'argent** manejar dinero.

brasserie *nf* **1.** *(café-restaurant)* café restaurante *(m)* **2.** *(usine de bière)* cervecería *(f)*.

brasseur *nm, f* **1.** *(de bière)* cervecero *(m)*, -ra *(f)* **2.** *(nageur)* bracista *(mf)*. ■ **brasseur d'affaires** *nm* hombre *(m)* de negocios.

brassière *nf* **1.** *(de bébé)* camisita *(f)* **2.** *(gilet de sauvetage)* chaleco *(m)* salvavidas **3.** *(Québec) (soutien-gorge)* sujetador *(m)*.

bravade *nf* bravata *(f)*.

brave ■ *adj* **1.** *(courageux)* valiente **2.** *(naïf)* inocentón(ona) • **un brave homme** un buen hombre. ■ *nm* • **mon brave** amigo mío.

braver *vt* **1.** *(défier)* desafiar **2.** *(mépriser)* afrontar.

bravo ■ *interj (approbation)* ¡bravo! ■ *nm (applaudissement)* bravo *(m)*.

bravoure *nf* valentía *(f)*.

break *nm* **1.** *fam (pause)* • **faire un break** hacer una pausa **2.** SPORT break *(m)* • **faire le break** romper el juego, hacer una pausa.

brebis *nf* oveja *(f)* ▪ **brebis galeuse** *fig* oveja negra.

brèche *nf* brecha *(f)*.

bredouille *adj* ▪ **être/rentrer bredouille** tener/volver con las manos vacías.

bredouiller *vi* & *vt* balbucear.

bref, brève *adj* breve. ▪ **bref** *adv* resumiendo, en resumen ▪ **en bref** en pocas palabras. ▪ **brève** *nf* **1.** PRESSE noticia *(f)* breve **2.** MUS breve *(f)*.

brème *nf* **1.** *(poisson)* brema *(f)* **2.** *fam (carte à jouer)* naipe *(m)*.

Brésil *npr* ▪ **le Brésil** (el) Brasil.

brésilien, enne *adj* brasileño(ña) *(Esp)*, brasilero(ra) *(Amér)*. ▪ **Brésilien, enne** *nm, f* brasileño *(m)*, -ña *(f) (Esp)*, brasilero *(m)*, -ra *(f) (Amér)*.

Bretagne *npr* ▪ **la Bretagne** (la) Bretaña.

bretelle *nf* **1.** *(gén pl) (de vêtement)* tirante *(m) (Esp)*, breteles *(mpl) (Amér)* **2.** *(de fusil)* bandolera *(f)* **3.** *(d'autoroute)* enlace *(m)*.

breton, onne *adj* bretón(ona). ▪ **breton** *nm* LING bretón *(m)*. ▪ **Breton, onne** *nm, f* bretón *(m)*, -ona *(f)*.

breuvage *nm* brebaje *(m)*.

brevet *nm* **1.** *(certificat, diplôme)* diploma *(m)* **2.** *(au collège)* ≃ diploma de fin de tercero de la ESO *(enseñanza secundaria obligatoria)* ▪ **brevet de technicien** diploma técnico **3.** *(d'invention)* patente *(f)*.

breveter *vt* patentar.

bréviaire *nm* breviario *(m)*.

bribe *nf (gén pl)* fragmento *(m)* ▪ **saisir des bribes de conversation** oír una conversación a medias.

bric-à-brac *nm inv* batiburrillo *(m)*.

bricolage *nm* **1.** *(travail manuel)* bricolaje *(m)* **2.** *(réparation provisoire, travail bâclé)* chapuza *(f)*.

bricole *nf* **1.** *(objet)* tontería *(f)* **2.** *fig (fait insignifiant)* menudencia *(f)*.

bricoler ◨ *vi* **1.** *(faire des travaux manuels)* hacer bricolaje **2.** *fam (faire toute espèce de métiers)* hacer un poco de todo. ◨ *vt fam* **1.** *(réparer)* arreglar **2.** *(fabriquer)* hacer.

bricoleur, euse ◨ *adj* mañoso(sa). ◨ *nm, f* manitas *(mf)*.

bride *nf* **1.** *(de cheval)* brida *(f)* **2.** *(de chapeau)* cinta *(f)* **3.** COUT *(boutonnière)* presilla *(f)* **4.** TECHNOL brida *(f)*.

brider *vt* **1.** *(cheval)* embridar **2.** *fig (contenir)* refrenar.

bridge *nm* **1.** *(jeu de cartes)* bridge *(m)* **2.** *(prothèse dentaire)* puente *(m)*.

briefer *vt* poner al tanto.

briefing *nm* briefing *(m)*.

brièvement *adv* brevemente.

brièveté *nf* brevedad *(f)*.

brigade *nf* **1.** MIL destacamento *(m)* ▪ **brigade antigang** ≃ brigada contra el crimen organizado **2.** *(d'ouvriers, d'employés)* brigada *(f)*.

brigand *nm* **1.** *(bandit)* bandolero *(m)* **2.** *(homme malhonnête)* sinvergüenza *(mf)*.

brillamment *adv* brillantemente.

brillant, e *adj* brillante *(Esp)*, brilloso(sa) *(Amér)*. ▪ **brillant** *nm* **1.** *(diamant)* brillante *(m)* **2.** *(éclat)* brillo *(m)*.

briller *vi* brillar.

brimer *vt* humillar.

brin *nm* **1.** *(de paille, muguet)* brizna *(f)* ▪ **brin d'herbe** brizna de hierba **2.** *(fil)* hilo *(m)* **3.** *fam (petite quantité)* ▪ **un brin (de)** una pizca (de) ▪ **faire un brin de toilette** lavarse un poco por encima ▪ **ne pas avoir un brin de jugeote** no tener dos dedos de frente.

brindille *nf* ramita *(f)*.

bringuebaler, brinquebaler *vi* bambolearse.

brio *nm (talent)* ingenio *(m)* ▪ **avec brio** brillantemente.

brioche *nf* **1.** *(pâtisserie)* brioche *(m)*, bollo *(m)* **2.** *fam (gros ventre)* barriga *(f)*.

brioché, e *adj* de brioche.

brique ◨ *adj inv (couleur)* teja *(en apposition)*. ◨ *nf* **1.** *(pierre)* ladrillo *(m)* **2.** *(emballage)* tetrabrik® *(m)*.

briquer *vt* dar lustre a, sacar brillo a.

briquet *nm* encendedor *(m)*, mechero *(m)*.

briquette *nf* tetra brik® *(m)* pequeño *(pl tetra briks pequeños)*.

brisant *nm (écueil)* rompiente *(m)*.

brise *nf* brisa *(f)*.

brise-glace, brise-glaces *nm inv* **1.** *(navire)* rompehielos *(m inv)* **2.** *(de pont)* espolón *(m)*, tajamar *(m)*.

brise-jet *nm inv* alcachofa *(f) (de ducha)*.

brise-lames *nm inv* rompeolas *(m inv)*.

briser *vt* **1.** *(objet, grève)* romper **2.** *(carrière, espoir)* destrozar **3.** *(résistance, orgueil)* vencer **4.** *(cœur)* romper. ◨ **se briser** *vp* **1.** *(gén)* romperse **2.** *(espoir)* venirse abajo **3.** *(effort)* fracasar.

briseur, euse *nm, f* ▪ **briseur de grève** esquirol *(m)*.

bristol *nm* **1.** *(papier)* bristol *(m)* **2.** *vieilli (carte de visite)* tarjeta *(f) (de visita)*.

britannique *adj* británico(ca). ▪ **Britannique** *nmf* británico *(m)*, -ca *(f)*.

broc *nm* jarra *(f)*.

brocante *nf* antigüedades *(fpl)*.

brocanteur, euse *nm, f* anticuario *(m)*, -ria *(f)*.

broche *nf* **1.** *(bijou)* broche *(m)* **2.** CULIN pincho *(m)* ▪ **cuire à la broche** asar en el espetón **3.** MÉD clavo *(m)* **4.** ÉLECTR enchufe *(m)* macho **5.** *(de métier à filer)* broca *(f)*.

broché, e *adj* **1.** *(tissu)* briscado(da) **2.** *(livre)* en rústica.

brochet *nm* lucio *(m)*.

brochette *nf* **1.** *(ustensile, couvert)* pincho *(m)* **2.** *fam fig (groupe)* ramillete *(m)*.

brochure *nf* **1.** *(imprimé)* folleto *(m)* **2.** *(de livre)* encuadernación *(f)* *(en rústica)* **3.** *(de tissu)* briscado *(m)*.

brocoli *nm* brécol *(m)*.

broder ◼ *vt* **1.** *(tissu)* bordar **2.** *fig (histoire)* adornar. ◼ *vi fig (exagérer)* exagerar.

broderie *nf* bordado *(m)*.

bromure *nm* bromuro *(m)*.

bronche *nf* bronquio *(m)*.

broncher *vi* rechistar • **sans broncher** sin rechistar.

bronchite *nf* bronquitis *(f inv)*.

bronzage *nm* bronceado *(m)*.

bronze *nm* bronce *(m)*.

bronzé, e *adj* bronceado(da), moreno(na).

bronzer *vi* broncearse.

brosse *nf* **1.** *(ustensile)* cepillo *(m)* (Esp), escobilla *(f)* (Amér) • **brosse à cheveux/à dents/à habits** cepillo para el pelo/de dientes/para la ropa • **en brosse** *(coiffure)* al cepillo **2.** *(pinceau)* brocha *(f)*.

brosser *vt* **1.** *(cheveux, habits)* cepillar **2.** *(paysage, portrait)* bosquejar. ◼ **se brosser** *vp (se nettoyer)* cepillarse • **se brosser les cheveux/les dents** cepillarse el pelo/los dientes • **tu peux toujours te brosser** *fam* puedes esperar sentado -da *(f)*.

brouette *nf* carretilla *(f)*.

brouhaha *nm* guirigay *(m)*.

brouillard *nm* niebla *(f)* • **être dans le brouillard** *fig* no enterarse.

brouille *nf* desavenencia *(f)*.

brouillé, e *adj* **1.** *(fâché)* • **il est brouillé avec son père** ha reñido con su padre • **il est brouillé avec les mathématiques** no le entran las matemáticas **2.** *(teint)* turbado(da).

brouiller *vt* **1.** *(désunir)* separar • **brouiller qqn avec qqch** hacer odiar a alguien algo • **brouiller qqn avec qqn** enfrentar a alguien con alguien **2.** *(troubler - vue)* nublar • *(- teint,* turbar **3.** *(rendre confus)* confundir **4.** *(émission)* interferir. ◼ **se brouiller** *vp* **1.** *(se fâcher)* pelearse • **se brouiller avec qqn** pelearse con alguien **2.** *(vue)* nublarse **3.** *(devenir confus)* confundirse.

brouillon, onne *adj* **1.** *(élève)* desordenado(da) **2.** *(travail)* sucio(cia). ◼ **brouillon** *nm* borrador *(m)* • **au brouillon** en sucio.

broussaille *nf* maleza *(f)* • **en broussaille** *(cheveux)* enmarañado(da).

brousse *nf* sabana *(f)*.

brouter ◼ *vt (herbe)* pacer. ◼ *vi* **1.** *(animal)* pacer **2.** *(embrayage)* vibrar.

broutille *nf* tontería *(f)*.

broyer *vt* moler.

bru *nf sout* nuera *(f)*.

brugnon *nm* nectarina *(f)*.

bruine *nf* llovizna *(f)* (Esp), garúa *(f)* (Amér).

bruissement *nm* murmullo *(m)*, susurro *(m)*.

bruit *nm* **1.** *(son, vacarme)* ruido *(m)* • **faire du bruit** hacer ruido • **sans bruit** sin hacer ruido • **bruit de fond** ruido de fondo **2.** *(rumeur)* rumor *(m)* • **le bruit court que...** corre el rumor de que... **3.** *(retentissement)* • **faire du bruit** *fig* dar mucho de que hablar.

bruitage *nm* THÉÂTRE, CINÉ & RADIO efectos *(mpl)* de sonido.

brûlant, e *adj* **1.** *(objet)* ardiendo **2.** *(soleil)* abrasador(ra) **3.** *(main, front)* que arde **4.** *(amour)* ardiente **5.** *(question)* candente.

brûle-pourpoint ◼ **à brûle-pourpoint** *loc adv* a quemarropa.

brûler ◼ *vt* **1.** *(détruire)* quemar **2.** *(sujet : soleil)* abrasar **3.** *(irriter)* irritar **4.** *(feu rouge)* saltarse **5.** *(étape)* quemar **6.** *(café)* tostar. ◼ *vi* **1.** *(être détruit)* quemarse **2.** *fig (se consumer)* arder • **brûler de** *(désir, impatience)* arder de • **brûler de faire qqch** arder en deseos de hacer algo. ◼ **se brûler** *vp* quemarse.

brûlure *nf* **1.** *(lésion, marque)* quemadura *(f)* • **brûlure au premier/troisième degré** quemadura de primer/tercer grado **2.** *(sensation)* ardor *(m)* • **avoir des brûlures d'estomac** tener ardor de estómago.

brume *nf* bruma *(f)*.

brumeux, euse *adj* **1.** *(temps)* nuboso(sa) **2.** *fig (pensée)* sombrío(a).

brun, e ◼ *adj* **1.** *(cheveux)* moreno(na) (Esp), morocho(cha) (Amér) **2.** *(bière, tabac)* negro(gra). ◼ *nm, f (personne)* moreno *(m)*, -na *(f)*. ◼ **brun** *nm (couleur,* castaño *(m)*. ◼ **brune** *nf* **1.** *(cigarette)* cigarrillo *(m)* negro **2.** *(bière)* cerveza *(f)* negra.

brunir ◼ *vt* **1.** *(peau)* tostar **2.** *(métal)* bruñir. ◼ *vi* **1.** *(cheveux)* oscurecerse **2.** *(personne)* tostarse.

Brushing® *nm* marcado *(m)*.

brusque *adj* **1.** *(gén)* brusco(ca) **2.** *(départ)* precipitado(da).

brusquement *adv* **1.** *(soudainement)* precipitadamente **2.** *(avec brusquerie)* bruscamente.

brusquer *vt* **1.** *(presser)* precipitar **2.** *(traiter sans ménagement)* ser duro(ra) con.

brusquerie *nf* brusquedad *(f)*.

brut, e *adj* **1.** *(pétrole, toile)* crudo(da) **2.** *(pierre, minerai)* en bruto **3.** *fig (donnée, fait)* desnudo(da) **4.** ÉCON bruto(ta). ◼ **brute** *nf (personne violente)* animal *(m)*.

brutal, e *adj* **1.** *(violent)* brutal, violento(ta) • **être brutal avec qqn** comportarse como un animal con alguien **2.** *(soudain)* repentino(na).

brutaliser *vt* maltratar.
brutalité *nf* **1.** *(violence)* brutalidad *(f)* **2.** *(soudaineté)* brusquedad *(f)*.
Bruxelles *npr* Bruselas.
bruyamment *adv* ruidosamente.
bruyant, e *adj* ruidoso(sa).
bruyère *nf* **1.** *(plante)* brezo *(m)* **2.** *(lande)* brezal *(m)*.
BT ◼ *nm abrév de* **brevet de technicien.** ◼ *nf* *(abr de* **basse tension)** BT *(f)*.
BTP *(abr de* **bâtiment et travaux publics)** *nm* sector *(m)* de la construcción y obras públicas ◦ **les entreprises de BTP** las empresas de construcción y obras públicas.
BTS *(abr de* **brevet de technicien supérieur)** *nm* ≃ Título de Técnico Superior de Formación Profesional.
BU *(abr de* **bibliothèque universitaire)** *nf* biblioteca *(f)* universitaria.
buanderie *nf* lavadero *(m)*.
Bucarest *npr* Bucarest.
buccal, e *adj* **1.** *(cavité)* bucal **2.** *(voie)* oral.
bûche *nf* **1.** *(bois)* tronco *(m)* **2.** *fam (chute)* ◦ **prendre** OU **ramasser une bûche** pegarse un batacazo **3.** *fam (lourdaud)* pasmarote *(m)*. ◼ **bûche de Noël** *nf* tronco *(m)* de Navidad, ≃ brazo *(m)* de gitano.
bûcher[1] *nm* **1.** *(supplice)* ◦ **le bûcher** la hoguera **2.** *(funéraire)* pira *(f)*.
bûcher[2] *vt & vi* empollar.
bûcheron, onne *nm, f* leñador *(m)*, -ra *(f)*.
bûcheur, euse *adj & nm, f* empollón(ona).
bucolique ◼ *adj* bucólico(ca). ◼ *nf* poesía *(f)* bucólica.
Budapest *npr* Budapest.
budget *nm* presupuesto *(m)*.
budgétaire *adj* presupuestario(ria).
buée *nf* vaho *(m)*.
Buenos Aires *npr* Buenos Aires.
buffet *nm* **1.** *(meuble)* aparador *(m)* **2.** *(réception)* bufé *(m)* **3.** *(café-restaurant)* bar-restaurante *(m)* ◦ **buffet de gare** bar-restaurante de estación.
buffle *nm* búfalo *(m)*.
bug = **bogue.**
buis *nm* boj *(m)*.
buisson *nm* matorral *(m)*.
buissonnière ▷ **école.**
bulbe *nm* bulbo *(m)*.
bulgare ◼ *adj* búlgaro(ra). ◼ *nm,* LING búlgaro *(m)*. ◼ **Bulgare** *nmf* búlgaro *(m)*, -ra *(f)*.
Bulgarie *npr* ◦ **la Bulgarie** Bulgaria.
bulldozer *nm* bulldozer *(m)* *(Esp)*, topadora *(f)* *(Amér)*.
bulle *nf* **1.** *(d'air, de gaz &* MÉD*)* burbuja *(f)* ◦ **bulle de savon** pompa *(f)* de jabón **2.** *fam* SCOL *(zéro)*

rosco *(m)* **3.** *(de bande dessinée)* bocadillo *(m)* **4.** RELIG bula *(f)* **5.** INFORM ◦ **bulle d'aide** ayuda *(f)* flotante, burbuja *(f)* de ayuda.
bulletin *nm* **1.** *(gén &* SCOL*)* boletín *(m)* ◦ **bulletin (de la) météo/de santé** parte *(m)* meteorológico/médico **2.** *(certificat)* recibo *(m)* ◦ **bulletin de salaire** OU **de paie** nómina *(f)*. ◼ **bulletin de vote** *nm* papeleta *(f)*.
bulletin-réponse *nm* cupón *(m)* de respuesta.
buraliste *nmf* estanquero *(m)*, -ra *(f)*.
bureau *nm* **1.** *(lieu de travail)* oficina *(f)* **2.** *(meuble)* mesa *(f)* de despacho **3.** *(pièce)* despacho *(m)* **4.** *(service)* oficina *(f)* ◦ **bureau d'aide sociale** centro *(m)* de asistencia social ◦ **bureau de change** oficina de cambio ◦ **bureau de poste** oficina de correos ◦ **bureau de vote** colegio *(m)* electoral **5.** *(de direction)* comité *(m)* **6.** INFORM escritorio *(m)*. ◼ **bureau d'études** *nm* gabinete *(m)* de estudios. ◼ **bureau de tabac** *nm* estanco *(m)*.

LE BUREAU	
◦ l'atlas / el atlas	
◦ le bureau / el escritorio	
◦ le cahier / el cuaderno	
◦ la chaise / la silla	
◦ les ciseaux / las tijeras	
◦ le classeur / el clasificador	
◦ le clavier / el teclado	
◦ la colle / el pegamento	
◦ le compas / el compás	
◦ le crayon à papier / el lápiz	
◦ l'écran / la pantalla	
◦ l'équerre / la escuadra	
◦ la gomme / la goma	
◦ la lampe / la lámpara	
◦ le livre / el libro	
◦ l'ordinateur / el ordenador	
◦ la règle / la regla	
◦ la souris / el ratón	
◦ le stylo bille / el bolígrafo	
◦ le stylo plume / la pluma	
◦ le taille-crayon / el sacapuntas	
◦ le tapis de souris / la alfombrilla del ratón	
◦ le tiroir / el cajón	
◦ la trousse / el estuche	
◦ l'unité centrale / la unidad central.	

bureaucrate *nmf péj* burócrata *(mf)*.
bureaucratie *nf* burocracia *(f)*.
bureaucratique *adj péj* burocrático(ca).
bureautique *nf* ofimática *(f)*.
burette *nf* **1.** *(de mécanicien)* aceitera *(f)* **2.** *(de chimiste)* bureta *(f)*.
burin *nm* **1.** *(outil)* buril *(m)* **2.** *(gravure)* grabado *(m)* con buril.
buriné, e *adj* **1.** *(objet)* grabado(da) con buril **2.** *fig (visage, traits)* surcado(da) por las arrugas.

burlesque ■ *adj* **1.** *(comique, ridicule)* grotesco(ca) **2.** THÉÂTRE burlesco(ca). ■ *nm* ▪ **le burlesque** el género burlesco.

bus *nm* bus *(m)*.

buste *nm* busto *(m)*.

bustier *nm* bustier *(m)*.

but *nm* **1.** *(gén)* objetivo *(m)*, meta *(f)* ▪ **aller droit au but** ir directo al grano ▪ **toucher au but** alcanzar la meta **2.** *(intention)* fin *(m)* ▪ **à but non lucratif** con fines no lucrativos ▪ **dans le but de faire qqch** con el fin de hacer algo **3.** *(destination)* destino *(m)* **4.** SPORT gol *(m)* ▪ **marquer un but** marcar *ou* meter un gol ▪ **de but en blanc** de golpe y porrazo.

butane *nm* butano *(m)*.

buté, e *adj* terco(ca).

buter ■ *vi (se heurter)* ▪ **buter sur** *ou* **contre qqch** *(pierre)* tropezar con algo ▪ *fig (difficulté)* encallarse en algo. ■ *vt tfam (tuer)* cargarse.

butin *nm* botín *(m)*.

butiner *vt & vi* libar.

butte *nf (colline)* loma *(f)* ▪ **butte de tir** espaldón *(m)* de tiro ▪ **être en butte à qqch** ser el blanco de algo.

buvard *nm* **1.** *(papier)* papel *(m)* secante **2.** *(sous-main)* secafirmas *(m inv)*.

buvette *nf* **1.** *(de gare, théâtre)* bar *(m)* **2.** *(de station thermale)* fuente *(f)* de aguas termales.

buveur, euse *nm, f* bebedor *(m)*, -ra *(f)*.

c, C *nm inv (lettre)* c *(f)*, C *(f)*. ■ **c 1.** *(abr écrite de centime)* cent **2.** *(abr écrite de centi)* c. ■ **C 1.** *(abr écrite de Celsius, centigrade)* C **2.** *(abr écrite de coulomb)* C **3.** *(abr écrite de code)* cód.

c' = **ce**.

ça *pron dém* **1.** *(pour désigner un objet)* esto **2.** *(le plus proche du locuteur)* eso **3.** *(sujet indéterminé)* ▪ **ça ira comme ça** así está bien ▪ **ça y est** ya está ▪ **ça vaut mieux** más vale ▪ **c'est ça** eso es ▪ **comment ça va ?** ¿qué tal? **4.** *(emploi expressif)* ▪ **où ça ?** ¿dónde? ▪ **quand ça ?** ¿cuándo? ▪ **qui ça ?** ¿quién?

çà ■ **çà et là** *loc adv* aquí y allá.

cabale *nf* **1.** *(science, intrigue)* cábala *(f)* **2.** *(groupe)* camarilla *(f)*.

caban *nm* **1.** *(de marin)* impermeable *(m)* **2.** *(longue veste)* chaquetón *(m)*.

cabane *nf* **1.** *(abri)* cabaña *(f)* *(Esp)*, bohío *(m)* *(Amér)* ▪ **cabane à lapins** conejera *(f)* **2.** *(remise)* caseta *(f)* **3.** *fam (prison)* chirona *(f)*.

cabanon *nm* cabañita *(f)*.

cabaret *nm* cabaré *(m)*.

cabas *nm* capacho *(m)*.

cabillaud *nm* bacalao *(m)* fresco.

cabine *nf* **1.** *(de navire)* camarote *(m)* **2.** *(d'avion, de fusée)* cabina *(f)* **3.** *(de véhicule)* habitáculo *(m)* **4.** *(petit local)* consultorio *(m)* ▪ **cabine d'essayage** probador *(m)* ▪ **cabine téléphonique** cabina *(f)* telefónica.

cabinet *nm* **1.** *(petite pièce & POLIT)* gabinete *(m)* ▪ **cabinet de toilette** cuarto *(m)* de baño ▪ **cabinet de travail** despacho *(m)* **2.** *(toilettes)* retrete *(m)* *(Esp)*, excusado *(m)* *(Amér)* **3.** *(local professionnel)* consultorio *(m)* ▪ **cabinet d'avocat** bufete *(m)*, consultorio jurídico ▪ **cabinet dentaire/médical** consultorio del dentista/del médico.

câble *nm* cable *(m)*.

câblé, e *adj* cableado(da).

câbler *vt* TÉLÉCOM & TV conectar por cable.

cabosser *vt* abollar.

cabotage *nm* cabotaje *(m)*.

caboteur *nm* barco *(m)* de cabotaje.

cabrer ■ **se cabrer** *vp* **1.** *(cheval, avion)* encabritarse **2.** *fig (s'irriter)* saltar.

cabri *nm* cabrito *(m)*.

cabriole *nf* cabriola *(f)* ▪ **faire des cabrioles** hacer cabriolas.

cabriolet *nm* cabriolé *(m)*.

caca *nm fam* caca *(f)* ▪ **faire caca** hacer caca.

cacahouète, cacahuète *nf* cacahuete *(m)* *(Esp)*, maní *(m)* *(Amér)*.

cacao *nm* cacao *(m)*.

cachalot *nm* cachalote *(m)*.

cache ■ *nf (cachette)* escondite *(m)*. ■ *nm* **1.** *(masque)* pour expliquer à un hispanophone ce que c'est qu'un cache, vous pouvez donner cette définition : es un papel o cartón que sirve para proteger una superficie sobre la que se pinta; al retirarlo queda una silueta con la correspondiente forma. **2.** CINÉ ocultador *(m)* **3.** PHOTO palomita *(f)*.

cache-cache *nm inv* ▪ **jouer à cache-cache** jugar al escondite.

cachemire *nm* cachemira *(f)*.

cache-nez *nm inv* bufanda *(f)*.

cache-pot *nm inv* macetero *(m)*.

cacher *vt* **1.** *(dissimuler)* esconder ▪ **je ne vous cache pas que...** no le niego que... **2.** *(masquer)* tapar. ■ **se cacher** *vp* esconderse.

cachet nm **1.** *(comprimé)* tableta *(f)* **2.** *(sceau)* sello *(m)* • **avoir du cachet** tener carácter • **cachet de la poste** matasellos *(m inv)* **3.** *(rétribution)* cachet *(m)*.

cacheter vt **1.** *(enveloppe)* cerrar **2.** *(bouteille)* precintar.

cachette nf escondite *(m)* • **en cachette (de qqn)** a escondidas (de alguien).

cachot nm calabozo *(m)*.

cachotterie nf tapujo *(m)* • **faire des cachotteries (à qqn)** andarse con tapujos (con alguien).

cachottier, ère ◨ *adj* que anda con tapujos. ◨ *nm, f* persona que anda con tapujos.

cactus nm cactus *(m inv)*.

c.-à-d. *(abr écrite de* **c'est-à-dire)** es decir, o sea.

cadastre nf catastro *(m)*.

cadavérique *adj* cadavérico(ca).

cadavre nm cadáver *(m)*.

cadeau ◨ nm regalo *(m)* • **faire cadeau de qqch à qqn** regalar algo a alguien. ◨ *adj inv* de regalo.

cadenas nm candado *(m)*.

cadenasser vt cerrar con candado.

cadence nf **1.** *(de musique)* cadencia *(f)* • **en cadence** al compás **2.** *(de travail)* ritmo *(m)*.

cadencé, e *adj* acompasado(da).

cadet, ette ◨ *adj* menor. ◨ *nm, f* **1.** *(plus jeune)* menor *(mf)* • **être le cadet de qqn** ser más joven que alguien • **il est mon cadet de deux ans** tiene dos años menos que yo **2.** *SPORT* juvenil *(mf)*.

cadran nm **1.** *(de montre, de baromètre)* esfera *(f)* • **cadran solaire** reloj *(m)* de sol **2.** *(de téléphone)* disco *(m)* **3.** *(de compteur)* frontal *(m)* de datos y lectura.

cadre nm **1.** *(bordure, contexte)* marco *(m)* **2.** *(décor, milieu)* ambiente *(m)* **3.** *(responsable)* ejecutivo *(m)* • **cadre moyen** mando *(m)* intermedio • **cadre supérieur** ejecutivo • **être rayé des cadres** ser despedido **4.** *(sur formulaire)* recuadro *(m)*.

cadrer ◨ *vi (concorder)* concordar • **ne pas cadrer avec qqch** no concordar con algo. ◨ *vt* PHOTO, CINÉ & TV encuadrar.

caduc, caduque *adj* **1.** *(feuille)* caduco(ca) **2.** *(périmé)* obsoleto(ta).

CAF ◨ *nf (abr de* **Caisse d'allocations familiales)** ≃ centro *(m)* de ayuda familiar. ◨ *adj inv (abr de* **coût, assurance, fret)** CIF *(m)*.

cafard nm **1.** *(insecte)* cucaracha *(f)* **2.** fig *(mélancolie)* • **avoir le cafard** estar deprimido(da).

café ◨ nm **1.** *(plante, boisson)* café *(m)* • **café crème** café con leche • **café en grains/moulu/soluble** café en grano/molido/soluble • **café**

au lait/noir café con leche/solo **2.** *(lieu)* bar *(m)* (Esp), confitería *(f)* (Amér). ◨ *adj inv (couleur)* café *(en apposition)*.

caféine nf cafeína *(f)*.

cafetière nf cafetera *(f)*.

cafouiller vi fam **1.** *(s'embrouiller)* no dar pie con bola **2.** *(moteur)* fallar.

cage nf **1.** *(pour animaux)* jaula *(f)* • **mettre en cage** enjaular **2.** ARCHIT • **cage d'escalier/d'ascenseur** hueco *(m)* de la escalera/del ascensor. ◨ **cage thoracique** nf caja *(f)* torácica.

cageot nm **1.** *(caisse)* banasta *(f)* **2.** péj *(femme)* retaco *(m)*.

cagibi nm cuartito *(m)*.

cagneux, euse *adj* **1.** *(jambes, genoux)* torcido(da) **2.** *(cheval)* patizambo(ba).

cagnotte nf bote *(m)*.

cagoule nf **1.** *(passe-montagne)* pasamontañas *(m inv)* **2.** *(de pénitent)* capirote *(m)* **3.** *(de voleur)* verdugo *(m)*.

cahier nm cuaderno *(m)* • **cahier de brouillon** cuaderno de sucio • **cahier de textes** cuaderno de ejercicios. ◨ **cahier des charges** nm pliego *(m)* de condiciones.

cahin-caha adv • **aller cahin-caha** ir tirando.

cahot nm bache *(m)*.

cahoter ◨ *vi (véhicule)* renquear. ◨ *vt (secouer)* sacudir (Esp), remecer (Amér).

cahute nf choza *(f)* (Esp), mediagua *(f)* (Amér).

caille nf codorniz *(f)*.

caillé, e *adj* **1.** *(lait)* cuajado(da) **2.** *(sang)* coagulado(da). ◨ **caillé** nm CULIN requesón *(m)*.

caillot nm coágulo *(m)*.

caillou nm **1.** *(gén)* piedra *(f)* **2.** fam *(crâne)* coco *(m)*.

caillouteux, euse *adj* pedregoso(sa).

caïman nm caimán *(m)*.

caisse nf **1.** *(gén)* caja *(f)* • **caisse enregistreuse** caja registradora • **caisse d'épargne/de retraite** caja de ahorros/de pensiones • **caisse à outils** caja de herramientas **2.** *(organisme)* • **caisse d'allocations familiales** ≃ centro *(m)* de ayuda familiar • **caisse primaire d'assurance maladie** ≃ INGS *(m)* (Instituto Nacional de Gestión Sanitaria).

caissier, ère nm, f **1.** *(de banque, de magasin)* cajero *(m)*, -ra *(f)* **2.** *(au cinéma)* taquillero *(m)*, -ra *(f)* (Esp), boletero *(m)*, -ra *(f)* (Amér).

caisson nm **1.** TECHNOL & NAUT campana *(f)* **2.** ARCHIT artesón *(m)* **3.** fam *(tête)* • **se faire sauter le caisson** saltarse la tapa de los sesos.

cajoler vt mimar (Esp), apapachar (Amér).

cajou ⊳ **noix**.

cake nm bizcocho *(m)*.

cal[1] *(abr écrite de* **calorie)** cal. • **consommer 2 000 cal par jour** consumir 2.000 cal. al día.

cal[2] nm callo *(m)*.

calamar, calmar *nm* calamar *(m)*.
calaminé, e *adj* calaminado(da).
calamité *nf* catástrofe *(f)*.
calandre *nf* calandria *(f)*.
calanque *nf* cala *(f)*.
calcaire ◼ *adj* calcáreo(a). ◼ *nm* caliza *(f)*.
calciner *vt* calcinar.
calcium *nm* calcio *(m)*.
calcul *nm* **1.** *(gén)* cálculo *(m)* • **calcul mental** cálculo mental • **calcul rénal** MÉD cálculo renal **2.** *fig (plan)* intenciones *(fpl)* • **par calcul** intencionadamente.
calculateur, trice *adj & nm, f* calculador(ra). ◼ **calculateur** *nm* INFORM ordenador *(m)*. ◼ **calculatrice** *nf* calculadora *(f)* • **calculatrice de poche** calculadora de bolsillo.
calculer ◼ *vt* calcular • **mal/bien calculer qqch** calcular mal/bien algo. ◼ *vi* **1.** *(faire des calculs)* calcular **2.** *(dépenser avec parcimonie)* llevar las cuentas.
calculette *nf* minicalculadora *(f)*.
cale *nf* **1.** *(de navire)* cala *(f)* • **en cale sèche** en dique seco **2.** *(pour immobiliser)* taco *(m)* **3.** *(pour mettre d'aplomb)* cuña *(f)*.
calé, e *adj fam (personne)* empollado(da).
caleçon *nm* **1.** *(d'homme)* calzoncillos *(mpl)* *(Esp)*, interiores *(mpl)* *(Amér)* **2.** *(de femme)* mallas *(fpl)*.
calembour *nm* retruécano *(m)* • **faire** OU **dire des calembours** hacer juegos de palabras.
calendrier *nm* **1.** *(planning, carnet)* agenda *(f)* **2.** *(à accrocher)* almanaque *(m)* **3.** *(système)* calendario *(m)*.
cale-pied *nm* calapiés *(m inv)*.
calepin *nm* bloc *(m)* de notas.
caler ◼ *vt* **1.** *(immobiliser)* calzar **2.** *(installer)* instalar **3.** *fam (estomac)* llenar. ◼ *vi* **1.** *(moteur, véhicule)* calarse **2.** *fam (être bloqué)* rendirse **3.** *fam (être rassasié)* estar lleno(na).
calfeutrer *vt (porte, fenêtre)* tapar con burletes.
calibre *nm* **1.** *(de fusil, fruit)* calibre *(m)* **2.** TECHNOL calibrador *(m)* **3.** *fig (importance)* tamaño *(m)* • **du même calibre** de la misma medida **4.** *argot (arme)* pipa *(f)*.
calibrer *vt* **1.** *(balle, arme)* calibrar **2.** *(classer)* clasificar.
califourchon ◼ **à califourchon** *loc adv* a horcajadas • **à califourchon sur qqch** a horcajadas en OU sobre algo.
câlin, e *adj* **1.** *(personne)* mimoso(sa) **2.** *(regard, ton)* acariciador(ra). ◼ **câlin** *nm* mimo *(m)*.
câliner *vt* mimar.
calleux, euse *adj* calloso(sa).
call-girl *nf* prostituta *(f)* *(con la que se contacta por teléfono o Internet)*.
calligraphie *nf* caligrafía *(f)*.

calmant, e *adj* **1.** *(piqûre)* calmante **2.** *(infusion)* tranquilizante. ◼ **calmant** *nm* **1.** *(pour la douleur)* calmante *(m)* **2.** *(pour l'anxiété)* tranquilizante *(m)*.
calmar = **calamar**.
calme ◼ *adj* tranquilo(la). ◼ *nm* calma *(f)* • **garder/perdre son calme** conservar/perder la calma.
calmer *vt* calmar. ◼ **se calmer** *vp* **1.** *(gén)* calmarse **2.** *(s'immobiliser - mer)* calmarse • *(- vent)* amainar.
calomnie *nf* calumnia *(f)*.
calomnier *vt* calumniar.
calorie *nf* caloría *(f)*.
calorique *adj* calórico(ca).
calot *nm* **1.** *(de militaire)* gorra *(f)* militar **2.** *(bille)* canica *(f)* grande.
calotte *nf* **1.** *(bonnet)* bonete *(m)* **2.** *fam (gifle)* torta *(f)*. ◼ **calotte crânienne** *nf* bóveda *(f)* craneal. ◼ **calotte glaciaire** *nf* casquete *(m)* glaciar.
calque *nm* **1.** *(copie & LING)* calco *(m)* **2.** *(papier)* papel *(m)* de calco **3.** *fig (imitation)* copia *(f)*.
calquer *vt* **1.** *(dessin)* calcar **2.** *fig (imiter)* copiar • **il a calqué son attitude sur celle de ses parents** ha imitado la actitud de sus padres.
calvaire *nm* calvario *(m)*.
calvitie *nf* calvicie *(f)*.
camaïeu *nm* pintura *(f)* monocroma.
camarade *nmf* **1.** *(ami)* compañero *(m)*, -ra *(f)* • **camarade d'école** OU **de classe** compañero de escuela OU de clase **2.** POLIT camarada *(mf)*.
camaraderie *nf* **1.** *(familiarité, entente)* camaradería *(f)* **2.** *(solidarité)* compañerismo *(m)*.
Cambodge *npr* • **le Cambodge** Camboya.
cambouis *nm* grasa *(f)* *(de coche, etc)*.
cambré, e *adj* **1.** *(dos, reins)* arqueado(da) **2.** *(pieds)* con mucho puente.
cambriolage *nm* robo *(m)*.
cambrioler *vt* robar • **j'ai été cambriolé** me han entrado a robar en casa.
cambrioleur, euse *nm, f* ladrón *(m)*, -ona *(f)*.
camée *nm* *(bijou)* camafeo *(m)*.
caméléon *nm* camaleón *(m)*.
camélia *nm* camelia *(f)*.
camelote *nf péj* baratija *(f)*.
caméra *nf* cámara *(f)*.
cameraman *nm* cámara *(m)*.
Caméscope® *nm* cámara *(f)* de vídeo, videocámara *(f)*.
camion *nm* camión *(m)* • **camion de déménagement** camión de mudanzas.
camion-citerne *nm* camión *(m)* cisterna.
camionnage *nm* camionaje *(m)*.
camionnette *nf* camioneta *(f)*

camionneur nm 1. (conducteur) camionero (m), -ra (f) 2. (entrepreneur) transportista (mf).

camion-poubelle nm camión (m) de la basura.

camisole ■ **camisole de force** nf camisa (f) de fuerza.

camomille nf manzanilla (f).

camouflage nm 1. (déguisement & MIL) camuflaje (m) 2. fig (de preuves, d'intentions) ocultación (f).

camoufler vt fig 1. (déguiser) disimular • **camoufler un crime en suicide** hacer que un asesinato parezca un suicidio 2. (preuves, intentions) ocultar.

camp nm 1. (lieu où l'on campe) campamento (m) 2. (lieu d'internement) campo (m) de prisioneros • **camp de concentration** campo (m) de concentración 3. SPORT campo (m) 4. (parti) bando (m).

campagnard, e ■ adj 1. (de la campagne) campesino(na) 2. péj (rustique) del campo. ■ nm, f campesino (m), -na (f).

campagne nf 1. (région rurale) campo (m) 2. MIL, COMM & POLIT campaña (f) • **faire campagne pour qqch** hacer campaña a favor de algo • **campagne d'affichage** campaña de publicidad exterior • **campagne électorale/publicitaire** campaña electoral/publicitaria • **campagne de presse** campaña de prensa • **campagne de vente** campaña de ventas.

campement nm campamento (m).

camper ■ vi 1. (faire du camping) hacer camping 2. fig (s'installer provisoirement) quedarse, parar • **camper sur ses positions** seguir en sus trece. ■ vt 1. fig (personnage, scène) describir 2. (poser solidement) plantar.

campeur, euse nm, f campista (mf).

camphre nm alcanfor (m).

camping nm camping (m) • **faire du camping** hacer camping.

Canada npr • **le Canada** (el) Canadá.

canadien, enne ■ adj canadiense. ■ **Canadien, enne** nm, f canadiense (mf). ■ **canadienne** nf (veste) cazadora (f) (forrada de piel de borrego).

canaille ■ adj (coquin) pícaro(ra). ■ nf (personne malhonnête) canalla (m).

canal nm canal (m).

canalisation nf (conduit) canalización (f).

canaliser vt 1. (cours d'eau) canalizar 2. fig (foule, énergie) encauzar.

canapé nm 1. (siège) sofá (m) 2. CULIN canapé (m).

canapé-lit nm sofá cama (m).

canard nm 1. (oiseau) pato (m) • **canard laqué** CULIN pato (m) laqueado 2. fam (journal) periodicucho (m).

canari ■ nm canario (m). ■ adj inv (jaune) canario (en apposition).

Canaries npr • **les Canaries** (las) Canarias.

cancan nm cotilleo (m) • **colporter des cancans sur qqn** contar cotilleos de alguien. ■ (French) **cancan** nm cancán (m).

cancer nm MÉD cáncer (m). ■ **Cancer** nm ASTROL Cáncer (m).

cancéreux, euse adj & nm, f canceroso(sa).

cancérigène adj cancerígeno(na).

cancérologue nmf cancerólogo (m), -ga (f).

cancre nm fam mal estudiante (m), mala estudiante (f).

cancrelat nm cucaracha (f).

candélabre nm candelabro (m).

candeur nf candor (m).

candidat, e nm, f candidato (m), -ta (f).

candidature nf candidatura (f) • **poser sa candidature pour qqch** presentar una candidatura para algo.

candide adj cándido(da).

cane nf pata (f) (hembra del pato).

caneton nm anadón (m).

canette nf 1. (de boisson) botellín (m) 2. (petite cane) anadina (f) 3. (de machine à coudre) canilla (f).

canevas nm 1. COUT cañamazo (m) 2. (de livre, discours) esquema (m).

caniche nm caniche (m).

canicule nf canícula (f).

canif nm navaja (f).

canin, e adj canino(na).

canine nf canino (m).

caniveau nm alcantarilla (f).

canne nf 1. (bâton) bastón (m) • **canne à pêche** caña (f) de pescar 2. fam (jambe) pata (f). ■ **canne à sucre** nf caña (f) de azúcar.

canné, e adj de rejilla.

cannelle ■ nf (aromate) canela (f). ■ adj inv (couleur) canela (en apposition).

cannelure nf acanaladura (f).

cannibale adj & nmf caníbal.

canoë nm canoa (f).

canoë-kayak nm 1. kayak (m) 2. SPORT piragüismo (m).

canon nm 1. (gén) cañón (m) 2. fam (verre de vin) • **boire un canon** tomar un chato 3. (modèle, MUS & RELIG) canon (m) • **chanter en canon** cantar en canon.

canoniser vt canonizar.

canopée nf canopea (f).

canot nm bote (m), lancha (f) • **canot pneumatique** bote neumático, lancha neumática • **canot de sauvetage** bote salvavidas, lancha salvavidas.

cantatrice nf cantante (f) (de ópera).

cantine nf 1. (réfectoire) comedor (m) 2. (malle) baúl (m).

cantique nm cántico (m).

canton nm 1. (en France) ≃ subdistrito (m) 2. (en Suisse) cantón (m).

cantonade ■ à la cantonade loc adv al foro.

cantonnier nm peón (m) caminero.

canular nm broma (f) • **monter un canular** gastar una broma.

canyoning nm barranquismo (m)

caoutchouc nm 1. (plante, substance) caucho (m) 2. (matériau) goma (f). ■ **caoutchoucs** nmpl zapatos (mpl) de goma.

cap nm 1. GÉOGR cabo (m) • **passer le cap de qqch** fig superar algo 2. (direction) rumbo (m) • **mettre le cap sur** poner rumbo a • **changer de cap** fig cambiar de rumbo.

Cap npr • **Le Cap** Ciudad (f) del Cabo.

CAP (abr de **certificat d'aptitude professionnelle**) nm ≃ Título (m) de Técnico de Formación Profesional.

capable adj 1. (compétent) competente 2. (apte) • **capable de faire qqch** capaz de hacer algo • **il est capable de gentillesse** puede ser amable 3. (susceptible) capaz.

capacité nf capacidad (f). ■ **capacité en droit** nf (diplôme) ≃ capacitación (f) en derecho.

cape nf capa (f) • **rire sous cape** fig reír para sus adentros.

CAPES, Capes (abr de **Certificat d'aptitude au professorat de l'enseignement du second degré**) nm ≃ título (m) de profesor de enseñanza secundaria • **passer le CAPES** presentarse al CAPES.

capharnaüm nm leonera (f).

capillaire ■ adj capilar. ■ nm 1. BOT (fougère) culantrillo (m) 2. ANAT (vaisseau capillaire) capilar (m).

capillarité nf capilaridad (f).

capitaine nm capitán (m).

capitainerie nf capitanía (f).

capital, e adj capital. ■ **capital** nm capital (m) • **capital social** capital social. ■ **capitale** nf 1. (ville) capital (f) 2. (lettre majuscule) mayúscula (f). ■ **capitaux** nmpl FIN capital (m).

capitaliser ■ vt 1. FIN capitalizar 2. fig (accumuler) adquirir. ■ vi (thésauriser) capitalizar • **capitaliser sur** capitalizar sobre.

capitalisme nm capitalismo (m).

capitaliste adj & nmf capitalista.

capiteux, euse adj 1. (vin, parfum) embriagador(ra) 2. (charme) seductor(ra).

capitonner vt acolchar.

capituler vi capitular • **capituler devant qqn/devant qqch** capitular ante alguien/ante algo.

caporal nm 1. MIL cabo (m) 2. (tabac) tabaco (m).

capot nm 1. (de voiture) capó (m) 2. (de machine) tapa (f).

capote nf 1. (de voiture, landau) capota (f) 2. (manteau de soldat) capote (m) 3. fam (préservatif) • **capote (anglaise)** condón (m).

câpre nf alcaparra (f).

caprice nm capricho (m).

capricieux, euse ■ adj 1. (personne) caprichoso(sa) 2. fig (temps, moteur) inestable. ■ nm, f caprichoso (m), -sa (f).

capricorne nm ZOOL algavaro (m). ■ **Capricorne** nm ASTROL Capricornio (m).

capsule nf 1. (gén) cápsula (f) 2. (de bouteille) chapa (f).

capter vt captar.

captif, ive ■ adj cautivo(va). ■ nm, f prisionero (m), -ra (f).

captivant, e adj cautivador(ra).

captiver vt cautivar.

captivité nf cautividad (f) • **en captivité** en cautividad.

capture nf 1. (action) captura (f) 2. (prise) presa (f) 3. INFORM • **capture d'écran** captura (f) de pantalla, pantallazo (m).

capturer vt capturar.

capuche nf capucha (f).

capuchon nm capuchón (m).

capucine nf (fleur) capuchina (f).

caquet nm 1. (de poule) cacareo (m) 2. péj (bavardage) parloteo (m) • **rabattre le caquet à qqn** cerrarle el pico a alguien.

caqueter vi 1. (poule) cacarear 2. péj (personne) chismorrear.

car[1] nm autocar (m).

car[2] conj puesto que • **je ne peux pas venir car je suis malade** no puedo venir puesto que estoy enfermo.

carabine nf carabina (f).

Caracas npr Caracas.

caractère nm 1. (tempérament, cachet) carácter (m) • **avoir du caractère** tener carácter • **avoir mauvais caractère** tener mal carácter OU mal genio 2. (caractéristique) rasgo (m) 3. (d'écriture) carácter (m), letra (f) • **en petits caractères** en letra pequeña • **en gros caractères** en letra grande • **caractère d'imprimerie** letra de imprenta.

caractériel, elle ■ adj caracterial, del carácter. ■ nm, f caracterópata (mf).

caractérisé, e adj evidente.

caractériser vt caracterizar. ■ **se caractériser** vp • **se caractériser par qqch** caracterizarse por algo.

caractéristique ■ adj característico(ca). ■ nf característica (f).

carafe nf (récipient) jarra (f).

Caraïbes npr • **les Caraïbes** el Caribe.

carambolage nm colisión (f) en cadena.

caramel *nm* **1.** *(sucre fondu)* caramelo *(m)* *(líquido)* **2.** *(bonbon)* caramelo *(m)* *(golosina)*.

carapace *nf* caparazón *(m)*.

carat *nm* quilate *(m)* • **à 18 carats** de 18 quilates.

caravane *nf* **1.** *(de camping, du désert)* caravana *(f)* **2.** *(cortège)* comitiva *(f)*.

caravaning *nm* caravaning *(m)* • **faire du caravaning** hacer caravaning.

caravelle *nf* **1.** *(bateau)* carabela *(f)* **2.** *(avion)* caravelle *(m)*.

carbone *nm* carbono *(m)* • **(papier) carbone** papel *(m)* carbón.

carbonique *adj* carbónico(ca).

carboniser *vt* carbonizar.

carburant *adj* & *nm* carburante.

carburateur *nm* carburador *(m)*.

carcan *nm* **1.** *fig (contrainte)* cortapisa *(f)* **2.** *(collier de fer)* argolla *(f)*.

carcasse *nf* **1.** *(d'animal)* huesos *(mpl)* **2.** *(de bateau)* esqueleto *(m)* **3.** *fam (de personne)* esqueleto *(m)* • **sauver sa carcasse** salvar el pellejo.

carder *vt* cardar.

cardiaque ◼ *adj* **1.** *(crise)* cardíaco(ca) **2.** *(personne)* enfermo(ma) del corazón. ◼ *nmf* enfermo *(m)*, -ma *(f)* del corazón.

cardigan *nm* chaqueta *(f)* de punto, cárdigan *(m)*.

cardinal, e *adj* **1.** *(nombre, point)* cardinal **2.** *(principal)* fundamental. ◼ **cardinal** *nm* **1.** RELIG cardenal *(m)* **2.** MATH cardinal *(m)*.

cardiologue *nmf* cardiólogo *(m)*, -ga *(f)*.

cardio-respiratoire *adj* cardiorrespiratorio (ria).

cardio-vasculaire *adj* cardiovascular.

carême *nm* • **faire carême** hacer ayuno. ◼ **Carême** *nm* Cuaresma *(f)*.

carence *nf* **1.** MÉD carencia *(f)* • **carence en qqch** carencia de algo **2.** *(d'une administration)* incompetencia *(f)*.

carène *nf* carena *(f)*.

caressant, e *adj* **1.** *(personne)* cariñoso(sa) **2.** *fig (voix, regard)* acariciador(ra).

caresse *nf* caricia *(f)* *(Esp)*, apapachos *(mpl)* *(Amér)*.

caresser *vt* acariciar.

cargaison *nf* cargamento *(m)*.

cargo *nm* carguero *(m)*.

caricature *nf* caricatura *(f)*.

carie *nf* caries *(f inv)*.

carié, e *adj* cariado(da).

carillon *nm* **1.** *(de cloche)* repique *(m)* **2.** *(d'horloge)* toque *(m)* **3.** *(de porte)* timbre *(m)*.

carlingue *nf* **1.** *(d'avion)* carlinga *(f)* **2.** *(de navire)* sobrequilla *(f)*.

carmin *adj inv* & *nm* carmín.

carnage *nm* matanza *(f)*, masacre *(f)*.

carnaval *nm* carnaval *(m)*.

carnet *nm* **1.** *(cahier)* cuadernillo *(m)*, libreta *(f)* • **carnet d'adresses** agenda *(f)* de direcciones • **carnet de notes** boletín *(m)* *(escolar)* **2.** *(à feuilles détachables)* bloc *(m)* • **carnet de chèques** talonario *(m)* de cheques • **carnet de timbres** cuadernillo *(m)* de sellos *(de diez unidades)* • **carnet de tickets** bono *(m)* de metro.

carnivore ◼ *adj* carnívoro(ra). ◼ *nm* carnívoro *(m)*.

carotte ◼ *nf* zanahoria *(f)*. ◼ *adj inv* *(couleur)* zanahoria *(en apposition)*.

carpe *nf* *(poisson)* carpa *(f)* • **muet comme une carpe** *fig* más callado que un muerto.

carpette *nf* **1.** *(tapis)* alfombrilla *(f)* **2.** *fam fig (personne)* gusano *(m)*.

carquois *nm* aljaba *(f)*.

carré, e *adj* **1.** *(gén)* cuadrado(da) **2.** *(franc)* sincero(ra) • **être carré en affaires** ser honesto en los negocios. ◼ **carré** *nm* **1.** *(quadrilatère &* MATH*)* cuadrado *(m)* • **élever un nombre au carré** elevar un número al cuadrado **2.** NAUT & MIL comedor *(m)* de oficiales **3.** *(cartes)* póker *(m)* **4.** *(petit terrain)* parcela *(f)*.

carreau *nm* **1.** *(carrelage)* azulejo *(m)* **2.** *(sol)* baldosa *(f)* **3.** *(vitre)* cristal *(m)* **4.** *(motif carré)* cuadro *(m)* • **à carreaux** a cuadros **5.** *(aux cartes)* diamante *(m)*.

carrefour *nm* **1.** *(de routes)* cruce *(m)* **2.** *(forum)* encuentro *(m)* **3.** *fig (situation charnière)* encrucijada *(f)*.

carrelage *nm* **1.** *(action de carreler)* embaldosado *(m)* **2.** *(surface carrelée - sur un mur)* azulejos *(mpl)* • *(- par terre)* baldosas *(fpl)*.

carrément *adv* **1.** *fam (dire, agir)* claramente **2.** *(complètement)* totalmente • **c'est carrément du vol !** ¡es un robo descarado!

carrière *nf* **1.** *(profession)* carrera *(f)* • **faire carrière dans qqch** hacer carrera en algo **2.** *(de pierre, de marbre)* cantera *(f)*.

carriériste *nmf* *péj* arribista *(mf)*.

carriole *nf* **1.** *(charrette)* carreta *(f)* **2.** *(Québec) (traîneau)* trineo *(m)*.

carrossable *adj* abierto(ta) al tránsito rodado.

carrosse *nm* carroza *(f)*.

carrosserie *nf* carrocería *(f)*.

carrossier *nm* carrocero *(m)*, -ra *(f)*.

carrure *nf* **1.** *(de personne)* anchura *(f)* de espaldas **2.** *(de vêtement)* anchura *(f)* de hombros **3.** *fig (personnalité)* envergadura *(f)*.

cartable *nm* cartera *(f)*.

carte *nf* **1.** *(de jeu)* carta *(f)*, naipe *(m)* • **jouer cartes sur table** poner las cartas boca arriba • **tirer les cartes à qqn** echar las cartas a alguien **2.** GÉOGR mapa *(m)* • **carte routière** mapa de carreteras **3.** *(au restaurant)* carta *(f)* • **à la**

carte a la carta • **carte des vins** carta de vinos **4.** *(document)* tarjeta *(f)*, carné *(m)* • **carte d'anniversaire** tarjeta de cumpleaños • **carte bancaire/de crédit** tarjeta bancaria/de crédito • **carte d'électeur** tarjeta de elector *(que hay que presentar en el colegio electoral para poder votar)* • **carte d'étudiant** carné de estudiante • **carte grise/de séjour** permiso *(m)* de circulación/de residencia • **carte d'identité** carné de identidad, documento *(m)* nacional de identidad • **carte à mémoire** OU **à puce** tarjeta inteligente • **carte postale** tarjeta postal *(f)* • **carte privative** tarjeta intransferible • **carte téléphonique** tarjeta telefónica • **carte de vœux** tarjeta de felicitación • **donner carte blanche à qqn** dar carta blanca a alguien **5.** INFORM • **carte graphique** tarjeta *(f)* gráfica • **carte mère** placa *(f)* madre • **carte son** tarjeta de sonido. ■ **Carte Bleue** *nf* **1.** *(nationale)* tarjeta *(f)* bancaria **2.** *(internationale)* Visa® *(f)*. ■ **Carte Orange** *nf* abono *(m)* mensual *(para los transportes públicos de París)*. ■ **Carte Vermeil** *nf* tarjeta *(f)* de reducción para mayores de 60 años *(válida para el transporte público, los cines, etc)*.

Carthagène *npr* Cartagena.

cartilage *nm* cartílago *(m)*.

cartomancien, enne *nm, f* echador *(m)*, -ra *(f)* de cartas.

carton *nm* **1.** *(matière)* cartón *(m)* **2.** *(emballage)* caja *(f)* de cartón • **carton à chapeaux** sombrerera *(f)* • **carton à dessin** carpeta *(f)* de dibujos **3.** *(cible)* blanco *(m)* • **faire un carton fam** *(sur une cible)* tirar al blanco • fig *(réussir)* tener gran éxito **4.** *(d'invitation, de sanction)* tarjeta *(f)* • **carton jaune/rouge** SPORT tarjeta amarilla/roja.

cartonné, e *adj* **1.** *(gén)* de cartón **2.** *(livre)* en cartoné.

carton-pâte *nm* cartón *(m)* piedra • **de** OU **en carton-pâte** de cartón piedra.

cartouche *nf* **1.** *(de fusil, dynamite & INFORM)* cartucho *(m)* **2.** *(de stylo, briquet)* recambio *(m)* **3.** *(de cigarettes)* cartón *(m)*.

cas *nm* caso *(m)* • **au cas où** (+ *conditionnel*) por si (+ *présent de l'indicatif*) • **prends un parapluie, au cas où il pleuvrait** llévate un paraguas, por si llueve • **au cas où** fam *(en ne sait jamais)* por si acaso • **en aucun cas** en ningún caso • **en cas de besoin** en caso de necesidad • **en tout cas** en todo caso • **le cas échéant** llegado el caso • **cas de conscience** caso de conciencia • **cas social** caso social.

casanier, ère *adj & nm, f* hogareño(ña), casero(ra).

casaque *nf* casaca *(f)*.

cascade *nf* **1.** *(chute d'eau)* cascada *(f)* **2.** CINÉ escena *(f)* de riesgo.

cascadeur, euse *nm, f* **1.** *(au cirque)* acróbata *(mf)* **2.** CINÉ doble *(mf)*, especialista *(mf)*.

case *nf* **1.** *(habitation)* cabaña *(f)* **2.** *(de boîte, tiroir)* compartimento *(m)* • **il lui manque une case** le falta un tornillo **3.** *(sur un échiquier, un formulaire)* casilla *(f)* • **retourner à la case départ** fig volver a empezar.

caser *vt* fam **1.** *(placer)* poner **2.** *(loger)* alojar **3.** *(trouver un emploi pour)* colocar **4.** *(marier)* casar. ■ **se caser** *vp* fam **1.** *(se marier)* casarse **2.** *(se placer, trouver un emploi)* colocarse **3.** *(se loger)* alojarse.

caserne *nf* cuartel *(m)*.

cash ■ *adv* al contado • **payer cash** pagar al contado. ■ *nm* dinero *(m)* en metálico.

casier *nm* **1.** *(de rangement)* casillero *(m)* **2.** *(pour la pêche)* nasa *(f)*. ■ **casier à bouteilles** *nm* botellero *(m)* • **casier judiciaire** *nm* DR *(certificado (m) de)* antecedentes *(mpl)* penales • **avoir un casier judiciaire vierge** no tener antecedentes penales.

casino *nm* casino *(m)*.

casque *nm* **1.** *(de protection, à écouteurs)* casco *(m)* **2.** *(séchoir à cheveux)* secador *(m)*. ■ **casques bleus** *nmpl* • **les casques bleus** los cascos *(mpl)* azules.

casquette *nf* gorra *(f)*.

cassant, e *adj* **1.** *(matière)* quebradizo(za) **2.** *(voix, ton)* tajante.

cassation ⊳ **cour**

casse ■ *nf* fam *(cambriolage)* robo *(m)* *(en un establecimiento)*. ■ *nf* **1.** *(bris, dommage)* destrozos *(mpl)* **2.** fam *(bagarre)* • **il va y avoir de la casse** va a armarse la gorda OU la marimorena **3.** *(de voitures)* desguace *(m)* **4.** *(en typographie)* caja *(f)*.

casse-cou *nm inv* fam temerario *(m)*, -ria *(f)*.

casse-croûte *nm inv* tentempié *(m)*.

casse-noisettes *nm inv* cascanueces *(m inv)*.

casse-pieds *adj & nmf* pelmazo.

casser ■ *vt* **1.** *(gén)* romper • **ça ne casse rien** fam no mola nada **2.** DR anular. ■ *vi* romperse.

casserole *nf* *(ustensile)* cacerola *(f)*.

casse-tête *nm inv* **1.** *(jeu)* rompecabezas *(m inv)* **2.** *(problème)* quebradero *(m)* de cabeza **3.** *(bruit)* estruendo *(m)*.

cassette *nf* **1.** *(de magnétophone, magnétoscope)* casete *(f)* **2.** *(coffret)* cofrecillo *(m)*. ■ **cassette audionumérique** *nf* casete *(f)* digital.

cassis *nm* **1.** *(arbuste, liqueur)* casis *(m inv)* **2.** *(fruit)* grosella *(f)* negra **3.** *(sur la route)* bache *(m)*.

cassure *nf* **1.** *(brisure)* rotura *(f)* **2.** fig *(rupture)* ruptura *(f)*.

caste *nf* casta *(f)*.

casting nm **1.** CINÉ & TV reparto (m) **2.** CINÉ & TV (sélection) casting (m) **3.** THÉÂTRE audición (f) • **aller à un casting** presentarse a un casting ou a una audición.

castor nm castor (m).

castrer vt castrar.

cataclysme nm cataclismo (m).

catalan, e ◼ adj catalán(ana). ◼ nm LING catalán (m). ■ **Catalan, e** nm, f catalán (m), -na (f).

Catalogne npr • **la Catalogne** Cataluña.

catalogue nm catálogo (m).

cataloguer vt catalogar • **cataloguer comme** péj catalogar de.

catalyseur nm catalizador (m).

catalytique ▷ **pot**.

catamaran nm catamarán (m).

cataplasme nm cataplasma (f).

catapulter vt catapultar.

cataracte nf catarata (f).

catarrhe nm catarro (m).

catastrophe nf catástrofe (f) • **catastrophe naturelle** catástrofe natural.

catastrophé, e adj destrozado(da).

catastrophique adj catastrófico(ca).

catch nm lucha (f) libre.

catéchisme nm catecismo (m).

catégorie nf categoría (f) • **catégorie socioprofessionnelle** categoría socioprofesional.

catégorique adj categórico(ca).

cathédrale nf catedral (f).

cathode nf cátodo (m).

catholicisme nm catolicismo (m).

catholique adj RELIG católico(ca).

catimini ■ **en catimini** loc adv a escondidas, a hurtadillas.

cauchemar nm pesadilla (f).

cauchemardesque adj de pesadilla.

cause nf causa (f) • **être en cause** estar en juego • **pour cause de qqch** por algo • **remettre en cause** poner en tela de juicio. ■ **à cause de** loc prép **1.** a causa de, debido a **2.** (par la faute de) por culpa de.

causer vt **1.** (provoquer, occasionner) causar **2.** fam (cancaner) murmurar.

causerie nf charla (f) (Esp), conversada (f) (Amér).

caustique ◼ adj cáustico(ca). ◼ nm sustancia (f) cáustica.

cautériser vt cauterizar.

caution nf **1.** (somme d'argent) paga y señal (f) • **verser une caution** dejar paga y señal **2.** (personne) fiador (m), -ra (f) • **se porter caution pour qqn** salir fiador(ra) de alguien **3.** (garantie morale) garantía (f) **4.** (soutien) aval (m).

cautionner vt **1.** DR (se porter garant) salir fiador(ra) de **2.** fig (soutenir) avalar.

cavalcade nf **1.** (de cavaliers) cabalgata (f) **2.** fam (d'enfants) correteo (m).

cavalerie nf caballería (f).

cavalièrement adv con insolencia.

cave ◼ nf **1.** (sous-sol) sótano (m) **2.** (à vin) bodega (f) **3.** (cabaret) cabaré (m). ◼ nm argot primo (m), -ma (f) (naïf). ◼ adj **1.** (yeux, joues) hundido(da) **2.** ANAT (veine) cava.

caveau nm **1.** (sépulture) panteón (m) **2.** (cabaret) cabaré (m).

caverne nf caverna (f).

caviar nm caviar (m).

cavité nf cavidad (f).

CB nf **1.** (abr de **citizen's band, canaux banalisés**) CB (f) **2.** abrév de **carte bleue**.

cc 1. (abr écrite de **cuillère à café**) cc. • **prendre 1 cc de sirop** tomar 1 cc. de jarabe **2.** (abr écrite de **charges comprises**) gastos (mpl) de comunidad incluidos • **le loyer est de 595 euros cc** el alquiler es de 595 euros gastos de comunidad incluidos.

CCP (abr de **compte chèque postal**) nm CCP (f).

CD nm **1.** (abr de **chemin départemental**) carretera (f) comarcal • **prendre le CD-144** tomar la CD-144 **2.** (abr de **Compact Disc**) CD (m) • **écouter un CD** escuchar un CD **3.** (abr de **comité directeur**) comité (m) directivo **4.** (abr de **corps diplomatique**) CD (m).

CDD (abr de **contrat à durée déterminée**) **1.** (contrat) un contrato (m) temporal • **être en CDD** tener un contrato temporal • **un CDD de deux ans** un contrato temporal de dos años **2.** (personne en CDD) • **un CDD** una persona con contrato temporal.

CDI nm **1.** (abr de **centre de documentation et d'information**) biblioteca (f) (de un centro de enseñanza secundaria) **2.** (abr de **contrat à durée indéterminée**) contrato (m) indefinido • **il a trouvé un CDI** ha encontrado un trabajo fijo • **elle est en CDI** está fija.

---

ce, cette adj dém

1. DÉSIGNE UNE PERSONNE OU UNE CHOSE PROCHE DU LOCUTEUR, DANS LE TEMPS OU DANS L'ESPACE = este(esta)

• **ce mois-ci** este mes

2. DÉSIGNE UNE PERSONNE OU UNE CHOSE UN PEU PLUS ÉLOIGNÉE DU LOCUTEUR, DANS LE TEMPS OU DANS L'ESPACE = ese(esa)

• **quand j'étais petite, je grimpais sur cet arbre** cuando era pequeña, me subía a ese árbol

3. DÉSIGNE UNE PERSONNE OU UNE CHOSE TRÈS ÉLOIGNÉE DU LOCUTEUR, DANS LE TEMPS OU DANS L'ESPACE

• **cet été-là, il a fait très chaud** aquel verano hizo mucho calor.

ce *pron dém*

- **c'est mon bureau** es mi despacho
- **ce sont mes enfants** son mis hijos
- **qui est-ce ?** ¿quién es?
- **ce dont je me souviens** aquello de lo que me acuerdo
- **faites ce pour quoi on vous paye** haga aquello por lo que le pagan
- **ils ont obtenu ce qui leur revenait** han obtenido lo que les correspondía
- **c'est ce que je lui ai dit** es lo que le he dicho
- **ce qui est étonnant, c'est que...** lo asombroso es que...

CE ■ *nm* 1. (*abr de* **comité d'entreprise**) comité (*m*) de empresa • **les élections CE et DP** las elecciones para el comité de empresa y el delegado de personal 2. (*abr de* **cours élémentaire**) • **être en CE1/CE2** ≃ estar en 2°/3° de E.P. ■ *nf* (*abr de* **Communauté européenne**) CE (*f*).

ceci *pron dém* esto • **ceci (étant) dit** dicho esto • **à ceci près que** excepto que.

cécité *nf* ceguera (*f*).

céder ■ *vt* 1. (*donner*) ceder • **céder la parole à qqn** ceder la palabra a alguien • **céder sa place à qqn** dejar el sitio a alguien • **céder le passage** ceder el paso 2. (*vendre*) traspasar. ■ *vi* 1. (*se soumettre, se rompre*) ceder • **céder à qqch** (*demande, menace*) ceder a *ou* ante algo • (*tentation*) caer en algo • (*colère*) dejarse llevar por algo 2. (*s'abandonner*) • **céder à qqn** entregarse a alguien.

cédérom *nm* INFORM cederrom (*m*), cecerrón (*m*).

CEDEX, Cedex (*abr de* **courrier d'entreprise à distribution exceptionnelle**) *nm* pour expliquer ce que c'est, vous pouvez dire : se trata de un servicio postal con reparto especial rápido destinado a instituciones y empresas que reciben un gran volumen de correo.

cédille *nf* cedilla (*f*) (*virgulilla*).

cèdre *nm* cedro (*m*).

CEE (*abr de* **Communauté économique européenne**) *nf* CEE (*f*).

CEI (*abr de* **Communauté d'États indépendants**) *nf* CEI (*f*).

ceinture *nf* 1. (*gén*) cinturón (*m*) • **ceinture à enrouleur** cinturón de seguridad retráctil • **ceinture de sécurité** cinturón de seguridad 2. ANAT & COUT (*taille*) cintura (*f*).

ceinturer *vt* 1. (*adversaire*) inmovilizar agarrando por la cintura 2. (*espace, lieu*) rodear.

ceinturon *nm* cinto (*m*).

cela *pron dém* eso, aquello • **il y a des années de cela** hace años de aquello • **prenez cela** coja eso • **après cela** después de eso • **cela dit** dicho eso • **malgré cela** a pesar de eso.

célèbre *adj* famoso(sa), célebre.

célébrer *vt* 1. (*anniversaire, messe*) celebrar 2. sout (*faire l'éloge de*) alabar.

célébrité *nf* 1. (*renommée*) fama (*f*) 2. (*personne*) celebridad (*f*).

céleri *nm* apio (*m*) • **céleri (branche)** apio • **céleri rave** apionabo (*raíz*).

célérité *nf* celeridad (*f*).

céleste *adj* 1. (*du ciel*) celeste 2. fig (*merveilleux*) celestial.

célibat *nm* celibato (*m*).

célibataire *adj* & *nm,f* soltero(ra).

cellier *nm* bodega (*f*).

Cellophane® *nf* celofán® (*m*).

cellulaire *adj* celular.

cellule *nf* 1. (*ce prisonnier, moine* & INFORM) celda (*f*) 2. POLIT célula (*f*) 3. (*groupe*) comisión (*f*). ■ **cellule familiale** *nf* unidad (*f*) familiar.

cellulite *nf* celulitis (*f inv*).

celui, celle *pron dém* el, la • **celle de devant** la de delante • **ceux d'entre nous** aquellos de entre nosotros • **celui que vous voyez** el que usted ve • **c'est celle qui te va le mieux** es la que mejor te sienta • **ceux que je connais** los que conozco.

celui-ci, celle-ci *pron dém* éste(ésta) • **ceux-ci/celles-ci** éstos/éstas.

celui-là, celle-là *pron dém* ése(ésa), aquél (aquella) • **ceux-là/celles-là** ésos, aquellos/ésas, aquellas.

cendre *nf* ceniza (*f*). ■ **cendres** *nfpl* cenizas (*fpl*) • **renaître de ses cendres** renacer de sus cenizas. ■ **Cendres** *nfpl* • **le mercredi des Cendres** el Miércoles de Ceniza.

cendré, e *adj* ceniciento(ta).

cendrier *nm* cenicero (*m*).

Cène *nf* • **la Cène** la Última Cena.

censé, e *adj* • **il est censé être à Paris** se supone que está en París • **elle n'est pas censée le savoir** no tiene por qué saberlo.

censeur *nm* **1.** (gén) censor (m), -ra (f) **2.** (de ly-cée) director (m), -ra (f) de instituto.

censure *nf* censura (f).

censurer *vt* censurar.

cent¹ *adj num* **1.** (gén) ciento • **cent deux euros** ciento dos euros • **quatre cents pages** cuatrocientas páginas **2.** (devant substantif) cien • **cent personnes** cien personas • **cent mille euros** cien mil euros. ■ *adj inv* (centième) ciento. ■ *nm* (chiffre) cien (m inv). • voir aussi **six**

cent² *nm* (monnaie du Canada et des États-Unis) centavo (m).

centaine *nf* centena (f).

centenaire ■ *adj* & *nmf* centenario(ria). ■ *nm* (centième anniversaire) centenario (m).

centième ■ *adj* centésimo(ma). ■ *nm* centésima parte (f). ■ *nf* THÉÂTRE centésima representación (f).

centigrade ▷ degré.

centigramme *nm* centigramo (m).

centilitre *nm* centilitro (m).

centime *nm* céntimo (m).

centimètre *nm* **1.** (mesure) centímetro (m) **2.** (ruban, règle) cinta (f) métrica.

central, e *adj* central, céntrico(ca) • **un quartier très central** un barrio muy céntrico. ■ **central** *nm* **1.** (tennis) pista (f) central **2.** (de réseau) central (f) • **central téléphonique** central telefónica. ■ **centrale** *nf* central (f) • **centrale d'achat** central de compras • **centrale hydroélectrique/nucléaire** central hidroeléctrica/nuclear • **centrale (syndicale)** central sindical.

centraliser *vt* centralizar.

centre *nm* centro (m) • **centre aéré** centro recreativo infantil • **centre antipoison** ≃ centro de información toxicológica • **centre d'appels** central (f) de llamadas • **centre commercial/culturel** centro comercial/cultural • **centre de gravité** centro de gravedad • **centre hospitalier régional** centro hospitalario regional • **centre hospitalo-universitaire** hospital (m) clínico universitario.

centrer *vt* centrar.

centre-ville *nm* centro (m) urbano.

centrifugeuse *nf* **1.** CULIN licuadora (f) **2.** TECHNOL centrifugadora (f).

centuple *nm* céntuplo (m) • **au centuple** centuplicado(da).

cep *nm* cepa (f).

cèpe *nm* seta (f) comestible.

cependant *conj* sin embargo.

céramique *nf* cerámica (f).

cerceau *nm* **1.** (de tonneau) cerco (m) **2.** (jouet) aro (m) **3.** (de robe) polisón (m).

cercle *nm* **1.** (gén) círculo (m) • **cercle vicieux** círculo vicioso **2.** (disposition en cercle) corro (m).

cercueil *nm* ataúd (m).

céréale *nf* cereal (m).

cérémonial *nm* ceremonial (m).

cérémonie *nf* **1.** (manifestation) ceremonia (f), acto (m) **2.** fig (politesse) cumplido (m) • **faire des cérémonies** hacer cumplidos.

cérémonieux, euse *adj* ceremonioso(sa).

cerf *nm* ciervo (m).

cerfeuil *nm* perifollo (m).

cerf-volant *nm* **1.** (jouet) cometa (f) **2.** (insecte) ciervo (m) volante.

cerise ■ *nf* cereza (f). ■ *adj inv* (couleur) cereza (en apposition).

cerisier *nm* cerezo (m).

cerne *nm* **1.** (sous les yeux) ojera (f) **2.** (d'arbre) anillo (m).

cerner *vt* **1.** (encercler) rodear **2.** fig (problème, question) delimitar, acotar.

certain, e ■ *adj* seguro(ra) • **c'est sûr et certain** segurísimo • **être certain de** estar seguro de • **être certain que** estar seguro de que. ■ *adj indéf* (avant un nom) **1.** (gén) cierto(ta) • **dans certains cas** en ciertos casos • **un certain temps** algún tiempo • **d'un certain âge** de cierta edad **2.** (devant nom de personne) tal • **un certain Juan** un tal Juan. ■ **certains** *pron indéf pl* algunos(nas).

certainement *adv* por supuesto • **c'est certainement un garçon intelligent** sin duda alguna es un chico inteligente • **mais certainement** pues claro.

certes *adv* **1.** (indique une concession) en efecto, claro **2.** (en vérité) desde luego.

certificat *nm* **1.** (attestation) certificado (m) **2.** (diplôme) diploma (m) • **certificat d'études** SCOL ≃ certificado de estudios primarios.

certifier *vt* **1.** (assurer) • **certifier qqch à qqn** asegurar algo a alguien **2.** ADMIN (document) compulsar.

certitude *nf* certeza (f) • **avoir la certitude que** tener la certeza de que.

cerveau *nm* cerebro (m).

cervelle *nf* **1.** ANAT & CULIN sesos (mpl) **2.** (facultés mentales) cerebro (m).

cervical, e *adj* cervical.

CES *nm* (abr de **contrat emploi-solidarité**), *pour expliquer à un hispanophone ce que c'est qu'un CES, vous pouvez le définir ainsi :* es un contrato destinado a favorecer la inserción o reinserción laboral, por 20 horas semanales y una duración máxima de 24 meses, generalmente en el sector asociativo. • **être employé en CES** tener un contrato de CES.

césarienne *nf* cesárea (f).

césium nm cesio (m).

cesse n.f • **n'avoir de cesse que** sour no descansar hasta que • **je n'aurai de cesse qu'il n'admette qu'il a tort** no descansaré hasta que admita que se ha equivocado. ■ **sans cesse** loc adv sin cesar, sin parar.

cesser ■ vi cesar, terminar • **ne pas cesser de faire qqch** no parar de hacer algo. ■ vt suspender.

cessez-le-feu nm inv alto (m) el fuego

cession nf cesión (f).

c'est-à-dire conj 1. (introduit une explication) o sea, es decir 2. (introduit une restriction) (la cosa) es que • **tu es libre ce soir ? – c'est-à-dire que je suis déjà invitée ailleurs** ¿tienes la noche libre? – (la cosa) es que ya me han invitado.

cétacé nm cetáceo (m).

cf. (abr écrite de confer) cf. • **cf. chap. 2** cf. cap. 2

CFDT (abr de Confédération française démocratique du travail) nf pour expliquer à un hispanophone ce que c'est que la CFDT, vous pouvez dire : es un sindicato de orientación socialdemócrata.

CFTC (abr de Confédération française des travailleurs chrétiens) nf pour expliquer à un hispanophone ce que c'est que la CFTC, vous pouvez dire :es un sindicato obrero de orientación socialcristiana.

CGC (abr de Confédération générale des cadres) nf pour expliquer à un hispanophone ce que c'est que la CGC, vous pouvez dire : es una organización sindical de cuadros.

CGT (abr de Confédération générale du travail) nf pour expliquer à un hispanophone ce que c'est que la CGT, vous pouvez dire : es un sindicato obrero de orientación marxista. • **les militants de la CGT** los militantes de la CGT.

chacun, e pron indéf cada uno, cada una • **chacun de nous/de vous/d'eux** cada uno de nosotros/de vosotros/de ellos • **chacun pour soi** cada cual a lo suyo • **tout un chacun** todos y cada uno.

chagrin, e adj triste. ■ **chagrin** nm pena (f) • **avoir du chagrin** estar triste.

chagriner vt apenar.

chahut nm jaleo (m) • **faire du chahut** armar jaleo.

chahuter ■ vi armar jaleo. ■ vt 1. (importuner) abuchear 2. (bousculer) incordiar.

chaîne nf 1. (gén) cadena (f) • **à la chaîne** en cadena • **chaîne de montage** cadena de montaje • **chaîne de montagnes** cadena montañosa, cordillera (f) 2. (appareil) equipo (m) , cadena (f) • **chaîne hi-fi/stéréo** equipo de alta fidelidad/estéreo 3. TV canal (m), cadena (f) • **chaîne à péage** cadena de pago • **chaîne câblée/cryptée** cadena del cable/canal codificado • **chaî-**

ne de télévision canal de televisión • **chaîne thématique** canal temático. ■ **chaînes** nfpl 1. (pour pneus) cadenas (fpl) 2. fig (servitude) lazos (mpl).

chaînon nm 1. (maillon) eslabón (m) • **chaînon manquant** eslabón perdido 2. fig (élément) paso (m).

chair ■ nf 1. (d'homme) carne (f) • **avoir la chair de poule** tener la carne de gallina 2. (de fruit) pulpa (f). ■ adj inv (couleur) carne (en apposition).

chaire nf 1. (estrade - de prédicateur) púlpito (m) • (- de professeur) tarima (f) 2. UNIV (poste de professeur) cátedra (f).

chaise nf silla (f) • **chaise électrique** silla eléctrica • **chaise longue** tumbona (f).

châle nm chal (m), mantón (m).

chalet nm 1. (de montagne) chalet (m), chalé (m) 2. (Québec) (maison de campagne) casa (f) de campo.

chaleur nf 1. (température, enthousiasme) calor (m) 2. ZOOL celo (m).

chaleureux, euse adj caluroso(sa).

chaloupe nf bote (m), chalupa (f).

chalumeau nm soplete (m).

chalut nm (filet) traína (f) • **au chalut** (pêche) de arrastre.

chalutier nm 1. (bateau) trainera (f) 2. (pêcheur) pescador (m), -ra (f) de trainera.

chamailler ■ **se chamailler** vp fam pelearse.

chambranle nm 1. (de porte, fenêtre) marco (m) 2. (de cheminée) faldón (m).

chambre nf 1. (de maison, d'hôtel) cuarto (m), habitación (f) • **chambre d'amis** cuarto de invitados • **chambre à coucher** dormitorio (m) • **chambre double/individuelle** habitación doble/individual 2. (local) cámara (f) • **chambre à air/de combustion** cámara de aire/de combustión • **chambre forte** cámara acorazada • **chambre froide** cámara frigorífica • **chambre à gaz** cámara de gas • **chambre noire** cámara oscura 3. DR sala (f). ■ **Chambre de commerce et d'industrie** nf • **la Chambre de commerce et d'industrie** la Cámara de Comercio e Industria. ■ **Chambre des députés** nf • **la Chambre des députés** la Cámara de los Diputados.

chambrée nf dormitorio (m) (colectivo).

chambrer vt 1. (vin) poner del tiempo 2. fam (se moquer de) cachondearse de.

chameau nm 1. (mammifère) camello (m) 2. fam péj (personne) mal bicho (m).

chamois ■ nm gamuza (f). ■ adj inv (couleur) gamuzado(da).

champ nm campo (m) • **champ de bataille** campo de batalla • **champ de courses** hipódromo (m).

champagne nm champán (m) (francés).

champêtre *adj* campestre.

champignon *nm* **1.** *(à manger)* seta *(f)* **2.** BIOL & MÉD hongo *(m)* **3.** *fam (accélérateur)* acelerador *(m)*.

champion, onne *nm, f* **1.** SPORT campeón *(m)*, -ona *(f)* **2.** *fig (défenseur)* paladín *(m)*. ◼ **champion** *adj inv fam (personne)* campeón(ona).

championnat *nm* campeonato *(m)*.

chance *nf* **1.** *(sort)* suerte *(f)* • **avoir de la chance** tener suerte • **porter chance** traer suerte, dar (buena) suerte **2.** *(probabilité, possibilité)* posibilidad *(f)*, probabilidad *(f)* • **avoir des chances de faire qqch** tener probabilidades de hacer algo.

S'EXPRIMER...

souhaiter bonne chance

¡Te deseo mucha suerte! / **Je te dis m...** ¡(Buena) suerte! / **Bonne chance.** Te deseo muchas cosas buenas. / **Je te souhaite plein de bonnes choses.** Toco madera. / **Je croise les doigts.**

chanceler *vi (personne, gouvernement)* tambalearse.

chancelier *nm* canciller *(m)*.

chanceux, euse *adj* afortunado(da).

chancre *nm* **1.** MÉD chancro *(m)* **2.** BOT cancro *(m)*.

chandail *nm* jersey *(m)*.

Chandeleur *nf* Candelaria *(f)*.

chandelier *nm* candelabro *(m)*.

chandelle *nf* vela *(f)* *(Esp)*, veladora *(f)* *(Amér)* • **dîner aux chandelles** cenar a la luz de las velas.

change *nm* **1.** FIN cambio *(m)* **2.** *(couche de bébé)* pañal *(m)*.

changeant, e *adj* **1.** *(variable - temps)* variable • *(- humeur)* cambiante **2.** *(couleur, étoffe)* tornasolado(da).

changement *nm* **1.** *(gén)* cambio *(m)* **2.** *(en train, métro)* transbordo *(m)*, trasbordo *(m)*.

changer ◼ *vt* **1.** *(gén)* cambiar • **changer qqch en qqch** *(monnaie)* cambiar algo en algo • **changer qqch contre qqch** cambiar algo por algo **2.** *(transformer)* • **changer en** convertir en. ◼ *vi* **1.** *(gén)* cambiar • **changer de** *(adresse, vêtement, etc)* cambiar de **2.** *(apporter un changement)* variar • **pour changer** *iron* para variar.

changeur *nm* FIN cambista *(mf)*.

chanson *nf* canción *(f)* • **c'est toujours la même chanson** *fig* siempre la misma canción OU historia.

chansonnier, ère *nm, f* cantautor *(m)*, -ra *(f)*.

chant *nm* canto *(m)* • **apprendre le chant** estudiar canto.

chantage *nm* chantaje *(m)* • **faire du chantage** hacer chantaje.

chanter ◼ *vt* **1.** *(chanson)* cantar **2.** *fam (raconter)* contar • **qu'est-ce que tu me chantes ?** ¿qué me cuentas? ◼ *vi* • cantar • **faire chanter qqn** *fig* hacer chantaje a alguien.

chanteur, euse *nm, f* cantante *(mf)*.

chantier *nm* **1.** *(de construction)* obra *(f)* • **chantier naval** astillero *(m)* **2.** *fam (désordre)* leonera *(f)*.

chantonner ◼ *vt (air)* tararear. ◼ *vi (personne)* canturrear.

chanvre *nm* cáñamo *(m)*.

chaos *nm* caos *(m inv)*.

chap. *(abr écrite de* **chapitre)** cap. • **voir chap. 15** ver cap. 15.

chaparder *vt* sisar.

chapeau *nm* **1.** *(couvre-chef)* sombrero *(m)* **2.** *(de texte, d'article)* encabezamiento *(m)*.

chapeauter *vt (superviser)* controlar.

chapelet *nm* **1.** RELIG rosario *(m)* **2.** *(d'aliments)* ristra *(f)* **3.** *fig (d'injures, insultes)* retahíla *(f)*.

chapelle *nf* **1.** *(petite église)* capilla *(f)* **2.** *(clan)* camarilla *(f)*.

chapelure *nf* pan *(m)* rallado.

chapiteau *nm* **1.** *(de colonne)* capitel *(m)* **2.** *(de cirque)* carpa *(f)*.

chapitre *nm* **1.** *(de livre)* capítulo *(m)* **2.** FIN *(de budget)* partida *(f)*, asiento *(m)* **3.** RELIG *(assemblée)* cabildo *(m)* **4.** *(sujet)* tema *(m)*.

chaque *adj indéf* cada • **chaque personne** cada persona.

char *nm* **1.** *(véhicule)* carro *(m)* • **char d'assaut** carro de combate **2.** *(de carnaval)* carroza *(f)* **3.** *(Québec) (voiture)* coche *(m)*.

charabia *nm* galimatías *(m inv)*.

charade *nf* charada *(f)*.

charbon *nm* carbón *(m)* • **charbon de bois** carbón de leña.

charcuterie *nf* **1.** *(magasin)* charcutería *(f)*, tienda *(f)* de embutidos **2.** *(produits)* embutidos *(mpl)*.

charcutier, ère *nm, f* charcutero *(m)*, -ra *(f)*.

chardon *nm* **1.** *(plante)* cardo *(m)* **2.** *(sur un mur)* púas *(fpl)* de hierro.

charge *nf* **1.** *(gén)* cargo *(m)* • **être à la charge de qqn** *(frais, travaux)* correr a cargo de alguien • *(personne)* estar a cargo de alguien • **prendre qqch/qqn en charge** hacerse cargo de algo/de alguien **2.** *(fardeau, attaque)* carga *(f)*. ◼ **charges** *nfpl* **1.** *(d'appartement)* gastos *(mpl)* de comunidad • **'charges comprises'** 'gastos de comunidad incluidos' **2.** ÉCON costes *(mpl)* • **charges sociales** cargas *(fpl)* sociales.

chargé, e ◼ *adj* **1.** *(personne, véhicule)* cargado(da) **2.** *(responsable)* encargado(da) **3.** *(journée, emploi du temps)* ocupado(da), cargado(da)

4. (décoration, tissu) recargado(da). ■ *nm, f* encargado (m), -da (f) • **chargé d'affaires** encargado de negocios • **chargé de mission** delegado (m).

chargement *nm* **1.** (de marchandises) cargamento (m) **2.** (d'arme, appareil photo) carga (f).

charger *vt* **1.** (gén & INFORM) cargar **2.** (attaquer) cargar contra **3.** (donner une mission à) • **charger qqn de qqch/de faire qqch** encargar a alguien de algo/que haga algo **4.** DR (déposer contre) declarar en contra de. ■ **se charger** *vp* **1.** (porter une charge) cargarse **2.** (s'occuper de) • **se charger de qqn/de qqch** ocuparse de alguien/de algo • **se charger de faire qqch** encargarse de hacer algo.

chargeur *nm* (d'arme) cargador (m).

chariot *nm* **1.** (charrette) carretilla (f) **2.** (table roulante) carrito (m) **3.** (de machine à écrire) carro (m).

charisme *nm* carisma (m).

charitable *adj* caritativo(va).

charité *nf* **1.** RELIG caridad (f) **2.** (bonté) bondad (f).

charlatan *nm* péj **1.** (vendeur) charlatán (m), -ana (f) **2.** (médecin) matasanos (mf inv).

charmant, e *adj* **1.** (séduisant, ravissant) encantador(ra) **2.** (agréable) agradable • **c'est charmant !** iron ¡muy bonito!

charme *nm* **1.** (attrait) atracción (f) **2.** (enchantement) hechizo (m) **3.** (arbre) carpe (m).

charmer *vt* cautivar • **être charmé de faire qqch** estar encantado de hacer algo.

charmeur, euse ■ *adj* encantador(ra). ■ *nm, f* seductor (m), -ra (f) • **charmeur de serpents** *nm* encantador (m) de serpientes.

charnel, elle *adj* carnal.

charnier *nm* osario (m).

charnière ■ *nf* bisagra (f). ■ *adj inv* decisivo(va).

charnu, e *adj* carnoso(sa).

charogne *nf* **1.** (d'animal) carroña (f) **2.** tfam (crapule) crápula (mf).

charpente *nf* **1.** (de bâtiment) armazón (m) **2.** (de personne) osamenta (f) **3.** fig (de roman) estructura (f).

charpentier *nm* carpintero (m), -ra (f) de obra.

charretier, ère *nm, f* carretero (m), -ra (f).

charrette *nf* carreta (f).

charrier ■ *vt* **1.** (entraîner) arrastrar **2.** (transporter) acarrear **3.** fam (se moquer de) pitorrearse de, chosearse de. ■ *vi* fam (exagérer) pasarse.

charrue *nf* arado (m).

charte *nf* carta (f).

charter *nm* chárter (m).

chas *nm* ojo (m) (d'une aiguille).

chasse *nf* **1.** (action) caza (f) • **chasse à courre** montería (f) **2.** (période) temporada (f) de caza •

la chasse est ouverte la veda está levantada **3.** (poursuite) caza (f), persecución (f) • **faire la chasse à qqch** dar caza a algo • fig perseguir algo • **prendre qqn en chasse** perseguir a alguien **4.** (des toilettes) cadena (f) • **tirer la chasse** tirar de la cadena • **chasse d'eau** cisterna (f). ■ **chasse au trésor** *nf* caza del tesoro. ■ **chasse gardée** *nf* **1.** (terrain) coto (m) privado de caza **2.** fig (sujet réservé) terreno (m) reservado.

chassé-croisé *nm* cruce (m).

chasse-neige *nm inv* **1.** (véhicule) quitanieves (m inv) **2.** (position des skis) cuña (f).

chasser ■ *vt* **1.** (animal) cazar **2.** (faire partir - personne) expulsar • (- idées noires, soucis) desechar **3.** (employé) cespedir. ■ *vi* **1.** (aller à la chasse) cazar **2.** (roues) patinar.

chasseur, euse *nm, f* cazador (m), -ra (f). ■ **chasseur** *nm* **1.** (d'hôtel) botones (m inv) **2.** (avion) avión (m) de caza. ■ **chasseur alpin** *nm* MIL cazador (m) de montaña.

châssis *nm* **1.** (de fenêtre, porte) contramarco (m) **2.** (de véhicule) chasis (m inv) **3.** (de tableau, machine) bastidor (m).

chaste *adj* casto(ta).

chasteté *nf* castidad (f).

chasuble *nf* casulla (f).

chat¹, chatte *nm, f* gato (m), -ta (f).

chat² *nm* INFORM charla (f), chat (m).

châtaigne *nf* castaña (f).

châtaignier *nm* castaño (m).

châtain ■ *adj* (couleur) castaño(ña). ■ *nm* castaño (m).

château *nm* **1.** (gén) castillo (m) • **le château de Versailles** el palacio de Versalles • **château fort** fortaleza (f) • **château de sable** castillo de arena • **château gonflable** castillo hinchable **2.** (vignoble) viñedo (m). ■ **château d'eau** *nm* arca (f) de agua.

châtiment *nm* castigo (m).

chaton *nm* **1.** (petit chat) gatito (m) **2.** BOT amento (m), candelilla (f) **3.** (de bague) engaste (m).

chatouiller *vt* **1.** (faire des chatouilles à) hacer cosquillas a **2.** fig (titiller) cosquillear.

chatoyant, e *adj* tornasolado(da).

châtrer *vt* castrar, capar.

chaud, e *adj* **1.** (chose) caliente **2.** (temps, voix) cálido(da) **3.** fig (enthousiaste) entusiasta • **ne pas être très chaud pour** (+ infinitif) no tener ánimos para (+ infinitif) **4.** (sensuel) ardiente **5.** fig (animé) caliente. ■ **chaud** ■ *adv* • **avoir chaud** tener calor • **il fait chaud** hace calor. ■ *nm* calor (m).

chaudement *adv* **1.** (pour avoir chaud) • **être chaudement vêtu** vestirse con ropa de abrigo **2.** (chaleureusement) calurosamente.

chaudière *nf* caldera (f).

chaudron nm caldero (m).

chauffage nm **1.** (appareil) calefacción (f) • **chauffage central** calefacción central **2.** (action de chauffer) calentamiento (m).

chauffant, e adj que calienta.

chauffard nm péj • **c'est un chauffard** conduce como un loco.

chauffe-eau nm inv calentador (m) de agua.

chauffer ◼ vt calentar. ◼ vi **1.** (devenir chaud) calentarse **2.** (moteur) calentar **3.** fam (devenir houleux) armarse una buena.

chauffeur nm **1.** conductor (m), -ra (f) (Esp), motorista (mf) (Amér) **2.** (domestique) chófer (m), chofer (m).

chaume nm paja (f).

chaumière nf choza (f) (Esp), mediagua (f) (Amér).

chaussée nf calzada (f).

chausse-pied nm calzador (m).

chausser ◼ vt **1.** (chaussures, skis) calzarse • **chausser un enfant** calzar a un niño **2.** (lunettes) calarse. ◼ vi • **chausser bien/mal/large** irle bien/pequeño/grande • **chausser du 40** calzar un cuarenta. ◼ **se chausser** vp calzarse.

chaussette nf calcetín (m).

chausseur nm zapatero (m), -ra (f).

chausson nm **1.** (pantoufle, chaussure de danse) zapatilla (f) **2.** (de bébé) peúco (m) **3.** CULIN (pâtisserie) ≃ empanadilla (f) • **chausson aux pommes** empanadilla de hojaldre rellena de compota de manzana.

chaussure nf **1.** (soulier) zapato (m) • **chaussure basse** zapato plano • **chaussure de marche** calzado (m) de marcha • **chaussure montante** botín (m) • **chaussures à scratch** zapatos con velcro • **chaussure de ski** bota (f) de esquí • **chaussures à talons** zapatos de tacón **2.** (industrie) industria (f) del calzado.

chauve adj & nmf calvo(va).

chauve-souris nf murciélago (m).

chauvin, e adj & nm, f chovinista.

chauvinisme nm chovinismo (m).

chaux nf cal (f) • **blanchi à la chaux** encalado.

chavirer ◼ vi (bateau, projet) irse a pique. ◼ vt **1.** (bateau) hundir **2.** (meuble) poner patas arriba **3.** fig (bouleverser) emocionar.

chef nm **1.** (dirigeant) jefe (m), -fa (f), director (m), -ra (f) • **en chef** (gén) jefe • MIL en jefe • **chef d'entreprise** empresario (m) • **chef de famille** cabeza (mf) de familia • **chef de file** jefe de filas • **chef de gare** jefe de estación • **chef d'orchestre** director de orquesta • **chef de service** ADMIN ≃ director de departamento • (dans un hôpital) director de servicio **2.** (cuisinier) jefe (m) de cocina, chef (m) **3.** fam (champion) campeón (m), -ona (f). ◼ **chef d'accusation** nm DR cargo (m).

chef-d'œuvre nm obra (f) maestra.

chef-lieu nm ≃ capital (f) (de provincia).

chemin nm **1.** camino (m) • **en chemin** por el camino • **se frayer un chemin dans** ou **à travers qqch** abrirse camino ou paso por ou a través de algo **2.** INFORM • **chemin (d'accès)** camino (de acceso). ◼ **chemin de fer** nm ferrocarril (m).

cheminée nf **1.** (gén) chimenea (f) **2.** (en alpinisme) chimenea (f).

cheminement nm **1.** (progression - de marcheurs) marcha (f) • (- d'eau) flujo (m) **2.** fig (d'idée, de pensée) evolución (f).

cheminer vi **1.** (personne) caminar **2.** fig (idée, pensée) abrirse camino.

cheminot nm ferroviario (m).

chemise nf **1.** (vêtement) camisa (f) • **chemise de nuit** camisón (m) **2.** (dossier) carpeta (f).

chemisette nf **1.** (d'homme) camiseta (f) **2.** (d'enfant) camisita (f), camisola (f).

chemisier nm (vêtement) blusa (f).

chenal nm canal (m).

chêne nm roble (m).

chenet nm morillo (m).

chenil nm **1.** (pour chiens) perrera (f) **2.** (Suisse) (désordre) leonera (f).

chenille nf **1.** (gén) oruga (f) **2.** (tissu) felpilla (f).

chèque nm cheque (m), talón (m) • **chèque bancaire** cheque ou talón bancario • **chèque barré** cheque ou talón cruzado • **chèque en bois** ou **sans provision** cheque ou talón sin fondos • **chèque au porteur** cheque ou talón al portador • **chèque postal/de voyage** cheque postal/de viaje.

chèque-restaurant nm ticket restaurante (m).

chèque-vacances nm cheque (m) vacaciones.

chéquier nm talonario (m) de cheques (Esp), chequera (f) (Amér).

cher, chère ◼ adj **1.** (aimé) querido(da) **2.** (coûteux) caro(ra) **3.** (dans une lettre) estimado(da), querido(da). ◼ nm, f • **mon cher** querido • **ma chère** querida. ◼ **cher** adv caro • **coûter cher** costar caro.

chercher ◼ vt (gén) buscar • **aller chercher qqn/qqch** ir a buscar a alguien/algo • **venir chercher qqch/qqn** venir a buscar algo/a alguien. ◼ vi • **chercher à faire qqch** procurar hacer algo. ◼ **se chercher** vp buscarse.

chercheur, euse ◼ adj **1.** (esprit) curioso(sa) **2.** TECHNOL (tête) buscador(ra). ◼ nm, f (scientifique) investigador (m), -ra (f). ◼ **chercheur d'or** nm buscador (m) de oro.

chéri, e ◼ adj (aimé) querido(da). ◼ nm, f **1.** (terme d'affection) • **mon chéri, ma chérie** cariño **2.** (favori) preferido (m), -da (f).

chérir vt **1.** (personne) querer **2.** (chose, idée) amar.

chétif, ive *adj* 1. *(enfant)* enclenque 2. *(arbre)* raquítico(ca).

cheval *nm* 1. *(animal)* caballo *(m)* • **être à cheval sur qqch** *(être assis sur)* sentarse a horcajadas en algo • *fig (tenir à)* ser estricto(ta) con respecto a *ou* en algo • *fig (siècles, époques)* estar a caballo entre dos cosas 2. *(équitation)* equitación *(f)* • **faire du cheval** hacer equitación, practicar la equitación. ■ **cheval-d'arçons** *nm* potro *(m)*.

chevalerie *nf* caballería *(f)*.

chevalet *nm* 1. *(de peintre)* caballete *(m)* 2. *(de violon)* puente *(m)* 3. *(de tisserand)* bastidor *(m)* 4. *(de menuisier)* banco *(m)*.

chevalier *nm* 1. *(gén)* caballero *(m)* 2. *(oiseau)* chorlito *(m)*.

chevalière *nf* sello *(m)* *(sortija)*.

cheval-vapeur *nm* AUTO caballo *(m)* de vapor.

chevauchée *nf* cabalgada *(f)*.

chevaucher *vt* montar. ■ **se chevaucher** *vp* *(tuiles, dents)* encabalgarse, solaparse.

chevelu, e *adj* melenudo(da).

chevelure *nf* 1. *(cheveux)* cabellera *(f)* 2. *(de comète)* cola *(f)*.

chevet *nm* cabecera *(f)* • **être au chevet de qqn** estar a la cabecera de alguien.

cheveu *nm* pelo *(m)*, cabello *(m)*.

cheville *nf* 1. ANAT tobillo *(m)* 2. *(pour consolider)* clavija *(f)*.

chèvre ■ *nf* cabra *(f)*. ■ *nm* queso *(m)* de cabra.

chevreau *nm* 1. *(animal)* cabrito *(m)* 2. *(peau)* cabritilla *(f)*.

chèvrefeuille *nm* madreselva *(f)*.

chevreuil *nm* 1. *(animal)* corzo *(m)* 2. CULIN ciervo *(m)*.

chevronné, e *adj* veterano(na).

chevrotine *nf* posta *(f)*, perdigón *(m)*.

chewing-gum *nm* chicle *(m)*.

chez *prép* 1. *(dans la demeure de)* en casa de • **il est chez lui** está en su casa • **il va chez lui** va a su casa • **je reste chez moi** me quedo en casa 2. *(commerçant)* • **aller chez le coiffeur/chez le médecin** ir a la peluquería/al médico 3. *(en ce qui concerne)* • **chez lui** en él • **ce que j'aime chez lui** lo que me gusta de él.

chez-soi *nm inv* hogar *(m)*.

chic ■ *adj* *(inv en genre)* 1. *(élégant)* elegante *(Esp)*, elegantoso(sa) *(Amér)* 2. *(serviable)* amable. ■ *nm* *(élégance, bon goût)* • **avoir du chic** tener estilo. ■ *interj* • **chic (alors)** ! ¡qué bien!

chicorée *nf* 1. *(racine, boisson)* achicoria *(f)* 2. *(salade)* escarola *(f)*.

chien, chienne *nm, f* 1. *(animal)* perro *(m)*, -rra *(f)* • **chien de chasse/de garde** perro de caza/guardián 2. *(d'arme)* gatillo *(m)* • **en chien de fusil** acurrucado(da).

chiendent *nm* grama *(f)*.

chien-loup *nm* perro *(m)* lobo.

chiffon *nm* trapo *(m)*. ■ **chiffons** *nmpl fam (vêtements)* trapos *(mpl)*.

chiffonné, e *adj* 1. *(tissu)* arrugado(da) 2. *(contrarié)* preocupado(da) 3. *(fatigué)* cansado(da).

chiffre *nm* 1. *(caractère)* cifra *(f)* • **chiffres arabes/romains** números *(mpl)* arábigos/romanos 2. *(montant)* importe *(m)* • **chiffre rond** número *(m)* redondo 3. *(code secret)* clave *(f)* ■ **chiffre d'affaires** *nm* volumen *(m)* de negocios.

chiffrer ■ *vt* 1. *(évaluer)* calcular 2. *(numéroter)* numerar 3. *(message)* cifrar. ■ *vi fam* subir.

chignole *nf* taladradora *(f)*.

chignon *nm* moño *(m)* *(Esp)*, chongo *(m)* *(Amér)*.

Chili *npr* • **le Chili** Chile.

chilien, enne *adj* chileno(na). ■ **Chilien, enne** *nm, f* chileno *(m)*, -na *(f)*.

chimère *nf* quimera *(f)*.

chimie *nf* química *(f)*.

chimio *nf fam* quimio *(f)*.

chimiothérapie *nf* quimioterapia *(f)*.

chimique *adj* químico(ca).

chimiste *nmf* químico *(m)*, -ca *(f)*.

chimpanzé *nm* chimpancé *(m)*.

Chine *npr* • **la Chine** China.

chiné, e *adj* de mezclilla.

chiner *vi* buscar gangas.

chinois, e *adj* chino(na). ■ **chinois** *nm* LING chino *(m)*. ■ **Chinois, e** *nm, f* chino *(m)*, -na *(f)*.

chiot *nm* cachorro *(m)*.

chipie *nf fam* pillina *(f)*.

chips *nfpl* patatas *(fpl)* fritas (de bolsa).

chiquenaude *nf* capirotazo *(m)*.

chiquer *vt* mascar *(tabaco)*.

chirurgical, e *adj* quirúrgico(ca).

chirurgie *nf* cirugía *(f)*.

chirurgien, enne *nm, f* cirujano *(m)*, -na *(f)*.

chiure *nf* • **chiure de mouche** cagada *(f)* de mosca.

ch.-l. *(abr écrite de chef-lieu)* ≃ capital *(f)* (de provincia) • **Ajaccio, ch.-l. de la région Corse** Ajaccio, capital de la región de Córcega.

chlore *nm* cloro *(m)*.

chloroforme *nm* cloroformo *(m)*.

chlorophylle *nf* clorofila *(f)*.

choc *nm* 1. *(coup, conflit)* choque *(m)* 2. *(en apposition) (images)* de choque • **mesures(-)chocs** medidas de choque • **prix choc** ganga *(f)*.

chocolat ■ *nm* 1. *(gén)* chocolate *(m)* • **chocolat au lait/fondant/noir** chocolate con leche/fondant/negro *ou* puro • **chocolat chaud** chocolate a la taza • **chocolat glacé** helado *(m)* de chocolate 2. *(bonbon)* bombón *(m)*. ■ *adj inv (couleur)* chocolate (en apposition).

chœur nm coro (m).

choisi, e adj **1.** (morceau, œuvre) escogido(da) **2.** (langage, style) rebuscado(da) **3.** (société, assemblée) selecto(ta).

choisir ◼ vt elegir, escoger. ◼ vi **1.** (se prononcer pour) elegir, escoger **2.** (décider de) ⋅ **choisir de faire qqch** decidir hacer algo.

choix nm **1.** (décision) elección (f) ⋅ **avoir le choix** poder elegir ⋅ **il n'y a pas le choix** no hay más remedio ⋅ **au choix** a elegir ⋅ **laisser le choix à qqn** dejar escoger a alguien **2.** (d'articles) selección (f) **3.** (qualité) ⋅ **de premier/second choix** de primera/segunda calidad.

choléra nm cólera (m).

cholestérol nm colesterol (m).

chômage nm paro (m), desempleo (m) (Esp), cesantía (f) (Amér).

chômer ◼ vt festejar, celebrar. ◼ vi **1.** (être sans travail) estar en paro **2.** (être inactif) descansar.

chômeur, euse nm, f parado (m), -da (f).

chope nf jarra (f).

choper vt fam **1.** (voleur, rhume) pescar ⋅ **il s'est fait choper** lo han pescado **2.** (voler) mangar, chorizar.

choquant, e adj chocante.

choquer vt **1.** (scandaliser) chocar **2.** (traumatiser) afectar.

choral, e adj coral. ◼ **choral** nm (chant liturgique) coral (f). ◼ **chorale** nf coral (f).

chorégraphie nf coreografía (f).

choriste nmf corista (mf).

chose nf cosa (f) ⋅ **c'est (bien) peu de chose** es poca cosa ⋅ **de deux choses l'une** una de dos. ◼ **quelque chose** pron indéf algo.

chou[1] nm **1.** (légume) col (f) **2.** (pâtisserie) ≃ petisú (m) ⋅ **chou à la crème** bocadito (m) de nata. ◼ **chou** adj inv fam mono(na).

chou[2]**, choute** nm, f fam (personne) ⋅ **mon chou** cielito mío.

chouchou, oute nm, f fam ojito (m) derecho. ◼ **chouchou** nm (pour les cheveux) coletero (m).

choucroute nf choucroute (f).

chouette ◼ nf (oiseau) lechuza (f). ◼ adj fam **1.** (personne) majo(ja) **2.** (chose) guay. ◼ interj ¡(qué) guay!

chou-fleur nm coliflor (f).

chou-rave nm colinabo (m).

choyer vt sout mimar.

CHR (abr de **centre hospitalier régional**) nm inv ≃ centro hospitalario regional ⋅ **il a été admis au CHR de Bordeaux** lo ingresaron en el CHR de Burdeos.

chrétien, enne adj & nm, f cristiano(na).

chrétienté nf cristiandad (f).

christ nm (crucifix) cristo (m). ◼ **Christ** nm Cristo (m).

christianisme nm cristianismo (m).

chrome nm cromo (m). ◼ **chromes** nmpl cromado (m).

chromé, e adj cromado(da).

chromosome nm cromosoma (m).

chronique ◼ adj crónico(ca). ◼ nf crónica (f).

chronologie nf cronología (f).

chronomètre, chrono nm cronómetro (m).

chronométrer vt cronometrar.

chrysalide nf crisálida (f).

chrysanthème nm crisantemo (m).

chuchotement nm cuchicheo (m).

chuchoter vt & vi cuchichear.

chut interj ¡chitón!

chute nf **1.** (gén) caída (f) ⋅ **chute de neige** nevada (f) ⋅ **la chute du mur de Berlin** la caída del muro de Berlín **2.** (cascade) catarata (f) ⋅ **chute d'eau** salto (m) de agua ⋅ **chutes du Niagara** cataratas del Niágara **3.** (de température, de tension) bajada (f) **4.** (de tissu) jirón (m).

Chypre npr Chipre.

ci ◼ adv (après un nom) ⋅ **cet homme-ci** este hombre. ◼ pron dém éste ⋅ **comme ci, comme ça** fam regular.

CIA (abr de **Central Intelligence Agency**) nf CIA (f).

ci-après adv siguiente.

cible nf **1.** (de tir) blanco (m) **2.** (publicité) objetivo (m).

ciblé, e adj COMM (public, clientèle) al que va dirigido, -da (f) (un producto).

ciboulette nf cebolleta (f).

cicatrice nf cicatriz (f).

cicatriser vt cicatrizar.

ci-contre adv adjunto(ta).

ci-dessous adv más abajo.

ci-dessus adv más arriba.

CIDJ (abr de **Centre d'information et de documentation de la jeunesse**) nm ≃ INJUVE (Instituto de la Juventud).

cidre nm sidra (f) ⋅ **cidre brut** sidra seca.

Cie (abr écrite de **compagnie**) Cª, Cía ⋅ **la société Dupont & Cie** la empresa Dupont & Cía.

ciel nm cielo (m) ⋅ **à ciel ouvert** a cielo abierto. ◼ **cieux** nmpl (paradis) cielos (mpl).

cierge nm cirio (m).

cigale nf cigarra (f).

cigare nm cigarro (m) puro, puro (m).

cigarette nf cigarrillo (m).

ci-gît adv aquí yace.

cigogne nf cigüeña (f).

ciguë nf cicuta (f).

ci-inclus, e adj adjunto(ta). ◼ **ci-inclus** adv adjunto.

ci-joint, e adj adjunto(ta). ■ **ci-joint** adv • **veuillez trouver ci-joint** le adjunto.

cil nm pestaña (f).

ciller vi pestañear.

cime nf (sommet - d'arbre) copa (f) • (- de montagne) cima (f).

ciment nm **1.** (matériau) cemento (m) **2.** fig (lien) cimientos (mpl).

cimenter vt **1.** CONSTR cimentar **2.** fig (consolider) consolidar.

cimetière nm cementerio (m).

ciné nm fam cine (m).

cinéaste nmf cineasta (mf).

ciné-club nm cine-club (m).

cinéma nm cine (m).

cinémathèque nf cinemateca (f). ■ **Cinémathèque** nf • **la Cinémathèque française** ≃ la Filmoteca Nacional.

cinématographique adj cinematográfico(ca).

cinéphile nmf cinéfilo (m), -la (f).

cinglé, e adj & nm, f fam chiflado(da).

cingler ■ vt **1.** (cheval) fustigar, azotar **2.** fig (sujet : pluie, vent) azotar. ■ vi sout (naviguer) navegar.

cinq adj num inv & nm inv cinco • **cinq cents élèves** quinientos alumnos. • voir aussi **six**

cinquantaine nf **1.** (nombre) cincuentena (f) **2.** (âge) • **la cinquantaine** los cincuenta (años).

cinquante adj num inv & nm inv cincuenta. • voir aussi **soixante**

cinquantième adj num & nmf quincuagésimo(ma). • voir aussi **sixième**

cinquième ■ adj num & nmf quinto(ta). ■ nf SCOL ≃ primero (m) de la ESO. ■ nm quinta parte (f). • voir aussi **sixième**

cintre nm **1.** (pour les vêtements) percha (f) **2.** ARCHIT cimbra (f) **3.** (de théâtre) telar (m).

cintré, e adj **1.** COUT entallado(da) **2.** ARCHIT cimbrado(da).

cirage nm **1.** (action de cirer) encerado (m) **2.** (produit) betún (m).

circoncis, e adj circunciso(sa).

circoncision nf circuncisión (f).

circonférence nf circunferencia (f).

circonscription nf circunscripción (f).

circonscrire vt **1.** (incendie, épidémie) localizar **2.** (sujet) delimitar **3.** GÉOM circunscribir.

circonspect, e adj circunspecto(ta).

circonstance nf circunstancia (f) • **circonstances atténuantes** circunstancias atenuantes.

circonstancié, e adj detallado(da).

circonstanciel, elle adj circunstancial.

circuit nm **1.** (gén) circuito (m) • **circuit d'alimentation** circuito de alimentación **2.** (parcours) ruta (f) • **en circuit fermé** (en boucle) en circuito cerrado • fig (en restant confiné) a puerta cerrada **3.** ÉCON canal (m) • **circuit de distribution** cana de distribución.

circulaire adj & nf circular.

circulation nf **1.** (gén) circulación (f) • **mettre en circulation** poner en circulación **2.** (trafic) circulación (f), tráfico (m).

circuler vi circular.

cire nf cera (f).

ciré, e adj (parquet) encerado(da). ■ **ciré** nm impermeable (m).

cirer vt **1.** (meuble, parquet) encerar **2.** (chaussures) limpiar.

cirque nm **1.** (gén) circo (m) **2.** fam fig (chahut, désordre) jaleo (m).

cirrhose nf cirrosis (f inv).

cisaille nf **1.** (à métaux, cizalla (f) **2.** (de jardinier) podadora (f) podadera (f).

cisailler vt **1.** (métal) cizallar **2.** (branches) podar.

ciseau nm cincel (m). ■ **ciseaux** nmpl **1.** (instrument) tijeras (fpl) **2.** SPORT • **faire des ciseaux** (en gymnastique) hacer tijeretas • **sauter en ciseaux** saltar de tijeras.

ciseler vt **1.** (pierre, métal) cincelar **2.** (bijou) tallar.

citadelle nf ciudadela (f).

citadin, e ■ adj urbano(na). ■ nm, f ciudadano (m), -na (f).

citation nf **1.** (d'écrit, de propos) cita (f) **2.** DR & MIL citación (f).

cité nf **1.** (ville) ciudad (f) **2.** (résidence, lotissement) residencia (f) • **cité universitaire** ciudad universitaria.

citer vt citar.

citerne nf **1.** (réservoir d'eau) cisterna (f), aljibe (m) **2.** (cuve) cuba (f).

cité U (abr de **cité universitaire**) nf fam ciudad (f) universitaria • **vivre en cité U** vivir en la ciudad universitaria.

citoyen, enne nm, f ciudadano (m), -na (f).

citoyenneté nf ciudadanía (f).

citron ■ nm limón (m) • **citron pressé** zumo (m) de limón natural • **citron vert** limón verde. ■ adj inv (couleur) amarillo limón, amarilla limón.

citronnade nf limonada (f).

citronnier nm limonero (m).

citrouille nf calabaza (f).

civet nm encebollado (m).

civière nf cam lla (f).

civil, e ■ adj civil (mf) • **en civil** de paisano. ■ nm, f civil (mf) • **dans le civil** en la vida civil.

civilisation nf civilización (f).

civilisé, e adj civilizado(da).

civiliser vt civilizar.

civique adj cívico(ca).

civisme nm civismo (m).

cl (*abr écrite de* **centilitre**) cl.

clair, e *adj* claro(ra) • **c'est clair et net** está bien claro. ■ **clair** *adv* • **en clair** TV no codificado(da) • **voir clair** ver claro • **tirer qqch au clair** sacar algo en claro. ■ **clair de lune** *nm* claro (*m*) de luna.

clairement *adv* claramente.

claire-voie ■ **à claire-voie** *loc adj* (*persienne, volet*) enrejado(da).

clairière *nf* claro (*m*).

clairon *nm* corneta (*f*), clarín (*m*).

claironner ■ *vi* tocar la corneta, tocar el clarín. ■ *vt fig* (*nouvelle*) pregonar.

clairsemé, e *adj* **1.** (*cheveux*) ralo(rala) **2.** (*arbres*) poco frondoso(sa).

clairvoyant, e *adj* clarividente.

clamer *vt* proclamar.

clameur *nf* clamor (*m*).

clan *nm* clan (*m*).

clandestin, e ■ *adj* clandestino(na). ■ *nm, f* **1.** (*résident*) ilegal (*mf*) **2.** (*passager*) polizón (*m*).

clapier *nm* conejera (*f*).

clapoter *vi* chapotear.

claquage *nm* MÉD distensión (*f*).

claque *nf* **1.** (*gifle*) bofetada (*f*) (*Esp*), cachetada (*f*) (*Amér*) **2.** (*public*) • **la claque** la claque.

claquer ■ *vt* **1.** (*fermer brusquement*) cerrar de un golpe • **claquer la porte** dar un portazo • **claquer la porte au nez de qqn** dar a alguien con la puerta en las narices **2.** *fam* (*gifler*) pegar **3.** *fam* (*dépenser*) pulirse **4.** *fam* (*fatiguer*) reventar. ■ *vi* **1.** (*provoquer un claquement*) restallar • **la porte a claqué** la puerta se ha cerrado de un portazo • **faire claquer ses doigts/sa langue** chasquear los dedos/la lengua • **claquer des dents** tiritar, castañear **2.** *fam* (*mourir*) palmarla.

claquettes *nfpl* claqué (*m*).

clarifier *vt* clarificar.

clarinette *nf* clarinete (*m*).

clarté *nf* **1.** (*lumière*) luz (*f*) **2.** (*transparence*) transparencia (*f*) **3.** *fig* (*d'un raisonnement*) claridad (*f*).

classe *nf* **1.** (*gén*) clase (*f*) • **aller en classe** ir a clase • **avoir de la classe** tener clase • **classe de neige** ≃ semana (*f*) blanca • **classe préparatoires** *pour expliquer ce que c'est, vous pouvez dire* : es un curso de uno o dos años durante el cual se prepara el difícil examen de ingreso a las "grandes écoles". • **classe verte** excursión (*f*) al campo con el colegio • **première/seconde classe** (*en train*) primera/segunda clase **2.** (*qualité*) categoría (*f*) **3.** MIL (*contingent*) reemplazo (*m*) • **de deuxième classe** raso • **faire ses classes** hacer la instrucción militar. ■ *adj fam* guay.

classement *nm* **1.** (*rangement, classification*) clasificación (*f*) **2.** (*liste*) lista (*f*).

classer *vt* **1.** (*ranger, classifier*) clasificar **2.** (*dossier, affaire*) archivar **3.** (*monument*) • **classer qqch** declarar algo monumento nacional.

classeur *nm* **1.** (*meuble*) archivador (*m*) **2.** (*dossier compartimenté*) carpeta (*f*) (*con separadores*) **3.** (*à feuillets mobiles*) carpeta (*f*) de anillas.

classification *nf* clasificación (*f*).

classique ■ *nm* clásico (*m*). ■ *adj* clásico(ca).

claudication *nf* claudicación (*f*).

clause *nf* cláusula (*f*).

claustrophobie *nf* claustrofobia (*f*).

clavecin *nm* clavicordio (*m*).

clavicule *nf* clavícula (*f*).

clavier *nm* teclado (*m*).

clé, clef *nf* **1.** (*gén*) llave (*f*) • **sous clé** bajo llave • **mettre sous clé** poner bajo llave • **clé anglaise** *ou* **à molette** llave inglesa • **clé de contact** llave de contacto **2.** MUS clave (*f*) • **clé de sol/de fa** clave de sol/de fa **3.** (*en apposition*) (*position, rôle*) clave • **mots(-)clés** palabras clave. ■ **clé de voûte** *nf* clave (*f*) de bóveda.

clémence *nf* **1.** *sout* (*indulgence*) clemencia (*f*) **2.** *fig* (*de climat, saison*) suavidad (*f*).

clément, e *adj* **1.** (*indulgent*) clemente **2.** *fig* (*climat, saison*) suave.

clémentine *nf* clementina (*f*).

cleptomane = **kleptomane**.

clerc *nm* **1.** RELIG clérigo (*m*) **2.** (*employé*) primer oficial (*m*) • **clerc de notaire** pasante de notario.

clergé *nm* clero (*m*).

clic *nm* INFORM clic (*m*) • **faire un clic droit** hacer clic derecho.

Clic-Clac® *nm* (*sofá*) Clic-Clac® (*m*).

cliché *nm* **1.** PHOTO negativo (*m*), cliché (*m*) **2.** *fig* (*lieu commun*) cliché (*m*).

client, e *nm, f* cliente (*mf*).

clientèle *nf* clientela (*f*).

cligner *vi* • **cligner de l'œil** guiñar el ojo.

clignotant, e ■ *adj* parpadeante. ■ **clignotant** *nm* **1.** (*de voiture*) intermitente (*m*) (*Esp*), direccional (*m*) (*Amér*) **2.** ÉCON (*signal de danger*) señal (*f*) de alarma.

clignoter *vi* parpadear.

climat *nm* clima (*m*).

climatisation *nf* climatización (*f*).

climatisé, e *adj* climatizado(da).

clin ■ **clin d'œil** *nm* • **faire un clin d'œil (à qqn)** hacer un guiño (a alguien), guiñar el ojo (a alguien). ■ **en un clin d'œil** *loc adv* en un abrir y cerrar de ojos.

clinique ■ *nf* clínica (*f*). ■ *adj* clínico(ca).

clip *nm* **1.** *(vidéo)* videoclip *(m)*, clip *(m)* **2.** *(bijou)* broche *(m)* **3.** *(boucle d'oreille)* pendiente *(m)* de clip

cliquable *adj* INFORM clicable.

cliquer *vi* INFORM hacer clic.

cliqueter *vi* tintinear.

clitoris *nm* clítoris *(m inv)*.

clivage *nm* **1.** fig *(division)* división *(f)* **2.** GÉOL *(fracture)* hendidura *(f)*.

clochard, e *nm, f* vagabundo *(m)*, -da *(f)*.

cloche ◼ *nf* **1.** *(d'église)* campana *(f)* **2.** *(couvercle)* tapadera *(f)* **3.** fam *(personne stupide)* lelo *(m)*, -la *(f)* **4.** *(en apposition) (jupe)* abombado(da) **5.** *(chapeau)* de campana. ◼ *adj* fam *(idiot)* lelo(la).

cloche-pied ◼ **à cloche-pied** *loc adv* a la pata coja.

clocher[1] *nm* campanario *(m)*.

clocher[2] *vi* • **il y a quelque chose qui cloche** hay algo que no encaja.

clochette *nf* campanilla *(f)*.

cloison *nf* tabique *(m)*.

cloisonner *vt* **1.** *(pièce, maison)* tabicar, separar con tabiques **2.** fig *(fonctions, services)* compartimentar.

cloître *nm* claustro *(m)*.

clonage *nm* clonaje *(m)* • **clonage thérapeutique** clonaje terapéutico.

clope *nf* fam pito *(m)* *(cigarrillo)*.

cloporte *nm* cochinilla *(f)*.

cloque *nf* *(ampoule - sur la peau)* ampolla *(f)* • *(- de peinture)* vejiga *(f)* • **être en cloque** fam estar preñada.

clore *vt* **1.** *(gén)* cerrar • **clore un débat** concluir un debate **2.** *(entourer)* cercar.

clos, e *adj* cerrado(da). ◼ **clos** *nm* **1.** *(terrain)* cercado *(m)* **2.** *(vignoble)* viñedo *(m)*.

clôture *nf* **1.** *(enceinte - haie)* valla *(f)* • *(- en fil de fer)* alambrada *(f)* **2.** *(fermeture - de scrutin)* cierre *(m)* • *(- de compte)* liquidación *(f)* • *(- de débat)* clausura *(f)*.

clôturer *vt* **1.** *(terrain)* cercar **2.** fig *(débat)* clausurar.

clou *nm* **1.** *(pointe)* clavo *(m)* • **clou de girofle** clavo de especia **2.** *(de spectacle, de fête)* atracción *(f)* principal.

clouer *vt* clavar • **cloué sur place** *(stupéfait)* clavado en el sitio.

clouté, e *adj* claveteado, -da *(f)*, con clavos.

clown *nm* payaso *(m)* • **faire le clown** fig hacer el payaso.

club *nm* **1.** *(groupe)* club *(m)* • **les clubs de sport** los clubes deportivos **2.** *(de golf)* palo *(m)*.

cm *(abr écrite de* **centimètre)** cm.

CM *nm (abr de* **cours moyen)** • **CM1** ≃ 4° de E.P. • **passer en CM1** ≃ pasar a 4° de E.P. • **CM2** ≃ 5° de E.P.

CNRS *(abr de* **Centre national de la recherche scientifique)** *nm* ≃ CSIC *(m)* *(Consejo Superior de Investigaciones Científicas)* • **un chercheur au CNRS** un investigador del CNRS.

coactionnaire *nmf* accionista *(mf)*.

coaguler ◼ *vt* **1.** *(sang)* coagular **2.** *(lait)* cuajar. ◼ *vi* **1.** *(sang)* coagularse **2.** *(lait)* cuajarse. ◼ **se coaguler** *vp* **1.** *(sang)* coagularse **2.** *(lait)* cuajarse.

coaliser *vt* aliarse. ◼ **se coaliser** *vp* aliarse.

coalition *nf* **1.** MIL alianza *(f)* **2.** POLIT coalición *(f)*.

coasser *vi* croar.

cobaye *nm* **1.** *(animal)* cobaya *(f)*, conejillo *(m)* de Indias **2.** fig *(personne)* conejillo *(m)* de Indias.

cobra *nm* cobra *(f)*.

cocaïne *nf* cocaína *(f)*.

cocaïnomane *nmf* cocainómano *(m)*, -na *(f)*.

cocarde *nf* **1.** *(sur un avion, une voiture)* divisa *(f)* **2.** *(sur un vêtement)* escarapela *(f)*.

cocardier, ère *adj* *(propos)* chovinista. ◼ *nm, f* *(personne)* patriotero *(m)*, -ra *(f)*.

cocasse *adj* tan gracioso(sa).

coccinelle *nf* **1.** *(insecte)* mariquita *(f)* **2.** *(voiture)* escarabajo *(m)*.

coccyx *nm* coxis *(m inv)*.

cocher[1] *nm* cochero *(m)*.

cocher[2] *vt* marcar con una cruz.

cochon, onne ◼ *adj* *(obscène)* guarro(rra). ◼ *nm, f* péj cerdo *(m)*, -da *(f)*, marrano *(m)*, -na *(f)* • **jouer un tour de cochon à qqn** fam fig hacer una jugarreta a alguien. ◼ **cochon** *nm* *(animal)* cerdo *(m)* *(Esp)*, chancho *(m)* *(Amér)*.

cochonnerie *nf* fam **1.** *(gén)* porquería *(f)*, guarrería *(f)* **2.** *(obscénité)* guarrada *(f)*.

cochonnet *nm* **1.** *(petit cochon)* cochinillo *(m)* **2.** *(au jeu de boules)* boliche *(m)*.

cocktail *nm* cóctel *(m)*.

coco *nm* **1.** ▷ **noix 2.** *(terme d'affection)* • **mon coco** cariñín **3.** fam péj *(individu)* tipejo *(m)* **4.** péj *(communiste)* rojo *(m)*.

cocon *nm* **1.** ZOOL capullo *(m)* *(de gusano)* **2.** fig *(nid)* caparazón *(m)*.

cocorico *nm* quiquiriquí *(m)*.

cocotier *nm* cocotero *(m)*.

cocotte *nf* **1.** *(marmite)* olla *(f)* **2.** *(poule)* gallina *(f)* **3.** péj *(courtisane)* mujer *(f)* de costumbres licenciosas.

Cocotte-Minute® *nf* olla *(f)* a presión.

cocu, e *adj* & *nm, f* fam cornudo(da).

code *nm* código *(m)* • **code (à) barres** código de barras • **code postal** código postal • **code**

de la route código de (la) circulación ▪ **code secret** código secreto. ■ **codes** *nmpl* AUTO luces *(fpl)* de cruce.

coder *vt* codificar.

coefficient *nm* MATH & SCOL coeficiente *(m)*.

cœur *nm (gén)* corazón *(m)* ▪ **au cœur de** en pleno(na) ▪ **avoir bon cœur** tener buen corazón ▪ **apprendre/savoir qqch par cœur** aprender/saber algo de memoria ▪ **avoir mal au cœur** estar mareado -da *(f)* ▪ **faire qqch de bon cœur** hacer algo de buena gana. ■ **cœur de palmier** *nm* palmito *(m)*.

coexister *vi* coexistir.

coffre *nm* 1. *(meuble)* baúl *(m)* 2. *(de voiture)* maletero *(m) (Esp)*, cajuela *(f) (Amér)* 3. *(de banque)* caja *(f)* fuerte.

coffre-fort *nm* caja *(f)* fuerte.

coffret *nm* 1. *(petit coffre)* cofrecito *(m)* ▪ **coffret à bijoux** joyero *(m)* 2. *(de disques, livres)* estuche *(m)*.

cogner ■ *vt fam (battre)* sacudir. ■ *vi* 1. *(frapper)* ▪ **cogner à la porte** aporrear la puerta ▪ **cogner contre/sur qqch** golpear contra algo 2. *fam (user de violence)* sacudir ▪ **cogner sur qqn** sacudir a alguien 3. *fam (soleil)* ▪ **ça cogne** (el sol) pica. ■ **se cogner** *vp* 1. *(se heurter)* darse contra ▪ **se cogner à** *ou* **contre qqch** darse un golpe contra algo 2. *fam (se battre)* sacudirse.

cohabiter *vi* 1. *(habiter ensemble)* convivir 2. POLIT cohabitar.

cohérence *nf* coherencia *(f)*.

cohérent, e *adj* coherente.

cohésion *nf* cohesión *(f)*.

cohorte *nf* cohorte *(f)*.

cohue *nf* 1. *(foule)* tropel *(m)* 2. *(bousculade)* barullo *(m)*.

coi, coite *adj sout* ▪ **rester coi** no decir esta boca es mía.

coiffe *nf (coiffure - régionale)* cofia *(f)* ▪ *(- de religieuse)* toca *(f)*.

coiffer *vt* 1. *(peigner)* peinar 2. *(mettre sur la tête de)* ▪ **coiffer qqn de qqch** *(casquette, chapeau)* poner algo en la cabeza de alguien 3. *sout (recouvrir)* cubrir 4. *(diriger)* dirigir. ■ **se coiffer** *vp* 1. *(se peigner)* peinarse 2. *(mettre sur sa tête)* ▪ **se coiffer de qqch** tocarse con algo.

coiffeur, euse *nm, f* peluquero *(m)*, -ra *(f)* ▪ **aller chez le coiffeur** ir a la peluquería. ■ **coiffeuse** *nf (meuble)* tocador *(m)*.

coiffure *nf* 1. *(coupe de cheveux)* peinado *(m)* 2. *(chapeau)* sombrero *(m)* 3. *(profession)* peluquería *(f)*.

coin *nm* 1. *(angle - rentrant)* rincón *(m)* ▪ *(- saillant)* esquina *(f)* ▪ **au coin du feu** junto al fuego 2. *(commissure)* comisura *(f)* ▪ **coin de l'œil** rabillo *(m)* del ojo 3. *(parcelle)* trozo *(m)* 4. *(endroit retiré, recoin)* rincón *(m)* ▪ **le petit coin** *fam* el

retrete 5. *(outil - pour caler)* calzo *(m)* ▪ *(- pour fendre)* cuña *(f)* 6. *(matrice pour monnaie)* troquel *(m)*.

coincer *vt* 1. *(bloquer)* atrancar, atascar 2. *fam (attraper, mettre en difficulté)* acorralar.

coïncidence *nf* coincidencia *(f)*.

coïncider *vi* coincidir.

coing *nm (fruit)* membrillo *(m)*.

coït *nm* coito *(m)*.

col *nm* 1. *(gén)* cuello *(m)* ▪ **col du fémur/de l'utérus** cuello del fémur/del útero ▪ **col en V** cuello de pico ▪ **col roulé** cuello vuelto 2. GÉOGR puerto *(m)*.

coléoptère *nm* coleóptero *(m)*.

colère *nf* 1. *(mauvaise humeur)* cólera *(f)*, ira *(f)* ▪ **être en colère** estar enfadado(da) *ou* enojado(da) ▪ **se mettre en colère** enfadarse, enojarse 2. *(crise)* rabieta *(f)* ▪ **piquer une colère** coger una rabieta.

coléreux, euse, colérique *adj* colérico(ca).

colimaçon ■ **en colimaçon** *loc adv* de caracol.

colin *nm* merluza *(f)*.

colique *nf* cólico *(m)* ▪ **avoir la colique** tener un cólico.

colis *nm* paquete *(m) (Esp)*, encomienda *(f) (Amér)*.

collaborateur, trice *nm, f* 1. *(gén)* colaborador *(m)*, -ra *(f)* 2. HIST *(sous l'Occupation)* colaboracionista *(mf)*.

collaboration *nf* 1. *(gén)* colaboración *(f)* 2. HIST *(sous l'Occupation)* colaboracionismo *(m)*.

collaborer *vi* colaborar ▪ **collaborer à qqch** colaborar en algo.

collant, e *adj* 1. *(étiquette)* adhesivo(va) 2. *(vêtement)* ceñido(da) 3. *fam (personne)* pesado(da). ■ **collant** *nm* 1. *(sous-vêtement féminin)* medias *(fpl)*, panty *(m) (Esp)*, pantymedias *(fpl) (Amér)* 2. *(de danse)* malla *(f)*.

colle *nf* 1. *(substance)* cola *(f)*, pegamento *(m)* 2. *fam (question difficile)* pregunta *(f)* difícil 3. SCOL *(retenue)* castigo *(m)*.

collecte *nf* colecta *(f)* ▪ **collecte de vêtements** recogida *(f)* de ropa.

collectif, ive *adj* colectivo(va). ■ **collectif** *nm* colectivo *(m)*. ■ **collectif budgétaire** *nm* presupuestos *(mpl)* adicionales.

collection *nf* colección *(f)*.

collectionner *vt* coleccionar.

collectionneur, euse *nm, f* coleccionista *(mf)*.

collectivité *nf* comunidad *(f)* ▪ **les collectivités locales** las administraciones locales ▪ **collectivité territoriale** colectividad *(f)* territorial.

collège *nm* 1. *(établissement scolaire)* colegio *(m) (donde se imparten los cursos para los 11-14* años[1] **2.** *(de personnes)* colegio *(m)*. ■ **Collège de France** *nm* • **le Collège de France** el Collège de France.

collégien, enne *nm, f* colegial *(m)*, -la *(f)*.

collègue *nmf* colega *(mf)*.

coller ■ *vt* **1.** *(gén & INFORM)* pegar **2.** *fam fig (suivre partout)* • **coller qqn** pegarse a alguien **3.** *fam (mettre)* apalancar **4.** *fam fig (donner)* • **coller qqch à qqn** *(gifle, punition, etc)* soltar algo a alguien **5.** *fam (avec une question)* pillar a alguien **6.** *SCOL (punir)* castigar • *(refuser)* • **être collé à un examen** suspender un examen. ■ *vi* **1.** *(adhérer)* pegarse **2.** *(être adapté)* • **coller à qqch** *(réalité)* adecuarse a algo **3.** *fam (bien se passer)* ir bien **4.** *fam (suivre de près)* pegarse. ■ **se coller** *vp* **1.** *fam (subir)* cargar con **1.** *(se plaquer)* • **se coller contre qqch/qqn** arrimarse a algo/alguien.

collerette *nf* **1.** *(de vêtement)* cuello *(m)* **2.** *(de tuyau)* brida *(f)*.

collet *nm* **1.** *(de vêtement)* cuello *(m)* • **être collet monté** ser estirado(da) **2.** *(piège)* lazo *(m)*.

collier *nm* **1.** *(gén)* collar *(m)* **2.** *(barbe)* sotabarba *(f)*.

colline *nf* colina *(f)*.

collision *nf* colisión *(f)* • **entrer en collision avec qqch/avec qqn** chocar contra algo/contra alguien.

colloque *nm* coloquio *(m)*.

colmater *vt* **1.** *(fuite)* taponar **2.** *(brèche)* tapar.

colo *nf fam* colonia *(f)* de vacaciones.

colocataire *nmf* compañero(ra) de piso.

colombe *nf* paloma *(f)*.

Colombie *npr* • **la Colombie** Colombia.

colombien, enne *adj* colombiano(na). ■ **Colombien, enne** *nm, f* colombiano *(m)*, -na *(f)*.

colon *nm* colono *(m)*.

côlon *nm* colon *(m)*.

colonel *nm* coronel *(m)*.

colonelle *nf* coronela *(f)* *(épouse del coronel)*.

colonial, e *adj* colonial.

colonialisme *nm* colonialismo *(m)*.

colonie *nf* colonia *(f)*. ■ **colonie de vacances** *nf* colonia *(f)* de verano.

colonisation *nf* colonización *(f)*.

coloniser *vt* **1.** *(occuper)* colonizar **2.** *fig (envahir)* invadir.

colonne *nf* **1.** *(gén)* columna *(f)* **2.** *(file)* fila *(f)* • **en colonne** en fila. ■ **colonne vertébrale** *nf* columna *(f)* vertebral.

colorant, e *adj* colorante. ■ **colorant** *nm* colorante *(m)*.

colorer *vt* dar color a • **colorer de qqch** teñir de algo.

colorier *vt* colorear.

coloris *nm* colorido *(m)*.

colorisation *nf* coloración *(f)*.

coloriser *vt* colorear.

colossal, e *adj* colosal.

colporter *vt* **1.** *(marchandises)* vender *(de manera ambulante)* **2.** *(bruits, nouvelles)* divulgar.

COM *(abr de **collectivités d'outre-mer**)* *nfpl* *pour expliquer à un hispanophone ce que c'est, vous pouvez dire :* este es el nombre que reciben los entes territoriales franceses de ultramar. Se considera COM la Polinesia Francesa, la isla de Mayotte *(en el océano Índico)*, el grupo de islotes San Pedro y Miquelón *(en el océano Atlántico)* y el archipiélago de Wallis y Futuna *(en el océano Pacífico)*.

coma *nm* coma *(m)* • **être dans le coma** estar en coma.

comateux, euse ■ *adj* comatoso(sa). ■ *nm, f* persona *(f)* en coma.

combat *nm* **1.** *(bataille)* combate *(m)* • **combat de boxe** combate de boxeo **2.** *fig (lutte)* lucha *(f)* • **engager le combat contre qqch** emprender la lucha contra algo.

combatif, ive *adj* combativo(va).

combattant, e ■ *adj* combatiente. ■ *nm, f* combatiente *(mf)* • **ancien combattant** ex combatiente.

combattre ■ *vt* **1.** *(adversaire)* combatir contra *ou* con **2.** *(chose, idée)* combatir. ■ *vi* combatir, luchar. ■ **se combattre** *vp* vencerse.

combien ■ *adv* cuánto • **combien coûte ce livre ?** ¿cuánto cuesta este libro? • **combien de** cuánto(ta) • **combien de temps vous faut-il ?** ¿cuánto tiempo necesita? • **combien de pilules prenez-vous ?** ¿cuántas pastillas toma? • **combien cela a changé !** ¡cuánto ha cambiado! ■ *nm inv* • **le combien ?** *(jour)* ¿qué día? • **le combien sommes-nous ?** ¿a qué día estamos? • **tous les combien ?** ¿cada cuánto?

combinaison *nf* **1.** *(gén)* combinación *(f)* **2.** *(sous-vêtement)* combinación *(f)* *(Esp)*, fustán *(m)* *(Amér)* **3.** *(vêtement)* mono *(m)* • **combinaison de plongée** traje *(m)* de submarinismo • **combinaison de ski** mono de esquí.

combine *nf fam* chanchullo *(m)*.

combiné *nm* **1.** *(de téléphone)* auricular *(m)* **2.** *(au ski)* combinado *(m)*.

combiner *vt* combinar. ■ **se combiner** *vp fam* resolverse.

comble ◼ *nm* colmo *(m)* • **c'est un** *ou* **le comble !** ¡es el colmo! ◼ *adj* abarrotado(da), atestado(da). ◼ **combles** *nmpl* desván *(m)*, buhardilla *(f)*.

combler *vt* **1.** *(personne)* colmar • **combler qqn de qqch** *(joie, honneurs)* colmar a alguien de algo **2.** *(trou, fossé)* llenar **3.** *(déficit, lacune)* subsanar.

combustible *adj* & *nm* combustible.

combustion *nf* combustión *(f)*.

comédie *nf* THÉÂTRE & CINÉ comedia *(f)* • **comédie musicale** comedia musical.

comédien, enne *adj* & *nm, f* comediante(ta).

comestible *adj* comestible. ◼ **comestibles** *nmpl* comestibles *(mpl)*.

comète *nf* ASTRON cometa *(m)*.

comique ◼ *nm (acteur)* cómico *(m)*, -ca *(f)*. ◼ *adj* cómico(ca).

comité *nm* comité *(m)* • **comité d'entreprise** comité de empresa.

commandant *nm* **1.** *(dans les armées de terre et de l'air)* comandante *(m)* **2.** *(dans la marine)* capitán *(m)*.

commande *nf* **1.** *(de marchandises)* pedido *(m)* • **passer une commande** pasar un pedido • **sur commande** por encargo **2.** *(de machine)* mando *(m)* • **prendre les commandes de qqch** tomar las riendas de algo • **commande à distance** mando a distancia **3.** INFORM comando *(m)* • **commande numérique** comando numérico.

commander ◼ *vt* **1.** *(donner des ordres à)* mandar • **commander qqn** dar órdenes a alguien **2.** *(plat)* pedir **3.** *(livre, meuble)* encargar **4.** *(opération)* dirigir **5.** *(contrôler)* controlar. ◼ *vi* mandar • **commander à qqn de faire qqch** mandar a alguien que haga algo.

commanditaire *adj* & *nmf* comanditario(ria).

commando *nm* comando *(m)*.

comme *adv*

cómo, qué
• **comme c'est long !** ¡qué largo es!
• **comme il nage bien !** ¡qué bien nada!
• **comme tu as grandi !** ¡cómo has crecido!

commémoration *nf* conmemoración *(f)*.

commémorer *vt* conmemorar.

commencement *nm* principio *(m)*.

commencer ◼ *vt* empezar, comenzar. ◼ *vi* empezar, comenzar • **commencer à faire qqch** empezar *ou* comenzar a hacer algo • **commencer mal/bien** empezar mal/bien • **ça commence bien !** *iron* ¡empezamos bien!

comment *adv* cómo • **comment vas-tu ?** ¿cómo estás? • **comment cela ?** ¿cómo es eso? • **comment mais… !** ¡pero cómo…!

commentaire *nm* comentario *(m)*. ◼ **commentaires** *nmpl (critiques)* comentarios *(mpl)*.

commentateur, trice *nm, f* comentarista *(mf)*.

commenter *vt* comentar.

commérage *nm* comadreo *(m)*, cotilleo *(m)*.

commerçant, e ◼ *adj* comercial. ◼ *nm, f* comerciante *(mf)*.

commerce *nm* **1.** *(activité, magasin)* comercio *(m)* • **commerce électronique** comercio electrónico • **commerce en ligne** comercio en línea • **commerce équitable** comercio justo • **commerce extérieur/intérieur** comercio exterior/interior **2.** *sout (fréquentation)* trato *(m)*.

commercial, e ◼ *adj* **1.** comercial **2.** *(droit)* mercantil. ◼ *nm, f* comercial *(mf)*.

commercialiser *vt* comercializar.

commère *nf* péj cotilla *(f)*.

commettre *vt* cometer.

commis *nm* dependiente *(m)* • **commis voyageur** *(mf)* viajante *(mf)* (de comercio).

commisération *nf* sout conmiseración *(f)*.

commissaire *nm* comisario *(m)*, -ria *(f)*.

commissaire-priseur *nm* perito *(m)* tasador, perita *(f)* tasadora.

commissariat *nm* **1.** comisaría *(f)* **2.** *(organisme)* comisariado *(m)*.

commission *nf* **1.** *(délégation, rémunération)* comisión *(f)* • **travailler à la commission** trabajar a comisión **2.** *(message)* recado *(m).* ∎ **commissions** *nfpl* *(achats)* compra *(f)* ▪ **faire les commissions** hacer la compra.

commissionnaire *nm* comisionista *(mf).*

commissure *nf* comisura *(f)* ▪ **commissure des lèvres** comisura de los labios.

commode ∎ *adj* **1.** *(gén)* cómodo(da) **2.** *(aimable)* amable ▪ **il n'est pas commode** no es de trato fácil. ∎ *nf (meuble)* cómoda *(f).*

commodité *nf* comodidad *(f).*

commotion *nf* conmoción *(f)* ▪ **commotion cérébrale** conmoción cerebral.

commun, e *adj* **1.** *(collectif, semblable)* común ▪ **en commun** en común ▪ **avoir/mettre qqch en commun** tener/poner algo en común **2.** *(répandu)* corriente **3.** *péj (banal)* vulgar **4.** *péj (manières)* basto(ta). ∎ **commune** *nf* municipio *(m).*

communal, e *adj* municipal.

communauté *nf* **1.** *(gén)* comunidad *(f)* ▪ **vivre en communauté** vivir en comunidad ▪ **communauté de biens** comunidad de bienes ▪ **communauté réduite aux acquêts** bienes *(mpl)* gananciales **2.** *(de sentiments, de pensée)* afinidad *(f).* ∎ **Communauté** *nf* ▪ **la Communauté européenne** la Comunidad Europea.

communément *adv* comúnmente.

communiant, e *nm, f* comulgante *(mf)* ▪ **premier communiant** niño, -ña *(f)* que hace la primera comunión.

communication *nf* **1.** *(gén)* comunicación *(f)* ▪ **communication d'entreprise** imagen *(f)* corporativa **2.** *(message)* noticia *(f)* ▪ **avoir communication de qqch** tener noticia de algo **3.** TÉLÉCOM llamada *(f)* (*Esp*), llamado *(m)* (*Amér*) ▪ **être en communication avec qqn** estar hablando con alguien por teléfono ▪ **recevoir/prendre une communication** recibir/aceptar una llamada ▪ **communication locale** llamada urbana *ou* local.

communier *vi* comulgar.

communion *nf* comunión *(f)* ▪ **communion solennelle** comunión solemne ▪ **première communion** primera comunión ▪ **être en communion avec qqn** estar en comunión con alguien.

communiqué *nm* comunicado *(m)* ▪ **communiqué de presse** comunicado de prensa.

communiquer *vt* **1.** *(gén)* comunicar **2.** *(chaleur)* transmitir **3.** *(énergie, rire)* contagiar

communisme *nm* comunismo *(m).*

communiste *adj & nmf* comunista.

commutateur *nm* conmutador *(m).*

compact, e *adj* compacto(ta). ∎ **compact** *nm* disco *(m)* compacto, compact *(m).*

compagnie *nf* **1.** *(gén* & COMM*)* compañía *(f)* ▪ **en compagnie de qqn** en compañía de alguien ▪ **tenir compagnie à qqn** hacer compañía a alguien **2.** *(assemblée)* concurrencia *(f).*

compagnon, compagne *nm, f* compañero *(m),* -ra *(f)* ▪ **compagnon d'infortune** compañero de fatigas. ∎ **compagnon** *nm (artisan)* oficial *(m).*

comparable *adj* comparable.

comparaison *nf* comparación *(f)* ▪ **en comparaison de qqch** en comparación con algo ▪ **par comparaison avec qqch** en comparación con algo.

comparaître *vi* DR comparecer.

comparatif, ive *adj* comparativo(va). ∎ **comparatif** *nm* GRAMM comparativo *(m).*

comparé, e *adj* comparado(da).

comparer *vt* comparar ▪ **comparer qqn/qqch à** *ou* **avec qqn/qqch** comparar a alguien/algo con alguien/algo.

comparse *nmf péj* comparsa *(mf).*

compartiment *nm* compartimento *(m).*

comparution *nf* DR comparecencia *(f).*

compas *nm* compás *(m)* ▪ **avoir le compas dans l'œil** *fig* tener buen ojo.

compassion *nf* compasión *(f)* ▪ **avoir de la compassion pour qqn** sentir compasión por alguien.

compatible *adj* compatible ▪ **compatible avec qqch** compatible con algo.

compatir *vt* compadecer ▪ **compatir à la douleur de qqn** compadecerse de alguien.

compatriote *nmf* compatriota *(mf)*.

compensation *nf* compensación *(f)*.

compensé, e *adj* compensado(da).

compenser *vt* compensar.

compère *nm* compinche *(m)*.

compétence *nf* competencia *(f)*.

compétent, e *adj* competente.

compétitif, ive *adj* competitivo(va).

compétition *nf* competición *(f)* • **être en compétition** competir.

compil *nf fam* grandes éxitos *(mpl)*.

complainte *nf* endecha *(f)*.

complaisant, e *adj* complaciente.

complément *nm* complemento *(m)* • **pour obtenir un complément d'information...** para más información... • **complément d'agent** complemento agente • **complément d'objet direct/indirect** complemento directo/indirecto.

complémentaire *adj* **1.** *(caractère, couleur)* complementario(ria) **2.** *(supplémentaire)* suplementario(ria).

complet, ète *adj* **1.** *(gén)* completo(ta) **2.** *(pain, riz)* integral **3.** *(hôtel, théâtre)* lleno(na). ■ **complet** *nm* traje *(m)*.

compléter *vt* completar. ■ **se compléter** *vp* complementarse.

complexe ⬛ *nm* complejo *(m)* • **complexe hospitalier/scolaire** complejo hospitalario/escolar • **complexe multisalle** multicine *(m)* • **complexe sportif** polideportivo *(m)* • **complexe d'Œdipe** complejo de Edipo. ⬛ *adj* complejo(ja).

complexé, e *adj* acomplejado(da).

complexification *nf* complicación *(f)*.

complexifier *vt* complicar.

complexité *nf* complejidad *(f)*.

complication *nf* **1.** *(complexité)* complejidad *(f)* **2.** *(aggravation)* complicación *(f)*.

complice *adj* & *nmf* cómplice.

complicité *nf* complicidad *(f)*.

compliment *nm* cumplido *(m)* • **faire ses compliments à qqn** *(le féliciter)* felicitar a alguien.

complimenter *vt* • **complimenter qqn sur qqch** felicitar a alguien por algo.

compliqué, e *adj* complicado(da).

compliquer *vt* complicar.

complot *nm* complot *(m)*.

comploter ⬛ *vt (manigancer)* tramar. ⬛ *vi* **1.** *(conspirer)* conspirar **2.** *fig (intriguer)* maquinar.

comportement *nm* comportamiento *(m)*.

comportemental, e *adj* conductista.

comporter *vt* **1.** *(inclure)* conllevar **2.** *(être composé de)* constar de. ■ **se comporter** *vp* **1.** *(se conduire)* comportarse **2.** *(fonctionner)* funcionar.

composant, e *adj* componente. ■ **composant** *nm* componente *(m)*. ■ **composante** *nf* componente *(f)*.

composé, e *adj* compuesto(ta). ■ **composé** *nm* **1.** *(mélange)* mezcla *(f)* **2.** CHIM & LING compuesto *(m)*.

composer ⬛ *vt* **1.** *(gén)* componer, formar **2.** *(numéro de téléphone)* marcar *(Esp)*, discar *(Amér)*. ⬛ *vi (trouver un compromis)* transigir. ■ **se composer** *vp (être constitué)* • **se composer de** componerse de, constar de.

composite ⬛ *nm* compuesto *(m)*. ⬛ *adj* **1.** *(disparate)* heterogéneo(a) **2.** *(matériau)* compuesto(ta).

compositeur, trice *nm, f* **1.** MUS compositor *(m)*, -ra *(f)* **2.** TYPO cajista *(mf)*.

composition *nf* **1.** *(gén)* composición *(f)* • **être de bonne composition** *(personne)* ser de buena pasta **2.** SCOL redacción *(f)*.

composter *vt (billet de train)* picar.

compote *nf* CULIN compota *(f)*.

compréhensible *adj* comprensible.

compréhensif, ive *adj* comprensivo(va).

compréhension *nf* comprensión *(f)*.

comprendre ⬛ *vt* **1.** *(gén)* comprender, entender **2.** *(comporter, inclure)* comprender. ⬛ *vi* comprender, entender.

S'EXPRIMER...

indiquer qu'on n'a pas (tout) compris

¿Perdón? / **Pardon ?** ¿Puedes/Puede repetir, por favor? / **Tu peux/Vous pouvez répéter s'il vous plaît ?** Lo siento, no entiendo (lo que dice). / **Désolé, je ne comprends pas (ce que vous dites).** ¿Cómo se escribe esto, por favor? / **Comment cela s'écrit-il, s'il te/vous plaît ?** ¿Quieres/Quiere decir que...? / **Tu veux/Vous voulez dire que...?** ¿Qué quieres/quiere decir con eso? / **Que veux-tu/voulez-vous dire par là ?** ¿Lo he entendido bien? / **Ai-je bien compris ?**

compresse *nf* compresa *(f)*.

compresser *vt* **1.** *(tasser)* apretujar **2.** INFORM comprimir.

compresseur ▷ **rouleau**.

compression *nf* **1.** *(de l'air)* compresión *(f)* **2.** *fig (réduction)* reducción *(f)* • **compression de personnel** reducción de plantilla.

comprimé, e *adj* comprimido(da). ■ **comprimé** *nm* comprimido *(m)* • **comprimé effervescent** comprimido efervescente.

comprimer *vt* **1.** *(gén)* comprimir **2.** *fig 'dépenses)* reducir **3.** *(serrer)* apretar.

compris, e *adj* **1.** *(situé)* comprendido(da) **2.** *(inclus)* incluido(da) • **non compris** aparte • *(page, date)* exclusive • **y compris** incluido(da) • *(page, date)* inclusive.

compromettre *vt* comprometer.

compromis *nm* compromiso *(m) (acuerdo)*.

compromission *nf* compromiso *(m)*.

comptabilité *nf* **1.** *(technique)* contabilidad *(f)* **2.** *(service)* departamento *(m)* de contabilidad.

comptable ■ *nmf* contable *(mf) (Esp)*, contador *(m)*, -ra *(f) (Amér)*. ■ *adj sout* • **être comptable de qqch** ser responsable de algo.

comptant ■ *adj inv* al contado. ■ *adv* • **payer** *ou* **régler comptant** pagar *ou* abonar al contado. ■ *nm* • **au comptant** al contado.

compte *nm (gén)* cuenta *(f)* • **être/se mettre à son compte** trabajar/establecerse por su cuenta *ou* por cuenta propia • **faire le compte de qqch** hacer el recuento de algo • **ouvrir un compte** abrir una cuenta • **compte bancaire** *ou* **en banque** cuenta bancaria • **compte courant/d'épargne** cuenta corriente/de ahorros • **compte créditeur/débiteur** cuenta acreedora/deudora • **compte de dépôt** cuenta de depósito • **compte d'exploitation** cuenta de explotación • **compte joint** cuenta conjunta • **compte postal** cuenta de la caja postal • **compte à rebours** cuenta atrás • **prendre qqch en compte, tenir compte de qqch** tener en cuenta algo • **rendre compte de qqch** dar cuenta de algo • **se rendre compte de qqch/que** darse cuenta de algo/ce que. ■ **comptes** *nmpl (comptabilité)* cuentas *(fpl)* • **faire ses comptes** hacer cuentas.

compte-chèques *nm* cuenta *(f)* corriente con talonario.

compte-gouttes *nm inv* cuentagotas *(m inv)*.

compter ■ *vt* **1.** *(dénombrer)* contar **2.** *(avoir l'intention de)* pensar • **je compte m'installer à Paris** pienso instalarme en París. ■ *vi* contar • **compter sur qqn/sur qqch** contar con alguien/con algo • **compter parmi** contarse entre.

compte rendu, compte-rendu *nm* **1.** *(gén)* informe *(m)* **2.** *(de livre, de spectacle)* reseña *(f)* **3.** *(de séance)* acta *(f)*.

compte-tours *nm inv* cuentarrevoluciones *(m inv)*.

compteur *nm* contador *(m)*.

comptine *nf* canción *(f)* infantil.

comptoir *nm* **1.** *(de bar)* barra *(f)* **2.** *(de magasin)* mostrador *(m)* **3.** *(Suisse) (foire)* feria *(f)* de muestras.

compulser *vt* consultar.

comte, comtesse *nm, f* conde *(m)*, -desa *(f)*.

con, conne ■ *tfam pě* ■ *adj* **1.** *(personne)* gilipollas *(Esp)*, gil(gila) *(Amér)*, **2.** *(chose)* tonto(ta). ■ *nm, f* gilipollas *(mf inv)*.

concave *adj* cóncavo(va).

concéder *vt* **1.** *(donner)* conceder **2.** *sout* • **concéder qqch à qqn** admitir algo ante alguien.

concentration *nf* concentración *(f)*.

concentré, e *adj* **1.** *(gén)* concentrado(da) **2.** *(esprit, personne)* centrado(da). ■ **concentré** *nm* concentrado *(m)*.

concentrer *vt* concentrar.

concentrique *adj* concéntrico(ca).

concept *nm* concepto *(m)*.

conception *nf* **1.** *(d'un projet, d'un enfant)* concepción *(f)* **2.** *(d'une machine)* diseño *(m)* • **conception assistée par ordinateur** diseño asistido por ordenador.

concerner *vt* concernir • **être concerné par qqch** concernirle algo a uno • **se sentir concerné par qqch** afectarle algo a uno • **en ce qui concerne** en lo que se refiere a, en lo que concierne a • **en ce qui me concerne** por lo que a mí respecta.

concert *nm* concierto *(m)*.

concertation *nf* concertación *(f)*.

concerter *vt* concertar. ■ **se concerter** *vp* ponerse de acuerdo.

concerto *nm* concierto *(m)*.

concession *nf* concesión *(f)* • **concession à perpétuité** concesión a perpetuidad.

concessionnaire *adj* & *nm* concesionario(ria).

concevable *adj* concebible.

concevoir *vt* concebir.

concierge *nmf* portero *(m)*, -ra *(f)*.

conciliateur, trice *nm, f* conciliador *(m)*, -ra *(f)*.

conciliation *nf* conciliación *(f)*.

concilier *vt* **1.** *(mettre d'accord)* conciliar **2.** *(faire coïncider)* • **concilier qqch et** *ou* **avec qqch** compaginar algo y *ou* con algo.

concis, e *adj* conciso(sa).

concision *nf* concisión *(f)*.

concitoyen, enne *nm, f* conciudadano *(m)*, -na *(f)*.

concluant, e *adj* concluyente.

conclure ■ *vt* **1.** *(affaire, marché)* cerrar **2.** *(discours, écrit)* concluir **3.** *(déduire)* • **en conclure que** deducir que. ■ *vi* • **conclure à qqch** *(innocence, culpabilité)* pronunciarse por *ou* sobre algo.

conclusion *nf* **1.** *(fin, déduction)* conclusión *(f)* • **en conclusion** en conclusión **2.** *(d'un traité)* firma *(f)*.

concombre *nm* pepino *(m)*.

concordance *nf* concordancia *(f)* • **concordance des temps** concordancia de tiempos.

concorde *nf* concordia *(f)*.

concorder *vi* concordar • **concorder avec qqch** concordar con algo.

concourir *vi* **1.** *(contribuer)* • **concourir à qqch** contribuir a algo **2.** *(à un concours)* presentarse.

concours *nm* **1.** *(dans l'administration)* oposición *(f)* **2.** UNIV examen *(m)* de selección **3.** *(compétition)* concurso *(m)* • **concours hippique** concurso hípico **4.** *(collaboration)* colaboración *(f)*. ■ **concours de circonstances** *nm* cúmulo *(m)* de circunstancias.

concret, ète *adj* concreto(ta).

concrétiser *vt* **1.** *(projet, souhait)* materializar **2.** *(accord, offre)* concretar. ■ **se concrétiser** *vp* **1.** *(projet, souhait)* materializarse **2.** *(accord, offre)* concretarse.

concubinage *nm* concubinato *(m)*.

concupiscent, e *adj* concupiscente.

concurremment *adv* conjuntamente.

concurrence *nf* competencia *(f)*.

concurrent, e *adj* & *nm, f* competidor(ra).

concurrentiel, elle *adj* competitivo(va).

condamnation *nf* condena *(f)*.

condamné, e ☒ *adj* **1.** DR condenado(da) **2.** *(malade)* desahuciado(da). ☒ *nm, f* DR condenado *(m)*, -da *(f)*.

condamner *vt* **1.** *(gén & DR)* condenar • **condamner qqn à qqch** condenar a alguien a algo **2.** *(malade)* desahuciar **3.** *(interdire)* prohibir **4.** *(blâmer, dénoncer)* denunciar, condenar **5.** *(fermer)* condenar, tapiar.

condensateur *nm* condensador *(m)*.

condensation *nf* condensación *(f)*.

condensé, e *adj* condensado(da). ■ **condensé** *nm* resumen *(m)*.

condenser *vt* **1.** *(gaz)* condensar **2.** *(récit, pensée)* resumir.

condiment *nm* condimento *(m)*.

condisciple *nmf* condiscípulo *(m)*, -la *(f)*.

condition *nf* **1.** *(gén)* condición *(f)* • **sans condition** sin condiciones **2.** *(état physique)* condiciones *(fpl)* físicas • **être en bonne/mauvaise condition** estar en buenas/malas condiciones físicas. ■ **conditions** *nfpl* condiciones *(fpl)* • **conditions atmosphériques** condiciones atmosféricas • **conditions de vie** condiciones de vida. • **à condition de** *loc prép* con la condición de, a condición de que. ■ **à condition que** *loc conj* a condición de que.

conditionné, e *adj* **1.** *(produit)* envasado(da) **2.** ▷ **air**.

conditionnel, elle *adj* condicional. ■ **conditionnel** *nm* GRAMM condicional *(m)*.

conditionnement *nm* **1.** *(emballage)* envase *(m)* **2.** *(opérations d'emballage)* envasado *(m)* **3.** PSYCHO condicionamiento *(m)*.

conditionner *vt* **1.** *(influencer & PSYCHO)* condicionar **2.** *(produit)* envasar **3.** *(climatiser)* acondicionar.

condoléances *nfpl* pésame *(m)* • **présenter ses condoléances à qqn** dar el pésame a alguien.

conducteur, trice ☒ *adj* ÉLECTR conductor(ra). ☒ *nm, f (chauffeur)* conductor *(m)*, -ra *(f) (Esp)*, motorista *(mf) (Amér)*. ■ **conducteur** *nm* ÉLECTR conductor *(m)*.

conduire ☒ *vt* **1.** *(gén)* conducir **2.** *(en voiture)* llevar en coche. ☒ *vi* • **conduire à qqch** conducir *ou* llevar a algo. ■ **se conduire** *vp* portarse.

conduit *nm* conducto *(m)*.

conduite *nf* **1.** *(de véhicule)* conducción *(f)* **2.** *(d'une entreprise, d'un projet)* dirección *(f)* **3.** *(comportement)* conducta *(f)* **4.** *(canalisation)* conducto *(m)* • **conduite d'eau** conducto de agua • **conduite de gaz** conducto de gas.

cône *nm* cono *(m)*.

confection *nf* confección *(f)*.

confectionner *vt* confeccionar.

confédération *nf* confederación *(f)*.

conférence *nf* conferencia *(f)* • **conférence de presse** rueda *(f)* de prensa.

conférencier, ère *nm, f* conferenciante *(mf)*.

conférer *vt* • **conférer qqch à qqn** conferir algo a alguien.

confesser *vt* confesar. ■ **se confesser** *vp* confesarse.

confession *nf* confesión *(f)*.

confessionnal *nm* confesionario *(m)*.

confetti *nm* confeti *(m)*.

confiance *nf* confianza *(f)* • **avoir confiance en qqn/en qqch** tener confianza en alguien/en algo, confiar en alguien/en algo • **avoir confiance en soi** tener confianza en uno mismo • **faire confiance à qqn/à qqch** fiarse de alguien/de algo.

confiant, e *adj* confiado(da).

confidence *nf* confidencia *(f)*.

confident, e *nm, f* confidente *(mf)*.

confidentiel, elle *adj* confidencial.

confier *vt* • **confier qqn/qqch à qqn** *(donner)* confiar a alguien/algo a alguien • **confier qqch à qqn** *(dire)* confiar algo a alguien. ■ **se confier** *vp* • **se confier à qqn** confiarse a alguien.

confins ■ **aux confins de** *loc prép* en los confines de.

confirmation *nf* confirmación *(f)*.

confirmer *vt* confirmar • **confirmer que** confirmar que • **confirmer qqn dans qqch** confirmar a alguien en algo. ■ **se confirmer** *vp* confirmarse.

confiserie *nf* **1.** *(activité, magasin)* confitería *(f)* **2.** *(sucrerie)* dulce *(m)*.
confiseur, euse *nm, f* confitero *(m)*, -ra *(f)*.
confisquer *vt* **1.** *(biens)* confiscar, decomisar **2.** *(objet)* quitar.
confiture *nf* mermelada *(f)*.
conflit *nm* conflicto *(m)*.
confondre *vt* confundir.
conformation *nf* conformación *(f)*.
conforme *adj* • **conforme à qqch** conforme a *ou* con algo.
conformément *adv* • **conformément à qqch** conforme a algo.
conformer *vt* • **conformer qqch à qqch** ajustar algo a algo. ■ **se conformer** *vp* • **se conformer à qqch** *(s'adapter à)* adaptarse a algo • *(obéir à)* someterse a algo.
conformiste *adj & nmf* conformista.
conformité *nf* conformidad *(f)* • **conformité à qqch** conformidad con algo *(f)* • **être en conformité avec qqch** estar en conformidad con algo.
confort *nm* comodidad *(f)* • **tout confort** con todas las comodidades.
confortable *adj* **1.** *(fauteuil)* cómodo(da), confortable **2.** *(vie)* desahogado(da) **3.** *(avance)* cómodo(da).
confrère, consœur *nm, f* colega *(mf)*.
confrontation *nf* **1.** *(face à face)* careo *(m)* **2.** *(comparaison)* confrontación *(f)*, cotejo *(m)*.
confronter *vt* **1.** *(mettre face à face)* • **être confronté à qqch** enfrentarse a algo **2.** *(comparer)* confrontar, cotejar.
confus, e *adj* **1.** *(embrouillé)* confuso(sa) **2.** *(désolé)* • **je suis confus de ce retard** lamento este retraso • **je suis vraiment confus** lo siento mucho, no sé qué decir.
confusion *nf* confusión *(f)*.
congé *nm* **1.** *(vacances)* vacaciones *(fpl)* • **en congé** de vacaciones **2.** *(arrêt de travail)* baja *(f)* laboral • **congé (de) maladie/de maternité** baja por enfermedad/por maternidad **3.** *(renvoi)* despido *(m)* • **donner son congé à qqn** despedir a alguien • **prendre congé** despedirse.
congédier *vt sout* despedir *(Esp)*, cesantear *(Amér)*.
congé-formation *nm* ≃ permiso *(m)* de formación.
congélateur *nm* congelador *(m)*.
congeler *vt* congelar.
congénital, e *adj* congénito(ta).
congère *nf* ventisquero *(m)*.
congestion *nf* congestión *(f)* • **congestion pulmonaire** congestión pulmonar.
Congo *npr* • **le Congo** el Congo.
congratuler *vt sout* congratular.

S'EXPRIMER...

prendre congé
¡Hasta luego! / **Au revoir !** ¡Adiós! / **Salut !** ¡Nos vemos luego! / **À plus tard !** ¡Hasta ahora! / **À tout à l'heure !** ¡Hasta la noche! / **À ce soir !** ¡Hasta el martes! / **À mardi !** ¡Buenas noches! / **Bonne nuit !** Lo siento, pero tengo que irme. / **Désolé, il faut que je parte.** Tengo prisa. / **Je suis pressé.** Hala, ¡hasta otra! *ou* ¡hasta la próxima! / **Bon, à la prochaine !** Ha sido un placer conocerlo. / **C'était un plaisir de te/vous rencontrer.** Encantado de conocerte/lo. / **J'ai été très content de faire ta/votre connaissance.** ¡Ánimo! / **Bon courage !** ¡Buen viaje! / **Bon voyage !**

congrégation *nf* congregación *(f)*.
congrès *nm* congreso *(m)*.
conifère *nm* conífera *(f)*.
conjecture *nf* conjetura *(f)*.
conjecturer *vt sout* • **conjecturer qqch** hacer conjeturas sobre algo.
conjoint, e *adj* **1.** *(note)* adjunto(ta) **2.** *(demande)* conjunto(ta). ■ *nm, f* cónyuge *(mf)*.
conjonctif, ive *adj* conjuntivo(va).
conjonction *nf* conjunción *(f)*.
conjonctivite *nf* conjuntivitis *(f inv)*.
conjoncture *nf* coyuntura *(f)*.
conjugaison *nf* conjugación *(f)*.
conjugal, e *adj* conyugal.
conjuguer *vt* conjugar.
conjuration *nf* **1.** *(conspiration)* conjura *(f)* **2.** *(exorcisme)* conjuro *(m)*.
connaissance *nf* **1.** *(savoir, conscience)* conocimiento *(m)* • **à ma connaissance** que yo sepa • **en connaissance de cause** con conocimiento de causa • **perdre/reprendre connaissance** perder/recobrar el conocimiento • **prendre connaissance de qqch** enterarse de algo **2.** *(relation)* conocido *(m)*, -da *(f)* • **faire connaissance (avec qqn)** conocerse (con alguien).
connaisseur, euse *adj & nm, f* entendido(da).
connaître *vt* conocer.
connecter *vt* ÉLECTR conectar.
connexion *nf* conexión *(f)*.
connu, e *adj* conocido(da).
conquérant, e *adj & nm, f* conquistador(ra).
conquérir *vt* conquistar.
conquête *nf* conquista *(f)*.
consacrer *vt* **1.** *(église)* consagrar **2.** *(employer)* • **consacrer qqch à qqch** dedicar algo a algo. ■ **se consacrer** *vp* • **se consacrer à** *(se vouer à)* consagrarse a • *(s'occuper de)* dedicarse a.

consanguin, e *adj* & *nm, f* consanguíneo(a).

conscience *nf* **1.** *(gén)* conciencia *(f)* • **avoir conscience de qqch** tener conciencia de algo, ser consciente de algo • **avoir bonne conscience** tener la conciencia tranquila • **avoir mauvaise conscience** tener mala conciencia • **conscience professionnelle** ética *(f)* profesional **2.** *(connaissance)* • **perdre/reprendre conscience** perder/recobrar el conocimiento.

consciencieux, euse *adj* concienzudo(da).

conscient, e *adj* consciente • **être conscient de qqch** ser consciente de algo.

conscription *nf* reclutamiento *(m)*.

conscrit *nm* recluta *(m)*.

consécration *nf* consagración *(f)*.

consécutif, ive *adj* **1.** *(successif* & GRAMM*)* consecutivo(va) **2.** *(résultant)* • **consécutif à qqch** provocado por algo.

conseil *nm* **1.** *(avis, assemblée)* consejo *(m)* • **donner un conseil/des conseils** dar un consejo/(unos) consejos • **conseil d'administration** consejo de administración • **conseil de classe** ≃ junta *(f)* de evaluación • **conseil de discipline** consejo de disciplina • **conseil des ministres** consejo de ministros **2.** *(conseiller)* asesor *(m)*, -ra *(f)*.

donner et demander un conseil

¿Qué hago? / **Qu'est ce que je dois faire?** ¿Qué piensas? / **Qu'en penses-tu?** Yo en tu lugar llamaría al médico. / **Si j'étais toi, j'appellerais le médecin.** Sería mejor que te quedaras en casa. OU Más te valdría quedarte en casa. / **Tu ferais mieux de rester à la maison.**

conseiller[1] *vt (recommander)* aconsejar • **conseiller qqch à qqn** aconsejar algo a alguien.

conseiller[2]**, ère** *nm, f* consejero *(m)*, -ra *(f)* • **conseiller matrimonial** consejero matrimonial • **conseiller municipal** concejal *(m)*.

consensuel, elle *adj* **1.** *(contrat)* consensual **2.** *(politique)* consensuado(da).

consentement *nm* consentimiento *(m)*.

consentir *vi (accepter)* • **consentir à qqch** consentir algo • **je consens à ce qu'il parte** consiento que se marche.

conséquence *nf* consecuencia *(f)* • **ça ne porte pas à conséquence** no tiene importancia.

conservateur, trice *adj* & *nm, f* conservador(ra). ■ **conservateur** *nm (produit)* conservante *(m)*.

conservation *nf* conservación *(f)*.

conservatoire *nm* conservatorio *(m)* • **conservatoire d'art dramatique** escuela *(f)* de arte dramático • **conservatoire de musique** conservatorio (de música).

conserve *nf* conserva *(f)* • **mettre en conserve** poner en conserva.

conserver *vt* conservar • **être bien conservé** conservarse bien, estar bien conservado.

considérable *adj* considerable.

considération *nf* consideración *(f)* • **en considération de qqch** en consideración a algo • **prendre qqch en considération** tomar algo en consideración. ■ **considérations** *nfpl* • **se perdre en considérations** perderse en consideraciones.

considérer *vt* **1.** *(envisager)* considerar **2.** *(observer)* mirar **3.** *(juger)* • **considérer que** considerar que • **il considère qu'il est trop jeune pour se marier** considera que es demasiado joven para casarse • **on le considère comme le meilleur** está considerado (como) el mejor **4.** *(apprécier)* apreciar.

consigne *nf* **1.** *(gén pl) (ordre)* consigna *(f)* **2.** *(à bagages)* consigna *(f)* **3.** *(d'une bouteille)* importe *(m)* del casco.

consigner *vt* **1.** *(bagage)* dejar en consigna **2.** *(bouteille)* • **consigné/non consigné** retornable/no retornable **3.** *sout (relater)* anotar **4.** MIL acuartelar.

consistance *nf* consistencia *(f)*.

consistant, e *adj* consistente.

consister *vi* • **consister en qqch** *(se composer de)* constar de algo • **consister à faire qqch** consistir en hacer algo.

consolation *nf* consuelo *(m)*.

console *nf* **1.** *(table* & INFORM*)* consola *(f)* • **console de jeux** INFORM consola de juegos **2.** ARCHIT ménsula *(f)*.

consoler *vt* • **consoler qqn (de qqch)** consolar a alguien (de algo).

consolider *vt* consolidar.

consommateur, trice *nm, f* **1.** *(acheteur)* consumidor *(m)*, -ra *(f)* **2.** *(client)* cliente *(m)*, -ta *(f)*.

consommation *nf* **1.** *(de papier, d'essence, etc)* consumo *(m)* • **la société de consommation** la sociedad de consumo **2.** *(boisson)* consumición *(f)* **3.** *(accomplissement)* consumación *(f)*.

consommé, e *adj* sout *(accompli)* consumado(da). ■ **consommé** *nm* consomé *(m)*, caldo *(m)* (de carne).

consommer ◙ *vt* **1.** *(gén)* consumir **2.** *sout (accomplir)* consumar. ◙ *vi* consumir.

consonance *nf* **1.** *(rime* & MUS*)* consonancia *(f)* **2.** *(ensemble de sons)* resonancia *(f)*, sonido *(m)*.

consonne *nf* consonante *(f)*.

conspirateur, trice *nm, f* conspirador *(m)*, -ra *(f)*.

conspiration *nf* conspiración *(f)*

conspirer ◼ *vt* maquinar. ◼ *vi* conspirar • **conspirer contre qqn/contre qqch** conspirar contra alguien/contra a algo.

constamment *adv* constantemente.

constant, e *adj* constante.

Constantinople *npr* Constantinopla *(f)*.

constat *nm* **1.** *(procès-verbal - par un officiel)* atestado *(m)*, acta *(f)* • *(- par un particulier)* parte *(m)* **2.** *(constatation)* constatación *(f)*.

constatation *nf* constatación *(f)*.

constater *vt* **1.** *(se rendre compte de)* constatar **2.** *(consigner)* hacer constar.

constellation *nf* constelación *(f)*.

constellé, e *adj* • **constellé de** *(parsemé de)* salpicado de • *(maculé de)* cubierto de.

consternation *nf* consternación *(f)*.

consterner *vt* consternar.

constipation *nf* estreñimiento *(m)*.

constipé, e *adj* estreñido(da) • **avoir l'air constipé** *fam fig* tener cara de estreñido.

constituer *vt* constituir.

constitution *nf* constitución *(f)*.

constructeur, trice *nm, f* **1.** *(fabricant)* fabricante *(mf)* **2.** *(bâtisseur)* constructor *(m)*, -ra *(f)*.

construction *nf* construcción *(f)*.

construire *vt* construir.

consul *nm* cónsul *(m)*.

consultation *nf* consulta *(f)*.

consulter ◼ *vt* **1.** *(gén)* consultar **2.** *(spécialiste - médecin)* consultar a • *(- avocat)* consultar con. ◼ *vi* *(médecin)* tener consulta, visitar.

contact *nm* contacto *(m)*.

contacter *vt* ponerse en contacto con, contactar con.

contagieux, euse ◼ *adj* contagioso(sa). ◼ *nm, f* enfermo *(m)* contagioso, enferma *(f)* contagiosa.

contagion *nf* contagio *(m)*.

contaminer *vt* **1.** *(infecter)* contaminar **2.** *fig (gagner)* contagiar.

conte *nm* cuento *(m)* • **conte de fées** cuento de hadas.

contemplation *nf* contemplación *(f)*.

contempler *vt* contemplar.

contemporain, e *adj* & *nm, f* contemporáneo(a).

contenance *nf* **1.** *(de bouteille, réservoir)* capacidad *(f)* **2.** *fig (attitude)* compostura *(f)* • **perdre contenance** perder la compostura.

contenir *vt* **1.** *(sujet : récipient, salle)* tener (una) capacidad para **2.** *(inclure, retenir)* contener. ◼ **se contenir** *vp* contenerse.

content, e *adj* contento(ta) • **content de qqn/ de qqch/de faire qqch** contento con alguien/ con algo/de hacer algo.

contentement *nm* contento *(m)*.

contenter *vt* **1.** *(clientèle)* contentar **2.** *(caprice, besoin)* satisfacer. ◼ **se contenter** *vp* • **se contenter de qqch/de faire qqch** contentarse con algo/con hacer algo.

contentieux *nm* contencioso *(m)*.

contenu *nm* contenido *(m)*.

conter *vt* contar (relatar).

contestable *adj* discutible.

contestation *nf* contestación *(f)* • **sans contestation possible** indiscutible.

conteste ◼ **sans conteste** *loc adv* sin lugar a dudas.

contester ◼ *vt* discutir. ◼ *vi* protestar.

conteur, euse *nm, f* **1.** narrador *(m)*, -ra *(f)* **2.** *(écrivain)* cuentista *(mf)*.

contexte *nm* contexto *(m)*.

contigu, uë *adj* contiguo(gua) • **contigu à qqch** contiguo a algo.

continent *nm* continente *(m)*.

continental, e *adj* continental.

contingence *nf* *(gén pl)* contingencia *(f)*.

contingent, e *adj* contingente. ◼ **contingent** *nm* **1.** MIL contingente *(m)* **2.** *(de marchandises)* cupo *(m)*, contingente *(m)*.

continu, e *adj* continuo(nua).

continuation *nf* continuación *(f)* • **bonne continuation !** te/le deseo lo mejor.

continuel, elle *adj* continuo(nua).

continuer ◼ *vt* continuar, seguir • **continuer à** ou **de faire qqch** continuar ou seguir haciendo algo. ◼ **se continuer** *vp* seguir.

continuité *nf* continuidad *(f)*.

contorsionner ◼ **se contorsionner** *vp* contorsionarse.

contour *nm* **1.** *(limite, silhouette)* contorno *(m)* **2.** *(gén pl) (de route)* curva *(f)* **3.** *(de cours d'eau)* meandro *(m)*.

contourner *vt* **1.** *(obstacle)* rodear, salvar **2.** *fig (difficulté)* salvar, esquivar.

contraceptif, ive *adj* anticonceptivo(va). ◼ **contraceptif** *nm* anticonceptivo *(m)*.

contraception *nf* anticoncepción *(f)*, contracepción *(f)*.

contracter *vt* contraer.

contraction *nf* *(de muscle)* contracción *(f)*.

contradiction *nf* contradicción *(f)*.

contradictoire *adj* **1.** *(idées)* contradictorio(ria) **2.** *(débat)* polémico(ca).

contraignant, e *adj* **1.** *(devoir, travail)* apremiante **2.** *(horaire)* exigente.

contraindre *vt* • **contraindre qqn à faire qqch/à qqch** obligar a alguien a algo/a hacer algo.

contrainte nf **1.** (violence) coacción (f) **2.** (obligation) obligación (f) ▪ **obtenir qqch sous la contrainte** obtener algo por coacción.

contraire ◼ nm contrario (m). ◼ adj **1.** (opposé) contrario(ria) ▪ **contraire à qqch** contrario(ria) a algo **2.** (nuisible) ▪ **contraire à qqch/à qqn** perjudicial para algo/para alguien. ◼ **au contraire** loc adv al contrario. ◼ **au contraire de** loc prép al contrario de.

contrairement ◼ **contrairement à** loc prép contrariamente a.

contrarier vt **1.** (irriter) contrariar **2.** (contrecarrer) oponerse a.

contrariété nf contrariedad (f).

contraste nm contraste (m).

contraster ◼ vt hacer contrastar. ◼ vi contrastar ▪ **contraster avec qqn/avec qqch** contrastar con alguien/con algo.

contrat nm **1.** (acte, convention) contrato (m) ▪ **être sous contrat** estar bajo contrato ▪ **contrat d'apprentissage** contrato en prácticas ▪ **contrat à durée déterminée/indéterminée** contrato temporal/indefinido ▪ **contrat emploi-solidarité** pour expliquer à un hispanophone ce que c'est, vous pouvez le définir ainsi : es un contrato destinado a favorecer la inserción o reinserción laboral, por 20 horas semanales y una duración máxima de 24 meses, generalmente en el sector asociativo. **2.** (entente) trato (m).

contravention nf multa (f).

contre ◼ prép **1.** (gén) contra ▪ **élu à 15 voix contre 9** elegido por 15 votos a favor y 9 en contra **2.** (comparaison) frente a **3.** (échange) por ▪ **troquer une bille contre une gomme** cambiar una canica por una goma. ◼ adv **1.** (opposition) contra **2.** (juxtaposition) ▪ **consultez le tableau ci-contre** véase cuadro adjunto. ◼ **par contre** loc adv en cambio.

contre-attaque nf contraataque (m).

contrebalancer vt sout contrarrestar.

contrebande nf contrabando (m).

contrebandier, ère nm, f contrabandista (mf).

contrebas ◼ **en contrebas** loc adv más abajo. ◼ **en contrebas de** loc prép más abajo de.

contrebasse nf contrabajo (m).

contrecarrer vt oponerse a.

contrecœur ◼ **à contrecœur** loc adv a regañadientes.

contrecoup nm consecuencia (f).

contre-courant ◼ **à contre-courant** loc adv a contracorriente. ◼ **à contre-courant de** loc prép a contracorriente de.

contredire vt contradecir. ◼ **se contredire** vp contradecirse.

contrée nf tierra (f).

contre-espionnage nm contraespionaje (m).

contre-exemple nm excepción (f) a la regla.

contre-expertise nf peritaje (m) de comprobación.

contrefaçon nf **1.** COMM (de marque) imitación (f) **2.** (de billets, signature) falsificación (f).

contrefort nm contrafuerte (m).

contre-indication nf contraindicación (f).

contre-jour nm contraluz (f). ◼ **à contre-jour** loc adv a contraluz.

contremaître nm capataz (m).

contremarque nf **1.** THÉÂTRE & CINÉ contraseña (f) (tíquet) **2.** COMM contramarca (f), contraseña (f).

contre-offensive nf contraofensiva (f).

contrepartie nf **1.** (compensation) contrapartida (f) **2.** (contraire) ▪ **la contrepartie** lo contrario. ◼ **en contrepartie** loc adv en contrapartida.

contre-performance nf mal resultado (m).

contrepèterie nf retruécano (m).

contre-pied nm inv ▪ **prendre le contre-pied de qqch** defender lo contrario de algo.

contreplaqué nm contrachapado (m).

contre-plongée nf CINÉ & PHOTO contrapicado (m).

contrepoids nm contrapeso (m).

contre-pouvoir nm contrapoder (m).

contrer ◼ vt **1.** (s'opposer à) oponerse a **2.** (aux cartes) doblar. ◼ vi (aux cartes) jugar a la contra.

contresens nm contrasentido (m).

contresigner vt refrendar.

contretemps nm contratiempo (m). ◼ **à contretemps** loc adv **1.** MUS a contratiempo **2.** fig a destiempo.

contrevenir vi ▪ **contrevenir à qqch** contravenir algo.

contribuable nmf contribuyente (mf).

contribuer vi ▪ **contribuer à qqch/à faire qqch** contribuir en algo/a hacer algo.

contribution nf **1.** (somme d'argent) contribución (f) **2.** (gén pl) (impôt) impuesto (m) ▪ **contributions directes/indirectes** impuestos directos/indirectos **3.** (collaboration, participation) colaboración (f), contribución (f) ▪ **mettre qqn à contribution** recurrir a alguien, echar mano de alguien.

contrit, e adj sout contrito(ta).

contrôle nm control (m) ▪ **perdre le contrôle de qqch** perder el control de algo ▪ **contrôle d'identité** control de identidad ▪ **contrôle judiciaire** vigilancia (f) judicial ▪ **contrôle des naissances** control de natalidad ▪ **contrôle parental** control parental.

contrôler vt **1.** (maîtriser, diriger) controlar **2.** (vérifier) comprobar.

contrôleur, euse *nm, f (de bus, train, etc)* revisor *(m)*, -ra *(f)*, interventor *(m)*, -ra *(f)* ▪ **contrôleur aérien** controlador *(m)* aéreo.

contrordre *nm* contraorden *(f)* ▪ **sauf contrordre** si no hay contraorden.

controverse *nf* controversia *(f)*.

controversé, e *adj* controvertido(da).

contumace *nf* DR ▪ **condamné par contumace** condenado en rebeldía.

contusion *nf* contusión *(f)*.

convaincre *vt* 1. *(persuader)* ▪ **convaincre qqn de qqch/de faire qqch** convencer a alguien de algo/de que haga algo 2. DR *(reconnaître coupable)* probar la culpabilidad de.

convaincre quelqu'un

¡Créeme! / **Fais-moi confiance !** ¡Créame! / **Croyez-moi !** ¡No te arrepentirás/se arrepentirá! / **Tu ne le regretteras pas !/Vous ne le regretterez pas !** ¡No hagas caso! ou ¡Déjalo (correr)! / **Laisse tomber !** ¡Mira que eres terco! / **Ne sois pas si têtu !**

convaincu, e *adj* convencido(da) ▪ **convaincu de qqch** *(d'un crime, etc)* convicto de algo.

convalescence *nf* convalecencia *(f)* ▪ **être en convalescence** estar en período de convalecencia.

convalescent, e *adj & nm, f* convaleciente.

convenable *adj* 1. *(tenue, manières)* decente 2. *(approprié)* conveniente 3. *(acceptable, normal)* aceptable.

convenance *nf* conveniencia *(f)* ▪ **à ma/à sa convenance** a mi/a su conveniencia. ▪ **convenances** *nfpl* reglas *(fpl)* de urbanidad.

convenir ▪ *vi* 1. *(se mettre d'accord)* ▪ **convenir de qqch/de faire qqch** acordar algo/hacer algo 2. *(satisfaire)* ▪ **convenir à qqn** convenir a alguien 3. *(être approprié)* ▪ **convenir à** ou **pour qqch** ser adecuado(da) para algo 4. sout *(admettre)* ▪ **convenir que/de qqch** admitir ou reconocer que/algo. ▪ *v impers (être utile)* ▪ **il convient d'y réfléchir** convendría pensárselo.

convention *nf* 1. *(accord)* convenio *(m)* ▪ **convention collective** convenio colectivo 2. *(assemblée)* convención *(f)*. ▪ **conventions** *nfpl* convencionalismos *(mpl)* ▪ **les conventions sociales** los convencionalismos sociales.

conventionné, e *adj (médecin)* vinculado, -da *(f)* por un convenio *(para aplicar las tarifas establecidas por la Seguridad Social)*.

conventionnel, elle *adj* convencional.

convenu, e *adj* 1. *(décidé)* convenido(da) ▪ **comme convenu** según lo acordado 2. *péj (stéréotypé)* convencional.

convergent, e *adj* convergente.

converger *vi* converger.

conversation *nf* conversación *(f)*.

engager la conversation

Oye,... / **Écoute,...** ou **Dis donc,...** ¿Tiene un momentito? / **Vous avez un moment ?** Disculpe, pero tengo una pregunta. / **Excusez-moi, mais j'ai une question.**

converser *vi* sout conversar ▪ **converser avec qqn** conversar con alguien.

conversion *nf* conversión *(f)* ▪ **conversion de qqch en qqch** conversión de algo en algo.

converti, e *nm, f* converso *(m)*, -sa *(f)*.

convertir *vt* convertir ▪ **convertir qqch en qqch** convertir algo en algo ▪ **convertir qqn à qqch** convertir a alguien a algo. ▪ **se convertir** *vp* ▪ **se convertir à qqch** convertirse a algo

convexe *adj* convexo(xa).

conviction *nf* convicción *(f)*. ▪ **convictions** *nfpl* convicciones *(fpl)*.

convier *vt* ▪ **convier qqn à qqch** *(inviter)* convidar a alguien a algo ▪ *fig & sout (inciter)* invitar a alguien a algo.

convive *nmf* comensal *(mf)*.

convivial, e *adj* 1. *(réunion, assemblée)* distendido(da) 2. INFORM de fácil manejo.

convocation *nf* convocatoria *(f)*.

convoi *nm* 1. *(de véhicules, de train)* convoy *(m)* 2. *(cortège funèbre)* cortejo *(m)*.

convoiter *vt* codiciar.

convoitise *nf* codicia *(f)*.

convoquer *vt* convocar.

convoyer *vt* escoltar.

convoyeur, euse *adj* de escolta. ▪ *nm, f* escolta *(m)* ▪ **convoyeur de fonds** guarda *(m)* jurado.

convulsé, e *adj* convulso(sa).

convulsion *nf* convulsión *(f)*.

cookie *nm (petit gâteau & INFORM)* cookie *(m ou f)*.

coopération *nf* cooperación *(f)*.

coopérer *vi* ▪ **coopérer à qqch** cooperar en algo.

coordination *nf* coordinación *(f)*.

coordonnée *nf* 1. LING coordinada *(f)* 2. MATH coordenada *(f)* ▪ **coordonnées** *nfpl* 1. fam *(adresse)* señas *(fpl)* 2. GÉOGR coordenadas *(fpl)*.

coordonner *vt* coordinar.

copain, copine ■ *adj* amigo(ga). ■ *nm, f fam* colega *(mf) (Esp)*, viejo *(m)*, -ja *(f) (Amér)*.

copeau *nm* viruta *(f)*.

Copenhague *npr* Copenhague.

copie *nf* 1. *(double, reproduction)* copia *(f)* 2. SCOL *(d'examen)* examen *(m)* ▪ **rendre copie blanche** entregar el examen en blanco 3. INFORM ▪ **copie d'écran** copia *(f)* de pantalla.

copier ■ *vt (gén & INFORM)* copiar. ■ *vi* ▪ **copier sur qqn** copiar de alguien.

copier-coller *vt* INFORM copiar y pegar.

copieux, euse *adj* copioso(sa).

copilote *nmf* copiloto *(m)*.

coproducteur, trice *nm, f* coproductor *(m)*, -ra *(f)*.

coproduction *nf* coproducción *(f)*.

copropriété *nf* copropiedad *(f)*.

copulation *nf* cópula *(f)*.

coq *nm* 1. ZOOL gallo *(m)* 2. CULIN pollo *(m) (Esp)*, ave *(f) (Amér)*.

coque *nf* 1. *(de noix, amande)* cáscara *(f)* 2. *(de navire)* casco *(m)* 3. ZOOL berberecho *(m)*.

coquelicot *nm* amapola *(f)*.

coqueluche *nf* tos *(f)* ferina.

coquet, ette *adj* 1. *(élégant)* coqueto(ta) 2. *(avant le nom) hum (important)* bonito(ta). ■ **coquette** *nf* mantenida *(f)*.

coquetier *nm* huevera *(f)*.

coquetterie *nf* coquetería *(f)*.

coquillage *nm* 1. *(mollusque)* marisco *(m) (que tiene concha)* 2. *(coquille)* concha *(f)*.

coquille *nf* 1. *(de mollusque)* concha *(f)* ▪ **coquille Saint-Jacques** *(animal)* vieira *(f)* ▪ *(enveloppe)* concha *(f)* 2. *(d'œuf)* cáscara *(f)* 3. *(typographique)* gazapo *(m)*, errata *(f)*.

coquin, e ■ *adj* pícaro(ra). ■ *nm, f* 1. *(malicieux)* pícaro *(m)*, -ra *(f)* 2. *(malhonnête)* tunante *(m)*, -ta *(f)*.

cor *nm* 1. *(instrument)* trompa *(f)* 2. *(au pied)* callo *(m)*. ▪ **à cor et à cri** *loc adv* a voz en grito.

corail *nm (animal, calcaire)* coral *(m)*. ■ **corail** ■ *adj inv* 1. *(couleur)* de color coral 2. RAIL *(train)* estrella *(en apposition)*. ■ *nm inv (couleur)* color *(m)* coral.

Coran *nm* Corán *(m)*.

corbeau *nm* 1. *(oiseau)* cuervo *(m)* 2. *fig (délateur)* autor *(m)*, -ra *(f)* de anónimos.

corbeille *nf* 1. *(panier)* cesta *(f)* 2. THÉÂTRE palco *(m)* 3. *(Bourse)* corro *(m)* 4. INFORM papelera *(f)*.

corbillard *nm* coche *(m)* fúnebre.

cordage *nm* 1. *(de bateau)* jarcias *(fpl)*, cordaje *(m)* 2. *(de raquette)* cordaje *(m)*.

corde *nf* cuerda *(f)* ▪ **cordes vocales** cuerdas vocales ▪ **être sur la corde raide** estar en la cuerda floja ▪ **toucher la corde sensible** tocar la fibra sensible.

cordée *nf* 1. *(alpinisme)* cordada *(f)* 2. *(pêche)* espinel *(m)*.

cordial, e *adj* cordial.

cordillère *nf* ▪ **la cordillère des Andes** la cordillera de los Andes.

cordon *nm* 1. *(lien)* cordón *(m)* ▪ **cordon ombilical** cordón umbilical ▪ **cordon de police** cordón policial 2. *(insigne)* banda *(f)*.

cordon-bleu *nm* cocinero *(m)*, -ra *(f)* excelente.

cordonnerie *nf* zapatería *(f)*.

cordonnier, ère *nm, f* zapatero *(m)*, -ra *(f)*.

Cordoue *npr* Córdoba.

Corée *npr* Corea ▪ **la Corée du Nord/du Sud** Corea del Norte/del Sur.

coriace *adj* 1. *(viande)* correoso(sa) 2. *fig (caractère)* tenaz.

corinthien, enne *adj* corintio(tia). ■ **Corinthien, enne** *nm, f* corintio *(m)*, -tia *(f)*.

cormoran *nm* cormorán *(m)*.

corne *nf* 1. *(gén)* cuerno *(m)* ▪ **corne de brume** sirena *(f)* de niebla 2. *(matière)* asta *(f)* 3. *(callosité)* callosidad *(f)*, dureza *(f)*.

cornée *nf* córnea *(f)*.

corneille *nf* corneja *(f)*.

cornemuse *nf* gaita *(f)*.

corner[1] ■ *vi (sonner)* tocar la bocina. ■ *vt (page)* doblar.

corner[2] *nm* SPORT córner *(m)*.

cornet *nm* cucurucho *(m)* ▪ **cornet à dés** cubilete *(m)* ▪ **cornet à pistons** MUS cornetín *(m)*.

corniche *nf* cornisa *(f)*.

cornichon *nm* 1. *(condiment)* pepinillo *(m)* 2. *fam péj (imbécile)* burro *(m)*, -rra *(f)*.

corollaire *nm* corolario *(m)*.

corolle *nf* corola *(f)*.

coron *nm* 1. *(maison)* casa *(f)* de mineros 2. *(quartier)* barrio *(m)* minero.

corporation *nf* gremio *(m)*.

corporel, elle *adj* 1. *(besoins, exercice)* corporal 2. DR *(bien)* material.

corps *nm* cuerpo *(m)* ▪ **corps d'armée** cuerpo de ejército ▪ **corps diplomatique/enseignant** cuerpo diplomático/docente ▪ **corps expéditionnaire** cuerpo expedicionario ▪ **faire corps avec** formar cuerpo con.

corpulent, e *adj* corpulento(ta).

correct, e *adj* correcto(ta).

correcteur, trice *adj* & *nm, f* corrector(ra). ■ **correcteur orthographique** *nm* corrector *(m)* ortográfico.

correction *nf* 1. *(gén)* corrección *(f)* 2. *(punition)* correctivo *(m)*.

corrélation *nf* correlación *(f)*.

- l'artère / la arteria
- la bouche / la boca
- le bras / el brazo
- le cerveau / el cerebro
- les cheveux / el pelo
- la cheville / el tobillo
- le cil / la pestaña
- le cœur / el corazón
- la colonne vertébrale / la columna vertebral
- la côte / la costilla
- le cou / el cuello
- le coude / el codo
- le crâne / el cráneo
- la cuisse / el muslo
- la dent / el diente
- le doigt / el dedo
- le dos / la espalda
- l'épaule / el hombro
- l'estomac / el estómago
- les fesses / las nalgas
- le foie / el hígado
- le front / la frente
- le genou / la rodilla
- la hanche / la cadera
- l'intestin / el intestino
- la jambe / la pierna
- la joue / la mejilla
- la langue / la lengua
- la mâchoire / la mandíbula
- la main / la mano
- le menton / la barbilla
- le mollet / la pantorrilla
- le nez / la nariz
- le nombril / el ombligo
- l'œil / el ojo
- l'œsophage / el esófago
- l'ongle / la uña
- l'oreille / la oreja
- l'orteil / el dedo del pie
- la paupière / el párpado
- le pied / el pie
- le poignet / la muñeca
- la poitrine / el pecho
- le poumon / el pulmón
- le rein / el riñón
- le sourcil / la ceja
- la taille / la cintura
- le talon / el talón
- la tête / la cabeza
- la veine / la vena
- le ventre / la barriga
- la vertèbre / la vertebra.

correspondance nf 1. (gén) correspondencia (f) • **lire sa correspondance** leer la correspondencia • **par correspondance** por correo 2. (train, bus) enlace (m) 3. (avion) correspondencia (f).

correspondant, e ◼ adj correspondiente. ◼ nm, f 1. (par lettres) correspondiente (mf) 2. (au téléphone) interlocutor (m), -ra (f) 3. PRESSE corresponsal (mf).

correspondre vi 1. (être conforme) • **correspondre à qqch** corresponder a algo 2. (par lettres) cartearse • **correspondre avec qqn** cartearse con alguien.

corridor nm 1. (couloir) pasillo (m), corredor (m) 2. GÉOGR corredor (m).

corrigé nm corrección (f) • **le corrigé de l'examen** el examen modelo.

corriger vt corregir.

corroborer vt corroborar.

corroder vt corroer.

corrompre vt corromper.

corrompu, e adj corrupto(ta).

corrosion nf 1. (des métaux) corrosión (f) 2. (des sols) erosión (f).

corruption nf corrupción (f).

corsage nm 1. (chemisier) blusa (f) 2. (de robe) cuerpo (f).

corsaire nm 1. (marin) corsario (m) 2. (navire) barco (m) corsario 3. (pantalon) pantalón (m) (de) pirata.

corse ◼ adj corso(sa). ◼ nm LING corso (m) ▪ **Corse** ◼ nmf corso (m), -sa (f). ◼ npr • **la Corse** Córcega.

corsé, e adj 1. (café) fuerte 2. (problème) arduo(a).

corset nm corsé (m).

cortège nm 1. (défilé) cortejo (m), séquito (m) 2. fig (suite) séquito (m).

corticoïde, corticostéroïde nm MÉD corticoide (m), corticosteroide (m).

corvée nf faena (f).

cosmétique ◼ nm cosmético (m). ◼ adj cosmético(ca).

cosmique adj cósmico(ca).

cosmonaute nmf cosmonauta (mf).

cosmopolite adj cosmopolita.

cosmos nm cosmos (m).

cossu, e adj 1. (maison, intérieur) señorial 2. (personne) acomodado(da).

Costa Rica npr • **le Costa Rica** Costa Rica.

costaud, e adj fam 1. (personne) robusto(ta) 2. (exercice, problème) arduo(dua). ■ **costaud** nm hombre (m) robusto.

costume nm 1. (vêtement d'homme) traje (m) 2. THÉÂTRE • **les costumes** el vestuario.

cotation nf FIN cotización (f).

cote nf 1. (niveau) cota (f), nivel (m) • **cote d'alerte** (de cours d'eau) nivel ou cota de alerta • fig (de situation) punto (m) crítico • **cote de**

popularité cota OU nivel de popularidad **2.** (de livres) signatura (f) **3.** FIN cotización (f) **4.** (de voiture) valoración (f) **5.** (de cheval) apuesta.

côte nf **1.** ANAT costilla (f) **2.** CULIN • (de bœuf) chuletón (m) • (d'agneau, de porc) chuleta (f) **3.** (pente) cuesta (f) **4.** (littoral) costa (f). ■ **côte à côte** loc adv uno al lado del otro.

coté, e adj **1.** (estimé) cotizado(da) **2.** FIN • **être coté en Bourse** cotizar en Bolsa.

côté nm **1.** (gén) lado (m) • **de l'autre côté de qqch** al otro lado de algo • **côté opposé** lado opuesto OU contrario • **être aux côtés de qqn** estar al lado de alguien • **les bons/mauvais côtés de** (personne, situation) el lado bueno/malo de **2.** (flanc) costado (m), lado (m) • **sur le côté** de costado, de lado.

coteau nm **1.** (petite colline) cerro (m) **2.** (versant) ladera (f)

Côte d'Ivoire npr • **la Côte d'Ivoire** Costa de Marfil.

côtelé, e adj acanalado(da) • ▷ **velours**.

côtelette nf chuleta (f).

coter vt **1.** (livres) numerar, poner la signatura en **2.** FIN cotizar **3.** (plan, carte) acotar.

côtier, ère adj costero(ra).

cotisation nf **1.** (quote-part - à un club, parti) cuota (f) • (- à la Sécurité sociale) cotización (f) **2.** (collecte d'argent) colecta (f).

cotiser vi **1.** (payer une cotisation - à un club, un parti) pagar una cuota • (- à la Sécurité sociale) cotizar **2.** (participer) • **cotiser pour qqch** dar dinero para. ■ **se cotiser** vp hacer una colecta.

coton nm algodón (m) • **coton à démaquiller** algodón para desmaquillar • **coton hydrophile** algodón hidrófilo.

Coton-Tige® nm bastoncillo (m) (de algodón).

côtoyer vt (fréquenter) frecuentar.

cou nm cuello (m).

couchant adj ▷ **soleil**. ■ **couchant** nm poniente (m)

couche nf **1.** (gén) capa (f) • **couche d'ozone** capa de ozono **2.** (de bébé) pañal (m) **3.** (classe sociale) clase (f). ■ **couches** nfpl parto (m) • **être en couches** ir de parto. ■ **fausse couche** nf aborto (m) natural, aborto (m) espontáneo.

couche-culotte nf braga (f) pañal, pañal (m).

coucher¹ vt **1.** (enfant) acostar **2.** (objet) tumbar **3.** (blessé) tender **4.** sout (sur un testament) incluir. ◼ vi **1.** (dormir) dormir **2.** fam (avoir des rapports sexuels) • **coucher avec qqn** acostarse con alguien. ■ **se coucher** vp **1.** (s'allonger) tumbarse **2.** (se mettre au lit) acostarse **3.** (se courber) inclinarse **4.** (soleil) ponerse.

coucher² nm puesta (f) • **coucher de soleil** puesta de sol.

couchette nf litera (f).

coucou ◼ nm **1.** (oiseau) cuco (m), cuclillo (m) **2.** (fleur) primavera (f) silvestre **3.** (pendule) cucú (m), reloj (m) de cuco. ◼ interj ¡cucú!

coude nm **1.** (gén) codo (m) **2.** (de chemin, de rivière) recodo (m).

cou-de-pied nm empeine (m).

coudre vt & vi coser.

couette nf **1.** (édredon) funda (f) nórdica, plumón (m) **2.** (coiffure) coleta (f).

couffin nm **1.** (berceau) cuco (m), capacho (m) **2.** (cabas) serón (m).

couille nf vulg cojón (m), huevo (m).

couiner vi **1.** (animal) chillar **2.** péj (personne) lloriquear **3.** (porte, fenêtre) rechinar.

coulant, e adj **1.** (matière, style) fluido(da) **2.** fam (personne) • **être coulant (avec qqn)** enrollarse bien (con alguien).

coulée nf **1.** (de lave, boue) río (m) **2.** (de métal) colada (f).

couler ◼ vt **1.** (navire, entreprise, personne) hundir **2.** (métal, béton) vaciar, colar. ◼ vi **1.** (liquide) correr **2.** (beurre, cire) derretirse **3.** (robinet) gotear **4.** (bateau, personne) hundirse • **couler à pic** irse a pique **5.** (jours) transcurrir.

couleur nf **1.** (gén) color (m) • **en couleurs** en color **2.** (linge) ropa (f) de color **3.** (aux cartes) palo (m).

LES COULEURS
- blanc / blanco
- bleu / azul
- bleu ciel / azul celeste
- bordeaux / granate
- gris / gris
- jaune / amarillo
- marron / marrón
- mauve / malva
- noir / negro
- orange / naranja
- rose / rosa
- rose vif / fucsia
- rouge / rojo
- vert / verde
- vert clair / verde claro
- vert foncé / verde oscuro
- violet / violeta.

couleuvre nf culebra (f).

coulisse nf **1.** (glissière) riel (m) **2.** COUT jareta (f). ■ **coulisses** nfpl **1.** THÉÂTRE bastidores (mpl) **2.** fig (dessous) entresijos (mpl).

coulisser vi correr.

couloir nm **1.** (corridor, passage) pasillo (m) **2.** GÉOGR corredor (m) **3.** SPORT calle (f).

coup nm **1.** (gén) golpe (m) • **coup dur** duro golpe • **coup franc** golpe franco • **coup de grâce** golpe de gracia • **sale coup** golpe bajo **2.** (avec instrument, arme, partie du corps) • **passer un coup de balai** pasar la escoba • **coup de**

ciseaux tijeretazo (m) • **coup de coude** codazo (m) • **coup de crayon** trazo (m) • **coup de feu** disparo (m) • **coup de fouet** latigazo (m) • fig empujón (m) • **coup de marteau** martillazo (m) • **coup de pied** patada (f), puntapié (m) • **coup de poing** puñetazo (m) **3.** fam (fois) vez (f) **4.** (manifestation soudaine) acceso (m), arrebato (m) • **avoir un coup de barre** ou **de pompe** fam amodorrarse, dar un bajón • **coup de colère** arrebato de cólera • **coup de tonnerre** trueno (m) **5.** (action spectaculaire) jugada (f) • **préparer un mauvais coup** preparar una mala pasada • **avoir un coup dans l'aile** ou **dans le nez** fam estar un poco cortentillo-lla (f) • **boire un coup** fam tomar una copa • **donner un coup de main à qqn** echar una mano a alguien • **tenir le coup** aguantar (el tipo) • **valoir le coup** valer la pena. ■ **coup d'État** nm golpe (m) de Estado. ■ **coup de fil** nm llamada (f) • **passer un coup de fil (à qqn)** dar un telefonazo (a alguien). ■ **coup de foudre** nm flechazo (m). ■ **coup de téléphone** nm llamada (f) (telefónica) (Esp), llamado (m) (Amér) • **donner** ou **passer un coup de téléphone** llamar por teléfono. ■ **coup de théâtre** nm golpe (m) de efecto. ■ **à coup sûr** loc adv seguro • **il l'aura oublié, à coup sûr** seguro que se le habrá olvidado. ■ **du coup** loc adv de resultas. ■ **du premier coup** loc adv a la primera. ■ **coup sur coup** loc adv uno tras otro, una tras otra. ■ **sous le coup de** loc prép **1.** (sous l'action de) bajo el peso de **2.** (sous l'effet de) bajo el efecto de. ■ **sur le coup** loc prép en el momento, al principio. ■ **tout à coup** loc adv de repente.

coupable ◊ adj **1.** (personne) culpable • **plaider coupable/non coupable** declararse culpable/inocente **2.** (action, pensée) censurable. ◊ nmf culpable (mf).

coupant, e adj cortante.

coupe nf **1.** (verre & sport) copa (f) **2.** (coiffure & cout) corte (m) **3.** (d'arbres) tala (f) **4.** (plan) sección (f) **5.** (aux cartes) corte (m) **6.** (de mot) separación (f) de palabras **7.** (réduction) recorte (m).

coupé, e adj cortado(da). ■ **coupé** nm cupé (m).

coupe-ongles nm inv cortaúñas (m inv).

coupe-papier nm abrecartas (m inv).

couper ◊ vt **1.** (gén & inform) cortar **2.** (blé, herbe) segar **3.** (traverser) cruzar **4.** (vin) aguar **5.** (aux cartes) matar. ◊ vi cortar • **tu ne vas pas couper à la vaisselle** fam no te vas a escaquear de lavar los platos.

couper-coller nm inv inform • **faire un couper-coller** hacer un corta pega.

couperet nm cuchilla (f).

couperose nf acné (f) rosácea.

couple nm **1.** (de personnes, d'oiseaux) pareja (f) **2.** phys & math par (m).

coupler vt technol acoplar.

couplet nm **1.** estrofa (f) **2.** fig cantinela (f).

coupole nf cúpula (f).

coupon nm **1.** (de tissu) retal (m) **2.** (billet & fin) cupón (m).

coupon-réponse nm cupón (m) respuesta.

coupure nf **1.** (gén) corte (m) • **coupure de courant** apagón (m) • technol corte de corriente **2.** (extrait de journal) recorte (m) **3.** (billet de banque) billete (m) • **grosses/petites coupures** billetes grandes/pequeños **4.** fig (rupture) interrupción (f)

cour nf **1.** (espace) patio (m) **2.** (entourage) corte (f) **3.** (tribunal) tribunal (m) • **cour d'assises** ≈ audiencia (f) provincial • **cour martiale** tribunal militar. ■ **Cour de cassation** nf • **la Cour de cassation** ≈ el Tribunal Supremo. ■ **Cour des comptes** nf • **la Cour des comptes** ≈ el Tribunal de Cuentas.

courage nm **1.** (bravoure) valor (m), valentía (f) **2.** (énergie) ánimo (m).

courageux, euse adj **1.** (brave) valiente **2.** (travailleur) animoso(sa) **3.** (audacieux) audaz.

courant, e adj corriente. ■ **courant** nm **1.** (gén) corriente (f) • **courant d'air** corriente de aire • **courant de pensée** corriente de pensamiento **2.** (de personnes) movimiento (m). ■ **au courant** loc adv • **être au courant (de qqch)** estar al corriente (de algo) • **mettre/tenir qqn au courant (de qqch)** poner/mantener a alguien al corriente de algo • **se mettre/se tenir au courant (de qqch)** ponerse/mantenerse al corriente (de algo).

courbature nf agujetas (fpl).

courbaturé, e adj • **être courbaturé** tener agujetas.

courbe ◊ nf curva (f) • **courbe de niveau** curva de nivel. ◊ adj curvo(va).

courber ◊ vt **1.** (branche, tige) curvar **2.** (tête, front) inclinar. ◊ vi (ployer) encorvarse. ■ **se courber** vp **1.** (branche, tige) curvarse **2.** (se baisser) inclinarse.

courbette nf zalema (f) • **faire des courbettes à** ou **devant qqn** fig hacer zalemas a ou ante alguien.

coureur, euse nm, f corredor (m), -ra (f) • **coureur cycliste** ciclista (mf).

courge nf **1.** (légume) calabaza (f) **2.** fam (imbécile) cabeza hueca (mf).

courgette nf calabacín (m).

courir ◊ vt **1.** (course, risque) correr **2.** (parcourir) recorrer **3.** (fréquenter) frecuentar • **courir les magasins** ir de tiendas **4.** fig (rechercher) buscar. ◊ vi correr.

couronne nf **1.** (gén) corona (f) **2.** (pain) rosco (m).

couronnement nm coronación (f).

couronner vt coronar

courre ⊳ chasse.

courrier *nm* correo *(m)* • **courrier du cœur** consultorio *(m)* sentimental • **courrier électronique** correo electrónico.

courroie *nf* correa *(f)* • **courroie de transmission** correa de transmisión.

courroucé, e *adj sout* enfurecido(da).

courroucer *vt sout* enojar.

cours *nm* **1.** *(gén)* curso *(m)* • **cours d'eau** *(grand)* río *(m)* • *(petit)* riachuelo *(m)* • **en cours** *(année)* en curso • *(affaire)* pendiente • **en cours de route** por el camino • **donner** *ou* **laisser libre cours à** dar rienda suelta a **2.** FIN cotización *(f)* • **avoir cours** *(monnaie)* tener curso legal • *fig* practicarse **3.** *(leçon)* clase *(f)* • **cours particuliers** clases particulares **4.** *(classe)* • **cours élémentaire 1** ≃ segundo de E.P. • **cours élémentaire 2** ≃ tercero de E.P. • **cours moyen 1** ≃ cuarto de E.P. • **cours moyen 2** ≃ quinto de E.P. • **cours préparatoire** ≃ primero de E.P. **5.** *(établissement)* academia *(f)* **6.** *(notes de cours)* apuntes *(mpl)* **7.** *(avenue)* paseo *(m)*. ■ **au cours de** *loc prép* durante, a lo largo de.

course *nf* **1.** *(action de courir, compétition)* carrera *(f)* • **course contre la montre** carrera contrarreloj **2.** *(de projectile)* trayectoria *(f)* **3.** *(achat)* compra *(f)* • **faire les courses** hacer la compra.

coursier, ère *nm, f* mensajero *(m)*, -ra *(f)*.

court, e *adj* corto(ta). ■ **court** *adv* • **être à court d'argent/d'idées/d'arguments** andar escaso(sa) de dinero/de ideas/de argumentos • **prendre qqn de court** pillar desprevenido(da) • **tourner court** acabarse antes de tiempo.

court-bouillon *nm* caldo *(m)*.

court-circuit *nm* cortocircuito *(m)*.

courtier, ère *nm, f* corredor *(m)*, -ra *(f)*.

courtisan, e *nm, f* **1.** HIST cortesano *(m)*, -na *(f)* **2.** *fig (flatteur)* adulador *(m)*, -ra *(f)*.

courtiser *vt* **1.** *(flatter)* adular **2.** *vieilli (femme)* cortejar.

court-métrage *nm* cortometraje *(m)*.

courtois, e *adj* cortés.

courtoisie *nf* cortesía *(f)*.

couru, e *adj* concurrido(da).

cousin, e *nm, f* primo *(m)*, -ma *(f)*.

coussin *nm* cojín *(m)*.

cousu, e *adj* cosido(da).

coût *nm* coste *(m)* • **coûts de distribution** costes de distribución.

coûtant ⊳ prix.

couteau *nm* **1.** *(gén)* cuchillo *(m)* • **couteau à cran d'arrêt** navaja *(f)* de muelle **2.** *(outil)* espátula *(f)* **3.** *(coquillage)* navaja *(f)*.

coûter ◨ *vi* costar. ◨ *vt* costar • **ça coûte combien ?** ¿cuánto cuesta?, ¿cuánto es? ■ **coûte que coûte** *loc adv* cueste lo que cueste.

coûteux, euse *adj* costoso(sa).

coutume *nf* costumbre *(f)*.

couture *nf* costura *(f)*.

couturier, ère *nm, f* modisto *(m)*, -ta *(f)*.

couvée *nf* nidada *(f)*.

couvent *nm* convento *(m)*.

couver ◨ *vt* **1.** *(œuf, maladie)* incubar **2.** *(enfant)* mimar *(Esp)*, papachar *(Amér)*. ◨ *vi* **1.** *(complot)* cocerse **2.** *(feu)* quedar rescoldos.

couvercle *nm* tapadera *(f)*.

couvert, e *adj* **1.** *(habillé)* abrigado(da) **2.** *(ciel, temps)* nublado(da) **3.** *(plein)* • **couvert de qqch** lleno de algo. ■ **couvert** *nm* **1.** *(abri)* refugio *(m)*, abrigo *(m)* • **se mettre à couvert** ponerse a cubierto **2.** *(à table)* cubierto *(m)* • **mettre le couvert** poner la mesa. ■ **couverts** *nmpl* cubiertos *(mpl)*.

couverture *nf* **1.** *(de lit)* manta *(f)* *(Esp)*, cobija *(f)* *(Amér)* • **couverture chauffante** manta eléctrica **2.** *(de livre)* encuadernación *(f)*, cubierta *(f)*, tapa *(f)* **3.** *(de magazine)* portada *(f)* **4.** *(protection & PRESSE)* cobertura *(f)* • **couverture sociale** cobertura de la Seguridad Social **5.** *(d'activité secrète)* tapadera *(f)* **6.** *(toit)* cubierta *(f)*.

couveuse *nf* **1.** *(pour œuf, bébé)* incubadora *(f)* **2.** *(poule)* clueca *(f)*.

couvre-chef *nm* sombrero *(m)*.

couvre-feu *nm* toque *(m)* de queda.

couvreur *nm* techador *(m)*.

couvrir *vt* **1.** *(gén & PRESSE)* cubrir • **couvrir qqn de qqch** *(combler de)* cubrir a alguien de algo **2.** *(vêtir)* abrigar **3.** *(livre)* forrar **4.** *(récipient, bruit)* tapar **5.** *(recouvrir)* • **couvrir qqch de qqch** llenar algo de algo. ■ **se couvrir** *vp* **1.** *(gén)* cubrirse **2.** *(se vêtir)* abrigarse.

covoiturage *nm* autoestop *(m)* organizado • **offre de covoiturage dans la région de Genève** oferta de autoestop organizado en la región de Ginebra.

CP *(abr de* **cours préparatoire***) nm* ≃ 1° de E.P. • **être au CP** ≃ estar en 1° de E.P.

CPAM *(abr de* **Caisse primaire d'assurance maladie***) nf* ≃ INGS *(m)*.

CPE *(abr de* **Conseiller Principal d'Éducation***) nmf* asesor *(m)*, -ra *(f)* docente.

cpt *abrév de* **comptant**.

crabe *nm* cangrejo *(m)*.

crachat *nm* escupitajo *(m)*.

cracher ◨ *vi* **1.** *(personne)* escupir • **ne pas cracher sur qqch** *fam fig* no hacer ascos a algo **2.** *(crépiter)* chisporrotear. ◨ *vt* escupir.

crachin *nm* calabobos *(m inv)*.

crachoir *nm* escupidera *(f)* *(Esp)*, salivadera *(f)* *(Amér)*.

craie *nf* **1.** *(roche)* roca *(f)* caliza **2.** *(pour écrire)* tiza *(f)* *(Esp)*, gis *(m)* *(Amér)*.

craindre *vt* **1.** *(redouter)* temer, tener miedo de • **elle craint de prendre froid** teme enfriarse, tiene miedo de enfriarse • **elle craint que vous (n')ayez oublié quelque chose** teme que os hayáis olvidado algo, tiene miedo de que os hayáis olvidado algo **2.** *(être sensible à)* alterarse con.

crainte *nf* temor *(m)*. ■ **de crainte de** *loc prép* por temor a. ■ **de crainte que** *loc conj* por temor a que • **de crainte qu'il (ne) parte** por temor a que se vaya.

craintif, ive *adj* temeroso(sa).

cramoisi, e *adj* rojo(ja) carmesí.

crampe *nf* calambre *(m)* • **crampe d'estomac** retortijón *(m)* de estómago.

crampon *nm* **1.** *(crochet)* gancho *(m)* **2.** *(de chaussures)* taco *(m)* **3.** *fam (personne)* lapa *(f)*.

cramponner ■ **se cramponner** *vp* **1.** *(s'agripper)* • **se cramponner (à qqch/à qqn)** agarrarse (a algo/a alguien) **2.** *fig (s'attacher)* • **se cramponner à qqch** *(vie, espoir)* aferrarse a algo.

cran *nm* **1.** *(de ceinture)* agujero *(m)* **2.** *(entaille)* muesca *(f)* • **cran d'arrêt** muelle *(m)* • **cran de sûreté** seguro *(m)* **3.** *fig (degré)* • **baisser/monter d'un cran** bajar/subir un punto **4.** *fam (audace)* agallas *(fpl)*.

crâne *nm* cráneo *(m)*.

crâner *vi fam* fardar.

crânien, enne *adj* craneal.

crapaud *nm* sapo *(m)*.

crapule *nf* crápula *(f)*.

craquelure *nf* grieta *(f)*.

craquement *nm* crujido *(m)*.

craquer ■ *vi* **1.** *(parquet, branches)* crujir **2.** *(se déchirer)* reventar **3.** *(être séduit)* • **il craque pour le chocolat/sa voisine** le chifla el chocolate/su vecina **4.** *(perdre le contrôle)* • **il n'en peut plus, il va craquer** no puede más, le va a dar algo **5.** *(être effondré)* hundirse **6.** *fam (au jeu)* fundirse. ■ *vt* **1.** *(allumette)* frotar **2.** *(couture)* desgarrar, romper.

crasse ■ *nf* **1.** *(saleté)* mugre *(f)* **2.** *fam (mauvais tour)* jugarreta *(f)*. ■ *adj (bêtise, ignorance)* craso(sa).

crasseux, euse *adj* mugriento(ta).

cratère *nm* cráter *(m)*.

cravache *nf* fusta *(f)*.

cravate *nf* corbata *(f)*.

crawl *nm* crol *(m)*.

crayon *nm* lápiz *(m)* • **crayon à bille** bolígrafo *(m)* • **crayon de couleur** lápiz de color.

créancier, ère *nm, f* acreedor *(m)*, -ra *(f)*.

créateur, trice *adj & nm, f* creador(ra).

créatif, ive *adj & nm, f* creativo(va).

création *nf* creación *(f)*.

créativité *nf* creatividad *(f)*.

créature *nf* criatura *(f)*.

crécelle *nf* carraca *(f)*, matraca *(f)*.

crèche *nf* **1.** *(garderie)* guardería *(f)* infantil **2.** *(de Noël)* belén *(m)*.

crédibiliser *vt* dar credibilidad a.

crédit *nm* crédito *(m)* • **faire crédit à qqn** dar crédito a alguien • **acheter/vendre (qqch) à crédit** comprar/vender (algo) a crédito.

crédit-bail *nm* arrendamiento *(m)* con opción de compra.

créditeur, trice *adj & nm, f* acreedor(ra).

crédule *adj* crédulo(la).

crédulité *nf* credulidad *(f)*.

créer *vt* crear • **créer des ennuis à qqn** crear problemas a alguien.

crémaillère *nf* **1.** *(de cheminée)* llares *(fpl)* • **pendre la crémaillère** *fig* inaugurar la casa con una fiesta **2.** TECHNOL cremallera *(f)*.

crémation *nf* cremación *(f)*.

crème ■ *nf* **1.** *(gén)* crema *(f)* • **crème anglaise** crema inglesa • **crème anti-âge** crema contra el envejecimiento • **crème hydratante** crema hidratante • **crème à raser** crema de afeitar **2.** *(du lait)* nata *(f)* • **crème fouettée** nata batida • **crème fraîche** nata. ■ *adj inv (couleur)* crema *(en aposición)*.

crémerie *nf* mantequería *(f)*, lechería *(f)*.

crémier, ère *nm, f* mantequero *(m)*, -ra *(f)*.

créneau *nm* **1.** *(pour se garer)* aparcamiento *(m)* • **faire un créneau** aparcar **2.** *(horaire)* hueco *(m)* **3.** COMM segmento *(m)* de mercado **4.** *(de fortification)* almena *(f)*.

créole *nm* LING criollo *(m)*. ■ *adj* criollo(lla).

crêpe ■ *nf* crepe *(f)*. ■ *nm* **1.** *(tissu)* crespón *(m)* **2.** *(caoutchouc)* crepé *(m)*.

crêperie *nf* crepería *(f)*.

crépi *nm* enlucido *(m)*.

crépir *vt* enlucir.

crépiter *vi* crepitar.

crépon *nm* crespón *(m)*.

crépu, e *adj* crespo(pa).

crépuscule *nm* **1.** *(tombée du jour)* anochecer *(m)* **2.** *fig & sout (fin)* crepúsculo *(m)*.

crescendo ■ *adv* crescendo • **aller crescendo** ir in crescendo. ■ *nm inv* crescendo *(m)*.

cresson *nm* berro *(m)*.

Crète *npr* • **la Crète** Creta.

crête *nf* cresta *(f)*.

crétin, e *adj & nm, f fam* cretino(na).

creuser *vt* **1.** *(trou, sol, tunnel)* cavar **2.** *fig (sujet, idée)* profundizar en, ahondar en **3.** *(front, visage)* • **creusé de rides** lleno de arrugas • **creusé**

par la fatigue marcado por el cansancio **4.** *fig* (*écart, différence*) aumentar. ◼ *vi* (*donner faim*) • **ça creuse?!** *fam* ¡esto abre el estómago!

creuset *nm* crisol (*m*).

creux, euse *adj* **1.** (*vide*) hueco(ca) **2.** (*assiette*) hondo(da) **3.** (*période*) bajo(ja) **4.** (*raisonnement*) vacío(cía). ◼ **creux** *nm* hueco (*m*).

crevaison *nf* pinchazo (*m*).

crevasse *nf* grieta (*f*).

crève-cœur *nm inv* desconsuelo (*m*).

crever ◼ *vi* **1.** (*éclater*) reventar **2.** (*pneu*) pinchar **3.** *fam fig* (*déborder*) • **crever de qqch** (*jalousie, rage*) reventar de algo **4.** *fam* (*mourir*) palmarla. ◼ *vt* reventar. ◼ **se crever** *vp fam* reventarse.

crevette *nf* gamba (*f*) (*Esp*), camarón (*m*) (*Amér*).

cri *nm* **1.** (*de personne, animal*) grito (*m*) • **pousser un cri** dar *ou* pegar un grito • **c'est du dernier cri** *fig* es el último grito **2.** (*appel*) voz (*f*).

criant, e *adj* patente, flagrante.

criard, e *adj* chillón(ona).

crible *nm* criba (*f*) • **passer qqch au crible** *fig* pasar algo por la criba.

criblé, e *adj* • **criblé de** (*troué de*) acribillado de • (*parsemé de*) picado de • **être criblé de dettes** estar acribillado de deudas.

cric *nm* gato (*m*) (*herramienta*).

crier ◼ *vi* **1.** (*hurler*) gritar **2.** (*protester*) clamar • **crier contre** *ou* **après qqn** clamar contra alguien. ◼ *vt* gritar.

crime *nm* **1.** (*homicide, faute*) crimen (*m*) • **crimes contre l'humanité** crímenes (*mpl*) contra la humanidad **2.** DR (*infraction à la loi*) delito (*m*).

criminalité *nf* criminalidad (*f*).

criminel, elle ◼ *adj* criminal. ◼ *nm, f* criminal (*mf*) • **criminel de guerre** criminal de guerra.

crin *nm* crin (*f*) • **à tous crins** de tomo y lomo.

crinière *nf* **1.** (*de lion, personne*) melena (*f*) **2.** (*de cheval*) crines (*fpl*).

crique *nf* cala (*f*).

criquet *nm* langosta (*f*) (*Esp*), chapulín (*m*) (*Amér*).

crise *nf* **1.** (*accès*) ataque (*m*), crisis (*f inv*) • **crise cardiaque/de foie** ataque cardíaco/hepático, crisis cardíaca/hepática • **crise de nerfs** ataque de nervios **2.** (*phase critique*) crisis (*f inv*).

crispation *nf* crispación (*f*).

crisper *vt* **1.** (*visage*) crispar **2.** (*personne*) crisparle los nervios a. ◼ **se crisper** *vp* crisparse.

crisser *vi* rechinar.

cristal *nm* cristal (*m*) • **cristal de roche** cristal de roca.

cristallin, e *adj* cristalino(na). ◼ **cristallin** *nm* ANAT cristalino (*m*).

critère *nm* criterio (*m*).

critique ◼ *nmf* crítico (*m*), -ca (*f*). ◼ *nf* crítica (*f*). ◼ *adj* crítico(ca).

critiquer *vt* **1.** (*personne, action*) criticar **2.** (*film, livre*) hacer la crítica de.

croasser *vi* graznar.

croate *adj* croata. ◼ **Croate** *nmf* croata (*mf*).

Croatie *npr* • **la Croatie** Croacia.

croc *nm* **1.** (*crochet*) gancho (*m*) **2.** (*canine de chien*) colmillo (*m*).

croche *nf* corchea (*f*).

croche-pied *nm* zancadilla (*f*) • **faire un croche-pied à qqn** poner la zancadilla a alguien.

crochet *nm* **1.** (*gén*) gancho (*m*) • **vivre aux crochets de qqn** vivir a expensas de alguien **2.** (*ouvrage de tricot*) ganchillo (*m*) **3.** (*signe graphique*) corchete (*m*) **4.** (*détour*) rodeo (*m*).

crochu, e *adj* **1.** (*doigts, nez, bec*) ganchudo(da) **2.** (*ongles*) curvado(da).

crocodile *nm* cocodrilo (*m*).

croire ◼ *vt* creer • **croire que** (*penser que*) creer que • **je le crois honnête** creo que es honrado • **j'ai cru l'apercevoir hier** me pareció verle ayer. ◼ *vi* creer • **croire à qqch** creer en algo • **croire en qqn** creer en alguien.

À PROPOS DE...

croire

Attention *creer que* est suivi de l'indicatif alors que *no creer que* est suivi du subjonctif.

croisade *nf* cruzada (*f*).

croisé, e *adj* **1.** (*veste*) cruzado(da) **2.** (*rime*) alterno(na). ◼ **croisé** *nm* cruzado (*m*). ◼ **croisée** *nf* **1.** (*fenêtre*) ventana (*f*) **2.** *fig* (*croisement*) • **à la croisée des chemins** en la encrucijada.

croisement *nm* cruce (*m*).

croiser ◼ *vt* **1.** (*jambes, bras*) cruzar **2.** (*chemin, route*) atravesar **3.** (*passer à côté de*) cruzarse con **4.** BIOL cruzar. ◼ *vi* NAUT patrullar. ◼ **se croiser** *vp* cruzarse.

croisière *nf* crucero (*m*) • **faire une croisière** hacer un crucero.

croisillons *nmpl* celosía (*f*) • **à croisillons** de celosía.

croissance *nf* crecimiento (*m*) • **croissance économique** crecimiento económico.

croissant, e *adj* creciente. ◼ **croissant** *nm* **1.** (*lune*) media luna (*f*) **2.** CULIN cruasán (*m*).

croître *vi* crecer • **ne faire que croître et embellir** *iron* ir de mal en peor.

croix *nf* **1.** (*gén*) cruz (*f*) • **croix de guerre** ≃ medalla (*f*) al mérito militar **2.** (*signe graphique*) cruz (*f*), aspa (*f*) • **en croix** en cruz. ◼ **Croix-Rouge** *nf* • **la Croix-Rouge** la Cruz Roja.

croquant, e adj crujiente. ■ **croquant** nm vieilli labriego (m).

croque-mitaine nm coco (m) (parc asustar).

croque-monsieur nm inv sándwich (m) caliente de jamón y queso.

croque-mort nm fam enterrador (m).

croquer ■ vt 1. (manger) comer a mordiscos 2. (dessiner) bosquejar. ■ vi crujir.

croquette nf croqueta (f).

croquis nm croquis (m inv).

cross nm SPORT cross (m inv).

crotte ■ nf caca (f). ■ interj fam ¡córcholis!

crottin nm (de cheval) cagajón (m).

crouler vi venirse abajo • **crouler sous qqch** (poids) hundirse bajo el peso de algo • fig (travail, responsabilités) estar agobiado(da) por algo.

croupe nf grupa (f) • **monter en croupe** ir a la grupa • (en moto) ir de paquete.

croupier nm croupier (m), crupier (m).

croupir vi 1. (eaux) estancarse 2. fig (personne) pudrirse.

croustillant, e adj 1. (biscuit, pain) crujiente 2. (détail) picante.

croustiller vi crujir.

croûte nf 1. (de pain, fromage, etc) corteza (f) • **croûte terrestre** corteza terrestre 2. CULIN pastel (m) hojaldrado 3. (de plaie) costra (f) 4. fam péj (tableau) mamarracho (m).

croûton nm 1. (bout du pain) pico (m) 2. (pain frit) picatoste (m) 3. fam (vieillard) • **un vieux croûton** un carroza.

croyance nf creencia (f).

croyant, e adj & nm, f creyente.

CRS (abr de **compagnie républicaine de sécurité**) nm (policier) ≈ antidisturbios (mpl) • **on a fait appel aux CRS** ≈ llamaron a los antidisturbios • **un cordon de CRS** ≈ un cordón de antidisturbios.

cru, e adj 1. (aliment) crudo(da) 2. (lumière, couleur) vivo(va) 3. (réponse) directo(ta) 4. (histoire) verde. ■ **à cru** loc adv • **monter à cru** montar a pelo.

cruauté nf crueldad (f).

cruche nf 1. (objet) cántaro (m) 2. fam (personne) zoquete (m).

crucial, e adj crucial.

crucifix nm crucifijo (m).

crue nf crecida (f).

cruel, elle adj cruel.

crûment adv crudamente.

crustacé nm crustáceo (m).

crypter vt codificar • **chaîne cryptée** canal (m) codificado.

cs (abr écrite de **cuillère à soupe**) cs • **ajouter 2 cs d'huile d'olive** añadir 2 cs de aceite de oliva.

Cuba npr Cuba.

cubain, e adj cubano(na). ■ **Cubain, e** nm, f cubano(m), -na (f).

cube ■ nm cubo (m) ■ adj cúbico(ca).

cueillette nf cosecha (f).

cueillir vt 1. (fruits, fleurs) coger 2. fam (personne) pillar.

cuillère, cuiller nf cuchara (f) • **cuillère à café** cucharilla (f, de café • **cuillère à dessert** cuchara de postre • **cuillère à soupe** cuchara sopera • **petite cuillère** cucharilla (f).

cuillerée nf cucharada (f).

cuir nm cuero (m), piel (f) • **cuir véritable** piel genuina. ■ **cuir chevelu** nm cuero (m) cabelludo.

cuirasse nf coraza (f).

cuirassé nm NAUT acorazado (m).

cuire ■ vt cocer. ■ vi (aliment) cocer.

cuisine nf 1. (gén) cocina (f) • **faire la cuisine** cocinar 2. fam (combine) artimaña (f) • **faire sa petite cuisine** hacer apaños.

cuisiné, e adj precocinado(da).

cuisiner ■ vt 1. (aliments) cocinar 2. fam (personne) tirar de la lengua a. ■ vi cocinar.

cuisinier, ère nm, f cocinero (m), -ra (f). ■ **cuisinière** nf (appareil) cocina (f) • **cuisinière électrique/à gaz** cocina eléctrica/de gas.

cuisse nf muslo (m).

cuisson nf cocción (f).

cuit, e adj CULIN cocido(da) • **bien cuit** muy hecho.

cuivre nm (métal) cobre (m).

cuivré, e adj cobrizo(za).

cul nm tfam culo (m).

culbute nf 1. (saut) voltereta (f) 2. (chute) costalada (f).

cul-de-sac nm callejón (m) sin salida.

culinaire adj culinario(ria).

culminant ▷ **point**.

culminer vi (surplomber) culminar.

culot nm 1. fam (toupet) morro (m) • **avoir du culot** tener morro 2. (d'ampoule) casquillo (m) 3. (de bouteille) casco (m) 4. (dépôt) residuo (m).

culotte nf 1. (vêtement d'enfant) pantalón (m), pantalones (mpl) 2. (sous-vêtement féminin) bragas (fpl).

culotté, e adj 1. fam (personne) • **être culotté** tener jeta 2. (pipe) ennegrecido(da).

culpabilité nf culpabilidad (f).

culte nm culto (m).

cultivateur, trice nm, f labrador (m), -ra (f).

cultivé, e adj 1. (plante, terre) cultivado(da) 2. (personne) culto(ta).

cultiver vt cultivar.

culture nf 1. (gén) cultura (f) • **culture physique** cultura física 2. AGRIC cultivo (m) • **cultures vivrières** cultivo de plantas comestibles.

culturel, elle *adj* cultural.

culturisme *nm* culturismo *(m)*.

cumin *nm* comino *(m)*.

cumuler *vt* acumular.

cupide *adj* codicioso(sa).

cure *nf* MÉD cura *(f)* • **faire une cure de qqch** *fig* darse un hartón de algo • **cure de désintoxication/de sommeil** cura de desintoxicación/de sueño • **cure thermale** cura termal.

curé *nm* cura *(m)*.

cure-dents *nm inv* mondadientes *(m inv)*, palillo *(m)* (de dientes).

curée *nf fig* arrebatiña *(f)*.

curer *vt* **1.** *(puits)* mondar **2.** *(pipe)* limpiar.

curieux, euse ◼ *adj* curioso(sa) • **être curieux de qqch/de faire qqch** tener curiosidad por algo/por hacer algo. ◼ *nm, f* curioso *(m)*, -sa *(f)*.

curiosité *nf* curiosidad *(f)*.

curriculum vitae *nm inv* currículum *(m)* vitae.

curry, carry, cari *nm* curry *(m)*.

curseur *nm* cursor *(m)*.

cutané, e *adj* cutáneo(a).

cuti-réaction *nf* cutirreacción *(f)*, dermorreacción *(f)*.

cuve *nf* cuba *(f)*.

cuvée *nf* **1.** *(récolte de vin)* cosecha *(f)* **2.** *(contenu de cuve)* cuba *(f)*.

cuvette *nf* **1.** *(récipient)* palangana *(f)* **2.** *(partie creuse - de lavabo)* lavabo *(m)* • *(- de WC)* taza *(f)* **3.** GÉOGR depresión *(f)*.

CV *nm* **1.** *(abr de* **curriculum vitae***)* CV *(m)* • **joindre CV et photo d'identité** adjuntar el CV y una foto de carné **2.** *(puissance fiscale) (abr écrite de* **cheval-vapeur***)* CV *(m)* • **un moteur de 11 CV fiscaux** un motor de 11 CV fiscales.

cyanure *nm* cianuro *(m)*.

cybercafé *nm* cibercafé *(m)*.

cybercrime *nm* cibercrimen *(m)*.

cybernaute *nmf* cibernauta *(mf)*.

cyclable ▷ **piste**.

cycle *nm* ciclo *(m)* • **premier/second/troisième cycle** ≃ primer/segundo/tercer ciclo.

cyclique *adj* cíclico(ca).

cyclisme *nm* ciclismo *(m)*.

cycliste *adj* & *nmf* ciclista.

cyclone *nm* ciclón *(m)*.

cygne *nm* cisne *(m)*.

cylindre *nm* cilindro *(m)*.

cymbale *nf* címbalo *(m)*, platillo *(m)*.

cynique *adj* & *nmf* cínico(ca).

cynisme *nm* cinismo *(m)*.

cyprès *nm* ciprés *(m)*.

cyrillique *adj* cirílico(ca).

d

d, D *nm inv (lettre)* d *(f)*, D *(f)*. ◼ **d** *(abr écrite de* **déci***)* d.

dactylo ◼ *nmf (personne)* mecanógrafo *(m)*, -fa *(f)*. ◼ *nf (procédé)* mecanografía *(f)*.

dactylographier *vt* mecanografiar.

dada *nm* **1.** *(cheval)* caballito *(m)* **2.** *fam (occupation favorite)* pasatiempo *(m)* **3.** *fam (idée favorite)* tema *(m)* predilecto **4.** ART dadaísmo *(m)*.

daigner *vi sout* • **daigner faire qqch** dignarse a hacer algo.

daim *nm* **1.** *(animal)* gamo *(m)* **2.** *(peau)* ante *(m)*.

dallage *nm* enlosado *(m)*.

dalle *nf* losa *(f)*.

daltonien, enne *adj* & *nm, f* daltónico(ca).

dame *nf* **1.** *(femme)* señora *(f)* **2.** *(aux cartes)* reina *(f)*.

damier *nm* **1.** *(de jeu de dames)* tablero *(m)* de damas, damero *(m)* **2.** *(motif)* • **à damier** de cuadros.

damné, e ◼ *adj fam (satané)* condenado(da). ◼ *nm, f* RELIG condenado *(m)*, -da *(f)*.

damner *vt* RELIG condenar.

dancing *nm* sala *(f)* de baile.

dandiner • **se dandiner** *vp* **1.** *(canard)* balancearse **2.** *péj (personne)* contonearse.

Danemark *npr* • **le Danemark** Dinamarca.

danger *nm* peligro *(m)* • **en danger** en peligro.

dangereux, euse *adj* peligroso(sa).

danois, e *adj* danés(esa). ◼ **danois** *nm* LING danés *(m)*. ◼ **Danois, e** *nm, f* danés *(m)*, -esa *(f)*.

dans *prép*

1. INDIQUE LE MOMENT
  • **dans un mois** dentro de un mes
  • **dans les années quatre-vingt** en los años ochenta

2. INDIQUE LA SITUATION DANS L'ESPACE ◼ en
  • **dans la chambre** en la habitación

3. INDIQUE UN ÉTAT
  • **vivre dans la misère** vivir en la miseria
  • **il a parlé dans son sommeil** habló en sueños

4. INDIQUE L'APPARTENANCE À UN GROUPE
  • **il est dans le commerce** se dedica al comercio

5. INDIQUE UNE APPROXIMATION ◼ unos(unas)
  • **ça coûte dans les 15 euros** cuesta unos 15 euros.

dansant, e *adj* **1.** *(musique, air)* para bailar, bailable **2.** *(soirée, thé)* con baile.

danse *nf* baile *(m)*.

danser *vi* & *vt* bailar.

danseur, euse *nm, f* bailarín *(m)*, -ina *(f)*.

dard *nm* aguijón *(m)*.

date *nf* fecha *(f)* • **à quelle date ?** ¿qué día? • **en date du** con fecha de • **date de naissance** fecha de nacimiento.

dater ◼ *vt* **1.** *(lettre)* fechar **2.** *(objet ancien)* datar. ◼ *vi* **1.** *(faire date)* ser un hito **2.** *(être démodé)* estar anticuado(da) **3.** *(remonter à)* • **dater de** datar de. ◼ **à dater de** *loc prép* a partir de.

datte *nf* dátil *(m)*.

dattier *nm* palmera *(f)* datilera.

dauphin *nm* HIST & ZOOL delfín *(m)*.

daurade, dorade *nf* dorada *(f)*.

davantage *adv* más • **nous n'attendrons pas davantage** no esperaremos más.

DCC *(abr de* **Digital compact cassette)** *nf inv* cinta *(f)* compacta digital.

DDASS, Ddass *(abr de* **Direction départementale des affaires sanitaires et sociales)** *nf* pour expliquer en quoi consiste cette administration, vous pouvez dire : es un organismo provincial que se encarga de la política sanitaria y social • **un enfant de la DDASS** un niño abandonado o maltratado recogido por los servicios sociales de la DDASS.

de *prép*

1. INDIQUE LA PROVENANCE = de
• **il est sorti de la maison** ha salido de casa
• **revenir de Paris** volver de París

2. INDIQUE L'APPARTENANCE = de
• **le frère de Pierre** el hermano de Pierre
• **la porte du salon** la puerta del salón

3. INDIQUE LE CONTENU
• **un verre d'eau** un vaso de agua

4. INDIQUE UNE CARACTÉRISTIQUE = de
• **une statue de pierre** una estatua de piedra
• **un enfant de dix ans** un niño de diez años
• **une ville de 500 000 habitants** una ciudad de 500.000 habitantes

5. AVEC « À »
• **d'une ville à l'autre** de una ciudad a otra
• **du début à la fin** desde el principio hasta el fin.

de *art partitif*

• **boire de l'eau** beber agua
• **je prendrai du fromage** tomaré queso
• **avez-vous du pain ?** ¿tiene pan?
• **ils n'ont pas d'enfants** no tienen hijos.

◼ **DE** *(abr écrite de* **diplômé d'État)** *adj* con diploma oficial • **une infirmière DE** una enfermera con diploma oficial.

dé *nm* **1.** *(à jouer, morceau)* dado *(m)* **2.** COUT • **dé à coudre** dedal *(m)*.

DEA *(abr de* **diplôme d'études approfondies)** *nm* ≃ máster *(m)* • **faire un DEA** ≃ hacer un máster.

dealer[1] *vi* hacer de camello.

dealer[2] *nm* camello *(m) (de droga)*.

déambuler *v* deambular.

débâcle *nf* **1.** *(débandade)* desbandada *(f)* **2.** *fig (ruine)* debacle *(f)*.

déballer *vt* **1.** *(marchandises)* desembalar **2.** *fam fig (confier)* desembuchar.

débandade *nf* desbandada *(f)*.

débarbouiller *vt* lavar la cara a. ◼ **se débarbouiller** *vp* lavarse la cara.

débarcadère *nm* desembarcadero *(m)*.

débardeur *nm* **1.** *(vêtement)* camiseta *(f)* de tirantes **2.** *(ouvrier)* descargador *(m)*.

débarquement *nm* desembarco *(m)*.

débarquer ◼ *vt* desembarcar. ◼ *vi* **1.** *(d'un bateau & MIL)* desembarcar **2.** *fam fig (ne pas être au courant)* estar en babia **3.** *fam (arriver à l'improviste)* encajarse.

débarras *nm* trastero *(m)*.

débarrasser *vt* **1.** *(nettoyer - pièce)* despejar • *(- table)* quitar **2.** *(ôter)* • **débarrasser qqn de qqch** ayudar a alguien a quitarse algo • **je vous débarrasse de votre manteau ?** ¿me permite su abrigo? ◼ **se débarrasser** *vp* • **se débarrasser de qqn/de qqch** deshacerse de alguien/de algo • **il s'est débarrassé de l'arme du crime** se deshizo del arma del crimen • **il s'est débarrassé de son manteau** se quitó el abrigo.

débat *nm* debate *(m)*. ◼ **débats** *nmpl* POLIT debate *(m)*.

débattre ◼ *vt* discutir. ◼ *vi* • **débattre de qqch** discutir sobre algo. ◼ **se débattre** *vp* debatirse • **se débattre contre qqch** *fig* luchar contra algo.

débauche *nf* desenfreno *(m)*.

débauché, e *adj* & *nm, f* libertino(na).

débaucher *vt* **1.** *(corrompre)* corromper, pervertir **2.** *(licencier)* despedir **3.** *fam (détourner de son travail)* distraer.

débile ◼ *nmf* **1.** MÉD retrasado *(m)*, -da *(f)* • **un débile mental** un retrasado mental **2.** *fam (idiot)* subnormal *(mf)*. ◼ *adj* **1.** *fam péj (personne)* subnormal **2.** *fam péj (film)* para subnormales.

débit *nm* **1.** *(de marchandises)* salida *(f)* **2.** *(d'un arbre)* corte *(m)* **3.** *(de fleuve, robinet)* caudal *(m)* **4.** *(de compte bancaire)* débito *(m)*, debe *(m)* • **carte à débit immédiat/différé** tarjeta de débito/de crédito **5.** *(élocution)* modo *(m)* de hablar.

débiter *vt* **1.** *(marchandises)* despachar **2.** *(couper)* cortar **3.** *(sujet : robinet)* tener un caudal de **4.** *(compte bancaire)* cargar **5.** *fam fig (prononcer)* soltar.

débiteur, trice *adj* & *nm, f* deudor(ra).

déblaiement, déblayage *nm* **1.** *(de décombres)* desescombro *(m)* **2.** *(des obstacles)* retirada *(f)*.

déblayer *vt* **1.** *(passage, route)* despejar **2.** *(décombres)* desescombrar ◦ **déblayer le terrain** *fig* despejar el terreno.

débloquer ◼ *vt* **1.** *(machine)* desbloquear **2.** *(salaire, prix)* descongelar. ◼ *vi fam (perdre la tête)* delirar.

déboires *nmpl* desengaños *(mpl)*.

déboiser *vt* talar.

déboîter ◼ *vt* **1.** *(porte)* desencajar **2.** *(épaule)* dislocar. ◼ *vi* desviarse. ◼ **se déboîter** *vp* **1.** *(épaule)* dislocarse **2.** *(porte)* desencajarse.

débonnaire *adj* bonachón(ona).

déborder *vi* **1.** *(gén)* desbordarse **2.** *fig (être plein de)* ◦ **déborder de qqch** rebosar de algo.

débouché *nm* **1.** *(issue - de vallée)* desembocadura *(f)* ◦ *(- de rue)* salida *(f)* **2.** *(gén pl) (de carrière & comm)* salida *(f)*.

déboucher ◼ *vt* **1.** *(bouteille)* destapar, abrir **2.** *(lavabo, conduite)* desatascar **3.** *(nez)* despejar. ◼ *vi* desembocar ◦ **déboucher sur qqch** desembocar en algo.

débourser *vt* desembolsar.

debout ◼ *adv* *(verticalement)* de pie ◦ **tenir debout** *(bâtiment)* mantenerse en pie ◦ *(argument)* tener fundamento ◦ **ne pas tenir debout** no tenerse en pie. ◼ *interj* ¡arriba!

déboutonner *vt* desabotonar.

débraillé, e *adj* descamisado(da).

débrayage *nm* **1.** auto desembrague *(m)* **2.** *(du travail)* paro *(m)* *(huelga)*.

débrayer *vi* **1.** auto desembragar **2.** *(cesser le travail)* hacer un paro.

débris *nm* **1.** *(fragment)* pedazo *(m)* **2.** *fig (d'État, d'armée)* vestigios *(mpl)*.

débrouillard, e *adj* & *nm, f* espabilado(da).

débrouiller *vt* **1.** *(fils, cheveux)* desenredar **2.** *(affaire, mystère)* esclarecer. ◼ **se débrouiller** *vp fam* **1.** *(réussir)* defenderse, espabilarse **2.** *(s'arranger)* arreglárselas ◦ **se débrouiller pour** arreglárselas para.

débroussailler *vt* **1.** *(terrain)* desbrozar **2.** *fig (sujet, problème)* preparar.

débuguer *vt* = **déboguer**.

début *nm* comienzo *(m)*, principio *(m)* ◦ **au début** al principio. ◼ **au début de** *loc prép* **1.** *(gén)* al principio de **2.** *(d'année, de mois, de semaine)* a principios de.

débutant, e *adj* & *nm, f* principiante.

débuter *vi* **1.** *(commencer)* empezar, comenzar ◦ **débuter par qqch** comenzar *ou* empezar

con algo **2.** *(faire ses débuts - dans une activité)* dar los primeros pasos ◦ *(- dans une carrière)* debutar.

déca *nm fam* descafeinado *(m)*.

deçà ◼ **en deçà de** *loc prép* **1.** de este lado de **2.** *fig (en dessous de)* por debajo de.

décacheter *vt* abrir *(una carta)*.

décadence *nf* decadencia *(f)*.

décadent, e *adj* decadente.

décaféiné, e *adj* descafeinado(da). ◼ **décaféiné** *nm* descafeinado *(m)*.

décalage *nm* **1.** *(dans le temps)* desfase *(m)* ◦ **décalage horaire** diferencia *(f)* horaria **2.** *(dans l'espace)* desajuste *(m)* **3.** *fig (différence)* distancia *(f)*.

décaler *vt* **1.** *(dans le temps)* aplazar **2.** *(dans l'espace)* desplazar ◦ **décaler qqch d'un mètre** desplazar algo un metro.

décalitre *nm* decalitro *(m)*.

décalquer *vt* calcar.

décamper *vi* salir corriendo.

décapant, e *adj* **1.** *(produit)* decapante **2.** *fig (texte, humour)* corrosivo(va). ◼ **décapant** *nm* decapante *(m)*.

décaper *vt* decapar.

décapiter *vt* **1.** *(personne)* decapitar **2.** *(arbre)* desmochar.

décapotable ◼ *adj* descapotable. ◼ *nf* descapotable *(m)*.

décapsuler *vt* abrir *(botella)*.

décapsuleur *nm* abrebotellas *(m inv)*, abridor *(m)* (de botellas).

décati, e *adj* decrépito(ta).

décédé, e *adj* fallecido(da).

décéder *vi* fallecer.

déceler *vt* **1.** *(repérer)* descubrir **2.** *sout (révéler)* revelar.

décembre *nm* diciembre *(m)*. ◦ *voir aussi* **septembre**

décemment *adv* **1.** *(convenablement)* decentemente **2.** *(raisonnablement)* razonablemente.

décence *nf* decencia *(f)*.

décennie *nf* decenio *(m)*.

décent, e *adj* decente.

décentralisation *nf* descentralización *(f)*.

décentraliser *vt* descentralizar.

décentrer *vt* descentrar.

déception *nf* decepción *(f)*.

décerner *vt* conceder.

décès *nm* **1.** fallecimiento *(m)* **2.** dr defunción *(f)*.

décevant, e *adj* decepcionante.

décevoir *vt* **1.** *(personne)* decepcionar **2.** *(confiance, espérance)* frustrar.

déchaîné, e *adj* **1.** desatado(da) **2.** *(mer)* encrespado(da).

déchaîner vt desatar. ■ **se déchaîner** vp 1. (tempête, cyclone, etc) desatarse 2. fig (personne) enfurecerse (Esp), enchilarse (Amér) ◆ **se déchaîner contre qqn/contre qqch** ensañarse con alguien/con algo.

déchanter vi desilusionarse.

décharge nf 1. (d'arme à feu & ÉLECTR) descarga (f) ◆ **décharge électrique** descarga eléctrica 2. DR (action) descargo (m) 3. (dépotoir) vertedero (m).

déchargement nm descarga (f).

décharger vt 1. (véhicule, marchandises) descargar 2. (arme) disparar 3. fig (libérer) ◆ **décharger qqn de qqch** descargar ou eximir a alguien de algo.

déchaussé, e adj (dent) descarnado(da).

déchausser vt (enfant) descalzar. ■ **se déchausser** vp 1. (personne) descalzarse 2. (dent) descarnarse.

déchéance nf 1. (déclin) decadencia (f) 2. DR (d'un droit) privación (f) 3. DR (de souverain) destronamiento (m).

déchet nm 1. (perte) desecho (m) 2. fig & péj (personne) escoria (f). ■ **déchets** nmpl restos (mpl), residuos (mpl).

déchiffrer vt 1. (énigme, inscription) descifrar 2. MUS repentizar.

déchiqueter vt 1. (gén) desmenuzar 2. (viande) despedazar.

déchirant, e adj desgarrador(ra).

déchirement nm fig 1. (souffrance morale) dolor (m) 2. (division) división (f).

déchirer vt 1. (mettre en morceaux - tissu) desgarrar ◆ (- papier) rasgar 2. fig (percer) romper 3. fig (diviser) dividir 4. (causer une douleur à - physique) desgarrar ◆ (- morale) destrozar. ■ **se déchirer** vp 1. (personnes) enfrentarse continuamente 2. (tissu) rasgarse ◆ **ma robe s'est déchirée** se me ha desgarrado el vestido 3. MÉD desgarrarse.

déchirure nf 1. (gén) desgarradura (f) ◆ **déchirure musculaire** desgarro (m) muscular 2. fig (douleur) dolor (m).

déchu, e adj 1. (ange) caído(da) 2. (souverain) destronado(da).

décibel nm decibelio (m).

décidé, e adj decidido(da) ◆ **décidé à faire qqch** resuelto a hacer algo.

décidément adv decididamente.

décider ■ vt 1. (gén) decidir ◆ **décider que** decidir que 2. (convaincre) ◆ **décider qqn à faire qqch** convencer a alguien para que haga algo. ■ vi 1. (prendre une décision) decidir ◆ **décider de faire qqch** decidir hacer algo 2. (se prononcer) ◆ **décider de qqch** determinar algo 3. (être la cause) ◆ **décider de qqch** decidir algo. ■ **se décider** vp decidirse ◆ **se décider à faire qqch** decidirse a hacer algo ◆ **se décider pour qqch** decidirse por algo.

décigramme nm decigramo (m).

décilitre nm decilitro (m).

décimal, e adj decimal. ■ **décimale** nf decimal (m).

décimer vt diezmar.

décimètre nm 1. (dixième de mètre) decímetro (m) 2. (règle) regla (f) ◆ **double décimètre** regla de veinte centímetros.

décisif, ive adj decisivo(va).

décision nf decisión (f).

décisionnaire nmf ◆ **les décisionnaires** los que tienen el poder decisorio.

déclamer vt declamar.

déclaration nf declaración (f) ◆ **déclaration de guerre** declaración de guerra ◆ **déclaration d'impôts** declaración de la renta ◆ **déclaration sur l'honneur** declaración jurada.

déclarer vt 1. (annoncer) declarar ◆ **déclarer que** declarar que 2. (vol, perte) denunciar. ■ **se déclarer** vp declararse ◆ **se déclarer pour/contre qqch** declararse a favor/en contra de algo.

déclenchement nm 1. (de mécanisme) activación (f) 2. (d'événement, de phénomène) desencadenamiento (m).

déclencher vt 1. (mécanisme) activar 2. (conflit, crise, grève) desencadenar. ■ **se déclencher** vp 1. (mécanisme) activarse 2. (conflit, crise) desencadenarse.

déclic nm 1. (de mécanisme) disparador (m) 2. (bruit) clic (m).

déclin nm 1. (de pays) decadencia (f) 2. (de population) descenso (m) 3. (de jour, âge) ocaso (m).

déclinaison nf GRAMM declinación (f).

décliner ■ vi 1. (pays) estar en decadencia 2. (santé) debilitarse 3. (jour) declinar. ■ vt 1. (gén & GRAMM) declinar 2. (identité) dar a conocer.

déclouer vt desclavar.

déco nf fam (décoration) decoración (f).

décoction nf decocción (f).

décoder vt descodificar.

décoiffer vt despeinar.

décoincer *vt* **1.** *(mécanisme)* desbloquear **2.** *fam fig (personne)* relajar.

décollage *nm* despegue *(m)*.

décollé, e *adj* despegado(da).

décoller *vt & vi* despegar.

décolleté, e *adj* escotado(da). ■ **décolleté** *nm* escote *(m)*.

décolonisation *nf* descolonización *(f)*.

décoloration *nf* decoloración *(f)*.

décolorer *vt* decolorar.

décombres *nmpl* escombros *(mpl)*.

décommander *vt* cancelar. ■ **se décommander** *vp* cancelar una cita.

décomposé, e *adj* descompuesto(ta).

décomposer *vt* **1.** *(gén)* descomponer **2.** *(raisonnement, problème)* analizar. ■ **se décomposer** *vp* **1.** *(gén)* descomponerse **2.** *(se diviser)* • **se décomposer en** dividirse en.

décomposition *nf* **1.** *(gén)* descomposición *(f)* **2.** *(de raisonnement, de problème)* análisis *(m inv)*.

décompresser ◗ *vt* *(gén & INFORM)* descomprimir. ◗ *vi fam* relajarse.

décompression *nf* descompresión *(f)*.

décompte *nm* descuento *(m)*.

déconcentrer *vt* desconcentrar. ■ **se déconcentrer** *vp* desconcentrarse.

déconcerter *vt* desconcertar.

déconfiture *nf fam* descalabro *(m)*.

décongélation *nf* descongelación *(f)*.

décongeler *vt* descongelar.

décongestionner *vt* descongestionar.

déconnecter *vt* desconectar. ■ **se déconnecter** *vp* INFORM desconectarse.

déconseiller *vt* desaconsejar • **déconseiller à qqn de faire qqch** desaconsejar a alguien que haga algo.

déconsidérer *vt* desacreditar.

décontenancer *vt* confundir.

décontracté, e *adj* **1.** *(muscle)* relajado(da) **2.** *(détendu - personne)* tranquilo(la) • *(- allure, ambiance)* distendido(da).

décontracter *vt* relajar. ■ **se décontracter** *vp* relajarse.

déconvenue *nf* desengaño *(m)*.

décor *nm* **1.** *(cadre)* marco *(m)* *(fondo)* **2.** *(décoration)* decoración *(f)* **3.** CINÉ & THÉÂTRE decorado *(m)*.

décorateur, trice *nm, f* decorador *(m)*, -ra *(f)*.

décoratif, ive *adj* decorativo(va).

décoration *nf* **1.** *(gén)* decoración *(f)* **2.** *(insigne)* condecoración *(f)*.

décorer *vt* **1.** *(pièce)* decorar **2.** *(personne)* condecorar.

décortiquer *vt* **1.** *(fruit)* pelar **2.** *fig (texte)* desmenuzar.

découcher *vi* dormir fuera de casa.

découdre ◗ *vt* COUT descoser. ◗ *vi* • **en découdre** llegar a las manos.

découler *vi* • **découler de qqch** derivarse de algo.

découpage *nm* **1.** *(action de découper)* recorte *(m)* **2.** *(jeu d'enfants)* recortable *(m)* **3.** CINÉ guión *(m)* técnico **4.** ADMIN • **découpage électoral** demarcación *(f)* de las circunscripciones electorales.

découper *vt* **1.** *(viande, tissu)* cortar • '**découper suivant le pointillé**' 'cortar por la línea de puntos' **2.** *(article, texte)* recortar.

découpure *nf* **1.** *(chose découpée)* • **découpures** recortes *(mpl)* **2.** *(d'une côte, etc)* silueta *(f)* **3.** *(d'un tissu)* festón *(m)*.

découragement *nm* desaliento *(m)*, desánimo *(m)*.

décourager *vt* **1.** *(démoraliser)* desalentar, desanimar **2.** *(dissuader)* disuadir • **décourager qqn de faire qqch** disuadir a alguien de hacer algo. ■ **se décourager** *vp* desanimarse.

décousu, e *adj* **1.** COUT descosido(da) **2.** *fig (conversation)* deshilvanado(da).

découvert, e *adj* descubierto(ta). ■ **découvert** *nm* FIN descubierto *(m)* • **être à découvert** tener un descubierto, estar en números rojos. ■ **découverte** *nf* descubrimiento *(m)*.

découvrir *vt* **1.** *(gén)* descubrir **2.** *(casserole)* destapar **3.** *(paysage)* divisar **4.** *(projet, plan)* revelar.

décrasser *vt fam* quitar la roña a.

décrépitude *nf* decrepitud *(f)*.

décret *nm* decreto *(m)* • **décret ministériel** decreto ministerial.

décréter *vt* **1.** ADMIN decretar **2.** *(décider)* • **décréter que** decidir que.

décrire *vt* describir.

décrocher ◗ *vt* **1.** *(détacher)* desenganchar **2.** *(tableau, téléphone)* descolgar **3.** *fam (obtenir)* conseguir. ◗ *vi fam* desconectar.

décroître *vi* decrecer.

décrypter *vt* descifrar.

déçu, e *adj* **1.** *(personne)* decepcionado(da) **2.** *(espoir)* frustrado(da).

déculotter *vt* • **déculotter qqn** quitar los pantalones a alguien.

dédaigner ◗ *vt* *(mépriser)* desdeñar. ◗ *vi sout (refuser)* • **dédaigner de faire qqch** no dignarse hacer algo • **ne pas dédaigner de faire qqch** no hacerle ascos a hacer algo.

dédaigneux, euse *adj* desdeñoso(sa).

dédain *nm* desdén *(m)*.

dédale *nm* laberinto *(m)*.

dedans ◗ *adv* dentro. ◗ *nm* interior *(m)*. ■ **de dedans** *loc adv* de dentro. ■ **en dedans** *loc adv* por dentro.

dédicace *nf* dedicatoria *(f)*.

dédicacer *vt* (*livre, photo*) dedicar.

dédier *vt* dedicar.

dédire ■ se dédire *vp* desdecirse.

dédommagement *nm* 1. (*indemnité*) indemnización (*f*) 2. (*compensation*) compensación (*f*).

dédommager *vt* 1. (*indemniser*) indemnizar 2. (*récompenser*) compensar.

dédouanement, dédouanage *nm* despacho (*m*) de aduanas.

dédoubler *vt* desdoblar. ■ **se dédoubler** *vp* 1. PSYCHO desdoblarse 2. fig & hum (*être partout*) multiplicarse.

déduction *nf* deducción (*f*).

déduire *vt* deducir.

déesse *nf* diosa (*f*).

défaillance *nf* 1. (*de machine*) fallo (*m*), avería (*f*) 2. (*d'organisation*) incapacidad (*f*).

défaillir *vi* 1. sout (*s'évanouir*) desfallecer 2. (*mémoire*) fallar.

défaire *vt* 1. (*gén*) deshacer 2. sout (*vaincre*) derrotar. ■ **se défaire** *vp* deshacerse • **se défaire de qqn/de qqch** deshacerse de alguien/de algo.

défait, e *adj* fig (*air, mine*) descompuesto(ta). ■ **défaite** *nf* derrota (*f*).

défaitiste *adj* & *nmf* derrotista.

défaut *nm* 1. (*imperfection*) defecto (*m*) 2. (*manque*) falta (*f*) • **à défaut de** a falta de • **faire (cruellement) défaut** hacer (mucha) falta • **par défaut** (*valeur, etc*) predefinido(da).

défaveur *nf* • **être/tomber en défaveur** estar/caer en desgracia.

défavorable *adj* desfavorable.

défavoriser *vt* desfavorecer.

défection *nf* deserción (*f*).

défectueux, euse *adj* 1. (*machine, produit*) defectuoso(sa) 2. fig (*raisonnement, démonstration*) incompleto(ta).

défendre *vt* 1. (*personne, opinion, accusé*) defender 2. (*interdire*) prohibir • **défendre qqch à qqn** prohibir algo a alguien • **défendre à qqn de faire qqch** prohibir a alguien que haga algo • **défendre que** prohibir que. ■ **se défendre** *vp* 1. (*gén*) defenderse • **se défendre de** negar que • **il se défend d'être avare** niega que sea avaro 2. (*idée*) sostenerse • **ça se défend** por qué no.

défenestrer *vt* defenestrar.

défense *nf* 1. (*gén*) defensa (*f*) • **prendre la défense de qqn/de qqch** defender a alguien/algo • **légitime défense** legítima defensa 2. (*interdiction*) prohibición (*f*) 3. (*d'éléphant*) colmillo (*m*).

défenseur *nm* defensor (*m*), -ra (*f*) • **défenseur des droits des enfants** defensor de los derechos de la infancia.

défensif, ive *adj* defensivo(va). ■ **défensive** *nf* • **être sur la défensive** estar a la defensiva.

déférence *nf* deferencia (*f*).

déferlante ⯈ **vague**.

déferlement *nm* 1. (*des vagues*) rompimiento (*m*) 2. (*d'enthousiasme, de colère*) explosión (*f*) 3. (*de gens*) invasión (*f*).

déferler *vi* 1. (*vagues*) romperse 2. fig (*personnes*) invadir.

défi *nm* desafío (*m*), reto (*m*).

défiance *nf* desconfianza (*f*).

déficit *nm* déficit (*m*) • **être en déficit** tener déficit.

déficitaire *adj* deficitario(ria).

défier *vt* 1. (*mettre au défi de*) desafiar, retar • **défier qqn de faire qqch** desafiar ou retar a alguien a que haga algo 2. (*résister à la comparaison de*) desafiar. ■ **se défier** *vp* sout • **se défier de qqn/de qqch** desconfiar de alguien/de algo.

défigurer *vt* 1. (*visage*) desfigurar 2. (*paysage*) afear 3. fig (*fait, vérité*) deformar.

défilé *nm* 1. GÉOL desfiladero (*m*) 2. (*parade*) desfile (*m*).

défiler *vi* desfilar. ■ **se défiler** *vp* fam largarse.

défini, e *adj* definido(da).

définir *vt* definir.

définitif, ive *adj* definitivo(va). ■ **en définitive** *loc adv* en definitiva.

définition *nf* definición (*f*) • **haute définition** alta definición.

définitivement *adv* definitivamente.

défiscaliser *vt* eximir de impuestos.

déflation *nf* deflación (*f*).

déflationniste *adj* deflacionista.

déflecteur *nm* deflector (*m*).

déflorer *vt* desflorar.

défoncer *vt* 1. (*sommier, fauteuil*) desfondar 2. (*porte*) echar abajo.

déformation *nf* deformación (*f*) • **déformation professionnelle** deformación profesional.

déformer *vt* deformar. ■ **se déformer** *vp* deformarse.

défraîchi, e *adj* ajado(da).

défrayer *vt* sout (*indemniser*) • **défrayer qqn de qqch** retribuir a alguien algo • **défrayer la chronique** saltar a los titulares.

défunt, e *adj* 1. (*personne*) difunto(ta) 2. sout (*amour*) pasado(da). ■ *nm, f* difunto (*m*), -ta (*f*).

dégagé, e *adj* 1. (*ciel, vue*) despejado(da) 2. (*ton, air*) desenvuelto(ta).

dégager *vt* 1. (*odeur*) desprender, soltar 2. (*crédits*) liberar 3. (*idée, blessé*) sacar, extraer 4. (*épaule*) dejar libre 5. (*pièce, vue*) despejar 6. (*libérer*) • **dégager qqn de qqch** (responsabi-

lités, obligations) liberar a alguien de algo. ◪ *vi fam* largarse. ■ **se dégager** *vp* **1.** *(se libérer)* ◦ **se dégager de qqch** liberarse de algo **2.** *(ciel, nez)* despejarse **3.** *(odeur, idée)* desprenderse.

dégât *nm* daño *(m)*, estrago *(m)* ◦ **dégâts matériels** daños materiales ◦ **faire des dégâts** causar estragos.

dégel *nm* **1.** *(fonte des glaces)* deshielo *(m)* **2.** ÉCON & POLIT desbloqueo *(m)*.

dégeler ◪ *vt* **1.** *(produit surgelé & ÉCON)* descongelar **2.** *fig (atmosphère)* caldear. ◪ *vi* descongelarse.

dégénéré, e *adj & nm, f* degenerado(da).

dégénérer *vi* degenerar ◦ **dégénérer en qqch** degenerar en algo.

dégivrer *vt* descongelar.

dégivreur *nm* **1.** *(de voiture)* luneta *(f)* térmica **2.** *(de réfrigérateur)* descongelador *(m)*.

déglutir *vi* deglutir.

dégonfler ◪ *vt* desinflar. ◪ *vi* desinflarse ◦ **faire dégonfler qqch** desinflar algo. ■ **se dégonfler** *vp* **1.** *(objet)* desinflarse **2.** *fam (personne)* rajarse.

dégouliner *vi* gotear.

dégoupiller *vt* *(grenade)* quitar el pasador a.

dégourdi, e *adj & nm, f* despabilado(da).

dégoût *nm* **1.** *(gén)* asco *(m)* ◦ **dégoût pour qqch** asco por algo ◦ **ravaler son dégoût** reprimir su asco **2.** *(lassitude)* hastío *(m)* ◦ **le dégoût de la vie** el hastío de la vida.

dégoûtant, e ◪ *adj* **1.** *(sale)* asqueroso(sa) **2.** *(révoltant, grossier)* repugnante. ◪ *nm, f* asqueroso *(m)*, -sa *(f)* ◦ **un vieux dégoûtant** un viejo verde.

dégoûter *vt* dar asco ◦ **dégoûter qqn de qqch** hacer aborrecer algo a alguien.

dégoutter *vi* gotear.

dégrader *vt* **1.** *(officier, situation, personne)* degradar **2.** *(édifice, site)* deteriorar. ■ **se dégrader** *vp* **1.** *(situation, personne)* degradarse **2.** *(santé)* empeorar.

dégrafer *vt* desabrochar.

dégraisser ◪ *vt* **1.** *(vêtement)* limpiar *(las manchas de grasa)* **2.** CULIN retirar la capa de grasa. ◪ *vi fam (personnel)* reducir la plantilla.

degré *nm* **1.** *(gén)* grado *(m)* ◦ **degré centigrade** OU **Celsius** grado centígrado OU Celsius ◦ **prendre qqch au premier degré** interpretar algo al pie de la letra **2.** *sout (marche)* peldaño *(m)*.

dégressif, ive *adj* decreciente.

dégringoler *fam* ◪ *vt* *(escalier)* bajar corriendo. ◪ *vi* **1.** *(personne)* caer rodando **2.** FIN hundirse.

déguenillé, e *adj* andrajoso(sa).

déguerpir *vi* salir corriendo.

dégueulasse *tfam* ◪ *adj* guarro(rra) ◦ **c'est dégueulasse, ce qu'il t'a fait !** ¡vaya putada te ha hecho! ◪ *nmf* guarro *(m)*, -rra *(f)*.

dégueuler *vi tfam* echar las papas.

déguisement *nm* disfraz *(m)*.

déguiser *vt* **1.** *(personne)* disfrazar **2.** *(voix, écriture)* disimular. ■ **se déguiser** *vp* ◦ **se déguiser en** disfrazarse de.

dégustation *nf* **1.** *(de mets)* degustación *(f)* **2.** *(de vin)* cata *(f)*.

déguster ◪ *vt* *(savourer - mets)* saborear ◦ *(- vin)* catar. ◪ *vi fam (souffrir)* pasarlas canutas ◦ **qu'est-ce que je vais déguster si je rentre tard !** ¡la que me espera si vuelvo tarde!

déhancher ■ **se déhancher** *vp* contonearse.

dehors ◪ *adv* fuera ◦ **jeter** OU **mettre qqn dehors** echar a alguien. ◪ *nm* exterior *(m)*. ◪ *nmpl* ◦ **les dehors** las apariencias. ■ **en dehors** *loc adv* hacia fuera. ■ **en dehors de** *loc prép* aparte de.

déjà *adv* **1.** *(gén)* ya ◦ **je l'ai déjà vu** ya lo he visto **2.** *(au fait)* ◦ **comment tu t'appelles, déjà ?** ¿cómo me has dicho que te llamas?

déjeuner ◪ *vi* **1.** *(le matin)* desayunar **2.** *(à midi)* comer, almorzar. ◪ *nm* **1.** *(repas du midi)* comida *(f)*, almuerzo *(m)* **2.** *(Québec) (dîner)* cena *(f)*.

déjouer *vt* desbaratar.

delà ■ **par-delà** *loc prép* al otro lado de, más allá de.

délabré, e *adj* ruinoso(sa).

délacer *vt* desatar.

délai *nm* **1.** *(temps accordé)* plazo *(m)* ◦ **sans délai** sin demora ◦ **délai de livraison** plazo de entrega **2.** *(sursis)* prórroga *(f)*.

délaisser *vt* abandonar.

délassant, e *adj* relajante.

délasser *vt* relajar. ■ **se délasser** *vp* relajarse.

délation *nf* delación *(f)*.

délavé, e *adj* descolorido(da).

délayer *vt* **1.** *(diluer)* desleír, diluir **2.** *fig (exposer longuement)* diluir.

délecter ■ **se délecter** *vp sout* ◦ **se délecter de qqch/de faire qqch** deleitarse con algo/haciendo algo.

délégation *nf* delegación *(f)*.

délégué, e ◪ *adj* delegado(da). ◪ *nm, f* delegado *(m)*, -da *(f)*.

déléguer *vt* delegar.

délester *vt* **1.** *(navire, ballon)* deslastrar **2.** *(circulation routière)* descongestionar **3.** *fig & hum (voler)* ◦ **délester qqn de qqch** aligerar a alguien de algo.

délibération *nf* deliberación *(f)*.

délibéré, e *adj* **1.** *(intentionnel)* deliberado(da) **2.** *(résolu)* resuelto(ta).

délibérer *vi* deliberar.

délicat, e *adj* delicado(da).

délicatement *adv* delicadamente, con delicadeza.

délicatesse nf delicadeza (f).

délice nm delicia (f).

délicieux, euse adj delicioso(sa).

délié, e adj **1.** (écriture) menudo(da) **2.** (doigts) ágil.

délier vt (gén) desatar.

délimiter vt delimitar.

délinquance nf delincuencia (f) • **délinquance juvénile** delincuencia juvenil.

délinquant, e ■ adj delincuente. ■ nm, f delincuente (mf).

délirant, e adj delirante.

délire nm delirio (m) • **en délire** (public, foule) delirante • **c'est du délire !** fig ¡es una locura!

délirer vi delirar.

délit nm delito (m) • **en flagrant délit** in fraganti.

délivrance nf **1.** (de prisonnier) liberación (f) **2.** (soulagement) alivio (m) **3.** (de passeport, de certificat) expedición (f).

délivrer vt **1.** (prisonnier, pays) liberar • **délivrer de** fig (débarrasser) librar de **2.** (certificat, passeport) expedir **3.** (marchandise) entregar.

déloger vt desalojar.

déloyal, e adj desleal.

delta nm delta (m).

delta-plane, deltaplane nm ala (f) delta.

déluge nm diluvio (m). ■ **Déluge** nm RELIG • **le Déluge** el Diluvio.

déluré, e adj **1.** (malin) avispado(da) **2.** péj (dévergondé) desvergonzado(da).

démagogie nf demagogia (f).

démagogique adj demagógico(ca).

démagogue nmf demagogo (m), -ga (f).

demain ■ adv mañana • **demain matin** mañana por la mañana. ■ nm **1.** (jour suivant) mañana (m) • **à demain !** ¡hasta mañana! **2.** (avenir) el día de mañana.

demande nf **1.** (souhait) petición (f) **2.** (démarche, candidature) solicitud (f) • **demande d'emploi** solicitud de empleo • **demande en mariage** petición de mano **3.** (commande) encargo (m) **4.** ÉCON & DR demanda (f).

demandé, e adj solicitado(da) • **très demandé** muy solicitado.

demander ■ vt **1.** (gén) pedir • **ne pas demander mieux** no desear otra cosa **2.** (interroger) preguntar **3.** (nécessiter) requerir **4.** (chercher) buscar. ■ vi **1.** (réclamer) • **demander à qqn de faire qqch** pedir a alguien que haga algo • **ne demander qu'à** sólo pedir **2.** (nécessiter) • **demander à** requerir. ■ **se demander** vp • **se demander qqch** preguntarse algo • **se demander si** preguntarse si.

demandeur[1], euse nm, f solicitante (mf) • **demandeur d'asile** solicitante de asilo • **demandeur d'emploi** desempleado (m).

À PROPOS DE...

demander

Attention à la construction de **pedir** : « Demander de » + infinitif se traduit par **pedir que** + subjonctif.

demandeur[2], eresse nm, f DR demandante (mf).

démangeaison nf **1.** (irritation) comezón (f) **2.** fig (grande envie) ganas (fpl).

démanger vt **1.** (gratter) picar **2.** fig (donner envie) • **ça me démange de** tengo unas ganas de.

démanteler vt desmantelar.

démaquillant, e adj desmaquillador(ra), desmaquillante. ■ **démaquillant** nm desmaquillador (m), desmaquillante (m).

démaquiller vt desmaquillar. ■ **se démaquiller** vp desmaquillarse.

démarchage nm • **démarchage (à domicile)** venta (f) a domicilio.

démarche nf **1.** (manière de marcher) andares (mpl) **2.** (raisonnement) enfoque (m) **3.** (requête) gestión (f), trámite (m) (Esp), tratativas (fpl) (Amér).

démarcheur, euse nm, f vendedor (m), -ra (f) a domicilio.

démarque nf rebaja (f).

démarquer vt **1.** (solder) rebajar, saldar **2.** (enlever la marque de) quitar la marca de **3.** SPORT desmarcar. ■ **se démarquer** vp **1.** SPORT desmarcarse **2.** (se distinguer) • **se démarquer (de)** desmarcarse (de).

démarrage nm arranque (m) • **démarrage en côte** arrancue en una cuesta.

démarrer ■ vi **1.** (gén) arrancar • **faire démarrer** arrancar **2.** NAUT zarpar. ■ vt **1.** (voiture) arrancar **2.** fig (affaire, projet) poner en marcha.

démarreur nm arranque (m) (mecanismo).

démasquer vt desenmascarar.

démêlant, e adj suavizante.

démêlé nm altercado (m) • **avoir des démêlés avec la justice** tener líos con la justicia.

démêler vt **1.** (cheveux, fils) desenredar **2.** fig (affaire, embrouille) desembrollar. ■ **se démêler** vp • **se démêler de qqch** fig desembarazarse de algo.

déménagement nm mudanza (f).

déménager ■ vt (meuble) trasladar. ■ vi (changer d'adresse) mudarse.

déménageur nm **1.** (entrepreneur) empresa (f) de mudanzas **2.** (employé) mozo (m) de mudanzas.

démence nf **1.** MÉD demencia (f), **2.** fig (bêtise) locura (f).

démener ■ **se démener** *vp* **1.** *(s'agiter)* forcejear **2.** *fig (se donner du mal)* moverse.

dément, e ◨ *adj* **1.** MÉD demente **2.** *fam (incroyable, extravagant)* alucinante. ◨ *nm, f* MÉD demente *(mf)*.

démenti *nm* mentís *(m inv)*.

démentiel, elle *adj* demencial.

démentir *vt* desmentir.

démesure *nf* desmesura *(f)*.

démesuré, e *adj* desmesurado(da).

démettre *vt* **1.** MÉD dislocar **2.** *(destituer)* ▸ **démettre qqn de ses fonctions** destituir a alguien de sus funciones. ■ **se démettre** *vp* **1.** MÉD dislocarse **2.** *(démissionner)* ▸ **se démettre de ses fonctions** dimitir (de) su cargo.

demeurant ■ **au demeurant** *loc adv* por lo demás.

demeure *nf* **1.** *(maison)* mansión *(f)* **2.** *sout (domicile)* residencia *(f)*. ■ **à demeure** *loc adv* para siempre.

demeuré, e *adj* & *nm, f* retrasado(da) mental.

demeurer *vi* **1.** *(aux être) (rester)* quedarse, permanecer **2.** *(aux avoir) (habiter)* residir.

demi, e *adj* **1.** *(qui est la moitié de)* medio(dia) ▸ **et demi** y medio **2.** *(incomplet)* ▸ **un demi-succès** un éxito a medias. ■ **demi** *nm* **1.** *(bière)* caña *(f)* **2.** SPORT medio *(m)*. ■ **demie** *nf* **1.** *(demi-heure)* media *(f)* ▸ **à la demie** a la media, a y media **2.** *(demi-bouteille)* botella *(f)* de medio. ■ **à demi** *loc adv* **1.** *(à moitié)* medio ▸ **à demi nu** medio desnudo **2.** *(en partie)* a medias ▸ **faire les choses à demi** hacer las cosas a medias.

demi-cercle *nm* semicírculo *(m)* ▸ **en demi-cercle** en semicírculo.

demi-douzaine *nf* media docena *(f)*.

demi-finale *nf* semifinal *(f)*.

demi-frère *nm* hermanastro *(m)*.

demi-heure *nf* media hora *(f)*.

demi-journée *nf* media jornada *(f)*.

démilitariser *vt* desmilitarizar.

demi-litre *nm* medio litro *(m)*.

demi-mesure *nf* **1.** *(quantité)* media medida *(f)* **2.** *(compromis)* parche *(m)*.

demi-mot ■ **à demi-mot** *loc adv* ▸ **comprendre à demi-mot** entender sin necesidad de palabras.

déminer *vt* retirar las minas de.

demi-pension *nf* media pensión *(f)*.

demi-pensionnaire *nmf* medio pensionista *(mf)*.

demi-saison *nf* entretiempo *(m)*.

demi-sœur *nf* hermanastra *(f)*.

démission *nf* dimisión *(f)*.

démissionner ◨ *vi (quitter son emploi)* dimitir. ◨ *vt fam (renvoyer)* dimitir.

demi-tarif *nm* medio billete *(m)*.

demi-tour *nm* media vuelta *(f)* ▸ **faire demi-tour** dar media vuelta.

démocrate *adj* & *nmf* demócrata.

démocratie *nf* democracia *(f)*.

démocratique *adj* democrático(ca).

démocratiser *vt* democratizar.

démodé, e *adj* **1.** *(vêtement)* pasado(da) de moda **2.** *(technique, théorie)* anticuado(da).

démographie *nf* demografía *(f)*.

démographique *adj* demográfico(ca).

demoiselle *nf* **1.** *(jeune fille)* señorita *(f)* ▸ **demoiselle d'honneur** dama *(f)* de honor **2.** *(libellule)* libélula *(f)*.

démolir *vt* **1.** *(édifice)* demoler **2.** *(casser)* destrozar **3.** *fam (personne)* moler a palos **4.** *fig (projet, réputation)* arruinar.

démolition *nf* demolición *(f)*.

démon *nm* **1.** *(diable* & MYTHOL*)* demonio *(m)* **2.** *(enfant)* diablo *(m)*.

démoniaque *adj* **1.** *fig (diabolique)* demoníaco(ca) **2.** *(possédé du démon)* endemoniado(da).

démonstrateur, trice *nm, f* demostrador *(m)*, -ra *(f)*.

démonstratif, ive *adj* demostrativo(va). ■ **démonstratif** *nm* GRAMM demostrativo *(m)*.

démonstration *nf* demostración *(f)*.

démonter *vt* **1.** *(appareil)* desmontar **2.** *(meuble)* desarmar **3.** *fig (troubler)* desmoronar.

démontrer *vt* demostrar.

démoralisant, e *adj* desmoralizador(ra).

démoraliser *vt* desmoralizar.

démordre *vi* ▸ **ne pas démordre de qqch** no dar su brazo a torcer en algo.

démotiver *vt* desmotivar.

démouler *vt* **1.** *(statue)* vaciar **2.** *(gâteau, pâté)* desmoldar.

démunir *vt* despojar. ■ **se démunir** *vp* ▸ **se démunir de qqch** despojarse de algo.

démythifier *vt* desmitificar.

dénationaliser *vt* desnacionalizar.

dénaturer *vt* **1.** *(goût)* alterar **2.** *(paroles)* deformar **3.** *(produit)* desnaturalizar.

dénégation *nf* **1.** *(négation* & PSYCHO*)* negación *(f)* **2.** DR denegación *(f)*.

dénicher *vt* **1.** *(objet rare)* topar con **2.** *(voleur)* descubrir.

dénigrer *vt* denigrar.

dénivellation *nf* **1.** *(de route)* desnivel *(m)* **2.** *(de montagne)* pendiente *(f)*.

dénombrer *vt* **1.** *(compter)* contar **2.** *(recenser)* censar.

dénominateur *nm* denominador *(m)* ▸ **dénominateur commun** denominador común.

dénomination *nf* denominación *(f)*.

dénoncer *vt* **1.** *(gén)* denunciar **2.** *fig (trahir)* revelar.

dénonciation *nf* denuncia *(f)*.

dénoter *vt* denotar.

dénouement *nm* desenlace *(m)*.

dénouer *vt* 1. *(nœud)* desanudar 2. *fig (affaire)* desenmarañar.

dénoyauter *vt* deshuesar.

denrée *nf* comestible *(m)* • **denrées alimentaires** *nf* productos *(mpl)* aliment cios.

dense *adj* denso(sa).

densité *nf* densidad *(f)* • **double/haute densité** INFORM doble/alta densidad.

dent *nf* 1. *(gén)* diente *(m)* • **dent de lait** diente de leche • **dent de sagesse** muela *(f)* del juicio 2. GÉOGR pico *(m)*.

dentaire *adj* dental.

dentelé, e *adj* dentado(da).

dentelle *nf* encaje *(m)*.

dentier *nm* dentadura *(f)* postiza.

dentifrice *nm* dentífrico *(m)*.

dentiste *nmf* dentista *(mf)*.

dentition *nf* 1. *(dents)* dentadura *(f)* 2. *(croissance)* dentición *(f)*.

dénuder *vt* 1. *(partie du corps)* dejar al descubierto 2. *(fil électrique)* pelar.

dénué, e *adj* • **dénué de** desprovisto de.

dénuement *nm* indigencia *(f)*.

déodorant, e *adj* desodorante. ■ **déodorant** *nm* desodorante *(m)*.

déontologie *nf* deontología *(f)*.

dép. *abrév de* dépant. abrév de **département**.

dépannage *nm* reparación *(f)*.

dépanner *vt* 1. *(réparer)* reparar *(Esp)*, refaccionar *(Amér)* 2. *fam fig (aider)* echar una mano a.

dépareillé, e *adj* 1. *(service)* dispar 2. *(chaussettes, gants)* desparejado(da).

départ *nm* 1. *(de personne)* partida *(f)* 2. *(de train, avion, course)* salida *(f)* 3. *(d'employé)* marcha *(f)* 4. *(début)* punto *(m)* de partida.

départager *vt* 1. *(concurrents, candidats)* desempatar 2. *(opinions)* terciar 3. *(séparer)* dividir.

département *nm* 1. *(territoire)* ≃ provincia *(f)* • **département d'outre-mer** = DOM-TOM 2. ADMIN departamento *(m)*.

dépassé, e *adj* 1. *(périmé)* anticuado(da) 2. *fam (déconcerté)* desbordado(da).

dépassement *nm* 1. *(en voiture)* adelantamiento *(m)* 2. FIN rebasamiento *(m)*.

dépasser ■ *vt* 1. *(voiture)* adelantar 2. *(surpasser - en hauteur, importance, temps)* sobrepasar • *(- en qualité)* superar 3. *(prévision, attente)* superar 4. *(limite, cap)* rebasar, sobrepasar. ■ *vi* sobresalir • **dépasser de** sobresalir de.

dépaysement *nm* cambio *(m)* de aires.

dépayser *vt* 1. *(désorienter)* desorientar 2. *(changer de cadre)* cambiar de ambiente.

dépecer *vt* 1. *(volaille)* descuartizar 2. *(proie)* despedazar.

dépêche *nf* 1. PRESSE comunicado *(m)* • **dépêche d'agence** comunicado de agencia 2. *(correspondance officielle)* despacho *(m)*.

dépêcher *vt sout (envoyer)* mandar. ■ **se dépêcher** *vp* darse prisa • **se dépêcher de faire qqch** apresurarse a hacer algo.

dépénaliser *vt* DR despenalizar.

dépendance *nf* dependencia *(f)*. ■ **dépendances** *nfpl* dependencias *(fpl)*.

dépendre ■ *vi (être soumis)* • **dépendre de** depender de ■ *vt (décrocher)* descolgar.

dépens *nmpl* DR costas *(fpl)* • **aux dépens de qqn** a costa de alguien • **à mes dépens** a mi costa.

dépense *nf* gasto *(m)* • **les dépenses publiques** el gasto público.

dépenser *vt* 1. *(argent)* gastar 2. *(temps, efforts)* dedicar. ■ **se dépenser** *vp* 1. *(se fatiguer)* cansarse 2. *fig (s'investir)* desvivirse.

dépensier, ere *adj* gastador(ra), derrochador(ra).

déperdition *nf* pérdida *(f)*.

dépérir *vi* 1. *(personne)* depauperarse 2. *(santé, affaire)* decaer 3. *(plante)* marchitarse.

déphasé, e *adj* desfasado(da).

dépilatoire *adj* depilatorio(ria).

dépistage *nm (de maladie)* reconocimiento *(m)* • **dépistage du sida** prueba *(f)* del sida.

dépister *vt* 1. *(maladie)* detectar 2. *(voleur)* descubrir el rastro de 3. *(gibier)* rastrear 4. *(déjouer)* despistar.

dépit *nm* despecho *(m)*. ■ **en dépit de** *loc prép* a pesar de.

dépité, e *adj* disgustado(da).

déplacé, e *adj* 1. *(remarque, attitude)* fuera de lugar 2. *(population)* desplazado(da).

déplacement *nm* 1. *(gén)* desplazamiento *(m)* 2. *(voyage)* viaje *(m)*, desplazamiento *(m)*.

déplacer *vt* 1. *(objet, meuble)* desplazar 2. *fig (problème)* desviar 3. *(fonctionnaire)* trasladar. ■ **se déplacer** *vp* desplazarse.

déplaire *vi* 1. *(ne pas plaire)* desagradar 2. *(irriter)* disgustar.

déplaisant, e *adj* desagradable.

dépliant *nm* folleto *(m)*.

déplier *vt* desplegar, abrir.

déploiement *nm* despliegue *(m)*.

déplorer *vt sout* deplorar.

déployer *vt* 1. *(déplier & MIL)* desplegar 2. *fig (montrer)* dar muestra de.

déportation *nf* deportación *(f)*.

déporté, e *nm, f* deportado *(m)*, -da *(f)*.

déporter *vt* 1. *(prisonnier)* deportar 2. *(voiture, avion)* desviar.

déposé, e adj **1.** (marque) registrado(da) **2.** (modèle) patentado(da).

déposer ⬛ vt **1.** (personne, objet) dejar **2.** (sédiments) depositar **3.** (argent) ingresar **4.** (marque, brevet) registrar **5.** DR • **déposer une plainte** presentar una denuncia • **déposer son bilan** declararse en suspensión de pagos **6.** (monarque) destituir. ⬛ vi **1.** DR deponer **2.** (liquide) depositar. ■ **se déposer** vp depositarse.

dépositaire nm **1.** COMM concesionario (m) **2.** (d'objet) depositario (m).

déposition nf **1.** DR declaración (f) **2.** (de monarque) deposición (f).

déposséder vt • **déposséder qqn de qqch** desposeer a alguien de algo.

dépôt nm **1.** (gén) depósito (m) • **dépôt de garantie** depósito en garantía • **dépôt légal** depósito legal • **dépôt d'ordures** vertedero (m) **2.** (prison) calabozo (m).

dépotoir nm **1.** (décharge) vertedero (m) **2.** péj (lieu en désordre) leonera (f) **3.** TECHNOL (usine) planta (f) de transformación de residuos.

dépouille nf **1.** (peau) piel (f) **2.** (humaine) • **dépouille (mortelle)** restos (mpl) (mortales).

dépouillement nm **1.** (sobriété) austeridad (f) **2.** (examen minutieux) escrutinio (m).

dépouiller vt **1.** (voler) • **dépouiller qqn de qqch** despojar a alguien de algo **2.** (examiner) escrutar.

dépourvu, e adj • **dépourvu de** desprovisto de. ■ **au dépourvu** loc adv • **prendre qqn au dépourvu** pillar a alguien desprevenido(da).

dépoussiérer vt **1.** (nettoyer) limpiar el polvo de **2.** fig (rajeunir) renovar.

dépravation nf depravación (f).

dépréciation nf depreciación (f).

dépressif, ive adj & nm, f depresivo(va).

dépression nf depresión (f) • **dépression nerveuse** depresión nerviosa.

déprimant, e adj deprimente.

déprime nf fam depre (f) • **faire une déprime** tener una depre.

déprimé, e adj deprimido(da).

déprimer ⬛ vt deprimir. ⬛ vi fam estar depre.

déprogrammer vt desprogramar.

dépuceler vt fam desvirgar.

depuis ⬛ prép **1.** (à partir de) desde • **depuis... jusqu'à** desde... hasta • **depuis la route, on pouvait voir la mer** desde la carretera se podía ver el mar • **il est parti depuis hier** se marchó ayer **2.** (exprimant la durée) desde hace • **depuis 10 ans** desde hace 10 años • **depuis combien de temps est-il là ?** ¿cuánto tiempo hace que está aquí? • **depuis longtemps** desde hace tiempo • **depuis toujours** desde siem-

pre. ⬛ adv desde entonces • **depuis, nous ne l'avons pas vu** desde entonces no lo hemos visto. ■ **depuis que** loc conj desde que.

député, e nm, f diputado (m), -da (f) • **député européen** eurodiputado (m).

déraciner vt **1.** (arbre) arrancar de cuajo, arrancar de raíz **2.** fig (personne) desarraigar.

déraillement nm descarrilamiento (m).

dérailler vi **1.** (train) descarrilar **2.** fam (montre, radio) funcionar mal **3.** fam (personne) desvariar.

dérailleur nm cambio (m) de marchas (de bicicleta).

déraisonnable adj sout poco razonable.

dérangement nm **1.** (gêne) molestia (f) • **dérangement intestinal** trastorno (m) estomacal **2.** (déplacement) viaje (m) **3.** (dérèglement) • **en dérangement** (téléphone) averiado(da).

déranger ⬛ vt **1.** (objets, pièce) desordenar **2.** (personne) molestar, importunar • **ça vous dérange si... ?** ¿le molesta si...? **3.** (esprit) perturbar. ⬛ vi molestar. ■ **se déranger** vp **1.** (se déplacer) moverse **2.** (être gêné) molestarse.

dérapage nm **1.** (gén) derrape (m) **2.** fig (erreur) desliz (m).

déraper vi **1.** (voiture) derrapar **2.** fig (économie, prix) descontrolarse.

déréglé, e adj (vie, mœurs) desordenado(da).

déréglementer vt ÉCON desregular, liberalizar.

dérégler vt **1.** (mécanisme) estropear **2.** (estomac) destrozar. ■ **se dérégler** vp (mécanisme) estropearse.

dérision nf escarnio (m) • **tourner qqch en dérision** hacer escarnio de algo.

dérisoire adj irrisorio(ria).

dérivatif, ive adj LING derivativo(va). ■ **dérivatif** nm • **dérivatif (à qqch)** distracción (f) (para algo).

dérive nf **1.** (mouvement) deriva (f) • **aller** ou **être à la dérive** fig ir a la deriva **2.** (de bateau) orza (f).

dérivé nm LING & CHIM derivado (m).

dériver ⬛ vt derivar. ⬛ vi **1.** (aller à la dérive) derivar **2.** fig (découler) • **dériver de qqch** derivar ou provenir de algo.

dermatologie nf dermatología (f).

dermatologue, dermatologiste nmf dermatólogo (m), -ga (f).

dernier, ère adj **1.** (gén) último(ma) **2.** (après le nom) (semaine, année, etc) pasado(da). ⬛ nm, f **1.** (dans une série) último (m), -ma (f) • **ce dernier, este último 2.** (benjamin) pequeño (m), -ña (f). ■ **en dernier** loc adv en último lugar.

dernièrement adv últimamente.

dernier-né, dernière-née nm, f 1. (bébé) hijo (m) menor, hija (f) menor 2. fig (dernier modèle) • **la dernière-née de la gamme** el último modelo de la gama.

dérobade nf espantada (f).

dérobé, e adj (escalier, porte) secreto(ta).

dérober vt sout hurtar. ■ **se dérober** vp sout (s'effondrer) hundirse.

dérogation nf derogación (f).

déroulement nm 1. fig (d'événement) desarrollo (m) 2. (de bobine de fil, câble) desenrollamiento (m).

dérouler vt (bobine de fil, câble) desenrollar. ■ **se dérouler** vp fig (événement) desarrollarse.

déroute nf 1. MIL espantada (f) • **mettre en déroute** poner en fuga 2. fig (échec) desastre (m).

dérouter vt 1. fig (personne) desconcertar 2. (avion, navire) desviar.

derrière ■ adv detrás. ■ prép 1. (en arrière de) detrás de 2. (au-delà de) más allá de, detrás de. ■ nm 1. (partie arrière) parte (f) ce atrás 2. (fesses) trasero (m).

dès prép 1. (depuis) desde • **dès l'enfance** desde niño • **dès maintenant** desde ahora, a partir de ahora • **dès demain** a partir de mañana 2. (aussitôt que) en cuanto • **dès mon retour, j'irai te voir** en cuanto vuelva, iré a verte. ■ **dès lors** loc adv desde entonces. ■ **dès lors que** loc conj ya que. ■ **dès que** loc conj en cuanto • **dès que j'arriverai, je l'informerai** en cuanto llegue, le pondré al corriente • **dès que possible** cuanto antes.

désabusé, e adj desengañado(da).

désaccordé, e adj desafinado(da).

désaffecté, e adj abandonado(da).

désaffection nf desafecto (m).

désagréable adj desagradable.

désagrément nm disgusto (m).

désaltérant, e adj • **une boisson désaltérante** una bebida que quita la sed.

désaltérer vt quitar la sed (a alguien). ■ **se désaltérer** vp beber.

désamorcer vt 1. (arme) descebar 2. fig (complot) desarticular.

désappointer vt decepcionar.

désapprobation nf desaprobación (f).

désapprouver ■ vt desaprobar. ■ vi protestar.

désarmement nm desarme (m).

désarmer ■ vt 1. (gén) desarmar 2. (fusil) desmontar. ■ vi 1. (pays) desarmarse 2. fig • **ne pas désarmer** sout (personne) no rendirse • (haine) no ceder.

désarroi nm desconcierto (m).

désarticulé, e adj 1. (pantin) desarticulado(da) 2. (corps) descoyuntado(da).

désastre nm desastre (m).

désastreux, euse adj desastroso(sa).

désavantage nm desventaja (f).

désavantager vt perjudicar.

désavantageux, euse adj desventajoso(sa).

désavouer vt 1. (renier) negar 2. (désapprouver) desaprobar. ■ **se désavouer** vp (se rétracter) retractarse.

désaxé, e adj & nm, f desequilibrado(da).

désaxer vt descentrar.

descendance nf descendencia (f).

descendant, e ■ adj (lignée) descendente. ■ nm, f (héritier) descendiente (mf).

descendre ■ vt (aux avoir) 1. (gén) bajar • **descendre une rivière** ir río abajo • **descendre à terre** ir a tierra 2. fam (abattre - homme) liquidar • (- avion) cerribar. ■ vi (aux être) 1. (gén) bajar 2. (de véhicule) bajarse, apearse (Esp), desembarcarse (Amér) 3. (être en pente) ser empinado(da), estar en cuesta 4. (séjourner) alojarse 5. (être issu) • **descendre de** descender de.

descente nf 1. (action) descenso (m), bajada (f) 2. (au ski) descenso (m) 3. fam (de boisson) • **ce type a une bonne descente** este tipo tiene buen saque. ■ **descente de lit** nf alfombrilla (f) de cama.

descriptif, ive adj descriptivo(va). ■ **descriptif** nm descripción (f) detallada.

description nf descripción (f).

désemparé, e adj desamparado(da).

désenchanté, e adj desencantado(da).

désendettement nm reducción (f) de una deuda.

désenfler vi deshincharse, desinflarse.

désensibiliser vt insensibilizar.

déséquilibre nm desequilibrio (m).

déséquilibré, e nm, f desequilibrado (m), -da (f).

déséquilibrer vt desequilibrar.

désert, e adj desierto(ta). ■ **désert** nm desierto (m).

déserter ◼ vt 1. (endroit) abandonar 2. fig (cause) desertar de. ◼ vi MIL desertar.

déserteur nm desertor (m).

désertion nf deserción (f).

désertique adj desértico(ca).

désespéré, e ◼ adj 1. (regard) de desesperación 2. (situation) desesperado(da). ◼ nm, f desesperado (m), -da (f).

désespérément adv 1. (sans espoir) con desesperación, desesperadamente 2. (avec acharnement) desesperadamente.

désespérer ◼ vt desesperar • **désespérer que qqch arrive** desesperar de que algo pase. ◼ vi perder la esperanza • **désespérer de faire qqch** perder toda esperanza de hacer algo. ◼ **se désespérer** vp desesperarse.

désespoir nm desesperación (f) • **faire le désespoir de qqn** ser la desesperación de alguien • **en désespoir de cause** en último extremo.

déshabillé nm deshabillé (m), salto (m) de cama.

déshabiller vt desnudar. ◼ **se déshabiller** vp desnudarse.

déshabituer vt • **déshabituer qqn de qqch/de faire qqch** desacostumbrar a alguien a algo/a hacer algo.

désherbant, e adj herbicida. ◼ **désherbant** nm herbicida (m).

déshérité, e adj & nm, f desheredado(da).

déshériter vt desheredar.

déshonneur nm deshonor (m), deshonra (f).

déshonorer vt deshonrar.

déshydrater vt deshidratar. ◼ **se déshydrater** vp deshidratarse.

designer nm diseñador (m), -ra (f).

désigner vt 1. (choisir) designar, nombrar 2. (montrer) señalar 3. (signifier) significar.

désillusion nf desilusión (f).

désincarné, e adj desencarnado(da).

désindustrialisation nf desindustrialización (f).

désinfectant, e adj desinfectante. ◼ **désinfectant** nm desinfectante (m).

désinfecter vt desinfectar.

désinflation nf deflación (f).

désinstaller vt INFORM desinstalar.

désintégrer vt desintegrar. ◼ **se désintégrer** vp desintegrarse.

désintéressé, e adj desinteresado(da).

désintéresser ◼ **se désintéresser** vp • **se désintéresser de qqch/de qqn** desentenderse de algo/de alguien.

désintoxication nf desintoxicación (f).

désintoxiquer vt desintoxicar.

désinvolte adj 1. (à l'aise) desenvuelto(ta) 2. péj (sans gêne) atrevido(da).

désinvolture nf atrevimiento (m).

désir nm deseo (m).

désirable adj 1. (chose) apetecible 2. (personne) deseable.

désirer vt desear • **vous désirez ?** (dans un magasin) ¿en qué puedo servirle?

désistement nm renuncia (f).

désister ◼ **se désister** vp (retirer sa candidature) desistir, retirarse • **se désister de qqch** DR (renoncer à) renunciar a algo.

désobéir vi desobedecer • **désobéir à qqch/à qqn** desobedecer algo/a alguien.

désobéissance nf desobediencia (f).

désobéissant, e adj desobediente.

désobligeant, e adj sout descortés.

désodorisant, e adj desodorante. ◼ **désodorisant** nm ambientador (m).

désœuvré, e adj ocioso(sa).

désœuvrement nm ociosidad (f).

désolation nf desolación (f).

désolé, e adj • **être désolé** sentirlo (mucho) • **je suis désolé, mais je dois m'en aller** lo siento (mucho) pero tengo que irme.

désopilant, e adj desternillante.

désordonné, e adj desordenado(da).

désordre nm 1. (fouillis) desorden (m) • **en désordre** desordenado(da) 2. (gén pl) (trouble) disturbio (m), desorden (m) 3. fig (confusion) confusión (f).

désorganiser vt desorganizar.

désorienté, e adj desorientado(da).

désormais adv a partir de ahora, de ahora en adelante.

désosser vt 1. (viande) deshuesar 2. (voiture) desguazar 3. (machine) destripar.

despote adj & nm déspota.

despotique adj despótico(ca).

despotisme nm despotismo (m).

dessaler ◼ vt 1. (poisson) desalar 2. fam (personne) espabilar. ◼ vi fam NAUT irse a pique.

dessécher vt 1. (peau) resecar 2. fig (cœur) endurecer. ■ **se dessécher** vp 1. (se déshydrater) resecarse 2. (maigrir) secarse 3. fig (s'endurcir) endurecerse.

desserrer vt aflojar.

dessert nm postre (m).

desserte nf 1. (meuble) mesa (f) auxiliar 2. (service d'autobus) servicio (m) de transporte.

desservir vt 1. (désavantager) perjudicar 2. (table) quitar 3. (transports) comunicar.

dessin nm 1. (graphique) dibujo (m) • **dessin animé** dibujos (mpl) animados 2. fig (contour - de chose) contorno (m) • (- de visage) perfil (m).

dessinateur, trice nm, f dibujante (mf).

dessiner ■ vt 1. (gén) dibujar 2. (souligner) resaltar. ■ vi dibujar.

dessous ■ adv debajo. ■ prép debajo de. ■ nm (partie inférieure) parte (f) de abajo • **les voisins du dessous** los vecinos de abajo. ■ nmpl 1. (sous-vêtements féminins) ropa (f) interior femenina 2. fig (secrets) • **les dessous de qqch** los entresijos de algo. ■ **en dessous** loc adv abajo • **agir par en dessous** actuar de manera subrepticia • **regarder qqn par en dessous** mirar a alguien de soslayo ou por el rabillo del ojo. ■ **en dessous de** loc prép debajo de • **en dessous de zéro** bajo cero • **vous êtes très en dessous de la vérité** está usted muy lejos de la verdad.

dessous-de-plat nm inv salvamanteles (m inv).

dessus ■ adv encima, arriba. ■ nm (partie supérieure) parte (f) de encima • **les voisins du dessus** los vecinos de arriba • **avoir le dessus** ganar • **reprendre le dessus** recuperarse. ■ **en dessus** loc adv encima, arriba.

dessus-de-lit nm inv colcha (f), cubrecama (m).

déstabilisateur, trice adj desestabilizador(ra).

déstabilisation nf desestabilización (f).

destin nm destino (m).

destinataire nmf destinatario (m), -ria (f).

destination nf destino (m) • **à destination de** con destino a.

destinée nf destino (m).

destiner vt • **destiner qqch à qqn/à qqch** destinar algo a alguien/a algo • **destiner qqn à qqch** destinar a alguien a algo.

destituer vt destituir.

destructeur, trice adj & nm, f destructor(ra).

destruction nf destrucción (f).

déstructuration nf desestructuración (f).

désuet, ète adj anticuado(da).

désuni, e adj desunido(da).

détachable adj 1. amovible 2. (supplément, coupon) recortable.

détachant, e adj quitamanchas. ■ **détachant** nm quitamanchas (m inv).

détaché, e adj 1. (feuille) suelto(ta) 2. (air) indiferente.

détachement nm 1. (indifférence) indiferencia (f) 2. (mission) traslado (m) temporal • **en détachement auprès de qqn** destinado(da) al servicio de alguien 3. MIL destacamento (m).

détacher vt 1. (cheveux, chien) soltar 2. (liens) desatar 3. (découper) recortar 4. (nettoyer) quitar las manchas de 5. ADMIN (fonctionnaire) destinar provisionalmente 6. fig (éloigner) • **détacher qqn de qqch** apartar a alguien de algo. ■ **se détacher** vp 1. (se libérer) librarse • **se détacher de** librarse de 2. (défaire ses liens) desatarse 3. (ressortir) • **se détacher sur** recortarse en 4. fig (se désintéresser) • **se détacher de qqn** apartarse de alguien.

détail nm detalle (m). • **au détail** loc adv (vente) al por menor, al detalle. ■ **en détail** loc adv con todo detalle.

détaillant, e ■ adj al por menor, al detalle. ■ nm, f minorista (mf), detallista (mf).

détaillé, e adj detallado(da).

détailler vt 1. (récit, facture) detallar 2. (vendre au détail) vender al por menor, vender al detalle.

détaler vi 1. (personne) salir pitando, irse por piernas 2. (animal) huir velozmente.

détartrant, e adj antical. ■ **détartrant** nm antical (m).

détaxe nf desgravación (f).

détecter vt detectar.

détecteur, trice adj detector(ra). ■ **détecteur** nm detector (m).

détection nf detección (f).

détective nm detective (mf) • **détective privé** detective privado.

déteindre ■ vt desteñir ■ vi 1. (changer de couleur) desteñir 2. fig (influencer) contagiar.

détendre vt 1. (personne) relajar 2. fig (atmosphère) hacer menos tenso(sa). ■ **se détendre** vp 1. (personne) relajarse 2. (corde, ressort) aflojarse 3. (atmosphère, relations) volverse menos tenso(sa), volverse menos tirante.

détendu, e adj 1. (personne) relajado(da) 2. (corde, ressort) flojo(ja).

détenir vt 1. (objet, record) poseer 2. (secret, vérité) detentar 3. (garder en captivité) retener (en prisión).

détente nf 1. (repos) descanso (m) 2. (de ressort & POLIT) distensión (f) 3. (d'athlète) estiramiento (m).

détenteur, trice nm, f poseedor (m), -ra (f).

détention nf 1. (possession) posesión (f) 2. (emprisonnement) detención (f).

détenu, e adj & nm, f detenido(da).

détergent, e adj detergente. ■ **détergent** nm detergente (m).

détérioration nf deterioro (m).

détériorer vt estropear. ■ **se détériorer** vp deteriorarse.

déterminant, e adj determinante. ■ **déterminant** nm determinante (m).

détermination nf 1. (définition) determinación (f) 2. (résolution, fermeté) determinación (f), decisión (f).

déterminé, e adj 1. (fixé) determinado(da) 2. (résolu) determinado(da), decidido(da).

déterminer vt determinar. ■ **se déterminer** vp • **se déterminer à faire qqch** decidirse a hacer algo.

déterrer vt desenterrar.

détestable adj odioso(sa), detestable.

détester vt 1. odiar, detestar 2. (plat) aborrecer.

détonateur nm 1. TECHNOL detonador (m) 2. fig (de crise) detonante (m).

détonation nf detonación (f).

détonner vi desentonar.

détour nm 1. (déviation) rodeo (m) • **sans détour** sin rodeos 2. (méandre) recodo (m).

détourné, e adj indirecto(ta).

détournement nm desvío (m) • **détournement d'avion** secuestro (m) aéreo • **détournement de fonds** malversación (f) • **détournement de mineur** corrupción (f) de menores.

détourner vt 1. (gén) desviar 2. (avion) secuestrar 3. (regard) desviar 4. (tête) volver 5. (fonds) malversar 6. fig (écarter) • **détourner qqn de** distraer a alguien de. ■ **se détourner** vp 1. (tourner la tête) apartar la vista 2. fig (se désintéresser) • **se détourner de qqn/de qqch** apartarse de alguien/de algo.

détraquer vt estropear. ■ **se détraquer** vp fam estropearse (Esp), descomponerse (Amér).

détrempe nf 1. (de l'acier) destemple (m) 2. ART temple (m).

détresse nf 1. (sentiment) desamparo (m) 2. (situation) miseria (f).

détriment ■ **au détriment de** loc prép en detrimento de.

détritus nm detritus (m inv).

détroit nm estrecho (m).

détromper vt 1. (personne) sacar del error 2. (soupçons, prévisions) echar por tierra.

détrôner vt destronar.

détruire vt destruir. ■ **se détruire** vp destrozarse.

dette nf deuda (f).

DEUG, Deug (abr de **diplôme d'études universitaires générales**) nm ≃ diplomatura (f) (en estudios generales) • **être en 1ère année de DEUG** cursar el primer año de DEUG.

deuil nm 1. (mort) deceso (m), defunción (f) 2. (tenue, période) luto (m) • **en deuil** de luto • **porter le deuil** llevar luto 3. (douleur) duelo (m).

DEUST, Deust (abr de **diplôme d'études universitaires scientifiques et techniques**) nm ≃ diplomatura (f) (en estudios científicos y técnicos).

deux ◗ adj num dos • **tous les deux jours** cada dos días. ◗ nm dos (m inv) • **les deux** ambos(bas). • **voir aussi six**

deuxième adj & nmf segundo(da). • **voir aussi sixième**

deux-pièces nm inv 1. (appartement) piso (m) con un dormitorio y salón 2. (maillot de bain) biquini (m).

deux-roues nm inv vehículo (m) de dos ruedas.

dévaler ◗ vt bajar a toda prisa por. ◗ vi bajar a toda prisa.

dévaliser vt 1. (cambrioler) desvalijar 2. fam fig (vider) saquear.

dévaloriser vt 1. (gén) desvalorizar 2. (personne) menospreciar. ■ **se dévaloriser** vp 1. (monnaie) desvalorizarse 2. (personne) menospreciarse.

dévaluation nf devaluación (f).

dévaluer ◗ vt devaluar. ◗ vi devaluar la moneda. ■ **se dévaluer** vp devaluarse.

devancer vt 1. (précéder) adelantar 2. (surpasser) aventajar 3. (anticiper) anticiparse a.

devancier, ère nm, f antecesor (m), -ra (f).

devant ◗ adv delante. ◗ prép 1. (en face de, en avant de) delante de • **devant qqch** delante de algo • **devant moi/toi** delante de mí/de ti 2. (en présence de, face à) ante. ◗ nm parte (f) de delante, delantera (f) • **prendre les devants** tomar la delantera, adelantarse. ■ **de devant** loc adj (pattes, roues) de delante.

devanture nf escaparate (m).

dévaster vt devastar.

développement nm 1. (gén) desarrollo (m) • **développement durable** ÉCON desarrollo duradero 2. PHOTO revelado (m) 3. (exposé) exposición (f). ■ **développements** nmpl consecuencias (fpl).

développer vt 1. (gén) desarrollar 2. PHOTO revelar • **faire développer des photos** revelar unas fotos. ■ **se développer** vp desarrollarse.

développeur nm INFORM desarrollador (m).

devenir vi (changer d'état - sans volonté propre) volverse • (- après des efforts) llegar a ser • **il est devenu sourd** se ha vuelto sordo • **il est devenu président** ha llegado a ser presidente • **que devient-elle ?** ¿qué es de ella?, ¿qué ha sido de ella?

dévergondé, e adj & nm, f desvergonzado(da).

À PROPOS DE...

devenir

Il n'y a pas d'équivalent du verbe « devenir » en espagnol. On emploie diverses tournures pour exprimer les différentes valeurs du verbe français. *Volverse*, suivi d'un adjectif ou d'un nom, indique un changement durable ou une transformation radicale tandis que *ponerse*, devant un adjectif ou un participe passé, exprime un changement passager. *Ser* traduit le verbe « devenir » dans le sens d'advenir. *Convertirse en* peut également traduire le changement.

3. EXPRIME LA NÉCESSITÉ = tener que
- **c'est mon fils ! je dois le voir !** ¡es mi hijo! ¡tengo que verlo!
4. EXPRIME L'OBLIGATION MATÉRIELLE = tener que
- **je dois partir** tengo que irme
5. EXPRIME L'OBLIGATION MORALE = deber, haber de
- **je dois le faire** debo hacerlo
- **tu dois travailler davantage** has de trabajar más
6. EXPRIME LA PROBABILITÉ = deber de
- **ça doit coûter cher** esto debe de costar caro
7. INDIQUE UNE POSSIBILITÉ PORTANT SUR LE FUTUR
- **il doit commencer bientôt** empezará dentro de poco.

déverser *vt* **1.** *(répandre)* verter **2.** *(décharger)* tirar **3.** *fig (sentiment, humeur)* desahogar.

déviation *nf* **1.** *(de trajectoire)* desviación *(f)* **2.** *(de circulation)* desvío *(m)* **3.** *(de doctrine)* desviacionismo *(m)*.

dévier ◼ *vi* **·** **dévier de** *(s'écarter de)* desviarse de **·** *fig* apartarse de. ◼ *vt* desviar.

devin, devineresse *nm, f* adivino *(m)*, -na *(f)*.

deviner *vt* adivinar.

devinette *nf* adivinanza *(f)*, acertijo *(m)*.

devis *nm* presupuesto *(m)* **·** **faire un devis** hacer un presupuesto.

dévisager *vt* mirar de hito en hito

devise *nf* divisa *(f)*.

dévisser ◼ *vt* desatornillar, destornillar. ◼ *vi (en alpinisme)* despeñarse.

dévitaliser *vt* desvitalizar.

dévoiler *vt* **1.** *(gén)* desvelar **2.** *(secret, intentions)* revelar **·** **dévoiler ses charmes** evidenciar sus encantos.

devoir *nm*

1. OBLIGATION = deber *(m)*
- **le professeur a fait son devoir en prévenant l'assistante sociale** el profesor cumplió con su deber avisando a la asistente social
2. TRAVAIL ÉCRIT = deber *(m)*, tarea *(f)*
- **le devoir d'histoire comporte trois questions** los deberes de historia constan de tres preguntas
- **je dois faire mes devoirs** tengo que hacer los deberes.

devoir *vt*

1. ÊTRE REDEVABLE = deber
- **devoir qqch à qqn** deber algo a alguien
- **il lui doit 100 euros** le debe 100 euros
- **je lui dois ma situation** le debo mi puesto
2. ÊTRE TENU DE MONTRER = deber
- **les enfants doivent le respect à leurs parents** los hijos deben respeto a sus padres

dévolu, e *adj sout* correspondiente por derecho. ◼ **dévolu** *nm* **·** **jeter son dévolu sur qqn/sur qqch** echar el ojo a alguien/a algo.

dévorer *vt* devorar

dévotion *nf* devoción *(f)*.

dévoué, e *adj* abnegado(da).

dévouement *nm* abnegación *(f)*.

dévouer ◼ **se dévouer** *vp* **1.** *(se consacrer)* **·** **se dévouer à** donegarse por **2.** *fig (se sacrifier)* sacrificarse.

dévoyé, e *adj & nm, f* descarriado(da).

dextérité *nf* **1.** *(manuelle)* destreza *(f)*, habilidad *(f)* **2.** *(de l'esprit)* soltura *(f)*.

dézipper *vt* NFORM descomprimir, deszipear.

dg *(abr écrite de décigramme)* dg.

DGSE *(abr de* **Direction générale de la sécurité extérieure)** *nf* ≃ CESID *(m)* *(Centro Superior de Información de la Defensa)*.

diabète *nm* diabetes *(f inv)*

diabétique *adj & nmf* diabético(ca).

diable *nm* **1.** *(gén)* diablo *(m)* **2.** *(outil)* carretilla *(f)*.

diabolique *adj* diabólico(ca).

diadème *nm* diadema *(f)*.

diagnostic *nm* diagnóstico *(m)*.

diagnostiquer *vt* diagnosticar.

diagonal, e *adj* diagonal. ◼ **diagonale** *nf* diagonal *(f)* **·** **en diagonale** en diagonal.

dialecte *nm* dialecto *(m)*.

dialogue *nm* diálogo *(m)*.

dialoguer *vi* dialogar

diamant *nm* **1.** *(pierre,* diamante *(m)* **2.** *(de tête de lecture)* aguja *(f)*.

diamètre *nm* diámetro *(m)*.

diapason *nm* diapasón *(m)*.

diapositive *nf* diapositiva *(f)*.

diapré, e *adj sout* tornasolado(da).

diarrhée *nf* diarrea *(f)*.

dictateur *nm* dictador *(m)*.

dictature *nf* dictadura *(f)*.

dictée *nf* dictado *(m)*.

dicter *vt* dictar.

diction *nf* dicción *(f)*.

dictionnaire *nm* diccionario *(m)*.

dicton *nm* dicho *(m)*, refrán *(m)*.

dièse ◪ *adj* sostenido(da). ◪ *nm* **1.** MUS sostenido *(m)* **2.** *(symbole)* almohadilla *(f)* • **appuyer sur (la touche) dièse** pulsar la tecla almohadilla.

diesel *adj inv* & *nm* diésel.

diète *nf (régime)* dieta *(f)* • **être à la diète** estar a régimen.

diététicien, enne *nm, f* dietista *(mf)*.

diététique *nf* dietética *(f)*.

dieu *nm* dios *(m)*. ◪ **Dieu** *nm* Dios *(m)*.

diffamation *nf* difamación *(f)*.

diffamer *vt* difamar.

différé, e *adj* diferido(da). ◪ **différé** *nm* TV programa *(m)* en diferido • **en différé** en diferido.

différence *nf* diferencia *(f)*.

différencier *vt* • **différencier qqch de qqch** diferenciar algo de algo. ◪ **se différencier** *vp* • **se différencier de qqn** diferenciarse de alguien.

différend *nm* diferencia *(f) (desacuerdo)* • **avoir un différend avec qqn** tener diferencias con alguien.

différent, e *adj* **1.** *(distinct)* diferente **2.** *(divers)* vario(ria).

différer ◪ *vt (retarder)* aplazar. ◪ *vi* **1.** *(être différent)* • **différer de qqch** diferir de algo **2.** *(varier)* variar **3.** *(ne pas être d'accord)* • **différer sur** discrepar en.

difficile ◪ *adj* difícil. ◪ *nmf* • **faire le/la difficile** hacerse el/la difícil.

difficilement *adv* difícilmente.

difficulté *nf* dificultad *(f)* • **en difficulté** en dificultades, en apuros.

difforme *adj* deforme.

diffuser *vt* **1.** *(gén)* difundir **2.** *(émission)* emitir.

diffuseur *nm* difusor *(m)*.

diffusion *nf* **1.** *(gén)* difusión *(f)* **2.** *(d'émission)* emisión *(f)*.

digérer *vi* digerir.

digestif, ive *adj* digestivo(va). ◪ **digestif** *nm* digestivo *(m)*.

digestion *nf* digestión *(f)*.

digital, e *adj* **1.** *(code, affichage)* digital **2.** ▷ **empreinte**.

digne *adj* digno(na) • **digne de qqn/de qqch** digno(na) de alguien/de algo.

dignité *nf* dignidad *(f)*.

digression *nf* digresión *(f)*.

dilapider *vt* dilapidar.

dilater *vt* dilatar.

dilemme *nm* dilema *(m)*.

diligence *nf* diligencia *(f)*.

diluant *nm* diluyente *(m)*.

diluer *vt* diluir. ◪ **se diluer** *vp* diluirse.

diluvien, enne *adj* diluviano(na).

dimanche *nm* domingo *(m)*. • *voir aussi* **samedi**

dîme *nf* diezmo *(m)*.

dimension *nf* **1.** *(taille)* dimensión *(f)* • **à** OU **en trois dimensions** en tres dimensiones **2.** *(gén pl) (mesure)* medida *(f)* • **prendre les dimensions de** tomar las medidas de **3.** *fig (ampleur)* magnitud *(f)* **4.** *fig (aspect, composante)* aspecto *(m)*.

diminuer ◪ *vt* reducir. ◪ *vi* disminuir. ◪ **se diminuer** *vp* rebajarse.

diminutif, ive *adj* LING diminutivo(va). ◪ **diminutif** *nm* diminutivo *(m)*.

diminution *nf* disminución *(f)*.

dinde *nf litt* & *fig* pava *(f)*.

dindon *nm* pavo *(m) (Esp)*, guajolote *(m) (Amér)*.

dîner ◪ *vi* cenar. ◪ *nm* cena *(f)*.

dingue *fam* ◪ *adj* **1.** *(fou)* chalado(da), chiflado(da) **2.** *(incroyable)* de locos. ◪ *nmf* chalado *(m)*, -da *(f)*, chiflado *(m)*, -da *(f)*.

dinosaure *nm* dinosaurio *(m)*.

diphtongue *nf* diptongo *(m)*.

diplomate ◪ *adj* diplomático(ca). ◪ *nmf (ambassadeur)* diplomático *(m)*, -ca *(f)*. ◪ *nm (gâteau) pour décrire ce type de gâteau, vous pouvez dire :* es un pudín hecho a base de bizcochos de soletilla con licor, frutas confitadas y crema inglesa.

diplomatique *adj* diplomático(ca).

diplôme *nm* diploma *(m)*.

diplômé, e *adj* & *nm, f* diplomado(da).

dire *vt* **1.** *(gén)* decir • **dire qqch à qqn** decir algo a alguien • **dire à qqn de** decirle a alguien que • **dis-lui de venir** dile que venga • **(et) dire que je n'étais pas là !** ¡y pensar que no estaba allí! • **on dirait que** parece que • **on dit que** se dice que, dicen que • **que dirais-tu de déjeuner à la campagne ?** ¿qué me dices de un picnic? • **qu'en dis-tu ?** ¿qué te parece? • **vouloir dire** querer decir **2.** *(plaire)* • **ça te dit/dirait de... ?** ¿te apetece...? • **ça ne me dit rien** no me apetece nada **3.** *(rappeler)* sonar • **ça te dit quelque chose ?** ¿te suena de algo? ◪ **se dire** *vp* decirse. ◪ **au dire de** *loc prép* al decir de. ◪ **cela dit** *loc adv* dicho esto. ◪ **pour ainsi dire** *loc adv* digamos, por así decirlo. ◪ **à vrai dire** *loc adv* a decir verdad.

direct, e *adj* directo(ta). ◪ **direct** *nm* SPORT & TV directo *(m)* • **en direct** en directo.

directement *adv* directamente.

directeur, trice ◪ *adj* **1.** *(comité)* director(ra) **2.** *(ligne, roue)* director(triz). ◪ *nm, f (responsa-*

ble) director *(m)*, -ra *(f)* • **directeur général** director general • **directeur de thèse** director de tesis.

direction *nf* dirección *(f)* • **en direction de** *(train)* con destino a • **dans la direction de** en dirección de • **sous la direction de** bajo la dirección de • **direction des ressources humaines** dirección de recursos humanos.

directive *nf* directriz *(f)*.

dirigeable *adj* & *nm* dirigible.

dirigeant, e ■ *adj* dirigente. ■ *nm, f* **1.** dirigente *(mf)* **2.** *(d'une entreprise)* directivo *(m)*, -va *(f)*.

diriger *vt* **1.** *(entreprise, regard)* dirigir **2.** *(véhicule)* conducir. ■ **se diriger** *vp* • **se diriger vers** dirigirse hacia.

discernement *nm* discernimiento *(m)*.

discerner *vt* **1.** *(distinguer)* discernir **2.** *(deviner)* distinguir.

disciple *nmf* discípulo *(m)*, -la *(f)*.

disciplinaire *adj* disciplinario(ria).

discipline *nf* disciplina *(f)*.

discipliner *vt* disciplinar.

discontinu, e *adj* discontinuo(nua)

discordance *nf* discordancia *(f)*.

discorde *nf* discordia *(f)*.

discothèque *nf* discoteca *(f)*.

discourir *vi* extenderse *(hablando)* • **discourir sur qqch** extenderse sobre algo.

discours *nm* discurso *(m)*.

discréditer *vt* desacreditar.

discret, ète *adj* discreto(ta).

discrètement *adv* discretamente, con discreción.

discrétion *nf* discreción *(f)*.

discrimination *nf* discriminación *(f)*.

discriminatoire *adj* discriminatorio(ria).

disculper *vt* probar la inocencia de. ■ **se disculper** *vp* probar su inocencia.

discussion *nf* **1.** *(conversation)* conversación *(f)* **2.** *(débat)* debate *(m)* **3.** *(contestation altercation)* discusión *(f)*.

discutable *adj* discutible.

discuté, e *adj* discutido(da).

discuter ■ *vt* **1.** *(débattre)* debatir **2.** *(contester)* discutir. ■ *vi* **1.** *(converser)* hablar • **discuter de qqch** hablar de algo **2.** *(contester)* discutir.

disgrâce *nf* desgracia *(f)* *(pérdida de favor)*.

disgracieux, euse *adj* **1.** *(geste, démarche)* falto(ta) de gracia **2.** *(visage)* poco agraciado(da).

disjoncter *vi* ÉLECTR saltar (los plomos).

disjoncteur *nm* disyuntor *(m)*.

disloquer *vt* **1.** MÉD dislocar **2.** *(famille, empire)* desmembrar.

disparaître *vi* desaparecer • **faire disparaître** *(gén)* hacer desaparecer • *(difficulté, obstacle)* salvar.

disparate *adj* discordante.

disparité *nf* **1.** *(d'âge, de salaire)* disparidad *(f)* **2.** *(d'éléments, de couleurs)* discordancia *(f)*.

disparition *nf* desaparición *(f)*.

disparu, e *nm, f* **1.** desaparecido *(m)*, -da *(f)* **2.** *(mort)* difunto *(m)*, -ta *(f)*.

dispatcher *vt* repartir, distribuir.

dispensaire *nm* dispensario *(m)*.

dispense *nf* dispensa *(f)*.

dispenser *vt* **1.** *sout (soin)* dispensar **2.** *(exempter)* • **dispenser qqn de qqch** dispensar a alguien de algo • **je te dispense de tes réflexions** puedes ahorrarte tus comentarios.

disperser *vt* dispersar. ■ **se disperser** *vp* dispersarse.

dispersion *nf* dispersión *(f)*.

disponibilité *nf* **1.** *(gén)* disponibilidad *(f)* **2.** *(de fonctionnaire)* excedencia *(f)*.

disponible *adj* **1.** *(place, personne)* disponible **2.** *(fonctionnaire)* en excedencia, excedente.

disposé, e *adj* dispuesto(ta) • **être disposé à** estar dispuesto a • **être bien disposé envers qqn** tener buena disposición hacia alguien, estar bien dispuesto hacia alguien.

disposer ■ *vt (arranger)* disponer, poner. ■ *vi* disponer • **disposer de qqch/de qqn** disponer de algo/de alguien.

dispositif *nm* dispositivo *(m)* • **dispositif d'alarme** dispositivo de alarma • **dispositif antibuée** dispositivo antivaho.

disposition *nf* **1.** *(arrangement)* distribución *(f)*, disposición *(f)* **2.** *(disponibilité)* • **à la disposition de** a disposición de **3.** DR disposición *(f)*.

disproportionné, e *adj* desproporcionado(da).

dispute *nf* disputa *(f)* discusión *(f)*.

disputer *vt* disputar • **disputer qqch à qqn** *sout* disputar algo a alguien. ■ **se disputer** *vp* **1.** *(se quereller)* pelearse **2.** SPORT disputarse **3.** *(lutter pour)* • **se disputer qqch** disputarse algo.

disquaire *nmf* vendedor *(m)*, -ra *(f)* de discos.

disqualification *nf* descalificación *(f)*.

disqualifier *vt* descalificar.

disque *nm* disco *(m)* • **disque compact** compact disc *(m)*, disco compacto • **disque dur** disco duro • **disque laser** disco láser.

disquette *nf* disquete *(m)* • **disquette système** disquete sistema.

dissection *nf* disección *(f)*.

dissemblable *adj* dispar.

disséminer *vt* diseminar.

disséquer *vt* **1.** *(cadavre, animal)* disecar **2.** *fig (ouvrage)* desmenuzar.

dissertation *nf* disertación *(f)*.

dissident, e *adj* & *nm, f* disidente.

dissimulateur, trice *adj* disimulador(ra).

dissimulation *nf* **1.** *(de la vérité)* ocultación *(f)* **2.** *(hypocrisie)* disimulo *(m)*.

dissimuler *vt* **1.** *(cacher)* disimular **2.** *(taire)* ocultar. ■ **se dissimuler** *vp* **1.** *(se cacher)* ocultarse, esconderse **2.** *(refuser de voir)* • **se dissimuler qqch** cerrar los ojos a algo.

dissipation *nf* **1.** *(gén)* disipación *(f)* **2.** *(d'élève, de classe)* alboroto *(m)*.

dissiper *vt* **1.** *(gén)* disipar **2.** *(distraire)* distraer. ■ **se dissiper** *vp* **1.** *(brouillard, doute)* disiparse **2.** *(être inattentif)* distraerse.

dissocier *vt* disociar.

dissolution *nf* disolución *(f)*.

dissolvant, e *adj* disolvente. ■ **dissolvant** *nm* *(à ongles)* quitaesmalte *(m)*.

dissoudre *vt* disolver. ■ **se dissoudre** *vp* disolverse.

dissuader *vt* • **dissuader qqn de faire qqch** disuadir a alguien de hacer algo.

dissuasion *nf* disuasión *(f)*.

distance *nf* distancia *(f)* • **à distance** a distancia.

distancer *vt* **1.** *(personne, véhicule)* adelantar • **il a largement distancé son rival** le ha sacado una amplia ventaja a su rival **2.** *fig (concurrence)* dejar atrás.

distant, e *adj* distante.

distillation *nf* destilación *(f)*.

distillé, e *adj* destilado(da).

distiller *vt* destilar.

distinct, e *adj* **1.** *(séparé)* distinto(ta) **2.** *(clair)* claro(ra).

distinctement *adv* con claridad.

distinctif, ive *adj* distintivo(va).

distinction *nf* distinción *(f)*.

distingué, e *adj* distinguido(da).

distinguer *vt* distinguir. ■ **se distinguer** *vp* distinguirse.

distraction *nf* distracción *(f)*.

distraire *vt* distraer. ■ **se distraire** *vp* distraerse.

distrait, e *adj* distraido(da).

distribuer *vt* **1.** *(gén)* repartir, distribuir **2.** *(eau, gaz)* suministrar **3.** *(produit, film)* distribuir.

distributeur, trice *nm, f* repartidor *(m)*, -ra *(f)*. ■ **distributeur** *nm* **1.** **COMM** distribuidor *(m)*, -ra *(f)* **2.** *(machine)* máquina *(f)* expendedora • **distributeur automatique** distribuidor automático.

distribution *nf* **1.** *(répartition, CINÉ & THÉÂTRE)* reparto *(m)* **2.** *(d'eau, de gaz)* suministro *(m)* **3.** *(disposition & COMM)* distribución *(f)*.

district *nm* distrito *(m)*.

dit, e *adj* **1.** *(appelé)* llamado(da) **2.** **DR** dicho(cha) **3.** *(fixé)* previsto(ta).

DIU *(abr de dispositif intra-utérin)* *nm* **MÉD** DIU *(m)*.

divagation *nf* divagación *(f)*. ■ **divagations** *nfpl* desvaríos *(mpl)*, delirio *(m)*.

divaguer *vi* divagar.

divan *nm* diván *(m)*.

divergence *nf* divergencia *(f)*, discrepancia *(f)*.

diverger *vi* **1.** *(lignes, rayons)* divergir **2.** *fig (opinions)* divergir, discrepar.

divers, e *adj* **1.** *(différent)* diverso(sa) **2.** *(varié)* variopinto(ta).

diversifier *vt* diversificar. ■ **se diversifier** *vp* **1.** *(varier)* variar **2.** **COMM** diversificarse.

diversion *nf* diversión *(f)* • **créer une** ou **faire diversion** desviar la atención.

diversité *nf* diversidad *(f)*.

divertir *vt* divertir. ■ **se divertir** *vp* divertirse.

divertissement *nm* **1.** *(passe-temps)* diversión *(f)* **2.** **MUS** intermedio *(m)*.

divin, e *adj* divino(na).

divinité *nf* divinidad *(f)*.

diviser *vt* dividir.

division *nf* división *(f)* • **division blindée** división blindada.

divorce *nm* divorcio *(m)*.

divorcé, e *adj* & *nm, f* divorciado(da).

divorcer *vi* divorciarse.

divulguer *vt* divulgar.

dix ◼ *adj num* **1.** *(gén)* diez **2.** *(nombre indéterminé)* cien • **je te l'ai répété dix fois !** ¡te lo he repetido cien veces! ◼ *nm* diez *(m)*. • *voir aussi* **six**

dixième ◼ *adj num* & *nmf* décimo(ma). ◼ *nm* décimo *(m)*, décima parte *(f)*. • *voir aussi* **sixième**

dizaine *nf* **1.** **MATH** decena *(f)* **2.** *(environ dix)* unos diez *(m)*, unas diez *(f)*.

DJ *(abr de disc-jockey)* *nm inv* pinchadiscos *(mf inv)*, pincha *(mf)*, disc jockey *(mf)*.

djihad *nm* yihad *(f)*.

dm *(abr écrite de décimètre)* dm.

DM *(abr écrite de deutsche Mark)* DM.

do *nm inv* **MUS** do *(m inv)*.

doc *abrév de* **documentation**.

doc. *(abr écrite de document)* doc., docum. • *voir* **doc. 5** ver doc. 5.

docile *adj* dócil.

dock *nm* **1.** *(bassin)* dársena *(f)* **2.** *(hangar)* almacén *(m)*, depósito *(m)*.

docker *nm* descargador *(m)* de muelle.

docteur *nm* doctor *(m)*, -ra *(f)*.

doctorat *nm* **1.** *(titre)* doctorado *(m)* **2.** *(épreuve)* ≃ licenciatura *(f)* en medicina.

doctrine *nf* doctrina *(f)*.

document *nm* documento *(m)*.

documentaire *adj* & *nm* documental

documentation *nf* **1.** *(gén)* documentación *(f)* **2.** *(documents)* papeles *(mpl)*.

documenter *vt* documentar. ■ **se documenter** *vp* documentarse.

dodo *nm langage enfantin* camita *(f)* • **faire dodo** mimir.

dodu, e *adj* **1.** *(animal)* cebado(da) **2.** *fam (enfant, bras)* regordete(ta).

dogme *nm* dogma *(m)*.

dogue *nm* dogo *(m)*.

doigt *nm* dedo *(m)* • **un doigt de** *(vin, alcool)* un dedo de • **doigt de pied** dedo del pie • **petit doigt** dedo meñique, merique *(m)* • **à deux doigts de** a un paso de.

dollar *nm* dólar *(m)*.

domaine *nm* **1.** *(propriété)* dominio *(m)* • **domaine skiable** pistas *(fpl)* esquiables **2.** *(secteur)* campo *(m)* **3.** *(compétence)* competencia *(f)*.

dôme *nm* **1.** ARCHIT cúpula *(f)* **2.** GÉOGR cerro *(m)*.

domestique ■ *adj* doméstico(ca). ■ *nmf* criado *(m)*, -da *(f) (Esp)*, mucamo *(m)*, -ma *(f) (Amér)*.

domestiquer *vt* **1.** *(animal)* domesticar **2.** *(vent, marées)* dominar.

domicile *nm* domicilio *(m)* • **à domicile** a domicilio.

domiciliation *nf* domiciliación *(f)* • **domiciliation bancaire** domiciliación bancaria.

domicilié, e *adj* domiciliado(da).

dominant, e *adj* dominante.

domination *nf* **1.** *(autorité)* dominación *(f)* **2.** *(influence)* dominio *(m)*.

dominer ■ *vt* dominar. ■ *vi* **1.** *(régner)* dominar **2.** *(prédominer)* predominar **3.** *(triompher)* ganar.

domino *nm* dominó *(m)*.

dommage *nm* **1.** *(préjudice)* daño *(m)* • **dommages et intérêts** daños y perjuicios **2.** *(dégât)* daño *(m)*, desperfecto *(m)* • **(c'est) dommage !** ¡qué pena!, ¡qué lástima!

dompter *vt* **1.** *(animal)* domar **2.** *(éléments)* domeñar **3.** *sout (colère)* dominar.

dompteur, euse *nm, f* domador *(m)*, -ra *(f)*.

DOM-TOM *(abr de* **départements et territoires d'outre-mer)** *nmpl* vous pouvez dire : los territorios franceses de ultramar ya no se denominan DOM (départements d'outre-mer) y TOM (territoires d'outre-mer), sino que se subdividen en DROM (départements et régions d'outre-mer) y COM (collectivités d'outre-mer). Además, la UE los ha reconocido como PTOM (pays et territoires d'outre-mer).

don *nm* **1.** *(cadeau)* donación *(f)* **2.** *(talent, aptitude)* don *(m)*.

donateur, trice *nm, f* donante *(mf)*.

donation *nf* donación *(f)*.

donc *conj* **1.** *(marque la conséquence)* así pues, así que • **elle est malade et ne pourra donc pas venir** está enferma así que no podrá venir **2.** *(après une digression, pour renforcer)* pues • **je disais donc que...** pues como decía...

donjon *nm* torreón *(m)*.

donné, e *adj (lieu, date, distance)* dado(da). ■ **étant donné que** *loc conj* dado que.

donner ■ *vt* **1.** *(gén, dar)* • **elle m'a donné un livre à lire** me ha dado un libro para que lo lea • **ça n'a rien donné** no ha dado resultado **2.** *(attribuer - nom)* poner • *(- âge)* echar **3.** *fam (complice)* delatar **4.** *(maladie, passion)* • **donner qqch à qqn** contagiar algo a alguien. ■ *vi* **1.** *(inciter)* • **donner à penser que** dar a pensar que **2.** *(s'adonner)* • **donner dans qqch** darse a algo • **ne plus savoir où donner de la tête** no saber por dónde cogerlo.

donneur, euse *nm, f* **1.** *(de cartes)* repartidor *(m)*, -ra *(f)* **2.** *(d'organe, de sang)* donante *(mf)*.

dont *pron rel* **1.** *(complément de verbe ou d'adjectif - relatif à un objet)* del que, de la que • *(- relatif à une personne)* de quien • **l'accident dont il est responsable** el accidente del que es responsable • **les corvées dont il a été dispensé** las faenas de las que se ha liberado • **c'est quelqu'un dont on dit le plus grand bien** es una persona de quien se dicen muchas cosas buenas • **les personnes dont je parle...** las personas de quienes hablo... **2.** *(complément de nom ou de pronom)* cuyo(ya) • **un meuble dont le bois est vermoulu** un mueble cuya madera está carcomida • **c'est quelqu'un dont j'apprécie l'honnêteté** es alguien cuya honradez admiro • **celui dont les parents sont divorcés** aquél cuyos padres están divorciados **3.** *(indiquant la partie d'un tout)* de los cuales, de las cuales • **j'ai vu plusieurs films, dont deux étaient intéressants** he visto varias películas, dos de las cuales eran interesantes **4.** *(parmi eux)* uno de ellos, una de ellas • **plusieurs personnes ont téléphoné, dont ton frère** han llamado varias personas, entre ellas tu hermano.

dopage *nm* doping *(m)*.

doper *vt* dopar. ■ **se doper** *vp* doparse.

dorade = **daurade**.

doré, e *adj* dorado(da). ■ **doré** *nm* dorado *(m)*.

dorénavant *adv* en adelante, en lo sucesivo.

dorer *vt* dorar.

dorloter *vt* mimar *(Esp)*, papachar *(Amér)*.

dormeur, euse *nm, f* dormilón *(m)*, -ona *(f)*.

dormir *vi* dormir.

dortoir *nm* dormitorio *(m)* común.

dorure *nf* **1.** *(processus)* doradura *(f)*, dorado *(m)* **2.** *(ornement)* dorados *(mpl)*.

dos *nm* **1.** *(d'homme, de vêtement)* espalda *(f)* • **de dos** por detrás • **tourner le dos à** dar la espalda a **2.** *(natation)* • **dos crawlé** espalda

3. *(de siège)* respaldo *(m)* **4.** *(de livre, d'animal)* lomo *(m)* **5.** *(verso)* dorso *(m)* • **'voir au dos'** 'véase al dorso'.

DOS, Dos *(abr de* **Disc Operating System)** *nm* DOS *(m)*.

dosage *nm* dosificación *(f)*.

dos-d'âne *nm inv* badén *(m)*.

dose *nf* **1.** *(de médicament)* dosis *(f inv)* **2.** *(quantité)* ración *(f)*, dosis *(f inv)*.

doser *vt* dosificar.

dossard *nm* dorsal *(m)*.

dossier *nm* **1.** *(de fauteuil)* respaldo *(m)* **2.** *(documents)* dossier *(m)* • **dossier d'inscription** solicitud *(f)* de inscripción **3.** *(classeur)* carpeta *(f)* **4.** INFORM carpeta *(f)*.

dot *nf* dote *(f)*.

doté, e *adj* • **doté de** dotado de.

doter *vt* dotar.

douane *nf* aduana *(f)*.

douanier, ère *adj* & *nm, f* aduanero(ra).

doublage *nm* **1.** *(de vêtement, de paroi)* forro *(m)* **2.** CINÉ *(de film)* doblaje *(m)* **3.** THÉÂTRE & CINÉ *(d'acteur)* substitución *(f)*.

double ▪ *adj* doble. ▪ *adv* doble. ▪ *nm* **1.** *(gén)* doble *(m)* **2.** *(copie)* copia *(f)* • **en double** por duplicado • *(image)* repetido(da) **3.** *(au tennis)* dobles *(m inv)*.

doublé, e *adj* **1.** *(vêtement)* forrado(da) **2.** *(film)* doblado(da) **3.** *(consonne, lettre)* doble. ▪ **doublé** *nm* **1.** *(orfèvrerie)* chapado *(m)* **2.** *(réussite)* doble triunfo *(m)* **3.** *(à la chasse)* doblete *(m)*.

double-clic *nm* INFORM doble clic *(m)*.

double-cliquer *vi* INFORM hacer doble clic.

doublement ▪ *adv* doblemente. ▪ *nm (de consonne)* duplicación *(f)*.

doubler ▪ *vt* **1.** *(gén* & CINÉ*)* doblar **2.** *(vêtement, sac)* forrar **3.** *(véhicule)* adelantar **4.** *fam (trahir)* engañar **5.** *(augmenter)* redoblar. ▪ *vi* **1.** *(véhicule)* adelantar **2.** *(être multiplié par deux)* duplicarse.

doublure *nf* **1.** *(de vêtement, sac)* forro *(m)* **2.** THÉÂTRE & CINÉ doble *(mf)*.

doucement *adv* **1.** *(sans violence)* con suavidad **2.** *(avec douceur)* con dulzura **3.** *(bas)* bajo.

douceur *nf* **1.** *(gén)* suavidad *(f)* • **la douceur de vivre** los placeres de la vida **2.** *(de saveur)* dulzor *(m)* **3.** *(de caractère)* dulzura *(f)*. ▪ **douceurs** *nfpl (friandises)* dulces *(mpl)*.

douche *nf* ducha *(f)* (*Esp*), regadera *(f)* (*Amér*).

doucher *vt* duchar, dar una ducha a. ▪ **se doucher** *vp* ducharse.

douchette *nf* lector *(m)* de código de barras.

doué, e *adj* dotado(da) • **être doué pour qqch** estar dotado para algo.

douillet, ette ▪ *adj* **1.** *(lit, canapé)* mullido(da) **2.** *(personne)* delicado(da). ▪ *nm, f* delicado *(m)*, -da *(f)*.

douleur *nf* dolor *(m)*.

douloureux, euse *adj* **1.** *(blessure, événement)* doloroso(sa) **2.** *(partie du corps)* dolorido(da) **3.** *(regard, expression)* dolorido(da), doliente.

Douro *npr* • **le Douro** el Duero.

doute *nm* duda *(f)* • **sans aucun doute** sin duda alguna, sin ninguna duda. ▪ **sans doute** *loc adv* seguramente.

douter *vi* dudar • **douter de qqch/de qqn** dudar de algo/de alguien • **douter que** dudar que.

douteux, euse *adj* **1.** *(gén)* dudoso(sa) **2.** *(sale)* sucio(cia).

doux, douce *adj* **1.** *(gén)* suave **2.** *(souvenir)* grato(ta) **3.** *(personne, caractère)* dulce **4.** *(climat)* templado(da).

douzaine *nf* **1.** *(douze)* docena *(f)* **2.** *(environ douze)* • **une douzaine** unos/unas doce.

douze *adj num inv* & *nm inv* doce. • *voir aussi* **six**

douzième ▪ *adj num* doceavo(va), duodécimo(ma). ▪ *nmf* doceavo *(m)*, duodécima parte *(f)*. • *voir aussi* **sixième**

doyen, enne *nm, f* decano *(m)*, -na *(f)*.

Dr *(abr écrite de* **Docteur)** Dr., Dra.

draconien, enne *adj* draconiano(na).

dragée *nf* **1.** *(confiserie)* peladilla *(f)* **2.** *(comprimé)* gragea *(f)*.

dragon *nm* **1.** *(monstre)* dragón *(m)* **2.** *péj (personne autoritaire)* sargento *(mf)*.

draguer *vt* **1.** *(lac, fleuve)* dragar **2.** *fam (personne)* ligar con.

dragueur, euse *nm, f fam (personne)* ligón *(m)*, -ona *(f)*. ▪ **dragueur de mines** *nm* dragaminas *(m inv)*.

drainage *nm* drenaje *(m)*.

drainer *vt* **1.** *(terrain, plaie)* drenar **2.** *fig (capitaux, main-d'œuvre)* atraer.

dramatique ▪ *adj* dramático(ca). ▪ *nf* TV dramático *(m)*.

dramatiser *vt* dramatizar.

dramaturge *nmf* dramaturgo *(m)*, -ga *(f)*.

drame *nm* drama *(m)*.

drap *nm* **1.** *(de lit)* sábana *(f)* • **drap housse** sábana bajera **2.** *(étoffe)* paño *(m)*. ▪ **drap de bain** *nm* toalla *(f)* de baño.

drapeau *nm* bandera *(f)* • **être sous les drapeaux** *fig* servir a la bandera.

draper *vt* **1.** *(couvrir)* cubrir (con un paño) **2.** *(tissu)* drapear.

draperie *nf* **1.** *(tenture)* colgaduras *(fpl)* **2.** *(industrie)* fábrica *(f)* de paños.

drapier, ère ▪ *adj* pañero(ra). ▪ *nm, f* **1.** *(fabricant)* fabricante *(mf)* de paños **2.** *(marchand)* pañero *(m)*, -ra *(f)*.

dresser *vt* **1.** *(tête, échelle, tente)* levantar **2.** *(liste, procès-verbal)* elaborar **3.** *sout (statue, monument* erigir **4.** *(animal)* adiestrar ◆ **être bien dressé** estar bien enseñado **5.** *(opposer)* ◆ **dresser qqn contre qqn** poner a alguien en contra de alguier. ■ **se dresser** *vp* **1.** *(se mettre debout)* levantarse *(Esp)*, pararse *(Amér)* **2.** *(s'élever)* erguirse **3.** *(apparaître)* surgir **4.** *fig (s'insurger)* ◆ **se dresser contre qqch** levantarse contra algo.

dresseur, euse *nm, f* domador *(m)*, -ra *(f)*.

dribbler *vt* & *vi* regatear, driblar.

drogue *nf* droga *(f)*.

drogue, e ■ *adj* drogado(da). ■ *nm, f* drogadicto *(m)*, -ta *(f)*.

droguer *vt* drogar. ■ **se droguer** *vp* drogarse.

droguerie *nf* droguería *(f)*.

droguiste *nmf* droguero *(m)*, -ra *(f)*.

droit, e *adj* **1.** *(situé à droite, vertical)* derecho(cha) **2.** *(rectiligne, honnête)* recto(ta). ■ **droit** ■ *adv* **1.** *(selon une ligne droite)* recto ◆ **tout droit** todo recto **2.** *(directement)* derecho, directo. ■ *nm* derecho *(m)* ◆ **avoir droit à** tener derecho a ◆ **de droit commun** de derecho común ◆ **être dans son droit** estar en su derecho ◆ **être en droit de** estar en el derecho de ◆ **droits d'inscription** derechos *ou* tasas *(fpl)* de inscripción ◆ **droit de vote** derecho al voto. ■ **droite** *nf* derecha *(f)*.

droitier, ère *adj* & *nm, f* diestro(tra) *(que usa la mano derecha)*.

drôle *adj* **1.** *(amusant)* divertido(da) **2.** *(bizarre)* raro(ra) **3.** *fam (remarquable)* menudo(da) ◆ **elle a fait de drôles de progrès !** ¡menudos progresos ha hecho!

DROM *(abr de* **départements et régions d'outre-mer***) nmpl pour expliquer à un hispanophone ce que c'est, vous pouvez dire :* éste es el nombre que reciben los territorios franceses de ultramar que son al mismo tiempo un departamento y una región; se consideran DROM Guadalupe, la Guyana Francesa, Martinica y la isla de la Reunión.

dromadaire *nm* dromedario *(m)*.

dru, e *adj* abundante.

drugstore *nm* drugstore *(m)*.

D.T.COQ. *(abr de* **diphtérie, tétanos, coqueluche***) nm* vacuna *(f)* triple.

dû, due *adj* debido(da). ■ **dû** *nm* lo que se debe.

Dublin *npr* Dublín.

duc *nm* duque *(m)*.

duchesse *nf* duquesa *(f)*.

duel *nm* duelo *(m)*.

dûment *adv* debidamente.

dumping *nm* dumping *(m)*.

dune *nf* duna *(f)*.

duo *nm* dúo *(m)*.

dupe ■ *adj* engañado(da) ◆ **être/ne pas être dupe** dejarse/no dejarse engañar. ■ *nf* ◆ **être la dupe de qqn** ser víctima de alguien.

duper *vt sout* embancar.

duplex *nm* dúplex *(m inv)*.

duplicata *nm inv* duplicado *(m)*.

duplicité *nf* duplicidad *(f)*.

dupliquer *vt* duplicar.

dur, e ■ *adj* **1.** *(gén)* duro(ra) **2.** *(difficile)* difícil. ■ *nm, f* duro *(m)*, -ra *(f)*. ■ **dur** *adv* **1.** *(avec force)* fuerte **2.** *(avec ténacité)* duro.

durable *adj* **1.** *(gén)* duradero(ra) **2.** ÉCON sostenible ◆ **le développement durable** el desarrollo sostenible.

durant *prép* durante.

durcir ■ *vt* endurecer. ■ *vi* endurecerse. ■ **se durcir** *vp* endurecerse.

durée *nf* duración *(f)*.

durement *adv* **1.** *(violemment)* con fuerza **2.** *(péniblement)* con rigor, con crudeza **3.** *(sévèrement)* duramente.

durer *vi* durar.

dureté *nf* **1.** *(gén)* dureza *(f)* **2.** *(d'exercice)* dificultad *(f)*.

DUT *(abr de* **diplôme universitaire de technologie***) nm* ≃ Título *(m)* de Técnico Superior de Formación Profesional.

duvet *nm* **1.** *(plumes)* plumón *(m)* **2.** *(sac de couchage)* saco *(m)* de dormir *(de plumón)* **3.** *(poils fins)* bozo *(m)*.

DVD-ROM, DVD-Rom *(abr de* **Digital Video** *ou* **Versatile Disk Read Only Memory***) nm* DVD-ROM *(m)* ◆ **un lecteur (de) DVD-ROM** un lector (de) DVD-ROM.

dynamique ■ *adj* dinámico(ca). ■ *nf* dinámica *(f)*.

dynamisme *nm* dinamismo *(m)*.

dynamite *nf* dinamita *(f)*.

dynamiter *vt* dinamitar.

dynastie *nf* dinastía *(f)*.

e, E *nm inv (lettre)* e *(f)*, E *(f)*. ■ **E** *(abr écrite de* **est***)* E.

eau *nf* agua *(f)* ◆ **eau de Cologne** agua de colonia ◆ **eau douce/de mer** agua dulce/salada ◆ **eau gazeuse/plate** agua con gas/sin gas ◆ **eau minérale** agua mineral ◆ **eau du robinet** agua del grifo ◆ **eau de toilette** (agua) de colonia *(f)* ◆ **tomber à l'eau** *fig* irse a pique, aguarse.

eau-de-vie *nf (alcool)* aguardiente *(m)*.
ébahi, e *adj* atónito(ta), boquiabierto(ta).
ébats *nmpl sout* retozos *(mpl)*.
ébauche *nf* **1.** *(esquisse)* boceto *(m)* **2.** *fig (commencement)* esbozo *(m)*.
ébaucher *vt* **1.** *(œuvre, plan)* bosquejar **2.** *fig (geste, sourire)* esbozar.
ébène *nf* ébano *(m)*.
ébéniste *nmf* ebanista *(mf)*.
éberlué, e *adj* atónito(ta).
éblouir *vt* deslumbrar.
éblouissement *nm* **1.** *(gén)* deslumbramiento *(m)* **2.** *(vertige)* mareo *(m)*.
éborgner *vt* dejar tuerto(ta).
éboueur *nm* basurero *(m)*, -ra *(f)*.
ébouillanter *vt* escaldar.
éboulement *nm* desprendimiento *(m)*.
éboulis *nm* desprendimiento *(m)*.
ébouriffé, e *adj* alborotado(da).
ébranler *vt* **1.** *(faire trembler)* estremecer, sacudir **2.** *(santé, moral)* quebrantar **3.** *(gouvernement)* hacer tambalear **4.** *(opinion, conviction)* hacer temblar.
Èbre *npr* • **l'Èbre** el Ebro.
ébrécher *vt* **1.** *(verre, assiette)* picar **2.** *(lame, couteau)* mellar **3.** *fam fig (fortune)* mermar.
ébriété *nf* embriaguez *(f)*.
ébruiter *vt* divulgar.
ébullition *nf* ebullición *(f)* • **en ébullition** *(en effervescence)* en plena ebullición.
écaille *nf* **1.** *(de poisson, reptile)* escama *(f)* **2.** *(de plâtre, peinture, vernis)* desconchón *(m)* **3.** *(matière)* concha *(f)* • **en écaille** de concha.
écailler *vt* **1.** *(poisson)* escamar **2.** *(huîtres)* abrir. ■ **s'écailler** *vp (peinture, vernis)* desconcharse.
écarlate *adj & nf* escarlata.
écarquiller *vt* • **écarquiller les yeux** abrir los ojos de par en par.
écart *nm* **1.** *(dans l'espace)* distancia *(f)*, separación *(f)* **2.** *(dans le temps)* intervalo *(m)* **3.** *(différence)* diferencia *(f)* **4.** *(mouvement)* extraño *(m)* • **faire un écart à son régime** *fig* saltarse el régimen.
écarteler *vt* **1.** *(torturer)* descuartizar **2.** *fig (tirailler)* dividir.
écartement *nm* **1.** *(gén)* distancia *(f)* **2.** *(de rails)* ancho *(m)*.
écarter *vt* **1.** *(bras, jambes, rideaux)* abrir **2.** *(éloigner)* apartar **3.** *(obstacle, danger)* eliminar **4.** *(solution)* desechar. ■ **s'écarter** *vp* apartarse.
ecchymose *nf* equimosis *(f inv)*.
ecclésiastique ◙ *adj* eclesiástico(ca). ◙ *nm* eclesiástico *(m)*.
écervelé, e *adj & nm, f* atolondrado(da).
échafaud *nm* cadalso *(m)*.

échafaudage *nm* **1.** CONSTR andamio *(m)*, andamiaje *(m)* **2.** *(amas)* montón *(m)*, pila *(f)* **3.** *fig (de plan)* elaboración *(f)*.
échalote *nf* chalote *(m)*.
échancrure *nf (de robe)* escote *(m)*.
échange *nm* intercambio *(m)* • **en échange (de)** a cambio (de). ■ **échanges** *nmpl* ÉCON intercambios *(mpl)*.
échanger *vt* **1.** *(troquer)* • **échanger qqch contre qqch** cambiar algo por algo **2.** *(sourires, lettres, impressions)* intercambiar.
échangisme *nm* **1.** *(de partenaire sexuel)* intercambio *(m)* de parejas **2.** ÉCON librecambio *(m)*.
échantillon *nm* muestra *(f)*.
échappatoire *nf* escapatoria *(f)*.
échappement *nm* **1.** AUTO escape *(m)* • ▷ **pot 2.** *(d'horloge)* rueda *(f)* catalina.
échapper ◙ *vi (gén)* • **échapper à** escapar OU escaparse de • *(détail, nom)* escapársele • **laisser échapper** *(occasion)* dejar escapar • *(mot)* soltar • *(erreur, faute)* escapársele. ◙ *vt* • **l'échapper belle** salvarse por los pelos. ■ **s'échapper** *vp* • **s'échapper (de)** escaparse (de), escapar (de).
écharde *nf* astilla *(f)*.
écharpe *nf* bufanda *(f)* • **en écharpe** *(bras)* en cabestrillo.
écharper *vt* despedazar.
échasse *nf* **1.** *(de berger)* zanco *(m)* **2.** *(oiseau)* zancuda *(f)*.
échassier *nm* zancuda *(f)*.
échauffement *nm* **1.** *(de moteur & SPORT)* calentamiento *(m)* **2.** *fig (surexcitation)* caldeamiento *(m)*.
échauffer *vt* **1.** *(gén)* calentar **2.** *(énerver)* irritar. ■ **s'échauffer** *vp* calentarse.
échéance *nf* **1.** *(délai)* plazo *(m)* • **à longue échéance** a largo plazo • **arriver à échéance** vencer un plazo **2.** *(date de paiement)* vencimiento *(m)* **3.** *(somme d'argent)* desembolso *(m)*.
échéant ▷ **cas**.
échec *nm* fracaso *(m)* • **échec et mat** jaque mate. ■ **échecs** *nmpl* ajedrez *(m)*.
échelle *nf* **1.** *(objet)* escalera *(f)* **2.** *(ordre de grandeur)* escala *(f)*. ■ **échelle de Richter** *nf* GÉOL escala *(f)* de Richter.
échelon *nm* **1.** *(barreau)* escalón *(m)*, peldaño *(m)* **2.** *fig (niveau)* grado *(m)*.
échelonner *vt* escalonar.
écheveau *nm* madeja *(f)*.
échevelé, e *adj* **1.** *(personne)* despeinado(da) **2.** *(course, rythme)* desenfrenado(da).
échine *nf* **1.** ANAT espinazo *(m)* **2.** *(de porc)* lomo *(m)*.

échiquier *nm* **1.** *(jeu)* tablero *(m)* de ajedrez **2.** *fig (scène)* tablero *(m)*.

écho *nm* eco *(m)*.

échographie *nf* ecografía *(f)*.

échoir *vi sout* **1.** *(être dévolu)* ▪ **échoir à qqn** tocarle a alguien **2.** *(terme)* vencer.

échoppe *nf* puesto *(m)*, tenderete *(m)*.

échouer *vi* **1.** *(ne pas réussir)* fracasar ▪ **échouer à un examen** suspender un examen **2.** *(navire)* encallar **3.** *fam fig (aboutir)* ir a parar.

éclabousser *vt* salpicar.

éclair  *nm* **1.** *(de lumière)* relámpago *(m)* *(Esp)*, refusilo *(m)* *(Amér)* **2.** *fig (instant)* chispa *(f)* **3.** *(gâteau)* pastelillo *(m)* alargado relleno de crema de chocolate o café. ◼ *adj inv* relámpago *(en apposition)*.

éclairage *nm* **1.** *(lumière - des rues)* alumbrado *(m)* ▪ *(- de local)* iluminación *(f)* **2.** *fig (point de vue)* enfoque *(m)*.

éclairagiste *nmf* ingeniero *(m)*, -ra *(f)* de luces.

éclaircie *nf* claro *(m)* *(entre nubes)*.

éclaircir *vt* aclarar. ◼ **s'éclaircir** *vp* **1.** *(gén)* aclararse **2.** *(cheveux)* enrarecer.

éclaircissement *nm* aclaración *(f)*.

éclairer *vt* **1.** *(illuminer)* alumbrar, iluminar **2.** *sout (renseigner)* ▪ **éclairer qqn sur qqch** aclarar a alguien sobre algo. ◼ **s'éclairer** *vp* **1.** *(avec de la lumière)* alumbrarse **2.** *fig (visage)* iluminarse **3.** *(situation, idées)* aclararse.

éclaireur, euse *nm, f* explorador *(m)*, -ra *(f)*.

éclat *nm* **1.** *(de lumière)* resplandor *(m)* **2.** *(de couleur, des yeux)* brillo *(m)* **3.** *(de verre, pierre)* fragmento *(m)* **4.** *(faste)* esplendor *(m)* **5.** *(bruit)* estampido *(m)* ▪ **éclat de rire** carcajada *(f)* ▪ **éclats de voix** gritos *(mpl)* ▪ **rire aux éclats** reír a carcajadas.

éclatant, e *adj* **1.** *(lumière, couleur, succès)* brillante **2.** *(beauté)* resplandeciente **3.** *(rire, voix)* estridente.

éclater *vi* estallar ▪ **faire éclater qqch** hacer estallar algo. ◼ **s'éclater** *vp fam* pasárselo en grande.

éclectique *adj & nmf* ecléctico(ca).

éclipse *nf* eclipse *(m)* ▪ **éclipse de Lune/Soleil** eclipse lunar/solar.

éclipser *vt* eclipsar. ◼ **s'éclipser** *vp fam* eclipsarse.

éclopé, e *adj & nm, f* cojo(ja).

éclore *vi* *(fleur, œuf)* hacer eclosión.

écluse *nf* esclusa *(f)*.

écœurant, e *adj* **1.** *(gén)* repugnante, asqueroso(sa) **2.** *fam (démoralisant)* asqueroso(sa).

écœurer *vt* **1.** *(dégoûter, indigner)* dar asco **2.** *fam (décourager)* desmoralizar.

école *nf* **1.** *(gén)* escuela *(f)*, colegio *(m)* ▪ **être à bonne école** tener (un) buen maestro ▪ **école communale** ≃ escuela municipal ▪ **école ma-**

ternelle parvulario *(m)* ▪ **l'école publique** la escuela pública ▪ **une grande école** *vous pouvez définir une grande école en disant* : es una institución de enseñanza superior de gran prestigio, aparte de la universidad, a la cual se accede tras haber aprobado unas difíciles oposiciones. ▪ **l'École nationale d'administration** *vous pouvez expliquer ce que c'est que* l'ENA *de la façon suivante* : esta universidad de élite forma a los futuros altos funcionarios de la Administración. ▪ **l'École nationale de la magistrature** la escuela nacional de la judicatura ▪ **l'École normale supérieure** *pour expliquer ce que c'est, vous pouvez dire* : se trata de una institución de enseñanza superior especializada en humanidades ▪ **faire l'école buissonnière** hacer novillos **2.** *(éducation)* enseñanza *(f)* ▪ **école libre** enseñanza libre ▪ **école privée** enseñanza privada.

L'ÉCOLE

- le bureau / el pupitre
- le calendrier / el calendario
- la cantine / el comedor
- le cartable / la cartera
- la carte / el mapa
- la chaise / la silla
- la classe / la clase
- la corbeille à papier / la papelera
- la cour / el patio
- la craie / la tiza
- l'élève / el alumno/la alumna
- le professeur / la professeure / el profesor/la profesora
- le tableau / la pizarra.

écolier, ère *nm, f* **1.** *(élève)* escolar *(mf)*, colegial *(m)*, -la *(f)* **2.** *fig (novice)* principiante *(mf)*.

écolo *nmf fam* ecologista *(mf)* ▪ **les écolos** los verdes.

écologie *nf* ecología *(f)*.

écologiste *nmf* ecologista *(mf)*.

éconduire *vt sout* rechazar.

économat *nm* economato *(m)*.

économe ◼ *adj* ahorrador(ra) ▪ **être économe de qqch** ahorrarse algo. ◼ *nmf* ecónomo *(m)*, -ma *(f)*.

économie *nf* **1.** *(science & polit)* economía *(f)* **2.** *fig (épargne)* ahorro *(m)* ▪ **faire des économies** ahorrar. ◼ **économies** *nfpl* **1.** *(pécule)* ahorros *(mpl)* **2.** ÉCON ▪ **économies d'échelle** economías *(fpl)* de escala.

économique *adj* económico(ca).

économiser *vt* ahorrar.

économiste *nmf* economista *(mf)*.

écoper ◼ *vt* NAUT achicar. ◼ *vi fam (être puni)* pagar el pato ▪ **écoper de qqch** *(sanction, corvée)* cargar con algo.

écoproduit *nm* ecoproducto *(m)*.

écorce *nf* corteza *(f)* • **écorce terrestre** corteza terrestre.

écorché, e *adj* & *nm, f* quisquilloso(sa) • **un écorché vif** una persona con la sensibilidad a flor de piel. ■ **écorché** *nm* **1.** ANAT réplica *(f)* anatómica de disecciones **2.** *(schéma)* corte *(m)*, sección *(f)*.

écorcher *vt* **1.** *(égratigner)* arañar **2.** *(langue, nom)* destrozar **3.** *(lapin)* despellejar.

écorchure *nf* arañazo *(m)*.

écossais, e *adj* escocés(esa). ■ **écossais** *nm* **1.** LING escocés *(m)* **2.** *(tissu)* tela *(f)* escocesa. ■ **Écossais, e** *nm, f* escocés *(m)*, -esa *(f)*.

Écosse *npr* • **l'Écosse** Escocia.

écosser *vt* desgranar.

écosystème *nm* ecosistema *(m)*.

écot *nm* escote *(m)*.

écotaxe *nf* ecotasa *(f)*.

écotourisme *nm* turismo *(m)* ecológico.

écouler *vt* deshacerse de. ■ **s'écouler** *vp* **1.** *(liquide)* escurrirse **2.** *(temps)* pasar.

écourter *vt* *(durée)* acortar.

écouter *vt* escuchar.

écouteur *nm* auricular *(m)*.

écoutille *nf* escotilla *(f)*.

écran *nm* pantalla *(f)* • **le petit écran** la pequeña pantalla.

écrasant, e *adj* aplastante.

écraser ◼ *vt* **1.** *(comprimer, vaincre)* aplastar **2.** *(accabler)* agobiar, abrumar **3.** *(piétiner, marcher sur)* pisar **4.** INFORM suprimir **5.** *(renverser)* atropellar • **il s'est fait écraser par une voiture** lo ha atropellado un coche. ◼ *vi* • **écrase !** *fam* ¡cállate ya! ■ **s'écraser** *vp* **1.** *(avion, véhicule)* estrellarse **2.** *fam (se taire)* morderse la lengua.

écrémer *vt* **1.** *(lait)* descremar **2.** *fig (prendre le meilleur de)* escoger lo mejor de.

écrevisse *nf* cangrejo *(m)* de río • **être rouge comme une écrevisse** estar más rojo que una gamba.

écrier ■ **s'écrier** *vp* exclamar.

écrin *nm* joyero *(m)* *(estuche)*.

écrire *vt* escribir.

écrit, e *adj* escrito(ta). ■ **écrit** *nm* **1.** *(ouvrage, document)* escrito *(m)* **2.** *(examen)* examen *(m)* escrito. ■ **par écrit** *loc adv* por escrito.

écriteau *nm* letrero *(m)*, cartel *(m)* *(Esp)*, afiche *(m)* *(Amér)*.

écriture *nf* **1.** *(système de signes)* escritura *(f)* **2.** *(de personne)* letra *(f)* **3.** *sout (style)* estilo *(m)*. ■ **écritures** *nfpl* COMM • **tenir les écritures** llevar los libros.

écrivain *nm* escritor *(m)*, -ra *(f)*.

écrou *nm* tuerca *(f)*.

écrouer *vt* encarcelar.

écrouler ■ **s'écrouler** *vp* derrumbarse, desplomarse.

écru, e *adj* crudo(da).

ecsta *(abr de* **ecstasy)** *nm fam* éxtasis *(m inv)*.

ecstasy *nm* éxtasis *(m inv)* *(droga)*.

écu *nm* escudo *(m)*.

ÉCU *(abr de* **European Currency Unit)** *nm* ECU *(m)* • **en 1998, l'ÉCU a été remplacé par l'euro** en 1998, el euro remplazó al ecu.

écueil *nm* escollo *(m)*.

écuelle *nf* escudilla *(f)*.

éculé, e *adj* gastado(da).

écume *nf* **1.** *(de mer, de bière)* espuma *(f)* **2.** *(de personne, d'animal)* baba *(f)*, espumarajo *(m)* **3.** *fig (rebut)* escoria *(f)*.

écumoire *nf* espumadera *(f)*.

écureuil *nm* ardilla *(f)*.

écurie *nf* **1.** *(bâtiment)* cuadra *(f)*, caballeriza *(f)* **2.** *fig (chevaux de courses)* cuadra *(f)* **3.** AUTO escudería *(f)*.

écusson *nm* **1.** *(d'armoiries)* escudo *(m)* **2.** MIL distintivo *(m)* *(del cuerpo del ejército)*.

écuyer, ère *nm, f (de cirque)* caballista *(mf)*. ■ **écuyer** *nm (de chevalier)* escudero *(m)*.

eczéma *nm* eczema *(m)*.

éden *nm* edén *(m)*.

édenté, e *adj* desdentado(da).

EDF, Edf *(abr de* **Électricité de France)** *nf* ≃ Endesa • **la facture EDF** la factura de la luz.

édifice *nm* **1.** *(construction)* edificio *(m)* **2.** *fig (ensemble organisé)* entramado *(m)*.

édifier *vt* **1.** *(bâtiment)* construir, edificar **2.** *(théorie)* elaborar **3.** *iron (personne)* edificar.

Édimbourg *npr* Edimburgo.

éditer *vt* editar.

éditeur, trice *nm, f* editor *(m)*, -ra *(f)*.

édition *nf* edición *(f)*.

éditorial *nm* editorial *(m)*.

édredon *nm* edredón *(m)*.

éducateur, trice ◼ *adj* educador(ra). ◼ *nm, f* educador *(m)*, -ra *(f)* • **éducateur spécialisé** ≃ maestro *(m)* de educación especial.

éducatif, ive *adj* educativo(va).

éducation *nf* educación *(f)*. ■ **Éducation nationale** *nf* • **l'Éducation nationale** ≃ la Educación Nacional.

édulcorant *nm* edulcorante *(m)* • **édulcorant de synthèse** edulcorante sintético.

édulcorer *vt* **1.** *sout (sucrer)* endulzar, edulcorar **2.** *fig (adoucir)* suavizar.

éduquer *vt* educar.

effacé, e *adj* **1.** *(personne, rôle)* discreto(ta) **2.** *(teinte)* apagado(da).

effacer vt 1. (gén & INFORM) borrar 2. fig (éclipser) eclipsar. ■ **s'effacer** vp 1. (s'estomper) borrarse 2. sout (s'écarter) apartarse 3. fig (s'incliner) inclinarse (en señal de respeto).

effarant, e adj espantoso(sa).

effarer vt espantar, asustar.

effaroucher vt asustar.

effectif, ive adj efectivo(va). ■ **effectif** nm 1. MIL efectivos (mpl) 2. SCOL alumnado (m).

effectivement adv 1. (réellement) realmente 2. (pour confirmer) efectivamente.

effectuer vt efectuar.

efféminé, e adj afeminado(da).

effervescent, e adj efervescente.

effet nm 1. (gén) efecto (m) ● **sous l'effet de** bajo el efecto de ● **effet secondaire** efecto secundario ● **effet de serre** efecto (de) invernadero ● **effets spéciaux** efectos especiales 2. (impression produite) efecto (m), impresión (f). ■ **en effet** loc adv en efecto, efectivamente.

effeuiller vt deshojar.

efficace adj 1. (remède, mesure) eficaz 2. (personne) eficaz, eficiente.

efficacité nf eficacia (f).

effigie nf efigie (f).

effiler vt 1. (tissu) deshilachar 2. (lame, couteau) afilar 3. (cheveux) atusar.

effilocher vt deshilachar. ■ **s'effilocher** vp deshilacharse.

efflanqué, e adj flaco(ca).

effleurer vt 1. (surface, visage) rozar 2. (problème, affaire) tratar superficialmente 3. (sujet : idée, pensée) ocurrirse ● **cette pensée ne l'a jamais effleuré** esto nunca se le ha pasado por la cabeza.

effluves nmpl efluvios (mpl).

effondrement nm 1. (de mur, toit, projet) hundimiento (m), desmoronamiento (m) 2. (de personne) desfondamiento (m).

effondrer vt fig (personne) hundir, desmoronar. ■ **s'effondrer** vp hundirse, desmoronarse.

efforcer ■ **s'efforcer** vp ● **s'efforcer de faire qqch** esforzarse en hacer algo.

effort nm 1. (de personne) esfuerzo (m) 2. PHYS fuerza (f).

effraction nf DR fractura (f).

effrayant, e adj espantoso(sa).

effrayer vt asustar. ■ **s'effrayer** vp asustarse.

effréné, e adj desenfrenado(da).

effriter vt pulverizar. ■ **s'effriter** vp 1. (mur, pierre) reducirse a polvo 2. fig (majorité) desmoronarse.

effroi nm pavor (m).

effronté, e adj & nm, f descarado(da).

effronterie nf descaro (m).

effroyable adj espantoso(sa).

effusion nf 1. (de sang) derramamiento (m) 2. (de sentiments) efusión (f) ● **avec effusion** efusivamente.

égal, e ■ adj 1. (équivalent) igual 2. (régulier) regular. ■ nm, f igual (mf).

également adv 1. (avec égalité) con igualdad 2. (aussi) también.

égaler vt 1. MATH ser, dar ● **deux plus trois égale cinq** dos y tres son cinco 2. (être à la hauteur de) igualar.

égaliser vt 1. (rendre égal) igualar 2. SPORT empatar, igualar.

égalité nf 1. (gén) igualdad (f) 2. (d'humeur) regularidad (f).

égard nm respeto (m). ■ **à l'égard de** loc prép respecto a.

égarement nm extravío (m).

égarer vt extraviar. ■ **s'égarer** vp 1. (objet, personne) extraviarse 2. (discussion) desviarse 3. fig & sout (sortir du bon sens) divagar.

égayer vt alegrar, animar.

égide nf égida (f) ● **sous l'égide de** bajo la égida de, bajo los auspicios de.

églantine nf gavanza (f).

église nf iglesia (f).

égocentrique adj & nmf egocéntrico(ca).

égoïsme nm egoísmo (m).

égoïste adj & nmf egoísta.

égorger vt degollar.

égosiller ■ **s'égosiller** vp desgañitarse.

égout nm alcantarilla (f) ● **les égouts** el alcantarillado.

égoutter vt 1. (linge, vaisselle, légumes) escurrir 2. (fromage) desuerar. ■ **s'égoutter** vp escurrirse.

égouttoir nm 1. (à légumes) escurridor (m) 2. (à vaisselle) escurridor (m), escurreplatos (m inv).

égratigner vt 1. (érafler) arañar 2. fig (blesser) afectar. ■ **s'égratigner** vp (s'érafler) arañarse.

égratignure nf 1. (éraflure) arañazo (m), rasguño (m) 2. fig (blessure) rasguño (m).

égrener vt desgranar.

égrillard, e adj chocarrero(ra).

Égypte npr ● **l'Égypte** Egipto.

égyptien, enne adj egipcio(cia). ■ **égyptien** nm LING egipcio (m). ■ **Égyptien, enne** nm, f egipcio (m), -cia (f).

égyptologie nf egiptología (f).

eh interj eh ● **eh bien** bueno.

éhonté, e adj & nm, f sinvergüenza.

Eiffel npr ● **la tour Eiffel** la Torre Eiffel.

éjaculation nf eyaculación (f) ● **éjaculation précoce** eyaculación precoz.

éjectable adj eyectable.

éjecter *vt* **1.** *(rejeter)* eyectar **2.** *fam (personne)* echar • **il s'est fait éjecter** lo han echado.

élaboration *nf* elaboración *(f)*.

élaboré, e *adj* elaborado(da) *(sofisticado)*.

élaborer *vt* elaborar.

élaguer *vt* **1.** *(arbre)* podar **2.** *fig (texte, exposé)* recortar, expurgar.

élan *nm* **1.** ZOOL alce *(m)* **2.** *(mouvement physique)* impulso *(m)* • **prendre son élan** coger impulso **3.** *fig (de joie, de générosité)* arrebato *(m)*.

élancé, e *adj* esbelto(ta).

élancer *vi* MÉD dar punzadas. ■ **s'élancer** *vp* **1.** *(se précipiter)* lanzarse **2.** SPORT coger impulso.

élargir *vt* **1.** *(route, jupe)* ensanchar **2.** *fig (connaissances)* ampliar. ■ **s'élargir** *vp* **1.** *(route)* ensancharse **2.** *fam (personne)* engordar **3.** *fig (idées, connaissances)* ampliar.

élasticité *nf* elasticidad *(f)*.

élastique ◨ *adj* elástico(ca). ◨ *nm* elástico *(m)*, goma *(f)*.

électeur, trice *nm, f* elector *(m)*, -ra *(f)*.

élection *nf* elección *(f)* • **d'élection** de elección • **élection présidentielle** elecciones presidenciales • **élections municipales** elecciones municipales.

électoral, e *adj* electoral.

électricien, enne *nm, f* electricista *(mf)*.

électricité *nf* PHYS electricidad *(f)*.

électrifier *vt* electrificar.

électrique *adj* **1.** PHYS eléctrico(ca) **2.** *fig (impression)* electrizante.

électroaimant *nm* electroimán *(m)*.

électrocardiogramme *nm* electrocardiograma *(m)*.

électrochoc *nm* electrochoque *(m)*.

électrocuter *vt* electrocutar.

électrode *nf* electrodo *(m)*.

électroencéphalogramme *nm* electroencefalograma *(m)*.

électrogène *adj* electrógeno(na).

électrolyse *nf* electrólisis *(f inv)*.

électromagnétique *adj* electromagnético(ca).

électron *nm* electrón *(m)*.

électronicien, enne *nm, f* técnico *(mf)* electrónico.

électronique ◨ *adj* electrónico(ca). ◨ *nf* electrónica *(f)*.

élégance *nf* elegancia *(f)*.

élégant, e *adj* elegante *(Esp)*, elegantoso(sa) *(Amér)*.

élément *nm* elemento *(m)* • **les bons/mauvais éléments** los buenos/malos elementos • **être dans son élément** *fig* estar en su elemento • **les quatre éléments** los cuatro elementos.

élémentaire *adj* elemental.

éléphant *nm* elefante *(m)*.

éléphanteau *nm* cría *(f)* de elefante.

élevage *nm* **1.** *(activité)* cría *(f)* **2.** *(installation)* criadero *(m)*.

élévateur, trice *adj* elevador(ra).

élève *nmf* **1.** *(gén)* alumno *(m)*, -na *(f)* **2.** MIL ≃ cadete *(mf)*.

élever *vt* **1.** *(enfant)* educar **2.** *(animaux)* criar **3.** *(statue, protestations)* levantar **4.** *(prix, niveau de vie)* subir **5.** *(esprit)* elevar. ■ **s'élever** *vp* **1.** *(gén)* elevarse **2.** *(protester)* • **s'élever contre qqn/contre qqch** levantarse contra alguien/algo.

éleveur, euse *nm, f* criador *(m)*, -ra *(f)*.

elfe *nm* elfo *(m)*.

éligible *adj* elegible.

élimination *nf* eliminación *(f)* • **procéder par élimination** proceder por eliminación.

éliminer *vt* eliminar.

élire *vt* elegir.

élite *nf* elite *(f)* • **d'élite** de elite.

élitiste *nmf* elitista *(mf)*.

elle *pron pers* ella • **il a fait ça pour elle** lo ha hecho por ella • **elle est jolie, Marie** es guapa, Marie • **c'est à elle** es suyo/suya. ■ **elle-même** *pron pers* ella misma.

ellipse *nf* **1.** GÉOM elipse *(f)* **2.** LING elipsis *(f inv)*.

élocution *nf* elocución *(f)*.

éloge *nm* elogio *(m)* • **couvrir qqn d'éloges** deshacerse en elogios con alguien • **faire l'éloge de qqch/de qqn** elogiar algo/a alguien.

élogieux, euse *adj* elogioso(sa).

éloignement *nm* **1.** *(gén)* alejamiento *(m)* **2.** *(recul)* distanciamiento *(m)*.

éloigner *vt* alejar. ■ **s'éloigner** *vp* alejarse.

élongation *nf* elongación *(f)*.

éloquence *nf* elocuencia *(f)*.

éloquent, e *adj* elocuente.

élu, e ◨ *adj* POLIT electo(ta). ◨ *nm, f* POLIT & RELIG elegido *(m)*, -da *(f)* • **l'élu de son cœur** su media naranja.

élucider *vt* dilucidar.

éluder *vt* eludir.

Élysée *npr* • **l'Élysée** el Elíseo *(residencia oficial del presidente de la República Francesa)*.

émacié, e *adj* sout demacrado(da).

e-mail *nm* e-mail *(m)*, correo *(m)* electrónico.

émail *nm* esmalte *(m)* • **en émail** esmaltado(da).

émaillé, e *adj* • **émaillé de** salpicado de.

émanation *nf* emanación *(f)*.

émancipé, e *adj* emancipado(da).

émanciper *vt* emancipar. ■ **s'émanciper** *v*, **1.** *(se libérer)* emanciparse **2.** *fam (se dévergonde*r) espabilarse.

émaner vi emanar.

émarger vt firmar en el margen.

émasculer vt emascular.

emballage nm embalaje (m).

emballer vt 1. (objet, moteur) embalar 2. (cadeau) envolver 3. fam (plaire) entusiasmar. ■ **s'emballer** vp 1. (personne, moteur) embalarse 2. (cheval) desbocarse.

embarcadère nm embarcadero (m).

embarcation nf embarcación (f).

embardée nf bandazo (m) • **faire une embardée** dar un bandazo.

embargo nm embargo (m).

embarquement nm 1. (de marchandises) embarque (m) 2. (de passagers) embarco (m) • **embarquement immédiat** embarco inmediato.

embarquer ■ vt 1. (marchandises, passagers) embarcar 2. fam (malfaiteur) trincar 3. fam (emporter) llevarse 4. fam fig (engager) • **embarquer qqn dans** embarcar a alguien en algo. ■ vi • **embarquer (pour)** embarcarse (para). ■ **s'embarquer** vp embarcarse • **s'embarquer dans** fam fig embarcarse en.

embarras nm 1. (incertitude, situation difficile) aprieto (m), apuro (m) • **avoir l'embarras du choix** tener mucho donde escoger • **être dans l'embarras** estar en un aprieto ou apuro • **mettre qqn dans l'embarras** poner a alguien en un compromiso • **tirer qqn d'embarras** sacar a alguien de un aprieto ou apuro 2. (souci) problema (m) 3. (gêne) molestia (f).

embarrassé, e adj 1. (chargé) cargado(da) 2. (perplexe) apurado(da) 3. (timide) apocado(da) 4. (confus) confuso(sa).

embarrasser vt 1. (encombrer) atestar 2. (gêner) estorbar 3. (déconcerter) poner en un compromiso, poner en un aprieto. ■ **s'embarrasser** vp 1. (s'encombrer) • **s'embarrasser de qqch** cargar con algo • **il ne s'embarrasse pas de scrupules** no tiene ningún escrúpulo 2. fig (s'empêtrer) • **s'embarrasser dans** liarse con.

embauche nf contratación (f).

embaucher vt 1. (employer) contratar 2. fam (occuper) reclutar.

embaumer ■ vt embalsamar. ■ vi desprender buen olor.

embellir ■ vt 1. (agrémenter) embellecer 2. fig (enjoliver) adornar. ■ vi embellecerse.

embellissement nm embellecimiento (m).

embêtant, e adj 1. fam molesto(ta) 2. fam (personne) pesado(da).

embêtement nm fam problema (m).

embêter vt fam 1. (embarrasser) • **être bien embêté** estar en un buen aprieto 2. (importuner, contrarier) molestar. ■ **s'embêter** vp fam (s'ennuyer) aburrirse.

emblée ■ **d'emblée** loc adv de golpe, de entrada.

emblème nm emblema (m).

emboîter vt (ajuster) • **emboîter qqch dans qqch** encajar algo en algo. ■ **s'emboîter** vp encajar.

embonpoint nm corpulencia (f).

embouché, e adj • **mal embouché** fam mal hablado.

embouchure nf 1. (de fleuve) desembocadura (f) 2. (d'instrument) boquilla (f), embocadura (f).

embourber vt atascar. ■ **s'embourber** vp 1. (s'enliser) atascarse 2. fig (s'embrouiller) liarse.

embourgeoiser vt aburguesar. ■ **s'embourgeoiser** vp aburguesarse.

embout nm contera (f).

embouteillage nm 1. (de véhicules) atasco (m), embotellamiento (m) (Esp), atorón (m) (Amér) 2. (mise en bouteille) embotellado (m).

emboutir vt 1. (voiture) chocar contra 2. TECHNOL embutir.

embranchement nm 1. (de chemins) cruce (m) 2. (d'arbre) ramificación (f).

embraser vt 1. (incendier) abrasar 2. (éclairer) iluminar 3. fig (d'amour) inflamar. ■ **s'embraser** vp 1. (prendre feu) abrasarse 2. sout (s'éclairer) incendiarse 3. fig & sout (d'amour) inflamarse.

embrassade nf abrazo (m).

embrasser vt 1. (donner un baiser à) besar 2. vieilli (étreindre) abrazar 3. fig (saisir) abarcar 4. fig (religion, carrière) abrazar. ■ **s'embrasser** vp besarse.

embrasure nf (de fenêtre, de porte) hueco (m).

embrayage nm embrague (m).

embrayer vi AUTO embragar.

embrocher vt ensartar.

embrouillamini nm fam maraña (f), embrollo (m).

embrouiller vt embrollar.

embruns nmpl salpicaduras (fpl) (de las olas).

embryon nm embrión (m).

embûches nfpl obstáculos (mpl), trampas (fpl).

embué, e adj empañado(da).

embuer vt empañar.

embuscade nf emboscada (f) • **tomber dans une embuscade** caer en una emboscada.

embusquer vt emboscar. ■ **s'embusquer** vp emboscarse

éméché, e adj fam piripi.

émeraude nf esmeralda (f).

émerger vi 1. (sortir de l'eau) emerger 2. fig (apparaître) surgir 3. fig (se distinguer) sobresalir 4. fam (se réveiller) despertarse.

émérite adj emérito(ta).

émerveiller vt maravillar.

émetteur, trice adj emisor(ra). ■ **émetteur** nm emisor (m).

émettre vt emitir.

émeute nf motín (m).

émietter vt **1.** (pain) desmigar **2.** fig (disperser) dispersar.

émigrant, e adj & nm, f emigrante.

émigré, e adj & nm, f emigrado(da).

émigrer vi emigrar.

émincé, e adj **1.** (viande) en lonchas, en lonjas **2.** (légumes) en rodajas. ■ **émincé** nm CULIN pour expliquer ce que c'est, vous pouvez dire : es un plato a base de finas lonchas de carne asada cubiertas de salsa.

éminemment adv eminentemente.

éminence nf eminencia (f).

éminent, e adj eminente.

émir nm emir (m).

émirat nm emirato (m). ■ **Émirats arabes unis** npr ▸ **les Émirats arabes unis** los Emiratos Árabes Unidos.

émissaire ◨ nm emisario (m), -ria (f). ◨ adj ▷ **bouc**.

émission nf **1.** (gén) emisión (f) **2.** (programme) programa (m).

emmagasiner vt almacenar.

emmailloter vt **1.** (bébé) poner los pañales a **2.** (membre blessé) vendar.

emmanchure nf sisa (f).

emmêler vt **1.** (fils) enredar **2.** fig (idées, affaire) embrollar.

emménagement nm mudanza (f).

emménager vi mudarse.

emmener vt llevar ▸ **emmener qqn à** llevar a alguien a.

emmerder vt tfam joder (molestar). ■ **s'emmerder** vp tfam aburrirse como una ostra.

emmitoufler vt abrigar. ■ **s'emmitoufler** vp abrigarse.

émoi nm **1.** sout (agitation) conmoción (f) **2.** vieilli (émotion) emoción (f).

émoluments nmpl emolumentos (mpl).

émoticon nm INFORM emoticón (m), emoticono (m), carita (f).

émotif, ive adj & nm, f emotivo(va).

émotion nf emoción (f).

émotionnel, elle adj emocional.

émousser vt fig embotar.

émouvant, e adj emocionante.

émouvoir vt **1.** (attendrir) emocionar **2.** (troubler) conmover. ■ **s'émouvoir** vp conmoverse, emocionarse.

empailler vt **1.** (animal) disecar **2.** (chaise) empajar.

empaler vt ▸ **empaler sur** empalar en.

empaqueter vt empaquetar.

empâter vt **1.** (visage, traits) abotargar **2.** (bouche, langue) ponerse pastoso(sa). ■ **s'empâter** vp engordar.

empêchement nm impedimento (m).

empêcher vt impedir ▸ **empêcher que** impedir que ▸ **j'empêcherai qu'elle sorte** le impediré que salga ▸ **empêcher qqn de faire qqch** impedir a alguien que haga algo ▸ **empêcher qqch de faire qqch** impedir que algo haga algo ▸ **(cela) n'empêche que** eso no quita que.

empereur nm emperador (m).

empesé, e adj **1.** (linge) almidonado(da) **2.** fig (style) afectado(da).

empester vt & vi apestar.

empêtrer vt liar. ■ **s'empêtrer** vp liarse.

emphase nf péj énfasis (m inv).

empiéter vi ▸ **empiéter sur qqch** (déborder) invadir algo ▸ fig inmiscuirse en algo.

empiffrer ■ **s'empiffrer** vp fam atiborrarse.

empiler vt apilar.

empire nm **1.** (gén) imperio (m) **2.** sout (contrôle, emprise) dominio (m).

empirer vi empeorar.

emplacement nm situación (f) (localización).

emplâtre nm **1.** (pommade) emplasto (m) **2.** fam péj (incapable) pasmarote (m).

emplette nf (gén pl) compra (f).

emplir vt llenar ▸ **emplir qqch de** llenar algo de ▸ **emplir qqn de** (de sentiments) llenar a alguien de.

emploi nm empleo (m) ▸ **emploi du temps** horario (m).

employé, e ◨ adj empleado(da). ◨ nm, f empleado (m), -da (f) ▸ **employé de bureau** oficinista (mf).

employer vt **1.** (utiliser) emplear **2.** (salarier) dar empleo, emplear.

employeur, euse nm, f **1.** jefe (m), -fa (f) **2.** COMM empresa (f).

empocher vt fam embolsarse.

empoignade nf fam agarrada (f).

empoigner vt (saisir) empuñar. ■ **s'empoigner** vp **1.** (se battre) llegar a las manos **2.** (se quereller) discutir.

empoisonnement nm **1.** (intoxication) envenenamiento (m) **2.** fam fig (souci) engorro (m).

empoisonner vt **1.** (gén) envenenar **2.** fam (ennuyer) dar la lata **3.** (empuantir) apestar.

emporté, e adj arrebatado(da).

emportement nm arrebato (m).

emporter vt **1.** (gén) llevarse ▸ **à emporter** (plat) para llevar **2.** (entraîner) arrastrar **3.** (surpasser) ▸ **l'emporter sur** (adversaire) superar ▸ fig prevalecer sobre. ■ **s'emporter** vp dejarse llevar.

empoté, e adj & nm, f fam zoquete.

empreint, e *adj* • **empreint de** impregnado de.

empreinte *nf* huella *(f)* • **empreintes digitales** huellas digitales *ou* dactilares.

empressement *nm* diligencia *(f)*

empresser ■ **s'empresser** *vp* • **s'empresser de faire qqch** apresurarse en hacer algo • **s'empresser auprès de qqn** mostrarse atento con alguien.

emprise *nf* influencia *(f)* • **sous l'emprise de** bajo la influencia de.

emprisonnement *nm* encarcelamiento *(m)*.

emprisonner *vt* 1. *(incarcérer)* encarcelar 2. *(immobiliser)* aprisionar.

emprunt *nm* 1. *(gén & ÉCON)* préstamo *(m)* 2. *fig (imitation)* copia *(f)*, imitación *(f)*.

emprunté, e *adj* 1. *(gauche)* forzado(da) 2. *(artificiel)* artificioso(sa).

emprunter *vt* 1. *(objet, argent)* pedir prestado(da) • **emprunter qqch à qqn** *(argent)* pedir prestado algo a alguien • *fig (expression)* tomar algo de alguien 2. *(route)* coger, tomar 3. LING • **emprunter qqch à** *(mot)* tomar prestado algo de.

ému, e *adj* emocionado(da).

émulation *nf* emulación *(f)*.

émule *nmf* émulo *(m)*, -la *(f)*.

émulsion *nf* emulsión *(f)*.

en *prép*

1. INDIQUE LE LIEU = **en**
• **mes amis vivent en Argentine** mis amigos viven en Argentina

2. INDIQUE LE MOMENT
• **en 2006** en 2006

3. INDIQUE LE MOYEN DE TRANSPORT = **en**
• **en avion/bateau/train** en avión/barco/tren

4. INDIQUE LA DURÉE
• **elle a écrit son livre en deux mois** ha escrito el libro en dos meses

5. INTRODUIT CERTAINS COMPLÉMENTS D'OBJET INDIRECT
• **il est fort en géo** es bueno en geografía
• **dire qqch en anglais** decir algo en inglés
• **compter en dollars** contar en dólares
• **croire en Dieu** creer en Dios

6. INDIQUE LA TRANSFORMATION
• **convertir des euros en yens** convertir euros en yens
• **la chenille s'est transformée en papillon** la oruga se ha transformado en mariposa

7. INDIQUE LA MATIÈRE
• **en métal** de metal
• **une théière en argent** una tetera de plata

8. INDIQUE LA FORME
• **sucre en morceaux** azúcar en terrones
• **lait en poudre** leche en polvo

9. INDIQUE L'ÉTAT = **en**
• **arbres en fleurs** árboles en flor
• **je la préfère en vert** la prefiero (en) verde
• **être en bonne santé** estar bien de salud
• **elle est en vacances** está de vacaciones

10. INDIQUE LA MANIÈRE
• **agir en traître** actuar a traición
• **il parle en connaisseur** habla como experto

11. APRÈS UN VERBE DE MOUVEMENT = **a**
• **elle retourne en Colombie** vuelve a Colombia

12. DEVANT UN PARTICIPE PRÉSENT
• **en arrivant à Paris** al llegar a París
• **en mangeant** mientras comía
• **en faisant un effort** haciendo un esfuerzo
• **elle répondit en souriant** respondió con una sonrisa.

en *pron*
• **nous en avons déjà parlé** ya hemos hablado (de ello)
• **j'ai du chocolat, tu en veux ?** tengo chocolate, ¿quieres?
• **j'en connais un/plusieurs** conozco uno/varios.

en *adv*
de allí
• **j'en viens à l'instant** acabo de llegar de allí.

ENA, Ena (*abr de* **École nationale d'administration**) *nf* vous pouvez expliquer ce que c'est de la façon suivante : esta universidad de élite forma a los futuros altos funcionarios de la Administración. • **elle a fait l'ENA** ha estudiado en la ENA.

encablure *nf* cable *(m)* *(medida)*.

encadrement *nm* 1. *(de tableau, de porte)* marco *(m)* 2. *(responsables - d'entreprise)* directivos *(mpl)* • *(- de groupe)* responsables *(mpl)* 3. ÉCON *(des prix)* contención *(f)*.

encadrer *vt* 1. *(photo, visage)* enmarcar 2. *(équipe, groupe)* dirigir 3. MIL *(soldats)* encuadrar 4. *(détenu)* flanquear • **ne pas pouvoir encadrer qqn** *fam* no tragar a alguien.

encaissé, e *adj* encajonado(da).

encaisser *vt* 1. *(argent)* cobrar • **encaisser un chèque** cobrar *ou* hacer efectivo un cheque 2. *fam (critique, coup)* encajar.

encanailler ■ **s'encanailler** *vp* encanallarse.

encart *nm* encarte *(m)*.

encastrer *vt* empotrar, encajar. ■ **s'encastrer** *vp* empotrarse.

encaustique *nf* 1. *(cire)* encáustico *(m)* 2. *(peinture)* encausto *(m)*, encauste *(m)*.

enceinte ◼ *adj f* embarazada. ◼ *nf* **1.** *(muraille)* muralla *(f)* **2.** *(salle)* recinto *(m)* **3.** *(baffle)* ◦ **enceinte (acoustique)** altavoz *(m)*.

encens *nm* incienso *(m)*.

encenser *vt* incensar.

encensoir *nm* incensario *(m)*.

encercler *vt* **1.** *(lieu)* rodear **2.** *(avec un stylo)* ◦ **encercler qqch** rodear algo con un círculo.

enchaînement *nm* **1.** *(gén & mus)* encadenamiento *(m)* **2.** *(liaison)* enlace *(m)*.

enchaîner ◼ *vt* **1.** *(gén)* encadenar **2.** *(idées)* enlazar. ◼ *vi* ◦ **enchaîner sur qqch** proseguir con algo. ◼ **s'enchaîner** *vp* enlazarse.

enchanté, e *adj* encantado(da) ◦ **enchanté (de faire votre connaissance)** encantado (de conocerle).

enchantement *nm* **1.** *(sortilège)* encantamiento *(m)* ◦ **comme par enchantement** como por arte de magia **2.** *sout (ravissement)* encanto *(m)* **3.** *(merveille)* maravilla *(f)*.

enchanter *vt* encantar.

enchâsser *vt* engarzar.

enchère *nf* **1.** *(offre)* puja *(f)* **2.** *(au jeu)* apuesta *(f)*.

enchevêtrer *vt* enredar.

enclave *nf* enclave *(m)*.

enclencher *vt* poner en marcha. ◼ **s'enclencher** *vp* **1.** technol engranar **2.** *fig (affaire, processus)* iniciarse.

enclin, e *adj* ◦ **enclin à qqch/à faire qqch** propenso a algo/a hacer algo.

enclore *vt* cercar.

enclos *nm* cercado *(m)*.

enclume *nf* yunque *(m)*.

encoche *nf* muesca *(f)*.

encoignure *nf* **1.** *(coin)* rincón *(m)* **2.** *(meuble)* rinconera *(f)*.

encolure *nf* **1.** *(gén)* cuello *(m)* **2.** *(de vêtement)* escote *(m)*.

encombrant, e *adj* **1.** *(colis)* voluminoso(sa) **2.** *fig (personne)* ◦ **être encombrant** ser un estorbo.

encombre ◼ **sans encombre** *loc adv* sin tropiezos.

encombré, e *adj* atestado(da).

encombrement *nm* **1.** *(embouteillage)* atasco *(m)*, embotellamiento *(m)* **2.** *(volume)* volumen *(m)* **3.** *(entassement)* amontonamiento *(m)* **4.** *fig (de réseau)* saturación *(f)*.

encombrer *vt* **1.** *(couloir, passage)* obstruir, estorbar **2.** *(mémoire)* ◦ **encombrer de** sobrecargar con.

encontre ◼ **à l'encontre de** *loc prép* en contra de.

encore *adv*

1. toujours = todavía, aún
  ◦ **elle l'aime encore** todavía lo quiere
  ◦ **je n'ai pas encore fini de manger** aún no he terminado de comer
  ◦ **elle ne travaille pas encore** todavía no trabaja
2. de nouveau
  ◦ **tu manges encore !** ¡estás comiendo otra vez!
  ◦ **il m'a encore menti** me ha vuelto a mentir
  ◦ **l'ascenseur est encore en panne !** ¡el ascensor vuelve a estar estropeado!
  ◦ **encore une fois** una vez más
3. marque le renforcement = todavía más, aún más
  ◦ **baissez-le encore** bájelo aún más
  ◦ **encore mieux/pire** aún mejor/peor
4. marque une restriction
  ◦ **il ne suffit pas d'être beau, encore faut-il être intelligent** no basta con ser guapo, además hay que ser inteligente.

◼ **encore que** *loc conj*

aunque
  ◦ **j'aimerais y aller, encore qu'il soit trop tard** me gustaría ir aunque es muy tarde.

◼ **mais encore** *loc adv*

  ◦ **non seulement elle l'a accompagné, mais encore il a fallu qu'elle l'attende** no sólo lo ha acompañado, sino que encima lo ha tenido que esperar.

◼ **si encore** *loc conj*

si al menos
  ◦ **si encore il faisait beau** si al menos hiciera buen tiempo
  ◦ **si encore il montrait un peu de bonne volonté !** ¡si al menos dara prueba de un poco de buena voluntad!

encouragement *nm* **1.** *(parole)* palabras *(fpl)* de aliento **2.** *(action)* aliento *(m)*, apoyo *(m)*.

encourager *vt* **1.** *(personne)* alentar, animar ◦ **encourager qqn à faire qqch** alentar a alguien a hacer algo *ou* a que haga algo, animar a alguien a hacer algo *ou* a que haga algo **2.** *(activité)* fomentar.

encourir *vt sout* exponerse a.

encrasser *vt* **1.** *(appareil)* atascar **2.** *fam (salir)* ensuciar *(Esp)*, enchastrar *(Amér)*.

encre *nf* tinta *(f)*.

encrer *vt* entintar.

encrier *nm* tintero *(m)*.

encroûter *vt* encostrar. ◼ **s'encroûter** *vp* fig anquilosarse.

encyclique *nf* encíclica *(f)*.

encyclopédie *nf* enciclopedia *(f)*.

encyclopédique *adj* enciclopédico(ca).

endémique *adj* endémico(ca).

endetter *vt* endeudar. ■ **s'endetter** *vp* endeudarse.

endeuiller *vt* enlutar.

endiablé, e *adj* endiablado(da).

endiguer *vt* litt & fig encauzar.

endimancher ■ **s'endimancher** *vp* endomingarse.

endive *nf* endibia *(f)*, endivia *(f)*.

endoctriner *vt* adoctrinar.

endolori, e *adj* dolorido(da).

endommager *vt* dañar, deteriorar.

endormi, e *adj* 1. *(gén)* dormido(da) 2. *fig (paysage)* sosegado(da).

endormir *vt* 1. *(gén)* dormir 2. *(ennuyer affaiblir)* adormecer. ■ **s'endormir** *vp* 1. *(gén)* dormirse • **s'endormir sur qqch** *(se contenter de)* dormirse en algo 2. *(s'affaiblir)* adormecerse.

endosser *vt* 1. *(vêtement)* ponerse 2. DR & FIN endosar • **endosser un chèque** endosar un cheque.

endroit *nm* 1. *(lieu, point)* sitio *(m)* • **à quel endroit ?** ¿dónde? 2. *(côté)* derecho *(m)* • **mettre à l'endroit** poner del derecho. • **à l'endroit de** *loc prép* sout *(à l'égard de)* para con, respecto a.

enduire *vt* untar • **enduire qqch de** untar algo con. ■ **s'enduire** *vp* • **s'enduire de** untarse con.

enduit *nm* capa *(f)*, mano *(f)*.

endurance *nf* 1. *(physique)* resistencia *(f)* 2. *(morale)* resistencia *(f)*, aguante *(m)*.

endurcir *vt* 1. *(rendre dur, moins sensible)* curtir 2. *(aguerrir)* • **endurcir qqn à** volver a alguien insensible a. ■ **s'endurcir** *vp* • **s'endurcir (à)** volverse insensible (a).

endurer *vt* aguantar.

énergie *nf* energía *(f)* • **énergie éolienne/nucléaire/solaire** energía eólica/nuclear/solar • **énergie renouvelable** energía renovable.

énergique *adj* enérgico(ca).

énergumène *nmf* energúmeno *(m)*, -na *(f)*.

énerver *vt* poner nervioso(sa). ■ **s'énerver** *vp* • **ne vous énervez pas !** ¡no se ponga nervioso! • *(s'irriter)* ¡no se enfade!

enfance *nf* 1. *(âge)* infancia *(f)*, niñez *(f)* 2. *(enfants)* niños *(mpl)*.

enfant *nmf* 1. *(personne à l'âge de l'enfance)* niño *(m)*, -ña *(f)* 2. *(fils ou fille)* hijo *(m)*, -ja *(f)* • **attendre un enfant** estar embarazada.

enfant-bulle *nm* niño, -ña *(f)* burbuja.

enfanter *vt* litt & fig alumbrar.

enfantin, e *adj* 1. *(qui se rapporte à l'enfance)* infantil 2. *(facile)* para niños.

enfer *nm* infierno *(m)*. ■ **Enfers** *nmpl* infiernos *(mpl)*.

enfermer *vt* 1. *(gén)* encerrar 2. *(ranger)* guardar. ■ **s'enfermer** *vp* encerrarse.

enfilade *nf* fila *(f)*, hilera *(f)*.

enfiler *vt* 1. *(aiguille)* enhebrar 2. *(perles)* ensartar 3. *fam (vêtement)* ponerse. ■ **s'enfiler** *vp* fam *(avaler)* echarse entre pecho y espalda.

enfin *adv* 1. *(en dernier lieu)* por fin, al fin 2. *(dans une liste)* finalmente, por último 3. *(pour récapituler)* en fin 4. *(pour rectifier)* en fin, bueno.

enflammer *vt* 1. *(bois)* incendiar 2. *fig (cœur, esprit)* encender. ■ **s'enflammer** *vp* 1. *(bois)* incendiarse 2. *fig (cœur, esprit)* encenderse.

enflé, e *adj* hinchado(da).

enfler ◆ *vi* hincharse, inflarse. ◆ *vt* hinchar, inflar.

enfoncer *vt* 1. *(clou, écharde)* • **enfoncer qqch (dans)** clavar algo (en) 2. *(enfouir)* • **enfoncer qqch dans** hundir algo en 3. *(défoncer)* derribar 4. *fam fig (humilier)* hundir. ■ **s'enfoncer** *vp* 1. *(entrer)* • **s'enfoncer dans** *(eau, boue)* hundirse en • *(forêt, ville)* adentrarse en • *(sujet : clou)* clavarse en 2. *(s'affaisser)* hundirse 3. *fig (s'enferrer)* enredarse.

enfouir *vt* 1. *(ensevelir)* sepultar, enterrar 2. *(cacher)* esconder.

enfourcher *vt* montar (a horcajadas) en.

enfourner *vt* 1. *(pain)* hornear 2. *fam (avaler)* zamparse.

enfreindre *vt* infringir.

enfuir ■ **s'enfuir** *vp* 1. *(fuir)* huir 2. *fig (temps)* pasar.

enfumer *vt* llenar de humo.

engageant, e *adj* atrayente, atractivo(va).

engagement *nm* 1. *(gén & POL)* compromiso *(m)* 2. MIL alistamiento *(m)* 3. SPORT saque *(m)*.

engager ◆ *vt* 1. *(lier, impliquer)* comprometer 2. *(embaucher)* contratar 3. *(faire entrer)* meter 4. *(capitaux)* invertir 5. *(négociation, débat)* entablar 6. *(inciter)* • **engager qqn à faire qqch** animar a alguien a hacer algo. ◆ *vi* SPORT sacar. ■ **s'engager** *vp* 1. *(commencer)* emprender 2. POL comprometerse 3. MIL • **s'engager (dans)** alistarse (en) 4. *(s'avancer)* • **s'engager dans** entrar en 5. *(promettre)* • **s'engager à qqch/à faire qqch** comprometerse a algo/a hacer algo.

engelure *nf* sabañón *(m)*.

engendrer *vt* sout engendrar.

engin *nm* 1. *(machine)* artefacto *(m)* 2. MIL *(projectile)* misil *(m)* 3. péj *(objet)* trasto *(m)*.

englober *vt* englobar.

engloutir *vt* 1. *(gén)* engullir 2. *(fortune)* enterrar.

engoncé, e *adj* • **engoncé dans** embutido en.

engorger *vt* 1. *(obstruer)* atascar 2. MÉD obstruir. ■ **s'engorger** *vp* *(s'obstruer)* atascarse.

engouement *nm* entusiasmo *(m)*.

engouffrer vt **1.** fam (dévorer) tragar **2.** (dilapider) enterrar. ■ **s'engouffrer** vp (pénétrer) ◦ **s'engouffrer dans** meterse en.

engourdi, e adj **1.** (membre) entumecido(da) **2.** fig (esprit) aletargado(da).

engourdir vt **1.** (membre) entumecer **2.** fig (esprit) aletargar. ■ **s'engourdir** vp entumecerse.

engrais nm abono (m).

engraisser ◙ vt **1.** (animal) cebar **2.** (terre) abonar. ◙ vi engordar.

engrenage nm engranaje (m).

engueulade nf fam bronca (f).

engueuler vt fam echar una bronca ◦ **si je rentre tard, je vais me faire engueuler par ma mère** si vuelvo tarde, mi madre me echará una bronca. ■ **s'engueuler** vp fam tener una bronca.

enhardir vt animar. ■ **s'enhardir** vp ◦ **s'enhardir à faire qqch** atreverse a hacer algo.

énième, nième adj enésimo(ma) ◦ **la énième fois** fam la enésima vez.

énigmatique adj enigmático(ca).

énigme nf **1.** (mystère) enigma (f) **2.** (jeu) adivinanza (f).

enivrant, e adj embriagador(ra).

enivrer vt embriagar. ■ **s'enivrer** vp **1.** (se saouler) embriagarse **2.** fig (être transporté) ◦ **s'enivrer de** embriagarse con.

enjambée nf zancada (f).

enjamber vt **1.** (obstacle) pasar por encima de **2.** fig (vallée, cours d'eau) atravesar.

enjeu nm **1.** (mise) apuesta (f) **2.** fig (but) lo que está en juego.

enjoindre vt sout ◦ **enjoindre à qqn de faire qqch** ordenar a alguien que haga algo.

enjôler vt engatusar.

enjoliver vt adornar.

enjoliveur nm embellecedor (m).

enjoué, e adj jovial.

enlacer vt abrazar. ■ **s'enlacer** vp (s'embrasser) abrazarse.

enlaidir vt afear.

enlèvement nm **1.** (rapt) rapto (m) **2.** (de bagages, d'ordures) recogida (f).

enlever vt **1.** (ôter, supprimer) quitar ◦ **enlever qqch à qqn** llevarse algo de alguien **2.** (emporter - gén) llevarse ◦ (- ordures) recoger **3.** (kidnapper) raptar.

enliser vt atascar. ■ **s'enliser** vp **1.** (s'enfoncer) hundirse **2.** fig (stagner) estancarse **3.** fig (s'embrouiller) enredarse.

enluminure nf iluminación (f).

enneigement nm ◦ **bulletin d'enneigement** estado (m) de la nieve.

ennemi, e adj & nm, f enemigo(ga).

ennui nm **1.** (lassitude) aburrimiento (m) **2.** (problème) problema (m) ◦ **avoir des ennuis** tener problemas ◦ **créer des ennuis à qqn** crear problemas a alguien ◦ **l'ennui c'est que...** el problema es que...

ennuyé, e adj en un aprieto.

ennuyer vt **1.** (lasser) aburrir **2.** (contrarier) fastidiar (Esp), embromar (Amér) **3.** (inquiéter) preocupar. ■ **s'ennuyer** vp aburrirse.

ennuyeux, euse adj **1.** (lassant) aburrido(da) **2.** (gênant) molesto(ta).

énoncé nm **1.** (gén) enunciado (m) **2.** (de jugement) lectura (f).

énoncer vt **1.** (proposition, faits) enunciar **2.** (jugement) leer.

enorgueillir vt sout enorgullecer.

énorme adj **1.** (immense) enorme **2.** fig (incroyable) exagerado(da).

énormément adv muchísimo ◦ **énormément de** muchísimo(ma) ◦ **énormément de gens** muchísima gente.

énormité nf **1.** (gigantisme) enormidad (f) **2.** (absurdité) barbaridad (f).

enquête nf **1.** (recherche & DR) investigación (f) **2.** (sondage) encuesta (f).

enquêter vi **1.** (policier) investigar **2.** (sonder) encuestar.

enragé, e adj **1.** (chien) rabioso(sa) **2.** fig (joueur) empedernido(da).

enrager vi ◦ **enrager de faire qqch** dar rabia hacer algo ◦ **faire enrager qqn** hacer rabiar a alguien.

enrayer vt **1.** (épidémie) detener **2.** (inflation, crise) frenar. ■ **s'enrayer** vp (arme) encasquillarse.

enregistrement nm **1.** (de son, d'images) grabación (f) **2.** (à l'aéroport) facturación (f) ◦ **enregistrement des bagages** facturación de equipajes **3.** ADMIN ◦ (formalité) inscripción (f) ◦ (lieu) registro (m) **4.** (consignation) anotación (f).

enregistrer vt **1.** (son, images & INFORM) grabar **2.** (constater, inscrire) registrar **3.** (bagage) facturar.

enregistreur, euse adj registrador(ra).

enrhumé, e adj resfriado(da).

enrhumer vt resfriar. ■ **s'enrhumer** vp resfriarse.

enrichir vt enriquecer. ■ **s'enrichir** vp enriquecerse.

enrobé, e adj **1.** (bonbon) ◦ **enrobé de** bañado de **2.** fam (personne) rellenito(ta).

enrober vt **1.** (recouvrir) ◦ **enrober de** bañar con **2.** fig (déguiser) disimular. ■ **s'enrober** vp (grossir) entrar en carnes.

enrôler vt alistar, enrolar. ■ **s'enrôler** vp alistarse, enrolarse.

enroué, e adj ronco(ca) ◦ **être enroué** estar ronco.

enrouer *vt* enronquecer. ■ **s'enrouer** *vp* enronquecerse.

enrouler *vt* enrollar • **enrouler qqch autour de qqch** enrollar algo alrededor de algo. ■ **s'enrouler** *vp* **1.** *(entourer)* • **s'enrouler sur/autour de qqch** enrollarse en/alrededor de algo **2.** *(se pelotonner)* • **s'enrouler dans qqch** envolverse en algo.

ensabler *vt* encallar. ■ **s'ensabler** *vp* **1.** encallar **2.** *(port)* enarenarse.

enseignant, e ■ *adj* docente. ■ *nm, f* profesor *(m)*, -ra *(f)*.

enseigne *nf* **1.** *(de commerce)* letrero *(m)* **2.** MIL bandera *(f)*, estandarte *(m)*.

enseignement *nm* **1.** *(gén)* enseñanza *(f)* • **enseignement primaire/secondaire** enseñanza primaria/secundaria • **enseignement privé** enseñanza privada **2.** *fig (leçon)* lección *(f)*.

enseigner ■ *vt* enseñar • **enseigner qqch à qqn** enseñar algo a alguien. ■ *vi* enseñar.

ensemble ■ *adv* **1.** *(en collaboration)* juntos(tas) **2.** *(en même temps)* a la vez **3.** *(en harmonie)* • **aller ensemble** ir bien, pegar. ■ *nm* **1.** *(gén)* conjunto *(m)* • **dans l'ensemble** en conjunto **2.** *(harmonie)* • **avec un bel ensemble** al unísono.

ensemblier *nm* **1.** *(décorateur)* decorador *(m)*, -ra *(f)* **2.** CINÉ & TV ayudante *(m,f)* de decoración.

ensemencer *vt* **1.** *(terre)* sembrar **2.** *(rivière)* repoblar.

enserrer *vt* ceñir.

ensevelir *vt* litt & fig sepultar.

ensoleillé, e *adj* soleado(da)

ensoleillement *nm* insolación *(f)* *(horas de sol)*.

ensommeillé, e *adj* soñoliento(ta).

ensorceler *vt* hechizar.

ensuite *adv* **1.** *(après, plus tard)* después **2.** *(plus loin)* a continuación **3.** *(en second lieu)* y además.

ensuivre ■ **s'ensuivre** *v impers* • **il s'en est suivi...** ha provocado... • **il s'ensuit que...** se deduce que...

entaille *nf* **1.** *(encoche)* muesca *(f)* **2.** *(blessure)* corte *(m)*.

entailler *vt* cortar.

entamer *vt* **1.** *(nourriture, boisson, empezar **2.** *(commencer - conversation, négociations)* entablar • *(- travail)* empezar, comenzar **3.** *(économies, réputation)* mermar **4.** *(écorcher)* cortar.

entartrer *vt* cubrir de sarro. ■ **s'entartrer** *vp* cubrirse de sarro.

entassement *nm* amontonamiento *(m)*.

entasser *vt* **1.** *(objets)* amontonar **2.** *(personnes)* apiñar. ■ **s'entasser** *vp* **1.** *(objets)* amontonarse **2.** *(personnes)* apiñarse.

entendement *nm* PHILO raciocinio *(m)*.

entendre *vt* **1.** *(percevoir)* oír • **entendre parler de qqch** oír hablar de algo **2.** *(écouter)* escuchar. ■ **s'entendre** *vp* **1.** *(sympathiser)* • **s'entendre avec qqn** entenderse con alguien, llevarse bien con alguien **2.** *(se mettre d'accord)* ponerse de acuerdo.

entendu, e *adj* **1.** *(compris)* claro(ra) **2.** *(sourire, air)* cómplice *(en aposición)*.

entente *nf* **1.** *(harmonie)* armonía *(f)* **2.** POLIT alianza *(f)* **3.** *(accord)* acuerdo *(m)*.

entériner *vt* ratificar.

enterrement *nm* entierro *(m)*.

enterrer *vt* enterrar.

en-tête *nm* membrete *(m)*.

entêté, e ■ *adj* terco(ca). ■ *nm, f* cabezota *(mf)*.

entêter ■ **s'entêter** *vp* empeñarse • **s'entêter à** empeñarse en.

enthousiasme *nm* entusiasmo *(m)*.

enthousiasmer *vt* entusiasmar. ■ **s'enthousiasmer** *vp* • **s'enthousiasmer pour** entusiasmarse por.

enticher ■ **s'enticher** *vp* • **s'enticher de qqch/de qqn** encapricharse por algo/por alguien.

entier, ère *adj* entero(ra). ■ **en entier** *loc adv* en su totalidad.

entièrement *adv* totalmente.

entité *nf* entidad *(f)*.

entonner *vt* *(chant)* entonar.

entonnoir *nm* **1.** *(instrument)* embudo *(m)* **2.** *(cavité)* hoyo *(m)*.

entorse *nf* MÉD esguince *(m)*.

entortiller *vt* enredar.

entourage *nm* **1.** *(clôture)* cerca *(f)*, cercado *(m)* **2.** *fig (milieu - gén)* entorno *(m)* • *(- famille)* entorno *(m)* familiar.

entourer *vt* **1.** *(gén)* rodear **2.** *fig (soutenir)* apoyar, acompañar.

entourloupette *nf* fam jugarreta *(f)*.

entracte *nm* entreacto *(m)*.

entraide *nf* ayuda *(f)* mutua.

entrailles *nfpl* entrañas *(fpl)*.

entrain *nm* ánimo *(m)*, animación *(f)*.

entraînement *nm* **1.** *(de mécanisme)* arrastre *(m)* **2.** SPORT entrenamiento *(m)* **3.** *(préparation)* práctica *(f)*.

entraîner *vt* **1.** *(emmener & TECHNOL)* arrastrar **2.** *(provoquer)* suponer **3.** SPORT entrenar. ■ **s'entraîner** *vp* **1.** SPORT entrenarse **2.** *(se préparer)* practicar • **s'entraîner à faire qqch** practicar algo.

entraîneur, euse *nm, f* SPORT entrenador *(m)*, -ra *(f)*.

entrave *nf* traba *(f)*.

entraver *vt* **1.** *(animal)* trabar **2.** *fig (action)* poner trabas a.

entre *prép* entre • **entre nous** entre nosotros.
entrechoquer *vt* entrechocar. ■ **s'entrecho-**
quer *vp* entrechocarse.
entrecôte *nf* entrecot *(m)*.
entrecouper *vt* entrecortar.
entrecroiser *vt* entrecruzar. ■ **s'entrecroiser**
vp entrecruzarse.
entre-deux *nm inv* hueco *(m)*.
entrée *nf* **1.** *(gén)* entrada *(f)* • **'entrée libre'** 'entrada libre' • **'entrée interdite'** 'prohibida la
entrada' **2.** *(plat)* entrante *(m)*, primer plato
(m) **3.** *(début)* principio *(m)*.
entrefaites *nfpl* • **sur ces entrefaites** en esto,
en estas.
entrefilet *nm* suelto *(m)*.
entrejambe *nm* entrepierna *(f)*.
entrelacer *vt* entrelazar. ■ **s'entrelacer** *vp* en-
trelazarse.
entrelarder *vt* • **entrelarder de** mezclar con.
entremêler *vt* entremezclar, mezclar *(Esp)*, entreverar *(Amér)* • **entremêler de** mezclar con.
entremets *nm* postre *(m)*.
entremetteur, euse *nm, f* intermediario *(m)*,
-ria *(f)*.
entremettre ■ **s'entremettre** *vp* intervenir.
entremise *nf* mediación *(f)* • **par l'entremise**
de por mediación de.
entrepont *nm* entrepuente *(m)*.
entreposer *vt* depositar.
entrepôt *nm* almacén *(m)*.
entreprendre *vt* *(commencer)* emprender
• **entreprendre de faire qqch** proponerse a
hacer algo.
entrepreneur, euse *nm, f* **1.** CONSTR contratista
(mf) **2.** *(patron)* empresario *(m)*, -ria *(f)*.
entreprise *nf* empresa *(f)*.
entrer ◪ *vi* **1.** *(pénétrer)* entrar • **entrer dans** *(gén)*
entrar en • *(bain)* meterse en • **entrer par** *(porte, fenêtre)* entrar por **2.** *(être admis, devenir membre)* • **entrer à** *(club, parti)* entrar en, ingresar en
• **entrer dans** *(affaires)* meterse en • *(enseignement)* entrar en • **entrer à l'hôpital** ingresar en
el hospital • **entrer à l'université** entrar en
la universidad. ◪ *vt* introducir • **faire entrer**
qqch introducir algo • **faire entrer qqn** hacer
entrar a alguien.
entresol *nm* entresuelo *(m)*.
entre-temps *adv* mientras tanto.
entretenir *vt* **1.** *(faire durer - paix)* mantener
• *(- feu)* alimentar • *(- amitié, relation)* cultivar
2. *(soigner - maison, jardin, etc)* mantener • **entretenir qqn** *(personne, famille)* mantener a alguien **3.** *(parler)* • **entretenir qqn de qqch** conversar con alguien sobre algo. ■ **s'entretenir**
vp **1.** *(se parler)* • **s'entretenir (avec qqn)** conversar (con alguien) **2.** *(prendre soin de soi)* cuidarse.

entretien *nm* **1.** *(soins)* cuidado *(m)*, mantenimiento *(m)* **2.** *(conversation)* conversación *(f)*.
entre-tuer ■ **s'entre-tuer** *vp* matarse (unos a
otros).
entrevoir *vt* entrever. ■ **s'entrevoir** *vp* entre-
verse.
entrevue *nf* entrevista *(f)*.
entrouvert, e *adj* entreabierto(ta).
entrouvrir *vt* entreabrir. ■ **s'entrouvrir** *vp* en-
treabrirse.
énumération *nf* enumeración *(f)*.
énumérer *vt* enumerar.
env. *abrév de* environ.
envahir *vt* **1.** *(gén)* invadir **2.** *(accaparer)* absorber.
envahissant, e *adj* **1.** *(herbes)* invasor(ra) **2.** *fam*
(personne) avasallador(ra).
envahisseur *nm* invasor *(m)*.
enveloppe *nf* **1.** *(de lettre)* sobre *(m)* **2.** *(d'emballage)* envoltura *(f)* **3.** *(de graine)* vaina *(f)* **4.** *(budget)* suma *(f)* (de dinero).
envelopper *vt* envolver. ■ **s'envelopper** *vp*
• **s'envelopper dans** envolverse en.
envenimer *vt* **1.** *(blessure)* infectar **2.** *fig (querelle)* enconar. ■ **s'envenimer** *vp* **1.** *(blessure)* infectarse **2.** *fig (atmosphère, relations)* degradarse,
emponzoñarse.
envergure *nf* envergadura *(f)*.
envers[1] *prép (à l'égard de)* (para) con • **envers et**
contre tout contra viento y marea.
envers[2] *nm* **1.** *(de vêtement)* revés *(m)* **2.** *(face ca-
chée)* cara *(f)* oculta. ■ **à l'envers** *loc adv* al
revés, del revés.
envi ■ **à l'envi** *loc adv sout* a porfía.
envie *nf* **1.** *(désir)* ganas *(fpl)* • **avoir envie de**
qqch/de faire qqch tener ganas de algo/de
hacer algo **2.** *(jalousie)* envidia *(f)* • **faire envie**
à qqn apetecer a alguien.
envier *vt* envidiar.
envieux, euse *adj* & *nm, f* envidioso(sa).
environ *adv* aproximadamente, alrededor de.
environnement *nm* **1.** *(nature)* medio ambiente
(m) **2.** *(entourage & INFORM)* entorno *(m)*.
environnemental, e *adj* medioambiental.
environs *nmpl* alrededores *(mpl)* • **aux environs de** *(lieu)* en los alrededores de • *(époque)*
alrededor de, por • *(heure)* a eso de.
envisager *vt* **1.** *(considérer)* considerar **2.** *(projeter)* proyectar • **envisager de faire qqch** tener
previsto hacer algo.
envoi *nm* envío *(m)*.
envol *nm* **1.** *(d'oiseau)* vuelo *(m)* • **prendre son**
envol levantar el vuelo **2.** *(d'avion)* despegue
(m) **3.** *fig (essor)* desarrollo *(m)*.
envolée *nf* **1.** *(poétique)* vena *(f)* **2.** FIN subida *(f)*
estrepitosa.

envoler ■ **s'envoler** vp 1. *(oiseau)* echar a volar, levantar el vuelo 2. *(avion)* despegar 3. *fam (disparaître)* esfumarse.

envoûter vt embrujar, hechizar.

envoyé, e ◾ adj fam • **bien envoyé** *(remarque)* bien dirigido. ◾ nm, f enviado (m), -da (f).

envoyer vt 1. *(paquet, lettre)* enviar • **envoyer qqch à qqn** enviar algo a alguien 2. *(personne)* • **envoyer qqn faire qqch** mandar a alguien a hacer algo. ■ **s'envoyer** vp fam 1. *(bouteille, gâteau)* • **s'envoyer qqch** meterse algo entre pecho y espalda 2. *(corvée)* cargar con.

épagneul nm podenco (m)

épais, aisse adj 1. *(chose, personne, plaisanterie)* grueso(sa) 2. *(brouillard, sauce)* espeso(sa).

épaisseur nf 1. *(largeur)* grosor (m) 2. *(densité)* espesura (f) 3. *fig (consistance)* profundidad (f).

épaissir ◾ vt espesar. ◾ vi 1. *(sauce)* espesarse 2. *(taille)* ensanchar. ■ **s'épaissir** vp 1. *(liquide, brouillard)* espesarse 2. *(taille)* engordar 3. *(mystère)* oscurecerse.

épanchement nm 1. *(effusion)* desahogo (m) 2. MÉD derrame (m).

épancher vt sout dar rienda suelta a • **épancher son cœur** desahogarse. ■ **s'épancher** vp desahogarse.

épanoui, e adj 1. *(personne)* realizado(da) 2. *(visage)* risueño(ña), alegre 3. *(corps)* generoso(sa).

épanouir vt 1. *(personne)* hacer feliz 2. *(fleur)* abrir. ■ **s'épanouir** vp 1. *(fleur)* abrirse 2. *(visage)* iluminarse 3. *(corps)* desarrollarse 4. *(personnalité)* realizarse.

épanouissement nm 1. *(de fleur)* florecimiento (m) 2. *(de visage)* felicidad (f) 3. *(de corps, de personnalité)* plenitud (f).

épargnant, e ◾ adj ahorrativo(va), ahorrador(ra). ◾ nm, f ahorrador (m), -ra (f).

épargne nf ahorro (m).

épargner vt 1. *(argent, explications)* ahorrar • **épargner qqch à qqn** ahorrar algo a alguien 2. *(personne)* perdonar la vida 3. *(ne pas détruire)* respetar.

éparpiller vt dispersar. ■ **s'éparpiller** vp dispersarse.

épars, e adj sout disperso(sa).

épatant, e adj fam estupendo(da) *(Esp)*, padre *(Amér)*.

épaté, e adj 1. *(nez)* chato(ta) *(Esp)*, ñato(ta) *(Amér)* 2. *fam (étonné)* pasmado(da).

épater vt fam dejar pasmado(da).

épaule nf 1. ANAT hombro (m) 2. CULIN paletilla (f).

épauler vt 1. *(fusil)* encararse 2. CONSTR contener 3. *fig (personne)* respaldar.

épaulette nf 1. MIL charretera (f) 2. *(rembourrage)* hombrera (f).

épave nf 1. *(de navire)* restos (mpl) 2. *(voiture)* chatarra (f) 3. *fig (personne)* ruina (f).

épée nf espada (f).

épeler vt deletrear.

éperdu, e adj *(sentiment)* apasionado(da) • **être éperdu de** *(personne)* estar loco de.

éperon nm 1. *(gén)* espolón (m) 2. *(de cavalier)* espuela (f).

éperonner vt espolear.

épervier nm gavilán (m).

éphèbe nm efebo (m).

éphémère ◾ adj efímero(ra). ◾ nm efímera (f).

éphéméride nf 1. efeméride (f) 2. *(calendrier)* calendario (m).

épi nm 1. BOT espiga (f) 2. *(de cheveux)* remolino (m).

épice nf especia (f).

épicé, e adj 1. *(plat)* sazonado(da) 2. *(récit)* picante.

épicéa nm picea (f).

épicer vt 1. *(plat)* sazonar 2. *(récit)* salpimentar.

épicerie nf 1. *(magasin)* tienda (f) de comestibles *(Esp)*, abarrotería (f) *(Amér)* 2. *(denrées)* comestibles (mpl).

épidémie nf epidemia (f).

épiderme nm epidermis (f inv).

épier vt 1. *(espionner)* espiar 2. *(observer)* atisbar.

épieu nm 1. *(de guerre)* chuzo (m) 2. *(de chasse)* venablo (m).

épilation nf depilación (f).

épilepsie nf epilepsia (f).

épiler vt depilar. ■ **s'épiler** vp depilarse.

épilogue nm epilogo (m).

épiloguer vi • **épiloguer sur** hacer comentarios sobre.

épinard nm espinaca (f).

épine nf 1. *(piquant)* espina (f) 2 *(arbrisseau)* espino (m).

épineux, euse adj espinoso(sa).

épingle nf *(gén)* alfiler (m).

épingler vt 1. *(fixer)* prender con alfileres 2. *fam (arrêter)* trincar • **il s'est fait épingler par la police** lo ha trincado la policía.

épinière ⊳ **moelle**.

Épiphanie nf Epifanía (f).

épique adj épico(ca).

épiscopal, e adj episcopal.

épisode nm 1. *(de film)* capítulo (m) 2. *(événement)* episodio (m).

épisodique adj episódico(ca).

épistolaire adj epistolar.

épitaphe nf epitafio (m).

épithète ◾ adj epíteto. ◾ nf epíteto (m).

épitre nf RELIG epístola (f).

éploré, e adj 1. (personne) desconsolado(da) 2. (visage, air, voix) afligido(da).

épluche-légumes nm inv pelador (m).

éplucher vt 1. (légumes) pelar 2. fig (texte, comptes) espulgar.

épluchure nf mondadura (f).

éponge nf esponja (f).

éponger vt enjugar.

épopée nf epopeya (f).

époque nf época (f).

épouiller vt despiojar.

époumoner ■ **s'époumoner** vp desgañitarse.

épouser vt 1. (se marier avec) casarse con 2. (suivre - forme) adaptarse • (- idées, principes) abrazar.

épousseter vt quitar el polvo de.

époustouflant, e adj fam pasmoso(sa).

épouvantable adj espantoso(sa).

épouvantail nm espantajo (m).

épouvante nf terror (m).

épouvanter vt aterrorizar.

époux, épouse nm, f esposo (m), -sa (f).

éprendre ■ **s'éprendre** vp • **s'éprendre de qqn/de qqch** prendarse de alguien/de algo.

épreuve nf prueba (f) • **à l'épreuve de** a prueba de • **épreuve de force** fig prueba de fuerza.

épris, e adj • **épris de** (amoureux de) prendado de • (passionné de) apasionado por.

éprouver vt 1. (tester) probar 2. (faire souffrir) afectar • **être éprouvé par** estar afectado por 3. (ressentir) sentir 4. (difficulté) sufrir.

éprouvette nf probeta (f).

EPS (abr de **éducation physique et sportive**) nf educación (f) física.

épuisé, e adj agotado(da).

épuisement nm agotamiento (m).

épuiser vt agotar.

épuisette nf salabre (m), sacadera (f).

épurer vt depurar.

équarrir vt 1. (poutre) escuadrar 2. (animal) descuartizar.

équateur nm ecuador (m).

Équateur npr • **l'Équateur** Ecuador.

équation nf ecuación (f) • **équation du premier/second degré** ecuación de primer/segundo grado.

équatorial, e adj ecuatorial.

équerre nf escuadra (f).

équestre adj ecuestre.

équidistant, e adj equidistante.

équilatéral, e adj equilátero(ra).

équilibre nm 1. (gén) equilibrio (m) 2. (d'une situation) balance (m).

équilibré, e adj equilibrado(da).

équilibrer vt equilibrar. ■ **s'équilibrer** vp equilibrarse.

équilibriste nmf equilibrista (mf).

équipage nm tripulación (f).

équipe nf equipo (m).

équipé, e adj equipado(da). ■ **équipée** nf 1. (aventure) aventura (f) 2. hum (promenade) escapada (f).

équipement nm 1. (matériel) equipo (m) 2. (aménagement) equipamiento (m) • **équipements sportifs/scolaires** equipamiento deportivo/escolar.

équiper vt equipar • **équiper qqch de qqch** equipar algo con algo. ■ **s'équiper** vp equiparse • **s'équiper de** equiparse con.

équipier, ère nm, f SPORT compañero (m), -ra (f) de equipo.

équitable adj equitativo(va).

équitation nf equitación (f).

équité nf equidad (f).

équivalent, e adj equivalente. ■ **équivalent** nm equivalente (m).

équivaloir vt equivaler.

équivoque ◆ adj equívoco(ca). ◆ nf (ambiguïté) equívoco (m) • **sans équivoque** inequívoco(ca).

érable nm arce (m).

éradiquer vt erradicar.

érafler vt arañar. ■ **s'érafler** vp arañarse.

éraflure nf arañazo (m).

éraillé, e adj (voix) cascado(da).

ère nf era (f).

érection nf erección (f).

éreintant, e adj extenuante.

éreinté, e adj extenuado(da).

éreinter vt 1. (fatiguer) extenuar 2. (critiquer) vapulear.

érémiste = **RMiste**.

ergonomique adj ergonómico(ca).

ergot nm 1. (d'animal) espolón (m) 2. (de blé) tizón (m).

ériger vt 1. (monument) erigir 2. fig (tribunal) constituir 3. fig (élever) • **ériger qqn en** elevar a alguien a la categoría de.

ermite nm ermitaño (m), -ña (f).

éroder vt erosionar.

érogène adj erógeno(na).

érosion nf erosión (f).

érotique adj erótico(ca).

érotisme nm erotismo (m).

errance nf vagabundeo (m).

erratum nm errata (f). ■ **errata** nm inv fe (f) de erratas.

errer vi errar, vagar.

erreur *nf* error *(m)*, equivocación *(f)* • **induire en erreur** inducir a error • **par erreur** por error.

erroné, e *adj* erróneo(a).

ersatz *nm* sucedáneo *(m)*.

éructer ◗ *vi* eructar. ◗ *vt fig (injures)* proferir.

érudit, e *adj* & *nm, f* erudito(ta).

éruption *nf* **1.** *(gén)* erupción *(f)* **2.** *(de joie, de colère)* acceso *(m)*.

Érythrée *npr* • **l'Érythrée** Eritrea *(f)*.

érythréen, enne *adj* eritreo(a) ■ **Érythréen, enne** *nm, f* eritreo(a).

ES SCOL *(abr de économique et social)* ≃ bachillerato *(m)* en economía y ciencias sociales.

ès *prép* en.

ESB *(abr de encéphalopathie spongiforme bovine)* *nf* EEB *(f)* • **l'ESB, que l'on appelle aussi maladie de la « vache folle »** la EBB, también llamada enfermedad de las "vacas locas".

escabeau *nm (échelle)* escalerilla *(f)*.

escadre *nf* escuadra *(f)*.

escadrille *nf* escuadrilla *(f)*.

escadron *nm* escuadrón *(m)*.

escalade *nf* escalada *(f)*.

escalader *vt* escalar.

escale *nf* escala *(f)* • **faire escale à** hacer escala en.

escalier *nm* escalera *(f)* • **escalier roulant** *ou* **mécanique** escalera mecánica.

escalope *nf* filete *(m) (Esp)*.

escamotable *adj* plegable.

escamoter *vt* **1.** *(gén)* escamotear **2.** AÉRON replegar **3.** *(mot, son)* comerse.

escapade *nf* escapada *(f)*.

escargot *nm* caracol *(m)*.

escarmouche *nf* escaramuza *(f)*.

escarpé, e *adj* escarpado(da).

escarpement *nm* escarpamiento *(m)*.

escarpin *nm* zapato *(m)* de tacón.

escarre *nf* escara *(f)*.

escient *nm* • **à bon escient** oportunamente • **à mauvais escient** inoportunamente.

esclaffer ■ **s'esclaffer** *vp* partirse de risa.

esclandre *nm sout* escándalo *(m)*.

esclavage *nm* esclavitud *(f)*.

esclave *adj* & *nmf* esclavo(va).

escompte *nm* descuento *(m)*.

escompter *vt* **1.** *(prévoir)* contar con **2.** FIN descontar.

escorte *nf* escolta *(f)*.

escorter *vt* escoltar.

escouade *nf* **1.** MIL escuadra *(f)* **2.** *(groupe)* cuadrilla *(f)*.

escrime *nf* esgrima *(f)*.

escrimer ■ **s'escrimer** *vp* • **s'escrimer à** empeñarse en.

escroc *nm* estafador *(m)*.

escroquer *vt* **1.** *(tromper)* estafar **2.** *(extorquer)* • **escroquer qqch à qqn** sacar algo a alguien.

escroquerie *nf* estafa *(f)*.

eskimo ◗ *adj inv* esquimal. ◗ *nm* LING esquimal *(m)*. ■ **Eskimo** *nm, f* esquimal *(mf)*.

espace *nm* espacio *(m)* • **espace aérien** espacio aéreo • **espace vert** zona *(f)* verde.

espacer *vt* espaciar.

espadon *nm (poisson)* pez *(m)* espada.

espadrille *nf* alpargata *(f)*.

Espagne *npr* • **l'Espagne** España.

espagnol, e *adj* español(la). ■ **espagnol** *nm* LING español *(m)*. ■ **Espagnol, e** *nm, f* español *(m)*, -la *(f)*.

espèce *nf* **1.** *(minérale, animale, végétale)* especie *(f)* • **espèce en voie de disparition** especie en vías de extinción **2.** *(sorte)* clase *(f)* • **une espèce de** una especie de • **espèce d'idiot !** ¡so imbécil!, ¡pedazo de imbécil ■ **espèces** *nfpl* FIN • **payer en espèces** pagar en efectivo *ou* en metálico.

espérance *nf* esperanza *(f)* • **espérance de vie** esperanza de vida.

espérer ◗ *vt* esperar • **espérer faire qqch** esperar hacer algo • **espérer que** esperar que. ◗ *vi* tener confianza • **espérer en qqn/en qqch** confiar en alguien/en algo.

espiègle *adj* & *nmf* travieso(sa).

espion, onne *nm, f* espía *(mf)*.

espionner *vt* espiar.

esplanade *nf* esplanada *(f)*.

espoir *nm* **1.** *(gén)* esperanza *(f)* **2.** *(personne)* promesa *(f)*.

esprit *nm* **1.** *(attitude, fantôme)* espíritu *(m)* • **esprit de compétition** espíritu de competición • **esprit critique** espíritu crítico **2.** *(entendement)* mente *(f)* • **reprendre ses esprits** volver en sí **3.** *(humour)* ingenio *(m)*.

Esquimau® *nm (glace)* bombón *(m)*.

esquimau, aude *adj* esquimal. ■ **esquimau** *nm* LING esquimal *(m)*. ■ **Esquimau, aude** *nm, f* esquimal *(m)*.

esquinter *vt fam* **1.** *(abîmer)* escacharrar **2.** *(critiquer)* poner de vuelta y media **3.** *(fatiguer)* dejar molido(da). ■ **s'esquinter** *vp fam* **1.** *(se blesser)* jorobarse **2.** *(se fatiguer)* matarse • **s'esquinter à faire qqch** matarse haciendo algo.

esquisse *nf* **1.** *(croquis)* apunte *(m)*, bosquejo *(m)* **2.** *(projet)* esbozo *(m)* **3.** *fig (de geste, de sourire)* esbozo *(m)*, amago *(m)*.

esquiver *vt* esquivar. ■ **s'esquiver** *vp* escabullirse.

essai nm **1.** (test) prueba (f) • **à l'essai** a prueba **2.** (tentative) intento (m) **3.** (étude & SPORT) ensayo (m).

essaim nm enjambre (m).

essayage nm prueba (f).

essayer vt **1.** (tester) probar **2.** (tenter) probar (con) • **essayer de faire qqch** intentar hacer algo, tratar de hacer algo **3.** (vêtement) probarse.

essence nf **1.** (carburant) gasolina (f) (Esp), nafta (f) (Amér) **2.** (nature, concentré) esencia (f) • **par essence** por definición **3.** (d'arbre) especie (f).

essentiel, elle adj esencial. ■ **essentiel** nm • **l'essentiel** lo esencial.

esseulé, e adj sout abandonado(da).

essieu nm eje (m).

essor nm **1.** (développement) desarrollo (m) **2.** (envol) vuelo (m) • **prendre son essor** levantar el vuelo.

essorer vt **1.** (manuellement) escurrir **2.** (à la machine) centrifugar.

essoreuse nf secadora (f).

essouffler vt dejar sin aliento. ■ **s'essouffler** vp **1.** (être hors d'haleine) perder el aliento **2.** (artiste) perder la inspiración **3.** (industrie, économie) debilitarse, mostrar signos de fatiga.

essuie-glace nm limpiaparabrisas (m inv).

essuie-mains nm inv toalla (f) de manos.

essuie-tout nm inv bayeta (f).

essuyer vt **1.** (vaisselle, mains) secar **2.** (poussière) limpiar **3.** (échec) sufrir. ■ **s'essuyer** vp **1.** secarse **2.** (fesses) limpiarse.

est ◼ adj este. ◼ nm inv este (m) • **à l'est** en el este • **à l'est de** al este de. ■ **Est** nm • **l'Est** el Este.

estafette nf furgoneta (f).

estafilade nf chirlo (m).

estampe nf estampa (f).

estampille nf estampilla (f).

est-ce que loc adv • **est-ce que tu viens ?** ¿vienes? • **où est-ce que tu es ?** ¿dónde estás?

esthète adj & nmf esteta.

esthétique ◼ adj estético(ca). ◼ nf estética (f).

estimation nf estimación (f).

estime nf estima (f).

estimer vt **1.** (objet d'art) valorar **2.** (résultat, somme) calcular **3.** (respecter) apreciar **4.** (penser) considerar • **estimer que** considerar que.

estivant, e nm, f veraneante (mf).

estomac nm estómago (m).

estomaqué, e adj pasmado(da).

estomper vt **1.** (contour) difuminar **2.** (douleur) atenuar. ■ **s'estomper** vp **1.** (contour) difuminarse **2.** (douleur) atenuarse.

Estonie npr • **l'Estonie** Estonia.

estrade nf **1.** estrado (m) **2.** (à l'école) tarima (f).

estragon nm estragón (m).

estropié, e adj & nm, f lisiado(da).

estuaire nm estuario (m).

esturgeon nm esturión (m).

et conj y, e (devant le i atone) • **et moi ?** ¿y yo?

À PROPOS DE...

et

Modification orthographique : devant un nom commençant par le son « i » (orthographié i ou hi), le « y » devient « e ».

ét. (abr écrite de **étage**) piso • **habiter au 3ème ét.** vivir en el 3er piso.

ETA (abr de **Euskadi Ta Askatasuna**) nf ETA (f) • **un militant d'ETA** ou **de l'ETA** un militante de (la) ETA.

étable nf establo (m).

établi nm banco (m).

établir vt **1.** (installer, fonder) establecer **2.** (liste, facture, etc) fijar **3.** (vérité, culpabilité) asentar. ■ **s'établir** vp establecerse.

établissement nm establecimiento (m) • **établissement hospitalier/public/scolaire** establecimiento hospitalario/público/escolar.

étage nm **1.** (de bâtiment) piso (m) • **au premier/troisième étage** en el primer/tercer piso **2.** (de fusée) cuerpo (m).

étagère nf **1.** (meuble) estantería (f) (Esp), librero (m) (Amér) **2.** (rayon) estante (m).

étain nm **1.** (métal) estaño (m) **2.** (objet) objeto (m) de estaño.

étal nm **1.** (éventaire) puesto (m) **2.** (de boucher) tabla (f) de carnicero.

étalage nm **1.** (marchandises) muestrario (m) **2.** (devanture) escaparate (m) **3.** (ostentation) alarde (m) • **faire étalage de qqch** hacer alarde de algo.

étalagiste nmf escaparatista (mf).

étale adj quieto(ta).

étaler vt **1.** (marchandises) exponer **2.** (papiers, journal) desplegar **3.** (peinture) extender **4.** (beurre, confiture) untar **5.** péj (exhiber) ostentar **6.** (échelonner) escalonar. ■ **s'étaler** vp **1.** (peinture, beurre) extenderse **2.** (dans le temps) escalonarse **3.** fam (s'avachir) tumbarse **4.** fam (tomber) caerse al suelo **5.** fam (échouer) catear.

étalon nm **1.** (cheval) semental (m) **2.** (mesure) patrón (m).

étamine nf **1.** (de fleur) estambre (m) **2.** (tissu) estameña (f) **3.** (filtre) cedazo (m).

étanche adj **1.** (cloison) estanco(ca) **2.** (toiture) impermeable **3.** (montre) sumergible.

étancher vt **1.** (larmes) secar **2.** (tonneau) cerrar herméticamente **3.** (soif) apagar.

étang nm estanque (m).

étape nf **1.** (distance, phase) etapa (f) **2.** (halte) parada (f) • **faire étape à** parar en.

état nm **1.** (gén) estado (m) • **en bon/mauvais état** en buen/mal estado • (appartement, etc) en buenas/malas condiciones • **être en état/hors d'état de faire qqch** estar/no estar en condiciones de hacer algo • **état civil** estado civil • **état d'esprit** estado de ánimo • **état des lieux** descripción (f) del estado del piso o local (en el momento de alquilarlo) **2.** sout (condition sociale) condición (f). ■ **État** nm Estado (m). ■ **en tout état de cause** loc adv en todo caso.

état-major nm estado (m) mayor.

États-Unis npr • **les États-Unis (d'Amérique)** los Estados Unidos (de América).

étau nm torno (m).

étayer vt **1.** (mur, plafond) apuntalar **2.** fig (démonstration) apoyar.

etc. (abr écrite de **et cetera**) etc.

été nm verano (m).

éteindre vt **1.** (gén & INFORM) apagar **2.** DR • (annuler un droit) anular • (annuler une dette) liquidar. ■ **s'éteindre** vp **1.** (feu, appareil) apagarse **2.** (bruit, souvenir) extinguirse **3.** (mourir) apagarse.

étendard nm estandarte (m).

étendre vt **1.** (bras, aile, enduit) extender **2.** (linge, blessé) tender **3.** (vocabulaire, pouvoir) extender, ampliar **4.** fam (élève) catear. ■ **s'étendre** vp **1.** (personne) tenderse **2.** (plaine, paysage, épidémie) extenderse **3.** (s'attarder) • **s'étendre sur qqch** extenderse sobre algo (hablando).

étendu, e adj **1.** (bras, aile) extendido(da) **2.** (plaine, pouvoirs) extenso(sa). ■ **étendue** nf extensión (f).

éternel, elle adj eterno(na).

éterniser vt eternizar. ■ **s'éterniser** vp eternizarse.

éternité nf eternidad (f).

éternuer vi estornudar.

étêter vt **1.** (arbre) desmochar **2.** (clou, poisson) descabezar.

éther nm éter (m).

Éthiopie npr • **l'Éthiopie** Etiopía.

éthique ■ nf ética (f). ■ adj ético(ca).

ethnie nf etnia (f).

ethnique adj étnico(ca).

ethnologie nf etnología (f).

éthylisme nm etilismo (m).

étincelant, e adj **1.** (couleur, lumière) relumbrante **2.** (regard, œil) brillante.

étinceler vi **1.** (étoile) relumbrar **2.** sout (yeux, conversation) brillar.

étincelle nf **1.** (gén) chispa (f) **2.** fig (d'intelligence) destello (m).

étioler vt **1.** (plante) marchitar **2.** (personne, faculté) debilitar. ■ **s'étioler** vp **1.** (plante) marchitarse **2.** (personne, faculté) debilitarse.

étique adj sout hético(ca) (débil).

étiqueter vt etiquetar.

étiquette nf etiqueta (f).

étirer vt estirar. ■ **s'étirer** vp estirarse.

étoffe nf **1.** (tissu) tela (f) **2.** (personnalité) madera (f) • **avoir l'étoffe de** tener madera de.

étoffer vt dar cuerpo a.

étoile nf estrella (f) • **étoile filante** estrella fugaz • **à la belle étoile** al raso. ■ **étoile de mer** nf estrella (f) de mar.

étoilé, e adj estrellado(da).

étole nf estola (f).

étonnant, e adj asombroso(sa).

étonnement nm asombro (m).

étonner vt • **étonner qqn** asombrar a alguien. ■ **s'étonner** vp asombrarse • **s'étonner que** extrañarse que • **ça m'étonne qu'elle soit venue** me extraña que haya venido • **rien ne m'étonne** nada me sorprende.

étouffant, e adj sofocante.

étouffée ■ **à l'étouffée** loc adj estofado(da).

étouffer ■ vt **1.** (asphyxier) ahogar **2.** (feu) sofocar **3.** (bruit, amortiguar **4.** (sentiment) disimular **5.** (scandale, affaire) acallar **6.** (révolte) sofocar. ■ vi **1.** (suffoquer) sofocar **2.** fig (être mal à l'aise) ahogarse. ■ **s'étouffer** vp (s'étrangler) atragantarse.

étourderie nf despiste (m).

étourdi, e adj & nm, f despistado(da).

étourdir vt **1.** (assommer) aturdir **2.** (fatiguer) atontar.

étourdissement nm mareo (m).

étourneau nm estornino (m).

étrange adj extraño(ña).

étranger, ère ■ adj **1.** (personne, langue) extranjero(ra) **2.** (affaires, politique) exterior **3.** (différent, isolé) extraño(ña) • **être étranger à qqn** ser desconocido para alguien • **être étranger à qqch** (insensible à) ser insensible a algo • (extérieur à) ser ajeno a algo. ■ nm, f **1.** (d'un autre pays) extranjero (m), -ra (f) **2.** (inconnu) desconocido (m), -da (f). ■ **étranger** nm • **à l'étranger** en el extranjero.

étrangeté *nf* extrañeza (f).

étranglé, e *adj* sofocado(da).

étranglement *nm* **1.** *(strangulation)* estrangulación (f) **2.** *(rétrécissement)* estrechamiento (m).

étrangler *vt* **1.** *(stranguler, comprimer)* estrangular **2.** *(émouvoir, ruiner)* ahogar **3.** *fig (museler - presse)* amordazar ◦ *(- libertés)* atropellar. ■ **s'étrangler** *vp* **1.** *(s'étouffer)* atragantarse **2.** *(voix, sanglots)* quebrarse.

étrave *nf* estrave (m).

être *nm*

ser *(m)*
◦ **les êtres vivants/humains** los seres vivos/humanos.

être *v aux*

1. POUR FORMER LE PASSÉ COMPOSÉ = haber
◦ **il est arrivé tard** ha llegado tarde
◦ **il est parti ce matin** se ha ido esta mañana
◦ **il est né en 1967** nació en 1967
2. POUR FORMER LE PASSIF = ser
◦ **il a été vu par un témoin** fue visto por un testigo.

être *v att*

1. INDIQUE L'ORIGINE = ser
◦ **il est de Paris** es de París
2. SUIVI D'UN PRONOM OU D'UN NOM = ser
◦ **il est médecin** es médico
3. SUIVI D'UN ADJECTIF INDIQUANT UNE CARACTÉRISTIQUE = ser
◦ **il est grand/heureux** es alto/feliz
◦ **sois sage !** ¡sé bueno!, ¡pórtate bien!
4. SUIVI D'UN COMPLÉMENT INDIQUANT LA MATIÈRE = ser
◦ **ma montre est en argent** mi reloj es de plata
5. SUIVI D'UN COMPLÉMENT DE TEMPS = estar
◦ **nous sommes au printemps/en été** estamos en primavera/en verano
6. SUIVI D'UN COMPLÉMENT DE LIEU
◦ **il est à Marseille** está en Marsella
◦ **je suis bien ici** aquí estoy bien
7. SUIVI D'UN ADJECTIF INDIQUANT UN ÉTAT = estar
◦ **ma mère est malade** mi madre está enferma
8. INDIQUE UNE OBLIGATION
◦ **c'est à vérifier** hay que comprobarlo
◦ **cette chemise est à laver** esta camisa es para lavar
◦ **c'est à voir** habrá que verlo
9. INDIQUE UNE CONTINUITÉ
◦ **il est toujours à ne rien faire** no hace nada en todo el día
10. INDIQUE L'APPARTENANCE = ser
◦ **ce livre est à mon frère** este libro es de mi hermano
◦ **c'est à vous, cette voiture ?** ¿es vuestro este coche?

être *v impers*

1. POUR EXPRIMER L'HEURE = ser
◦ **quelle heure est-il ?** ¿qué hora es?
◦ **il est dix heures dix** son las diez y diez
2. SUIVI D'UN ADJECTIF = ser
◦ **il est inutile de...** es inútil…
◦ **il serait bon de lui écrire** sería conveniente escribirle
◦ **il serait bon que tu viennes** sería conveniente que vinieras.

être *vi*

EXISTER
◦ **il n'est plus** pasó a mejor vida.

À PROPOS DE… être

« Être » se traduit par *estar* lorsqu'il est suivi d'un complément indiquant le lieu ou le temps, ou d'un adjectif indiquant un état.
« Être » se traduit par *ser* lorsqu'il est suivi d'un nom ou d'un pronom, d'un complément indiquant la matière, l'origine ou l'appartenance, ou d'un adjectif indiquant une caractéristique.
La voix passive se forme à l'aide de *ser* suivi du participe passé. On note cependant qu'elle est beaucoup moins utilisée en espagnol qu'en français, et souvent rendue en espagnol par la voix active.

étreindre *vt* **1.** *(serrer, embrasser)* abrazar **2.** *fig (tenailler)* oprimir, atenazar. ■ **s'étreindre** *vp* abrazarse.

étreinte *nf* **1.** *(enlacement)* abrazo (m) **2.** *(pression)* asedio (m).

étrenner *vt* estrenar.

étrennes *nfpl* aguinaldo (m).

étrier *nm* estribo (m).

étriller *vt* **1.** *(cheval)* almohazar **2.** *(adversaire, film)* criticar duramente.

étriper *vt* destripar. ■ **s'étriper** *vp fam* destriparse.

étriqué, e *adj* **1.** *(vêtement)* apretado(da) **2.** *(local)* exiguo(gua) **3.** *(esprit)* limitado(da).

étroit, e *adj* **1.** *(rue, chaussures, relation)* estrecho(cha) **2.** *péj (esprit, vues)* limitado(da). ■ **à l'étroit** *loc adj* apretado(da).

étroitesse *nf* estrechez (f).

étude *nf* **1.** *(gén)* estudio (m) ◦ **à l'étude** en estudio ◦ **étude de marché** estudio de mercado **2.** *(local, charge de notaire)* notaría (f). ■ **études** *nfpl* estudios (mpl) ◦ **faire des études** estudiar.

étudiant, e ◼ *adj* estudiantil. ◼ *nm, f* estudiante *(mf)*.

étudié, e *adj* estudiado(da).

étudier *vt* estudiar.

étui *nm* estuche *(m)* • **étui à cigarettes** pitillera *(f)* • **étui à lunettes** estuche de gafas.

étuve *nf* **1.** *(local)* sauna *(f)* **2.** *(appareil)* estufa *(f)*.

étuvée ◼ **à l'étuvée** *loc adj* estofado(ca).

étymologie *nf* etimología *(f)*.

É-U, É-U A *(abr de* **États-Unis (d'Amérique))** *npr* EUA *(mpl)*, EE UU *(mpl)*.

eucalyptus *nm* eucalipto *(m)*.

euh *interj* pues • **viendras-tu demain ? – euh, je ne sais pas** ¿vendrás mañana? – pues no lo sé.

eunuque *nm* eunuco *(m)*.

euphémisme *nm* eufemismo *(m)*.

euphorie *nf* euforia *(f)*.

eurasien, enne *adj* eurasiático(ca). ◼ **Eurasien, enne** *nm, f* eurasiático *(m)*, -ca *(f)*.

euro *nm* euro *(m)* • **zone euro** zona *(f)*, euro.

eurodevise *nf* eurodivisa *(f)*.

eurodollar *nm* eurodólar *(m)*.

euromissile *nm* euromisil *(m)*.

Europe *npr* • **l'Europe** Europa.

européen, enne *adj* europeo(a). ◼ **Européen, enne** *nm, f* europeo *(m)*, -a *(f)*. ◼ **euro-péennes** *nfpl* POLIT • **les européennes** las europeas.

euthanasie *nf* eutanasia *(f)*.

euthanasier *vt* eutanasiar.

eux *pron pers* ellos • **ce sont eux qui me l'ont dit** me lo han dicho ellos • **je veux les voir, eux** quiero verlos • **c'est à eux** es de ellos. ◼ **eux-mêmes** *pron pers* ellos mismos.

évacuer *vt* **1.** *(lieu, personnes)* evacuar **2.** *(eau)* verter **3.** MÉD *(éliminer)* eliminar.

évadé, e *nm, f* evadido *(m)*, -da *(f)*.

évader ◼ **s'évader** *vp* • **s'évader (de)** evadirse (de).

évaluation *nf* evaluación *(f)*.

évaluer *vt* **1.** *(distance, risque)* evaluar **2.** *(objet d'art)* valorar, evaluar.

évangélique *adj* evangélico(ca).

évangéliser *vt* evangelizar.

évangile *nm* evangelio *(m)*.

évanouir ◼ **s'évanouir** *vp* **1.** *(personne)* desmayarse **2.** fig *(espoirs, etc)* desvanecerse.

évanouissement *nm* desmayo *(m)*, desvanecimiento *(m)*.

évaporer ◼ **s'évaporer** *vp* **1.** *(liquide)* evaporarse **2.** *(disparaître)* evaporarse, esfumarse.

évasé, e *adj* **1.** *(vase)* de boca ancha **2.** *(vêtement)* acampanado(da).

évaser *vt* ensanchar. ◼ **s'évaser** *vp* ensancharse

évasif, ive *adj* evasivo(va).

évasion *nf* evasión *(f)*.

évêché *nm* obispado *(m)*.

éveil *nm* despertar *(m)* • **en éveil** en vilo.

éveillé, e *adj* **1.** *(qui ne dort pas)* desvelado(da) **2.** *(esprit, enfant)* despierto(ta).

éveiller *vt* **1.** *(gén)* despertar **2.** sout *(tirer du sommeil)* desvelar. ◼ **s'éveiller** *vp* **1.** *(gén)* despertarse **2.** sout *(s'ouvrir à)* • **s'éveiller à qqch** despertar a algo.

événement *nm* acontecimiento *(m)*.

événementiel, elle *adj* cronológico(ca).

éventail *nm* abanico *(m)* • **en éventail** en abanico.

éventaire *nm* *(étalage)* puesto *(m)*.

éventer *vt* **1.** *(personne)* abanicar **2.** *(secret)* airear. ◼ **s'éventer** *vp* **1.** *(personne)* abanicarse **2.** *(parfum)* desvanecerse.

éventrer *vt* destripar.

éventualité *nf* eventualidad *(f)*.

éventuel, elle *adj* eventual.

éventuellement *adv* eventualmente.

évêque *nm* obispo *(m)*.

évertuer ◼ **s'évertuer** *vp* • **s'évertuer à faire qqch** esforzarse en hacer algo.

évidemment *adv* evidentemente.

évidence *nf* evidencia *(f)* • **mettre en évidence** poner en evidencia, evidenciar.

évident, e *adj* evidente.

évider *vt* **1.** *(gén)* vaciar **2.** *(arbre)* recortar **3.** *(fruit)* quitar el corazón a.

évier *nm* fregadero *(m)*

évincer *vt* • **évincer qqn (de qqch)** excluir a alguien (de algo).

évocateur, trice *adj* evocador(ra).

évocation *nf* evocación *(f)*.

évolué, e *adj* **1.** *(société, pays)* evolucionado(da) **2.** *(personne)* moderno(na).

évoluer *vi* **1.** *(se transformer, se déplacer)* evolucionar **2.** *(personne)* cambiar.

évolution *nf* evolución *(f)*. ◼ **évolutions** *nfpl* *(mouvements)* evoluciones *(fpl)*.

évoquer *vt* evocar.

ex *nmf* fam ex *(mf)*.

exacerber *vt* exacerbar.

exact, e *adj* **1.** *(gén)* exacto(ta) **2.** *(ponctuel)* puntual.

exactement *adv* exactamente.

exaction *nf* exacción *(f)*.

exactitude *nf* **1.** *(gén)* exactitud *(f)* **2.** *(ponctualité)* puntualidad *(f)*.

ex aequo *adj inv & adv* ex aequo.

exagération *nf* exageración *(f)*.

exagéré, e *adj* exagerado(da).

exagérer *vt & vi* exagerar.

exalté, e adj & nm, f exaltado(da).

exalter vt exaltar. ■ **s'exalter** vp exaltarse.

examen nm examen (m) • **examen médical** examen ou reconocimiento (m) médico • **mise en examen** DR ≃ inculpación (f).

examinateur, trice nm, f examinador (m), -ra (f).

examiner vt examinar.

exaspération nf exasperación (f).

exaspérer vt exasperar.

exaucer vt 1. (personne) oír 2. (vœu, demande) atender.

excédent nm 1. (surplus) exceso (m) • **en excédent** en exceso 2. ÉCON excedente (m).

excéder vt 1. (dépasser) exceder a 2. (exaspérer) exasperar.

excellence nf excelencia (f) • **par excellence** por excelencia.

excellent, e adj excelente.

exceller vi • **exceller en** ou **dans qqch** destacar en algo • **exceller à faire qqch** ser muy bueno(na) haciendo algo.

excentré, e adj • **c'est très excentré** queda muy alejado del centro.

excentrique ◆ adj 1. (gén) excéntrico(ca) 2. (quartier) periférico(ca). ◆ nmf excéntrico (m), -ca (f).

excepté, e adj exceptuado(da). ■ **excepté** prép excepto.

exception nf excepción (f) • **faire exception** ser una excepción • **à l'exception de** con ou a excepción de.

exceptionnel, elle adj excepcional.

excès ◆ nm exceso (m) • **excès de vitesse** exceso de velocidad. ◆ nmpl excesos (mpl).

excessif, ive adj 1. (prix, rigueur) excesivo(va) 2. (personne, caractère) exagerado(da).

excitant, e adj excitante. ■ **excitant** nm excitante (m).

excitation nf excitación (f).

excité, e ◆ adj excitado(da). ◆ nm, f exaltado (m), -da (f).

exciter vt 1. (gén) excitar 2. (chien) azuzar 3. (inciter) • **exciter qqn à qqch/à faire qqch** incitar a alguien a algo/a hacer algo.

exclamation nf exclamación (f).

exclamer ■ **s'exclamer** vp exclamar.

exclu, e ◆ adj excluido(da) • **c'est exclu !** ¡ni hablar! • **il n'est pas exclu que...** es posible que... ◆ nm, f marginado (m), -da (f).

exclure vt 1. (expulser, être incompatible avec) excluir • **exclure qqn (de qqch)** excluir a alguien (de algo) 2. (rejeter) excluir, descartar.

exclusion nf exclusión (f) • **à l'exclusion de** con exclusión de.

exclusivement adv 1. (uniquement) exclusivamente 2. (non inclus) exclusive.

exclusivité nf 1. (gén) exclusiva (f) • **en exclusivité** en exclusiva 2. (de sentiment) exclusividad (f).

excommunier vt excomulgar.

excrément nm (gén pl) excremento (m).

excroissance nf excrecencia (f).

excursion nf excursión (f).

excursionniste nmf excursionista (mf).

excuse nf excusa (f).

présenter des excuses

¡Perdona!/¡Perdone! / **Excuse-moi !/ Excusez-moi !** ¡Perdón! / **Pardon!** ¡Perdone que lo moleste! / **Je suis désolé de vous déranger !** ¡Perdón por el retraso! ou ¡Siento llegar tarde! / **Je suis désolé d'être en retard !** Lo siento (muchísimo). / **Je suis (vraiment) désolé.**

accepter des excuses

No hay de qué. / **Je t'en prie./Je vous en prie.** No tiene importancia. / **Ça ne fait rien.** No es nada. / **Ce n'est pas grave.** Son cosas que pasan. / **Ce sont des choses qui arrivent.** Esto le puede ocurrir a cualquiera. / **Cela peut arriver à tout le monde.**

excuser vt 1. (gén) disculpar, excusar • **excusez-moi** perdone, disculpe 2. (dispenser) excusar. ■ **s'excuser** vp disculparse, excusarse • **s'excuser de qqch/de faire qqch** disculparse ou excusarse por algo/por hacer algo.

exécrable adj 1. (humeur, temps) terrible 2. sout (crime) execrable.

exécrer vt execrar.

exécutant, e ◆ nm, f 1. (personne) mandado (m), -da (f) 2. MUS ejecutante (mf).

exécuter vt 1. (projet) llevar a cabo 2. (tableau) pintar 3. (mettre à mort & MUS) ejecutar. ■ **s'exécuter** vp obedecer.

exécutif, ive adj ejecutivo(va). ■ **exécutif** nm ejecutivo (m).

exécution nf 1. (gén) ejecución (f) 2. (de promesse) cumplimiento (m).

exemplaire ◆ adj ejemplar. ◆ nm ejemplar (m) • **en trois exemplaires** por triplicado.

exemple nm ejemplo (m) • **par exemple** por ejemplo.

exempté, e adj exento(ta) • **être exempté de qqch** estar exento de algo.

exempter *vt* • **exempter qqn de** eximir a alguier de.

exercer *vt* **1.** *(métier, activité)* ejercer **2.** *(droit)* ejercitar. ■ **s'exercer** *vp* **1.** *(s'entraîner)* ejercitarse • **s'exercer à qqch** ejercitarse en algo • **s'exercer à faire qqch** ejercitarse haciendo algo **2.** *(se manifester)* ejercerse.

exercice *nm* ejercicio *(m)* • **en exercice** en ejercicio.

exhaler *vt* **1.** *(odeur, soupir)* exhalar **2.** *(plainte)* proferir **3.** *(sentiment)* desahogar ■ **s'exhaler** *vp (odeur, soupir)* desprenderse.

exhaustif, ive *adj* exhaustivo(va)

exhiber *vt* exhibir. ■ **s'exhiber** *vp* exhibirse.

exhibitionniste *nmf* exhibicionista *(mf)*.

exhumer *vt* **1.** *(déterrer - cadavre)* exhumar • *(- trésor)* desenterrar **2.** *fig (passé)* desenterrar. ■

exigeant, e *adj* exigente.

exigence *nf* exigencia *(f)*.

exiger *vt* exigir • **exiger que** exigir que • **j'exige que tu rentres tôt** exijo que vuelvas temprano • **exiger qqch de qqn** exigir algo de alguien.

exigible *adj* exigible.

exigu, ë *adj* exiguo(gua).

exil *nm* exilio *(m)* • **en exil** en el exilio.

exilé, e *nm, f* exiliado *(m)*, -da *(f)*.

exiler *vt* exilar. ■ **s'exiler** *vp* **1.** POLIT exiliarse **2.** *fig (partir)* retirarse.

existence *nf* existencia *(f)*.

exister *vi* existir.

exode *nm* éxodo *(m)*.

exonération *nf* exoneración *(f)* • **exonération d'impôts** exención *(f)* tributaria.

exorbitant, e *adj* exorbitante.

exorciser *vt* exorcizar.

exorde *nm* exordio *(m)*.

exotique *adj* exótico(ca).

exotisme *nm* exotismo *(m)*.

exp *(abr écrite de* **expéditeur)** Rte.

expansif, ive *adj* expansivo(va).

expansion *nf* expansión *(f)*.

expansionniste *adj & nmf* expansionista.

expatrié, e *adj & nm, f* expatriado(da).

expatrier *vt* expatriar. ■ **s'expatrier** *vp* expatriarse.

expédier *vt* **1.** *(lettre, marchandise, bagages)* expedir **2.** *(se débarrasser de - personne)* librarse de • *(- travail, affaire)* despachar.

expéditeur, trice ■ *adj* expedidor(ra). ■ *nm, f* remitente *(mf)*.

expéditif, ive *adj* expeditivo(va).

expédition *nf* expedición *(f)*.

expérience *nf* **1.** *(gén)* experiencia *(f)* • **avoir de l'expérience** tener experiencia **2.** *(essai)* experimento *(m)*.

expérimental, e *adj* experimental.

expérimenté, e *adj* experimentado(da).

expert, e *adj* experto(ta). ■ **expert** *nm* perito *(m)*.

expert-comptable *nm* ≃ censor *(m)* jurado de cuentas

expertise *nf* peritaje *(m)*.

expertiser *vt* peritar, realizar un examen pericial.

expier *vt* expiar.

expiration *nf* **1.** *(d'air)* espiración *(f)* **2.** *(de contrat, de bail)* expiración *(f)* **3.** *(d'un aliment, d'un médicament)* caducidad *(f)* • **arriver à expiration** caducar.

expirer ■ *vt* espirar. ■ *vi* expirar.

explicatif, ive *adj* explicativo(va).

explication *nf* explicación *(f)* • **explication de texte** comentario *(m)* de texto.

explicite *adj* explícito(ta).

expliciter *vt* explicitar.

expliquer *vt* **1.** *(gén)* explicar **2.** *(texte)* comentar. ■ **s'expliquer** *vp* **1.** *(gén)* explicarse **2.** *(devenir compréhensible)* explicarse, aclararse.

exploit *nm* hazaña *(f)*.

exploitant, e *nm, f* explotador *(m)*, -ra *(f)* • **exploitant agricole** agricultor *(m)*.

exploitation *nf* explotación *(f)* • **exploitation agricole** explotación agrícola, finca.

exploiter *vt* explotar

explorateur, trice *nm, f* explorador *(m)*, -ra *(f)*.

exploration *nf* exploración *(f)*.

explorer *vt* explorar.

exploser *vi* **1.** *(bombe, personne)* explotar **2.** *(colère, joie)* estallar.

explosif, ive *adj* explosivo(va). ■ **explosif** *nm* explosivo *(m)*.

explosion *nf (de bombe)* explosión *(f)*.

expo *nf fam* expo *(f)*.

exportateur, trice *adj & nm, f* exportador(ra).

exportation *nf* exportación *(f)*.

exporter *vt* exportar.

exposé *nm* **1.** *(compte-rendu)* informe *(m)* **2.** SCOL exposición *(f)*.

exposer *vt* **1.** *(gén)* exponer **2.** *(orienter)* orientar. ■ **s'exposer** *vp* exponerse • **s'exposer à qqch** exponerse a algo.

exposition *nf* **1.** *(de peinture, récit)* exposición *(f)* **2.** *(orientation)* orientación *(f)*.

exprès¹, esse *adj (ordre, défense)* expreso(sa). ■ **exprès** *adj inv (lettre, colis)* urgente.

exprès² ** *adv* aposta, adrede • **faire qqch exprès hacer algo a propósito ou aposta.

express ■ *adj inv (train, voie)* exprés. ■ *nm inv (train, café)* expreso *(m)*.

expressément *adv* expresamente.

expressif, ive *adj* expresivo(va).

expression *nf* expresión *(f)*.

expresso *nm* = **express**.

exprimer *vt* expresar. ■ **s'exprimer** *vp* expresarse.

expropriation *nf* expropiación *(f)*.

exproprier *vt* expropiar.

expulser *vt* 1. *(gén)* expulsar 2. *(locataire)* desahuciar.

expulsion *nf* 1. *(gén)* expulsión *(f)* 2. *(de locataire)* desahucio *(m)*.

expurger *vt* expurgar.

exquis, e *adj* 1. *(gén)* exquisito(ta) 2. *(agréable)* delicioso(sa).

exsangue *adj* exangüe.

extase *nf* éxtasis *(m inv)*.

extasier ■ **s'extasier** *vp* extasiarse ◦ **s'extasier devant qqn/devant qqch** extasiarse ante alguien/ante algo.

extensible *adj* extensible.

extension *nf* extensión *(f)* ◦ **par extension** por extensión.

exténuer *vt* extenuar.

extérieur, e *adj* 1. *(gén)* exterior 2. *(apparent)* aparente. ■ **extérieur** *nm (dehors)* exterior *(m)* ◦ **à l'extérieur de qqch** por fuera de algo.

extérieurement *adv* 1. *(à l'extérieur)* exteriormente 2. *(en apparence)* en apariencia.

extérioriser *vt* exteriorizar.

exterminer *vt* exterminar.

externaliser *vt* externalizar.

externat *nm* 1. *(lycée)* externado *(m)* 2. *(en médecine)* rotatorio *(m)*.

externe ■ *adj* externo(na). ■ *nmf* 1. *(élève)* externo *(m)*, -na *(f)* 2. *(étudiant en médecine)* rotatorio *(m)*, -ria *(f)*.

extincteur *nm* extintor *(m)*.

extinction *nf* extinción *(f)*. ■ **extinction de voix** *nf* afonía *(f)*.

extirper *vt* 1. *(plante, secret)* arrancar 2. MÉD extirpar 3. *(sortir avec difficulté)* ◦ **extirper qqn/qqch de qqch** sacar a alguien/algo de algo.

extorquer *vt* ◦ **extorquer qqch à qqn** sacar algo a alguien.

extra ■ *adj inv* 1. *(de qualité supérieure)* extra 2. *fam (génial)* guay. ■ *nm inv* 1. *(service occasionnel)* trabajito *(m)* 2. *(chose inhabituelle)* extra *(m)*.

extraction *nf* extracción *(f)*.

extrader *vt* extraditar.

extradition *nf* extradición *(f)*.

extraire *vt* extraer.

extrait *nm* extracto *(m)* ◦ **extrait de naissance** partida *(f)* de nacimiento.

extraordinaire *adj* extraordinario.

extrapoler *vt* & *vi* extrapolar.

extraterrestre *adj* & *nmf* extraterrestre.

extravagance *nf* extravagancia *(f)*.

extravagant, e *adj* 1. *(idée, propos)* extravagante 2. *(prix, exigence)* desorbitado(da).

extraverti, e *adj* & *nm, f* extrovertido(da), extravertido(da).

extrême ■ *adj* 1. *(gén)* extremo(ma) ◦ **les sports extrêmes** los deportes extremos 2. *(solution, opinion)* extremado(da). ■ *nm* extremo *(m)* ◦ **d'un extrême à l'autre** de un extremo al otro.

extrêmement *adv* extremadamente.

extrême-onction *nf* extremaunción *(f)*.

Extrême-Orient *npr* ◦ **l'Extrême-Orient** el Extremo Oriente.

extrémiste *adj* & *nmf* extremista.

extrémité *nf* 1. *(bout)* extremidad *(f)* 2. *(situation critique)* extremo *(m)*.

exubérant, e *adj* exuberante.

exulter *vi* exultar.

eye-liner *nm* perfilador *(m)* de ojos.

f, F *nm inv* 1. *(lettre)* f *(f)*, F *(f)* 2. *(appartement) pour expliquer à un hispanophone comment il faut interpréter ce F, vous pouvez dire :* refiriéndonos a un piso, cuando F va seguido de un número, éste indica cuántas habitaciones tiene, sin contar la cocina ni el cuarto de baño, pero incluyendo la sala de estar. ◦ **un F3** ≃ un piso de dos habitaciones. ■ **F** 1. *(abr écrite de* **femme***)* M 2. *(abr écrite de* **féminin***)* F 3. *(abr écrite de* **Fahrenheit***)* F 4. *(abr écrite de* **franc***)* F.

fa *nm inv* MUS fa *(m)*.

fable *nf* fábula *(f)*.

fabricant, e *nm, f* fabricante *(mf)*.

fabrication *nf* fabricación *(f)*.

fabrique *nf* fábrica *(f)*.

fabriquer *vt* 1. *(confectionner)* fabricar 2. *fam (faire)* hacer 3. *(inventer)* inventar.

fabulation *nf* fabulación *(f)*.

fabuleux, euse *adj* fabuloso(sa).

fac *nf fam* facul *(f)*.

façade *nf* fachada *(f)*.

face *nf* 1. *(de personne, d'objet)* cara *(f)* 2. *(aspect)* aspecto *(m)* ▪ **de face** de frente ▪ **d'en face** de enfrente ▪ **en face de qqn/de qqch** frente a alguien/a algo ▪ **face à face** cara a cara ▪ **faire face à qqch** *(être devant)* dar a algo ▪ *(affronter)* hacer frente a algo.

face-à-face *nm inv* debate *(m)* cara a cara.

facétie *nf* gracia *(f)* *(broma)*.

facette *nf* faceta *(f)*.

fâché, e *adj* 1. *(gén)* enfadado(da) 2. *(contrarié)* disgustado(da).

fâcher *vt* enfadar. ▪ **se fâcher** *vp* enfadarse ▪ **se fâcher avec** *ou* **contre qqn** enfadarse con alguien.

fâcheusement *adv* desagradablemente.

fâcheux, euse *adj* enojoso(sa).

facial, e *adj* facial.

faciès *nm péj* careto *(m)*.

facile *adj* fácil.

facilement *adv* 1. *(avec facilité)* fácilmente 2. *(au moins)* tranquilamente.

facilité *nf* facilidad *(f)* ▪ **avoir de la facilité pour qqch** tener facilidad para algo ▪ **facilités** *nfpl (de transport)* servicio *(m)* ▪ **facilités de caisse** crédito *(m)* ▪ **facilités de paiement** facilidades *(fpl)* de pago.

faciliter *vt* facilitar.

façon *nf* 1. *(manière)* manera *(f)* 2. *(travail)* trabajo *(m)* 3. *(imitation)* ▪ **façon soie** imitación seda. ▪ **de façon à** *loc prép* con el fin de. ▪ **de façon (à ce) que** *loc conj* con el fin de que. ▪ **de toute façon** *loc adv* de todos modos.

fac-similé *nm* facsímil *(m)*, facsímile *(m)*.

facteur, trice *nm, f* cartero *(m)*, -ra *(f)*. ▪ **facteur** *nm (gén)* factor *(m)* ▪ **le facteur chance/temps** el factor suerte/tiempo.

factice *adj* facticio(cia).

faction *nf* 1. *(groupe)* facción *(f)* 2. MIL ▪ **être en** *ou* **de faction** estar de guardia.

factotum *nm* factótum *(mf)*.

facture *nf* factura *(f)*.

facturer *vt* facturar.

facultatif, ive *adj* facultativo(va).

faculté *nf* facultad *(f)* ▪ **faculté de droit/de lettres/de médecine** facultad de derecho/de letras/de medicina.

fadaises *nfpl* insulseces *(fpl)*, soserías *(fpl)*.

fade *adj* soso(sa).

fagot *nm* gavilla *(f)*.

fagoté, e *adj* mal vestido(da).

faible ◼ *adj* 1. *(gén)* débil 2. *(élève)* flojo(ja) 3. *(quantité)* pequeño(ña). ◼ *nmf* débil *(mf)* ▪ **faible d'esprit** simple *(mf)*. ◼ *nm (préférence)* debilidad *(f)*.

faiblement *adv* débilmente.

faiblesse *nf* 1. *(gén)* debilidad *(f)* 2. *(insignifiance)* escasez *(f)*.

faiblir *vi* 1. *(gén)* debilitarse 2. *(vent)* amainar.

faïence *nf* loza *(f)*.

faignant, e = **feignant**.

faille *nf* 1. GÉOL falla *(f)* 2. *(défaut)* fallo *(m)*.

faillir *vi* 1. *(manquer)* ▪ **faillir à qqch** faltar a algo 2. *(être sur le point de)* estar a punto de ▪ **j'ai failli tomber** casi me caigo.

faillite *nf* 1. FIN quiebra *(f)* ▪ **en faillite** en quiebra ▪ **faire faillite** quebrar 2. *(échec)* fracaso *(m)*.

faim *nf* 1. *(besoin de manger)* hambre *(f)* ▪ **avoir faim** tener hambre 2. *(désir)* ganas *(fpl)*.

fainéant, e *adj & nm, f* holgazán(ana).

faire *vt*

1. FABRIQUER, PRÉPARER = hacer
▪ **faire un gâteau/du café/un film** hacer un pastel/café/una película
▪ **faire une maison** construir una casa
▪ **il veut en faire un avocat** quiere hacer de él un abogado

2. SE LIVRER À UNE OCCUPATION
▪ **qu'est-ce qu'il fait dans la vie ?** ¿a qué se dedica?
▪ **faire son droit/de l'anglais/des maths** hacer derecho/inglés/matemáticas
▪ **que fais-tu dimanche ?** ¿qué haces este domingo?
▪ **qu'est-ce que je peux faire pour t'aider ?** ¿qué puedo hacer para ayudarte?
▪ **faire le ménage/la lessive** hacer la limpieza/la colada
▪ **faire la cuisine** cocinar

3. PRATIQUER UN SPORT = jugar
▪ **Martin fait du tennis le mercredi** Martin juega al tenis los miércoles

4. PRATIQUER UN INSTRUMENT MUSICAL = tocar
▪ **faire de la guitare** tocar la guitarra

5. PROVOQUER
▪ **faire de la peine** entristecer
▪ **faire du mal à qqn** hacer daño a alguien
▪ **ma blessure me fait mal** la herida me duele
▪ **faire plaisir** complacer
▪ **faire du bruit** hacer ruido
▪ **ça ne fait rien** no importa

6. IMITER = hacerse
▪ **faire le sourd/le malin** hacerse el sordo/el listo
▪ **faire l'innocent** hacerse el tonto

7. CALCUL, MESURE
▪ **un et un font deux** uno y uno son dos
▪ **la table fait deux mètres de long** la mesa mide dos metros de largo
▪ **ça fait combien de kilomètres jusqu'à la mer ?** ¿cuántos kilómetros hay de aquí al mar?

8. EN TANT QUE VERBE SUBSTITUTIF = hacer
 • **je lui ai dit de prendre une échelle mais il ne l'a pas fait** le dije que cogiera una escalera pero no lo hizo.

faire *vi*

AGIR
 • **vas-y, mais fais vite** hazlo, pero rápido
 • **tu ferais bien d'aller voir ce qui se passe** más vale que vayas a ver qué pasa.

faire *v att*

AVOIR L'AIR = hacer
 • **ça fait jeune/vulgaire** hace joven/vulgar.

faire *v impers*

1. POUR DÉCRIRE L'ATMOSPHÈRE
 • **il fait froid/beau** hace frío/buen tiempo
 • **il fait 20 degrés** estamos a 20 grados
 • **il fait jour/nuit** es de día/de noche.
2. POUR EXPRIMER LA DURÉE, LA DISTANCE
 • **ça fait six mois que...** hace seis meses que...
 • **ça fait 30 kilomètres que...** hace 30 kilómetros que...

faire *v aux*

 • **faire démarrer une voiture** arrancar un coche
 • **faire tomber qqch** hacer caer algo, tirar algo
 • **faire travailler qqn** hacer trabajar a alguien
 • **faire réparer sa voiture** llevar el coche a arreglar.

■ **ne faire que** *v aux*

1. NE PAS CESSER DE
 • **le bébé ne fait que pleurer** el bebé no para de llorar
2. FAIRE JUSTE
 • **je ne faisais que jeter un coup d'œil** sólo echaba un vistazo.

■ **se faire** *vp*

1. AVOIR = hacerse
 • **se faire des amis** hacerse amigos
 • **se faire mal** hacerse daño
 • **se faire une idée sur qqch** hacerse una idea de algo
2. DEVENIR = hacerse
 • **se faire vieux** hacerse viejo
 • **il se fait tard** se está haciendo tarde
3. ÊTRE CONVENABLE, À LA MODE = llevarse
 • **les minijupes se font beaucoup cette année** las minifaldas se llevan mucho este año
 • **ça ne se fait plus** eso ya no se lleva
4. S'HABITUER
 • **elle se fait à la solitude** se va acostumbrando a la soledad

5. SUIVI D'UN INFINITIF
 • **se faire couper les cheveux** cortarse el pelo
 • **elle s'est fait opérer** la han operado.

faire-part *nm inv* participación *(f)*.
faisable *adj* factible.
faisan, e *nm, f* faisán *(m)*.
faisandé, e *adj (viande)* manido(da).
faisceau *nm* **1.** *(fagot)* manojo *(m)* **2.** *(rayon)* haz *(m)* **3.** MIL pabellón *(m)*.
fait, e *adj* hecho(cha) • **bien/mal fait** bien/mal hecho • **être fait pour** estar hecho para • **ils sont faits l'un pour l'autre** están hechos el uno para el otro • **c'en est fait de lui** *sout* está perdido. ■ **fait** *nm* hecho *(m)* • **le fait de faire qqch** el hecho de hacer algo • **être au fait de qqch** estar al corriente de algo • **prendre qqn sur le fait** coger a alguien in fraganti, coger a alguien con las manos en la masa • **faits et gestes** hechos y milagros • **faits divers** sucesos *(mpl)*, miscelania *(f)*. ■ **au fait** *loc adv* a propósito. ■ **en fait** *loc adv* de hecho. ■ **en fait de** *loc prép* en materia de.
faîte *nm* **1.** *(de toit)* techumbre *(f)* **2.** *(d'arbre)* copa *(f)* **3.** *fig (sommet)* cima *(f)*.
faitout, fait-tout *nm* olla *(f)*.
fakir *nm* faquir *(m)*, fakir *(m)*.
falaise *nf* acantilado *(m)*.
fallacieux, euse *adj* falaz.

falloir *v impers*

1. EXPRIME UNE NÉCESSITÉ, UNE OBLIGATION = hacer falta, necesitar
 • **il me faut du temps** necesito tiempo
 • **il te faut un peu de repos** necesitas descansar un poco
 • **s'il le faut, j'irai la voir** si no queda más remedio iré a verla
 • **il ne faut pas exagérer** no hay que exagerar
2. EXPRIME UNE SUPPOSITION
 • **il n'est pas venu ? il faut qu'il soit malade !** ¿no ha venido? ¡debe de estar enfermo!

■ **s'en falloir** *v impers*

 • **peu s'en est fallu qu'il démissionne** ha estado a punto de dimitir
 • **il s'en faut de beaucoup pour qu'il puisse passer son examen** le falta mucho para poder aprobar el examen.

falot, e *adj* insulso(sa). ■ **falot** *nm* farol *(m)*.
falsifier *vt* **1.** *(document, comptes)* falsificar **2.** *(fait, pensée)* falsear.
famé, e *adj* • **mal famé** de mala fama.
famélique *adj* famélico(ca).

fameux, euse adj **1.** (personne) famoso(sa) **2.** fam (bon) estupendo(da) (Esp), padre (Amér) **3.** fam (remarquable) bestial.

familial, e adj familiar.

familiariser vt • **familiariser qqn avec qqch** familiarizar a alguien con algo.

familiarité nf **1.** (intimité) intimidad (f) **2.** (désinvolture) familiaridad (f). ■ **familiarités** nfpl familiaridades (fpl).

familier, ère adj familiar. ■ **familier** nm parroquiano (m).

famille nf familia (f) • **famille d'accueil** familia de acogida • **famille monoparentale** familia monoparental • **famille recomposée** familia extensa.

LA FAMILLE

- l'arrière-grand-mère / la bisabuela
- l'arrière-grand-père / el bisabuelo
- le beau-frère / el cuñado
- le beau-père (père du conjoint) / el suegro
- le beau-père (mari de la mère) / el suegro
- la belle-mère (mère du conjoint) / la suegra
- la belle-mère (femme du père) / la suegra
- la belle-sœur / la cuñada
- le cousin / el primo
- la cousine / la prima
- le demi-frère / el hermanastro
- la demi-sœur / la hermanastra
- la famille recomposée / la familia extensa
- la fille / la hija
- le fils / el hijo
- le frère / el hermano
- la grand-mère / la abuela
- le grand-père / el abuelo
- la mère / la madre
- l'oncle / el tío
- le père / el padre
- la sœur / la hermana
- la tante / la tía.

famine nf hambruna (f).

fan nmf fam fan (mf).

fanal nm **1.** (de phare) faro (m) **2.** (de train, lanterne) farol (m).

fanatique adj & nmf fanático(ca).

fanatisme nm fanatismo (m).

faner vt **1.** (fleur) marchitar **2.** (couleur) ajar. ■ **se faner** vp **1.** (gén) marchitarse **2.** (couleur) ajarse.

fanfare nf fanfarria (f).

fanfaron, onne adj fanfarrón(ona).

fange nf sout fango (m).

fanion nm banderín (m).

fantaisie nf **1.** (gén) fantasía (f) **2.** (extravagance) extravagancia (f) **3.** (gré) antojo (m).

fantaisiste adj & nmf fantasioso(sa).

fantasme, phantasme nm fantasma (m).

fantasque adj **1.** (personne) lunático(ca) **2.** (humeur) caprichoso(sa).

fantassin nm infante (m), soldado (m) de infantería.

fantastique ◼ adj fantástico(ca). ◼ nm • **le fantastique** (genre artistique) el fantástico.

fantoche ◼ adj POUR littere. ◼ nm fantoche (mf).

fantôme adj & nm fantasma.

FAO[1] nf (abr de **fabrication assistée par ordinateur**) FAC (f) • **un logiciel de FAO** un programa de FAO.

FAO[2] (abr de **Food and Agricultural Organization**) nf FAO (f).

faon nm **1.** (de cerf) cervatillo (m) **2.** (de daim) gamezno (m) **3.** (de chevreuil) corcino (m).

farce nf **1.** CULIN relleno (m) **2.** (blague) broma (f) • **farces et attrapes** artículos (mpl) de broma **3.** (genre littéraire) farsa (f).

farceur, euse nm, f bromista (mf).

farci, e adj **1.** CULIN relleno(na) **2.** fig (plein) atiborrado(da).

farcir vt **1.** CULIN rellenar **2.** (remplir) • **farcir qqch de** atiborrar algo de.

fard nm maquillaje (m) • **fard à paupières** sombra (f) de ojos.

fardeau nm carga (f).

farder vt **1.** (visage) maquillar **2.** (vérité) disfrazar. ■ **se farder** vp maquillarse.

farfelu, e adj estrafalario(ria).

farfouiller vi fam revolver.

farine nf harina (f) • **farine animale** AGRIC harina animal.

farouche adj **1.** (animal) salvaje **2.** (personne) arisco(ca).

fart nm cera (f) (para los esquíes).

farter vt encerar (los esquíes).

fascicule nm fascículo (m).

fascination nf fascinación (f).

fasciner vt fascinar.

fascisme nm fascismo (m).

fasciste adj & nmf fascista.

faste ◼ nm fasto (m), fastuosidad (f). ◼ adj (jour) de suerte.

fastidieux, euse adj fastidioso(sa).

fastueux, euse adj fastuoso(sa).

fatal, e adj **1.** (coup, erreur) fatal **2.** (inévitable) inevitable.

fataliste adj & nmf fatalista.

fatalité nf fatalidad (f).

fatigant, e adj **1.** (activité) cansado(da) **2.** (personne) cansino(na).

fatigue nf cansancio (m), fatiga (f).

fatigué, e adj **1.** (personne) cansado(da) (Esp), fané (Amér) • **être fatigué de qqch** estar cansado de algo **2.** (vue) cansado(da) **3.** fam (vêtement) gastado(da).

fatiguer ⊠ vt cansar. ⊠ vi **1.** (personne) cansarse **2.** (moteur) resentirse. ■ **se fatiguer** vp cansarse • **se fatiguer de qqch** cansarse de algo • **se fatiguer à faire qqch** cansarse haciendo algo.

fatras nm fárrago (m).

fatuité nf fatuidad (f).

faubourg nm arrabal (m).

fauché, e adj fam pelado(da).

faucher vt **1.** (couper) segar **2.** fam (voler) • **faucher qqch à qqn** birlar algo a alguien **3.** (renverser) arrollar **4.** (atteindre par balle) abatir.

faucille nf hoz (f).

faucon nm halcón (m).

faufiler vt hilvanar. ■ **se faufiler** vp **1.** (entrer, passer discrètement) colarse **2.** (se frayer un chemin) • **se faufiler entre** deslizarse entre.

faune ⊠ nf péj fauna (f). ⊠ nm fauno (m).

faussaire nmf falsificador (m), -ra (f).

faussement adv **1.** (à tort, de façon erronée) erróneamente **2.** (de façon affectée) falsamente.

fausser vt **1.** (objet) torcer **2.** (résultat, calcul) falsear. ■ **se fausser** vp (voix, instrument) destemplarse.

fausseté nf falsedad (f).

faute nf **1.** (erreur) falta (f), error (m) • **faute de frappe** error de máquina • **faute d'orthographe** falta de ortografía **2.** (méfait, infraction) falta (f) • **prendre en faute** coger in fraganti • **faute professionnelle** falta profesional **3.** (responsabilité) culpa (f) • **c'est de sa faute** es culpa suya • **par la faute de qqn** por culpa de alguien. ■ **faute de** loc prép por falta de. ■ **faute de mieux** loc adv a falta de algo mejor. ■ **sans faute** loc adv sin falta.

fauteuil nm **1.** (siège) sillón (m), butaca (f) • **fauteuil roulant** silla (f) de ruedas **2.** (de théâtre) butaca (f) • **fauteuil d'orchestre** butaca de patio ou de platea **3.** (d'académicien) silla (f).

fautif, ive ⊠ adj **1.** (coupable) culpable **2.** (erroné) erróneo(a), equivocado(da). ⊠ nm, f culpable (mf).

fauve ⊠ nm **1.** (animal) fiera (f) **2.** (couleur) leonado (m) **3.** ART (peintre) fauvista (mf). ⊠ adj **1.** (cheveux, couleur) leonado(da) **2.** ART fauvista.

fauvette nf curruca (f).

faux, fausse adj **1.** (gén) falso(sa) **2.** (barbe, dent) postizo(za). • **faux** ⊠ adv • **chanter faux** desafinar. ⊠ nm **1.** (ce qui est faux) falso (m) **2.** (contrefaçon, imitation) falsificación (f). ⊠ nf guadaña (f).

faux-filet nm solomillo (m) bajo.

faux-fuyant nm evasiva (f).

faux-monnayeur nm falsificador (m) (de dinero).

faux-sens nm inv error (m) de interpretación (en un texto).

faveur nf favor (m) • **avoir la faveur du public** gozar del favor del público. ■ **à la faveur de** loc prép (grâce à) aprovechando.

favorable adj **1.** (gén) favorable **2.** (personne) • **être favorable (à)** estar a favor (de).

favori, ite adj & nm, f favorito(ta). ■ **favori** nm HIST valido (m), privado (m).

favoriser vt favorecer.

faxer vt enviar por fax.

FBI (abr de Federal Bureau of Investigation) nm FBI (m).

fébrile adj febril.

fécond, e adj fecundo(da).

fécondation nf fecundación (f) • **fécondation in vitro** fecundación in vitro.

féconder vt fecundar.

fécondité nf fecundidad (f).

fécule nf fécula (f).

féculent, e adj feculento(ta). ■ **féculent** nm alimento (m) feculento • **les féculents** las féculas (f).

fédéral, e adj federal.

fédération nf federación (f).

fée nf hada (f).

féerie nf **1.** THÉÂTRE comedia (f) fantástica **2.** (d'un lieu, d'un spectacle) magia (f).

féerique adj mágico(ca).

feignant, e, faignant, e adj & nm, f fam gandul(la).

feindre ⊠ vt fingir. ⊠ vi fingir • **feindre de faire qqch** fingir hacer algo.

feinte nf finta (f).

fêlé, e ⊠ adj **1.** (assiette) resquebrajado(da) **2.** fam (personne) chiflado(da). ⊠ nm, f fam chiflado (m), -da (f).

fêler vt resquebrajar.

félicitations nfpl felicidades (fpl).

féliciter vt felicitar. ■ **se féliciter** vp • **se féliciter de qqch** alegrarse de algo.

S'EXPRIMER...

féliciter quelqu'un

Te/Le felicito por el examen. / **Tu permets que je te félicite pour ton examen ?/Vous permettez que je vous félicite pour votre examen ?** ¡Enhorabuena por el carné! / **Félicitations pour ton permis !**

félin, e adj felino(na). ■ **félin** nm felino (m).

félon, onne adj & nm, f sout felón(ona).

fêlure nf raja (f).

femelle ◨ *adj* 1. *(animal & TECHNOL)* hembra *(en apposition)* 2. BOT femenina. ◨ *nf* hembra *(f)*.

féminin, e *adj* femenino(na). ■ **féminin** *nm* GRAMM femenino *(m)*.

féminisme *nm* feminismo *(m)*.

féministe *adj & nmf* feminista.

féminité *nf* feminidad *(f)*.

femme *nf* mujer *(f)* • **femme d'affaires** mujer de negocios • **femme de chambre** ayuda *(f)* de cámara • *(d'hôtel)* camarera *(f)* • **femme de ménage** asistenta *(f)*.

fémur *nm* fémur *(m)*.

FEN *(abr de* **Fédération de l'Éducation nationale**) *nf pour expliquer à un hispanophone ce que c'est, vous pouvez dire :* es un sindicato de profesores y maestros de la enseñanza pública. • **le secrétaire général de la FEN** el secretario general de la FEN.

fenaison *nf* siega *(f)* del heno.

fendre *vt* 1. *(bois)* partir 2. *(crevasser)* agrietar 3. *fig (traverser – foule)* abrirse paso entre • *(– flots, air)* surcar. ■ **se fendre** *vp (se féler)* agrietarse.

fenêtre *nf (gén & INFORM)* ventana *(f)* • **fenêtre borgne** claraboya *(f)*.

fenouil *nm* hinojo *(m)*.

fente *nf* 1. *(fissure)* grieta *(f)* 2. *(interstice)* ranura *(f)* 3. *(de vêtement)* abertura *(f)*.

féodal, e *adj* feudal. ■ **féodal, aux** *nm* señor *(m)* feudal.

féodalité *nf* feudalismo *(m)*.

fer *nm* hierro *(m)* • **fer à cheval** herradura *(f)* • **fer forgé** hierro forjado • **fer à repasser** plancha *(f)* *(para la ropa)* • **fer à souder** soldador *(m)*.

fer-blanc *nm* hojalata *(f)*.

ferblanterie *nf* 1. *(ustensiles)* objetos *(mpl)* de hojalata 2. *(commerce)* hojalatería *(f)*.

férié, e *adj* festivo(va).

ferme[1] ◨ *adj* 1. *(gén)* firme 2. *(consistant)* duro(ra) 3. *(stable)* seguro(ra) 4. *(achat, vente)* en firme. ◨ *adv* 1. *(s'ennuyer)* mucho 2. *(définitivement)* en firme.

ferme[2] *nf* granja *(f)* *(Esp)*, chacra *(f)* *(Amér)*.

ferment *nm* 1. *(levure)* fermento *(m)* 2. *fig (germe)* germen *(m)*.

fermentation *nf* 1. CHIM fermentación *(f)* 2. *fig (agitation)* efervescencia *(f)*.

fermer ◨ *vt* 1. *(gén)* cerrar 2. *(rideau)* correr • **fermer qqch à qqn** *(carrière, possibilité)* cerrar las puertas de algo a alguien 3. *(vêtement)* abrochar 4. *(télévision, radio)* apagar. ◨ *vi* 1. *(gén)* cerrar 2. *(vêtement)* abrocharse. ■ **se fermer** *vp* 1. *(gén)* cerrarse 2. *(vêtement)* abrocharse.

fermeté *nf* 1. *(dureté)* consistencia *(f)*, dureza *(f)* 2. *fig (force, autorité)* firmeza *(f)*.

fermeture *nf* cierre *(m)* • **'fermeture annuelle'** 'cerrado por vacaciones' • **fermeture Éclair**® cremallera *(f)* • **fermeture hebdomadaire** cierre semanal.

fermier, ère ◨ *nm, f* granjero *(m)*, -ra *(f)* *(Esp)*, chacarero *(m)*, -ra *(f)* *(Amér)*. ◨ *adj* de granja.

fermoir *nm* cierre *(m)*.

féroce *adj* 1. *(animal)* feroz, fiero(ra) 2. *(personne, appétit, désir)* feroz.

ferraille *nf* 1. *(morceaux de fer)* chatarra *(f)* *(Esp)*, grisalla *(f)* *(Amér)* • **bon à mettre à la ferraille** servir sólo para chatarra 2. *fam (petite monnaie)* calderilla *(f)* *(Esp)*, sencillo *(m)* *(Amér)*.

ferronnerie *nf* 1. *(objet, objeto)* objeto *(m)* de hierro forjado 2. *(métier)* fabricación *(f)* de objetos de hierro forjado 3. *(atelier)* fragua *(f)*.

ferroviaire *adj* ferroviario(ria).

ferry-boat *nm* transbordador *(m)*, ferry *(m)*.

fertile *adj* 1. *(gén)* fértil 2. *fig (esprit, imagination)* fecundo(da), fértil • **fertile en** *(rebondissements, etc)* rico(ca) en.

fertiliser *vt* fertilizar

fertilité *nf* fertilidad *(f)*.

féru, e *adj sout* • **être féru de qqch** ser un apasionado de algo.

fervent, e ◨ *adj* ferviente. ◨ *nm, f* entusiasta *(mf)*.

ferveur *nf* fervor *(m)*.

fesse *nf* nalga *(f)* • **les fesses** el culo.

fessée *nf* zurra *(f)*.

festin *nm* festín *(m)*.

festival *nm* festival *(m)*.

festivités *nfpl* fiestas *(fpl)*.

feston *nm* festón *(m)*.

festoyer *vi* celebrar una fiesta.

fêtard, e *nm, f* juerguista *(mf)*.

fête *nf* 1. *(gén)* fiesta *(f)* • **les fêtes (de fin d'année)** las vacaciones de Navidad • **fête nationale** fiesta nacional 2. *(kermesse)* verbena *(f)*, fiesta popular • **fête foraine** feria *(f)* 3. *(jour du saint)* santo *(m)* • **faire fête à qqn** hacerle fiestas a alguien • **faire la fête** estar OU ir de juerga.

fêter *vt* 1. *(événement)* celebrar 2. *(personne)* festejar.

fétiche *nm* 1. *(objet de culte)* fetiche *(m)* 2. *(mascotte)* mascota *(f)*.

fétichisme *nm* fetichismo *(m)*.

fétide *adj* fétido(da).

fétu *nm* • **fétu (de paille)** brizna *(f)* de paja.

feu[1], **e** *adj* • **feu M. X** el difunto señor X.

feu[2] *nm* 1. *(flammes, décharges)* fuego *(m)* *(Esp)*, candela *(f)* *(Amér)* • **à feu doux/vif** a fuego lento/vivo • **à petit feu** a fuego lento • **au feu !** ¡fuego! • **avez-vous du feu ?** ¿tiene fuego? • **être en feu** estar en llamas • **faire feu**

abrir fuego • **mettre le feu à qqch** prender fuego a algo • **prendre feu** prenderse • **feu de camp** fuego de campamento • **feu de cheminée** lumbre (f) **2.** (signal lumineux) semáforo (m) • **feu rouge/vert** semáforo en rojo/verde **3.** AUTO luz (f) • **feux de position/de croisement** luces (fpl) de posición/de cruce • **feux de route/de détresse** luces (fpl) de carretera/de emergencia **4.** CINÉ & THÉÂTRE candilejas (fpl) • **le feu couve sous la cendre** aún quedan rescoldos • **ne pas faire long feu** no durar mucho. ■ **feu d'artifice** nm fuegos (mpl) artificiales.

feuillage nm follaje (m).

feuille nf hoja (f) • **feuille morte** hoja seca • **feuille de papier/de vigne** hoja de papel/de parra • **feuille volante** hoja suelta.

feuillet nm hoja (f).

feuilleté, e adj **1.** (pâte) de hojaldre **2.** (roche) estratificado(da).

feuilleter vt hojear.

feuilleton nm **1.** RADIO serial (m) **2.** (dans un journal) folletín (m).

feutre nm **1.** (crayon) rotulador (m) **2.** (étoffe) fieltro (m) **3.** (chapeau) sombrero (m) de fieltro.

feutré, e adj **1.** (garni de feutre) cubierto(ta) con fieltro **2.** (abîmé) apelmazado(da) **3.** (bruit, pas) amortiguado(da), sordo(da).

feutrine nf fieltro (m) flexible.

fève nf **1.** haba (f) **2.** (de la galette des Rois) sorpresa (f).

février nm febrero (m). • voir aussi **septembre**

FF (abr écrite de franc français) FF.

fg abrév de **faubourg**.

fi interj sout • **faire fi de** no hacer caso de.

fiable adj fiable.

fiacre nm simón (m), coche (m) de punto.

fiançailles nfpl **1.** (cérémonie) pedida (f) **2.** (période) noviazgo (m).

fiancé, e nm, f novio (m), -via (f).

fiancer vt conceder la mano de. ■ **se fiancer** vp prometerse.

fibre nf fibra (f) • **fibre de verre** fibra de vidrio.

ficeler vt atar.

ficelle nf **1.** (fil) cordel (m) • **tirer les ficelles** fig mover los hilos **2.** (pain) barra (f) de pan muy delgada (de 125 gramos) **3.** (gén pl) (truc) truco (m).

fiche nf **1.** (carte) ficha (f) • **fiche signalétique/technique** ficha antropométrica/técnica **2.** ÉLECTR enchufe (m). ■ **fiche de paie** nf nómina (f) (documento).

ficher vt **1.** (enfoncer) clavar **2.** (inscrire) fichar **3.** fam (faire) hacer • **ne rien ficher** no dar golpe **4.** fam (mettre) meter **5.** fam (donner) dar. ■ **se**

ficher vp **1.** (s'enfoncer) clavarse **2.** fam (se moquer) • **se ficher de qqn** burlarse de alguien **3.** fam (ignorer) • **se ficher de** pasar de.

fichier nm **1.** fichero (m) **2.** INFORM archivo (m).

fichu, e adj fam **1.** (cassé, détruit) escacharrado(da) **2.** (avant le nom) (désagréable) puñetero(ra) • **être mal fichu** (santé) estar pachucho • (fabrication) estar mal hecho • **ne pas être fichu de faire qqch** no ser capaz de hacer algo. ■ **fichu** nm pañoleta (f).

fictif, ive adj ficticio(cia).

fiction nf **1.** (en littérature) ficción (f) **2.** (monde imaginaire) mundo (m) de ficción.

fidèle ◆ adj **1.** (gén) fiel • **fidèle à qqch/à qqn** fiel a algo/a alguien **2.** (client) asiduo(dua). ◆ nmf **1.** RELIG fiel (mf) **2.** (adepte) incondicional (mf).

fidéliser vt saber conservar.

fidélité nf fidelidad (f).

fief nm feudo (m).

fiel nm hiel (f).

fier¹, fière adj **1.** (orgueilleux) orgulloso(sa) • **fier de qqch/de qqn/de faire qqch** orgulloso de algo/de alguien/de hacer algo **2.** (allure, âme) noble.

fier² ■ **se fier** vp • **se fier à qqn/à qqch** fiarse de alguien/de algo.

fierté nf **1.** (dignité) dignidad (f) **2.** (arrogance) arrogancia (f) **3.** (satisfaction) orgullo (m).

fièvre nf fiebre (f) • **avoir 40 de fièvre** tener 40 de fiebre • **fièvre aphteuse** fiebre aftosa.

fiévreux, euse adj febril.

fig. (abr écrite de figure) fig.

figer vt (pétrifier) paralizar. ■ **se figer** vp **1.** (s'immobiliser) helarse **2.** (se solidifier) cuajarse.

fignoler vt perfilar.

figue nf higo (m) • **figue de Barbarie** higo chumbo.

figuier nm higuera (f).

figurant, e nm, f **1.** CINÉ extra (mf) **2.** THÉÂTRE figurante (mf), comparsa (mf).

figuratif, ive adj figurativo(va).

figuration nf **1.** ART figuración (f) **2.** CINÉ extras (mpl) **3.** THÉÂTRE figurantes (mpl), comparsa (f)

figure nf **1.** (gén) figura (f) **2.** (visage) cara (f) • **faire figure de** pasar por.

figuré, e adj **1.** (sens) figurado(da) **2.** (art, plan) figurativo(va). ■ **figuré** nm • **au figuré** en sentido figurado.

figurer ◆ vt representar. ◆ vi • **figurer dans** figurar en • **figurer parmi** figurar entre. ■ **se figurer** vp **1.** (croire) figurarse **2.** (imaginer) fijarse • **il est parti, figure-toi !** ¡se ha ido, fíjate !

figurine nf figurilla (f).

fil nm **1.** (textile, enchaînement) hilo (m) **2.** (métallique) • **fil (de fer)** alambre (m) • **fil de fer barbelé** alambre de espino • **fil à plomb** plo

mada (f) • **perdre le fil (de qqch)** perder el hilo (de algo) **3.** (cours) curso (m) • **au fil de** a lo largo de.

filament nm **1.** (gén) filamento (m) **2.** (de bave, de colle) rebaba (f).

filandreux, euse adj (viande) fibroso(sa).

filasse ■ adj inv de estopa. ■ nf estopa (f).

filature nf **1.** (usine) hilandería (f), hilatura (f) **2.** (fabrication) hilado (m) **3.** (poursuite) vigilancia (f) (de la policía).

file nf fila (f), hilera (f) • **à la file** en fila • **file d'attente** cola (f).

filer ■ vt **1.** (textile) hilar **2.** (méta) tirar **3.** (toile d'araignée) tejer **4.** (suivre) seguir la pista a **5.** fam (donner) • **filer qqch à qqn** pasar algo a alguien. ■ vi **1.** (bas) hacerse una carrera **2.** (aller vite) volar **3.** (temps) pasar volando **4.** fam (partir) salir pitando **5.** (sirop, miel) fluir • **filer doux** estar suavísimo -ma (f).

filet nm **1.** (tissu à larges mailles) red (f) • **filet à cheveux** redecilla (f) • **filet de pêche** red de pesca • **filet à provisions** bolsa (f) de malla **2.** fig (piège) trampa (f) **3.** CULIN & TYPO filete (m) • **filet de bœuf** solomillo (m) • **filet de porc** solomillo (m), filete de lomo • **faux filet** solomillo (m) bajo **4.** (petite quantité - de liquide) chorrito (m) • (- de lumière) rayito (m) **5.** (de vis) filete (m), rosca (f) **6.** (nervure - de feuille) nervio (m) • (- de langue) frenillo (m).

filial, e adj filial. ■ **filiale** nf filial (f).

filiation nf **1.** (lien de parenté) filiación (f) **2.** fig (enchaînement) ilación (f).

filière nf **1.** (procédure) trámites (mpl) • **passer par la filière** seguir el escalafón **2.** (de trafiquants, etc) red (f) **3.** SCOL carrera (f).

filiforme adj como un palillo.

filigrane nm filigrana (f) • **en filigrane** fig con un fondo de • **lire en filigrane** fig leer entre líneas.

filin nm cabo (m).

fille nf **1.** (enfant) hija (f) • **fille adoptive** hija adoptiva **2.** (femme) chica (f) • **fille mère** madre (f) soltera • **jeune fille** chica (joven) (f), muchacha (f) • **petite fille** niña (f) • **vieille fille** solterona (f).

fillette nf chiquilla (f) (Esp), chamaca (f) (Amér).

filleul, e nm, f ahijado (m), -da (f).

film nm **1.** (gén) película (f) • **film catastrophe** película de catástrofes • **film culte** película de culto **2.** fig (déroulement) transcurso (m).

filmer vt filmar.

filmographie nf filmografía (f).

filon nm **1.** (de cuivre, d'argent) filón (m) **2.** fam (situation lucrative) chollo (m).

fils nm hijo (m) • **fils cadet** hijo menor • **fils de famille** niño (m) bien.

filtrant, e adj filtrante.

filtre nm filtro (m) • **filtre à air/à café** filtro de aire/de café • **filtre parental** INFORM filtro familiar.

filtrer ■ vt filtrar. ■ vi **1.** (gén) filtrarse **2.** (vérité) triunfar.

fin, e adj **1.** (gén) fino(na) **2.** (vin, épicerie) selecto(ta) **3.** (esprit, personne) agudo(da) **4.** (avant le nom) (connaisseur) gran **5.** (gourmet) fino(na). ■ **fin** ■ adv (couper, moudre) finamente • **être fin prêt** estar listo. ■ nf **1.** (terme) fin (m), final (m) • **mettre fin à qqch** poner fin a algo • **prendre fin** acabar • **tirer** OU **toucher à sa fin** tocar a su fin • **au fin fond de** en lo más recóndito de **2.** (but) fin (m) • **arriver** OU **parvenir à ses fins** cumplir sus propósitos. ■ **fin de série** nf restos (mpl) de serie. ■ **à la fin** loc adv al fin, por fin. ■ **à la fin de** loc prép **1.** (gén) al final de **2.** (mois, année) a finales de. ■ **en fin de** loc prép al final de. ■ **sans fin** loc adj sin fin.

final, e adj final. ■ **final** nm (d'opéra) final (m). ■ **finale** nf **1.** (dernière épreuve) final (f) **2.** (syllabe) sílaba (f) final.

finalement adv finalmente.

finaliste nmf finalista (mf).

finalité nf finalidad (f).

finance nf finanzas (fpl). ■ **finances** nfpl **1.** (ressources pécuniaires) fondos (mpl) **2.** fam (situation financière) finanzas (fpl).

financer vt financiar.

financier, ère adj financiero(ra). ■ **financier** nm financiero (m) (Esp), financista (m) (Amér).

finaud, e adj ladino(na).

finesse nf **1.** (délicatesse, minceur, légèreté) finura (f) **2.** (perspicacité) agudeza (f) **3.** (gén pl) (subtilité) sutileza (f), sutilidad (f).

fini, e adj **1.** (travail, personne) acabado(da) • **ce politicien est un homme fini** este político está acabado **2.** péj (fieffé) rematado(da) • **un menteur fini** un mentiroso consumado **3.** MATH finito(ta). ■ **fini** nm **1.** (d'une œuvre) acabado (m) **2.** (ce qui est limité) finito (m).

finir ■ vt acabar • **nous avons fini la bouteille** nos hemos acabado la botella. ■ vi **1.** (gén) acabarse, acabar • **mal finir** acabar mal • **en finir (avec qqch)** acabar de una vez (con algo) **2.** (arrêter) • **finir de faire qqch** dejar de hacer algo **3.** (parvenir) • **finir par faire qqch** acabar OU terminar por hacer algo.

finition nf **1.** (action) último toque (m) **2.** (résultat) acabado (m).

Finlande npr • **la Finlande** Finlandia.

fiole nf frasco (m).

fioriture nf floritura (f).

fioul nm inv fuel-oil (m).

firmament nm sout firmamento (m).

firme nf firma (f) (empresa).

fisc nm fisco (m).

fiscal, e adj fiscal.

fiscalité nf fiscalidad (f).

fissure nf fisura (f).

fissurer vt 1. (fendre) agrietar 2. fig (groupe) dividir. ■ **se fissurer** vp agrietarse.

fiston nm fam chaval (m).

fixation nf fijación (f).

fixe ◼ adj fijo(ja). ◼ nm sueldo (m) fijo.

fixement adv fijamente.

fixer vt 1. (gén) fijar 2. (tableau) colgar • **fixer son choix sur qqch** decidirse por algo 3. (regarder) • **fixer qqn/qqch** mirar fijamente a alguien/ algo 4. (renseigner) • **fixer qqn sur qqch** informar a alguien de algo • **être fixé sur qqch** tener las ideas claras sobre algo. ◼ **se fixer** vp 1. (s'arrêter) • **se fixer sur qqn/sur qqch** (choix) decidirse por alguien/por algo • (regard) detenerse en alguien/en algo 2. (s'installer) establecerse.

fjord nm fiordo (m).

flacon nm frasco (m).

flageller vt flagelar.

flageoler vi flaquear.

flageolet nm 1. (haricot) judía (f) blanca 2. MUS flautín (m).

flagrant, e adj 1. flagrante 2. ⯈ **délit**.

flair nm olfato (m).

flairer vt 1. (odeur) oler 2. fig (mensonge) olerse.

flamant nm flamenco (m) • **flamant rose** flamenco rosa.

flambant, e adj • **flambant neuf** flamante.

flambé, e adj CULIN flameado(da).

flambeau nm antorcha (f).

flamber ◼ vi 1. (brûler) arder 2. fam (dépenser) pulirse. ◼ vt 1. (crêpe) flamear 2. (volaille) soflamar.

flamboyant, e adj 1. (étincelant) brillante (Esp), brilloso(sa) (Amér) 2. ARCHIT flamígero(ra).

flamboyer vi 1. (incendie) arder 2. fig (regard) brillar.

flamingant, e ◼ adj 1. (de langue) de habla flamenca 2. (nationaliste) flamenco(ca). ◼ nm, f 1. (de langue) de habla flamenca 2. (nationaliste) nacionalista (m) flamenco, nacionalista (f) flamenca.

flamme nf 1. (de bougie) llama (f) 2. fig (ardeur) ardor (m) 3. iron & vieilli (amour) pasión (f). ■ **flammes** nfpl llamas (fpl).

flan nm flan (m).

flanc nm 1. (de personne, d'animal) costado (m) 2. (de navire) flanco (m) 3. (de montagne) ladera (f), falda (f).

flancher vi fam flaquear.

Flandre, Flandres npr Flandes (pl).

flanelle nf franela (f).

flâner vi 1. (se promener) pasear 2. (perdre son temps) pasar el rato.

flâneur, euse nm, f paseante (mf).

flanquer vt 1. fam (lancer, jeter) tirar (Esp), botar (Amér) • **flanquer qqn dehors** largar a alguien 2. fam (donner - gifle, coup) soltar, arrear • (- peur) meter 3. (accompagner) flanquear • **être flanqué de qqn** ir flanqueado por alguien • **être flanqué de qqch** estar flanqueado por algo.

flapi, e adj fam reventado(da).

flaque nf charco (m).

flash nm 1. PHOTO flash (m) 2. (publicité) cuña (f) • **flash d'information** flash (m) informativo.

flash-back nm inv flash-back (m).

flasher vi fam • **flasher sur qqch/sur qqn** flipar con algo/con alguien • **faire flasher qqn** alucinar a alguien.

flasque ◼ adj fláccido(da). ◼ nf petaca (f).

flatter vt 1. (caresser) acariciar 2. (complimenter, faire plaisir à) halagar 3. sout (encourager) fomentar. ■ **se flatter** vp vanagloriarse • **se flatter de faire qqch** vanagloriarse de hacer algo.

flatterie nf 1. halago (m) 2. (qualité) adulación (f).

flatteur, euse ◼ adj 1. (compliment, comparaison) halagüeño(ña) 2. (portrait) favorecedor(ra). ◼ nm, f adulador (m), -ra (f).

fléau nm 1. (calamité, personne) plaga (f) 2. (de balance) astil (m) 3. AGRIC mayal (m).

flèche nf 1. (arme, signe graphique) flecha (f) 2. fig (critique) dardo (m) 3. (d'église) aguja (f).

fléchette nf dardo (m). ■ **fléchettes** nfpl (jeu) dardos (mpl).

fléchir ◼ vt 1. (membre, articulation) doblar 2. fig (personne) ablandar. ◼ vi 1. (branche, membre) doblarse 2. fig (détermination) flaquear, aflojar 3. (Bourse) bajar.

fléchissement nm 1. (flexion) flexión (f) 2. (faiblesse) aflojamiento (m) 3. (baisse) baja (f).

flegmatique adj & nmf flemático(ca).

flegme nm flema (f).

flemmard, e adj & nm, f fam vago(ga) (Esp), atorrante (Amér).

flemme nf fam vagancia (f), pereza (f) • **avoir la flemme de faire qqch** darle pereza a alguien hacer algo.

flétrir vt 1. (fleur) marchitar 2. fig (personne, réputation) censurar. ■ **se flétrir** vp 1. (fleur) marchitarse 2. fig (visage) ajarse.

fleur nf flor (f) • **à fleurs** de flores • **en fleur(s)** en flor.

fleuret nm florete (m).

fleuri, e adj 1. (jardin, pré, style) florido(da) 2. (vase) con flores 3. (tissu) floreado(da), de flores 4. (table, appartement) adornado(da) con flores.

fleurir ◼ vi 1. (arbre) florecer 2. fig (se multiplier) proliferar. ◼ vt adornar con flores.

LES FLEURS

- le chardon / el cardo
- le coquelicot / la amapola
- le géranium / el geranio
- l'iris / el lirio
- le lilas / la lila
- la marguerite / la margarita
- le muguet / el muguete
- l'œillet / el clavel
- l'orchidée / la orquídea
- la rose / la rosa
- le tournesol / el girasol
- la tulipe / el tulipán
- la violette / la violeta.

fleuriste *nmf* florista *(mf)* • **chez le fleuriste** en la floristería.

fleuron *nm* florón *(m)*.

fleuve *nm* río *(m)*.

flexible *adj* flexible.

flexion *nf* flexión *(f)*.

flibustier *nm* filibustero *(m)*.

flic *nm fam* poli *(m)* • **les flics** la pasma, la poli.

flinguer *vt fam* freír a tiros. ■ **se flinguer** *vp fam* pegarse un tiro.

flirter *vi* flirtear, tontear • **flirter avec qqn** flirtear *ou* tontear con alguien • **flirter avec qqch** *fig* coquetear con algo.

flocon *nm* copo *(m)*.

flonflons *nmpl* tachín tachín *(m)*.

flop *nm fam* fracaso *(m)*.

floraison *nf* 1. *(éclosion)* floración *(f)* 2. *fig (prolifération)* proliferación *(f)*.

floral, e *adj* floral.

flore *nf* flora *(f)*.

Florence *npr* Florencia.

florissant, e *adj* 1. *(santé)* espléndido(da) 2. *(économie)* floreciente.

flot *nm* 1. *(gén pl) (vagues)* oleaje *(m)* • **être à flot** *(flotter)* estar a flote 2. *sout (mer)* mar *(f)* 3. *(afflux)* raudal *(m)* • **flot de gens** multitud *(f)* de gente.

flottage *nm* armadía *(f)*.

flottaison *nf* flotación *(f)*.

flottant, e *adj* 1. *(objet, capitaux, dette)* flotante 2. *(cheveux)* ondeante 3. *(robe)* con vuelo 4. *(indécis)* fluctuante.

flotte *nf* 1. AÉRON & NAUT flota *(f)* 2. *fam (eau)* agua *(f)* 3. *fam (pluie)* lluvia *(f)*.

flottement *nm* 1. *(de drapeau)* ondeo *(m)* 2. *(relâchement)* aflojamiento *(m)* 3. *(indécision)* vacilación *(f)* 4. ÉCON *(de monnaie)* fluctuación *(f)*.

flotter *vi* 1. *(sur l'eau, dans l'air)* flotar • **flotter sur qqch** flotar en algo 2. *(drapeau)* ondear 3. *(dans un vêtement)* bailar 4. *fam (pleuvoir)* llover.

flotteur *nm* 1. *(de canne à pêche)* corcho *(m)* 2. *(d'hydravion)* flotador *(m)* 3. *(de chasse d'eau)* boya *(f)*.

flou, e *adj* 1. *(photo)* borroso(sa), desenfocado(da) 2. *(pensée)* confuso(sa), impreciso(sa). ■ **flou** *nm* imprecisión *(f)*.

flouer *vt* timar.

fluctuer *vi* fluctuar.

fluet, ette *adj* 1. *(personne)* endeble 2. *(voix)* débil.

fluide ■ *adj* 1. *(gér.)* fluido(da) 2. *(matière)* terso(sa). ■ *nm* fluido *(m)*.

fluidifier *vt (trafic)* dar fluidez a.

fluidité *nf* fluidez *(f)*.

fluor *nm* flúor *(m)*.

fluorescent, e *adj* fluorescente.

flûte ■ *nf* 1. MUS flauta *(f)* 2. *(verre)* copa *(f)* alta 3. *(pain)* barra *(f)*. ■ *interj fam* ¡jolín!

flûtiste *nmf* flautista *(mf)*.

fluvial, e *adj* fluvial.

flux *nm* flujo *(m)* • **flux migratoire** flujo migratorio.

fluxion *nf* fluxión *(f)*.

FM *(abr de frequency modulation) nf* FM *(f)* • **la fréquence/bande FM** la frecuencia/banda FM.

FMI *(abr de Fonds monétaire international) nm* FMI *(m)* • **le directeur général du FMI** el director general del FMI.

FN *(abr de Front national) nm pour expliquer à un hispanophone ce que c'est, vous pouvez dire :* es un partido político francés de extrema derecha.

FO *(abr de Force ouvrière) nf pour expliquer à un hispanophone ce que c'est, vous pouvez dire :* es un sindicato obrero.

foc *nm* foque *(m)*.

focal, e *adj* focal.

fœtal, e *adj* fetal.

fœtus *nm* feto *(m)*.

foi *nf* fe *(f)* • **avoir foi en qqn/en qqch** tener fe en alguien/en algo • **être de bonne/mauvaise foi** ser de buena/mala fe.

foie *nm (gén)* hígado *(m)*.

foin *nm* heno *(m)*.

foire *nf* 1. *(gén)* feria *(f)* 2. *fam (agitation)* guirigay *(m)*.

fois *nf* 1. *(marque la réitération)* vez *(f)* • **cette fois** esta vez • **il était une fois** érase una vez • **une autre fois** otra vez 2. *(marque la multiplication)* por • **deux fois trois** dos por tres. ■ **à la fois** *loc adv* a la vez. ■ **une fois que** *loc conj* una vez que.

foison ■ **à foison** *loc adv* en abundancia.

foisonner *vi* abundar • **foisonner en** *ou* **de** rebosar de.

folâtre adj juguetón(ona).
folâtrer vi juguetear.
folie nf locura (f).
folklore nm folclor (m).
folklorique adj folclórico(ca).
follement adv 1. (de manière déraisonnable) locamente 2. (extrêmement) tremendamente.
fomenter vt sout fomentar.
foncé, e adj oscuro(ra).
foncer ◪ vt oscurecer. ◪ vi 1. (teinte) oscurecerse 2. (se ruer) ◦ **foncer sur qqch/sur qqn** arremeter contra algo/contra alguien ◦ **foncer dans un mur** chocar contra una pared 3. fam (se dépêcher) darle caña.
foncier, ère adj 1. (impôt) territorial 2. (crédit) hipotecario(ria) 3. (fondamental) innato(ta).
foncièrement adv en el fondo.
fonction nf 1. (rôle) función (f) ◦ **faire fonction de** hacer las veces de 2. (profession) cargo (m) ◦ **entrer en fonction** tomar posesión de un cargo. ◾ **de fonction** loc adj de la empresa ◦ **voiture de fonction** coche de la empresa. ◾ **en fonction de** loc prép con arreglo a.
fonctionnaire nmf funcionario (m), -ria (f).
fonctionnel, elle adj funcional.
fonctionnement nm funcionamiento (m).
fonctionner vi funcionar.
fond nm fondo (m). ◾ **à fond** loc adv a fondo. ◾ **au fond** loc adv en el fondo. ◾ **au fond de** loc prép en el fondo de. ◾ **dans le fond** loc adv en el fondo. ◾ **fond d'artichaut** nm corazón (m) de alcachofa. ◾ **fond d'écran** nm INFORM fondo (m) de (la) pantalla. ◾ **fond de teint** nm maquillaje (m), crema (f) de base.
fondamental, e adj fundamental.
fondant, e adj 1. que se derrite 2. (poire) que se deshace ◦ ▷ **chocolat**. ◾ **fondant** nm (bonbon) caramelo (m) relleno.
fondateur, trice nm, f fundador (m), -ra (f).
fondation nf fundación (f). ◾ **fondations** nfpl CONSTR cimientos (mpl).
fondé, e adj (justifié) fundado(da) ◦ **non fondé** infundado. ◾ **fondé de pouvoir** nm apoderado (m).
fondement nm 1. (base) cimientos (mpl) 2. (motif) fundamento (m) ◦ **sans fondement** sin fundamento.
fonder vt 1. ◦ **créer** fundar 2. (baser) basar, cimentar ◦ **fonder qqch sur qqch** basar algo en algo ◦ **fonder des espoirs sur qqn** fundar esperanzas en alguien. ◾ **se fonder** vp ◦ **se fonder sur qqch** basarse en algo.
fonderie nf (usine) fundición (f).
fondre ◪ vt 1. (métaux) fundir ◦ **faire fondre** (neige, beurre) derretir 2. (sucre, sel) disolver 3. (couleur) mezclar. ◪ vi 1. (neige, beurre) derretirse 2. (sucre, sel) disolverse 3. (s'attendrir) derretirse

4. (maigrir) adelgazar 5. (argent) irse de las manos 6. (se ruer) ◦ **fondre sur qqch** abatirse sobre algo.
fonds ◪ nm 1. (bien immobilier) finca (f) ◦ **fonds de commerce** comercio (m) 2. (capital placé, ressources) fondo (m). ◪ nmpl fondos (mpl) ◦ **les fonds de pension** FIN los fondos de pensión.
fondue nf fondue (f).
fontaine nf fuente (f).
fonte nf 1. (de neige) deshielo (m) 2. (de métal) fundición (f) 3. (de statue) vaciado (m) 4. (alliage) hierro (m) colado, fundición (f).
foot nm fam fútbol (m).
football nm fútbol (m).
footballeur, euse nm, f futbolista (mf).
footing nm footing (m).
for nm ◦ **dans mon for intérieur** en mi fuero interno.
forage nm perforación (f).
forain, e adj ▷ **fête**. ◾ **forain** nm feriante (m).
forçat nm presidiario (m) (condenado a trabajos forzados).
force nf fuerza (f) ◦ **avoir force de loi** tener fuerza de ley ◦ **de force** a la fuerza ◦ **de toutes mes forces** con todas mis fuerzas ◦ **être de force** a ser ◦ **force de vente** fuerza de venta. ◾ **à force de** loc prép a fuerza de.
forcément adv 1. forzosamente 2. (bien sûr) lógicamente.
forceps nm fórceps (m inv).
forcer ◪ vt 1. (gén) forzar ◦ **forcer qqn à qqch/à faire qqch** forzar a alguien a algo/a hacer algo 2. fig (admiration, respect) inspirar. ◪ vi 1. (insister) forzarse 2. fam (abuser) ◦ **forcer sur qqch** pasarse con algo. ◾ **se forcer** vp ◦ **se forcer à faire qqch** forzarse a hacer algo.
forcir vi engordar.
forer vt perforar.
forestier, ère adj forestal. ◾ **forestier** nm guarda (mf) forestal.
foret nm broca (f).
forêt nf bosque (m) ◦ **la forêt amazonienne** la selva amazónica ◦ **forêt vierge** selva (f) virgen ◦ **une forêt de** fig un bosque de.
forfait nm 1. (prix fixe) tanto (m) alzado 2. sout (crime) crimen (m) atroz 3. SPORT ◦ **déclarer forfait** abandonar ◦ fig (renoncer) renunciar.
forge nf fragua (f).
forger vt 1. (métal, caractère) forjar 2. (excuse) inventar. ◾ **se forger** vp (réputation, idéal) forjarse.
forgeron nm herrero (m).
formaliser vt formalizar. ◾ **se formaliser** vp ◦ **se formaliser (de qqch)** molestarse (por algo).

formaliste *adj* formalista.

formalité *nf* trámite *(m)*, formalidad *(f)*.

format *nm* formato *(m)*.

formatage *nm* formateo *(m)*.

formater *vt* formatear.

formateur, trice ■ *adj* formativo(va). ■ *nm, f* instructor *(m)*, -ra *(f)*.

formation *nf* formación *(f)* ◦ **formation en alternance** formación en alternancia.

forme *nf* forma *(f)* ◦ **en (pleine) forme** en (plena) forma ◦ **en forme de** en forma de. ■ **formes** *nfpl* **1.** *(silhouette)* formas *(fpl)* **2.** *(manières)* modales *(mpl)*.

formel, elle *adj* **1.** *(refus)* categórico(ca) **2.** *(amabilité, politesse)* formal.

Formentera *npr* Formentera.

former *vt* **1.** *(fonder, composer, instruire)* formar **2.** *(plan, projet)* concebir **3.** *(goût, sensibilité)* cultivar. ■ **se former** *vp* formarse.

Formica® *nm* formica® *(f)*.

formidable *adj* **1.** *(admirable)* formidable, estupendo(da) *(Esp)*, chévere *(Amér)* **2.** *(invraisemblable)* increíble.

formol *nm* formol *(m)*.

formulaire *nm* formulario *(m) (Esp)*, planilla *(f) (Amér)* ◦ **remplir un formulaire** rellenar un formulario.

formule *nf* fórmula *(f)* ◦ **formule de politesse** fórmula de cortesía.

formuler *vt* formular.

fort, e *adj* **1.** *(gén)* fuerte ◦ **être fort en qqch** ser bueno en algo **2.** *(corpulent)* grueso(sa) **3.** *(quantité, somme)* importante ◦ **il y a de fortes chances que...** es muy posible que... ■ **fort** ■ *nm* **1.** *(château)* fuerte *(m)* **2.** *(personne)* forzudo *(m)*. ■ *adv* **1.** *(avec force, avec intensité)* fuerte **2.** *sout (conseiller)* vivamente **3.** *sout (espérer)* ansiosamente ◦ **il aura fort à faire pour se mettre à jour** le va a costar mucho trabajo ponerse al día.

forteresse *nf* fortaleza *(f)*.

fortifiant, e *adj* reconstituyente. ■ **fortifiant** *nm* reconstituyente *(m)*.

fortification *nf* fortificación *(f)*.

fortifier *vt* **1.** *(physiquement)* fortalecer **2.** *(confirmer)* ◦ **fortifier qqn dans qqch** reafirmar a alguien en algo **3.** *(ville)* fortificar.

fortiori ■ **a fortiori** *loc adv* con mayor motivo.

fortuit, e *adj* fortuito(ta).

fortune *nf* fortuna *(f)*.

fortuné, e *adj* **1.** *(riche)* adinerado(da) **2.** *(chanceux)* afortunado(da).

forum *nm* foro *(m)*.

fosse *nf* fosa *(f)*.

fossé *nm* **1.** *(ravin)* cuneta *(f)* **2.** *fig (écart)* abismo *(m)*.

fossette *nf* hoyuelo *(m)*.

fossile *adj* & *nm* fósil.

fossoyeur, euse *nm, f* sepulturero *(m)*, -ra *(f)*.

fou, folle ■ *adj* **(fol** devant *voyelle ou* h *muet)* **1.** *(gén)* loco(ca) **2.** *(succès, charme)* tremendo(da). ■ *nm, f* loco *(m)*, -ca *(f)*.

foudre *nf* rayo *(m)*.

foudroyant, e *adj* fulminante.

foudroyer *vt* fulminar.

fouet *nm* **1.** *(en cuir)* látigo *(m)* **2.** CULIN batidor *(m)*.

fouetter *vt* **1.** *(gén)* azotar **2.** *(cheval)* fustigar **3.** *fig (stimuler)* estimular.

fougère *nf* helecho *(m)*.

fougue *nf* fogosidad *(f)*.

fougueux, euse *adj* fogoso(sa).

fouille *nf* **1.** *(de personne)* cacheo *(m)* **2.** *(de maison)* registro *(m)* **3.** *(du sol)* excavación *(f)* **4.** *fam (poche)* bolsillo *(m)*.

fouiller ■ *vt* **1.** *(maison, bagages)* registrar **2.** *(personne)* cachear, registrar **3.** *(sol, chantier archéologique)* excavar, hacer excavaciones en **4.** *fig (description)* detallar. ■ *vi* ◦ **fouiller dans qqch** hurgar en algo.

fouillis *nm* desorden *(m)*.

fouine *nf* garduña *(f)*.

fouiner *vi* husmear.

foulard *nm* pañuelo *(m)*, fular *(m)*.

foule *nf* **1.** *(de gens)* muchedumbre *(f)*, multitud *(f)* **2.** *péj (peuple)* masa *(f)*.

foulée *nf* *(de coureur)* zancada *(f)*.

fouler *vt* **1.** *(raisin)* prensar **2.** *(sol)* pisar. ■ **se fouler** *vp* ◦ **se fouler qqch** torcerse algo.

foulure *nf* esguince *(m)*.

four *nm* **1.** *(de cuisson)* horno *(m)* ◦ **four électrique/à micro-ondes** horno eléctrico/microondas **2.** *(échec)* fracaso *(m)*.

fourbe *adj* & *nmf* *sout* taimado(da).

fourbu, e *adj* rendido(da).

fourche *nf* **1.** *(outil, pièce de vélo)* horquilla *(f)* **2.** *(de route)* bifurcación *(f)* **3.** *(de cheveux)* punta *(f)* abierta **4.** *(Belgique)* SCOL *(temps libre)* hora *(f)* libre.

fourchette *nf* **1.** *(couvert)* tenedor *(m)* **2.** *fig (écart)* horquilla *(f)* **3.** *(de prix)* gama *(f)*.

fourgon *nm* furgón *(m)*.

fourgonnette *nf* furgoneta *(f) (Esp)*, guayín *(m) (Amér)*.

fourmi *nf* hormiga *(f)*.

fourmilière *nf* litt & fig hormiguero *(m)*.

fourmiller *vi* **1.** *(pulluler)* pulular **2.** *fig (être nombreux)* abundar **3.** *(être plein)* ◦ **fourmiller de qqch** estar plagado(da) de algo.

fournaise *nf* **1.** *(incendie)* hoguera *(f)* **2.** *fig (endroit)* horno *(m)*.

fourneau nm **1.** (cuisinière, de fonderie) horno (m) **2.** (de pipe) cazoleta (f).

fournée nf hornada (f).

fourni, e adj **1.** (barbe, chevelure) poblado(da) **2.** (magasin) surtido(da).

fournil nm amasadero (m).

fournir vt **1.** (procurer) • **fournir qqch à qqn** proporcionar algo a alguien **2.** (effort) realizar **3.** (commerçant, magasin) proveer.

fournisseur, euse nm, f proveedor (m), -ra (f). ■ **fournisseur d'accès** nm INFORM proveedor (m) de acceso.

fourniture nf **1.** (approvisionnement) suministro (m) **2.** (gén pl) (matériel) material (m).

fourrage nm forraje (m).

fourrager, ère adj forrajero(ra).

fourré, e adj **1.** CULIN relleno(na) **2.** (manteau, bottes) forrado(da). ■ **fourré** nm espesura (f) (de arbustos).

fourreau nm **1.** (de parapluie) funda (f) **2.** (d'épée) vaina (f) **3.** (robe) vestido (m) tubo.

fourrer vt **1.** CULIN rellenar **2.** fam (mettre) meter. ■ **se fourrer** vp fam meterse.

fourre-tout nm inv **1.** (pièce) trastero (m) **2.** (sac) bolso (m) **3.** fig & péj (d'idées) cajón (m) de sastre.

fourreur, euse nm, f peletero (m), -ra (f).

fourrière nf **1.** (pour chiens) perrera (f) **2.** (pour voitures) depósito (m) **3.** (camion) grúa (f).

fourrure nf piel (f).

■ **se fourvoyer** vp sout **1.** (s'égarer) • **se fourvoyer dans qqch** extraviarse en algo **2.** (se tromper) equivocarse.

foutre vt **1.** tfam (faire) • **ne rien foutre** no pegar golpe • **n'en avoir rien à foutre de qqch** importarle un carajo algo • **qu'est-ce que tu veux que ça me foute ?** y a mí, ¿qué? **2.** tfam (mettre) poner **3.** fam (gifle) meter • **va te faire foutre !** vulg ¡vete a la mierda! • **ça la fout mal** tfam queda fatal.

foyer nm **1.** (cheminée, maison) hogar (m) **2.** (d'étudiants, de travailleurs) residencia (f) **3.** (point central) foco (m).

fracas nm estrépito (m).

fracasser vt estrellar.

fraction nf fracción (f).

fractionner vt fraccionar.

fracture nf fractura (f).

fracturer vt **1.** MÉD fracturar **2.** (serrure) forzar.

fragile adj frágil.

fragiliser vt debilitar.

fragilité nf fragilidad (f).

fragment nm fragmento (m).

fragmenter vt fragmentar.

fraîcheur nf **1.** (d'air) frescor (m) **2.** fig (d'accueil) frialdad (f) **3.** (de teint, d'aliment) frescura (f).

frais, fraîche adj **1.** (gén) fresco(ca) • **'servir frais'** 'servir frío' **2.** fig (accueil) frío(a) **3.** (teint, couleur) vivo(va). ■ **frais** ◻ nm • **mettre qqch au frais** poner algo al fresco. ◼ nmpl gastos (mpl) • **faire des frais** tener muchos gastos.

fraise nf **1.** (fruit) fresa (f) (Esp), frutilla (f) (Amér) **2.** (outil - de dentiste) fresa (f) • (- de menuisier) lengüeta (f).

fraiser vt fresar.

fraiseuse nf fresadora (f).

fraisier nm **1.** (plante) fresa (f) **2.** (gâteau) pour expliquer de quoi il s'agit, vous pouvez dire : es un pastel de bizcocho de dos capas empapadas en kirsch y separadas por muselina y fresas.

framboise nf frambuesa (f).

framboisier nm **1.** (plante) frambueso (m) **2.** (gâteau) pour expliquer de quoi il s'agit, vous pouvez dire : es un pastel de bizcocho de dos capas empapadas en kirsch y separadas por muselina y frambuesas.

franc, franche adj **1.** franco(ca) **2.** (coupure) limpio(pia) **3.** (couleur) puro(ra). ■ **franc** nm franco (m).

français, e adj francés(esa). ■ **français** nm LING francés (m). ◼ **Français, e** nm, f francés (m), -esa (f).

France npr • **la France** Francia (f).

franchement adv **1.** (gén) francamente • **franchement !** ¡sinceramente! **2.** (carrément) con decisión.

franchir vt **1.** (gén) salvar **2.** (porte) atravesar.

franchise nf **1.** (gén) franquicia (f) **2.** (sincérité) franqueza (f).

francilien, enne adj de la región Isla de Francia. ■ **Francilien, enne** nm, f habitante (mf) de la región Isla de Francia.

franciscain, e adj & nm, f franciscano(na).

franciser vt afrancesar.

franc-jeu nm • **jouer franc-jeu** jugar limpio.

franc-maçon, onne nm, f masón (m), -ona (f).

franc-maçonnerie nf **1.** (association) masonería (f), francmasonería (f) **2.** fig (solidarité) compañerismo (m).

franco adv COMM franco • **franco de port** franco de porte.

francophone adj & nmf francófono(na).

francophonie nf francofonía (f).

franc-parler nm • **avoir son franc-parler** no tener pelos en la lengua.

franc-tireur nm francotirador (m).

frange nf **1.** (de cheveux) flequillo (m) (Esp), cerquillo (m) (Amér) **2.** (de vêtement) fleco (m) **3.** (bordure, limite) franja (f).

frangipane nf crema (f) de almendras.

franglais nm pour expliquer ce que c'est, vous pouvez dire : es una modalidad lingüística en la que se mezclan al francés gran cantidad de palabras y construcciones de origen inglés ; es como el "spanglish" pero con francés e inglés en vez de español e inglés.

franquette ■ **à la bonne franquette** *loc adv* sin ceremonia.

frappant, e *adj* impresionante.

frappe *nf* **1.** *(de monnaie)* acuñación *(f)* **2.** *(à la machine)* tecleo *(m)* **3.** *(à la minute)* pulsación *(f)* **4.** SPORT *(de boxeur)* pegada *(f)* **5.** *péj (voyou)* golfo *(m)*, -fa *(f)*.

frapper ■ *vt* **1.** *(cogner)* golpear **2.** *(concerner)* afectar **3.** *(impressionner)* impresionar **4.** *(boisson)* enfriar **5.** *(monnaie)* acuñar. ■ *vi* llamar • **'frapper avant d'entrer'** 'llamen antes de entrar'.

frasques *nfpl* locuras *(fpl)*.

fraternel, elle *adj* fraternal.

fraterniser *vi* • **fraterniser avec qqn** fraternizar con alguien.

fraternité *nf* fraternidad *(f)*.

fratricide *adj* & *nmf* fratricida.

fraude *nf* fraude *(m)*.

frauder ■ *vt* defraudar. ■ *vi* cometer fraude.

frauduleux, euse *adj* fraudulento(ta).

frayer *vi* • **frayer avec qqn** *sout (le fréquenter)* relacionarse con alguien. ■ **se frayer** *vp* • **se frayer un chemin (à travers)** abrirse camino (a través).

frayeur *nf* susto *(m)*.

fredaines *nfpl* locuras *(fpl)*.

fredonner ■ *vt* tararear. ■ *vi* canturrear.

freezer *nm* congelador *(m)*.

frégate *nf* fragata *(f)*.

frein *nm* freno *(m)* • **sans frein** *(passion, imagination)* desenfrenado(da).

freinage *nm* frenado *(m)*.

freiner *vt* & *vi* frenar.

frelaté, e *adj* **1.** *(vin)* adulterado(da) **2.** *fig (corrompu)* corrompido(da).

frêle *adj* **1.** *(construction)* frágil **2.** *(personne)* endeble **3.** *fig (espoir, voix)* débil.

frelon *nm* abejorro *(m)*.

frémir *vi* **1.** *(personne)* estremecerse **2.** *(eau)* romper a hervir.

frémissement *nm* **1.** *(de personne)* estremecimiento *(m)* **2.** *(des lèvres)* temblor *(m)* **3.** *(d'eau chaude)* borboteo *(m)*.

frêne *nm* fresno *(m)*.

frénésie *nf* frenesí *(m)*.

frénétique *adj* frenético(ca).

fréquence *nf* frecuencia *(f)*.

fréquent, e *adj* frecuente.

fréquentation *nf* **1.** *(d'endroit)* frecuentación *(f)* **2.** *(de personne)* trato *(m)*. ■ **fréquentations** *nfpl* relaciones *(fpl)*.

fréquenté, e *adj* frecuentado(da) • **mal fréquenté** de mala fama • **peu/très fréquenté** poco/muy concurrido.

fréquenter *vt* frecuentar. ■ **se fréquenter** *vp* verse.

frère *nm* hermano *(m)* • **frères siamois** hermanos siameses. ■ *adj (part, peuple)* hermano.

fresque *nf* fresco *(m)* *(pintura)*.

fret *nm* flete *(m)*.

frétiller *vi* **1.** *(poisson)* colear **2.** *fig (personne)* • **frétiller de qqch** *(joie, etc)* bullir de algo.

fretin *nm* • **le menu fretin** la morralla.

friable *adj* desmenuzable.

friand, e *adj* • **être friand de qqch** ser ávido de algo. ■ **friand** *nm* CULIN ≃ empanadilla *(f)*.

friandise *nf* golosina *(f)*.

fric *nm fam* pasta *(f)*, pelas *(fpl)*.

fric-frac *nm inv fam* robo *(m)* (con fractura).

friche *nf* baldío *(m)* • **en friche** *(champ)* baldío(a) • *fig (intelligence, capacités)* sin cultivar.

friction *nf* **1.** *(massage)* friega *(f)* **2.** PHYS fricción *(f)* **3.** *fig (désaccord)* roce *(m)*, fricción *(f)*.

frictionner *vt* friccionar.

Frigidaire® *nm* nevera *(f)*.

frigide *adj* frígido(da).

frigidité *nf* frigidez *(f)*.

frigo *nm fam* nevera *(f)*.

frigorifié, e *adj fam* helado(da).

frileux, euse *adj* **1.** *(craignant le froid)* friolero(ra) *(Esp)*, friolento(ta) *(Amér)* **2.** *(prudent)* timorato(ta).

frimas *nm sout* escarcha *(f)*.

frimeur, euse *nm, f fam* chulo *(m)*, -la *(f)*, vacilón *(m)*, -ona *(f)*.

frimousse *nf fam* carita *(f)*.

fringale *nf fam* hambre *(f)* canina.

fringant, e *adj* **1.** *(cheval)* fogoso(sa) **2.** *(personne)* apuesto(ta).

fripes *nfpl* ropa *(f)* de segunda mano.

fripon, onne ■ *nm, f fam* bribón *(m)*, -ona *(f)*. ■ *adj* pícaro(ra).

fripouille *nf péj* golfo *(m)*, -fa *(f)*.

frire ■ *vt* freír. ■ *vi* freírse.

frise *nf* ARCHIT friso *(m)*.

friser ■ *vt* **1.** *(cheveux)* rizar *(Esp)*, enchinar *(Amér)* **2.** *(frôler)* rozar. ■ *vi* rizarse.

frisson *nm* **1.** *(gén)* estremecimiento *(m)* **2.** *(de fièvre)* escalofrío *(m)*.

frissonner *vi* **1.** *(gén)* estremecerse **2.** *(de fièvre)* tener escalofríos **3.** *(eau, feuillage)* agitarse.

frite *nf* patata *(f)* frita *(de sartén)*.

friteuse *nf* freidora *(f)*.

friture *nf* **1.** CULIN *(à l'huile)* fritura *(f)* **2.** *(poisson)* pescado *(m)* frito **3.** *(interférences)* interferencia *(f)*.

frivole *adj* frívolo(la).

frivolité *nf* frivolidad *(f).*

froid, e *adj* frío(a). ■ **froid** ◙ *nm* 1. *(température)* frío *(m)* ▪ **avoir froid** tener frío ▪ **prendre froid** coger frío 2. *(dans les relations)* distanciamiento *(m).* ◙ *adv* frío.

froidement *adv* 1. *(gén)* friamente 2. *(sans émotion)* a sangre fría.

froisser *vt* 1. *(tissu)* arrugar 2. fig *(personne)* ofender, herir. ■ **se froisser** *vp* 1. *(tissu)* arrugarse 2. *(muscle)* lesionarse 3. fig *(personne)* ofenderse.

frôler *vt* rozar.

fromage *nm* queso *(m).*

fromager, ère *adj* & *nm, f* quesero(ra).

fromagerie *nf* 1. *(magasin)* quesería *(f)* 2. *(industrie)* industria *(f)* quesera.

froment *nm* trigo *(m)* candeal.

froncer *vt* fruncir ▪ **froncer les sourcils** fruncir el ceño.

frondaison *nf* 1. *(période)* foliación *(f)* 2. *(feuillage)* frondosidad *(f).*

fronde *nf* 1. *(arme)* honda *(f)* 2. *(jouet)* tirachinas *(m inv)*, tirador *(m)* 3. *(révolte)* revuelta *(f).*

front *nm* 1. *(gén)* frente *(m)* 2. ANAT frente *(f)* 3. fig *(audace)* cara *(f).*

frontal, e *adj* frontal.

frontalier, ère ◙ *adj* fronterizo(za). ◙ *nm, f* ▪ **les (travailleurs) frontaliers** los (trabajadores) fronterizos.

frontière ◙ *adj* fronterizo(za). ◙ *nf* frontera *(f).*

fronton *nm* frontón *(m).*

frottement *nm* 1. *(contact)* fricción *(f)* 2. fig *(conflit)* roce *(m).*

frotter ◙ *vt* 1. *(mettre en contact)* frotar 2. *(astiquer, enduire)* restregar ▪ **frotter qqch de qqch** restregar algo con algo. ◙ *vi* rozar.

frottis *nm* 1. MÉD citología *(f)* ▪ **frottis vaginal** citología vaginal 2. ART pincelada *(f).*

fructifier *vi* fructificar.

fructueux, euse *adj* fructífero(ra).

frugal, e *adj* frugal.

fruit *nm* 1. *(d'arbre)* fruta *(f)* 2. fig *(résultat, profit)* fruto *(m).* ▪ **fruits de mer** *nmpl* marisco *(m).*

fruité, e *adj* afrutado(da).

fruitier, ère ◙ *adj (arbre)* frutal. ◙ *nm, f* frutero *(m)*, -ra *(f).* ▪ **fruitier** *nm* 1. *(local)* frutería *(f)* 2. *(Suisse) (fromager)* quesero *(m)*, -ra *(f).*

fruste *adj* basto(ta).

frustration *nf* frustración *(f).*

frustrer *vt* 1. *(décevoir)* frustrar 2. *(priver)* ▪ **frustrer qqn de qqch** privar a alguien de algo.

fuchsia *nm* fucsia *(f).*

fugace *adj* fugaz.

fugitif, ive ◙ *adj* fugaz. ◙ *nm, f* fugitivo *(m)*, -va *(f).*

fugue *nf* fuga *(f).*

- l'abricot / el albaricoque
- l'airelle / el arándano rojo
- l'ananas / la piña
- l'avocat / el aguacate
- la banane / el plátano
- le cassis / la grosella negra
- la cerise / la cereza
- le citron / el limón
- le citron vert / la lima
- la clementine / la clementina
- la figue / el higo
- la fraise / la fresa
- la framboise / la frambuesa
- le fruit de la passion / el maracuyá
- la goyave / la guayaba
- la grenade / la granada
- la groseille / la grosella
- le kiwi / el kiwi
- la mangue / el mango
- le melon / el melón
- la mûre / la mora
- la myrtille / el arándano
- la noix de coco / el coco
- l'orange / la naranja
- la pastèque / la sandía
- la pêche / el melocotón
- la poire / la pera
- la pomme / la manzana
- la prune / la ciruela
- le raisin / la uva.

fuir *vi* 1. *(personne)* huir 2. *(gaz, eau)* escaparse 3. fig *(temps)* irse.

fuite *nf* 1. *(de personne)* huida *(f)* 2. *(de gaz, d'eau)* escape *(m)* 3. fig *(indiscrétion)* filtración *(f).*

fulgurant, e *adj* fulgurante.

fulminer ◙ *vi* estallar ▪ **fulminer contre qqn** montar en cólera contra alguien. ◙ *vt* sout espetar.

fumé, e *adj* ahumado(da).

fumée *nf* humo *(m).*

fumer ◙ *vi* 1. *(cheminée, bouilloire, etc)* humear 2. fam *(personne)* echar humo. ◙ *vt* 1. *(cigarette)* fumar 2. *(saumon)* ahumar 3. AGRIC abonar.

fumette *nf fam* ▪ **se faire une fumette** fumarse un porro.

fumeur, euse *nm, f* fumador *(m)*, -ra *(f).*

fumier *nm* 1. AGRIC estiércol *(m)* 2. tfam *(salaud)* cabrón *(m) (Esp)*, concha *(f)* de su madre *(Amér).*

fumiste *nmf fam* cuentista *(mf).*

fumisterie *nf fam* camelo *(m).*

fumoir *nm* 1. *(pour poisson)* ahumadero *(m)* 2. *(salon)* fumadero *(m).*

funambule *nmf* funámbulo *(m)*, -la *(f).*

funèbre *adj* fúnebre.

funérailles *nfpl* funerales *(mpl).*

funéraire *adj* funerario(ria).

funeste *adj* funesto(ta).

funiculaire *nm* funicular *(m)*.

fur ■ **au fur et à mesure** *loc adv* poco a poco. ■ **au fur et à mesure que** *loc conj* a medida que, conforme.

furet *nm* 1. *(animal)* hurón *(m)* 2. *péj (personne)* fisgón *(m)* 3. *(jeu)* anillito *(m)*.

fureter *vi* 1. *(fouiller)* fisgonear 2. *(chasser)* huronear.

fureur *nf* furor *(m)*.

furibond, e *adj* furibundo(da).

furie *nf* 1. *(gén)* furia *(f)* ● **mettre qqn en furie** enfurecer a alguien ● **en furie** enfurecido(da) 2. *fig (femme)* harpía *(f)*.

furieux, euse *adj* 1. *(personne, acte, air)* furioso(sa) 2. *(haine, appétit)* terrible.

furoncle *nm* forúnculo *(m)*.

furtif, ive *adj* furtivo(va).

fusain *nm* 1. *(arbre)* bonetero *(m)* 2. *(crayon)* carboncillo *(m)* 3. *(dessin)* dibujo *(m)* al carbón.

fuseau *nm* 1. *(outil)* huso *(m)* 2. *(vêtement)* pitillo *(m)* 3. *(de ski)* fuseau *(m)*. ■ **fuseau horaire** *nm* huso *(m)* horario.

fusée *nf* 1. *(gén)* cohete *(m)* 2. *(d'un essieu)* mangueta *(f)*, manga *(f)*.

fuselage *nm* fuselaje *(m)*.

fuselé, e *adj* fino(na).

fuser *vi (rires, applaudissements)* esta lar.

fusible *nm* fusible *(m)*.

fusil *nm* 1. *(arme - gén)* fusil *(m)* ● *(- de chasse)* escopeta *(f)* 2. *(tireur)* tirador *(m)*, -ra *(f)* 3. *(outil)* máquina *(f)* afiladora.

fusillade *nf* 1. *(combat)* tiroteo *(m)* (Esp), balacera *(f)* (Amér) 2. *(exécution)* fusilamiento *(m)*.

fusiller *vt* 1. *(exécuter)* fusilar 2. *fam (abîmer)* cargarse.

fusion *nf* 1. *(gén & ÉCON)* fusión *(f)* 2. *(de races, de peuples)* mezcla *(f)*.

fusionnel, elle *adj* fusional.

fusionner ■ *vt* fusionar. ■ *vi* ● **fusionner (avec qqch)** fusionarse (con algo).

fustiger *vt sout* fustigar.

fût *nm* 1. *(d'arbre)* tronco *(m)* 2. *(tonneau)* tonel *(m)* 3. *(d'arme)* caña *(f)* 4. *(de colonne)* fuste *(m)*.

futaie *nf* monte *(m)* alto.

futile *adj* 1. *(insignifiant)* fútil 2. *(frivole)* frívolo(la).

futon *nm* futón *(m)*.

futur, e ■ *adj* futuro(ra). ■ *nm, f (fiancé)* futuro *(m)*, -ra *(f)*. ■ **futur** *nm* futuro *(m)*.

futuriste *adj & nmf* futurista.

fuyant, e *adj* 1. *(perspective)* lejano(na) 2. *(lignes)* de fuga 3. *(front, menton)* deprimido(da) 4. *(regard)* huidizo(za).

fuyard, e *nm, f* fugitivo *(m)*, -va *(f)*.

g, G *nm inv (lettre)* g *(f)*, G *(f)*. ■ **g** 1. *(abr écrite de gauche)* izda., izqda. 2. *(abr écrite de gramme)* g. ■ **G** 1. *(abr écrite de gauss)* G 2. *(abr écrite de giga)* G.

gabardine *nf* gabardina *(f)*.

gabarit *nm* 1. *(modèle)* gálibo *(m)* 2. *fam (importance)* calaña *(f)* 3. *fam (carrure)* cuerpo *(m)*.

Gabon *npr* ● **le Gabon** Gabón.

gâcher *vt* 1. *(gaspiller - argent, talent)* malgastar ● *(- vie)* arruinar ● *(- occasion)* perder ● *(- nourriture)* echar a perder 2. *(plaisir)* estropear 3. *(plâtre, mortier)* amasar.

gâchette *nf* gatillo *(m)*.

gâchis *nm* 1. *(gaspillage)* derroche *(m)* 2. *(désordre)* desastre *(m)* 3. CONSTR mortero *(m)*.

gadget *nm* chisme *(m)*.

gadoue *nf fam* barro *(m)*.

gaffe *nf* 1. *(outil)* bichero *(m)* 2. *fam (maladresse)* plancha *(f)*, metedura *(f)* de pata.

gaffer ■ *vt* aferrar con el bichero. ■ *vi fam* meter la pata.

gag *nm* 1. CINÉ & THÉÂTRE gag *(m)* 2. *(plaisanterie)* broma *(f)*.

gage *nm* 1. *(dépôt)* prenda *(f)* ● **mettre qqch en gage** empeñar algo 2. *(assurance, preuve)* testimonio *(m)*, prueba *(f)* 3. *(au jeu)* prenda *(f)*.

gager *vt* ● **gager que** apostar que.

gageure *nf fam* apuesta *(f)*.

gagnant, e *adj & nm, f* ganador(ra).

gagne-pain *nm inv* sustento *(m)*.

gagner ■ *vt* 1. *(gén)* ganar 2. *(estime)* ganarse. ■ *vi* 1. *(s'améliorer)* ● **gagner à** ganar al ● **ce vin gagne à vieillir** este vino gana al envejecer ● **gagner en** ganar en 2. *(se propager)* extenderse.

À PROPOS DE...

gagner

Notez la différence de construction : « gagner sa vie » **ganarse la vida**; l'espagnol a recours à une construction verbale pronominale. L'adjectif possessif est beaucoup moins utilisé en espagnol qu'en français.

gai, e *adj* alegre.

gaieté nf alegría (f).

gaillard, e ◼ adj 1. (alerte) ágil 2. (grivois) atrevido(da). ◼ nm, f buen mozo (m), buena moza (f). ◼ **gaillard** nm NAUT castillo (m).

gain nm 1. (gén) ganancia (f) • **il a obtenu gain de cause** le han dado la razón 2. (économie) ahorro (m).

gaine nf 1. (gén) funda (f) 2. (sous-vêtement) faja (f).

gaine-culotte nf faja pantalón (f).

gainer vt enfundar.

gala nm gala (f).

galant, e adj galante. ◼ **galant** nm vieilli & hum galán (m).

galanterie nf galantería (f).

galaxie nf galaxia (f).

galbe nm línea (f) (perfil).

gale nf sarna (f).

galère nf 1. NAUT galera (f) 2. fam (situation désagréable) berenjenal (m) • **quelle galère !** ¡menudo lío!

galerie nf 1. (gén) galería (f) 2. (porte-bagages) baca (f).

galet nm 1. (caillou) canto (m) rodado, guijarro (m) 2. TECHNOL ruedecilla (f).

galette nf 1. (gâteau) torta (f) 2. (crêpe) crepe (f) salada 3. fam (argent) pasta (f), pelas (fpl).

galipette nf fam voltereta (f).

Galles npr ▷ **pays**.

gallicisme nm galicismo (m).

galon nm 1. COUT pasamano (m) 2. MIL galón (m).

galop nm galope (m) • **au galop** (cheval) al galope • fig rápido.

galoper vi 1. (gén) galopar 2. (personne) trotar.

galopin nm fam galopín (m), pilluelo (m).

galvaniser vt galvanizar.

galvauder vt 1. (nom, gloire, réputation) manchar 2. (talent, dons) prostituir.

gambader vi saltar.

gamelle nf (plat) escudilla (f).

gamin, e ◼ adj 1. (espiègle) travieso(sa) 2. péj (infantile) crío(a). ◼ nm, f 1. fam (enfant) crío (m), -a (f) 2. (des rues) pilluelo (m), -la (f).

gamme nf 1. MUS escala (f), gama (f) 2. (série) gama (f) • **gamme de produits** gama de artículos.

gang nm banda (f).

ganglion nm ganglio (m).

gangrène nf gangrena (f).

gangue nf 1. (de minerai) ganga (f) 2. fig (carcan) tenaza (f).

gant nm guante (m).

garage nm 1. (abri) garaje (m) 2. (atelier) taller (m) (Esp), refaccionaria (f) (Amér).

garagiste nmf mecánico (m) • **chez le garagiste** en ou al taller.

garant, e nm, f 1. DR (responsable) garante (mf) • **se porter garant de qqn/de qqch** responder de alguien/de algo 2. ÉCON (de dette) avalador (m), -ra (f) • **se porter garant de qqn** avalar a alguien. ◼ **garant** nm garantía (f).

garantie nf garantía (f) • **sous garantie** en garantía.

garantir vt 1. (gén) garantizar • **garantir à qqn que** garantizar a alguien que 2. (protéger) proteger • **garantir qqch/qqn de qqch** proteger algo/a alguien de algo.

garçon nm 1. (jeune homme) chico (m), muchacho (m) 2. (assistant) dependiente (m) • **garçon boucher** dependiente de carnicería 3. (serveur) camarero (m) (Esp), mozo (m) (Amér).

garçonnet nm niñito (m).

garçonnière nf apartamento (m) de soltero.

garde ◼ nf 1. (gén) guardia (f) • **monter la garde** montar guardia • **être** ou **se tenir sur ses gardes** estar sobre aviso • **mettre qqn en garde contre qqch** poner a alguien en guardia contra algo 2. DR (charge) custodia (f) • **garde alternée des enfants** custodia compartida de los hijos, custodia alternada ou en alternancia de los hijos. ◼ nm (gardien) guarda (mf).

garde-à-vous nm inv posición (f) de firmes • **se mettre au garde-à-vous** ponerse firme.

garde-boue nm inv guardabarros (m inv) (Esp), salpicadera (f) (Amér).

garde-chasse nm guarda (m) de caza.

garde-fou nm pretil (m).

garde-malade nmf enfermero (m), -ra (f).

garde-manger nm inv despensa (f).

garde-meuble nm guardamuebles (m inv).

garde-pêche ◼ nm (personne) guarda (m) de pesca. ◼ nm inv (bateau) guardapesca (m).

garder vt 1. (secret, silence, place) guardar 2. (enfant, entrée, porte) vigilar 3. (prisonnier) detener 4. (conserver - denrées) conservar • (- paquet, vêtement) quedarse con 5. (invité) retener. ◼ **se garder** vp 1. (se conserver) conservarse 2. (s'abstenir) • **se garder de faire qqch** guardarse de hacer algo 3. (se méfier) • **se garder de qqch/de qqn** guardarse de algo/alguien.

garderie nf guardería (f).

garde-robe nf 1. (armoire) ropero (m) 2. (vêtements) guardarropa (m), vestuario (m).

gardien, enne nm, f 1. (gén) guarda (mf), vigilante (mf) 2. (d'immeuble) portero (m), -ra (f) • **gardien de nuit** vigilante nocturno.

gare[1] nf estación (f).

gare[2] interj 1. (attention) ¡cuidado! • **gare à** cuidado con 2. (exprime la menace) ¡ya verás!

garer *vt* aparcar *(Esp)*, parquear *(Amér)*. ■ **se garer** *vp* **1.** *(automobiliste)* aparcar **2.** *(se ranger de côté)* apartarse **3.** *(éviter)* • **se garer (de qqch)** protegerse (de algo).

gargariser ■ **se gargariser** *vp* **1.** *(se rincer)* hacer gárgaras **2.** *péj (se délecter)* • **se gargariser de qqch** regodearse en algo.

gargouiller *vi* **1.** *(eau)* gorgotear **2.** *(intestins)* hacer ruido.

garnement *nm* diablillo *(m)*.

Garnier *npr* • **le palais Garnier** el Palacio Garnier.

garnir *vt* **1.** *(équiper)* equipar **2.** *(couvrir)* • **garnir qqch de** cubrir algo de **3.** *(orner)* • **garnir qqch de** guarnecer algo con **4.** *(approvisionner, remplir)* llenar.

garnison *nf* guarnición *(f)*.

garniture *nf* **1.** *(de lit)* juego *(m)* **2.** culin guarnición *(f)* **3.** auto accesorios *(mpl)*.

garrigue *nf* garriga *(f)*.

garrot *nm* **1.** *(de cheval)* cruz *(f)* **2.** méd torniquete *(m)* **3.** *(de torture)* garrote *(m)*.

gars *nm fam* tipo *(m)*.

Gascogne *npr* ➪ **golfe**.

gas-oil, gazole *nm* gasoil *(m)*, gasóleo *(m)*.

gaspillage *nm* despilfarro *(m)*.

gaspiller *vt* despilfarrar.

gastrique *adj* gástrico(ca).

gastro-entérite *nf* gastroenteritis *(f inv)*.

gastronome *nmf* gastrónomo *(m)*, -ma *(f)*.

gastronomie *nf* gastronomía *(f)*.

gâteau *nm* pastel *(m)* • **gâteau marbré** *pour expliquer à un hispanophone ce que c'est, vous pouvez dire :* es un pastel al que el contraste entre el chocolate y el bizcocho da un aspecto jaspeado.

gâter *vt* **1.** *(avarier, gâcher)* estropear **2.** *(affaire)* arruinar **3.** *(enfant)* mimar *(Esp)*, apapachar *(Amér)* **4.** *iron (combler)* • **on est gâtés !** ¡lo que faltaba! ■ **se gâter** *vp* **1.** *(gén)* estropearse **2.** *(situation)* ponerse feo(a).

gâteux, euse ■ *adj* chocho(cha). ■ *nm, f* viejo chocho *(m)*, vieja chocha *(f)*.

gauche ■ *adj* **1.** *(côté)* izquierdo(da) **2.** *(personne)* torpe. ■ *nm ou nf (en boxe)* izquierda *(f)*. ■ *nf* izquierda *(f)*.

gaucher, ère *adj & nm, f* zurdo(da).

gauchiste *adj & nmf* izquierdista.

gaufre *nf* gofre *(m)*.

gaufrer *vt* gofrar.

gaufrette *nf* barquillo *(m)*.

gaule *nf* **1.** *(perche)* vara *(f)* **2.** *(canne à pêche)* caña *(f)* (de pescar).

gauler *vt* varear.

gaulliste *adj & nmf* gaullista.

gaulois, e ■ *adj* **1.** *(de Gaule)* galo(la) **2.** *(osé)* picaresco(ca). ■ **Gaulois, e** *nm, f* galo *(m)*, -la *(f)*.

gausser ■ **se gausser** *vp sout* • **se gausser de qqn/de qqch** mofarse de alguien/de algo.

gaver *vt* cebar.

gay *adj & nmf* gay.

gaz *nm inv* gas *(m)*.

gaze *nf* gasa *(f)*.

gazelle *nf* gacela *(f)*.

gazer *vt* gasear.

gazette *nf* gaceta *(f)*.

gazeux, euse *adj* **1.** chim gaseoso(sa) **2.** *(boisson)* con gas.

gazoduc *nm* gasoducto *(m)*, gaseoducto *(m)*.

gazole = **gas-oil**.

gazon *nm* césped *(m)* • **sur gazon** sport sobre hierba.

gazouiller *vi* **1.** *(oiseau)* trinar, gorjear **2.** *(bébé)* balbucear.

GB, G-B *(abr écrite de* **Grande-Bretagne***)* GB.

gd *(abr écrite de* **grand***)* g.

geai *nm* arrendajo *(m)*.

géant, e ■ *adj* gigante, gigantesco(ca). ■ *nm, f* gigante *(m)*, -ta *(f)*.

geindre *vi* gemir.

gel *nm* **1.** météor helada *(f)* **2.** *(cosmétique)* gel *(m)* **3.** *fig (des salaires, activités)* congelación *(f)*.

gélatine *nf* gelatina *(f)*.

gelée *nf* **1.** météor helada *(f)* **2.** culin *(de viandes)* gelatina *(f)* **3.** culin *(de fruits)* jalea *(f)*, gelatina *(f)*.

geler ■ *vt* **1.** *(gén)* helar **2.** *(salaires, activité)* congelar. ■ *vi* helarse. ■ *v impers* helar • **il gèle** hiela.

gélule *nf* cápsula *(f)*, *(medicamento)*.

Gémeaux *nmpl* Géminis *(m inv)*.

gémir *vi* gemir.

gémissement *nm* gemido *(m)*.

gemme *nf* gema *(f)*.

gênant, e *adj* molesto(ta).

gencive *nf* encía *(f)*.

gendarme *nm* gendarme *(m)*, ≃ guardia *(m)* civil.

gendarmerie *nf* gendarmería *(f)*, ≃ Guardia *(f)* Civil.

gendre *nm* yerno *(m)*.

gène *nm* gen *(m)*.

gêne *nf* *(physique, psychologique)* molestia *(f)* • **éprouver de la gêne à faire qqch** costarle a uno hacer algo • **mettre qqn dans la gêne** poner a alguien en un apuro.

généalogie *nf* genealogía *(f)*.

généalogique *adj* genealógico(ca).

gêner *vt* **1.** *(embarrasser, incommoder)* molestar **2.** *(encombrer, entraver)* molestar, estorbar.

général, e adj general. ■ **général** nm MIL general (m). ■ **générale** nf 1. THÉÂTRE ensayo (m) general 2. MIL generala (f).

généralisation nf generalización (f).

généraliser vt generalizar. ■ **se généraliser** vp generalizarse.

généraliste ▨ adj generalista. ▨ nmf médico (m), -ca (f) generalista.

généralité nf generalidad (f). ■ **généralités** nfpl generalidades (fpl).

générateur, trice adj generador(ra). ■ **générateur** nm generador (m). ■ **génératrice** nf generador (m).

génération nf generación (f) • **génération spontanée** generación espontánea.

générer vt generar.

généreux, euse adj generoso(sa).

générique ▨ adj 1. LING genérico(ca) 2. MÉD • **médicament générique** medicamento (m) genérico. ▨ nm títulos (mpl) de crédito.

générosité nf generosidad (f).

genèse nf génesis (f inv). ■ **Genèse** nf • **la Genèse** el Génesis.

genêt nm retama (f).

génétique ▨ adj genético(ca). ▨ nf genética (f).

Genève npr Ginebra.

génial, e adj genial.

génie nm 1. (gén) genio (m) 2. TECHNOL ingeniería (f) 3. MIL (corps) cuerpo (m) de ingenieros militares.

genièvre nm enebro (m).

génisse nf becerra (f).

génital, e adj genital.

génitif nm genitivo (m).

génocide nm genocidio (m).

génotype nm genotipo (m).

genou nm rodilla (f) • **se mettre à genoux** arrodillarse.

genouillère nf rodillera (f).

genre nm 1. (gén) género (m) 2. (style) estilo (m).

gens nmpl gente (f).

gentiane nf genciana (f).

gentil, ille adj 1. (sage) bueno(na) • **un enfant très gentil** un niño muy bueno 2. (aimable) amable.

gentillesse nf 1. (qualité) amabilidad (f) 2. (geste) atención (f).

gentiment adv 1. (aimablement) amablemente 2. (Suisse) (tranquillement) tranquilamente.

génuflexion nf genuflexión (f).

géographe nmf geógrafo (m), -fa (f).

géographie nf geografía (f).

geôlier, ère nm, f sout carcelero (m), -ra (f).

géologie nf geología (f).

géologue nmf geólogo (m), -ga (f).

géomètre nmf 1. (spécialiste de géométrie) geómetra (mf) 2. (technicien) topógrafo (m), -fa (f).

géométrie nf geometría (f).

géosphère nf geosfera (f).

gérance nf gerencia (f).

géranium nm geranio (m).

gérant, e nm, f gerente (mf).

gerbe nf 1. (de fleurs) ramo (m) 2. (de blé) gavilla (f), haz (m) 3. (d'étincelles) haz (m) 4. (d'eau) chorro (m).

gercé, e adj cortado(da).

gerçure nf grieta (f).

gérer vt administrar.

gériatrie nf geriatría (f).

germain, e adj hermano(na).

germanique adj germánico(ca).

germe nm germen (m).

germer vi germinar.

gésier nm molleja (f).

gésir vi sout yacer.

gestation nf gestación (f).

geste nm gesto (m).

gesticuler vi gesticular.

gestion nf administración (f), gestión (f).

geyser nm géiser (m).

Ghana nm • **le Ghana** Ghana.

ghetto nm gueto (m).

ghettoïsation nf confinamiento (m) en guetos.

gibet nm horca (f).

gibier nm caza (f).

giboulée nf chubasco (m).

Gibraltar npr Gibraltar.

gicler vi salpicar con fuerza.

gifle nf bofetada (f) (Esp), cachetada (f) (Amér).

gifler vt 1. (sujet : personne) dar una bofetada 2. (sujet : vent, pluie) golpear.

gigantesque adj gigantesco(ca).

GIGN (abr de **Groupe d'intervention de la gendarmerie nationale**) nm ≃ GEO (mpl) (Grupo Especial de Operaciones) • **les hommes/gendarmes du GIGN** ≃ los GEO.

gigolo nm gigoló (m).

gigot nm CULIN pierna (f).

gigoter vi patalear • **arrête de gigoter !** ¡estate quieto!

gilet nm 1. (cardigan) chaqueta (f) de punto 2. (sans manches) chaleco (m).

gin nm ginebra (f).

gingembre nm jengibre (m).

girafe nf jirafa (f).

giratoire adj giratorio(ria).

girofle nm ⊳ **clou**.

girouette nf veleta (f) • **cet enfant est une girouette** fig este niño es un veleta.

gisement *nm* yacimiento *(m)*.

gitan, e *adj* gitano(na). ■ **Gitan, e** *nm, f* gitano *(m)*, -na *(f)*.

gite *nm* **1.** *(du lièvre)* madriguera *(f)* **2.** CULIN redondo *(m)*.

givre *nm* escarcha *(f)*.

glabre *adj* lampiño(ña).

glace *nf* **1.** *(eau congelée)* hielo *(m)* **2.** *(crème glacée)* helado *(m)* **3.** *(plaque de verre)* luna *(f)* **4.** *(de voiture - avant et arrière)* luneta *(f)* • *(- de côté)* ventanilla *(f)* **5.** *(miroir)* espejo *(m)*.

glacé, e *adj* **1.** *(gén)* helado(da) **2.** CULIN *(au sucre)* glaseado(da).

glacer *vt* **1.** *(gén)* helar **2.** CULIN *(au sucre)* glasear.

glacial, e *adj* glacial.

glacier *nm* **1.** GÉOGR glaciar *(m)* **2.** *(marchand de glaces)* vendedor *(m)* de helados.

glaçon *nm* **1.** *(glace naturelle)* témpano *(m)* *(de hielo)* **2.** *(cube de glace)* cubito *(m)* de hielo **3.** fig *(personne)* témpano *(m)*.

gladiateur *nm* gladiador *(m)*.

glaïeul *nm* gladiolo *(m)*.

glaire *nf* flema *(f)*.

glaise *nf* arcilla *(f)*.

glaive *nm* espada *(f)*.

gland *nm* **1.** *(fruit du chêne)* bellota *(f)* **2.** *(ornement)* borla *(f)* **3.** ANAT glande *(m)*.

glande *nf* glándula *(f)*.

glaner *vt* espigar.

glapir *vi* gañir.

glas *nm* doble *(m)*.

glauque *adj* **1.** *(eau, yeux)* glauco(ca) **2.** fam *(ambiance)* sórdido(da).

glissade *nf* deslizamiento *(m)*.

glissant, e *adj* **1.** *(route, chaussée)* resbaladizo (za) **2.** *(savon)* escurridizo(za).

glissement *nm* **1.** *(action de glisser)* deslizamiento *(m)* **2.** fig *(déplacement)* desplazamiento *(m)*.

glisser ■ *vi* **1.** *(patineur, skieur)* deslizarse • **glisser sur qqch** *(se déplacer)* deslizarse sobre algo • *(déraper)* resbalar sobre algo • fig *(ne pas insister)* tratar por encima *ou* superficialmente algo **2.** *(surface)* resbalar **3.** fig *(progresser)* desplazarse • **glisser vers qqch** desplazarse hacia algo **4.** INFORM • **faire glisser** arrastrar. ■ *vt* **1.** *(introduire)* deslizar **2.** *(donner)* pasar • **glisser qqch à qqn** pasar algo a alguien **3.** *(regard)* lanzar **4.** *(mots)* susurrar. ■ **se glisser** *vp* *(se faufiler)* colarse • **se glisser dans qqch** *(personne)* deslizarse en algo *ou* colarse en algo.

glisser-déposer *vt* INFORM arrastrar y soltar.

glissière *nf* corredera *(f)*.

global, e *adj* global.

globalement *adv* globalmente.

globalisation *nf* *(d'un marché)* globalización *(f)*, internacionalización *(f)*.

globe *nm* globo *(m)*.

globule *nm* glóbulo *(m)* • **globule blanc/rouge** glóbulo blanco/rojo.

gloire *nf* **1.** *(renommée)* gloria *(f)* **2.** *(mérite)* mérito *(m)* **3.** *(fierté)* orgullo *(m)*.

glorieux, euse *adj* glorioso(sa).

glossaire *nm* glosario *(m)*.

glousser *vi* **1.** *(poule)* cloquear **2.** péj *(rire)* reír ahogadamente.

glouton, onne *adj* & *nm, f* glotón(ona).

glu *nf* liga *(f)* *(cola)*

gluant, e *adj* pegajoso(sa).

glucide *nm* glúcido *(m)*.

glycémie *nf* glucemia *(f)*.

glycine *nf* glicina *(f)*.

GMT *(abr de Greenwich Mean Time)* GMT • **la France est à GMT +1 en hiver** Francia está en GMT + 1 en invierno.

go ■ **tout de go** *loc adv* directamente.

goal *nm* portero *(m)* *(en fútbol)*.

gobelet *nm* *(en métal, pour les dés)* cubilete *(m)* • **gobelet en plastique/carton** vaso *(m)* de plástico/papel.

gober *vt* **1.** *(avaler)* sorber **2.** fam *(croire)* tragarse.

godet *nm* **1.** *(récipient)* cortadillo *(m)* **2.** COUT pliegue *(m)* • **à godets** plegado(da).

godiller *vi* **1** *(embarcation)* cinglar **2.** *(skieur)* hacer bedel.

goéland *nm* gaviota *(f)*.

goélette *nf* goleta *(f)*.

goguenard, e *adj* guasón(ona), burlón(ona).

goinfre *nmf* fam tragón *(m)*, -ona *(f)*, tragaldabas *(mf inv)*.

goitre *nm* bocio *(m)*.

golf *nm* golf *(m)*.

golfe *nm* golfo *(m)* • **le golfe de Gascogne** el golfo de Vizcaya • **le golfe Persique** el golfo Pérsico.

gomme *nf* **1.** *(substance, pour effacer)* goma *(f)* **2.** *(bonbon)* pastilla *(f)* de goma, gominola *(f)*.

gommer *vt* **1.** *(gén)* borrar **2.** *(enduire de gomme)* engomar.

gond *nm* gozne *(m)*.

gondole *nf* góndola *(f)*.

gondoler *vi* combarse.

gonflé, e *adj* **1.** *(déformé)* hinchado(da) **2.** fam *(culotté)* • **être gonflé** tener morro.

gonfler ■ *vt* hinchar, inflar. ■ *vi* hincharse.

gonflette *nf* • **faire de la gonflette** fam trabajar la musculación.

gong *nm* gong *(m)*.

gorge *nf* **1.** *(gosier)* garganta *(f)* **2.** *(cou)* cuello *(m)* **3.** sout *(de femme)* pecho *(m)* **4.** GÉOGR garganta *(f)*.

gorgée *nf* trago *(m)*.

gorger vt • **gorger qqn de qqch** (gaver) cebar a alguien con algo • **gorger qqch de qqch** saturar algo de algo.

gorille nm gorila (m).

gosier nm gaznate (m).

gosse nmf fam chaval (m), -la (f) (Esp), chamaco (m), -ca (f) (Amér).

gothique adj gótico(ca).

gouache nf guache (m), aguada (f).

goudron nm alquitrán (m).

goudronner vt alquitranar.

gouffre nm 1. (gén) abismo (m) 2. (ruine) pozo (m) sin fondo.

goujat nm patán (m).

goulet nm bocana (f).

goulot nm gollete (m).

goulu, e adj & nm, f tragón(ona).

goupillon nm 1. RELIG hisopo (m) 2. (à bouteille) escobilla (f) (para limpiar botellas).

gourd, e adj entumecido(da).

gourde ◼ adj fam zoquete. ◼ nf 1. (bouteille) cantimplora (f) 2. fam (personne) zoquete (mf).

gourdin nm porra (f).

gourmand, e adj & nm, f goloso(sa).

gourmandise nf 1. (défaut) glotonería (f) 2. (sucrerie) golosina (f).

gourmet nm gourmet (m).

gourmette nf esclava (f).

gousse nf vaina (f).

goût nm 1. (sens, jugement esthétique) gusto (m) 2. (saveur) gusto (m), sabor (m) 3. (style) estilo (m) 4. (penchant) afición (f), inclinación (f).

goûter ◼ vt 1. (aliment, boisson) probar 2. (musique, sensation) disfrutar de 3. sout (auteur, plaisanterie) apreciar. ◼ vi 1. (gén) probar 2. (prendre une collation) merendar. ◼ nm merienda (f).

goutte ◼ nf 1. (gén) gota (f) 2. fam (alcool) chupito (m). ◼ adv (de négation) sout • **ne... goutte** ni gota. ◼ **gouttes** nfpl (médicament) gotas (fpl).

goutte-à-goutte nm inv gota a gota (m).

gouttelette nf gotita (f).

gouttière nf 1. CONSTR canalón (m) 2. MÉD entablillado (m).

gouvernail nm timón (m).

gouvernante nf 1. (d'enfants) aya (f) 2. (dame de compagnie) ama (f) de llaves, gobernanta (f).

gouvernement nm gobierno (m).

gouverner vt gobernar.

gouverneur nm gobernador (m).

grâce nf gracia (f) • **de bonne/mauvaise grâce** de buena/mala gana. ◼ **grâce à** loc prép gracias a.

gracier vt indultar.

gracieusement adv 1. (avec grâce) con gracia 2. (gratuitement) graciosamente.

gracieux, euse adj (danseuse, bébé) lleno(na) de gracia, grácil.

gradation nf gradación (f).

grade nm grado (m).

gradé, e adj & nm, f suboficial.

gradin nm 1. (d'amphithéâtre, de stade) grada (f) 2. (de terrain) escalón (m).

graduation nf graduación (f).

graduel, elle adj gradual.

graduer vt graduar.

graff (abr de **graffiti**) nm pintada (f).

graffiti nm pintada (f).

grain nm (gén) grano (m).

graine nf semilla (f), simiente (f).

graisse nf 1. (gén) grasa (f) 2. (pour cuisiner) manteca (f).

graisser vt 1. (machine) engrasar 2. (salir) manchar de grasa.

grammaire nf gramática (f).

grammatical, e adj gramatical.

gramme nm (unité de poids) gramo (m).

grand, e ◼ adj 1. (gén) grande, gran • **un grand volume** un volumen grande, un gran volumen • **prendre de grands airs** darse aires de grandeza • **grand âge** edad avanzada • **grands mots** palabras mayores 2. (en hauteur) alto(ta) 3. (en âge) mayor. ◼ nm, f 1. (adulte) persona (f) mayor 2. (personnalité) gran figura (f) 3. (terme d'affection) • **mon grand** grandullón (m), -ona (f).

grand-angle, grand-angulaire nm gran angular (m).

grand-chose pron indéf • **ce n'est pas grand-chose** no es gran cosa, es poca cosa.

Grande-Bretagne npr • **la Grande-Bretagne** Gran Bretaña.

grandeur nf 1. (dimension) tamaño (m) 2. (splendeur) grandeza (f) 3. fig (morale) grandeza (f), magnitud (f).

grandir ◼ *vt* **1.** *(rehausser)* hacer (parecer) más alto ⸗. *fig (moralement)* engrandecer. ◼ *vi* crecer.

grand-mère *nf* abuela *(f)* *(Esp)*, mamá *(f)* grande *(Amér)*.

grand-père *nm* abuelo *(m)* *(Esp)*, papá *(m)* grande *(Amér)*.

grands-parents *nmpl* abuelos *(mpl)*.

grange *nf* granero *(m)*.

granit, granite *nm* granito *(m)*.

granuleux, euse *adj* granuloso(sa).

graphique ◼ *adj* gráfico(ca). ◼ *nm* gráfico *(m)*, gráfica *(f)*.

graphisme *nm* grafismo *(m)*.

graphologie *nf* grafología *(f)*.

grappe *nf* racimo *(m)*.

grappiller ◼ *vt* **1.** *(fruits)* recoger **2.** *fig (renseignements, argent)* sacar. ◼ *vi fig* rebuscar.

grappin *nm* rezón *(m)*.

gras, grasse *adj* **1.** *(gén)* graso(sa) **2.** *(personne, animal)* gordo(da) **3.** *(vulgaire - plaisanterie)* grosero(ra) ⸗ *(- rire)* cazalloso(sa) **4.** *(crayon, toux)* blando(da) **5.** *(plante)* carnoso(sa) **6.** *(sol, terre)* fértil. ◼ **gras** ◼ *nm* **1.** *(du jambon)* tocino *(m)* **2.** *(de partie du corps)* grasa *(f)* **3.** TYPO negrita *(f)*, negrilla *(f)*. ◼ *adv* ◼ **manger gras** comer comida grasa ◼ **tousser gras** tener la tos blanda.

grassement *adv* **1.** *(vulgairement)* ◼ **parler/rire grassement** hablar/reír con la voz aguardentosa **2.** *(largement)* generosamente.

gratifier *vt* gratificar ◼ **gratifier qqn de qqch** *(d'un sourire, d'une récompense)* gratificar a alguien con algo ◼ *iron* obsequiar a alguien con algo.

gratin *nm* **1.** *(plat)* gratén *(m)*, gratinado *(m)* **2.** *fam (haute société)* flor y nata *(f)*.

gratiné, e *adj* **1.** CULIN gratinado(da) **2.** *fam (épreuve, examen)* de aúpa *(Esp)*, de la gran siete *(Amér)* **3.** *fam (plaisanterie, histoire)* fuerte.

gratis *adv* gratis.

gratitude *nf* gratitud *(f)*, agradecimiento *(m)*.

gratte-ciel *nm inv* rascacielos *(m inv)*.

grattement *nm* rascadura *(f)*.

gratter ◼ *vt* **1.** *(surface, tache, peinture)* rascar **2.** *(sujet . vêtement)* picar **3.** *fam (concurrent)* ganar **4.** *fam (économiser)* sacar. ◼ *vi* **1.** *(frapper)* ◼ **gratter à la porte** llamar suavemente a la puerta **2.** *(démanger)* picar **3.** *fam (écrire)* garrapatear **4.** *fam (travailler)* currar **5.** *fam (jouer)* ◼ **gratter d'un instrument** tocar mediocremente un instrumento. ◼ **se gratter** *vp* rascarse.

gratuit, e *adj* gratuito(ta).

gratuitement *adv* **1.** *(sans payer)* gratis, gratuitamente **2.** *(sans raison)* gratuitamente.

gravats *nmpl* escombros *(mpl)*, cascotes *(mpl)*.

grave *adj & nm* grave.

gravement *adv* **1.** *(parler)* con gravedad **2.** *(blesser)* de gravedad, gravemente.

graver *vt* **1.** *(gén & INFORM)* grabar **2.** *(papier)* imprimir.

gravier *nm* grava *(f)* *(Esp)*, pedregullo *(m)* *(Amér)*.

gravillon *nm* gravilla *(f)*.

gravir *vt* subir dificultosamente.

gravité *nf* gravedad *(f)*.

graviter *vi* **1.** *(astre)* gravitar **2.** *fig (évoluer)* ◼ **graviter autour de qqn/de qqch** girar alrededor de alguien/de algo.

gravure *nf* grabado *(m)*.

gré *nm* ◼ **contre mon gré** en contra de mi voluntad ◼ **de gré ou de force** por las buenas o por las malas.

grec, grecque *adj* griego(ga). ◼ **grec** *nm* LING griego *(m)*. ◼ **Grec, Grecque** *nm,f* griego *(m)*, -ga *(f)*.

Grèce *npr* ◼ **la Grèce** Grecia.

gréement *nm* NAUT aparejo *(m)*.

greffe ◼ *nf* **1.** MÉD trasplante *(m)* **2.** BOT injerto *(m)*. ◼ *nm* DR ≃ secretaría *(f)* del juzgado.

greffer *vt* **1.** *(organe)* trasplantar ◼ **greffer qqch à qqn** trasplantar algo a alguien **2.** BOT injertar. ◼ **se greffer** *vp* ◼ **se greffer sur qqch** sumarse a algo.

greffier *nm* DR ≃ secretario *(m)* -ria *(f)* judicial.

grégaire *adj* gregario(ria).

grêle ◼ *adj* **1.** *(jambe)* delgaducho(cha) **2.** *(son)* agudo(da). ◼ *nf* **1.** *(précipitation)* granizo *(m)* **2.** *fig (grande quantité)* lluvia *(f)*.

grêler ◼ *v impers* granizar ◼ **il grêle** está granizando. ◼ *vt* dañar.

grêlon *nm* granizo *(m)*.

grelot *nm* cascabel *(m)*.

grelotter *vi* tiritar ◼ **grelotter de froid** tiritar de frío.

grenade *nf* granada *(f)*.

Grenade *npr* **1.** *(île)* ◼ **la Grenade** la Granada **2.** *(ville d'Espagne)* Granada.

grenadier *nm* **1.** *(arbre)* granado *(m)* **2.** MIL *(soldat)* granadero *(m)*.

grenat *adj & nm* granate.

grenier *nm* **1.** *(de maison)* desván *(m)* **2.** *(à grain, région)* granero *(m)*.

grenouille *nf* rana *(f)*.

grès *nm* **1.** *(roche)* arenisca *(f)* **2.** *(poterie)* gres *(m)*.

grésiller *vi* **1.** chisporrotear **2.** *(grillon)* cantar.

grève *nf* **1.** *(protestation)* huelga *(f)* ◼ **faire (la) grève** hacer huelga **2.** *(rivage)* arenal *(m)*.

grever *vt* gravar ◼ **grever qqch de qqch** gravar algo con algo.

gréviste *adj & nmf* huelguista.

gribouiller *vt* **1.** *(écrire)* garabatear **2.** *(dessiner)* garabatear, pintarrajear.

grief *nm* queja *(f)* ▪ **faire grief de qqch à qqn** echar en cara algo a alguien.

grièvement *adv* gravemente.

griffe *nf* **1.** *(de fauve, etc)* garra *(f)*, zarpa *(f)* **2.** *(de chat)* uña *(f)* **3.** *(Belgique) (éraflure)* arañazo *(m)*.

griffé, e *adj (vêtement)* de marca.

griffer *vt* **1.** *(sujet : chat)* arañar **2.** *(sujet : créateur)* firmar.

grignoter ▪ *vt* **1.** *(du bout des dents)* mordisquear **2.** *(en dehors du repas)* picar **3.** *(capital, fortune)* pulirse. ▪ *vi* comisquear.

gril *nm* parrilla *(f)*.

grillade *nf* parrillada *(f)*.

grillage *nm* **1.** *(de porte, de fenêtre)* rejilla *(f)* **2.** *(clôture)* alambrada *(f)*.

grille *nf* **1.** *(portail)* cancela *(f)* **2.** *(de fenêtre, de ventilation)* reja *(f)* **3.** *(de guichet)* rejilla *(f)* **4.** *(de mots croisés, de loto)* encasillado *(m)* **5.** *(tableau)* cuadro *(m)*.

grille-pain *nm inv* tostadora *(f)*, tostador *(m)*.

griller ▪ *vt* **1.** *(viande, marron)* asar **2.** *(pain, café, amande)* tostar **3.** *(végétation, moteur)* quemar **4.** *(ampoule)* fundir **5.** *fam (cigarette)* fumarse **6.** *fam (feu rouge, étape)* saltarse **7.** *fam (concurrents)* pasar delante de **8.** *fam (compromettre)* quemar. ▪ *vi (viande)* asarse.

grillon *nm* grillo *(m)*.

grimace *nf* mueca *(f)*.

grimer *vt* caracterizar *(maquillar)*. ▪ **se grimer** *vp* caracterizarse *(maquillarse)*.

grimper ▪ *vt* trepar a. ▪ *vi* **1.** *(personne, animal, plante)* trepar ▪ **grimper sur qqch** *(arbre)* trepar a algo ▪ *(échelle, table)* subirse a algo **2.** *(route)* estar en cuesta **3.** *fig (prix)* subir.

grincement *nm* chirrido *(m)*.

grincer *vi* rechinar, chirriar.

grincheux, euse *adj & nm, f* gruñón(ona).

grippe *nf* MÉD gripe *(f) (Esp)*, gripa *(f) (Amér)*.

grippé, e *adj* griposo(sa).

gripper *vi* atrancarse.

gris, e *adj* **1.** *(gén)* gris **2.** *(saoul)* achispado(da). ▪ **gris** *nm* **1.** *(couleur)* gris *(m)* **2.** *(tabac)* tabaco *(m)* picado.

grisaille *nf* **1.** *(du ciel)* tono *(m)* gris **2.** *fig (de vie)* monotonía *(f)*.

grisant, e *adj* embriagador(ra).

griser *vt* embriagar.

grisonner *vi* encanecerse.

grisou *nm* grisú *(m)*.

grive *nf* tordo *(m)*.

grivois, e *adj* verde *(picante)*.

Groenland *npr* ▪ **le Groenland** Groenlandia.

grog *nm* grog *(m)*.

grognement *nm* gruñido *(m)*.

grogner *vi* gruñir.

groin *nm* morro *(m) (del cerdo)*.

grommeler *vt & vi* mascullar.

grondement *nm* **1.** *(de tonnerre, de torrent)* rugido *(m)* **2.** *(d'animal)* gruñido *(m)*.

gronder ▪ *vi* **1.** *(canon, tonnerre)* rugir **2.** *(animal)* gruñir. ▪ *vt* regañar.

gros, grosse ▪ *adj (gén avant le nom)* **1.** *(volumineux, important)* gran, grande ▪ **une grosse boîte** una caja grande **2.** *(avant ou après le nom) (corpulent)* gordo(da) **3.** *(grossier)* grueso(sa) **4.** *(fort, sonore)* fuerte. ▪ *nm, f (personne corpulente)* gordo *(m)*, -da *(f)*. ▪ **gros** ▪ *adv (beaucoup)* mucho. ▪ *nm* COMM ▪ **le gros** los negocios al por mayor *(Esp)*, el mayoreo *(Amér)*. ▪ **grosse** *nf (douze douzaines)* gruesa *(f)*.

groseille ▪ *nf* grosella *(f)*. ▪ *adj inv (couleur)* grosella *(en apposition)*.

grossesse *nf* embarazo *(m)*.

grosseur *nf* **1.** *(grandeur, corpulence)* tamaño *(m)* **2.** *(épaisseur)* grosor *(m)* **3.** MÉD bulto *(m)*.

grossier, ère *adj* **1.** *(gén)* grosero(ra) **2.** *(matière)* basto(ta) **3.** *(approximatif)* aproximado(da) **4.** *(erreur)* burdo(da).

grossièrement *adv* groseramente.

grossir ▪ *vi* **1.** *(prendre du poids)* engordar ▪ **faire grossir** engordar **2.** *(augmenter, s'intensifier)* crecer. ▪ *vt* **1.** *(sujet : microscope, verre)* agrandar **2.** *(sujet : vêtement)* hacer parecer más gordo(da) **3.** *(importance, danger)* exagerar **4.** *(cours d'eau)* hacer crecer.

grossissant, e *adj (verre, lentille)* de aumento.

grossiste *nmf* mayorista *(mf)*.

grosso modo *adv* grosso modo.

grotte *nf* gruta *(f)*.

grouiller *vi* hormiguear ▪ **grouiller de** hervir de.

groupe *nm* grupo *(m)* ▪ **groupe armé** banda *(f)* armada. ▪ **groupe sanguin** *nm* grupo *(m)* sanguíneo.

groupement *nm* agrupación *(f)*, agrupamiento *(m)*.

grouper *vt* agrupar. ▪ **se grouper** *vp* agruparse.

grue *nf* **1.** *(appareil de levage)* grúa *(f)* **2.** ZOOL grulla *(f)* **3.** *péj (prostituée)* zorra *(f)*.

grumeau *nm* grumo *(m)*.

grunge *adj* grunge.

guacamole *nm* guacamole *(m)*.

Guadalquivir *npr* ▪ **le Guadalquivir** el Guadalquivir.

Guadeloupe *npr* ▪ **la Guadeloupe** Guadalupe.

Guatemala *npr* **1.** *(pays)* ▪ **le Guatemala** Guatemala **2.** *(ville)* Guatemala.

gué *nm* vado *(m)* ▪ **passer à gué** vadear.

guenille *nf* andrajo *(m)*.

guenon *nf* mona *(f)*.

guépard *nm* guepardo *(m)*.

guêpe *nf* avispa *(f)*.

guêpier *nm* avispero *(m)*.

guère *adv (peu)* no mucho • **ne... guère** no... mucho • **elle ne l'aime guère** no le gusta mucho • **elle n'est guère anxieuse** no está muy preocupada.

guéridon *nm* velador *(m)*.

guérilla *nf* guerrilla *(f)*.

guérir ◧ *vt* curar. ◧ *vi* curarse.

guérison *nf* curación *(f)*.

guerre *nf* guerra *(f)* • **guerre atomique/nucléaire** guerra atómica/nuclear • **guerre bactériologique/biologique/chimique** guerra bacteriológica/biológica/química • **guerre de religion** guerra de religión.

guerrier, ère *adj* guerrero(ra). ◧ **guerrier** *nm* guerrero *(m)*.

guet-apens *nm* **1.** *(embuscade)* emboscada *(f)* **2.** *fig (machination)* encerrona *(f)*.

guêtre *nf* polaina *(f)*.

guetter *vt* acechar *(Esp)*, aguaitar *(Amér)*.

gueulard, e *adj* & *nm, f fam* gritón(ona).

gueule *nf* **1.** *(gén)* boca *(f)* **2.** *tfam (bouche)* pico *(m)* **3.** *fam (visage)* careto *(m)*.

gueuleton *nm fam* comilona *(f)*.

gui *nm* muérdago *(m)*.

guichet *nm* taquilla *(f) (Esp)*, boletería *(f) (Amér)*. ◧ **guichet automatique** *nm* cajero *(m)* automático.

guichetier, ère *nm, f* taquillero *(m)*, -ra *(f)*.

guide ◧ *nm* **1.** *(personne)* guía *(mf)* **2.** *(livre)* guía *(f)*. ◧ *nf (scoutisme)* guía *(f)*.

guider *vt* guiar.

guidon *nm* manillar *(m)*.

guignol *nm* **1.** *(marionnette)* títere *(m)* **2.** *(théâtre)* guiñol *(m)*.

guillemet *nm* comilla *(f)*.

guilleret, ette *adj* vivaracho(cha).

guillotine *nf* guillotina *(f)*.

guindé, e *adj* **1.** *(attitude, personne)* estirado(da) **2.** *(style)* ampuloso(sa).

Guinée *npr* • **la Guinée** Guinea.

guirlande *nf* guirnalda *(f)*.

guise *nf* • **à ma guise** a mi manera.

guitare *nf* guitarra *(f)*.

guitariste *nmf* guitarrista *(mf)*.

guttural, e *adj* gutural.

Guyane *npr* • **la Guyane** (la) Guayana.

gymnastique *nf* gimnasia *(f)*.

gynéco *nmf fam (gynécologue)* ginecólogo *(m)*, -ga *(f)* • **aller voir son gynéco** ir al ginecólogo.

gynécologie *nf* ginecología *(f)*.

gynécologue *nmf* ginecólogo *(m)*, -ga *(f)*.

h, H *nm inv (lettre)* h *(f)*, H *(f)*. ◧ **h 1.** *(abr écrite de* **heure***)* h **2.** *(abr écrite de* **hecto***)* h. ◧ **H 1.** *(abr écrite de* **homme***)* H **2.** *(abr écrite de* **hydrogène***)* H.

ha *(abr écrite de* **hectare***)* ha.

hab. *(abr écrite de* **habitant***)* hab. • **une commune de moins de 100 000 hab.** un municipio de menos de 100.000 hab.

habile *adj* hábil.

habileté *nf* habilidad *(f)*.

habiller *vt* **1.** *(gén)* vestir • **habiller qqn de qqch** vestir a algn de algo **2.** *(fauteuil)* poner una funda a. ◧ **s'habiller** *vp* vestirse.

habit *nm* **1.** *(costume)* traje *(m)* **2.** RELIG hábito *(m)*. ◧ **habits** *nmpl* ropa *(f)*.

habitacle *nm* cabina *(f) (de avión)*.

habitant, e *nm, f* **1.** *(gén)* habitante *(mf)* **2.** *(Québec) (paysan)* campesino *(m)*, -na *(f)*.

habitation *nf* vivienda *(f)*.

habité, e *adj* habitado(da).

habiter ◧ *vt* **1.** *(sujet : personne)* vivir en **2.** *(sujet : sentiment)* embargar. ◧ *vi* vivir.

habitude *nf* costumbre *(f)* • **avoir l'habitude de qqch/de faire qqch** tener la costumbre de algo/de hacer algo.

habituel, elle *adj* habitual.

habituer *vt* • **habituer qqn à qqch/à faire qqch** acostumbrar a alguien a algo/a hacer algo. ◧ **s'habituer** *vp* • **s'habituer à qqch/à faire qqch** acostumbrarse a algo/a hacer algo.

hache *nf* hacha *(f)*.

hacher *vt* **1.** *(viande)* picar **2.** *fig (style, discours)* entrecortar.

hachisch, haschich, haschisch *nm* hachís *(m)*.

hachoir *nm* **1.** *(appareil)* picadora *(f)* **2.** *(couteau)* tajadera *(f)* **3.** *(planche)* tabla *(f)* de picar.

hachure *nf (gén pl)* plumeado *(m)*.

hacker *nm* hacker *(m)*.

hagard, e *adj* azorado(da).

haie *nf* **1.** *(d'arbustes)* seto *(m)* **2.** *(de personnes)* fila *(f)* **3.** SPORT *(obstacle)* obstáculo *(m)*.

haine *nf* odio *(m)*.

haïr *vt* odiar.

Haïti *npr* Haití.

hâle *nm* tostado *(m)*.

hâlé, e *adj* tostado(da).

haleine *nf (souffle)* aliento *(m)*.

haleter *vi* jadear.

hall *nm* vestíbulo *(m)*, hall *(m)*.

halle *nf* mercado *(m)*.

hallucination *nf* alucinación *(f)*.

halo *nm* halo *(m)*.

halogène ◼ *adj* halógeno(na). ◼ *nm* halógeno *(m)*.

halte *nf* **1.** *(pause)* alto *(m)* **2.** *(étape)* meta *(f)*.

halte-garderie *nf* guardería *(f)* infantil.

haltère *nm* pesa *(f)*.

haltérophile *adj* & *nmf* halterófilo(la).

hamac *nm* hamaca *(f)*.

hamburger *nm* hamburguesa *(f)*.

hameau *nm* aldea *(f)*.

hameçon *nm* anzuelo *(m)*.

hamster *nm* hámster *(m)*.

hanche *nf* cadera *(f)*.

handball *nm* balonmano *(m)*.

handicap *nm* **1.** *(infirmité)* discapacidad *(f)*, minusvalía *(f)* **2.** fig *(désavantage)* handicap *(m)* **3.** SPORT handicap *(m)*.

handicapé, e ◼ *adj* *(physique)* discapacitado(da), minusválido(da). ◼ *nm, f* discapacitado *(m)*, -da *(f)*, minusválido *(m)*, -da *(f)*.

handicaper *vt* **1.** fig *(désavantager)* dificultar **2.** SPORT handicapar.

hangar *nm* hangar *(m)*.

hanneton *nm* abejorro *(m)*.

hanter *vt* **1.** *(sujet : fantôme)* aparecerse en **2.** fig *(obséder)* acosar **3.** fam *(bar, quartier)* frecuentar.

happer *vt* **1.** *(saisir)* atrapar de un bocado **2.** *(accrocher)* arrollar.

haranguer *vt* arengar.

haras *nm* acaballadero *(m)*.

harassant, e *adj* agotador(ra).

harceler *vt* **1.** *(gén)* acosar **2.** fig *(assaillir)* ◦ **harceler qqn de** *(questions)* acribillar a alguien a.

hardes *nfpl* harapos *(mpl)*.

hardi, e *adj* audaz.

hardware *nm* hardware *(m)*.

harem *nm* harén *(m)*.

hareng *nm* arenque *(m)*.

hargne *nf* hosquedad *(f)*.

haricot *nm* judía *(f)*, alubia *(f)*.

harmonica *nm* armónica *(f)*.

harmonie *nf* **1.** *(gén)* armonía *(f)* **2.** MUS *(fanfare)* banda *(f)*.

harmonieux, euse *adj* armonioso(sa).

harmoniser *vt* armonizar.

harnacher *vt* *(cheval)* enjaezar.

harnais *nm* **1.** *(de cheval)* arneses *(mpl)*, arreos *(mpl)* **2.** SPORT equipo *(m)* **3.** TECHNOL tren *(m)* de engranajes.

harpe *nf* arpa *(f)*.

harpon *nm* arpón *(m)*.

harponner *vt* **1.** *(poisson)* arponear **2.** fam *(personne)* echar el guante.

hasard *nm* **1.** *(événement imprévu)* casualidad *(f)* **2.** *(cause imprévisible)* azar *(m)* ◦ **au hasard** al azar.

hasarder *vt* **1.** *(conseil)* aventurar **2.** sout *(vie, réputation)* arriesgar. ◼ **se hasarder** *vp* ◦ **se hasarder à faire qqch** aventurarse a hacer algo.

haschich, haschisch = **hachisch**.

hâte *nf* prisa *(f)*.

hâter *vt* **1.** *(pas)* apresurar **2.** *(départ, mariage, etc)* adelantar. ◼ **se hâter** *vp* darse prisa ◦ **se hâter de faire qqch** darse prisa en hacer algo.

hausse *nf* alza *(f)* ◦ **hausse des températures** subida *(f)* de las temperaturas.

hausser *vt* alzar ◦ **hausser les épaules** encogerse de hombros.

haut, e *adj* alto(ta). ◼ **haut** ◼ *adv* alto ◦ **parler haut** hablar alto. ◼ *nm* **1.** *(hauteur)* alto *(m)* ◦ **cette pièce fait deux mètres de haut** esta habitación tiene dos metros de alto **2.** *(sommet)* ◦ **le haut de qqch** la parte alta de algo **3.** *(vêtement)* top *(m)*. ◼ **de haut en bas** *loc adv* de arriba abajo. ◼ **du haut de** *loc prép* desde lo alto de. ◼ **en haut de** *loc prép* en lo alto de.

hautain, e *adj* altivo(va), altanero(ra).

hautbois *nm* oboe *(m)*.

haute-fidélité *nf* alta fidelidad *(f)*.

hautement *adv* altamente.

hauteur *nf* **1.** *(gén)* altura *(f)* **2.** *(colline)* alto *(m)*.

Haute-Volta *npr* ◦ **la Haute-Volta** el Alto Volta.

haut-fourneau *nm* alto horno *(m)*.

haut-parleur *nm* altavoz *(m) (Esp)*, altoparlante *(m) (Amér)*.

havre *nm* sout remanso *(m)*.

hayon *nm* puerta *(f)* del maletero.

hebdomadaire ◼ *adj* semanal. ◼ *nm* semanario *(m)*, revista *(f)* semanal.

héberger *vt* alojar, hospedar.

hébété, e *adj* alelado(da).

hébraïque *adj* hebraico(ca).

hécatombe *nf* **1.** *(massacre)* hecatombe *(f)* **2.** fig *(à un examen)* escabechina *(f)*.

hectare *nm* hectárea *(f)*.

hectolitre *nm* hectolitro *(m)*.

hégémonie *nf* hegemonía *(f)*.

hein *interj* fam **1.** *(indiquant la surprise)* ¿qué? **2.** *(indiquant l'incompréhension)* ¿eh?, ¿cómo? **3.** *(pour susciter l'approbation)* ¿eh?, ¿verdad?

hélas *interj* sout desgraciadamente.

héler *vt* *(taxi, personne)* llamar.

hélice *nf* hélice *(f)*.

hélicoptère *nm* helicóptero *(m)*.

héliport *nm* helipuerto *(m)*.

hélium *nm* helio *(m)*.

Helsinki *npr* Helsinki.

hématome *nm* hematoma *(m)*.

hémicycle *nm* hemiciclo *(m)* • **l'hémicycle** POLIT el hemiciclo.

hémisphère *nm* hemisferio *(m)*.

hémophile *adj* & *nmf* hemofílico(ca).

hémophilie *nf* hemofilia *(f)*.

hémorragie *nf* **1.** MÉD hemorragia *(f)* **2.** *fig (de capitaux)* fuga *(f)*.

hémorroïdes *nfpl* hemorroides *(fpl)*.

hennir *vi* relinchar.

hépatite *nf* hepatitis *(f inv)*.

herbe *nf* **1.** *(gén)* hierba *(f)* **2.** *fam (drogue)* hierba *(f)*.

herbicide *adj* & *nm* herbicida.

herboriste *nmf* herbolario *(m)*, -ria *(f)*, herborista *(mf)*.

héréditaire *adj* hereditario(ria).

hérédité *nf* herencia *(f)*.

hérésie *nf* herejía *(f)*.

hérisser *vt* **1.** *(poil)* erizar **2.** *fig (personne)* indignar.

hérisson *nm* erizo *(m)*.

héritage *nm* herencia *(f)*.

hériter ◼ *vi* heredar • **hériter de qqch** heredar algo. ◼ *vt* • **hériter qqch de qqn** heredar algo de alguien.

héritier, ère *nm, f* heredero *(m)*, -ra *(f)*.

hermétique *adj* hermético(ca).

hermine *nf* armiño *(m)*.

hernie *nf* hernia *(f)*.

héroïne *nf* heroína *(f)*.

héroïque *adj* heroico(ca).

héroïsme *nm* heroísmo *(m)*.

héron *nm* garza *(f)*.

héros *nm* héroe *(m)* • **héros national** héroe nacional.

herse *nf* **1.** AGRIC rastra *(f)* **2.** *(grille)* rastrillo *(m)*.

hésitant, e *adj* indeciso(sa).

hésitation *nf* indecisión *(f)*.

hésiter *vi* vacilar, dudar • **hésiter sur qqch/ entre qqch et qqch** dudar sobre algo/entre algo y algo • **hésiter à faire qqch** dudar si hacer algo.

hétéroclite *adj* heteróclito(ta).

hétérogène *adj* heterogéneo(a).

hétérosexuel, elle *adj* & *nm, f* heterosexual.

hêtre *nm* haya *(f)*.

heure *nf* hora *(f)* • **c'est l'heure** es la hora • **être à l'heure** llegar a la hora *ou* puntual • **faire des heures supplémentaires** hacer horas extraordinarias • **il est une heure** es la una • **il est deux heures** son las dos • **quelle heure est-il ?** ¿qué hora es? • **tout à l'heure** luego • **l'heure**

d'été/d'hiver la hora de verano/de invierno • **passer à l'heure d'été/d'hiver** cambiar la hora • **heure de fermeture** hora de cierre • **heures de bureau** horas *ou* horario de oficina.

demander l'heure

¿Qué hora es? / **Quelle heure est-il ?**
Son las cuatro. / **Il est quatre heures.**
Son las cuatro y cinco. / **Il est quatre heures cinq.** Son las cuatro y cuarto. / **Il est quatre heures et quart.** Son las cuatro y media. / **Il est quatre heures et demie.** Son las cinco menos cuarto. / **Il est cinq heures moins le quart.** Son las cuatro y veinticinco. / **Il est quatre heures vingt-cinq.** Son las cuatro y treinta y cinco *ou* las cinco menos veinticinco. / **Il est quatre heures trente-cinq.**

heureusement *adv* **1.** *(par chance)* afortunadamente **2.** *(favorablement)* felizmente.

heureux, euse *adj (gén)* feliz • **être heureux de faire qqch** estar contento de hacer algo • **heureux de faire votre connaissance** encantado de conocerle • **encore heureux (que)** *fam* menos mal (que).

heurt *nm* **1.** *(choc)* choque *(m)*, golpe *(m)* **2.** *fig (désaccord, friction)* choque *(m)*.

heurté, e *adj* entrecortado(da).

heurter ◼ *vt* **1.** *(rentrer dans)* tropezar con **2.** *(sentiments, sensibilité)* herir **3.** *(bon sens)* ofender **4.** *(convenances)* desafiar. ◼ *vi* • **heurter contre qqch** chocar contra algo. ◼ **se heurter** *vp* **1.** *(se cogner)* • **se heurter à qqch** chocar contra algo **2.** *(se quereller)* reñir **3.** *fig (rencontrer)* • **se heurter à** *(opposition, difficulté)* enfrentarse a.

hexagonal, e *adj (français)* francés(esa).

hexagone *nm* hexágono *(m)*.

hiatus *nm* LING hiato *(m)*.

hiberner *vi* hibernar.

hibou *nm* búho *(m) (Esp)*, tecolote *(m) (Amér)*.

hideux, euse *adj* repugnante.

hier *adv* ayer.

hiérarchie *nf* jerarquía *(f)*.

hiéroglyphe *nm* jeroglífico *(m)*.

hilare *adj* risueño(ña).

hindou, e *adj* & *nm, f* hindú.

hippie, hippy *adj* & *nmf* hippy.

hippique *adj* hípico(ca).

hippodrome *nm* hipódromo *(m)*.

hippopotame *nm* hipopótamo *(m)*.

hippy = **hippie**.

hirondelle *nf* golondrina *(f)*.

hirsute *adj* hirsuto(ta).

hispanique *adj* **1.** *(gén)* hispánico(ca) **2.** *(aux États-Unis)* hispano(na). ■ **Hispanique** *nmf (aux États-Unis)* hispano *(m)*, -na *(f)*.

hisser *vt* **1.** *(drapeau, voile)* izar **2.** *(charge)* subir. ■ **se hisser** *vp* **1.** *(grimper)* • **se hisser (sur qqch)** subirse (a algo) **2.** *fig (s'élever)* • **se hisser à qqch** ascender a algo.

histoire *nf* **1.** *(gén)* historia *(f)* **2.** *(récit, mensonge)* cuento *(m)* **3.** *(gén pl) fam (ennuis)* historias *(fpl)*, malos rollos *(mpl)*.

historique *adj* histórico(ca).

HIV *(abr de* **human immunodeficiency virus)** *nm* HIV *(m)* • **être porteur du HIV** ser portador del HIV.

hiver *nm* invierno *(m)*.

hl *(abr écrite de* **hectolitre)** hl.

HLM *(abr de* **habitation à loyer modéré)** *nm ou nf* ≃ vivienda *(f)* de protección oficial • **habiter dans un** *ou* **une HLM** ≃ vivir en una vivienda de protección oficial.

hochet *nm* sonajero *(m)*.

hockey *nm* hockey *(m)*.

holding *nm ou nf* holding *(m)*.

hold-up *nm inv* atraco *(m)* a mano armada.

Hollande *npr* • **la Hollande** Holanda.

holocauste *nm* holocausto *(m)*.

homard *nm* bogavante *(m)*.

homéopathe ◼ *nmf* homeópata *(mf)*. ◼ *adj* homeopático(ca).

homéopathie *nf* homeopatía *(f)*.

homicide ◼ *nm* homicidio *(m)*. ◼ *adj* homicida.

hommage *nm* homenaje *(m)* • **rendre hommage à qqn/à qqch** rendir homenaje a alguien/a algo.

homme *nm* hombre *(m)* • **homme d'affaires** hombre de negocios • **homme de plume** hombre de letras • **l'homme de la rue** el hombre de la calle.

homme-grenouille *nm* hombre *(m)* rana.

homogène *adj* homogéneo(a).

homologue *adj & nmf* homólogo(ga).

homonyme *nm* homónimo *(m)*.

homophobe *adj* homófobo(ba).

homosexualité *nf* homosexualidad *(f)*.

homosexuel, **elle** *adj & nm, f* homosexual.

Honduras *npr* • **le Honduras** Honduras.

hondurien, **enne** *adj* hondureño(ña). ◼ **Hondurien**, **enne** *nm, f* hondureño *(m)*, -ña *(f)*.

Hongkong, Hong Kong *npr* Hong Kong.

Hongrie *npr* • **la Hongrie** Hungría.

honnête *adj* **1.** *(gén)* honesto(ta) **2.** *(satisfaisant)* satisfactorio(ria).

honnêtement *adv* **1.** *(franchement)* sinceramente **2.** *(loyalement)* honestamente **3.** *(convenablement)* satisfactoriamente.

honnêteté *nf* honestidad *(f)*.

honneur *nm* **1.** *(gén)* honor *(m)* • **à qui ai-je l'honneur ?** *sout* ¿con quién tengo el honor? **2.** *(dignité, fierté)* honor *(m)*, honra *(f)* • **faire honneur à qqch/à qqn** hacer honor a algo/a alguien • **faire honneur à un repas** hacer los honores a una comida.

honorable *adj* **1.** *(personne, profession)* honorable **2.** *(somme)* razonable.

honorablement *adv* honradamente.

honoraire *adj* honorario(ria). ◼ **honoraires** *nmpl* honorarios *(mpl)*.

honorer *vt* **1.** *(gén)* honrar **2.** *(dette)* liquidar **3.** *(chèque, paiement)* hacer efectivo.

honte *nf* vergüenza *(f)* *(Esp)*, pena *(f)* *(Amér)* • **avoir honte de qqch/de faire qqch** tener vergüenza *ou* avergonzarse de algo/de hacer algo • **avoir honte de qqn** avergonzarse de alguien.

hooligan, houligan *nm* ultra *(m)*, hooligan *(m)* *(hincha del fútbol británico)*.

hôpital *nm* hospital *(m)*.

hoquet *nm* hipo *(m)*.

horaire ◼ *nm* horario *(m)*. ◼ *adj (tarif)* por horas.

horizon *nm* horizonte *(m)*.

horizontal, **e** *adj* horizontal. ◼ **horizontale** *nf* MATH horizontal *(f)*.

horloge *nf* reloj *(m)*.

horloger, **ère** *adj & nm, f* relojero(ra).

hormis *prép* *sout* menos, excepto.

hormone *nf* hormona *(f)*.

hormonothérapie *nf* MÉD hormonoterapia *(f)*.

Horn (cap) *npr* • **le cap Horn** el Cabo de Hornos.

horodateur *nm* parquímetro *(m)*.

horoscope *nm* horóscopo *(m)*.

horreur *nf* horror *(m)* • **avoir horreur de qqch/de qqn/de faire qqch** dar horror algo/alguien/hacer algo • **j'ai horreur de me lever tôt** odio levantarme temprano.

horrible *adj* **1.** *(laid)* horrible **2.** *fig (terrible)* terrible.

horrifier *vt* horrorizar.

horripiler *vt* poner los nervios de punta.

hors ◼ **hors pair** *loc adj* sin igual. ◼ **hors service** *loc adj* fuera de servicio. ◼ **hors de** *loc prép* fuera de.

hors-bord *nm inv* fueraborda *(m)*.

hors-d'œuvre *nm inv* entremés *(m)*.

hors-jeu *nm inv* fuera de juego *(m)*.

hors-la-loi *nm inv* fuera de la ley *(m)*, forajido *(m)*.

hors-piste, hors-pistes *nm inv* esquí *(m)* fuera de pista.

hors-série ◼ *adj inv* fuera de serie. ◼ *nm* número *(m)* especial.

hortensia *nm* hortensia (f).

horticulture *nf* horticultura (f).

hospice *nm* hospicio (m).

hospitalier, ère *adj* hospitalario(ria).

hospitalisation *nf* hospitalización (f).

hospitaliser *vt* hospitalizar.

hospitalité *nf* hospitalidad (f).

hostie *nf* hostia (f).

hostile *adj* hostil • **hostile à qqn/à qqch** hostil a alguien/a algo.

hostilité *nf* hostilidad (f). ■ **hostilités** *nfpl* hostilidades (fpl).

hôte, hôtesse *nm, f* anfitrión (m), -ona (f). ■ **hôte** *nmf (invité)* huésped (mf). ■ **hôtesse** *nf* azafata (f).

hôtel *nm* 1. *(hébergement)* hotel (m) 2. *(demeure)* • **hôtel particulier** palacete (m).

hôtelier, ère *adj* & *nm, f* hotelero(-a).

hot line *nf* línea (f) caliente, hot line (f).

hotte *nf* 1. *(panier)* cuévano (m) 2. *(d'aération)* campana (f).

houblon *nm* lúpulo (m).

houille *nf* hulla (f).

houiller, ère *adj* hullero(ra). ■ **houillère** *nf* yacimiento (m) de hulla.

houle *nf* marejadilla (f).

houlette *nf sout* • **sous la houlette de qqn** bajo la dirección de alguien.

houligan = **hooligan**.

houppe *nf* 1. *(à poudre)* borla (f) *(de maquillar)* 2. *(de cheveux)* hopo (m).

hourra, hurrah ◼ *nm* hurra (m) ◼ *interj* ¡hurra!

house, house music *nf* música (f) house.

houspiller *vt* reprender.

housse *nf* funda (f).

houx *nm* acebo (m).

HS *(abr de* **hors service)** *fam* kaput, fuera de servicio • **la télé est complètement HS** la tele está completamente kaput.

HT *adj* 1. *(abr écrite de* **hors taxe)** IVA no incluido, sin IVA • **300 euros HT** 300 euros sin IVA 2. *(abr écrite de* **haute tension)** AT • **une ligne HT** una línea de AT.

HTML *(abr de* **Hypertext Mark-up Language)** *nm* INFORM HTML (m) • **une page (en) HTML** una página HTML.

hublot *nm* 1. *(de bateau)* ojo (m) de buey 2. *(d'avion)* ventanilla (f) 3. *(de four)* puerta (f).

huche *nf* arca (f).

huées *nfpl* abucheo (m).

huer *vt* abuchear.

huile *nf* 1. *(gén)* aceite (m) 2. *(peinture)* óleo (m) 3. *fam (personnalité)* pez (m) gordo.

huis *nm* • **à huis clos** a puerta cerrada.

huissier *nm* 1. DR ≃ alguacil (m) judicial 2. *(appariteur)* bedel (m).

huit ◼ *adj num inv* ocho. ◼ *nm inv* ocho (m). • *voir aussi* **six**

huitième ◼ *adj num* & *nmf* octavo(va). ◼ *nm* octavo (m), octava parte (f). ◼ *nf* 1. *(championnat)* • **huitième de finale** octavos (mpl) de final 2. *(classe)* ≃ cuarto (m) de primaria. • *voir aussi* **sixième**

huître *nf* ostra (f).

humain, e *adj* humano(na). ■ **humain** *nm* humano (m).

humanitaire ◼ *adj* humanitario(ria). ◼ *nm* • **l'humanitaire** las organizaciones humanitarias • **travailler dans l'humanitaire** trabajar en la ayuda humanitaria.

humanité *nf* humanidad (f).

humble *adj* humilde.

humecter *vt* humedecer. ■ **s'humecter** *vp* humedecerse.

humer *vt* asp rar *(ole-)*.

humérus *nm* húmero (m).

humeur *nf* 1. *(caractère, disposition)* humor (m) • **être d'humeur à faire qqch** estar de humor para hacer a go • **être d'une humeur massacrante** estar de un humor de perros 2. *(irritation)* mal humor (m).

humide *adj* húmedo(da).

humidité *nf* humedad (f).

humiliation *nf* humillación (f).

humilier *vt* humillar. ■ **s'humilier** *vp* • **s'humilier devant qqn** humillarse ante alguien.

humilité *nf* humildad (f).

humoristique *adj* humorístico(ca).

humour *nm* humor (m).

humus *nm* humus (m inv), mantillo (m).

huppé, e *adj* de alto copete (m).

hurlement *nm* alarido (m), aullido (m).

hurler *vi* aullar.

hurrah = **hourra**.

hutte *nf* choza (f) *(Esp)*, mediagua (f) *(Amér)*.

hutu, e *adj* hutu. ■ **Hutu, e** *nm, f* hutu (mf).

hybride *adj* & *nmf* híbrido(da).

hydratant, e *adj* hidratante.

hydrater *vt* hidratar.

hydraulique ◼ *adj* hidráulico(ca). ◼ *nf (science)* hidráulica (f).

hydravion *nm* hidroavión (m).

hydrocarbure *nm* hidrocarburo (m).

hydrocution *nf* hidrocución (f).

hydroélectrique *adj* hidroeléctrico(ca).

hydrogène *nm* hidrógeno (m).

hydroglisseur *nm* hidroplano (m).

hydrophile *adj (absorbant)* hidrófilo(la).

hyène *nf* hiena (f).

hygiène *nf* higiene (f).

hygiénique *adj* higiénico(ca).

hymen *nm* **1.** ANAT himen *(m)* **2.** *sout (mariage)* himeneo *(m)*.

hymne *nm* himno *(m)*.

hypermarché *nm* hipermercado *(m)*.

hypermétrope *adj* & *nmf* hipermétrope.

hypernerveux, euse *adj* & *nm, f* hipernervioso(sa).

hypertendu, e *adj* & *nm, f* hipertenso(sa).

hypertension *nf* hipertensión *(f)*.

hypertrophié, e *adj* hipertrofiado(da).

hypnotiser *vt* hipnotizar ● **être hypnotisé par qqch** estar hipnotizado por algo.

hypocondriaque *adj* & *nmf* hipocondríaco(ca).

hypocrisie *nf* hipocresia *(f)*.

hypocrite *adj* & *nmf* hipócrita.

hypoglycémie *nf* hipoglucemia *(f)*.

hypophyse *nf* hipófisis *(f inv)*.

hypotension *nf* hipotensión *(f)*.

hypothèque *nf* hipoteca *(f)*.

hypothéquer *vt* hipotecar.

hypothèse *nf* hipótesis *(f inv)*.

hystérie *nf* histeria *(f)*.

hystérique *adj* & *nmf* histérico(ca).

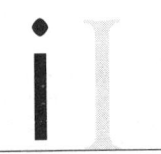

i, I *nm inv (lettre)* i *(f)*, I *(f)*.

Ibiza *nf* Ibiza *(f)*.

iceberg *nm* iceberg *(m)*.

ici *adv* **1.** *(lieu, temps)* aquí ● **d'ici là** para entonces ● **par ici** por aquí **2.** *(au téléphone)* ● **ici Charles** soy Charles.

ici-bas *adv (sur la terre)* en este mundo.

icône *nf* icono *(m)*.

iconographie *nf* iconografía *(f)*.

idéal, e *adj* ideal. ■ **idéal** *nm* ideal *(m)*.

idéalisme *nm* idealismo *(m)*.

idée *nf* idea *(f)*.

identifiant *nm* INFORM identificante *(m)*.

identification *nf* identificación *(f)* ● **identification à qqn/à qqch** identificación con alguien/con algo.

identifier *vt* identificar ● **identifier qqn à qqch/à qqn** identificar a alguien con algo/con alguien. ■ **s'identifier** *vp* ● **s'identifier à qqn/à qqch** identificarse con alguien/con algo.

identique *adj* idéntico(ca) ● **identique à qqch/à qqn** idéntico(ca) a algo/a alguien.

identité *nf (gén)* identidad *(f)*.

idéologie *nf* ideología *(f)*.

idiomatique *adj* idiomático(ca).

idiot, e ■ *nm, f* idiota *(mf)*, tonto *(m)*, -ta *(f) (Esp)*, sonso *(m)*, -sa *(f) (Amér)*. ■ *adj* **1.** *(chose, histoire)* tonto(ta) **2.** *(personne)* idiota, tonto(ta) *(Esp)*, sonso(sa) *(Amér)* **3.** *vieilli* & MÉD idiota.

idiotie *nf* **1.** *(stupidité* & MÉD*)* idiotez *(f)* **2.** *(action, parole)* idiotez *(f)*, tontería *(f)*.

idolâtrer *vt* idolatrar.

idole *nf* ídolo *(m)*.

idylle *nf* idilio *(m)*.

idyllique *adj* idílico(ca).

if *nm* tejo *(m)*.

igloo, iglou *nm* iglú *(m)*.

ignare *adj* & *nmf* ignorante.

ignoble *adj* **1.** *(abject)* innoble **2.** *(hideux)* inmundo(da).

ignominie *nf* **1.** *(gén)* ignominia *(f)* **2.** *(chose ignoble)* infamia *(f)*.

ignorance *nf* ignorancia *(f)*.

ignorant, e ■ *nm, f* ignorante *(mf)*. ■ *adj (inculte)* ignorante.

ignorer *vt* ignorar ● **ignorer que** ignorar que.

il *pron pers* él *(n'est pas toujours exprimé)* ● **il n'est jamais chez lui** nunca está en casa ● **il voyage beaucoup** viaja mucho ● **il pleut** llueve ● **il fait beau** hace buen tiempo.

ile *nf* isla *(f)* ● **ile de Pâques** isla de Pascua ● **ile Maurice** isla Mauricio.

illégal, e *adj* ilegal.

illégalité *nf* ilegalidad *(f)*.

illégitime *adj* **1.** *(union, enfant)* ilegítimo(ma) **2.** *(crainte, prétention)* infundado(da).

illettré, e *adj* & *nm, f* iletrado(da).

illicite *adj* ilícito(ta).

illimité, e *adj* **1.** *(sans limite)* ilimitado(da) **2.** *(indéterminé)* indeterminado(da).

illisible *adj* ilegible.

illogique *adj* ilógico(ca).

illumination *nf* **1.** *(gén)* iluminación *(f)* **2.** *(idée)* inspiración *(f)*.

illuminer *vt* iluminar. ■ **s'illuminer** *vp* ● **s'illuminer de qqch** iluminarse de algo.

illusion *nf* ilusión *(f)*.

illusoire *adj* ilusorio(ria).

illustration *nf* ilustración *(f)*.

illustre *adj* ilustre.

illustré, e *adj* ilustrado(da). ■ **illustré** *nm* revista *(f)* ilustrada.

illustrer *vt* ilustrar. ■ **s'illustrer** *vp* destacar.

ilot *nm* **1.** *(petite île)* islote *(m)* **2.** *(de maisons)* manzana *(f) (Esp)*, cuadra *(f) (Amér)* **3.** fig *(de verdure, de calme)* oasis *(m inv)* **4.** fig *(groupe isolé)* foco *(m)*.

image *nf* **1.** *(gén)* imagen *(f)* **2.** *(reproduction)* estampa *(f)*.

imagerie *nf* imágenes *(fpl)* ◆ **imagerie médicale** imágenes médicas.

imaginaire ◼ *adj* imaginario(ria). ◼ *nm* imaginario *(m)*.

imagination *nf* **1.** *(gén)* imaginación *(f)* **2.** *(gén pl) (chimère)* capricho *(m)*.

imaginer *vt* **1.** *(gén)* imaginar **2.** *(trouver)* idear. ◼ **s'imaginer** *vp* imaginarse.

imam *nm* imán *(m)*.

imbattable *adj* **1.** *(champion)* invencible **2.** *(record, prix)* insuperable.

imbécile *adj & nmf* imbécil.

imberbe *adj* barbilampiño, imberbe.

imbiber *vt* ◆ **imbiber qqch de qqch** empapar algo en algo ◆ **être imbibé** *fam* estar como una cuba.

imbriqué, e *adj* imbricado(da).

imbroglio *nm* embrollo *(m)*.

imbu, e *adj* ◆ **être imbu de qqch** *(de préjugés)* estar lleno de algo ◆ *(de sa supériorité)* estar convencido de algo ◆ **être imbu de soi-même** tenérselo muy creído.

imbuvable *adj* **1.** *(eau)* imbebible ◆ **c'est imbuvable** no hay quien se lo beba **2.** *fam (personne)* insoportable.

imitateur, trice *nm, f* imitador *(m)*, -ra *(f)*.

imitation *nf* imitación *(f)*.

imiter *vt* **1.** *(style, conduite)* imitar **2.** *(signature)* falsificar.

immaculé, e *adj* inmaculado(da).

immangeable *adj* incomible.

immanquable *adj* infalible.

immatriculation *nf (de véhicule)* matrícula *(f)*.

immédiat, e *adj* **1.** *(dans le temps)* inmediato(ta) **2.** *(dans l'espace)* más cercano(na).

immédiatement *adv* inmediatamente.

immense *adj* inmenso(sa).

immerger *vt* sumergir. ◼ **s'immerger** *vp* sumergirse.

immérité, e *adj* inmerecido(da)

immeuble *adj & nm* inmueble.

immigration *nf* inmigración *(f)* ◆ **immigration clandestine** inmigración clandestina.

immigré, e *adj & nm, f* inmigrado(da).

immigrer *vi* inmigrar.

imminent, e *adj* inminente.

immiscer ◼ **s'immiscer** *vp* ◆ **s'immiscer dans qqch** inmiscuirse en algo.

immobile *adj* **1.** *(personne, mécanisme)* inmóvil **2.** *(visage)* imperturbable **3.** fig *(figé)* arraigado(da).

immobilier, ère *adj* **1.** DR *(bien)* inmueble **2.** *(transaction, agent)* inmobiliario(ria).

immobiliser *vt* inmovilizar. ◼ **s'immobiliser** *vp* **1.** *(personne)* quedarse inmóvil **2.** *(mécanisme)* inmovilizarse.

immobilité *nf* **1.** *(gén)* inmovilidad *(f)* **2.** *(d'un paysage)* quietud *(f)*.

immodéré, e *adj* **1.** *(dépense)* desmesurado(da) **2.** *(désir, goût)* desmedido(da).

immoler *vt* **1.** RELIG inmolar **2.** *sout (sacrifier)* ◆ **immoler qqch à qqn/à qqch** sacrificar algo por alguien/por algo ◆ **immoler qqn au nom de qqch** inmolar a alguien en aras de algo. ◼ **s'immoler** *vp* inmolarse.

immonde *adj* inmundo(da).

immondices *nfpl* inmundicias *(fpl)*.

immoral, e *adj* inmoral.

immortaliser *vt* inmortalizar.

immortel, elle *adj* inmortal.

immuable *adj* **1.** *(loi)* inmutable **2.** *(personne, attitude)* inflexible.

immuniser *vt* inmunizar ◆ **immuniser qqn contre qqch** inmunizar a alguien contra algo.

immunité *nf* inmunidad *(f)* ◆ **immunité diplomatique/parlementaire** inmunidad diplomática/parlamentaria

impact *nm* impacto *(m)* ◆ **avoir de l'impact sur qqch** tener (un) impacto sobre algo.

impair, e *adj* impar. ◼ **impair** *nm (faux pas)* ◆ **commettre un impair** cometer una torpeza.

imparable *adj* **1.** *(coup)* imparable **2.** *(argument)* irrefutable.

impardonnable *adj* imperdonable.

imparfait, e *adj* imperfecto(ta). ◼ **imparfait** *nm* GRAMM pretérito *(m)* imperfecto.

impartial, e *adj* imparcial.

impartir *vt* conceder ◆ **impartir qqch à qqn** conceder algo a alguien.

impasse *nf* **1.** *(rue, difficulté)* callejón *(m)* sin salida **2.** SCOL & UNIV ◆ **faire une impasse** *fam* preparar sólo una parte del temario **3.** *(aux cartes)* impasse *(m)*.

impassible *adj* impasible.

impatience *nf* impaciencia *(f)*.

impatient, e *adj* impaciente.

impatienter *vt* impacientar. ◼ **s'impatienter** *vp* impacientarse.

impayé, e *adj* impagado(da). ◼ **impayé** *nm* impagado *(m)*.

impeccable *adj* impecable.

impénétrable *adj* impenetrable.

impensable *adj* impensable.

impératif, ive adj imperativo(va). ■ **impératif** nm imperativo (m).

impératrice nf emperatriz (f).

imperceptible adj imperceptible.

imperfection nf imperfección (f).

impérialisme nm **1.** POLIT imperialismo (m) **2.** fig (domination) imperio (m).

impérieux, euse adj imperioso(sa).

impérissable adj imperecedero(ra).

imperméabiliser vt impermeabilizar.

imperméable ■ adj impermeable • **être imperméable à qqch** fig (insensible) ser insensible a algo. ■ nm impermeable (m).

impersonnel, elle adj impersonal.

impertinence nf impertinencia (f).

impertinent, e adj & nm, f impertinente.

imperturbable adj imperturbable.

impétueux, euse adj impetuoso(sa).

impie adj & nmf sout & vieilli impío(a).

impitoyable adj despiadado(da).

implacable adj implacable.

implanter vt implantar. ■ **s'implanter** vp **1.** (personne) establecerse **2.** (usine, entreprise) implantarse.

implication nf implicación (f).

implicite adj implícito(ta).

impliquer vt implicar • **impliquer qqn dans qqch** implicar a alguien en algo. ■ **s'impliquer** vp • **s'impliquer dans qqch** implicarse en algo.

implorer vt sout implorar.

implosion nf implosión (f).

impoli, e adj **1.** (personne) maleducado(da) **2.** (remarque, attitude) descortés.

impopulaire adj impopular.

impopularité nf impopularidad (f).

importance nf importancia (f) • **sans importance** sin importancia • **se donner de l'importance** darse importancia.

important, e adj importante.

importation nf importación (f).

importer ■ vt importar. ■ vi importar • **il importe de...** es importante... • **il importe d'arriver à l'heure** es importante llegar a la hora • **il importe que...** es importante que... • **il importe qu'il parle espagnol** es importante que hable español • **importer à qqn** importar a alguien • **n'importe lequel** cualquiera • **n'importe qui** cualquiera, quien sea • **n'importe quoi** cualquier cosa, lo que sea • **peu importe !** ¡importa poco!, ¡da igual! • **qu'importe !** ¡no importa!, ¡da igual! • **qu'importe que** qué importa que, da igual que.

import-export nm importación y exportación (f).

importuner vt importunar.

imposable adj imponible • **non imposable** no imponible, no sujeto(ta) a impuesto.

imposant, e adj **1.** (gén) imponente **2.** (somme) considerable.

imposé, e ■ adj **1.** (revenu) impuesto(ta) **2.** SPORT obligatorio(ria). ■ nm, f (contribuable) contribuyente (mf).

imposer ■ vt **1.** (gén) imponer • **imposer qqch à qqn** imponer algo a alguien **2.** (taxer) gravar. ■ vi • **en imposer à qqn** (l'impressionner) impresionar a alguien. ■ **s'imposer** vp **1.** (gén) imponerse **2.** (avoir pour règle) • **s'imposer de faire qqch** obligarse a hacer algo.

impossibilité nf **1.** (incapacité) imposibilidad (f) • **être dans l'impossibilité de** encontrarse en la imposibilidad de **2.** (chose impossible) imposible (m).

impossible ■ adj imposible. ■ nm • **l'impossible** lo imposible • **tenter l'impossible** intentar lo imposible.

imposteur nm impostor (m), -ra (f).

impôt nm impuesto (m) • **impôt sur le revenu** impuesto sobre la renta.

impotent, e adj impedido(da).

impraticable adj impracticable.

imprécation nf sout imprecación (f).

imprécis, e adj impreciso(sa).

imprégner vt impregnar • **imprégner qqch/qqn de qqch** impregnar algo/a alguien de algo. ■ **s'imprégner** vp • **s'imprégner de qqch** impregnarse de algo.

imprenable adj (forteresse, vue) inexpugnable.

imprésario, impresario nm agente (m) (de un artista).

impression nf **1.** (gén) impresión (f) • **avoir l'impression que** tener la impresión de que • **faire impression** causar impresión **2.** (de livre) impresión (f) **3.** (d'étoffe) estampado (m).

impressionner vt impresionar.

impressionnisme nm impresionismo (m).

imprévisible adj imprevisible.

imprévu, e adj imprevisto(ta). ■ **imprévu** nm imprevisto (m).

imprimante nf impresora (f).

imprimer vt **1.** (gén) imprimir **2.** (tissu) estampar **3.** sout (sentiment) infundir.

imprimerie nf imprenta (f).

improbable adj improbable.

improductif, ive adj & nm, f improductivo (va).

impromptu, e adj improvisado(da).

impropre adj **1.** GRAMM (mot, tournure) impropio(pia) **2.** (inadapté) • **impropre à qqch** no apto(ta) para algo.

improvisé, e adj improvisado(da).

improviser *vt* improvisar. ■ **s'improviser** *vp* **1.** *(s'organiser)* improvisarse **2.** *(devenir)* hacer las veces de.

improviste ■ **à l'improviste** *loc adv* de improviso.

imprudence *nf* imprudencia *(f)*.

imprudent, e *adj & nm, f* imprudente.

impubère *adj & nmf* impúber.

impudent, e *adj & nm, f* impudente.

impudique *adj* impúdico(ca).

impuissant, e *adj* **1.** *(gén)* impotente **2.** *(incapable)* ● **impuissant à faire qqch** incapaz de hacer algo. ■ **impuissant** *nm* impotente *(m)*.

impulsif, ive *adj & nm, f* impulsivo(va).

impulsion *nf* impulso *(m)* ● **sous l'impulsion de qqch/de qqn** bajo el impulso de algo/de alguien.

impunément *adv* impunemente.

impunité *nf* impunidad *(f)* ● **en toute impunité** con toda impunidad.

impur, e *adj* impuro(ra).

impureté *nf* impureza *(f)*.

imputer *vt* ● **imputer qqch à qqn/qqch** imputar algo a alguien/a algo.

imputrescible *adj* imputrescible.

inabordable *adj* **1.** *(prix)* prohibitivo(va) **2.** *(île, personne)* inaccesible, inabordable.

inacceptable *adj* inaceptable.

inaccessible *adj* **1.** *(gén)* inaccesible **2.** *(insensible)* ● **inaccessible à qqch** insensible a algo.

inaccoutumé, e *adj* inusual.

inaction *nf* inacción *(f)*.

inactivité *nf* **1.** *(oisiveté)* inactividad *(f)* **2.** ADMIN *(congé)* excedencia *(f)*.

inadapté, e *adj* **1.** *(inadéquat)* ● **inadapté à qqch** inadecuado para algo **2.** *(personne)* inadaptado(da). ■ *nm, f* inadaptado *(m)*, -da *(f)*.

inadmissible *adj* inadmisible.

inadvertance *nf* sout inadvertencia *(f)* ● **par inadvertance** por inadvertencia.

inaliénable *adj* inalienable.

inaltérable *adj* inalterable.

inamovible *adj* fijo(ja).

inanimé, e *adj* **1.** inanimado(da) **2.** *(sans vie)* inánime.

inanité *nf* inanidad *(f)*.

inanition *nf* ● **tomber/mourir d'inanition** desfallecer/morirse de inanición.

inaperçu, e *adj* inadvertido(da).

inappliqué, e *adj* **1.** *(élève)* desaplicado(da) **2.** *(méthode)* no aplicado(da).

inappréciable *adj* inapreciable.

inapprochable *adj* inaccesible.

inapte *adj* **1.** *(incapable)* ● **inapte à qqch/à faire qqch** inepto(ta) para algo/para hacer algo **2.** MIL no apto, inútil.

inattaquable *adj* **1.** *(forteresse)* inatacable **2.** *(réputation)* irreprochable **3.** *(argument, preuve)* irrefutable.

inattendu, e *adj* inesperado(da).

inattention *nf* falta *(f)* de atención, desatención *(f)*.

inaudible *adj* inaudible.

inauguration *nf* inauguración *(f)*.

inaugurer *vt* inaugurar.

inavouable *adj* inconfesable.

inca *adj* inca.

incalculable *adj* incalculable.

incandescence *nf* incandescencia *(f)*.

incantation *nf* encantamiento *(m)*.

incapable ■ *adj* ● **incapable de faire qqch** incapaz de hacer algo. ■ *nmf* incapaz *(mf)*.

incapacité *nf* incapacidad *(f)* ● **incapacité à faire qqch** incapacidad para hacer algo.

incarcération *nf* encarcelamiento *(m)*.

incarner *vt* encarnar.

incartade *nf* extravagancia *(f)*.

incassable *adj* irrompible.

incendie *nm* incendio *(m)*.

incendier *vt* **1.** *(mettre le feu à)* incendiar **2.** fam *(réprimander)* echar una bronca **3.** sout *(faire rougir)* sonrojar.

incertain, e *adj* **1.** *(pronostic, réussite, durée)* incierto(ta) **2.** *(personne)* inseguro(ra) **3.** *(temps)* inestable **4.** *(lumière, contour)* borroso(sa).

incertitude *nf* **1.** *(gén)* incertidumbre *(f)* **2.** MATH & PHYS indeterminación *(f)*.

incessamment *adv* en breve.

incessant, e *adj* incesante.

inceste *nm* incesto *(m)*.

inchangé, e *adj* igual *(sin cambiar)*.

incidence *nf* incidencia *(f)*.

incident, e *adj* **1.** *(gén)* incidental **2.** PHYS incidente. ■ **incident** *nm* incidente *(m)*.

incinérer *vt* incinerar.

inciser *vt* hacer una incisión en.

incisif, ive *adj* incisivo(va). ■ **incisive** *nf* incisivo *(m)*.

inciter *vt* ● **inciter qqn à qqch/à faire qqch** incitar a alguien a algo/a hacer algo.

incivilité *nf* **1.** *(manque de courtoisie)* falta de civismo *ou* de educación **2.** *(acte)* incivilidad *(f)*.

inclassable *adj* inclasificable.

inclinable *adj* abatible.

inclinaison *nf* inclinación *(f)*.

inclination *nf* inclinación *(f)*.

incliner *vt (pencher)* inclinar. ■ **s'incliner** *vp (se pencher)* inclinarse • **s'incliner devant qqch** *(respecter, céder à)* inclinarse ante algo • **s'incliner devant qqn** *(se soumettre)* inclinarse ante alguien.

inclure *vt* incluir • **inclure qqch dans qqch** incluir algo en algo.

incoercible *adj sout* incoercible.

incognito ◪ *adv* de incógnito. ◪ *nm* incógnito *(m)*.

incohérence *nf* incoherencia *(f)*.

incohérent, e *adj* incoherente.

incollable *adj* **1.** *(riz)* que no se pega **2.** *fam (personne)* • **il est incollable** no hay quien lo pille.

incolore *adj* incoloro(ra).

incomber *vi* • **incomber à qqn** incumbir a alguien.

incombustible *adj* incombustible.

incommensurable *adj* inconmensurable.

incommodant, e *adj* incómodo(da).

incommoder *vt sout* incomodar.

incomparable *adj* **1.** *(sans pareil)* incomparable **2.** *(différent)* distinto(ta).

incompatible *adj* incompatible.

incompétent, e *adj* incompetente.

incomplet, ète *adj* incompleto(ta).

incompréhensible *adj* incomprensible.

incompréhensif, ive *adj* poco comprensivo(va).

incompris, e *adj & nm, f* incomprendido(da).

inconcevable *adj* inconcebible.

inconciliable *adj* irreconciliable.

inconditionnel, elle *adj & nm, f* incondicional.

inconfortable *adj* incómodo(da).

incongru, e *adj* incongruente.

inconnu, e ◪ *adj* desconocido(da) • **inconnu de qqn** desconocido para alguien. ◪ *nm, f* desconocido *(m)*, -da *(f)*. ■ **inconnue** *nf fig & MATH* incógnita *(f)*.

inconsciemment *adv* inconscientemente.

inconscient, e ◪ *adj & nm, f* inconsciente. ■ **inconscient** *nm* inconsciente *(m)*.

inconsidéré, e *adj* desconsiderado(da).

inconsistant, e *adj* inconsistente.

inconsolable *adj* inconsolable.

incontestable *adj* incontestable, indiscutible.

incontinent, e *adj & nm, f* incontinente.

incontournable *adj* ineludible • **ce livre est incontournable** este libro hay que leerlo.

incontrôlable *adj* incontrolable.

inconvenant, e *adj* inconveniente.

inconvénient *nm* inconveniente *(m)*.

incorporé, e *adj* incorporado(da).

incorporer *vt* • **incorporer qqch à qqch** *(mêler)* incorporar algo a algo • **incorporer qqch dans qqch** *(insérer)* incorporar algo a algo.

incorrect, e *adj* incorrecto(ta).

incorrectement *adv* incorrectamente.

incorrection *nf* incorrección *(f)*.

incorrigible *adj* incorregible.

incorruptible *adj* incorruptible.

incrédule *adj & nmf* incrédulo(la).

incrédulité *nf* incredulidad *(f)*.

S'EXPRIMER... exprimer son incrédulité

¡No puede ser! / **Ce n'est pas possible !** ¿De verdad? / **Vraiment ?** ¡No me lo puedo creer! *ou* ¡No me digas! / **C'est pas vrai !** ¡Es realmente increíble! *ou* ¡Parece mentira! / **C'est vraiment incroyable !** ¿Quién lo hubiera creído? / **Qui l'eût cru ?** ¡Es impensable! / **C'est inimaginable !**

---

increvable *adj* **1.** *(ballon, pneu)* que no se pincha **2.** *fam (mécanisme)* a prueba de bombas **3.** *fam (personne)* duro(ra) como una roca.

incriminer *vt* incriminar.

incroyable *adj* increíble.

incroyant, e *adj & nm, f* no creyente.

incruster *vt* • **incruster qqch dans qqch** incrustar algo en algo. ■ **s'incruster** *vp* **1.** *(gér)* • **s'incruster dans qqch** incrustarse en algo **2.** *fam péj (s'inviter)* colarse, apalancarse.

incubation *nf* incubación *(f)*.

inculpation *nf* inculpación *(f)* • **sous l'inculpation de qqch** bajo acusación de algo.

inculpé, e *nm, f* inculpado *(m)*, -da *(f)*.

inculper *vt* inculpar • **inculper qqn de qqch** inculpar a alguien de algo.

inculquer *vt* • **inculquer qqch à qqn** inculcar algo a alguien.

inculte *adj* **1.** *(terre, personne)* inculto(ta) **2.** *(barbe)* descuidado(da).

incurable ◪ *adj* **1.** incurable **2.** *fig* irremediable. ◪ *nmf* desahuciado *(m)*, -da *(f)*.

incursion *nf* incursión *(f)*.

incurvé, e *adj* curvado(da).

Inde *nf* • **l'Inde** (la) India.

indéboulonnable *adj* • **il est indéboulonnable** de ahí no hay quien lo saque.

indécent, e *adj* indecente.

indéchiffrable *adj* indescifrable.

indécis, e ■ *adj* **1.** *(gén)* indeciso(sa) **2.** *(résultat)* incierto(ta). ■ *nm, f* indeciso (m), -sa (f).

indécision *nf* indecisión (f).

indécrottable *adj fam* incorregible.

indéfendable *adj* indefendible.

indéfini, e *adj* indefinido(da).

indéfinissable *adj* indefinible.

indéformable *adj* indeformable.

indélébile *adj* indeleble.

indélicat, e *adj* poco delicado(da).

indemne *adj* indemne.

indemniser *vt* • **indemniser qqn de qqch** indemnizar a alguien por algo.

indemnité *nf* indemnización *(f)* • **indemnité de chômage** prestación *(f)* por desempleo.

indémodable *adj* que no pasa de moda • **c'est un style indémodable** es un estilo que nunca pasará de moda.

indéniable *adj* innegable.

indépendance *nf* independencia *(f)*.

indépendant, e *adj* **1.** *(gén)* independiente • **indépendant de qqch** *(sans rapport avec)* independiente de algo **2.** *(travailleur)* autónomo (ma).

indéracinable *adj* que no se puede desarraigar.

indescriptible *adj* indescriptible.

indestructible *adj* indestructible.

indéterminé, e *adj* indeterminado(da).

indétrônable *adj* inamovible.

index *nm* índice *(m)*.

indexer *vt* **1.** *(livre)* indexar, indizar **2.** ÉCON • **indexer qqch sur qqch** ajustar algo a algo.

indicatif, ive *adj* indicativo(va). ■ **indicatif** *nm* **1.** RADIO & TV sintonía *(f)* **2.** *(code)* prefijo *(m)*.

indication *nf* indicación *(f)*.

indice *nm* **1.** *(gén)* índice *(m)* **2.** *(signe)* indicio *(m)*.

indicible *adj sout* indecible.

indien, enne *adj* indio(dia). ■ **Indien, enne** *nm, f* **1.** *(d'Amérique)* indio *(m)*, -dia *(f)* **2.** *(d'Inde)* hindú *(mf)*.

indifféremment *adv* **1.** *(avec froideur)* con indiferencia **2.** *(sans faire de différence)* sin distinción.

indifférence *nf* indiferencia *(f)*.

indifférent, e ■ *adj* • **indifférent à qqch** indiferente a algo. ■ *nm, f* indiferente *(mf)*.

indigence *nf* **1.** *(pauvreté)* indigencia *(f)* **2.** *fig (intellectuelle, morale)* pobreza *(f)*.

indigène *adj & nmf* indígena.

indigent, e ■ *adj* **1.** *(pauvre)* indigente **2.** *fig (intellectuellement)* pobre. ■ *nm, f* indigente *(mf)*.

indigeste *adj* indigesto(ta).

indigestion *nf* indigestión *(f)*.

indignation *nf* indignación *(f)*.

indigne *adj* indigno(na).

indigné, e *adj* indignado(da).

indigner *vt* indignar. ■ **s'indigner** *vp* • **s'indigner de** *ou* **contre qqch** indignarse por algo • **il s'indigne qu'on le fasse tant travailler** le indigna que le hagan trabajar tanto.

indigo *adj & nm* índigo.

indiquer *vt* indicar, señalar.

indirect, e *adj* indirecto(ta).

indiscipliné, e *adj* **1.** *(écolier, soldat)* indisciplinado(da) **2.** *(cheveux)* rebelde.

indiscret, ète *adj & nm, f* indiscreto(ta).

indiscrétion *nf* indiscreción *(f)*.

indiscutable *adj* indiscutible.

indispensable *adj* indispensable, imprescindible • **indispensable à qqch/à qqn** indispensable *ou* imprescindible para algo/para alguien • **il est indispensable de faire...** es indispensable *ou* imprescindible hacer...

indisponible *adj* • **il est indisponible** no está disponible.

indisposer *vt* indisponer.

indistinct, e *adj* con uso(sa).

individu *nm* individuo *(m)*.

individualisme *nm* individualismo *(m)*.

individuel, elle *adj* individual.

indivisible *adj* indivisible.

indolent, e *adj* indolente.

indolore *adj* indoloro(ra).

indomptable *adj* indomable.

Indonésie *nf* • **l'Indonésie** Indonesia.

indu, e *adj* indebido(da).

indubitable *adj* indudable • **il est indubitable que** es indudable que.

induire *vt* **1.** *(gén)* inducir • **en induire que** inducir (de ello) que • **induire en erreur** inducir a error **2.** *(entraîner)* comportar.

indulgence *nf* indulgencia *(f)*.

indulgent, e *adj* indulgente • **indulgent pour** *ou* **envers** indulgente con.

indûment *adv* indebidamente.

industrialisé, e *adj* industrializado(da) • **pays industrialisé** país *(m,* industrializado.

industrialiser vt industrializar. ■ **s'industrialiser** vp industrializarse.
industrie nf industria (f).
industriel, elle adj industrial. ■ **industriel** nm
industrial (m).
inébranlable adj inquebrantable.
inédit, e adj inédito(ta). ■ **inédit** nm texto (m)
inédito.
ineffable adj inefable.
ineffaçable adj imborrable.
inefficace adj ineficaz.
inefficacité nf ineficacia (f).
inégal, e adj 1. (gén) desigual 2. (surface, rythme)
irregular.
inégalé, e adj inigualado(da).
inégalité nf 1. (différence) desigualdad (f) 2. (de
terrain, de rythme) irregularidad (f).
inélégant, e adj poco elegante.
inéluctable adj ineluctable.
inénarrable adj inenarrable.
inepte adj 1. (personne) inepto(ta) 2. (théorie) es-
túpido(da).
ineptie nf sandez (f).
inépuisable adj 1. (gén) inagotable 2. (personne)
infatigable.
inerte adj inerte.
inertie nf inercia (f).
inespéré, e adj inesperado(da) (Esp), sorpresi-
vo(va) (Amér).
inesthétique adj antiestético(ca).
inestimable adj 1. (valeur) incalculable 2. fig
(soutien) estimable.
inévitable adj inevitable.
inexact, e adj 1. (faux, incomplet) inexacto(ta)
2. (en retard) impuntual.
inexactitude nf 1. (erreur, imprécision) inexacti-
tud (f) 2. (retard) impuntualidad (f).
inexcusable adj inexcusable.
inexistant, e adj inexistente.
inexorable adj inexorable.
inexpérience nf inexperiencia (f).
inexplicable adj inexplicable.
inexpliqué, e adj inexplicado(da).
inexpressif, ive adj inexpresivo(va).
inexprimable adj inexpresable.
inexprimé, e adj inexpresado(da).
inextensible adj inextensible.
in extremis loc adv in extremis.
inextricable adj inextricable.
infaillible adj infalible.
infâme adj infame.
infanterie nf infantería (f).
infanticide ■ adj & nmf infanticida. ■ nm infanticidio (m).
infantile adj infantil.

infarctus nm infarto (m) • **infarctus du myocarde** infarto de miocardio.
infatigable adj infatigable, incansable.
infect, e adj infecto(ta).
infectieux, euse adj infeccioso(sa).
infection nf 1. MÉD infección (f) 2. péj (puanteur)
peste (f).
inféoder vt (soumettre) • **être inféodé à qqn/à
qqch** estar sometido a alguien/a algo.
inférer vt sout • **inférer qqch de qqch** inferir
algo de algo.
inférieur, e ■ adj inferior • **inférieur à qqch**
inferior a algo. ■ nm, f inferior (mf).
infériorité nf inferioridad (f).
infernal, e adj infernal.
infester vt infestar • **être infesté de qqch** estar
plagado de algo.
infidèle ■ adj infiel • **infidèle à qqn** infiel a
alguien. ■ nmf RELIG infiel (mf).
infidélité nf infidelidad (f).
infiltration nf infiltración (f).
infiltrer vt infiltrar. ■ **s'infiltrer** vp • **s'infiltrer
par/dans qqch** infiltrarse por/en algo.
infime adj ínfimo(ma).
infini, e adj infinito(ta). ■ **infini** nm infinito
(m). ■ **à l'infini** loc adv 1. MATH al infinito 2. (indéfiniment, à perte de vue) hasta el infinito.
infiniment adv infinitamente.
infinité nf • **une infinité de** una infinidad de.
infinitif, ive adj GRAMM • (mode) infinitivo(va)
• (construction) en infinitivo • (proposition) de infinitivo. ■ **infinitif** nm GRAMM infinitivo (m).
infirme ■ adj impedido(da). ■ nmf impedido
(m), -da (f).
infirmer vt invalidar.
infirmerie nf enfermería (f).
infirmier, ère nm, f enfermero (m), -ra (f).
infirmité nf invalidez (f).
inflammable adj inflamable.
inflammation nf inflamación (f).
inflation nf inflación (f).
inflationniste adj inflacionista.
infléchir vt (politique) modificar.
inflexible adj inflexible.
inflexion nf inflexión (f).
infliger vt • **infliger qqch à qqn** (défaite, punition)
infligir algo a alguien • (présence) imponer algo
a alguien.
influençable adj influenciable.
influence nf influencia (f).
influencer vt influir en, influenciar.
influer vi • **influer sur qqch** influir en algo.
infographie nf infografía (f).
informaticien, enne nm, f informático (m),
-ca (f).

information *nf* **1.** *(gén)* información *(f)* **2.** *(nouvelle)* noticia *(f)*. ■ **informations** *nfpl* RADIO & TV informativo *(m)*.

informatique ■ *adj* informático(ca). ■ *nf* informática *(f)*.

informatiser *vt* informatizar.

informe *adj* **1.** *(sans forme)* informe **2.** *fig (projet)* sin pies ni cabeza.

informé, e *adj* informado(da).

informel, elle *adj* informal.

informer ■ *vt* informar • **informer qqn que** informar a alguien de que • **informer qqn de/sur qqch** informar a alguien de/sobre algo. ■ *vi* DR • **informer sur/contre qqch** abrir una instrucción sobre/contra algo. ■ **s'informer** *vp* informarse • **s'informer de/sur qqch** informarse de/sobre algo.

infortune *nf* infortunio *(m)*.

infos *nfpl fam* abrév de **informations**.

infraction *nf* • **être en infraction** cometer una infracción.

infranchissable *adj* infranqueable

infrarouge ■ *adj* infrarrojo(ja). ■ *nm* infrarrojo *(m)*.

infrastructure *nf* infraestructura *(f)*.

infroissable *adj* inarrugable.

infructueux, euse *adj* infructuoso(sa).

infuser *vt* hacer una infusión de.

infusion *nf* infusión *(f)*.

ingénier ■ **s'ingénier** *vp* • **s'ingénier à faire qqch** ingeniárselas para hacer algo.

ingénieur *nm* ingeniero *(m)*, -ra *(f)*

ingénieux, euse *adj* ingenioso(sa).

ingéniosité *nf* ingeniosidad *(f)*.

ingénu, e *adj* & *nm, f* ingenuo(nua).

ingérable *adj* imposible de administrar.

ingrat, e ■ *adj* **1.** *(personne)* ingrato(ta), desagradecido(da) **2.** *(métier, sol)* ingrato(ta) **3.** *(physique)* ingrato(ta), poco agraciado(da). ■ *nm, f* ingrato *(m)*, -ta *(f)*.

ingratitude *nf* ingratitud *(f)*.

ingrédient *nm* ingrediente *(m)*.

inguérissable *adj* incurable.

ingurgiter *vt* engullir.

inhabitable *adj* inhabitable.

inhabité, e *adj* deshabitado(da), inhabitado (da).

inhabituel, elle *adj* inusual.

inhalateur, trice *adj* inhalador(ra). ■ **inhalateur** *nm* inhalador *(m)*.

inhalation *nf* inhalación *(f)*.

inhaler *vt* inhalar.

inhérent, e *adj* • **inhérent à qqch** inherente a algo.

inhibition *nf* inhibición *(f)*.

inhospitalier, ère *adj* **1.** *(personne)* poco hospitalario(ria) **2.** *(lieu)* inhóspito(ta).

inhumain, e *adj* inhumano(na).

inhumation *nf* inhumación *(f)*.

inhumer *vt* inhumar.

inimaginable *adj* inimaginable.

inimitable *adj* inimitable.

ininflammable *adj* ininflamable.

inintelligible *adj* ininteligible.

inintéressant, e *adj* sin interés.

ininterrompu, e *adj* ininterrumpido(da).

inique *adj* soul inicuo(cua).

initial, e *adj* inicial. ■ **initiale** *nf* inicial *(f)*.

initiateur, trice *adj* & *nm, f* iniciador(ra).

initiation *nf* iniciación *(f)* • **initiation à qqch** iniciación a algo.

initiative *nf* iniciativa *(f)* • **prendre l'initiative de qqch/de faire qqch** tomar la iniciativa de algo/de hacer algo.

initié, e *adj* & *nm, f* iniciado(da).

initier *vt* • **initier qqn à qqch** iniciar a alguien en algo.

injecté, e *adj* inyectado(da).

injecter *vt* inyectar.

injection *nf* inyección *(f)*.

injoignable *adj* ilocalizable.

injonction *nf* conminación *(f)*.

injure *nf* **1.** *(mot)* insulto *(m)* **2.** *(affront)* afrenta *(f)*.

injurier *vt* insultar.

injurieux, euse *adj* insultante.

injuste *adj* injusto(ta) • **injuste envers qqn** injusto(ta) con alguien.

injustice *nf* injusticia *(f)*.

inlassable *adj* **1.** *(personne)* incansable **2.** *(patience, énergie)* infinito(ta).

inlassablement *adv* incansablemente.

inné, e *adj* innato(ta)

innocence *nf* inocencia *(f)*.

innocent, e ■ *adj* inocente. ■ *nm, f* **1.** *(gén)* inocente *(mf)* **2.** *vieilli (idiot)* tonto *(m)*, -ta *(f)* *(Esp)*, sonso *(m)*, -sa *(f)* *(Amér)*.

innocenter *vt* **1.** DR *(disculper)* declarar inocente **2.** *fig (excuser)* justificar.

innombrable *adj* innumerable.

innover *vi* innovar.

inobservation *nf* incumplimiento *(m)*.

inoccupé, e *adj* desocupado(da).

inoculer *vt* inocular.

inodore *adj* inodoro(ra).

inoffensif, ive *adj* inofensivo(va).

inondable *adj* inundable.

inondation *nf* **1.** *(gén)* inundación *(f)* **2.** *fig (afflux)* invasión *(f)*.

inonder *vt* litt & fig inundar.

inopérable adj inoperable.

inopérant, e adj 1. (mesure, méthode) inoperante 2. (médicament) ineficaz.

inopiné, e adj inopinado(da).

inopportun, e adj inoportuno(na).

inoubliable adj inolvidable.

inouï, e adj increíble.

inoxydable ◩ adj inoxidable. ◩ nm acero (m) inoxidable.

inqualifiable adj incalificable.

inquiet, ète ◩ adj 1. (préoccupé) preocupado(da) • **inquiet pour qqn/pour qqch** preocupado por alguien/por algo 2. (anxieux de nature) inquieto(ta). ◩ nm, f inquieto (m), -ta (f).

inquiéter vt 1. (alarmer) inquietar, preocupar 2. (harceler) acosar. ◩ **s'inquiéter** vp preocuparse • **s'inquiéter de** (s'intéresser à) preocuparse por • (se soucier de) preocuparse de.

inquiétude nf inquietud (f), preocupación (f).

insaisissable adj 1. DR (biens) inembargable 2. (nuance, différence) imperceptible 3. (caractère) huidizo(za).

insalubre adj insalubre.

insanité nf locura (f).

insatiable adj insaciable.

insatisfait, e adj & nm, f insatisfecho(cha).

insaturé, e adj insaturado(da), no saturado(da).

inscription nf 1. (gén) inscripción (f) 2. (à un cours) matriculación (f).

inscrire vt 1. (gén) inscribir 2. (noter - renseignements) apuntar • (- dépenses) asentar • **inscrire qqn sur** ou **dans qqch** (sur une liste, dans un registre) inscribir a alguien en algo • **inscrire qqn à qqch** (cours) matricular a alguien en algo. ◩ **s'inscrire** vp • **s'inscrire à qqch** (cours) matricularse en algo.

insecte nm insecto (m).

insecticide adj & nm insecticida.

insécurité nf inseguridad (f).

insémination nf inseminación (f) • **insémination artificielle** inseminación artificial.

insensé, e adj 1. (personne, propos) insensato(ta) 2. (rêve, désir) imposible 3. (incroyable, immense) increíble 4. (architecture, décoration) delirante.

insensibiliser vt insensibilizar • **insensibiliser qqn à qqch** insensibilizar a alguien ou contra algo.

insensible adj 1. (gén) insensible 2. (imperceptible) imperceptible.

inséparable adj inseparable • **inséparable de qqch/de qqn** inseparable de algo/de alguien.

insérer vt • **insérer qqch dans qqch** insertar algo en algo. ◩ **s'insérer** vp • **s'insérer dans qqch** (se situer dans) inscribirse dentro de algo.

insidieusement adv insidiosamente.

insidieux, euse adj insidioso(sa).

insigne ◩ adj insigne. ◩ nm insignia (f).

insignifiant, e adj insignificante.

insinuation nf insinuación (f).

insinuer vt insinuar. ◩ **s'insinuer** vp • **s'insinuer dans qqch** (eau, humidité) penetrar en algo • fig (personne) insinuarse con algo.

insipide adj insípido(da).

insistance nf insistencia (f).

insister vi insistir • **insister sur qqch** insistir en ou sobre algo • **insister pour faire qqch** insistir en hacer algo.

insolation nf insolación (f).

insolence nf insolencia (f).

insolent, e adj & nm, f insolente.

insolite adj insólito(ta).

insoluble adj insoluble.

insolvable adj & nmf insolvente.

insomnie nf insomnio (m).

insondable adj insondable.

insonore adj insonoro(ra).

insonoriser vt insonorizar.

insouciance nf despreocupación (f).

insouciant, e adj despreocupado(da).

insoumis, e adj insumiso(sa).

insoumission nf 1. (gén) insumisión (f) 2. (d'un enfant) desobediencia (f).

insoupçonné, e adj insospechado(da).

insoutenable adj 1. (gén) insostenible 2. (douleur, violence) insufrible.

inspecter vt inspeccionar.

inspecteur, trice nm, f inspector (m), -ra (f).

inspection nf inspección (f).

inspiration nf inspiración (f) • **avoir de l'inspiration** tener inspiración.

inspiré, e adj inspirado(da).

inspirer vt 1. (gén) inspirar • **inspirer qqch à qqn** inspirar algo a alguien 2. hum (plaire à) emocionar. ◩ **s'inspirer** vp • **s'inspirer de qqch/de qqn** inspirarse en algo/en alguien.

instable adj & nmf inestable.

installation nf 1. (gén) instalación (f) 2. (dans une fonction) toma (f) de posesión.

installer vt 1. (gén & INFORM) instalar 2. (fonctionnaire, magistrat) nombrar. ◩ **s'installer** vp 1. (gén) instalarse • **s'installer dans qqch** (maladie, routine) instalarse en algo 2. (médecin, commerçant) establecerse.

instamment adv encarecidamente.

instance nf instancia (f). ◩ **en instance de** loc prép pendiente de.

instant, e adj sout apremiante. ◩ **instant** nm instante (m) • **à l'instant** (il y a peu de temps) hace un momento • (tout de suite) al instante • **à tout instant** (en permanence) en todo momento

• *(d'un moment à l'autre)* en cualquier momento
• **pour l'instant** por el momento, de momento.

instantané, e *adj* instantáneo(a). ■ **instantané** *nm* instantánea *(f)*.

instar ■ **à l'instar de** *loc prép* a semejanza de.

instaurer *vt* instaurar.

instigateur, trice *nm, f* instigador *(m)*, -ra *(f)*.

instigation *nf* instigación *(f)*. ■ **à l'instigation de** *loc prép* a instigación de.

instinct *nm* instinto *(m)* • **instinct maternel** instinto maternal.

instinctif, ive *adj* & *nm, f* instintivo(va).

instituer *vt* instituir.

institut *nm* instituto *(m)*.

instituteur, trice *nm, f* ≈ profesor *(m)*, -ra *(f)* de educación primaria.

institution *nf* institución *(f)*. ■ **institutions** *nfpl* POLIT instituciones *(fpl)*.

instructif, ive *adj* instructivo(va)

instruction *nf* **1.** *(gén)* instrucción *(f)* **2.** *(enseignement)* enseñanza *(f)* **3.** INFORM orden *(f)*. ■ **instructions** *nfpl* instrucciones *(fpl)*

instruit, e *adj* instruido(da).

instrument *nm* instrumento *(m)* • **instrument de musique** instrumento musical.

LES INSTRUMENTS DE MUSIQUE

• la batterie / la batería
• la clarinette / el clarinete
• la contrebasse / el contrabajo
• la cymbale / el platillo
• la flûte à bec / la flauta dulce
• la flûte traversière / la flauta travesera
• la guitare / la guitarra
• l'harmonica / la armónica
• le piano / el piano
• le saxophone / el saxofón
• le tambourin / la pandereta
• le trombone / el trombón
• la trompette / la trompeta
• le violoncelle / el violoncelo
• le violon / el violín
• le xylophone / el xilófono.

instrumentaliser *vt* instrumentalizar.

insu ■ **à l'insu de** *loc prép* a espaldas de • **à mon/son insu** a mis/a sus espaldas.

insubmersible *adj* insumergible.

insubordination *nf* insubordinación *(f)*.

insuccès *nm* fracaso *(m)*.

insuffisance *nf* insuficiencia *(f)*.

insuffisant, e *adj* insuficiente.

insuffler *vt* **1.** MÉD *(air)* insuflar **2.** fig *(sentiment)* • **insuffler qqch à qqn** infundir algo a alguien.

insulaire ■ *adj* insular, isleño(ña). ■ *nmf* isleño *(m)*, -ña *(f)*.

insuline *nf* insulina *(f)*.

insulte *nf* insulto *(m)*.

insulter *vt* insultar.

insupportable *adj* insoportable, inaguantable.

insurgé, e ■ *adj* insurrecto(ta), insurgente. ■ *nm, f* insurrecto *(m)*, -ta *(f)*.

insurger ■ **s'insurger** *vp* sublevarse • **s'insurger contre qqn/contre qqch** sublevarse contra alguien/contra algo.

insurmontable *adj* **1.** *(difficulté, obstacle)* insalvable **2.** *(peur, répulsion)* invencible.

insurrection *nf* insurrección *(f)*.

intact, e *adj* **1.** *(objet)* intacto(ta) **2.** *(réputation)* intachable.

intangible *adj* **1.** *(impalpable)* intangible **2.** *(secret, principe)* inviolable.

intarissable *adj* **1.** inagotable **2.** *(bavard)* incansable • **il est intarissable sur...** es incansable cuando habla de...

intégral, e *adj* **1.** *(paiement, texte)* íntegro(gra) **2.** *(calcul, bronzage)* integral.

intégralement *adv* íntegramente.

intégrante ▷ **partie**

intègre *adj* **1.** *(personne)* íntegro(gra) **2.** *(vie)* recto(ta).

intégré, e *adj* integrado(da).

intégrer *vt* **1.** *(incorporer & MATH)* integrar • **intégrer qqch à** OU **dans qqch** integrar algo en algo • **intégrer qqn dans qqch** integrar a alguien en algo **2.** *(grande école)* ingresar en. ■ **s'intégrer** *vp* integrarse • **s'intégrer dans** OU **à qqch** integrarse en algo.

intégrisme *nm* integrismo *(m)*.

intégriste *adj* & *nmf* integrista.

intégrité *nf* **1.** *(honnêteté)* integridad *(f)* **2.** *(totalité)* totalidad *(f)*.

intellectuel, elle *adj* & *nm, f* intelectual.

intelligence *nf* **1.** *(entendement)* inteligencia *(f)* • **intelligence artificielle** inteligencia artificial **2.** *(personne)* cerebro *(m)* **3.** *(complicité, harmonie)* armonía *(f)* • **vivre en bonne intelligence** vivir en armonía • **vivre en mauvaise intelligence** vivir en mala armonía. ■ **intelligences** *nfpl* contactos *(mpl)*.

intelligent, e *adj* inteligente.

intelligible *adj* inteligible.

intello *adj* & *nmf* péj intelectualoide.

intempérie *nf* • **les intempéries** las inclemencias climáticas.

intempestif, ive *adj* intempestivo(va).

intenable adj **1.** *(chaleur)* insoportable **2.** *(enfant)* imposible **3.** MIL *(position)* insostenible.

intendance nf intendencia *(f)*.

intendant, e nm, f administrador *(m)*, -ra *(f)*. ■ **intendant** nm MIL intendente *(m)*.

intense adj intenso(sa).

intensif, ive adj intensivo(va).

intensité nf intensidad *(f)*.

intenter vt • **intenter un procès contre** OU à **qqn** entablar un juicio contra alguien.

intention nf intención *(f)* • **avoir l'intention de faire qqch** tener la intención de hacer algo • à **l'intention de** en honor a • **intention de vote** intención de voto.

intentionné, e adj • **être bien/mal intentionné** tener buena/mala intención.

interactif, ive adj interactivo(va).

intercalaire ◪ adj **1.** *(feuillet)* separador(ra) **2.** *(jour)* intercalar. ◪ nm separador *(m)*.

intercaler vt • **intercaler qqch dans qqch** intercalar algo en algo.

intercéder vi • **intercéder pour** OU **en faveur de qqn** interceder por OU en favor de alguien.

intercepter vt interceptar.

interchangeable adj intercambiable.

interclasse nm descanso *(m) (entre dos clases)*.

interconnexion nf interconexión *(f)*.

interdiction nf **1.** *(défense)* prohibición *(f)* • '**interdiction de fumer**' 'prohibido fumar' **2.** *(de fonctionnaire, de prêtre)* suspensión *(f)*.

S'EXPRIMER...

exprimer une interdiction

Prohibido fumar / **Interdit de fumer** Queda terminantemente prohibido correr alrededor del estanque. / **Il est strictement interdit de courir autour du bassin.** ¡Ni pensarlo! / **Il n'en est pas question !** ¡Conmigo eso no funciona! / **Ca ne marche pas avec moi !** ¡No lo consentiré! / **Je n'accepterai pas ça !**

interdire vt **1.** *(défendre, prohiber)* prohibir • **interdire qqch à qqn** prohibir algo a alguien • **interdire à qqn de faire qqch** prohibir a alguien hacer algo **2.** *(fonctionnaire, prêtre)* suspender.

interdit, e adj *(défendu)* prohibido(da) • **être interdit bancaire** tener la cuenta bancaria bloqueada • '**interdit aux moins de 18 ans**' 'no autorizado a menores de 18 años'.

intéressant, e adj interesante.

intéressé, e ◪ adj interesado(da) • **être intéressé par qqch** tener interés por algo. ◪ nm, f interesado *(m)*, -da *(f)*.

intéresser vt interesar • **intéresser qqn à qqch** interesar a alguien en OU por algo. ■ **s'intéresser** vp • **s'intéresser à qqn/à qqch** interesarse por alguien/por algo.

intérêt nm interés *(m)* • **l'intérêt de** *(avantage, originalité)* lo interesante de • **intérêt pour qqn/pour qqch** interés por alguien/por algo • **avoir intérêt à faire qqch** interesar a alguien hacer algo • **tu as intérêt à te taire !** ¡más vale que te calles! ■ **intérêts** nmpl FIN intereses *(mpl)*.

interface nf **1.** INFORM interfaz *(f)* • **interface graphique** interfaz gráfica **2.** *(intermédiaire)* intermediario *(m)*, -ria *(f)*.

interférer vi interferir • **interférer avec** interferir en.

intérieur, e adj interior. ■ **intérieur** nm **1.** *(gén)* interior *(m)* • **à l'intérieur** dentro • **à l'intérieur de qqch** dentro de algo, en el interior de algo • **d'intérieur** *(veste, etc)* de estar por casa **2.** *(foyer)* hogar *(m)*.

intérim nm *(travail temporaire)* trabajo *(m)* temporal, trabajo *(m)* eventual • **société d'intérim** empresa *(f)* de subcontratación.

intérimaire ◪ adj **1.** *(employé)* temporal **2.** *(fonction)* interino(na). ◪ nmf **1.** *(ministre, director)* interino *(m)*, -na *(f)* **2.** *(employé)* substituto *(m)*, -ta *(f)*.

intérioriser vt interiorizar.

interjection nf **1.** LING interjección *(f)* **2.** DR. interposición *(f)* de un recurso de apelación.

interligne nm interlineado *(m)*.

interlocuteur, trice nm, f interlocutor *(m)*, -ra *(f)*.

interloquer vt desconcertar.

interlude nm **1.** MUS interludio *(m)* **2.** TV intermedio *(m)*.

intermède nm **1.** THÉÂTRE entremés *(m)* **2.** *(interruption)* intermedio *(m)*.

intermédiaire ◪ nmf *(personne)* intermediario *(m)*, -ria *(f)*. ◪ adj intermedio(dia). ◪ nm *(entremise)* • **par l'intermédiaire de qqch** a través de algo • **par l'intermédiaire de qqn** por alguien, por mediación de alguien.

interminable adj interminable.

intermittence nf intermitencia *(f)* • **par intermittence** con intermitencias.

intermittent, e ◪ adj intermitente. ◪ nm, f • **les intermittents du spectacle** *ce statut n'existant pas dans les pays hispanophones, vous pouvez dire* : se trata de trabajadores temporales del mundo del espectáculo que disfrutan de un régimen especial del seguro de desempleo.

internat nm **1.** *(établissement scolaire, système)* internado *(m)* **2.** UNIV *(concours)* ≃ MIR *(m)* **3.** *(période de stage & MÉD)* internado *(m)*.

international, e ◨ *adj* internacional. ◨ *nm, f* SPORT internacional *(mf)*.

internaute *nmf* internauta *(mf)*.

interne *adj & nmf* interno(na).

interner *vt* **1.** *(dans une prison, un camp)* recluir **2.** *(dans un hôpital psychiatrique)* internar.

Internet *nm* Internet *(f)* • **je l'ai trouvé sur Internet** lo he encontrado en Internet.

interpeller *vt* **1.** *(apostropher, interroger)* interpelar **2.** *(susciter l'intérêt de)* reclamar.

Interphone® *nm* interfono *(m)*, telefonillo *(m)*.

interposer *vt* **1.** *(placer entre)* • **interposer qqch entre qqch et qqch** interponer algo entre algo y algo **2.** *fig (faire intervenir)* interponer, hacer valer. ◨ **s'interposer** *vp (intervenir)* • **s'interposer dans qqch** interponerse en algo • **s'interposer entre qqn et qqn** interponerse entre alguien y alguien.

interprétation *nf* interpretación *(f)* • **interprétation simultanée** interpretación simultánea.

interprète *nmf* **1.** *(gén)* intérprete *(mf)* **2.** *(porte-parole)* portavoz *(mf)*.

interpréter *vt* interpretar.

interrogatif, ive *adj* interrogativo(va).

interrogation *nf* **1.** *(question)* interrogación *(f)* **2.** SCOL examen *(m)* **3.** GRAMM oración *(f)* interrogativa **4.** INFORM consulta *(f)*.

interrogatoire *nm* interrogatorio *(m)*.

interrogeable ▷ **répondeur.**

interroger *vt* **1.** *(témoin, candidat)* interrogar • **interroger qqn sur qqch** interrogar a alguien sobre algo **2.** INFORM *(base de données)* consultar **3.** *(conscience, faits)* examinar. ◨ **s'interroger** *vp* • **s'interroger sur qqch** preguntarse sobre algo.

interrompre *vt* interrumpir • **interrompre qqn dans qqch** interrumpir a alguien en algo. ◨ **s'interrompre** *vp* interrumpirse.

interruption *nf* interrupción *(f)* • **interruption volontaire de grossesse** interrupción voluntaria del embarazo.

intersection *nf* intersección *(f)*.

interstice *nm* intersticio *(m)*.

intervalle *nm* intervalo *(m)* • **à deux jours d'intervalle** con dos días de intervalo.

intervenant, e *nm, f* **1.** *(orateur)* conferenciante *(mf)* **2.** DR parte *(f)* interesada.

intervenir *vi* **1.** *(gén)* intervenir • **intervenir dans qqch** intervenir en algo • **faire intervenir qqn** hacer intervenir a alguien **2.** *(se produire)* ocurrir.

intervention *nf* intervención *(f)*.

interventionnisme *nm* intervencionismo *(m)*.

intervertir *vt* invertir.

interview *nf* entrevista *(f)*.

interviewer[1] *vt* entrevistar.

interviewer[2] *nm* entrevistador *(m)*, -ra *(f)*.

intestinal, e *adj* intestinal.

Intifada *nf* intifada *(f)*, Intifada *(f)*.

intime *adj & nmf* íntimo(ma).

intimider *vt* intimidar.

intimiste *adj* intimista.

intimité *nf* intimidad *(f)*.

intitulé *nm* título *(m)*.

intituler *vt* titular. ◨ **s'intituler** *vp* titularse.

intolérable *adj* intolerable.

intolérance *nf* intolerancia *(f)*.

intolérant, e *adj* intolerante.

intonation *nf* entonación *(f)*.

intouchable *adj & nmf* intocable.

intoxication *nf* **1.** MÉD intoxicación *(f)* **2.** *fig (propagande)* camecoccs *(m inv)*.

intoxiquer *vt* intoxicar. ◨ **s'intoxiquer** *vp* intoxicarse.

intraduisible *adj* **1.** *(texte)* intraducible **2.** *(sentiment)* inexplicable.

intraitable *adj* inflexible • **être intraitable sur qqch** ser inflexible en algo.

intransigeance *nf* intransigencia *(f)*.

intransigeant, e *adj* intransigente.

intransitif, ive *adj* intransitivo(va).

intransportable *adj* intransportable.

intraveineux, euse *adj* intravenoso(sa). ◨ **intraveineuse** *nf* intravenosa *(f)*.

intrépide *adj* intrépido(da).

intrigue *nf* **1.** *(gén)* intriga *(f)* **2.** *sout (liaison amoureuse)* aventura *(f)*.

intriguer *vt & vi* intrigar.

introduction *nf* introducción *(f)*.

introduire *vt* introducir. ◨ **s'introduire** *vp* introducirse.

introspection *nf* introspección *(f)*.

introuvable *adj* **1.** *(personne, objet)* • **il est introuvable** no hay quien lo encuentre • *(voleur)* se halla en paradero desconocido **2.** *(rare)* imposible de encontrar.

introverti, e *adj & nm, f* introvertido(da).

intrus, e *adj & nm, f* intruso(sa).

intrusion *nf* intrusión *(f)*.

intuitif, ive *adj & nm, f* intuitivo(va).

intuition *nf* intuición *(f)*.

inusable *adj* **1.** *(chaussures)* resistente **2.** *(pneus)* duradero(ra).

inusité, e *adj* nusitado(da).

in utero *loc adj & loc adv* in utero *(s'écrit aussi* **in útero***)*.

inutile *adj* inútil.

inutilisable *adj* inservible.

inutilité *nf* inutilidad *(f)*.

inv. *(abr écrite de invariable)* inv., invar.

invaincu, e *adj* 1. SPORT invicto(ta) 2. *(peuple)* imbatido(da).

invalide ◆ *adj* inválido(da). ◆ *nmf* inválido *(m)*, -da *(f)*.

invalidité *nf* 1. MÉD invalidez *(f)* 2. DR nulidad *(f)*.

invariable *adj* invariable.

invasion *nf* invasión *(f)*.

invendable *adj* invendible.

invendu, e *adj* sin vender. ◆ **invendu** *nm* artículo *(m)* sin vender.

inventaire *nm* inventario *(m)*.

inventer *vt* 1. *(histoire, mensonge)* inventarse 2. *(machine, engin)* inventar.

invention *nf* 1. *(découverte, mensonge)* invención *(f)* 2. *(imagination)* inventiva *(f)*.

inventorier *vt* inventariar.

inverse ◆ *adj* inverso(sa). ◆ *nm* ● **l'inverse** lo contrario ● **à l'inverse** al contrario ● **dans le** *ou* **en sens inverse** en el sentido contrario.

inversement *adv* 1. *(gén)* a la inversa 2. MATH inversamente.

inverser *vt* invertir *(el orden)*.

invertébré, e *adj* invertebrado(da). ◆ **invertébré** *nm* invertebrado *(m)*.

investigation *nf* investigación *(f)*.

investir *vt* 1. MIL sitiar 2. *(fonctionnaire, évêque)* investir 3. *(argent, efforts)* invertir ● **investir qqch dans qqch** invertir algo en algo. ◆ **s'investir** *vp* involucrarse ● **s'investir dans** involucrarse en.

investissement *nm* 1. FIN inversión *(f)* 2. MIL sitio *(m)*.

investiture *nf* investidura *(f)*.

invétéré, e *adj* empedernido(da).

invincible *adj* invencible.

inviolable *adj* 1. *(gén)* inviolable 2. *(citadelle)* inexpugnable.

invisible *adj* 1. *(impossible à voir)* invisible 2. *(caché)* oculto(ta).

invitation *nf* invitación *(f)*.

invité, e *adj & nm, f* invitado(da).

inviter *vt* invitar ● **inviter qqn à qqch/à faire qqch** *(inciter)* invitar a alguien a algo/a hacer algo.

in vitro ▷ **fécondation**.

invivable *adj* 1. *(personne, situation)* insoportable 2. *(lieu)* inhabitable.

involontaire *adj* involuntario(ria).

invoquer *vt* 1. *(gén)* invocar 2. *(excuse)* alegar.

invraisemblance *nf* inverosimilitud *(f)*.

invulnérable *adj* invulnerable.

iode *nm* yodo *(m)*.

ion *nm* ion *(m)*.

IRA *(abr de Irish Republican Army) nf* IRA *(m)* ● **l'aile politique de l'IRA** el brazo político del IRA.

Irak, Iraq *nm* ● **l'Irak** Irak, Iraq.

Iran *nm* ● **l'Iran** Irán.

Iraq = **Irak**.

irascible *adj* irascible.

iris *nm* 1. BOT lirio *(m)* 2. ANAT iris *(m inv)*.

Irlande *nf* ● **l'Irlande** Irlanda ● **l'Irlande du Nord** Irlanda del Norte ● **l'Irlande du Sud** República de Irlanda.

ironie *nf* ironía *(f)*.

ironique *adj* irónico(ca).

ironiser *vi* ● **ironiser sur qqch** ironizar sobre algo.

irradier ◆ *vi* 1. *(lumière, douleur)* irradiar 2. fig *(sentiment)* manifestarse. ◆ *vt* irradiar.

irraisonné, e *adj* 1. *(crainte)* infundado(da) 2. *(geste)* automático(ca).

irrationnel, elle *adj* irracional.

irréalisable *adj* irrealizable.

irrécupérable *adj* irrecuperable.

irrécusable *adj* irrecusable.

irréductible *adj & nmf* irreductible.

irréel, elle *adj* irreal.

irréfléchi, e *adj* irreflexivo(va).

irréfutable *adj* irrefutable.

irrégularité *nf* irregularidad *(f)*.

irrégulier, ère *adj* irregular.

irrémédiable *adj* irremediable.

irremplaçable *adj* irremplazable, insustituible.

irréparable *adj* irreparable.

irrépressible *adj* irreprimible.

irréprochable *adj* intachable, irreprochable.

irrésistible *adj* 1. *(gén)* irresistible 2. *(amusant)* desternillante.

irrésolu, e *adj* 1. *(personne)* irresoluto(ta) 2. *(problème)* sin resolver.

irrespirable *adj* irrespirable.

irresponsable ◆ *adj* 1. *(gén)* irresponsable 2. DR no responsable ante la ley. ◆ *nmf* irresponsable *(mf)*.

irréversible *adj* irreversible.

irrévocable *adj* irrevocable.

irrigation *nf* irrigación *(f)*.

irriguer *vt* irrigar.

irritation *nf* irritación *(f)*.

irriter *vt* irritar. ◆ **s'irriter** *vp* irritarse ● **s'irriter contre qqn** enfadarse con alguien ● **s'irriter de qqch** irritarse por algo.

irruption *nf* 1. *(invasion, entrée)* irrupción *(f)* 2. *(débordement)* desbordamiento *(m)* ● **irruption des eaux** desbordamiento de las aguas.

islam nm RELIG islam (m). ■ **Islam** nm ▸ **l'Islam** el Islam.

islamique adj islámico(ca).

Islande npr ▸ **l'Islande** Islandia.

isocèle adj isósceles (inv).

isolant, e adj aislante. ■ **isolant** nm aislante (m).

isolation nf aislamiento (m).

isolé, e adj aislado(da).

isolément adv aisladamente.

isoler vt aislar. ■ **s'isoler** vp aislarse ▸ **s'isoler de qqch** aislarse de algo.

isoloir nm cabina (f) electoral.

isotherme ⬛ adj isotermo(ma). ⬛ nf isoterma (f).

Israël npr Israel.

israélite adj israelita. ■ **Israélite** nmf israelita (mf).

issu, e adj ▸ **issu de qqch** (résultat) resultante de algo ▸ (descendant) descendiente de algo. ■ **issue** nf **1.** (sortie) salida (f) ▸ **issue de secours** salida de emergencia **2.** (résultat) resultado (m) ▸ **issue fatale** desenlace (m) fatal ▸ **heureuse issue** desenlace (m) feliz **3.** (terme) final (m).

Istanbul npr Estambul.

isthme nm istmo (m).

Italie npr ▸ **l'Italie** Italia.

italien, enne adj italiano(na). ■ **italien** nm LING italiano (m). ■ **Italien, enne** nm, f italiano (m), -na (f).

italique nm cursiva (f).

itinéraire nm itinerario (m) ▸ **itinéraire bis** itinerario alternativo.

itinérant, e adj **1.** (spectacle, troupe) itinerante **2.** (ambassadeur) ambulante.

IUFM (abr de **institut universitaire de formation des maîtres**) nm ≃ EUM (f) (Escuela Universitaria de Magisterio) ▸ **elle a fait l'IUFM** ≃ ha estudiado magisterio.

IUP (abr de **institut universitaire professionnel**) nm escuela (f) universitaria de formación profesional (a la que se accede tras haber cursado un año universitario).

IUT (abr de **institut universitaire de technologie**) nm ≃ universidad (f) técnica.

IVG (abr de **interruption volontaire de grossesse**) IVE, interrupción voluntaria del embarazo ▸ **pratiquer une IVG** practicar un aborto.

ivoire nm **1.** (gén) marfil (m) **2.** (objet) objeto (m) de marfil.

ivre adj borracho(cha).

ivresse nf (ébriété) embriaguez (f).

ivrogne adj & nmf borracho(cha).

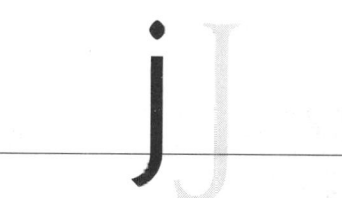

j, J nm inv (lettre) j (f), J (f). ■ **J 1.** (abr écrite de **joule**) J **2.** (abr écrite de **jour**) D ▸ **le jour J** el día D.

jabot nm **1.** (d'oiseau) buche (m) **2.** (de chemise) chorrera (f), pechera (f).

jacasser vi **1.** (pie) chirriar **2.** péj (personne) cotorrear.

jacinthe nf jacinto (m).

jacquard nm **1.** (pull) jersey (m) de rombos **2.** (motif) jacquard (m).

Jacuzzi® nm jacuzz (m).

jade nm jade (m).

jadis adv antaño.

jaguar nm jaguar (m).

jaillir vi ▸ **jaillir de** (gén) surgir de ▸ (liquide) brotar de.

jais nm azabache (m).

jalon nm jalón (m).

jalonner vt (chemin, route) jalonar, amojonar.

jalousie nf **1.** (envie) envidia (f) **2.** (en amour) celos (mpl) **3.** (store) celosía (f).

jaloux, ouse adj celoso(sa) ▸ **jaloux de** (envieux) envidioso de ▸ (en amour, attaché à) celoso de.

jamais adv **1.** (sens négatif) nunca ▸ **ne... jamais** no... nunca ▸ **je ne reviendrai jamais** no volveré nunca ▸ **je ne reviendrai plus jamais** no volveré nunca más ▸ **plus jamais !** ¡nunca más! ▸ **sans jamais** (+ infinitif) sin (+ infinitif) ▸ **il travaille sans jamais s'arrêter** trabaja sin parar **2.** (sens positif) alguna vez ▸ **as-tu jamais rien vu de pareil ?** ¿has visto alguna vez una cosa igual? ▸ **je doute de jamais y parvenir** dudo que lo consiga alguna vez ▸ **si jamais** si alguna vez ▸ **si jamais tu le vois** si llegas a verlo. ■ **à jamais** loc adv sout para siempre. ■ **pour jamais** loc adv sout para siempre.

jambage nm palo (m) (de una letra).

jambe nf pierna (f) (Esp), canilla (f) (Amér).

jambières nfpl espinilleras (fpl).

jambon nm jamón (m) ▸ **jambon cru** ou **de Bayonne** jamón serrano.

jante nf llanta (f).

janvier nm enero (m) ▸ voir aussi **septembre**

japper vi ladrar.

jaquette nf **1.** (vêtement - d'homme) chaqué (m) • (- de femme) chaqueta (f) (Esp), saco (m) (Amér) **2.** (de livre) sobrecubierta (f).

jardin nm jardín (m) • **jardin d'agrément** jardín.

jardinage nm jardinería (f).

jardinier, ère nm, f jardinero (m), -ra (f). ■ **jardinière** nf (bac à fleurs) jardinera (f). ■ **jardinière de légumes** nf ≃ menestra (f) de verduras.

jargon nm jerga (f).

jarret nm **1.** ANAT corva (f) **2.** CULIN jarrete (m).

jarretelle nf liga (f).

jarretière nf liga (f).

jars nm ganso (m).

jaser vi **1.** (médire) cotillear **2.** (bavarder) charlar.

jasmin nm jazmín (m).

jaspé, e adj jaspeado(da).

jatte nf cuenco (m).

jauge nf indicador (m).

jauger vt juzgar.

jaune ■ adj amarillo(lla). ■ nm **1.** (couleur) amarillo (m) **2.** péj (briseur de grève) esquirol (m). ■ **jaune d'œuf** nm yema (f) de huevo.

jaunir ■ vi amarillear. ■ vt poner amarillo.

jaunisse nf MÉD ictericia (f).

java nf (danse) java (f).

javelot nm jabalina (f).

jazz nm jazz (m).

J-C (abr écrite de **Jésus-Christ**) J.C., JC.

je pron pers yo • **je viendrai demain** vendré mañana • **que dois-je faire ?** ¿qué debo hacer?

jean, jeans nm vaqueros (mpl), tejanos (mpl).

Jeep® nf jeep® (m).

jérémiades nfpl lloriqueos (mpl), jeremiadas (fpl).

jerrycan, jerrican nm bidón (m).

jersey nm punto (m) (tela).

Jérusalem npr Jerusalén.

jésuite ■ nm **1.** RELIG jesuita (m) **2.** péj (hypocrite) hipócrita (m). ■ adj RELIG jesuita.

Jésus-Christ npr Jesucristo.

jet¹ nm **1.** (jaillissement) chorro (m) • **premier jet** fig primer bosquejo (m) **2.** (de javelot) lanzamiento (m).

jet² nm jet (m).

jeté ■ **jeté de lit** nm colcha (f). ■ **jeté de table** nm tapete (m).

jetée nf espigón (m).

jeter vt **1.** (gén) tirar • **jeter qqch à qqn** tirar algo a alguien **2.** (mettre rapidement) echarse • **jeter un manteau sur ses épaules** echarse un abrigo sobre los hombros. ■ **se jeter** vp • **se jeter dans** (sujet : rivière) desembocar en • (sujet : personne) echarse en • **se jeter à l'eau** tirarse al agua • fig (se décider) liarse la manta a la cabeza • **se jeter sur qqn/sur qqch** lanzarse sobre alguien/sobre algo.

jeton nm (de jeu, de téléphone) ficha (f).

jet-set nf jet (set) (f).

jeu nm **1.** (gén) juego (m) • **par jeu** para divertirse • **jeu de cartes** (divertissement) juego de cartas ou de naipes • (paquet) baraja (f) • **jeu de hasard/de l'oie/de société** juego de azar/de la oca/de sociedad • **jeu vidéo** videojuego (m) • **c'est un jeu d'enfant** es un juego de niños • **jouer le jeu** seguir el juego **2.** MUS ejecución (f) **3.** THÉÂTRE actuación (f), interpretación (f). ■ **jeu d'échecs** nm ajedrez (m). ■ **jeu d'écriture** nm traspaso (m) de cuentas.

jeudi nm jueves (m inv) • voir aussi **samedi**.

jeun ■ **à jeun** loc adv en ayunas.

jeune ■ nmf joven (mf) • **les jeunes** la juventud. ■ adj joven.

jeûne nm ayuno (m).

jeunesse nf juventud (f).

JF, jf (abr écrite de **jeune fille**) Srta.

JH abrév de **jeune homme**.

jingle nm RADIO & TV jingle (m).

JO nm (abr de **Journal officiel**) ≃ BOЕ (m) • **paraître au JO** ≃ ser publicado en el BOE.

joaillier, ère nm, f joyero (m), -ra (f).

job nm fam curro (m).

jockey nm jockey (m).

jogging nm **1.** (sport) jogging (m), footing (m) **2.** (vêtement) chándal (m) (Esp), buzo (m) (Amér).

joie nf alegría (f).

joindre vt **1.** (rapprocher) juntar **2.** (adjoindre & INFORM) adjuntar • **joindre un fichier à un message électronique** adjuntar un archivo a un mensaje **3.** (par téléphone) localizar. ■ **se joindre** vp • **se joindre à qqn** unirse a alguien.

joli, e adj **1.** (gén) bonito(ta) (Esp), lindo(da) (Amér) **2.** (situation, somme) bueno(na).

joliment adv **1.** (agréablement) muy bien **2.** iron (emploi expressif) • **elle les a joliment eus !** ¡qué bien los ha engañado! **3.** fam (beaucoup) maravillosamente.

jonc nm junco (m).

joncher *vt* cubrir • **être jonché de** estar cubierto de.

jonction *nf (de routes)* confluencia *(f)*.

jongler *vi* hacer malabarismos • **jongler avec qqch** *fig* hacer malabarismos con algo.

jongleur, euse *nm, f* malabarista *(mf)*.

jonquille *nf* junquillo *(m)*.

joue *nf* mejilla *(f) (Esp)*, cachete *(m) (Amér)*.

jouer ◼ *vi* 1. *(s'amuser)* jugar • **jouer à qqch** jugar a algo • **jouer avec qqn/avec qqch** jugar con alguien/con algo 2. CINÉ & THÉÂTRE actuar 3. MUS tocar • **jouer du piano/de la guitare** tocar el piano/la guitarra 4. *fig (feindre)* • **jouer à** dárselas de • **jouer au dur** dárselas de valiente 5. *(bois)* hincharse 6. *(pièce)* tener holgura. ◼ *vt* 1. *(carte)* jugar 2. *(hasarder, risquer)* • **jouer qqch** *(vie, réputation)* jugarse algo 3. *(pièce, rôle)* representar 4. *(film)* dar, poner. ◼ **se jouer** *vp* 1. *(gén)* jugarse 2. *(auteur, pièce)* representarse 3. *(film)* pasar 4. *fig (drame)* tener lugar 5. *sout* • **se jouer de qqn** reírse de alguien • **se jouer de qqch** pasar algo por alto.

jouet *nm* juguete *(m)* • **être le jouet de qqn** *fig* ser el juguete de alguien.

joueur, euse *nm, f* jugador *(m)*, -ra *(f)* • **joueur de tennis** tenista *(m)*.

joufflu, e *adj* mofletudo(da).

joug *nm* yugo *(m)*.

jouir *vi* 1. *(apprécier, bénéficier)* • **jouir de qqch** disfrutar de algo 2. *(sexuellement)* gozar.

jouissance *nf* 1. DR *(de bien)* disfrute *(m)* 2. *(sexuelle)* goce *(m)*.

joujou *nm* juguete *(m)*.

jour *nm* día *(m)* • **au petit jour** a amanecer • **de jour en jour** de día en día • **de nos jours** hoy en día • **d'un jour à l'autre** de un día para otro • **en plein jour** a plena luz de día • **jour après jour** día tras día • **jour et nuit** día y noche • **le jour de l'An** el día de Año Nuevo • **jour de congé** día de descanso ou libre • **jour de fête** día de fiesta • **jour férié** día festivo • **être à jour** estar al día • **donner le jour à** dar a luz a • **mettre qqch à jour** poner algo al día.

journal *nm* 1. *(publication)* periódico *(m)* 2. TV • **journal (télévisé)** telediario *(m)* 3. *(carnet)* diario *(m)* • **journal intime** diario íntimo.

■ **Journal officiel** *nm* • **le Journal officiel de la République française** ≃ el BOE *(Boletín Oficial del Estado)*.

journalier, ère *adj* diario(ria).

journalisme *nm* periodismo *(m)*.

journaliste *nmf* periodista *(mf)*.

journée *nf* 1. día *(m)* 2. *(de travail)* jornada *(f)*.

joute *nf* justa *(f)*.

jovial, e *adj* jovial.

joyau *nm* joya *(f)*.

joyeux, euse *adj* alegre.

jubilé *nm* 1. *(anniversaire)* cincuenta aniversario *(m)* 2. RELIG jubileo *(m)*.

jubiler *vi* *fam* entusiasmarse.

jucher *vt* • **jucher qqn sur qqch** encaramar a alguien a algo. ■ **se jucher** *vp* • **se jucher sur qqch** encaramarse a ou sobre algo.

judaïque *adj* judaico(ca).

judaïsme *nm* judaísmo *(m)*.

judas *nm (de porte)* mirilla *(f)*.

judéo-chrétien, enne *adj* judeocristiano(na).

judiciaire *adj* judicial.

judicieux, euse *adj* juicioso(sa).

judo *nm* judo *(m)*.

juge *nm* juez *(m)*, jueza *(f)* • **juge d'enfants** juez de menores • **juge d'instruction/de paix** juez de instrucción/de paz.

jugé ■ **au jugé** *loc adv* a ojo de buen cubero.

jugement *nm* juicio *(m)*.

jugeote *nf fam* coco *(m)*.

juger ◼ *vt* juzgar • **juger que** estimar ou considerar que • **juger qqch inutile/indispensable** juzgar algo inútil/indispensable. ◼ *vi* • **juger de qqch** apreciar algo.

juif, juive *adj* judío(a). ■ **Juif, Juive** *nm, f* judío *(m)*, -a *(f)*.

juillet *nm* julio *(m)* • **la fête du 14 Juillet** el 14 de julio *(la fiesta nacional francesa)*. • *voir aussi* **septembre**

juin *nm* junio *(m)*. • *voir aussi* **septembre**

juke-box *nm inv* juke-box *(m)*.

jumeau, elle ◼ *adj* gemelo(la). ◼ *nm, f* gemelo *(m)*, -la *(f)*. ■ **jumelles** *nfpl (en optique)* gemelos *(mpl)*.

jumelage *nm* hermanamiento *(m)*.

jumelé, e *adj* 1. *(villes)* hermanado(da) 2. *(roues)* acoplado(da).

jumeler *vt* hermanar.

jument *nf* yegua *(f)*.

jungle *nf* jungla *(f)*.

junior *adj* SPORT júnior.

junte *nf* junta *(f) (asamblea)*.

jupe *nf* falda *(f) (Esp)*, pollera *(f) (Amér)*.

jupe-culotte nf falda (f) pantalón.

jupon nm enagua (f).

juré[1] nm miembro (m) del jurado.

juré[2]**, e** adj (ennemi) jurado(da).

jurer ◼ vt jurar ◦ **jurer (à qqn) que...** jurar (a alguien) que... ◦ **jurer qqch à qqn** jurar algo a alguien ◦ **jurer de faire qqch** jurar hacer algo ◦ **je le jure** lo juro ◦ **je vous le jure !** ¡se lo juro! ◦ **quel idiot, je te jure !** fam ¡joder, qué tonto! ◦ **ne plus jurer que par qqch** sólo creer en algo. ◼ vi **1.** (blasphémer) jurar **2.** (couleurs) no pegar ◦ **jurer avec qqch** no pegar con algo. ◼ **se jurer** vp ◦ **se jurer qqch** jurarse algo.

juridiction nf jurisdicción (f).

juridique adj jurídico(ca).

jurisprudence nf jurisprudencia (f).

juriste nmf jurista (mf).

juron nm juramento (m).

jury nm **1.** DR jurado (m) (asamblea) **2.** SCOL tribunal (m).

jus nm **1.** (de fruits) zumo (m) ◦ **jus de raisin** mosto (m) **2.** (de légumes) caldo (m) **3.** (de viande) salsa (f).

jusque ◼ **jusqu'à** loc prép **1.** (sens temporel) hasta ◦ **jusqu'à nouvel ordre** hasta nueva orden ◦ **jusqu'à présent** hasta ahora **2.** (sens spatial) hasta ◦ **jusqu'au bout** hasta el final **3.** (même) hasta, incluso. ◼ **jusqu'à ce que** loc conj hasta que. ◼ **jusqu'en** loc prép hasta. ◼ **jusqu'ici** loc adv **1.** (sens spatial) hasta aquí **2.** (sens temporel) hasta ahora. ◼ **jusque-là** loc adv **1.** (sens spatial) hasta allí **2.** (sens temporel) hasta aquel momento.

justaucorps nm body (m), mallas (fpl).

juste adj **1.** (gén) justo(ta) **2.** (exact) exacto(ta).

justement adv **1.** (gén) precisamente, justo **2.** (avec raison) con razón.

justesse nf precisión (f). ◼ **de justesse** loc adv por poco.

justice nf justicia (f) ◦ **poursuivre qqn en justice** llevar a alguien ante la justicia ou a los tribunales ◦ **passer en justice** ir a juicio.

justicier, ère nm, f justiciero (m), -ra (f).

justifiable adj justificable.

justificatif, ive adj justificativo(va), justificante. ◼ **justificatif** nm justificante (m).

justification nf justificación (f).

justifier vt justificar. ◼ **se justifier** vp justificarse.

jute nm yute (m).

juter vi dar jugo.

juteux, euse adj jugoso(sa).

juvénile adj juvenil.

juxtaposer vt yuxtaponer.

k, K nm inv (lettre) k (f), K (f).

K7 (abr de **cassette**) nf casete (f) ◦ **un radio-K7** un radiocasete.

kaki adj inv & nm caqui, kaki.

kaléidoscope nm calidoscopio (m).

kamikaze nm kamikaze (m).

kangourou nm canguro (m).

karaoké nm karaoke (m).

karaté nm kárate (m).

karting nm karting (m).

kasher, casher, cachère adj inv kasher.

kayak nm kayac (m).

Kazakhstan npr ◦ **le Kazakhstan** Kazajistán.

Kenya npr ◦ **le Kenya** Kenia.

képi nm quepis (m inv).

kératine nf queratina (f).

kermesse nf kermesse (f).

kérosène nm keroseno (m).

ketchup nm ketchup (m).

keuf nm fam pasma (f).

keum nm fam pive (m).

kg (abr écrite de **kilogramme**) kg.

KGB (abr de **Komitet Gossoudarstvennoï Bezopasnosti**) nm KGB (m).

kibboutz nm kibutz (m inv).

kidnapper vt secuestrar (Esp), plagiar (Amér).

kilo nm kilo (m).

kilogramme nm kilogramo (m).

kilométrage nm kilometraje (m).

kilomètre nm kilómetro (m).

kilowatt nm kilovatio (m).

kilt nm kilt (m), falda (f) escocesa.

kimono ◼ nm kimono (m). ◼ adj inv japonés(esa).

kiné fam ◼ nmf (kinésithérapeute) fisio (mf) ◦ **aller chez le/la kiné** ir al fisio. ◼ nf (abr de **kinésithérapie**) quinesioterapia (f), quinesiterapia (f), kinesiterapia (f) ◦ **faire de la kiné** seguir una quinesioterapia.

kinésithérapeute nmf fisioterapeuta (mf).

kinésithérapie nf quinesioterapia (f), quinesiterapia (f), kinesiterapia (f).

kiosque nm **1.** (gén) quiosco (m) **2.** (de navire) caseta (f), casetón (m).

kirsch nm kirsch (m).

kitchenette nf kitchenette (f).

kitsch adj inv kitsch.

kiwi nm kiwi (m).

Klaxon® nm claxon (m), bocina (f).

klaxonner vi pitar, tocar el claxon.

kleptomane, cleptomane adj & nmf cleptómano(na).

km (abr écrite de **kilomètre**) km.

km/h (abr écrite de **kilomètre/heure** ou **kilomètre par heure**) km/h. • **rouler à 60 km/h** conducir a 60 km/h.

K-O (abr de **knock-out**) nm inv & adj inv KO.

kosovar, e adj kosovar. ■ **Kosovar** nmf Kosovar (mf), -es (pl).

Koweït npr • **le Koweït** Kuwait.

krach nm crac (m) • **krach boursier** crac bursátil.

kung-fu nm kung-fu (m).

kyrielle nf sarta (f).

kyste nm quiste (m).

l, L nm inv (lettre) l (f), L (f). ■ **l** (abr écrite de **litre**) l. ■ **L** SCOL (abr de **littéraire**) ≃ bachillerato (m) en humanidades.

la[1] art déf & pron ⮑ le.

la[2] nm inv MUS la (m).

là adv 1. (lieu) aquí, ahí • **c'est là que je travaille** ahí es donde trabajo • **passe par là** pasa por aquí • **là est le problème** ahí está el problema 2. (temps) entonces • **là, il a allumé une cigarette** entonces encendió un cigarrillo.

là-bas adv allí.

label nm 1. (étiquette) etiqueta (f) 2. (commerce) marca (f) de fábrica.

labeur nm sout labor (f).

labo nm fam laboratorio (m).

laborantin, e nm, f auxiliar (mf) de laboratorio.

laboratoire nm laboratorio (m).

laborieux, euse adj 1. (travail) laborioso(sa) 2. (travailleur) trabajador(ra).

labourer vt 1. (terre - travailler) labrar, trabajar • (- creuser) hacer surcos en 2. (griffer) señalar.

laboureur nm labrador (m).

labyrinthe nm laberinto (m).

lac nm lago (m) • **le lac Léman** el lago Lemán • **le lac Majeur** el lago Mayor.

lacer vt atar.

lacérer vt 1. (papier, vêtement) desgarrar 2. (corps) rajar.

lacet nm 1. (cordon) cordón (m) 2. (de route) zigzag (m) 3. (piège) lazo (m).

lâche ■ adj 1. (nœud) flojo(ja) 2. (personne) cobarde 3. (action) vil. ■ nmf cobarde (mf).

lâcher ■ vt 1. (gén) soltar 2. (desserrer) aflojar 3. fam (abandonner) plantar. ■ vi aflojarse.

lâcheté nf 1. (couardise) cobardía (f) 2. (acte indigne) vileza (f).

lacis nm 1. ANAT plexo (m) 2. sout (labyrinthe) laberinto (m).

laconique adj lacónico(ca).

lacrymogène adj lacrimógeno(na).

lacté, e adj 1. (à base de lait - régime) lácteo(a) • (- farine) lacteado(da) 2. sout (pareil au lait) lechoso(sa).

lacune nf (manque) laguna (f).

lacustre adj lacustre.

lad nm mozo (m) de cuadras.

là-dedans adv ahí dentro • **quel est son rôle là-dedans ?** ¿qué hace en todo esto?

là-dessous adv ahí abajo • **il y a quelque chose là-dessous** algo se esconde detrás de todo esto.

là-dessus adv 1. (sur ce) en eso, después de eso • **là-dessus, il est parti** después de eso, se fue 2. (à ce sujet) sobre esto • **je n'ai rien à dire là-dessus** no tengo nada que decir al respecto.

lagon nm lago (m).

lagune nf laguna (f).

là-haut adv allá arriba.

La Havane npr La Habana.

La Haye npr La Haya.

laïc, laïque adj & nm, f laico(ca).

laid, e adj feo(a).

laideron nm callo (m) (mujer fea).

laideur nf fealdad (f).

laie nf 1. ZOOL jabalina (f) 2. (sentier) vereda (f).

lainage nm 1. (étoffe) lana (f) 2. (vêtement) prenda (f) de lana.

laine nf lana (f) • **laine polaire** forro (m) polar.

laineux, euse adj 1. (étoffe) lanudo(da) 2. (cheveux, plante) lanoso(sa)

laisse nf correa (f).

laisser ■ v aux (+ infinitif) dejar • **laisser faire (qqch)** dejar hacer (algo) • **laisser faire qqn** dejar hacer a alguien • **laisser tomber qqch** dejar caer algo • **laisse tomber !** fam ¡déjalo! ■ vt dejar • **laisser qqch à qqn** (confier, léguer) dejar algo a alguien • **laisser qqn à qqn** dejar a alguien con alguien. ■ **se laisser** vp • **se laisser aller** (se relâcher) abandonarse • **se laisser faire** dejarse avasallar.

laisser-aller nm inv dejadez (f).

laisser-faire, laissez-faire nm inv ÉCON laisser-faire (m), laissez-faire (m).

laissez-passer nm inv pase (m), credencial (f).

lait nm leche (f) • **lait entier/écrémé/maternel** leche entera/desnatada/materna. ■ **lait de poule** nm CULIN yema (f) mejida. ■ **au lait** loc adj con leche.

laitage nm producto (m) lácteo.

laiterie nf 1. (usine) central (f) lechera 2. (ferme) lechería (f).

laitier, ère ◼ adj 1. (produit, industrie) lácteo(a) 2. (vache) lechero(ra). ◼ nm, f lechero (m), -ra (f).

laiton nm latón (m).

laitue nf lechuga (f).

laïus nm fam rollo (m) (discurso) • **faire un laïus** soltar un rollo.

lambeau nm 1. (morceau) pedazo (m) 2. fig (fragment) triza (f).

lambris nm friso (m).

lame nf 1. (d'épée, de couteau) hoja (f) • **lame de rasoir** hoja OU cuchilla (f) de afeitar 2. (de parquet) tabla (f) 3. (vague) ola (f).

lamé, e adj laminado(da). ■ **lamé** nm lamé (m).

La Mecque npr La Meca.

lamelle nf 1. (de métal, de plastique, de champignon) lámina (f) • **en lamelles** CULIN en lonchas 2. (de microscope) cubreobjetos (m inv).

lamentable adj lamentable.

lamentation nf lamentación (f), lamento (m).

lamenter ■ **se lamenter** vp lamentarse.

laminer vt 1. (métal) laminar 2. fig (santé, espoir, revenus) mermar.

lampadaire nm 1. (d'intérieur) lámpara (f) de pie 2. (de rue) farola (f) (Esp), foco (m) (Amér).

lampe nf 1. (d'éclairage) lámpara (f) • **lampe de chevet** lámpara de mesa • **lampe halogène** lámpara halógena • **lampe de poche** linterna (f) 2. (ampoule) bombilla (f).

lampion nm farolillo (m).

lampiste nm fam (subalterne) último mono (m).

lance nf 1. (arme) lanza (f) 2. (de tuyau) lanza (f) • **lance à eau** manga (f) de riego • **lance d'incendie** manga (f) de incendio.

lance-flammes nm inv lanzallamas (m inv).

lancement nm 1. (gén & COMM) lanzamiento (m) 2. (de navire) botadura (f).

lance-pierres nm inv tirachinas (m inv).

lancer ◼ vt 1. (gén) lanzar • **lancer qqch à qqn** lanzar OU tirar algo a alguien 2. (plaisanterie, cri) soltar 3. (moteur) poner en marcha 4. INFORM

(programme) arrancar 5. (navire) botar 6. (faire connaître) lanzar **qqn dans qqch** meter a alguien en algo 7. (inciter à parler) • **lancer qqn (sur qqch)** darle pie a alguien (para que hable de algo). ◼ nm 1. (pêche) • **au lancer** al lanzado 2. SPORT lanzamiento (m). ■ **se lancer** vp 1. (se précipiter) lanzarse 2. fig (s'engager) meterse.

lancinant, e adj 1. (douleur, souvenir) lancinante 2. (refrain, musique) cargante.

landau nm cochecito (m) (de bebé).

lande nf landa (f).

langage nm lenguaje (m).

lange nm mantilla (f).

langer vt envolver en una mantilla.

langoureux, euse adj lánguido(da).

langouste nf langosta (f).

langoustine nf cigala (f).

langue nf 1. (gén) lengua (f) • **langue maternelle/morte/vivante** lengua materna/muerta/viva • **langue officielle** idioma (m) oficial 2. (style) lenguaje (m).

langue-de-chat nf lengua (f) de gato.

languette nf lengüeta (f).

langueur nf languidez (f).

languir vi 1. sout (manquer d'énergie) languidecer 2. (attendre) • **faire languir qqn** tener a alguien en suspenso.

lanière nf correa (f).

lanterne nf 1. (d'éclairage) farolillo (m) 2. (de voiture) faro (m) (Esp), foco (m) (Amér) 3. (de projection & ARCHIT) linterna (f).

Laos npr • **le Laos** Laos.

La Paz npr La Paz.

laper vt & vi beber a lengüetadas.

lapider vt 1. (gén) lapidar 2. fig (critiquer) vapulear.

lapin, e nm, f 1. (animal) conejo (m). -ja (f) 2. fam (personne) • **mon lapin !** ¡mi vida!

lapsus nm lapsus (m inv).

laquais nm lacayo (m).

laque nf & nm laca (f).

laqué, e adj 1. (meuble) lacado(da) 2. (cheveux) con laca.

larbin nm fam péj 1. (domestique) criado (m) 2. (personne servile) esclavo (m).

larcin nm sout 1. (vol) hurto (m) 2. (butin) botín (m).

lard nm 1. (graisse de porc) tocino (m) 2. (viande) panceta (f) 3. fam (graisse de l'homme) • **(se) faire du lard** echar barriga.

lardon nm 1. CULIN taquito (m) de tocino 2. fam (enfant) mocoso (m).

large ◼ adj 1. (de mensuration) ancho(cha) 2. (vêtement) holgado(da) 3. (étendu, important, non borné) amplio(plia) 4. (généreux) espléndido(da)

■ *nm* **1.** *(largeur)* ancho *(m)* **2.** *(mer)* ▪ **le large** alta mar *(f)* ▪ **au large de** a la altura de. ■ *adv* *(amplement)* de sobra.

largement *adv* **1.** *(gén)* ampliamente **2.** *(ouvrir)* de par en par **3.** *(généreusement)* generosamente **4.** *(au moins)* con mucho **5.** *(amplement)* de sobra.

largeur *nf* **1.** *(dimension)* anchura *(f)* **2.** fig *(de vues, d'esprit)* amplitud *(f)*.

larguer *vt* **1.** NAUT *(amarres, voile)* largar **2.** *(bombe, parachutiste)* tirar **3.** fam fig *(personne)* plantar.

larme *nf* **1.** *(pleur)* lágrima *(f)* ▪ **être en larmes** llorar ▪ **les larmes lui montèrent aux yeux** se le humedecieron los ojos **2.** fig *(très peu)* ▪ **une larme de** una gota de.

larmoyant, e *adj* **1.** *(personne)* lloroso(sa) **2.** *(ton, histoire)* lacrimógeno(na).

larron *nm* **1.** *vieilli (voleur)* ladrón *(m)*, -ona *(f)* **2.** fam *(compère)* ▪ **le troisième larron** el tercero en discordia.

larve *nf* **1.** ZOOL larva *(f)* **2.** péj *(être inférieur)* desecho *(m)* **3.** fam *(personne molle)* muermo *(m)*.

laryngite *nf* laringitis *(f inv)*.

larynx *nm* laringe *(f)*.

las, lasse *adj* sout **1.** *(fatigué)* fatigado(da) **2.** *(dégoûté, ennuyé)* hastiado(da) ▪ **las de qqch/de faire qqch** harto de algo/de hacer algo.

lascar *nm* **1.** *(homme rusé)* zorro *(m)* **2.** fam *(enfant)* go-filio *(m)*.

lascif, ive *adj* lascivo(va).

laser ■ *nm* láser *(m)*. ■ *adj inv* láser *(en apposition)*.

lasser *vt* sout **1.** *(gén)* fatigar **2.** *(patience)* colmar. ■ **se lasser** *vp* sout fatigarse.

lassitude *nf* sout **1.** *(fatigue)* lasitud *(f)* **2.** *(découragement)* hastío *(m)*.

lasso *nm* lazo *(m)*.

latent, e *adj* latente.

latéral, e *adj* lateral.

latex *nm inv* látex *(m inv)*.

latin, e *adj* latino(na). ■ **latin** *nm* LING latín *(m)*. ■ **Latin, e** *nm, f* latino *(m)*, -na *(f)*.

latiniste *nmf* latinista *(mf)*.

latitude *nf* **1.** GÉOGR latitud *(f)* **2.** *(liberté)* libertad *(f)*.

latrines *nfpl* letrinas *(fpl)*.

latte *nf* listón *(m)*, lámina *(f)*.

lauréat, e *adj & nm, f* galardonado(da).

laurier *nm* laurel *(m)*. ■ **lauriers** *nmpl* laureles *(mpl)*.

lavable *adj* lavable.

lavabo *nm* lavabo *(m)*. ■ **lavabos** *nmpl* lavabo *(m)*.

lavage *nm* *(nettoyage - gén)* lavado *(m)* ▪ *(- des vitres)* limpieza *(f)*.

La Valette *npr* La Valeta.

lavande ■ *nf* lavanda *(f)*. ■ *adj inv* lavanda *(en apposition)*.

lave *nf* lava *(f)*.

lave-glace *nm* limpiaparabrisas *(m inv)*.

lave-linge *nm inv* lavadora *(f)*.

laver ■ *vt* **1.** *(nettoyer - personne, linge)* lavar ▪ *(- vaisselle)* fregar ▪ *(- vitres)* limpiar **2.** fig *(disculper)* ▪ **laver qqn d'une accusation** desagraviar a alguien. ■ *vi* lavar. ■ **se laver** *vp* lavarse ▪ **se laver les mains** lavarse las manos.

laverie *nf* lavandería *(f)* ▪ **laverie automatique** lavandería automática.

lavette *nf* **1.** *(tissu-éponge)* bayeta *(f)* **2.** fam *(personne)* pelele *(m)*.

laveur, euse *nm, f* limpiador *(m)*, -ra *(f)* ▪ **laveur de carreaux** limpiacristales *(m inv)* ▪ **laveur de voitures** limpiacoches *(m inv)*.

lave-vaisselle *nm inv* lavavajillas *(m inv)*, lavaplatos *(m inv)*.

lavoir *nm* **1.** *(lieu)* lavadero *(m)* **2.** *(bac)* pilón *(m)*.

laxatif, ive *adj* laxante. ■ **laxatif** *nm* laxante *(m)*.

laxisme *nm* laxismo *(m)*.

laxiste *adj & nmf* laxista.

layette *nf* canastilla *(f)* *(ropa de bebé)*.

le, la ■ *art déf* **1.** *(gén)* el(la) ▪ **le lac** el lago ▪ **la fenêtre** la ventana ▪ **l'amour** el amor ▪ **les enfants** los niños **2.** *(devant les noms géographiques)* el(la) ▪ **la Seine** el Sena ▪ **la France** Francia **3.** *(temps)* ▪ **le 15 janvier 1993** *(date)* el 15 de enero de 1993 ▪ *(dans une lettre)* a 15 de enero de 1993 ▪ **tout est fermé le dimanche** los domingos todo está cerrado **4.** *(distributif)* el(la) ▪ **2 euros le mètre** a 2 euros el metro. ■ *pron pers* **1.** *(personne, animal, chose)* lo(la) ▪ **je le/la/les connais bien** lo/la/los/las conozco bien ▪ **tu dois avoir la clé, donne-la-moi** debes de tener la llave, dámela **2.** *(représente une proposition)* lo ▪ **je le sais bien** lo sé ▪ **je te l'avais bien dit !** ¡te lo había dicho!

LEA *(abr de langues étrangères appliquées)* *nfpl* pour expliquer ce que c'est, vous pouvez dire : es una carrera en la que se compagina el estudio de dos lenguas extranjeras con su aplicación en el campo comercial o en el de la traducción. ▪ **la filière LEA** la rama LEA.

leader *nm* líder *(m)*.

leadership *nm* liderazgo *(m)*.

lèche-bottes *nmf fam* pelota *(mf)*.

lécher *vt* **1.** *(gén)* lamer **2.** fam *(peaufiner)* repulir.

leçon *nf* **1.** *(gén)* lección *(f)* ▪ **faire la leçon à qqn** fig sermonear a alguien **2.** *(cours)* clase *(f)* ▪ **leçons particulières** clases particulares.

lecteur, trice *nm, f* *(de livres & UNIV)* lector *(m)*, -ra *(f)*. ■ **lecteur** *nm* lector *(m)* ▪ **lecteur de cassettes/de CD** lector de casetes/de CD ▪ **lecteur laser** lector láser.

lecture *nf* lectura (*f*).

ledit, **ladite** *adj* el susodicho(la susodicha).

légal, **e** *adj* **1.** legal **2.** *(monnaie)* de curso legal.

légalement *adv* legalmente.

légaliser *vt* legalizar.

légalité *nf* legalidad (*f*).

légataire *nmf* legatario (*m*), -ria (*f*).

légendaire *adj* legendario(ria).

légende *nf* **1.** *(fable, d'illustration)* leyenda (*f*) **2.** *péj (invention)* cuento (*m*).

léger, **ère** *adj* **1.** *(gén)* ligero(ra) • **à la légère** a la ligera **2.** *(tabac, alcool)* suave **3.** *(anecdote, histoire)* picante.

légèrement *adv* **1.** *(peu, délicatement)* ligeramente **2.** *(avec agilité)* con ligereza **3.** *(inconsidérément)* a la ligera **4.** *(sans gravité)* levemente.

légèreté *nf* **1.** *(gén)* ligereza (*f*) **2.** *(de vin, de tabac)* suavidad (*f*) **3.** *(d'une blessure, d'un coup)* levedad (*f*).

légiférer *vi* legislar.

légion *nf* **1.** MIL legión (*f*) **2.** *sout (grand nombre)* batallón (*m*).

légionnaire *nm* legionario (*m*).

légionnellose *nf* MÉD legionelosis (*f inv*), enfermedad (*f*) de los legionarios.

législatif, **ive** *adj* legislativo(va). ■ **législatif** *nm* legislativo (*m*). ■ **législatives** *nfpl* • **les législatives** las legislativas.

législation *nf* legislación (*f*).

légiste ◼ *nm* legista (*m*). ◼ *adj* ▷ **médecin**.

légitime *adj* legitimo(ma).

légitimité *nf* legitimidad (*f*).

legs *nm* legado (*m*).

léguer *vt* • **léguer qqch à qqn** legar algo a alguien.

légume *nm* verdura (*f*) • **légume sec** legumbre (*f*) • **légumes verts** verdura (*f*).

leitmotiv *nm* leitmotiv (*m*).

Léman ▷ **lac**.

lendemain *nm* **1.** *(jour suivant)* día (*m*) siguiente • **le lendemain de** el día siguiente a **2.** *(avenir)* futuro (*m*).

lénifiant, **e** *adj* lenitivo(va).

lent, **e** *adj* lento(ta). ■ **lente** *nf* liendre (*f*).

lenteur *nf* lentitud (*f*).

lentille *nf* **1.** BOT & CULIN lenteja (*f*) **2.** *(d'optique)* lentilla (*f*) • **lentilles de contact** lentes (*fpl*) de contacto.

léopard *nm* leopardo (*m*).

lèpre *nf* **1.** MÉD lepra (*f*) **2.** *fig (mal)* plaga (*f*).

lequel, **laquelle** ◼ *pron rel* **1.** *(complément)* el cual(la cual) **2.** *(sujet - personne)* el cual(la cual), quien • *(- chose)* el cual(la cual). ◼ *pron interr* cuál.

les ▷ **le**.

lesbienne *nf* lesbiana (*f*).

- l'ail / el ajo
- l'artichaut / la alcachofa
- l'asperge / el espárrago
- l'aubergine / la berenjena
- la betterave / la remolacha
- le brocoli / el brécol
- la carotte / la zanahoria
- le céleri / el apio
- le champignon / el champiñón
- le chou de Bruxelles / la col de Bruselas
- le chou-fleur / la coliflor
- le concombre / el pepino
- la courgette / el calabacín
- les épinards / las espinacas
- le germe de soja / el brote de soja
- le haricot vert / la judía verde
- la laitue / la lechuga
- le maïs / el maíz
- le navet / el nabo
- l'oignon / la cebolla
- le petit pois / el guisante
- le poireau / el puerro
- le poivron / el pimiento
- la pomme de terre / la patata
- le potiron / la calabaza
- le radis / el rábano
- la tomate / el tomate.

---

léser *vt* lesionar.

lésiner *vi* escatimar • **ne pas lésiner sur qqch** no escatimar algo.

lésion *nf* lesión (*f*).

lessive *nf* **1.** *(produit)* detergente (*m*) **2.** *(nettoyage)* limpieza (*f*) **3.** *(linge)* colada (*f*) • **faire la lessive** hacer la colada.

lessivé, **e** *adj fam* hecho(cha) polvo.

lest *nm* lastre (*m*).

leste *adj* **1.** *(personne, mouvement)* ligero(ra) **2.** *(histoire, propos)* picante.

lester *vt* **1.** *(garnir de lest)* lastrar **2.** *(charger)* atiborrar.

léthargie *nf* letargo (*m*).

léthargique *adj* **1.** *(état, sommeil)* letárgico(ca) **2.** *fig (personne)* alelado(da).

Lettonie *npr* • **la Lettonie** Letonia.

lettre *nf* **1.** *(caractère)* letra (*f*) • **en toutes lettres** con todas las *ou* sus letras **2.** *(courrier)* carta (*f*) • **lettre d'amour** carta de amor • **lettre de motivation** carta de motivación • **lettre recommandée (avec avis de réception)** carta certificada (con acuse de recibo) **3.** *¡sens strict,* à **la lettre**, **au pied de la lettre** al pie de la letra. ■ **lettres** *nfpl* **1.** *(culture & UNIV)* letras (*fpl*) • **lettres classiques/modernes** letras clásicas/modernas **2.** *(titre)* • **lettres de noblesse** carta (*f*) ejecutoria *ou* de hidalguía.

lettré, e adj & nm, f letrado(da).

leucémie nf leucemia (f).

leucocyte nm leucocito (m).

leur ◼ pron pers inv les ◦ **je leur ai donné la lettre** les he dado la carta ◦ **je voudrais leur parler** desearía hablar con ellos. ◼ adj poss su ◦ **ils ont vendu leur maison** han vendido su casa ◦ **ce sont leurs enfants** son sus hijos. ◼ **le leur la leur** pron poss el suyo(la suya) ◦ **c'est notre problème, pas le leur** es nuestro problema, no el suyo ◦ **il faudra qu'ils y mettent du leur** tendrán que poner algo de su parte ◦ **c'est un des leurs** es uno de los suyos.

leurrer vt engañar, embaucar. ◼ **se leurrer** vp engañarse.

levain nm levadura (f) (láctica).

levant ◼ nm levante (m). ◼ adj ▷ **soleil**.

lever ◼ vt 1. (gén) levantar (Esp), parar (Amér) 2. (tirer vers le haut - gén) subir ◦ (- ancre) levar 3. (troupes, armée) reclutar 4. (impôts, taxes) recaudar. ◼ vi (fermenter) subir. ◼ nm 1. (d'astre) salida (f) ◦ **lever du jour** amanecer (m) ◦ **lever du soleil** salida del sol 2. (de personne) ◦ **au lever** al levantarse 3. THÉÂTRE ◦ **lever de rideau** subida (f) del telón. ◼ **se lever** vp 1. (gén) levantarse (Esp), pararse (Amér) 2. (astre) salir.

lève-tard nmf dormilón (m), -ona (f).

lève-tôt nmf madrugador (m), -ra (f).

levier nm palanca (f) ◦ **levier de vitesses** palanca de cambios.

lévitation nf levitación (f).

lèvre nf labio (m) ◦ **du bout des lèvres** apenas ◦ **manger du bout des lèvres** comer como un pajarito.

lévrier, levrette nm, f galgo (m), -ga (f)

levure nf levadura (f) ◦ **levure de bière** levadura de cerveza ◦ **levure chimique** levadura química.

lexicographe nmf lexicógrafo (m), -fa (f).

lexicographie nf lexicografía (f).

lexique nm léxico (m).

lézard nm lagarto (m).

lézarder ◼ vt (fissurer) agrietar. ◼ vi fam (paresser) gandulear. ◼ **se lézarder** vp agrietarse.

liaison nf 1. (jonction) conexión (f) 2. LING ce phénomène phonétique n'existant pas en espagnol, vous pouvez l'expliquer ainsi : este enlace o ligazón consiste en pronunciar la consonante final ordinariamente muda de una palabra con la vocal inicial de la palabra siguiente. 3. (communication) contacto (m) 4. (relation) relación (f) ◦ **être/entrer en liaison avec qqn** estar en/establecer contacto con alguien 5. (transport) enlace (m).

liane nf liana (f), bejuco (m).

liant, e adj comunicativo(va). ◼ **liant** nm argamasa (f).

Liban npr ◦ **le Liban** (el) Líbano.

libeller vt 1. (chèque) extender 2. (lettre) redactar 3. DR redactar, formular.

libellule nf ibélula (f).

libéral, e adj & nm, f liberal.

libéraliser vt liberalizar.

libéralisme nm liberalismo (m).

libération nf 1. (gén) liberación (f) 2. (d'engagement) exención (f) 3. (des prix) liberalización (f).

libérer vt 1. (gén) liberar, libertar ◦ **libérer qqn de qqch** fig (d'un poids) liberar ou libertar a alguien de algo 2. (passage) dejar libre. ◼ **se libérer** vp 1. (se rendre disponible) escaparse 2. (se dégager) ◦ **se libérer de** (obligation) librarse de 3. (pays, ville) liberarse 4. (prisonnier, gaz) escaparse.

liberté nf 1. (gén) libertad (f) ◦ **en liberté** en libertad ◦ **liberté d'expression/d'opinion** libertad de expresión/de opinión 2. (loisir) tiempo (m) libre

libertin, e adj & nm, f libertino(na).

libidineux, euse adj libidinoso(sa).

libido nf libico (f).

libraire nmf librero (m), -ra (f).

librairie nf librería (f).

libre adj 1. (gén) libre ◦ **être libre de qqch/de faire qqch** ser libre de algo/de hacer algo 2. (école, secteur) privado(da).

libre-échange nm librecambio (m), libre cambio (m).

librement adv libremente.

libre-service nm autoservicio (m).

Libye npr ◦ **la Libye** Libia.

licence nf 1. (gén) licencia (f) 2. UNIV ≃ diplomatura (f) ◦ **licence de lettres/en droit** ≃ diplomatura en letras/en derecho 3. SPORT ficha (f).

licencié, e adj & nm, f 1. UNIV ≃ licenciado(da) 2. SPORT federado(da).

licenciement nm despido (m).

licencier vt (employé) despedir (Esp), cesantear (Amér) ◦ **se faire licencier, il s'est fait licencier** lo han despedido.

lichen nm liquen (m).

licite adj lícito(ta).

licorne nf unicornio (m).

licou = **licol**.

lie nf 1. (de vin) hez (f), heces (fpl) 2. fig & sout (rebut) hez (f).

lié, e adj unido(da).

lie-de-vin adj inv (couleur) burdeos (en apposition).

liège nm corcho (m).

lien nm 1. (sangle) atadura (f) 2. (relation) lazo (m), vínculo (m) ◦ **lien de parenté** lazo de parentesco 3. (rapport) relación (f).

lier *vt* **1.** *(attacher)* atar ▪ **lier qqch/qqn à qqch** atar algo/a alguien a algo **2.** *(joindre, unir)* unir **3.** CULIN *(sauce)* ligar **4.** *fig (relier)* relacionar ▪ **lier qqch à qqch** relacionar algo con algo **5.** *(commencer)* ▪ **lier amitié/conversation** entablar amistad/conversación **6.** *(astreindre - contrat)* vincular ▪ *(- mariage)* unir. ■ **se lier** *vp* **1.** *(s'attacher)* atarse **2.** *(entrer en relation)* ▪ **se lier avec qqn** relacionarse con alguien **3.** *(s'astreindre)* ligarse ▪ **se lier par qqch** ligarse por algo.

lierre *nm* hiedra *(f)*, yedra *(f)*.

liesse *nf* ▪ **en liesse** alborozado(da).

lieu *nm* lugar *(m)*, sitio *(m)* ▪ **en lieu sûr** en lugar OU sitio seguro ▪ **lieu de naissance** lugar de nacimiento ▪ **en premier/second/dernier lieu** en primer/segundo/último lugar ▪ **au lieu de qqch/de faire qqch** en lugar de algo/de hacer algo ▪ **avoir lieu** tener lugar. ■ **lieux** *nmpl* lugar *(m)* ▪ **sur les lieux de qqch** en lugar de algo. ■ **lieu commun** *nm* lugar *(m)* común.

lieu-dit *nm* lugar *(m)*.

lieue *nf* legua *(f)*.

lieutenant *nm* ≃ teniente *(m)*.

lièvre *nm* ZOOL liebre *(f)*.

lifter *vt (au tennis)* cortar.

lifting *nm* lifting *(m)*.

ligament *nm* ligamento *(m)*.

ligaturer *vt* MÉD ligar.

light *adj* light.

ligne *nf* **1.** *(gén)* línea *(f)* ▪ **à la ligne** punto y aparte ▪ **en ligne droite** en línea recta ▪ **ligne aérienne** línea aérea ▪ **ligne d'arrivée/de départ** línea de llegada/de salida ▪ **ligne continua** AUTO línea continua ▪ **ligne de commande** INFORM línea de comando ▪ **ligne de conduite** línea de conducta ▪ **ligne de démarcation** línea de demarcación ▪ **ligne de flottaison** línea de flotación ▪ **lignes de la main** líneas de la mano ▪ **dans les grandes lignes** a grandes rasgos ▪ **entrer en ligne de compte** ser tenido(da) en cuenta ▪ **garder la ligne** guardar la línea ▪ **surveiller sa ligne** vigilar la línea **2.** *(de pêche)* caña *(f)* ▪ **pêcher à la ligne** pescar con caña **3.** *(file)* fila *(f)*, hilera *(f)* ▪ **en ligne** *(personnes)* en fila ▪ INFORM en línea.

lignée *nf* linaje *(m)*.

ligoter *vt* atar ▪ **ligoter qqn à qqch** atar a alguien a algo.

ligue *nf* liga *(f)* ▪ **ligue antialcoolique** liga antialcohólica.

lilas ■ *nm* lila *(f)*. ■ *adj inv (couleur)* lila *(en apposition)*.

limace *nf* babosa *(f)*.

limaille *nf* limaduras *(fpl)*.

limande *nf* gallo *(m) (pez)*.

lime *nf* lima *(f)* ▪ **lime à ongles** lima de uñas.

limer *vt* limar.

limier *nm* sabueso *(m)*.

liminaire *adj* preliminar, liminar.

limitation *nf* limitación *(f)*, límite *(m)* ▪ **limitation de vitesse** limitación OU límite de velocidad.

limite ■ *nf* **1.** *(gén)* límite *(m)* **2.** *(terme, échéance)* fecha *(f)* límite ▪ **limite d'âge** límite de edad. ■ *adj inv* límite *(en apposition)*. ■ **à la limite** *loc adv* en última instancia, en el peor de los casos.

limiter *vt* limitar. ■ **se limiter** *vp* **1.** *(se restreindre)* ▪ **se limiter à qqch/à faire qqch** limitarse a algo/a hacer algo **2.** *(avoir pour limites)* ▪ **se limiter à qqch/à qqn** limitarse a algo/a alguien.

limitrophe *adj* **1.** *(pays)* limítrofe ▪ **être limitrophe de** ser limítrofe de OU con **2.** *(situé à la frontière - maison, terre)* colindante.

limoger *vt* destituir.

limon *nm* **1.** GÉOL limo *(m)* **2.** BOT & CONSTR limón *(m)*.

limonade *nf* gaseosa *(f)*.

limpide *adj* **1.** *(eau, ciel, regard)* límpido(da) **2.** *(explication, style)* nítido(da).

lin *nm* lino *(m)*.

linceul *nm* sudario *(m)*, mortaja *(f)*.

linéaire *adj* lineal.

linge *nm* **1.** *(de maison)* ropa *(f)* blanca **2.** *(sous-vêtements)* lencería *(f)*, ropa *(f)* interior **3.** *(lessive)* colada *(f)* **4.** *(morceau de tissu)* trapo *(m)*.

lingerie *nf* **1.** *(local)* lavandería *(f)* **2.** *(sous-vêtements)* lencería *(f)*.

lingot *nm* lingote *(m)* ▪ **lingot d'or** lingote de oro.

linguistique ■ *adj* lingüístico(ca). ■ *nf* lingüística *(f)*.

linoléum *nm* linóleo *(m)*.

lion, lionne *nm, f* león *(m)*, -ona *(f)*. ■ **Lion** *nm* ASTROL Leo.

lionceau *nm* cachorro *(m)* de león.

lipide *nm* lípido *(m)*.

liquéfier *vt* licuar, licuefacer. ■ **se liquéfier** *vp* **1.** *(gaz)* licuarse **2.** *fig (personne)* entrarle a alguien flojera.

liqueur *nf* licor *(m)*.

liquidation *nf* liquidación *(f)*.

liquide ■ *adj* líquido(da). ■ *nm* **1.** *(substance)* líquido *(m)* ▪ **liquide vaisselle** lavavajillas *(m inv)* **2.** *(argent)* dinero *(m)* en efectivo, efectivo *(m)* ▪ **en liquide** en efectivo ▪ **retirer du liquide** sacar dinero. ■ *nf* LING líquida *(f)*.

liquider *vt* **1.** *(gén)* liquidar **2.** *fam (se débarrasser de)* deshacerse de.

liquidité *nf* liquidez *(f)*. ■ **liquidités** *nfpl* FIN liquidez *(f)*.

lire[1] *vt* leer ▪ **'lu et approuvé'** 'visto bueno (y conforme)'.

lire[2] *nf* lira *(f)*.

lis, lys nm lirio (m) blanco, azucena (f).

Lisbonne npr Lisboa.

liseré, liséré nm ribete (m).

liseron nm correhuela (f).

liseuse nf **1.** (vêtement) mañanita (f) **2.** (lampe) lámpara (f) de lectura.

lisible adj legible.

lisière nf **1.** (limite) linde (m), lindero (m) **2.** COUT orilla (f), orillo (m).

lisse adj liso(sa).

lisser vt alisar.

liste nf lista (f) • **liste électorale** lista electoral • **liste de mariage** lista de boda • **liste rouge** lista secreta • **être sur liste d'attente** estar en (la) lista de espera.

lister vt **1.** (faire une liste de) hacer una lista de **2.** INFORM listar.

listériose nf MÉD listeriosis (f inv).

listing nm listado (m).

lit nm **1.** (meuble) cama (f) • **faire son lit** hacerse la cama • **se mettre au lit** meterse en la cama • **lit de camp** catre (m), cama de tijera • **lit d'enfant** cama de niño **2.** DR (mariage) matrimonio (m) **3.** (de feuilles, de cours d'eau) lecho (m).

litanie nf letanía (f).

literie nf pour expliquer ce que c'est, vous pouvez dire : esta palabra designa el conjunto de elementos que componen una cama, el somier, el colchón y la ropa de cama.

lithographie nf litografía (f).

litière nf **1.** (paille) jergón (m) **2.** (pour chat) lecho (m) **3.** HIST (palanquin) litera (f).

litige nm litigio (m).

litigieux, euse adj litigioso(sa).

litre nm **1.** (mesure) litro (m) **2.** (bouteille) botella (f) de litro.

littéraire ◼ adj literario(ria). ◼ nmf hombre (m) de letras, mujer (f) de letras.

littéral, e adj literal.

littérature nf literatura (f).

littoral, e adj litoral. ◼ **littoral** nm litoral (m).

Lituanie npr • **la Lituanie** Lituania.

liturgie nf liturgia (f).

livide adj lívido(da).

livraison nf entrega (f), reparto (m) • **livraison à domicile** entrega ou reparto a domicilio.

livre ◼ nm libro (m) • **livre audio** audiolibro (m) • **livre de bord** libro de a bordo • **livre de cuisine** libro de cocina • **livre d'images** álbum (m) • **livre d'or/de poche** libro de oro/de bolsillo • **à livre ouvert** de corrido. ◼ nf libra (f).

livré, e adj • **être livré à** estar entregado a • **être livré à soi-même** verse abandonado a su suerte.

livre-cassette nm libro (m) cassette.

livrée nf librea (f).

livrer vt **1.** (gén) entregar • **livrer qqch à qqn** (donner, confier) entregar algo a alguien • **livrer qqn à** (dénoncer) entregar alguien a **2.** (abandonner) • **livrer qqch à qqch** librar algo a algo. ◼ **se livrer** vp • **se livrer à qqn** (se rendre, se donner) entregarse a alguien • (se confier) confiarse a alguien • **se livrer à qqch** (se consacrer) entregarse a algo.

livret nm **1.** (carnet) libreta (f), cartilla (f) • **livret de caisse d'épargne** libreta ou cartilla de ahorros • **livret de famille** libro (m) de familia • **livret scolaire** libro (m) de escolaridad **2.** MUS libreto (m).

livreur, euse nm, f repartidor (m), -ra (f).

lob nm lob (m), globo (m).

lobby nm lobby (m), grupo (m) de presión.

lobe nm lóbulo (m).

lober vt hacer un lob ou un globo a.

local, e adj local. ◼ **local** nm local (m). ◼ **locaux** nmpl (bureaux) locales (mpl).

localiser vt (gén & INFORM) localizar.

localité nf localidad (f).

locataire nmf inquilino (m), -na (f).

location nf **1.** (gén) alquiler (m) • **location de voitures/de vélos** alquiler de coches/de bicicletas **2.** (maison) casa (f) de alquiler **3.** (appartement) piso (m) de alquiler **4.** (réservation) reserva (f).

location-vente nf alquiler (m) con opción a compra.

locomotion nf locomoción (f).

locomotive nf locomotora (f).

locution nf locución (f).

loft nm loft (m) (antiguo almacén o taller convertido en vivienda).

logarithme nm logaritmo (m).

loge nf **1.** (de concierge) portería (f), recepción (f) **2.** (d'acteur) camerino (m) **3.** (de spectacle) palco (m) • **être aux premières loges** estar en primera línea **4.** (de francs-maçons & ARCHIT) logia (f).

logement nm vivienda (f) • **logement de fonction** vivienda oficial.

loger ◼ vi alojarse. ◼ vt **1.** (héberger - sujet : personne) alojar • (- sujet : salle, hôtel) albergar **2.** (introduire) meter. ◼ **se loger** vp **1.** (trouver un logement) encontrar vivienda **2.** (balle, ballon) ir a parar.

logiciel nm programa (m), software (m) • **logiciel intégré** programa integrado.

logique ◼ adj lógico(ca). ◼ nf lógica (f).

logiquement adv lógicamente.

logis nm vivienda (f).

logistique ◼ adj logístico(ca). ◼ nf logística (f).

logo nm logo (m).

loi nf ley (f) • **nul n'est censé ignorer la loi** la ignorancia de la ley no excusa su cumplimiento • **loi de l'offre et de la demande** ley de la oferta y la demanda.

loin adv (dans le temps, l'espace) lejos • **aller trop loin** (exagérer) ir demasiado lejos. ■ **au loin** loc adv a lo lejos. ■ **de loin** loc adv **1.** (à distance) de lejos **2.** (assez peu) poco • **je m'y intéresse de loin** no me interesa mucho **3.** (de beaucoup) con mucho. ■ **loin de** loc prép (gén) lejos de • **loin de là !** ¡ni mucho menos! • **être loin du compte** estar muy lejos de la realidad.

lointain, e adj lejano(na). ■ **lointain** nm • **dans le lointain** a lo lejos.

loir nm lirón (m).

Loire npr • **la Loire** el Loira.

loisir nm ocio (m). ■ **loisirs** nmpl distracciones (fpl).

lombago = **lumbago**.

Londres npr Londres.

long, longue adj **1.** (gén) largo(ga) **2.** (lent) lento(ta) • **être long à faire qqch** (personne) ser lento haciendo algo • (chose) tardar en hacer algo • **il est long à se décider** es lento para decidirse. ■ **long** nm **1.** (longueur) • **de long** de largo • **(tout) le long de qqch** (espace) a lo largo de algo • (temps) durante todo algo **2.** (vêtements longs) • **le long** los vestidos largos. ■ adv (beaucoup) mucho • **en dire long sur qqch** decir mucho de algo. ■ **à la longue** loc adv a la larga. ■ **de long en large** loc adv de un lado a otro. ■ **en long, en large et en travers** loc adv con pelos y señales.

longe nf **1.** (courroie) cabestro (m) **2.** (viande) lomo (m).

longer vt bordear.

longévité nf longevidad (f).

longiligne adj longilineo(a).

longitude nf longitud (f).

longtemps adv mucho tiempo • **depuis longtemps** desde hace mucho (tiempo) • **il y a longtemps que** hace mucho (tiempo) que.

longueur nf **1.** (dimension) longitud (f), largo (m) • **saut en longueur** salto de longitud • **en longueur** de largo **2.** (durée) duración (f) • **à longueur de** durante todo(da) • **à longueur d'année** durante todo el año • **à longueur de temps** continuamente **3.** (à la piscine) largo (m). ■ **longueurs** nfpl péj lentitud (f).

longue-vue nf catalejo (m).

look nm look (m) • **changer de look** cambiar de look.

looping nm looping (m), rizo (m).

lopin nm pedazo (m) • **lopin de terre** parcela (f).

loquace adj locuaz • **peu loquace** poco locuaz.

loque nf andrajo (m) • **loque humaine** fig pingajo (m).

loquet nm pestillo (m).

lorgner vt fam **1.** (observer) mirar de reojo **2.** (convoiter) echar el ojo a.

lors adv • **lors de** durante • **pour lors** de momento, por ahora • **depuis lors** desde entonces.

lorsque conj cuando • **lorsque je chante** cuando canto • **lorsqu'il pleut** cuando llueve.

losange nm rombo (m).

lot nm **1.** (part, stock) lote (m) **2.** (prix) premio (m) **3.** fig (destin) sino (m).

loterie nf lotería (f).

loti, e adj • **être bien/mal loti** verse favorecido/desfavorecido.

lotion nf loción (f).

lotir vt parcelar.

lotissement nm **1.** (terrain) urbanización (f) **2.** (partage) parcelación (f).

loto nm **1.** (jeu de société) bingo (m) casero **2.** (loterie) ≃ (lotería) primitiva (f).

lotte nf rape (m).

lotus nm loto (m).

louange nf alabanza (f).

louche ■ adj **1.** (acte) turbio(bia) **2.** (individu) sospechoso(sa). ■ nf cazo (m).

loucher vi **1.** MÉD bizquear **2.** fig (lorgner) • **loucher sur qqch/sur qqn** tener echado el ojo a algo/a alguien.

louer vt **1.** (maison, appartement) alquilar (Esp), rentar (Amér) • **louer qqch à qqn** alquilar algo a alguien • **'à louer'** 'se alquila' **2.** (place) reservar **3.** (glorifier) alabar. ■ **se louer** vp **1.** (maison, appartement) alquilarse **2.** sout (se féliciter) • **se louer de qqch/de faire qqch** congratularse de algo/de hacer algo.

loufoque adj & nmf fam guillado(da).

loup nm **1.** (mammifère) lobo (m) **2.** (poisson) lubina (f), róbalo (m) **3.** (masque) antifaz (m), máscara (f).

loupe nf **1.** (optique) lupa (f) **2.** MÉD lupia (f) **3.** BOT nudo (m).

louper vt fam **1.** (travail) hacer mal **2.** (recette) salir mal **3.** (examen) catear **4.** (train, avion) perder.

loup-garou nm hombre (m) lobo.

lourd, e adj **1.** (pesant, maladroit) pesado(da) **2.** (parfum) fuerte **3.** (faute) grave **4.** (temps) bochornoso(sa) **5.** fig (rempli) • **lourd de** lleno de. ■ **lourd** adv • **peser lourd** pesar mucho • **il n'en fait pas lourd** fam no pega ni sello.

loutre nf nutria (f).

louve nf loba (f).

louveteau nm **1.** ZOOL lobezno (m) **2.** (scout) lobato (m).

louvoyer vi **1.** NAUT bordear **2.** fig (biaiser) andar con rodeos.

loyal, e adj leal.

loyauté nf lealtad (f).

loyer nm alquiler (m).

LP (abr de **lycée professionnel**) ≃ instituto (m) de FP.

LSD (abr de Lysergic acid diethylamide) nm LSD (m) • **un trip au LSD** fam un viaje de LSD.

lubie nf antojo (m).

lubrifier vt lubrificar, lubricar.

lubrique adj lúbrico(ca).

lucarne nf 1. (fenêtre) tragaluz (m) 2. (au football) escuadra (f).

lucide adj lúcido(da).

lucidité nf lucidez (f).

lucratif, ive adj lucrativo(va).

ludique adj lúdico(ca).

lueur nf 1. (lumière) luz (f), resplandor (m) • à la lueur de a la luz de 2. fig (éclat) chispa (f) • lueur d'espoir rayo (m) de esperanza.

luge nf 1. (gén) trineo (m) • faire de la luge montar en trineo 2. SPORT luge (m).

lugubre adj lúgubre.

lui pron pers 1. (complément d'objet indirect) le • je lui ai parlé le he hablado • qui le lui a dit ? ¿quién se lo ha dicho? 2. (sujet) él 3. (complément d'objet direct) • elle est plus jeune que lui ella es más joven que él 4. (après une préposition) él • sans/avec lui sin/con él 5. (remplaçant soi en fonction de pronom réfléchi) sí mismo • il est content de lui está contento de sí mismo. ■ lui-même pron pers él mismo.

luire vi 1. (soleil, espoir) brillar 2. (objet) relucir.

lumbago, lombago nm lumbago (m).

lumière nf 1. (éclairage, clarté) luz (f) 2. fig (personne) lumbrera (f).

lumineux, euse adj 1. (gén) luminoso(sa) 2. (visage, regard) resplandeciente.

luminosité nf luminosidad (f).

lump nm lumpo (m).

lunaire adj 1. (gén) lunar 2. fig (visage) molletudo(da).

lunatique adj & nmf lunático(ca).

lunch nm lunch (m).

lundi nm lunes (m inv) • voir aussi **samedi**

lune nf luna (f) • lune de miel luna de miel • pleine lune luna llena. ■ Lune nf • la Lune la Luna.

lunette nf 1. (fenêtre) luneta (f), ventanilla (f) 2. ASTRON anteojo (m) 3. (des toilettes) agujero (m). ■ lunettes nfpl gafas (fpl) • lunettes de vue gafas graduadas.

lurette nf • il y a belle lurette que hace un siglo que.

luron, onne nm, f fam • un joyeux luron un vivalavirgen, un vivales.

lustre nm 1. (luminaire) araña (f) (Esp), candil (m) (Amér) 2. (éclat) lustre (m).

lustrer vt 1. (faire briller) dar brillo a 2. (user) deslucir.

luth nm laúd (m).

lutin nm duende (m).

lutte nf lucha (f) • lutte des classes lucha de clases.

lutter vi luchar • lutter contre qqch/qqn luchar contra algo/alguien • lutter pour qqch/pour qqn luchar por algo/por alguien.

lutteur, euse nm, f luchador (m), -ra (f).

luxation nf luxación (f).

luxe nm lujo (m) • de luxe de lujo • s'offrir ou se payer le luxe de permitirse el lujo de.

Luxembourg npr 1. (pays) • le Luxembourg Luxemburgo 2. (ville) Luxemburgo.

luxueux, euse adj lujoso(sa).

luxure nf lujuria (f).

luzerne nf alfalfa (f).

lycée nm instituto (m) • lycée technique/professionnel ≃ instituto de formación profesional.

lycéen, enne nm, f alumno (m), -na (f) (de instituto).

Lycra® nm lycra® (f).

lymphatique adj linfático(ca).

lyncher vt linchar.

lynx nm lince (m).

lyophilisé, e adj liofilizado(da).

lyre nf lira (f).

lyrique adj 1. (gén) lírico(ca) 2. (enthousiaste) emocionado(da).

lys = **lis**.

m, M nm inv (lettre) m (f), M (f). ■ m 1. (abr écrite de **mètre**) m 2. (abr écrite de **milli**) m. ■ M 1. (abr écrite de **méga**) M 2. (abr écrite de **Major**) M 3. (abr écrite de **Monsieur**) Sr. 4. (abr écrite de **masculin**) m 5. (abr écrite de **maxwell**) Mx 6. (abr écrite de **mille (marin)**) m 7. (abr écrite de **million**) M.

m² (abr écrite de **mètre carré**) m².

m³ (abr écrite de **mètre cube**) m³.

macabre adj macabro(bra).

macadam nm macadán (m), macadam (m).

macaron nm **1.** (pâtisserie) ≃ macarrón (m) **2.** (décoration) insignia (f) **3.** (coiffure) rodete (m) **4.** (autocollant) pegatina (f) oficial (que se pega en el parabrisas del coche).

macaroni nmpl macarrones (mpl).

macédoine nf macedonia (f) • **macédoine de fruits** macedonia de frutas.

macérer ▪ vt macerar. ▪ vi macerar • **faire macérer** macerar.

mâche nf milamores (fpl).

mâcher vt masticar, mascar.

machiavélique adj maquiavélico(ca).

Machin, e nm, f **1.** (personne inconnue) • **j'ai reçu un courrier de Monsieur Machin** recibí una carta de no sé quién **2.** (personne connue) • **j'ai vu Machin** he visto a ése.

machinal, e adj mecánico(ca), maquinal.

machination nf maquinación (f).

machine nf máquina (f) • **machine à coudre/à écrire** máquina de coser/de escribir • **machine à laver** lavadora (f).

machine-outil nf máquina (f) herramienta.

machiniste nmf **1.** THÉÂTRE tramoyista (mf) **2.** CINÉ & RAIL maquinista (mf).

machisme nm péj machismo (m).

mâchoire nf **1.** ANAT mandíbula (f) **2.** (d'étau) mordaza (f) **3.** (de pinces, de tenailles) boca (f).

mâchonner vt **1.** (mâcher lentement) mascar **2.** (mordiller) mordisquear **3.** fig (marmonner) mascullar.

maçon nm **1.** (ouvrier) albañil (m) **2.** (franc-maçon) masón (m).

maçonnerie nf **1.** (activité) albañilería (f) **2.** (construction) obra (f) **3.** (franc-maçonnerie) masonería (f).

macramé nm macramé (m).

macro nf INFORM macro (m ou f).

macrobiotique ▪ adj macrobiótico(ca). ▪ nf macrobiótica (f).

macroéconomie nf macroeconomía (f).

maculer vt manchar.

madame nf señora (f) • **bonjour madame** buenos días señora • **madame ou mademoiselle ?** ¿señora o señorita? • **Madame n'est pas là** la señora no está • **mesdames, mesdemoiselles, messieurs !** ¡señoras y señores! • **Chère Madame** (dans une lettre) Estimada señora.

madeleine nf magdalena (f).

mademoiselle nf señorita (f) • ▷ **madame**.

madère nm madeira (m).

madone nf madona (f).

Madrid npr Madrid.

madrier nm madero (m).

madrilène adj madrileño(ña). ■ **Madrilène** nmf madrileño (m), -ña (f).

maestria nf maestria (f) • **avec maestria** con maestría.

mafia, maffia nf mafia (f).

magasin nm **1.** (boutique) tienda (f) • **faire les magasins** ir de tiendas • **grand magasin** gran almacén (m) **2.** (entrepôt) almacén (m) **3.** (compartiment - d'arme à feu) recámara (f) • (- de machine) almacén (m) • (- d'appareil photo) carga (f).

LE MAGASIN	l'ascenseur / el ascensor
	le billet / el billete
	le billet de 10 / el billete de 10 euros
	la cabine d'essayage / el probador
	la caisse / la caja
	le cintre / la percha
	la clé / la llave
	le/la cliente / el cliente/la clienta
	l'escalator / la escalera mecánica
	la monnaie / la moneda
	la pièce / la moneda
	le porte-feuilles / la cartera
	le porte-monnaie / el monedero
	le téléphone portable / el teléfono móvil.

magazine nm **1.** (revue) revista (f) **2.** TV & RADIO magazine (m).

mage nm mago (m).

magicien, enne nm, f mago (m), -ga (f).

magie nf magia (f).

magique adj mágico(ca).

magistral, e adj magistral.

magistrat nm magistrado (m).

magistrature nf magistratura (f) • **magistrature assise** ≃ jueces y magistrados (mpl) • **magistrature debout** ≃ fiscalía (f).

magma nm magma (m).

magnanime adj sout magnánimo(ma).

magnat nm magnate (m).

magnésium nm magnesio (m).

magnétique adj magnético(ca).

magnétisme nm magnetismo (m).

magnéto nm fam casete (m).

magnétocassette nm casete (m) (aparato).

magnétophone nm magnetófono (m).

magnétoscope nm vídeo (m).

magnificence nf magnificencia (f).

magnifique adj magnífico(ca).

magnum nm magnum (m).

magot nm fam **1.** pasta (f) **2.** (économies) huch (f).

mai nm mayo (m). • **voir aussi septembre**

maigre ▪ nmf flaco (m), -ca (f). ▪ adj **1.** (person ne, animal) flaco(ca) **2.** (non gras - laitage) sin gr sa « *' - viande)* magro(gra) **3.** *(peu important - re-pas, végétation)* escaso(sa) « *(- salaire, récolte, consolation)* pobre.

maigreur *nf* delgadez *(f).*

maigrichon, onne *adj* flacucho(cha).

maigrir *vi* adelgazar.

mail *nm* INFORM mail *(m),* correo *(m)* electróni-co.

mailing *nm* mailing *(m).*

maille *nf* **1.** *(de tricot)* punto *(m)* **2.** *(de filet)* malla *(f).*

maillet *nm* mazo *(m).*

maillon *nm* eslabón *(m).*

maillot *nm (de sport)* maillot *(m)* « **maillot de bain** bañador *(m),* traje *(m)* de baño « **maillot (de bain) une pièce/deux pièces** traje de ba-ño de una pieza/de dos piezas « **maillot de corps** camiseta *(f) (prenda interior)* « **maillot jaune** *(cyclisme)* camiseta amarilla.

main *nf* mano *(f)* « **à main armée** a mano ar-mada « **à la main** a mano « **donner la main à qqn** dar la mano a alguien « **haut les mains !** ¡manos arriba! « **tomber sous la main de qqn** *fig* ir a parar a manos de alguien. ■ **main cou-rante** *nf* pasamanos *(m inv)* ■ **mains libres** *adj (téléphone, kit)* (de) manos libres.

main-d'œuvre *nf* mano *(f)* de obra.

mainmise *nf* control *(m).*

maint, e *adj sout* « **maintes fois** repetidas ve-ces.

maintenance *nf* mantenimiento *(m).*

maintenant *adv* ahora. ■ **maintenant que** *loc conj* ahora que.

maintenir *vt* mantener. ■ **se maintenir** *vp* mantenerse.

maintien *nm* **1.** *(conservation)* mantenimiento *(m)* **2.** *(tenue)* porte *(m).*

maire *nmf* alcalde *(m),* -sa *(f) (Esp),* regente *(m) (Amér).*

mairie *nf* **1.** *(bâtiment, administration)* ayunta-miento *(m)* **2.** *(poste)* alcaldía *(f).*

mais ■ *conj* **1.** *(introduisant une opposition)* sino « **non seulement...** no sólo... sino también **2.** *(introduisant une objection, une précision, une restriction)* pero « **mais non !** ¡pues cla-ro que no! « **non mais !** ¡pero bueno! **3.** *(intro-duisant une transition)* « **mais alors** pero (bueno) « **mais alors, tu l'as vu ou non ?** pero (bueno) ¿lo has visto o no? **4.** *(servant à intensifier)* « **il a pleuré, mais pleuré !** lloró, ¡y de qué manera! **5.** *(exprimant la colère, l'indignation, la joie)* « **mais c'est génial !** ¡pero si es genial! « **mais je vais me fâcher, moi !** ¡ya está bien! ¡me voy a en-fadar! « **mais tu saignes !** ¡pero si estás san-grando! ■ *adv* « **vous êtes prêts ? — mais bien sûr !** ¿estáis listos? ¡pues claro! ■ *nm* pero *(m).*

À PROPOS DE...

mais

Dans une phrase négative, « mais » se tra-duit par *sino.*

maïs *nm* maíz *(m)* *(Esp),* choclo *(m) (Amér).*

maison ■ *nf (gén)* casa *(f)* « **être à la maison** estar en casa. ■ *adj inv (en apposition) (artisanal)* de la casa, casero(ra) « **confiture maison** mer-melada casera.

LA MAISON	
l'allée / el camino	
le balcon / el balcón	
le bureau / el despacho	
la cave / el sótano	
la chambre / la habitación	
la cheminée (extérieure) / la chime-nea	
la cheminée (intérieure) / la chime-nea	
le couloir / el pasillo	
la cuisine / la cocina	
la douche / la ducha	
l'entrée / la entrada	
l'entrée (extérieure) / la entrada	
l'escalier / las escaleras	
la fenêtre / la ventana	
le garage / el garaje	
le grenier / el desván	
le massif de fleurs / el macizo de flores	
le mur (extérieur) / el muro	
la pelouse / el césped	
la porte / la puerta	
la salle à manger / el comedor	
la salle de bains / el cuarto de baño	
le salon / el salón	
le store / la persiana	
la terrasse / la terraza	
les toilettes / el aseo	
le toit / el tejado	
le volet / la contraventana.	

Maison-Blanche *npr* « **la Maison-Blanche** la Casa Blanca.

maisonnée *nf* habitantes *(mpl)* (de una casa).

maisonnette *nf* casita *(f).*

maître, maîtresse ■ *adj (idée, qualité, poutre)* principal « **le maître mot** el lema « **une maî-tresse femme** una mujer de armas tomar « **une œuvre maîtresse** una obra maestra « **être maître de** *(son destin, une décision)* ser dueño(ña) de « *(émotions, situation, véhicule)* con-trolar, dominar « **être maître de soi** ser dueño (ña) de sí mismo « **se rendre maître de** tomar las riendas de. ■ *nm, f* **1.** SCOL maestro *(m),* -tra *(f),* profesor *(m),* -ra *(f)* « **maître auxiliaire**

profesor auxiliar • **maître d'école** maestro de escuela, profesor de magisterio **2.** (d'animal) dueño (m), -ña (f) **3.** (de maison) dueño y señor (m), dueña y señora (f) • **la maîtresse de maison** el ama de casa. ■ **maître** nm **1.** (chef) dueño (m) • **maître d'hôtel** maître (m), jefe (m) de comedor • **maître d'œuvre** capataz (m) **2.** (expert) genio (m) • **coup de maître** toque (m) de maestría **3.** (guide, professeur) • **maître (à penser)** maestro (m) • **maître nageur** profesor (m) de natación **4.** (titre) vous pouvez l'expliquer ainsi : es el título que se da en Francia a los profesionales del derecho tales como abogados, procuradores y notarios. ■ **maître chanteur** nm chantajista (mf). ■ **maîtresse** nf amante (f).

maître-assistant, e nm, f ≃ profesor (m) asociado, ≃ profesora (f) asociada.

maître-autel nm altar (m) mayor.

maîtrise nf **1.** (contrôle, connaissance) dominio (m), control (m) **2.** (habileté) habilidad (f) **3.** UNIV ≃ licenciatura (f) **4.** (catégorie professionnelle) capataces (mpl).

maîtriser vt **1.** dominar **2.** (dépenses) controlar. ■ **se maîtriser** vp dominarse.

majesté nf **1.** (dignité) majestad (f) **2.** (splendeur) majestuosidad (f). ■ **Majesté** nf • **Sa/Votre Majesté** Su/Vuestra Majestad.

majestueux, euse adj majestuoso(sa).

majeur, e adj **1.** (personne) mayor de edad **2.** (principal & MUS) mayor **3.** (important) importante. ■ **majeur** nm dedo (m) medio, dedo (m) corazón.

Majeur ⊳ lac.

major nm **1.** MIL mayor (m) **2.** SCOL primero (m), -ra (f) de la clase.

majordome nm mayordomo (m).

majorer vt recargar.

majorette nf majorette (f).

majoritaire adj mayoritario(ria) • **être majoritaire** estar en mayoría, ser mayoría.

majorité nf **1.** (âge) mayoría (f) de edad **2.** (majeure partie & POLIT) mayoría (f) • **en (grande) majorité** mayoritariamente • **majorité absolue/relative** mayoría absoluta/relativa.

Majorque npr Mallorca.

majuscule ◼ adj mayúsculo(la). ◼ nf mayúscula (f).

mal nm **1.** (physique) dolor (m) • **avoir mal à la tête** ou **aux maux de tête** tener dolor de cabeza • **avoir le mal de mer** estar mareado(da) • **faire mal à qqn** hacerle daño a alguien • **se faire mal** hacerse daño **2.** (moral) mal (m) • **être en mal de qqch** faltarle a alguien algo • **faire du mal (à qqn)** hacer daño (a alguien) **3.** (difficulté) trabajo (m). ■ **mal** adv mal • **mal prendre qqch** tomar algo a mal • **mal tourner** acabar mal • **aller mal** ir mal

• **ça n'est pas mal** no está mal • **ça n'est pas mal du tout** no está nada mal • **de mal en pis** de mal en peor • **être au plus mal** estar fatal • **pas mal de** bastante • **pas mal de choses** bastantes cosas • **se sentir mal** encontrarse mal. ■ **mal à l'aise** loc adj • **être/se sentir mal à l'aise** no estar/no sentirse a gusto, no estar/no sentirse cómodo(da).

À PROPOS DE...

mal

Le verbe **doler**, qui signifie « avoir mal », se construit comme le verbe **gustar**.

malade ◼ adj enfermo(ma) • **tomber malade** ponerse enfermo(ma). ◼ nmf enfermo (m), -ma (f) • **un malade mental** un enfermo mental.

maladie nf **1.** MÉD enfermedad (f) • **maladie d'Alzheimer** enfermedad de Alzheimer • **maladie contagieuse** enfermedad contagiosa • **maladie de Creutzfeldt-Jakob** enfermedad de Creutzfeldt-Jakob • **maladie héréditaire** enfermedad hereditaria • **maladie de Parkinson** enfermedad de Parkinson • **maladie sexuellement transmissible** enfermedad de transmisión sexual • **maladie de la vache folle** enfermedad de las vacas locas **2.** (passion, manie) obsesión (f).

maladresse nf torpeza (f).

maladroit, e adj & nm, f torpe.

malaise nm malestar (m).

malaisé, e adj difícil.

Malaisie npr • **la Malaisie** Malasia.

malaisien, enne ◼ adj malasio(a). ◼ nm LING malasio (m). ■ **Malaisien, enne** nmf malasio(a).

malappris, e adj & nm, f maleducado(da).

malaria nf malaria (f).

malaudition nf MÉD discapacidad (f) auditiva • **souffrir de malaudition** padecer una discapacidad auditiva • **la malaudition liée à l'âge** la discapacidad auditiva debida a la edad.

malavisé, e adj desacertado(da).

Malawi npr • **le Malawi** Malaui.

malaxer vt amasar.

malbouffe nf comida (f) basura.

malchance nf mala suerte (f).

malchanceux, euse adj & nm, f desafortunado(da).

malcommode adj incómodo(da).

mâle ◼ adj **1.** (masculin - enfant) varón • (- fleur, animal) macho • (- hormone) masculino(na) **2.** (voix, assurance) varonil, viril **3.** TECHNOL (prise) macho. ◼ nm **1.** (homme, enfant) varón (m) **2.** (animal, végétal) macho (m).

malédiction nf maldición (f).

maléfique adj sout maléfico(ca).

malencontreux, euse adj poco afortunado (da), desafortunado(da).

malentendant, e adj & nm, f sordo(da).

malentendu nm malentendido (m).

malfaçon nf tara (f).

malfaiteur, trice nm, f malhechor (m), -ra (f).

malfamé, e, mal famé, e adj de mala fama.

malformation nf malformación (f).

malfrat nm maleante (m).

malgré prép a pesar de ▪ **malgré moi/toi/lui** a pesar mío/tuyo/suyo ▪ **malgré tout** a pesar de todo.

malhabile adj inhábil.

malheur nm **1.** (événement, adversité) desgracia (f) ▪ **avoir des malheurs** tener desgracias **2.** (malchance) ▪ **par malheur** por desgracia ▪ **porter malheur à qqn** traer mala suerte a alguien.

malheureusement adv desgraciadamente.

malheureux, euse ▣ adj **1.** (vie, amour, victime) desgraciado(da) **2.** (air, mine) desdichado(da) **3.** (rencontre, réaction, mot) desafortunado(da) ▪ **c'est bien malheureux !** ¡qué lástima! **4.** (avant le nom) (sans valeur) mísero(ra). ▣ nm, f desgraciado (m), -da (f).

malhonnête adj & nmf deshonesto(ta).

malhonnêteté nf deshonestidad (f).

Mali npr ▪ **le Mali** Malí.

malice nf malicia (f).

malicieux, euse adj & nm, f malicioso(sa).

malin, igne ▣ adj **1.** (personne) astuto(ta) (Esp), abusado(da) (Amér) ▪ **c'est malin !** ¡vaya por Dios! **2.** (regard, sourire) malicioso(sa) **3.** (plaisir) malévolo(la) **4.** (difficile) difícil (Esp), embromado(da) (Amér) ▪ **ça n'est pas bien malin** no es nada difícil **5.** MÉD (tumeur) maligno(na). ▣ nm, f astuto (m), -ta (f).

À PROPOS DE...

malin

Attention *ser listo* signifie « être malin » tandis que *estar listo* signifie « être prêt ».

malingre adj enclenque.

malle nf **1.** (caisse) baúl (m) **2.** vieilli (de voiture) maletero (m) (Esp), baúl (m) (Amér).

malléable adj maleable.

mallette nf maletín (m).

mal-logé, e nm, f ocupante (mf) de un alojamiento precario.

malmener vt **1.** (brutaliser) maltratar **2.** fig (adversaire) poner en apuros.

malnutrition nf desnutrición (f).

malodorant, e adj maloliente.

malotru, e nm, f grosero (m), -ra (f) (Esp), guarango (m), -ga (f) (Amér).

malpoli, e adj & nm, f maleducado(da).

malpropre adj **1.** (gén) sucio(cia) **2.** (inconvenant) indecente.

malsain, e adj malsano(na).

malt nm malta (f).

Malte npr Malta.

maltraiter vt maltratar.

malus nm malus (m inv).

malveillant, e adj malévolo(la).

malversation nf malversación (f).

malvoyant, e adj & nm, f invidente.

maman nf mamá (f).

mamelle nf **1.** (de femme) mama (f) **2.** (d'animal) ubre (f).

mamelon nm **1.** (du sein) pezón (m) **2.** (colline) cerro (m).

mamie, mamy nf abuelita (f) (Esp), mamá grande (f) (Amér).

mammifère nm mamífero (m).

mammographie nf mamografía (f).

mammouth nm mamut (m).

mamy = **mamie**.

management nm management (m).

manager[1] nm **1.** (de chanteur) agente (mf), mánager (mf) **2.** (d'entreprise) directivo (m), -va (f), mánager (mf).

manager[2] vt gestionar.

Managua npr Managua.

manche ▣ nf manga (f) ▪ **manches courtes/longues** mangas cortas/largas. ▣ nm **1.** (d'outil) mango (m) ▪ **manche à balai** palo (m) de escoba ▪ AÉRON timón (m) **2.** (d'instrument de musique) mástil (m).

Manche npr **1.** (département normand, région d'Espagne) ▪ **la Manche** la Mancha **2.** (mer) ▪ **la Manche** el canal de la Mancha.

manchette nf **1.** (de chemise) puño (m) **2.** (de journal) titular (m) **3.** SPORT golpe (m) dado con el antebrazo.

manchon nm manguito (m).

manchot, e adj & nm, f manco(ca). ▪ **manchot** nm ZOOL pájaro (m) bobo.

mandarine nf mandarina (f).

mandat nm **1.** (procuration) poder (m), procuración (f) **2.** POLIT mandato (m) **3.** DR orden (f) ▪ **mandat d'amener/d'arrêt/de perquisition** orden de comparecencia/de arresto/de registro **4.** (titre postal) giro (m) ▪ **mandat postal** giro postal.

mandataire nmf mandatario (m), -ria (f).

mandibule nf mandíbula (f).

mandoline nf mandolina (f).

manège *nm* **1.** *(attraction)* tiovivo *(m)*, caballitos *(mpl)* *(Esp)*, calesitas *(fpl)* *(Amér)* **2.** *(de chevaux - exercices)* doma *(f)* • *(- lieu)* picadero *(m)* **3.** *fig (manœuvre)* tejemaneje *(m)*.

manette *nf* manecilla *(f)*.

manga *nm* manga *(m ou f)*.

manganèse *nm* manganeso *(m)*.

mangeable *adj* comestible.

mangeoire *nf* **1.** *(pour oiseaux)* comedero *(m)* **2.** *(pour bétail)* pesebre *(m)*.

manger ◼ *vt* **1.** *(nourriture)* comer **2.** *(sujet : mite, rouille)* carcomer, comer **3.** *(fortune)* dilapidar. ◼ *vi* comer.

mangue *nf* mango *(m)*.

maniable *adj* manejable.

maniaque *adj & nmf* **1.** *(méticuleux)* maniáti- co(ca) **2.** *(fou)* maniaco(ca).

manie *nf* manía *(f)* • **avoir la manie de qqch/ de faire qqch** tener la manía de algo/de hacer algo.

maniement *nm* manejo *(m)*.

manier *vt* manejar.

manière *nf* manera *(f)* • **à la manière de qqn** a la manera de alguien • **de toute manière** de todas maneras • **d'une manière générale** en general. ◼ **manières** *nfpl (attitude)* modales *(mpl)* • **de manière à** *loc prép* para. • **de manière à ce que** *loc conj* de modo que. ◼ **de manière que** *loc conj* de modo que. ◼ **de telle manière que** *loc conj* de tal modo que, de modo que.

maniéré, e *adj* amanerado(da).

manif *nf fam (manifestation)* manifestación *(f)* • **aller à la manif** ir a la manifestación.

manifestant, e *nm, f* manifestante *(mf)*.

manifestation *nf* manifestación *(f)*.

manifester ◼ *vt* manifestar. ◼ *vi* manifestarse. ◼ **se manifester** *vp* manifestarse.

manigancer *vt fam* maquinar.

manioc *nm* mandioca *(f)*.

manipuler *vt* manipular.

manivelle *nf* manivela *(f)*.

manne *nf* **1.** RELIG maná *(m)* **2.** *fig & sout (aubaine)* agua *(f)* de mayo.

mannequin *nm* **1.** *(personne)* modelo *(mf)* **2.** *(de vitrine)* maniquí *(m)*.

manœuvre ◼ *nf* **1.** *(d'appareil)* manejo *(m)* **2.** *(de véhicule)* maniobra *(f)* • **fausse manœuvre** *(de véhicule)* mala maniobra • *fig* paso *(m)* en falso **3.** *(excercice militaire, machination)* maniobra *(f)*. ◼ *nm* peón *(m)*.

manœuvrer ◼ *vi* maniobrar. ◼ *vt* maniobrar.

manoir *nm* casa *(f)* solariega.

manomètre *nm* manómetro *(m)*.

manquant, e *adj* que falta.

manque *nm* **1.** *(absence)* falta *(f)* **2.** *(insuffisance)* carencia *(f)* **3.** *(du toxicomane)* abstinencia *(f)* **4.** *(lacune)* laguna *(f)*.

manquer ◼ *vi* **1.** *(gén)* faltar • **manquer à qqch** *(ne pas respecter)* faltar a algo • **manquer à qqn** *(temps, outil, etc)* faltar a alguien • *(ami, famille)* echar de menos a alguien • **manquer de qqch** carecer de algo, faltarle a uno algo • **manquer de faire qqch** faltarle (a alguien) poco para hacer algo **2.** *(rater)* fallar. ◼ *vt* **1.** *(rater)* fallar **2.** *(personne)* no encontrar **3.** *(train, avion)* perder **4.** *(occasion)* perderse **5.** *(cours, école)* faltar a.

À PROPOS DE...

manquer

Notez la construction *echar de menos a alguien* : le sujet de la phrase française devient complément dans la phrase espagnole.

mansarde *nf* buhardilla *(f)*.

mansardé, e *adj* abuhardillado(da).

mansuétude *nf sout* mansedumbre *(f)*.

mante *nf* **1.** ZOOL mantis *(m inv)* • **mante reli- gieuse** mantis religiosa, santateresa *(f)* **2.** *(manteau de femme)* manto *(m)*.

manteau *nm* abrigo *(m)* *(Esp)*, tapado *(m)* *(Amér)*.

manucure *nmf* manicuro *(m)*, -ra *(f)*.

manuel, elle ◼ *adj* manual. ◼ *nm, f* trabajador *(m)*, -ra *(f)* manual. ◼ *nm* manual *(m)* • **manuel scolaire** libro *(m)* de texto.

manufacture *nf* manufactura *(f)*.

manufacturé, e *adj* manufacturado(da).

manuscrit, e *adj* manuscrito(ta). ◼ **manuscrit** *nm* manuscrito *(m)*.

manutention *nf* logística *(f)* *(de almacenaje)*.

manutentionnaire *nmf* encargado *(m)*, -da *(f)* de logística.

mappemonde *nf* **1.** *(carte)* mapamundi *(m)* **2.** *(sphère)* globo *(m)* terráqueo.

maquereau *nm* **1.** ZOOL caballa *(f)* **2.** *fam (proxé- nète)* chulo *(m)*.

maquerelle *nf fam* madame *(f)*.

maquette *nf* maqueta *(f)*.

maquignon *nm* chalán *(m)*, -ana *(f)*.

maquillage *nm* maquillaje *(m)*.

maquiller *vt* **1.** *(personne)* maquillar **2.** *(voiture volée)* maquillar, camuflar **3.** *(passeport)* falsifi- car **4.** *(chiffres)* falsear **5.** *(vérité)* disfrazar. ◼ **se maquiller** *vp* maquillarse.

maquis *nm* **1.** *(végétation)* monte *(m)* bajo **2.** HIST maquis *(m inv)*.

marabout *nm* **1.** ZOOL marabú *(m)* **2.** *(guérisseur)* morabito *(m)*.

maraîcher, ère ■ *adj* de la huerta. ■ *nm, f* horticultor *(m)*, -ra *(f)*.

marais *nm* pantano *(m)* • **marais salant** salina *(f)*.

marasme *nm* litt & fig marasmo *(m)*.

marathon *nm* maratón *(m ou f)*.

marâtre *nf* madrastra *(f)*.

marbre *nm* mármol *(m)*.

marc *nm* ≃ orujo *(m)*. ■ **marc de café** *nm* poso *(m)* de café.

marcassin *nm* jabato *(m)*.

marchand, e ■ *adj* **1.** mercantil **2.** *(marine)* mercante **3.** *(galerie, valeur)* comercial. ■ *nm, f* vendedor *(m)*, -ra *(f)* • **marchand forain** feriante *(m)* • **marchand de journaux** vendedor de periódicos.

marchander *vt* & *vi* regatear.

marchandise *nf* mercancía *(f)*.

marche *nf* **1.** *(gén)* marcha *(f)* • **en marche** *(en mouvement)* en marcha • *(en fonctionnement)* encencido(da) • **en marche arrière** marcha atrás • **faire marche arrière** *(voiture)* dar marcha atrás • *(changer d'avis)* echarse (para) atrás • **se mettre en marche** ponerse en marcha • **marche à pied** marcha (a pie) • **marche silencieuse** marcha silenciosa **2.** *(d'astre)* movimiento *(m)* **3.** *(du temps)* paso *(m)* **4.** *(d'escalier)* peldaño *(m)*, escalón *(m)* **5.** fig *(procédé)* • **c'est la marche à suivre** éstos son los pasos que hay que seguir.

marché *nm* **1.** *(gén)* mercado *(m)* • **faire son marché** ir a la compra • **marchés financiers** mercados financieros • **marché noir** mercado negro • **marché du travail** mercado de trabajo **2.** *(contrat)* trato *(m)* • **être bon marché** ser barato(ta). ■ **Marché commun** *nm* • **le Marché commun** el Mercado Común.

marchepied *nm* estribo *(m)*.

marcher *vi* **1.** *(aller à pied)* andar **2.** *(poser le pied)* pisar • **marcher sur qqch** pisar algo **3.** *(se diriger)* • **marcher sur qqch/sur qqn** marchar sobre algo/hacia alguien **4.** *(fonctionner, réussir)* funcionar **5.** fam *(être d'accord)* conformarse • **faire marcher qqn** fam tomar el pelo a alguien.

mardi *nm* martes *(m inv)* • **mardi gras** martes de carnaval. • *voir aussi* **samedi**

mare *nf* charco *(m)*.

marécage *nm* pantano *(m)*.

marécageux, euse *adj* **1.** *(terrain)* pantanoso(sa) **2.** *(plante)* palustre.

maréchal *nm* mariscal *(m)*.

marée *nf* **1.** *(gén)* marea *(f)* • **(à) marée basse/haute** (con) marea baja/alta **2.** *(produits de la mer)* pescado y marisco *(m)* fresco. ■ **marée noire** *nf* marea *(f)* negra.

marelle *nf* rayuela *(f)*.

margarine *nf* margarina *(f)*.

marge *nf* margen *(m)* • **marge d'erreur/de sécurité** margen de error/de seguridad • **vivre en marge de la société** vivir al margen de la sociedad.

margelle *nf* brocal *(m)*.

marginal, e ■ *adj* marginal. ■ *nm, f* marginado *(m)*, -da *(f)*.

marginalisation *nf* marginación *(f)*.

marguerite *nf* margarita *(f)*.

mari *nm* marido *(m)*.

mariage *nm* **1.** *(union, institution)* matrimonio *(m)* • **mariage blanc/civil/religieux** matrimonio de conveniencia/civil/religioso **2.** *(cérémonie)* boda *(f)* **3.** fig *(association de choses)* combinación *(f)*.

Marianne *npr* pour expliquer à un hispanophone ce que c'est, vous pouvez dire : es la personificación de la República Francesa representada por un busto de mujer con un gorro frigio. Esta imagen decora todos los ayuntamientos franceses y aparece en los sellos.

marié, e ■ *adj* casado(da). ■ *nm, f* novio *(m)*, -via *(f)*.

marier *vt* casar. ■ **se marier** *vp* **1.** *(personnes)* casarse **2.** fig *(couleurs)* casar.

marihuana, marijuana *nf* marihuana *(f)*.

marin, e ■ *adj* **1.** *(gén)* marino(na) **2.** *(carte)* de navegación. ■ **marin** *nm* marino *(m)* • **marin pêcheur** pescador *(m)*. ■ **marine** ■ *adj inv (bleu)* marino(na). ■ *nf* **1.** *(art de la navigation)* marina *(f)*, náutica *(f)* **2.** *(ensemble de navires, peinture)* marina *(f)* • **marine marchande/nationale** marina mercante/nacional. ■ *nm* **1.** MIL marine *(m)* **2.** *(couleur)* azul *(m)* marino.

marinier, ère *adj* marinero(ra). ■ **marinier** *nm* marinero *(m)*.

marionnette *nf* marioneta *(f)*, títere *(m)*.

marital, e *adj* marital.

maritime *adj* marítimo(ma).

mark *nm* marco *(m)*.

marketing *nm* marketing *(m)* • **marketing téléphonique** marketing telefónico.

marmaille *nf* fam chiquillería *(f)*.

marmelade *nf* mermelada *(f)*.

marmite *nf* olla *(f)*.

marmonner *vt* & *vi* farfullar, mascullar.

marmot *nm* renacuajo *(m)*, -ja *(f) (Esp)*, chamaco *(m)*, -ca *(f) (Amér)*.

marmotte *nf* marmota *(f)*.

Maroc *npr* • **le Maroc** Marruecos.

maroquinerie *nf* marroquinería *(f)*.

marotte *nf* • **avoir la marotte de qqch** ser maniático(ca) de algo • **à chaque fou sa marotte** cada loco con su tema.

marquant, e *adj* notable.

marque *nf* 1. *(gén)* marca *(f)* • **à vos marques, prêts, partez !** ¡preparados, listos, ya! • **de marque** de marca • **marque déposée/de fabrique** marca registrada/de fábrica 2. *(témoignage)* señal *(f)*.

marqué, e *adj* marcado(da).

marquer ◗ *vt* 1. *(gén)* marcar, señalar 2. *(mécontentement, etc)* manifestar 3. *(noter)* apuntar. ◗ *vi* marcar.

marqueur *nm* 1. *(crayon)* rotulador *(m)* (de punta gruesa) 2. SPORT marcador *(m)*.

marquis, e *nm, f* marqués *(m)*, -esa *(f)*. ■ **marquise** *nf* marquesina *(f)*.

marraine *nf* madrina *(f)*.

marrant, e *adj fam* 1. *(drôle)* divertido(da) 2. *(bizarre)* gracioso(sa).

marre *adv* • **en avoir marre (de qqch/de qqn)** *fam* estar harto(ta) (de algo/de alguien).

marrer ■ **se marrer** *vp fam* 1. *(rire)* desternillarse (de risa) 2. *(s'amuser)* pasárselo bomba.

marron, onne *adj péj (avocat, médecin)* clandestino(na). ■ **marron** ◗ *nm* 1. *(fruit)* castaña *(f)* 2. *(couleur)* marrón *(m)* 3. *fam (coup de poing)* castaña *(f)*. ◗ *adj inv* 1. marrón 2. *(yeux)* castaño(ña).

marronnier *nm* castaño *(m)* de Indias.

mars *nm* marzo *(m)*. • *voir aussi* **septembre** ■ **Mars** *npr* ASTRON & MYTHOL Marte.

marsouin *nm* marsopa *(f)*.

marteau ◗ *nm* 1. *(outil* & SPORT*)* martillo *(m)* • **marteau piqueur** *ou* **pneumatique** martillo picador *ou* neumático 2. MUS macillo *(m)*, martinete *(m)* 3. *(heurtoir)* aldabón *(m)*. ◗ *adj fam* chiflado(da).

martèlement *nm* martilleo *(m)*.

marteler *vt* 1. *(avec un marteau)* martillear, martillar 2. *(frapper)* golpear 3. *(articuler)* recalcar.

martial, e *adj* marcial.

martien, enne *adj* & *nm, f* marciano(na).

martinet *nm* 1. ZOOL vencejo *(m)* 2. *(fouet)* látigo *(m)* de varios ramales.

martingale *nf* martingala *(f)*.

Martini® *nm* martini® *(m)*.

martyr, e *adj* & *nm, f* mártir. ■ **martyre** *nm* martirio *(m)*.

martyriser *vt* martirizar.

marxisme *nm* marxismo *(m)*.

mascarade *nf* mascarada *(f)*.

mascotte *nf* mascota *(f)*.

masculin, e *adj* masculino(na). ■ **masculin** *nm* GRAMM masculino *(m)*.

maso *adj* & *nmf fam (masochiste)* masoca • **il est un peu maso** es un poco masoca.

masochisme *nm* masoquismo *(m)*.

masque *nm* 1. *(gén)* máscara *(f)* 2. *(de déguisement)* careta *(f)* • **masque à gaz** máscara antigás • **masque de plongée** gafas *(fpl)* submarinas 3. *(crème)* mascarilla *(f)*.

masquer *vt* 1. *(dissimuler)* disfrazar 2. *(cacher à la vue)* esconder, tapar.

massacre *nm* 1. *(tuerie)* masacre *(f)* 2. *fig (gâchis)* estropicio *(m)*.

massacrer *vt* 1. *(tuer)* masacrar 2. *(abîmer, mal interpréter)* destrozar.

massage *nm* masaje *(m)*.

masse *nf* 1. *(gén)* masa *(f)* • **masse monétaire** masa monetaria • **masse salariale** masa salarial 2. *(quantité)* **une masse de** un montón de • **en masse** *(en bloc)* en masa • *(en grande quantité)* a lo grande • **l'arrivée en masse de...** la llegada masiva de... 3. *(maillet)* mazo *(m)*.

masser *vt* 1. *(assembler)* concentrar 2. *(frotter)* masajear, dar masaje a. ■ **se masser** *vp* 1. *(s'assembler)* concentrarse 2. *(se frotter)* masajearse.

masseur, euse *nm, f* masajista *(mf)*. ■ **masseur** *nm (appareil)* aparato *(m)* de hacer masajes.

massicot *nm* guillotina *(f)*.

massif, ive *adj* 1. *(gén)* macizo(za) 2. *(important)* masivo(va). ■ **massif** *nm* macizo *(m)*.

massue ◗ *adj inv* contundente. ◗ *nf* maza *(f)*.

mastic *nm* masilla *(f)*.

mastiquer *vt* 1. *(mâcher)* masticar 2. *(coller avec du mastic)* pegar con masilla.

masturbation *nf* masturbación *(f)*.

masturber ■ **se masturber** *vp* masturbarse.

masure *nf* casa *(f)* en ruinas.

mat, e *adj* mate. ■ **mat** *adj inv (aux échecs)* en posición de (jaque) mate.

mât *nm* 1. NAUT mástil *(m)*, palo *(m)* 2. *(poteau)* poste *(m)*.

match *nm* partido *(m)* • **match aller/retour** partido de ida/de vuelta • **match nul** empate *(m)* • **faire match nul** empatar.

matelas *nm inv* colchón *(m)*.

matelot *nm* marinero *(m)*.

mater *vt* 1. *(dompter)* domar 2. *(réprimer)* reprimir 3. *fam (regarder)* echar el ojo a.

matérialiser *vt* materializar. ■ **se matérialiser** *vp* materializarse.

matérialiste *adj* & *nmf* materialista.

matériau *nm* material *(m)*. ■ **matériaux** *nmpl* 1. CONSTR materiales *(mpl)* • **matériaux de construction** materiales de construcción 2. *fig (éléments)* material *(m)*.

matériel, elle *adj* 1. *(gén)* material 2. *(prosaïque)* materialista. ■ **matériel** *nm* 1. *(équipement)* material *(m)*, equipamiento *(m)*, equipo *(m)* 2. INFORM hardware *(m)*.

maternel, elle adj 1. *(lait, grand-mère, langue)* materno(na) 2. *(amour, instinct)* maternal. ■ **maternelle** nf parvulario *(m)*.

maternité nf maternidad *(f)*.

mathématicien, enne nm, f matematico *(m)*, -ca *(f)*.

mathématique adj matemático(ca). ■ **mathématiques** nfpl matemáticas *(fpl)*.

maths nfpl fam mates *(fpl)*.

matière nf 1. *(substance, produit, sujet)* materia *(f)* • **en matière de** en materia de • **matière grasse** materia grasa • **matière grise/plastique** materia gris/plástica • **matières premières** materias primas 2. *(discipline)* asignatura *(f)* 3. *(motif)* pretexto *(m)*, motivo *(m)*.

matin nm mañana *(f)* • **le matin** por la mañana • **ce matin** esta mañana • **du matin au soir** de la mañana a la noche.

matinal, e adj 1. *(du matin)* matinal, matutino(na) 2. *(personne)* madrugador(ra).

matinée nf 1. *(partie de la journée)* mañana *(f)* 2. *(spectacle)* matiné *(f)*.

matou nm gato *(m)*.

matraque nf porra *(f)*.

matraquer vt 1. *(frapper)* aporrear 2. fig *(slogan, chanson)* bombardear.

matriarcat nm matriarcado *(m)*.

matrice nf matriz *(f)*.

matricule ■ nm número *(m)* (de registro). ■ nf registro *(m)*.

matrimonial, e adj matrimonial.

matrone nf péj verdulera *(f)*.

mature adj maduro(ra).

mâture nf arboladura *(f)*.

maturité nf madurez *(f)*.

maudire vt maldecir.

maudit, e adj & nm, f maldito(ta).

maugréer ■ vt mascullar. ■ vi refunfuñar • **maugréer contre qqn/contre qqch** echar pestes contra alguien/contra algo.

maure, more adj moro(ra). ■ **Maure** nm,f moro *(m)*, -ra *(f)*.

Mauritanie npr • **la Mauritanie** Mauritania.

mausolée nm mausoleo *(m)*.

maussade adj 1. *(personne)* alicaído(da) 2. *(temps)* desapacible.

mauvais, e adj malo(la), mal *(devant un nom masculin)*. ■ **mauvais** adv • **il fait mauvais** hace mal tiempo • **sentir mauvais** oler mal.

mauve nm & adj malva.

mauviette nf fam 1. *(personne faible)* alfeñique *(m)* 2. *(poltron)* gallina *(mf)*.

max *(abr de maximum)* nm fam montón *(m)*, mogollón *(m)* • **un max de** un montón de • **un max de fric** una pasta gansa • **s'éclater un max** divertirse (un) mogollón.

max. *(abr écrite de maximum)* nm inv máx. • **ce produit doit être conservé à 6°C max.** este producto debe conservarse a 6°C máx.

maxillaire nm maxilar *(m)*.

maxime nf máxima *(f)*.

maximum ■ adj máximo(ma). ■ nm • **le maximum de qqch/de personnes** el máximo de algo/de personas • **au maximum** como máximo.

mayonnaise nf mayonesa *(f)*.

mazout nm fuel-oil *(m)*.

me pron pers 1. *(gén)* me 2. *(avec un présentatif)* • **me voilà** aquí estoy • **me voilà prêt** ya estoy listo.

méandre nm 1. *(d'une rivière)* meandro *(m)* 2. fig *(d'un raisonnement)* entresijos *(mpl)*.

mec nm fam tio *(m)*.

mécanicien, enne ■ adj mecánico(ca). ■ nm, f 1. *(de garage)* mecánico *(mf)* 2. *(conducteur de train)* maquinista *(mf)*.

mécanique ■ adj mecánico(ca). ■ nf 1. *(gén)* mecánica *(f)* 2. *(mécanisme)* maquinaria *(f)*.

mécanisme nm mecanismo *(m)*.

mécène nm mecenas *(m inv)*.

méchanceté nf 1. *(attitude)* maldad *(f)* 2. *(parole, actes)* • **se dire des méchancetés** decirse cosas desagradables.

méchant, e ■ adj 1. *(malveillant, cruel - personne)* malo(la) • *(- animal, peligroso(sa)* • *(- attitude)* malévolo(la) 2. *(désobéissant)* malo(la). ■ nm, f malo *(m)*, -la *(f)*.

mèche nf 1. *(de bougie)* mecha *(f)*, pábilo *(m)* 2. *(de cheveux)* mechón *(m)* 3. *(d'arme à feu, de pétard)* mecha *(f)* 4. *(de perceuse)* broca *(f)*.

méchoui nm mechui *(m)* (cordero asado).

méconnaissable adj irreconocible.

méconnu, e adj desconocido(da).

mécontent, e adj & nm, f descontento(ta).

mécontenter vt disgustar.

mécréant, e nm, f 1. *(irreligieux)* pagano *(m)*, -na *(f)* 2. *(infidèle)* infiel *(mf)*.

médaille nf medalla *(f)*.

médaillon nm *(bijou & CULIN)* medallón *(m)*.

médecin nm médico *(m)* • **médecin de garde** médico de guardia • **médecin légiste** médico forense • **médecin traitant** OU **de famille** médico de cabecera.

médecine nf medicina *(f)* • **médecine générale** medicina general.

Medef *(abr de Mouvement des entreprises de France)* nm ≃ CEOE *(f) (Confederación Española de Organizaciones Empresariales)*.

média nm • **les médias** los medios de comunicación.

médian, e adj mediano(na). ■ **médiane** nf 1. *(ligne)* mediana *(f)* 2. *(valeur statistique)* media *(f)*.

médiateur, trice *adj & nm, f* mediador(ra). ■ **médiateur** *nm* ADMIN ≈ defensor *(m)* del pueblo. ■ **médiatrice** *nf* GÉOM mediatriz *(f)*.

médiathèque *nf* mediateca *(f)*.

médiatique *adj* **1.** *(personnalité)* muy presente en los medios de comunicación **2.** *(événement)* muy esperado(da) por los medios de comunicación **3.** *(retentissement)* en los medios de comunicación **4.** *(exploitation)* por parte de los medios de comunicación.

médiatiser *vt* mediatizar.

médical, e *adj* médico(ca).

médicament *nm* medicamento *(m)*.

médicinal, e *adj* medicinal.

médico-légal, e *adj* medicolegal.

médiéval, e *adj* medieval.

médiocre ◪ *adj* **1.** *(gén)* mediocre **2.** *(ressources, résultats)* escaso(sa). ◪ *nmf* mediocre *(mf)*.

médiocrité *nf* mediocridad *(f)*.

médire *vi* hablar mal • **médire de qqn** hablar mal de alguien.

médisant, e ◪ *adj* murmurador(ra). ◪ *nm, f* mala lengua *(mf)*.

méditation *nf* meditación *(f)*.

méditer ■ *vt* meditar • **méditer qqch/de faire qqch** *(projeter)* meditar algo/hacer algo. ◪ *vi* meditar • **méditer sur qqch** meditar sobre algo.

Méditerranée *npr* • **la Méditerranée** el Mediterráneo.

médium[1] *nmf* *(personne)* médium *(mf)*.

médium[2] *nm* MUS registro *(m)* intermedio de la voz.

médius *nm* dedo *(m)* corazón, dedo *(m)* medio.

méduse *nf* medusa *(f)*.

méduser *vt* dejar pasmado(da).

meeting *nm* **1.** *(politique)* mitin *(m)* **2.** *(sportif)* encuentro *(m)*.

méfait *nm* **1.** *(acte)* mala acción *(f)* **2.** fig *(du tabac)* perjuicio *(m)*.

méfiance *nf* recelo *(m)*.

méfiant, e *adj* receloso(sa).

méfier ■ **se méfier** *vp* desconfiar • **se méfier de qqn/de qqch** desconfiar de alguien/de algo • **méfie-toi !** ¡ten cuidado!, ¡no te fíes!

méga(-) *préf* **1.** super- **2.** fam *(sens intensif)* mega • **un méga-concert** un megaconcierto.

mégalo *adj & nmf* fam *(mégalomane)* megalómano(na) • **il est complètement mégalo** tiene delirios de grandeza.

mégalomane *adj & nmf* megalómano *(m)*, -na *(f)*.

mégapole *nf* megápolis *(f inv)*.

mégarde ■ **par mégarde** *loc adv* por descuido.

mégère *nf* harpía *(f)*.

mégot *nm* fam colilla *(f)* *(Esp)*, pucho *(m)* *(Amér)*.

meilleur, e ◪ *adj* mejor. ◪ *nm, f* mejor *(mf)*. ■ **meilleur** *nm* • **le meilleur** lo mejor • **pour le meilleur et pour le pire** para lo bueno y para lo malo.

méjuger ◪ *vt* juzgar mal. ◪ *vi* • **méjuger de qqn/de qqch** infravalorar a alguien/algo.

mél *(abr de* **courrier électronique***)* *nm* INFORM mail *(m)*, correo *(m)* electrónico.

mélancolie *nf* melancolía *(f)*.

mélancolique *adj* melancólico(ca).

mélange *nm* mezcla *(f)*.

mélanger *vt* mezclar *(Esp)*, entreverar *(Amér)*. ■ **se mélanger** *vp* mezclarse *(Esp)*, entreverarse *(Amér)*.

mêlée *nf* **1.** *(combat)* pelea *(f)* **2.** *(au rugby)* melé *(f)*.

mêler *vt* **1.** *(mélanger)* mezclar *(Esp)*, entreverar *(Amér)* **2.** *(emmêler)* enredar **3.** *(impliquer)* • **mêler qqn à qqch** meter a alguien en algo **4.** *(joindre)* • **mêler qqch à qqch** unir algo a algo. ■ **se mêler** *vp* **1.** *(se joindre)* • **se mêler à** *(groupe)* unirse a • *(foule)* confundirse con **2.** *(s'occuper)* • **se mêler de qqch** meterse en algo.

mélèze *nm* alerce *(m)*.

mélo *nm* fam dramón *(m)*.

mélodie *nf* melodía *(f)*.

mélodieux, euse *adj* melodioso(sa).

mélodrame *nm* melodrama *(m)*.

mélomane *adj & nmf* melómano(na).

melon *nm* **1.** BOT melón *(m)* **2.** *(chapeau)* sombrero *(m)* hongo, bombín *(m)*.

melting-pot *nm* mezcla *(f)* de razas.

membrane *nf* membrana *(f)*.

membre *nm* **1.** *(de corps, d'organisation)* miembro *(m)* • **membres antérieurs/postérieurs** *(des animaux)* extremidades anteriores/posteriores • **membres supérieurs/inférieurs** *(de l'homme)* extremidades superiores/inferiores **2.** *(de phrase)* elemento *(m)*.

même *adj indéf*

1. INDIQUE UNE IDENTITÉ = mismo(ma)
- **nous avons eu les mêmes résultats** obtuvimos los mismos resultados
- **c'est cela même** eso mismo

2. SERT À SOULIGNER
- **ce sont ses paroles mêmes** son sus propias palabras
- **elle est la bonté même** es la bondad personificada

même *pron indéf*
- **le/la même** el mismo/la misma.

même *adv*

1. RENFORCE UN ADVERBE TEMPS, DE LIEU
- **aujourd'hui même** hoy mismo
- **ici même** aquí mismo

2. POSITIF, MARQUE UN RENCHÉRISSEMENT **=** incluso ⋅ **elle est même riche !** ¡incluso es rica!
3. NÉGATIF, POUR INSISTER ⋅ **même pas** ni siquiera ⋅ **il n'a même pas appelé** ni siquiera ha llamado por teléfono.

■ **à même** loc prép
⋅ **s'asseoir à même le sol** sentarse en el mismo suelo.

■ **à même de** loc prép
⋅ **elle est à même de faire ce travail** es capaz de hacer este trabajo.

■ **de même** loc adv
del mismo modo
⋅ **il en va de même pour lui** otro tanto de lo mismo para él.

■ **de même que** loc conj
así como, lo mismo que, igual que
⋅ **sa fille, de même que sa sœur, est rousse** su hija, igual que su hermana, es pelirroja.

■ **même quand** loc conj
incluso cuando
⋅ **elle sort même quand il pleut** sale incluso cuando llueve.

■ **même si** loc conj
+ subjonctif
aunque
⋅ **j'irai même s'il ne fait pas beau** iré aunque no haga bueno.

mémento nm **1.** (agenda) agenda (f) **2.** (aide-mémoire) compendio (m).

mémoire ■ nf (gén & INFORM) memoria (f) ⋅ **avoir une bonne/mauvaise mémoire** tener buena/mala memoria ⋅ **à la mémoire de** en memoria de ⋅ **de mémoire** de memoria ⋅ **perdre la mémoire** perder la memoria ⋅ **mémoire tampon** INFORM búfer (m) ⋅ **mémoire virtuelle** INFORM memoria virtual ⋅ **mémoire vive** INFORM memoria viva ou RAM. ■ nm **1.** (rapport) memoria (f) **2.** UNIV tesina (f). ■ **Mémoires** nmpl memorias (fpl).

mémorable adj memorable.

mémorandum nm memorándum (m).

mémorial nm monumento (m) conmemorativo.

mémorisable adj memorizable.

menaçant, e adj amenazador(ra).

menace nf amenaza (f).

menacer ■ vt amenazar ⋅ **menacer qqn de qqch/de faire qqch** amenazar a alguien con algo/con hacer algo. ■ vi ⋅ **la pluie menace** amenaza lluvia.

ménage nm **1.** (nettoyage) limpieza (f) (de la casa) ⋅ **faire le ménage** hacer la limpieza **2.** (couple) pareja (f) ⋅ **faire bon ménage** llevarse bien **3.** ÉCON unidad (f) familiar.

ménagement nm miramientos (mpl) ⋅ **sans ménagement** sin miramientos.

ménager[1], **ère** adj doméstico(ca). ■ **ménagère** nf **1.** (femme) ama (f, de casa **2.** (couverts) cubertería (f) de plata.

ménager[2] vt **1.** (bien traiter - personne) tratar con consideración ⋅ (- susceptibilité) no herir **2.** (utiliser avec modération - gén) emplear bien ⋅ (- santé) cuidar de **3.** (surprise) preparar. ■ **se ménager** vp cuidarse.

ménagerie nf casa (f) de fieras.

mendiant, e nm, f mendigo (m), -ga (f).

mendier vt mendigar.

mener ■ vt **1.** (emmener, conduire) llevar **2.** (diriger, être en tête de) dirigir. ■ vi ir ganando.

meneur, euse nm, f cabecilla (m) ⋅ **meneur d'hommes** líder (m/f).

menhir nm menhir (m)

méningite nf meningitis (f inv).

ménisque nm menisco (m).

ménopause nf menopausia (f)

menotte nf manita (f). ■ **menottes** nfpl esposas (fpl) ⋅ **passer les menottes à qqn** poner las esposas a alguien.

mensonge nm mentira (f).

menstruel, elle adj menstrual.

mensualiser vt **1.** (salarié) pagar mensualmente **2.** (paiement) mensualizar.

mensualité nf mensualidad (f).

mensuel, elle ■ adj mensual. ■ nm, f asalariado(da) pagado(da) mensualmente. ■ **mensuel** nm publicación (f) mensual.

mensuration nf medida (f).

mental, e adj mental.

mentalité nf mentalidad (f).

menteur, euse adj & nm, f mentiroso(sa).

menthe nf menta (f).

mention nf **1.** (citation) mención (f) • **faire mention de qqch** hacer mención de algo **2.** (note) dato (m) **3.** SCOL & UNIV • **avec mention** con nota.

mentionner vt mencionar.

mentir vi mentir • **mentir à qqn** mentirle a alguien.

menton nm barbilla (f), mentón (m).

menu, e adj menudo(da). ■ **menu** nm (gén & INFORM) menú (m) • **menu déroulant** INFORM menú desplegable.

menuiserie nf carpintería (f).

menuisier nm carpintero (m).

méprendre ■ **se méprendre** vp sout • **se méprendre sur qqch/sur qqn** confundirse respecto a algo/a alguien.

mépris nm **1.** (dédain) desprecio (m), menosprecio (m) • **mépris pour qqn/pour qqch** desprecio por alguien/por algo **2.** (indifférence) • **mépris de qqch** desprecio de algo. ■ **au mépris de qqch** loc prép sin tener en cuenta.

méprisable adj despreciable.

méprisant, e adj despectivo(va).

mépriser vt despreciar.

mer nf mar (m ou f) • **la mer Baltique** el mar Báltico • **la mer Méditerranée** el mar Mediterráneo • **la mer Morte** el mar Muerto • **la mer Noire** el mar Negro • **la mer du Nord** el mar del Norte • **prendre la mer** hacerse a la mar • **haute** ou **pleine mer** alta mar (f), pleamar (f).

mercantile adj péj negociante.

mercenaire adj & nmf mercenario, -ria (f).

mercerie nf mercería (f).

merci ■ interj gracias • **merci beaucoup** muchas gracias. ■ nm gracias (fpl) • **dire merci à qqn** darle las gracias a alguien.

mercier, ère nm, f mercero (m), -ra (f).

mercredi nm miércoles (m inv). • voir aussi **samedi**

mercure nm mercurio (m).

merde tfam ■ nf mierda (f). ■ interj ¡mierda!

mère nf madre (f) • **mère biologique** madre biológica • **mère de famille** madre de familia • **mère porteuse** madre de alquiler, madre portadora.

merguez nf inv salchicha (f) picante.

méridien, enne adj meridiano(na). ■ **méridien** nm meridiano (m). ■ **méridienne** nf tumbona (f) (Esp), reposera (f) (Amér).

méridional, e adj **1.** (du sud) meridional **2.** (du sud de la France) del sur de Francia.

meringue nf merengue (m).

merisier nm cerezo (m) silvestre.

mérite nm mérito (m) • **avoir du mérite (à faire qqch)** tener mérito (hacer algo).

mériter vt merecer (Esp), ameritar (Amér).

merlan nm pescadilla (f).

merle nm mirlo (m).

merveille nf maravilla (f) • **à merveille** de maravilla.

merveilleux, euse adj maravilloso(sa). ■ **merveilleux** nm • **le merveilleux** lo maravilloso.

mésalliance nf mal casamiento (m).

mésange nf paro (m).

mésaventure nf desventura (f).

mésentente nf desacuerdo (m).

Mésopotamie npr • **la Mésopotamie** Mesopotamia.

mesquin, e adj mezquino(na).

mesquinerie nf mezquindad (f).

mess nm comedor (m) (de oficiales y suboficiales).

message nm mensaje (m) • **laisser un message à qqn** dejarle un mensaje ou un recado a alguien • **message publicitaire** anuncio (m), mensaje publicitario.

messager, ère nm, f mensajero (m), -ra (f).

messagerie nf **1.** (transport de marchandises) mensajería (f) **2.** INFORM • **messagerie électronique** mensajería (f) electrónica.

messe nf RELIG & MUS misa (f) • **aller à la messe** ir a misa.

messie nm mesías (m inv). ■ **Messie** nm • **le Messie** el Mesías.

mesure nf **1.** (gén) medida (f) • **prendre des mesures** tomar medidas • **prendre les mesures de qqch/de qqn** tomarle las medidas a algo/a alguien • **mesure disciplinaire** medida disciplinaria • **mesures de sécurité** medidas de seguridad **2.** MUS compás (m) • **mesure à deux temps** compás (m) de dos por cuatro **3.** (modération) mesura (f), medida (f) • **à la mesure de** a la medida de • **dans la mesure du possible** en la medida de lo posible • **être en mesure de** estar en condiciones de • **outre mesure** desmesuradamente • **sur mesure** a medida. ■ **à mesure que** loc conj a medida que.

mesurer vt **1.** (gén) medir **2.** (limiter) escatimar **3.** (proportionner) • **mesurer qqch à qqch** ajustar algo a algo. ■ **se mesurer** vp • **se mesurer avec** ou **à qqn** medirse con alguien.

métabolisme nm metabolismo (m).

métal nm metal (m).

métallique adj metálico(ca).

métallisé, e adj metalizado(da).

métallurgie nf metalurgia (f).

métamorphose nf metamorfosis (f inv).

métaphore nf metáfora (f).

métaphysique ■ adj metafísico(ca). ■ nf metafísica (f).

métastase nf metástasis (f inv).

métayer, ère nm, f aparcero (m), -ra (f).

météo nf fam ▪ **la météo** el tiempo ▪ **les prévisions météo** las previsiones meteorológicas.

météore nm meteoro (m).

météorologie nf meteorología (f).

météorologique adj meteorológico(ca).

météorologue, météorologiste nmf meteorólogo (m), -ga (f), meteorologista (mf).

méthane nm metano (m).

méthode nf método (m).

méthodologie nf metodología (f).

méthylène nm metileno (m).

méticuleux, euse adj meticuloso(sa).

métier nm 1. (profession) oficio (m) ▪ **avoir du métier** tener oficio ▪ **de son métier** de profesión ▪ **être du métier** ser del oficio 2. (machine) bastidor (m).

LES MÉTIERS

- l'acteur/l'actrice / el actor/la actriz
- l'architecte / el arquitecto/la arquitecta
- l'artiste peintre / el pintor/la pintora
- l'avocat/l'avocate / el abogado/la abogada
- le banquier/la banquière / el banquero/la banquera
- le coiffeur/la coiffeuse / el peluquero/la peluquera
- le facteur/la factrice / el cartero/la cartera
- l'ingénieur / el ingeniero/la ingeniera
- le/la journaliste / el/la periodista
- le juge / el juez/la jueza
- le mécanicien/la mécanicienne / el mecánico/la mecánica
- le/la médecin / el médico/la médica
- le/la photographe / el fotógrafo/la fotógrafa
- le pilote / el piloto
- le policier/la policière / el/la policía
- le pompier / el bombero
- le professeur / la professeure / el profesor/la profesora
- le vendeur/la vendeuse / el vendedor/la vendedora

métis, isse adj & nm, f mestizo(za). ■ **métis** nm (tissu) mezcla (f).

métrage nm 1. (mesure) medición (f) 2. COUT metros (mpl) ▪ **quel métrage vous faut-il ?** ¿cuántos metros necesita? 3. CINÉ ▪ **court métrage** cortometraje (m) ▪ **long métrage** largometraje (m) ▪ **moyen métrage** mediometraje (m).

mètre nm metro (m) ▪ **mètre carré/cube** metro cuadrado/cúbico.

métro nm metro (m).

métronome nm metrónomo (m).

métropole nf metrópoli (f).

métropolitain, e adj metropolitano(na).

mets nm scut manjar (m).

metteur ■ **metteur en scène** nm THÉÂTRE & CINÉ director (m), -ra (f).

mettre vt 1. (gén) poner ▪ **faire mettre l'électricité** hacer instalar la electricidad 2. (vêtement, lunettes) ponerse 3. (temps, argent, énergie) emplear. ■ **se mettre** vp (se placer) ponerse ▪ **se mettre à faire qqch** (commencer à) ponerse a hacer algo ▪ **se mettre d'accord** ponerse de acuerdo ▪ **s'y mettre** ponerse a ello.

meuble ■ nm mueble (m). ■ adj 1. (terre) blando(da) 2. DR mueble.

meublé, e adj amueblado(da). ■ **meublé** nm piso (m) amueblado.

meubler ■ vt 1. (gér.) amueblar 2. fig (occuper - temps, loisirs) llenar ▪ (- conversation) entretener. ■ vi adornar, ser decorativo(va). ■ **se meubler** vp amueblar la casa.

meuf nf fam parienta (f), pivita (f).

meugler vi mugir.

meule nf 1. (à moudre, à aiguiser) muela (f) 2. (de fromage) rueda (f) 3. (de foin) almiar (m).

meunier, ère adj & nm, f molinero(ra).

meurtre nm asesinato (m).

meurtrier, ère ■ adj mortal. ■ nm, f asesino (m), -na (f).

meurtrir vt 1. (physiquement) magullar 2. fig (moralement) herir.

meute nf jauría (f).

mexicain, e adj mejicano(na). ■ **Mexicain, e** nm, f mejicano (m), -na (f).

Mexico npr México, Méjico.

Mexique npr ▪ **le Mexique** México, Méjico.

mezzanine nf 1. THÉÂTRE principal (m) (palco) 2. ARCHIT tragaluz (m).

mezzo-soprano nmf mezzo-soprano (f).

MF 1. (abr écrite de **mark finlandais**) FM 2. (abr écrite de **million de francs**) millón de francos.

mg (abr écrite de **milligramme**) mg.

Mgr (abr écrite de **Monseigneur**) Mons.

mi nm MUS mi (m).

mi- ■ adj inv medio(dia) ▪ **à la mi-janvier** a mediados de enero. ■ adv medio ▪ **mi-mort** medio muerto.

miasme nm miasma (m).

miaulement nm maullido (m).

miauler vi maullar.

mi-bas nm inv ejecutivo (m).

mi-carême nf tercer jueves (m inv) de cuaresma.

mi-chemin ■ **à mi-chemin** loc adv a medio camino, a mitad de camino.

mi-clos, e adj entornado(da).

micro nm **1.** (microphone) micro (m) **2.** fam (micro-ordinateur) micro (m).

microbe nm microbio (m).

microbiologie nf microbiología (f).

microclimat nm microclima (m).

microcosme nm microcosmos (m inv).

microfiche nf microficha (f).

microfilm nm microfilm (m).

Micronésie nf ▪ la **Micronésie** Micronesia.

micro-ondes nm inv microondas (m inv).

micro-ordinateur nm microordenador (m).

microphone nm micrófono (m).

microprocesseur nm microprocesador (m).

microscope nm microscopio (m) ▪ **microscope électronique** microscopio electrónico.

midi nm **1.** (période du déjeuner) mediodía (m) **2.** (heure) ▪ **il est midi** son las doce (de la mañana) **3.** (sud) sur (m), mediodía (m).

mie nf miga (f).

miel nm miel (f).

mielleux, euse adj meloso(sa).

mien, mienne adj poss mío, mía. ▪ **le mien, la mienne** pron poss el mío(la mía) ▪ **j'y mets du mien** yo hago (todo) lo que puedo.

miette nf migaja (f) ▪ **faire des miettes** hacer migas.

mieux ▧ adv **1.** (comparatif) mejor ▪ **elle pourrait mieux faire** podría hacerlo mejor ▪ **il ferait mieux de travailler** sería mejor que trabajara, más le valdría trabajar ▪ **il vaut mieux commencer** más vale empezar **2.** (superlatif) ▪ **il est le mieux payé du service** es el mejor pagado del departamento ▪ **le mieux qu'il peut** lo mejor que puede. ▧ adj mejor. ▧ nm **1.** (sans déterminant) algo mejor ▪ **j'attendais mieux** esperaba algo mejor **2.** (avec déterminant) ▪ **il y a du** OU **un mieux** va mejor ▪ **il fait de son mieux** hace (todo) lo mejor que puede. ▪ **au mieux** loc adv en el mejor de los casos. ▪ **de mieux en mieux** loc adv cada vez mejor. ▪ **pour le mieux** loc adv a pedir de boca. ▪ **tant mieux** loc adv tanto mejor.

mièvre adj remilgado(da).

mignon, onne ▧ adj **1.** (joli) mono(na) **2.** (gentil) bueno(na), amable. ▧ nm, f monada (f). ▪ **mignon** nm HIST favorito (m).

migraine nf jaqueca (f), migraña (f).

migrant, e adj & nm, f emigrante.

migrateur, trice adj migratorio(ria). ▪ **migrateur** nm (oiseau) ave (f) migratoria.

migration nf migración (f).

mijoter ▧ vt **1.** CULIN guisar **2.** (tramer) tramar. ▧ vi cocer a fuego lento.

mi-journée nf ▪ **les informations de la mi-journée** las noticias de mediodía.

mil¹ nm mijo (m).

mil² = **mille**.

milan nm milano (m).

milice nf milicia (f).

milicien, enne nm, f miliciano (m), -na (f).

milieu nm **1.** (centre - spatial) medio (m), centro (m) ▪ (- temporel) mitad (f) **2.** (intermédiaire) término (m) medio **3.** (environnement, groupe social) medio (m) **4.** (pègre) ▪ **le milieu** el hampa. ▪ **au milieu de** loc prép **1.** (sens spatial) en medio de **2.** (sens temporel) en mitad de **3.** (parmi) entre. ▪ **en plein milieu de** loc prép **1.** (sens spatial) justo en medio de **2.** (sens temporel) en pleno(na) ▪ **en plein milieu de la réunion** en plena reunión.

militaire adj & nm militar.

militant, e adj & nm, f militante.

militer vi militar ▪ **militer pour/contre qqch** militar a favor/en contra de algo.

milk-shake nm batido (m).

mille, mil adj inv mil. ▪ **mille** ▧ nm inv **1.** (unité) millar (m) **2.** (de cible) blanco (m) ▪ **dans le mille** en el blanco. ▧ nm **1.** NAUT milla (f) ▪ **un mille marin** una milla marina **2.** (Québec) (unité de mesure) milla (f).

mille-feuille ▧ nm CULIN milhojas (m inv). ▧ nf BOT milenrama (f).

millénaire ▧ adj milenario(ria). ▧ nm milenario (m).

mille-pattes nm inv ciempiés (m inv).

millésime nm **1.** (de vin) reserva (m) **2.** (de pièce) fecha (f) de acuñación.

millésimé, e adj de reserva.

millet nm mijo (m).

milliard nm ▪ **un milliard de** (chiffre) mil millones de ▪ (beaucoup de) un millar de.

milliardaire adj & nmf millonario(ria).

millier nm millar (m) ▪ **par milliers** a millares OU miles ▪ **un millier de** un millar de.

milligramme nm miligramo (m).

millilitre nm mililitro (m).

millimètre nm milímetro (m).

millimétré, e adj milimetrado(da).

million nm millón (m) ▪ **un million de** un millón de.

millionnaire adj & nmf millonario(ria).

mime ▧ nm (spectacle) mimo (m). ▧ nmf (acteur) mimo (mf).

mimer vt **1.** (exprimer sans parler) expresar con mímica **2.** (imiter) imitar.

mimétisme nm mimetismo (m).

mimique nf **1.** (grimace) mueca (f) **2.** (expression) mímica (f).

mimosa nm mimosa (f).

min. (abr écrite de **minimum**) mín. ▪ **temp. min. : 12°C** temp. mín.: 12°C.

minable adj miserable, lamentable.

minaret *nm* minarete *(m)*, alminar *(m)*.

minauder *vi* hacer melindres.

mince *adj* 1. *(gén)* delgado(da) 2. *fig (preuve, revenu)* insuficiente.

minceur *nf* 1. *(gén)* delgadez *(f)* 2. *fig (insuffisance)* insuficiencia *(f)*.

mincir *vi* adelgazar.

mine *nf* 1. *(physionomie)* cara *(f)* ◦ **avoir bonne/mauvaise mine** tener buena/mala cara ◦ **avoir une mine boudeuse** poner cara larga 2. *(apparence)* aspecto *(m)* 3. *(de crayon & GÉOL)* mina *(f)* ◦ **mine de charbon** mina de carbón ◦ **être une mine de** *fig* ser una mina de.

miner *vt* minar.

minerai *nm* mineral *(m)*.

minéral, e *adj* mineral. ■ **minéral** *nm* mineral *(m)*.

minéralogie *nf* mineralogía *(f)*.

minet, ette *nm, f* 1. *(chat)* minino *(m)*, -na *(f)* 2. *(personne)* pichoncito *(m)*, -ta *(f)* ◦ **mon minet** p choncito mío ◦ **un (petit) minet** un pijo.

mineur, e *adj & nm, f* menor. ■ **mineur** *nm* minero *(m)* ◦ **mineur de fond** minero de extracción.

mini *(abr écrite de* **minimum***) préf (sens diminutif)* mini ◦ **un mini-dictionnaire** un minidiccionario.

miniature *nf* miniatura *(f)*. ■ *adj* miniatura *(en apposition)*.

miniaturiser *vt* miniaturizar.

minibar *nm* minibar *(m)*.

minibus *nm* minibús *(m)*.

Minicassette ® *nf & nm* minicasete *(mf)*.

minichaîne *nf* minicadena *(f)*.

minidisque *nm* minidisco *(m)*.

minier, ère *adj* minero(ra).

minigolf *nm* minigolf *(m)*.

minijupe *nf* minifalda *(f)*.

minimal, e *adj* mínimo(ma).

minimaliste *adj* minimalista.

minime *nmf* SPORT infantil *(mf)*. ■ *adj* mínimo(ma).

minimiser *vt* minimizar.

minimum ■ *adj* mínimo(ma). ■ *nm* mínimo *(m)* ◦ **au minimum** como mínimo ◦ **le strict minimum** lo mínimo.

ministère *nm* ministerio *(m)*.

ministériel, elle *adj* ministerial.

ministre *nm* ministro *(m)*, -tra *(f)* ◦ **ministre délégué à qqch** ministro delegado de algo ◦ **ministre d'État** ≃ ministro sin cartera ◦ **Premier ministre** Primer ministro.

minois *nm* carita *(f)*.

minoritaire *adj & nmf* minoritario(ria).

minorité *nf* minoría *(f)* ◦ **une/la minorité de qqch** una/la minoría de algo ◦ **en minorité** en minoría.

Minorque *npr* Menorca.

minuit *nm* medianoche *(f)*.

minuscule ■ *adj* minúsculo(la). ■ *nf* minúscula *(f)*.

minute ■ *n. f* 1. *(gén)* minuto *(m)* ◦ **dans une minute** dentro de un minuto ◦ **d'une minute à l'autre** de un momento a otro 2. DR original *(m)*. ■ *interj* ¡un minuto!

minuter *vt* minutar *(cronometrar)*.

minuterie *nf* 1. *(d'horloge)* minutero *(m)* 2. *(d'éclairage)* temporizador *(m)*.

minuteur *nm* minutero *(m)*.

minutie *nf* minuciosidad *(f)* ◦ **avec minutie** minuciosamente.

minutieux, euse *adj* minucioso(sa).

mioche *nmf fam* crío *(m)*, -a *(f)*.

mirabelle *nf* 1. *(fruit)* ciruela *(f)* mirabel 2. *(alcool)* aguardiente *(m)* de ciruela mirabel.

miracle *nm* milagro *(m)* ◦ **croire aux miracles** creer en milagros ◦ **par miracle** de milagro.

miraculeux, euse *adj* milagroso(sa).

mirador *nm* MIL torre *(f)* de observación.

mirage *nm* espejismo *(m)*.

mire *nf* TV carta *(f)* de ajuste.

mirer ■ **se mirer** *vp* 1. *(se regarder)* contemplarse 2. *(se refléter)* reflejarse.

mirifique *adj hum* grandioso(sa).

mirobolant, e *adj hum* fantasioso(sa).

miroir *nm* espejo *(m)*.

miroiter *vi* espejear ◦ **faire miroiter qqch à qqn** tentar a alguien con algo.

misanthrope *adj & nmf* misántropo(pa).

mise *nf* 1. *(action de mettre)* puesta *(f)* ◦ **mise à jour** puesta al día ◦ **mise en page** compaginación *(f)* ◦ **mise au point** PHOTO enfoque *(m)*, ◦ TECHNOL puesta a punto ◦ *fig (rectification)* aclaración *(f)* ◦ **mise en scène** CINÉ & THÉÂTRE dirección *(f)* ◦ *fig (d'événement)* escenificación *(f)* 2. *(d'argent)* apuesta *(f)* 3. *sout (tenue)* vestimenta *(f)*.

miser *vt* 1. *(pcrier)* apostar 2. *(compter)* ◦ **miser sur qqch/sur qqn** contar con algo/con alguien.

misérable *adj & nmf* miserable.

misère *nf* miseria *(f)* ◦ **ça coûte une misère** cuesta una miseria.

miséricorde ■ *nf* misericordia *(f)*. ■ *interj vieilli* ¡piedad!

misogyne *adj & nmf* misógino(na).

missel *nm* misal *(m)*.

missile *nm* misil *(m)*.

mission *nf* misión *(f)* ◦ **en mission** en misión.

missionnaire *adj & nmf* misionero(ra).

missive *nf* misiva *(f)*.

mitaine *nf* mitón *(m)*.

mite *nf* polilla *(f)*.

mité, e *adj* apolillado(da).

mi-temps ◼ *nf inv* (SPORT - *période*) tiempo *(m)* ◦ (- *pause*) descanso *(m)* ◦ **première/seconde mi-temps** primer/segundo tiempo. ◼ *nm* trabajo *(m)* a media jornada. ◼ **à mi-temps** ◼ *loc adv* a media jornada ◦ **travailler à mi-temps** trabajar a media jornada. ◼ *loc adj* ◦ **travail à mi-temps** trabajo de media jornada.

miteux, euse *adj* & *nm, f fam* miserable.

mitigé, e *adj (tempéré, nuancé)* moderado(da).

mitonner ◼ *vt* 1. CULIN cocer a fuego lento 2. *fig (préparer)* preparar. ◼ *vi* cocer a fuego lento.

mitoyen, enne *adj* 1. medianero(ra) 2. *(maison)* adosado(da).

mitrailler *vt* 1. MIL ametrallar 2. *fam (photographier)* acribillar (con los flashes) 3. *fig (assaillir)* acosar ◦ **mitrailler qqn de questions** acosar a alguien con preguntas.

mitraillette *nf* metralleta *(f)*.

mitre *nf* mitra *(f)*.

mi-voix ◼ **à mi-voix** *loc adv* a media voz.

mixage *nm* mezcla *(f)*.

mixer[1] *vt* 1. *(gén)* mezclar 2. CULIN triturar.

mixer[2]**, mixeur** *nm* batidora *(f)*.

mixte *adj* mixto(ta).

mixture *nf* mixtura *(f)*.

MJC *(abr de **maison des jeunes et de la culture**) nf* casa *(f)* de la juventud y de la cultura ◦ **la MJC propose une vingtaine d'activités** la MJC propone una veintena de actividades.

ml *(abr écrite de **millilitre**)* ml.

Mlle *(abr écrite de **mademoiselle**)* Srta.

mm *(abr écrite de **millimètre**)* mm.

MM *(abr écrite de **messieurs**)* Sres., Srs.

Mme *(abr écrite de **madame**)* Sra.

mn *(abr écrite de **minute**)* min.

mnémotechnique *adj* mnemotécnico(ca).

Mo *(abr écrite de **mégaoctet**)* MB ◦ **ajouter 128 Mo de RAM** añadir 128 MB de RAM.

mobile ◼ *adj* 1. *(gén)* móvil 2. *(visage, regard)* vivaz. ◼ *nm* móvil *(m)*.

mobilier, ère *adj* mobiliario(ria). ◼ **mobilier** *nm* mobiliario *(m)*.

mobilisation *nf* movilización *(f)*.

mobiliser *vt* movilizar. ◼ **se mobiliser** *vp* movilizarse.

mobilité *nf* 1. *(aptitude à se déplacer)* movilidad *(f)* 2. *(vivacité)* expresividad *(f)*.

Mobylette® *nf* mobylette® *(f)*.

mocassin *nm* mocasín *(m)*.

moche *adj fam* 1. *(laid)* feo(fea) 2. *(méprisable)* chungo(ga).

modalité *nf* 1. *(convention & DR)* modalidad *(f)* ◦ **modalités de paiement** modalidades de pago 2. GRAMM modo *(m)*.

mode ◼ *nf* 1. *(gén)* moda *(f)* ◦ **à la mode** de moda ◦ **lancer une mode** lanzar *ou* sacar una moda 2. *(coutume)* ◦ **à la mode de** a la manera de. ◼ *nm* 1. *(gén)* modo *(m)* ◦ **mode de vie** modo de vida ◦ **mode majeur/mineur** modo mayor/menor 2. *(méthode)* método *(m)* ◦ **mode d'emploi** modo de empleo.

modèle *nm* modelo *(m)* ◦ **sur le modèle de qqch/de qqn** según el modelo de algo/de alguien ◦ **modèle déposé** modelo registrado.

modeler *vt* modelar ◦ **modeler qqch sur qqch** *fig* amoldar algo a algo.

modélisme *nm* modelismo *(m)*.

modem *nm* modem *(m)*.

modération *nf* moderación *(f)*.

modéré, e *adj* & *nm, f* moderado(da).

modérer *vt* moderar. ◼ **se modérer** *vp* moderarse.

moderne *adj* moderno(na).

moderniser *vt* modernizar. ◼ **se moderniser** *vp* modernizarse.

modeste *adj* 1. *(gén)* modesto(ta) 2. *(simple)* sencillo(lla).

modestement *adv* con modestia, modestamente.

modestie *nf* modestia *(f)* ◦ **fausse modestie** falsa modestia.

modification *nf* modificación *(f)*.

modifier *vt* modificar. ◼ **se modifier** *vp* modificarse.

modique *adj* módico(ca).

modiste *nf* sombrerera *(f)*.

modulation *nf* modulación *(f)*.

module *nm* módulo *(m)*.

moduler *vt* 1. *(chanter & RADIO)* modular 2. *(adapter)* adaptar.

modus vivendi *nm inv* modus vivendi *(m inv)*.

moelle *nf* médula *(f)* ◦ **moelle osseuse** médula ósea ◦ **moelle épinière** médula espinal.

moelleux, euse *adj* 1. *(lit, canapé)* blando(da), mullido(da) 2. *(fromage)* blando(da) 3. *(voix)* meloso(sa).

moellon *nm* morrillo *(m)*.

mœurs *nfpl* 1. *(usages, habitudes)* costumbres *(fpl)* ◦ **de mœurs légères** de costumbres ligeras 2. *(morale)* moralidad *(f)* 3. ZOOL *(mode de vie)* comportamiento *(m)*.

mohair *nm* mohair *(m)*.

moi ◼ *pron pers* 1. *(avec impératif)* me ◦ **aide-moi** ayúdame ◦ **donne-le-moi** dámelo 2. *(sujet, pour renforcer, dans un comparatif)* yo ◦ **c'est moi !** ¡soy yo! ◦ **moi aussi/non plus** yo también/tampoco ◦ **plus âgé que moi** mayor que yo 3. *(complément d'objet, après une préposition)* mí ◦ **avec moi** conmigo ◦ **après moi** después de mí • **pour moi** para mí • **il me l'a dit, à moi** me lo dijo a mí **4.** *(possessif)* • **à moi** mío(mía). ◼ *nm (en philosophie)* • **le moi** el yo. ◼ **moi-même** *pron pers* yo mismo.

À PROPOS DE...

moi

Attention à l'accent orthographique qui permet de distinguer le pronom complément *mi* de l'adjectif possessif *mi*.

moignon *nm* **1.** *(de membre)* muñón (m) **2.** *(d'arbre)* garrón (m).

moindre ◼ *adj superl* • **les moindres détails** los más mínimos detalles • **c'est la moindre des choses !** ¡qué menos! ◼ *adj compar* menor.

moine *nm* monje (m), fraile (m).

moineau *nm* gorrión (m).

moins *adv*

1. INDIQUE UNE INFÉRIORITÉ DE QUANTITÉ, DE PRIX = menos
- **moins de 300 calories** menos de 300 calorías
- **moins de travail/de verres** menos trabajo/vasos
- **c'est moins cher ici** aquí es menos caro
- **elle souffre moins** sufre menos

2. COMPARATIF
- **il est moins intelligent que sa sœur** es menos inteligente que su hermana

3. SUPERLATIF
- **le restaurant le moins cher** el restaurante menos caro
- **le moins possible** lo menos posible

4. DANS UNE CORRÉLATION
- **moins tu parleras, moins tu auras de chances de te tromper** cuanto menos hables, menos probabilidades tendrás de equivocarte.

moins *prép*

menos
- **il est dix heures moins vingt** son las diez menos veinte
- **il fait moins dix degrés** estamos a diez grados bajo cero.

moins *nm*

SIGNE MATHÉMATIQUE = (signo) menos (m)
- **le moins est le signe de la soustraction** el menos es el signo de la suma.

◼ **à moins de** *loc prép*

1. AU DESSOUS DE = a menos de, por debajo de
- **il ne le vendra pas à moins de 200 euros** no lo venderá por menos de 200 euros

2. SAUF SI, EXCEPTÉ SI

+ *subjonctif*

a no ser que, a menos que
- **vous n'y arriverez pas à moins de faire appel au maire** no lo conseguiréis, a no ser que recurráis al alcalde.

◼ **à moins que** *loc conj*

+ *subjonctif*

a no ser que ,a menos que
- **à moins qu'il (ne) soit déjà parti** a menos que ya se haya ido.

◼ **au moins** *loc adv*

por lo menos
- **il pourra t au moins la remercier** podría darle las gracias por lo menos.

◼ **de moins en moins** *loc adv*

cada vez menos
- **ils ont de moins en moins d'argent** tienen cada vez menos dinero.

◼ **du moins** *loc adv*

por lo menos, al menos
- **c'est du moins ce que j'ai compris** eso es por lo menos lo que he entendido.

◼ **en moins** *loc adv*

(de) menos
- **il y a une table en moins** hay una mesa de menos.

◼ **en moins de** *loc prép*

en menos de
- **en moins d'une minute** en menos de un minuto.

◼ **on ne peut moins** *loc adv*

- **il était on ne peut moins sceptique** no podía ser menos escéptico.

◼ **pour le moins** *loc adv*

por lo menos
- **son attitude est pour le moins surprenante** su actitud es cuando menos sorprendente.
Voir encadré page suivante.

moiré, e *adj* **1.** *(tissu)* de moaré, de muaré **2.** *(aspect)* tornasolado(da).

mois *nm* **1.** *(gén)* mes (m) • **le mois du blanc** el mes blanco **2.** *(salaire)* mensualidad (f).
Voir encadré page suivante.

moisi, e *adj* mohoso(sa), enmohecido(da). ◼ **moisi** *nm* moho (m).

À PROPOS DE...

moins

Notez que « moins de », devant un substantif et exprimant une idée de quantité, se traduit par *menos*.
Superlatif de *poco, menos* traduit « le, la moins ». L'article défini n'est pas répété lorsque le superlatif suit le nom ou se trouve dans une relative.

moisir *vi* **1.** *(fruit, bois)* enmohecerse **2.** *fam (personne)* pudrirse **3.** *fam (argent, fortune)* cubrirse de moho.

moisissure *nf* moho *(m)*.

moisson *nf* **1.** *(récolte)* siega *(f)* **2.** *fig* cosecha *(f)* **3.** *(travail)* • **faire la moisson** *ou* **les moissons** segar.

moissonner *vt* segar.

moissonneuse-batteuse *nf* cosechadora *(f)*.

moite *adj* húmedo(da).

moiteur *nf* humedad *(f)*.

moitié *nf (gén)* mitad *(f)* • **à moitié fou** medio loco • **faire qqch à moitié** hacer algo a medias • **moitié-moitié** mitad y mitad.

moka *nm* **1.** *(café)* moka *(m)*, moca *(m)* **2.** *(gâteau)* pastel *(m)* de moka.

molaire *nf* molar *(m)*.

molécule *nf* molécula *(f)*.

molester *vt sout* maltratar.

mollement *adv* **1.** *(faiblement)* debilmente **2.** *(paresseusement)* indolentemente.

mollesse *nf* **1.** *(d'une chose)* blandura *(f)* **2.** *fig (d'une personne)* apatía *(f)*.

mollet ◫ *nm* pantorrilla *(f)*. ◫ *adj* ▷ œuf.

mollir *vi* **1.** *(gén)* flojear **2.** *(matière)* reblandecerse **3.** *(vent)* amainar.

mollusque *nm* molusco *(m)*.

molosse *nm* moloso *(m)*.

LES MOIS DE L'ANNÉE

- janvier / enero
- février / febrero
- mars / marzo
- avril / abril
- mai / mayo
- juin / junio
- juillet / julio
- août / agosto
- septembre / septiembre
- octobre / octubre
- novembre / noviembre
- décembre / diciembre.

môme *fam* ◫ *nmf* crío *(m)*, -a *(f)*. ◫ *nf (jeune fille)* chavala *(f)*.

moment *nm* **1.** *(gén)* momento *(m)* • **à tout moment** en cualquier momento • **au moment de/où** en el momento de/en que • **à un moment donné** en un momento dado • **ce n'est pas le moment (de faire qqch)** no es el momento (de hacer algo) • **dans un moment** en *ou* dentro de un momento • **d'un moment à l'autre** de un momento a otro • **en ce moment** ahora mismo, en este momento • **n'avoir pas un moment à soi** no tener ni un momento libre • **par moments** de vez en cuando, a ratos • **pour le moment** de momento, por el momento **2.** *(période)* rato *(m)* • **passer un mauvais moment** pasar un mal rato.

momentané, e *adj* momentáneo(a).

momentanément *adv* momentáneamente.

momie *nf* momia *(f)*.

mon, ma *adj poss* mi.

monacal, e *adj* monacal.

Monaco *npr* • **(la principauté de) Monaco** (el principado de) Mónaco.

monarchie *nf* monarquía *(f)* • **monarchie absolue/constitutionnelle** monarquía absoluta/constitucional.

monarque *nm* monarca *(m)*.

monastère *nm* monasterio *(m)*.

monceau *nm* montón *(m)* *(Esp)*, ruma *(f)* *(Amér)*.

mondain, e ◫ *adj* mundano(na). ◫ *nm, f* hombre *(m)* de mundo, mujer *(f)* de mundo.

mondanités *nfpl* **1.** *(événements)* ecos *(mpl)* de sociedad **2.** *(politesses)* convencionalismos *(mpl)*.

monde *nm* **1.** *(gén)* mundo *(m)* • **l'autre monde** RELIG el otro mundo • **le/la plus** (+ *adj*) **au** *ou* **du monde** el/la más (+ *adj*) del mundo • **mettre un enfant au monde** traer al mundo un niño • **pour rien au monde** por nada del mundo • **venir au monde** venir al mundo **2.** *(gens)* gente *(f)* • **beaucoup/peu de monde** mucha/poca gente • **tout le monde** todo el mundo, todos • **noir de monde** abarrotado **3.** *(milieu social)* mundillo *(m)* • **c'est un monde !** ¡es el colmo! • **se faire un monde de qqch** hacer una montaña de algo.

mondial, e *adj* mundial.

mondialement *adv* mundialmente.

mondialisation *nf* universalización *(f)*.

mondialiste *adj* globalizador(ra), globalista.

monétaire *adj* monetario(ria).

Monétique® *nf* banca *(f)* electrónica.

mongolien, enne *adj & nm, f* mongólico(ca).

mongolisme *nm* mongolismo *(m)*.

moniteur, trice *nm, f* monitor *(m)*, -ra *(f)* • **moniteur d'auto-école** profesor *(m)*, -ra *(f)* de auto-escuela.

monitorat nm 1. (formation) formación (f) de monitor 2. (fonction) puesto (m) de monitor.

monnaie nf 1. (argent, devise) moneda (f) • **monnaie unique** moneda única • **fausse monnaie** moneda falsa 2. (ferraille) suelto (m) (Esp), morralla (f) (Amér) • **avoir de la monnaie** tener suelto 3. (appoint, petite unité) cambio (m) • **avoir la monnaie** tener cambio • **avoir la monnaie de 5 euros** tener cambio de 5 euros • **faire (de) la monnaie** cambiar • **rendre la monnaie à qqn** dar el cambio a alguien.

monnayer vt 1. (changer en argent) canjear 2. fig (vendre) sacar dinero de.

monochrome adj monocromo(ma).

monocle nm monóculo (m).

monocoque adj & nm monocasco.

monocorde adj monocorde.

monoculture nf monocultivo (m).

monologue nm monólogo (m).

monôme nm monomio (m).

monoparental, e adj monoparental.

monoplace adj, nm & nf monoplaza.

monopole nm monopolio (m), monopolización (f) • **avoir le monopole de qqch** tener el monopolio de algo • **monopole d'Etat** monopolio del Estado.

monopoliser vt monopolizar.

monoski nm monoesquí (m).

monospace nm monovolumen (m).

monosyllabe ◼ adj monosílabo(ba). ◼ nm monosílabo (m).

monotone adj monótono(na).

monotonie nf monotonía (f).

monseigneur nm monseñor (m).

monsieur nm señor (m) • **Cher Monsieur** (dans une lettre) Muy señor mío, Estimado señor • **monsieur Tout-le-Monde** el ciudadano de a pie • **asseyez-vous, messieurs** señores, siéntense.

monstre ◼ nm monstruo (m). ◼ adj fam (énorme) bárbaro(ra).

monstrueux, euse adj monstruoso(sa).

monstruosité nf 1. (sauvagerie) monstruosidad (f) 2. (énormité) barbaridad (f).

mont nm monte (m).

montage nm montaje (m).

montagnard, e adj & nm, f montañés(esa).

montagne nf montaña (f) • **en haute montagne** en a ta montaña • **faire de la haute montagne** hacer alta montaña • **vivre à la montagne** vivir en la montaña.

montant, e adj 1. (mouvement, marée) creciente 2. fig (phase) creciente, ascendente 3. (encolure) cerrado(da) • **un col montant** un cuello alto. ◼ **montant** nm 1. (d'échelle, de porte) montante (m) 2. (somme) importe (m).

mont-de-piété nm monte (m) de piedad.

monte-charge nm inv montacargas (m inv).

montée nf 1. (gén) subida (f) 2. (intensification) aumento (m).

monte-plats nm inv montaplatos (m inv).

monter ◼ vi 1. (gén) subir • **monter à** ou **dans qqch** subir a algo • **ça monte !** ¡vaya cuesta! • **monter sur qqch** subirse a algo 2. (chevaucher) montar • **monter à cheval** montar a caballo 3. fam (se déplacer) ir 4. (augmenter en intensité) crecer. ◼ vt 1. (gén) montar 2. (meuble) armar 3. (gravir, élever, porter) subir. ◼ **se monter** vp 1. (s'assembler) montarse 2. (atteindre) • **se monter à** ascender a.

monteur, euse nm, f montador (m), -ra (f).

Montevideo npr Montevideo.

monticule nm montículo (m).

montre nf reloj (m) • **montre à quartz** reloj de cuarzo • **course contre la montre** carrera contra reloj, contrarreloj (f) • **montre en main** reloj en mano.

montre-bracelet nf reloj (m) de pulsera.

montrer vt 1. (exhiber, expliquer) enseñar • **montrer qqch à qqn** enseñar algo a alguien 2. (démontrer, désigner) mostrar • **montrer du doigt** señalar con el dedo 3. (manifester) demostrar 4. (dépeindre) reflejar. ◼ **se montrer** vp 1. (se faire voir) dejarse ver 2. (se présenter, se révéler) mostrarse.

monture nf 1. (gén) montura (f) 2. (de bijou) engaste (m).

monument nm monumento (m) • **monument à qqch/à qqn** monumento a algo/a alguien • **monument aux morts** monumento a los caídos (durante la 1ª y la 2ª Guerra Mundial).

monumental, e adj 1. (gén) monumental 2. fig (impressionnant) impresionante.

moquer ◼ **se moquer** vp 1. (plaisanter) burlarse • **se moquer de qqch/de qqn** burlarse de algo/de alguien 2. (ne pas se soucier) • **se moquer de qqch** pasar de algo • **je m'en moque** me da igual.

moquerie nf 1. (ironie) guasa (f) 2. sout (raillerie) broma (f), mofa (f).

moquette nf moqueta (f).

moquetter vt enmoquetar.

moqueur, euse adj burlón(ona).

moral, e adj 1. (gén) moral 2. (honnête) ético(ca). ◼ **moral** nm moral (f) • **avoir bon/mauvais moral** tener la moral alta/baja • **avoir/ne pas avoir le moral** tener/no tener ánimos • **avoir le moral à zéro** tener la moral por los suelos • **remonter le moral (à qqn)** levantar la moral ou el ánimo (a alguien). ◼ **morale** nf 1. (gén) moral (f) 2. (leçon) moraleja (f) • **faire la morale à qqn** echar un sermón a alguien.

moralisateur, trice *adj* & *nm, f* moraliza-dor(ra).

moralité *nf* 1. *(gén)* moralidad *(f)* 2. *(leçon)* moraleja *(f)*.

moratoire ◾ *adj* moratorio(ria). ◾ *nm* moratoria *(f)*.

morbide *adj* morboso(sa).

morceau *nm* 1. *(gén)* trozo *(m)* 2. *(de poème, de musique)* fragmento *(m)*.

morceler *vt* parcelar. ◾ **se morceler** *vp* dividirse.

mordant, e *adj* 1. *(froid)* cortante 2. *fig (ironie)* mordaz. ◾ **mordant** *nm* mordacidad *(f)*.

mordiller *vt* mordisquear.

mordoré, e *adj* doradillo(lla).

mordre ◾ *vt* 1. *(sujet : animal, personne)* morder 2. *(sujet : scie, vis)* corroer 3. *fig (empiéter sur)* invadir. ◾ *vi* 1. *(croquer)* • **mordre dans qqch** dar un mordisco a algo 2. *(poisson)* picar • **mordre à l'hameçon** morder el anzuelo 3. sport • **mordre sur qqch** *(ligne)* pisar algo.

mordu, e ◾ *adj (amoureux)* prendado(da). ◾ *nm, f (passionné)* forofo *(m)*, -fa *(f)*.

morfondre ◾ **se morfondre** *vp* languidecer en la espera.

morgue *nf* 1. *(attitude)* altivez *(f)* 2. *(lieu)* morgue *(f)*, depósito *(m)* de cadáveres.

moribond, e *adj* & *nm, f* moribundo(da).

morille *nf* morilla *(f)*, colmenilla *(f)*.

morne *adj* 1. *(personne)* taciturno(na) 2. *(style, ville)* apagado(da).

morose *adj* 1. melancólico(ca) 2. *fig* moroso(sa).

morphine *nf* morfina *(f)*.

morphologie *nf* morfología *(f)*.

mors *nm* bocado *(m)*.

morse *nm* 1. zool morsa *(f)* 2. *(code)* morse *(m)*.

morsure *nf* mordedura *(f)*.

mort, e ◾ *adj* 1. *(gén)* muerto(ta) • **mort de peur/de fatigue** muerto de miedo/de cansancio 2. *fam (appareil)* hecho(cha) polvo. ◾ *nm, f* muerto *(m)*, -ta *(f)*. ◾ **mort** ◾ *nm (aux cartes)* muerto *(m)*. ◾ *nf* muerte *(f)* • **condamner qqn à mort** condenar a alguien a muerte • **être en danger de mort** estar *ou* hallarse *ou* encontrarse en peligro de muerte • **se donner la mort** acabar con su vida.

mortadelle *nf* mortadela *(f)*.

mortalité *nf* mortalidad *(f)*.

mort-aux-rats *nf inv* matarratas *(m inv)*.

mortel, elle *adj* & *nm, f* mortal.

morte-saison *nf* temporada *(f)* baja.

mortier *nm* mortero *(m)* *(Esp)*, molcajete *(m)* *(Amér)*.

mortification *nf* mortificación *(f)*.

mortuaire *adj* mortuorio(ria).

morue *nf* 1. zool bacalao *(m)* 2. *péj (prostituée)* zorra *(f)*.

mosaïque *nf* mosaico *(m)*.

Moscou *npr* Moscú.

mosquée *nf* mezquita *(f)*.

mot *nm* 1. ling palabra *(f)* • **faire du mot à mot** traducir literalmente 2. *(court énoncé)* palabras *(fpl)* • **dire un mot à qqn** decirle dos palabras a alguien • **mot de passe** *(gén)* contraseña *(f)*, santo y seña *(m)* • inform clave *(f)* *ou* código *(m)* de acceso 3. *(message)* nota *(f)* • **en un mot** en una palabra.

motard *nm* 1. *(motocycliste)* motorista *(mf)* 2. *(policier)* motorista *(mf)* (de la policía).

motel *nm* motel *(m)*.

moteur, trice *adj* motor(triz). ◾ **moteur** *nm* motor *(m)* • **moteur de recherche** inform buscador *(m)*.

motif *nm* motivo *(m)*.

motion *nf* moción *(f)* • **motion de censure** moción de censura.

motivation *nf* motivación *(f)*.

motiver *vt* motivar.

moto *nf* moto *(f)*.

motocross *nm* motocross *(m)*.

motoculteur *nm* motocultor *(m)*.

motocycliste *nmf* motociclista *(mf)*.

motoneige *nf* moto *(f)* de nieve.

motorisé, e *adj* motorizado(da) • **être motorisé** *fam* ir motorizado.

motricité *nf* motricidad *(f)*.

mou, molle *adj* **(mol** *devant voyelle ou h muet)* 1. *(pâte, beurre)* blando(da) 2. *(chapeau, col)* flexible 3. *(jambes, personne)* flojo(ja) 4. *fam (sans caractère)* blandengue. ◾ **mou** *nm* 1. *fam (personne)* blandengue *(m)* 2. *(poumon de bétail)* bofe *(m)*.

mouchard, e *nm, f fam* chivato *(m)*, -ta *(f)*. ◾ **mouchard** *nm (appareil)* chivato *(m)*.

mouche *nf* 1. zool mosca *(f)* • **mouche tsé-tsé** mosca tsé-tsé 2. *(accessoire féminin)* lunar *(m)* postizo.

moucher *vt* 1. *(nez, enfant)* sonar 2. *(chandelle)* despabilar, espabilar 3. *fam (réprimander)* dar una lección a. ◾ **se moucher** *vp* sonarse.

moucheron *nm* mosquilla *(f)*.

moucheté, e *adj* moteado(da).

mouchoir *nm* pañuelo *(m)*.

moudre *vt* moler.

moue *nf* mohín *(m)* de disgusto • **faire la moue** poner mala cara.

mouette *nf* gaviota *(f)*.

moufle *nf* manopla *(f)*.

mouflon *nm* muflón *(m)*.

mouillage nm **1.** (NAUT - emplacement) fondeadero (m) • (- manœuvre) fondeo (m) **2.** (coupage) aguaje (m).

mouiller ◪ vt **1.** (humidifier) mojar • **se faire mouiller** mojarse **2.** (vin, lait) aguar **3.** CULIN • **mouiller qqch avec qqch** añadir algo a algo **4.** NAUT (ancre) echar **5.** LING palatalizar. ◪ vi NAUT fondear. ■ **se mouiller** vp mojarse.

moulage nm **1.** (action) moldeado (m) **2.** (objet) molde (m).

moule ◪ nm molde (m) • **moule à gâteau/à gaufre/à tarte** molde para pastel/para gofre/para tartas. ◪ nf mejillón (m).

mouler vt moldear.

moulin nm **1.** (appareil) molinillo (m) • **moulin à café/à poivre** molinillo de café/de pimienta **2.** (bâtiment) molino (m).

moulinet nm **1.** (de canne à pêche) carrete (m) **2.** (mouvement) • **faire des moulinets** hacer molinetes.

Moulinette® nf minipimer® (m) • **passer qqch à la Moulinette** pasar algo por el minipimer®.

moulu, e adj molido(da).

moulure nf moldura (f).

mourant, e ◪ adj **1.** (personne) moribundo(da) **2.** fig (voix, lumière) languideciente. ◪ nm, f moribundo (m), -da (f).

mourir vi morir, morirse.

mousquetaire nm mosquetero (m).

moussant, e adj espumoso(sa).

mousse ◪ nf **1.** BOT musgo (m) **2.** (de bière, de matelas) espuma (f) • **mousse à raser** espuma de afeitar **3.** CULIN mousse (f inv). ◪ nm grumete (m).

mousseline nf muselina (f).

mousser vi hacer espuma.

mousseux, euse adj (vin, cidre) espumoso(sa). ■ **mousseux** nm (vino) espumoso (m).

mousson nf monzón (m).

moussu, e adj musgoso(sa).

moustache nf bigote (m).

moustiquaire nf mosquitera (f).

moustique nm mosquito (m) (Esp), zancudo (m) (Amér).

moutarde ◪ nf mostaza (f). ◪ adj inv mostaza (en apposition)

mouton nm **1.** ZOOL carnero (m) **2.** (viande) cordero (m) **3.** fam (personne) corderito (m) **4.** fam (de poussière) pelusa (f) **5.** (vague) cabrilla (f).

mouture nf **1.** (de céréales, de café) molienda (f), molturar (f) **2.** (de thème, d'œuvre) refrito (m).

mouvance nf • **dans la mouvance du parti** en la esfera de influencia del partido.

mouvant, e adj **1.** (sable) movedizo(za) **2.** (situation) inestable.

mouvement nm **1.** (gén) movimiento (m) • **en mouvement** en movimiento **2.** (de colère, de joie) arrebato (m) **3.** (d'horloge) mecanismo (m).

mouvementé, e adj agitado(da).

mouvoir vt mover. ■ **se mouvoir** vp moverse.

moyen, enne adj **1.** (gén) medio(dia) **2.** (médiocre) mediano(na). ■ **moyen** nm medio (m) • **au moyen de** por medio de, mediante • **moyen de communication/d'expression** medio de comunicación/de expresión • **moyen de locomotion/de transport** medio de locomoción/de transporte. ■ **moyenne** nf media (f) • **en moyenne** por término medio, un promedio de • **la moyenne d'âge** la media de edad. ■ **moyens** nmpl **1.** (ressources) medios (mpl) **2.** (capacités) fuerzas (fpl).

Moyen Âge nm • **le Moyen Âge** la Edad Media.

Moyen-Orient npr • **le Moyen-Orient** el Oriente Medio.

MST nf **1.** (abr de **maladie sexuellement transmissible**) ETS (f) • **attraper une MST** coger una ETS **2.** (abr de **maîtrise de sciences et techniques**) ≃ licenciatura (f) (en carreras técnicas y de ciencias).

mue nf muda (f).

muer vi mudar.

muet, ette ◪ adj mudo(da) • **muet de** (étonnement, admiration) mudo de. ◪ nm, f mudo (m), -da (f).

mufle nm **1.** (d'animal) morro (m), hocico (m) **2.** fig (goujat) zafio (m).

muflerie nf zafiedad (f).

mugir vi **1.** (bovidé) mugir **2.** (vent, sirène) bramar.

muguet nm muguete (m) (flores que se ofrecen el día uno de mayo para dar buena suerte).

mule nf **1.** (animal) mula (f) **2.** (pantoufle) chinela (f).

mulet nm **1.** (âne) mulo (m) **2.** (poisson) mújol (m).

mulot nm ratón (m) de campo.

multicolore adj multicolor.

multicoque adj & nm multicasco.

multifonction adj inv multifunción.

multilatéral, e adj multilateral.

multinational, e adj multinacional. ■ **multinationale** nf multinacional (f).

multiple ◪ nm múltiplo (m). ◪ adj múltiple.

multiplication nf multiplicación (f).

multiplier vt multiplicar • **X multiplié par Y égale Z** X multiplicado por Y igual a Z. ■ **se multiplier** vp multiplicarse.

multiracial, e adj multirracial.

multirisque adj multirriesgo.

multitude nf multitud (f) • **une multitude de** una multitud de.

municipal, e *adj* municipal. ■ **municipales** *nfpl* • **les municipales** las (elecciones) municipales.

municipalité *nf* municipio *(m)*.

munir *vt* • **munir qqch de qqch** equipar algo con algo • **munir qqn de qqch** proveer a alguien de algo. ■ **se munir** *vp* • **se munir de qqch** proveerse de algo.

munitions *nfpl* municiones *(fpl)*.

muqueuse *nf* mucosa *(f)*.

mur *nm* **1.** *(cloison)* pared *(f)* • **mur de soutènement** muro *(m)* de contención • **faire le mur** *fig* escaparse **2.** *fig (obstacle)* muro *(m)*. ■ **mur du son** *nm* barrera *(f)* del sonido.

mûr, e *adj* maduro(ra).

muraille *nf* muralla *(f)*.

murène *nf* morena *(f)*.

murer *vt* **1.** *(porte, fenêtre)* tapiar **2.** *(personne)* encerrar entre cuatro paredes. ■ **se murer** *vp* *(s'enfermer)* encerrarse • **se murer dans qqch** *fig* encerrarse en algo.

muret *nm* muro *(m)* bajo.

mûrier *nm* morera *(f)*.

mûrir *vi* madurar.

murmure *nm* murmullo *(m)*, susurro *(m)*.

murmurer *vt* & *vi* murmurar, susurrar.

musaraigne *nf* musaraña *(f)*.

musarder *vi* *fam* callejear.

muscade *nf* nuez *(f)* moscada.

muscadet *nm* vino *(m)* blanco seco *(de la región de Nantes)*.

muscat *nm* moscatel *(m)*.

muscle *nm* músculo *(m)*.

musclé, e *adj* **1.** *(personne)* musculoso(sa) **2.** *fig (intervention, mesure)* enérgico(ca).

muscler *vt* desarrollar los músculos de. ■ **se muscler** *vp* desarrollar los músculos • **il se muscle les bras** desarrolla los músculos de los brazos.

muse *nf* musa *(f)*. ■ **Muse** *nf* MYTHOL Musa *(f)*.

museau *nm* morro *(m)*, hocico *(m)*.

musée *nm* museo *(m)*.

museler *vt* **1.** *(animal)* poner un bozal a **2.** *fig (presse, personne)* amordazar.

muselière *nf* bozal *(m)*.

musette *nf* morral *(m)*.

musical, e *adj* musical.

music-hall *nm* music-hall *(m)*.

musicien, enne *adj* & *nm, f* músico(ca).

musique *nf* **1.** ART música *(f)* • **musique de chambre/de film** música de cámara/de película • **connaître la musique** *fam* saberse la canción **2.** *fig (d'une phrase, d'une voix)* musicalidad *(f)*.

musulman, e *adj* & *nm, f* musulmán(ana).

mutant, e *adj* & *nm, f* mutante.

mutation *nf* **1.** BIOL mutación *(f)* **2.** *fig (changement)* transformación *(f)* **3.** *(d'un employé)* traslado *(m)*.

muter *vt* trasladar.

mutilation *nf* mutilación *(f)*.

mutilé, e *nm, f* mutilado *(m)*, -da *(f)*.

mutiler *vt* **1.** *(membre, organe)* amputar **2.** *(statue, texte, vérité)* mutilar.

mutin, e *adj* *sout* travieso(sa). ■ **mutin** *nm* amotinado *(m)*.

mutiner ■ **se mutiner** *vp* amotinarse.

mutinerie *nf* motín *(m)*.

mutisme *nm* mutismo *(m)*.

mutualité *nf* mutualidad *(f)*.

mutuel, elle *adj* mutuo(tua). ■ **mutuelle** *nf* mutua *(f)*.

Myanmar *npr* • **le Myanmar** Myanmar.

mycose *nf* micosis *(f inv)*.

myocarde *nm* miocardio *(m)*.

myopathie *nf* miopatía *(f)*.

myope *adj* & *nmf* miope.

myosotis *nm* miosota *(f)*.

myrtille *nf* arándano *(m)*.

mystère *nm* misterio *(m)*. ■ **Mystère®** *nm* CULIN helado *(m)* *(relleno de merengue y cubierto de praliné)*.

mystérieux, euse *adj* misterioso(sa).

mysticisme *nm* misticismo *(m)*.

mystification *nf* mistificación *(f)*.

mystifier *vt* mistificar.

mystique *adj* & *nmf* místico(ca).

mythe *nm* mito *(m)*.

mythique *adj* mítico(ca).

mytho *adj* *fam* mitómano(na).

mythologie *nf* mitología *(f)*.

mythomane *adj* & *nmf* mitómano(na).

n

n, N *nm inv (lettre)* n *(f)*, N *(f)*. ■ **n** *(abr écrite de nano)* n. ■ **N 1.** *(abr écrite de newton)* N **2.** *(abr écrite de nord)* N.

n° *(abr écrite de numéro)* n°.

nacelle *nf (de montgolfière)* barquilla *(f)*.

nacre *nf* nácar *(m)*.

nage *nf (natation - action)* natación *(f)* • *(- façon)* estilo *(m)* *(de natación)* • **à la nage** a nado • **être en nage** estar empapado(da) en sudor

nageoire *nf* aleta *(f)*.

nager ◼ *vi* **1.** *(se déplacer dans l'eau, flotter)* nadar **2.** *fig* • **nager dans qqch** *(opulence)* nadar en algo • *(joie)* rebosar de algo • *fam (vêtements)* nadar en algo • **je nage** *fam* no me entero de nada. ◼ *vt* nadar.

naguère *adv sout* antes.

naïf, ïve ◼ *adj* **1.** *(personne, air, remarque)* ingenuo(nua) **2.** ART naif. ◼ *nm, f* **1.** *(niais)* ingenuo *(m)*, -nua *(f)* **2.** *(peintre)* pintor *(m)* naïf, pintora *(f)* naïf.

nain, e *adj & nm, f* enano(na) • **nain de jardin** enano de jardín.

naissance *nf* nacimiento *(m)* • **donner naissance à** dar a luz (a) • *fig* dar origen a

naissant, e *adj* naciente.

naître *vi* **1.** *(enfant)* nacer **2.** *(commencer)* • **faire naître qqch** engendrar algo • **naître de qqch** nacer de algo.

naïveté *nf* ingenuidad *(f)*.

nana *nf fam* tía *(f)*.

nanti, e *adj & nm, f* pudiente.

nantir *vt sout* • **nantir qqn de qqch** proveer a alguien de algo.

nappe *nf* **1.** *(de table)* mantel *(m)* **2.** *(étendue, couche)* capa *(f)*, napa *(f)* • **nappe phréatique** capa freática.

napper *vt* CULIN cubrir.

napperon *nm* tapete *(m)*.

narcisse *nm* narciso *(m)*.

narcissisme *nm* narcisismo *(m)*.

narcodollars *nmpl* narcodólares *(mpl)*.

narcotique ◼ *adj* narcótico(ca). ◼ *nm* narcótico *(m)*.

narguer *vt* burlarse de.

narine *nf* ventana *(f)* nasal.

narquois, e *adj* socarrón(ona).

narrateur, trice *nm, f* narrador *(m)*, -ra *(f)*.

narrer *vt* narrar.

NASA, Nasa *(abr de* **National Aeronautics and Space Administration***) nf* NASA *(f)*.

nasal, e *adj* nasal.

naseau *nm* ollar *(m)*, nariz *(f)*.

nasiller *vi* ganguear.

nasse *nf* nasa *(f)*.

natal, e *adj* natal.

natalité *nf* natalidad *(f)*.

natation *nf* natación *(f)*.

natif, ive ◼ *adj* **1.** *(originaire)* nativo(va), natural • **natif de** natural de **2.** *sout (inné)* innato(ta). ◼ *nm, f* nativo *(m)*, -va *(f)*.

nation *nf* nación *(f)*.

national, e *adj* nacional. ◼ **nationale** *nf* nacional *(f)*.

nationaliser *vt* nacionalizar.

nationalisme *nm* nacionalismo *(m)*.

nationalité *nf* nacionalidad *(f)* • **de nationalité française/espagnole** de nacionalidad francesa/española.

nativité *nf* ART natividad *(f)*.

natte *nf* **1.** *(tresse)* trenza *(f)* **2.** *(tapis)* estera *(f)*.

naturaliser *vt* **1.** *(acclimater &* DR*)* naturalizar **2.** *(animal)* disecar.

naturaliste ◼ *adj* naturalista. ◼ *nmf* **1.** *(zoologiste, romancier)* naturalista *(mf)* **2.** *(empailleur)* disecador *(m)*, -ra *(f)*.

nature ◼ *nf* naturaleza *(f)*. ◼ *adj inv* **1.** natural **2.** *(café)* solo(la).

LA NATURE

- la campagne / el campo
- le champ / el campo
- la colline / la colina
- la falaise / el acantilado
- la ferme / la granja
- la forêt / el bosque
- l'île / la isla
- la mer / el mar
- la montagne / la montaña
- la plage / la playa
- la plaine / la planicie
- la rivière / el río
- le rocher / el peñasco
- la vallée / el valle
- le volcan / el volcán.

naturel, elle ◼ *adj* natural. ◼ **naturel** *nm* **1.** *(tempérament)* naturaleza *(f)*, natural *(m)* • **être d'un** ou **avoir un naturel calme** ser de ou tener una naturaleza tranquila **2.** *(aisance, simplicité)* naturalidad *(f)*.

naturellement *adv* **1.** *(gén)* naturalmente **2.** *(de façon innée)* por naturaleza.

naturisme *nm* naturismo *(m)*.

naturiste *adj & nmf* naturista.

naufrage *nm* **1.** *(de navire)* naufragio *(m)* • **faire naufrage** naufragar **2.** *fig (d'entreprise)* hundimiento *(m)*.

naufragé, e *adj & nm, f* náufrago(ga).

nauséabond, e *adj* nauseabundo(da).

nausée *nf* náusea *(f)* • **avoir la nausée** tener náuseas.

nautique *adj* **1.** náutico(ca) **2.** *(ski, sport)* acuático(ca).

naval, e *adj* naval.

navet *nm* **1.** BOT nabo *(m)* **2.** *péj (œuvre)* birria *(f)*, churro *(m)*.

navette *nf* **1.** lanzadera *(f)* **2.** *(car)* autobús *(m)* • **navette spatiale** lanzadera espacial • **faire la navette** ir y venir.

navigable *adj* navegable.

navigateur, trice *nm, f* navegante *(mf)*. ◼ **navigateur** *nm* INFORM navegador *(m)*.

navigation nf 1. (transport & INFORM) navegación (f) 2. (pilotage) náutica (f), navegación (f).

naviguer vi 1. (en bateau & INFORM) navegar 2. (en avion) volar.

navire nm buque (m), navío (m).

navrant, e adj lamentable.

navrer vt afligir • **être navré de qqch/de faire qqch** sentir mucho algo/hacer algo.

nazi, e adj & nm, f nazi.

nazisme nm nazismo (m).

NB (abr de **nota bene**) NB.

nbreuses abrév de **nombreuses**.

nbreux, nbrx abrév de **nombreux**.

NDLR (abr écrite de **note de la rédaction**) N. de la R.

ne adv 1. (négation) no • **il ne veut pas** no quiere 2. (négation implicite) • **il se porte mieux que je ne (le) croyais** se porta mejor de lo que (yo) creía 3. (avec verbes ou expressions marquant le doute, la crainte, etc) • **je crains qu'il n'oublie** temo que se olvide.

né, e adj 1. (venu au monde) nacido(da) • **né le 6 février** nacido el 6 de febrero • **Mme X, née Y** la señora X, de soltera Y 2. fig (de naissance) nato(ta) • **un artiste-né** un artista nato.

néanmoins adv sin embargo.

néant nm nada (f) • **réduire qqch à néant** reducir algo a la nada.

nébuleux, euse adj nebuloso(sa).

nécessaire ◼ adj necesario(ria) • **nécessaire à qqch** necesario para algo • **il est nécessaire de faire qqch** es necesario hacer algo • **il est nécessaire que** (+ subjonctif) es necesario que (+ subjonctif). ◼ nm 1. (biens indispensables) • **le nécessaire** lo necesario • **faire le nécessaire** hacer lo necesario • **le strict nécessaire** lo estrictamente necesario 2. (trousse) • **nécessaire (de toilette)** bolsa (f) de aseo, neceser (m).

nécessité nf necesidad (f) • **être dans la nécessité de faire qqch** verse en la necesidad de hacer algo.

nécessiter vt exigir.

nec plus ultra nm inv non plus ultra (m inv).

nécrologique adj necrológico(ca).

nectar nm néctar (m).

nectarine nf nectarina (f).

nef nf 1. (d'église) nave (f) 2. sout (bateau) nao (f).

néfaste adj nefasto(ta).

négatif, ive adj negativo(va). ◼ **négatif** nm PHOTO negativo (m). ◼ **négative** nf negativa (f) • **dans la négative** en caso negativo • **répondre par la négative** responder negativamente.

négation nf negación (f).

négligé, e adj 1. (tenue, personne, jardin) descuidado(da), dejado(da) 2. (enfant) desatendido(da).

négligeable adj despreciable • **non négligeable** nada despreciable.

négligence nf negligencia (f) • **par négligence** por negligencia.

négliger vt 1. (ignorer, délaisser) desatender 2. (oublier) • **négliger de faire qqch** olvidar hacer algo 3. (jardin, tenue) descuidar. ◼ **se négliger** vp descuidarse, abandonarse.

négoce nm negocio (m).

négociant, e nm, f negociante (mf).

négociateur, trice nm, f negociador (m), -ra (f).

négociation nf negociación (f) • **négociations de paix** negociaciones de paz.

négocier vt 1. (gén) negociar 2. (virage) tomar bien.

nègre, négresse adj & nm, f péj (noir) negro(gra). ◼ **nègre** nm fam (écrivain anonyme) negro (m), -gra (f).

neige nf nieve (f).

neiger vi nevar • **il neige** nieva, está nevando.

neigeux, euse adj 1. (lieu) nevado(da) 2. (temps) nevoso(sa).

nénuphar nm nenúfar (m).

néologisme nm neologismo (m).

néon nm 1. (lumière & CHIM) neón (m) 2. (tube) fluorescente (m).

néophyte adj & nmf neófito(ta).

Népal npr • **le Népal** Nepal.

nerf nm nervio (m). ◼ **nerfs** nmpl nervios (mpl).

nerveux, euse ◼ adj 1. (gén) nervioso(sa) 2. (voiture) con nervio. ◼ nm, f nervioso (m), -sa (f).

nervosité nf nerviosismo (m).

nervure nf nervadura (f).

n'est-ce pas loc adv ¿verdad? • **délicieux, n'est-ce pas ?** delicioso ¿verdad? • **n'est-ce pas que vous vous êtes bien amusés ?** ¿a que os habéis divertido?

net, nette adj 1. (propre, rangé, pur) limpio(pia) 2. COMM & FIN neto(ta) • **net d'impôt** libre de impuestos 3. (image, idée) nitido(da) 4. (réponse, terme, différence) claro(ra). ◼ **net** adv 1. (brutalement) • **s'arrêter net** parar en seco 2. (franchement) • **casser net** romper de un golpe • **refuser net** negarse tajantemente.

Net nm • **le Net** la Red.

netéconomie nf economía (f) Internet.

nétiquette nf INFORM netiqueta (f).

nettement adv 1. (clairement) netamente 2. (incontestablement) mucho • **nettement plus/moins** mucho más/menos.

netteté nf 1. (propreté) limpieza (f) 2. (précision) nitidez (f).

nettoyage nm limpieza (f) (Esp), limpia (f) (Amér) • **nettoyage à sec** limpieza en seco.

nettoyer *vt* limpiar.

neuf[1] *adj num inv* & *nm inv* nueve. • *voir aussi* **six**

neuf[2], **neuve** *adj* nuevo(va). ■ **neuf** *nm* • **vêtu de neuf** con vestido nuevo • **quoi de neuf ?** ¿qué hay de nuevo? • **remettre à neuf** renovar • **rien de neuf** nada nuevo.

neurasthénique *adj* & *nmf* neurasténico(ca).

neurodégénératif, ive *adj* neurodegenerativo(va).

neurologie *nf* neurología (f).

neutraliser *vt* neutralizar.

neutralité *nf* neutralidad (f).

neutre ■ *adj* **1.** *(gén)* neutro(tra) **2.** *(pays)* neutral. ■ *nm* GRAMM neutro (m).

neutron *nm* neutrón (m).

neuvième ■ *adj num* & *nmf* noveno(na). ■ *nm* noveno (m), novena parte (f) ■ *nf* SCOL *(Suisse)* ≈ tercero (m) de primaria. • *voir aussi* **sixième**

névé *nm* nevero (m), ventisquero (m).

neveu *nm* sobrino (m).

névralgie *nf* neuralgia (f).

névrose *nf* neurosis (f inv).

névrosé, e *adj* & *nm, f* neurótico(ca).

new age *nf* MUS new age (f).

New York *npr* Nueva York.

new-yorkais, e *adj* neoyorquino(na). ■ **New-Yorkais, e** *nm, f* neoyorquino (m), -na (f).

nez *nm* **1.** ANAT nariz (f) • **saigner du nez** sangrar por la nariz **2.** *(odorat)* olfato (m) **3.** *(d'avion, de fusée)* morro (m) • **nez à nez** cara a cara.

ni *conj* ni • **je ne peux ni ne veux venir** no puedo ni quiero venir. ■ **ni... ni** *loc corrélative* ni... ni • **ni lui ni moi** ni él ni yo • **ni l'un ni l'autre** ni el uno ni el otro • **ni plus ni moins** ni más ni menos.

niais, e *adj* & *nm, f* bobo(ba).

Nicaragua *npr* • **le Nicaragua** Nicaragua.

nicaraguayen, enne *adj* nicaragüense. ■ **Nicaraguayen, enne** *nm, f* nicaragüense *(mf)*.

Nice *npr* Niza.

niche *nf* **1.** *(de chien)* caseta (f) **2.** *(de statue)* hornacina (f), nicho (m).

nicher *vi* **1.** *(oiseau)* anidar **2.** *fam (personne)* vivir. ■ **se nicher** *vp* meterse.

nickel ■ *nm* níquel (m). ■ *adj inv* fam impecable.

nicotine *nf* nicotina (f).

nid *nm* nido (m).

nid-d'abeilles *nm* nido (m) de abejas.

nid-de-poule *nm* socavón (m).

nièce *nf* sobrina (f).

nième = **énième**.

nier *vt* negar.

nigaud, e *adj* & *nm, f* atontado(da), negado(da).

Nigeria *npr* • **le Nigeria** Nigeria.

Nil *npr* • **le Nil** el Nilo.

Nîmes *npr* Nîmes.

nippon, one *adj* nipón(ona). ■ **Nippon, one** *nm, f* nipón (m), -ona (f).

nirvana *nm* nirvana (m).

nitrate *nm* nitrato (m).

nitroglycérine *nf* nitroglicerina (f).

niveau *nm* **1.** *(gén)* nivel (m) • **de même niveau** del mismo nivel • **le niveau de la mer** el nivel del mar • **niveau scolaire/de vie** nivel académico/de vida • **au niveau de qqch** al nivel de algo • *(à côté de)* a la altura de **2.** *(étage)* piso (m).

niveler *vt* nivelar.

noble *adj* & *nmf* noble.

noblesse *nf* nobleza (f).

noce *nf* **1.** *(gén)* boda (f) **2.** *fam fig (fête)* parranda (f). ■ **noces** *nfpl* bodas (fpl) • **noces d'argent/d'or** bodas de plata/de oro.

nocif, ive *adj* nocivo(va).

noctambule *adj* & *nmf* noctámbulo(la).

nocturne ■ *adj* nocturno(na). ■ *nm* **1.** MUS nocturno (m) **2.** ZOOL *(rapace)* ave (f) nocturna. ■ *nf* *(de magasin)* apertura (f) nocturna • **'nocturne le jeudi'** 'abierto los jueves hasta tarde'.

Noël *nm* Navidad (f).

nœud *nm* **1.** *(gén)* nudo (m) • **filer à 20 nœuds** navegar a 20 nudos • **double nœud** doble nudo **2.** *(ornement)* lazo (m) • **nœud de cravate** nudo (m) de corbata • **nœud papillon** pajarita (f) **3.** ASTRON nodo (m).

noir, e *adj* **1.** *(gén)* negro(gra) • **noir (de qqch)** *(sale)* negro (de algo) • **noir de monde** abarrotado **2.** *(intention, regard)* pérfido(da) **3.** *fam (ivre)* ciego(ga). ■ **noir** *nm* **1.** *(gén)* negro (m) • **en noir et blanc** en blanco y negro • **payer au noir** pagar en dinero negro • **travailler au noir** trabajar de ilegal • **noir sur blanc** por escrito **2.** *(obscurité)* oscuridad (f). ■ **noire** *nf* MUS negra (f). ■ **Noir, e** *nm, f* negro (m), -gra (f).

noirceur *nf* **1.** *sout (couleur)* negrura (f) **2.** *fig (méchanceté)* perfidia (f).

noircir ■ *vi* ennegrecerse. ■ *vt* **1.** *(foncer)* ennegrecer **2.** *sout (réputation)* manchar.

noisetier *nm* avellano (m).

noisette ■ *nf* **1.** *(fruit)* avellana (f) **2.** *(petite quantité)* nuez (f) • **une noisette de beurre** una nuez de mantequilla. ■ *adj inv* avellana (en apposition).

noix *nf* **1.** *(fruit)* nuez (f) • **noix de cajou** anacardo (m) • **noix de coco** nuez de coco • **noix (de) muscade** nuez moscada • **à la noix** de tres al cuarto **2.** *fam (imbécile)* papanatas (mf).

nom *nm* **1.** *(gén)* nombre *(m)* • **nom propre/commun** nombre propio/común **2.** *(patronyme)* apellido *(m)* • **nom de famille** apellido *(m)* • **nom de jeune fille** apellido de soltera.

nomade *adj* & *nmf* nómada.

nombre *nm* número *(m)* • **nombre pair/impair** número par/impar.

nombreux, euse *adj* numeroso(sa).

nombril *nm* ombligo *(m)*.

nomenclature *nf* nomenclatura *(f)*.

nominal, e *adj* nominal.

nomination *nf* nombramiento *(m)*.

nommé, e ◨ *adj* **1.** *(désigné par son nom)* nombrado(da) **2.** *(choisi)* designado(da). ◨ *nm, f* mencionado *(m)*, -da *(f)*.

nommément *adv* por el nombre.

nommer *vt* **1.** *(appeler, qualifier)* llamar **2.** *(désigner, promouvoir)* nombrar **3.** *(dénoncer)* dar el nombre de, decir el nombre de. ◨ **se nommer** *vp* **1.** *(s'appeler)* llamarse **2.** *(se désigner)* decir su nombre.

non *adv* & *nm inv* no. ◨ **non (pas)... mais** *loc corrélative* no... sino. ◨ **non (pas) que... mais** *loc corrélative* no es que... sino que. ◨ **non plus** *loc adv* tampoco. ◨ **non plus... mais** *loc corrélative* ya no... sino. ◨ **non sans** *loc prép* no sin • **non sans mal** no sin dificultad • **non sans peine** no sin esfuerzo.

nonagénaire *adj* & *nmf* nonagenario(ria).

non-agression *nf* no agresión *(f)*.

non-assistance *nf* • **non-assistance à personne en danger** omisión *(f)* de socorro a persona en peligro.

nonchalance *nf* indolencia *(f)*.

non-fumeur, euse *nm, f* no fumador *(m)*, -ra *(f)*.

non-lieu *nm* sobreseimiento *(m)* • **rendre un non-lieu** dictar un auto de sobreseimiento.

nonne *nf* monja *(f)*.

non-sens *nm inv* **1.** *(absurdité)* disparate *(m)*, absurdo *(m)* **2.** *(en traduction)* frase *(f)* sin sentido.

non-violence *nf* no violencia *(f)*.

non-voyant, e *nm, f* invidente *(mf)*.

nord ◨ *adj inv* norte. ◨ *nm inv* norte *(m)* • **le nord de l'Europe** el norte de Europa. ◨ **Nord** *nm* • **le Nord** el Norte • **les gens du Nord** la gente del Norte • **le grand Nord** los países del mar del Norte.

nord-est *adj inv* & *nm inv* nordeste, noreste.

nordique *adj* nórdico(ca). ◨ **Nordique** *nmf* **1.** *(du Nord)* nórdico *(m)*, -ca *(f)* **2.** *(Québec)* habitante *(mf)* del norte de Canadá.

nord-ouest *adj inv* & *nm inv* noroeste.

normal, e *adj* normal. ◨ **normale** *nf* • **la normale** la normalidad.

normalement *adv* **1.** *(habituellement)* normalmente **2.** *(selon les prévisions)* en circunstancias normales.

normalisation *nf* normalización *(f)*.

normaliser *vt* normalizar. ◨ **se normaliser** *vp* normalizarse.

normand, e *adj* normando(da).

Normandie *nf* • **la Normandie** Normandía.

norme *nf* norma *(f)*.

Norvège *npr* • **la Norvège** Noruega.

nosocomial, e *adj* nosocomial.

nostalgie *nf* **1.** *(mélancolie)* nostalgia *(f)* **2.** *(mal du pays)* morriña *(f)*.

notable *adj* & *nm* notable.

notaire *nm* notario *(m)*, -ria *(f)*.

notamment *adv* especialmente, particularmente.

note *nf* **1.** *(gén)* nota *(f)* • **avoir une bonne/mauvaise note** tener una buena/mala nota • **prendre des notes** tomar apuntes • **note de frais** detalle *(m)* de los gastos **2.** *(facture)* cuenta *(f)*, nota *(f)*.

noté, e *adj* • **être bien/mal noté** estar bien/mal considerado • scol estar bien/mal puntuado.

noter *vt* **1.** *(marquer d'un signe)* señalar **2.** *(écrire)* anotar, apuntar **3.** *(constater)* notar **4.** scol & univ calificar **5.** mus escribir.

notice *nf* reseña *(f)*.

notifier *vt* • **notifier qqch à qqn** notificar algo a alguien.

notion *nf* noción *(f)*.

notoire *adj* **1.** *(célèbre)* notorio(ria) **2.** *(manifeste)* evidente, claro(ra) **3.** *(quantité, etc)* considerable.

notre *adj poss* nuestro(tra).

nôtre ◨ **le nôtre, la nôtre** *pron poss* el nuestro, la nuestra • **serez-vous des nôtres demain ?** ¿podemos contar con vosotros para mañana?

Notre-Dame de Paris *npr* Nuestra Señora *(f)* de París.

nouer *vt* **1.** *(corde, lacets)* anudar • **avoir la gorge nouée** tener un nudo en la garganta **2.** *(bouquet, cheveux)* atar **3.** sout *(alliance, amitié, liens)* trabar, entablar **4.** *(intrigue)* tramar, urdir. ◨ **se nouer** *vp* **1.** *(gorge)* hacerse un nudo **2.** *(alliance, amitié)* entablarse **3.** *(intrigue)* tramarse.

noueux, euse *adj* **1.** *(bois)* nudoso(sa) **2.** *(main, doigt)* huesudo(da).

nougat *nm* ≃ turrón *(m)*.

nouille ◨ *nf* **1.** *(pâte)* pasta *(f)* **2.** fam *(imbécile)* lelo *(m)*, -la *(f)*. ◨ *adj (niais)* inútil.

nourri, e *adj* **1.** *(gén)* alimentado(da) • **nourri logé blanchi** comido, vestido y calzado **2.** *(tir)* graneado(da).

nourrice nf **1.** (qui allaite) nodriza (f), ama (f) de cria **2.** (garde d'enfant) niñera (f).

nourrir vt **1.** (gén) alimentar **2.** (projet) acariciar **3.** (style, récit, esprit) enriquecer. ■ **se nourrir** vp alimentarse • **se nourrir de qqch** alimentarse de algo.

nourrissant, e adj nutritivo(va).

nourrisson nm niño (m) de pecho.

nourriture nf **1.** alimento (m) **2.** (régime alimentaire) alimentación (f).

nous pron pers **1.** (gén) nosotros(tras) **2.** (complément d'objet direct, de verbe pronominal) nos • **dépêchons-nous !** ¡démonos prisa! • **il nous l'a donné** nos lo ha dado • **nous devons nous occuper de lui** tenemos que ocuparnos de él **3.** (possessif) • **c'est à nous** es nuestro(tra). ■ **nous-mêmes** pron pers nosotros mismos, nosotras mismas.

nouveau, elle adj (nouvel devant voyelle ou h muet) **1.** (gén) nuevo(va) **2.** (récent) recién • **le nouveau venu** el recién llegado. nm, f nuevo (m), -va (f). ■ **nouveau** nm novedad (f). ■ **nouvelles** nfpl noticias (fpl) • **donner de ses nouvelles** dar noticias • **les nouvelles** (informations) el telediario, las noticias. ■ **à nouveau** loc adv de nuevo. ■ **de nouveau** loc adv de nuevo

nouveau-né, e adj & nm, f recién nacido(da).

nouveauté nf novedad (f).

Nouvelle-Calédonie npr • **la Nouvelle-Calédonie** Nueva Caledonia.

Nouvelle-Guinée npr • **la Nouvelle-Guinée** Nueva Guinea.

Nouvelle-Zélande npr • **la Nouvelle-Zélande** Nueva Zelanda.

novateur, trice adj & nm, f innovador(ra).

novembre nm noviembre (m). • voir aussi septembre

novice adj novato(ta). nmf **1.** (débutant) novato (m), -ta (f) **2.** RELIG novicio (m), -cia (f).

noyade nf ahogamiento (m).

noyau nm **1.** (gén) núcleo (m) **2.** (de fruit) hueso (m) (Esp), carozo (m) (Amér). ■ **noyau dur** nm • **le noyau dur** los duros (dentro de un grupo).

noyauter vt infiltrar.

noyé, e adj **1.** (personne) ahogado(da) **2.** (inondé) anegado(da) • **noyé de larmes** inundado de lágrimas. nm, f ahogado (m), -da (f).

noyer[1] nm nogal (m).

noyer[2] vt **1.** (personne, sentiment, moteur) ahogar **2.** (terrain) anegar **3.** (estomper, diluer) difuminar. ■ **se noyer** vp **1.** (personne) ahogarse **2.** fig (être submergé, se perdre) perderse.

NPI (abr de **nouveaux pays industrialisés**) nmpl PRI (m), PIR (m).

nu, e adj **1.** (gén) desnudo(da) **2.** (arbre, paysage, région) yermo(ma) **3.** (style) escueto(ta). ■ **nu**

nm desnudo (m). ■ **à nu** loc adv • **mettre à nu** dejar al descubierto • **se mettre à nu** fig mostrarse al desnudo.

nuage nm (gén) nube (f).

nuageux, euse adj **1.** (temps, ciel) nublado(da) **2.** fig (esprit) confuso(sa).

nuance nf matiz (m).

nuancé, e adj matizado(da).

nubile adj núbil.

nucléaire adj nuclear. nm energía (f) nuclear.

nudisme nm nudismo (m).

nudité nf desnudez (f)

nue nf (gén pl) • **tomber des nues** caérsele el alma al suelo a alguien.

nuée nf **1.** (multitude) • **une nuée de** una nube de **2.** sout (gros nuage) nubarrón (m).

nuire vi • **nuire à qqch/à qqn** perjudicar algo/a alguien.

nuisible adj dañino(na) • **nuisible à** perjudicial para nm animal (m) dañino.

nuit nf noche (f) • **de nuit** de noche • **la nuit des temps** fig la noche de los tiempos.

nuitée nf noche (f) (de hotel).

nul, nulle adj indéf (avant un nom) sout ninguno(na) • **nulle part** en ninguna parte • (aller, mener) a ninguna parte. adj (après un nom) nulo(la) • **match nul** empate • **être nul en qqch** fam ser negado para algo. nm, f péj inútil (mf), desastre (m). pron indéf sout nadie (m).

nullement adv en absoluto.

nullité nf nul dad (f).

numéraire adj numerario(ria). nm numerario (m).

numération nf **1.** MATH numeración (f) **2.** MÉD recuento (m).

numérique adj **1.** (gén) numérico(ca) **2.** INFORM digital, numérico(ca).

numériser vt digitalizar.

numéro nm **1.** (gén) número (m) • **composer un numéro** marcar un número • **numéro de poste** número de puesto • **numéro vert** ≃ llamada (f) gratuita • **faux numéro** número equivocado **2.** fam (personne) • **c'est un sacré numéro !** ¡es una buena pieza!

numéroter vt numerar.

nu-pieds nm inv sandalia (f).

nuptial, e adj nupcial.

nuque nf nuca (f).

nurse nf nurse (f).

nutritif, ive adj nutritivo(va).

nutritionniste nmf nutricionista (mf) (Esp), dietista (mf) (Amér).

Nylon® nm nylon® (m), nailon® (m).

nymphe nf ninfa (f).

nymphomane adj ninfómano(na). nf ninfómana (f).

o, O *nm inv (lettre)* o *(f)*, O *(f)*. ■ **O 1.** *(abr écrite de* **Ouest***)* O **2.** *(abr écrite de* **Oxygène***)* O.

ô *interj sout* ¡oh!

oasis *nf* oasis *(m inv)*.

obéir *vi* ⬩ **obéir à qqn/à qqch** obedecer a alguien/a algo.

obéissance *nf* obediencia *(f)* ⬩ **devoir obéissance à qqn** deber obediencia a alguien.

obélisque *nm* obelisco *(m)*.

obèse *adj & nmf* obeso(sa).

obésité *nf* obesidad *(f)*.

objecteur *nm* objetor *(m)* ⬩ **objecteur de conscience** objetor de conciencia.

objectif, ive *adj* objetivo(va). ■ **objectif** *nm* objetivo *(m)*.

objection *nf* objeción *(f)* ⬩ **faire objection à qqch/à qqn** poner objeciones a algo/a alguien.

objectivité *nf* objetividad *(f)*.

objet *nm* objeto *(m)* ⬩ **objet d'art** objeto de arte.

obligation *nf (gén & FIN)* obligación *(f)* ⬩ **être dans l'obligation de faire qqch** estar en la obligación de hacer algo. ■ **obligations** *nfpl* obligaciones *(fpl)* ⬩ **avoir des obligations** tener obligaciones.

obligatoire *adj* **1.** *(imposé)* obligatorio(ria) **2.** *(inéluctable)* inevitable.

obligé, e ⬩ *adj sout* agradecido(da). ⬩ *nm, f* servidor *(m)*, -ra *(f)*.

obligeance *nf sout* bondad *(f)* ⬩ **avoir l'obligeance de faire qqch** tener la bondad de hacer algo.

obliger *vt* **1.** *(forcer)* ⬩ **obliger qqn à qqch/à faire qqch** obligar a alguien a algo/a hacer algo ⬩ **être obligé de faire qqch** tener que hacer algo **2.** DR *(lier)* obligar **3.** *sout (rendre service)* complacer. ■ **s'obliger** *vp* ⬩ **s'obliger à qqch/à faire qqch** obligarse a algo/a hacer algo.

oblique ⬩ *adj* **1.** *(gén)* oblicuo(cua) **2.** *(regard)* de soslayo. ⬩ *nf* GÉOM oblicua *(f)*.

obliquer *vi* torcer.

oblitérer *vt* **1.** *(billet)* picar **2.** *(timbre)* matar **3.** *sout (effacer)* borrar **4.** MÉD obliterar.

obnubiler *vt* obnubilar ⬩ **être obnubilé par qqch/par qqn** estar obnubilado por algo/por alguien.

obole *nf* óbolo *(m)*.

obscène *adj* obsceno(na).

obscénité *nf* obscenidad *(f)*.

obscur, e *adj* oscuro(ra), obscuro(ra).

obscurantisme *nm* oscurantismo *(m)*, obscurantismo *(m)*.

obscurcir *vt* oscurecer, obscurecer. ■ **s'obscurcir** *vp* oscurecerse, obscurecerse.

obscurité *nf* oscuridad *(f)*, obscuridad *(f)*.

obsédé, e ⬩ *adj* obsesionado(da). ⬩ *nm, f* obseso *(m)*, -sa *(f)*.

obséder *vt* obsesionar.

obsèques *nfpl* funerales *(mpl)*, exequias *(fpl)*.

obséquieux, euse *adj* servil.

observateur, trice *adj & nm, f* observador (ra).

observation *nf* **1.** *(gén)* observación *(f)* ⬩ **être en observation** estar en observación **2.** *(d'un règlement)* observancia *(f)*.

observatoire *nm* observatorio *(m)*.

observer *vt* **1.** *(gén)* observar ⬩ **faire observer qqch à qqn** advertir algo a alguien **2.** *(adopter)* guardar.

obsession *nf* obsesión *(f)*.

obsolète *adj* obsoleto(ta).

obstacle *nm* obstáculo *(m)* ⬩ **faire obstacle à qqch/à qqn** obstaculizar algo/a alguien ⬩ **rencontrer un obstacle** encontrar un obstáculo.

obstétrique *nf* obstetricia *(f)*.

obstination *nf* obstinación *(f)*.

obstiné, e *adj & nm, f* obstinado(da).

obstiner ■ **s'obstiner** *vp* obstinarse ⬩ **s'obstiner à faire qqch** obstinarse en hacer algo ⬩ **s'obstiner dans qqch** obstinarse en algo.

obstruction *nf* obstrucción *(f)*.

obstruer *vt* obstruir. ■ **s'obstruer** *vp* obstruirse.

obtempérer *vi* ⬩ **obtempérer à qqch** acatar algo.

obtenir *vt* obtener, conseguir ⬩ **obtenir qqch de qqn** obtener *ou* conseguir algo de alguien ⬩ **obtenir qqch à *ou* pour qqn** conseguir algo a *ou* para alguien.

obtention *nf* obtención *(f)*, consecución *(f)*.

obturer *vt* obturar.

obtus, e *adj* obtuso(sa).

obus *nm* obús *(m)*.

occasion *nf* **1.** *(possibilité, chance)* ocasión *(f)*, oportunidad *(f)* ⬩ **à l'occasion** si llega el caso ⬩ *(un jour)* un día de estos ⬩ **rater une occasion de faire qqch** perder la ocasión de hacer algo ⬩ **saisir l'occasion (de faire qqch)** aprovechar la ocasión (de hacer algo) **2.** *(circonstance, motif)* ocasión *(f)* ⬩ **à la première occasion** en la primera ocasión • **à l'occasion de qqch** con ocasión de algo **3.** *(seconde main)* ganga *(f)* • **d'occasion** de segunda mano, de ocasión.

occasionnel, elle *adj* ocasional.

occasionner *vt* ocasionar.

occident *nm* occidente *(m)*. ■ **Occident** *nm* • **l'Occident** (el) Occidente.

occidental, e *adj* occidental. ■ **Occidental, e** *nm, f* occidental *(mf)*.

occiput *nm* occipucio *(m)*.

occlusion *nf* oclusión *(f)*.

occulte *adj* oculto(ta).

occulter *vt* ocultar.

occupation *nf* ocupación *(f)*.

occupé, e *adj* ocupado(da) • **être occupé à qqch** estar ocupado en algo • **c'est occupé** *(au téléphone)* está comunicando, comunica.

occuper *vt* ocupar. ■ **s'occuper** *vp* ocuparse • **s'occuper à qqch/à faire qqch** ocuparse de algo/de hacer algo • **s'occuper de qqch/de qqn** encargarse de algo/de alguien.

occurrence *nf* **1.** *(circonstance)* caso *(m)* • **en l'occurrence** en este caso **2.** LING ocurrencia *(f)*.

OCDE *(abr de* **Organisation de coopération et de développement économique)** *nf* OCDE *(f)* • **les pays membres de l'OCDE** los países miembros de la OCDE.

océan *nm* océano *(m)* • **l'océan Antarctique** el océano (glacial) Antártico • **l'océan Arctique** el océano (glacial) Ártico • **l'océan Atlantique** el océano Atlántico • **l'océan Indien** el océano Índico • **l'océan Pacifique** el océano Pacífico • **un océan de** *fig* un mar de.

Océanie *npr* • **l'Océanie** Oceanía.

océanique *adj* oceánico(ca).

océanographie *nf* oceanografía *(f)*.

ocre *adj inv* & *nf* ocre.

octave *nf* **1.** MUS & RELIG octava *(f)* **2.** *(à l'escrime)* octava *(f)*, posición *(f)* octava.

octet *nm* byte *(m)*, octeto *(m)*.

octobre *nm* octubre *(m)*. • *voir aussi* **septembre**

octogénaire *adj* & *nmf* octogenario(ria).

octogone *nm* octógono *(m)*.

octroyer *vt* otorgar • **octroyer qqch à qqn** otorgar algo a alguien. ■ **s'octroyer** *vp* concederse.

oculaire *adj* & *nm* ocular.

oculiste *nmf* oculista *(mf)*.

ode *nf* oda *(f)*.

odeur *nf* olor *(m)*.

odieux, euse *adj* odioso(sa).

odorant, e *adj* oloroso(sa).

odorat *nm* olfato *(m)*.

œdème *nm* edema *(m)*.

œil *nm* ANAT ojo *(m)* • **yeux bridés/exorbités/globuleux** ojos rasgados/desorbitados/saltones • **avoir les yeux cernés** tener ojeras • **baisser/lever les yeux** bajar/alzar la vista • **écarquiller les yeux** poner unos ojos como platos • **à l'œil nu** a simple vista • **à vue d'œil** a ojos vistas • **avoir qqn à l'œil** no perder de vista a alguien • **n'avoir pas froid aux yeux** tener más valor que un torero • **mon œil !** *fam* ¡y una porra! • **sauter aux yeux** saltar a la vista.

œillade *nf* guiño *(m)* • **lancer une œillade à qqn** guiñar el ojo a alguien.

œillère *nf* **1.** *(de cheval)* anteojera *(f)* **2.** MÉD lavaojos *(m inv)*.

œillet *nm* **1.** BOT clavel *(m)* **2.** COUT ojete *(m)*.

œnologue *nmf* enólogo *(m)*, -ga *(f)*.

œsophage *nm* esófago *(m)*.

œuf *nm* huevo *(m)* • **œuf à la coque** huevo pasado por agua *(3 minutos)* • **œuf dur** huevo duro • **œuf mollet** huevo pasado por agua *(4 minutos)* • **œuf au** *ou* **sur le plat** huevo frito • **œuf poché** huevo escalfado.

œuvre *nf* obra *(f)* • **mettre tout en œuvre pour** poner todos los medios para • **bonnes œuvres** obras de caridad • **œuvre d'art** obra de arte.

off *adj inv* CINÉ en off.

offense *nf* ofensa *(f)*.

offenser *vt* ofender. ■ **s'offenser** *vp* • **s'offenser de qqch** ofenderse por algo.

offensif, ive *adj* ofensivo(va). ■ **offensive** *nf* ofensiva *(f)* • **passer à l'offensive** pasar a la ofensiva • **prendre l'offensive** tomar la ofensiva • **l'offensive de l'hiver** *fig* los primeros fríos.

office *nm* **1.** *(bureau)* oficina *(f)* • **office du tourisme** oficina de turismo **2.** RELIG oficio *(m)*. ■ **d'office** *loc adv* **1.** de entrada **2.** *(autorité)* de oficio • **commis d'office** *(avocat)* de oficio.

officialiser *vt* oficializar, dar carácter oficial a.

officiel, elle *adj* oficial. ■ **officiel** *nm* • **les officiels** las autoridades.

officier[1] *vi* oficiar.

officier[2] *nm* oficial *(m)*.

officieux, euse *adj* oficioso(sa).

offrande *nf* ofrenda *(f)*.

offre *nf* **1.** *(gén* & COMM*)* oferta *(f)* • **la loi de l'offre et de la demande** la ley de la oferta y la demanda • **offre d'emploi** oferta de empleo • **offre d'essai** oferta de prueba **2.** POLIT *(de paix)* propuesta *(f)*.

offrir *vt (donner)* • **offrir qqch à qqn** regalar algo a alguien. ■ **s'offrir** *vp* **1.** *(se proposer)* ofrecerse **2.** *(se faire cadeau de)* regalarse.

offusquer *vt* ofender. ■ **s'offusquer** *vp* ofenderse • **s'offusquer de qqch** ofenderse por algo.

OGM (*abr de* **organisme génétiquement modifié**) *nm* OGM *(m)* ▪ **les anti-OGM** los anti-OMG.

ogre *nm* ogro *(m)*.

oh *interj* ¡oh!

ohé *interj* ¡eh!

oie *nf* **1.** ZOOL oca *(f)* **2.** *fam péj (niais)* gansa *(f)*.

oignon *nm* **1.** *(plante, bulbe)* cebolla *(f)* ▪ **petits oignons** cebolletas *(fpl)* (en vinagre) **2.** MÉD juanete *(m)*.

oiseau *nm* **1.** ZOOL ave *(f)*, pájaro *(m)* ▪ **oiseau de proie** ave de rapiña **2.** *fam (individu)* ▪ **un drôle d'oiseau** *péj* ¡un buen pájaro! ▪ **un oiseau rare** un bicho raro.

oisellerie *nf* pajarería *(f)*.

oisif, ive *adj & nm, f* ocioso(sa).

oisillon *nm* pajarillo *(m)*.

oisiveté *nf* ociosidad *(f)*.

OK *interj fam* ¡vale!

ola *nf* ola *(f)* ▪ **faire la ola** hacer la ola.

oléagineux, euse *adj* oleaginoso(sa). ■ **oléagineux** *nm* planta *(f)* oleaginosa.

oléoduc *nm* oleoducto *(m)*.

olfactif, ive *adj* olfativo(va).

oligarchie *nf* oligarquía *(f)*.

olive ■ *nf* aceituna *(f)*, oliva *(f)*. ■ *adj inv* de color verde oliva.

olivier *nm* olivo *(m)*.

OLP (*abr de* **Organisation de libération de la Palestine**) *nf* OLP *(f)* ▪ **le chef de l'OLP** el jefe de la OLP.

olympique *adj* olímpico(ca).

ombilical, e *adj* umbilical.

ombrage *nm* enramada *(f)*.

ombragé, e *adj* umbrío(a).

ombrageux, euse *adj* **1.** *(caractère, esprit)* desconfiado(da), receloso(sa) **2.** *(cheval)* espantadizo(za).

ombre *nf* sombra *(f)* ▪ **à l'ombre de** *(arbre)* a la sombra de ▪ *fig (personne)* al amparo de.

ombrelle *nf* sombrilla *(f)*.

OMC (*abr de* **Organisation mondiale du commerce**) *nf* OMC *(f)* ▪ **les négociations de l'OMC** las negociaciones de la OMC.

omelette *nf* tortilla *(f)*.

omettre *vt* omitir ▪ **omettre de faire qqch** olvidarse de hacer algo.

omission *nf* **1.** *(action)* omisión *(f)* ▪ **par omission** por omisión **2.** *(oubli)* olvido *(m)*.

omnibus *nm* ómnibus *(m inv)*.

omniprésent, e *adj* omnipresente.

omnivore ■ *adj* omnívoro(ra). ■ *nm* omnívoro *(m)*.

omoplate *nf* omóplato *(m)*, omoplato *(m)*.

OMS (*abr de* **Organisation mondiale de la santé**) *nf* OMS *(f)* ▪ **un rapport de l'OMS** un informe de la OMS.

on *pron indéf*

1. DÉSIGNE L'ESPÈCE HUMAINE OU UN NOMBRE INDÉTERMINÉ DE PERSONNES = se
▪ **on n'a pas le droit de fumer ici** aquí no se puede fumar
▪ **on ne sait jamais** nunca se sabe
▪ **en Espagne, on se couche tard** en España, la gente se acuesta tarde
2. DÉSIGNE L'OPINION PUBLIQUE
▪ **on raconte** OU **on dit que...** dicen que...
3. DÉSIGNE UNE PERSONNE INDÉTERMINÉE
▪ **on t'a téléphoné ce matin** te ha llamado alguien esta mañana, esta mañana te han llamado
▪ **est-ce qu'on t'a vu ?** ¿alguien te ha visto?, ¿te han visto?
4. NOUS
▪ **on s'en va** nos vamos
▪ **on se voit demain** nos vemos mañana.

oncle *nm* tío *(m)*.

onctueux, euse *adj* untuoso(sa).

onde *nf* **1.** PHYS onda *(f)* **2.** *sout (eau)* agua *(f)*. ■ **ondes** *nfpl* ▪ **les ondes** *(la radio)* las ondas.

ondée *nf* chaparrón *(m)*, aguacero *(m)*.

ondoyant, e *adj* **1.** *(blés, démarche)* ondulante **2.** *sout (caractère, personne)* voluble.

ondoyer *vi* ondear.

ondulation *nf* **1.** *(mouvement)* ondulación *(f)* **2.** *(de cheveux)* ondulado *(m)*.

onduler ■ *vi* ondear. ■ *vt* ondular.

ongle *nm* **1.** *(de personne)* uña *(f)* ▪ **se faire les ongles** arreglarse OU hacerse las uñas ▪ **se ronger les ongles** comerse las uñas **2.** *(d'animal)* garra *(f)*.

onglet *nm* **1.** *(de livre)* uñero *(m)* **2.** *(de lame)* muesca *(f)* **3.** CULIN ≃ solomillo *(m)*.

onguent *nm sout* ungüento *(m)*.

onomatopée *nf* onomatopeya *(f)*.

ONU, Onu (*abr de* **Organisation des Nations unies**) *nf* ONU *(f)* ▪ **le Conseil de sécurité de l'ONU** el Consejo de Seguridad de la ONU.

onusien, enne *adj* de la ONU.

onyx *nm* ónice *(m)*.

onze *adj num inv & nm inv* once. ▪ *voir aussi* **six**

onzième ■ *adj num & nmf* undécimo(ma). ■ *nm* onceavo *(m)*, onceava *(f)* parte. ■ *nf (classe)* ≃ primero *(m)* de primaria. ▪ *voir aussi* **sixième**

OPA (*abr de* **offre publique d'achat**) *nf* OPA *(f)* ▪ **lancer une OPA** lanzar una OPA.

opacité *nf* opacidad *(f)*.

opale ■ *adj inv* opalino(na). ■ *nf* ópalo *(m)*.

opaline *nf* opalina (*f*).

opaque *adj* 1. opaco(ca) 2. *(brouillard, etc)* denso(sa).

OPEP, Opep *(abr de* **Organisation des pays exportateurs de pétrole)** *nf* OPEP (*f*) • **les pays membres de l'OPEP** los países miembros de la OPEP.

opéra *nm* ópera (*f*).

opéra-comique *nm* ópera (*f*) cómica.

opérateur, trice *nm, f* operador (*m*), -ra (*f*).

opération *nf* operación (*f*).

opérationnel, elle *adj* 1. *(gén)* operativo(va) 2. MIL *(base)* operacional.

opérer *vt* 1. *(gén)* operar 2. *(choix)* efectuar. ■ **s'opérer** *vp* operarse.

opérette *nf* opereta (*f*).

ophtalmologie *nf* oftalmología (*f*).

ophtalmologiste *nmf* oftalmólogo (*m*), -ga (*f*).

opiniâtre *adj* 1. *(persévérant - caractère, personne)* pertinaz, tenaz • (- *travail)* oneroso(sa) 2. *(fièvre, toux)* rebelde.

opinion *nf* opinión (*f*) • **avoir une bonne/mauvaise opinion de qqch/de qqn** tener (una) buena/mala opinión de algo/de alguien • **donner son opinion sur qqch/sur qqn** dar su opinión sobre algo/sobre alguien • **l'opinion publique** la opinión pública.

opium *nm* opio (*m*).

opportun, e *adj* oportuno(na).

opportuniste *adj & nmf* oportunista.

opportunité *nf* oportunidad (*f*).

opposant, e ■ *adj* de la oposición, opositor(ra). ■ *nm, f* opositor (*m*), -ra (*f*).

opposé, e *adj* 1. *(gén)* opuesto(ta) 2. *(hostile)* • **opposé à qqch/à qqn** contrario a algo/a alguien. ■ **opposé** *nm (contraire)* opuesto (*m*) • **à l'opposé de** *(du côté opposé à)* en el lado opuesto a • *(contrairement à)* al contrario de.

opposer *vt* 1. *(objecter)* objetar 2. *(diviser)* separar 3. *(pression, résistance)* oponer 4. *(comme obstacle, défense)* interponer 5. *(confronter, comparer)* contraponer 6. *(faire s'affronter)* enfrentar. ■ **s'opposer** *vp* 1. *(faire obstacle, être contraire)* • **s'opposer à qqch/à qqn** oponerse a algo/a alguien 2. *(se confronter)* • **s'opposer à qqn/à qqch** enfrentarse a alguien/a algo 3. *(contraster)* contrastar.

opposition *nf* 1. *(gén)* oposición (*f*) • **faire opposition à qqch** oponerse a algo • **faire opposition à un chèque** suspender el pago de un talón 2. *(conflit)* enfrentamiento (*m*) 3. *(contraste)* contraste (*m*) • **par opposition à qqch** en contraste con algo.

oppresser *vt* 1. *(sujet : douleur, remords)* oprimir 2. *(sujet : chaleur)* asfixiar.

oppresseur *nm* opresor (*m*).

oppression *nf* 1. *(asservissement)* opresión (*f*) 2. *(malaise)* ahogo (*m*).

opprimé, e *adj & nm, f* oprimido(da).

opprimer *vt* 1. *(asservir)* oprimir 2. *(censurer)* reprimir.

opter *vi* • **opter pour qqch/pour qqn** optar por algo/por alguien.

opticien, enne *nm, f* óptico(ca).

optimal, e *adj* óptimo(ma).

optimisation *nf* optimización (*f*), optimación (*f*).

optimisme *nm* optimismo (*m*).

optimiste *adj & nmf* optimista (*m*).

option *nf* 1. *(gén)* opción (*f*) • **prendre une option sur qqch** FIN tomar una opción sobre algo • **être en option** ser opcional 2. UNIV optativa (*f*) *(asignatura)*.

optionnel, elle *adj* 1. opciona 2. *(matière)* optativo(va).

optique ■ *adj* óptico(ca). ■ *nf* óptica (*f*).

opulence *nf* opulencia (*f*).

opulent, e *adj* opulento(ta).

or[1] *nm* 1. *(métal, richesse)* oro (*m*) • **en or** de oro • **or blanc/massif** oro blanco/macizo • **être en or** *(personne)* ser una joya 2. *(dorure)* dorado (*m*).

or[2] *conj* ahora bien.

oracle *nm* oráculo (*m*).

orage *nm* 1. *(gén)* tormenta (*f*) 2. fig *(de la vie, de l'amour)* revés (*m*).

orageux, euse *adj* 1. *(mouvementé)* tormentoso(sa), tempestuoso(sa) 2. *(chaleur)* bochornoso(sa).

oraison *nf* oración (*f*) • **oraison funèbre** oración fúnebre.

oral, e *adj* oral. ■ **oral** *nm* oral (*m*) *(examen)* • **par oral** oralmente • **oral de rattrapage** oral de repesca.

oralement *adv* oralmente.

orange ■ *adj inv* naranja *(en aposición)*. ■ *nf* naranja (*f*). ■ *nm (couleur)* naranja (*m*).

orangé, e *adj* anaranjado(da).

orangeade *nf* naranjada (*f*).

oranger *nm* naranjo (*m*).

orang-outan, orang-outang *nm* orangután (*m*).

orateur, trice *nm, f* orador (*m*), -ra (*f*).

oratoire *nm* oratorio (*m*).

orbital, e *adj* orbital.

orbite *nf* órbita (*f*) • **mettre sur orbite** poner en órbita.

orchestre *nm* 1. MUS orquesta (*f*) 2. CINÉ & THÉÂTRE patio (*m*) de butacas.

orchestrer *vt* orquestar.

orchidée *nf* orquídea (*f*).

ordinaire ◼ *adj* **1.** ordinario(ria) **2.** *(habituel)* habitual. ◼ *nm* **1.** *(moyenne)* media *(f)* **2.** *(repas)* • **l'ordinaire** lo ordinario. ◼ **d'ordinaire** *loc adv* generalmente, habitualmente.

ordinal, e *adj* ordinal. ◼ **ordinal** *nm* ordinal *(m)*.

ordinateur *nm* ordenador *(m)* • **ordinateur personnel** ordenador personal.

L'ORDINATEUR

• l'adresse Internet / la dirección de Internet
• le clavier / el teclado
• la connexion ADSL / la conexión ADSL
• la connexion Internet / la conexión Internet
• le courriel / el correo electrónico
• le dossier / la carpeta
• l'écran / la pantalla
• l'écran plat / la pantalla plana
• le fichier / el archivo
• le fournisseur d'accès / el proveedor de aceso
• l'imprimante / la impresora
• le logiciel / la programa
• le matériel / el equipo
• le modem / el modem
• le moteur de recherche / el buscador
• l'ordinateur / el ordenador
• l'ordinateur portable / el ordenador portátil
• le réseau / la red
• le scanner / el escáner
• le site internet / el sitio Internet
• la souris / el ratón
• le tapis de souris / la alfombrilla del ratón
• l'unité centrale / la unidad central.

---

ordonnance *nf* **1.** MÉD receta *(f)* **2.** *(document - de gouvernement)* ordenanza *(f)* • *(- de juge)* mandato *(m)*, mandamiento *(m)* **3.** *(agencement)* disposición *(f)*.

ordonné, e *adj* ordenado(da).

ordonner *vt* **1.** *(gén)* ordenar • **ordonner à qqn de faire qqch** ordenar a alguien que haga algo **2.** MÉD • **ordonner qqch à qqn** recetar OU prescribir algo a alguien. ◼ **s'ordonner** *vp* ordenarse.

ordre *nm* **1.** *(gén)* orden *(m)* • **à l'ordre du jour** *(d'actualité)* al orden del día • *(d'une assemblée)* en el orden del día • **en ordre** en orden • **par ordre alphabétique** por orden alfabético • **rétablir l'ordre** restablecer el orden **2.** *(corporation)* colegio *(m)* **3.** *(commandement)* orden *(f)* • **donner un ordre à qqn** dar una orden a alguien • **donner à qqn l'ordre de faire qqch** dar a alguien la orden de hacer algo • **être aux ordres de qqn** estar a las órdenes de alguien • **jusqu'à nouvel ordre** hasta nueva orden **4.** RELIG orden *(f)*.

S'EXPRIMER...

donner un ordre

¡Silencio! / **Silence !** ¡Basta!, ¿entendido? / **Ça suffit, c'est compris ?** Retroceda, por favor. / **Reculez-vous, s'il vous plaît !** ¡Pon esta caja aquí! / **Pose cette boîte ici !**

---

ordure *nf* **1.** *(grossièreté)* porquería *(f)* **2.** *péj (personne)* canalla *(m)*. ◼ **ordures** *nfpl* basura *(f)*.

ordurier, ère *adj* grosero(ra) *(Esp)*, guarango(ga) *(Amér)*.

orée *nf* • **à l'orée de qqch** en la linde de algo.

oreille *nf* **1.** ANAT oreja *(f)* • **se boucher les oreilles** taparse los oídos **2.** *(ouïe)* oído *(m)* **3.** *(de marmite, tasse)* asa *(f)*.

oreiller *nm* almohada *(f)*.

oreillette *nf* **1.** *(du cœur)* aurícula *(f)* **2.** *(de casquette)* orejera *(f)*.

oreillons *nmpl* paperas *(fpl)*.

Orénoque *npr* • **l'Orénoque** el Orinoco.

ores ◼ **d'ores et déjà** *loc adv* de aquí en adelante.

orfèvre *nm* orfebre *(m)* • **être orfèvre en la matière** estar ducho(cha) en la materia.

orfèvrerie *nf* orfebrería *(f)*.

organe *nm* **1.** *(gén)* órgano *(m)* **2.** *sout (voix)* voz *(f)*.

organigramme *nm* organigrama *(m)*.

organique *adj* orgánico(ca).

organisateur, trice *adj* & *nm, f* organizador(ra).

organisation *nf* organización *(f)*. ◼ **Organisation mondiale du commerce** *nf* • **l'Organisation mondiale du commerce** la Organización Mundial del Comercio.

organisé, e *adj* organizado(da).

organiser *vt* organizar. ◼ **s'organiser** *vp* **1.** *(travail, temps)* organizarse **2.** *(se clarifier)* arreglarse.

organisme *nm* organismo *(m)*.

organiste *nmf* organista *(mf)*.

orgasme *nm* orgasmo *(m)*.

orge *nf* cebada *(f)*.

orgie *nf* orgía *(f)*.

orgue *nm* órgano *(m)*.

orgueil *nm* orgullo *(m)*.

orgueilleux, euse *adj* & *nm, f* orgulloso(sa).

orient *nm* oriente *(m)*. ◼ **Orient** *nm* • **l'Orient** (el) Oriente.

oriental, e *adj* oriental.

orientation *nf* orientación *(f)*.

orienté, e *adj* **1.** *(exposé)* orientado(da) **2.** *(tendancieux)* tendencioso(sa) • **orienté à droite/à gauche** de tendencia derechista/izquierdista.

orienter *vt* orientar. ■ **s'orienter** *vp* orientarse • **s'orienter vers qqch** orientarse hacia algo.

orifice *nm* orificio *(m)*.

originaire *adj* • **être originaire de** ser originario(ria) de, ser natural de.

original, e *adj* & *nm, f* original. ■ **original** *nm* original *(m)*.

originalité *nf* originalidad *(f)*.

origine *nf* origen *(m)* • **à l'origine** al principio • **d'origine** de origen.

oripeaux *nmpl (vêtements)* atavíos *(mpl)*.

ORL ■ *nmf (abr de* oto-rhino-laryngologiste*)* otorrinolaringólogo *(mf)* • **consulter un ORL** consultar a un otorrinolaringólogo. ■ *nf (abr de* oto-rhino-laryngologie*)* ORL *(f)* • **le service (d')ORL** el servicio de ORL.

orme *nm* olmo *(m)*.

orné, e *adj* adornado(da) • **orné de** adornado de.

ornement *nm* ornamento *(m)*.

orner *vt* adornar • **orner qqch de** adornar algo con ou de.

ornière *nf* rodada *(f)* • **sortir de l'ornière** *fig* salir de la rutina • *(situation difficile)* salir del atolladero.

ornithologie *nf* ornitología *(f)*.

orphelin, e *adj* & *nm, f* huérfano(na).

orphelinat *nm* orfanato *(m)*.

orteil *nm* dedo *(m)* del pie.

orthodontiste *nmf* ortodontista *(mf)*.

orthodoxe *adj* & *nmf* ortodoxo(xa).

orthographe *nf* ortografía *(f)*.

orthopédique *adj* ortopédico(ca).

orthophoniste *nmf* ortofonista *(mf)*.

ortie *nf* ortiga *(f)*.

os *nm* hueso *(m)* • **os à moelle** hueso de espinazo • **tomber sur un os** *fig* dar con un hueso.

oscariser *vt* oscarizar.

oscillation *nf* oscilación *(f)*.

osciller *vi* oscilar.

osé, e *adj* atrevido(da).

oseille *nf* **1.** BOT acedera *(f)* **2.** *fam (argent)* guita *(f)*.

oser *vt* • **oser qqch/faire qqch** atreverse a algo/a hacer algo.

osier *nm* mimbre *(m)*.

Oslo *npr* Oslo.

ossature *nf* **1.** ANAT osamenta *(f)* **2.** *fig (structure)* armazón *(f)*.

ossements *nmpl* osamenta *(f)*.

osseux, euse *adj* **1.** ANAT & MÉD óseo(a) **2.** *(maigre)* huesudo(da).

ossuaire *nm* osario *(m)*.

ostensible *adj* ostensible.

ostensoir *nm* custodia *(f) (vaso litúrgico)*.

ostentation *nf* ostentación *(f)*.

ostéopathe *nmf* osteópata *(mf)*.

ostréiculture *nf* ostricultura *(f)*.

otage *nm* rehén *(mf)* • **prendre qqn en otage** tomar a alguien como rehén.

OTAN, Otan *(abr de* Organisation du traité de l'Atlantique Nord*)* *nf* OTAN *(f)* • **les bombardements de l'OTAN** los bombardeos de la OTAN.

otarie *nf* león *(m)* marino, otaria *(f)*.

ôter *vt* **1.** *(enlever)* quitarse • **ôter qqch à qqn** quitar algo a alguien **2.** *(soustraire)* • **6 ôté de 10 égale 4** 10 menos 6 igual a 4.

otite *nf* otitis *(f inv)*.

oto-rhino *nmf fam* otorrino *(mf)*.

oto-rhino-laryngologie *nf* otorrinolaringología *(f)*.

oto-rhino-laryngologiste *nmf* otorrinolaringólogo *(mf)*.

ou *conj* o, u *(devant* o*)* • **c'est l'un ou l'autre** o uno u otro. ■ **ou (bien)... ou (bien)** *loc corrélative* o ... ó • **ou (bien) c'est elle, ou (bien) c'est moi !** ¡o ella o yo!

À PROPOS DE...

ou

Attention à la modification orthographique : *o* est remplacé par *u* si le mot qui suit commence par le son « o » orthographié o ou ho.

où ■ *pron rel* **1.** *(spatial - sans mouvement)* donde • *(- avec mouvement)* adonde • **là où j'habite** donde vivo • **où que vous soyez** allí donde estéis • **là où il allait** allí adonde iba • **où que vous alliez** vaya adonde vaya **2.** *(temporel)* (en) que • **le jour où je suis venue** el día (en) que vine. ■ *adv* **1.** *(spatial - sans mouvement)* donde • *(- avec mouvement)* adonde • **d'où j'étais** desde donde estaba • **je vais où je veux** voy adonde quiero **2.** *(temporel)* cuando. ■ *adv interr* **1.** *(sans mouvement)* dónde **2.** *(avec mouvement)* adónde • **où étais-tu ?** ¿dónde estabas? • **où vas-tu ?** ¿adónde vas? ■ **d'où** *loc adv (conséquence)* de donde, de lo que • **d'où on conclut que...** de lo que ou de donde se deduce que... • **d'où ma surprise** de ahí mi sorpresa.

À PROPOS DE...

où

Quand « où » indique le temps, il se traduit par *en que*.

ouate *nf* guata *(f)*.

oubli *nm* **1.** *(perte de mémoire, étourderie)* olvido *(m)* • **tomber dans l'oubli** caer en el olvido **2.** *(négligence)* descuido *(m)*.

oublier *vt* olvidar.

À PROPOS DE...

oublier

« Oublier » peut se traduire par *olvidar*, (une construction directe) ou par *olvidarse de*.

---

oubliette *nf (gén pl)* mazmorra *(f)* • **tomber dans les oubliettes** *fig* caer en el olvido.

ouest ◼ *adj inv* oeste. ◼ *nm* oeste *(m)* • **l'ouest de l'Europe** el oeste de Europa. ◼ **Ouest** *nm* • **l'Ouest** el Oeste • **les gens de l'Ouest** la gente del Oeste.

ouf *interj* ¡uf!

Ouganda *npr* • **l'Ouganda** Uganda.

oui *adv & nm inv* sí.

ouï-dire *nm inv* rumor *(m) (Esp)*, bola *(f) (Amér)* • **par ouï-dire** de oídas.

ouïe *nf (sens)* oído *(m)* • **avoir l'ouïe fine** tener el oído fino. ◼ **ouïes** *nfpl* agallas *(fpl)*.

ouragan *nm* **1.** MÉTÉOR huracán *(m)* **2.** *fig (tumulte)* tormenta *(f)* • **arriver comme un ouragan** llegar en tromba.

ourlet *nm* **1.** COUT dobladillo *(m)* **2.** *(d'oreille)* hélice *(f)*.

ours *nm* **1.** *(peluche & zool)* oso *(m)* • **ours blanc/brun** oso blanco/pardo **2.** *péj (misanthrope)* hurón *(m)*.

ourse *nf* osa *(f)*.

oursin *nm* erizo *(m)* de mar.

ourson *nm* osezno *(m)*.

outil *nm* **1.** *(instrument)* herramienta *(f)*, útil *(m)* • **boîte** ou **caisse à outils** caja *(f)* de herramientas **2.** *fig (aide)* instrumento *(m)*.

outillage *nm (équipement)* utillaje *(m)*.

outrage *nm* ultraje *(m)* • **outrage à magistrat** desacato *(m)* a un magistrado.

outrager *vt (offenser)* ultrajar.

outrance *nf* exageración *(f)* • **à outrance** a ultranza.

outrancier, ère *adj* excesivo(va).

outre[1] *nf* odre *(m)*, pellejo *(m)*.

outre[2] ◼ *prép* además de. ◼ *adv* • **passer outre** *(aller plus loin)* ir más allá • *fig* pasar por alto. ◼ **en outre** *loc adv* además.

outré, e *adj* **1.** *(offusqué)* indignado(da) **2.** *(exagéré)* exagerado(da).

outre-Atlantique *loc adv* al otro lado del Atlántico.

outre-Manche *loc adv* más allá de la Mancha.

outremer ◼ *adj inv (bleu)* ultramar. ◼ *nm* **1.** *(pierre)* lapislázuli *(m)* **2.** *(couleur)* azul *(m)* ultramar.

outre-mer *adv* en ultramar.

outrepasser *vt* extralimitarse en.

outrer *vt* **1.** *(indigner)* indignar **2.** *(exagérer)* exagerar.

outre-Rhin *loc adv* más allá del Rin.

outsider *nm* outsider *(m)*.

ouvert, e *adj* **1.** *(gén)* abierto(ta) • **grand ouvert** abierto de par en par **2.** *(visage)* franco(ca).

ouvertement *adv* abiertamente.

ouverture *nf* **1.** *(action & PHOTO)* abertura *(f)* **2.** *(de local, de débat, de relations)* apertura *(f)* **3.** *(entrée)* boca *(f)* **4.** MUS obertura *(f)* **5.** *(dans un jeu - aux cartes)* salida *(f)* • *(- aux échecs)* apertura *(f)* **6.** SPORT *(au rugby)* apertura *(f)* **7.** MIL *(des hostilités)* comienzo *(m)* **8.** *fig (sortie)* puerta *(f)*. ◼ **ouverture d'esprit** *nf* amplitud *(f)* de miras. ◼ **ouvertures** *nfpl* POLIT propuestas *(fpl)*.

ouvrable *adj* laborable.

ouvrage *nm* **1.** *(gén)* labor *(f)* **2.** *sout (travail)* trabajo *(m)* • **se mettre à l'ouvrage** ponerse manos a la obra **3.** *(livre)* obra *(f)* • **ouvrage de référence** obra de referencia.

ouvre-boîtes *nm inv* abrelatas *(m inv)*.

ouvre-bouteilles *nm inv* abrebotellas *(m inv)*.

ouvreuse *nf* acomodadora *(f)*.

ouvrier, ère ◼ *adj* obrero(ra). ◼ *nm, f* obrero *(m)*, -ra *(f) (Esp)*, roto *(m)*, -ta *(f) (Amér)* • **ouvrier qualifié** obrero cualificado • **ouvrier spécialisé** obrero especializado. ◼ **ouvrière** *nf (abeille)* obrera *(f)*.

ouvrir ◼ *vt* **1.** *(gén)* abrir • **ouvrir qqch à qqn** abrir algo a alguien **2.** *fam (radio, télé)* poner **3.** *fam (électricité)* dar. ◼ *vi* **1.** *(donner accès)* • **ouvrir sur qqch** abrirse a algo **2.** *(magasin)* abrir **3.** *(commencer)* • **ouvrir par** empezar con **4.** *(aux cartes)* • **ouvrir à** abrir con. ◼ **s'ouvrir** *vp* abrirse • **s'ouvrir à qqn** abrirse a ou con alguien • **s'ouvrir à qqch** abrirse a algo.

Ouzbékistan *npr* • **l'Ouzbékistan** Uzbekistán.

ovaire *nm* ovario *(m)*.

ovale ◼ *adj* oval, ovalado(da). ◼ *nm* óvalo *(m)*.

ovation *nf* ovación *(f)* • **faire une ovation à qqn** ovacionar a alguien.

ovationner *vt* ovacionar.

overbooking *nm* overbooking *(m)*.

overdose *nf* sobredosis *(f inv)* • **overdose de qqch** *fam fig* sobredosis de algo.

OVNI, ovni *(abr de* objet volant non identifié*) nm* OVNI *(m)*, ovni *(m)* • **voir un OVNI** ver un OVNI.

ovulation *nf* ovulación *(f)*.

oxydation *nf* oxidación *(f)*.

oxyde *nm* óxido *(m)* • **oxyde de carbone** óxido de carbono.

oxygène *nm* oxígeno *(m)*.

oxygéné, e *adj* oxigenado(da).

ozone *nm* ozono *(m)*.

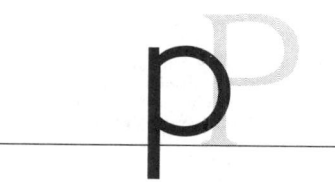

p, P nm inv (lettre) p (f), P (f). ■ **p 1.** (abr écrite de **pico**) p **2.** (abr écrite de **page**) p **3.** (abr écrite de **passable**) S, Suf. **4.** (abr écrite de **pièce**) h., hab.

pacage nm pastoreo (m).

pacemaker nm marcapasos (m inv).

pacha nm HIST (gouverneur) pachá (m) ▪ **mener une vie de pacha** fam vivir como un pachá.

pachyderme nm paquidermo (m).

pacifier vt **1.** (pays, peuple) pacificar **2.** fig (esprit) apaciguar.

pacifique adj pacífico(ca). ■ **Pacifique** nm ▪ **le Pacifique** el Pacífico.

pacifiste adj & nmf pacifista.

pack nm **1.** (de bouteilles) pack (m) **2.** SPORT (au rugby) delantera (f).

pacotille nf pacotilla (f) ▪ **de pacotille** de pacotilla.

PACS (abr de **Pacte civil de solidarité**) nm ley (f) que regula la unión de las parejas de hecho ▪ **signer un PACS avec qqn** contraer un PACS con alguien.

pacsé, e nmf fam persona (f) que ha contraído un PACS.

pacser ■ **se pacser** vp fam contraer un PACS.

pacte nm pacto (m).

pactiser vi ▪ **pactiser avec qqch./avec qqn** pactar con algo/con alguien.

pactole nm mina (f) (de dinero).

pagaie nf zagual (m).

pagaille, pagaye, pagaïe nf fam follón (m) ▪ **en pagaille** (en quantité) a porrillo ▪ **être en pagaille** (chambre) estar manga por hombro.

pagayer vi remar con zagual.

page ■ nf página (f) ▪ **page précédente** INFORM página anterior ▪ **page suivante** INFORM página siguiente ▪ **page Web** INFORM página web ▪ **être à la page** estar al día. ■ nm paje (m).

pagne nm taparrabos (m inv).

pagode nf pagoda (f).

paie, paye nf paga (f).

paiement, payement nm pago (m).

païen, enne adj & nm, f pagano(na).

paillard, e ■ adj verde (obsceno). ■ nm, f vividor (m), -ra (f).

paillasse ■ nf **1.** (matelas) jergón (m) **2.** (d'évier) escurridero (m). ■ nm payaso (m).

paillasson nm **1.** (gén) felpudo (m) **2.** AGRIC pajote (m).

paille nf paja (f) ▪ **être sur la paille** fam estar a dos velas. ■ **paille de fer** nf estropajo (m) metálico.

pailleté, e adj de lentejuelas.

paillette nf **1.** (de vêtements) lentejuela (f) **2.** (poudre) purpurina (f) **3.** (d'or) chispa (f) **4.** (de lessive, de savon) escama (f).

pain nm **1.** (aliment) pan (m) ▪ **pain au lait** ≃ bollo (m) de leche ▪ **pain d'épice** ≃ alajú (m) ▪ **pain de mie** pan de molde **2.** (masse moulée - en pâtisserie) pudín (m) ▪ (- de poisson, de légumes) pastel (m) ▪ (- de cire) librillo (m) ▪ (- de savon) pastilla (f) **3.** fam (coup) puñetazo (m). ■ **Pain de Sucre** npr GÉOGR ▪ **le Pain de Sucre** el Pan de Azúcar.

pair, e ■ adj par. ■ **pair** nm igual (m). ■ **paire** nf **1.** (de choses) par (m) **2.** (d'animaux - gén) pareja (f) ▪ (- de bœufs) yunta (f). ■ **au pair** loc adv FIN a la par ▪ **travailler au pair** trabajar de au pair. ■ **de pair** loc adv ▪ **aller de pair avec** ir parejo(ja) con.

paisible adj apacible.

paître ■ vt pacer, pastar. ■ vi ▪ **faire paître** apacentar.

paix nf paz (f) ▪ **en paix** en paz ▪ **avoir la paix** estar tranquilo(la) ▪ **faire la paix avec qqn** hacer las paces con alguien ▪ **fiche-moi la paix** fam déjame en paz.

Pakistan npr ▪ **le Pakistan** Pakistán.

palace nm hotel (m) de lujo.

palais nm **1.** (gén) palacio (m) **2.** ANAT paladar (m).

palan nm aparejo (m).

pale nf **1.** (d'hélice) pala (f), aspa (f) **2.** (de rame) pala (f).

pâle adj pálido(da).

paléontologie nf paleontología (f).

Palestine npr ▪ **la Palestine** Palestina.

palestinien, enne adj palestino(na). ■ **Palestinien, enne** nm, f palestino (m), -na (f).

palet nm tejo (m).

paletot nm gabán (m).

palette nf **1.** (de peintre, de chargement) paleta (f) **2.** CULIN paleti lla (f).

pâleur nf palidez (f).

palier nm **1.** (d'escalier) rellano (m) **2.** fig (étape) escalón (m) **3.** TECHNOL (de transmission) palier (m).

pâlir ■ vt sout hacer palidecer. ■ vi palidecer.

palissade nf empalizada (f).

palissandre nm palisandro (m).

palliatif, ive adj paliativo(va). ■ **palliatif** nm paliativo (m).

pallier *vt* paliar.

Palma *npr* • **Palma (de Majorque)** Palma (de Mallorca).

palmarès *nm* palmarés *(m inv)*.

palme *nf* **1.** *(feuille, insigne)* palma *(f)* **2.** *(de nageur)* aleta *(f)*.

palmé, e *adj* palmeado(da).

palmeraie *nf* palmar *(m)*, palmeral *(m)*.

palmier *nm* palmera *(f)*.

palmipède ◨ *adj* palmípedo(da). ◨ *nm* palmípedo *(m)*.

palombe *nf* paloma *(f)* torcaz.

pâlot, otte *adj fam* paliducho(cha).

palper *vt* **1.** *(toucher)* palpar **2.** *fam (argent)* embolsarse.

palpitant, e *adj* palpitante.

palpitation *nf* palpitación *(f)*.

palpiter *vi* **1.** *(cœur)* palpitar **2.** *sout (flamme)* chisporrotear.

paludisme *nm* paludismo *(m)*.

pâmer ◼ **se pâmer** *vp sout (s'évanouir)* desfallecer.

pamphlet *nm* panfleto *(m)*.

pamplemousse *nm ou nf* pomelo *(m)*.

pan ◨ *nm* **1.** *(de vêtement)* faldón *(m)* **2.** *(morceau)* parte *(f)* • **pan de mur** lienzo *(m)* de pared **3.** *(d'écrou)* cara *(f)*. ◨ *interj* ¡pum!

panache *nm* **1.** *(de plumes)* penacho *(m)* **2.** *(de fumée)* bocanada *(f)* **3.** *(éclat)* brillo *(m)* • **avoir du panache** estar radiante.

panaché, e *adj* **1.** *(de couleurs différentes)* abigarrado(da) **2.** *(glace)* combinado(da). ◼ **panaché** *nm (bière)* clara *(f)*.

Panama *npr (pays)* • **le Panama** Panamá.

panaris *nm* panadizo *(m)*, uñero *(m)*.

pancarte *nf* **1.** *(de manifestant)* pancarta *(f)* **2.** *(panneau de signalisation)* letrero *(m)*.

pancréas *nm* páncreas *(m inv)*.

pandémie *nf* pandemia *(f)*.

pané, e *adj* empanado(da).

paner *vt* empanar.

panier *nm (gén)* cesta *(f)* • **le panier de la ménagère** la cesta de la compra • **panier à provisions** cesta de la compra • **panier percé** *fig* manirroto *(m)*, -ta *(f)* • **mettre au panier** tirar a la basura • **mettre dans le même panier** meter en el mismo saco.

panini *nm* bocadillo *(m)*.

panique ◨ *adj* • **être pris d'une peur panique** ser presa del pánico. ◨ *nf* pánico *(m)*.

paniquer ◨ *vt* aterrorizar. ◨ *vi* entrarle el pánico a alguien.

panne *nf* avería *(f)* *(Esp)*, descompostura *(f)* *(Amér)* • **tomber en panne** tener una avería

• **tomber en panne d'essence** quedarse sin gasolina • **panne de courant** *OU* **d'électricité** apagón *(m)*.

panneau *nm* **1.** *(pancarte)* cartel *(m)* *(Esp)*, afiche *(m)* *(Amér)* • **panneau indicateur** señal *(f)* indicadora • **panneau publicitaire** valla *(f)* publicitaria • **panneau de signalisation** AUTO señal *(f)* de tráfico, placa *(f)* de señalización **2.** *(élément)* tablero *(m)*.

panoplie *nf* **1.** *(jouet)* disfraz *(m)* (de niño) **2.** *(d'armes, de mesures)* panoplia *(f)*.

panorama *nm* **1.** *(vue)* panorama *(m)* **2.** *fig (rétrospective)* panorámica *(f)*.

panoramique ◨ *adj* panorámico(ca). ◨ *nm* CINÉ panorámica *(f)*.

panse *nf* panza *(f)*.

pansement *nm* **1.** *(compresse)* venda *(f)* • **pansement (adhésif)** tirita® *(f)* **2.** *(dentaire)* empaste *(m)* *(Esp)*, emplomadura *(f)* *(Amér)*.

panser *vt* **1.** *(plaie)* vendar **2.** *(cheval)* almohazar.

pantacourt *nm* pantalón *(m)* pirata.

pantalon *nm* pantalón *(m)*, pantalones *(mpl)*.

pantelant, e *adj* **1.** palpitante **2.** *(haletant)* jadeante.

panthère *nf* pantera *(f)*.

pantin *nm* pelele *(m)*.

pantomime *nf* pantomima *(f)*.

pantouflard, e *fam* ◨ *adj* casero(ra). ◨ *nm, f* • **c'est un pantouflard** es muy casero.

pantoufle *nf* zapatilla *(f)*, pantufla *(f)*.

panure *nf* pan *(m)* rallado.

paon *nm* pavo *(m)* real.

papa *nm* papá *(m)*.

papauté *nf* papado *(m)*.

pape *nm* papa *(m)* • **le pape** el Papa.

paperasse *nf* **1.** *(papier sans importance)* papelote *(m)* **2.** *péj (papiers administratifs)* papeleo *(m)*.

papeterie *nf* **1.** *(magasin)* papelería *(f)* **2.** *(fabrique)* papelera *(f)*.

papetier, ère *nm, f* papelero *(m)*, -ra *(f)*.

papier *nm* **1.** *(gén)* papel *(m)* • **papier alu** *fam OU* **aluminium** papel de plata *OU* aluminio • **papier glacé** papel glaseado • **papier à lettres** papel de cartas • **papier peint** papel pintado • **papier sulfurisé** papel vegetal • **papier toilette** *OU* **hygiénique** papel higiénico **2.** *(article de journal)* artículo *(m)*.

papier-calque *nm* papel *(m)* de calco.

papille *nf* papila *(f)* • **papilles gustatives** papilas gustativas.

papillon ◨ *adj inv* mariposa *(en apposition)*. ◨ *nm* **1.** *(insecte, écrou)* mariposa *(f)* **2.** *fam (contravention)* multa *(f)*.

papillonner *vi* mariposear.

papillote *nf* **1.** *(pour cheveux)* papillote *(f)* **2.** CULIN
• **en papillote** a la papillote **3.** *(bonbon)* caramelo *(m)* *(envuelto en papel rizado)*.

papilloter *vi* **1.** *(personne, yeux)* pestañear, parpadear **2.** *(lumière)* parpadear.

papotage *nm fam* parloteo *(m)*.

papoter *vi fam* parlotear.

paprika *nm* paprika *(f)*.

Pâque *nf (fête juive)* Pascua *(f)*.

paquebot *nm* paquebote *(m)*.

pâquerette *nf* margarita *(f)*.

Pâques ◘ *npr* ▷ **ile.** ◘ *nm* **1.** *(fête chrétienne)*
Pascua *(f)* **2.** *(période)* Semana *(f)* Santa • **les
vacances de Pâques** las vacaciones de Sema-
na Santa. ◘ *nfpl* Pascuas *(fpl)*.

paquet *nm* paquete *(m)*. ■ **paquet-cadeau** *nm*
paquete *(m)* para regalo.

paquetage *nm* impedimenta *(f)*.

---

par *prép*

1. INDIQUE LE LIEU PAR OÙ L'ON PASSE = por
• **par ici/par là** por aquí/por allí

2. INDIQUE LE MOMENT, LES CIRCONSTANCES
• **par un beau jour d'été** en un bonito día de
verano
• **il évite de prendre la mer par grand vent**
evita hacerse a la mar cuando sopla fuerte
el viento

3. INDIQUE LE MOYEN, LA MANIÈRE = con
• **le spectacle s'est terminé par un feu d'artifice** el espectáculo terminó con fuegos
artificiales
• **il est arrivé à ses fins par la persuasion**
se salió con la suya gracias a OU mediante la
persuasión

4. INDIQUE LE MOYEN DE TRANSPORT
• **par avion/par bateau** por avión/por barco

5. INDIQUE LA CAUSE, LA MOTIVATION = por
• **par accident** por accidente
• **par intérêt** por interés
• **je l'ai fait uniquement par pitié** lo hice
sólo por compasión

6. INTRODUIT UN COMPLÉMENT D'AGENT = por
• **il a été trahi par son meilleur ami** fue
traicionado por su mejor amigo
• **faire faire qqch par qqn** mandar hacer
algo por alguien

7. INDIQUE LA DISTRIBUTION, LA RÉPARTITION
• **deux par deux** de dos en dos
• **une heure par jour** una hora al día.

■ **de par** *loc prép*

1. DANS L'ESPACE
• **de par le monde** por el mundo

2. PAR L'ORDRE DE
• **de par la loi** de por ley

3. DU FAIT DE
• **de par son refus, il a fallu tout annuler**
debido a su negativa, hubo que anularlo todo.

■ **par-ci par-là** *loc adv*

aquí y allá
• **des livres traînaient par-ci par-là** había
libros tirados por todas partes.

À PROPOS DE...

par

L'emploi de la voix passive est beaucoup
moins fréquent en espagnol qu'en français : la forme passive française est souvent rendue en espagnol par la voix active.

---

parabole *nf* parábola *(f)*.

parabolique *adj* parabólico(ca).

parachever *vt* dar el último toque a.

parachute *nm* paracaídas *(m inv)*.

parachutiste *nmf* paracaidista *(mf)*.

parade *nf* **1.** *(gén)* parada *(f)* **2.** *(spectacle)* desfile
(m) **3.** *(étalage)* ostentación *(f)*

paradis *nm* paraíso *(m)*.

paradoxal, e *adj* paradójico(ca).

paradoxe *nm* paradoja *(f)*.

parafe, paraphe *nm* rúbrica *(f)*.

parafer, parapher *vt* rubricar.

paraffine *nf* parafina *(f)*.

parages *nmpl* NAUT aguas *(fpl)*.

paragraphe *nm* párrafo *(m) (Esp)*, acápite *(m)
(Amér)*.

Paraguay *npr* • **le Paraguay** Paraguay.

paraître ◘ *v att* parecer • **il paraît fatigué** parece cansado. ◘ *vi* **1.** *(apparaître, être publié)* aparecer **2.** *(se faire remarquer)* aparentar **3.** *(sentiment)* manifestarse. ◘ *v impers* • **il paraît** OU
paraîtrait que parece ser que.

parallèle ◘ *adj* paralelo(la). ◘ *nm* paralelo *(m)*.
◘ *nf* MATH paralela *(f)*.

parallélépipède *nm* paralelepípedo *(m)*.

parallélisme *nm* paralelismo *(m)*.

parallélogramme *nm* paralelogramo *(m)*.

paralyser *vt* paralizar

paralysie *nf* parálisis *(f inv)*.

paramédical, e *adj* paramédico(ca).

paramètre *nm* parámetro *(m)*.

parano *adj fam* paranoico(ca).

paranoïa *nf* paranoia *(f)*.

paranoïaque *adj & nmf* paranoico(ca).

parapente *nm* parapente *(m)* • **faire du parapente** hacer parapente.

parapet *nm* parapeto *(m)*.

paraphe = parafe.

parapher = parafer.

paraphrase *nf* paráfrasis *(f inv)*.

paraplégique *adj* & *nmf* parapléjico(ca).

parapluie *nm* paraguas *(m inv)*.

parasite ■ *adj* parásito(ta). ■ *nm* parásito *(m)*. ■ **parasites** *nmpl* RADIO interferencias *(fpl)*.

parasol *nm* sombrilla *(f)*, parasol *(m)*.

paratonnerre *nm* pararrayos *(m inv)*.

paravent *nm* biombo *(m)*.

parc *nm* **1.** *(gén)* parque *(m)* • **parc aquatique** parque acuático • **parc d'attraction** parque de atracciones • **parc automobile** *(national)* parque automovilístico • *(privé)* parque móvil • **parc national** parque nacional • **parc à thème** parque temático **2.** *(enclos)* redil *(m)* • **parc de stationnement** aparcamiento *(m) (Esp)*, parqueadero *(m) (Amér)*. ■ **parc des Princes** *npr* Parque de los Príncipes.

parcelle *nf* **1.** *(terrain)* parcela *(f)* **2.** *(petite partie)* ápice *(f)*.

parce que *loc conj* porque.

parchemin *nm* pergamino *(m)*.

parcimonie *nf* parsimonia *(f)*.

parcimonieux, euse *adj* parsimonioso(sa).

parcmètre *nm* parquímetro *(m)*.

parcourir *vt* **1.** *(région, ville)* recorrer **2.** *(journal)* hojear.

parcours *nm* **1.** *(itinéraire & SPORT)* recorrido *(m)* **2.** *fig (trajectoire individuelle)* trayectoria *(f)*.

par-dedans *adv* por dentro.

par-dehors *adv* por fuera.

par-derrière *adv* **1.** *(par l'arrière)* por detrás **2.** *fig (en cachette)* a espaldas de uno.

par-dessous ■ *adv* por debajo. ■ *prép* por debajo de.

pardessus *nm* sobretodo *(m)*.

par-dessus ■ *adv* por encima. ■ *prép* por encima de.

par-devant ■ *adv* por delante. ■ *prép* por delante de.

pardi *interj fam* ¡pues claro!

pardon ■ *nm* perdón *(m)* • **demander pardon** pedir perdón. ■ *interj* ¡perdón!

pardonner *vt* perdonar • **pardonner qqch à qqn** perdonar algo a alguien • **pardonner à qqn** perdonar a alguien.

pare-balles ■ *adj inv* antibalas. ■ *nm inv* chaleco *(m)* antibalas.

pare-boue *nm inv* guardabarros *(m inv)*.

pare-brise *nm inv* parabrisas *(m inv)*.

pare-chocs *nm inv* parachoques *(m inv)*.

pareil, eille ■ *adj* **1.** *(semblable)* • **pareil à qqch** igual a algo **2.** *(tel)* semejante • **je n'ai jamais vu une insolence pareille** nunca he visto semejante insolencia OU insolencia igual. ■ *nm, f* • **ne pas avoir son pareil** no tener igual. ■ **pareil** *adv fam* igual.

parent, e ■ *adj* pariente(ta). ■ *nm, f* pariente *(mf)*. ■ **parents** *nmpl* **1.** *(père et mère)* padres *(mpl)* **2.** *sout (ancêtres)* antepasados *(mpl)*.

parenté *nf* **1.** *(lien familial, ressemblance)* parentesco *(m)* **2.** *(ensemble de la famille)* parentela *(f)*.

parenthèse *nf* paréntesis *(m inv)* • **entre parenthèses** entre paréntesis • **ouvrir/fermer la parenthèse** abrir/cerrar el paréntesis.

parer ■ *vt* **1.** *sout (orner)* engalanar **2.** *(vêtir)* • **parer qqn de qqch** ataviar a alguien con algo • *fig (qualité, vertu)* atribuir a alguien algo **3.** *(coup)* parar **4.** NAUT aparejar. ■ *vi (faire face)* • **parer à qqch** precaverse contra algo • **parer au plus pressé** solucionar lo más urgente. ■ **se parer** *vp (se vêtir)* ataviarse.

pare-soleil *nm inv* parasol *(m)*.

paresse *nf* pereza *(f)*.

paresser *vi* holgazanear.

paresseux, euse ■ *adj* & *nm, f* perezoso(sa). ■ **paresseux** *nm* ZOOL perezoso *(m)*.

parfaire *vt* perfeccionar.

parfait, e ■ *adj* **1.** *(gén)* perfecto(ta) **2.** *(calme)* absoluto(ta). ■ **parfait** *nm* **1.** CULIN helado *(m)* **2.** GRAMM pretérito *(m)* perfecto.

parfaitement *adv* **1.** *(admirablement)* perfectamente **2.** *(totalement)* completamente • **vous avez parfaitement le droit** tiene todo el derecho **3.** *(certainement)* seguro.

parfois *adv* a veces.

parfum *nm* **1.** *(gén)* perfume *(m)* **2.** *(goût)* sabor *(m)*.

parfumé, e *adj* **1.** *(gén)* perfumado(da) **2.** *(aromatisé)* • **parfumé à** con sabor a.

parfumer *vt* **1.** *(gén)* perfumar **2.** CULIN aromatizar. ■ **se parfumer** *vp* perfumarse.

parfumerie *nf* perfumería *(f)*.

pari *nm* apuesta *(f)*.

paria *nm* paria *(m)*.

parier *vt* apostar • **je l'aurais parié !** ¡lo habría jurado!

parieur, euse *nm, f* apostante *(mf)*.

Paris *npr* París.

parisien, enne *adj* parisino(na). ■ **Parisien, enne** *nm, f* parisino *(m)*, -na *(f)*.

parité *nf* paridad *(f)*.

parjure ■ *adj* & *nmf* perjuro(ra). ■ *nm* perjurio *(m)*.

parjurer ■ **se parjurer** *vp* perjurar.

parka nm & nf parka (f).

parking nm parking (m).

parlant, e adj **1.** (qui parle - horloge) parlante • (- cinéma) sonoro(ra) **2.** fig (chiffres, données) elocuente **3.** (portrait) vivido(da).

parlé, e adj hablado(da).

parlement nm parlamento (m) ■ **Parlement** nm • **le Parlement européen** el Parlamento Europeo.

parlementaire adj & nmf parlamentario(ria).

parlementer vi parlamentar.

parler ◘ vi hablar • **parler à** OU **avec qqn** hablar con alguien OU a alguien • **parler de faire qqch** hablar de hacer algo • **parler de qqch/ qqn (à qqn)** hablar de algo/de alguien (a alguien) • **sans parler de** sin hablar de, amén de • **n'en parlons plus !** ¡no se hable más! • **parler pour ne rien dire** hablar por hablar, hablar por no estar callado(da) • **tu parles !** fam ¡qué va! ◘ vt (langue) hablar. ◘ nm **1.** (manière de parler) manera (f) de hablar **2.** LING (patois) habla (m). ■ **à proprement parler** loc adv propiamente dicho.

parloir nm locutorio (m).

parmi prép entre • **parmi d'autres** entre otros(entre otras).

parodie nf parodia (f).

parodier vt parodiar.

paroi nf pared (f) • **paroi rocheuse** pared rocosa.

paroisse nf parroquia (f).

paroissial, e adj parroquial.

paroissien, enne nm, f parroquiano (m), -na (f), feligrés (m), -esa (f).

parole nf **1.** (faculté de parler) habla (m) **2.** (propos, discours) palabra (f) • **adresser la parole à qqn** dirigir la palabra a alguien • **couper la parole à qqn** cortar a alguien • **prendre la parole** tomar la palabra, hacer uso de la palabra. ■ **paroles** nfpl (de chanson) letra (f).

paroxysme nm paroxismo (m).

parquer vt **1.** (animal) encerrar (en un redil) **2.** (prisonniers) hacinar **3.** (voiture) aparcar (Esp), parquear (Amér).

parquet nm **1.** (plancher) parquet (m), parqué (m) **2.** DR ≃ ministerio (m) fiscal.

parqueter vt poner parquet a.

parrain nm padrino (m).

parrainer vt **1.** apadrinar **2.** (un projet) patrocinar.

parricide ◘ adj parricida. ◘ nm (meurtre) parricidio (m). ◘ nmf (assassin) parricida (mf).

parsemer vt **1.** (recouvrir) sembrar • **parsemer qqch de** sembrar algo de **2.** sout (consteller - ciel) constelar • (- texte) salpicar.

part nf parte f • **à part entière** (membre) de pleno derecho • (artiste) de pies a cabeza • **c'est de la**

part de qui ? ¿de parte de quién? • **faire part à qqn de qqch** hacer partícipe a alguien de algo • **pour ma part** por mi parte • **pour une bonne part** en gran medida • **prendre part à qqch** tomar parte en algo • (douleur) compartir algo. ■ **à part** loc adv aparte. ■ **autre part** loc adv **1.** (sans mouvement) en otra parte **2.** (avec mouvement) a otra parte. ■ **d'autre part** loc adv por otra parte. ■ **de part et d'autre** loc adv de una y otra parte. ■ **d'une part…, d'autre part** loc corrélative por una parte…, por otra. ■ **nulle part** loc adv **1.** (sans mouvement) en ninguna parte **2.** (avec mouvement) a ninguna parte. ■ **quelque part** loc adv **1.** (sans mouvement) en alguna parte **2.** (avec mouvement) a alguna parte.

part. (abr écrite de **particulier**) part.

partage nm **1.** (action) reparto (m), repartición (f) **2.** DR partición (f).

partagé, e adj **1.** (opinions, torts) compartido(da) **2.** (tendresse) correspondido(da) **3.** (ambivalent) dividido(da) • **être partagé sur** estar dividido acerca de.

partager vt **1.** (héritage) partir **2.** fig (désunir) dividir **3.** fig (temps) repartir **4.** (pouvoir, joie, repas) • **partager qqch avec qqn** compartir algo con alguien. ■ **se partager** vp **1.** (gén) repartirse **2.** (personne groupe) dividirse.

partance nf • **en partance pour** con destino a.

partant, e adj • **être partant pour** estar dispuesto a OU para. ■ **partant** nm SPORT participante (mf)

partenaire nmf **1.** (gén) pareja (f) **2.** COMM (pays) país (m) socio **3.** COMM (entreprise) empresa (f) asociada. ■ **partenaires sociaux** nmpl agentes (mpl) sociales.

partenariat nm cooperación (f).

parterre nm **1.** (de fleurs) parterre (m) **2.** THÉÂTRE patio (m) de butacas.

parti, e adj fam (ivre) piripi. ■ **parti** nm **1.** (gén & POLIT) partido (m) • **prendre parti** tomar partido • **tirer parti** sacar partido • **un beau parti** un buen partido **2.** (choix) decisión (f) • **prendre le parti de qqch/faire qqch** decidir algo/ hacer algo • **prendre le parti de qqn** ponerse a favor de alguien • **être de parti pris** tener prejuicios • **j'en prends mon parti** habrá que resignarse. ■ **partie** nf **1.** (élément, portion & DR) parte (f) • **en grande/majeure partie** en gran/ en su mayor parte • **faire partie (intégrante) de qqch** formar parte de algo • **la partie adverse** la parte contraria **2.** (domaine d'activité) especialidad (f) **3.** SPORT partido (m) **4.** (au jeu) partida (f) ■ **n'être que partie remise : je ne peux pas demain – ce n'est que partie remise** mañana no puedo – pues lo dejamos para otra ocasión • **prendre qqn à partie** tomarla con alguien. ■ **en partie** loc adv en parte.

partial, e adj parcial.

partialité nf parcialidad (f).

participant, e ◼ adj participante. ◼ nm, f **1.** SPORT (concurrent) participante (mf) **2.** (adhérent) miembro (m).

participation nf participación (f).

participe nm LING participio (m) • **participe passé/présent** participio pasado/presente.

participer vi **1.** (prendre part) • **participer à qqch** (réunion, fête) asistir a algo • (bénéfices) participar en algo • (frais) compartir algo **2.** sout (relever) • **participer de qqch** participar de algo.

particularisme nm particularismo (m).

particularité nf particularidad (f).

particule nf partícula (f).

particulier, ère adj **1.** (gén) particular • **particulier à qqn** característico de alguien **2.** (remarquable) excepcional **3.** (soin) especial. ◼ **en particulier** loc adv **1.** (gén) en particular **2.** (seul à seul) a solas.

particulièrement adv **1.** (surtout) en particular **2.** (spécialement) particularmente • **tout particulièrement** muy particularmente.

partiel, elle adj parcial. ◼ **partiel** nm UNIV parcial (m).

partir vi **1.** (personne, tache) marcharse **2.** (se mettre en marche - voiture) arrancar • (- train, avion) salir **3.** (commencer) partir **4.** (bouchon) saltar **5.** (coup de feu, éclat de rire) estallar **6.** (prendre son point de départ) • **partir de** partir de. ◼ **à partir de** loc prép a partir de.

partisan, e adj partidista. ◼ **partisan** ◼ nm **1.** POLIT partidario (m), -ria (f) **2.** (combattant) guerrillero (m). ◼ adj • **partisan de** partidario(ria) de.

partition nf **1.** (séparation) división (f) **2.** MUS partitura (f).

partout adv en todas partes • **partout où il allait** por dondequiera que iba.

parure nf **1.** (de bijoux) juego (m) **2.** (de lit) juego (m) de cama.

parution nf publicación (f).

parvenir vi (réussir) • **parvenir à qqch/à faire qqch** conseguir algo/hacer algo.

parvenu, e nm, f péj nuevo rico (m), nueva rica (f).

pas[1] nm **1.** (gén) paso (m) • **allonger le pas** alargar la zancada • **au pas cadencé** marcando el paso • **avancer d'un pas** avanzar un paso • **faire un pas en avant** dar un paso adelante • **le pas de l'oie** el paso de la oca **2.** (d'une porte) umbral (m) • **à pas de loup** ou feutrés con paso sigiloso • **c'est à deux pas (d'ici)** está a dos pasos (de aquí) • **emboîter le pas à qqn** ir tras los pasos de alguien • **faire le premier pas** dar el primer paso • **faire les cent pas** pasear arriba y abajo • **faire un faux pas** dar un paso en falso • **pas à pas** paso a paso • **rouler au pas** circular lentamente • **sauter le pas** dar el

paso • **tirer qqn d'un mauvais pas** sacar a alguien de un apuro. ◼ **pas de vis** nm paso (m) de rosca.

pas[2] adv no • **ne... pas** no... • **il ne mange pas** no come • **absolument/vraiment pas** en absoluto • **pas assez** (+ adj) no lo suficientemente (+ adj), no lo bastante (+ adj) • **pas encore** todavía no • **pas un de** ninguno de • **pas** (+ adj) nada (+ adj) • **ce n'est pas drôle** no es nada divertido.

pascal, e adj pascual, de Pascua. ◼ **pascal** nm PHYS pascal (m).

pas-de-porte nm inv traspaso (m).

pashmina nm pashmina (f).

passable adj **1.** pasable, aceptable **2.** SCOL suficiente.

passage nm **1.** (gén) paso (m) • **attraper qqch au passage** coger algo al vuelo • **de passage** de paso • **passage pour piétons** paso de cebra ou de peatones • **passage à niveau** paso a nivel • **passage protégé** cruce (m) con prioridad • **passage souterrain** paso subterráneo **2.** (de texte, de musique) pasaje (m).

passager, ère ◼ adj pasajero(ra). ◼ nm, f pasajero (m).

passant, e ◼ adj concurrido(da). ◼ nm, f transeúnte (mf). ◼ **passant** nm (de ceinture) presilla (f).

passe nf **1.** (col de montagne) paso (m) **2.** SPORT pase (m) **3.** NAUT (chenal) pasaje (m) **4.** (d'escrime) pase (m), finta (f) **5.** fam (de prostituée) cita (f) (con prostituta) • **être en passe de faire qqch** estar a punto de hacer algo.

passé, e adj pasado(da). ◼ **passé** ◼ nm pasado (m) • **passé antérieur/composé/simple** pretérito anterior/perfecto/indefinido. ◼ prép pasado(da).

passe-droit nm favor (m) ilícito.

passe-montagne nm pasamontañas (m inv).

passe-partout nm inv **1.** (clé) llave (f) maestra **2.** (en apposition) (phrase, mot, réponse) comodín (m).

passeport nm pasaporte (m).

---

passer vi

1. ALLER D'UN LIEU À UN AUTRE, SE DÉPLACER D'UN MOUVEMENT CONTINU = pasar
• **le bus passe devant la maison** el autobús pasa por delante de la casa
• **la Seine passe à Paris** el Sena pasa por París

2. ALLER QUELQUE PART UN BREF INSTANT = pasar
• **je dois passer chez Jacques/chez moi** tengo que pasar por casa de Jacques/por mi casa
• **passer à la boulangerie** pasar por la panadería

3. FRANCHIR UNE LIMITE OU UN OBSTACLE
- **ces armes sont passées en fraude** pasaron estas armas de contrabando

4. COLLER AU TRAVERS D'UN FILTRE = filtrar
- **le café est passé** el café está filtrado

5. ÊTRE DIGÉRÉ
- **mon dîner ne passe pas** no acabo de digerir la cena

6. ÊTRE ADMIS, ACCEPTÉ = pasar
- **cet enfant va passer en sixième** este niño va a pasar a sexto

7. VENIR DANS TELLE POSITION
- **pour elle, la famille passe avant le travail** para ella, la familia pasa antes que el trabajo

8. SE SOUMETTRE À, SUBIR
- **le médecin lui a fait passer une radio** el méd co le mandó hacerse una radiografía

9. ÊTRE PROMU À TELLE FONCTION
- **elle est passée responsable** la han ascendido a responsable

10. PERDRE SON ÉCLAT
- **la couleur passe au soleil** el color se destiñe con el sol

11. À LA TÉLÉ, À LA RADIO, AU CINÉMA = dar, poner
- **qu'est-ce qui passe, ce soir ?** ¿qué dan *ou* ponen esta noche?

12. DANS DES EXPRESSIONS
- **passons...** dejémoslo...

passer *vt*

1. TEMPS, VACANCES = pasar
- **nous avons passé l'après-midi à chercher un hôtel** nos pasamos la tarde buscando un hotel
- **ils ont passé leurs vacances en Espagne** pasaron las vacaciones en España

2. OBSTACLE = pasar
- **ils ont passé la frontière sans encombre** pasaron la frontera sin dificultad

3. SUBIR UN EXAMEN = hacer, examinarse
- **il faut passer un concours d'entrée** hay que hacer un examen de ingreso

4. DONNER, TRANSMETTRE = pasar
- **passer qqch à qqn** pasar algo a alguien
- **peux-tu me passer ton stylo ?** ¿me puedes pasar el boli?

5. ÉTENDRE SUR UNE SURFACE = dar
- **passer une couche de peinture/de vernis** dar una capa de pintura/de barniz

6. VITESSES = poner, meter
- **passer la marche arrière** poner marcha atrás

7. AU JEU = pasar
- **passer son tour** pasar el turno

8. METTRE UN FILM, UN DISQUE = poner
- **j'adore la musique qu'on passe sur cette station de radio** me encanta la música que ponen en esta emisora

9. METTRE UN VÊTEMENT = ponerse
- **elle passa son manteau et sortit** se puso el abrigo y salió

10. ADMETTRE AVEC INDULGENCE = consentir
- **ses parents lui passent tous ses caprices** sus padres le consienten todos sus caprichos

11. ÉTABLIR DANS LES FORMES LÉGALES
- **passer une commande auprès d'un fournisseur** hacer un pedido a un proveedor
- **passer un marché** hacer un trato

■ se passer *vp*

1. VIVRE SANS = prescindir, pasar
- **nous pouvons nous passer de votre aide** podemos prescindir de vuestra ayuda
- **elle ne peut pas se passer de café** no puede pasar sin café

2. S'ÉCOULER, EN PARLANT DU TEMPS = transcurrir
- **un mois s'est passé depuis le drame** ha transcurrido un mes desde el drama

3. AVOIR LIEU, ARRIVER = transcurrir
- **le film se passe en Afrique** la película transcurre en África

4. SE METTRE = ponerse
- **se passer de la crème sur le visage** ponerse crema en la cara.

■ en passant *loc adv*

1. AU PASSAGE = al pasar
- **arrête-toi en passant** párate al pasar

2. *fig* PAR LA MÊME OCCASION = de paso
- **soit dit en passant** dicho sea de paso.

■ passer pour *v + prép*

ÊTRE CONSIDÉRÉ COMME
- **passer pour** pasar por
- **se faire passer pour qqn** hacerse pasar por alguien.

■ passer sur *v + prép*

NE PAS S'ARRÊTER À = pasar por alto
- **passons sur cette affaire et parlons de nos projets** pasemos por alto este asunto y hablemos de nuestros proyectos.

passerelle *nf* **1.** *(gén)* pasarela *(f)* **2.** *(de bateau)* puente *(m)* de mando.

passe-temps *nm inv* pasatiempo *(m)*.

passif, ive *adj* pasivo(va). ■ **passif** *nm* **1.** GRAMM pasiva *(f)*, voz *(f)* pasiva **2.** FIN pasivo *(m)*.

passion *nf* pasión *(f)* • **avoir la passion de qqch** tener pasión por algo.

passionné, e ■ *adj* apasionado(da). ■ *nm, f (de caractère)* pasional *(mf)*.

passionnel, elle *adj* pasional.

passionner *vt* **1.** *(personne)* apasionar **2.** *(débat)* animar, dar un tono apasionado a. ■ **se passionner** *vp* • **se passionner pour qqch** apasionarse por algo.

passivité *nf* pasividad *(f)*.

passoire *nf* colador *(m)*.

pastel ◼ *nm (crayon)* pastel *(m)*. ◼ *adj inv* pastel *(en apposition)*.

pastèque *nf* sandía *(f)*.

pasteur *nm* pastor *(m)*.

pasteuriser *vt* pasteurizar.

pastille *nf* 1. *(bonbon - médicament)* pastilla *(f)* ◦ *(- confiserie)* caramelo *(m)* 2. *(motif)* lunar *(m)*.

pastis *nm* anís *(m) (bebida)*.

patate *nf fam* 1. *(pomme de terre)* patata *(f) (Esp)*, papa *(f) (Amér)* 2. *(imbécile)* burro *(m)*, -rra *(f)*. ◼ **patate douce** *nf* boniato *(m)*, batata *(f)*.

patauger *vi* 1. *(barboter)* chapotear 2. *fam fig (s'embrouiller)* hacerse un taco.

patch *nm* MÉD parche *(m)*.

pâte *nf* 1. CULIN masa *(f)* ◦ **pâte d'amandes** mazapán *(m)* ◦ **pâte brisée** masa quebrada ◦ **pâte de coings** carne *(f)* de membrillo ◦ **pâte feuilletée** masa de hojaldre ◦ **pâte de fruits** dulce *(m)* de frutas ◦ **pâte à pain/à tarte** masa de pan/de tarta 2. *(substance)* pasta *(f)* ◦ **pâte dentifrice** pasta dentífrica *ou* de dientes. ◼ **pâtes** *nfpl* pasta *(f)*.

pâté *nm* 1. CULIN paté *(m)* ◦ **pâté de campagne** paté de campaña ◦ **pâté en croûte** empanada *(f)* de paté ◦ **pâté de foie** paté de hígado, ≈ foie-gras *(m inv)* 2. *(tache)* borrón *(m)*.

patelin *nm fam* pueblucho *(m)*.

patente *nf* patente *(f)*.

patère *nf* colgador *(m)*.

paternalisme *nm* paternalismo *(m)*.

paternel, elle *adj* 1. *(gén)* paternal 2. *(autorité)* paterno(na).

paternité *nf* paternidad *(f)*.

pâteux, euse *adj* 1. *(aliment)* pastoso(sa) 2. *(style)* pesado(da).

pathétique ◼ *adj* patético(ca). ◼ *nm* patético *(m)*.

pathologie *nf* patología *(f)*.

patibulaire *adj péj* patibulario(ria).

patience *nf* 1. *(gén)* paciencia *(f)* ◦ **prendre son mal en patience** tomarse las cosas con paciencia 2. *(jeu de cartes)* solitario *(m)*.

patient, e *adj & nm, f* paciente.

patienter *vi* esperar (pacientemente).

patin *nm* patín *(m)* ◦ **patin à glace** patín de cuchilla ◦ **patin à roulettes** patín de ruedas.

patinage *nm* SPORT patinaje *(m)* ◦ **patinage artistique/de vitesse** patinaje artístico/de velocidad.

patiner ◼ *vi* patinar. ◼ *vt* dar pátina a. ◼ **se patiner** *vp* cubrirse de pátina.

patinoire *nf* pista *(f)* de patinaje.

pâtisserie *nf* 1. *(gâteau)* pastel *(m)* 2. *(art, métier, industrie)* pastelería *(f)*, repostería *(f)* 3. *(commerce)* pastelería *(f)*.

pâtissier, ère *adj & nm, f* pastelero(ra).

patois *nm* dialecto *(m)*.

patriarche *nm* patriarca *(m)*.

patrie *nf* patria *(f)*.

patrimoine *nm* patrimonio *(m)*.

patriote *adj & nmf* patriota.

patriotique *adj* patriótico(ca).

patron, onne *nm, f* 1. *(chef d'entreprise)* patrón *(m)*, -ona *(f)* 2. *(chef)* jefe *(m)* 3. RELIG patrón *(m)*, -ona *(f)*. ◼ **patron** *nm* COUT patrón *(m)*.

patronage *nm* 1. *(gén)* patronato *(m)* 2. COMM patrocinio *(m)*.

patronal, e *adj* patronal.

patronat *nm* patronal *(f)*.

patronyme *nm sout* patronímico *(m)*.

patrouille *nf* patrulla *(f)*.

patte *nf* 1. *(d'animal)* pata *(f)* ◦ **se mettre à quatre pattes devant qqn** *fig* doblegarse ante alguien 2. *fam (d'homme - jambe, pied)* pata *(f)* ◦ *(- main)* mano *(f)* 3. COUT *(languette d'étoffe, attache)* lengüeta *(f)* 4. *(favori)* patilla *(f)*.

pâturage *nm* pasto *(m)*.

pâture *nf* pasto *(m)*.

paume *nf* 1. *(de la main)* palma *(f)* 2. *(jeu)* pelota *(f)* vasca.

paumé, e *fam* ◼ *adj* perdido(da) *(desorientado)*. ◼ *nm, f* colgado *(m)*, -da *(f)*.

paumer *vt fam* perder. ◼ **se paumer** *vp fam* perderse.

paupière *nf* párpado *(m)*.

pause *nf* pausa *(f)*.

pauvre ◼ *adj* pobre ◦ **pauvre en qqch** pobre en algo. ◼ *nmf* pobre *(mf)*.

pauvreté *nf* pobreza *(f)*.

pavaner ◼ **se pavaner** *vp* pavonearse.

pavé, e *adj* pavimentado(da). ◼ **pavé** *nm* 1. *(bloc de pierre)* adoquín *(m)* ◦ **jeter un pavé dans la mare** *fig* meter el lobo en el redil 2. *(chaussée)* adoquinado *(m)* ◦ **être sur le pavé** *fig* estar en la calle 3. *fam (gros livre)* tocho *(m)* 4. CULIN entrecot *(m)* 5. PRESSE recuadro *(m)*. ◼ **pavé numérique** *nm* INFORM teclado *(m)* numérico.

pavillon *nm* 1. *(gén)* pabellón *(m)* 2. *(drapeau)* bandera *(f)*.

pavot *nm* adormidera *(f)*.

payant, e *adj* 1. *(hôte, spectacle)* de pago 2. *fam (effort)* provechoso(sa).

paye = paie.

payement = paiement.

payer ◼ *vt* pagar ◦ **faire payer** cobrar ◦ **payer qqch à qqn** pagar algo a alguien ◦ **payer par**

chèque/en liquide pagar con cheque/en metálico. ◼ vi 1. *(gén)* compensar 2. *(métier)* estar bien pagado(da).

pays nm 1. *(gén)* país *(m)* 2. *(région, province)* región *(f)* 3. *(terre natale)* tierra *(f)* ▪ **rentrer au pays** volver a su tierra 4. *(village)* pueblo *(m)*. ◼ **pays Baltes** npr ▪ **les pays Baltes** los países Bálticos. ◼ **pays de Galles** npr ▪ **le pays de Galles** (País de) Gales.

paysage nm paisaje *(m)*.

paysagiste adj & nmf paisajista.

paysan, anne adj & nm, f campesino(na).

Pays-Bas npr ▪ **les Pays-Bas** los Países Bajos.

Pays basque npr ▪ **le Pays basque** el País Vasco.

PC nm 1. *(abr de* **Parti communiste***)* PC *(m)* ▪ **être membre du PC** ser miembro del PC 2. INFORM *(abr de* **personal computer***)* PC *(m)* ▪ **l'utilisateur de PC** el usuario de PC 3. *(abr de* **poste de commandement***)* PM *(m)* ▪ **un PC de crise** un PM de crisis 4. *(abr de* **petite ceinture***)* línea *(f)* de autobuses de circunvalación *(de París)* ▪ **prendre le PC** tomar el PC 5. *(abr écrite de* **permis de construire***)* permiso *(m)* de construcción ▪ **délivrer/obtenir un PC** conceder/obtener un permiso de construcción.

péage nm peaje *(m)*.

peau nf 1. *(gén)* piel *(f)* ▪ **peau de chamois** gamuza *(f)* ▪ **peau d'orange** MÉD piel de naranja ▪ **peau de vache** fam hueso *(m)* (persona dura) 2. *(de lait)* nata *(f)*.

peccadille nf sout pequeñez *(m)*.

pêche nf 1. *(fruit)* melocotón *(m)* (Esp), durazno *(m)* (Amér) 2. *(activité, poissons pêchés)* pesca *(f)* ▪ **pêche à la ligne/sous-marine** pesca con caña/submarina.

péché nm pecado *(m)*.

pécher vi pecar.

pêcher vt pescar.

pêcher[1] nm melocotonero *(m)*.

pêcheur, eresse adj & nm, f pecador(ra).

pêcheur, euse nm, f pescador *(m)*, -ra *(f)*.

pectoraux nmpl pectorales *(mpl)*.

pécule nm peculio *(m)*.

pécuniaire adj pecuniario(ria).

pédagogie nf pedagogía *(f)*.

pédagogue adj & nmf pedagogo(ga).

pédale nf 1. *(gén)* pedal *(m)* 2. vulg péj *(homosexuel)* marica *(m)* (Esp), joto *(m)* (Amér).

pédaler vi *(a bicyclette)* pedalear ▪ **pédaler dans la choucroute** fam no entender ni papa.

pédalo nm patín *(m)* *(de pedales)*.

pédant, e adj & nm, f pedante.

pédéraste nm pederasta *(m)*.

pédestre adj pedestre ▪ **une randonnée pédestre** una marcha.

pédiatre nmf pediatra *(mf)*.

pédiatrie nf pediatría *(f)*.

pédicure nmf pedicuro *(m)*, -ra *(f)*, callista *(mf)*.

pédopsychiatre nmf pedopsiquiatra *(mf)*.

pègre nf hampa *(f)*.

peigne nm 1. *(de cheveux - pour démêler)* peine *(m)* ▪ *(- barrette)* peineta *(f)* 2. *(de tissage)* carda *(f)*, rastrillo *(m)*.

peigner vt 1. *(cheveux)* peinar 2. *(fibres)* cardar.

peignoir nm 1. *(sorte de bain)* ▪ **peignoir (de bain)** albornoz *(m)* (de baño) 2. *(déshabillé)* bata *(f)*.

peindre vt pintar.

peine nf 1. *(châtiment, tristesse)* pena *(f)* ▪ **avoir de la peine** estar triste ▪ **faire de la peine à qqn** entristecer a alguien ▪ **sous peine de qqch** bajo pena de algo ▪ **peine capitale** ou **de mort** pena capital ou de muerte ▪ **peine incompressible** condena *(f)* sin reducción de pena 2. *(effort)* esfuerzo *(m)* ▪ **se donner de la peine** esforzarse ▪ **sans peine** sin esfuerzo ▪ **prendre la peine de faire qqch** tomarse la molestia de hacer algo 3. *(difficulté)* trabajo *(m)* ▪ **à grand-peine** a duras penas. ◼ **à peine** loc adv apenas.

peintre nm pintor *(m)*, -ra *(f)*.

peinture nf pintura *(f)* ▪ **peinture murale** mural *(m)*.

péjoratif, ive adj peyorativo(va).

Pékin npr Pekín.

pelage nm pelaje *(m)*.

pêle-mêle adv en desorden.

peler vt & vi pelar.

pèlerin nm peregrino *(m)*, -na *(f)*.

pèlerinage nm peregrinación *(f)*, peregrinaje *(m)*.

pélican nm pelícano *(m)*.

pelle nf pala *(f)*.

pelleter vt remover con la pala.

pellicule nf película *(f)*. ◼ **pellicules** nfpl caspa *(f)*.

pelote nf 1. *(de fils)* ovillo *(m)* ▪ **pelote de laine** ovillo de lana 2. COUT *(a épingles)* alfiletero *(m)*, acerico *(m)*. ◼ **pelote basque** nf pelota *(f)* vasca.

peloton nm 1. *(de soldats, de concurrents)* pelotón *(m)* ▪ **peloton d'exécution** MIL pelotón de ejecución 2. *(de ficelle)* ovillejo *(m)*.

pelotonner ◼ **se pelotonner** vp acurrucarse ▪ **se pelotonner contre qqch/contre qqn** acurrucarse contra algo/contra alguien.

pelouse nf 1. *(gén)* césped *(m)* 2. *(de champ de courses)* entrada *(f)*.

peluche nf 1. *(gén)* peluche *(m)* 2. *(gén pl)* *(d'étoffe)* bola *(f)*.

pelure *nf* 1. *(de fruit, de légume)* monda *(f)*, pela-dura *(f)* 2. *(d'oignon)* capa *(f)* 3. *fam (vêtement)* abrigo *(m)* *(Esp)*, tapado *(m)* *(Amér)*.

pénal, e *adj* penal. ■ **pénal** *nm* penal *(m)*.

pénaliser *vt* penalizar.

penalty *nm* penalty *(m)*.

penaud, e *adj* avergonzado(da) *(Esp)*, apena-do(da) *(Amér)*.

penchant *nm* inclinación *(f)* • **avoir un pen-chant pour qqch/pour qqn** tener inclinación por algo/por alguien.

penché, e *adj* inclinado(da).

pencher ◪ *vi* 1. *(être incliné)* estar inclinado(da) 2. *(préférer)* **pencher pour** inclinarse por. ◪ *vt* inclinar. ■ **se pencher** *vp* • **se pencher sur** OU **vers qqn/qqch** inclinarse hacia alguien/algo.

pendaison *nf* ahorcamiento *(m)*.

pendant[1]**, e** *adj* 1. *(bras)* colgando 2. *(langue)* fue-ra 3. DR *(question)* pendiente. ■ **pendant** *nm* 1. *(bijou)* pendiente *(m)* 2. *(équivalent)* equiva-lente *(mf)* • **il est le pendant de sa sœur** él y su hermana son tal para cual.

pendant[2] *prép* durante. ■ **pendant que** *loc conj* mientras que • **pendant que j'y suis,...** ya que estoy aquí,...

pendentif *nm* colgante *(m)*.

penderie *nf* ropero *(m)*.

pendre ◪ *vi* colgar. ◪ *vt* 1. *(rideau, tableau)* colgar 2. *(personne)* ahorcar, colgar. ■ **se pendre** *vp* 1. *(s'accrocher)* • **se pendre à qqch** colgarse de algo 2. *(se suicider)* ahorcarse, colgarse.

pendule ◪ *nm* péndulo *(m)*. ◪ *nf* reloj *(m)* de péndulo.

pendulette *nf* reloj *(m)* pequeño.

pénétrer ◪ *vi* 1. *(chose)* penetrar 2. *(personne)* en-trar. ◪ *vt* 1. *(sujet : pluie)* calar 2. *(sujet : vent)* penetrar 3. *(mystère, intentions, secret)* descubrir 4. *(cœur, âme)* llegar a.

pénible *adj* 1. *(gén)* penoso(sa) 2. *fam (personne)* pesado(da).

péniblement *adv* a duras penas.

péniche *nf* chalana *(f)*.

pénicilline *nf* penicilina *(f)*.

péninsule *nf* península *(f)*.

pénis *nm* pene *(m)*.

pénitence *nf* penitencia *(f)*.

pénitencier *nm* penitenciaria *(f)*.

pénombre *nf* penumbra *(f)*.

pensant, e *adj* pensante.

pense-bête *nm* señal *(f)* *(recordatorio)*.

pensée *nf* 1. *(gén)* pensamiento *(m)* • **en** OU **par la pensée** con el pensamiento 2. *(opinion)* pa-recer *(m)* 3. *(idée)* idea *(f)*.

penser ◪ *vi* pensar • **faire penser à qqch/à qqn** hacer pensar en algo/en alguien • **penser à qqch/à qqn/à faire qqch** pensar en algo/en alguien/en hacer algo • **n'y pensons plus !** ¡ol-videmos eso! ◪ *vt* pensar • **penser faire qqch** pensar hacer algo • **il n'en pense pas moins** en realidad lo piensa • **pensez-vous !** ¡qué va!

pensif, ive *adj* pensativo(va).

pension *nf* 1. *(allocation, hébergement)* pensión *(f)* • **pension alimentaire** pensión alimenticia • **pension de famille** casa *(f)* de huéspedes 2. *(internat)* internado *(m)*.

pensionnat *nm* internado *(m)*.

pentagone *nm* pentágono *(m)*.

pente *nf* pendiente *(f)* • **en pente** en pendien-te.

Pentecôte *nf* Pentecostés *(m)*.

pénurie *nf* penuria *(f)*.

people *adj* jet (set).

pépier *vi* piar.

pépin *nm* 1. *(graine)* pepita *(f)* 2. *fam (ennui)* con-tratiempo *(m)* 3. *fam (parapluie)* paraguas *(m inv)*.

pépinière *nf* vivero *(m)*.

pépite *nf* pepita *(f)*.

perçant, e *adj* 1. *(vue, regard, froid)* penetrante 2. *(son)* taladrante.

perce-neige *nm* & *nf inv* narciso *(m)* de las nieves.

percepteur *nm* inspector *(m)*, -ra *(f)* de Ha-cienda.

perception *nf* 1. *(action, emploi, bureau)* inspec-ción *(f)* 2. *(sensation)* percepción *(f)*.

percer ◪ *vt* 1. *(mur, planche)* taladrar 2. *(trou)* ha-cer 3. *(fenêtre, tunnel, rue)* abrir 4. *(traverser - vê-tement)* calar • (- foule, armée ennemie) atravesar 5. *(secret, complot)* descubrir. ◪ *vi* 1. *(soleil, abcès)* aparecer 2. *(dent)* salir 3. *(secret, conversation)* fil-trarse 4. *(réussir)* calar.

perceuse *nf* taladradora *(f)*.

percevoir *vt* 1. *(intention, nuance, argent)* percibir 2. *(impôts)* recaudar.

perche *nf* 1. *(poisson)* perca *(f)* 2. *(bâton)* pértiga *(f)*.

percher ◪ *vi* 1. *(oiseau)* posarse 2. *fam (personne)* vivir. ◪ *vt (mettre)* encaramar. ■ **se percher** *vp* posarse.

perchoir *nm* 1. *(d'oiseau)* palo *(m)* 2. *fam (lieu su-rélevé)* pedestal *(m)*.

perclus, e *adj* • **perclus de** *(rhumatismes, dou-leurs)* baldado de.

percolateur *nm* percolador *(m)*.

percussion *nf* percusión *(f)*.

percutant, e *adj* 1. *(obus)* percutiente 2. *fig (ar-gument)* contundente.

percuter ◪ *vt* chocar contra. ◪ *vi* • **percuter contre qqch** chocar contra algo.

perdant, e *adj* & *nm, f* perdedor(ra).

perdition *nf* **1.** *(ruine morale)* perdición *(f)* **2.** *(détresse)* • **en perdition** en peligro.

perdre *vt* & *vi* perder. ■ **se perdre** *vp* **1.** *(gén)* perderse **2.** *(pourrir)* echarse a perder.

perdrix *nf* perdiz *(f)*.

perdu, e *adj* **1.** *(gén)* perdido(da) **2.** *(malade)* desahuciado(da) **3.** *(moments)* libre.

perdurer *vi* sout perdurar.

père *nm* **1.** *(gén)* padre *(m)* • **de père en fils** de padre a hijo • **père de famille** padre de familia **2.** *fam (homme mûr)* • **le père Martin** el abuelo Martin. ■ **pères** *nmpl* sout *(ancêtres)* padres *(mpl)*. ■ **père Noël** *nm* Papá Noel *(m)* • **croire au père Noël** creer en Papá Noel.

pérégrination *nf (gén pl)* peregrinación *(f)*.

péremptoire *adj* perentorio(ria).

pérennité *nf* perennidad *(f)*.

péréquation *nf* perecuación *(f)*.

perfection *nf* perfección *(f)*.

perfectionné, e *adj* perfeccionado(da).

perfectionner *vt* perfeccionar.

perfide *adj* pérfido(da).

perfidie *nf* sout **1.** *(caractère)* perficia *(f)* **2.** *(action, propos)* maldad *(f)*.

perforation *nf* perforación *(f)*.

perforer *vt* perforar.

perforeuse *nf* perforadora *(f)*.

performance *nf* **1.** *(résultat)* resultado *(m)* **2.** *(exploit, hazaña (f)* **3.** *(gén pl) (d'une machine)* prestación *(f)*.

performant, e *adj* **1.** *(personne)* competitivo(va) **2.** *(machine)* con buenas prestaciones.

perfusion *nf* perfusión *(f)* • **être sous perfusion** tener puesto el gotero.

péridural, e *adj* peridural. ■ **péridurale** *nf* peridural *(f)*.

péril *nm* sout peligro *(m)*.

périlleux, euse *adj* peligroso(sa).

périmé, e *adj* **1.** *(passeport)* caducado(da) **2.** fig *(idée)* caduco(ca).

périmètre *nm* perímetro *(m)*.

période *nf* período *(m)*, periodo *(m)*.

périodique *adj* periódico(ca). *nm* periódico *(m)*.

péripétie *nf (gén pl)* peripecia *(f)*.

périph *nm* fam *(périphérique)* circunvalación *(f)*.

périphérie *nf* periferia *(f)*.

périphrase *nf* perífrasis *(f inv)*.

périple *nm* periplo *(m)*.

périr *vi* sout **1.** *(mourir)* perecer **2.** fig *(disparaître)* desaparecer.

périssable *adj* perecedero(ra).

péritonite *nf* peritonitis *(f inv)*.

perle *nf* **1.** *(bille de nacre, goutte)* perla *(f)* **2.** *(de bois, de verre)* cuenta *(f)* **3.** *(personne parfaite)* perla *(f)*, joya *(f)* **4.** fam *(erreur)* gazapo *(m)*

perlé, e *adj* **1.** *(tissu)* adornado(da) con perlas **2.** fig & ÉCON • **une grève perlée** una huelga intermitente.

perler *vi* perlar.

permanence *nf* permanencia *(f)* • **en permanence** permanentemente • **assurer la permanence** estar de guardia.

permanent, e *adj* **1.** *(gén)* permanente **2.** *(cinéma)* de sesión continua. *nm, f* miembro *(m)* permanente. ■ **permanente** *nf (coiffure)* permanente *(f)*.

perméable *adj* permeable • **perméable à qqch** permeable a algo.

permettre *vt* permitir • **permettre à qqn de faire qqch** permitir a alguien que haga algo cu hacer algo. ■ **se permettre** *vp* permitirse • **se permettre de faire qqch** permitirse hacer algo.

permis *nm* permiso *(m)* • **avoir son permis** fam sacarse el carne (de conducir) • **permis de conduire** carné *(m)* ou permiso de conducir • **permis à points** carné (de conducir) por puntos.

permission *nf* permiso *(m)* • **avoir la permission de faire qqch** tener permiso para hacer algo.

permuter *vt* cambiar el orden de. *vi* hacer un cambio.

pernicieux, euse *adj* pernicioso(sa).

pérorer *vi* péj perorar.

Pérou *npr* • **le Pérou** (el) Perú • **c'est pas le Pérou** fam no es nada del otro jueves.

perpendiculaire *adj* & *nf* perpendicular.

perpète, perpette ■ **à perpète** *loc adv* fam **1.** *(loin)* en el quinto pino **2.** *(pour toujours)* de por vida.

perpétrer *vt* perpetrar.

perpette = **perpète**

perpétuel, elle *adj* perpetuo(tua).

perpétuer *vt* perpetuar. ■ **se perpétuer** *vp* perpetuarse.

perpétuité *nf* sout perpetuidad *(f)* • **à perpétuité** *(pour toujours)* a perpetuidad • *(condamner)* a cadena perpetua.

perplexe *adj* perplejo(ja).

perquisition *nf* registro *(m)*.

perron *nm* escalinata *(f)*.

perroquet *nm* **1.** *(animal)* loro *(m)*, papagayo *(m)* **2.** NAUT *(voile)* juanete *(m)*.

perruche *nf* cotorra *(f)*.

perruque *nf* peluca *(f)*.

persécuter *vt* perseguir *(maltratar)*.

persécution *nf* persecución *(f)*.

persévérant, e *adj* perseverante.

persévérer *vi* perseverar.

persienne *nf* persiana *(f) (postigo)*.

persiflage *nm* mofa (*f*).

persifler *vt sout* mofarse.

persil *nm* perejil (*m*).

Persique ⊳ **golfe.**

persistant, e *adj* **1.** *(fièvre, odeur)* persistente **2.** BOT perenne.

persister *vi* persistir • **persister à faire qqch** persistir en hacer algo.

perso *adj fam (personnel)* personal.

personnage *nm* **1.** *(gén)* personaje (*m*) • **personnage principal** personaje principal, protagonista (*mf*) **2.** *(personnalité)* figura (*f*).

personnaliser *vt* personalizar.

personnalité *nf* personalidad (*f*).

personne ◼ *nf* persona (*f*) • **en personne** *(en chair et en os)* en persona • *(incarné)* personificado(da) • **par personne interposée** a través de un intermediario • **personne âgée** persona mayor, mayor • **personne morale/physique** persona jurídica/física. ◼ *pron indéf* **1.** *(quelqu'un)* alguien **2.** *(aucune personne)* nadie.

À PROPOS DE...

personne

Nadie placé devant le verbe supprime la négation.

personnel, elle *adj* **1.** *(gén)* personal **2.** *péj (égoïste)* suyo(ya). ◼ **personnel** *nm* **1.** personal (*m*) **2.** *(domestiques)* servidumbre (*f*) • **personnel navigant** tripulación (*f*).

personnellement *adv* personalmente.

personnifier *vt* personificar.

perspective *nf* perspectiva (*f*) • **en perspective** en perspectiva.

perspicace *adj* perspicaz.

persuader *vt* • **persuader qqn de qqch/de faire qqch** persuadir a alguien de algo/de que haga algo. ◼ **se persuader** *vp* • **se persuader de qqch** persuadirse de algo • **se persuader que** persuadirse de que.

persuasif, ive *adj* persuasivo(va).

persuasion *nf* persuasión (*f*).

perte *nf* **1.** *(gén & COMM)* pérdida (*f*) • **à perte de vue** hasta el horizonte, hasta donde alcanza la vista **2.** *(ruine, déchéance)* ruina (*f*). • **pertes** *nfpl* MIL bajas (*fpl*).

pertinent, e *adj* pertinente.

perturber *vt* perturbar.

pervenche ◼ *adj inv (bleu)* malva *(en apposition).* ◼ *nf* **1.** BOT vincapervinca (*f*) **2.** *fam (contractuelle)* ≃ policía (*f*) municipal.

pervers, e ◼ *adj* **1.** *(acte, goût)* perverso(sa) **2.** *(effet)* negativo(va). ◼ *nm, f* perverso (*m*), -sa (*f*).

perversion *nf* perversión (*f*).

perversité *nf* perversidad (*f*).

pervertir *vt* pervertir.

pesage *nm* **1.** *(pesée)* peso (*m*) **2.** *(de jockeys)* pesaje (*m*).

pesamment *adv* **1.** *(lourdement)* pesadamente **2.** *(gauchement)* torpemente.

pesant, e *adj* pesado(da). ◼ **pesant** *nm* • **valoir son pesant d'or** valer su peso en oro.

pesanteur *nf* **1.** PHYS gravedad (*f*) **2.** *(lenteur, lourdeur)* lentitud (*f*).

pèse-bébé *nm* pesabebés (*m inv*).

pesée *nf* **1.** *(pesage)* pesaje (*m*) **2.** *(pression)* presión (*f*).

pèse-lettre *nm* pesacartas (*m inv*).

pèse-personne *nm* báscula (*f*) de baño.

peser ◼ *vt* **1.** *(mesurer le poids de)* pesar **2.** *(considérer, examiner)* sopesar. ◼ *vi* **1.** *(avoir un certain poids)* pesar • **sa mort lui pèse sur la conscience** su muerte le pesa sobre la conciencia **2.** *(appuyer)* • **peser sur qqch** hacer fuerza sobre algo.

peseta *nf* peseta (*f*).

pessimisme *nm* pesimismo (*m*).

pessimiste *adj* & *nmf* pesimista.

peste *nf* peste (*f*) • **craindre qqch/qqn comme la peste** temer algo/a alguien como la peste • **fuir qqch/qqn comme la peste** huir de algo/de alguien como de la peste.

pester *vi* echar pestes • **pester contre qqch/contre qqn** echar pestes contra algo/contra alguien.

pestiféré, e *adj* & *nm, f* apestado(da) • **être un pestiféré** *iron* tener la peste.

pestilentiel, elle *adj sout* pestilente.

pet *nm fam* pedo (*m*).

pétale *nm* pétalo (*m*).

pétanque *nf* petanca (*f*).

pétarader *vi* pedorrear.

pétard *nm* **1.** *(petit explosif)* petardo (*m*) **2.** *fam (cigarette de haschich)* petardo (*m*) **3.** *fam (revolver)* pipa (*f*) **4.** *fam (postérieur)* trasero (*m*).

péter ◼ *vi tfam* **1.** *(faire un pet)* tirarse un pedo **2.** *(exploser)* estallar **3.** *(se rompre brusquement)* reventar. ◼ *vt fam (casser)* cargarse • **péter les plombs** OU **un boulon** *fam* cruzársele a uno los cables.

pète-sec *fam* ◼ *adj inv* mandón(ona). ◼ *nmf* sargento (*mf*).

pétiller *vi* **1.** *(feu)* chisporrotear **2.** *(liquide)* burbujear **3.** *(yeux)* chispear, brillar.

petit, e ◼ *adj* **1.** *(jeune, réduit, peu important)* pequeño(ña) • **une petite maison** una casita, una casa pequeña **2.** *(médiocre - esprit)* pobre • *(- artiste)* de segunda fila **3.** *(gens)* modesto(ta) **4.** *péj (exprime le mépris)* • **mon petit monsieur** mi querido señor • **petit crétin !** ¡creti

no! ■ *nm, f* pequeño *(m)*, -ña *(f)*. ■ **petit** ■ *nm*
1. *(gén)* pequeño *(m)* **2.** *(jeune animal)* cachorro
(m). ■ *adv* • **en petit** en pequeño

petit-beurre *nm* galletita *(f)* de mantequilla.

petit-bourgeois, petite-bourgeoise *adj* &
nm, f pequeñoburgués(esa).

petit déjeuner *nm* desayuno *(m)*.

petite-fille *nf* nieta *(f)*.

petitement *adv* **1.** *(à l'étroit)* • **être petitement
logé** vivir apretados **2.** *(modestement)* con estrecheces **3.** *(mesquinement)* con mezquindad,
mezquinamente.

petitesse *nf* **1.** *(taille)* pequeñez *(f)* **2.** *(modicité)*
escasez *(f)* **3.** *(mesquinerie)* • **petitesse d'esprit**
estrechez *(f)* de miras.

petit-fils *nm* nieto *(m)*.

petit-four *nm* **1.** *(salé)* canapé *(m)* **2.** *(sucré)* pas-
telito *(m)*.

pétition *nf* petición *(f)*.

petit-lait *nm* suero *(m)* de la leche.

petit-nègre *nm inv fam péj* • **parler petit-
nègre** hablar un francés macarrónico.

petits-enfants *nmpl* nietos *(mpl)*.

petit-suisse *nm* petit suisse *(m)*.

pétri, e *adj* • **pétri de qqch** lleno de algo.

pétrifier *vt* **1.** *(changer en pierre)* petrificar **2.** *fig
(méduser)* dejar petrificado(da).

pétrin *nm* **1.** *(du boulanger)* artesa *(f)* **2.** *fam (situation difficile)* berenjenal *(m)* • **se fourrer/être
dans le pétrin** meterse/estar en un berenjenal.

pétrir *vt* **1.** *(pâte)* amasar **2.** *(muscle)* masajear
3. *fig & sout (façonner)* moldear.

pétrole *nm* petróleo *(m)*.

pétrolier, ère *adj* petrolero(ra). ■ **pétrolier**
nm petrolero *(m)*.

pétrolifère *adj* petrolífero(ra).

P et T *(abr de* **postes et télécommunications**)
nfpl ≃ CTT *(mpl)*.

pétulant, e *adj* impetuoso(sa).

peu ■ *adv* poco • **peu de** poco(ca) • **peu de travail** poco trabajo • **peu d'élèves** pocos alumnos • **peu souvent** de tarde en tarde. ■ *nm*
• **le peu de** los pocos(las pocas) • **le peu de
connaissances que j'ai** los pocos conocimientos que tengo • **le peu que** lo poco que • **un
peu** un poco • **un (tout) petit peu** un poquito.
■ **avant peu** *loc adv* dentro de poco. ■ **de peu**
loc adv por poco. ■ **depuis peu** *loc adv* desde
hace poco. ■ **peu à peu** *loc adv* poco a poco. ■ **pour peu que** *loc conj (+ subjonctif)* a poco que *(+ subjonctif)* • **pour peu qu'il le veuille,
il réussira** por poco que quiera, lo consegui-
rá. ■ **pour un peu** *loc adv* casi. ■ **sous peu**
loc adv dentro de poco. ■ **un tant soit peu**
loc adv un poquito.

À PROPOS DE...

peu

« Peu de » se traduit par l'adjectif *poco(s),
poca(s)*, qui s'accorde alors en genre et en
nombre avec le nom auquel il se rapporte.
Notez que *poco* est aussi un adverbe, invariable quand il se rapporte à un verbe.

peuplade *nf* comunidad *(f)*.

peuple *nm* **1.** *(gén)* pueblo *(m)* **2.** *fam (multitude)*
mogollón *(m)* de gente.

peuplement *nm* población *(f)*.

peupler *vt* poblar. ■ **se peupler** *vp* llenarse de
gente.

peuplier *nm* álamo *(m)*.

peur *nf* miedo *(m)* • **avoir peur de faire qqch/
de qqch/de qqn** tener miedo de hacer algo/
de algo/de alguien • **avoir peur que** *(+ subjonctif)* tener miedo de que *(+ subjonctif)* • **j'ai peur
qu'il (ne) pleuve** tengo miedo de que llueva
• **de** *ou* **par peur de qqch** por miedo a *ou* de
algo • **de** *ou* **par peur que** *(+ subjonctif)* por miedo a que *(+ subjonctif)* • **de** *ou* **par peur qu'on
(ne) le punisse** por miedo a que le castiguen
• **à faire peur** que asusta • **il est laid à faire
peur** es de un feo que asusta.

S'EXPRIMER...

exprimer sa peur

Tengo miedo a las arañas. / **J'ai peur
des araignées.** Tengo miedo que haya
tenido un accidente / **Je crains qu'il/
elle n'ait eu un accident.** Me inquieto
por ti. / **Je me fais du souci pour toi.**

peureux, euse *adj* & *nm, f* miedoso(sa).

peut-être *adv* **1.** *(gén)* quizás, quizá • **peut-être
que** quizás, quizá • **peut-être qu'elle ne viendra pas, elle ne viendra peut-être pas** quizás
no venga **2.** *(alors)* acaso • **et moi, je ne sais
pas conduire, peut-être ?** ¿y yo? ¿acaso no sé
conducir?

p. ex. *(abr de* **par exemple**) p. ej.

pH *(abr de* **potentiel hydrogène**) *nm* pH *(m)*.

phalange *nf* falange *(f)*.

phallocrate *adj* & *nmf* falócrata.

phallus *nm* falo *(m)*.

phantasme = **fantasme**.

pharaon *nm* faraón *(m)*.

phare ■ *nm* faro *(m)* • **phare antibrouillard**
faro antiniebla. ■ *adj* emblemático(ca) • **une
industrie phare** una industria puntera.

pharmaceutique *adj* farmacéutico(ca).

pharmacie *nf* **1.** *(science, magasin)* farmacia *(f)*
2. *(armoire, trousse)* botiquín *(m)*.

pharmacien, enne nm, f farmacéutico (m), -ca (f).

pharynx nm faringe (f).

phase nf fase (f) • **phase terminale** MÉD fase terminal • **être en phase avec qqn** estar en la misma onda con alguien.

phénoménal, e adj fenomenal.

phénomène nm fenómeno (m).

philanthropie nf filantropía (f).

philatélie nf filatelia (f).

philatéliste nmf filatélico (m), -ca (f), filatelista (mf).

philharmonique adj filarmónico(ca).

philologie nf filología (f).

philosophe adj & nmf filósofo (m), -fa (f).

philosophie nf filosofía (f).

phobie nf fobia (f).

phonétique ◼ adj fonético(ca). ◼ nf fonética (f).

phonographe nm fonógrafo (m).

phoque nm foca (f).

phosphate nm fosfato (m).

phosphore nm fósforo (m).

phosphorescent, e adj fosforescente.

photo ◼ adj inv fotográfico(ca). ◼ nf 1. (technique) fotografía (f) 2. (image) foto (f) • **photo d'identité** foto (de tamaño) carné • **y'a pas photo** fam no hay color.

photocomposition nf fotocomposición (f).

photocopie nf fotocopia (f).

photocopier vt fotocopiar.

photocopieur nm fotocopiadora (f).

photocopieuse nf fotocopiadora (f).

photoélectrique adj fotoeléctrico(ca).

photogénique adj fotogénico(ca).

photographe nmf fotógrafo (m), -fa (f).

photographie nf fotografía (f).

photographier vt fotografiar.

Photomaton® nm fotomatón (m).

photoreportage nm reportaje (m) fotográfico.

phrase nf frase (f).

physicien, enne nm, f físico (m), -ca (f).

physiologie nf fisiología (f).

physiologique adj fisiológico(ca).

physionomie nf fisonomía (f).

physionomiste adj & nmf fisonomista.

physique ◼ adj físico(ca). ◼ nf (science) física (f). ◼ nm (constitution) físico (m).

physiquement adv físicamente.

piaffer vi 1. (cheval) piafar 2. fig (personne) saltar.

piailler vi 1. (oiseau) piar 2. (enfant) chillar.

pianiste nmf pianista (mf).

piano ◼ nm piano (m). ◼ adv piano.

pianoter vi 1. (jouer du piano) aporrear el piano 2. (tapoter) tamborilear.

piaule nf fam cuartucho (m).

PIB (abr de **produit intérieur brut**) nm PIB (m) • **hausse/recul/croissance du PIB** alza/retroceso/crecimiento del PIB.

pic nm 1. (oiseau) pájaro (m) carpintero 2. (outil, montagne) pico (m) 3. fig (maximum) pico (m) • **pic d'audience** pico de audiencia • **pic de pollution** pico de polución. ◼ **à pic** loc adv 1. (verticalement) en picado • **couler à pic** irse a pique 2. fam fig (à point nommé) • **arriver à pic** llegar en el momento justo • **tomber à pic** venir de perilla.

pichenette nf fam palpi (m).

pichet nm jarra (f).

pickpocket nm carterista (mf).

pick-up nm inv 1. vieilli (tourne-disque) pick-up (m) 2. (camionnette) camioneta (f) descubierta.

picorer vt & vi picotear, picar.

picotement nm picor (m).

pie ◼ adj inv (cheval) pío(a). ◼ nf 1. (oiseau) urraca (f) 2. péj (bavard) loro (m), cotorra (f).

pièce nf 1. (élément) pieza (f) • **pièce détachée** pieza de recambio • **en pièces détachées** desarmado(da) 2. (unité) unidad (f) • **acheter/vendre qqch à la pièce** comprar/vender algo por unidades • **deux euros pièce** dos euros la pieza 3. (document) documento (m) • **pièce d'identité** documento de identidad • **juger sur pièces** juzgar prueba en mano 4. (œuvre littéraire ou musicale) obra (f) • **pièce de théâtre** obra de teatro 5. (argent) moneda (f) • **pièce de monnaie** moneda 6. COUT remiendo (m), pieza (f).

pied nm 1. (gén) pie (m) • **avoir pied** hacer pie • **faire du pied à qqn** hacer piececitos con alguien • **à pied** a pie • **sur pied** en pie 2. (de mouton, de veau) pata (f).

pied-à-terre nm inv apeadero (m) (alojamiento de paso).

pied-de-biche nm 1. (outil) palanca (f) 2. COUT prensatelas (f inv).

piédestal nm pedestal (m) • **mettre qqn sur un piédestal** fig poner a alguien en un pedestal.

piedmont = **piémont**.

pied-noir, e nm, f francés (m), -esa (f) nacido -da (f) en Argelia (antes de su independencia).

piège nm trampa (f).

piéger vt 1. (animal, personne) pillar OU coger en la trampa • **se trouver piégé** estar metido en un atolladero 2. (voiture, valise) poner un explosivo en.

piémont, piedmont nm llanura (f).

piercing nm piercing (m).

pierraille nf grava (f) (Esp), pedregullo (m) (Amér).

pierre nf piedra (f).

pierreries nfpl pedrería (f).

piété nf 1. RELIG piedad (f) 2. vieilli (filiale) amor (m).

piétiner ◼ vi (ne pas avancer) estancarse. ◼ vt pisotear.

piéton, onne ◼ adj peatonal. ◼ nm, f peatón (m), -ona (f).

piétonnier, ère adj peatonal.

piètre adj (avant le nom) pobre.

pieu nm 1. (poteau) estaca (f) 2. fam (lit) sobre (m).

pieuvre nf pulpo (m).

pieux, euse adj 1. (personne, livre) piadoso(sa) 2. (soins) devoto(ta).

pif nm fam napia (f), napias (fpl) ▪ **au pif** a ojímetro.

pigeon nm 1. (oiseau) paloma (f) 2. fam péj (dupe) primo (m).

pigeonnier nm 1. (pour les pigeons) palomar (m) 2. fig & vieilli (petit logement) nido (m).

pigment nm pigmento (m).

pile ◼ nf 1. (gén) montón (m), pila (f) (Esp), ruma (f) (Amér) 2. (électrique) pila (f) 3. (côté d'une pièce) cruz (f) ▪ **pile ou face** cara o cruz. ◼ adv fam (heure) en punto ▪ **il est 7 h pile** son las 7 en punto ▪ **tomber** ou **arriver pile** (personne) llegar al pelo ▪ (chose) venir al pelo.

piler ◼ vt 1. (amandes) machacar 2. fam fig (battre) machacar. ◼ vi fam frenar en seco.

pileux, euse adj piloso(sa).

pilier nm 1. (gén) pilar (m) 2. fig (habitué) habitual (mf), asiduo (m), -dua (f).

pillard, e adj & nm, f saqueador(ra).

piller vt 1. (ville, magasin) saquear 2. fig (ouvrage, auteur) plagiar.

pilon nm 1. (de mortier) maja (f) 2. (de poulet) pata (f) 3. (jambe de bois) pata (f) de palo.

pilonner vt 1. (écraser) machacar 2. (livre) destruir la edición de 3. MIL bombardear.

pilori nm picota (f) ▪ **clouer** ou **mettre qqn au pilori** fig poner a alguien en la picota.

pilotage nm pilotaje (m) ▪ **pilotage automatique** piloto automático.

pilote ◼ nm 1. (conducteur) piloto (m) ▪ **pilote de chasse/de course/d'essai** piloto de caza/de carreras/de pruebas ▪ **pilote de ligne** piloto civil 2. (poisson) pez (m) piloto. ◼ adj piloto (en apposition).

piloter vt 1. (véhicule, avion) pilotar 2. (personne) guiar.

pilotis nm pilote (m) ▪ **sur pilotis** sobre pilotes.

pilule nf píldora (f) ▪ **pilule du lendemain** píldora del día después ▪ **prendre la pilule** tomar la píldora.

piment nm 1. (plante) pimiento (m) (Esp), ají (m) (Amér) ▪ **piment rouge** guindilla (f) 2. fig (piquant) sabor (m).

pimpant, e adj peripuesto(ta).

pin nm pino (m) ▪ **pin parasol** pino piñonero.

pince nf 1. (instrument) pinzas (fpl) ▪ **pince à cheveux** horquilla (f) ▪ **pince à épiler** pinzas de depilar ▪ **pince à linge** pinza (de la ropa) 2. (de crabe & COUT) pinza (f) 3. fam (main) zarpa (f).

pinceau nm 1. (pour peindre) pincel (m) 2. fam (jambe, pied) pata (f).

pincée nf pellizco (m) ▪ **une pincée de sel** un pellizco de sal.

pincer ◼ vt 1. (entre les doigts - gén) pellizcar ▪ (- cordes d'instrument) puntear 2. (lèvres) fruncir 3. fam fig (arrêter) pillar ▪ **il s'est fait pincer** lo han pillado 4. (sujet : froid) azotar. ◼ vi fam 1. (sujet : froid) hacer frío ▪ **ça pince drôlement aujourd'hui** hoy hace un frío que pela.

pincettes nfpl tenazas (fpl).

pingouin nm pingüino (m).

ping-pong nm ping pong (m).

pinson nm pinzón (m).

pintade nf pintada (f).

pin-up nf inv 1. chica (f) de revista 2. fig tía (f) buena.

pioche nf pico (m).

piocher ◼ vt 1. (terre) cavar 2. (au jeu) robar 3. (prendre au hasard) coger al azar. ◼ vi 1. (creuser) cavar 2. (au jeu) robar 3. (choisir) ▪ **piocher dans qqch** rebuscar en algo.

pion, pionne nm, f argot vigilante (mf). ◼ **pion** nm 1. (aux échecs) peón (m) 2. péj (personne) peón (m).

pionnier, ère nm, f pionero (m), -ra (f).

pipe nf pipa (f) (para fumar).

pipeline, pipe-line nm 1. (de pétrole) oleoducto (m) 2. (de gaz) gasoducto (m).

pipi nm fam pipí (m) ▪ **faire pipi** hacer pipí.

piquant, e adj 1. (barbe) rasposo(sa) 2. (sauce) picante 3. (froid) penetrante 4. fig (détail) gracioso(sa). ◼ **piquant** nm 1. (d'animal) pincho (m) 2. (de végétal) pincho (m), espina (f) 3. fig (d'une histoire) gracia (f).

pique ◼ nf 1. (arme) pica (f) 2. fig (mot blessant) puya (f) ▪ **lancer des piques à qqn** soltar puyas a alguien. ◼ **r** m (aux cartes) picas (fpl).

piqué, e adj 1. (gén) picado(da) 2. fam (personne) tocado(da) del ala.

pique-assiette nmf péj gorrón (m), -ona (f), gorrero (m), -ra (f).

pique-nique nm picnic (m).

piquer ◼ vt 1. (sujet : animal, froid, fumée) picar 2. (sujet : barbe, tissu) rascar, picar 3. (sujet : aiguille, épine) pinchar 4. (épingler) prender 5. COUT coser 6. fam (voler) birlar, levantar 7. (curiosité) picar 8. fam (attraper) pillar. ◼ vi 1. (plante) pinchar **2.** *(animal, aliment pimenté)* picar **3.** *fam* *(voler)* levantar **4.** *(avion)* bajar en picado. ■ **se piquer** *vp* **1.** *(avec épingle, cactus, orties)* pincharse **2.** *fam (se droguer)* picarse, pincharse **3.** *sout (prétendre connaître)* ● **se piquer de qqch/de faire qqch** jactarse de algo/de hacer algo **4.** *sout (se vexer)* sentirse ofendido(da).

piquet *nm* **1.** *(petit pieu)* estaca *(f)* **2.** *(jeu de cartes)* ≃ chinchón *(m)*.

piqûre *nf* **1.** *(d'insecte, de plante)* picadura *(f)* **2.** MÉD inyección *(f)* ● **faire une piqûre de qqch à qqn** poner una inyección de algo a alguien **3.** COUT pespunte *(m)*.

piratage *nm* **1.** *(gén)* piratería *(f)* **2.** INFORM pirateo *(m)*.

pirate ■ *adj* pirata. ■ *nm* pirata *(m)* ● **pirate de l'air** pirata del aire.

pire ■ *adj* peor ● **c'est pire que jamais** es peor que nunca. ■ *nm* ● **le pire** lo peor.

pirogue *nf* piragua *(f)*.

pirouette *nf* **1.** *(gén)* pirueta *(f)* **2.** *fig (faux-fuyant)* ● **répondre** OU **s'en tirer par une pirouette** salirse por peteneras.

pis¹ ■ *adj* peor. ■ *adv* peor ● **de mal en pis** de mal en peor.

pis² *nm* ZOOL ubre *(f)*.

pis-aller *nm inv* mal *(m)* menor.

pisciculture *nf* piscicultura *(f)*.

piscine *nf* piscina *(f) (Esp)*, alberca *(f) (Amér)* ● **piscine couverte/découverte/olympique** piscina cubierta/descubierta/olímpica.

pissenlit *nm* diente *(m)* de león.

pisser *tfam* ■ *vt* **1.** *(sujet : personne)* mear **2.** *(sujet : plaie)* ● **pisser le sang** sangrar (abundantemente). ■ *vi* mear.

pissotière *nf fam* meadero *(m)*.

pistache ■ *adj inv (couleur)* pistacho *(en apposition)*. ■ *nf (fruit)* pistacho *(m)*.

piste *nf* pista *(f)* ● **piste d'atterrissage** pista de aterrizaje ● **piste cyclable** circuito *(m)* para bicicletas ● **jeu de piste** juego de pistas.

pistil *nm* pistilo *(m)*.

pistolet *nm* **1.** *(gén)* pistola *(f)* **2.** *fam (urinal)* orinal *(m) (Esp)*, bacinica *(f) (Amér)*.

piston *nm* **1.** *(de moteur, d'instrument)* pistón *(m)* **2.** *fam (appui)* enchufe *(m) (Esp)*, cuña *(f) (Amér)*.

pistonner *vt fam* enchufar ● **se faire pistonner** conseguir por enchufe.

pitance *nf vieilli & péj* pitanza *(f)*.

pitbull, pit-bull *nm* pitbull *(m)*.

piteux, euse *adj* penoso(sa).

pitié *nf* lástima *(f)*, piedad *(f)* ● **avoir pitié de qqn** sentir lástima por alguien.

piton *nm* **1.** *(de montagne)* pico *(m)* **2.** *(clou - à anneau)* cáncamo *(m)* ● *(- à crochet)* alcayata *(f)*.

pitoyable *adj* **1.** *(triste)* penoso(sa) **2.** *(mauvais)* lamentable.

pitre *nm* payaso *(m)*, indio *(m)*.

pitrerie *nf (gén pl)* payasada *(f)*.

pittoresque *adj* pintoresco(ca).

pivot *nm* **1.** *(gén)* pivote *(m)* **2.** SPORT *(au basket)* pívot *(mf)* **3.** *fig (élément principal)* eje *(m)*.

pivoter *vi* **1.** girar **2.** TECHNOL pivotar.

pixel *nm* píxel *(m)*.

pizza *nf* pizza *(f)*.

Pl., pl. *(abr écrite de* **place**) Pl., Pza.

placage *nm* chapeado *(m)*, chapado *(m)*.

placard *nm* **1.** *(armoire)* armario *(m)* empotrado ● **mettre au placard** *fig* jubilar **2.** *(affiche)* cartel *(m) (Esp)*, afiche *(m) (Amér)*.

placarder *vt* fijar (carteles).

place *nf* **1.** *(espace)* sitio *(m)* ● **prendre de la place** coger OU ocupar sitio ● **faire place à qqch** dar paso a algo **2.** *(emplacement, position)* lugar *(m)*, sitio *(m)* ● **à la place de qqn** en lugar de alguien ● **à ta place** en tu lugar ● **changer qqch de place** cambiar algo de sitio ● **prendre la place de qqn** coger el sitio de alguien **3.** *(siège)* asiento *(m)* **4.** *(au théâtre)* localidad *(f)* **5.** *(au cinéma)* entrada *(f)* **6.** *(dans les transports)* billete *(m)* ● **place assise** plaza *(f)* sentada **7.** *(dans un classement)* lugar *(m)*, posición *(f)* **8.** *(de ville,* MIL *&* COMM*)* plaza *(f)* ● **place forte** plaza fuerte **9.** *(emploi)* empleo *(m)*, plaza *(f) (de funcionario)* ● **perdre sa place** perder su empleo. ■ **sur place** *loc adv* in situ.

placé, e *adj* **1.** *(gén)* situado(da) **2.** *(pour savoir, juger, obtenir, etc)* ● **être bien/mal placé pour faire qqch** ser el más/el menos indicado para hacer algo ● **il est mal placé pour criticar** es el menos indicado para criticar ● **il est bien placé pour ce poste** es el más indicado para este puesto **3.** *(fondé)* ● **c'est de l'orgueil mal placé** no tiene por qué estar orgulloso(sa).

placement *nm* **1.** *(d'argent)* inversión *(f)* **2.** *(d'employé)* colocación *(f)* **3.** *(de malade)* internamiento *(m)*.

placenta *nm* placenta *(f)*.

placer *vt* **1.** *(gén)* colocar, poner ● **placer les petits devant** colocar a los niños delante ● **placer qqn comme secrétaire** colocar a alguien de secretaria ● **placer sous la protection de/la responsabilité de** poner bajo la protección de/la responsabilidad de ● **placer sa confiance en** poner su confianza en ● **placer ses espoirs dans** poner sus esperanzas en **2.** *(mot plaisanterie)* soltar ● **je ne peux pas en placer une** no puedo abrir la boca **3.** *(argent - investir)* invertir ● *(- mettre en dépôt)* meter. ■ **se placer** *vp* situarse, colocarse ● **ça dépend de quel point de vue on se place** depende del punto de vista de que lo mires.

placide *adj* plácido(da).

plafond *nm* techo *(m)* ● **faux plafond** falso techo.

plafonner ◼ *vt* techar. ◼ *vi (prix, salaire)* tocar techo.

plage *nf* **1.** *(de sable)* playa *(f)* **2.** *(d'ombre)* zona *(f)* **3.** *(de prix)* gama *(f)* **4.** *(de disque)* surco *(m)*. ◼ **plage arrière** *nf* bandeja *(f)*. ◼ **plage horaire** *nf* intervalo *(m)* horario.

plagiat *nm* plagio *(m)*.

plagier *vt* plagiar.

plaider ◼ *vt* DR pleitear • **plaider une affaire** pleitear un caso ▷ **coupable**. ◼ *vi* defender • **plaider contre qqn** pleitear ou litigar contra alguien • **plaider pour qqn** DR defender a alguien • *fig* disculpar a alguien.

plaidoirie *nf* **1.** DR informe *(m)* **2.** *fig (art de plaider)* alegato *(m)*.

plaidoyer *nm* **1.** DR informe *(m)* **2.** *fig (défense)* alegato *(m)*.

plaie *nf* **1.** *(blessure)* herida *(f)* **2.** *fig (morale)* llaga *(f)* **3.** *fam (calamité)* murga *(f)*.

plaindre *vt* compadecer. ◼ **se plaindre** *vp* quejarse • **se plaindre de qqch/de qqn** quejarse de algo/de alguien.

plaine *nf* planicie *(f)*, llanura *(f)*.

plain-pied ◼ **de plain-pied** *loc adv* **1.** *(pièce)* a la misma altura *(f)* **2.** *fig (directement)* de lleno **3.** *fig (au même niveau)* al mismo nivel.

plainte *nf* **1.** *(gémissement)* quejido *(m)* **2.** *(grief)* queja *(f)* **3.** DR denuncia *(f)* • **porter plainte** denunciar • **plainte contre X** denuncia contra persona(s) desconocida(s).

plaintif, ive *adj* quejumbroso(sa).

plaire *vi* • **plaire à qqn** gustarle a alguien • **ça te plairait d'y aller ?** ¿te gustaría ir? • **il me plaît** me gusta • **il plaît beaucoup** gusta mucho • **s'il vous/te plaît** por favor.

plaisance ◼ **de plaisance** *loc adj (bateau, navigation, port)* deportivo(va).

plaisancier, ère *nm, f* aficionado *(m)*, -da *(f)* a la navegación.

plaisant, e *adj* agradable.

plaisanter ◼ *vi* bromear • **tu plaisantes ?** ¿estás de broma?, ¿bromeas? • **plaisanter avec** ou **sur qqch** jugar con algo. ◼ *vt* tomar el pelo a.

plaisanterie *nf* broma *(f)* • **faire une plaisanterie** gastar una broma • **c'était une plaisanterie** fig era muy fácil.

plaisantin *nm* bromista *(mf)*.

plaisir *nm* **1.** *(joie)* placer *(m)*, gusto *(m)* • **avoir** ou **prendre plaisir à faire qqch** hacer algo con gusto • **faire plaisir à qqn** complacer a alguien • **avec plaisir** con (mucho) gusto • **j'ai le plaisir de vous annoncer qqch/que...** tengo el placer de anunciaros algo/que... **2.** *(de la chair)* placer *(m)* **3.** *(gén pl) (distractions)* placeres *(mpl)*.

plan, e *adj* plano(na). ◼ **plan** *nm* **1.** *(dessin & CINÉ)* plano *(m)* • **au premier/second plan** en primer/segundo p ano ou término • **gros plan** primer plano **2.** *(projet)* plan *(m)* • **faire des plans** hacer planes • **avoir un plan** tener un plan **3.** *(domaine, aspect)* aspecto *(m)* • **sur le plan de** desde el punto de vista de • **sur le plan professionnel** en el terreno profesional • **sur tous les plans** en todos los aspectos **4.** *(niveau)* • **sur le même plan** al mismo nivel **5.** ÉCON • **plan d'épargne** plan de ahorro. ◼ **plan d'eau** *nm* estanque *(m)*. ◼ **plan social** *nm* plan *(m)* social. ◼ **plan de travail** *nm* encimera *(f)*. ◼ **plan vigipirate** *nm* dispositivo *(m)* de seguridad y vigilancia antiterrorista. ◼ **de tout premier plan** *loc adj* excepcional. ◼ **en plan** *loc adv* • **laisser en plan** dejar colgado(da).

planche *nf* **1.** *(en bois)* tabla *(f)* • **planche à découper** tabla de cocina • **planche à dessin** tablero *(m)* de dibujo • **planche à pain** tabla • **planche à repasser** tabla de planchar • **planche à voile** *(objet,* (tabla de) windsurf *(m)* • SPORT windsurfing *(m)* • **faire la planche** hacer el muerto *(m)* en el agua) **2.** *(d'illustration)* lámina *(f)*. ◼ **planches** *nfpl* **1.** *(théâtre)* tablas *(fpl)* **2.** *(skis)* esquís *(mpl)*.

plancher¹ *nm* **1.** *(de maison, de voiture)* suelo *(m)* **2.** *fig (limite)* nivel *(m)* mínimo.

plancher² *vi* • **plancher sur qqch** fam currarse algo.

plancton *nm* plancton *(m)*.

planer *vi* **1.** *(voler — avion, oiseau)* planear • *(— feuille)* volar **2.** *(fumée, vapeur)* flotar **3.** *fig (danger, mystère)* rondar **4.** *fam (être dans la lune)* estar en las nubes.

planétaire *adj* planetario(ria).

planétarium *nm* planetario *(m)*, planetarium *(m)*.

planète *nf* planeta *(m)*.

planeur *nm* planeador *(m)*.

planification *nf* planificación *(f)*.

planifier *vt* planificar.

planning *nm* planning *(m)*, plan *(m)* de trabajo • **planning familial** planificación *(f)* familiar.

planque *nf* fam **1.** *(cachette)* escondrijo *(m)*, escondite *(m)* **2.** *(situation privilégiée)* chollo *(m)*.

plant *nm* **1.** *(jeune plante)* plantón *(m)* **2.** *(culture)* plantación *(f)*, plantío *(m)*.

plantaire *adj* plantar.

plantation *nf* plantación *(f)*.

plante *nf* planta *(f)* • **plante d'appartement** ou **d'intérieur** ou **verte** planta de interior ou verde.

planter ◼ *vt* **1.** *(arbre, tente)* plantar **2.** *(clou, couteau, regard)* clavar **3.** *fig (décor)* situar **4.** *fig (chapeau)* plantarse. ◼ *vi* fam INFORM colgarse.

plantureux, euse *adj* **1.** *(repas)* copioso(sa) **2.** *(femme, poitrine)* generoso(sa).

plaque nf placa (f) • **plaque chauffante** OU **de cuisson** placa eléctrica • **plaque d'immatriculation** OU **minéralogique** matrícula (f) • **être à côté de la plaque** fam no enterarse (de nada).

plaquer vt 1. (bijou) chapar 2. (meuble) contrachapar 3. (cheveux) alisar 4. (coller) • **plaquer qqch/qqn contre qqch** aplastar algo/a alguien contra algo 5. (au rugby) hacer un placaje a 6. MUS (accord) tocar simultáneamente 7. fam (abandonner) dejar colgado(da).

plaquette nf 1. (petite plaque) placa (f) 2. (de beurre) pastilla (f) 3. (de chocolat) tableta (f) 4. (de comprimés) blíster (m) 5. (gén pl) MÉD • **plaquettes sanguines** plaquetas (fpl) sanguíneas 6. (petit livre) folleto (m).

plasma nm plasma (m).

plastifié, e adj plastificado(da).

plastique ◼ adj plástico(ca). ◼ nf 1. (en sculpture) plástica (f) 2. (beauté) belleza (f). ◼ nm plástico (m).

plastiquer vt volar (con explosivo plástico).

plat, e adj 1. (relief, terrain, toit) plano(na) 2. (assiette) llano(na) 3. fig (style) soso(sa). ◼ **plat** nm 1. (de la main) palma (f) 2. (récipient) fuente (f) 3. (mets) plato (m) • **plat du jour** plato del día • **plat de résistance** plato fuerte 4. (plongeon) panzada (f). ◼ **à plat** ◼ loc adj 1. (pneu, roue) desinflado(da) 2. fam (personne) reventado(da). ◼ loc adv (horizontalement) plano.

platane nm plátano (m) (árbol).

plateau nm 1. (de cuisine) bandeja (f) (Esp), charola (f) (Amér) • **plateau de fromages** tabla (f) de quesos 2. (de balance) platillo (m) 3. GÉOGR meseta (f) 4. (de théâtre) escenario (m) 5. (de télévision) plató (m) 6. (de vélo) plato (m).

plateau-repas nm bandeja (f) de comida preparada.

plate-bande nf arriate (m) • **marcher sur les plates-bandes de qqn** fig meterse en el terreno de alguien.

platée nf 1. (contenu d'un plat) plato (m) 2. fam (grosse portion) platazo (m).

plate-forme nf plataforma (f) • **plate-forme de forage** plataforma de perforación • **plate-forme pétrolière** plataforma petrolífera.

platine ◼ adj inv (couleur) platino (en aposición). ◼ nm (métal) platino (m). ◼ nf (électrophone) platina (f) • **platine cassette** platina de casete • **platine disque** plato (m) • **platine laser** reproductor (m) de disco compacto, platina láser.

platonique adj 1. (amour, relation) platónico(ca) 2. sout (protestation, lutte) inútil.

plâtras nm cascote (m).

plâtre nm 1. (de construction) yeso (m) 2. (de sculpture, de chirurgie) escayola (f) 3. péj (nourriture indigeste) bazofia (f).

plâtrer vt 1. (mur) enyesar 2. MÉD escayolar.

plausible adj plausible.

play-back nm inv play-back (m).

play-boy nm play-boy (m).

plébiscite nm plebiscito (m).

plein, e adj 1. (rempli - gén) lleno(na) • (- journée) apretado(da) • **plein de qqch** lleno de algo 2. (confiance) total 3. (femelle) preñada 4. (non creux) macizo(za), relleno(na) 5. fam (ivre) cargado(da) 6. (en intensif) pleno(na) • **en plein...** (au milieu de) en pleno... • **en plein air** al aire libre • **en plein jour** en pleno día • **en plein soleil** a pleno sol • **en pleine rue** en medio de la calle • **en plein milieu** en medio • **en pleine mer** en altamar. ◼ **plein** ◼ nm (d'essence) lleno (m) • **le plein, s'il vous plaît** lleno, por favor • **faire le plein** THÉÂTRE llenar, llenarse. ◼ adv fam • **elle a de l'encre plein les doigts** tiene los dedos llenos de tinta. ◼ **en plein dans** loc adv de lleno en, de pleno en. ◼ **en plein sur** loc adv de lleno sobre, de pleno sobre.

À PROPOS DE...

plein

Notez que « plein de » se traduit par l'adjectif **mucho**, qui s'accorde donc en genre et en nombre avec le nom auquel il se rapporte.

plein-air nm inv aire (m) libre. ◼ **de plein-air** loc adj al aire libre.

plein-temps nm jornada (f) completa. ◼ **à plein-temps** loc adj (poste, emploi, employé) a jornada completa.

plénitude nf sout plenitud (f).

pléonasme nm pleonasmo (m).

pleur nm (gén pl) sout llanto (m) • **être en pleurs** estar llorando.

pleurer ◼ vi llorar • **pleurer de qqch** llorar de algo • **pleurer sur qqch/sur qqn** llorar por algo/por alguien. ◼ vt llorar.

pleuvoir ◼ v impers llover • **il pleut** llueve. ◼ vi (coups, insultes, invitations) llover.

Plexiglas® nm plexiglás® (m).

plexus nm plexo (m) • **plexus solaire** plexo solar.

pli nm 1. (de tissu) pliegue (m) 2. (de jupe) tabla (f), pliegue (m) 3. (de pantalon) raya (f) • **faux pli** arruga (f) 4. (marque, ride) arruga (f) 5. fig (habitude) costumbre (f) 6. (lettre) carta (f) 7. (aux cartes) baza (f).

pliant, e adj plegable.

plier ◼ vt 1. (papier, tissu, vêtement) doblar 2. (chaise, lit, tente) plegar. ◼ vi 1. (se courber) doblarse

2. *fig (personne)* doblegarse. ■ **se plier** *vp* **1.** *(lit, table)* plegarse **2.** *(personne)* ⋄ **se plier à qqch** doblegarse a algo.

plinthe *nf* zócalo *(m)*.

plissé, e *adj* **1.** *(jupe)* plisado(da), de tablas **2.** *(peau)* arrugado(da) **3.** *(terrain)* plegado(da).

plissement *nm* **1.** *(du front, des yeux)* frunce *(m)* **2.** GÉOL plegamiento *(m)*.

plisser ■ *vt* **1.** COUT *(jupe)* plisar, tablear **2.** *(front, yeux, lèvres)* fruncir. ■ *vi (étoffe)* arrugar.

plomb *nm* **1.** *(métal)* plomo *(m)* **2.** *(de chasse)* perdigón *(m)* **3.** *(gén pl)* ÉLECTR ⋄ **les plombs** los plomos **4.** *(de pêche)* escandallo *(m)* **5.** ART *(de vitrail)* emplomado *(m)* ⋄ **ne pas avoir de plomb dans la tête** tener cabeza de chorlito.

plombage *nm* **1.** *(scellement)* precinto *(m)* **2.** *(de dent)* empaste *(m)*.

plomber *vt* **1.** *(ligne)* emplomar **2.** *(sceller)* precintar **3.** *(dent)* empastar *(Esp)*, emplomar *(Amér)*.

plombier *nm* fontanero *(m) (Esp)*, plomero *(m) (Amér)*.

plonge *nf* ⋄ **faire la plonge** fregar los platos *(en un restaurante)*.

plongeant, e *adj* **1.** *(vue)* de pájaro **2.** *(décolleté)* escotado(da).

plongée *nf* **1.** *(immersion)* zambullida *(f)* **2.** *(sans bouteilles)* buceo *(m)* ⋄ **plongée sous-marine** submarinismo *(m)* **3.** PHOTO & CINÉ picado *(m)*.

plongeoir *nm* trampolín *(m) (de piscina)*.

plongeon *nm* **1.** *(dans l'eau)* zambullida *(f)* **2.** *(chute)* caída *(f)* **3.** SPORT *(au football)* palomita *(f)*.

plonger ■ *vt* **1.** *(immerger)* sumergir **2.** *(enfoncer)* hundir **3.** *(regard)* fijar. ■ *vi* **1.** *(dans l'eau)* zambullirse **2.** SPORT hacer submarinismo **3.** SPORT *(gardien de but)* lanzarse. ■ **se plonger** *vp* **1.** *(s'immerger)* sumergirse **2.** *fig (s'adonner à)* ⋄ **se plonger dans qqch** sumirse en algo.

plongeur, euse *nm, f* **1.** SPORT buceador *(m)*, -ra *(f)* ⋄ **plongeur (sous-marin)** submarinista *(m)* **2.** *(dans un restaurant)* lavaplatos *(mf)*.

ployer *sout* ■ *vt* doblar. ■ *vi* **1.** *(plier)* doblarse **2.** *fig (céder)* doblegarse.

PLU *(abr de plan local d'urbanisme) nm* plan *(m)* municipal de urbanismo.

pluie *nf* lluvia *(f)* ⋄ **une pluie battante** una lluvia recia ⋄ **pluies acides** lluvia ácida.

plume ■ *nf* pluma *(f)*. ■ *nm fam* piltra *(f)*.

plumeau *nm* plumero *(m)*.

plumer *vt* desplumar.

plumier *nm* plumier *(m)*, estuche *(f)* de lápices.

plupart *nf* ⋄ **pour la plupart** en su mayoría ⋄ **la plupart des gens** la mayoría de la gente ⋄ **la plupart du temps** la mayoría de las veces.

pluriel, elle *adj* **1.** LING plural **2.** *(société)* pluralista. ■ **pluriel** *nm* LING plural *(m)*.

plus *adv*

1. QUANTITÉ = más ⋄ **je ne peux pas vous en dire plus** no puedo deciros más ⋄ **beaucoup/un peu plus** mucho/un poco más ⋄ **il y a (un peu) plus de 15 ans** hace (poco) más de 15 años

2. COMPARATIF = más ⋄ **c'est plus simple qu'on [ne] le croit** es más sencillo de lo que se piensa ⋄ **il est plus jeune que moi** es más joven que yo ⋄ **c'est plus court par là** es más corto por allí ⋄ **viens plus souvent** ven más a menudo

3. SUPERLATIF ⋄ **c'est lui qui travaille le plus** el que más trabaja es él ⋄ **un de ses tableaux les plus connus** uno de sus cuadros más conocidos ⋄ **le plus loin possible** lo más lejos posible

4. DANS UNE CORRÉLATION ⋄ **plus j'y pense, plus je suis persuadé qu'il ment** cuanto más lo pienso, más estoy convencido de que está mintiendo

5. NÉGATION = no más, ni más ⋄ **plus un mot !** ¡ni una palabra más! ⋄ **plus d'idioties !** ¡basta de tonterías! ⋄ **il n'y a plus personne** ya no hay nadie ⋄ **il n'a plus d'amis** no le quedan amigos

6. DANS DES EXPRESSIONS ⋄ **plus ou moins** más o menos.

plus *nm*

1. SIGNE MATHÉMATIQUE = (signo) más *(m)* ⋄ **le plus est le signe de l'addition** el más es el signo de la suma

2. ATOUT = punto *(m)* (a favor) ⋄ **cette formation est un plus pour toi** esta formación es una baza a tu favor.

plus *prép*

más ⋄ **trois plus trois font six** tres más tres igual a seis.

■ **au plus** *loc adv*

como mucho ⋄ **elle est partie il y a au plus cinq minutes** ha salido como mucho hace cinco minutos ⋄ **tout au plus** como máximo

■ **de plus** *loc adv*

1. EN SUPPLÉMENT = de más ⋄ **elle a cinq ans de plus que moi** tiene cinco años más que yo

2. EN OUTRE = además
- **il est désagréable et de plus agressif** es desagradable y además agresivo, además de desagradable es agresivo.

■ **de plus en plus** *loc adv*

cada vez más
- **c'est de plus en plus difficile** es cada vez más difícil.

■ **en plus de** *loc prép*

además
- **j'ai eu un CD en plus des livres** además de los libros recibí un CD.

■ **ni plus ni moins** *loc adv*

ni más ni menos
- **elle a appliqué les consignes, ni plus ni moins** ha seguido las consignas, ni más ni menos.

À PROPOS DE...

Le/la plus

En espagnol, on ne répète pas l'article défini devant l'adverbe quand le superlatif suit le nom.

plusieurs *adj indéf pl* & *pron indéf pl* varios(rias).

plus-que-parfait *nm* pluscuamperfecto (m).

plus-value *nf* **1.** *(gén)* plusvalía (f) **2.** FIN *(excédent)* superávit (m).

plutôt *adv* **1.** *(de préférence, plus exactement)* más bien • **plutôt** *(+ infinitif)* antes *(+ infinitif)* • **plutôt mourir que (de) céder** antes morir que ceder • **ou plutôt** o mejor dicho **2.** *(au lieu de)* • **plutôt que de** en vez de **3.** *(assez)* bastante.

pluvieux, euse *adj* lluvioso(sa).

PME *(abr de petites et moyennes entreprises)* *nf* PYME *(fpl)* • **les salariés des PME** los trabajadores de las PYMEs.

PMI *nf (abr de petites et moyennes industries)* PMI (f) • **les PME-PMI** las PYME-PMI.

PMU *(abr de Pari mutuel urbain)* *nm* **1.** *(jeu)* ≃ quiniela (f) hípica • **jouer au PMU** ≃ jugar a la quiniela hípica **2.** *(bar)* pour expliquer ce que c'est, vous pouvez dire : es un lugar en el que se rellenan y validan los boletos de las quinielas hípicas, situado en general en el interior de un bar.

pneu *nm (de véhicule)* neumático (m) • **pneu avant/arrière** rueda (f) delantera/trasera.

pneumatique ◼ *adj* neumático(ca). ◼ *nm (de véhicule)* neumático (m).

pneumonie *nf* neumonía (f), pulmonía (f).

poche *nf* **1.** *(de vêtement, de sac)* bolsillo (m) **2.** *(sac, cavité, déformation)* bolsa (f). ■ **de poche** *loc adj* de bolsillo.

poché, e *adj* **1.** CULIN escalfado(da) **2.** *(œil)* a la funeral.

pocher *vt* CULIN escalfar.

pochette *nf* **1.** *(d'allumettes)* caja (f) **2.** *(de disque)* funda (f) **3.** *(mouchoir)* pañuelo (m) *(para adornar un traje)*.

pochoir *nm* plantilla (f) de estarcir.

podium *nm* podio (m).

poêle ◼ *nf* sartén (f) *(Esp)*, paila (f) *(Amér)* • **poêle à frire** sartén. ◼ *nm (chauffage)* estufa (f).

poème *nm* poema (m).

poésie *nf* poesía (f).

poète *adj* & *nm* poeta.

pogrom, pogrome *nm* pogrom (m), pogromo (m).

poids *nm* **1.** *(gén)* peso (m) • **perdre/prendre du poids** perder/ganar peso • **poids lourd** *(boxeur)* peso pesado • *(camion)* vehículo (m) pesado • **de poids** *(important)* de peso **2.** *(de balance)* pesa (f).

poignant, e *adj* desgarrador(ra).

poignard *nm* puñal (m).

poigne *nf* **1.** *(force du poignet)* fuerza (f) del puño **2.** fig *(autorité)* mano (f) dura • **poigne de fer** mano (f) de hierro.

poignée *nf* **1.** *(contenu de la main, petit nombre)* puñado (m) **2.** *(manche - d'épée, de sabre)* puño (m) • *(- de valise, de couvercle, de tiroir)* asa (f) • *(- de porte, de fenêtre)* picaporte (m). ■ **poignée de main** *nf* apretón (m) de manos.

poignet *nm* puño (m).

poil *nm* pelo (m) • **à poil** *(animal)* de pelo • fam *(tout nu)* en pelotas.

poilu, e *adj* peludo(da).

poinçon *nm* **1.** *(outil)* punzón (m) **2.** *(marque)* contraste (m).

poinçonner *vt* **1.** *(bijou)* contrastar **2.** *(billet)* picar **3.** *(tôle)* perforar.

poing *nm* puño (m).

point ◼ *nm* punto (m) • **à point** *(cuit)* a punto • **au point mort** AUTO en punto muerto • **être sur le point de faire qqch** estar a punto de hacer algo • **mettre qqch au point** poner algo a punto • **point d'appui** punto de apoyo • **point de chute** sitio (m) donde parar • **point de côté** punzada (f) (en el costado) • **point culminant** *(de montagne)* cumbre (f) • fig punto culminante • **point d'exclamation/d'interrogation** signo (m) de exclamación/de interrogación • **point faible** punto débil • **point final** punto final • **point noir** *(sur la peau)* espinilla (f), punto negro • fig punto negro • **point de non-retour** punto sin retorno • **point de repère** punto de referencia • **point**

de vente punto de venta • **point de vue** punto de vista • **points de suspension** puntos suspensivos • **points de suture** puntos de sutura • **à ce point** (+ adj) hasta tal punto • **il se sent à ce point honteux qu'il ne m'appelle plus** se siente avergonzado hasta tal punto que ya no me llama • **au point de faire qqch** hasta el punto de hacer algo • **avoir un point commun avec qqn** tener algo en común con alguien • **marquer un point** marcarse un tanto. ◼ adv vieilli (pas) • **il n'a point d'argent** no tiene dinero • **ne vous en faites point** no se preocupe. ◼ **à tel point que** loc conj hasta tal punto que. ◼ **points cardinaux** nmpl puntos (mpl) cardinales.

pointe nf **1.** (gén) punta (f) • **en pointe** en punta • **faire des pointes** bailar de puntas • **se hausser sur la pointe des pieds** ponerse de puntillas • **pointe d'asperge** punta ou cabeza (f) de espárrago • **une pointe d'ironie** un punto de ironía **2.** (sommet) pico (m) • **à la pointe de** (technique, recherche) a la vanguardia de. ◼ **de pointe** loc adj punta (en apposition).

pointer ◼ vt **1.** (gén) apuntar **2.** (employés) hacer recuento de **3.** (diriger) • **pointer qqch sur/vers** (arme) apuntar algo a/hacia • **pointer son doigt vers qqn/qqch** señalar a alguien/a algo. ◼ vi **1.** (au travail) fichar **2.** (être en pointe) ser puntiagudo(da) **3.** (apparaître - jour) despuntar • (- sentiment) asomarse **4.** (à la pétanque) tirar.

pointillé nm **1.** (trait discontinu) punteado (m) • **en pointillé** (ligne) de puntos • (por sous-entendus) de manera velada **2.** (perforations) línea (f) de puntos.

pointilleux, euse adj puntilloso(sa).

pointu, e adj **1.** (chose) puntiagudo(da) **2.** (nez) afilado(da) **3.** (voix, ton) agudo(da) **4.** (approfondi - analyse) detallado(da) • (- formation) muy especializado(da).

pointure nf número (m).

point-virgule nm punto y coma (m).

poire nf **1.** (fruit) pera (f) **2.** fam (tête) jeta (f) **3.** fam (naïf) primo (m), -ma (f).

poireau nm puerro (m).

poirier nm (arbre) peral (m).

pois nm **1.** (gén) guisante (m) (Esp), arveja (f) (Amér) • **petit pois** guisante • **pois chiche** garbanzo (m) **2.** (motif) lunar (m) • **à pois** de lunares.

poison nm **1.** veneno (m) **2.** fig peste (f).

poisse nf fam mala pata (f) • **porter la poisse** gafar, ser gafe.

poisseux, euse adj pegajoso(sa).

poisson nm **1.** (animal) pez (m) **2.** (mets) pescado (m) • **poisson d'avril** fig (plaisanterie) ≃ inocentada (f) • (poisson en papier) ≃ monigote (m)

• **poisson d'avril !** ≃ ¡inocente! • **poisson rouge** pez (m) de colores. ◼ **Poissons** nmpl ASTROL Piscis (m inv).

poissonnerie nf **1.** (boutique) pescadería (f) **2.** (métier) pesca (f).

poissonnier, ère nm, f pescadero (m), -ra (f).

poitrine nf **1.** (gén) pecho (m) **2.** (viande) panceta (f) (de cerdo).

poivre nm pimienta (f) • **poivre blanc/gris/noir** pimienta blanca/gris/negra.

poivron nm pimiento (m) (morrón) (Esp), ají (m) (Amér) • **poivron rouge/vert** pimiento rojo/verde.

poker nm póker (m), póquer (m).

polaire ◼ adj polar. ◼ nf (textile) (vêtement) forro (m) polar, polar (m).

pôle nm polo (m) • **le pôle Nord** el polo Norte • **le pôle Sud** el polo Sur.

polémique ◼ adj polémico(ca). ◼ nf polémica (f).

poli, e adj **1.** (personne) educado(da) **2.** (surface, marbre) pulido(da). ◼ **poli** nm (aspect) pulimento (m).

police nf **1.** (force publique) policía (f) • **être de ou dans la police** estar en la policía • **police secours** servicio (m) urgente de policía (para socorrer a accidentados y enfermos de gravedad) **2.** (assurance) • **police (d'assurance)** póliza (f) (de seguros) **3.** (de caractères) • **police (de caractères)** fuente (f) (de caracteres).

polichinelle nm polichinela (m).

policier, ère ◼ adj **1.** (régime, mesure) policial **2.** (roman, film) policíaco(ca), policiaco(ca). ◼ nm, f policía (m/f).

poliomyélite nf poliomielitis (f inv).

polir vt pulir.

polisson, onne ◼ adj pícaro(ra). ◼ nm, f pillo (m), -lla (f).

politesse nf **1.** (qualité) cortesía (f) **2.** (acte) cumplido (m).

politicien, enne ◼ adj • **la politique politicienne** el politiqueo. ◼ nm, f político (m), -ca (f).

politique ◼ adj político(ca) • **un homme/une femme politique** un político/una (mujer) política. ◼ nf política (f). ◼ nm • **le politique** lo político.

politiser vt politizar.

pollen nm polen (m).

polluer vt contaminar.

pollution nf contaminación (f), polución (f).

polo nm (vêtement & SPORT) polo (m).

Pologne npr • **la Pologne** Polonia.

poltron, onne adj & nm, f cobarde.

polychrome adj policromo(ma), policromo(ma).

polyclinique nf policlínica (f).

polycopier *vt* policopiar, multicopiar.

polyester *nm* poliéster *(m)*.

polygamie *nf* poligamia *(f)*.

polyglotte *adj* & *nmf* políglota, polígota.

polygone *nm* polígono *(m)*.

polymère ◼ *adj* polímero(ra). ◼ *nm* polímero *(m)*.

Polynésie *npr* ◦ **la Polynésie** Polinesia ◦ **la Polynésie française** la Polinesia francesa.

polysémique *adj* polisémico(ca).

polystyrène *nm* poliestireno *(m)*.

polytechnicien, enne *nm, f* alumno *(m)*, -na *(f)* de la Escuela Politécnica.

polyvalent, e *adj* polivalente.

pommade *nf* pomada *(f)*.

pomme *nf* **1.** *(fruit)* manzana *(f)* ◦ **pomme de pin** piña *(f)* (piñonera) **2.** *(pomme de terre)* ◦ **pommes allumettes/vapeur** patatas *(fpl)* paja/al vapor **3.** *fam (tête)* ◦ **ma/ta pomme** mi/tu menda. ◼ **pomme d'Adam** *nf* nuez *(f)* de Adán.

pomme de terre *nf* patata *(f) (Esp)*, papa *(f) (Amér)* ◦ **pomme de terres de terre frites** patatas fritas.

pommette *nf* pómulo *(m)*.

pommier *nm* manzano *(m)*.

pompe *nf* **1.** *(appareil)* bomba *(f)* ◦ **pompe à essence** surtidor *(m)* de gasolina **2.** *(magnificence)* pompa *(f)* **3.** *fam (chaussure)* zapato *(m)*.

pomper *vt* **1.** *(air, eau)* bombear **2.** *(avec éponge, buvard)* chupar **3.** *fam (fatiguer)* baldar.

pompeux, euse *adj* pomposo(sa).

pompiste *nmf* dependiente *(mf)* de una gasolinera.

pompon *nm* pompón *(m)* ◦ **c'est le pompon !** *fam* ¡es el colmo!

poncer *vt* lijar.

ponceuse *nf* lijadora *(f)*.

ponction *nf* **1.** MÉD punción *(f)* **2.** fig *(prélèvement)* sangría *(f)*.

ponctualité *nf* puntualidad *(f)*.

ponctuation *nf* puntuación *(f)*.

ponctuel, elle *adj* puntual.

pondéré, e *adj* ponderado(da).

pondérer *vt* ponderar.

pondre *vt* **1.** *(œuf)* poner **2.** *fam (projet, texte)* gestar.

poney *nm* poney *(m)*.

pont *nm* puente *(m)* ◦ **pont aérien** puente aéreo ◦ **ponts et chaussées** ADMIN ≃ MOPU *(m)*.

ponte ◼ *nf* puesta *(f) (de huevos)*. ◼ *nm* **1.** *(au jeu)* punto *(m)* (contra la banca) **2.** *fam (autorité)* eminencia *(f)* **3.** *fam (de la mafia, du crime)* capo *(m)*.

pont-levis *nm* puente *(m)* levadizo.

ponton *nm* pontón *(m)*.

pop *adj inv, nm* & *nf* pop.

pop-corn *nm inv* palomita *(f)* (de maíz).

populace *nf péj* populacho *(m)*.

populaire *adj* popular.

populariser *vt* popularizar.

popularité *nf* popularidad *(f)*.

population *nf* población *(f)* ◦ **population active** población activa.

porc *nm* **1.** *(animal, viande)* cerdo *(m) (Esp)*, chancho *(m) (Amér)* **2.** *(peau)* piel *(f)* de cerdo **3.** *péj (personne)* cochino *(m)*.

porcelaine *nf (matière, objet)* porcelana *(f)*.

porc-épic *nm* puerco *(m)* espín.

porche *nm* porche *(m)*.

porcherie *nf* pocilga *(f)*.

porcin, e *adj* **1.** *(élevage, race)* porcino(na) **2.** *(regard, yeux)* de cerdo degollado. ◼ **porcin** *nm* porcino *(m)*.

pore *nm* poro *(m)*.

poreux, euse *adj* poroso(sa).

porno *adj* & *nm* porno.

pornographie *nf* pornografía *(f)*.

port *nm* **1.** *(lieu)* puerto *(m)* ◦ **port de commerce/de pêche** puerto comercial/pesquero **2.** *(transport, allure)* porte *(m)* ◦ **port d'armes** tenencia *(f)* de armas.

portable ◼ *adj* **1.** *(vêtement)* llevable **2.** *(machine à écrire, ordinateur)* portátil. ◼ *nm* **1.** INFORM portátil *(m)* **2.** *(téléphone)* móbil *(m)*.

portail *nm (gén & INFORM)* portal *(m)*.

portant, e *adj* ◦ **être bien/mal portant** estar en buen/en mal estado de salud. ◼ **portant** *nm (au théâtre)* bastidor *(m)*.

portatif, ive *adj* portátil.

porte *nf* puerta *(f)* ◦ **écouter aux portes** escuchar detrás de las puertas ◦ **mettre qqn à la porte** poner a alguien de patitas en la calle ◦ **porte de communication** puerta comunicante ◦ **porte d'entrée/de secours** puerta de entrada/de emergencia.

porte-à-faux *nm inv* ◦ **en porte-à-faux** CONSTR en falso ◦ fig en una situación incómoda.

porte-à-porte *nm inv* puerta a puerta *(m)* ◦ **faire du porte-à-porte** hacer el puerta a puerta.

porte-avions *nm inv* portaviones *(m inv)*, portaaviones *(m inv)*.

porte-bagages *nm inv* portaequipajes *(m inv)*.

porte-bonheur *nm inv* amuleto *(m)*.

porte-clefs, porte-clés *nm inv* llavero *(m)*.

porte-documents *nm inv* portafolios *(m inv)*.

portée *nf* **1.** *(distance, importance)* alcance *(m)* ◦ **à portée de qqch** al alcance de algo ◦ **à la portée de qqn** al alcance de alguien **2.** MUS pentagrama *(m)* **3.** *(de chiots, chatons)* camada *(f)*.

porte-fenêtre *nf* puerta *(f)* vidriera.

portefeuille nm 1. (étui) cartera (f) 2. FIN cartera (f) de valores.

porte-jarretelles nm inv liguero (m)

portemanteau nm perchero (m)

porte-monnaie nm inv monedero (m).

porte-parole nm inv portavoz (mf).

porter ■ vt 1. (gén) llevar 2. (soutenir) sostener 3. (inscrire) asentar ■ **porté disparu** dado por desaparecido 4. (présenter) presentar 5. (diriger) dirigir. ■ vi 1. (s'appuyer) ■ **porter sur qqch** apoyarse en algo 2. (avoir un effet) surtir efecto 3. (voix, tir) alcanzar. ■ **se porter** vp 1. (personne) encontrarse ■ **il se porte bien/mal** se encuentra bien/mal 2. (vêtement) llevarse 3. (se présenter) presentarse ■ **se porter volontaire** presentarse voluntario(ria).

porte-savon nm jabonera (f).

porte-serviettes nm inv toallero (m).

porteur, euse ■ adj 1. (gén) portador(ra) 2. (marché, créneau) con salida. ■ nm, f 1. (de maladie) portador (m), -ra (f) 2. FIN (d'actions) tenedor (m), -ra (f) ■ **au porteur** (chèque) al portador. ■ **porteur** nm (de bagages) mozo (m) de equipajes.

portier, ère nm, f portero (m), -ra (f).

portière nf 1. (de voiture) portezuela (f) 2. (de train) puerta (f).

portion nf 1. (partie) porción (f) 2. (ration) ración (f).

portique nm pórtico (m).

porto nm oporto (m).

Porto Rico, Puerto Rico npr ■ **le Porto Rico** Puerto Rico.

portrait nm retrato (m).

portraitiste nmf retratista (mf).

portrait-robot nm retrato (m) robot.

portuaire adj portuario(ria).

Portugal npr ■ **le Portugal** Portugal.

pose nf 1. (mise en place) colocación (f) 2. (attitude) pose (f) 3. PHOTO exposición (f).

posé, e adj pausado(da).

poser ■ vt 1. (objet) poner 2. (question) hacer, plantear 3. (principe, hypothèse, problème) plantear. ■ vi 1. (modèle) posar 2. (avoir une attitude affectée) presumir. ■ **se poser** vp 1. (oiseau, avion) posarse 2. (objet, main) colocarse 3. (se présenter - problème) plantearse ■ (- question) hacerse.

poseur, euse adj & nm, f engreído(da)

positif, ive adj positivo(va). ■ **positif** nm positivo (m).

position nf 1. (gén) posición (f) ■ **prendre position** tomar partido 2. (du corps) postura (f).

posologie nf posología (f).

posséder vt 1. (gén) poseer 2. (langue, art) dominar 3. fam (duper) ■ **il s'est fait posséder** le han dado gato por liebre.

possesseur nm poseedor (m), -ra (f).

possessif, ive adj posesivo(va). ■ **possessif** nm GRAMM posesivo (m).

possession nf 1. (gén) posesión (f) ■ **en ma/ta** etc **possession** en mi/tu etc posesión 2. (de soi, d'une langue) dominio (m).

possibilité nf posibilidad (f).

possible ■ adj 1. (gén) posible ■ **c'est/ce n'est pas possible** (réalisable) es/no es posible ■ (probable) puede/no puede ser 2. fam (supportable) soportable ■ **ce n'est plus possible** es insoportable. ■ nm posible (m). ■ **au possible** loc adv a más no poder.

postal, e adj postal

poste ■ nf correos (m inv) ■ **envoyer/recevoir par la poste** enviar/recibir por correo ■ **poste restante** lista (f, de correos. ■ nm 1. (emplacement, emploi) puesto (m) ■ **poste de police/ de secours** puesto de policía/de socorro 2. (appareil) aparato (m) ■ **poste de radio/de télévision** aparato de radio/de televisión.

poster vt 1. (lettre) echar al correo 2. (sentinelle) apostar. ■ **se poster** vp apostarse.

postérieur, e adj posterior. ■ **postérieur** nm fam trasero (m).

posteriori ■ a posteriori loc adv a posteriori.

postérité nf posteridad (f).

posthume adj póstumo(ma).

postiche ■ adj (cheveux, mèche) postizo(za). ■ nm postizo (m).

postier, ère nm, f empleado (m), -da (f) de correos.

postillonner vi echar perdigones.

Post-it® nm inv Post-it® (m).

postmoderne adj posmoderno(na).

post-scriptum nm inv post scriptum (m), posdata (f).

postulant, e nm, f 1. (candidat) solicitante (mf) 2. RELIG postulante (mf).

postuler ■ vi ■ **postuler à qqch** solicitar algo. ■ vt postular.

posture nf postura (f) ■ **être** ou **se trouver en mauvaise posture** estar ou hallarse en una mala situación.

pot nm 1. (récipient) bote (m) ■ **pot de chambre** orinal (m) ■ **pot de fleurs** maceta (f) 2. fam (boisson) copa (f) ■ **faire un pot** dar una copa 3. fam (chance) potra (f) ■ **avoir du pot** tener chorra. ■ **pot catalytique** nm catalizador (m) ■ **pot d'échappement** nm tubo (m) de escape.

potable adj potable.

potache nm fam colegial (m).

potage nm sopa (f).

potasser vt fam empollar.

potassium nm potasio (m).

pot-au-feu *nm inv* **1.** *(plat)* ≃ cocido *(m)* *(Esp)*, ≃ ajiaco *(m)* *(Amér)* **2.** *(viande)* carne *(f)* del cocido.

pot-de-vin *nm* unto *(m)*, soborno *(m)* *(Esp)*, mordida *(f)* *(Amér)*.

poteau *nm* poste *(m)* ▪ **poteau indicateur** poste indicador.

potelé, e *adj* regordete(ta).

potence *nf* **1.** CONSTR jabalcón *(m)* **2.** *(gibet)* horca *(f)*.

potentiellement *adv* potencialmente.

poterie *nf* **1.** *(art)* alfarería *(f)*, cerámica *(f)* **2.** *(objet)* cerámica *(f)*, objeto *(m)* de alfarería.

potiche *nf* **1.** *(vase)* jarrón *(m)* de porcelana **2.** *fam (personne)* ▪ **être une potiche** estar de adorno.

potier, ère *nm, f* alfarero *(m)*, -ra *(f)*.

potin *nm fam* **1.** *(bruit)* jaleo *(m)*, alboroto *(m)* *(Esp)*, mitote *(m)* *(Amér)* ▪ **faire du potin** armar jaleo **2.** *(gén pl) (ragot)* chisme *(m)*, cotilleo *(m)*.

potion *nf* poción *(f)*, pócima *(f)*.

potiron *nm* calabaza *(f)* *(Esp)*, guacal *(m)* *(Amér)*.

pot-pourri *nm* **1.** MUS popurrí *(m)* **2.** *(mélange odorant)* saquito *(m)* de olor.

pou *nm* piojo *(m)*.

poubelle *nf* **1.** *(gén)* cubo *(m)* de la basura ▪ **mettre qqch à la poubelle** tirar algo a la basura **2.** INFORM papelera *(f)*.

pouce ◨ *nm* **1.** *(doigt)* pulgar *(m)* **2.** *(mesure)* pulgada *(f)*. ◨ *interj* ▪ **pouce !** ≃ ¡alto!

poudre *nf* **1.** *(substance)* polvo *(m)* **2.** *(explosif)* pólvora *(f)* **3.** *(fard)* polvos *(mpl)* ▪ **prendre la poudre d'escampette** tomar las de Villadiego.

poudreux, euse *adj* en polvo. ▪ **poudreuse** *nf* nieve *(f)* en polvo.

poudrier *nm* **1.** *(boîte)* polvera *(f)* **2.** *(fabricant d'explosifs)* fabricante *(mf)* de pólvora.

poudrière *nf* polvorín *(m)*.

pouf ◨ *nm* puf *(m)*. ◨ *interj* ¡paf!

pouffer *vi* ▪ **pouffer de rire** *(une fois)* reventar de risa ▪ *(continuellement)* tener la risa tonta.

pouilleux, euse ◨ *adj* **1.** *(qui a des poux)* piojoso(sa) **2.** *(habitation, vêtement)* asqueroso(sa). ◨ *nm, f* piojoso *(m)*, -sa *(f)*.

poulailler *nm* gallinero *(m)*.

poulain *nm* **1.** ZOOL potro *(m)* **2.** *fig (débutant)* pupilo *(m)*.

poule *nf* **1.** ZOOL gallina *(f)* **2.** *fam péj (femme)* fulana *(f)* **3.** SPORT liga *(f)*.

poulet *nm* **1.** *(animal, viande)* pollo *(m)* *(Esp)*, ave *(f)* *(Amér)* ▪ **poulet rôti** pollo asado **2.** *fam (policier)* madero *(m)*.

pouliche *nf* potranca *(f)*.

poulie *nf* polea *(f)*.

poulpe *nm* pulpo *(m)*.

pouls *nm* pulso *(m)* ▪ **tâter le pouls de qqn** tomar el pulso a alguien.

poumon *nm* pulmón *(m)*.

poupe *nf* popa *(f)* ▪ **avoir le vent en poupe** *fig* ir viento en popa.

poupée *nf* **1.** *(jouet)* muñeca *(f)* **2.** *fam (pansement)* dedil *(m)*.

poupon *nm* **1.** *(jouet)* pepona *(f)* **2.** *(bébé)* bebé *(m)*.

pouponnière *nf* guardería *(f)*.

---

pour *prép*

1. INDIQUE LA DESTINATION GÉOGRAPHIQUE = para
▪ **un billet pour Rouen, s'il vous plaît** un billete para Ruan por favor

2. INDIQUE LE BÉNÉFICIAIRE D'UNE ACTION
▪ **acheter un cadeau pour qqn** comprar un regalo para alguien

3. INDIQUE LE TERME D'UN DÉLAI = para
▪ **il faut finir ce travail pour lundi** hay que terminar este trabajo para el lunes

4. INDIQUE LE POINT DE VUE = para
▪ **pour moi, elle a raison** para mí, ella tiene razón

5. INDIQUE LE BUT
▪ **pour éviter un accident** para evitar un accidente
▪ **j'ai pris le métro pour aller plus vite** he cogido el metro para ir más deprisa

6. INDIQUE LA CAUSE, LA MOTIVATION = por
▪ **il est tombé malade pour avoir mangé trop d'huîtres** se puso enfermo por haber comido demasiadas ostras
▪ **voyager pour son plaisir** viajar por placer

7. INDIQUE LA DURÉE = por
▪ **il est sous contrat pour trois mois** tiene un contrato por tres meses

8. INDIQUE L'ÉQUIVALENCE OU LA SUBSTITUTION = por
▪ **employer un mot pour un autre** utilizar una palabra por otra

9. À L'ÉGARD DE = por
▪ **son amour pour lui** su amor por él
▪ **ne t'en fais pas pour moi** no te preocupes por mí.

pour *adv*

a favor
▪ **je suis pour** estoy a favor
▪ **n'être ni pour ni contre** no estar ni a favor ni en contra.

pour *nm*

▪ **le pour et le contre** los pros y los contras.

■ **pour ce qui est de** *loc prép*

EN CE QUI CONCERNE = en lo que se refiere a
▪ **pour ce qui est des vacances, on en parlera plus tard** en lo que se refiere a las vacaciones, hablaremos de ello más tarde.

■ **pour que** *loc conj*

+ *subjonctif*

para que

■ **j'ai changé la date pour que tu puisses venir** he cambiado la fecha para que puedas venir.

pourboire *nm* propina *(f)*.

pourcentage *nm* porcentaje *(m)*.

pourchasser *vt* perseguir.

pourlécher ■ **se pourlécher** *vp* relamerse.

pourparlers *nmpl* conversaciones *(fpl)*, negociaciones *(fpl)*.

pourpre *adj, nm & nf* púrpura.

pourquoi ◘ *adv* por qué ■ **pourquoi es-tu venu ?** ¿por qué has venido? ■ **pourquoi pas ?** ¿por qué no? ■ **je ne comprends pas pourquoi il est venu** no entiendo por qué ha venido ■ **c'est pourquoi...** por eso. ◘ *nm inv* **1.** *(raison)* ■ **le pourquoi (de)** el porqué (de) **2.** *(question)* ■ **les pourquoi** las preguntas.

pourri, e *adj* **1.** *(fruit, personne, milieu)* podrido(da) **2.** *(enfant)* mimado(da).

pourrir ◘ *vt* **1.** *(matière, aliment)* pudrir **2.** *(enfant)* mimar. ◘ *vi* pudrirse.

pourrissement *nm* podredumbre *(f)*.

pourriture *nf* **1.** *(gén)* podredumbre *(f)* **2.** *péj (personne)* canalla *(m)*.

poursuite *nf* **1.** *(recherche - d'une personne)* persecución *(f)* **2.** *(d'argent, de la vérité)* afán *(m)*. ■ **poursuites** *nfpl* DR diligencias *(fpl)*.

poursuivre *vt* **1.** *(gén)* perseguir ■ **poursuivre qqn de** *(menaces, assiduités)* acosar a uno con **2.** *(enquête, travail)* proseguir ■ **poursuivez, je vous écoute** prosiga, le escucho.

pourtant *adv* sin embargo.

pourtour *nm* perímetro *(m)*.

pourvoi *nm* recurso *(m)* ■ **pourvoi en cassation** recurso de casación.

pourvoir ◘ *vt* ■ **pourvoir qqch/qqn de qqch** dotar algo/a alguien de algo. ◘ *vi* ■ **pourvoir aux besoins de qqn** satisfacer las necesidades de alguien.

pourvu, e ■ **pourvu que** *loc conj (+ subjonctif)* **1.** *(à condition que)* siempre que, con tal que **2.** *(espérons que)* ojalá.

pousse *nf* **1.** *(croissance)* crecimiento *(m)* **2.** *(bourgeon)* brote *(m)*.

pousse-café *nm inv fam* copa *(f)* *(después del café)*.

poussée *nf* **1.** *(pression)* empuje *(m)* **2.** *(de fièvre, de maladie)* acceso *(m)* **3.** *(progression)* subida *(f)*, ascenso *(m)*.

pousse-pousse *nm inv* **1.** *(voiture)* culí *(m)* **2.** *(Suisse) (poussette)* cochecito *(m)* de niño.

pousser ◘ *vt* **1.** *(personne, objet)* empujar ■ **pousser qqn à faire qqch/à qqch** empujar a alguien a hacer algo/a algo **2.** *(moteur, voiture)* forzar **3.** *(recherche, étude)* proseguir **4.** *(cri, soupir)* dar, lanzar. ◘ *vi* **1.** *(cheveux, plante, enfant)* crecer **2.** *(poursuivre son chemin)* ■ **pousser jusqu'à...** seguir hasta... **3.** *fam (exagérer)* pasarse. ■ **se pousser** *vp* **1.** *(laisser la place)* echarse a un lado, apartarse **2.** *(se donner des coups)* empujarse.

poussette *nf* cochecito *(m)* de niño.

poussière *nf* polvo *(m)* ■ **avoir une poussière dans l'œil** tener una mota en el ojo.

poussiéreux, euse *adj* polvoriento(ta).

poussif, ive *adj* **1.** *(personne)* que se ahoga con facilidad **2.** *(moteur)* que se ahoga.

poussin *nm* **1.** ZOOL polluelo *(m)* **2.** SPORT alevín *(m)*.

poutre *nf* **1.** CONSTR viga *(f)* **2.** SPORT potro *(m)*.

poutrelle *nf* vigueta *(f)*.

pouvoir ◘ *nm* poder *(m)* ■ **pouvoir d'achat** poder adquisitivo ■ **les pouvoirs publics** los poderes públicos. ◘ *vt* poder ■ **pouvez-vous/peux-tu faire quelque chose ?** ¿puede/puedes hacer algo? ■ **je n'en peux plus** no puedo más ■ **il est on ne peut plus sûr de lui** no puede estar más seguro de sí mismo. ■ **se pouvoir** *v impers* ■ **il se peut que** puede que ■ **il se peut qu'il arrive en retard** puede que le llegue tarde.

PQ[1] *(abr de papier-cul)* *nm fam* papel *(m)* de wáter ■ **un rouleau de PQ** un rollo de papel de wáter.

PQ[2] **1.** *(abr écrite de* **province du Québec***)* provincia *(f)* de Quebec **2.** *(abr écrite de* **premier quartier (de lune)***)* cuarto *(m)* creciente.

PR *abrév de* **poste restante**.

pragmatique *adj* pragmático(ca).

Prague *npr* Praga.

prairie *nf* prado *(m)*, pradera *(f)*.

praliné *nm* praliné *(m)*.

praticable ◘ *adj* practicable. ◘ *nm* **1.** THÉÂTRE practicable *(m)* **2.** CINÉ grúa *(f)* móvil.

praticien, enne *nm, f* médico *(mf)*.

pratiquant, e *adj & nm, f* practicante.

pratique ◘ *adj* práctico(ca). ◘ *nf* práctica *(f)* ■ **mettre qqch en pratique** poner algo en práctica.

pratiquement *adv* **1.** *(en fait)* en la práctica **2.** *(quasiment)* prácticamente.

pratiquer *vt* practicar.

pré *nm* prado *(m)*.

préado *nmf fam* preadolescente *(mf)*.

préalable ◘ *adj* previo(via). ◘ *nm* condición *(f)* previa. ■ **au préalable** *loc adv* previamente.

préambule *nm* **1.** *(introduction, propos)* preámbulo *(m)* **2.** *fig (prélude)* preludio *(m)*.

préau *nm* patio *(m)*.

préavis *nm* preaviso *(m)*.

précaire *adj* precario(ria).

précariser *vt* precarizar.

précaution *nf* precaución (*f*).

précédent, e *adj* precedente, anterior. ■ **précédent** *nm* DR precedente (*m*) • **sans précédent** sin precedentes.

précéder *vt* 1. (*gén*) preceder 2. (*arriver avant*) adelantarse a.

précepte *nm* precepto (*m*).

précepteur, trice *nm, f* preceptor (*m*), -ra (*f*).

prêcher *vt & vi* predicar.

précieux, euse *adj* 1. (*objet, pierre, métal*) precioso(sa) 2. (*collaborateur*) preciado(da) 3. (*style*) afectado(da) 4. LITTÉR preciosista.

précipice *nm* precipicio (*m*).

précipitation *nf* precipitación (*f*). ■ **précipitations** *nfpl* MÉTÉOR precipitaciones (*fpl*).

précipité *nm* precipitado (*m*).

précipiter *vt* precipitar • **précipiter qqch/qqn du haut de** precipitar algo/a alguien desde lo alto de. ■ **se précipiter** *vp* (*gén*) precipitarse.

précis, e *adj* 1. (*rapport, mesure*) preciso(sa) 2. (*heure*) fijo(ja) • **à 6 heures précises** a las seis en punto. ■ **précis** *nm* compendio (*m*).

précisément *adv* 1. (*avec précision*) con precisión 2. (*exactement*) exactamente 3. (*justement*) precisamente.

préciser *vt* precisar. ■ **se préciser** *vp* precisarse, concretarse.

précision *nf* 1. (*exactitude*) precisión (*f*) 2. (*détail*) detalle (*m*).

précoce *adj* 1. (*plante, fruit*) precoz, temprano(na) 2. (*enfant*) precoz.

préconçu, e *adj* preconcebido(da).

préconiser *vt* preconizar • **il préconise que vous pratiquiez un sport** le aconseja que practique un deporte.

précurseur ◆ *adj m* precursor(ra). ◼ *nm* precursor (*m*).

prédateur, trice *adj* depredador(ra), predador(ra). ■ **prédateur** *nm* depredador (*m*).

prédécesseur *nm* predecesor (*m*), antecesor (*m*).

prédestination *nf* predestinación (*f*).

prédestiner *vt* predestinar • **être prédestiné à faire qqch/à qqch** estar predestinado a hacer algo/a algo.

prédicateur, trice *nm, f* predicador (*m*), -ra (*f*).

prédiction *nf* predicción (*f*).

prédilection *nf* predilección (*f*) • **avoir une prédilection pour qqch/pour qqn** tener predilección por algo/por alguien.

prédire *vt* predecir.

prédisposition *nf* • **prédisposition à qqch** predisposición a algo.

prédominer *vi* predominar.

préencollé, e *adj* engomado(da).

préfabriqué, e *adj* 1. (*maison, immeuble*) prefabricado(da) 2. (*accusation*) amañado(da). ■ **préfabriqué** *nm* construcción (*f*) prefabricada.

préface *nf* prólogo (*m*), prefacio (*m*).

préfacer *vt* prologar.

préfectoral, e *adj* de la prefectura.

préfecture *nf* prefectura (*f*), ≃ gobierno (*m*) civil • **préfecture de police** jefatura (*f*) de policía.

préférable *adj* preferible.

préféré, e *adj & nm, f* preferido(da).

préférence *nf* 1. (*prédilection*) preferencia (*f*) • **de préférence** preferentemente, de preferencia 2. (*choix*) elección (*f*) • **quelle est ta préférence ?** ¿cuál prefieres?

préférentiel, elle *adj* preferente.

préférer *vt* preferir • **préférer qqch/qqn (à qqch/à qqn)** preferir algo/a alguien (a algo/a alguien) • **je préfère ça !** ¡eso está mejor!

préfet *nm* prefecto (*m*).

préfixe *nm* prefijo (*m*).

préhistoire *nf* prehistoria (*f*).

préhistorique *adj* prehistórico(ca).

préinscription *nf* preinscripción (*f*).

préjudice *nm* perjuicio (*m*) • **porter préjudice à qqn** perjudicar a alguien.

préjugé *nm* prejuicio (*m*) • **avoir un préjugé contre qqch/qqn** tener un prejuicio contra algo/alguien.

préjuger *vt* • **préjuger de qqch** *sout* prejuzgar algo.

prélasser ■ **se prélasser** *vp* repantigarse.

prélat *nm* prelado (*m*).

prélavage *nm* prelavado (*m*).

prélèvement *nm* 1. MÉD extracción (*f*) 2. FIN retención (*f*) • **prélèvement à la source** retención en la fuente • **prélèvement mensuel/automatique** transferencia (*f*) mensual/automática. ■ **prélèvements obligatoires** *nmpl* retenciones (*fpl*) fiscales (*de impuestos y cotizaciones sociales*).

prélever *vt* 1. MÉD extraer 2. FIN retener • **prélever qqch sur qqch** retener algo de algo.

préliminaire *adj* preliminar. ■ **préliminaires** *nmpl* preliminares (*mpl*).

prélude *nm* preludio (*m*).

prématuré, e *adj & nm, f* prematuro(ra).

préméditation *nf* premeditación (*f*) • **avec préméditation** con premeditación.

prémices *nfpl* sout primicias (*fpl*).

premier, ère ◆ *adj* primero(ra), primer (*devant un nom masculin*). ◼ *nm, f* • **le premier** el primero • **jeune premier** THÉÂTRE & CINÉ galán (*m*) joven. ■ **premier** *nm* primero (*m*). ■ **première** *nf* 1. THÉÂTRE estreno (*m*) 2. (*exploit*) innovación

(f) **3.** (classe, vitesse) primera (f) **4.** SCOL ≃ primero (m) de Bachillerato. ■ **en premier loc adv** en primer lugar.

premièrement adv primero.

prémisse nf premisa (f).

prémonition nf premonición (f).

prémunir vt • **prémunir qqn contre qqch** prevenir a alguien de ou contra algo. ■ **se prémunir** vp prevenirse • **se prémunir contre qqch** prevenirse contra algo.

prénatal, e adj prenatal.

prendre vt

1. SAISIR, EMPORTER = tomar, coger (Esp), agarrar (Amér)
• **prendre un crayon sur la table** tomar un lápiz de la mesa
• **tu devrais prendre ton parapluie** deberías coger el paraguas

2. REPAS, BOISSON
• **tu prendras quelque chose ?** ¿tomarás algo?

3. DÉCISION = tomar
• **prendre des mesures pour lutter contre la pollution** tomar medidas para luchar contra la contaminación

4. MOYEN DE TRANSPORT = tomar, coger (Esp)
• **prendre l'avion/le train** tomar el avión/el tren

5. ATTRAPER, SURPRENDRE = atrapar, coger (Esp)
• **il s'est fait prendre** lo han cogido

6. TEMPS = llevar
• **ce travail nous a pris une semaine** este trabajo nos ha llevado una semana

7. TRANSPORTER QQN = llevar
• **prenez-moi dans votre voiture** llevadme con vosotros en el coche

8. EN PARLANT D'UN MOT = llevar
• **le mot « passion » prend deux « s »** la palabra "passion" lleva dos "ss"

9. ALLER CHERCHER = recoger
• **je passerai vous prendre à la gare** pasaré a recogeros a la estación

10. ASSUMER = asumir
• **prendre la responsabilité de qqch** asumir la responsabilidad de algo

11. PHOTO = sacar
• **prendre des photos** sacar fotos
• **je l'ai pris en photo** le he hecho una foto

12. ACHETER = sacar
• **prendre des places pour un concert** sacar entradas para un concierto

13. SE FAIRE RÉPRIMANDER
• **qu'est-ce que j'ai pris quand ma mère a appris que j'avais fait l'école buissonnière !** ¡la que me cayó encima cuando mi madre se enteró de que había hecho novillos!

14. ABORDER UNE PERSONNE
• **elle prend les enfants par la douceur** se gana a los niños mediante la dulzura

15. ABORDER UN PROBLÈME, UNE QUESTION = plantear
• **il faut prendre le problème autrement** hay que plantear el problema de otro modo

16. INTERPRÉTER = tomarse
• **il prend tout de travers** todo se lo toma mal.

prendre vi

1. PASSER DE L'ÉTAT LIQUIDE À L'ÉTAT PÂTEUX OU SOLIDE
• **ajouter de la farine pour que la pâte prenne** añadir harina para que la masa se espese
• **la mayonnaise prend** la mayonesa liga
• **le plâtre commence à prendre** el yeso empieza a fraguar

2. POUSSER, S'ENRACINER = agarrar, echar raíces
• **la bouture a bien pris** el esqueje ha enraizado bien

3. COMMENCER À BRÛLER
• **prendre feu** prenderse
• **l'incendie a pris dans la cuisine** el incendio se declaró en la cocina

4. AVOIR DU SUCCÈS = tener éxito, cuajar
• **la révolution n'a pas pris** la revolución no cuajó

5. SUIVRE UNE DIRECTION = tomar, coger (Esp)
• **prendre à droite/à gauche** coger a la derecha/a la izquierda

6. CONFONDRE = confundir con
• **il m'a prise pour ma sœur** me confundió con mi hermana

7. DANS DES EXPRESSIONS
• **qu'est ce qui te prend?** ¿qué te pasa?
• **c'est à prendre ou à laisser** lo tomas o lo dejas.

■ **se prendre** vp

1. SE CONSIDÉRER = creerse
• **il se prend pour un génie** se cree un genio

2. DANS DES EXPRESSIONS
• **se prendre la tête** picarse.

■ **s'en prendre à** vp + prép

S'ATTAQUER À
• **s'en prendre à qqn** tomarla con alguien.

■ **s'y prendre** vp
• **il s'y prend bien avec les enfants** sabe cómo hacer con los niños
• **je m'y suis mal pris** lo hice mal.

prénom nm nombre (m)

prénuptial, e adj prenupcial.

préoccupation nf preocupación (f).

préoccuper vt preocupar. ■ **se préoccuper** vp • **se préoccuper de qqch/de qqn** preocuparse por algo/por alguien.

prépa *nf* SCOL *(préparation) pour expliquer ce que c'est, vous pouvez dire :* es un curso de uno o dos años durante el cual se prepara el difícil examen de ingreso a las "grandes écoles".

préparatifs *nmpl* preparativos *(mpl)*.

préparation *nf* **1.** *(gén)* preparación *(f)* **2.** CHIM preparado *(m)* **3.** *(préparatifs)* preparativos *(mpl)*.

préparatoire *adj* preparatorio(ria).

préparer *vt* preparar ▪ **préparer qqn à qqch** preparar a alguien para algo. ■ **se préparer** *vp* prepararse ▪ **se préparer à faire qqch/à qqch** prepararse para hacer algo/para algo.

prépondérant, e *adj* preponderante.

préposé, e *nm, f* encargado *(m)*, -da *(f)*.

préposition *nf* preposición *(f)*.

préréglé, e *adj* **1.** preajustado(da) **2.** *(radio, etc)* presintonizado(da).

préretraite *nf* jubilación *(f)* anticipada.

prérogative *nf* prerrogativa *(f)*.

près *adv* cerca ▪ **il habite près de chez moi** vive cerca de mi casa ▪ **tout près** al lado. ■ **de près** *loc adv* de cerca ▪ **regarder qqch de près** *(à petite distance)* mirar algo de cerca ▪ *(avec attention)* mirar algo detenidamente ▪ **de plus/de très près** *(regarder)* de más/de muy cerca ▪ *(connaître)* mejor/muy bien. ■ **près de** *loc prép* **1.** *(dans l'espace, dans le temps)* cerca de ▪ **être près de qqn** estar junto a alguien **2.** *(sur le point de)* a punto de **3.** *(presque)* casi ▪ **il y a près d'une heure** hace casi una hora. ■ **à peu près** *loc adv* aproximadamente, poco más o menos. ■ **à peu de chose près** *loc adv* aproximadamente, poco más o menos. ■ **à ceci près que, à cela près que** *loc conj* excepto por (el hecho que).

présage *nm* presagio *(m)*.

présager *vt* presagiar.

presbyte *adj* & *nmf* présbita, présbite.

presbytère *nm* casa *(f)* parroquial, rectoral *(m)*.

prescription *nf* prescripción *(f)*.

prescrire *vt* **1.** *(mesures, conditions)* prescribir **2.** MÉD recetar, prescribir.

préséance *nf* prelación *(f)*.

présélection *nf* preselección *(f)*.

présence *nf* **1.** *(gén)* presencia *(f)* ▪ **en présence** presente ▪ **en sa présence** en su presencia ▪ **en présence de qqn** en presencia de alguien ▪ **se trouver en présence de qqch** encontrarse ante *ou* con algo **2.** *(à un cours)* asistencia *(f)*. ■ **présence d'esprit** *nf* presencia *(f)* de ánimo.

présent, e *adj* presente ▪ **présent !** *(à l'appel)* ¡presente! ■ **présent** *nm* *(gén & GRAMM)* presente *(m)* ▪ **à présent (que)** ahora (que) ▪ **dès à présent** desde ahora ▪ **jusqu'à présent** hasta ahora, hasta el momento.

présentable *adj* presentable.

présentateur, trice *nm, f* presentador *(m)*, -ra *(f)*.

présentation *nf* **1.** *(gén)* presentación *(f)* ▪ **faire les présentations** hacer las presentaciones ▪ **sur présentation de qqch** *(document, facture)* al presentar algo **2.** *(aspect extérieur)* presencia *(f)*.

S'EXPRIMER...

faire les présentations

Me presento: me llamo… / **Je me présente : je m'appelle…** Me llamo Schmidt. / **Je m'appelle Schmidt.** Te presento a la señora Thomas. / **Je te présente Mme Thomas.** ¡Encantado! / **Enchanté !** ¡Encantado de conocerlo! / **Ravi de faire votre connaissance !**

présentement *adv* actualmente.

présenter *vt* **1.** *(gén)* presentar ▪ **présenter qqch à qqn** *(soumettre)* presentar algo a alguien **2.** *(félicitations, condoléances)* ▪ **présenter qqch à qqn** dar algo a alguien. ■ **se présenter** *vp* presentarse ▪ **se présenter à qqn** presentarse a alguien ▪ **se présenter à qqch** presentarse a algo ▪ **se présenter bien/mal** presentarse bien/mal.

présentoir *nm* expositor *(m)* *(objeto)*.

préservatif *nm* preservativo *(m)*.

préserver *vt* preservar. ■ **se préserver** *vp* ▪ **se préserver de qqch** preservarse de algo.

présidence *nf* presidencia *(f)*.

président, e *nm, f* presidente *(m)*, -ta *(f)* ▪ **président de la République** Presidente de la República. ■ **président-directeur général** *nm* director *(m)* general.

présidentiable *adj* presidenciable.

présider ◪ *vt* presidir. ◪ *vi* ▪ **présider à qqch** *(diriger)* dirigir algo ▪ *fig (régner sur)* presidir algo.

présomption *nf* presunción *(f)* ▪ **présomption d'innocence** DR presunción de inocencia.

présomptueux, euse *adj* & *nm, f* presuntuoso(sa).

presque *adv* casi.

presqu'île *nf* península *(f)*.

pressant, e *adj* apremiante.

presse *nf* prensa *(f)*.

pressé, e *adj* **1.** *(travail)* urgente **2.** *(personne)* ▪ **être pressé** tener prisa ▪ **être pressé de faire qqch** tener prisa por hacer algo **3.** *(fruit)* ▪ **un citron pressé** un zumo de limón natural.

pressentiment *nm* presentimiento *(m)*, corazonada *(f)*.

pressentir *vt* **1.** *(événement)* presentir **2.** *(personne)* sondear.

presse-papiers *nm inv* pisapapeles *(m inv)*.

presser vt **1.** (écraser - agrumes) exprimr • (- olives, raisin, etc) prensar **2.** (dans ses bras) apretar **3.** (bouton) apretar, pulsar **4.** (accélérer - opération) apresurar • (- pas) apretar. ■ **se presser** vp **1.** (se dépêcher) darse prisa, apresurarse • **pressons !** ¡deprisa! **2.** (s'agglutiner, se serrer) apretujarse.

pressing nm tintorería (f).

pression nf **1.** (gén) presión (f) • **exercer une pression sur qqch** ejercer una presión sobre algo • **exercer une pression sur qqn** fig ejercer una presión sobre alguien • **sous pression** bajo presión **2.** (bouton) automático (m) **3.** (bière) cerveza (f) de barril, cerveza (f) a presión.

pressoir nm lagar (m).

pressurer vt **1.** (presser) prensar **2.** fig (contribuable) ahogar.

pressurisé, e adj presurizado(da).

prestance nf prestancia (f) • **avoir de la prestance** tener prestancia.

prestataire nmf suministrador (m), -ra (f) • **prestataire de services** suministrador de servicios.

prestation nf **1.** (gén) prestación (f) • **prestation de service** prestación de servicios **2.** (gén pl) (d'appartement) equipamiento (m). ■ **prestation de serment** nf juramento (m), jura (f).

preste adj sout presto(ta), pronto(ta).

prestidigitateur, trice nm, f prestidigitador (m), -ra (f).

prestige nm prestigio (m).

prestigieux, euse adj prestigioso(sa).

présumer ■ vt suponer • **être présumé coupable/innocent** ser presunto culpable/inocente. ■ vi • **présumer de qqch** presumir de algo.

prêt, e adj listo(ta), preparado(da) • **prêt à faire qqch** dispuesto a hacer algo, preparado para hacer algo • **être prêt** estar listo • **prêts ? partez !** ¿listos? ¡ya! ■ **prêt** nm préstamo (m) • **accorder un prêt** conceder un préstamo • **prêt bancaire** préstamo bancario.

prêt-à-porter nm prêt-à-porter (m inv).

prétendre ■ vt **1.** (faire semblant de) pretender • **toi qui prétends tout connaître** tú que pretendes saberlo todo **2.** (affirmer) • **prétendre que** asegurar que **3.** (exiger de) • **prétendre faire qqch** querer hacer algo. ■ vi • **prétendre à qqch** (aspirer à) pretender algo.

prétendu, e adj (avant le nom) supuesto(ta).

prête-nom nm testaferro (m).

prétentieux, euse adj & nm, f pretencioso(sa).

prétention nf pretensión (f) • **avoir la prétention de faire qqch** tener la pretensión de hacer algo.

prêter vt • **prêter qqch à qqn** (gén) prestar algo a alguien • (attribuer) atribuir algo a alguien. ■ **se prêter** vp • **se prêter à qqch** prestarse a algo.

prétérit nm pretérito (m).

prêteur, euse adj generoso(sa). ■ **prêteur sur gages** nm prestamista (mf).

prétexte nm pretexto (m) • **sous prétexte de faire qqch / que** con el ou so pretexto de hacer algo/de que • **sous aucun prétexte** bajo ningún pretexto.

prétexter vt pretextar.

prétimbré, e adj pretimbrado(da).

prêtre nm sacerdote (m).

preuve nf prueba (f) • **faire preuve de qqch** dar prueba de algo.

prévaloir vi sout prevalecer • **prévaloir sur qqch** prevalecer sobre algo. ■ **se prévaloir** vp • **se prévaloir de** valerse de.

prévenance nf **1.** (attitude) atención (f) (amabilidad) **2.** (acte) deferencia (f).

prévenant, e adj atento(ta).

prévenir vt **1.** (personne) prevenir, advertir **2.** (police) avisar **3.** (danger, maladie) prevenir **4.** (désirs) adelantarse a.

préventif, ive adj preventivo(va).

prévention nf **1.** (protection) prevención (f) **2.** DR (emprisonnement) prisión (f) preventiva.

prévenu, e nm, f acusado (m), -da (f).

prévision nf (gén & FIN) previsión (f) • **les prévisions météorologiques** las previsiones meteorológicas. ■ **en prévision de** loc prép en previsión de.

prévoir vt prever • **comme prévu** (tal) como estaba previsto • **ça n'était pas prévu** no estaba previsto.

prévoyant, e adj previsor(ra).

prier ■ vt **1.** FELIG (Dieu) rezar a **2.** RELIG (ciel) rogar a **3.** (implorer, demander) rogar • **je vous en prie** (s'il vous plaît) se lo ruego • (de rien) no hay de qué • **(ne pas) se faire prier (pour faire qqch)** (no) hacerse de rogar (para hacer algo). ■ vi rezar, orar.

prière nf **1.** FELIG (recueillement, formule) oración (f) **2.** (demande) ruego (m) • **prière de ne pas fumer** se ruega no fumar.

primaire adj **1.** (gén) primario(ria) **2.** SCOL (école) ≃ primaria.

prime ■ nf prima (f) • **prime d'intéressement** prima de participación en los beneficios • **prime d'objectif** prima incentivo. ■ adj **1.** MATH primo(ma) **2.** (premier) • **la prime jeunesse** la tierna juventud • **de prime abord** a primera vista.

primer ■ vi primar • **primer sur qqch** primar sobre algo. ■ vt **1.** (dominer) primar **2.** (récompenser) premiar.

primevère *nf* primavera (*f*), prímula (*f*).

primitif, ive ◼ *adj* primitivo(va). ◼ *nm, f* hombre (*m*) primitivo, mujer (*f*) primitiva. ◼ **primitif** *nm* (*peintre, sculpteur*) primitivo (*m*).

primordial, e *adj* primordial.

prince *nm* príncipe (*m*).

princesse *nf* princesa (*f*).

princier, ère *adj* principesco(ca).

principal, e ◼ *adj* principal. ◼ *nm, f* SCOL director (*m*), -ra (*f*). ◼ **principal** *nm* ◦ **le principal** (*l'important*) lo principal.

principauté *nf* principado (*m*).

principe *nm* principio (*m*) ◦ **par principe** por principio. ◼ **en principe** *loc adv* en principio.

printanier, ère *adj* primaveral.

printemps *nm* primavera (*f*).

prion *nm* BIOL & MÉD prión (*m*).

priori ◼ **a priori** ◼ *loc adv* & *loc adj inv* a priori. ◼ *nm inv* prejuicio (*m*).

prioritaire *adj* prioritario(ria).

priorité *nf* prioridad (*f*), preferencia (*f*) ◦ **priorité à droite** prioridad a la derecha. ◼ **en priorité** *loc adv* en primer lugar ◦ **venir en priorité** tener prioridad.

pris, e *adj* **1.** (*personne, place*) ocupado(da) **2.** (*envahi*) ◦ **pris de qqch** (*doute, pitié*) preso de algo **3.** (*nez*) tapado(da) **4.** (*gorge*) tomado(da). ◼ **prise** *nf* **1.** (*saisie*) agarre (*m*) ◦ **lâcher prise** soltar ◦ fig ceder **2.** (*de médicament, de ville*) toma (*f*) **3.** SPORT llave (*f*) **4.** (*ce qui permet de saisir*) asidero (*m*) **5.** (*pêche*) presa (*f*) **6.** ÉLECTR enchufe (*m*) ◦ **prise (de courant)** toma (*f*) (de corriente) ◦ **prise mâle/femelle** enchufe macho/hembra ◦ **prise multiple** ladrón (*m*) ◦ **prise Péritel** euroconector (*m*) ◦ **prise de terre** toma (*f*) de tierra. ◼ **prise de conscience** *nf* toma (*f*) de conciencia. ◼ **prise d'otages** *nf* toma (*f*) de rehenes. ◼ **prise de sang** *nf* extracción (*f*) de sangre. ◼ **prise de son** *nf* toma (*f*) de sonido. ◼ **prise de vues** *nf* toma (*f*) de vistas.

prisme *nm* prisma (*m*).

prison *nf* cárcel (*f*), prisión (*f*).

prisonnier, ère ◼ *adj* prisionero(ra). ◼ *nm, f* **1.** (*détenu*) ◦ **faire qqn prisonnier** detener a alguien **2.** fig (*captif*) prisionero (*m*), -ra (*f*).

privation *nf* DR privación (*f*). ◼ **privations** *nfpl* privaciones (*fpl*).

privatisation *nf* privatización (*f*).

privatiser *vt* privatizar.

privé, e *adj* privado(da). ◼ **privé** *nm* **1.** ÉCON sector (*m*) privado ◦ **dans le privé** en el sector privado, en la privada **2.** (*détective*) detective (*m*) privado. ◼ **en privé** *loc adv* en privado.

priver *vt* ◦ **priver qqn de qqch** (*démunir, déposséder de*) privar a alguien de algo ◦ (*interdire de*) castigar a alguien sin algo.

privilège *nm* privilegio (*m*).

privilégié, e *adj* & *nm, f* (*gén*) privilegiado(da).

privilégier *vt* privilegiar.

prix *nm* **1.** (*coût*) precio (*m*) ◦ **à moitié prix** a mitad de precio ◦ **à** OU **au prix coûtant** a precio de coste ◦ **au prix fort** al precio normal ◦ **hors de prix** muy caro(muy cara) ◦ **prix d'achat** precio de compra ◦ **prix de gros** precio al por mayor ◦ **prix libre** precio libre ◦ **prix net** precio neto ◦ **prix de revient** precio de coste **2.** (*importance*) valor (*m*) ◦ **au prix de** a costa de **3.** (*récompense, championnat, lauréat*) premio (*m*) ◦ **prix de consolation** premio de consolación ◦ **le prix Goncourt** el premio Goncourt ◦ **à aucun prix** a ningún precio ◦ **à tout prix** a cualquier precio.

pro *adj* & *nmf* fam profesional.

probabilité *nf* probabilidad (*f*).

probable *adj* probable ◦ **il est probable que** es probable que.

probant, e *adj* concluyente, convincente.

probité *nf* probidad (*f*).

problème *nm* problema (*m*) ◦ **il n'y a pas de problème** no hay ningún problema ◦ **est-ce que cela pose un problème si je passe chez toi vers 10 heures ?** ¿hay algún problema si paso por tu casa hacia las 10?

procédé *nm* **1.** (*méthode*) proceso (*m*) **2.** (*agissement*) modo (*m*).

procéder *vi* proceder ◦ **procéder à qqch** proceder a algo.

procédure *nf* procedimiento (*m*).

procès *nm* proceso (*m*) ◦ **intenter un procès à qqn** emprender un proceso contra alguien ◦ **faire le procès de qqn** fig sentar a alguien en el banquillo ◦ **faire le procès de qqch** fig juzgar algo.

processeur *nm* procesador (*m*).

procession *nf* procesión (*f*) ◦ **en procession** en procesión.

processus *nm* proceso (*m*).

procès-verbal *nm* **1.** (*contravention*) multa (*f*) **2.** (*compte rendu*) acta (*f*).

prochain, e *adj* **1.** (*imminent*) próximo(ma), cercano(na) **2.** (*suivant*) próximo(ma), que viene. ◼ **prochain** *nm* sout prójimo (*m*). ◼ **prochaine** *nf* ◦ **à la prochaine !** fam ¡hasta otra!, ¡hasta la próxima!

prochainement *adv* próximamente.

proche *adj* **1.** (*gén*) próximo(ma), cercano(na) **2.** (*intime*) unido(da) **3.** (*semblable*) parecido(da). ◼ **proches** *nmpl* ◦ **les proches** (*famille*) los familiares. ◼ **de proche en proche** *loc adv* sout poco a poco.

Proche-Orient *npr* ◦ **le Proche-Orient** el Oriente Próximo.

proclamation *nf* **1.** (*action*) proclamación (*f*) **2.** (*discours*) proclama (*f*).

proclamer *vt* proclamar.

procréer *vt* procrear.

procuration *nf* procuración *(f)*, poder *(m)* • **par procuration** por poderes *ou* procuración.

procurer *vt* • **procurer qqch à qqn** proporcionar algo a alguien. ■ **se procurer** *vp* procurarse.

procureur, e *nm, f* fiscal *(mf)*. ■ **procureur général** *nm* ≃ fiscal *(mf)* del Tribunal Supremo. ■ **procureur de la République** *nm* ≃ fiscal *(mf)*.

prodige *nm* prodigio *(m)*.

prodigieux, euse *adj* prodigioso(sa).

prodigue *adj* pródigo(ga).

prodiguer *vt* prodigar • **prodiguer qqch à qqn** prodigar algo a alguien.

producteur, trice *adj & nm, f* productor(ra).

productif, ive *adj* productivo(va).

production *nf* **1.** *(gén)* producción *(f)* **2.** *(d'un document)* presentación *(f)*.

productivité *nf* productividad *(f)*.

produire *vt* **1.** *(gén)* producir **2.** *(montrer)* presentar. ■ **se produire** *vp* **1.** *(événement)* producirse **2.** *(artiste)* actuar.

produit *nm* producto *(m)* • **produit de beauté** producto de belleza • **produit cartésien** producto cartesiano • **produit de consommation** producto de consumo • **produit de grande consommation** producto de gran consumo • **produit industriel** producto industrial • **produits chimiques** productos químicos • **produits d'entretien** productos de limpieza.

proéminent, e *adj* prominente.

profane ◼ *adj* **1.** *(laïc)* profano(na) **2.** *(ignorant)* profano(na), lego(ga). ◼ *nmf* profano *(m)*, -ra *(f)*.

profaner *vt* profanar.

proférer *vt* proferir.

professeur *nm* profesor *(m)*, -ra *(f)*

profession *nf* profesión *(f)* • **profession libérale** profesión liberal • **de profession** de profesión.

professionnel, elle ◼ *adj* **1.** *(gén)* profesional **2.** *(lycée)* de formación profesional. ◼ *nm, f* profesional *(mf)* *(Esp)*, profesionista *(mf)* *(Amér)*.

professorat *nm* profesorado *(m)*.

profil *nm* perfil *(m)* • **profil utilisateur** INFORM perfil (del) usuario. ■ **de profil** *loc adv* de perfil.

profit *nm* **1.** *(avantage)* provecho *(m)* • **au profit de qqch** en beneficio de algo • **tirer profit de qqch** sacar provecho de algo **2.** ÉCON beneficio *(m)*.

profitable *adj* provechoso(sa) • **être profitable à qqn** ser provechoso(sa) para alguien.

profiter *vi* • **profiter à qqn** ser útil a alguien • **profiter de qqch** aprovechar algo • **profiter de qqn** aprovecharse de alguien • **profiter de qqch pour faire qqch** aprovechar algo para hacer algo • **en profiter** sacar partido.

profond, e *adj* profundo(da). ■ **profond** ◼ *nm* • **au plus profond de** en lo más profundo de. ◼ *adv* hondo.

profondeur *nf* profundidad *(f)* • **en profondeur** en profundidad. ■ **profondeur de champ** *nf* profundidad *(f)* de campo.

profusion *nf* • **une profusion de qqch** una gran profusión de algo • **avoir qqch à profusion** tener (gran) profusión de algo.

progéniture *nf* prole *(f)*.

programmable *adj* programable.

programmation *nf* TV & INFORM programación *(f)*.

programme *nm* TV & INFORM programa *(m)*.

programmer *vt & vi* TV & INFORM programar.

programmeur, euse *nm, f* INFORM programador *(m)*, -ra *(f)*.

progrès *nm* progreso *(m)* • **faire des progrès** hacer progresos, progresar.

progresser *vi* **1.** *(avancer)* avanzar **2.** *(se développer, s'améliorer)* progresar.

progressif, ive *adj* progresivo(va).

progression *nf* **1.** *(gén)* progresión *(f)* **2.** *(avancée & MIL)* avance *(m)*.

prohiber *vt* prohibir.

proie *nf* presa *(f)* • **être la proie de qqch** *(des flammes)* ser pasto de algo • **être en proie à qqch** ser presa de algo

projecteur *nm* proyector *(m)*.

projectile *nm* proyectil *(m)*.

projection *nf* proyección *(f)*.

projectionniste *nmf* proyeccionista *(mf)*.

projet *nm* proyecto *(m)* • **projet de loi** proyecto de ley.

projeter *vt* proyectar • **projeter qqch/de faire qqch** proyectar *ou* planear algo/hacer algo.

prolétaire *adj & nmf* proletario(ria).

prolétariat *nm* proletariado *(m)*.

proliférer *vi* proliferar.

prolifique *adj* prolífico(ca).

prologue *nm* prólogo *(m)*.

prolongation *nf* **1.** *(continuation)* prolongación *(f)* **2.** SPORT prórroga *(f)*.

prolongement *nm* **1.** *(allongement)* prolongación *(f)* • **dans le prolongement de qqch** en la prolongación de algo **2.** *(gén pl)* *(conséquence)* repercusión *(f)*

prolonger *vt* prolongar • **prolonger ses vacances d'une semaine** prolongar sus vacaciones una semana.

promenade *nf* paseo *(m)* • **faire une promenade** dar un paseo.

promener *vt* pasear. ■ **se promener** *vp* pasear, pasearse.

promesse *nf* **1.** *(gén)* promesa *(f)* • **faire une promesse** hacer una promesa • **tenir sa promesse** cumplir su promesa **2.** *(engagement)* compromiso *(m)* • **promesse d'achat/de vente** compromiso de compra/de venta.

prometteur, euse *adj* prometedor(ra).

promettre *vt* prometer • **promettre qqch à qqn** prometer algo a alguien • **promettre à qqn de faire qqch** prometer a alguien hacer algo • **promettre à qqn que** prometer a alguien que • **ça promet !** *iron* ¡empezamos bien!

promis, e ◙ *adj* prometido(da) • **être promis à qqch** estar destinado a algo. ◙ *nm, f hum* prometido *(m)*, -da *(f)*.

promiscuité *nf* promiscuidad *(f)*.

promontoire *nm* promontorio *(m)*.

promoteur, trice *nm, f* promotor *(m)*, -ra *(f)*.

promotion *nf* promoción *(f)* • **en promotion** en oferta.

promouvoir *vt* promover.

prompt, e *adj* rápido(da) • **prompt à faire qqch** rápido en hacer algo.

promulguer *vt* promulgar.

prôner *vt* *sout* preconizar.

pronom *nm* pronombre *(m)* • **pronom personnel/possessif/relatif** pronombre personal/posesivo/relativo.

pronominal, e *adj* pronominal.

prononcé, e *adj* marcado(da).

prononcer *vt* pronunciar. ■ **se prononcer** *vp* *(gén, MÉD & DR)* pronunciarse.

prononciation *nf* **1.** LING pronunciación *(f)* **2.** DR lectura *(f)*.

pronostic *nm* pronóstico *(m)*.

propagande *nf* propaganda *(f)*.

propane *nm* propano *(m)*.

prophète, prophétesse *nm, f* profeta *(m)*, profetisa *(f)*.

prophétie *nf* profecía *(f)*.

prophétiser *vt* profetizar.

propice *adj* propicio(cia).

proportion *nf* proporción *(f)*. ■ **proportions** *nfpl* proporciones *(fpl)* • **toutes proportions gardées** salvando las distancias.

proportionné, e *adj* proporcionado(da) • **bien/mal proportionné** bien/mal proporcionado.

proportionnel, elle *adj* proporcional • **proportionnel à qqch** proporcional a algo. ■ **proportionnelle** *nf* • **la proportionnelle** POLIT el sistema de representación proporcional.

propos *nm* **1.** *(gén pl)* *(parole)* palabra *(f)* **2.** *(but)* propósito *(m)* • **c'est à quel propos ?** ¿de qué se trata? • **hors de propos** fuera de lugar. ■ **à propos** *loc adv* **1.** *(opportunément)* oportunamente **2.** *(au fait)* por cierto. ■ **à propos de** *loc prép* a propósito de, con respecto a.

proposer *vt* **1.** *(gén)* proponer • **proposer qqch à qqn** proponer algo a alguien • **proposer à qqn de faire qqch** proponer a alguien hacer algo **2.** *(offrir)* ofrecer.

proposition *nf* **1.** *(offre, suggestion)* propuesta *(f)*, proposición *(f)* **2.** GRAMM proposición *(f)*.

propre ◙ *adj* **1.** *(gén)* limpio(pia) • **nous voilà propres !** *fig & hum* ¡estamos listos! **2.** *(personnel)* propio(pia) • **propre à qqn** propio(pia) de alguien **3.** *(mot)* apropiado(da). ◙ *nm* **1.** *(propreté)* limpieza *(f)* • **au propre** *(recopier)* a limpio **2.** *(sens)* sentido *(m)* literal.

proprement *adv* **1.** *(soigneusement)* limpiamente **2.** *(convenablement)* decentemente **3.** *(véritablement)* verdaderamente • **à proprement parler** propiamente dicho • **proprement dit** propiamente dicho **4.** *(spécifiquement)* propiamente.

propreté *nf* limpieza *(f)*.

propriétaire *nmf* propietario *(m)*, -ria *(f)*, dueño *(m)*, -ña *(f)* • **propriétaire foncier** ou **terrien** terrateniente *(m)*.

propriété *nf* **1.** *(gén)* propiedad *(f)* • **propriété privée** propiedad privada **2.** *(domaine, exploitation)* finca *(f)* *(Esp)*, campito *(m)* *(Amér)*.

propulser *vt* **1.** *(gén)* propulsar **2.** *fig* *(jeter)* lanzar. ■ **se propulser** *vp* propulsarse.

prorata ■ **au prorata de** *loc prép* a prorrata de.

prosaïque *adj* prosaico(ca).

proscrit, e *adj & nm, f* proscrito(ta).

prose *nf* prosa *(f)* • **en prose** en prosa

prospecter *vt* prospectar.

prospection *nf* prospección *(f)*.

prospectus *nm* prospecto *(m)*, folleto *(m)*.

prospère *adj* próspero(ra).

prospérité *nf* prosperidad *(f)*.

prostate *nf* próstata *(f)*.

prosterner ■ **se prosterner** *vp* prosternarse • **se prosterner devant qqch/devant qqn** prosternarse ante algo/ante alguien.

prostituée *nf* prostituta *(f)*.

prostitution *nf* prostitución *(f)*.

prostré, e *adj* postrado(da).

protagoniste *nmf* protagonista *(mf)*.

protecteur, trice ■ *adj* **1.** *(gén)* protector(ra) **2.** ÉCON proteccionista. ■ *nm, f* protector *(m)*, -ra *(f)*.

protection *nf* protección *(f)* • **de protection** *(écran, système)* protector(ra) • **prendre sous sa protection** tomar a alguien bajo su protección • **se mettre sous la protection de qqn** ponerse bajo la protección de alguien.

protectionnisme *nm* proteccionismo *(m)*.

protégé, e *adj & nm, f* protegido(da).

protège-cahier *nm* forro *(m)*.

protège-poignets *nm inv* muñequera *(f)*.

protéger *vt* proteger. ■ **se protéger** *vp* protegerse.

protège-slip *nm* salva slip *(m)*.

protéine *nf* proteína *(f)*.

protestant, e *adj & nm, f* protestante.

protestation *nf* protesta *(f)*.

protester *vi* protestar • **protester contre qqch** protestar contra algo.

prothèse *nf* prótesis *(f inv)* • **prothèse dentaire** prótesis dental.

protide *nm* prótido *(m)*.

protocolaire *adj* protocolario(ria).

protocole *nm* protocolo *(m)*.

proton *nm* protón *(m)*.

prototype *nm* prototipo *(m)*.

protubérance *nf* protuberancia *(f)*.

proue *nf* proa *(f)*.

prouesse *nf* proeza *(f)*.

prouver *vt* **1.** *(établir)* demostrar, probar **2.** *(témoigner de)* demostrar.

provenance *nf* procedencia *(f)* • **en provenance de** procedente de.

provenir *vi* • **provenir de** proceder de.

proverbe *nm* proverbio *(m)*, refrán *(m)*.

proverbial, e *adj* proverbial.

providence *nf* providencia *(f)*.

providentiel, elle *adj* providencial.

province *nf* **1.** *(gén)* provincia *(f)*, ≃ región *(f)* **2.** *péj (campagne)* pueblo *(m)* **3.** *(Québec) pour expliquer ce que c'est, vous pouvez dire :* es el nombre con que se designa cada uno de los diez estados federados que componen Canadá (más tres regiones llamadas "territorios"). Cada provincia está dotada de un gobierno propio. **4.** *(Belgique) pour expliquer ce que c'est, vous pouvez dire :* es el nombre con que se designa cada una de los diez unidades territoriales que componen Bélgica (junto con Bruselas, la región capital). La provincia está dirigida por un gobernador nombrado por el rey.

provincial, e ■ *adj* **1.** *(de province - personne, vie)* de provincias • *(- administration)* provincial **2.** *péj (de la campagne)* provinciano(na). ■ *nm, f* provinciano *(m)*, -na *(f)*.

proviseur *nm* director *(m)*, -ra *(f)* *(de un instituto)*.

provision *nf* **1.** *(réserve)* provisión *(f)* **2.** FIN • **sans provision** sin fondos. ■ **provisions** *nfpl* provisiones *(fpl)* • **faire ses provisions** *(achats)* hacer la compra.

provisoire ■ *adj* provisional. ■ *nm* • **le provisoire** lo provisional • **vivre dans le provisoire** vivir provisionalmente • **c'est du provisoire** es provisional.

provocant, e *adj* provocador(ra).

provocation *nf* provocación *(f)*.

provoquer *vt* provocar.

proxénète *nmf* proxeneta *(mf)*.

proximité *nf* proximidad *(f)*. ■ **à proximité de** *loc prép* cerca de. ■ **de proximité** *loc adj* de proximidad.

prude *adj* mojigato(ta).

prudence *nf* prudencia *(f)*.

prudent, e *adj* prudente • **ce n'est pas prudent** no es sensato.

prune ■ *adj inv (couleur)* ciruela *(en apposition)*. ■ *nf* **1.** *(fruit)* ciruela *(f)* **2.** *fam (contravention)* multa *(f)*.

pruneau *nm* **1.** *(fruit)* ciruela *(f)* pasa **2.** *argot (balle)* bala *(f)*.

prunelle *nf* ANAT pupila *(f)*, niña *(f)*.

prunier *nm* ciruelo *(m)*.

PS[1] *(abr de Parti socialiste)* *nm* partido *(m)* socialista • **le secrétaire du PS** el secretario del PS.

PS[2], **P-S** *(abr de post-scriptum)* *nm* PD *(f)*, PS *(m)*.

psalmodier *vt & vi* salmodiar.

psaume *nm* salmo *(m)*.

pseudonyme *nm* seudónimo *(m)*, pseudónimo *(m)*.

psy *nmf fam* **1.** *(psychiatre)* psiquiatra *(mf)*, si- quiatra *(mf)* • **aller voir un/une psy** ir a ver a un/una psiquiatra **2.** *(psychanalyste)* psicoana- lista *(mf)*, sicoanalista *(mf)* **3.** *(psychologue)* psi- cólogo(ga), sicólogo(ga) **4.** *(psychothérapeute)* psicoterapeuta *(mf)*, sicoterapeuta *(mf)*.

psychanalyse *nf* psicoanálisis *(m inv)*.

psychanalyste *nmf* psicoanalista *(mf)*.

psychédélique *adj* psicodélico(ca).

psychiatre *nmf* psiquiatra *(mf)*.

psychiatrie *nf* psiquiatría *(f)*.

psychique *adj* psíquico(ca).

psychologie *nf* psicología *(f)*.

psychologique *adj* psicológico(ca).

psychologue *adj & nmf* psicólogo(ga).

psychose *nf* psicosis *(f inv)*.

psychosomatique *adj* psicosomático(ca).

psychothérapie *nf* psicoterapia *(f)*.

Pta *(abr écrite de peseta)* Pta.

Pte 1. *(abr écrite de porte)* pta. **2.** *abrév de* **pointe.**

PTT *(abr de* **Administration des Postes et Télé- communications et de la Télédiffusion***) nfpl* ≃ CTT.

puant, e *adj* **1.** *(odeur)* fétido(da) **2.** *fam fig (per- sonne)* fantasma.

puanteur *nf* peste *(f)*.

pub *nf fam* anuncio *(m)* • **la pub** los anuncios.

pubère *adj* púber.

puberté *nf* pubertad *(f)*.

pubis *nm* pubis *(m inv)*.

public, ique *adj* público(ca). ■ **public** *nm* pú- blico *(m)* • **en public** en público • **être bon public** ser (un) buen público.

publication *nf* publicación *(f)* • **publication des bans** amonestaciones *(fpl)* (matrimonia- les).

publiciste *nmf* publicista *(mf)*.

publicitaire *adj & nmf* publicitario(ria).

publicité *nf* **1.** *(gén)* publicidad *(f)* • **publicité comparative** publicidad comparativa • **publi- cité institutionnelle** publicidad institucional • **publicité mensongère** publicidad engañosa • **publicité sur le lieu de vente** publicidad en (el) punto de venta **2.** *(annonce, spot)* anuncio *(m)*.

publier *vt* publicar.

publireportage *nm* publirreportaje *(m)*.

puce *nf* **1.** *(animal)* pulga *(f)* **2.** INFORM chip *(m)* **3.** *(terme affectueux)* • **ma puce** cariño *(m)*.

puceau *adj m & nm fam* virgen.

pucelle *adj f & nf fam* virgen.

pudeur *nf* pudor *(m)*.

pudibond, e *adj sout* pudibundo(da).

pudique *adj* púdico(ca).

puer ■ *vi* apestar • **ça pue !** *fam* ¡huele que apes- ta! ■ *vt* apestar a.

puéricultrice *nf* puericultora *(f)*.

puériculture *nf* puericultura *(f)*.

puéril, e *adj* pueril.

Puerto Rico = Porto Rico.

pugilat *nm* pugilato *(m)*.

puis *adv* después • **et puis** y además.

puiser *vt* **1.** *(liquide)* sacar **2.** *fig (extraire)* • **puiser qqch dans qqch** *(référence, citation)* sacar algo de algo • *(se servir)* coger algo de algo.

puisque *conj* **1.** *(gén)* ya que **2.** *(renforce une affir- mation)* • **mais puisque je te dis que je ne veux pas !** ¡ya te he dicho que no quiero! • **tu vas vraiment y aller ? – puisque je te le dis !** ¿de veras vas a ir? – ¡no te lo estoy diciendo!

puissance *nf* **1.** *(gén)* potencia *(f)* **2.** *(pouvoir)* po- der *(m)*. ■ **en puissance** *loc adj* en potencia.

puissant, e *adj* **1.** *(gén)* poderoso(sa) **2.** *(machine, ordinateur)* potente. ■ **puissant** *nm* • **les puis- sants** los poderosos.

puits *nm* pozo *(m)*.

pull, pull-over *nm* jersey *(m)*.

pulluler *vi* **1.** *(proliférer)* pulular **2.** *péj (grouiller)* • **pulluler de** estar plagado(da) de.

pulmonaire *adj* pulmonar.

pulpe *nf* pulpa *(f)*.

pulsation *nf* pulsación *(f)*.

pulsion *nf* pulsión *(f)*.

pulvérisation *nf* pulverización *(f)*.

pulvériser *vt* pulverizar.

puma *nm* puma *(m)*.

punaise *nf* **1.** *(insecte)* chinche *(m)* **2.** *(clou)* chin- cheta *(f)*.

punch[1] *nm (boisson)* ponche *(m)*.

punch[2] *nm inv fam (énergie)* marcha *(f)*.

punching-ball *nm* punching-ball *(m)*.

puni, e *adj* castigado(da).

punir *vt (crime, personne)* castigar • **punir qqn de qqch** *(criminel)* condenar a alguien a algo.

punition *nf* castigo *(m)*.

pupille ■ *nf* ANAT pupila *(f)*. ■ *nmf* pupilo *(m)*, -la *(f)* • **pupille de l'État** hospiciano *(m)*, -na *(f)* • **pupille de la nation** huérfano *(m)*, -na *(f)* de guerra.

pupitre *nm* **1.** *(d'orateur, de musicien)* atril *(m)* **2.** TECHNOL *(de machine)* consola *(f)* **3.** SCOL *(bu- reau)* pupitre *(m)*.

pur, e *adj* puro(ra) • **pur coton** puro algodón • **pure laine** pura lana • **pur et simple** puro y duro.

purée *nf* puré *(m)* • **purée de pommes de terre** puré de patatas.

purement *adv* puramente • **purement et simplement** pura y simplemente.

pureté *nf* pureza *(f)*.

purgatif, ive *adj* purgante. ■ **purgatif** *nm* purgante *(m)*, purga *(f)*.

purgatoire *nm* **1.** RELIG purgatorio *(m)* **2.** fig infierno *(m)*.

purge *nf* purga *(f)*.

purger *vt* purgar.

purifier *vt* purificar.

purin *nm* estiércol *(m)*.

puritain, e *adj* & *nm, f* puritano(na).

puritanisme *nm* puritanismo *(m)*.

pur-sang *nm inv* pura sangre *(m inv)*.

purulent, e *adj* purulento(ta).

pus *nm* pus *(m)*.

pusillanime *adj sout* pusilánime.

putain *vulg nf* puta *(f)*.

putréfier ■ **se putréfier** *vp* pudrirse.

putsch *nm* golpe *(m)* de estado.

puzzle *nm* **1.** *(jeu)* puzzle *(m)* **2.** fig *(problème)* rompecabezas *(m inv)*.

P-V *(abr de procès-verbal)* *nm* **1.** *(amende)* multa *(f)* • **se prendre un P-V** fam : **je me suis pris un P-V** me han puesto una multa **2.** *(compte-rendu)* acta *(f)*.

pyjama *nm* pijama *(m)*.

pylône *nm* poste *(m)*.

pyramide *nf* **1.** GÉOM & ARCHIT pirámide *(f)* • **la Pyramide du Louvre** la Pirámide del Louvre **2.** *(tas)* pila *(f)*, montón *(m)* *(Esp)*, ruma *(f)* *(Amér)*.

Pyrex® *nm* pírex® *(m)*.

pyromane *nmf* pirómano *(m)*, -na *(f)*.

python *nm* pitón *(m)*.

q, Q *nm inv* *(lettre)* q *(f)*, Q *(f)*. ■ **q** *(abr écrite de* **quintal***)* q

QCM *(abr de* **questionnaire à choix multiple***)* *nm* cuestionario *(m)* con preguntas de selección múltiple • **répondre à un QCM** responder a un cuestionario con preguntas de selección múltiple.

QG *(abr de* **quartier général***)* *nm* CG *(m)* • **QG de campagne** CG de campaña.

QI *(abr de* **quotient intellectuel***)* *nm* CI *(m)* • **avoir un QI de 135** tener un CI de 135.

qqch *abrév de* **quelque chose**

qqn *abrév de* **quelqu'un**.

quad *nm* **1.** *(moto)* quad *(m)* **2.** *(rollers)* patín *(m)* quad.

quadra *(abr de* **quadragénaire***)* *nmf fam* cuarentón *(m)*, -ona *(f)*.

quadragénaire *adj* & *nmf* cuadragenario(ria).

quadrangulaire *adj* cuadrangular.

quadrichromie *nf* cuatricromía *(f)*.

quadrilatère *nm* cuadrilátero *(m)*.

quadrillage *nm* **1.** *(de papier, de tissu)* cuadriculado *(m)* **2.** *(policier)* peinado *(m)*.

quadriller *vt* **1.** *(papier)* cuadricular **2.** *(ville)* peinar.

quadrimoteur *adj* & *nm* cuatrimotor, tetramotor.

quadrupède ■ *adj* cuadrúpedo(da). ■ *nm* cuadrúpedo *(m)*.

quadrupler *vt* & *vi* cuadruplicar.

quadruplés, ées *nmf pl* cuatrillizos *(mpl)*, cuatrillizas *(fpl)*.

quai *nm* **1.** *(de port, de rivière)* muelle *(m)* • **être à quai** estar atracado(da) **2.** *(de gare)* andén *(m)*.

qualificatif, ive *adj* **1.** GRAMM calificativo(va) **2.** SPORT *(épreuve)* puntuable. ■ **qualificatif** *nm* calificativo *(m)*.

qualification *nf* **1.** *(titre, GRAMM & SPORT)* calificación *(f)* **2.** *(compétence)* cualificación *(f)*.

qualifier *vt* **1.** *(caractériser)* calificar • **qualifier qqch/qqn de qqch** calificar algo/a alguien de algo **2.** *(donner des compétences)* **être qualifié pour faire qqch/pour qqch** estar cualificado(da) para hacer algo/para algo. ■ **se qualifier** *vp* SPORT calificarse.

qualitatif, ive *adj* cualitativo(va).

qualité *nf* **1.** *(gén)* calidad *(f)* • **de bonne/mauvaise qualité** de buena/mala calidad • **qualité de la vie** calidad de vida **2.** *(caractéristique, vertu)* cualidad *(f)*.

quand ■ *conj* **1.** *(lorsque, alors que)* cuando • **pourquoi rester ici quand on pourrait partir en week-end ?** ¿por qué quedarse aquí cuando podríamos irnos de fin de semana? **2.** *sout (introduit une hypothèse)* aun cuando. ■ *adv interr* cuándo. ■ **quand même** ■ *loc adv* a pesar de todo • **c'était quand même bien** a pesar de todo estuvo bien • **tu pourrais faire attention quand même !** ¡podrías tener más cuidado! (¿no?) ■ *interj (ça suffit)* ¡por favor! • **quand même, à son âge !** ¡a su edad! ■ **quand bien même** *loc conj sout* aun cuando. ■ **n'importe quand** *loc adv* • **tu peux venir n'importe quand** puedes venir cuando quieras.

Voir encadré page suivante.

À PROPOS DE...

quand
Alors que le français emploie le futur de l'indicatif, l'espagnol emploie le présent du subjonctif dans une proposition subordonnée de temps.

quant ■ **quant à** *loc prép* en cuanto a, por lo que se refiere a • **quant à moi/toi** en cuanto a mi/ti se refiere.

quantifier *vt* cuantificar.

quantitatif, ive *adj* cuantitativo(va).

quantité *nf* **1.** *(mesure &* LING*)* cantidad *(f)* **2.** *(abondance)* • **(une) quantité de** (una) gran cantidad de • **en quantité** en cantidad.

quarantaine *nf* **1.** *(nombre)* unos cuarenta • **une quarantaine de personnes** unas cuarenta personas **2.** *(âge)* • **avoir la quarantaine** estar en los cuarenta **3.** *(isolement)* cuarentena *(f)*.

quarante *adj num inv & nm inv* cuarenta.• *voir aussi* **six**

quarantième ■ *adj num & nmf* cuadragésimo(ma). ■ *nm* cuadragésimo *(m)*, cuadragésima parte *(f)*.• *voir aussi* **sixième**

quart ■ *adj num* cuarto(ta). ■ *nm* **1.** *(fraction)* cuarto *(m)*, cuarta parte *(f)* • **un quart de qqch** un cuarto de algo • **un quart d'heure** un cuarto de hora • **moins le quart** menos cuarto • **quart de soupir** MUS silencio *(m)* de semicorchea **2.** NAUT *(veille)* cuarto *(m)* **3.** *(gobelet)* tanque *(m)*.

quartier *nm* **1.** *(de ville)* barrio *(m)* (Esp), colonia *(f)* (Amér) • **le Quartier Latin** el Barrio Latino **2.** *(de viande)* trozo *(m)* **3.** *(de fruit)* gajo *(m)* **4.** ASTRON cuarto *(m)* **5.** *(héraldique &* MIL*)* cuartel *(m)* **6.** *(Belgique)* estudio *(m)*.

quartier-maître *nm* NAUT ≃ cabo *(m)* de la marina.

quart-monde *nm* cuarto mundo *(m)*.

quartz *nm* cuarzo *(m)* • **à quartz** de cuarzo.

quasi ■ *adv* cuasi. ■ *nm (de veau)* trozo *(m)* de pierna.

quasiment *adv fam* casi.

quaternaire ■ *adj* cuaternario(ria). ■ *nm* • **le quaternaire** el cuaternario.

quatorze *adj num inv & nm inv* catorce.• *voir aussi* **six**

quatrain *nm (strophe)* ≃ cuarteto *(m)*.

quatre ■ *adj num inv* cuatro • **quatre à quatre** de cuatro en cuatro • **se mettre en quatre pour qqn** *fig* desvivirse por alguien. ■ *nm inv* cuatro *(m)*.• *voir aussi* **six**

quatre-vingt = **quatre-vingts**.

quatre-vingt-dix *adj num inv & nm inv* noventa.• *voir aussi* **six**

quatre-vingts, quatre-vingt *adj num & nm inv* ochenta.• *voir aussi* **six**

quatrième ■ *adj num & nmf* cuarto(ta). ■ *nf* **1.** SCOL ≃ segundo *(m)* de la ESO **2.** *(danse)* cuarta *(f)*. ■ *nm* cuarto *(m)*, cuarta parte *(f)*.• *voir aussi* **sixième**

quatuor *nm* cuarteto *(m)*.

que *conj*

1. INTRODUIT UNE SUBORDONNÉE = que
• **je sais que...** sé que...
• **je ne tiens pas à ce que tout le monde le sache** no quiero que todo el mundo se entere

2. EXPRIME L'HYPOTHÈSE = tanto si
• **que vous le vouliez ou non** tanto si quiere como si no, que lo quiera o no

3. REMPLACE UNE AUTRE CONJONCTION
• **s'il fait beau et que nous avons le temps** si hace bueno y tenemos tiempo

4. INDIQUE UN ORDRE, UN SOUHAIT = que
• **qu'il entre !** ¡que entre!

5. AVEC UN PRÉSENTATIF
• **voilà** OU **voici que ça recommence !** ¡ya empieza otra vez!

6. DANS UNE COMPARAISON = como
• **tu es aussi grand que Marc** eres tan alto como Marc

7. DANS UNE PHRASE NÉGATIVE, EXPRIME UNE RESTRICTION = sólo
• **il ne me reste que deux euros** sólo me quedan dos euros.

que *pron rel*

1. CHOSE, ANIMAL = que
• **le livre que tu m'as prêté** el libro que me has prestado
• **le chat que j'ai trouvé dans la rue** el gato que encontré en la calle

2. PERSONNE
• **l'homme que j'aime** el hombre a quien quiero, el hombre al que quiero
• **les personnes que j'ai invitées** las personas a quienes invité, las personas a las que invité.

que *pron interr*

qué
• **que savez-vous au juste ?** ¿qué sabéis exactamente?

que *adv excl*

qué
• **que tu es beau !** ¡qué guapo estás!
• **que de** cuánto(ta)
• **que de monde !** ¡cuánta gente!

■ **c'est que** *loc conj*

INDIQUE LA CAUSE = es que
- **si je vais me coucher, c'est que j'ai sommeil** si me acuesto es que tengo sueño.

■ **qu'est-ce que** *pron interr*

qué
- **qu'est-ce que tu veux ?** ¿qué quieres?

■ **qu'est-ce qui** *pron interr*

qué
- **qu'est-ce qui se passe ?** ¿qué pasa?

À PROPOS DE...

que

« Que » se traduit par *como* dans l'expression de la comparaison, et par l'adverbe *sólo* dans une phrase négative. L'accent grammatical permet de distinguer la conjonction que du pronom interrogatif ou de l'adverbe exclamatif *qué*.

Québec *npr* 1. *(province)* • **le Québec** (el) Quebec 2. *(ville)* Quebec.

québécois, e *adj* quebequés(esa). ■ **québécois** *nm* LING quebequés *(m)*. ■ **Québécois, e** *nm, f* quebequés *(m)*, -esa *(f)*.

quechua *nm* LING quechua *(m)*.

quel, quelle ■ *adj interr* qué • **quelle heure est-il ?** ¿qué hora es? • **quel homme ?** ¿qué hombre? ■ *adj excl* qué • **quel dommage !** ¡qué pena! ■ *adj indéf* • **il se baigne, quel que soit le temps** se baña haga el tiempo que haga • **il refuse de voir les nouveaux arrivants, quels qu'ils soient** se niega a ver a los recién llegados, sean quienes sean. ■ *pron interr* 1. *(chose)* cuál 2. *(personne)* quién.

À PROPOS DE...

quel

Cuál est un pronom et ne varie qu'en nombre. Il ne s'accorde pas en genre. *Qué* est toujours invariable.

quelconque ■ *adj indéf* 1. *(après le nom)* cualquiera 2. *(avant le nom)* • **un/une quelconque...** algún(una) ... ■ *adj (après le nom)* péj *(ordinaire)* del montón.

quelque *adj indéf*

1. AU SINGULIER, INDIQUE UNE QUANTITÉ, UNE DURÉE, UN DEGRÉ INDÉTERMINÉ = algún(una)
- **à quelque distance de là** a poca distancia de allí

- **dans quelque temps** dentro de poco (tiempo)
- **cet incident a suscité quelque étonnement** este incidente ha suscitado asombro
2. AU PLURIEL, INDIQUE UN PETIT NOMBRE = poco(ca)
- **à quelques heures d'intervalle** a pocas horas de intervalo
- **j'ai quelques lettres à écrire** tengo que escribir unas cuantas *ou* algunas cartas
- **tu n'as pas quelques photos à me montrer ?** ¿no tienes fotos que enseñarme?

quelque *adv*

INDIQUE UNE APPROXIMATION = unos(unas)
- **quelque 30 euros** unos 30 euros.

■ **quelque peu** *loc adv*

un poco
- **je suis quelque peu fatigué** estoy un poco cansado.

■ **quelque... que** *loc adv*

INDIQUE UNE CONCESSION OU UNE OPPOSITION

+ *adj*

por muy que

+ *nom*

por mucho(mucha) que
- **quelque amitié qu'il eût** por mucha amistad que hubiera
- **quelque solide que fût notre amitié** por muy sólida que fuera nuestra amistad.

■ **et quelques** *loc adv*

y pico
- **il est midi et quelques** son las doce y pico.

quelque chose *pron indéf* algo.

quelquefois *adv* a veces.

quelques-uns, quelques-unes *pron indéf* algunos(nas) • **quelques-uns de** algunos de • **quelques-uns de ces spectateurs** algunos de estos espectadores.

quelqu'un *pron indéf m* alguien • **c'est quelqu'un d'intelligent** es una persona inteligente.

quémander *vt* mendigar.

qu'en-dira-t-on *nm inv fam* • **se moquer/se soucier/avoir peur du qu'en-dira-t-on** burlarse/preocuparse/tener miedo del qué dirán.

quenelle *nf pour décrire cette spécialité gastronomique à un hispanophone, vous pouvez dire :* es una especie de croqueta grande sin rebozar de pescado o carne.

querelle *nf* pelea *(f)*.

querelleur, euse *adj & nm, f* pendenciero(ra).

question *nf* 1. *(interrogation)* pregunta *(f)* • **poser une question à qqn** hacer una pregunta a alguien ▪ **question subsidiaire** pregunta de desempate **2.** *(sujet de discussion)* cuestión *(f)* ▪ **il est question de faire qqch** es cuestión de hacer algo ▪ **il n'en est pas question !** ¡ni hablar! ▪ **mettre qqch/qqn en question** poner algo/a alguien en duda **3.** HIST *(torture)* tormento *(m)*.

questionnaire *nm* cuestionario *(m)*.

questionner *vt* interrogar.

quête *nf* **1.** *sout (recherche)* búsqueda *(f)* ▪ **se mettre en quête de qqch/de qqn** ir en busca de algo/de alguien **2.** *(d'aumône)* colecta *(f)*.

quêter ◼ *vi* colectar. ◼ *vt fig (solliciter)* mendigar.

queue *nf* **1.** *(d'animal)* cola *(f)* **2.** *(des quadrupèdes)* rabo *(m)* **3.** *(de fruit)* rabillo *(m)* **4.** *(d'objet)* mango *(m)* **5.** *(de groupe)* cola *(f)* ▪ **à la queue leu leu** en fila india ▪ **faire la queue** hacer cola **6.** *vulg (sexe)* rabo *(m)*.

queue-de-cheval *nf* cola *(f)* de caballo.

queue-de-pie *nf* chaqué *(m)*.

qui *pron rel*

1. SUJET = **que**
- **la maison qui est là** la casa que está allí
- **la fille qui me parlait** la chica que me hablaba
- **je l'ai vu qui passait** lo vi pasar
2. COMPLÉMENT D'OBJET DIRECT = **quien, quienes**
- **invite qui tu veux** invita a quien quieras
- **je ne sais pas ce qui est arrivé** no sé lo que pasó
3. COMPLÉMENT D'OBJET INDIRECT
- **la personne à qui j'ai parlé** la persona con quien hablé, la persona con la que hablé
- **le copain avec qui je suis venue à la soirée** el amigo con quien vine a la fiesta, el amigo con el que vine a la fiesta
- **les enfants pour qui j'ai acheté des cadeaux** los niños para quienes compré regalos, los niños para los que compré regalos
4. INDÉFINI, QUICONQUE = **quienquiera**
- **qui que ce soit** quienquiera que sea.

qui *pron interr*

1. SUJET = **quién**
- **qui es-tu ?** ¿quién eres?
- **je ne sais pas qui tu es** no sé quién eres
2. COMPLÉMENT D'OBJECT DIRECT
- **qui préfères-tu ?** ¿a quién prefieres?
- **à qui ce livre ?** ¿de quién es ese libro?
- **à qui le tour ?** ¿a quién le toca?
- **avec qui ?** ¿con quién?
3. COMPLÉMENT D'OBJET INDIRECT
- **à qui parles-tu ?** ¿con quién hablas?
- **à qui penses-tu ?** ¿con quién piensas?

◼ **qui est-ce que** *pron interr*

a quién
- **qui est-ce que tu vois ?** ¿a quién ves?

◼ **qui est-ce qui** *pron interr*

quién
- **qui est-ce qui parle ?** ¿quién habla?

◼ **n'importe qui** *pron indéf*

cualquiera
- **ce n'est pas n'importe qui !** ¡no es un cualquiera!

À PROPOS DE...

qui

Quand il est complément, « qui » se traduit par *quien* précédé d'une préposition qui est fonction du verbe de la phrase.

quiche *nf* quiche *(f)*.

quiconque ◼ *pron indéf* cualquiera ▪ **sans en avertir quiconque** sin avisar a nadie. ◼ *pron rel* quienquiera que ▪ **pour quiconque** para cualquiera ▪ **pour quiconque a l'habitude de lire** para cualquiera que tenga costumbre de leer.

quidam *nm fam* quidam *(m)*.

quiétude *nf sout* quietud *(f)*.

quignon *nm* mendrugo *(m)*.

quille *nf* **1.** *(de bateau)* quilla *(f)* **2.** *(de jeu)* bolo *(m)*. ◼ **quilles** *nfpl fam (jambes)* patas *(fpl)*.

quincaillerie *nf* **1.** *(ustensiles)* quincalla *(f)* **2.** *(industrie, commerce, magasin)* ferretería *(f)* **3.** *fam (bijoux)* quincalla *(f)*.

quinconce ◼ **en quinconce** *loc adj & loc adv* al trebolillo.

quinine *nf* quinina *(f)*.

quinqua *(abr de* **quinquagénaire***)* *nmf fam* cincuentón(ona).

quinquagénaire *adj & nmf* quincuagenario(ria).

quinquennal, e *adj* quinquenal.

quinquennat *nm* quinquenato *(m)*.

quintal *nm* quintal *(m)*.

quinte *nf* **1.** MUS quinta *(f)* **2.** *(au poker)* escalera *(f)*. ◼ **quinte de toux** *nf* ataque *(m)* de tos.

quintuple ◼ *adj* quíntuplo(pla). ◼ *nm* quíntuplo *(m)*.

quintuplés, ées *nmf pl* quintillizos *(mpl)*, quintillizas *(fpl)*.

quinzaine *nf* **1.** *(nombre)* quincena *(f)* ▪ **une quinzaine de** unos quince **2.** *(deux semaines)* dos semanas *(fpl)*.

quinze ◼ *adj num inv* quince ▪ **dans quinze jours** dentro de quince días *ou* dos semanas

■ *nm inv* **1.** *(chiffre)* quince *(m)* **2.** SPORT • **le quinze de France** el equipo nacional francés de rugby. • *voir aussi* **six**

quiproquo *nm* quid pro quo *(m)*.

quittance *nf* recibo *(m)* • **quittance d'électricité/de loyer** recibo de la luz/del alquiler.

quitte *adj* • **être quitte (envers qqn)** estar en paz (con alguien) • **en être quitte pour faire qqch/pour qqch** librarse con hacer algo/con algo • **il en a été quitte pour une bonne peur** no ha sido más que el susto • **quitte à faire qqch** aunque tenga que hacer algo • **quitte à dormir sur place je préfère rester** aunque tenga que dormir aquí mismo prefiero quedarme.

quitter *vt* **1.** *(renoncer à, abandonner)* dejar, abandonar • **ne quittez pas !** *(au téléphone)* no cuelgue **2.** *(partir de)* irse de, marcharse de **3.** *(vêtement)* quitarse **4.** INFORM salir. ■ **se quitter** *vp* separarse.

qui-vive *nm inv* • **être sur le qui-vive** estar en vilo.

quoi ■ *pron rel (après une prép)* • **ce à quoi je me suis intéressée** aquello por lo que me interesé • **c'est en quoi tu as tort** ahí es donde te equivocas • **après quoi** después de lo cual • **avoir de quoi vivre** tener de que vivir • **avez-vous de quoi écrire ?** ¿tiene con qué escribir? • **merci – il n'y a pas de quoi** gracias – no hay de qué ou de nada. ■ *pron interr* qué • **à quoi bon ?** ¿para qué? • **à quoi penses-tu ?** ¿en qué piensas? • **je ne sais pas quoi dire** no sé qué decir • **quoi de neuf ?** ¿qué hay de nuevo? • **quoi ?** *fam (comment ?)* ¿qué? • **... ou quoi ?** *fam* ¿... o no?, ¿... o qué? • **tu viens ou quoi ?** *fam* ¿vienes o no? • **décide-toi, quoi !** *fam* ¿te decides o qué?, ¿te decides o no? ■ **quoi que** *loc conj (+ subjonctif)* • **quoi qu'il arrive** pase lo que pase • **quoi qu'il dise** diga lo que diga • **quoi qu'il en soit** sea como sea. ■ **n'importe quoi** *pron indéf* cualquier cosa, lo que sea.

quoique *conj* aunque.

quolibet *nm sout* pulla *(f)*.

quota *nm* **1.** *(gén)* cuota *(f)* **2.** *(d'importation)* cupo *(m)*.

quotidien, enne *adj* diario(ria). ■ **quotidien** *nm* **1.** *(vie quotidienne)* cotidiano *(m)* **2.** *(journal)* diario *(m)*.

quotient *nm* cociente *(m)* • **quotient intellectuel** coeficiente intelectual *ou* de inteligencia.

---

r, R *nm inv (lettre)* r *(f)*, R *(f)*. ■ **r** *(abr écrite de* **rue)** C/.

rabâcher *fam* ■ *vi* machacar • **tu rabâches !** ¡no seas machacón! ■ *vt* machacar.

rabais *nm* descuento *(m)*, rebaja *(f)*. ■ **au rabais** ■ *loc adj* de pacotilla. ■ *loc adv* por poco dinero.

rabaisser *vt* rebajar. ■ **se rabaisser** *vp* rebajarse • **se rabaisser à faire qqch** rebajarse a hacer algo.

rabat *nm* **1.** *(partie rabattue)* carterilla *(f)* **2.** *(col de magistrat)* golilla *(f)* • *(- d'ecclésiastique)* alzacuello *(m)*.

rabat-joie *adj inv* & *nmf* aguafiestas.

rabatteur, euse *nm, f* **1.** *(de gibier)* ojeador *(m)*, -ra *(f)* **2.** fig & péj *(de clientèle)* gancho *(m)*.

rabattre *vt* **1.** *(abaisser - gén)* abatir • *(- col)* doblar • *(- couvercle)* cerrar **2.** *(somme)* rebajar **3.** *(gibier)* ojear **4.** *(client)* captar. ■ **se rabattre** *vp* **1.** *(siège)* abatirse **2.** *(voiture)* cerrarse **3.** *(se contenter de)* • **se rabattre sur qqch/sur qqn** conformarse con algo/con alguien.

rabbin *nm* rabino *(m)*.

râble *nm* CULIN rabadilla *(f)*.

râblé, e *adj* fornido(da).

rabot *nm* cepillo *(m)* *(de carpintería)*.

raboter *vt* cepillar.

rabougri, e *adj* **1.** *(plante)* desmedrado(da) **2.** *(personne)* canijo(ja).

rabrouer *vt* desairar.

raccommodage *nm* zurcido *(m)*.

raccommoder *vt* **1.** *(vêtement)* zurcir **2.** fam *(personnes)* • **raccommoder qqn avec qqn** hacer que alguien haga las paces con alguien.

raccompagner *vt* acompañar.

raccord *nm* **1.** *(liaison)* retoque *(m)* **2.** CINÉ ajuste *(m)* **3.** *(pièce)* empalme *(m)*.

raccordement *nm* empalme *(m)*.

raccorder *vt* empalmar • **raccorder qqch à qqch** empalmar algo a algo. ■ **se raccorder** *vp* • **se raccorder à qqch** conectar(se) con algo.

raccourci *nm* atajo *(m)* • **prendre un raccourci** coger un atajo • **en raccourci** fig en síntesis. ■ **raccourci clavier** *nm* INFORM tecla *(f)* de acceso directo.

raccourcir ■ *vt* **1.** *(gén)* acortar **2.** *(texte)* abreviar. ■ *vi (jour)* menguar.

raccrocher ◼ *vt* volver a colgar. ◼ *vi* **1.** *(au téléphone)* colgar **2.** *fam (abandonner)* colgar la toalla. ◼ **se raccrocher** *vp* ◦ **se raccrocher à qqch/à qqn** *fig* aferrarse a algo/a alguien.

race *nf* **1.** *(humaine, animale)* raza *(f)* ◦ **de race** de raza **2.** *fig (catégorie)* raza *(f)*, casta *(f)*.

racé, e *adj* **1.** *(animal)* de raza **2.** *(voiture)* con clase.

rachat *nm* **1.** *(de biens)* nueva compra *(f)* **2.** *fig (de péchés)* redención *(f)* **3.** *(de prisonniers)* rescate *(m)*.

racheter *vt* **1.** *(acheter à nouveau)* volver a comprar **2.** *(acheter d'occasion)* comprar **3.** *(péché, faute)* redimir **4.** *(défaut, lapsus)* compensar **5.** *(prisonnier, candidat)* rescatar. ◼ **se racheter** *vp* hacer méritos.

rachitique *adj* raquítico(ca).

racial, e *adj* racial.

racine *nf (gén & INFORM)* raíz *(f)* ◦ **prendre racine** echar raíces.

racisme *nm* racismo *(m)*.

raciste *adj & nmf* racista.

racket *nm* extorsión *(f)*, chantaje *(m)*.

raclée *nf* tunda *(f)*, paliza *(f)* *(Esp)*, golpiza *(f)* *(Amér)*.

raclement *nm* carraspeo *(m)*.

racler *vt* rascar. ◼ **se racler** *vp* ◦ **se racler la gorge** rascarse la garganta.

racoler *vt péj* enganchar *(prostituta)*.

racoleur, euse *adj péj* **1.** *(publicité)* facilón(ona) **2.** *(sourire)* baboso(sa). ◼ **racoleur** *nm fam (de clients)* gancho *(m)*. ◼ **racoleuse** *nf fam péj* buscona *(f)*.

racontar *nm (gén pl)* chisme *(m)*, habladuría *(f)*.

raconter *vt* contar ◦ **raconter qqch à qqn** contar algo a alguien.

racorni, e *adj* **1.** *(gén)* reseco(ca) **2.** *(papier)* acartonado(da).

radar *nm* radar *(m)*.

rade *nf* rada *(f)*.

radeau *nm* **1.** *(embarcation)* balsa *(f)* **2.** *(train de bois)* armadía *(f)*.

radial, e *adj* radial.

radiateur *nm* radiador *(m)* ◦ **radiateur électrique/à gaz** radiador eléctrico/de gas.

radiation *nf* **1.** *(rayonnement)* radiación *(f)* **2.** *(élimination)* expulsión *(f)*.

radical, e *adj* radical. ◼ **radical** *nm* radical *(m)*.

radicaliser *vt* radicalizar. ◼ **se radicaliser** *vp* radicalizarse.

radier *vt* **1.** *(exclure)* excluir **2.** *(d'une profession)* expulsar.

radieux, euse *adj* radiante.

radin, e *adj & nm, f fam péj* rácano(na).

radio ◼ *nf* **1.** *(diffusion, transistor, station)* radio *(f)* ◦ **allumer/éteindre/mettre la radio** encen-

der/apagar/poner la radio ◦ **radio locale/privée/libre** radio local/privada/libre **2.** *(rayons X)* ◦ **passer une radio** hacerse una radiografía. ◼ *nm* radio *(m)*.

radioactif, ive *adj* radiactivo(va), radioactivo(va).

radioactivité *nf* radiactividad *(f)*, radioactividad *(f)*.

radiocassette *nm* radiocasete *(m)*.

radiodiffuser *vt* radiar.

radiographie *nf* radiografía *(f)*.

radiologue, radiologiste *nmf* radiólogo *(m)*, -ga *(f)*.

radioréveil, radio-réveil *nm* radiodespertador *(m)*.

radiotélévisé, e *adj* radiotelevisado(da).

radis *nm* rábano *(m)*.

radium *nm* radio *(m)* *(elemento radiactivo)*.

radius *nm* radio *(m)* *(hueso)*.

radoucissement *nm* mejoramiento *(m)* *(del tiempo, la temperatura)*.

rafale *nf* **1.** *(de vent)* ráfaga *(f)*, racha *(f)* ◦ **souffler en rafale** rachear **2.** *(de coups de feu)* ráfaga *(f)* **3.** *fig (d'applaudissements)* salva *(f)*.

raffinage *nm* refinado *(m)*.

raffiné, e *adj* refinado(da).

raffinement *nm* refinamiento *(m)*.

raffiner ◼ *vt* refinar. ◼ *vi* ◦ **raffiner sur qqch** cuidar algo.

raffinerie *nf* refinería *(f)*.

raffoler *vi* ◦ **raffoler de qqch/de qqn** volverse loco(ca) por algo/por alguien ◦ **il raffole des glaces** le chiflan los helados.

raffut *nm fam* jaleo *(m)* *(Esp)*, despiole *(m)* *(Amér)* ◦ **faire du raffut** armar jaleo.

rafistoler *vt fam* remendar.

rafle *nf* **1.** *(vol)* robo *(m)* **2.** *(de police)* redada *(f)*.

rafler *vt fam* **1.** *(s'emparer de)* arramblar con **2.** *(piller, voler)* birlar.

rafraîchir ◼ *vt* **1.** *(nourriture, vin)* enfriar **2.** *(vêtement, appartement)* reformar **3.** *(tableau)* restaurar **4.** *(cheveux)* igualar **5.** *fig (mémoire)* refrescar **6.** INFORM actualizar, refrescar. ◼ *vi* enfriar. ◼ **se rafraîchir** *vp* **1.** *(temps)* refrescar **2.** *(personne)* refrescarse.

rafraîchissant, e *adj* refrescante.

rafraîchissement *nm* **1.** *(de climat)* enfriamiento *(m)* **2.** *(boisson)* refresco *(m)* ◦ **prendre un rafraîchissement** tomar un refresco **3.** *(de vêtement, d'appartement)* reforma *(f)* **4.** *(de tableau)* restauración *(f)* **5.** *(de coupe de cheveux)* cambio *(m)*.

raft, rafting *nm* rafting *(m)*.

ragaillardir *vt fam* entonar.

rage *nf* **1.** *(fureur, maladie)* rabia *(f)*. **2.** *(manie, passion)* pasión *(f)* • **faire rage** *(tempête)* causar estragos. ■ **rage de dents** *nf* dolor *(m)* de muelas.

rager *vi fam* • **rager contre qqch/contre qqn** echar pestes contra algo/contra alguien • **ça me fait rager** me da mucha rabia.

rageur, euse *adj* **1.** *fam (enfant)* con malas pulgas **2.** *(ton)* rabioso(sa).

raglan ■ *nm* prenda *(f)* con mangas raglán. ■ *adj inv* raglán.

ragot *nm fam* cotilleo *(m)*.

ragoût *nm* ragú *(m)*, guiso *(m)*.

rai *nm sout* rayo *(m)*.

raid *nm* **1.** MIL & SPORT raid *(m)* **2.** AÉRON incursión *(f)*, raid *(m)* • **raid aérien** incursión aérea, raid aéreo **3.** FIN adquisición *(f)* hostil.

raide ■ *adj* **1.** *(cheveux)* lacio(cia) **2.** *(membre)* rígido(da), tieso(sa) **3.** *(pente, escalier)* empinado(da) **4.** *(attitude)* envarado(da) **5.** *fam 'incroyable)* • **elle est raide !** ¡eso pasa de castaño oscuro! **6.** *fam (chanson, propos)* verde **7.** *fam (pauvre)* • **être raide** estar pelado(da). ■ *adv (abruptement)* • **grimper raide** ser empinado(da).

raideur *nf* **1.** *(physique)* rigidez *(f)* **2.** *(morale)* rigidez *(f)*, inflexibilidad *(f)*.

raidir *vt* estibar. ■ **se raidir** *vp (de froid)* quedarse tieso(sa).

raie *nf* **1.** *(gén)* raya *(f)* **2.** *(des fesses)* raja *(f)*.

rail *nm* **1.** *(de voie ferrée)* riel *(m)*, raíl *(m)* **2.** *(moyen de transport)* ferrocarril *(m)*.

railler *vt sout* burlarse de.

railleur, euse *adj & nm, f sout* burlón(ona).

rainure *nf* ranura *(f)*.

raisin *nm* uva *(f)*.

raison *nf* **1.** *(faculté de raisonner, sagesse)* razón *(f)* • **ramener qqn à la raison** hacer entrar a alguien en razones **2.** *(justesse)* • **avoir raison** tener razón • **avoir raison de faire qqch** hacer bien en hacer algo • **le froid a eu raison de lui** el frío pudo más que él • **donner raison à qqn** dar la razón a alguien **3.** *(santé mentale)* juicio *(m)* **4.** *(rationalité)* raciocinio *(m)* **5.** *(motif, excuse)* razón *(f)*, motivo *(m)* • **à plus forte raison quand** con mayor motivo cuando, máxime cuando • **en raison de qqch** debido a algo • **raison de plus** razón de más • **raison de vivre** razón de vivir. ■ **à raison de** *loc prép* a razón de. ■ **raison d'État** *nf* razón *(f)* de Estado. ■ **raison sociale** *nf* razón *(f)* social.

raisonnable *adj* **1.** *(décision, prix)* razonable **2.** *(rationnel)* racional.

raisonné, e *adj* razonado(da).

raisonnement *nm* **1.** *(faculté)* raciocinio *(m)* **2.** *(argumentation)* razonamiento *(m)*.

raisonner ■ *vi* **1.** *(penser)* pensar **2.** *(discuter)* razonar. ■ *vt* hacer entrar en razón a.

rajeunir ■ *vt* **1.** *(sujet : couleur, vêtement, coiffure)* rejuvenecer, hacer más joven **2.** *(sujet : personne)* echar menos años • **rajeunir qqn de trois ans** echar a alguien tres años menos **3.** *(décoration, canapé)* remozar **4.** *(population, profession)* rebajar la media de edad de. ■ *vi* rejuvenecer, rejuvenecerse.

rajouter *vt* volver a añadir • **en rajouter** *fam (exagérer)* cargar las tintas.

rajuster, réajuster *vt* **1.** *(salaire, prix, tir)* reajustar **2.** *(cravate)* retocar. ■ **se rajuster** *vp* retocarse.

râle *nm* estertor *(m)*.

ralenti, e *adj* ralentizado(da). ■ **ralenti** *nm* ralentí *(m)* • **au ralenti** *fig* al ralentí.

ralentir ■ *vi* **1.** *(allure, expansion, rythme)* reducir **2.** *(pas)* aminorar. ■ *vi* reducir la velocidad.

ralentissement *nm* **1.** *(freinage)* disminución *(f)* de la velocidad **2.** *(embouteillage)* retención *(f)* **3.** *(diminution)* disminución *(f)*.

râler *vi* **1.** *(malade)* tener estertores **2.** *fam (grogner)* refunfuñar.

ralliement *nm* **1.** MIL concentración *(f)* **2.** *(adhésion)* adhesión *(f)*.

rallier *vt* **1.** *(hommes)* concentrar **2.** *(troupe)* incorporarse a **3.** *(parti)* adscribirse a **4.** *(majorité)* sumarse a **5.** *(suffrages)* agrupar. ■ **se rallier** *vp* **1.** *(troupes, hommes)* concentrarse **2.** *(souscrire)* • **se rallier à qqch** *(parti)* adscribirse a algo • *(avis, cause)* sumarse a algo.

rallonge *nf* **1.** *(de table)* larguero *(m)* **2.** *(électrique)* prolongador *(m)*, alargo *(m)* **3.** *fam (de crédit)* plus *(m)*.

rallonger ■ *vt* alargar. ■ *vi* alargarse.

rallumer *vt* **1.** *(feu, lampe, cigarette)* volver a encender **2.** *fig (querelle)* reavivar.

rallye *nm* rallye *(m)*.

RAM, Ram *(abr de* random access memory*)* *nf* RAM *(f)*.

ramadan *nm* ramadán *(m)*.

ramassage *nm* recogida *(f)* • **ramassage scolaire** transporte *(m)* escolar.

ramasser *vt* **1.** *(gén)* recoger **2.** *(forces)* reunir, aunar **3.** *(champignons, fleurs, etc)* coger **4.** *(personne)* levantar del suelo **5.** *fig (pensée)* condensar, resumir **6.** *fam (claque)* llevarse. ■ **se ramasser** *vp* **1.** *(se replier)* encogerse **2.** *fam (tomber)* medir el suelo **3.** *fam (échouer)* catear.

rambarde *nf* barandilla *(f)*.

rame *nf* **1.** *(d'embarcation)* remo *(m)* **2.** *(de train)* tren *(m)* **3.** *(de papier)* resma *(f)* **4.** *(de haricots, de pois)* rodrigón *(m)*.

rameau *nm* **1.** *(d'arbre, de végétal)* ramo *(m)* **2.** *(d'un ensemble)* rama *(f)*. ■ **Rameaux** *nmpl* RELIG • **les Rameaux** ≈ domingo de Ramos.

ramener *vt* **1.** *(reconduire)* acompañar **2.** *(amener de nouveau)* volver a llevar **3.** *(rapporter)* traer

4. *(faire revenir)* volver a traer, hacer volver • **ramener qqn à qqch** hacer volver a alguien a algo **5.** *(faire réapparaître - paix, ordre)* restablecer • *(- inquiétudes, gaieté)* hacer renacer **6.** *(réduire)* • **ramener qqch à qqch** reducir algo a algo.

ramer *vi* **1.** *(rameur)* remar **2.** *fam fig (peiner)* bregar.

rameur, euse *nm, f* remero *(m)*, -ra *(f)*.

ramifications *nfpl* ramificaciones *(fpl)*.

ramifier ■ **se ramifier** *vp* ramificarse.

ramolli, e ■ *adj* **1.** *(beurre)* reblandecido(da) **2.** *fam fig (cerveau)* seco(ca). ◘ *nm, f fam* flojucho *(m)*, -cha *(f)*.

ramollir ◘ *vt* **1.** *(matière)* reblandecer, ablandar **2.** *fam fig (personne)* acabar con. ◘ *vi* reblandecerse, ablandarse. ■ **se ramollir** *vp* **1.** *(matière)* reblandecerse, ablandarse **2.** *fam fig (personne)* • **il s'est ramolli** se le ha secado el cerebro.

ramoner *vt* deshollinar.

ramoneur *nm* deshollinador *(m)*.

rampant, e *adj* **1.** *(animal, plante)* rastrero(ra) **2.** *fig (attitude, caractère)* servil.

rampe *nf* **1.** *(d'escalier)* baranda *(f)*, barandilla *(f)* **2.** *(d'accès)* rampa *(f)* • **rampe d'accès** rampa de acceso • **rampe de lancement** rampa *ou* plataforma *(f)* de lanzamiento **3.** THÉÂTRE candilejas *(fpl)*.

ramper *vi* **1.** *(animal, personne)* reptar **2.** *(plante)* trepar.

rance ◘ *adj* rancio(cia). ◘ *nm* rancio *(m)* • **ça sent le rance** huele a rancio.

rancir *vi* volverse rancio(cia), enranciarse.

rancœur *nf* rencor *(m)*.

rançon *nf* **1.** *(somme d'argent)* rescate *(m)* **2.** *fig (compensation, contrepartie)* tributo *(m)* • **(c'est) la rançon de la gloire** (es) el precio de la gloria.

rancune *nf* rencor *(m)* • **garder** *ou* **tenir rancune à qqn de qqch** guardar rencor a alguien por algo • **sans rancune !** ¡sin rencores!

rancunier, ère *adj & nm, f* rencoroso(sa).

rando *nf fam (randonnée)* senderismo *(m)*, marcha *(f)*.

randonnée *nf* **1.** *(à pied)* senderismo *(m)*, marcha *(f)* **2.** *(à bicyclette)* paseo *(m)*, excursión *(f)*.

randonneur, euse *nm, f* excursionista *(mf)*.

rang *nm* **1.** *(d'objets, de personnes & MIL)* fila *(f)* • **se mettre en rang par deux** ponerse en fila de a dos • **se mettre sur les rangs** *fig* presentar su candidatura **2.** *(de perles, de tricot)* vuelta *(f)* **3.** *(ordre)* puesto *(m)* **4.** *(hiérarchie, classe sociale)* rango *(m)*.

rangé, e *adj* **1.** *(personne)* formal **2.** *(vie)* ordenado(da).

rangée *nf* • **une rangée de qqch** una hilera de algo.

rangement *nm* **1.** *(gén)* orden *(m)* • **faire du rangement** poner en orden **2.** *(placard)* alacena *(f)*.

ranger *vt* **1.** *(chambre, objets)* ordenar **2.** *(élèves, soldats)* poner en fila **3.** *fig (livre, auteur)* • **ranger parmi** colocar entre. ■ **se ranger** *vp* **1.** *(élèves, soldats)* ponerse en fila • **se ranger par deux** ponerse en fila de a dos **2.** *(voiture)* echarse a un lado **3.** *(piéton)* apartarse, dejar paso **4.** *(devenir sage)* sentar la cabeza **5.** *fig (se placer)* • **se ranger parmi** situarse entre **6.** *(se soumettre, se rallier)* • **se ranger à** plegarse a.

ranimer *vt* **1.** *(personne)* reanimar **2.** *(feu)* avivar **3.** *fig (sentiment)* despertar.

rap *nm* rap *(m)*.

rapace ◘ *adj* codicioso(sa). ◘ *nm* rapaz *(m)*, ave *(f)* rapaz.

rapatrier *vt* repatriar.

râpe *nf* **1.** *(de cuisine)* rallador *(m)* **2.** *(de menuisier)* escofina *(f)* **3.** *(Suisse) fam (avare)* rácano *(m)*, -na *(f)*.

râpé, e *adj* **1.** CULIN rallado(da) **2.** *(vêtement)* raído(da) **3.** *fam (raté)* • **c'est râpé !** ¡se acabó!, ¡olvídate!

râper *vt* **1.** CULIN rallar **2.** *(bois, métal)* limar **3.** *fig (gorge)* raspar.

rapide ◘ *adj* **1.** *(gén)* rápido(da) **2.** *(intelligence)* ágil. ◘ *nm* rápido *(m)*.

rapidement *adv* rápidamente.

rapidité *nf* **1.** *(de processus)* rapidez *(f)* **2.** *(de véhicule)* velocidad *(f)*.

rapiécer *vt* remendar.

rappel *nm* **1.** *(souvenir, vaccin)* recuerdo *(m)* • **rappel à l'ordre** llamada *(f)* al orden **2.** *(de paiement)* advertencia *(f)* **3.** *(au spectacle)* llamada *(f)* a escena **4.** *(de réserviste)* retirada *(f)* **5.** SPORT rápel *(m)*, rappel *(m)* **6.** TÉLÉCOM • **rappel automatique** rellamada *(f)* automática, retro-llamada *(f)*.

rappeler *vt* **1.** *(appeler de nouveau)* volver a llamar **2.** *(faire penser à)* recordar • **rappeler qqch à qqn** recordar algo a alguien • **je te rappelle que tu dois te lever tôt** te recuerdo que tienes que madrugar **3.** *(ressembler à)* recordar a • **il me rappelle un ami à moi** me recuerda a un amigo mío **4.** *(acteurs)* llamar a escena • **rappeler qqn à la vie** hacer volver a alguien en sí. ■ **se rappeler** *vp* recordar, acordarse de • **je me rappelle mes premières vacances** recuerdo mis primeras vacaciones.

rapport *nm* **1.** *(corrélation)* relación *(f)* *(Esp)*, atingencia *(f)* *(Amér)* **2.** *(gén pl) (relation)* relación *(f)* **3.** *(compte rendu)* informe *(m)* **4.** *(profit)* rendimiento *(m)* **5.** *(ratio)* razón *(f)*. ■ **par rapport à** *loc prép* en relación a, con respecto a.

rapporter ◘ *vt* **1.** *(apporter avec soi)* traer • **rapporter qqch à qqn** traer algo a alguien **2.** *(apporter de nouveau)* volver a traer **3.** *(rendre)* devolver **4.** *(argent, profit)* reportar **5.** *(fait)* relatar, contar. ◼ *vi* **1.** *(être rentable)* rendir **2.** *(enfant)* chivarse. ◼ **se rapporter** *vp* ◦ **se rapporter à** referirse a.

rapporteur, euse *adj* & *nm, f* chivato(ta). ◼ **rapporteur** *nm* **1.** *(de commission)* ponente *(m)* **2.** GÉOM transportador *(m)*.

rapproché, e *adj* **1.** *(dans l'espace)* cercano(na) **2.** *(dans le temps)* seguido(da).

rapprochement *nm* **1.** *(gén)* acercamiento *(m)* **2.** *(comparaison)* relación *(f)*.

rapprocher *vt* **1.** *(mettre plus près)* ◦ **rapprocher qqch / qqn de qqch** acercar algo/a alguien a algo **2.** *fig (unir)* unir **3.** *(comparer)* cotejar. ◼ **se rapprocher** *vp* **1.** *(gén)* ◦ **se rapprocher de qqch / de qqn** acercarse a algo/a alguien **2.** *(se ressembler)* parecerse.

rapt *nm* rapto *(m)*.

raquette *nf* raqueta *(f)*.

rare *adj* **1.** *(surprenant)* raro(ra) **2.** *(peu fréquent)* contado(da) **3.** *(peu nombreux)* contado(da), escaso(sa) **4.** *(peu dense)* ralo(la).

raréfier *vt* enrarecer. ◼ **se raréfier** *vp* enrarecerse.

rarement *adv* raramente.

rareté *nf* **1.** *(gén)* rareza *(f)* **2.** *(pénurie)* escasez *(f)*.

ras, e *adj* **1.** *(herbe, poil, barbe)* corto(ta) **2.** *(cheveux)* al rape **3.** *(mesure)* raso(sa). ◼ **ras** *adv* al rape. ◼ **à ras de, au ras de** *loc prép* a ras de.

RAS *(abr de rien à signaler)* sin novedad.

rasade *nf* vaso *(m)* lleno, copa *(f)* llena.

rasage *nm* afeitado *(m)*.

rasant, e *adj* **1.** *(tir, lumière)* rasante **2.** *fam (ennuyeux)* latoso(sa).

rasé, e *adj* **1.** *(crâne)* rapado(da) **2.** *(barbe)* afeitado(da) ◦ **être rasé de près** tener un afeitado apurado.

raser *vt* **1.** *(barbe)* afeitar **2.** *(cheveux)* rapar **3.** *(mur, sol)* pasar rozando **4.** *(village)* arrasar **5.** *fam (ennuyer)* ser un rollo para. ◼ **se raser** *vp* **1.** *(barbe)* afeitarse **2.** *fam (s'ennuyer)* aburrirse.

ras-le-bol *nm inv fam* ◦ **en avoir ras-le-bol** estar hasta las narices *ou* hasta el moño.

rasoir *nm* navaja *(f)* de afeitar ◦ **rasoir électrique / mécanique** maquinilla *(f)* eléctrica/ mecánica. ◼ *adj inv fam (ennuyeux)* rollo *(m)* ◦ **qu'est-ce qu'il est rasoir, ce film !** ¡qué rollo de película!

rassasier *vt* hartar, saciar.

rassemblement *nm* **1.** *(d'objets)* recolección *(f)* **2.** *(de personnes)* concentración *(f)*, aglomeración *(f)* **3.** *(union, parti)* agrupación *(f)* **4.** MIL formación *(f)*.

rassembler *vt* **1.** *(gén)* reunir **2.** *(idées)* poner en orden **3.** *(courage)* hacer acopio de. ◼ **se rassembler** *vp* **1.** *(manifestants)* concentrarse **2.** *(famille)* reunirse.

rasseoir ◼ **se rasseoir** *vp* volver a sentarse.

rasséréner *vt sout* serenar.

rassis, e *adj* **1.** *(pain, dur)* duro(ra) **2.** *sout (esprit)* sereno(na).

rassurant, e *adj* tranquilizador(ra).

rassuré, e *adj* tranquilo(la) ◦ **ne pas être rassuré** no estar tranquilo.

rassurer *vt* tranquilizar.

rassurer quelqu'un

Ya verás, todo irá bien. / **Tu verras, tout ira bien.** No te preocupes. / **Ne t'en fais pas.** ¡No es nada! *ou* ¡No pasa nada! / **Ce n'est pas grave !** Pero ¿qué quieres que haya ocurrido? / **Que veux-tu qu'il se soit passé ?**

rat *nm* rata *(f)* ◦ **petit rat** *(danseuse)* joven bailarín, -ina *(f)* *(de la escuela de danza de la Ópera de París)*. ◼ *adj fam* rata.

ratatiné, e *adj* **1.** *(fruit, personne)* arrugado(da) **2.** *fam (vélo, voiture)* hecho polvo, hecha polvo.

rate *nf* **1.** *(animal)* rata *(f)* **2.** *(organe)* bazo *(m)*.

raté, e *adj* & *nm, f* fracasado(da). ◼ **raté** *nm* **1.** *(gén pl)* AUTO sacudida *(f)* **2.** *(difficulté)* tropiezo *(m)*.

râteau *nm* rastrillo *(m)*.

rater *vt* **1.** *(manquer - train, occasion)* perder ◦ *(- cible)* errar ◦ *(- gibier)* dejar escapar **2.** *(ne pas réussir - vie)* malograr ◦ *(- examen)* suspender ◦ *(- plat)* ◦ **j'ai raté le gâteau** me ha salido mal el pastel. ◼ *vi* fracasar.

ratification *nf* ratificación *(f)*.

ratifier *vt* ratificar.

ration *nf* ración *(f)* ◦ **ration alimentaire** ración alimenticia.

rationaliser *vt* racionalizar.

rationnel, elle *adj* racional.

rationnement *nm* racionamiento *(m)*.

rationner *vt* **1.** *(aliment)* racionar **2.** *(personne)* racionar la comida de, racionarle la comida a.

ratissage *nm* **1.** *(de jardin)* rastrillado *(m)* **2.** *(de zone, de quartier)* rastreo *(m)*.

ratisser *vt* **1.** *(jardin)* rastrillar **2.** *(zone, quartier)* peinar **3.** *fam (ruiner)* dejar limpio(pia).

raton *nm* ratita *(f)* ◦ **raton laveur** mapache *(m)*.

ratonnade *nf* agresión *(f)* *(contra magrebíes)*.

RATP *(abr de Régie autonome des transports parisiens)* *nf* empresa *(f)* de transportes públicos parisinos, ≃ EMT *(Empresa Municipal de Transportes)* ◦ **les usagers de la RATP** los usuarios de la RATP.

rattachement *nm* incorporación *(f)*.

rattacher *vt* **1.** *(attacher de nouveau)* volver a atar **2.** *(relier)* ◦ **rattacher qqch à qqch** incorporar algo a algo • fig relacionar algo con algo **3.** *(unir)* • **rattacher qqn à qqch** unir a alguien a algo. ■ **se rattacher** *vp* • **se rattacher à qqch** relacionarse con algo.

ratte *nf* BOT & CULIN patata *(f)* ratte.

rattrapage *nm* **1.** SCOL recuperación *(f)* **2.** *(de salaires, de prix)* reajuste *(m)*.

rattraper *vt* **1.** *(animal, prisonnier)* coger **2.** *(temps perdu)* recuperar **3.** *(bus)* alcanzar **4.** *(personne qui tombe)* agarrar **5.** *(erreur, malfaçon)* reparar. ■ **se rattraper** *vp* **1.** *(se retenir)* • **se rattraper à qqch/à qqn** agarrarse a algo/a alguien **2.** *(compenser une insuffisance)* ponerse al nivel **3.** *(réparer une erreur)* corregirse.

rature *nf* tachadura *(f)*.

raturer *vt* tachar.

rauque *adj* ronco(ca).

ravage *nm* estrago *(m)*.

ravagé, e *adj* **1.** *(gén)* desfigurado(da) **2.** *fam (fou)* • **être ravagé** estar chalado.

ravager *vt* asolar.

ravalement *nm* revoque *(m)*.

ravaler *vt* **1.** *(façade, immeuble)* revocar **2.** *(salive)* tragar **3.** *fig (larmes, colère)* tragarse **4.** *(avilir)* rebajar.

ravauder *vt* remendar, zurcir.

rave *nf* naba *(f)*.

ravi, e *adj* **1.** *(personne)* encantado(da) **2.** *(air)* radiante • **ravi de vous connaître** encantado de conocerle.

ravier *nm* fuente *(f)* *(para entremeses)*.

ravigotant, e *adj fam* que entona.

ravigoter *vt fam* entonar.

ravin *nm* barranco *(m)*.

ravioli *nm* ravioli *(m)*.

ravir *vt* **1.** *(charmer)* encantar • **être ravi de qqch/de faire qqch/que** estar encantado con algo/de hacer algo/de que • **ravi de vous connaître** encantado de conocerle • **être ravi de partir** estar encantado de marcharse • **je suis ravie que tu puisses venir** estoy encantada de que puedas venir • **à ravir** *(admirablement)* a las mil maravillas, que ni pintado(da) **2.** *sout (arracher)* • **ravir qqch à qqn** arrebatar algo a alguien.

raviser ■ **se raviser** *vp* echarse atrás.

ravissant, e *adj* encantador(ra).

ravissement *nm* **1.** *(enchantement)* maravilla *(f)* **2.** *sout (rapt)* rapto *(m)*.

ravisseur, euse *nm, f* secuestrador *(m)*, -ra *(f)*.

ravitaillement *nm* abastecimiento *(m)*.

ravitailler *vt* **1.** *(en denrées)* abastecer **2.** *(en carburant)* repostar.

raviver *vt* reavivar.

ravoir *vt* recuperar.

rayé, e *adj* **1.** *(tissu)* a rayas **2.** *(disque, vitre)* rayado(da) **3.** *(canon)* estriado(da).

rayer *vt* **1.** *(disque, vitre)* rayar **2.** *(nom, mot)* tachar • **être rayé de la carte** desaparecer del mapa.

rayon *nm* **1.** *(de lumière, radiation)* rayo *(m)* • **rayon laser** rayo láser • **rayons X** rayos X **2.** *fig (d'espoir)* viso *(m)*, resquicio *(m)* **3.** *(de roue, de cercle)* radio *(m)* • **dans un rayon de** en un radio de • **rayon d'action** radio de acción • **rayon de braquage** radio de giro **4.** *(de ruche)* panal *(m)* **5.** *(étagère)* estante *(m)* **6.** *(dans un magasin)* sección *(f)*.

rayonnage *nm* estantería *(f)*.

rayonnant, e *adj* radiante • **rayonnant de qqch** radiante de algo.

rayonne *nf* rayón *(m)*.

rayonnement *nm* **1.** *(gén)* radiación *(f)* **2.** *fig (éclat)* resplandor *(m)* **3.** *fig (de bonheur)* brillo *(m)*.

rayonner *vi* **1.** *(chaleur)* irradiar **2.** *(soleil)* brillar **3.** *(culture, visage)* resplandecer **4.** *(avenues, rues)* tener una estructura radial.

rayure *nf* **1.** *(sur étoffe)* raya *(f)* **2.** *(sur disque, sur meuble)* raya *(f)* **3.** *(de fusil)* estría *(f)*.

raz ■ **raz de marée** *nm* **1.** *(vague)* maremoto *(m)* **2.** *fig (phénomène massif)* epidemia *(f)*, plaga *(f)*.

razzia *nf* razia *(f)* • **faire une razzia sur qqch** fam arramblar con algo.

RdC, R-C *(abr écrite de* **rez-de-chaussée***)* B.

RDV, R-V *(abr écrite de* **rendez-vous***)* cita *(f)* • **téléphoner pour prendre RDV** llamar para pedir cita.

ré *nm inv* MUS re *(m)*.

réabonnement *nm* renovación *(f)* de suscripción.

réac *adj & nmf fam péj* carca • **être réac** ser un carca.

réacheminer *vt* reencaminar, redirigir.

réacteur *nm* reactor *(m)* • **réacteur nucléaire** reactor nuclear.

réactif, ive *adj* reactivo(va). ■ **réactif** *nm* CHIM reactivo *(m)*.

réaction *nf* reacción *(f)* • **en réaction contre** como reacción contra • **réaction en chaîne** reacción en cadena.

réactionnaire *adj & nmf péj* reaccionario(ria).

réactiver *vt* reactivar.

réactualisation *nf* reactualización *(f)*.

réactualiser *vt* reactualizar.

réadaptation *nf* readaptación *(f)*.

réadapter *vt* **1.** *(adapter de nouveau)* readaptar **2.** *(rééduquer)* reeducar. ■ **se réadapter** *vp* • **se réadapter à qqch** readaptarse a algo.

réaffirmer *vt* ratificar, reafirmar.

réagir *vi* reaccionar • **réagir à qqch** *(à un médicament)* reaccionar a algo • fig *(à la critique)* reaccionar en contra de algo • **réagir contre qqch** reaccionar contra algo • **réagir sur qqch** repercutir en algo.

réajustement nm reajuste (m).

réajuster = **rajuster**.

réalisable adj realizable.

réalisateur, trice nm, f rea izador (m), -ra (f).

réalisation nf realización (f).

réaliser vt 1. (effectuer, TV & CINÉ) realizar 2. (rêve) cumplir 3. (se rendre compte de) darse cuenta de. ■ **se réaliser** vp realizarse.

réaliste adj & nmf realista.

réalité nf realidad (f) • **réalité virtuelle** INFORM realidad virtual. ■ **en réalité** loc adv en realidad.

reality-show, reality show nm reality-show (m), reality show (m).

réaménagement nm 1. (projet) • **réaménagement du territoire** reordenación (f) territorial 2. (de taux d'intérêt) reajuste (m).

réamorcer vt reactivar.

réanimation nf reanimación (f) • **être en réanimation** estar en cuidados intensivos.

réanimer vt reanimar.

réapparaître vi reaparecer.

réassort nm 1. (action) renovación (f) de existencias 2. (marchandises) mercancía (f) repuesta.

réassortiment nm COMM renovación (f) de existencias.

rébarbatif, ive adj 1. (aspect, personne) adusto(ta) 2. (travail) ingrato(ta) 3. (style) árido(da).

rebâtir vt reedificar.

rebattu, e adj trillado(da).

rebelle adj rebelde.

rebeller ■ **se rebeller** vp rebelarse • **se rebeller contre qqn** rebelarse contra alguien.

rébellion nf rebelión (f).

rebiffer ■ **se rebiffer** vp resistirse.

reboiser vt repoblar (con árboles).

rebond nm rebote (m).

rebondir vi 1. (objet) rebotar 2. fig (affaire) volver a cobrar actualidad.

rebondissement nm (de crise, d'affaire) resurgimiento (m).

rebord nm reborde (m).

reboucher vt volver a tapar.

rebours ■ **à rebours** ◨ loc adj 1. (brossage, caresse) a contrapelo 2. (compte) atrás. ◨ loc adv a contracorriente.

reboutonner vt volver a abrochar.

rebrousse-poil ■ **à rebrousse-poil** loc adv a contrapelo.

rebrousser vt cepillar a contrapelo.

rébus nm jeroglífico (m) (juego).

rebut nm desecho (m) • **mettre qqch au rebut** deshacerse de algo.

rebuter vt repeler.

récalcitrant, e adj & nm, f recalcitrante.

recaler vt fam catear.

récapituler vt recapitular.

recel nm 1. (d'objet volé) receptación (f) 2. (de personne) encubrimiento (m).

receleur, euse nm, f 1. (d'objet volé) receptador (m), -ra (f) 2. (de personne) encubridor (m), -ra (f).

récemment adv recientemente.

recensement nm 1. (de population) censo (m) 2. (de biens) inventario (m).

recenser vt 1. (population) censar 2. (biens) inventariar.

récent, e adj reciente.

recentrer vt volver a centrar.

récépissé nm resguardo (m), recibo (m).

récepteur, trice adj receptor(ra). ■ **récepteur** nm receptor (m).

réception nf recepción (f) • **donner une réception** dar una recepción.

réceptionner vt 1. (marchandises) verificar 2. SPORT recibir.

réceptionniste nmf recepcionista (mf).

récession nf recesión (f).

recette nf 1. ÉCON ingresos (mpl) • **recette principale** ingresos principales 2. (méthode & CULIN) receta (f) 3. CINÉ & THÉÂTRE taquilla (f) (Esp), boletería (f) (Amér).

recevable adj 1. (offre, excuse) admisible 2. DR (plainte) admisible, válido(da).

receveur, euse nm, f 1. ADMIN inspector (m), -ra (f) • **receveur des impôts** ≃ inspector de Hacienda • **receveur des postes** jefe (m) de correos 2. (des transports) cobrador (m), -ra (f) 3. MÉD (de greffe, de sang) receptor (m), -ra (f) • **receveur universel** receptor universal.

recevoir vt 1. (gén) recibir 2. (à un examen) • **être reçu à qqch** aprobar algo. ■ **se recevoir** vp (après un saut, une chute) caer.

rechange ■ **de rechange** loc adj de recambio, de repuesto.

réchapper vi • **réchapper à** ou **de qqch** escapar a ou de algo.

recharge nf recarga (f).

rechargeable adj recargable.

réchaud nm hornillo (m), infiernillo (m).

réchauffé, e adj recalentado(da). ■ **réchauffé** nm refrito (m) • **c'est du réchauffé** esto está más visto que el tebeo.

réchauffement nm recalentamiento (m) • **réchauffement de la planète** recalentamiento del planeta.

réchauffer *vt* **1.** *(nourriture)* recalentar **2.** *(personne)* hacer entrar en calor. ■ **se réchauffer** *vp* **1.** *(personne)* entrar en calor **2.** *(climat, terre)* recalentarse.

rêche *adj* áspero(ra).

recherche *nf* **1.** *(quête)* búsqueda *(f)* • **être à la recherche de qqch/de qqn** estar buscando algo/a alguien • **partir à la recherche de qqch/de qqn** ir en busca de algo/de alguien • **se mettre à la recherche de qqch/de qqn** ponerse a buscar algo/a alguien **2.** *(de police)* investigación *(f)* • **faire** *ou* **effectuer des recherches** hacer *ou* efectuar investigaciones • **faire de la recherche** dedicarse a la investigación • **recherche fondamentale** investigación básica **3.** *(raffinement)* refinamiento *(m)*.

recherché, e *adj* **1.** *(rare)* codiciado(da) **2.** *(style)* rebuscado(da).

rechercher *vt* buscar.

rechigner *vi* • **rechigner à faire qqch** hacer algo a regañadientes.

rechute *nf* recaída *(f)*.

récidive *nf* **1.** DR reincidencia *(f)* **2.** MÉD recaída *(f)*.

récidiver *vi* **1.** DR reincidir **2.** MÉD reaparecer.

récif *nm* arrecife *(m)*.

récipient *nm* recipiente *(m)*.

réciproque ■ *adj* recíproco(ca). ■ *nf* • **la réciproque** lo contrario • **rendre la réciproque** pagar con la misma moneda.

réciproquement *adv* recíprocamente • **et réciproquement** y viceversa.

récit *nm* relato *(m)*.

récital *nm* recital *(m)*.

récitation *nf* poesía *(f)*.

réciter *vt* recitar.

réclamation *nf* reclamación *(f)* • **faire une réclamation** hacer una reclamación.

réclame *nf* propaganda *(f)* • **faire de la réclame pour qqch** hacer propaganda de algo • **être en réclame** estar de oferta.

réclamer *vt* **1.** *(gén)* reclamar • **réclamer qqch à qqn** reclamar algo a alguien **2.** *(nécessiter)* exigir, requerir.

reclasser *vt* **1.** *(dossiers, fiches)* volver a clasificar **2.** *(chômeur)* reciclar **3.** *(fonctionnaire)* recalificar.

réclusion *nf* reclusión *(f)* • **réclusion à perpétuité** reclusión a perpetuidad.

recoiffer *vt* repeinar. ■ **se recoiffer** *vp* repeinarse.

recoin *nm* rincón *(m)*.

recoller *vt* volver a pegar.

récolte *nf* cosecha *(f)*.

récolter *vt* **1.** AGRIC cosechar **2.** *fam fig (recueillir - renseignement, gain, ennuis)* cosechar • *(- punition, gifle)* ganarse.

recommandable *adj* recomendable • **peu recommandable** poco recomendable.

recommandation *nf* recomendación *(f)*.

recommandé, e *adj* **1.** *(envoi)* certificado(da) • **envoyer qqch en recommandé** enviar algo certificado **2.** *(conseillé)* aconsejado(da).

recommander *vt* recomendar • **recommander à qqn de faire qqch** recomendar a alguien que haga algo • **recommander qqn à qqn** recomendar alguien a alguien.

recommencer ■ *vt* **1.** *(refaire)* volver a empezar **2.** *(reprendre)* retomar, remprender • **recommencer à faire qqch** volver a hacer algo **3.** *(répéter)* repetir. ■ *vi* **1.** *(récidiver)* volver a hacerlo **2.** *(se produire de nouveau)* empezar de nuevo.

récompense *nf* recompensa *(f)*.

récompenser *vt* recompensar.

recompter *vt* volver a contar.

réconciliation *nf* reconciliación *(f)*.

réconcilier *vt* reconciliar.

reconduire *vt* **1.** *(personne)* acompañar **2.** *(budget, politique)* seguir con **3.** DR reconducir.

réconfort *nm* consuelo *(m)*.

réconfortant, e *adj* reconfortante *(Esp)*, papachador(ra) *(Amér)*.

réconforter *vt* reconfortar.

reconnaissable *adj* reconocible.

reconnaissance *nf* **1.** *(gén)* reconocimiento *(m)* • **aller** *ou* **partir en reconnaissance** ir a reconocer el terreno **2.** *(gratitude)* agradecimiento *(m)* • **exprimer sa reconnaissance à qqn** expresar su agradecimiento a alguien.

reconnaissant, e *adj* agradecido(da) • **je vous serais reconnaissant de répondre rapidement** le agradecería que me respondiese rápidamente.

reconnaître *vt* reconocer • **reconnaître qqn/qqch à** *(identifier)* reconocer *ou* conocer a alguien/algo por.

reconnecter ■ **se reconnecter** *vp* INFORM volver a conectar.

reconnu, e *adj* reconocido(da).

reconquête *nf* reconquista *(f)*.

reconsidérer *vt* reconsiderar.

reconstituer *vt* reconstruir.

reconstitution *nf* **1.** reconstitución *(f)* **2.** *(de crime, de faits)* reconstrucción *(f)*.

reconstruction *nf* reconstrucción *(f)*.

reconstruire vt 1. (gén) reconstruir 2. (fortune) rehacer.

reconversion nf reconversión (f) • **reconversion économique/technique** reconversión económica/técnica.

reconvertir vt 1. (économie) reconvertir 2. (employé) reciclar. ■ **se reconvertir** vp reciclarse.

recopier vt 1. (texte) copiar 2. (brouillon) pasar a limpio.

record ◊ adj inv récord (en aposición). ◊ nm récord (m) • **battre/détenir un record** batir/ detentar un récord.

recoudre vt recoser.

recoupement nm cotejo (m) • **par recoupement** atando cabos.

recouper ◊ vt 1. (couper de nouveau) volver a cortar 2. (coïncider avec) coincidir con. ◊ vi (aux cartes) cortar. ■ **se recouper** vp 1. (ligne, cercle) recortarse 2. (coïncider) coincidir.

recourir vi • **recourir à qqch/à qqn** recurrir a algo/a alguien.

recours nm recurso (m) • **avoir recours à qqch/à qqn** recurrir a algo/a alguien • **en dernier recours** como último recurso.

recouvrir vt 1. (couvrir à nouveau) recubrir • **recouvrir de qqch** recubrir de algo 2. (surface) tapar, cubrir 3. (siège) tapizar 4. (livre) forrar 5. fig (masquer) esconder 6. (thème, sens) abarcar. ■ **se recouvrir** vp 1. (surface) recubrirse, cubrirse 2. (tuiles) superponerse.

recracher vt escupir.

récréatif, ive adj recreativo(va).

récréation nf 1. (à l'école) recreo (m) 2. (détente) recreación (f).

recréer vt recrear.

récrimination nf recriminación (f).

récrire, réécrire vt reescribir.

recroqueviller ■ **se recroqueviller** vp 1. (se replier) acurrucarse 2. fig encerrarse en sí mismo 3. (plante, papier) retorcerse.

recrudescence nf recrudecimiento (m).

recrutement nm 1. MIL reclutamiento (m) 2. (de personnel) contratación (f).

recruter vt 1. MIL reclutar 2. (personnel) contratar.

rectal, e adj rectal.

rectangle nm rectángulo (m).

rectangulaire adj rectangular.

recteur nm rector (m) (de un distrito universitario).

rectificatif, ive adj rectificativo(va). ■ **rectificatif** nm rectificativo (m).

rectification nf rectificación (f).

rectifier vt rectificar.

rectiligne adj rectilíneo(a).

recto nm cara (f) (de un folio), recto (m) • **recto verso** por las dos caras.

rectorat nm recto-ado (m).

rectum nm recto (m).

reçu nm recibo (m).

recueil nm selección (f).

recueillement nm recogimiento (m).

recueilli, e adj recogido(da).

recueillir vt 1. (dons, fonds, enfant) recoger 2. (suffrages) obtener. ■ **se recueillir** vp recogerse.

recul nm 1. (gén) retroceso (m) 2. fig (distance) distancia (f).

reculé, e adj 1. (endroit) recóndito(ta) 2. (époque, temps) remoto(ta).

reculer ◊ vt 1. (véhicule) mover hacia atrás 2. (date) retrasar. ◊ vi retroceder.

reculons ■ **à reculons** loc adv andando hacia atrás.

récupération nf recuperación (f).

récupérer ◊ vt recuperar. ◊ vi recuperarse.

récurer vt restregar.

récuser vt recusar.

recyclage nm reciclaje (m).

recycler vt reciclar. ■ **se recycler** vp reciclarse.

rédacteur, trice nm, f redactor (m), -ra (f) • **rédacteur en chef** redactor jefe.

rédaction nf redacción (f).

redécouvrir vt redescubrir.

redéfinir vt redefinir.

redéfinition nf redefinición (f).

redemander vt volver a pedir.

rédemption nf redención (f).

redescendre vt & vi volver a bajar.

redevable adj • **être redevable de qqch à qqn** deber algo a alguien

redevance nf 1. (taxe) canon (m) 2. (de télévision) pour expliquer ce que c'est, vous pouvez dire : es el impuesto que se paga anualmente por tener un televisor y que sirve para financiar la televisión pública. 3. (rente) renta (f).

rédhibitoire adj (prix) prohibitivo(va).

rediffusion nf TV reposición (f).

rédiger vt redactar.

redimensionner vt INFORM redimensionar.

redire vt repetir • **avoir ou trouver à redire à qqch** tener algo que decir sobre algo.

redistribuer vt redistribuir.

redite nf repetición (f).

redondance nf redundancia (f).

redoublant, e nm, f repetidor (m), -ra (f) (alumno).

redoubler ◊ vt 1. (répéter & SCOL) repetir 2. (efforts) redoblar. ◊ vi (augmenter - gén) aumentar • (- tempête) arreciar.

redoutable adj temible.

redouter *vt* temer.

redoux *nm* templanza (*f*).

redressement *nm* (*gén*) recuperación (*f*). ■ **redressement fiscal** *nm* rectificación (*f*) fiscal.

redresser *vt* **1.** (*gén*) enderezar **2.** (*pays, économie*) recuperar, enderezar. ■ **se redresser** *vp* **1.** (*personne*) enderezarse **2.** (*dans son lit*) incorporarse **3.** (*pays, économie*) recuperarse.

réducteur, trice *adj* **1.** (*limitatif*) simplista **2.** CHIM reductor(ra).

réduction *nf* **1.** (*gén & MÉD*) reducción (*f*) **2.** (*rabais*) reducción (*f*), rebaja (*f*).

réduire ◪ *vt* **1.** (*gén, CULIN & INFORM*) reducir **2.** (*Suisse*) (*ranger*) colocar. ◪ *vi* CULIN reducirse.

réduit, e *adj* reducido(da). ■ **réduit** *nm* **1.** (*local exigu*) cuchitril (*m*) **2.** (*renfoncement*) rincón (*m*).

rééchelonner *vt* (*dette*) reprogramar el pago de.

réécrire = **récrire**.

réédition *nf* reedición (*f*).

rééducation *nf* rehabilitación (*f*).

réel, elle *adj* real.

réélection *nf* reelección (*f*).

réellement *adv* realmente.

rééquilibrer *vt* reequilibrar.

réévaluer *vt* revaluar.

réexaminer *vt* reexaminar.

réf. (*abr écrite de* **référence**) ref.

refaire *vt* rehacer.

réfection *nf* reparación (*f*) (*Esp*), refacción (*f*) (*Amér*).

réfectoire *nm* refectorio (*m*).

référence *nf* referencia (*f*) • **faire référence à qqch/à qqn** hacer referencia a algo/a alguien.

référendum *nm* referéndum (*m*).

référer *vi* • **en référer à qqn** consultarlo con alguien.

refermer *vt* volver a cerrar.

réfléchi, e *adj* **1.** (*gén*) reflexivo(va) **2.** (*action*) pensado(da) • **c'est tout réfléchi** está decidido.

réfléchir ◪ *vt* reflejar. ◪ *vi* reflexionar • **réfléchir à qqch** pensar en algo • **réfléchir sur qqch** reflexionar sobre algo. ■ **se réfléchir** *vp* reflejarse.

reflet *nm* reflejo (*m*).

refléter *vt* reflejar. ■ **se refléter** *vp* reflejarse.

refleurir *vi* volver a florecer.

réflexe ◪ *adj* reflejo(ja). ◪ *nm* reflejo (*m*).

réflexion *nf* **1.** (*gén*) reflexión (*f*) **2.** (*remarque*) observación (*f*) (*Esp*), atingencia (*f*) (*Amér*).

refluer *vi* **1.** (*liquide*) refluir **2.** (*foule*) retroceder.

reflux *nm* reflujo (*m*).

refonte *nf* refundición (*f*).

reforestation *nf* repoblación (*f*) forestal.

réformateur, trice *adj* & *nm, f* reformador(ra).

réforme *nf* reforma (*f*).

réformé, e ◪ *adj* **1.** RELIG reformado(da) **2.** MIL exento. ◪ *nm, f* RELIG reformado (*m*), -da (*f*). ■ **réformé** *nm* MIL persona (*f*) exenta.

réformer *vt* **1.** (*améliorer, corriger*) reformar **2.** MIL declarar exento.

refoulé, e *adj* & *nm, f* reprimido(da).

refouler *vt* **1.** (*envahisseur*) rechazar **2.** (*sentiment*) reprimir.

réfractaire *adj* refractario(ria).

réfraction *nf* PHYS refracción (*f*).

refrain *nm* **1.** MUS estribillo (*m*) **2.** fig (*rengaine*) canción (*f*).

réfréner *vt* refrenar. ■ **se réfréner** *vp* refrenarse.

réfrigérant, e *adj* **1.** (*liquide, fluide*) refrigerante **2.** fig (*accueil*) poco caluroso(sa) **3.** fig (*attitude*) frío(a).

réfrigérateur *nm* frigorífico (*m*).

refroidir ◪ *vt* **1.** (*rendre froid, décourager*) enfriar **2.** argot (*tuer*) cargarse. ◪ *vi* enfriar.

refroidissement *nm* enfriamiento (*m*).

refuge *nm* refugio (*m*).

réfugié, e *adj* & *nm, f* refugiado(da).

réfugier ■ **se réfugier** *vp* refugiarse • **se réfugier dans qqch** fig refugiarse en algo.

refus *nm inv* rechazo (*m*).

refuser *vt* **1.** (*repousser*) rechazar **2.** (*contester*) • **refuser qqch à qqn** negar algo a alguien **3.** (*client, spectateur*) dejar fuera **4.** (*dire non*) decir que no • **refuser de faire qqch** negarse a hacer algo **5.** (*candidat*) • **être refusé** suspender.

réfuter *vt* refutar.

regagner *vt* **1.** (*reprendre*) recuperar, recobrar **2.** (*revenir à*) volver a (*Esp*), regresarse a (*Amér*).

regain *nm* **1.** (*retour*) recuperación (*f*) • **regain d'énergie** recuperación de energía **2.** (*herbe*) hierba (*f*) de segunda siega.

régal *nm* **1.** (*mets*) delicia (*f*) **2.** (*plaisir*) regalo (*m*).

régalade ■ **à la régalade** *adv* • **boire à la régalade** beber a chorro.

régaler *vt* obsequiar con (*una comida*) • **c'est moi qui régale !** ¡invito yo! ■ **se régaler** *vp* (*manger, s'amuser*) • **nous nous sommes régalés** nos ha encantado.

regard *nm* mirada (*f*).

regardant, e *adj* mirado(da) con el dinero • **être très/peu regardant sur qqch** ser muy/poco mirado con algo.

regarder *vt* **1.** (*gén*) mirar • **regarder qqch/qqn faire qqch** mirar algo/a alguien hacer algo **2.** (*concerner*) • **ça ne te regarde pas** eso no es cosa tuya.

régate *nf* regata (*f*).

régénérer *vt* regenerar. ■ **se régénérer** *vp* regenerarse.

régent, e *nm, f* regente (*m,f*).

régenter *vt péj* dirigir.

reggae *adj inv* & *nm* reggae.

régie *nf* **1.** (*gestion*) concesión (*f*) administrativa **2.** (*entreprise*) empresa (*f*) estatal ▪ **régie des tabacs** compañía (*f*) arrendataria de tabacos **3.** (*de spectacle, de radio, de télévision,*) servicio (*m*) de producción **4.** (*local*) sala (*f*) de control.

regimber *vi* **1.** (*cheval*) respingar **2.** *fig* (*personne*) ▪ **regimber contre** rezongar contra.

régime *nm* **1.** (*gén*) régimen (*m*) ▪ **régime carcéral** régimen carcelario ▪ **régime de Sécurité sociale** régimen de la Seguridad Social **2.** (*alimentaire*) régimen (*m*), dieta (*f*) ▪ **se mettre au régime** ponerse a régimen *ou* dieta ▪ **suivre un régime** seguir un régimen *ou* una dieta **3.** (*de bananes, de dattes*) racimo (*m*).

régiment *nm* regimiento (*m*) ▪ **un régiment de qqch** *fam fig* un regimiento de a go.

région *nf* **1.** (*gén*) región (*f*) **2.** (*division administrative*) ≃ provincia (*f*).

régional, e *adj* regional.

régir *vt* regir.

régisseur *nm* regidor (*m*), -ra (*f*).

registre *nm* registro (*m*).

réglable *adj* **1.** (*adaptable*) regulable **2.** (*payable*) abonable.

réglage *nm* regulación (*f*).

règle *nf* regla (*f*) ▪ **être/se mettre en règle** estar/ponerse en regla ▪ **c'est la règle du jeu** son las reglas del juego ▪ **dans les règles de l'art** con todas las de la ley. ■ **en règle générale** *loc adv* por regla general. ■ **règles** *nfpl* (*menstruations*) regla (*f*).

réglé, e *adj* **1.** (*vie*) ordenado(da) **2.** (*papier*) pautado(da).

règlement *nm* **1.** (*d'affaire, de conflit*) arreglo (*m*) ▪ **règlement de comptes** ajuste (*m*) de cuentas **2.** (*règle*) reglamento (*m*) **3.** (*paiement*) pago (*m*).

réglementaire *adj* reglamentario(ria).

réglementation *nf* reglamentación (*f*).

régler *vt* **1.** (*détails, question, problème*) arreglar **2.** (*mécanisme, machine*) regular **3.** (*note, commerçant*) pagar.

réglisse *nf* regaliz (*m*).

règne *nm* reinado (*m*) ▪ **sous le règne de** bajo el reinado de.

régner *vi* reinar.

regonfler *vt* **1.** (*ballon, pneu*) volver a hinchar **2.** *fam* (*personne*) levantar el ánimo a.

regorger *vi* ▪ **regorger de qqch** rebosar (de) algo.

régresser *vi* experimentar una regresión.

régression *nf* regresión (*f*).

regret *nm* **1.** (*nostalgie*) añoranza (*f*) ▪ **à regret** a disgusto ▪ **sans regrets** sin (ningún) pesar **2.** (*repentir*) arrepentimiento (*m*) ▪ **tous mes regrets** sintiéndolo mucho **3.** (*chagrin*) pena (*f*), tristeza (*f*).

regrettable *adj* **1.** (*incident*) lamentable **2.** (*dommage*) ▪ **c'est regrettable que...** es una pena que...

regretter *vt* **1.** (*passé*) añorar **2.** (*se repentir de*) arrepentirse de **3.** (*déplorer*) sentir, lamentar ▪ **regretter que** sentir *ou* lamentar que ▪ **il regrette que vous n'ayez pas pu vous rencontrer** siente mucho que no os hayáis podido conocer ▪ **regretter de faire qqch** sentir *ou* lamentar hacer algo.

regrouper *vt* agrupar. ■ **se regrouper** *vp* agruparse.

régulariser *vt* **1.** (*situation, documents*) regularizar **2.** (*circulation, fonctionnement*) regular.

régularité *nf* **1.** (*gén*) regularidad (*f*) **2.** (*harmonie*) proporción (*f*).

réguler *vt* regular.

régulier, ère *adj* **1.** (*gén*) regular **2.** (*visage, traits*) bien proporcionado(da) **3.** *fam* (*honnête*) decente.

régulièrement *adv* **1.** (*uniformément, souvent*) con regularidad **2.** (*légalement*) de forma regular.

réhabilitation *nf* rehabilitación (*f*) (*de una acusación*).

réhabiliter *vt* rehabilitar.

rehausser *vt* **1.** (*gén*) levantar **2.** (*mettre en valeur*) realzar.

rehausseur *nm* elevador (*m*).

rein *nm* riñón (*m*) ▪ **rein artificiel** riñón artificial. ■ **reins** *nmpl* riñones (*mpl*).

réincarnation *nf* reencarnación (*f*).

réincarner ■ **se réincarner** *vp* reencarnarse.

reine *nf* reina (*f*).

réinsertion *nf* reinserción (*f*).

réintégrer *vt* **1.** (*rejoindre*) volver a (*Esp*), regresarse a (*Amér*) **2.** *DR* reintegrar.

rejaillir *vi* salpicar.

rejet *nm* **1.** (*refus* & *MÉD*) rechazo (*m*) **2.** *BOT* retoño (*m*).

rejeter *vt* **1.** *(balle)* volver a lanzar **2.** MÉD *(vomir)* echar **3.** MÉD *(greffe)* rechazar **4.** fig *(faire retomber)* • **rejeter qqch sur qqn** hacer recaer algo sobre alguien **5.** *(offre, personne)* rechazar.

rejeton *nm* retoño *(m)*.

rejoindre *vt* **1.** *(retrouver)* reunirse con **2.** *(regagner)* volver a, regresar a *(Esp)*, regresarse a *(Amér)* **3.** *(s'unir à)* unirse a **4.** *(concorder avec)* confirmar **5.** *(rattraper - personne)* alcanzar • *(- route, sentier)* llegar a. ■ **se rejoindre** *vp* **1.** *(personnes)* reunirse, encontrarse **2.** *(routes, chemins)* encontrarse **3.** *(opinions)* coincidir.

réjoui, e *adj* alegre.

réjouir *vt sout* alegrar. ■ **se réjouir** *vp* alegrarse • **se réjouir de qqch** alegrarse de algo.

relâche *nf* descanso *(m)* • **faire relâche** descansar • **sans relâche** sin descanso.

relâchement *nm* relajación *(f)*, descuido *(m)*.

relâcher *vt* **1.** *(étreinte, attention, efforts)* relajar, descuidar **2.** *(muscle)* aflojar **3.** *(prisonnier, animal)* soltar. ■ **se relâcher** *vp* **1.** *(corde, muscle)* aflojarse **2.** *(discipline, personne)* relajarse, descuidarse.

relais *nm* **1.** *(auberge)* albergue *(m)* **2.** SPORT relevo *(m)* **3.** TV repetidor *(m)* • **par relais satellite** vía satélite.

relance *nf* **1.** ÉCON recuperación *(f)*, reactivación *(f)* **2.** *(au jeu)* envite *(m)*.

relancer *vt* **1.** *(balle)* volver a lanzar **2.** *(économie, projet)* reactivar **3.** *(personne)* acosar **4.** *(au jeu)* hacer un envite a **5.** INFORM reiniciar.

relater *vt sout* relatar.

relatif, ive *adj* relativo(va) • **relatif à qqch** relativo a algo • **tout est relatif** todo es relativo. ■ **relative** *nf* GRAMM relativa *(f)*.

relation *nf* relación *(f)* • **mettre qqn en relation avec qqn** poner en contacto a alguien con alguien. ■ **relations** *nfpl* relaciones *(fpl)* • **avoir des relations** tener relaciones.

relationnel, elle *adj* relacional.

relativement *adv* **1.** *(par comparaison)* • **relativement à** en relación con **2.** *(de façon relative)* relativamente.

relativiser *vt* relativizar.

relativité *nf* relatividad *(f)*.

relax, relaxe *adj fam* tranqui.

relaxant, e *adj* relajante.

relaxation *nf* relajación *(f)*.

relaxe = **relax**.

relaxer *vt* **1.** *(gén)* relajar **2.** *(prévenu)* poner en libertad. ■ **se relaxer** *vp* relajarse.

relayer *vt* relevar. ■ **se relayer** *vp* turnarse.

relecture *nf* relectura *(f)*.

reléguer *vt* relegar.

relent *nm* tufo *(m)*.

relève *nf* relevo *(m)* • **prendre la relève** coger OU tomar el relevo.

relevé, e *adj* *(sauce)* picante *(Esp)*, picoso(sa) *(Amér)*. ■ **relevé** *nm* *(de compteur)* lectura *(f)* • **relevé de compte** extracto *(m)* de cuenta • **relevé d'identité bancaire** certificado *(m)* de identificación bancaria *(que especifica el número de cuenta, el código de la sucursal, etc)*.

relever ■ *vt* **1.** *(gén)* levantar **2.** *(remettre debout)* poner de pie **3.** *(store, prix, salaire)* subir **4.** *(cahiers, copies)* recoger **5.** CULIN *(mettre en valeur)* realzar **6.** CULIN *(pimenter)* sazonar **7.** *(adresse, recette)* anotar, apuntar **8.** *(erreur)* señalar **9.** *(compteur)* leer **10.** *(sentinelle, vigile)* relevar • **relever qqn de** *(fonctions)* relevar a alguien de. ■ *vi* **1.** *(se rétablir)* • **relever de qqch** restablecerse OU recuperarse de algo **2.** *(être du domaine)* • **relever de qqch** atañer OU concernir a algo. ■ **se relever** *vp* **1.** *(gén)* levantarse **2.** *(après une chute)* ponerse de pie *(Esp)*, pararse *(Amér)*.

relief *nm* relieve *(m)* • **mettre qqch en relief** poner algo de relieve.

relier *vt* **1.** *(livre)* encuadernar **2.** *(attacher, joindre)* unir • **relier qqch à qqch** unir algo a algo **3.** fig *(associer)* relacionar.

religieux, euse *adj & nm, f* religioso(sa). ■ **religieuse** *nf* RELIG religiosa *(f)*.

religion *nf* religión *(f)*.

relique *nf* *(gén pl)* reliquia *(f)*.

relire *vt* releer. ■ **se relire** *vp* releer *(lo que uno ha escrito)*.

reliure *nf* encuadernación *(f)*.

reloger *vt* alojar.

reluire *vi* relucir.

reluisant, e *adj* reluciente • **peu** OU **pas très reluisant** fig *(avenir, acte)* poco OU no muy brillante.

reluquer *vt fam* echar el ojo a.

remake *nm* CINÉ nueva versión *(f)*.

remaniement *nm* remodelación *(f)* • **remaniement ministériel** reajuste *(m)* ministerial.

remanier *vt* remodelar.

remarier ■ **se remarier** *vp* volver a casarse.

remarquable *adj* notable.

remarque *nf* observación *(f)*, comentario *(m)* *(Esp)*, atingencia *(f)* *(Amér)* • **faire une remarque à qqn** hacer una observación a alguien.

remarquer *vt* **1.** *(noter)* notar • **remarquer que** notar que • **se faire remarquer** péj hacerse notar **2.** *(signaler)* señalar. ■ **se remarquer** *vp* notarse.

rembarrer *vt fam* cortar.

remblai *nm* **1.** *(action)* terraplenado *(m)* **2.** *(masse de terre)* terraplén *(m)*.

rembobiner *vt* rebobinar.

rembourrage *nm* relleno *(m)*.

remboursement *nm* reembolso *(m)*.

rembourser *vt* **1.** *(dette)* pagar **2.** *(montant)* reembolsar **3.** *(personne)* pagar a, devolver el dinero a • **rembourser qqn de qqch** reembolsar algo a alguien • **se faire rembourser : je me suis fait rembourser mes frais de voyage** me han reembolsado los gastos de viaje.

rembrunir ■ **se rembrunir** vp ensombrecerse (entristecerse).

remède nm remedio (m).

remédier vi • **remédier à qqch** remediar algo.

remembrement nm concentración (f) parcelaria.

remerciement nm agradecimiento (m) • **avec tous mes remerciements** con todo m agradecimiento.

remercier vt 1. (exprimer sa gratitude à) dar las gracias a, agradecer • **remercier qqn de** ou **pour qqch** agradecer a alguien algo, dar las gracias a alguien por algo • **non, je vous remercie** no, gracias 2. (employé) despedir (Esp), cesantear (Amér).

remettre vt 1. (replacer) volver a poner 2. (vêtement, accessoire) volver a ponerse 3. (ordre) restablecer 4. (lumière) volver a encender 5. (donner) • **remettre qqch à qqn** entregar algo a alguien 6. (réunion, rendez-vous) • **remettre qqch (à plus tard)** aplazar a go (hasta más tarde) 7. fam (reconnaître) situar. ■ **se remettre** vp 1. (recommencer) volver a algo/a hacer algo 2. (se rétablir) • **se remettre (de qqch)** reponerse (de algo) • **je m'en remets à toi** cuento contigo.

réminiscence nf sout reminiscencia (f).

remise nf 1. (réduction) rebaja (f) • **remise de peine** remisión (f) de condena 2. (de lettre, de colis) entrega (f) 3. (action de remettre) • **remise en état** revisión (f) • **remise en jeu** saque (m) • **remise en question** ou **cause** replanteamiento (m) 4. (hangar) cobertizo (m) (Esp), galpón (m) (Amér).

rémission nf remisión (f) • **sans rémission** (condamner) irrevocablemente • (pleuvoir, etc) sin cesar.

remix nm MUS remix (m).

remodeler vt remodelar.

remonte-pente nm telearrastre (m).

remonter ■ vt 1. (escalier, étage, objet) volver a subir 2. (meuble, machine) volver a montar 3. (relever - vitre, store) subir • (- ccl, chaussettes) subirse 4. (refaire - groupe, équipe) rehacer • (- garde-robe, ménage) renovar 5. (horloge, montre) dar cuerda a 6. (malade, déprimé) reanimar. ■ vi 1. (gén) subir 2. (dater) remontar • **remonter à** remontarse a.

remontoir nm cuerda (f).

remontrer vt volver a mostrar, volver a enseñar.

remords nm inv remordimiento (m) • **il est bourrelé de remords** lo atormentan los remordimientos.

remorque nf remolque (m).

remorquer vt remolcar.

remorqueur nm remolcador (m).

remous nm 1. (tourbillon) remolino (m) 2. fig (bouleversement) agitación (f)

rempailler vt remozar la paja de.

rempart nm (gén pl) muralla (f).

rempiler ■ vt volver a apilar. ■ vi fam reengancharse.

remplaçant, e nm, f sustituto (m), -ta (f).

remplacement nm sustitución (f) • **faire un remplacement/des remplacements** hacer una sustitución/sustituciones.

remplacer vt 1. (gén) sustituir • **remplacer qqch/qqn (par)** sustituir algo/a alguien (por) 2. (renouveler) reemplazar, remplazar.

rempli, e adj (journée) ocupado(da) • **rempli de** lleno de.

remplir vt 1. (gén) llenar • **remplir qqch de qqch** llenar algo de algo • **remplir qqn de qqch** (joie, colère, etc) llenar a alguien de algo 2. (questionnaire) rellenar, completar 3. (fonction, promesse, condition) cumplir (con).

remplissage nm 1. (d'un récipient) llenado (m) 2. fig & péj (d'un texte) • **faire du remplissage** meter paja.

rempocher vt volver a embolsar.

remporter vt 1. (prix, coupe) ganar, llevarse 2. (succès, victoire) conseguir.

remuant, e adj inquieto(ta).

remue-ménage nm inv trajín (m).

remuer ■ vt 1. (meuble, bras, jambes) mover 2. (terre, café salade) remover 3. (émouvoir) afectar. ■ vi 1. (gesticuler) moverse 2. (bouger) mover. ■ **se remuer** vp moverse.

rémunérer vt remunerar.

renâcler vi refunfuñar • **renâcler devant** ou **à qqch** refunfuñar ante ou por algo.

renaissance nf renacimiento (m).

renaître vi renacer.

rénal, e adj renal.

renard, e nm, f zorro (m), -rra (f).

renchérir vi 1. (surenchérir) • **renchérir sur qqch** encarecer algo 2. sout (prix) encarecerse.

rencontre nf encuentro (m) • **aller/marcher/venir à la rencontre de qqn** ir/andar/venir al encuentro de alguien.

rencontrer vt 1. (par hasard) encontrarse con, encontrar 2. (avoir rendez-vous avec) reunirse con 3. (faire la connaissance de) conocer 4. (heurter) dar contra 5. fig (obstacle, opposition) tropezar con. ■ **se rencontrer** vp 1. (par hasard) encontrarse 2. (se réunir) reunirse 3. (faire connaissance) conocerse 4. (regards, opinions) coincidir.

rendement nm rendimiento (m).

rendez-vous *nm inv* **1.** *(rencontre - entre amis, amoureux)* cita *(f)* • *(- chez le coiffeur, le médecin)* hora *(f)* • **j'ai rendez-vous chez le dentiste** tengo hora con el dentista • **prendre rendez-vous** pedir hora **2.** *(lieu)* lugar *(m)* de encuentro • **se donner rendez-vous : on s'est donné rendez-vous devant le cinéma** hemos quedado delante del cine.

fixer un rendez-vous

¿Cuándo nos volvemos a ver? / **Quand nous revoyons-nous ?** ¿Dónde quedamos? / **Où nous donnons-nous rendez-vous ?** ¿Quieres/Quiere que quedemos esta noche? / **Veux-tu/Voulez-vous qu'on se donne rendez-vous ce soir ?** ¿Tienes/Tiene ya plan para mañana? / **As-tu/Avez-vous déjà quelque-chose de prévu demain ?** Mañana no puedo, pero por el momento no tengo nada previsto para el fin de semana. / **Je ne peux pas demain, mais je n'ai encore rien de prévu pour ce week-end.**

rendormir *vt* volver a dormir. ■ **se rendormir** *vp* volver a dormirse.

rendre ◼ *vt* **1.** *(restituer, donner en retour)* • **rendre qqch à qqn** devolver algo a alguien • *(honneurs, hommage)* rendir algo a alguien **2.** DR pronunciar **3.** *(+ adj) (faire devenir)* volver • **rendre heureux** hacer feliz • **il me rendra folle** va a volverme loca **4.** *(exprimer, reproduire)* reflejar **5.** *(produire)* aportar **6.** *(vomir)* devolver **7.** MIL *(céder)* rendir. ◼ *vi* **1.** *(produire)* rendir **2.** *(vomir)* devolver. ■ **se rendre** *vp* **1.** *(obéir, capituler)* rendirse **2.** *(aller)* • **se rendre à** acudir a • *(à l'étranger)* irse a **3.** *(+ adj) (se faire tel)* hacerse • **se rendre malade** ponerse enfermo(ma) • **se rendre utile** hacer algo útil.

rêne *nf (gén pl)* rienda *(f)*.

renégat, e *nm, f sout* renegado *(m)*, -da *(f)*.

renégocier *vt* renegociar.

renfermé, e *adj* cerrado(da). ■ **renfermé** *nm* • **ça sent le renfermé** huele a cerrado.

renfermer *vt* **1.** *(contenir)* encerrar **2.** *(secret)* esconder. ■ **se renfermer** *vp (s'isoler)* encerrarse.

renflé, e *adj* hinchado(da).

renflouer *vt* **1.** *(bateau)* desencallar **2.** fig *(entreprise, personne)* sacar a flote.

renfoncement *nm* hueco *(m)*.

renforcer *vt* **1.** *(mur, équipe, armée)* reforzar **2.** *(paix, soupçon)* fortalecer **3.** *(couleur, expression, politique)* intensificar.

renfort *nm* MIL & TECHNOL refuerzo *(m)* • **en renfort** de refuerzo.

renfrogner ■ **se renfrogner** *vp* enfurruñarse.

rengaine *nf* **1.** *(formule répétée)* • **toujours la même rengaine !** ¡siempre la misma canción! **2.** *(refrain populaire)* cancioncilla *(f)*.

rengorger ■ **se rengorger** *vp* pavonearse.

renier *vt* renegar de.

renifler ◼ *vi* sorberse los mocos. ◼ *vt* olfatear.

renne *nm* reno *(m)*.

renom *nm* renombre *(m)* • **de grand renom** de gran renombre.

renommé, e *adj* reputado(da) • **renommé pour qqch** reputado por algo. ■ **renommée** *nf* renombre *(m)*.

renoncement *nm* renuncia *(f)* • **renoncement à qqch** renuncia a algo.

renoncer ◼ *vt* renunciar • **renoncer à qqch/à faire qqch** renunciar a algo/a hacer algo. ◼ *vi* renunciar.

renouer ◼ *vt* **1.** *(cravate, lacet)* volver a anudar **2.** *(conversation, liaison)* reanudar. ◼ *vi* • **renouer avec qqch** restablecer algo • **renouer avec qqn** reconciliarse con alguien.

renouveau *nm* **1.** *(transformation)* renovación *(f)* **2.** *(regain)* rebrote *(m)*.

renouvelable *adj* renovable.

renouveler *vt* **1.** *(gén)* renovar **2.** *(demande)* reiterar. ■ **se renouveler** *vp* **1.** *(gén)* renovarse **2.** *(recommencer)* repetirse.

renouvellement *nm* renovación *(f)*.

rénovation *nf* reforma *(f)*.

rénover *vt* reformar.

renseignement *nm* información *(f)* • **demander un renseignement** informarse. ■ **renseignements** *nmpl* **1.** *(service d'information)* información *(f)* **2.** *(espionnage)* servicios *(mpl)* secretos.

demander un renseignement

¡Disculpe, por favor! / **Excusez-moi, s'il vous plaît !** ¿Me sabría decir dónde se encuentra la plaza del mercado? / **Pouvez-vous me dire où se trouve la place du marché ?** ¿Sabe a qué hora sale el tren para Madrid? / **Savez-vous à quelle heure part le train pour Madrid ?** Por favor, ¿qué hora es? / **Quelle heure est-il, s'il vous plaît ?** ¿Hasta qué hora están abiertos hoy? / **Jusqu'à quelle heure êtes-vous ouverts aujourd'hui ?** ¿Tiene cambio de 10 euros? / **Auriez-vous la monnaie de 10 euros ?**

renseigner *vt* informar • **renseigner qqn sur qqch** informar a alguien sobre algo. ■ **se renseigner** *vp* informarse.

rentabiliser *vt* rentabilizar.

rentabilité *nf* rentabilidad *(f)*.

rentable adj 1. ÉCON rentable 2. fam (payant) productivo(va).

rente nf 1. (gén) renta (f) • **vivre de ses rentes** vivir de renta 2. (emprunt d'État) renta (f) de la deuda pública.

rentier, ère nm, f rentista (mf).

rentrée nf 1. (reprise des activités) reanudación (f) • **la rentrée des classes** la vuelta al colegio • **la rentrée parlementaire** la reanudación de las tareas parlamentarias 2. (retour à la scène) reaparición (f) 3. (mise à l'abri) recogida (f) 4. COMM (recette) entrada (f).

rentrer ◼ vi 1. (entrer, pénétrer, être perçu) entrar • **rentrer dans qqch** (s'emboîter dans) entrar dentro de algo • (être comprises dans) entrar en algo 2. (revenir) • **rentrer (à/de)** volver (a/de) • **rentrer (chez soi)** volver (a su casa) 3. (élève) reanudar las clases 4. (employé) volver a trabajar 5. (tribunal) reanudar las sesiones 6. (voiture) • **rentrer dans qqch/dans qqn** estrellarse contra algo/contra alguien. ◼ vt 1. (mettre à l'abri) entrar 2. (foins) recoger 3. (griffes) meter 4. (larmes, colère) tragarse.

renversant, e adj asombroso(sa).

renverse ◼ **à la renverse** loc adv de espaldas.

renversement nm 1. (action de mettre à l'envers, changement complet) inversión (f) 2. (de régime) derrocamiento (m).

renverser vt 1. (mettre à l'envers, inverser) invertir 2. (faire tomber - objet) volcar (Esp), voltear (Amér) • (- piéton) atropellar • **se faire renverser** ser atropellado(da) • **il s'est fait renverser par un motard** le ha atropellado un motorista • (- liquide) derramar 3. (éliminer - ordre établi) derribar (Esp), voltear (Amér) • (- personne) destituir • (- régime) derrocar 4. (tête) echar hacia atrás 5. (étonner) asombrar. ◼ **se renverser** vp 1. (se pencher en arrière) echarse hacia atrás 2. (objet) volcar (Esp), voltearse (Amér) 3. (liquide) derramarse.

renvoi nm 1. (licenciement) despido (m) 2. (à l'expéditeur) devolución (f) 3. (ajournement) aplazamiento (m) 4. (référence) llamada (f) 5. (éructation) • **il a eu des renvois** se le ha repetido.

renvoyer vt 1. (faire retourner) hacer volver 2. (employé) despedir (Esp), cesantear (Amér) 3. (paquet, balle) devolver 4. (lumière) reflejar 5. (procès) aplazar 6. (référer) • **renvoyer à qqch/à qqn** remitir a algo/a alguien.

réorganisation nf reorganización (f).

réorganiser vt reorganizar.

réorienter vt reorientar.

réouverture nf reapertura (f).

repaginer vt INFORM repaginar.

repaire nm guarida (f).

répandre vt 1. (liquide, larmes) derramar 2. (graines, substance) esparcir 3. (odeur, chaleur) despe-

dir 4. (bienfaits) prodigar 5. (panique, effroi, terreur) sembrar 6. (mode, doctrine, nouvelle) difundir.

répandu, e adj extendido(da).

réparable adj reparable.

réparateur, trice adj & nm, f reparador(ra).

réparation nf 1. (gén) reparación (f) 2. SPORT (au football) • **surface de réparation** área (f) (de castigo).

réparer vt arreglar, reparar (Esp), refaccionar (Amér).

reparler vi (d'un sujet) • **reparler de qqch/de qqn** volver a hablar de algo/de alguien.

repartie nf réplica (f) • **avoir de la repartie** tener respuesta para todo.

répartir vt 1. (gén) repartir, distribuir 2. (somme) repartir. ◼ **se répartir** vp repartirse.

répartition nf 1. (partage) reparto (m) 2. (dans un espace) distribución (f).

repas nm comida (f) • **prendre son repas** comer • **repas d'affaires** comida de negocios.

LE REPAS

- l'assiette / el plato
- la bière / la cerveza
- le café / el café
- la carafe d'eau / la jarra de agua
- la charcuterie / los embutidos
- les couverts / los cubiertos
- les crudités / la verdura
- le dessert / el postre
- l'eau du robinet / el agua del grifo
- l'eau gazeuse / el agua con gas
- l'eau minérale / el agua mineral
- l'eau plate / el agua sin gas
- l'entrée / la entrada
- la forêt noire / la tarta Selva Negra
- le fromage / el queso
- les fruits / la fruta
- le gâteau / el pastel
- le gâteau d'anniversaire / el pastel de cumpleaños
- le jus de pommes / el zumo de manzana
- le jus d'oranges / el zumo de naranja
- les légumes / las verduras
- le pain / el pan
- le plat / el plato
- le plateau / la bandeja
- le plateau de fromages / la tabla de quesos
- la tarte / la tarta
- le thé / el té
- la tisane / la infusión
- le verre / el vaso
- la viande / la carne
- le vin / el vino
- le yaourt / el yogur.

repassage *nm* planchado *(m)*.

repasser ◼ *vi* **1.** *(passer à nouveau)* volver a pasar **2.** *(film)* volver a emitirse. ◼ *vt* **1.** *(linge)* planchar **2.** *(leçon)* repasar **3.** *(examen)* volver a pasar.

repêchage *nm* **1.** *(hors de l'eau)* rescate *(m)* **2.** fig *(rattrapage)* repesca *(f)*.

repêcher *vt* **1.** *(retirer de l'eau)* rescatar **2.** fig *(élève, candidat)* repescar.

repeindre *vt* repintar.

repenser *vt* replantearse.

repentir *nm* arrepentimiento *(m)*. ◼ **se repentir** *vp* arrepentirse ◦ **se repentir de qqch/d'avoir fait qqch** arrepentirse de algo/de haber hecho algo.

répercussion *nf* repercusión *(f)* ◦ **répercussion de qqch sur qqch** repercusión de algo en algo.

répercuter *vt* **1.** *(son, taxe)* repercutir ◦ **répercuter qqch sur qqch** FIN repercutir algo en algo **2.** *(ordre)* transmitir. ◼ **se répercuter** *vp* repercutir ◦ **se répercuter sur qqch** repercutir en algo.

repère *nm* referencia *(f)*.

repérer *vt* **1.** *(situer)* señalar **2.** *(sous-marin, bateau)* localizar **3.** fam *(apercevoir, remarquer)* localizar ◦ **on va se faire repérer** nos van a calar.

répertoire *nm* **1.** *(gén)* repertorio *(m)* **2.** *(agenda)* agenda *(f)* **3.** INFORM directorio *(m)*.

répertorier *vt* inscribir en un repertorio.

répéter *vt* **1.** *(gén)* repetir ◦ **répéter que** repetir que ◦ **je ne te le répéterai pas deux fois** no pienso repetirlo (dos veces) **2.** THÉÂTRE ensayar. ◼ **se répéter** *vp* repetirse.

répétitif, ive *adj* repetitivo(va).

répétition *nf* **1.** *(gén)* repetición *(f)* **2.** THÉÂTRE ensayo *(m)* ◦ **répétition générale** ensayo general.

repeupler *vt* **1.** *(gén)* repoblar **2.** *(forêt)* reforestar.

répit *nm* respiro *(m)* ◦ **sans répit** sin parar.

replacer *vt* **1.** *(situer)* situar **2.** *(remettre en place)* volver a colocar.

replet, ète *adj* rechoncho(cha).

repli *nm* **1.** *(gén)* repliegue *(m)* **2.** *(gén pl)* sout *(partie dissimulée)* recoveco *(m)*.

réplique *nf* **1.** *(gén)* réplica *(f)* ◦ **sans réplique** sin rechistar **2.** THÉÂTRE entrada *(f)* ◦ **donner la réplique à qqn** dar la entrada a alguien.

répliquer ◼ *vt* replicar ◦ **répliquer qqch à qqn** replicar algo a alguien. ◼ *vi* replicar.

replonger ◼ *vt* ◦ **replonger qqch/qqn dans qqch** volver a sumergir algo/a alguien en algo ◦ fig volver a sumir algo/a alguien en algo. ◼ *vi* volver a sumergirse. ◼ **se replonger** *vp* ◦ **se replonger dans qqch** fig *(dans un livre, etc)* volver a sumirse en algo.

répondeur *nm* contestador *(m)* ◦ **répondeur automatique** OU **téléphonique** contestador automático ◦ **répondeur interrogeable à distance** contestador interrogable a distancia.

répondeur-enregistreur *nm* contestador *(m)* automático.

répondre ◼ *vi* contestar, responder ◦ **répondre à qqch** *(faire écho, correspondre)* responder a algo ◦ **répondre à qqch/à qqn** contestar OU responder (a) algo/a alguien ◦ **répondre à qqch (par qqch)** responder a algo (con algo) ◦ **répondre de qqch/de qqn** responder de OU por algo/de OU por alguien. ◼ *vt* contestar, responder ◦ **répondre qqch à qqch** contestar OU responder algo a algo ◦ **répondre qqch à qqn** contestar OU responder algo a alguien.

réponse *nf* **1.** *(action de répondre)* respuesta *(f)*, contestación *(f)* ◦ **en réponse à votre lettre…** en respuesta a su carta… **2.** *(solution, réaction)* respuesta *(f)* **3.** *(réfutation, riposte)* réplica *(f)*.

report *nm* **1.** *(d'un rendez-vous, d'une réunion)* aplazamiento *(m)* **2.** *(d'écritures)* transcripción *(f)*.

reportage *nm* reportaje *(m)* (Esp), reporte *(m)* (Amér).

reporter[1] *nm* reportero *(m)*, -ra *(f)* ◦ **grand reporter** gran reportero, -ra *(f)*.

reporter[2] *vt* **1.** *(rapporter)* volver a llevar **2.** *(réunion, cérémonie)* aplazar ◦ **reporter qqch à** aplazar algo hasta **3.** *(recopier, transférer)* ◦ **reporter qqch sur qqch/sur qqn** trasladar algo a algo/a alguien. ◼ **se reporter** *vp* ◦ **se reporter à qqch** remitirse a algo.

repos *nm* **1.** *(gén)* descanso *(m)* **2.** *(immobilité, sommeil)* reposo *(m)*.

reposé, e *adj* descansado(da) ◦ **à tête reposée** con calma.

reposer ◼ *vt* **1.** *(poser à nouveau)* volver a poner **2.** *(remettre en place)* volver a colocar **3.** *(question)* volver a plantear **4.** *(appuyer)* ◦ **reposer qqch sur qqch** apoyar algo sobre algo **5.** *(délasser)* descansar. ◼ *vi* **1.** *(gén)* descansar ◦ **reposer sur qqch** *(être appuyé sur)* descansar sobre algo ◦ fig *(être fondé sur)* apoyarse sobre algo **2.** CULIN reposar. ◼ **se reposer** *vp* **1.** *(se délasser)* descansar **2.** *(compter)* ◦ **se reposer sur qqn** contar con alguien.

repositionnable *adj* reposicionable.

repoussant, e *adj* repulsivo(va).

repoussé, e *adj* repujado(da).

repousser ◼ *vi* **1.** *(barbe, poil)* volver a crecer **2.** *(végétal)* volver a brotar. ◼ *vt* **1.** *(déplacer)* empujar **2.** *(dégoûter)* repeler **3.** *(personne, offre, ennemi)* rechazar **4.** *(date)* aplazar.

répréhensible *adj* reprensible.

reprendre ◼ *vt* **1.** *(chose)* volver a coger **2.** *(ce qu'on avait donné)* volver a llevarse **3.** *(revenir chercher)* recoger **4.** COMM *(marchandise)* devolver **5.** *(se resservir, répéter)* repetir ◦ **reprendre**

de qqch repetir algo • **on ne l'y reprendra plus** no lo volverá a hacer **6.** *(travail, route, lutte)* retomar **7.** *(vêtement)* arreglar **8.** *(corriger)* reprender **9.** *(haleine, courage, souffle)* recobrar. ◼ *vi* **I.** *(retrouver la vie, la vigueur)* recuperarse **2.** *(recommencer)* reanudarse.

représailles *nfpl* represalias *(fpl)*.

représentant, e *nm, f* representante *(mf)*.

représentatif, ive *adj* representativo(va) • **représentatif de qqch** representativo de algo.

représentation *nf* representación *(f)* • **donner une représentation** dar una representación.

représentativité *nf* representatividad *(f)*.

représenter *vt* representar. ◼ **se représenter** *vp* **1.** *(s'imaginer)* imaginarse **2.** *(occasion)* volver a presentarse **3.** *(aux élections)* • **se représenter à qqch** volver a presentarse a algo.

répression *nf* represión *(f)*.

réprimande *nf* reprimenda *(f)*.

réprimander *vt* reprender.

réprimer *vt* reprimir.

repris ◼ **repris de justice** *nm* reincidente *(mf)*.

reprise *nf* **1.** *(recommencement)* reanudación *(f)* **2.** *(de marchandises)* recogida *(f)* **3.** SPORT asalto *(m)* **4.** *(accélération)* repris *(m)* **5.** COUT zurcido *(m)* **6.** *(entre locataires)* traspaso *(m)*. ◼ **à plusieurs reprises** *loc adv* repetidas veces.

repriser *vt* zurcir.

réprobateur, trice *adj* reprobador(ra).

réprobation *nf* reprobación *(f)*.

reproche *nm* reproche *(m)*.

reprocher *vt* • **reprocher qqch à qqn** reprochar algo a alguien. ◼ **se reprocher** *vp* • **se reprocher qqch** reprocharse algo.

reproducteur, trice *adj* reproductor(ra).

reproduction *nf* reproducción *(f)* • **'reproduction interdite'** 'prohibida la reproducción'.

reproduire *vt* reproducir. ◼ **se reproduire** *vp* reproducirse.

réprouver *vt* reprobar.

reptile *nm* reptil *(m)*.

repu, e *adj* harto(ta).

républicain, e *adj* & *nm, f* republicano(na).

république *nf* república *(f)*.

République française *npr* • **la République française** la República francesa.

République tchèque *npr* • **la République tchèque** la República Checa.

répudier *vt* repudiar.

répugnance *nf* **1.** *(répulsion, horreur)* repugnancia *(f)* **2.** *(réticence)* desgana *(f)*.

répugnant, e *adj* repugnante.

répugner *vi* • **répugner à qqn** repugnarle a alguien • **répugner à qqch/à faire qqch** odiar algo/hacer algo.

répulsion *nf* repulsión *(f)*.

réputation *nf* reputación *(f)* • **avoir une réputation de** tener reputación de • **avoir bonne/ mauvaise réputation** tener buena/mala reputación.

réputé, e *adj* reputado(da).

requérir *vt* **1.** *(gén)* requerir **2.** DR *(peine)* solicitar.

requête *nf* **1.** *sout (prière)* petición *(f)* **2.** DR requerimiento *(m)*.

requiem *nm inv* réquiem *(m)*.

requin *nm* tiburón *(m)*.

requis, e *adj* requerido(da).

réquisition *nf* **1.** *(de personnes)* movilización *(f)* **2.** *(de biens)* requisa *(f)*.

réquisitionner *vt* **1.** *(personnes)* movilizar **2.** *(biens)* requisar **3.** *fam (embaucher)* reclutar.

réquisitoire *nm* requisitoria *(f)*.

RER *(abr de réseau express régional)* *nm (réseau)* red *(f)* de trenes de cercanías *(que enlaza París con la periferia)*.

rescapé, e *adj* & *nm, f* superviviente.

rescousse ◼ **à la rescousse** *loc adv* en ayuda de • **appeler qqn à la rescousse** pedir socorro a alguien.

réseau *nm* red *(f)* • **réseau ferroviaire** red ferroviaria • **réseau routier** red de carreteras.

réservation *nf* reserva *(f)*.

réserve *nf* **1.** *(gén)* reserva *(f)* • **en réserve** en reserva • **se tenir sur la réserve** estar sobre aviso • **sans réserve** sin reserva • **sous réserve de qqch** reservándose el derecho de algo • **réserve indienne** reserva india • **réserve naturelle** reserva natural **2.** *(local)* depósito *(m)* **3.** *(garde-manger)* despensa *(f)*.

réservé, e *adj* reservado(da) • **réservé à qqch/à qqn** reservado a algo/a alguien.

réserver *vt* reservar • **réserver qqch à qqn** *(affecter, destiner)* reservar algo a alguien • *(marchandise)* apartar algo para alguien. ◼ **se réserver** *vp* reservarse • **se réserver le droit de faire qqch** reservarse el derecho a hacer algo.

réservoir *nm* **1.** *(d'eau)* reserva *(f)* **2.** *(d'essence)* depósito *(m)* **3.** *fig (réceptacle)* cantera *(f)*.

résidence *nf* **1.** *(habitation)* residencia *(f)* • **résidence principale** vivienda *(f)* habitual • **résidence secondaire** segunda residencia **2.** *(groupe d'habitations)* conjunto *(m)* residencial.

résident, e *nm, f* residente *(mf)*.

résidentiel, elle *adj* residencial.

résider *vi* residir.

résidu *nm* residuo *(m)*.

résignation *nf* resignación *(f)*.

résigné, e *adj* & *nm, f* resignado(da).

résigner *vt* *sout* renunciar a. ◼ **se résigner** *vp* resignarse • **se résigner à qqch/à faire qqch** resignarse a algo/a hacer algo.

résilier *vt* rescindir.

résine nf resina (f).

résineux, euse adj resinoso(sa). ■ **résineux** nm resinífero (m).

résistance nf resistencia (f) ● **opposer une résistance à qqch/à qqn** oponer resistencia a algo/a alguien.

résistant, e adj & nm, f resistente.

résister vi resistir ● **résister à qqch** (supporter) resistir algo ● (lutter contre, s'opposer à) resistirse a algo.

résolu, e adj resuelto(ta) ● **être bien résolu à faire qqch** estar resuelto a hacer algo.

résolument adv decididamente.

résolution nf resolución (f) ● **prendre de bonnes résolutions** tener buenos propósitos ● **prendre la résolution de faire qqch** tomar la resolución de hacer algo.

résonance nf resonancia (f).

résonner vi resonar.

résorber vt 1. (déficit, chômage) reabsorber 2. MÉD (épanchement, abcès) resorber. ■ **se résorber** vp 1. (déficit, chômage) desaparecer 2. MÉD (épanchement, abcès) resorberse.

résoudre ◪ vt (solutionner) resolver. ◪ vi ● **résoudre de faire qqch** decidir hacer algo. ■ **se résoudre** vp ● **se résoudre à faire qqch** decidirse a hacer algo.

respect nm respeto (m) ● **respect de qqch** respeto de algo ● **avoir du respect pour qqch/ pour qqn** tener respeto por algo/por alguien ● **avec tout le respect que je vous dois** con todo el respeto que le debo.

respectable adj respetable.

respecter vt respetar.

respectif, ive adj respectivo(va).

respectivement adv respectivamente.

respectueux, euse adj respetuoso(sa) ● **respectueux de qqch** respetuoso con algo.

respiration nf respiración (f) ● **respiration artificielle** respiración artificial.

respiratoire adj respiratorio(ria).

respirer vt & vi respirar.

resplendissant, e adj resplandeciente ● **resplendissant de qqch** resplandeciente de algo.

responsabilisation nf responsabilización (f).

responsabiliser vt responsabilizar.

responsabilité nf responsabilidad (f) ● **assumer toute la responsabilité de qqch** asumir toda la responsabilidad de algo ● **avoir la responsabilité de qqch/de faire qqch** tener la responsabilidad de algo/de hacer algo ● **rejeter la responsabilité sur qqn** achacar la responsabilidad a alguien.

responsable ◪ adj responsable ● **responsable de qqch** responsable de algo. ◪ nmf responsable (mf).

resquiller vi fam colarse.

resquilleur, euse nm, f fam colón (m), -ona (f) (que se cuela).

ressac nm resaca (f).

ressaisir ■ **se ressaisir** vp 1. (se maîtriser) dominarse 2. (élève, concurrent) recuperarse.

ressasser vt 1. (répéter) machacar 2. (penser sans cesse à) dar vueltas a.

ressemblance nf parecido (m).

ressemblant, e adj parecido(da).

ressembler vi ● **ressembler à qqch/à qqn** parecerse a algo/a alguien ● **cela ne lui ressemble pas** eso no es normal en él.

ressemeler vt poner suelas nuevas a.

ressentiment nm resentimiento (m).

ressentir vt sentir, experimentar.

resserrer vt 1. (ceinture, nœud) apretar 2. fig (liens) estrechar. ■ **se resserrer** vp 1. (route, chemin, liens) estrecharse 2. (nœud, étreinte) apretarse.

resservir ◪ vt 1. (plat) volver a servir 2. fig (histoire) sacar a colación. ◪ vi volver a servir. ■ **se resservir** vp ● **se resservir de** (ustensile) volver a usar OU utilizar ● (plat) servirse más ● **se resservir de la viande/des légumes** servirse más carne/más verdura.

ressort nm 1. (mécanisme) resorte (m), muelle (m) 2. (énergie) energía (f) 3. (gén pl) sout (cause) resorte (m) 4. (compétence) incumbencia (f) ● **en dernier ressort** en última instancia.

ressortir[1] vi 1. (sortir à nouveau) volver a salir 2. (après être entré) salir 3. fig (se détacher) resaltar, destacar. ◪ vt volver a sacar. ◪ v impers ● **il ressort que...** se desprende que...

ressortir[2] vi DR ● **ressortir à qqch** depender de algo ● sout (relever de) concernir a algo.

ressortissant, e nm, f residente (mf) (extranjero).

ressource nf (recours) recurso (m). ■ **ressources** nfpl recursos (mpl) ● **ressources naturelles** recursos naturales.

ressusciter vt & vi resucitar.

restant, e adj restante ● ⊳ **poste**.

restaurant nm restaurante (m) ● **restaurant d'entreprise** comedor (m) de empresa ● **restaurant universitaire** restaurante universitario.

restaurateur, trice nm, f restaurador (m), -ra (f).

restauration nf restauración (f).

restaurer vt 1. ART & POLIT restaurar 2. (quartier) remodelar. ■ **se restaurer** vp comer.

reste nm 1. (de lait, de temps) resto (m) 2. MATH resta (f) ● **au** OU **du reste** por lo demás. ■ **restes** nmpl 1. (de repas) sobras (fpl) 2. (d'un mort) restos (mpl) mortales.

rester vi 1. (dans un lieu) quedarse ● **en rester à qqch** (s'arrêter) quedarse en algo ● **en rester là** dejarlo ● **y rester** fam (mourir) quedarse en e' sitio **2.** *(dans un état)* permanecer **3.** *(durer, subsister)* quedar ▪ **il reste que, il n'en reste pas moins que...** eso no impide que.

restituer *vt* restituir.

restreindre *vt* restringir. ▪ **se restreindre** *vp* restringirse ▪ **se restreindre dans qqch** *(dépenses)* restringir algo.

restrictif, ive *adj* restrictivo(va).

restriction *nf* **1.** *(limitation)* restricción *(f)* **2.** *(condition)* condición *(f)* ▪ **sans restriction** sin condiciones. ▪ **restrictions** *nfpl* restricciones *(fpl).*

restructuration *nf* reestructuración *(f).*

restructurer *vt* reestructurar.

résultat *nm* resultado *(m).*

résulter *vi* ▪ **il en résulte que** se deduce que.

résumé *nm* resumen *(m)* ▪ **en résumé** en resumen, resumiendo.

résumer *vt* resumir. ▪ **se résumer** *vp* **1.** *(récapituler)* resumir **2.** *(se réduire)* ▪ **se résumer à (faire) qqch** reducirse a (hacer) algo.

résurgence *nf* **1.** GÉOL resurgencia *(f)* **2.** *fig (réapparition)* resurgimiento *(m).*

résurrection *nf* resurrección *(f).*

rétablir *vt* **1.** *(gén)* restablecer **2.** *(texte)* restituir. ▪ **se rétablir** *vp* **1.** *(gén)* restablecerse **2.** *(gymnaste)* recuperar el equilibrio.

rétablissement *nm* restablecimiento *(m).*

retard *nm* **1.** *(gén)* retraso *(m)* ▪ **être en retard** *(sur un horaire)* llegar tarde ▪ *fig (sur une échéance)* llevar retraso ▪ **prendre du retard** atrasarse **2.** *(retardement)* demora *(f)* ▪ **sans retard** sin demora.

retardataire ◪ *adj* que llega tarde. ◪ *nmf* tardón *(m)*, -ona *(f).*

retardement *nm* ▪ **à retardement** de efectos retardados ▪ **comprendre à retardement** ser de efectos retardados.

retarder ◪ *vt* **1.** *(gén)* retrasar **2.** *(montre)* atrasar. ◪ *vi* **1.** *(horloge, montre)* atrasar, atrasarse **2.** *fam (ne pas être au courant)* no estar al loro **3.** *(être en décalage)* ▪ **retarder sur qqch** no vivir con algo.

retenir *vt* **1.** *(gén)* retener **2.** *(objet)* sujetar **3.** *(montant, impôt)* deducir, retener **4.** *(chambre, table)* reservar **5.** *(projet, idée)* aceptar **6.** MATH llevar, llevarse **7.** *(cri, souffle, larmes)* contener, reprimir **8.** *(attention, regard, chaleur)* mantener **9.** *(personne)* detener ▪ **retenir qqn de faire qqch** impedir a alguien que haga algo. ▪ **se retenir** *vp* **1.** *(s'accrocher)* ▪ **se retenir à qqch/à qqn** agarrarse a algo/a alguien **2.** *(se contenir)* aguantarse, contenerse ▪ **se retenir de faire qqch** contenerse de hacer algo.

rétention *nf* MÉD retención *(f).*

retentir *vi* **1.** *(son)* resonar **2.** *(fatigue, blessure)* ▪ **retentir sur** repercutir en.

retentissant, e *adj* **1.** *(sonore)* sonoro(ra) **2.** *(déclaration, succès)* rotundo(da) **3.** *(échec)* estrepitoso(sa).

retentissement *nm* **1.** *(de mesures)* repercusión *(f)* **2.** *(de spectacle)* resonancia *(f).*

retenue *nf* **1.** *(prélèvement)* deducción *(f)* ▪ **retenue à la source** retención *(f)* a cuenta **2.** MATH cantidad *(f)* que se lleva ▪ **j'ai oublié la retenue** he olvidado la que me llevo **3.** SCOL *(punition)* castigo *(m)* *(sin salir)* **4.** *fig (réserve)* discreción *(f)*, reserva *(f)* ▪ **sans retenue** sin reservas.

réticence *nf* reticencia *(f)* ▪ **avec/sans réticence** con/sin reticencias.

réticent, e *adj* reticente.

rétine *nf* retina *(f).*

retiré, e *adj* retirado(da).

retirer *vt* **1.** *(gén)* sacar ▪ **retirer qqch/qqn (de qqch)** sacar algo/a alguien (de algo) **2.** *(argent)* sacar ▪ **retirer qqch (de qqch)** quitar algo (de algo) **3.** *(vêtement)* quitarse **4.** *(permis, candidature, parole)* retirar ▪ **retirer qqch à qqn** retirar algo a alguien. ▪ **se retirer** *vp* retirarse ▪ **se retirer de qqch** retirarse de algo.

retombées *nfpl* consecuencias *(fpl).*

retomber *vi* **1.** *(tomber de nouveau)* volver a caer ▪ **retomber sur qqch/qqn** *fig* recaer sobre algo/alguien **2.** *fig (rechuter)* recaer ▪ **retomber dans qqch** volver a caer en **3.** *(redescendre, pendre)* caer **4.** *fig (colère)* apiacarse

rétorquer *vt* replicar ▪ **rétorquer à qqn que** replicar o contestar a alguien que.

retors, e *adj* retorcido(da).

rétorsion *nf* represalia *(f).*

retouche *nf* retoque *(m).*

retoucher *vt* retocar.

retour *nm* **1.** *(gén)* vuelta *(f)* ▪ **retour à qqch** *(état habituel, antérieur)* vuelta a algo ▪ **à mon retour** a mi regreso ▪ **être de retour (de)** estar de vuelta (de) ▪ **retour en arrière** *fig* mirada *(f)* retrospectiva **2.** *(mouvement inverse)* retorno *(m)* **3.** *(trajet)* viaje *(m)* de vuelta **4.** *(réexpédition)* devolución *(f)* ▪ **en retour** a cambio.

retourner ◪ *vt* **1.** *(matelas, carte)* dar la vuelta a **2.** *(terre)* remover **3.** *(poche, pull)* volver del revés **4.** *(compliment, objet prêté, lettre)* devolver **5.** *fig (émouvoir)* trastornar. ◪ *vi* volver ▪ **retourner à** *(lieu, état antérieur)* volver a ▪ **retourner faire qqch** volver para hacer algo ▪ **retourner à qqn** *(être restitué)* volver a alguien. ▪ **se retourner** *vp* **1.** *(voiture)* volcar *(Esp)*, voltearse *(Amér)* **2.** *(personne)* volverse ▪ **s'en retourner** *(rentrer)* volverse **3.** *fig (s'opposer)* ▪ **se retourner contre qqch/qqn** volverse contra algo/contra alguien **4.** *fam (s'adapter)* acomodarse.

retracer *vt* **1.** *(ligne)* volver a trazar **2.** *(événement)* reconstituir.

rétracter vt **1.** (contracter) retraer **2.** sout (nier) • **rétracter qqch** retractarse de algo. ■ **se rétracter** vp **1.** (se contracter) retraerse **2.** (se dédire) retractarse.

retrait nm **1.** (gén) retirada (f) **2.** (d'argent) reintegro (m) • **faire un retrait** sacar dinero • **j'ai fait un retrait de 500 euros** he sacado 500 euros **3.** (de bagages) recuperación (f). ■ **en retrait** ◻ loc adv (en arrière) hacia atrás • **rester en retrait** fig quedarse en la retaguardia. ◻ loc adv (en arrière) retranqueado(da).

retraite nf **1.** (cessation d'activité) jubilación (f), retiro (m) • **être à la retraite** estar jubilado(da) ou retirado(da) **2.** (revenu) pensión (f) • **retraite complémentaire** pensión complementaria (de jubilación) **3.** (fuite) retirada (f) **4.** RELIG retiro (m).

retraité, e ◻ adj **1.** (personne) jubilado(da), retirado(da) **2.** TECHNOL (déchets) reciclado(da). ◻ nm, f jubilado (m), -da (f), retirado (m), -da (f).

retraitement nm TECHNOL recuperación (f).

retrancher vt (enlever - gén) suprimir • (- d'un montant) restar. ■ **se retrancher** vp atrincherarse • **se retrancher derrière qqch/derrière qqn** fig parapetarse tras algo/tras alguien.

retranscrire vt transcribir.

retransmission nf retransmisión (f).

retravailler vt & vi volver a trabajar.

rétrécir ◻ vt estrechar. ◻ vi encoger. ■ **se rétrécir** vp estrecharse.

rétrécissement nm **1.** (de chaussée) estrechamiento (m) **2.** (de vêtement) encogimiento (m) **3.** MÉD constricción (f).

rétribution nf retribución (f).

rétroactif, ive adj retroactivo(va).

rétrograde adj péj retrógrado(da).

rétrograder ◻ vt degradar. ◻ vi **1.** (gén) retroceder **2.** AUTO reducir la marcha • **rétrograder de troisième en seconde** reducir de tercera a segunda.

rétroprojecteur nm retroproyector (m).

rétrospective nf retrospectiva (f).

rétrospectivement adv a posteriori.

retrousser vt arremangar, remangar.

retrouvailles nfpl reencuentro (m).

retrouver vt **1.** (récupérer - gén) encontrar • (- appétit) recobrar **2.** (reconnaître) reconocer **3.** (rencontrer) • **retrouver qqn** encontrarse con alguien. ■ **se retrouver** vp **1.** (se rencontrer de nouveau) reencontrarse **2.** (être de nouveau) volver a encontrarse **3.** (se rejoindre) encontrarse **4.** (s'orienter) orientarse **5.** (financièrement) • **s'y retrouver** fam recuperarse.

rétroviral, e adj MÉD retroviral.

rétrovirus nm retrovirus (m).

rétroviseur nm retrovisor (m).

réunification nf reunificación (f).

réunifier vt reunificar.

réunion nf **1.** (gén) reunión (f) **2.** (jonction) unión (f).

réunir vt **1.** (gén) reunir **2.** (joindre) unir. ■ **se réunir** vp **1.** (gén) reunirse **2.** (se joindre) juntarse.

réussi, e adj logrado(da) (Esp), exitoso(sa) (Amér) • **c'est réussi !** iron ¡vaya éxito!

réussir ◻ vi **1.** (affaire) salir bien **2.** (personne) salir adelante • **réussir à faire qqch** conseguir hacer algo • **réussir à qqch** (examen, test) aprobar algo **3.** (climat) • **réussir à qqn** sentar bien a alguien. ◻ vt **1.** (portrait, plat) • **réussir qqch** salirle bien a uno algo **2.** (examen) aprobar.

réussite nf **1.** (succès) éxito (m) **2.** (jeu de cartes) solitario (m).

réutiliser vt reutilizar.

revaloriser vt **1.** (monnaie, salaires) revaluar **2.** fig (idée, doctrine) revalorizar.

revanche nf revancha (f), venganza (f) • **prendre sa revanche** tomarse la revancha. ■ **en revanche** loc adv en cambio.

rêvasser vi soñar despierto(ta).

rêve nm sueño (m) • **de rêve** de ensueño • **faire un rêve** tener un sueño.

rêvé, e adj ideal.

revêche adj arisco(ca).

réveil nm **1.** (de personne, d'animal, de volcan) despertar (m) **2.** (pendule) despertador (m) **3.** fig (retour à la réalité) vuelta (f) a la realidad.

réveiller vt **1.** (gén) despertar **2.** (sentiment, qualité) estimular. ■ **se réveiller** vp despertarse.

réveillon nm **1.** (de Noël) cena (f) de Nochebuena **2.** (de la Saint-Sylvestre) cena (f) de Nochevieja **3.** (fête) cotillón (m), revellón (m).

réveillonner vi cenar el día de Nochebuena ou el de Nochevieja.

révélateur, trice adj revelador(ra). ■ **révélateur** nm **1.** PHOTO revelador (m) **2.** fig (ce qui révèle) dato (m) revelador.

révélation nf **1.** (gén) revelación (f) **2.** (prise de conscience) conciencia (f).

révéler vt **1.** (gén) revelar **2.** (artiste) dar a conocer. ■ **se révéler** vp **1.** (apparaître) revelarse **2.** (s'avérer) resultar.

revenant, e nm, f **1.** (fantôme) aparecido (m), -da (f) **2.** fam (personne) resucitado (m), -da (f).

revendeur, euse nm, f revendedor (m), -ra (f).

revendication nf reivindicación (f).

revendiquer vt **1.** (gén) reivindicar **2.** (responsabilité) asumir.

revendre vt revender • **avoir qqch à revendre** fig tener algo para dar y tomar.

revenir vi **1.** (gén) volver • **revenir à qqch** volver a algo • **revenir à qqn** volver con alguien • **revenir sur qqch** volver sobre algo **2.** (mot, sujet, salir **3.** (à l'esprit) • **ça ne me revient pas** no me acue-do **4.** *(être rapporté)* • **revenir à qqn/aux oreilles de qqn** llegar a alguien/a oídos de alguien. **5.** *(coûter)* • **revenir à** salir por **6.** *(être équivalent)* • **cela revient au même** eso viene a ser lo mismo **7.** *(honneur, tâche)* • **revenir à qqn (de faire qqch)** corresponder a alguien (hacer algo) **8.** *fam (plaire)* • **ne pas revenir à qqn** no caer bien a alguien.

revente *nf* reventa *(f)*.

revenu *nm* renta *(f)*. ■ **revenus** *nmpl* ingresos *(mpl)*

rêver ◙ *vi* **1.** *(gén)* soñar • **rêver de qqn** soñar con a guien • **rêver de qqch/de faire qqch** soñar con algo/con hacer algo • **rêver que** soñar que **2.** *(rêvasser)* soñar despierto(ta) • **rêver à qqch** soñar con algo. ◙ *vt* soñar.

réverbération *nf* reverberación *(f)*.

réverbère *nm* farola *(f)*.

révérence *nf* reverencia *(f)*.

révérer *vt* sout reverenciar.

rêverie *nf* fantasía *(f)*, ensueño *(m)*.

revers *nm* **1.** *(de main)* dorso *(m)* **2.** *(de pièce)* reverso *(m)* **3.** *(de vêtement)* solapa *(f)* **4.** *(de fortune, au tennis)* revés *(m)*.

reverser *vt* **1.** *(liquide)* volver a verter **2.** FIN transferir.

réversible *adj* reversible.

revêtement *nm* **1.** *(de paroi, sol)* revestimiento *(m)* **2.** *(de route)* firme *(m)*.

revêtir *vt* **1.** *(vêtement)* vestir **2.** *(mur, surface, caractère)* revestir • **revêtir qqch de qqch** revestir algo con algo.

rêveur, euse *adj & nm, f* soñador(ra).

revient *nm* ⊏> **prix**.

revigorer *vt* tonificar.

revirement *nm* viraje *(m)*.

réviser *vt* **1.** *(gén)* revisar **2.** SCOL & UNIV repasar.

révision *nf* **1.** *(gén)* revisión *(f)* **2.** SCOL & UNIV repaso *(m)*.

révisionnisme *nm* revisionismo *(m)*.

revisser *vt* volver a atornillar.

revivre ◙ *vi* revivir • **faire revivre qqch à qqn** hacer revivir algo a alguien. ◙ *vt* volver a vivir.

revoici *prép* • **me revoici !** ¡aquí estoy otra vez!

revoir *vt* **1.** *(voir à nouveau)* volver a ver **2.** *(réviser)* repasar. ■ **se revoir** *vp* volver a verse. ■ **au revoir** *interj* ¡adiós!

révoltant, e *adj* indignante.

révolte *nf* revuelta *(f)*.

révolter *vt* sublevar. ■ **se révolter** *vp* **1.** *(se soulever)* rebelarse, sublevarse • **se révolter contre qqch/contre qqn** rebelarse ou sublevarse contra algo/contra alguien **2.** *(s'indigner)* sublevarse.

révolu, e *adj* **1.** *(époque)* pasado(da) **2.** *(ans)* cumplido(da).

révolution *nf* revolución *(f)* • **la Révolution (française)** la Revolución Francesa.

révolutionnaire *adj* & *nmf* revolucionario(ria).

révolutionner *vt* revolucionar.

revolver *nm* revólver *(m)*.

révoquer *vt* revocar.

revue *nf* **1.** *(gén)* revista *(f)* • **passer qqch en revue** pasar revista a algo • **revue de presse** revista de prensa **2.** *(défilé)* desfile *(m)*.

révulsé, e *adj (yeux)* en blanco.

rez-de-chaussée *nm inv* planta *(f)* baja.

rez-de-jardin *nm inv* planta *(f)* baja con jardín.

rhabiller *vt* vestir de nuevo. ■ **se rhabiller** *vp* vestirse de nuevo.

rhésus *nm* MÉD Rh *(m)* • **rhésus positif/négatif** Rh positivo/negativo.

rhétorique *nf* retórica *(f)*.

Rhin *npr* • **le Rhin** el Rin.

rhinocéros *nm* rinoceronte *(m)*.

rhino-pharyngite *nf* rinofaringitis *(f inv)*.

Rhône *npr* • **le Rhône** el Ródano.

rhubarbe *nf* ruibarbo *(m)*.

rhum *nm* ron *(m)*.

rhumatisme *nm* reumatismo *(m)*.

rhume *nm* catarro *(m)*, resfriado *(m) (Esp)*, resfrío *(m) (Amér)* • **attraper un rhume** coger un catarro ou resfriado • **rhume des foins** fiebre *(f)* del heno.

riant, e *adj* risueño(ña).

RIB, Rib *(abr de* relevé d'identité bancaire*) nm* certificado *(m)* de identificación bancaria *(que especifica el número de cuenta, el código de la sucursal, etc.)* • **joindre un RIB** adjuntar un certificado de identificación bancaria.

ribambelle *nf* • **une ribambelle de qqch** una retahíla de algo.

ricaner *vi* **1.** *(avec méchanceté)* reír sarcásticamente **2.** *(bêtement)* tener la risa tonta.

riche ◙ *adj* rico(ca) • **riche en enseignements** rico en enseñanzas • **riche en vitamines** rico en vitaminas. ◙ *nmf* rico *(m)*, -ca *(f)*.

richesse *nf* riqueza *(f)* • **richesse en qqch** riqueza en algo. ■ **richesses** *nfpl* **1.** *(de personne)* riquezas *(fpl)* **2.** *(de pays)* riqueza *(f)*.

ricochet *nm* rebote *(m)* • **faire des ricochets** tirar piedras • **par ricochet** fig de carambola.

rictus *nm* rictus *(m inv)*.

ride *nf* **1.** *(sur la peau)* arruga *(f)* **2.** *(sur l'eau)* onda *(f)*.

rideau *nm* **1.** *(gén)* cortina *(f)* **2.** THÉÂTRE telón *(m)*.

rider *vt* **1.** *(peau)* arrugar **2.** *(surface de l'eau)* rizar. ■ **se rider** *vp* arrugarse.

ridicule ◙ *adj* ridículo(la). ◙ *nm* • **se couvrir de ridicule** hacer el ridículo • **tourner qqch/qqn en ridicule** poner algo/a alguien en ridículo.

ridiculiser *vt* ridiculizar. ■ **se ridiculiser** *vp* hacer el ridículo.

rien ◼ *pron indéf* nada • **ne... rien** no... nada • **il n'y a rien** no hay nada • **je n'en sais rien** no sé nada • **ça ne sert à rien** no sirve para nada • **c'est ça ou rien !** o eso o nada • **de rien !** ¡de nada! • **rien à dire !** ¡no hay nada que decir! • **rien à faire !** ¡no hay nada que hacer! • **rien à signaler** sin novedad • **rien d'autre** nada más • **rien de nouveau** nada nuevo, sin novedad • **sans rien dire** sin decir nada • **tout ou rien** todo o nada • **plus rien** nada más • **pour rien** para nada • **pour rien au monde** por nada del mundo. ◼ *nm* • **pour un rien** *(se fâcher, pleurer)* por nada, por una tontería • **en un rien de temps** en un santiamén. ■ **rien que** *loc adv* sólo • **rien que l'idée des vacances le rend heureux** sólo con pensar en las vacaciones ya es feliz • **la verité, rien que la verité** la verdad y nada más que la verdad.

rieur, euse *adj* risueño(ña).

rigide *adj* rígido(da).

rigidité *nf* rigidez *(f)*.

rigole *nf* acequia *(f)*.

rigoler *vi fam* **1.** *(rire)* reírse • **rigoler de qqch** reírse de algo **2.** *(plaisanter)* bromear.

rigolo, ote *fam adj* **1.** *(drôle)* cachondo(da) **2.** *(curieux)* rarillo(lla). ◼ *nm, f* cachondo *(m)*, -da *(f)* (guasón).

rigoureux, euse *adj* riguroso(sa).

rigueur *nf* rigor *(m)*. ■ **à la rigueur** *loc adv* en última instancia.

rime *nf* rima *(f)*.

rimer *vi* rimar • **rimer avec qqch** rimar con algo.

rinçage *nm* **1.** *(de vaisselle)* enjuague *(m)* **2.** *(de linge, de cheveux)* aclarado *(m)*.

rincer *vt* **1.** *(vaisselle)* enjuagar **2.** *(cheveux, linge)* aclarar.

ring *nm* **1.** *(de boxe)* ring *(m)* **2.** *(Belgique) (rocade)* circunvalación *(f)*.

riposte *nf* **1.** *(réponse)* réplica *(f)* **2.** *(contre-attaque)* respuesta *(f)*.

riposter ◼ *vt (répondre)* • **riposter que** replicar que. ◼ *vi* **1.** *(répondre)* replicar **2.** *(contre-attaquer)* responder.

rire ◼ *nm* risa *(f)* • **éclater de rire** echarse a reír • **c'est à mourir de rire** es para morirse de risa. ◼ *vi* **1.** *(s'esclaffer)* reír • **rire de qqch/de qqn** *(se moquer)* reírse de algo/de alguien **2.** *(plaisanter)* • **pour rire** *fam* en broma.

risée *nf* • **être la risée de** ser el hazmerreír de.

risible *adj* risible.

risque *nm* riesgo *(m)* • **à tes risques et périls** por tu cuenta y riesgo • **prendre des risques** arriesgarse.

risqué, e *adj* **1.** *(entreprise, expédition)* arriesgado(da) **2.** *(plaisanterie)* atrevido(da).

risquer *vt* **1.** *(gén)* arriesgar • **risquer qqch** arriesgarse a algo • **risquer de faire qqch** correr el riesgo de hacer algo **2.** *(tenter)* aventurar. ■ **se risquer** *vp* arriesgarse • **se risquer à (faire) qqch** arriesgarse a (hacer) algo.

rite *nm* rito *(m)*.

rituel, elle *adj* ritual. ■ **rituel** *nm* ritual.

rivage *nm* orilla *(f)*, ribera *(f)*.

rival, e *adj & nm, f* rival.

rivaliser *vi* • **rivaliser avec qqch/avec qqn** rivalizar ou competir con algo/con alguien.

rivalité *nf* rivalidad *(f)*.

rive *nf* orilla *(f)*, ribera *(f)*.

river *vt* **1.** *(rivet)* remachar **2.** *(fixer)* • **être rivé à qqch** *fig* estar pegado a algo.

riverain, e *adj & nm, f* **1.** *(de rivière)* ribereño(ña) **2.** *(de rue, de route)* vecino(na).

rivet *nm* remache *(m)*.

rivière *nf* río *(m)*.

rixe *nf* riña *(f)*.

riz *nm* arroz *(m)*.

rizière *nf* arrozal *(m)*.

RMI *(abr de* revenu minimum d'insertion*)* *nm* *pour expliquer à un hispanophone ce que c'est, vous pouvez dire :* es una ayuda estatal destinada a favorecer la inserción o reinserción laboral de personas sin ingresos o de trabajadores que siguen sin empleo una vez que se les ha acaba el subsidio de desempleo. • **toucher le RMI** cobrar el RMI.

RMiste, érémiste *nmf* *pour expliquer ce que c'est, vous pouvez dire :* es una persona sin recursos que cobra la ayuda estatal llamada RMI.

RN *(abr de* route nationale*)* *nf* N • **prendre la RN 19** tomar la N 19.

robe *nf* **1.** *(de femme)* vestido *(m)* **2.** *(de magistrat)* toga *(f)* **3.** *(de cheval)* pelaje *(m)* **4.** *(de vin)* color *(m)*.

robinet *nm* **1.** *(d'évier)* grifo *(m)* (Esp), canilla *(f)* (Amér) • **robinet mélangeur** grifo monobloc **2.** *(vanne d'eau, de gaz)* llave *(f)*.

robinetterie *nf* grifería *(f)*.

robot *nm* robot *(m)*.

robotique *nf* robótica *(f)*.

robotisation *nf* robotización *(f)*.

robuste *adj* robusto(ta).

robustesse *nf* robustez *(f)*.

roc *nm* roca *(f)*.

rocade *nf* desvío *(m)*.

rocaille *nf* **1.** *(cailloux)* guijarros *(mpl)* **2.** *(terrain)* pedregal *(m)* **3.** *(dans un jardin)* rocalla *(f)* **4.** *(style)* rococó *(m)*.

rocailleux, euse *adj* **1.** *(terrain)* pedregoso(sa) **2.** *fig (voix)* ronco(ca).

rocambolesque *adj* rocambolesco(ca).

roche *nf* roca *(f)*.

rocher *nm* **1.** *(bloc)* peñasco *(m)* • **le rocher de Gibraltar** el peñón de Gibraltar **2.** *fig (confiserie)* • **rocher au chocolat** bombón *(m)* *(en forma de roca)*.

rocheux, euse *adj* rocoso(sa).

rock *adj inv* & *nm* rock.

rodage *nm* rodaje *(m)* • **en rodage** en rodaje.

rodé, e *adj* **1.** rodado(da) **2.** *(personne)* puesto(ta).

rodéo *nm* **1.** *(sport)* rodeo *(m)* **2.** *fig & hum (chose difficile)* odisea *(f)*.

rôder *vi* merodear, rondar.

rôdeur, euse *nm, f* merodeador *(m)*, -ra *(f)*.

rogne *nf fam* cabreo *(m)* • **être en rogne** estar cabreado(da) • **se mettre en rogne** cabrearse.

rogner *vt* **1.** *(livre, ongles)* cortar **2.** *(montant)* recortar • **rogner sur qqch** recortar algo.

roi *nm* rey *(m)* • **tirer les rois** *pour expliquer ce que c'est, vous pouvez dire* : esta expresión se refiere al hecho de reunirse para comer el roscón de Reyes; se designa "rey" a quien le toca la figurita.

rôle *nm* papel *(m)* *(personaje, función)* • **jeu de rôles** juego de rol.

rôle-titre *nm* papel *(m)* protagonista.

roller *nm* roller *(m inv)* • **faire du roller** hacer rolling.

ROM, Rom *(abr de* **read only memory***)* *nf* ROM *(f)* • **un CD-ROM** un CD-ROM.

roman, e *adj* románico(ca). ■ **roman** *nm (gén)* novela *(f)* • **roman policier** novela policíaca.

romance *nf* romanza *(f)*.

romancier, ère *nm, f* novelista *(mf)*.

romanesque *adj* novelesco(ca).

roman-feuilleton *nm* folletín *(m)*.

roman-photo *nm* fotonovela *(f)*.

romantique *adj* & *nmf* romántico(ca).

romantisme *nm* romanticismo *(m)*.

romarin *nm* romero *(m)*.

Rome *npr* Roma.

rompre ■ *vt sout* **1.** *(gén)* romper **2.** *(pain)* partir. ■ *vi* **1.** *(casser)* romperse **2.** *fig (se séparer)* • **rompre avec qqn** romper con alguien. ■ **se rompre** *vp* romperse • **se rompre qqch** romperse algo.

ronce *nf* **1.** *(arbuste)* zarza *(f)* **2.** *(en ébénisterie)* veta *(f)*.

rond, e *adj* **1.** *(gén)* redondo(da) **2.** *fam (ivre)* trompa. ■ **rond** *nm* **1.** *(cercle)* círculo *(m)* **2.** *(anneau)* aro *(m)* **3.** *fam (argent)* • **ne pas avoir un rond** no tener un duro.

ronde *nf* **1.** *(de surveillance)* ronda *(f)* **2.** *(danse)* corro *(m)* **3.** MUS *(note)* redonda *(f)*. ■ **à la ronde** *loc adv* a la redonda.

rondelle *nf* **1.** *(de saucisson)* rodaja *(f)* **2.** *(de métal)* arandela *(f)*.

rondement *adv* eficazmente.

rondeur *nf* **1.** *(forme)* redondez *(f)* **2.** *(partie charnue)* curva *(f)* **3.** *(de caractère)* franqueza *(f)*.

rond-point *nm* glorieta *(f)*.

ronflant, e *adj péj* rimbombante.

ronflement *nm* **1.** *(de dormeur)* ronquido *(m)* **2.** *(de poêle, d'un moteur)* zumbido *(m)*.

ronfler *vi* **1.** *(personne)* roncar **2.** *(poêle, moteur)* zumbar.

ronger *vt* **1.** *(os)* roer **2.** *(bois)* carcomer **3.** *(détruire peu à peu, miner)* corroer. ■ **se ronger** *vp* • **se ronger les ongles** morderse las uñas.

ronronner *vi* **1.** *(chat)* ronronear **2.** *(moteur)* zumbar.

ROR *(abr de* **rougeole oreillons rubéole***)* *nm* • **vaccin ROR** vacuna SPR.

rosace *nf* rosetón *(m)*.

rose ■ *nf (fleur)* rosa *(f)*. ■ *nm (couleur)* rosa *(m)*. ■ *adj* rosa • **rose bonbon** rosa fuerte.

rosé, e *adj* rosado(da). ■ **rosé** *nm (vin)* rosado *(m)*. ■ **rosée** *nf* rocío *(m)*.

roseau *nm* caña *(f)* *(planta)*.

rosier *nm* rosal *(m)*.

rosir ■ *vt* sonrosar. ■ *vi* sonrosarse.

rosser *vt* vapulear.

rossignol *nm* **1.** *(oiseau)* ruiseñor *(m)* **2.** *(passepartout)* ganzúa *(f)*.

rot *nm* eructo *(m)*.

rotatif, ive *adj* rotativo(va).

rotation *nf* rotación *(f)*.

roter *vi fam* eructar.

rôti, e *adj* asado(da). ■ **rôti** *nm* asado *(m)*.

rotin *nm* mimbre *(m)*.

rôtir ■ *vt* asar. ■ *vi* asarse.

rôtisserie *nf* asador *(m)* *(establecimiento)*.

rotonde *nf* rotonda *(f)*.

rotule *nf* rótula *(f)*.

rouage *nm* rueda *(f)*. ■ **rouages** *nmpl* engranajes *(mpl)*.

rouble *nm* rublo *(m)*.

roucouler *vt* tararear. ■ *vi* arrullarse.

roue *nf* **1.** *(gén)* rueda *(f)* • **roue de secours** rueda de repuesto **2.** *(de loterie)* ruleta *(f)*. ■ **grande roue** *nf* noria *(f)*.

rouer *vt* • **rouer qqn de coups** moler a alguien a golpes.

rouge ■ *adj* rojo(ja). ■ *nm* **1.** *(couleur)* rojo *(m)* **2.** *(émotion)* • **le rouge lui monta aux joues** se puso colorado(da) **3.** *fam (vin)* tinto *(m)* **4.** *(fard)* colorete *(m)* • **rouge à joues** colorete • **rouge à lèvres** barra *(f)* *ou* lápiz *(m)* de labios. ■ *nmf péj (communiste)* rojo *(m)*, -ja *(f)*.

rougeâtre *adj* rojizo(za).

rouge-gorge *nm* petirrojo *(m)*.

rougeole nf sarampión (m).

rougeoyer vi enrojecer.

rougeur nf 1. (gén) rojez (f) 2. (de honte) rubor (m).

rougir ◼ vt enrojecer. ◼ vi 1. (arbre, feuille, ciel) enrojecer 2. (personne) • **rougir de qqch** ruborizarse por algo.

rougissant, e adj 1. (gén) enrojecido(da) 2. (de honte) ruborizado(da).

rouille ◼ nf 1. (oxyde) herrumbre (f), óxido (m) 2. CULIN alioli (m) con guindilla (que acompaña la sopa de pescado). ◼ adj inv (couleur) rojizo(za).

rouiller ◼ vt oxidar. ◼ vi oxidarse. ◼ **se rouiller** vp oxidarse.

roulade nf 1. (galipette) voltereta (f) 2. CULIN rollo (m) de carne.

roulé, e adj 1. (col) vuelto(ta) 2. LING vibrante.

rouleau nm 1. (cylindre) rollo (m) 2. (de monnaie) cartucho (m) 3. (de peintre, de pâtissier) rodillo (m) 4. (bigoudi) rulo (m) 5. (vague) rompiente (f). ◼ **rouleau compresseur** nm apisonadora (f). ◼ **rouleau de printemps** nm CULIN rollito (m) de primavera.

roulement nm 1. (gén) rodamiento (m) 2. (de personnel, de hanches) rotación (f) 3. (de tambour) redoble (m) 4. FIN (circulation) circulación (f). ◼ **roulement de tonnerre** nm trueno (m).

rouler ◼ vt 1. (tonneau) rodar 2. (tapis) enrollar 3. (cigarette) liar 4. LING hacer vibrar 5. fig (projets, pensées) darle vueltas a 6. fam (duper) timar. ◼ vi 1. (ballon) rodar 2. (véhicule, argent) circular 3. (automobiliste) conducir (Esp), manejar (Amér) 4. (bateau) balancearse 5. (tonnerre) resonar 6. (conversation) • **rouler sur qqch/sur qqn** girar sobre algo/sobre alguien. ◼ **se rouler** vp revolcarse.

roulette nf 1. (petite roue) ruedecilla (f) 2. (de dentiste) torno (m) 3. (jeu) ruleta (f).

roulis nm balanceo (m).

roulotte nf 1. (de gitans) caravana (f) 2. (de tourisme) roulotte (f), caravana (f).

roumain, e adj rumano(na). ◼ **roumain** nm LING rumano (m). ◼ **Roumain, e** nm, f rumano (m), -na (f).

rouquin, e adj & nm, f fam pelirrojo(ja).

rouspéter vi fam refunfuñar.

rousseur nf rubicundez (f) (del pelo).

routage nm (de journaux) envío (m), expedición (f).

route nf 1. (gén) carretera (Esp), carretero (m) (Amér) • **route départementale** ≃ carretera comarcal 2. (des épices, de la soie) ruta (f) 3. (itinéraire) camino (m) 4. NAUT rumbo (m) • **en route !** ¡en marcha! • **en cours de route** a mitad de camino • **mettre en route** poner en marcha.

routier, ère adj 1. (carte, relais) de carreteras 2. (circulation) por carretera, viario(a). ◼ **routier** nm 1. (chauffeur) camionero (m), -ra (f) 2. (restaurant) restaurante (m) de camioneros.

routine nf rutina (f).

routinier, ère adj rutinario(ria).

rouvrir vt 1. (porte) volver a abrir 2. (débat) reabrir. ◼ **se rouvrir** vp volverse a abrir.

roux, rousse ◼ adj 1. (cheveux) pelirrojo(ja) 2. (feuille) rojizo(za) 3. (sucre) moreno(na). ◼ nm, f (personne) pelirrojo (m), -ja (f). ◼ **roux** nm 1. (couleur) rojizo (m) 2. CULIN salsa (f) dorada ou tostada.

royal, e adj 1. (de roi) real 2. (magnifique) regio(gia).

royaliste adj & nmf monárquico(ca).

royaume nm 1. (gén) reino (m) 2. fig (domaine) reino (m) personal.

Royaume-Uni npr • **le Royaume-Uni** el Reino Unido.

royauté nf 1. (fonction) realeza (f) 2. (régime) monarquía (f).

RSVP (abr de **répondez s'il vous plaît**) SRC.

rte (abr écrite de **route**) C, ctra.

RTT (abr de **réduction du temps de travail**) ◼ nf reducción (f) del tiempo de trabajo (a 35 horas semanales). ◼ nm día (m) de asueto (tomado en el marco de la reducción del tiempo de trabajo) • **poser/prendre un (jour de) RTT** pedir/tomar un día de descanso.

ruade nf coz (f).

ruban nm 1. (gén) cinta (f) • **ruban adhésif** cinta adhesiva 2. (décoration) condecoración (f).

rubéole nf rubéola (f).

rubis ◼ adj inv (couleur) rubí (en apposition). ◼ nm rubí (m) • **payer rubis sur l'ongle** fig pagar a tocateja.

rubrique nf 1. (chronique) sección (f) 2. (chapitre) rúbrica (f).

ruche nf 1. (d'abeilles) colmena (f) 2. fig (endroit animé) hormiguero (m).

rude adj 1. (étoffe, surface) rudo(da), basto(ta) 2. (voix, son) bronco(ca) 3. (personne, mot, manières) brusco(ca) 4. (épreuve, traits) duro(ra) 5. (climat) riguroso(sa) 6. fam (appétit) imponente (m).

rudesse nf rudeza (f).

rudimentaire adj rudimentario(ria).

rudoyer vt tratar rudamente.

rue nf calle (f) • **rue piétonne** ou **piétonnière** calle peatonal.

ruée nf estampida (f) (carrera).

ruelle nf callejón (m), callejuela (f).

ruer vi cocear. ◼ **se ruer** vp • **se ruer sur qqch/sur qqn** abalanzarse sobre algo/sobre alguien.

rugby nm rugby (m).

rugir ◼ vi rugir. ◼ vt (menaces, injures) proferir.

rugissement nm rugido (m).

rugosité nf rugosidad (f).

rugueux, euse adj rugoso(sa).

ruine nf ruina (f).

ruiner vt arruinar. ■ **se ruiner** vp arruinarse.

ruineux, euse adj ruinoso(sa).

ruisseau nm **1.** (cours d'eau) arroyo (m) (Esp), quebrada (f) (Amér) **2.** sout (de larmes) río (m).

ruisseler vi chorrear.

rumeur nf rumor (m) (Esp), bola (f) (Amér) • **rumeur publique** rumor general.

ruminer vt **1.** sujet : animal) rumiar **2.** (projet, souvenirs) dar vueltas a.

rupture nf **1.** (cassure, panne) rotura (f) **2.** fig (changement, annulation, brouille) ruptura (f).

rural, e ■ adj rural. ■ nm, f campesino (m), -na (f).

ruse nf **1.** (habileté sournoise) astucia (f) **2.** (subterfuge) ardid (m).

rusé, e adj & nm, f astuto(ta) (Esp), abusado(da) (Amér).

Russie npr • **la Russie** Rusia.

Rustine® nf parche (m) (para cámara de aire de bicicleta).

rustique ■ adj rústico(ca). ■ nm estilo (m) rústico.

rustre adj & nmf péj patán(ana).

rutilant, e adj rutilante.

R-V = RDV.

rythme nm ritmo (m) • **en rythme** con ritmo.

rythmique adj rítmico(ca).

s, S nm (lettre) s (f), S (f) • **en S** en forma de S. ■ **s** (abr écrite de seconde) s. ■ **S 1.** (abr écrite de sud) S **2.** (abr de scientifique) ≃ bachillerato (m) en ciencias • **être en S** ≃ cursar el bachillerato en ciencias • **faire un bac S** ≃ cursar un bachillerato en ciencias.

SA (abr de société anonyme) nf SA (f) • **la création d'une SA** la creación de una SA.

abbatique adj sabático(ca).

able ■ nm arena (f) • **sables mouvants** arenas movedizas. ■ adj inv (couleur) arena (en apposition).

sablé, e adj **1.** (route) enarenado(da), arenado(da) **2.** CULIN granulento(ta). ■ **sablé** nm CULIN ≃ polvorón (m).

sabler vt **1.** (route) enarenar, arenar **2.** (façade) arenar.

sablier nm reloj (m) de arena.

sabot nm **1.** (chaussure) zueco (m) **2.** (d'animal - gén) pezuña (f) • (- cheval) casco (m) **3.** AUTO • **sabot (de Denver)** cepo (m).

sabotage nm **1.** (destruction) sabotaje (m) **2.** fig (bâclage) chapuza (f).

saboter vt **1.** (faire échouer) sabotear **2.** fig (bâcler) chapucear.

saboteur, euse nm, f **1.** MIL saboteador (m), -ra (f) **2.** fig (bâcleur) chapucero (m), -ra (f).

sabre nm sable (m).

sac nm **1.** (gén) saco (m) **2.** (en papier, en plastique) bolsa (f) • **sac à main** bolso (m) (de mano) • **sac (en) plastique** bolsa de plástico • **sac poubelle** bolsa de basura **3.** fam (dix francs) diez francos (mpl) **4.** sout (pillage) saqueo (m). ■ **sac de couchage** nm saco (m) de dormir (Esp), bolsa (f) (Amér).

saccade nf tirón (m).

saccadé, e adj **1.** (respiration, bruit) entrecortado(da) **2.** (geste) brusco(ca).

saccage nm saqueo (m).

saccager vt **1.** (piller) saquear **2.** (abîmer) destrozar.

sacerdoce nm sacerdocio (m).

sachet nm **1.** (de bonbons, de thé) bolsita (f) **2.** (de lavande) saquito (m) • **soupe en sachet** sopa de sobre.

sacoche nf **1.** (d'écolier) cartera (f) **2.** (de médecin) maletín (m) **3.** (de cycliste) serón (m).

sac-poubelle nm bolsa (f) de basura.

sacre nm **1.** (de roi, d'empereur) coronación (f) **2.** (d'évêque) consagración (f).

sacré, e adj **1.** (gén) sagrado(da) **2.** RELIG (art) sacro(cra) **3.** fam (maudit) dichoso(sa), maldito(ta).

sacrement nm sacramento (m).

sacrer vt **1.** (roi) coronar **2.** (évêque) consagrar **3.** fig (déclarer) proclamar.

sacrifice nm sacrificio (m) • **faire un sacrifice/des sacrifices** hacer un sacrificio/sacrificios.

sacrifié, e adj **1.** sacrificado(da) **2.** (prix) por los suelos.

sacrifier vt sacrificar • **sacrifier qqch pour faire qqch** sacrificar algo para hacer algo • **sacrifier qqch/qqn à qqch/à qqn** sacrificar algo/a alguien a algo/a alguien ■ **se sacrifier** vp • **se sacrifier à** ou **pour qqch** sacrificarse por algo • **se sacrifier pour qqn** sacrificarse por alguien.

sacrilège ■ adj & nmf sacrílego(ga). ■ nm sacrilegio (m).

sacristain *nm* sacristán *(m)*.

sacristie *nf* sacristía *(f)*.

sadique *adj* & *nmf* sádico(ca).

sadisme *nm* sadismo *(m)*.

safari *nm* safari *(m)*.

safari-photo *nm* safari *(m)* fotográfico.

safran ■ *nm* azafrán *(m)*. ■ *adj inv (couleur)* azafrán *(en apposition)*.

saga *nf* saga *(f)*.

sage ■ *adj* **1.** *(avisé)* prudente, sensato(ta) **2.** *(docile)* tranquilo(la) • **sois sage !** ¡pórtate bien! **3.** *(chaste)* decente **4.** *(discret)* sensato(ta). ■ *nm* sabio *(m)*, -bia *(f)*.

sage-femme *nf* comadrona *(f)*.

sagesse *nf* **1.** *(bon sens)* sensatez *(f)* **2.** *(docilité)* tranquilidad *(f)* **3.** *(connaissance)* sabiduría *(f)*.

Sagittaire *nm* ASTROL Sagitario *(m)*.

Sahara *npr* • **le Sahara** el Sáhara • **le Sahara occidental** el Sáhara Occidental.

saignant, e *adj* **1.** *(blessure)* sanguinolento(ta) **2.** CULIN *(viande)* poco hecho(cha) **3.** *fam fig (critique, discussion)* sangriento(ta).

saignement *nm* hemorragia *(f)*.

saigner ■ *vt* **1.** *(financièrement* & MÉD*)* sangrar **2.** *(animal)* degollar. ■ *vi* sangrar.

saillant, e *adj* **1.** *(pommettes, corniche)* saliente **2.** *(muscle)* prominente **3.** *(yeux)* saltón(ona) **4.** *fig (événement)* destacado(da).

sain, e *adj* sano(na) • **sain et sauf** sano y salvo.

saint, e ■ *adj* **1.** *(gén)* santo(ta) **2.** *(extrême)* imponente, fabuloso(sa). ■ *nm, f* santo *(m)*, -ta *(f)*.

sainteté *nf* santidad *(f)*.

Saint-Jacques-de-Compostelle *npr* Santiago de Compostela.

Saint-Père *nm* • **le Saint-Père** el Santo Padre.

Saint-Pétersbourg *npr* San Petersburgo.

Saint-Sébastien *npr* San Sebastián.

saisie *nf* **1.** DR embargo *(m)* **2.** INFORM introducción *(f)* de datos, picado *(m)* • **une erreur de saisie** un error de picado.

saisir *vt* **1.** *(attraper)* coger **2.** *fig (occasion, prétexte)* agarrarse a **3.** DR embargar **4.** INFORM picar, introducir **5.** *(comprendre)* captar **6.** *sout (sujet : sensation, émotion)* invadir **7.** *(surprendre)* sorprender **8.** CULIN cocinar a fuego vivo. ■ **se saisir** *vp* • **se saisir de qqch/de qqn** coger algo/a alguien.

saisissant, e *adj* **1.** *(spectacle, ressemblance)* sobrecogedor(ra) **2.** *(froid)* penetrante.

saison *nf* **1.** *(division de l'année)* estación *(f)* **2.** *(époque)* temporada *(f)* • **hors saison** fuera de temporada • **la basse** OU **morte saison** la temporada baja OU de calma • **la haute saison** la temporada alta.

saisonnalité *nf* carácter *(m)* estacional.

---

saisonnier, ère ■ *adj* de temporada. ■ *nm, f* temporero *(m)*, -ra *(f)*.

salace *adj sout* salaz.

salade *nf* **1.** *(plante)* lechuga *(f)* **2.** *(plat)* ensalada *(f)* • **salade composée** ensalada mixta **3.** *fam (affaire confuse)* follón *(m)* **4.** *fam (mensonge)* bola *(f)*.

saladier *nm* ensaladera *(f)*.

salaire *nm* **1.** *(rémunération)* sueldo *(m)*, salario *(m)* • **salaire de base** sueldo OU salario base • **salaire brut/net** salario bruto/neto **2.** *(récompense)* recompensa *(f)*, premio *(m)*.

salant ▷ **marais**.

salarial, e *adj* salarial.

salarié, e ■ *adj* **1.** *(personne)* asalariado(da) **2.** *(travail)* remunerado(da). ■ *nm, f* asalariado *(m)*, -da *(f)*.

salaud *vulg* ■ *nm péj* cabrón *(m) (Esp)*, concha de su madre *(m) (Amér)*. ■ *adj m (détestable)* • **c'est salaud de faire ça** eso es hacer una putada.

sale *adj* **1.** *(gén)* sucio(cia) **2.** *(déplaisant)* desagradable **3.** *péj (maudit)* dichoso(sa), maldito(ta) *(Esp)*, pinche *(Amér)* **4.** *fam (détestable)* • **un sale boulot** una mierda de trabajo • **un sale coup** una jugarreta • **un sale type** un cerdo.

salé, e *adj* **1.** *(gén)* salado(da) **2.** *(histoire)* picante **3.** *fam (addition, note)* hinchado(da).

saler *vt* **1.** *(aliment, plat)* salar **2.** *(route)* echar sal a **3.** *fam (addition, note)* cargar la mano en.

saleté *nf* **1.** *(gén)* porquería *(f)* • **faire des saletés** dejarlo todo hecho una porquería **2.** *(malpropreté)* suciedad *(f)* **3.** *(méchanceté)* perrería *(f)* • **faire une saleté à qqn** hacer una perrería a alguien **4.** *fam péj (personne)* puerco *(m)*, -ca *(f)*.

salir *vt* **1.** *(souiller)* ensuciar *(Esp)*, enchastrar *(Amér)* **2.** *fig (réputation, honneur, personne)* ensuciar, manchar.

salissant, e *adj* sucio(cia).

salive *nf* saliva *(f)*.

saliver *vi* salivar • **il salive d'avance** se le hace la boca agua.

salle *nf* sala *(f)* • **salle d'attente** sala de espera • **salle de bains** OU **d'eau** cuarto *(m)* de baño OU de aseo • **salle de cinéma** sala de cine • **salle d'embarquement** sala de embarque que • **salle non-fumeurs** sala para no fumadores • **salle d'opération** quirófano *(m)*, sala de operaciones.

salon *nm* salón *(m)*.

salope *nf vulg péj* puta *(f)*.

saloperie *nf tfam* guarrada *(f)*.

salopette *nf* **1.** *(vêtement)* (pantalón *(m.)* de) peto *(m)* **2.** *(de travail)* mono *(m)*.

saltimbanque *nmf* saltimbanqui *(mf)*

salubre *adj* salubre.

salubrité *nf* salubridad *(f)*.

saluer *vt* saludar. ■ **se saluer** *vp* salucarse.

S'EXPRIMER...

saluer quelqu'un

¡Hola! / **Salut !** ¡Buenos días! / **Bonjour ! (le matin)** ¡Buenas tardes! / **Bonjour ! (l'après-midi)** ¿Qué tal? / **Comment vas-tu/allez-vous ?** ¡Buenas tardes! / **Bonsoir ! (l'après-midi)** ¡Buenas noches! / **Bonsoir ! (le soir)**.

salut ■ *nm* **1.** *(geste, révérence)* saludo *(m)* **2.** *(sauvegarde & RELIG)* salvación *(f)*. ■ *interj fam* **1.** *(bonjour)* ¡hola! **2.** *(au revoir)* ¡adiós!

salutaire *adj* saludable.

salutation *nf* RELIG saludo *(m)*. ■ **salutations** *nfpl* ▪ **veuillez agréer mes salutations distinguées** le saluda atentamente.

Salvador *npr* ▪ **le Salvador** El Salvador.

salvadorien, enne *adj* salvadoreño(ña). ■ **Salvadorien, enne** *nm, f* salvadoreño *(m)*, -ña *(f)*.

salve *nf* salva *(f)*.

samedi *nm* sábado *(m)* ▪ **samedi dernier** el sábado pasado ▪ **samedi prochain** el sábado que viene, el próximo sábado ▪ **samedi en quinze** dentro de dos sábados.

SAMU, Samu *(abr de Service d'aide médicale d'urgence)* *nm* ≃ SAMUR *(Servicio de Atención Médica de Urgencia)* ▪ **les interventions du SAMU** ≃ las intervenciones del SAMUR. ■ **SAMU social, Samu social** *nm* servicio *(m)* móvil de urgencia *(destinado a la asistencia y recogida de personas sin techo)*.

sanatorium *nm* sanatorio *(m)* antituberculoso.

sanctifier *vt* santificar.

sanction *nf* **1.** *(gén)* sanción *(f)* ▪ **prendre des sanctions contre qqn** sancionar a alguien **2.** *fig (conséquence)* castigo *(m)*.

sanctionner *vt* sancionar.

sanctuaire *nm* santuario *(m)*.

sandale *nf* sandalia *(f)*.

sandalette *nf* sandalia *(f)*.

sandwich *nm* **1.** *(gén)* bocadillo *(m)* **2.** *(de pain de mie)* sándwich *(m)*.

sandwicherie *nf* bocadillería *(f)*.

sang *nm* *(gén)* sangre *(f)*.

sang-froid *nm inv* sangre *(f)* fría ▪ **de sang-froid** a sangre fría ▪ **conserver** *ou* **garder son sang-froid** conservar la calma ▪ **perdre son sang-froid** perder los estribos *ou* la calma.

sanglant, e *adj* **1.** *(épée, surface)* ensangrentado(da) **2.** *(combat, affront)* sangriento(ta).

sangle *nf* **1.** *(de selle)* cincha *(f)* **2.** *(de parachutiste, de siège, de lit)* correa *(f)*.

sangler *vt* **1.** *(cheval,* cinchar **2.** *(attacher)* atar.

sanglier *nm* jabalí *(m)*.

sanglot *nm* sollozo *(m)* ▪ **éclater en sanglots** romper *ou* prorrumpir en sollozos.

sangloter *vi* sollozar.

sangsue *nf* **1.** ZOOL sanguijuela *(f)* **2.** *fam fig (personne)* lapa *(f)*.

sanguin, e *adj* **1.** *(tempérament & ANAT)* sanguíneo(a) **2.** *(visage)* colorado(da) **3.** *(orange)* sanguino(na).

sanguinaire *adj* sanguinario(r a).

Sanisette® *nf* aseos *(mpl)* públicos automáticos.

sanitaire *adj* sanitario(ria). ■ **sanitaires** *nmpl* sanitarios *(mpl)*.

sans ■ *prép* sin ▪ **sans faire d'effort** sin hacer ningún esfuerzo ▪ **être sans...** no tener ningún(ninguna) ... ▪ **elle est sans charme** no tiene ningún encanto. ■ *adv* ▪ **passe-moi mon manteau, je ne peux pas sortir sans** dame mi abrigo, no puedo salir sin él. ■ **sans plus** *loc adv* sin más. ■ **sans quoi** *loc adv* ▪ **prête-moi de l'argent, sans quoi je ne pourrai pas payer** préstame dinero, si no no podré pagar. ■ **sans que** *loc conj* ▪ **sans que tu le saches** sin que lo sepas.

sans-abri *nmf* ▪ **les sans-abri** los sin techo *ou* sin hogar.

San Salvador *npr* San Salvador.

sans-emploi *nmf* desempleado *(m)*, -da *(f)*.

sans-gêne ■ *adj inv* & *nmf* descarado(da). ■ *nm inv* descaro *(m. inv)* ▪ **il est d'un sans-gêne !** ¡tiene una cara!

sans-plomb *nm inv* sin plomo *(f inv)*.

santé *nf* **1.** *(gén)* salud *(f)* ▪ **à ta santé !** ¡a tu salud! **2.** ADMIN ▪ **santé publique** sanidad *(f)* pública.

santon *nm* figurita *(f)* del belén.

São Tomé et Príncipe *npr* Santo Tomé y Príncipe.

saoul = **soûl**.

saouler = **soûler**.

sapeur-pompier *nm* bombero *(m)*.

saphir *nm* **1.** *(pierre)* zafiro *(m)* **2.** *(de tourne-disque)* aguja *(f)*.

sapin *nm* **1.** *(arbre)* abeto *(m)* ▪ **sapin de Noël** árbol *(m)* de Navidad **2.** *(bois)* pino *(m)*.

sarabande *nf* **1.** *(danse & MUS)* zarabanda *(f)* **2.** *fam (vacarme,* estrépito *(m)*.

sarcasme *nm* sarcasmo *(m)*.

sarcastique *adj* sarcástico(ca).

sarcler *vt* escardar, sachar.

sarcophage *nm* sarcófago *(m)*.

Sardaigne *npr* • **la Sardaigne** Cerdeña.

sardine *nf* sardina *(f)*.

SARL, Sarl *(abr de* **société à responsabilité limitée)** *nf* SL *(f)* • **Leduc, SARL** Leduc, SL.

sarment *nm* **1.** *(de vigne)* sarmiento *(m)* **2.** *(tige)* zarcillo *(m)*.

sas *nm* **1.** NAUT & AÉRON cámara *(f)* estanca **2.** *(d'écluse)* cámara *(f)* **3.** *(tamis)* cedazo *(m)*, tamiz *(m)*.

satanique *adj* satánico(ca).

satelliser *vt* satelizar.

satellite *nm* satélite *(m)* • **par satellite** vía satélite • **satellite artificiel** satélite artificial • **satellite météorologique** satélite meteorológico • **satellite de télécommunications** satélite de telecomunicaciones.

satiété *nf* • **à satiété** hasta la saciedad.

satin *nm* satén *(m)*, raso *(m)*.

satiné, e *adj* **1.** *(tissu)* satinado(da), de raso **2.** *(peau)* terso(sa). ■ **satiné** *nm* tersura *(f)*.

satire *nf* sátira *(f)*.

satirique *adj* satírico(ca).

satisfaction *nf* satisfacción *(f)*.

satisfaire *vt* satisfacer. ■ **se satisfaire** *vp* • **se satisfaire de qqch** contentarse con algo.

satisfaisant, e *adj* satisfactorio(ria).

satisfait, e *adj* satisfecho(cha) • **être satisfait de qqch** estar satisfecho de algo.

saturation *nf* saturación *(f)*.

saturé, e *adj* saturado(da).

satyre *nm* sátiro *(m)*.

sauce *nf* salsa *(f)* • **en sauce** con salsa, en salsa.

saucisse *nf* salchicha *(f)*.

saucisson *nm* salchichón *(m)*.

sauf¹, sauve *adj* **1.** *(personne)* ileso(sa) **2.** fig *(honneur)* intacto(ta).

sauf² *prép* **1.** *(à l'exclusion de)* salvo, excepto **2.** *(sous réserve)* salvo • **sauf que** fam salvo OU excepto que.

sauf-conduit *nm* salvoconducto *(m)*.

sauge *nf* **1.** CULIN salvia *(f)* **2.** BOT *(plante ornementale)* salvia *(f)* de jardín.

saugrenu, e *adj* descabellado(da).

saule *nm* sauce *(m)* • **saule pleureur** sauce llorón.

saumon ◙ *nm* ZOOL salmón *(m)* • **saumon fumé** salmón ahumado. ◙ *adj inv (couleur)* salmón *(en apposition)*.

saumoné, e *adj* asalmonado(da), salmonado(da).

sauna *nm* sauna *(f)*.

saupoudrer *vt* • **saupoudrer qqch de qqch** CULIN espolvorear algo con algo • fig *(discours)* salpicar algo con algo.

saut *nm* salto *(m)* • **saut à l'élastique** goming *(m)* • **faire du saut à l'élastique** hacer goming • **saut de page** INFORM salto de página.

sauté, e *adj* CULIN salteado(da).

saute-mouton *nm inv* • **jouer à saute-mouton** jugar al salto de piola.

sauter ◙ *vi* **1.** *(personne, plombs, bouchon)* saltar **2.** *(se précipiter - au cou)* tirarse • *(- dans les bras)* echarse **3.** *(exploser)* saltar, estallar **4.** *(chaîne de vélo)* salirse **5.** fam *(employé)* saltar **6.** *(être annulé)* suspenderse. ◙ *vt* **1.** *(fossé, obstacle)* saltar **2.** *(page, repas, classe)* saltarse.

sauterelle *nf* **1.** *(grande)* langosta *(f) (Esp)*, chapulín *(m) (Amér)* **2.** *(petite)* saltamontes *(m inv) (Esp)*, chapulín *(m) (Amér)*.

sauteur, euse ◙ *adj (insecte)* saltador(ra). ◙ *nm, f (athlète)* saltador *(m)*, -ra *(f) (Esp)*, clavadista *(mf) (Amér)*. ◙ **sauteur** *nm (cheval)* caballo *(m)* de saltos.

sautiller *vi* dar saltitos.

sautoir *nm* **1.** *(bijou)* collar *(m)* muy largo **2.** SPORT zona *(f)* de salto.

sauvage ◙ *adj* **1.** *(gén)* salvaje **2.** *(plante, fleur, fruit)* silvestre **3.** *(personne)* huraño(ña) **4.** *(concurrence)* bestial. ◙ *nmf* salvaje *(mf)*.

sauvagerie *nf* **1.** *(férocité)* salvajismo *(m)* **2.** *(insociabilité)* huraña *(f)* **3.** *(acte)* salvajada *(f)*.

sauvegarde *nf* **1.** *(protection)* salvaguardia *(f)*, salvaguarda *(f)* **2.** INFORM copia *(f)* de seguridad.

sauvegarder *vt* **1.** *(protéger)* salvaguardar **2.** INFORM grabar, (salva)guardar.

sauve-qui-peut *nm inv* desbandada *(f)*.

sauver *vt* **1.** *(gén)* salvar • **sauver qqch/qqn de qqch** salvar algo/a alguien de algo **2.** *(racheter)* compensar. ◙ **se sauver** *vp (fuir)* escaparse • **se sauver de qqch** *(s'échapper de)* escaparse de algo.

sauvetage *nm* rescate *(m)*, salvamento *(m)* • **de sauvetage** salvavidas.

sauveteur *nm* salvador *(m)*.

sauvette ■ **à la sauvette** ◙ *loc adv* deprisa y corriendo. ◙ *loc adj (vente)* callejero(ra).

savamment *adv* **1.** *(avec érudition)* sabiamente **2.** *(avec habileté)* hábilmente.

savane *nf* sabana *(f)*.

savant, e *adj* **1.** *(personne)* erudito(ta), sabio(bia) **2.** *(livre)* erudito(ta) **3.** *(manœuvre)* hábil **4.** *(animal)* amaestrado(da). ■ **savant** *nm* científico *(m)*.

saveur *nf* sabor.

savoir ◙ *vt* **1.** *(gén)* saber • **faire savoir qqch à qqn** hacer saber algo a alguien • **savoir** *(+ infinitif)* (avoir le don, la force de) saber *(+ infinitif)* • **elle sait se faire respecter** sabe hacerse respetar • **si j'avais su** si lo hubiera sabido, de haberlo sabido **2.** *(avoir en mémoire)* saberse

* **en savoir long sur qqn/sur qqch** saber un rato de alguien/de algo. ◼ *nm* saber *(m)*. ◼ **à savoir** *loc adv* a saber.

savoir-faire *nm inv* destreza *(f)*, habilidad *(f)*, savoir-faire *(m)*.

savoir-vivre *nm inv* modales *(mpl)*.

savon *nm* **1.** *(matière)* jabón *(m)* ∘ **savon de Marseille** jabón de Marsella **2.** *'pain)* pastilla *(f)* de jabón **3.** *fam (réprimande)* rapapolvo *(m)*.

savonnette *nf* pastilla *(f)* de jabón.

savourer *vt* saborear.

savoureux, euse *adj* sabroso(sa).

saxophone *nm* saxofón *(m)*

saxophoniste *nmf* saxofonista *(mf)*.

s/c *(abr écrite de* **sous couvert de)** a/c.

scabreux, euse *adj* escabroso(sa).

scalpel *nm* escalpelo *(m)*.

scalper *vt* escalpar.

scandale *nm* escándalo *(m)* ∘ **faire du scandale** armar (un) escándalo.

scandaleux, euse *adj* escandaloso(sa).

scandaliser *vt* escandalizar. ◼ **se scandaliser** *vp* escandalizarse.

scander *vt* **1.** *(vers)* escandir **2.** *(slogan)* gritar.

scandinave *adj* escandinavo(va). ◼ **Scandinave** *nmf* escandinavo *(m)*, -va *(f)*.

Scandinavie *npr* ∘ **la Scandinavie** Escandinavia.

scanner[1] *nm* escáner *(m)*.

scanner[2] *vt* **1.** MÉD hacer un escáner a **2.** INFORM escanear.

scaphandre *nm* escafandra *(f)*.

scarabée *nm* escarabajo *(m)*.

scatologique *adj* escatológico(ca).

sceau *nm* sello *(m)*.

scélérat, e ◼ *adj sout* canallesco(ca). ◼ *nm, f* canalla *(mf)*.

sceller *vt* **1.** CONSTR empotrar **2.** *(acte, promesse)* sellar **3.** *(maison)* precintar **4.** *(lettre)* lacrar.

scénario *nm* **1.** CINÉ, THÉÂTRE & LITTÉR argumento *(m)* **2.** CINÉ *(script)* guión *(m) (Esp)*, libreto *(m) (Amér)* **3.** *fig (déroulement prévu)* plan *(m)*.

scénariste *nmf* guionista *(mf)*.

scène *nf* **1.** *(gén)* escena *(f)* ∘ **scène de ménage** riña *(f)* conyugal **2.** *(estrade, décor de théâtre)* escenario *(m)*.

scepticisme *nm* escepticismo *(m)*.

sceptique *adj* & *nmf* escéptico(ca).

sceptre *nm* cetro *(m)*.

schéma *nm* esquema *(m)*.

schématique *adj* esquemático(ca).

schématiser *vt* **1.** *(faire un dessin de)* hacer un esquema de **2.** *(simplifier)* esquematizar.

schisme *nm* cisma *(m)*.

schizophrène *adj* & *nmf* esquizofrénico(ca).

schizophrénie *nf* esquizofrenia *(f)*.

sciatique ◼ *adj* ciático(ca). ◼ *nf* ciática *(f)*.

scie *nf* **1.** *(outil)* sierra *(f)* **2.** *(rengaine)* cantinela *(f)*.

sciemment *adv* a sabiendas, conscientemente.

science *nf* ciencia *(f)* ∘ **sciences humaines/sociales** ciencias humanas/sociales.

science-fiction *nf* ciencia *(f)* ficción.

scientifique *adj* & *nmf* científico(ca).

scientologie *nf* cienciología *(f)*.

scier *vt* **1.** *(couper)* aserrar, serrar **2.** *fam (stupéfier)* dejar de una pieza.

scierie *nf* aserradero *(m)*, serrería *(f)*.

scinder *vt* dividir. ◼ **se scinder** *vp* escindirse.

scintillement *nm* centelleo *(m)*.

scintiller *vi* centellear.

scission *nf* escisión *(f)*.

sciure *nf* serrín *(m)*.

sclérose *nf* esclerosis *(f inv)* ∘ **sclérose en plaques** esclerosis múltiple OU en placas.

sclérosé, e *adj* **1.** MÉD esclerótico(ca) **2.** *fig (paralyser)* estancado(da).

scléroser ◼ **se scléroser** *vp* **1.** MÉD esclerosarse **2.** *fig (se figer)* anquilosarse.

scolaire *adj* escolar.

scolarisable *adj* en edad escolar.

scolarité *nf* escolaridad *(f)*.

scooter *nm* scooter *(m) (Esp)*, motoneta *(f) (Amér)*.

score *nm* resultado *(m)*.

scorpion *nm* escorpión *(m)*, alacrán *(m)*. ◼ **Scorpion** *nm* ASTROL Escorpio *(m)*.

scotch *nm* whisky *(m)* escocés.

Scotch® *nm* celo *(m)*.

scotché, e *adj fam fig* ∘ **être scotché devant la télévision** estar pegado(da) al televisor.

scotcher *vt* pegar con celo.

scout, e *adj* scout. ◼ **scout** *nm* scout *(m)*.

Scrabble® *nm* Scrabble® *(m)*.

scratch *nm* velcro *(m)*.

scribe *nm* **1.** HIST escriba *(m)* **2.** *péj (employé)* chupatintas *(m inv)*.

script *nm* **1.** CINÉ *(scénario)* guión *(m) (Esp)*, libreto *(m) (Amér)* **2.** *(écriture)* letra *(f)* de imprenta.

scripte *nmf* script *(mf)*.

scrupule *nm* **1.** *(cas de conscience)* escrúpulo *(m)* ∘ **sans scrupules** sin escrúpulos **2.** *(délicatesse)* escrupulosidad *(f)*.

scrupuleux, euse *adj* escrupuloso(sa).

scrutateur, trice *adj* & *nm, f* escrutador(ra).

scruter *vt* **1.** *(horizon, pénombre)* escrutar **2.** *(motif, intention)* indagar.

scrutin *nm* **1.** *(vote)* escrutinio *(m)* **2.** *(opérations)* votación *(f)* **3.** *(système)* sistema *(m)* de votación • **scrutin majoritaire/proportionnel** sistema mayoritario/(de representación) proporcional.

sculpter *vt* esculpir.

sculpteur *nm* escultor *(m)*.

sculpture *nf* escultura *(f)*.

se couper *pron pers (réfléchi)* se • **se couper** cortarse • **s'aimer** quererse.

séance *nf* **1.** *(gén)* sesión *(f)* **2.** *fam (scène)* escena *(f)*.

seau *nm* cubo *(m) (Esp)*, tacho *(m) (Amér)* • **seau à champagne** champañera *(f)*.

sec, sèche *adj* **1.** *(gén)* seco(ca) • **vol sec** sólo vuelo *(m)* **2.** *(raisin, figue)* paso(sa) **3.** *(maigre)* enjuto(ta). ■ **sec** *nm* • **tenir au sec** guardar en un sitio seco • **être à sec** *(sans eau)* estar seco(ca) • *fam (sans argent)* estar pelado(da).

sécable *adj* divisible.

sécateur *nm* tijeras *(fpl)* de podar, podadera *(f)*.

sécession *nf* secesión *(f)* • **faire sécession** separarse.

sèche *nf fam* pitillo *(m)*.

sèche-cheveux *nm inv* secador *(m)* (de pelo).

sèche-mains *nm inv* secamanos *(m inv)* automático.

sèchement *adv* secamente.

sécher ◼ *vt* **1.** *(gén)* secar **2.** SCOL *(cours)* fumarse. ◼ *vi* **1.** *(gén)* secarse **2.** SCOL *(ne pas savoir répondre)* estar pez.

sécheresse *nf* **1.** *(gén)* sequedad *(f)* **2.** *(absence de pluie)* sequía *(f)*.

séchoir *nm* **1.** *(local)* secadero *(m)* **2.** *(appareil - à tringles)* tendedero *(m)* • *(- électrique)* secadora *(f)* • **séchoir à cheveux** secador *(m)* (de pelo).

second, e *adj num* & *nm, f* segundo(da). ◼ **seconde** *nf* **1.** *(unité de temps)* segundo *(m)* **2.** SCOL ≃ cuarto *(m)* de la ESO **3.** *(classe de transport, vitesse)* segunda *(f)*.

secondaire ◼ *adj* secundario(ria). ◼ *nm* • **le secondaire** GÉOL & ÉCON el secundario • SCOL la (enseñanza) secundaria.

seconder *vt* secundar.

secouer *vt* **1.** *(gén)* sacudir *(Esp)*, remecer *(Amér)* **2.** *(flacon, bouteille)* agitar **3.** *(sujet : malheur)* afectar. ◼ **se secouer** *vp fam (réagir)* • **secoue-toi !** ¡espabila!, ¡muévete!

secourable *adj* caritativo(va).

secourir *vt* socorrer.

secourisme *nm* socorrismo *(m)*.

secouriste *nmf* socorrista *(mf)*.

secours *nm* **1.** *(aide)* socorro *(m)*, auxilio *(m)* • **appeler au secours** pedir socorro OU auxilio • **au secours !** ¡socorro!, ¡auxilio! • **être d'un grand secours** ser de gran ayuda **2.** *(dons, renforts, soins)* socorro *(m)* • **les premiers secours** los primeros auxilios. ◼ **de secours** *loc adj* **1.** *(poste)* de socorro **2.** *(issue, sortie, porte)* de emergencia **3.** *(roue)* de recambio.

secousse *nf* sacudida *(f)*.

secret, ète *adj* secreto(ta). ◼ **secret** *nm* **1.** *(gén)* secreto *(m)* • **dont il a le secret** cuyo secreto sólo él conoce • **dans le plus grand secret** con el más absoluto secreto **2.** *(carcéral)* • **mettre au secret** incomunicar.

secrétaire ◼ *nmf* secretario *(m)*, -ria *(f)* • **secrétaire général** secretario general • **secrétaire général adjoint** secretario general adjunto. ◼ *nm (meuble)* escritorio *(m)*, secreter *(m)*.

secrétariat *nm* **1.** *(fonction)* secretariado *(m)*, secretaría *(f)* **2.** *(bureau, personnel)* secretaría *(f)* **3.** *(métier)* secretariado *(m)*.

sécréter *vt* **1.** *(substance)* secretar, segregar **2.** *fig (ennui)* rezumar.

sécrétion *nf* secreción *(f)*.

sectaire *adj* & *nmf* sectario(ria).

secte *nf* secta *(f)*.

secteur *nm* **1.** *(gén)* sector *(m)* • **sur secteur** ÉLECTR conectado(da) a la red • **secteur privé/public** sector privado/público • **secteur primaire/secondaire/tertiaire** sector primario/secundario/terciario **2.** *fam (endroit)* zona *(f)* **3.** ADMIN distrito *(m)*.

section *nf* **1.** *(gén)* sección *(f)* **2.** *(électorale)* distrito *(m)*.

sectionner *vt* **1.** *(trancher)* seccionar **2.** *fig (diviser)* dividir.

Sécu *nf fam* ≃ Seguridad *(f)* Social.

séculaire *adj* secular.

sécuriser *vt* tranquilizar.

sécurité *nf* seguridad *(f)* • **en sécurité** seguro(ra) • **en toute sécurité** con toda tranquilidad • **la sécurité routière** la seguridad vial. ◼ **Sécurité sociale** *nf* ≃ Seguridad *(f)* Social.

sédatif, ive *adj* sedante, sedativo(va). ◼ **sédatif** *nm* sedante *(m)*.

sédentaire *adj* & *nmf* sedentario(ria).

sédentariser ◼ **se sédentariser** *vp* volverse sedentario(ria).

sédiment *nm* sedimento *(m)*.

sédition *nf sout* sedición *(f)*.

séduction *nf* seducción *(f)*.

séduire *vt* seducir.

séduisant, e *adj* seductor(ra).

segment *nm* segmento *(m)*.

segmenter *vt* segmentar.

Ségovie *npr* Segovia.

ségrégation *nf* segregación *(f)*.

seigle *nm* centeno *(m)*.

seigneur *nm* HIST señor *(m)*. ◼ **Seigneur** *nm* • **le Seigneur** el Señor.

sein *nm* **1.** *(mamelle)* seno *(m)*, pecho *(m)* ◦ **donner le sein** dar el pecho **2.** *(poitrine, milieu)* seno *(m)* ◦ **au sein de** *loc prép* en el seno de.

Seine *npr* ◦ **la Seine** el Sena.

séisme *nm* seismo *(m)*.

seize *adj num inv* & *nm inv* dieciséis. ◦ *voir aussi* **six**

séjour *nm* **1.** *(durée)* estancia *(f)* ◦ **être interdit de séjour** tener prohibida la entrada al país ◦ **séjour linguistique** estancia lingüística **2.** *(pièce)* sala *(f)* de estar.

séjourner *vi* pasar una temporada.

sel *nm* sal *(f)*.

sélection *nf* selección *(f)*.

sélectionner *vt* *(gén* & INFORM*)* seleccionar.

self-service *nm* selfservice *(m)*, autoservicio *(m)*.

selle *nf* **1.** *(de cheval)* silla *(f)* **2.** *(de bicyclette)* sillín *(m)* **3.** CULIN rabadilla *(f)*. ◦ **selles** *nfpl* MÉD heces *(fpl)* (fecales).

seller *vt* ensillar.

selon *prép* *(gén)* según ◦ **c'est selon** *fam* depende. ◦ **selon que** *loc conj* según, depende de si.

semaine *nf* **1.** *(période)* semana *(f)* ◦ **à la semaine** semanalmente **2.** *(salaire)* semana *(f)*, paga *(f)* semanal.

sémantique ◾ *adj* semántico(ca). ◾ *nf* semántica *(f)*.

semblable ◾ *adj* **1.** *(analogue)* semejante, parecido(da) ◦ **une voiture semblable à une autre** un coche parecido a otro **2.** *(tel)* semejante ◦ **de semblables mensonges** semejantes mentiras. ◾ *nm* **1.** *(de même caractère)* igual *(m)* **2.** *(prochain)* semejante *(m)*.

semblant *nm* ◦ **faire semblant de faire qqch** fingir ou simular hacer algo.

sembler ◾ *vi* parecer. ◾ *v impers* ◦ **il (me/te) semble que** (me/te) parece que.

semelle *nf* **1.** *(sous la chaussure)* suela *(f)* **2.** *(dans la chaussure)* plantilla *(f)* **3.** CONSTR solera *(f)*.

semence *nf* **1.** *(graine)* semilla *(f)* **2.** *(sperme)* semen *(m)*.

semer *vt* **1.** *(gén)* sembrar **2.** *(répandre)* esparcir **3.** *fam (se débarrasser de, perdre)* dar esquinazo a.

semestre *nm* semestre *(m)*.

semestriel, elle *adj* semestral.

séminaire *nm* seminario *(m)*.

séminariste *nm* seminarista *(m)*.

semi-remorque *nm* camión *(m)* articulado.

semis *nm* **1.** *(plant)* semillero *(m)* **2.** *(méthode)* siembra *(f)* **3.** *(terrain)* sembrado *(m)*.

semoule *nf* sémola *(f)*.

sempiternel, elle *adj* perpetuo(tua).

sénat *nm* senado *(m)*. ◾ **Sénat** *nm* **1.** *(en France)* Senado *(m)* (francés) **2.** *(aux USA)* Senado *(m)* (de los Estados Unidos) **3.** HIST *(à Rome)* Senado *(m)* (de Roma).

sénateur, trice *nm* senador *(m)*, -ra *(f)*.

Sénégal *npr* ◦ **le Sénégal** Senegal.

sénile *adj* **1.** MÉD senil **2.** *péj (gâteux)* chocho(cha).

sénilité *nf* senilidad *(f)*.

sens *nm* *(gén)* sentido *(m)* ◦ **sens figuré/propre** sentido figurado/propio ◦ **sens interdit/unique** dirección *(f)* prohibida/única ◦ **rue à sens unique** calle de sentido único ◦ **bon sens** sentido común.

sensass *adj inv fam* guay.

sensation *nf* sensación *(f)*.

sensationnel, elle *adj* sensacional. ◾ **sensationnel** *nm* ◦ **le sensationnel** las sensaciones fuertes.

sensé, e *adj* sensato(ta).

sensibiliser *vt* sensibilizar.

sensibilité *nf* sensibilidad *(f)*.

sensible *adj* **1.** *(gén)* sensible ◦ **sensible à qqch** sensible a algo **2.** *(perceptible)* perceptible.

sensiblement *adv* **1.** *(approximativement)* casi **2.** *(notablement)* sens-blemente.

sensoriel, elle *adj* sensorial.

sensualité *nf* sensualidad *(f)*.

sensuel, elle *adj* sensual.

sentence *nf* sentencia *(f)*.

sentencieux, euse *adj péj* sentencioso(sa).

senteur *nf* soft fragancia *(f)*.

sentier *nm* sendero *(m)*, senda *(f)* ◦ **sentier de grande randonnée** sendero (especialmente hecho para excursionistas).

sentiment *nm* **1.** *(affection, penchant)* sentimiento *(m)* **2.** *(opinion)* sentir *(m)* **3.** *(impression)* impresión *(f)*.

sentimental, e *adj* & *nm, f* sentimental.

sentinelle *nf* centinela *(m)*.

sentir ◾ *vt* **1.** *(par l'odorat)* oler **2.** *(par le goût, par le toucher)* notar **3.** *(exhaler)* oler a **4.** *(pressentir)* sentir ◦ **faire sentir qqch à qqn** dar a entender algo a alguien. ◾ *vi* oler ◦ **sentir bon/mauvais** oler bien/mal. ◾ **se sentir** *vp (être perceptible)* notarse ◦ **se faire sentir** notarse, hacerse sentir ◦ **ça se sent !** ¡se nota! ◦ **ne pas pouvoir se sentir** *fam* no poder tragarse. ◾ *v att* sentirse ◦ **se sentir fatigué/malade/mal** sentirse cansado/enfermo/mal ◦ **se sentir la force/le courage de** sentirse con fuerzas/con ánimos para.

séparation *nf* separación *(f)*.

séparatiste *nmf* separatista *(mf)*.

séparé, e *adj* **1.** *(distinct)* distinto(ta) ◦ **des intérêts séparés** distintos intereses **2.** *(couple)* separado(da).

séparer *vt* **1.** *(gén)* separar • **séparer qqch de qqch** separar algo de algo • **séparer qqn de qqn** separar a alguien de alguien **2.** *(espace, lieu)* dividir. ■ **se séparer** *vp* **1.** *(gén)* • **se séparer de qqch/de qqn** separarse de algo/de alguien **2.** *(route, fleuve)* dividirse.

sept *adj num inv & nm inv* siete. • *voir aussi* **six**

septembre *nm* septiembre *(m)*, setiembre *(m)* • **au mois de** *ou* **en septembre** en (el mes de) septiembre.

septicémie *nf* septicemia *(f)*.

sépulcre *nm sout* sepulcro *(m)*.

sépulture *nf* sepultura *(f)*.

séquelle *nf (gén pl)* secuela *(f)*.

séquence *nf* **1.** CINÉ & TV secuencia *(f)* **2.** *(série de cartes)* escalera *(f)*.

séquestrer *vt* **1.** *(personne)* secuestrar *(Esp)*, plagiar *(Amér)* **2.** DR *(bien)* depositar.

Serbie *npr* • **la Serbie** Serbia.

serein, e *adj* sereno(na).

sérénade *nf* serenata *(f)*.

sérénité *nf* serenidad *(f)*.

serf, serve ◼ *adj* de servidumbre. ◼ *nm, f* siervo *(m)*, -va *(f)*.

sergent *nm* sargento *(m)*.

série *nf* **1.** *(gén)* serie *(f)* • **hors série** fuera de serie • **série noire** *fig* mala racha *(f)* • *(en littérature)* serie negra **2.** SPORT categoría *(f)*. ■ **en série** *loc adv & loc adj* en serie.

sérieusement *adv* **1.** *(sans plaisanter, avec application)* seriamente, en serio **2.** *(grièvement)* seriamente.

sérieux, euse *adj* serio(ria). ■ **sérieux** *nm* seriedad *(f)* • **garder son sérieux** mantener la seriedad • **prendre qqch/qqn au sérieux** tomarse algo/a alguien en serio.

serin, e *nm, f* **1.** *(oiseau)* canario *(m)* **2.** *fam (niais)* merluzo *(m)*, -za *(f)*.

seringue *nf* jeringuilla *(f)*.

serment *nm* juramento *(m)* • **faire le serment de** jurar que • **sous serment** bajo juramento • **serment d'Hippocrate** juramento de Hipócrates.

sermon *nm litt & fig* sermón *(m)*.

séronégatif, ive *adj* seronegativo(va).

séropositif, ive *adj* seropositivo(va).

séropositivité *nf* seropositividad *(f)*.

serpe *nf* podadera *(f)*.

serpent *nm* serpiente *(f)*.

serpenter *vi* serpentear.

serpillière *nf* trapo *(m)*, bayeta *(f)*.

serre *nf* invernadero *(m)*. ■ **serres** *nfpl* ZOOL garras *(fpl)*.

serré, e *adj* **1.** *(nœud, poing)* apretado(da) **2.** *(masse, tissu, forêt)* tupido(da) **3.** *(style)* conciso(sa) **4.** *(vêtement, chaussures)* ceñido(da) **5.** *(discussion, match)* reñido(da) **6.** *(café)* cargado(da).

serrer ◼ *vt* **1.** *(poing, lèvres, vis)* apretar **2.** *fig (cœur)* encoger **3.** *(sujet : vêtement)* apretar **4.** *(personne, main, rangs)* estrechar **5.** *(se tenir près de)* pegarse a. ◼ *vi* AUTO • **serrer à droite/à gauche** pegarse a la derecha/a la izquierda. ■ **se serrer** *vp (cœur)* encogerse.

serre-tête *nm inv* diadema *(f)*.

serrure *nf* cerradura *(f) (Esp)*, chapa *(f) (Amér)*.

serrurier *nm* cerrajero *(m)*.

sertir *vt* engastar.

sérum *nm* suero *(m)* • **sérum physiologique** suero fisiológico.

servage *nm* servidumbre *(f)*.

servante *nf* sirvienta *(f)*.

serveur, euse *nm, f* **1.** *(employé)* camarero *(m)*, -ra *(f) (Esp)*, mozo *(m)*, -za *(f) (Amér)* **2.** *(aux cartes)* jugador *(m)*, -ra *(f)* que reparte las cartas **3.** SPORT servidor *(m)*, -ra *(f)*. ■ **serveur** *nm* INFORM servidor *(m)*.

serviable *adj* servicial.

service *nm* **1.** *(gén)* servicio *(m)* • **être au service (militaire)** *fam* estar en la mili • **être en service** estar en servicio • **être hors service** estar fuera de servicio • **service compris** servicio incluido • **service après vente** servicio posventa • **service militaire/public** servicio militar/público **2.** *(département)* departamento *(m)* **3.** *(aide)* favor *(m)* • **que puis-je faire pour votre service ?** ¿puedo ayudarle en algo? • **rendre un service à qqn** hacer un favor a alguien **4.** *(à café, de porcelaine)* juego *(m)* **5.** RELIG oficio *(m)*.

serviette *nf* **1.** *(de table)* servilleta *(f)* **2.** *(de toilette)* toalla *(f)* **3.** *(porte-documents)* cartera *(f)*. ■ **serviette hygiénique** *nf* compresa *(f)*.

serviette-éponge *nf* toalla *(f)* de felpa.

servile *adj* servil.

servir ◼ *vt* **1.** *(gén)* servir **2.** *(client)* atender • **servir qqch à qqn** servir algo a alguien **3.** *(aider, travailler pour)* servir a **4.** *(sujet : circonstances)* favorecer. ◼ *vi* servir • **servir à faire qqch** servir para hacer algo • **servir de** servir de • **ça peut toujours** *ou* **encore servir** aún puede servir • **cela ne sert à rien** no sirve de *ou* para nada. ■ **se servir** *vp* servirse • **se servir de qqch/de qqn** servirse de algo/de alguien.

serviteur *nm* servidor *(m)*, -ra *(f)*.

servitude *nf* servidumbre *(f)*.

session *nf* **1.** *(assemblée)* sesión *(f)* **2.** UNIV *(examen)* convocatoria *(f)*.

set *nm* **1.** SPORT set *(m)* **2.** *(napperon)* mantel *(m)* individual • **sets de table** juego *(m)* de manteles individuales.

seuil *nm* umbral *(m)*.

seul, e *adj* **1.** *(isolé)* solo(la) • **seul à seul** a solas **2.** *(unique)* • **le seul/la seule** el único/la única

• **un seul/une seule** un solo/una sola **3.** *(sans compagnie)* solo(la) **4.** *(sans aide)* • **(tout) seul** por sí solo • **je le ferai tout seul** lo haré yo solo

seulement *adv* **1.** *(pas davantage, exclusivement)* solamente, sólo • **non seulement... mais (encore)** no sólo... sino (también) **2.** *(toutefois)* sólo que **3.** *(pas plus tôt que)* • **elle est arrivée seulement hier** no llegó hasta ayer • **il vient seulement d'arriver** acaba de llegar ahora **4.** *(même)* ni siquiera.

sève *r f* savia *(f)*.

sévère *adj* **1.** *(gén)* severo(ra) **2.** *(décor, tenue)* sobrio(bria).

sévérité *nf* severidad *(f)*.

sévices *nmpl* malos tratos *(mpl)*.

Séville *npr* Sevilla.

sévir *vi* **1.** *(punir)* castigar duramente • **sévir contre qqn** castigar duramente a alguien **2.** *(faire des ravages)* hacer estragos.

sevrer *vt* **1.** *(enfant, animal)* destetar **2.** *fig (priver de)* • **sevrer qqn de qqch** privar a alguien de algo.

sexe *nm* sexo *(m)*.

sexiste *adj & nmf* sexista.

sexologue *nmf* sexólogo(ga).

sex-shop *nm* sex-shop *(m)*.

sextant *nm* sextante *(m)*.

sexualité *nf* sexualidad *(f)*.

sexué, e *adj* sexuado(da).

sexuel, elle *adj* sexual.

sexy *adj inv fam* sexy.

seyant, e *adj* favorecedor(ra).

shampooing, shampoing *nm* **1.** *(savon)* champú *(m)* **2.** *(lavage)* • **faire un shampooing à qqn** lavarle la cabeza a alguien.

shérif *nm* shérif *(m)*.

shit *fam nm* costo *(m)*, chocolate *(m)*.

shopping *nm* • **faire du shopping** ir de tiendas *ou* de compras.

short *nm* pantalón *(m)* corto, short *(m)*.

show-business *nm inv* show business *(m)*.

si ◼ *adv* **1.** *(gén)* tan • **elle est si belle** es tan guapa • **il roulait si vite qu'il a eu un accident** conducía tan rápido que tuvo un accidente • **ce n'est pas si facile que ça** no es tan fácil (como parece) **2.** *(oui)* sí • **tu n'aimes pas sa maison ? – si** ¿no te gusta su casa? – sí • **mais si !** ¡que sí! ◼ *conj* sí • **si tu veux, on y va** si quieres, vamos • **je ne sais pas s'il est parti** no sé si se ha ido • **si seulement** al menos, si por lo menos. ◼ *nm inv* MUS si *(m)* • **il y a toujours des si et des mais** siempre hay peros. ◼ **si bien que** *loc conj* de modo que. ◼ **si ce n'est** *loc prép* **1.** *(sinon)* si no **2.** *(sauf)*

excepto. ◼ **si ce n'est que** *loc conj* excepto que. ◼ **si peu que** *loc conj* por poco que, a poco que. ◼ **si tant est que** *loc conj* si es que.

À PROPOS DE...

si

Attention aux différentes traductions de « si » : l'accent grammatical permet de distinguer la réponse affirmative *si* de la conjonction *si*. Par ailleurs, l'adverbe se traduit par *tan*.

siamois, e *adj* siamés(esa).

Sibérie *npr* • **la Sibérie** Siberia.

sibyllin, e *adj* sibilino(na).

Sicile *npr* • **la Sicile** Sicilia.

SIDA, sida *(abr de* syndrome d'immunodéficience acquise*) nm* sida *(m)* • **le virus du SIDA** el virus del sida.

side-car *nm* sidecar *(m)*.

sidéré, e *adj* pasmado(da).

sidérer *vt* dejar pasmado(da).

sidérurgie *nf* siderurgia *(f)*.

siècle *nm* siglo *(m)* • **la découverte du siècle** el descubrimiento del siglo • **ça fait des siècles que...** hace siglos que...

siège *nm* **1.** *(meuble)* asiento *(m)* • **siège arrière/avant/éjectable** asiento trasero/delantero/eyectable **2.** *(d'élu)* escaño *(m)* **3.** MIL sitio *(m)* **4.** *(résidence)* sede *(f)* • **siège social** domicilio *(m)* social **5.** *(centre, foco)* foco *(m)* **6.** ANAT nalgas *(fpl)* • **se présenter par le siège** *(bébé)* venir de nalgas.

siéger *vi* **1.** *(faire partie d'une assemblée)* ocupar un escaño *(m)* **2.** *(tenir séance)* reunirse **3.** *(se situer)* tener la sede **4.** *fig (résider)* residir.

sien, sienne *adj poss* suyo(suya). ◼ **le sien, la sienne** *pron poss* el suyo(la suya) • **les siens** *(sa famille)* los suyos.

sieste *nf* siesta *(f)* • **faire la sieste** dormir *ou* echarse la siesta.

sifflement *nm* **1.** *(gén)* silbido *(m)* *(Esp)*, chiflido *(m)* *(Amér)* **2.** *(d'oiseau)* canto *(m)*.

siffler ◼ *vi* **1.** *(gén)* silbar *(Esp)*, chiflar *(Amér)* **2.** *(avec un instrument)* pitar **3.** *(oiseau)* cantar. ◼ *vt* **1.** *(air, chanson)* silbar *(Esp)* chiflar *(Amér)* **2.** *(chien)* llamar con un silbido **3.** *fam (verre)* soplarse.

sifflet *nm* **1.** *(instrument)* silbato *(m)* **2.** *(jouet)* pito *(m)* **3.** *(son)* silbido *(m)*, pitido *(m)* *(Esp)*, chiflido *(m)* *(Amér)*. ◼ **sifflets** *nmpl* silbidos *(mpl)*, abucheos *(mpl)*.

siffloter *vt & vi* silbar *(Esp)*, chiflar *(Amér)*.

sigle *nm* sigla *(f)*.

signal nm m 1. (gén) señal (f) • **donner le signal (de qqch)** dar la señal (de algo) • **signal d'alarme** señal de alarma 2. (geste) seña (f).

signalement nm m descripción (f).

signaler vt 1. (gén) señalar • **rien à signaler** nada que señalar 2. (à la police) denunciar.

signalétique adj ▷ **fiche**.

signalisation nf señalización (f).

signataire nmf firmante (mf), signatario (m), -ria (f).

signature nf firma (f).

signe nm m 1. (indice) señal (f) 2. (geste, trait, signal) seña (f) • **signes particuliers** señas particulares 3. ASTROL signo (m).

signer vt firmar. ■ **se signer** vp persignarse.

signet nm m marcador (m).

significatif, ive adj significativo(va).

signification nf 1. (sens) significado (m) 2. DR notificación (f).

signifier vt 1. (avoir le sens de) significar 2. (faire connaître & DR) notificar.

silence nm m silencio (m) • **silence radio** fam silencio total.

silencieux, euse adj silencioso(sa). ■ **silencieux** nm m silenciador (m).

silex nm m inv sílex (m inv).

silhouette nf silueta (f).

sillage nm m estela (f) • **laisser qqch dans son sillage** fig dejar tras de sí una estela de algo.

sillon nm m surco (m).

sillonner vt surcar.

silo nm m silo (m).

simagrées nfpl péj melindres (mpl).

similaire adj similar.

similarité nf similitud (f).

similicuir nm m polipiel (f).

similitude nf 1. (analogie) similitud (f) 2. GÉOM semejanza (f).

simple ■ adj 1. (gén) sencillo(lla), simple • **c'est simple comme bonjour** es coser y cantar 2. CHIM simple. ■ nm m 1. (personne) simple (m) 2. (au tennis) individuales (mpl).

simplicité nf 1. (facilité) sencillez (f), simplicidad (f) 2. fig (modestie, sobriété) sencillez (f) 3. (naïveté) simplicidad (f).

simplifier vt simplificar.

simpliste adj & nmf péj simplista.

simulacre nm m simulacro (m).

simulateur, trice nm, f farsante (mf). ■ **simulateur** nm m TECHNOL simulador (m).

simulation nf simulación (f).

simuler vt 1. (feindre) simular, fingir 2. TECHNOL simular.

simultané, e adj simultáneo(nea).

sincère adj sincero(ra).

sincèrement adv 1. sinceramente 2. (franchement) francamente.

sincérité nf sinceridad (f).

sine qua non loc adj inv sine qua non.

Singapour npr Singapur.

singe nm m mono (m), -na (f).

singer vt 1. (imiter) remedar 2. (feindre) fingir, simular.

singerie nf (gén pl) (grimace) mueca (f), mojiganga (f).

singulariser vt singularizar. ■ **se singulariser** vp singularizarse.

singularité nf singularidad (f).

singulier, ère adj singular. ■ **singulier** nm m GRAMM singular (m).

singulièrement adv 1. (bizarrement) de forma singular 2. (beaucoup) extraordinariamente 3. (notamment) especialmente.

sinistre ■ adj 1. (gén) siniestro(tra) 2. péj (stupide) pobre. ■ nm m 1. (catastrophe) siniestro (m) 2. DR daño (m).

sinistré, e adj & nm, f siniestrado(da).

sinon conj 1. (autrement) si no • **obéis, sinon je me fâche** obedece, si no me enfado 2. (sauf) sino • **je ne sens rien, sinon une légère courbature** no siento sino unas ligeras agujetas.

sinueux, euse adj sinuoso(sa).

sinuosité nf sinuosidad (f).

sinus nm m ANAT & MATH seno (m).

sinusite nf sinusitis (f inv).

sionisme nm m sionismo (m).

siphon nm m sifón (m).

siphonner vt trasegar con un sifón.

sirène nf sirena (f).

sirop nm m jarabe (m) • **au sirop** en almíbar • **sirop d'érable** jarabe de arce • **sirop de grenadine** granadina (f) • **sirop de menthe** jarabe de menta.

siroter vt fam beber a sorbitos.

sismique adj sísmico(ca).

sitcom nf & nm telecomedia (f).

site nm m 1. (emplacement) emplazamiento (m) • **site archéologique/historique** emplazamiento arqueológico/histórico 2. (paysage pittoresque) paraje (m) • **site naturel** paraje natural 3. INFORM • **site Web** sitio (m) Web.

sitôt adv tan pronto como, en cuanto • **sitôt dit, sitôt fait** dicho y hecho • **sitôt après** inmediatamente después • **il ne reviendra pas de sitôt** tardará en volver. ■ **sitôt que** loc conj tan pronto como, en cuanto • **je le lui dirai sitôt qu'il reviendra** se lo diré tan pronto como ou en cuanto vuelva.

situation nf 1. (gén) situación (f) • **situation de famille** estado (m) civil 2. (emploi) puesto (m).

situé, e *adj* situado(da) • **bien/mal situé** bien/mal situado.

situer *vt* situar. ■ **se situer** *vp* situarse.

six ■ *adj* **1.** *(gén)* seis • **il a a six ans** tiene seis años • **il est six heures** son las seis • **le six janvier** el seis de enero **2.** *(roi, pape)* sexto(ta). ■ *nm inv* seis *(m)* • **elle habite (au) six rue de Valois** vive en la calle Valois número seis. ■ *pron* seis • **six par six** de seis en seis • **venir à six** venir seis.

sixième ■ *adj* sexto(ta) • **le sixième siècle** el siglo sexto • **arriver/se classer sixième** llegar/clasificarse en sexto lugar *ou* el sexto. ■ *nmf* sexto (*m*), -ta (*f*). ■ *nf* SCOL ≃ sexto *(m)* de primaria • **entrer en sixième** ≃ pasar a sexto de primaria • **être en sixième** ≃ estar en sexto de primaria. ■ *nm* **1.** *(part)* • **le** *ou* **un sixième de qqch** el *ou* un sexto de algo, la *ou* una sexta parte de algo **2.** *(arrondissement)* distrito *(m)* sexto, sexto distrito *(m)* **3.** *(étage)* sexto *(m)*.

skateboard *nm* monopatín *(m)*, skateboard *(m)*.

sketch *nm* esquech *(m)*, sketch *(m)*.

ski *nm* esquí *(m)* • **ski acrobatique/alpin/nautique** esquí acrobático/alpino/náutico • **ski de fond** esquí de fondo.

skier *vi* esquiar.

skieur, euse *nm, f* esquiador *(m)*, -ra *(f)*.

skinhead *nmf* cabeza *(mf)* rapada, skin head *(mf)*.

skipper *nm* **1.** *(de yacht)* patrón *(m)*, capitán *(m)* **2.** *(barreur)* timonel *(m)*.

slalom *nm* **1.** *(de ski)* eslálom *(m)* **2.** *(zigzags)* zigzag *(m)*.

slip *nm* **1.** *(d'homme)* eslip *(m)* **2.** *(de femme)* bragas *(fpl)* *(Esp)*, calzones *(mpl)* *(Amér)*.

slogan *nm* eslogan *(m)*.

Slovaquie *npr* • **la Slovaquie** Eslovaquia.

Slovénie *npr* • **la Slovénie** Eslovenia.

slow *nm* balada *(f)* *(canción)*, lenta *(f)*.

smala, smalah *nf fam (famille nombreuse)* tropa *(f)*.

smasher *vi* dar un mate.

SME *(abr de Système monétaire européen)* *nm* SME *(m)*.

SMIC, smic *(abr de salaire minimum interprofessionnel de croissance)* *nm* ≃ SMI *(m)* *(salario mínimo interprofesional)* • **être payé au SMIC** ≃ cobrar el SMI.

smiley *nm* cara *(f)* sonriente.

smoking *nm* esmoquin *(m)*, smoking *(m)*.

SMS ■ *nm (abr de Short Message System)* SMS *(m)* • **envoyer un SMS** mandar un SMS. ■ *adj* SCOL *(abr de sciences médico-sociales)* ≃ bachillerato *(m)* en ciencias médicas y sociales.

snack-bar, snack *nm* bar *(m)*, cafetería *(f)*.

SNCF *(abr de Société nationale des chemins de fer français)* *nf* ≃ RENFE *(f)* *(Red Nacional de los Ferrocarriles Españoles)* • **le réseau SNCF** la red de la SNCF.

snob *adj & nmf* esnob.

snober *vt* mirar por encima del hombro.

snobisme *nm* esnobismo *(m)*.

soap opera *nm* serial *(m)*.

sobre *adj* sobrio(bria).

sobriété *nf* sobriedad *(f)*.

sobriquet *nm* apodo *(m)*.

soc *nm* reja *(f)* *(del arado)*.

sociable *adj* sociable.

social, e ■ *adj* social. ■ *nm* • **le social** el ámbito social.

socialisme *nm* socialismo *(m)*.

socialiste *adj & nmf* socialista.

sociétaire ■ *adj* asociado(da). ■ *nmf* socio *(m)*, -cia *(f)*.

société *nf* sociedad *(f)* • **en société** en sociedad • **société anonyme** sociedad anónima • **société à responsabilité limitée** sociedad (de responsabilidad) limitada.

sociologie *nf* sociología *(f)*.

sociologue *nmf* sociólogo *(m)*, -ga *(f)*.

socioprofessionnel, elle *adj* socioprofesional.

socle *nm* zócalo *(m)*.

socquette *nf* calcetín *(m)* corto.

soda *nm* soda *(f)*.

sodium *nm* sodio *(m)*.

sodomiser *vt* sodomizar.

sœur *nf* hermana *(f)* • **sœurs siamoises** hermanas siamesas • **grande/petite sœur** hermana mayor/pequeña.

sofa *nm* sofá *(m)*.

software *nm* software *(m)*.

soi *pron pers* sí mismo, sí misma, uno mismo, una misma • **parler de soi** hablar de sí mismo • **être content de soi** estar contento con uno mismo • **revenir à soi** volver en sí • **cela va de soi (que)** ni que decir tiene (que). ■ **soi-même** *pron pers* uno mismo(una misma).

soi-disant ■ *adj inv* supuesto(ta). ■ *adv fam* se supone que • **il était soi-disant malade** se supone que estaba enfermo.

soie *nf* **1.** *(textile)* seda *(f)* **2.** *(poil)* cerda *(f)*.

soierie *nf* **1.** *(gén pl)* *(textile)* sedas *(fpl)* **2.** *(industrie)* sedería *(f)*.

soif *nf* sed *(f)* • **avoir soif** tener sed.

soigné, e *adj* *(gén)* cuidado(da).

soigner *vt* **1.** *(blessure, malade)* curar **2.** *(travail, jardin)* cuidar. ■ **se soigner** *vp (malade)* curarse.

soigneur *nm* SPORT cuidador *(m)*.

soigneusement *adv* cuidadosamente.

soigneux, euse *adj* cuidadoso(sa).

soin *nm* **1.** *(application)* esmero *(m)* • **avoir** OU **prendre le soin de** tener el cuidado de • **faire qqch avec soin** hacer algo con cuidado OU cuidadosamente • **faire qqch sans soin** hacer algo de cualquier manera **2.** *(sollicitude)* cuidado *(m)* • **prendre soin de qqch/de qqn** cuidar de algo/de alguien. ■ **soins** *nmpl* asistencia *(f)* médica • **être aux petits soins pour qqn** colmar de atenciones a alguien.

soir *nm* **1.** *(déclin du jour)* tarde *(f)* **2.** *(nuit)* noche *(f)* • **le soir** *(au déclin du jour)* por la tarde • *(la nuit)* por la noche.

soirée *nf* **1.** *(soir)* noche *(f)* **2.** *(avec des amis)* velada *(f)* **3.** *(réception)* recepción *(f)* • **de soirée** *(tenue, robe)* de noche **4.** *(spectacle)* función *(f)* de noche • **soirée de gala** función de gala • **en soirée** por la noche.

soit¹ *conj* **1.** *(c'est-à-dire)* o sea, es decir **2.** MATH *(étant donné)* dado(da) • **soit une droite AB** dada una recta AB • **soit dit en passant** dicho sea de paso. ■ **soit..., soit** *loc corrélative* o... o. ■ **soit que..., soit que** *loc corrélative* (+ subjonctif) tanto si... como si (+ indicatif) • **soit que tu viennes chez moi, soit que j'aille chez toi...** tanto si tú vienes a mi casa como si yo voy a la tuya...

soit² *adv sout* de acuerdo.

soixante *adj num inv* & *nm inv* sesenta. • *voir aussi* **six**

soixante-dix *adj num inv* & *nm inv* setenta. • *voir aussi* **six**

soixante-dixième ◪ *adj* & *nmf* septuagésimo(ma). ◪ *nm* setentavo *(m)*, setentava parte *(f)*.

soixantième ◪ *adj num* & *nmf* sexagésimo(ma). ◪ *nm* sesentavo *(m)*, sesentava parte *(f)*.

soja *nm* soja *(f)*.

sol ◪ *nm* suelo *(m)*. ◪ *nm inv* MUS sol *(m)*.

solaire *adj* **1.** solar **2.** *(cadran)* de sol.

solarium *nm* solárium *(m)*.

soldat *nm* **1.** *(militaire)* soldado *(m)* • **le Soldat inconnu** el soldado desconocido • **simple soldat** soldado raso **2.** *(jouet)* soldadito *(m)*.

solde ◪ *nm* **1.** *(d'un compte, d'une facture)* saldo *(m)* • **solde créditeur/débiteur** saldo acreedor/deudor **2.** COMM • **être en solde** estar rebajado(da). ◪ *nf* MIL sueldo *(m)*. ■ **soldes** *nmpl* COMM rebajas *(fpl)*.

solder *vt* **1.** *(compte - régler)* saldar • *(- fermer)* liquidar **2.** *(article)* rebajar, saldar. ■ **se solder** *vp* • **se solder par qqch** FIN saldarse con algo • *fig (aboutir à)* acabar en algo.

sole *nf* lenguado *(m)*.

soleil *nm* **1.** *(gén)* sol *(m)* • **au soleil** al sol • **en plein soleil** a pleno sol • **soleil couchant/levant** sol poniente/naciente **2.** *(tournesol)* girasol *(m)* **3.** SPORT giro *(m)* de apoyo libre.

solennel, elle *adj* solemne.

solennité *nf* solemnidad *(f)*.

solfège *nm* solfeo *(m)*.

solidaire *adj* solidario(ria) • **être solidaire de qqn** ser solidario(ria) con alguien.

solidarité *nf* solidaridad *(f)* • **par solidarité avec** en solidaridad con.

solide ◪ *adj* **1.** *(gén)* sólido(da) **2.** *(personne)* robusto(ta) • **ne pas être solide sur ses jambes** no tenerse en pie **3.** *(couple, relation)* estable, sólido(da). ◪ *nm* **1.** PHYS sólido *(m)* **2.** *fig (concret)* • **c'est du solide** es algo tangible.

solidité *nf* solidez *(f)*.

soliloque *nm sout* soliloquio *(m)*.

soliste *nmf* solista *(mf)*.

solitaire ◪ *adj* & *nmf* solitario(ria). ◪ *nm* solitario *(m)*.

solitude *nf* soledad *(f)*.

sollicitation *nf* **1.** *(gén pl) (requête)* petición *(f)* **2.** *(impulsion)* señal *(f)*.

solliciter *vt* **1.** *(réclamer)* solicitar • **solliciter qqch de qqn** *(audience, entretien)* solicitar algo de alguien • *(curiosité, intérêt, attention)* reclamar algo de alguien **2.** *(faire appel à)* • **solliciter qqn pour faire qqch** reclamar a alguien para hacer algo.

sollicitude *nf* solicitud *(f)* *(atención, amabilidad)*.

solo *nm* MUS solo *(m)* • **en solo** *fig* en solitario.

solstice *nm* solsticio *(m)*.

soluble *adj* **1.** *(matière)* soluble **2.** *(problème)* • **être soluble** poder resolverse.

solution *nf* solución *(f)* • **chercher/trouver la solution** buscar/encontrar la solución.

solvable *adj* solvente.

solvant *nm* disolvente *(m)*.

Somalie *npr* • **la Somalie** Somalia.

sombre *adj* **1.** *(gén)* oscuro(ra) **2.** *(avenir, air, pensées)* sombrío(a) • **une sombre brute** un pedazo de bruto.

sombrer *vi* **1.** *(bateau)* zozobrar **2.** *fig (personne)* • **sombrer dans qqch** *(folie, oubli, alcoolisme)* hundirse en algo • *(sommeil)* sumergirse en algo.

sommaire ◪ *adj* **1.** *(explication)* somero(ra) **2.** *(exécution)* sumario(ria) **3.** *(installation)* sencillo(lla). ◪ *nm* índice *(m)*.

sommation *nf* **1.** DR intimación *(f)*, requerimiento *(m)* **2.** *(ordre)* orden *(f)* • **rendez-vous, dernière sommation !** ¡ríndanse!, ¡último aviso!

somme ◪ *nf* suma *(f)*. ◪ *nm* siesta *(f)* • **faire un petit somme** echar una cabezada. ■ **en somme** *loc adv* en suma. ■ **somme toute** *loc adv* después de todo.

sommeil *nm* sueño *(m)* • **avoir sommeil** tener sueño.

sommeiller *vi* **1.** *sout (personne)* dormitar **2.** *fig (sentiment, qualité)* latir, estar latente.

sommelier, ère *nm, f* sumiller *(mf)*, sommelier *(mf)*.

sommet *nm* **1.** *(gén)* cumbre *(f)* ∘ **au sommet de** en la cumbre de **2.** GÉOM vértice *(m)*.

sommier *nm* somier *(m)*.

sommité *nf* eminencia *(f)*.

somnambule *adj* & *nmf* sonámbulo(la).

somnifère *nm* somnífero *(m)*.

somnolent, e *adj* **1.** *(personne)* soñoliento(ta), somnoliento(ta) **2.** *fig (économie)* aletargado(da).

somnoler *vi* dormitar.

somptueux, euse *adj* suntuoso(sa).

somptuosité *nf* suntuosidad *(f)*.

son[1], **sa** *adj poss* su.

son[2] *nm* sonido *(m)* ∘ **au son de** al son de.

son[3] *nm* salvado *(m)*.

sonate *nf* sonata *(f)*.

sondage *nm* sondeo *(m)* ∘ **sondage d'opinion** sondeo de opinión.

sonde *nf* sonda *(f)*.

sondé, e *nm, f* encuestado *(m)*, -da *(f)*.

sonder *vt* **1.** *(gén)* sondear **2.** MÉD sondar.

songe *nm sout* sueño *(m)*.

songer ◼ *vt* ∘ **songer que** pensar que. ◼ *vi* ∘ **songer à qqch** pensar en algo ∘ **songer à faire qqch** pensar en hacer algo.

songeur, euse *adj* pensativo(va).

sonnant, e *adj (heure)* en punto.

sonné, e *adj* **1.** *(heure)* pasado(da) **2.** *fam (ans)* cumplido(da) **3.** *(étourdi)* atontado(da) *(Esp)*, ahuevado(da) *(Amér)* **4.** *fam (fou)* sonado(da).

sonner ◼ *vt* **1.** *(cloche, retraite, angélus)* tocar **2.** *(alarme)* dar **3.** *(domestique, infirmière)* llamar **4.** *fam (appeler)* ∘ **je ne t'ai pas sonné** ¡a ti nadie te ha dicho nada! ◼ *vi* **1.** *(cloche, réveil, téléphone)* sonar **2.** *(appeler)* llamar.

sonnerie *nf* **1.** *(de téléphone, de réveil)* timbre *(m)* **2.** *(de cloche)* repique *(m)* **3.** *(de clairon)* toque *(m)*.

sonnet *nm* soneto *(m)*.

sonnette *nf* **1.** *(électrique)* timbre *(m)* ∘ **appuyer sur la sonnette** pulsar el timbre **2.** *(clochette)* campanilla *(f)*.

sono *nf fam* sonorización *(f)*.

sonore *adj* sonoro(ra).

sonorisation *nf* sonorización *(f)*.

sonoriser *vt* sonorizar.

sonorité *nf* sonoridad *(f)*.

Sopalin® *nm* papel *(m)* de cocina.

sophistiqué, e *adj* sofisticado(da).

soporifique ◼ *adj* soporífero(ra), soporífico(ca). ◼ *nm* soporífero *(m)*.

soprano *nm* & *nmf* soprano.

sorbet *nm* sorbete *(m)* ∘ **sorbet à la fraise/au citron** sorbete de fresa/de limón.

Sorbonne *npr* ∘ **la Sorbonne** la Sorbona.

sorcellerie *nf* brujería *(f)*, hechicería *(f)*.

sorcier, ère *nm, f* brujo *(m)* -ja *(f)*, hechicero *(m)*, -ra *(f)* ◼ **sorcier** *nm (guérisseur)* brujo *(m)*. ◼ **sorcière** *nf fam fig* bruja *(f)*.

sordide *adj* sórdido(da).

sornettes *nfpl* sandeces *(fpl)*.

sort *nm* **1.** *(maléfice)* maldición *(f)* ∘ **jeter un sort à qqn** echar una maldición sobre alguien **2.** *(destinée)* destino *(m)* **3.** *(hasard)* suerte *(f)* ∘ **tirer au sort** echar a suertes.

sortant, e *adj* **1.** *(numéro)* premiado(da) **2.** POLIT saliente.

sorte *nf* clase *(f)* ∘ **toutes sortes de** toda clase de ∘ **une sorte de** una especie de. ◼ **de telle sorte que** *loc conj* de manera que, de modo que.

sortie *nf* **1.** *(gén)* salida *(f)* ∘ **à la sortie** a la salida ∘ **être de** *ou* **faire une sortie** salir ∘ **sortie de secours** salida de emergencia **2.** *(de livre)* publicación *(f)* **3.** *(de film)* estreno *(m)* **4.** INFORM *(impression)* impresión *(f)* ∘ **sortie papier** *ou* **imprimante** salida *(f)* de papel *ou* de impresora.

sortilège *nm* sortilegio *(m)*.

sortir ◼ *vi* **1.** *(gén)* salir ∘ **sortir de** *(d'un endroit)* salir de ∘ *(table)* levantarse de ∘ *(famille, milieu social)* venir de ∘ *(de la tête)* irse de ∘ *(de l'ordinaire, de la norme, du commun)* salirse de, estar fuera de ∘ **sortez !** ¡marchaos! **2.** *(livre)* publicarse **3.** *(film)* estrenarse **4.** *(disque)* aparecer. ◼ *vt* **1.** *(gén)* sacar **2.** *(livre)* publicar **3.** *(film)* estrenar **4.** *(disque)* editar **5.** *fam (jeter dehors)* echar *(Amér)* **6.** *fam (dire)* soltar. ◼ **se sortir** *vp (se tirer)* salir ∘ **s'en sortir** salir del paso ∘ **ne pas s'en sortir** no dar abasto.

SOS *(abr de save our souls)* *nm* SOS *(m)* ∘ **lancer un SOS** lanzar un SOS. ◼ **SOS-médecins** *npr* ≃ SOS Urgencias. ◼ **SOS-Racisme** *npr* ≃ SOS Racismo.

sosie *nm* sosia *(m)*, doble *(mf)*.

sot, sotte *adj* & *nm, f* tonto(ta) *(Esp)*, sonso(sa) *(Amér)*.

sottise *nf* tontería *(f)* *(Esp)*, babosada *(f)* *(Amér)*.

sou *nm fam* perra *(f)* *(dinero)*. ◼ **sous** *nmpl fam* perras *(fpl)* *(dinero)*.

soubassement *nm* **1.** CONSTR cimientos *(mpl)* **2.** CONSTR *(de colonne)* basamento *(m)*.

soubresaut *nm* **1.** *(saccade)* sacudida *(f)* **2.** *(tressaillement)* sobresalto *(m)*.

souche *nf* **1.** *(d'arbre)* tocón *(m)* **2.** *(de famille, langue, mot)* tronco *(m)* **3.** *(talon)* matriz *(f)*.

souci *nm* **1.** *(tracas, préoccupation)* preocupación *(f)* ∘ **se faire ou du souci** preocuparse **2.** BOT caléndula *(f)*, maravilla *(f)*.

soucier ◼ **se soucier** *vp* ∘ **se soucier de qqch/de qqn** preocuparse por algo/por alguien.

soucieux, euse adj preocupado(da) • **être soucieux de qqch/de faire qqch** preocuparse por algo/por hacer algo • **peu soucieux de** poco cuidadoso de.

soucoupe nf platillo (m). ■ **soucoupe volante** nf platillo (m) volante.

soudain, e adj repentino(na). ■ **soudain** adv de repente.

Soudan npr • **le Soudan** (el) Sudán.

soude nf sosa (f).

souder vt **1.** TECHNOL & MÉD soldar **2.** fig (personnes) unir.

soudoyer vt sobornar.

soudure nf soldadura (f).

souffle nm **1.** (respiration) respiración (f) • **avoir du souffle** tener fondo • **avoir le souffle coupé** quedarse sin aliento **2.** (expiration) soplido (m), soplo (m) **3.** (de vent & MÉD) soplo (m) **4.** (d'une explosion) onda (f) expansiva.

souffler ■ vt **1.** (bougie, verre) soplar **2.** (vitre, fenêtre) pulverizar **3.** (dire) • **souffler qqch à qqn** (chuchoter) susurrar algo a alguien • SCOL soplar algo a alguien • THÉÂTRE apuntar algo a alguien **4.** (au jeu de dames) comer. ■ vi **1.** (gén) soplar **2.** (respirer) respirar.

soufflet nm **1.** (gén) fuelle (m) **2.** sout (claque) sopapo (m) (Esp), cachetada (f) (Amér).

souffleur, euse nm, f THÉÂTRE apuntador (m), -ra (f). ■ **souffleur** nm (de verre) soplador (m).

souffrance nf sufrimiento (m).

souffrant, e adj indispuesto(ta).

souffre-douleur nm inv cabeza (mf) de turco.

souffrir ■ vi sufrir • **souffrir de qqch** (physiquement) sufrir ou padecer (de) algo • (psychologiquement) sufrir por algo. ■ vt **1.** (ressentir, supporter) sufrir **2.** fam fig (personne) aguantar, sufrir. ■ **se souffrir** vp sufrirse.

soufre nm azufre (m).

souhait nm deseo (m) • **à tes/vos souhaits !** ¡Jesús!, ¡salud! ■ **à souhait** loc adv a pedir de boca.

souhaiter ■ vt desear • **souhaiter qqch/faire qqch** desear algo/hacer algo • **souhaiter qqch à qqn** desear algo a alguien • **souhaiter un joyeux anniversaire/un joyeux Noël** felicitar el cumpleaños/las Navidades. ■ vi • **souhaiter à qqn de faire qqch** desear a alguien que haga algo.

souiller vt **1.** sout (salir) manchar **2.** fig (mémoire) mancillar.

souillon nf péj **1.** fregona (f) **2.** fig guarra (f).

soûl, e, saoul, e adj borracho(cha) • **être soûl de qqch** fig estar borracho de algo. ■ **soûl** nm • **tout mon/son soûl** fig hasta más no poder.

soulagement nm alivio (m).

soulager vt **1.** (gén) aliviar **2.** hum & fig (voler) sustraer.

soûler, saouler vt fam **1.** (gén) emborrachar • **soûler qqn de qqch** fig emborrachar a alguien con algo **2.** fig (ennuyer) tener harto(ta). ■ **se soûler** vp fam emborracharse • **se soûler de qqch** fig emborracharse con algo.

soulèvement nm levantamiento (m).

soulever vt **1.** (gén) levantar **2.** (question, problème) plantear **3.** (foule) • **soulever qqn contre qqch/contre qqn** sublevar ou levantar a alguien contra algo/contra alguien **4.** (exalter) animar. ■ **se soulever** vp **1.** (s'élever) levantarse **2.** (se révolter) sublevarse, levantarse.

soulier nm zapato (m).

souligner vt **1.** (par un trait) subrayar **2.** (mettre l'accent sur) subrayar, recalcar **3.** (mettre en valeur) realzar.

soumettre vt someter • **soumettre qqch/qqn à qqch/à qqn** someter algo/a alguien a algo/a alguien. ■ **se soumettre** vp someterse • **se soumettre à qqch** someterse a algo.

soumis, e adj sumiso(sa).

soumission nf sumisión (f).

soupape nf válvula (f) • **soupape de sûreté** ou **de sécurité** litt & fig válvula de seguridad.

soupçon nm (gén) sospecha (f).

soupçonner vt sospechar • **soupçonner qqn de qqch** sospechar algo de alguien • **soupçonner qqn de faire qqch** sospechar de alguien que haya hecho algo • **soupçonner que** sospechar que.

soupçonneux, euse adj suspicaz.

soupe nf **1.** CULIN sopa (f) **2.** fam (neige fondue) caldo (m). ■ **soupe populaire** nf comedor (m) de beneficencia.

souper ■ nm cena (f). ■ vi cenar.

soupeser vt sopesar.

soupière nf sopera (f).

soupir nm suspiro (m) • **pousser un soupir** lanzar ou dar un suspiro.

soupirail nm tragaluz (m), respiradero (m).

souvenir 293

soupirant *nm* pretendiente *(m)*.

soupirer ■ *vi* suspirar. ■ *vt* replicar suspirando.

souple *adj* **1.** *(gén)* flexible **2.** *(cheveux)* con volumen **3.** *(pas, démarche)* ligero(ra) **4.** *(consistance, emballage)* blando(da).

souplesse *nf* **1.** *(agilité, flexibilité)* flexibilidad *(f)* • **faire qqch tout en souplesse** hacer algo con mucha soltura **2.** *fig (habileté)* tacto *(m)*.

source *nf* **1.** *(gén)* fuente *(f)* **2.** *(d'eau)* fuente *(f)*, manantial *(m)* *(Esp)*, vertiente *(f)* *(Amér)* • **prendre sa source à** nacer en.

sourcil *nm* ceja *(f)* • **froncer les sourcils** fruncir el ceño.

sourciller *vi* pestañear • **sans sourciller** sin pestañear.

sourcilleux, euse *adj* puntilloso(sa).

sourd, e ■ *adj* sordo(da). ■ *nm, f* sordo *(m)*, -da *(f)*.

sourdine *nf* sordina *(f)* • **en sourdine** en sordina.

sourd-muet, sourde-muette *adj & nm, f* sordomudo(da).

sourdre *vi* *sout* **1.** *(eau)* manar, brotar **2.** *fig (haine)* brotar.

souriant, e *adj* sonriente.

souricière *nf* ratonera *(f)*.

sourire ■ *vi* sonreír • **sourire à qqn** *(personne, futur)* sonreír a alguien • *fig (plaire)* ilusionar a alguien. ■ *nm* sonrisa *(f)*.

souris *nf* **1.** *(animal & INFORM)* ratón *(m)* • **souris blanche/grise** ratón blanco/gris **2.** *(de gigot)* carne *(f)* pegada al hueso **3.** *fam (fille)* chavala *(f)*.

sournois, e ■ *adj* **1.** *(personne)* solapado(da) **2.** *fig (maladie, catastrophe)* imprevisible. ■ *nm, f* hipócrita *(mf)*.

sous *prép* **1.** *(gén)* bajo • **nager sous l'eau** nadar bajo el agua • **sous la pluie** bajo la lluvia • **sous la responsabilité/les ordres de** bajo la responsabilidad/las órdenes de • **sous Louis XV** bajo Luis XV **2.** *(dans un délai de)* dentro de **3.** *(marque la manière)* • **sous cet aspect** *ou* **angle** desde este punto de vista.

sous-alimenté, e *adj* subalimentado(da)

sous-bois *nm* monte *(m)* bajo.

souscription *nf* subscripción *(f)*, suscripción *(f)*.

souscrire ■ *vt* subscribir, suscribir. ■ *vi* • **souscrire à** subscribirse a, suscribirse a.

sous-développé, e *adj* subdesarrollado(da).

sous-directeur, trice *nm, f* subdirector *(m)*, -ra *(f)*.

sous-ensemble *nm* subconjunto *(m)*.

sous-entendu *nm* sobreentendido *(m)*, sobrentendido *(m)*.

sous-équipé, e *adj* mal equipado(da).

sous-estimer *vt* subestimar.

sous-évaluer *vt* infravalorar.

sous-jacent, e *adj* subyacente.

sous-louer *vt* realquilar, subarrendar.

sous-marin, e *adj* submarino(na). ■ **sous-marin** *nm* submarino *(m)*.

sous-officier *nm* suboficial *(m)*.

sous-préfecture *nf* subprefectura *(f)* *(subdivisión administrativa del gobierno civil francés)*.

sous-répertoire *nm* INFORM subdirectorio *(m)*.

soussigné, e ■ *adj* • **je, soussigné** yo, el abajo firmante • **nous, soussignés** nosotros, los abajo firmantes. ■ *nm, f* • **le soussigné** el abajo firmante.

sous-sol *nm* **1.** *(naturel)* subsuelo *(m)* **2.** *(de bâtiment)* sótano *(m)*.

sous-tasse *nf* platillo *(m)*.

sous-titre *nm* subtítulo *(m)*.

soustraction *nf* substracción *(f)*, sustracción *(f)*.

soustraire *vt* **1.** *(gén)* substraer, sustraer **2.** MATH restar **3.** *(pour protéger)* • **soustraire qqch/qqn à qqch/à qqn** substraer *ou* sustraer algo/a alguien de algo/de alguien. ■ **se soustraire** *vp* • **se soustraire à** substraerse *ou* sustraerse de *ou* a.

sous-traitance *nf* subcontratación *(f)*.

sous-traitant, e *adj* subcontratante. ■ **sous-traitant** *nm* subcontratista *(mf)*.

sous-vêtement *nm* prenda *(f)* interior • **les sous-vêtements** la ropa interior.

soutane *nf* sotana *(f)*.

soute *nf* **1.** *(d'avion)* • **soute (à bagages)** bodega *(f)* **2.** *(de bateau)* pañol *(m)*.

soutenance *nf* UNIV defensa *(f)* *(de una tesis)*.

souteneur *nm* chulo *(m)*.

soutenir *vt* **1.** *(immeuble, poutre, infirme)* sostener • **soutenir que** *(affirmer que)* sostener que **2.** *fig (personne & POLIT)* apoyar **3.** *(effort, intérêt, opinion)* mantener **4.** UNIV *(thèse)* defender **5.** *(regard, assaut)* aguantar

soutenu, e *adj* **1.** *(style, langage)* culto(ta) **2.** *(attention, rythme)* sostenido(da) **3.** *(couleur)* subido(da).

souterrain, e *adj* **1.** *(sous terre)* subterráneo (nea) **2.** *fig (organisation)* secreto(ta). ■ **souterrain** *nm* subterráneo *(m)*.

soutien *nm* **1.** *(appui, aide)* apoyo *(m)* • **apporter son soutien à qqch/à qqn** apoyar *ou* dar apoyo a algo/a alguien **2.** *(support)* sostén *(m)*.

soutien-gorge *nm* sujetador *(m)*, sostén *(m)* *(Esp)*, brasiers *(mpl)* *(Amér)*.

soutirer *vt* **1.** *(argent, information)* • **soutirer qqch à qqn** sonsacar algo a alguien **2.** *(liquide)* trasegar.

souvenir *nm* recuerdo *(m)* • **en souvenir de** como recuerdo de • **perdre le souvenir de qqch** olvidar algo. ■ **se souvenir** *vp* • **se souvenir**

de qqch/de qqn acordarse de algo/de alguien • se souvenir que acordarse que • je me souviens que c'était en été me acuerdo que era en verano • je m'en souviendrai ! ¡no se me olvidará!

souvent *adv* a menudo, con frecuencia.

souverain, e *adj* & *nm, f* soberano(na).

souveraineté *nf* soberanía (*f*).

soyeux, euse *adj* sedoso(sa).

SPA (*abr de* **Société protectrice des animaux**) *nf* sociedad (*f*) protectora de animales.

spacieux, euse *adj* espacioso(sa).

spaghetti *nm* espagueti (*m*).

sparadrap *nm* esparadrapo (*m*).

spartiate *adj* (*éducation*) espartano(na).

spasme *nm* espasmo (*m*).

spasmodique *adj* espasmódico(ca).

spatial, e *adj* espacial.

spatule *nf* **1.** (*gén, de ski*) espátula (*f*) **2.** CULIN paleta (*f*).

speaker, speakerine *nm, f* locutor (*m*), -ra (*f*).

spécial, e *adj* especial.

spécialiser *vt* especializar. ■ **se spécialiser** *vp* especializarse • **se spécialiser dans qqch** especializarse en algo.

spécialiste *nmf* especialista (*mf*).

spécialité *nf* especialidad (*f*).

spécificité *nf* especificidad (*f*).

spécifier *vt* especificar.

spécifique *adj* específico(ca).

spécimen *nm* espécimen (*m*).

spectacle *nm* espectáculo (*m*).

spectaculaire *adj* espectacular.

spectateur, trice *nm, f* espectador (*m*), -ra (*f*).

spectre *nm* espectro (*m*).

spéculateur, trice *nm, f* especulador (*m*), -ra (*f*).

spéculation *nf* especulación (*f*).

spéculer *vi* • **spéculer sur qqch** especular con algo • *fig* (*miser sur*) especular sobre algo.

speech *nm* discurso (*m*).

speed *adj fam* como una moto.

speeder *vi fam* espabilar.

spéléologie *nf* espeleología (*f*).

spermatozoïde *nm* espermatozoide (*m*).

sperme *nm* esperma (*m*).

spermicide *adj* & *nm* espermicida (*m*).

sphère *nf* esfera (*f*).

sphérique *adj* esférico(ca).

spirale *nf* espiral (*f*) • **en spirale** en espiral.

spiritualité *nf* espiritualidad (*f*).

spirituel, elle *adj* **1.** (*vie, pouvoir*) espiritual **2.** (*personne*) ingenioso(sa).

splendeur *nf* **1.** (*gén*) esplendor (*m*) **2.** (*merveille*) • **c'est une splendeur** es una maravilla.

splendide *adj* espléndido(da).

spongieux, euse *adj* esponjoso(sa).

sponsor *nm* esponsor (*m*), patrocinador (*m*).

sponsorisation *nf* patrocinio (*m*).

sponsoriser *vt* patrocinar.

spontané, e *adj* espontáneo(a).

spontanéité *nf* espontaneidad (*f*).

sporadique *adj* esporádico(ca).

sport ◼ *nm* deporte (*m*) • **sports d'hiver** deportes de invierno. ◼ *adj inv* **1.** (*vêtement*) de sport **2.** (*fair-play*) • **être sport** ser deportivo(va).

LES SPORTS	
• l'athlétisme / el atletismo	
• le base-ball / el béisbol	
• la boxe / el boxeo	
• le basket-ball / el baloncesto	
• l'équitation / la equitación	
• l'escrime / la esgrima	
• le football / el fútbol	
• le football américain / el fútbol americano	
• le golf / el golf	
• le hockey sur glace / el hockey sobre hielo	
• le judo / el judo	
• le kayak / el piragüismo	
• la natation / la natación	
• le patinage sur glace / el patinaje sobre hielo	
• la planche à voile / el windsurf	
• le rugby / el rugby	
• le ski / el esquí	
• le tennis / el tenis	
• le tennis de table / el tenis de mesa	
• la voile / la vela	
• le volley-ball / el voleibol	

sportif, ive ◼ *adj* **1.** (*gén*) deportivo(va) **2.** (*personne*) deportista. ◼ *nm, f* deportista (*mf*).

spot *nm* **1.** (*lampe*) foco (*m*) **2.** TV spot (*m*), anuncio (*m*) • **spot publicitaire** spot publicitario.

sprint *nm* esprint (*m*).

sprinter *vi* esprintar.

square *nm* parque (*m*).

squash *nm* squash (*m*).

squatter[1] *vt* ocupar (*un local vacío*).

squatter[2] *nm* okupa (*mf*).

squelette *nm* esqueleto (*m*).

squelettique *adj* **1.** (*corps*) esquelético(ca) **2.** (*schématique*) escueto(ta).

St (*abr écrite de* **saint**) S., Sto. • **St Jérôme** S. Jerónimo.

stabiliser *vt* estabilizar. ◼ **se stabiliser** *vp* estabilizarse.

stabilité *nf* estabilidad (*f*).

stable *adj* estable.

stade nm 1. *(terrain)* estadio *(m)* 2. *(étape)* fase *(f)* • **en être au stade où** llegar a un punto en el que • **stade anal/oral** fase anal/oral.

stage nm *(études pratiques)* periodo *(m)* de prácticas.

stagiaire nmf 1. *(en classe pratique, en entreprise)* estudiante *(mf)* en prácticas 2. *(en formation intensive)* cursillista *(mf)*. adj 1. *(en classe pratique, en entreprise)* en prácticas 2. *(en formation intensive)* cursillista.

stagnant, e adj estancado(da).

stagner vi estancarse.

stalactite nf estalactita *(f)*.

stalagmite nf estalagmita *(f)*.

stand nm 1. *(d'exposition)* estand *(m)* 2. *(de foire)* caseta *(f)*.

standard adj inv estándar. nm 1. *(téléphonique)* centralita *(f)* *(Esp)*, conmutador *(m)* *(Amér)* 2. *(norme)* • **le standard** el estándar.

standardiste nmf telefonista *(mf)*.

standing nm estanding *(m)*.

star nf estrella *(f)* de cine, star *(f)*.

starter nm stárter *(m)*, stárter *(m)*.

starting-block nm taco de salida.

start-up nf inv start-up *(f)*, start-ups *(pl)*.

station nf 1. *(gén)* estación *(f)* 2. *(d'autobus, de taxi)* parada *(f)* *(Esp)*, paradero *(m)* *(Amér)* • **station balnéaire** ciudad *(f)* costera • **station d'épuration** estación de depuración • **station de ski** ou **de sports d'hiver** estación de esquí ou de deportes de invierno • **station thermale** balneario *(m)* 3. *(halte)* parada *(f)*, alto *(m)*.

stationnaire adj estacionario(ria).

stationnement nm estacionamiento *(m)* • 'stationnement interdit' 'prohibido aparcar'.

stationner vi 1. *(voiture)* estacionar 2. *(troupe)* permanecer.

station-service nf estación *(f)* de servicio.

statique adj estático(ca).

statisticien, enne nm, f estadista *(mf)*.

statistique adj estadístico(ca). nf estadística *(f)*.

statue nf estatua *(f)*.

statuer vi • **statuer sur qqch** decidir sobre algo.

statuette nf estatuilla *(f)*.

statu quo nm inv statu quo *(m inv)*.

stature nf 1. *(taille)* estatura *(f)* 2. fig *(valeur)* talla *(f)*.

statut nm 1. *(position)* estatus *(m inv)* 2. DR estatuto *(m)*. statuts nmpl estatutos *(mpl)*.

statutaire adj estatutario(ria).

Ste *(abr écrite de* sainte) Sta. • **Ste Geneviève** Sta. Genoveva.

Sté *(abr écrite de* société) Sdad.

steak nm bistec *(m)*.

stèle nf estela *(f)*.

sténo fam nf *(sténographie)* taquigrafía *(f)*, estenografía *(f)*. nmf *(sténographe)* taquígrafo *(m)*, -fa *(f)*, estenógrafo *(m)*, -fa *(f)*.

sténodactylo nmf taquimecanógrafo *(m)*, -fa *(f)*.

sténodactylographie nf taquimecanografía *(f)*.

sténographie nf taquigrafía *(f)*, estenografía *(f)*.

steppe nf estepa *(f)*.

stéréo adj inv estéreo. nf estereofonía *(f)* • **en stéréo** en estéreo.

stéréotypé, e adj estereotipado(da).

stérile adj estéril.

stérilet nm DIU *(m)* dispositivo *(m)* intrauterino.

stériliser vt esterilizar.

stérilité nf esterilidad *(f)*.

sternum nm esternón *(m)*.

stéthoscope nm estetoscopio *(m)*.

steward nm 1. *(d'avion)* auxiliar *(m)* de vuelo 2. *(de bateau)* camarero *(m)*.

stigmate nm itt & fig estigma *(f)*. stigmates nmpl RELIG estigmas *(mpl)*.

stigmatiser vt estigmatizar.

stimulant, e adj estimulante. stimulant nm 1. *(remontant)* estimulante *(m)* 2. *(motivation)* estímulo *(m)*.

stimulation nf 1. *(encouragement)* estímulo *(m)* 2. BIOL *(excitation)* estimulación *(f)*.

stimuler vt estimular.

stipuler vt • **stipuler qqch/que** estipular algo/que.

stock nm 1. *(de marchandises)* stock *(m)*, existencias *(fpl)* 2. *(d'une entreprise)* stock *(m)* • **en stock** en stock, en depósito 3. fig *(réserve)* reserva *(f)*.

stocker vt almacenar.

stoïque adj & nmf estoico(ca).

stomacal, e adj estomacal.

stop interj 1. *(arrêtez-vous)* ¡alto! 2. *(j'en ai assez)* ¡basta! nm *(feux)* luz *(f)* de freno 2. *(panneau, signe télégraphique)* estop *(m)* 3. *(auto-stop)* autostop *(m)* • **j'y suis allé en stop** me fui a dedo.

stopper vt 1. detener 2. COUT coser. vi detenerse.

store nm 1. *(de fenêtre)* persiana *(f)* 2. *(de magasin)* toldo *(m)*.

STP *(abr écrite de* s'il te plaît) PFV.

strabisme nm estrabismo *(m)*.

strangulation nf estrangulación *(f)*.

strapontin nm *(siège)* asiento *(m)* plegable.

Strasbourg npr Estrasburgo.

strass *nm* estrás *(m)*.
stratagème *nm* estratagema *(f)*.
stratège *nm* estratega *(m)*.
stratégie *nf* estrategia *(f)*.
stratégique *adj* estratégico(ca).
stress *nm* estrés *(m)*.
stressé, e *adj* estresado(da).
stretching *nm* stretching *(m)*.
strict, e *adj* estricto(ta).
strident, e *adj* estridente.
strie *nf* (gén pl) **1.** (en relief) estría *(f)* **2.** (raie) raya *(f)*.
strier *vt* dibujar rayas en.
strip-tease *nm* strip-tease *(m)*.
strophe *nf* estrofa *(f)*.
structure *nf* estructura *(f)*.
structurer *vt* estructurar.
studieux, euse *adj* **1.** (personne) estudioso(sa) **2.** (vacances) dedicado(da) a estudiar.
studio *nm* estudio *(m)*.
stupéfaction *nf* estupefacción *(f)*.
stupéfait, e *adj* estupefacto(ta), asombrado(da).
stupéfiant, e *adj* asombroso(sa). ■ **stupéfiant** *nm* estupefaciente *(m)*.
stupeur *nf* estupor *(m)*, asombro *(m)*.
stupide *adj* estúpido(da).
stupidité *nf* estupidez *(f)*.
style *nm* estilo *(m)* • **style direct/indirect** estilo directo/indirecto.
styliste *nmf* estilista *(mf)*.
stylo *nm* boli *(m)* • **stylo (à) plume** pluma *(f)*.
stylo-feutre *nm* rotulador *(m)*.
suave *adj* suave.
subalterne *adj & nmf* subalterno(na).
subconscient *nm* subconsciente *(m)*.
subdiviser *vt* subdividir.
subir *vt* **1.** (gén) sufrir **2.** (examen) pasar **3.** péj (personne) soportar.
subit, e *adj* súbito(ta).
subitement *adv* súbitamente.
subjectif, ive *adj* subjetivo(va).
subjonctif *nm* subjuntivo *(m)*.
subjuguer *vt* subyugar.
sublime ◪ *adj* sublime. ◪ *nm* • **le sublime** lo sublime.
submergé, e *adj* • **submergé de** fig agobiado de.
submerger *vt* **1.** (inonder) sumergir **2.** (déborder) agobiar **3.** (envahir) invadir.
subordination *nf* subordinación *(f)*.
subordonné, e ◪ *adj* GRAMM subordinado(da). ◪ *nm, f* subordinado *(m)*, -da *(f)*. ■ **subordonnée** *nf* GRAMM subordinada *(f)*.
subornation *nf* soborno *(m)*.

subrepticement *adv* subrepticiamente.
subsidiaire *adj* subsidiario(ria).
subsistance *nf* subsistencia *(f)*.
subsister *vi* subsistir.
substance *nf* sustancia *(f)*, substancia *(f)*.
substantiel, elle *adj* **1.** (repas) sustancioso(sa) **2.** (avantage) sustancioso(sa), sustancial **3.** (essentiel) sustancial.
substantif, ive *adj* sustantivo(va). ■ **substantif** *nm* sustantivo *(m)*.
substituer *vt* • **substituer A à B** substituir B por A. ■ **se substituer** *vp* • **se substituer à qqch/à qqn** substituir algo/a alguien.
substitut *nm* **1.** (gén) sustituto *(m)* **2.** DR ≃ teniente *(mf)* fiscal.
substitution *nf* sustitución *(f)*, substitución *(f)*.
subterfuge *nm* subterfugio *(m)*.
subtil, e *adj* sutil.
subtiliser *vt* sustraer.
subtilité *nf* sutileza *(f)*, sutilidad *(f)*.
subvenir *vi* • **subvenir aux besoins de qqn** satisfacer las necesidades de alguien.
subvention *nf* subvención *(f)*.
subventionner *vt* subvencionar.
subversif, ive *adj* subversivo(va).
succédané *nm* sucedáneo *(m)*.
succéder *vi* • **succéder à qqch** suceder a algo • **succéder à qqn à qqch** suceder a alguien en algo. ■ **se succéder** *vp* sucederse.
succès *nm* **1.** (réussite, triomphe) éxito *(m)* • **avec/sans succès** con/sin éxito • **avoir du succès** tener éxito **2.** (conquête) conquista *(f)*.
successeur *nm* sucesor *(m)*.
successif, ive *adj* sucesivo(va).
succession *nf* sucesión *(f)* • **prendre la succession (de)** suceder (a).
succinct, e *adj* **1.** (résumé) sucinto(ta) **2.** (repas) poco abundante.
succion *nf* succión *(f)*.
succomber *vi* sucumbir • **succomber à qqch** sucumbir a algo.
succulent, e *adj* (repas) suculento(ta).
succursale *nf* sucursal *(f)*.
sucer *vt* chupar.
sucette *nf* **1.** pirulí *(m)*, piruleta *(f)* **2.** (de bébé) chupete *(m)*.
sucre *nm* **1.** azúcar *(m ou f)* **2.** (morceau) azucarillo *(m)* • **sucre en morceaux** azúcar en terrones • **sucre en poudre** OU **semoule** azúcar en polvo • **sucre roux** OU **brun** azúcar moreno.
sucrer *vt* **1.** (café, thé) azucarar, echar azúcar en **2.** fam (supprimer) cargarse.
sucrerie *nf* **1.** (friandise) dulce *(m)*, golosina *(f)* **2.** (usine) azucarera *(f)*.
sucrette *nf* pastilla *(f)* de sacarina.
sud *adj inv & nm inv* sur. ■ **Sud** *nm* Sur *(m)*.

sudation nf sudación (f).

sud-est adj inv & nm inv sudeste, sureste.

sud-ouest adj inv & nm inv sudoeste, suroeste.

Suède npr • **la Suède** Suecia.

suer ■ vi (transpirer) sudar. ■ vt scut rezumar, destilar.

sueur nf sudor (m) • **avoir des sueurs froides** fig tener sudores fríos.

Suez npr • **le canal de Suez** el canal de Suez.

suffire vi bastar • **il lui suffit de chanter pour être heureux** le basta con cantar para ser feliz • **suffire à qqch/à qqn** (satisfaire) bastar a algo/a alguien • **suffire pour qqch/pour faire qqch** (être assez) bastar para algo/para hacer algo. ■ **se suffire** vp • **se suffire à soi-même** bastarse a sí mismo(ma).

suffisamment adv suficientemente • **avoir suffisamment pour** tener (lo) suficiente para • **suffisamment de livres** suficientes libros.

suffisant, e adj 1. (quantité, somme) suficiente 2. péj (air, ton) de suficiencia.

suffixe nm sufijo (m).

suffocation nf sofocación (f), sofoco (m) • **avoir des suffocations** tener sofocos.

suffoquer ■ vt 1. (sujet : chaleur) sofocar 2. (sujet : colère) dejar sin respiración 3. (stupéfier) dejar impresionado(da). ■ vi 1. MÉD asfixiarse 2. fig (de colère, d'indignation) • **suffoquer de** encenderse de.

suffrage nm 1. (élection) sufragio (m) • **au suffrage indirect/universel** por sufragio indirecto/universal 2. (voix) voto (m).

suggérer vt sugerir • **suggérer de** sugerir que • **je te suggère d'agir rapidement** te sugiero que actúes con rapidez • **suggérer qqch à qqn** sugerir algo a alguien.

suggestif, ive adj sugestivo(va), sugerente.

suggestion nf 1. (conseil) sugerencia (f) 2. PSYCHO sugestión (f).

suicidaire adj suicida.

suicide nm 1. suicidio (m) 2. (en apposition) suicida.

suicider ■ **se suicider** vp suicidarse.

suie nf hollín (m).

suinter vi 1. (gén) rezumar 2. (plaie) supurar.

suite nf 1. (ce qui vient après) continuación (f) • **à la suite de** después de • **à la suite de ce qui s'est passé...** después de lo que ha pasado... • **suite à** (gén) como consecuencia de • (lettre) en contestación a 2. (série) serie (f), sucesión (f) • **une suite de caractères** una sucesión de caracteres 3. (escorte) séquito (m) 4. (appartement & MUS) suite (f). ■ **suites** nfpl consecuencias (fpl). ■ **par suite de** loc prép a consecuencia de • **par suite des chutes de neige** a consecuencia de las precipitaciones de nieve.

suivant, e ■ adj siguiente. ■ nm, f siguiente (mf) • **au suivant !** ¡(el) siguiente!

suivi, e adj 1. (travail, qualité, relation) constante 2. (raisonnement) estructurado(da). ■ **suivi** nm seguimiento (m).

suivre ■ vt 1. (gén) seguir • **faire suivre** (lettre) remitasa a destinatario 2. (succéder à) suceder a • **'à suivre'** (dans un feuilleton) 'continuará' 3. (longer) bordea- 4. (malade) atender, llevar 5. (discours, conversation) escuchar 6. (match) mirar. ■ vi seguir. ■ **se suivre** vp (se succéder logiquement) seguirse • (- dans le temps) sucederse.

sujet, ette ■ nm, f súbdito (m) -ta (f). ■ **sujet** nm 1. (question, thème) tema (m) • **à ce sujet** al respecto • **au sujet de** a propósito de • **c'est à quel sujet ?** ¿de qué se trata? • **sujet de conversation** tema de conversación 2. (cobaye & GRAMM) sujeto (m).

sulfate nm sulfato (m).

sulfurique adj sulfúrico(ca).

Sup de Co (abr de **École Supérieure de Commerce**) nf UNIV ≃ Facultad de Ciencias Económicas y Empresariales.

superbe ■ adj 1. (femme) cespampanante 2. (temps, situation, position) magnífico(ca). ■ nf sout soberbia (f).

supercherie nf superchería (f).

supérette nf supermercado (m) (entre 200 y 400 metros cuadrados).

superficie nf superficie (f).

superficiel, elle adj superficial.

superflu, e adj superfluo(flua). ■ **superflu** nm • **le superflu** lo superfluo.

supérieur, e ■ adj 1. (gén) superior 2. péj (air) de superioridad. ■ nm, f superior (m), -ra (f).

supériorité nf superioridad (f).

superlatif nm superlativo (m).

supermarché nm supermercado (m).

superposer vt superponer. ■ **se superposer** vp superponerse.

superproduction nf superproducción (f).

superpuissance nf superpotencia (f).

supersonique adj supersónico(ca).

superstitieux, euse adj & nm, f supersticioso(sa).

superstition nf superstición (f).

superviser vt supervisar.

supplanter vt 1. (personne) • **supplanter qqn** suplantar a alguien 2. (chose) • **supplanter qqch** substituir a algo.

suppléant, e adj & nm, f suplente.

suppléer vt • **suppléer qqch/qqn** suplir algo/a alguien.

supplément nm suplemento (m).

supplémentaire adj 1. (gén) suplementario(ria) 2. (train) especial 3. (heure) extraordinario(ria).

supplication *nf* súplica *(f)*.

supplice *nm* suplicio *(m)*.

supplier *vt* ▪ **supplier qqn de faire qqch** suplicar a alguien que haga algo ▪ **je t'en/vous en supplie** te lo/se lo suplico.

À PROPOS DE...

supplier

« Supplier de » + infinitif se traduit par *suplicar que* + subjonctif.

---

support *nm* soporte *(m)* ▪ **support publicitaire** soporte publicitario.

supportable *adj* soportable.

supporter[1] *vt* 1. *(gén)* soportar ▪ **supporter que** *(tolérer que)* soportar OU aguantar que 2. *(soutenir)* sostener, soportar que 3. *(encourager)* apoyar. ▪ **se supporter** *vp* soportarse.

supporter[2] *nm* SPORT hincha *(mf)*.

supposer *vt* suponer ▪ **supposer qqch/que** suponer algo/que ▪ **en supposant que** suponiendo que ▪ **à supposer que** en el supuesto de que.

supposition *nf* suposición *(f)*.

S'EXPRIMER...

émettre une supposition

Supongo que está de viaje. / **Je suppose qu'il est en voyage.** Tal vez lo ha hecho aposta. / **Peut-être qu'il l'a fait exprès.** Si no me equivoco, pronto va a ser su cumpleaños. / **Si je ne m'abuse, c'est bientôt son anniversaire.** Sin duda vendrá mañana. / **Elle viendra sans doute demain.**

---

suppositoire *nm* supositorio *(m)*.

suppression *nf* supresión *(f)*.

supprimer *vt* 1. *(gén)* suprimir 2. *(douleur)* eliminar 3. *(permis)* ▪ **supprimer qqch à qqn** retirar algo a alguien 4. INFORM borrar.

suprématie *nf* supremacía *(f)*.

suprême ▪ *adj* supremo(ma). ▪ *nm* CULIN suprema *(f)*.

---

sur *prép*

1. DESSUS = en, encima de
▪ **il est assis sur une chaise** está sentado en una silla
▪ **sur la table** en OU encima de la mesa
2. INDIQUE LA DIRECTION = a, hacia
▪ **sur la droite/gauche** a la derecha/izquierda
3. INDIQUE LA DISTANCE = en
▪ **sur 10 kilomètres** en 10 kilómetros
4. INDIQUE UNE APPROXIMATION TEMPORELLE
▪ **sur le tard** bastante tarde

5. D'APRÈS = por
▪ **juger quelqu'un sur les apparences** juzgar a alguien por las apariencias
6. GRÂCE À = de
▪ **il vit sur les revenus de ses parents** vive del dinero de sus padres
7. AU SUJET DE = sobre
▪ **un débat sur la drogue** un debate sobre la droga
8. INDIQUE UNE PROPORTION
▪ **une fois sur deux** una de cada dos veces
▪ **un jour sur deux** día sí día no
▪ **un mètre sur deux** un metro por dos
▪ **sur douze invités, six sont venus** de doce invitados han venido seis.

■ **sur ce** *loc adv*
▪ **sur ce, je vous laisse** con esto os dejo.

sûr, e *adj* 1. *(gén)* seguro(ra) 2. *(goût, instinct)* bueno(na) ▪ **être sûr de qqch/que** estar seguro de algo/que ▪ **être sûr et certain de qqch** estar convencido de algo ▪ **sûr et certain !** ¡segurísimo! 3. *(personne)* de confianza.

surcharge *nf* 1. *(excès de poids - d'un véhicule)* sobrecarga *(f)* ▪ *(- de bagages)* exceso *(m)*, sobrepeso *(m)* 2. *(de travail, de décoration)* exceso *(m)* 3. *(rature)* enmienda *(f)*.

surcharger *vt* 1. *(véhicule)* sobrecargar 2. *(d'impôts, de travail)* abrumar 3. *(texte)* enmendar.

surchauffé, e *adj* 1. con la calefacción muy alta 2. *fig* excitado(da).

surchemise *nf* sobrecamisa *(f)*.

surcroît *nm* aumento *(m)*.

surdité *nf* sordera *(f)*.

surdoué, e *adj* superdotado(da).

sureffectif *nm* exceso *(m)* de efectivos.

surélever *vt* sobrealzar.

sûrement *adv* 1. *(certainement, sans doute)* seguramente ▪ **sûrement pas !** *fam* ¡ni hablar! 2. *(en sûreté)* con seguridad.

surenchère *nf* 1. DR sobrepuja *(f)* 2. *fig (exagération)* demagogia *(f)*.

surenchérir *vi* 1. DR sobrepujar 2. *fig (renchérir)* prometer más que nadie.

surendetté, e *adj* sobreendeudado(da).

surendettement *nm* sobreendeudamiento *(m)*.

surestimer *vt* sobreestimar. ■ **se surestimer** *vp* sobreestimarse.

sûreté *nf* 1. *(gén)* seguridad *(f)* ▪ **de sûreté** de seguridad ▪ **en sûreté** a salvo 2. *(d'une amitié, de renseignements)* fiabilidad *(f)*.

surexposé, e *adj* sobreexpuesto(ta).

surf *nm* surf *(m)* ▪ **surf des neiges** surf de nieve.

surface *nf* superficie *(f)* • **grande surface** hipermercado, gran superficie • **refaire surface** *fig* *(réapparaître)* reaparecer • *(se remettre)* salir a flote.

surfait, e *adj* sobreestimado(da).

surfer *vi* **1.** sport hacer surf **2.** inform navegar.

surgelé, e *adj* **1.** *(produit)* ultracongelado(da) **2.** *(frites, haricots)* congelado(da). ■ **surgelé** *nm* congelado *(m)* • **les surgelés** los ultracongelados.

surgir *vi* surgir.

surhomme *nm* superhombre *(m)*

surhumain, e *adj* sobrehumano(na).

surimi *nm* surimi *(m)*.

surimpression *nf* sobreimpresión *(f)*.

sur-le-champ *loc adv* en el acto.

surlendemain *nm* • **le surlendemain** a los dos días.

surligner *vt* marcar con rotulador fluorescente.

surligneur *nm* marcador *(m)*, subrayador *(m)*.

surmenage *nm* agotamiento *(m)*, surmenaje *(m)*.

surmené, e *adj* agotado(da).

surmener *vt* agotar. ■ **se surmener** *vp* agotarse.

surmonter *vt* **1.** *(être placé au-dessus de)* coronar **2.** *(obstacle, peur, colère)* superar.

surnager *vi* **1.** *(flotter)* sobrenadar **2.** *fig (subsister)* perdurar, pervivir.

surnaturel, elle *adj* **1.** *(phénomène, pouvoir, vie)* sobrenatural **2.** *(talent)* prodigioso(sa). ■ **surnaturel** *nm* • **le surnaturel** lo sobrenatural.

surnom *nm* sobrenombre *(m)*, apodo *(m)*.

surnombre ■ **en surnombre** *loc adv* de más.

surpasser *vt* superar. ■ **se surpasser** *vp* superarse.

surpeuplé, e *adj* superpoblado(da).

surplomb *nm* desplome *(m)* • **en surplomb** voladizo(za), salidizo(za).

surplomber ■ *vt* dominar. ■ *vi* desaplomarse.

surplus *nm* **1.** *(excédent)* excedente *(m)* **2.** *(magasin)* tienda *(f)* de ropa militar americana *(de segunda mano)*

surprenant, e *adj* sorprendente.

surprendre *vt* **1.** *(gén)* sorprender **2.** *(secret)* descubrir.

surprise *nf* sorpresa *(f)* • **faire une surprise à qqn** dar una sorpresa a alguien • **par surprise** por sorpresa.

surproduction *nf* superproducción *(f)*

surréalisme *nm* surrealismo *(m)*.

surréaliste *nmf* surrealista *(mf)*.

sursaut *nm* **1.** *(mouvement brusque)* sobresalto *(m)* • **en sursaut** de un sobresalto **2.** *(d'énergie)* arranque *(m)*.

sursauter *vi* sobresaltarse.

sursis *nm* **1.** *(délai)* aplazamiento *(m)* **2.** dr ≃ condena *(f)* condicional • **6 mois avec sursis** pena *(f)* de 6 meses con remisión condicional.

sursitaire *nm* mil beneficiario *(m)*, -ria *(f)* de una prórroga.

surtaxe *nf* sobretasa *(f)*.

surtout *adv* sobre todo • **n'y touche surtout pas** no se te ocurra tocar esto. ■ **surtout que** *loc conj* fam sobre todo porque.

surveillance *nf* vigilancia *(f)* • **surveillance médicale** observación *(f)* médica.

surveillant, e *nm, f* **1.** *(gardien & scol)* vigilante *(m)* *(Esp)*, guachimán *(m)* *(Amér)* **2.** scol vigilante *(m)* *(Esp)*.

surveiller *vt* **1.** *(enfant, santé, suspect)* vigilar **2.** *(études, travaux)* supervisar **3.** *(langage, ligne)* cuidar. ■ **se surveiller** *vp* cuidarse.

survenir *vi* sobrevenir.

survêtement *nm* chándal *(m)*.

survie *nf* **1.** *(de malade)* vida *(f)* **2.** *(de l'âme)* supervivencia *(f)*.

survivant, e *adj & nm, f* superviviente.

survivre *vi* *(continuer à vivre)* sobrevivir • **survivre à qqch/à qqn** sobrevivir a algo/a alguien.

survol *nm* **1.** *(de territoire)* vuelo *(m)* sobre **2.** *(de texte)* • **faire un survol de qqch** echar un vistazo a algo.

survoler *vt* **1.** *(territoire)* sobrevolar **2.** *(texte)* echar un vistazo a.

survolté, e *adj* sobreexcitado(da).

sus *adv* • **en sus (de)** además (de).

susceptibilité *nf* susceptibilidad *(f)*.

susceptible *adj* susceptible • **susceptible de qqch/de faire qqch** susceptible de algo/de hacer algo.

susciter *vt* suscitar.

sushi *nm* sushi *(m)*.

suspect, e ■ *adj* **1.** *(personne)* sospechoso(sa) • **suspect de qqch** sospechoso de algo **2.** *(douteux)* dudoso(sa). ■ *nm, f* sospechoso *(m)*, -sa *(f)*.

suspecter *vt* sospechar • **suspecter qqn de qqch** sospechar algo de alguien • **suspecter qqn de faire qqch** sospechar que alguien hace algo.

suspendre *vt* **1.** *(gén)* suspender **2.** *(accrocher)* colgar.

suspendu, e *adj* *(tableau, lampe)* suspendido(da) • **bien/mal suspendu** *(véhicule)* con buena/mala suspensión.

suspens ■ **en suspens** *loc adv* pendiente.

suspense *nm* suspense *(m)*.

suspension *nf* **1.** *(gén)* suspensión *(f)* • **en suspension** en suspensión **2.** *(lustre)* lámpara *(f)* de techo.

suspicion *nf* suspicacia *(f)*.

susurrer *vt* & *vi* susurrar.

suture *nf* sutura (f).

svelte *adj* esbelto(ta).

SVP (*abr écrite de* **s'il vous plaît**) PFV.

sweat-shirt *nm* sudadera (f).

syllabe *nf* sílaba (f).

symbole *nm* **1.** (*représentation* & CHIM) símbolo (m) **2.** (*personnification*) • **être le symbole de qqch** ser estandarte de algo.

symbolique ◪ *adj* simbólico(ca). ◪ *nf* simbología (f).

symboliser *vt* simbolizar.

symétrie *nf* simetría (f).

symétrique *adj* simétrico(ca).

sympa *adj fam* majo(ja).

sympathie *nf* **1.** (*entente, amitié*) simpatía (f) **2.** (*compassion*) • **témoigner sa sympathie à qqn** expresar su simpatía a alguien.

sympathique *adj* (*agréable - personne*) simpático(ca) • (*- soirée, moment*) agradable • (*- maison, lieu*) acogedor(ra).

sympathiser *vi* simpatizar • **sympathiser avec qqn** simpatizar con alguien.

symphonie *nf* sinfonía (f).

symphonique *adj* sinfónico(ca).

symptomatique *adj* sintomático(ca).

symptôme *nm* síntoma (m).

synagogue *nf* sinagoga (f).

synchroniser *vt* sincronizar.

syncope *nf* **1.** (*évanouissement*) síncope (m) **2.** MUS síncopa (f).

syndic *nm* ≃ presidente (mf) de la comunidad de propietarios.

syndicaliste *adj* & *nmf* sindicalista.

syndicat *nm* sindicato (m). ◼ **syndicat de communes** *nm* ≃ mancomunidad (f) de municipios. ◼ **syndicat de copropriétaires** *nm* ≃ comunidad (f) de propietarios. ◼ **syndicat d'initiative** *nm* ≃ oficina (f) de turismo.

syndiqué, e *adj* & *nm, f* sindicado(da).

syndrome *nm* síndrome (m) • **syndrome d'immunodéficience acquise** *ou* **immunodéficitaire acquis** síndrome de inmunodeficiencia adquirida.

synergie *nf* sinergia (f).

synonyme ◪ *adj* sinónimo(ma). ◪ *nm* sinónimo (m).

syntaxe *nf* sintaxis (f inv).

synthé *nm fam* sintetizador (m).

synthèse *nf* síntesis (f inv).

synthétique *adj* sintético(ca).

synthétiseur *nm* sintetizador (m).

syphilis *nf* sífilis (f inv).

Syrie *npr* • **la Syrie** Siria.

systématique *adj* sistemático(ca).

systématiser ◪ *vt* sistematizar. ◪ *vi* generalizar.

système *nm* (*gén* & INFORM) sistema (m) • **système bureautique** ofimática (f) • **système clé en main** sistema llave en mano • **système de conception et de fabrication** sistema de diseño y fabricación • **système expert** sistema experto • **système d'exploitation** sistema operativo • **système intégré** sistema integrado • **système intégré de gestion** sistema integrado de gestión • **système nerveux** sistema nervioso • **système de traitement transactionnel** sistema de transacciones. ◼ **système D** *nm* receta (f) casera. ◼ **système monétaire européen** *nm* sistema (m) monetario europeo.

T

t, T *nm inv* (*lettre*) t (f), T (f). ◼ **t** (*abr de* **tonne**) t.

tabac *nm* **1.** (*plante*) tabaco (m) • **tabac blond/brun** tabaco rubio/negro • **tabac à priser** rapé (m) **2.** (*magasin*) estanco (m).

tabagisme *nm* tabaquismo (m).

tabernacle *nm* tabernáculo (m).

table *nf* (*meuble*) mesa (f) • **à table !** ¡a comer! • **débarrasser/mettre la table** quitar/poner la mesa • **se mettre à table** sentarse a la mesa • **table de cuisson** placa (f) de cocina • **table d'opération/de travail** mesa de operaciones/de trabajo. ◼ **table des matières** *nf* índice (m). ◼ **table de multiplication** *nf* tabla (f) de multiplicar. ◼ **table ronde** *nf litt* & *fig* mesa (f) redonda.

tableau *nm* **1.** (*gén*) cuadro (m) • **noircir le tableau** *fig* pintarlo todo negro **2.** (*d'école*) pizarra (f), encerado (m) • **tableau noir** pizarra (f) **3.** (*panneau*) tablón (m), tablero (m) • **tableau d'affichage** (*gén*) tablón de anuncios • SPORT marcador (m). ◼ **tableau de bord** *nm* **1.** (*de voiture*) salpicadero (m) **2.** (*d'avion*) cuadro (m) de mandos **3.** INFORM tablero (m) de control.

tabler *vi* • **tabler sur qqch** contar con algo.

tablette *nf* **1.** (*étagère*) tabla (f) **2.** (*de cheminée, de radiateur, de salle de bains*) repisa (f) **3.** (*de chewing-gum, de chocolat*) tableta (f).

tableur *nm* hoja (f) de cálculo.

tablier *nm* **1.** *(de cuisinière)* delantal *(m)* **2.** *(d'écolier)* bata *(f)* ▪ **rendre son tablier** *fig* cortarse la coleta **3.** *(de cheminée)* pantalla *(f)* **4.** *(de magasin)* persiana *(f)* (metálica) **5.** *(de pont)* piso *(m)*.

tabloïde *nm* tabloide *(m)*.

tabou, e *adj* tabú. ▪ **tabou** *nm* tabú *(m)*.

tabouret *nm* taburete *(m)*.

tabulateur *nm* tabulador *(m)*.

tac *nm* ▪ **répondre** OU **riposter du tac au tac** devolver la pelota.

tache *nf* **1.** *(gén)* mancha *(f)* ▪ **taches de rousseur** pecas *(fpl)* **2.** *sout (souil'ure morale)* tacha *(f)*.

tâche *nf* tarea *(f)*, labor *(f)* ▪ **faciliter la tâche à qqn** ponérselo fácil a alguien.

tacher *vt* manchar.

tâcher ▪ *vi* ▪ **tâcher de faire qqch** procurar hacer algo. ▪ *vt* ▪ **tâcher que ça ne se reproduise plus** procura que no vuelva a ocurrir.

tacheté, e *adj* ▪ **tacheté de** moteado de.

tacheter *vt* motear.

tacite *adj* tácito(ta).

taciturne *adj* taciturno(na).

tact *nm* tacto *(m)* ▪ **avoir du/manquer de tact** tener/no tener tacto ▪ **c'est manquer de tact** es una falta de tacto.

tactique ▪ *adj* táctico(ca). ▪ *nf* táctica *(f)*.

taffe *nf fam (de cigarette)* calada *(f)*.

tag *nm* pintada *(f)*, graffiti *(m)*.

taguer *vt* hacer pintadas OU graffitis en.

tagueur, euse *nm, f* autor *(m)*, -ra *(f)* de pintadas, graffitero *(m)*, -ra *(f)*.

taie *nf* **1.** *(enveloppe)* funda *(f)* ▪ **taie d'oreiller** funda de almohada **2.** MÉD nube *(f)* (en la córnea).

taille *nf* **1.** *(coupe - de pierre, de bois)* talla *(f)* ▪ *(- d'arbres)* tala *(f)* **2.** *(de personne)* estatura *(f)* ▪ **quelle est ta taille ?** ¿cuánto mides? **3.** *(de vêtement)* talla *(f)* ▪ **à ma taille** de mi talla **4.** *(d'objet)* tamaño *(m)* ▪ **de taille** *(erreur)* de bulto **5.** ANAT talle *(m)*, cintura *(f)*.

taillé, e *adj* **1.** *(coupé)* cortado(da) **2.** *fig (fait)* ▪ **être taillé pour** estar hecho para.

taille-crayon *nm* sacapuntas *(m inv)*.

tailler *vt* **1.** *(pierre, bois)* tallar **2.** *(arbres)* talar **3.** *(crayon)* sacar punta a **4.** *(vêtement)* cortar.

tailleur *nm* **1.** *(couturier)* sastre *(m)* **2.** *(vêtement)* traje *(m)* (sastre OU de chaqueta).

taillis *nm* monte *(m)* bajo, bosquecillo *(m)*.

tain *nm* azogue *(m)*.

taire *vt* callar. ▪ **se taire** *vp* **1.** *(ne pas parler)* callarse ▪ **tais-toi !** ¡cállate! **2.** *(bruit, son)* dejar de oírse, cesar **3.** *(orchestre)* dejar de tocar.

Taïwan *npr* Taiwan.

talc *nm* talco *(m)*.

talent *nm* talento *(m)* ▪ **avoir du talent** tener talento.

talentueux, euse *adj* talentoso(sa) ▪ **être très talentueux** tener mucho talento.

taliban *nm* talibán *(n)*.

talisman *nm* talismán *(m)*.

talkie-walkie *nm* walkie-talkie *(m)*.

talon *nm* **1.** *(au pied, de chaussette)* talón *(m)* **2.** *(de chaussure)* tacón *(m)* *(Esp)*, taco *(m)* *(Amér)* ▪ **talons hauts/plats/aiguilles** tacones altos/planos/de aguja **3.** *(de jambon, de fromage)* punta *(f)* **4.** *(de chèque, matriz *(f)* **5.** *(de jeu de cartes)* montón *(m)*.

talonner *vt* **1.** *(suivre de près)* pisar los talones a **2.** *fig (harceler)* acosar.

talonnette *nf* talonera *(f)*.

talquer *vt* espolvorear con talco.

talus *nm* talud *(m)*.

tambour *nm* **1.** *(de machine à laver & MUS)* tambor *(m)* ▪ **battre le tambour** tocar el tambor **2.** COUT tambor *(m)*, bastidor *(m)*.

tambourin *nm* **1.** *(cerceau à grelots)* pandereta *(f)* **2.** *(tambour)* tamboril *(m)*.

tambouriner ▪ *vt* MUS ▪ **tambouriner qqch** tocar algo con el tambor. ▪ *vi* ▪ **tambouriner sur** OU **contre qqch** golpetear en OU sobre algo ▪ *(pluie)* repiquetear en OU sobre algo.

tamis *nm* **1.** *(crible)* tamiz *(m)* ▪ **passer au tamis** pasar por el tamiz **2.** *(de raquette de tennis)* cordaje *(m)*.

tamisé, e *adj (lumière)* tamizado(da).

tamiser *vt* tamizar.

tampon *nm* **1.** *(masse de tissu)* bayeta *(f)*, paño *(m)* ▪ **tampon hygiénique** OU **périodique** tampón *(m)* (higiénico) ▪ **tampon à récurer** estropajo *(m)* **2.** *(cachet)* sello *(m)*, tampón *(m)* **3.** *(bouchon)* tapón *(m)* *(Esp)*, tapa *(f)* *(Amér)* **4.** *(de locomotive)* tope *(m)* **5.** *fig (médiateur)* ▪ **servir de tampon** servir de colchón.

tamponner *vt* **1.** *(surface)* frotar con un paño **2.** *(plaie)* limpiar **3.** *(document)* sellar **4.** *(heurter)* topar con.

tam-tam *nm* tam-tam *(m)*.

tandem *nm* tándem *(m)* ▪ **en tandem** a dúo.

tandis ▪ **tandis que** *loc conj* mientras que.

tangage *nm* cabeceo *(m)*.

tangent, e *adj* **1.** MATH tangente **2.** *fam (juste)* ▪ **c'était tangent** (fue) por los pelos. ▪ **tangente** *nf* MATH tangente *(f)*.

tangible *adj* tangible.

tango *nm* tango *(m)*.

tanguer *vi* cabecear.

tanière *nf* **1.** *(d'animal)* guarida *(f)*, cubil *(m)* **2.** *fig (de personne)* guarida *(f)*.

tank *nm* tanque *(m)*.

tanner *vt* **1.** *(peau)* curtir **2.** *fam (personne)* dar la tabarra.

tant adv **1.** (quantité) • **tant de** tanto(ta) • **tant d'élèves** tantos alumnos • **et tant d'autres** y otros muchos(otras muchas) • **tant que ça ?** ¿tanto? **2.** (tellement) tanto • **il l'aime tant** la quiere tanto • **il a crié tant il souffrait** le dolía tanto que gritó **3.** (quantité indéfinie) • **tant de** tanto(ta) • **tant de grammes** tantos gramos **4.** (valeur indéfinie) tanto • **ça coûte tant** esto cuesta tanto **5.** (jour indéfini) • **le tant** tal día **6.** (comparatif) • **tant... que** tanto... como • **tant les premiers que les seconds** tanto los primeros como los segundos **7.** (valeur temporelle) • **tant que** mientras • **amuse-toi tant que tu peux** disfruta mientras puedas • **tant que tu y es...** ya que te pones... ■ **en tant que** loc conj como. ■ **tant bien que mal** loc adv a trancas y barrancas, mal que bien. ■ **tant pis** loc adv qué se le va a hacer • **tant pis pour lui** peor para él. ■ **tant et plus** loc adv el ciento y la madre. ■ **tant qu'à** loc conj si, ya que • **tant qu'à faire...** ya que estamos...

À PROPOS DE...

tant

Lorsqu'il est suivi d'un nom, « tant de » se traduit en espagnol par un adjectif qui s'accorde en genre et en nombre avec ce nom : *tanto(s), tanta(s)*.

tante nf **1.** (parente) tía (f) **2.** tfam péj (homosexuel) maricón (m).

tantinet nm • **un tantinet radin** un poquito tacaño • **un tantinet trop long** un pelín largo.

tantôt adv **1.** (notion d'alternance) • **tantôt... tantôt** unas veces... otras • **tantôt il me déteste, tantôt il m'adore** unas veces me odia, otras me adora **2.** vieilli (après-midi) por la tarde.

tapage nm **1.** (bruit) escándalo (m), alboroto (m) **2.** fig (battage) • **faire du tapage** dar que hablar.

tapageur, euse adj **1.** (hôte, enfant) escandaloso(sa), alborotador(ra) **2.** (luxe, liaison, publicité) escandaloso(sa).

tape nf cachete (m).

tape-à-l'œil ◇ adj inv llamativo(va). ◇ nm inv fachada (f) (apariencia) • **ce n'est que du tape-à-l'œil** es todo pura fachada.

taper ◇ vt **1.** (donner un coup à) golpear **2.** (à la porte) llamar **3.** (texte) pasar a máquina. ◇ vi **1.** (donner un coup) golpear **2.** (à la machine) escribir a máquina **3.** (soleil) pegar **4.** fam (vin) subir **5.** fig (dire du mal) • **taper sur qqn** poner como un trapo a alguien.

tapis nm **1.** (pour le sol) alfombra (f) • **tapis de bain** alfombra de baño • **tapis de souris** INFORM alfombrilla (f) de ratón • **dérouler le tapis rouge** fig recibir con todos los honores **2.** (de mur) tapiz (m) **3.** (de meuble) tapete (m) • **tapis vert** tapete verde • **mettre qqch sur le**

tapis poner algo sobre el tapete. ■ **tapis roulant** nm **1.** (de marchandises) cinta (f) transportadora **2.** (de voyageurs) tapiz (m) deslizante.

tapisser vt **1.** (couvrir - meuble) tapizar • (- mur) empapelar **2.** fig (recouvrir) cubrir.

tapisserie nf **1.** (tenture) colgadura (f) **2.** (papier peint) empapelado (m) **3.** ART (ouvrage) tapiz (m).

tapissier, ère nm, f **1.** (artiste, commerçant) tapicero (m). -ra (f) **2.** (ouvrier) empapelador (m), -ra (f).

tapotement nm (petite tape) golpeteo (m).

tapoter ◇ vt dar golpecitos en. ◇ vi • **tapoter sur qqch** dar golpecitos en algo • (pianoter sur) aporrear algo.

taquin, e adj & nm, f guasón(ona).

taquiner vt pinchar.

tarabuster vt **1.** (sujet : personne) dar la tabarra **2.** (sujet : idée) rondar.

tard adv tarde • **au plus tard** a más tardar • **plus tard** más tarde • **sur le tard** (en fin de journée) al anochecer • (vers la fin de la vie) muy tarde.

tarder vi • **(ne pas) tarder à faire qqch** (no) tardar en hacer algo • **il me tarde de** (+ infinitif), **il me tarde que** (+ subjonctif) estoy impaciente por (+ infinitif) • **il me tarde de te revoir** estoy impaciente por verte.

tardif, ive adj tardío(a).

tare nf tara (f).

tarif nm **1.** (prix, tableau des prix) tarifa (f) • **à tarif réduit** a precio reducido • **tarif syndical** tarifa salarial fijada por el sindicato del ramo **2.** (douanier) arancel (m).

tarir ◇ vt **1.** (source, ressource) agotar **2.** fig (larmes) enjugar. ◇ vi **1.** (source, ressource) agotarse **2.** fig (larmes) enjugarse **3.** fig (personne) • **ne pas tarir d'éloges sur qqch/sur qqn** hacerse lenguas de algo/de alguien. ■ **se tarir** vp agotarse.

tarot nm tarot (m). ■ **tarots** nmpl • **tirer les tarots** echar las cartas, leer el tarot.

tartare adj tártaro(ra).

tarte ◇ nf **1.** (gâteau) tarta (f) **2.** fam (gifle) torta (f). ◇ adj fam estúpido(da).

tartiflette nf pour expliquer à un hispanophone ce que c'est, vous pouvez dire : es un plato típico de Saboya a base de patatas con "reblochon", un queso de leche vaca blando típico de la región, y tocino al gratén.

tartine nf **1.** (de pain) rebanada (f) de pan con mantequilla **2.** fam (laïus) rollo (m).

tartiner vt **1.** (du pain) untar **2.** fam fig (pages) llenar.

tartre nm **1.** (de chaudière, des canalisations) cal (f) **2.** (du vin) tártaro (m) **3.** (des dents) sarro (m).

tas nm montón (m) (Esp), ruma (f) (Amér) • **un tas de** un montón de.

tasse *nf* taza *(f)* • **tasse à café/à thé** *(vaisselle)* taza de café/de té • **tasse de café/de thé** *(à boire)* taza de café/de té.

tassé, e *adj* • **bien tassé** *(fort)* bien cargado • *(âge, ans)* bien puesto.

tasseau *nm* codal *(m)*.

tasser *vt* **1.** *(neige, terre)* apisonar **2.** *(choses, personnes)*, apretujar. ■ **se tasser** *vp* **1.** *(mur, terrain)* hundirse **2.** *(vieillard)* achapararse **3.** *(se serrer)* apiñarse, apretujarse **4.** *fig (se calmer)* arreglarse • **les choses se tassent** las cosas se van arreglando.

tâter *vt* **1.** *(toucher)* tentar **2.** *fig (sonder)* tantear. ■ **se tâter** *vp fam (hésiter)* pensarlo

tâte-vin = **taste-vin**.

tatillon, onne *adj & nm, f* puntilloso(sa).

tâtonnement *nm* **1.** *(action)* marcha *(f)* a tientas **2.** *(gén pl) (tentative)* tanteo *(m)*.

tâtonner *vi* **1.** *(pour se diriger)* tantear **2.** *fig (chercher)* dar palos de ciego.

tâtons ■ **à tâtons** *loc adv* a tientas.

tatouage *nm* tatuaje *(m)*.

tatouer *vt* tatuar.

taudis *nm* **1.** *(logement misérable)* tugurio *(m)*, cuchitril *(m)* **2.** *fig & péj (maison ou pièce mal tenue)* leonera *(f)*.

taupe *nf* *(animal, espion)* topo *(m)*.

taureau *nm* toro *(m)*. ■ **Taureau** *nm* ASTROL Tauro *(m)*.

tauromachie *nf* tauromaquia *(f)*.

taux *nm* **1.** *(cours)* tasa *(f)*, tipo *(m)* • **taux de change/d'escompte** tipo de cambio/de descuento • **taux d'inflation** tasa de inflación • **taux d'intérêt** tipo de interés **2.** *(de cholestérol, d'alcool, etc)* índice *(m)* • **taux de natalité/de mortalité** índice de natalidad/de mortalidad.

taverne *nf* **1.** *(auberge, bar à bière)* taberna *(f)* **2.** *(restaurant rustique)* hostería *(f)*.

taxe *nf* impuesto *(m)*, contribución *(f)* • **hors taxe** *(prix)* sin IVA • *(boutique)* libre de impuestos • **taxe d'habitation** ≃ contribución urbana.

taxer *vt* **1.** *(produit)* tasar **2.** *(importations)* gravar **3.** *fam (emprunter)* • **taxer qqch à qqn** sablear a alguien a *go*.

taxi *nm* **1.** *(voiture)* taxi *(m)* **2.** *(chauffeur)* taxista *(mf) (Esp)*, ruletero *(m) (Amér)*.

TB, tb *(abr écrite de* **très bien)** SCOL • **mention TB** ≃ Sob.

Tchad *npr* • **le Tchad** (el) Chad.

tchadien, enne *adj* chadiano(na). ■ **tchadien** *nm* LING chadiano *(m)*. ■ **Tchadien, enne** *nm, f* chadiano *(m)*, -na *(f)*.

tchatche *nf fam* • **avoir la tchatche** tener la lengua floja.

tchatcher *vi fam* estar de cháchara.

Tchécoslovaquie *npr* • **la Tchécoslovaquie** Checoslovaquia *(f)*.

tchèque ■ *adj* checo(ca). ■ *nm* LING checo *(m)*. ■ **Tchèque** *nmf* checo *(m)*, -ca *(f)*.

tchétchène *adj* checheno(na), chechén(ena). ■ **Tchétchène** *nmf* checheno *(m)*, -na *(f)*, chechén *(m)*, -ena *(f)*.

te *pron pers* **1.** *(gén)* te **2.** *(avec un présentatif)* • **te voilà** aquí estás • **te voici prêt** ya estás listo

technicien, enne *nm, f* **1.** *(professionnel)* técnico *(mf)* **2.** *(spécialiste)* especialista *(mf)*.

technico-commercial, e *adj & nm, f* técnico comercial.

technique ■ *adj* técnico(ca). ■ *nf* técnica *(f)*.

techno ■ *adj* tecno. ■ *nf* tecno *(m)*.

technocrate *nmf péj* tecnócrata *(mf)*.

technologie *nf* tecnología *(f)*.

technologique *adj* tecnológico(ca).

teckel *nm* teckel *(m)*.

tee-shirt, T-shirt *nm* camiseta *(f) (Esp)*, remera *(f) (Amér)*.

teigne *nf* **1.** *(mite)* polilla *(f)* **2.** MÉD tiña *(f)* **3.** *fam (personne) (mal)* bicho *(m)*.

teindre *vt* teñir.

teint, e *adj (cheveux)* teñido(da). ■ **teint** *nm* tez *(f)*. ■ **teinte** *nf (couleur)* color *(m)*.

teinté, e *adj* • **1.** tintado(da) **2.** *(verre)* ahumado(da) • **teinté de** *fig* teñido de.

teinter *vt* teñir.

teinture *nf* **1.** *(action de teindre & BIOL)* tintura *(f)* • **teinture d'iode** tintura de yodo **2.** *(colorant)* tinte *(m)*.

teinturerie *nf* tintorería *(f)*, tinte *(m)*.

teinturier, ère *nm, f* tintorero *(m)*, -ra *(f)* • **chez le teinturier** al tinte.

tel, telle ■ *adj* **1.** *(valeur indéterminée)* tal • **tel ou tel** tal o cual **2.** *(semblable)* semejante • **de telles personnes** semejantes personas • **je n'ai rien dit de tel** no he dicho nada semejante • **un tel homme** un hombre semejante • **une telle occasion** una oportunidad semejante **3.** *(reprend ce qui a été énoncé)* éste, ésta • **telle fut l'histoire qu'il nous raconta** ésta fue la historia que nos contó **4.** *(valeur emphatique ou intensive)* tal • **un tel bonheur** una felicidad tal **5.** *(introduit un exemple ou une énumération)* • **tel (que)** como • **des métaux tels que le cuivre** metales como el cobre **6.** *(introduit une comparaison)*, cual • **il grondait tel un lion** rugía como un león • **tel que** tal (y) como • **il est tel que je l'avais toujours rêvé** es tal (y) como siempre lo soñé • **tel quel** tal cual • **est resté tel quel depuis son départ** todo ha permanecido tal cual desde que se marchó. ■ *pron indéf* **1.** *(personnes ou choses indéterminées)* • **tel... tel autre** uno... otro • **tel veut**

travailler et tel autre veut dormir uno quiere trabajar y otro dormir **2.** *(une personne)* **un tel...** un tal...

tél. *(abr écrite de **téléphone**)* tel., tfno.

télé *nf fam* tele *(f).*

téléachat *nm* telecompra *(f).*

télécharger *vt* INFORM descargar, bajar(se).

télécommande *nf* mando *(m)* a distancia, telemando *(m).*

télécommunication *nf* telecomunicación *(f).*

télécopie *nf* fax *(m) (documento).*

télécopieur *nm* fax *(m) (aparato).*

télédétection *nf* teledetección *(f).*

téléfilm *nm* telefilm *(m)*, telefilme *(m).*

télégramme *nm* telegrama *(m).*

télégraphe *nm* telégrafo *(m).*

télégraphier *vt* telegrafiar.

téléguider *vt* teledirigir.

télématique ◼ *adj* telemático(ca). ◼ *nf* telemática *(f).*

téléobjectif *nm* teleobjetivo *(m).*

télépathie *nf* telepatía *(f).*

téléphérique *nm* teleférico *(m).*

téléphone *nm* teléfono *(m)* • **téléphone arabe** radio *(f)* macuto • **téléphone à carte** teléfono de tarjeta • **téléphone cellulaire** teléfono celular • **téléphone sans fil** teléfono inalámbrico • **téléphone portable** móvil *(m).*

téléphoner ◼ *vt* decir por teléfono. ◼ *vi* llamar (por teléfono) • **téléphoner à qqn** llamar (por teléfono) a alguien. ◼ **se téléphoner** *vp* llamarse (por teléfono).

téléphonique *adj* telefónico(ca).

téléréalité *nf* telerrealidad *(f)* • **une émission de téléréalité** un programa de telerrealidad.

télescope *nm* telescopio *(m).*

télescopique *adj* telescópico(ca).

téléscripteur *nm* teletipo *(m).*

télésiège *nm* telesilla *(m).*

téléski *nm* telesquí *(m).*

téléspectateur, trice *nm, f* telespectador *(m)*, -ra *(f).*

télétraitement *nm* teleproceso *(m).*

télétransmission *nf* teletransmisión *(f).*

télétravail *nm* teletrabajo *(m).*

télévente *nf* televenta *(f).*

téléviser *vt* televisar.

téléviseur *nm* televisor *(m).*

télévision *nf* televisión *(f)* • **télévision numérique** televisión digital.

télex *nm* télex *(m inv).*

tellement *adv* **1.** *(si)* tan • **elle est tellement gentille !** ¡es tan simpática! • **tellement mieux** mucho mejor **2.** *(tant)* tanto • **elle a tellement changé !** ¡ha cambiado tanto! • **je ne**

comprends rien tellement il parle vite habla tan deprisa que no entiendo nada • **tellement... que** tanto... que • **tellement de** tanto(ta) • **j'ai tellement de choses à faire !** ¡tengo tantas cosas que hacer! • **veux-tu un biscuit ? – non, j'en ai mangé tellement !** ¿quieres una galleta? – no, ¡ya he comido tantas!

téméraire *adj* & *nmf* temerario(ria).

témérité *nf* temeridad *(f).*

témoignage *nm* **1.** *(récit* & *DR)* testimonio *(m)* **2.** *(gage)* muestra *(f)*, prueba *(f)* • **en témoignage de** como muestra *ou* prueba de.

témoigner ◼ *vt* **1.** *(sentiment)* mostrar, manifestar **2.** *(révéler)* demostrar • **témoigner que** demostrar que **3.** *(attester)* • **témoigner que** declarar que. ◼ *vi* DR declarar, testificar • **témoigner en faveur de/contre qqn** declarar a favor/en contra de alguien.

témoin ◼ *nm* **1.** *(gén)* testigo *(mf)* • **être témoin de qqch** ser testigo de algo **2.** INFORM indicador *(m).* ◼ *adj (appartement, lampe)* piloto.

tempe *nf* sien *(f).*

tempérament *nm* temperamento *(m).*

température *nf* **1.** *(gén)* temperatura *(f)* **2.** *(fièvre)* fiebre *(f)* • **avoir de la température** tener fiebre • **prendre sa température** tomarse la temperatura.

tempéré, e *adj* **1.** *(climat)* templado(da) **2.** *(caractère, personne)* temperado(da).

tempérer *vt* temperar.

tempête *nf* **1.** MÉTÉOR tormenta *(f)* • **tempête de neige/de sable** tormenta de nieve/de arena **2.** *fig (agitation, déchaînement)* tempestad *(f).*

tempêter *vi* vociferar.

temple *nm* templo *(m).*

tempo *nm* tempo *(m).*

temporaire *adj* temporal.

temporairement *adv* temporalmente.

temporel, elle *adj* temporal.

temps *nm* **1.** *(durée)* tiempo *(m)* • **avoir le temps de faire qqch** tener tiempo de hacer algo • **avoir tout son temps** tener todo el tiempo del mundo • **ces temps-ci, ces derniers temps** últimamente • **chaque chose en son temps** cada cosa a su tiempo • **faire qqch en un temps record** hacer algo en un tiempo récord • **perdre son temps** perder el tiempo • **travailler à plein temps** trabajar a jornada completa • **un temps partiel** un tiempo parcial, media jornada *(f)* • **un certain temps** cierto tiempo • **temps libre** tiempo libre **2.** MÉTÉOR tiempo *(m)* • **beau/mauvais temps** buen/mal tiempo • **le temps est à la pluie** parece que va a llover • **par beau temps** cuando hace bueno • **par temps de pluie** cuando llueve **3.** *(de l'année, de l'histoire)* época *(f)* • **le temps des vendanges** la época de la vendimia • **a**

temps des Romains en la época de los romanos ■ **les temps glorieux de...** los días gloriosos de... ■ **de mon temps** en mis tiempos *ou* mi época ■ **au** *ou* **du temps où** en el tiempo en el que **4.** *(moment)* momento *(m)* ■ **à temps** *loc adv* a tiempo. ■ **de temps à autre** *loc adv* de vez en cuando. ■ **de temps en temps** *loc adv* de vez en cuando. ■ **en même temps** *loc adv* al mismo tiempo. ■ **tout le temps** *loc adv* todo el tiempo, todo el rato.

■ le brouillard / la niebla
■ l'éclair / el relámpago
■ la grêle / el granizo
■ la neige / la nieve
■ le nuage / la nube
■ l'orage / la tormenta
■ la pluie / la lluvia
■ le soleil / el sol
■ le vent / el viento

parler du temps qu'il fait

¿Qué tiempo hace? / **Quel temps fait-il ?** Hace buen tiempo *ou* bueno. / **Il fait beau.** Brilla el sol. / **Le soleil brille.** Hace mal tiempo. / **Il fait mauvais.** Está nublado y seguramente va a llover. / **Le temps est couvert et il va sûrement pleuvoir.** Hace (mucho) calor/frío. / **Il fait (très) chaud/froid.** ¿Qué tiempo anuncian? / **Quelles sont les prévisions météo ?** Las previsiones meteorológicas anuncian nieve para mañana / **La météo annonce de la neige pour demain.**

tenable *adj* ■ **ce n'est pas tenable** es insoportable ■ **ce n'est plus tenable** ya es insoportable.

tenace *adj* tenaz.

ténacité *nf* tenacidad *(f)*.

tenailler *vt* atenazar.

tenailles *nfpl* tenazas *(fpl)*.

tenancier, ère *nm, f* encargado *(m)*, -da *(f)*.

tendance *nf* tendencia *(f)* ■ **avoir tendance à qqch/à faire qqch** tener tendencia a algo/a hacer algo.

tendancieux, euse *adj* tendencioso(sa).

tendeur *nm* **1.** *(courroie)* pulpo *(m)* **2.** *(appareil)* tensor *(m)* **3.** *(de tente)* viento *(m)*.

tendinite *nf* tendinitis *(f inv)*.

tendon *nm* tendón *(m)*.

tendre[1] *adj* **1.** *(aliment, personne)* tierno(na) **2.** *(bois)* blando(da) **3.** *(couleur)* suave **4.** *(parole)* cariñoso(sa). ■ *nmf* persona *(f)* tierna.

tendre[2] *vt* **1.** *(corde)* tensar **2.** *(étendre)* tender ■ **tendre qqch à qqn** *(donner)* tender algo a alguien. ■ **se tendre** *vp* tensarse.

tendresse *nf* **1.** *(sentiment)* ternura *(f)*, cariño *(m)* **2.** *(gén pl) (expression)* caricia *(f)* (Esp), apapacho *(m)* (Amér) **3.** *(indulgence)* simpatía *(f)*.

tendu, e *adj* **1.** *(fil, corde)* tenso(sa), tirante **2.** *(pièce)* ■ **tendu de** *(de tissu)* tapizado de ■ *(de papier)* empapelado con **3.** *(personne, atmosphère, rapports)* tenso(sa) **4.** *(main)* tendido(da).

ténèbres *nfpl* tinieblas *(fpl)*.

ténébreux, euse *adj* tenebroso(sa).

Tenerife, Ténériffe *npr* Tenerife.

teneur *nf* **1.** *(d'une lettre, d'un article)* contenido *(m)* **2.** *(pourcentage)* proporción *(f)*, cantidad *(f)* ■ **teneur en** proporción *ou* cantidad de.

tenir *vt*

1. AVOIR À LA MAIN, DANS SES BRAS = tener, llevar
■ **tenir qqch dans ses mains** tener algo en las manos
■ **il tenait ses dossiers sous le bras** llevaba las carpetas bajo el brazo
■ **tenir fermement qqch** sujetar algo con firmeza
■ **tenir qqn par la main/le bras** llevar a alguien de la mano/del brazo
2. GARDER = sujetar, controlar
■ **tiens-moi ça !** ¡sujétame esto!
3. MAÎTRISER
■ **tenir ses élèves** controlar a los alumnos
■ **tenir son cheval** sujetar el caballo
4. MAINTENIR = mantener
■ **tenir la porte ouverte** mantener la puerta abierta
5. RÉSISTER = aguantar
■ **tenir le coup** aguantar (la prueba)
6. RESPECTER = cumplir
■ **tenir un engagement/une promesse** cumplir un compromiso/una promesa
7. GÉRER = llevar, encargarse de, regentar
■ **tenir un restaurant/un bar** llevar un restaurante/un bar
■ **il tient une librairie dans le quartier** regenta una librería en el barrio
8. CONSIDÉRER = considerar
■ **je te tiens responsable de ce qui s'est passé** te hago responsable de lo que ha ocurrido
9. APPRENDRE, SAVOIR
■ **je tiens cette information de mon directeur** lo sé por mi director
10. DANS DES EXPRESSIONS
■ **je te tiens !** ¡te tengo!

tenir *vi*

1. ÊTRE FIXÉ SOLIDEMENT = resistir, aguantar
■ **la réparation n'a pas tenu** la reparación no ha resistido

- **la colle ne tient pas** la cola no pega
- **la neige n'a pas tenu** la nieve no ha cuajado

2. SE MAINTENIR, RESTER DANS UNE POSITION DONNÉE

- **il ne tient pas debout** no se tiene en pie

3. POUVOIR ÊTRE CONTENU = caber

- **on tient à combien dans cette salle ?** ¿cuántos cabemos en esta sala?
- **son C.V. tient sur une page** su CV cabe en una sola página

4. DANS DES EXPRESSIONS

- **tiens !** PRENDS = ¡toma!
- **tiens !** JUSTEMENT = ¡anda!
- **tenir jusqu'au bout** aguantar hasta el final
- **ça tient toujours pour samedi ?** ¿sigue en pie lo del sábado?
- **ça ne tient pas debout** eso no tiene fundamento
- **si vous y tenez** si usted se empeña en ello
- **je n'y tiens pas** no me apetece.

tenir v impers

- **il ne tient qu'à lui de...** sólo depende de él que...

■ **tenir à** v + prép

1. ÊTRE ATTACHÉ À

- **il tient beaucoup à cette fille** tiene mucho apego a esta chica
- **tenir à sa réputation** mirar por su reputación
- **tenir à son indépendance** querer preservar la independencia

2. AVOIR POUR CAUSE = deberse a

- **sa démission tient à plusieurs raisons** su dimisión se debe a varias razones

3. AVOIR LA FERME VOLONTÉ DE

- **il tient à venir** tiene interés en venir
- **il tient à vous parler** insiste en hablarle.

■ **tenir de** v + prép

1. RESSEMBLER À = salir

- **il tient de son père** ha salido a su padre

2. RELEVER DE = parecer

- **tenir du miracle** parece milagro.

■ **se tenir** vp

1. SE TROUVER = estar

- **il se tenait près de l'ascenseur** estaba cerca del ascensor

2. AVOIR LIEU = tener lugar, celebrarse

- **la conférence se tiendra à Barcelone** la conferencia tendrá lugar en Barcelona

3. ÊTRE, RESTER = ponerse

- **tiens-toi droit !** ¡ponte derecho!

4. SE PRENDRE = cogerse

- **se tenir par la main** ir cogidos de la mano

5. ÊTRE COHÉRENT = concordar

- **son argumentation se tient** su argumentación tiene fundamento

6. SE COMPORTER = portarse, comportarse

- **tiens-toi bien !** ¡pórtate bien!
- **tiens-toi tranquille !** ¡estate quieto!

7. S'AGRIPPER = agarrarse

- **se tenir à la rampe de l'escalier** agarrarse a la barandilla de la escalera

8. SE CONSIDÉRER

- **se tenir pour** darse por
- **je me tiens pour satisfait** me doy por satisfecho

9. SE BORNER

- **s'en tenir à qqch** atenerse a algo
- **je m'en tiendrai là** lo dejamos ahí.

tennis ■ nm (sport) tenis (m inv) ▪ **tennis de table** tenis de mesa. ■ nmpl OU nfpl zapatillas (fpl) de deporte.

ténor ■ adj (instrument) tenor. ■ nm **1.** (chanteur) tenor (m) **2.** fig (vedette) figura (f).

tension nf **1.** (contraction, MÉD & ÉLECTR) tensión (f) ▪ **avoir de la tension** tener la tensión alta ▪ **basse/haute tension** baja/alta tensión ▪ **tension artérielle** tensión arterial **2.** (concentration) concentración (f) **3.** (désaccord) tensión (f), tirantez (f).

tentaculaire adj **1.** ZOOL tentacular **2.** fig (ville, firme) en expansión.

tentant, e adj tentador(ra).

tentation nf tentación (f) ▪ **résister à la tentation** resistir la tentación.

tentative nf intento (m), tentativa (f) ▪ **tentative d'homicide** tentativa de homicidio ▪ **tentative de suicide** intento de suicidio.

tente nf **1.** (de camping) tienda (f) de campaña **2.** (de cirque) carpa (f). ■ **tente à oxygène** nf cámara (f) de oxígeno.

tenter vt (attirer) tentar ▪ **être tenté de faire qqch** estar tentado de hacer algo ▪ **être tenté par qqch/par qqn** estar tentado por OU a algo/por alguien.

tenture nf colgadura (f).

tenu, e adj (en ordre) ▪ **bien/mal tenu** bien/mal atendido.

ténu, e adj tenue.

tenue nf **1.** (entretien - d'école, d'établissement) dirección (f) ▪ (- de maison) cuidado (m) ▪ (- de comptabilité) teneduría (f) **2.** (manières) modales (mpl) ▪ **un peu de tenue !** ¡compórtate! **3.** (maintien du corps) postura (f) **4.** (séance) sesión (f) **5.** (habillement) ropa (f) ▪ **tenue de soirée** traje (m) de noche. ■ **tenue de route** nf adherencia (f) (a la carretera).

ter ■ adj ter. ■ adv MUS tres veces.

TER (abr de Train Express Régional) nm ≃ tren de cercanías ▪ **prendre le TER** tomar el TER.

Tergal® nm tergal® (m).

tergiverser vi vacilar ▪ **sans tergiverser** sin vacilar.

terme *nm* **1.** *(fin, mot, élément)* término *(m)* ▪ **mettre un terme à qqch** poner término a algo **2.** *(de grossesse)* ▪ **arriver à terme** salir de cuentas **3.** *(délai)* plazo *(m)* **4.** COMM vencimiento *(m)* ▪ **à court/moyen/long terme** a corto/medio/largo plazo **5.** *(de loyer)* ▪ **à terme échu** a plazo vencido ▪ **termes** *nmpl* *(expression, formule)* términos *(mpl)*.

terminaison *nf* GRAMM terminación *(f)*.

terminal, e *adj* terminal. ▪ **terminal** *nm* **1.** INFORM terminal *(m)* **2.** *(dock, aérogare)* terminal *(f)*. ▪ **terminale** *nf* SCOL ≈ segundo *(m)* de Bachillerato.

terminer *vt* terminar, acabar. ▪ **se terminer** *vp* terminarse, acabarse ▪ **se terminer en/par qqch** acabarse ou acabarse en/con algo.

terminologie *nf* terminología *(f)*.

terminus *nm* término *(m)*, final *(m)* (de linea).

termite *nf* termita *(f)*.

terne *adj* **1.** *(couleur, regard)* apagado(da) **2.** *(vie, journée, conversation)* monótono(na) **3.** *(personne)* insignificante.

ternir *vt* **1.** *(couleurs)* desteñir **2.** fig *(réputation)* empañar.

terrain *nm* **1.** *(gén)* terreno *(m)* ▪ **terrain à bâtir** solar *(m)* ▪ **être sur son terrain** fig estar en su (propio) terreno **2.** *(de foot, d'aviation)* campo *(m)* **3.** *(de camping)* terreno *(m)* **4.** MIL campo *(m)* de batalla.

terrasse *nf* **1.** *(gén)* terraza *(f)* **2.** *(toit)* terraza *(f)*, azotea *(f)*.

terrassement *nm* excavación *(f)*.

terrasser *vt* **1.** *(adversaire)* derribar **2.** *(sujet : maladie)* abatir.

terre *nf* **1.** *(gén)* tierra *(f)* ▪ **terre battue** tierra batida ▪ **avoir les pieds sur terre** fig tener los pies en el suelo **2.** *(sol)* tierra *(f)*, suelo *(m)* ▪ **par terre** *(sans mouvement)* en el suelo ▪ *(avec mouvement)* al suelo.

terreau *nm* mantillo *(m)*.

terre-plein *nm* terraplén *(m)*.

terrer ▪ **se terrer** *vp* encerrarse.

terrestre *adj* **1.** *(gén)* terrestre **2.** *(globe)* terráqueo(a) **3.** *(plaisir, paradis)* terrenal.

terreur *nf* terror *(m)*.

terrible *adj* **1.** *(gén)* terrible **2.** *(appétit, travail)* tremendo(da) **3.** fam *(étonnant, excellent)* bestial ▪ **le film n'était pas terrible** la película estuvo regular.

terriblement *adv* terriblemente ▪ **il a terriblement grandi** ha crecido muchísimo.

terrien, enne ▪ *adj* rural. ▪ *nm, f* **1.** *(qui vit à l'intérieur des terres)* persona *(f)* de tierra adentro **2.** *(habitant de la Terre)* terrícola *(mf)*.

terrier *nm* **1.** *(de lapin)* madriguera *(f)* **2.** *(chien)* terrier *(m)*.

terrifier *vt* aterrorizar.

terrine *nf* terrina *(f)*.

territoire *nm* territorio *(m)*.

territorial, e *adj* **1.** *(intégrité)* territorial **2.** *(eaux)* jurisdiccional **3.** MIL *(armée)* de reserva.

terroir *nm* región *(m)*.

terroriser *vt* aterrorizar.

terrorisme *nm* terrorismo *(m)*.

terroriste *adj* & *nmf* terrorista.

tertiaire ▪ *adj* terciario(ria). ▪ *nm* sector *(m)* terciario.

tesson *nm* casco *(m)* ▪ **tesson de bouteille** casco de botella.

test *nm* test *(m)* ▪ **test de dépistage** prueba *(f)* de detección ▪ **test de grossesse** test ou prueba *(f)* de embarazo.

testament *nm* testamento *(m)*.

tester ▪ *vt* someter a un test. ▪ *vi* DR testar.

testicule *nm* testículo *(m)*.

tétaniser *vt* **1.** *(muscle)* tetanizar **2.** fig *(personne)* paralizar.

tétanos *nm* tétanos *(m inv)*.

têtard *nm* renacuajo *(m)*.

tête *nf* **1.** *(gén)* cabeza *(f)* **2.** *(d'arbre)* copa *(f)* **3.** *(de phrase, de liste)* principio *(m)* ▪ **de la tête aux pieds** de la cabeza a los pies ▪ **la tête la première** de cabeza ▪ **tête de lit** cabecera *(f)* ▪ **de tête** mentalmente **4.** *(visage)* cara *(f)* **5.** *(chef)* cabecilla *(f)* ▪ **tête de liste** cabeza *(mf)* de lista.

tête-à-queue *nm inv* trompo *(m)*.

tête-à-tête *nm inv* *(entrevue)* mano a mano *(m)*.

tête-bêche *loc adv* pies contra cabeza.

tétée *nf* pecho *(m)* ▪ **prendre six tétées par jour** tomar el pecho seis veces al día.

téter *vt* mamar ▪ **donner à téter** dar de mamar.

tétine *nf* **1.** *(de biberon)* tetina *(f)* **2.** *(sucette)* chupete *(m)* **3.** *(mamelle)* teta *(f)*.

Tetra Brik® *nm* tetrabrick®.

tétraplégique *adj* & *nmf* tetraplégico(ca).

têtu, e *adj* testarudo(da).

teuf *nf* fam fiesta *(f)*.

Texas *npr* Texas, Tejas.

tex mex *adj* & *nm* tex mex.

texte *nm* texto *(m)*.

textile ▪ *adj* textil. ▪ *nm* **1.** *(matière)* tejido *(m)* **2.** *(industrie)* textil *(m)*.

textuel, elle *adj* textual.

texture *nf* textura *(f)*.

TGV *(abr de train à grande vitesse)* *nm* ≈ AVE *(m)* *(alta velocidad española)* ▪ **prendre un TGV pour Marseille** tomar un TGV para Marsella.

Thaïlande *npr* ▪ **la Thaïlande** Tailandia.

thalassothérapie *nf* talasoterapia *(f)*.

thé *nm* té *(m)*.

théâtral, e *adj* teatral.

théâtre *nm* teatro *(m)*.

théière *nf* tetera *(f)*.

thématique ◨ *adj* temático(ca) ◦ **chaîne thématique** canal *(m)* temático. ◨ *nf* temática *(f)*.

thème *nm* **1.** *(sujet & MUS)* tema *(m)* **2.** *(traduction)* traducción ◦ **thème grec** traducción inversa al griego.

théologie *nf* teología *(f)*.

théorème *nm* teorema *(m)*.

théoricien, enne *nm, f* teórico *(m)*, -ca *(f)*.

théorie *nf* teoría *(f)* ◦ **en théorie** en teoría, teóricamente.

théorique *adj* teórico(ca).

théoriser *vt & vi* teorizar.

thérapeutique ◨ *adj* terapéutico(ca). ◨ *nf* terapéutica *(f)*.

thérapie *nf* terapia *(f)* ◦ **thérapie génique** terapia génica.

thermal, e *adj* termal ◦ ▷ **station**.

thermes *nmpl* termas *(fpl)*.

thermique *adj* térmico(ca).

thermomètre *nm* termómetro *(m)*.

Thermos® *nf* termo *(m)*.

thermostat *nm* termostato *(m)*.

thèse *nf* tesis *(f inv)* ◦ **thèse de doctorat** tesis doctoral.

thon *nm* atún *(m)*.

thorax *nm* tórax *(m inv)*.

thym *nm* tomillo *(m)*.

thyroïde *nf* tiroides *(m inv)*.

Tibet *npr* ◦ **le Tibet** el Tíbet.

tibia *nm* tibia *(f)*.

tic *nm* **1.** *(nerveux)* tic *(m)* **2.** *(de langage)* muletilla *(f)*.

ticket *nm* billete *(m)* ◦ **ticket de caisse** tíquet *(m)* de compra.

ticket-repas *nm* tíquet *(m)* restaurante.

tic-tac *nm inv* tictac *(m inv)*.

tiède ◨ *adj* **1.** *(boisson, eau)* templado(da), tibio(bia) **2.** *(vent)* templado(da) **3.** *fig (amour, militant)* tibio(bia). ◨ *adv* ◦ **boire tiède** beber cosas templadas ou tibias.

tiédir ◨ *vt* templar, entibiar. ◨ *vi* templar ◦ **faire tiédir qqch** templar algo.

tien, tienne *adj poss* tuyo, tuya. ◨ **le tien, la tienne** *pron poss* el tuyo, la tuya ◦ **à la tienne !** ¡(a tu) salud!

tierce *nf* **1.** *(à l'escrime & MUS)* tercera *(f)* **2.** *(aux cartes)* escalerilla *(f)* **3.** TYPO última prueba *(f)*.

tiercé *nm* apuesta *(f)* triple *(en carrera de caballos)*.

tiers, tierce *adj* ◦ **une tierce personne** una tercera persona, un tercero. ◨ **tiers** *nm* **1.** *(person-*

ne) tercero *(m)* **2.** *(portion)* tercio *(m)*, tercera parte *(f)* ◦ **le tiers provisionnel** ≃ el pago fraccionado.

tiers-monde *nm* tercer mundo *(m)*.

tiers-mondisation *nf* tercermundización *(f)*.

tige *nf* **1.** *(de plante)* tallo *(m)* **2.** *(de métal, de bois)* varilla *(f)*.

tignasse *nf fam* pelambrera *(f)*.

tigre, esse *nm, f* ZOOL tigre *(m)*, -esa *(f)*. ◨ **tigresse** *nf (femme jalouse)* fiera *(f)*.

tilleul *nm* **1.** *(arbre)* tilo *(m)* **2.** *(infusion)* tila *(f)*.

timbale *nf* **1.** *(gobelet)* cubilete *(m)* **2.** CULIN timbal *(m)*.

timbre *nm* **1.** *(de la poste, tampon)* sello *(m)* **2.** ADMIN sello *(m)*, timbre *(m)* ◦ **timbre fiscal** timbre fiscal **3.** *(d'instrument, de voix, de bicyclette)* timbre *(m)*.

timbré, e *adj* **1.** *(lettre)* sellado(da) **2.** *fam (personne)* chalado(da) **3.** *(papier, voix)* timbrado(da).

timbrer *vt* **1.** *(tamponner)* timbrar, sellar **2.** *(lettre)* sellar.

timide *adj & nmf* tímido(da).

timidité *nf* timidez *(f)*.

timing *nm* programa *(m)*, timing *(m)*.

timoré, e *adj* timorato(ta).

tintamarre *nm fam* guirigay *(m)*.

tintement *nm* **1.** *(de cloche)* tañido *(m)* **2.** *(de clochette)* campanilleo *(m)* **3.** *(de métal)* tintineo *(m)* **4.** MÉD *(d'oreilles)* zumbido *(m)*.

tinter *vi* **1.** *(cloche)* tañer **2.** *(horloge, sonnette)* sonar **3.** *(métal)* tintinear.

tir *nm* **1.** *(gén)* tiro *(m)* ◦ **tir au but** lanzamiento *(m)* de penalty **2.** *(salve)* disparo *(m)* ◦ **tir de roquette** disparo de un cohete anticarro.

tirage *nm* **1.** *(d'un journal, d'un livre)* tirada *(f)* ◦ **à grand tirage** de gran tirada **2.** PHOTO positivado *(m)* **3.** *(du loto)* sorteo *(m)* ◦ **tirage au sort** sorteo **4.** *(d'une cheminée)* tiro *(m)* **5.** INFORM impresión *(f)*.

tiraillement *nm* **1.** *(sensation)* retortijón *(m)* **2.** *fig (conflit)* tirantez *(f)*.

tirailler ◨ *vt (tirer)* tirar de ◦ **être tiraillé entre...** debatirse entre... ◨ *vi (faire feu)* tirotear.

tiré, e *adj (traits)* cansado(da).

tire-bouchon *nm* sacacorchos *(m inv)*. ◨ **en tire-bouchon** *loc adj* rizado(da).

tirelire *nf* hucha *(f)*.

tirer ◨ *vt* **1.** *(charrette, remorque)* tirar de **2.** *(porte, tiroir)* abrir **3.** *(courroie)* estirar **4.** *(rideaux)* correr **5.** *(plan, trait)* trazar **6.** *(revue, livre)* editar **7.** *(avec une arme, cartes)* tirar **8.** *(faire sortir - langue, de la poche)* sacar ◦ *(- numéro)* sacar, extraer **9.** *(obtenir - argent, avantage)* obtener ◦ *(- profit, conclusion)* sacar ◦ *(- leçon)* aprender **10.** *(chèque)* hacer. ◨ *vi* **1.** *(gén)* ◦ **tirer sur qqch** *(corde)* tirar de algo ◦ *(couleur)* tirar a algo **2.** *(cheminée)* tirar

3. *(avec une arme)* disparar. ■ **se tirer** *vp* **1.** *(se sortir)* ▸ **se tirer de qqch** salir (bien) de algo ▸ **il s'en est bien tiré** *(réussir)* lo ha hecho bastante bien **2.** *fam (s'en aller)* abrirse. **3.** *fam (prendre fin)* ▸ **ça se tire !** ¡esto se acaba!

tiret *nm* guión *(m)*.

tireur, euse *nm, f* tirador *(m)*, -ra *(f)* ▸ **tireur d'élite** tirador de élite.

tiroir *nm* cajón *(m)*.

tiroir-caisse *nm* caja *(f)* registradora.

tisane *nf* infusión *(f)*, tisana *(f)*.

tisonnier *nm* atizador *(m)*.

tissage *nm* tejido *(m) (acción)*.

tisser *vt* tejer.

tissu *nm* **1.** *(étoffe & BIOL)* tejido *(m)* **2.** *fig (de mensonges)* sarta *(f)*.

titiller *vt* cosquillear.

titre *nm* **1.** *(gén)* título *(m)* **2.** *(de presse)* titular *(m)* ▸ **gros titre** gran titular **3.** *(de métal précieux)* ley *(f)*. ■ **à titre de** *loc prép* a título de. ■ **titre de transport** *nm* título *(m)* de transporte.

tituber *vi* tambalearse.

titulaire *adj* & *nmf* titular ▸ **être titulaire de** ser titular de.

titulariser *vt* titularizar.

TNP *(abr de* **traité de non-prolifération)** *nm* TNP *(m)*.

toast *nm* **1.** *(pain grillé)* tostada *(f)* **2.** *(discours)* brindis *(m)* ▸ **porter un toast à qqch/à qqn** brindar por algo/por alguien.

toboggan *nm* tobogán *(m)*.

toc ■ *interj* ▸ **et toc !** ¡punto! ■ *nm fam* bisutería *(f)* ▸ **en toc** de bisutería.

TOC *(abr de* **troubles obsessionnels compulsifs)** *nmpl* MÉD TOC *(m)*.

toi *pron pers* **1.** *(avec impératif)* te ▸ **réveilletoi !** ¡despiértate! **2.** *(sujet, pour renforcer, dans un comparatif)* tú ▸ **c'est toi ?** ¿eres tú? ▸ **tu t'amuses bien, toi !** ¡tú sí que te diviertes! **3.** *(complément d'objet, après une préposition)* ti ▸ **avec toi** contigo ▸ **après toi** después de ti ▸ **pour toi** para ti ▸ **il vous a invités, Pierre et toi** os invitó a Pierre y a ti ▸ **qui te l'a dit, à toi?** ¿quién te lo ha dicho a ti? **4.** *(possessif)* ▸ **à toi** tuyo(ya). ■ **toi-même** *pron pers* tú mismo, tú misma.

toile *nf* **1.** *(étoffe)* tela *(f)* **2.** *(de lin)* hilo *(m)* **3.** *(de bâche)* lona *(f)* **4.** *(tableau)* lienzo *(m)* **5.** NAUT *(voilure)* lonas *(fpl)* **6.** *fam (film)* peli *(f)*. ■ **toile d'araignée** *nf* telaraña *(f)*. ■ **Toile** *nf* ▸ **la Toile** INFORM la Web.

toilette *nf* **1.** *(soins de propreté)* aseo *(m)* ▸ **faire sa toilette** lavarse **2.** *(parure, vêtements)* vestuario *(m)* **3.** *(de monument)* restauración *(f)* **4.** *(meuble)* tocador *(m)*. ■ **toilettes** *nfpl* servicios *(mpl)*.

toise *nf* talla *(f)*, marca *(f)*.

toiser *vt* mirar de arriba a abajo.

toison *nf* **1.** *(pelage)* vellón *(m)* **2.** *(chevelure)* melena *(f)*.

toit *nm* **1.** *(toiture)* tejado *(m)* **2.** *fig (maison)* techo *(m)* ▸ **dormir sous un toit** dormir bajo techo. ■ **toit ouvrant** *nm* techo *(m)* corredizo.

toiture *nf* techumbre *(f)*, techado *(m)*.

Tokyo *npr* Tokio.

tôle *nf* *(de métal)* chapa *(f)* ▸ **tôle ondulée** chapa ondulada.

tolérable *adj* tolerable.

tolérance *nf* tolerancia *(f)*.

tolérant, e *adj* tolerante.

tolérer *vt* tolerar ▸ **tolérer que** tolerar que. ■ **se tolérer** *vp* tolerarse.

tollé *nm* protesta *(f)* airada.

tomate *nf* **1.** *(fruit)* tomate *(m)* **2.** *(plante)* tomatera *(f)*.

tombant, e *adj* *(moustaches, épaules)* caído(da)

tombe *nf* tumba *(f)*.

tombeau *nm* tumba *(f)*.

tombée *nf* ▸ **à la tombée du jour** al atardecer ▸ **à la tombée de la nuit** a la caída de la noche, al anochecer.

tomber ■ *vi* **1.** *(gén)* caer ▸ **tomber sur qqn** *(attaquer)* caer encima de alguien ▸ **tomber bien/mal** *(événement)* venir bien/mal ▸ *(personne)* caer bien/mal **2.** *(choir)* caer, caerse ▸ **faire tomber qqn** hacer caer OU tirar a alguien ▸ **tomber de** *(sommeil, fatigue)* caerse de **3.** *(décliner - colère enthousiasme)* decaer ▸ *(- vent)* amainar ▸ *(- fièvre)* bajar **4.** *(rencontrer)* ▸ **tomber sur qqch/sur qqn** encontrar con algo/con alguien **5.** *(devenir)* ▸ **tomber amoureux** enamorarse ▸ **tomber malade** ponerse enfermo(ma). ■ *vt fam* **1.** *(femme)* conquistar **2.** *(veste)* quitarse.

tombola *nf* tómbola *(f)*.

tome *nm* tomo *(m)*.

tommette *nf* baldosín *(m)*.

ton[1] *nm* tono *(m)*.

ton[2]**, ta** *adj poss* tu.

tonalité *nf* **1.** tonalidad *(f)* **2.** *(au téléphone)* línea *(f)*, señal *(f)* sonora.

tondeuse *nf* **1.** *(pour gazon)* cortacéspedes *(m inv)* **2.** *(pour cheveux)* maquinilla *(f)* **3.** *(pour animaux)* esquiladora *(f)*.

tondre *vt* **1.** *(gazon)* cortar **2.** *(cheveux)* rapar **3.** *(animal)* esquilar.

tondu, e *adj* **1.** *(gazon)* cortado(da) **2.** *(cheveux)* rapado(da) **3.** *(animal)* esquilado(da).

tonicité *nf* tonicidad *(f)*.

tonifier *vt* tonificar.

tonique ■ *adj* tónico(ca). ■ *nm* MÉD tónico *(m)*. ■ *nf* MUS tónica *(f)*.

tonitruant, e *adj* atronador(ra), estruendoso(sa).

tonnage *nm* tonelaje *(m)*, arqueo *(m)*.

tonnant, e *adj (voix)* de trueno.
tonne *nf* **1.** *(gén)* tonelada *(f)* **2.** *(tonneau)* cuba *(f)*.
tonneau *nm* **1.** *(de vin, acrobatie)* tonel *(m)* **2.** *(accident)* vuelta *(f)* de campana.
tonnelle *nf* cenador *(m)*.
tonner *vi* **1.** *(orage)* tronar **2.** *(canon)* retumbar **3.** *(personne)* • **tonner contre qqn** tronar contra alguien.
tonnerre *nm* trueno *(m)*.
tonte *nf* **1.** *(d'animal)* esquileo *(m)* **2.** *(des cheveux)* rapadura *(f)* **3.** *(du gazon)* corte *(m)*.
tonus *nm* tono *(m)* • **avoir du tonus** estar entonado(da).
top *nm* señal *(f)*.
top model, top modèle *nm* top model *(mf)*.
topographie *nf* topografía *(f)*.
toque *nf* **1.** *(coiffure, chapeau)* gorro *(m)* **2.** *(de magistrat)* birrete *(m)*, bonete *(m)*.
torche *nf* antorcha *(f)*, tea *(f)* • **torche électrique** linterna *(f)*.
torcher *vt fam* **1.** *(essuyer - avec un linge, un papier)* limpiar • *(- assiette)* rebañar **2.** *(travail)* chapucear **3.** *(bouteille)* apurar.
torchon *nm* **1.** *(serviette)* trapo *(m)* **2.** *(de cuisine)* paño *(m)* **3.** *péj (texte)* churro *(m)* **4.** *péj (journal)* periodicucho *(m)*.
tordre *vt* **1.** *(gén)* retorcer **2.** *(barre de fer)* torcer **3.** *(visage)* desfigurar **4.** *(le linge)* escurrir. ■ **se tordre** *vp (membre)* torcerse.
tordu, e ■ *adj fam (esprit, idée)* retorcido(da). ■ *nm, f péj* chalado *(m)*, -da *(f)*.
torero *nm* torero *(m)*.
tornade *nf* tornado *(m)*.
torpeur *nf* torpeza *(f)*.
torpille *nf* torpedo *(m)*.
torpiller *vt* torpedear.
torréfaction *nf* torrefacción *(f)*.
torrent *nm* torrente *(m)* • **des torrents de** *(de lumière)* chorros de • *(de larmes)* ríos de • *(d'injures)* una lluvia de.
torrentiel, elle *adj* torrencial.
torride *adj* tórrido(da).
tors, e *adj (jambes)* torcido(da).
torsade *nf* **1.** *(de cheveux)* trenzado *(m)* **2.** ARCHIT • **à torsades** *(colonne)* salomónico(ca).
torsader *vt* retorcer.
torse *nm* torso *(m)*.
torsion *nf* **1.** *(action)* torsión *(f)* **2.** *(résultat)* retorcimiento *(m)*.
tort *nm* **1.** *(erreur)* fallo *(m)* • **avoir tort** no tener razón • **avoir tort de faire qqch** equivocarse al hacer algo • **à tort** sin razón • **être dans son tort** *ou* **en tort** tener la culpa **2.** *(préjudice)* perjuicio *(m)*, daño *(m)*.
torticolis *nm* tortícolis *(m inv)*.

tortillement *nm* retorcimiento *(m)* • **tortillement des hanches** contoneo *(m)*.
tortiller *vt* retorcer. ■ **se tortiller** *vp* retorcerse.
tortionnaire *adj & nmf* torturador(ra).
tortue *nf* tortuga *(f)*.
tortueux, euse *adj* tortuoso(sa).
torture *nf* tortura *(f)*, tormento *(m)*.
torturer *vt* torturar, atormentar.
tôt *adv* **1.** *(de bonne heure)* temprano **2.** *(vite)* pronto, temprano. ■ **au plus tôt** *loc adv* **1.** como muy pronto **2.** *(dans les plus brefs délais)* cuanto antes.
total, e *adj* total. ■ **total** *nm* total *(m)*.
totalement *adv* totalmente.
totaliser *vt* totalizar.
totalitaire *adj* totalitario(ria).
totalitarisme *nm* totalitarismo *(m)*.
totalité *nf* totalidad *(f)* • **en totalité** en total.
totem *nm* tótem *(m)*.
toubib *nmf fam* matasanos *(mf)*.
touchant, e *adj* conmovedor(ra).
touche *nf* **1.** *(de clavier)* tecla *(f)* • **touche alphanumérique** tecla alfanumérica • **touche de fonction** tecla de función **2.** *(de peinture)* pincelada *(f)* **3.** *fig (note)* • **une touche de qqch** un toque de algo **4.** *fam (allure)* pinta *(f)*, facha *(f)* **5.** *(à la pêche)* picada *(f)* **6.** *(au football)* banda *(f)* **7.** *(à l'escrime)* toque *(m)*.
toucher ■ *vt* **1.** *(gén)* tocar **2.** *(cible, but)* dar en **3.** *(chèque, argent)* cobrar **4.** *(gros lot, tiercé)* ganar **5.** *(sujet : crise, catastrophe)* afectar **6.** *(concerner)* atañer **7.** *(émouvoir)* emocionar **8.** *(contacter)* contactar con. ■ *vi* **1.** *(être contigu à)* • **toucher à** lindar con **2.** *(être relatif à)* • **toucher à** rozar.
touffe *nf* **1.** *(d'herbe)* mata *(f)* **2.** *(de cheveux)* mechón *(m)*.
touffu, e *adj* **1.** *(barbe, forêt)* tupido(da) **2.** *(arbre)* frondoso(sa) **3.** *fig (roman, discours)* denso(sa).
toujours *adv* **1.** *(exprime la continuité, la répétition)* siempre • **ils s'aimeront toujours** se querrán siempre • **elle est toujours malade** siempre está enferma • **toujours moins/plus** cada vez menos/más **2.** *(encore)* todavía • **il n'est toujours pas arrivé** todavía no ha llegado **3.** *(de toute façon)* siempre • **tu peux toujours lui écrire** siempre puedes escribirle. ■ **de toujours** *loc adj* de siempre. ■ **pour toujours** *loc adv* para siempre. ■ **toujours est-il que** *loc conj* pero la verdad es que.
toupet *nm* **1.** *(de cheveux)* tupé *(m)* **2.** *fam (aplomb)* caradura *(f)* *(Esp)*, patas *(fpl)* *(Amér)* • **avoir du** *ou* **ne pas manquer de toupet** tener cara.
toupie *nf* peonza *(f)*, trompo *(m)*.

tour ∎ *nm* 1. *(périmètre)* contorno *(m)* ▪ **tour de poitrine∕taille∕tête** contorno de pecho∕cintura∕cabeza ▪ **faire le tour de qqch** *(lieu)* dar la vuelta a algo ▪ *(question, problème)* ver algo en profundidad 2. *(promenade)* paseo *(m)* ▪ **faire un tour** dar una vuelta 3. *(rotation, POLIT & SPORT)* vuelta *(f)* ▪ **fermer qqch à double tour** cerrar algo con doble vuelta *ou* con dos vueltas ▪ **tour du monde** vuelta al mundo 4. *(attraction, plaisanterie)* número *(m)* ▪ **tour de force** hazaña *(f)*, proeza *(f)* 5. *(succession, rang)* turno *(m)*, vez *(f)* ▪ **tour à tour** por turno ▪ **à tour de rôle** por turno 6. *(des événements)* giro *(m)*, cariz *(m)* 7. *(machine-outil)* torno *(m)* 8. AUTO revolución *(f)*. ∎ *nf* torre *(f)* ▪ **tour de contrôle** torre de control ▪ **tour de guet** atalaya *(f)*. ∎ **Tour de France** *nm* ▪ **le tour** el Tour de Francia.

tourbe *nf* turba *(f)*.

tourbillon *nm* 1. *(gén)* torbellino *(m)* ▪ **tourbillon de poussière** polvareda *(f)* 2. *(d'eau)* remolino *(m)*.

tourbillonner *vi* arremolinarse.

tourelle *nf* 1. *(gén)* torrecilla *(f)* 2. *(de char)* torreta *(f)* 3. *(de bateau de guerre)* torre *(f)*.

tourisme *nm* turismo *(m)* ▪ **faire du tourisme** hacer turismo.

touriste *nmf* turista *(mf)*.

touristique *adj* turístico(ca).

tourment *nm sout* tormento *(m)*.

tourmente *nf* tormenta *(f)*.

tourmenté, e *adj* 1. *(personne)* angustiado(da), atormentado(da) 2. *(mer, période)* agitado(da) 3. *(paysage)* escabroso(sa).

tourmenter *vt* atormentar. ∎ **se tourmenter** *vp* atormentarse.

tournage *nm* CINÉ rodaje *(m)*.

tournant, e *adj* 1. *(porte, fauteuil)* giratorio(ria) 2. *(mouvement & MIL)* envolvente. ∎ **tournant** *nm* 1. *(virage)* curva *(f)* 2. *fig (moment décisif)* momento *(m)* crucial ▪ **un tournant dans sa vie** un giro en su vida.

tourne-disque *nm* tocadiscos *(m inv)*.

tournée *nf* 1. *(d'inspecteur)* viaje *(m)* de inspección 2. *(de représentant)* viaje *(m)* de negocios 3. *(de facteur)* ronda *(f)* 4. *(d'artiste)* gira *(f)* 5. *fam (au café)* ronda *(f)*.

tournemain ∎ **en un tournemain** *loc adv* en un santiamén.

tourner ∎ *vt* 1. *(clé, manivelle, poignée)* girar, dar vueltas a 2. *(pages d'un livre)* pasar ▪ **'tournez, s'il vous plaît'** 'véase al dorso' 3. *(dos, tête)* volver *(Esp)*, voltear *(Amér)* 4. *(pas, pensées)* dirigir 5. *(transformer)* ▪ **tourner qqch en** convertir algo en ▪ **tourner en ridicule** ridiculizar 6. *(obstacle)* rodear 7. *fig (loi)* eludir 8. CINÉ rodar 9. *(pièce de bois, ivoire)* tornear. ∎ *vi* 1. *(terre, roue)* girar, dar vueltas 2. *(heure)* avanzar ▪ **tourner autour de qqch** girar alrededor de algo ▪ **tourner autour de qqn** *fig* rondar a alguien 3. *(chemin, route)* torcer, doblar 4. *(vent, chance)* cambiar 5. *(lait, crème)* cortarse 6. *(vin)* avinagrarse 7. *(moteur, compteur)* estar andando 8. *fam (entreprise)* marchar.

tournesol *nm* girasol *(m)*.

tournevis *nm* destornillador *(m) (Esp)*, desarmador *(m) (Amér)*.

tourniquet *nm* 1. torniquete *(m)* 2. *(du métro)* molinete *(m)*.

tournis *nm* 1. *fam (vertige)* ▪ **avoir le tournis** tener vértigo ▪ **donner le tournis à qqn** marear a alguien 2. *(maladie)* modorra *(f)*.

tournoi *nm* torneo *(m)*.

tournoyer *vi* arremolinarse.

tournure *nf* 1. *(apparence)* cariz *(m)*, sesgo *(m)* ▪ **prendre mauvaise tournure** tomar mal cariz ▪ **prendre tournure** coger *ou* tomar forma 2. *(formulation)* giro *(m)*.

tourteau *nm* 1. *(crabe)* buey *(m)* de mar 2. *(pour bétail)* torta *(f)* de orujo.

tourterelle *nf* tórtola *(f)*.

Toussaint *nf* RELIG ▪ **la Toussaint** el día de Todos los Santos.

tousser *vi* toser.

toussotement *nm* tosiguera *(f)*.

toussoter *vi* toser.

---

tout, toute *adj*

1. AVEC UN SUBSTANTIF SINGULIER DÉTERMINÉ = todo(da)
▪ **toute la journée** todo el día
▪ **tout le monde** todo el mundo, todos
▪ **tout le temps** todo el rato

2. AVEC UN PRONOM DÉMONSTRATIF
▪ **tout ça** *ou* **cela** todo esto.

---

tout *adj indéf*

1. EXPRIME LA TOTALITÉ = todos(das)
▪ **tous les hommes** todos los hombres
▪ **tous les trois** los tres

2. CHAQUE = cada
▪ **tous les jours** cada día, todos los días

3. N'IMPORTE QUEL = cualquier
▪ **à toute heure** a cualquier hora
▪ **tout autre que lui** cualquier otro en su lugar.

---

tout *pron indéf*

▪ **je t'ai tout dit** te lo he dicho todo
▪ **c'est tout** (eso) es todo
▪ **ils voulaient tous la voir** todos querían verla.

---

tout *adv*

1. ENTIÈREMENT, TOUT À FAIT = muy
▪ **tout jeune∕petit∕triste** muy joven/pequeño/triste

- **tout nu** (completamente) desnudo
- **tout seuls** (completamente) solos
- **tout au début** al principio
- **tout en haut** arriba del todo
- **tout près** muy cerca
- **tout contre** contra

2. AVEC UN GÉRONDIF, INDIQUE LA SIMULTANÉITÉ
- **ils parlaient tout en marchant** hablaban mientras andaban.

■ **tout** *nm*

- **tenter le tout pour le tout** jugarse el todo por el todo
- **former un tout** formar un conjunto.

■ **tout à fait** *loc adv*

1. COMPLÈTEMENT = completamente, totalmente, del todo
- **c'est tout à fait vrai** es totalmente cierto
- **ce n'est pas tout à fait fini** no está completamente acabado

2. EXACTEMENT = exactamente
- **c'est tout à fait ce que je voulais** es exactamente lo que quería
- **pas tout à fait** no del todo.

■ **tout à l'heure** *loc adv*

1. DANS LE FUTUR = luego, dentro de un momento
- **je vais le voir tout à l'heure** voy a verlo luego
- **à tout à l'heure !** ¡hasta luego!

2. DANS LE PASSÉ = hace poco, hace un rato
- **j'ai vu Mario tout à l'heure** he visto a Mario hace un rato.

■ **tout de même** *loc adv*

QUAND MÊME = a pesar de todo
- **vous avez tout de même apprécié ce vin** a pesar de todo le ha gustado el vino.

■ **tout de suite** *loc adv*

enseguida, inmediatamente
- **je vais le faire tout de suite** lo voy a hacer enseguida.

■ **du tout au tout** *loc adv*

completamente, de medio a medio
- **elle a changé du tout au tout** ha cambiado por completo.

■ **pas du tout** *loc adv*

nada, en absoluto
- **je n'ai pas du tout peur** no tengo ningún miedo
- **il ne fait pas du tout froid** no hace nada de frío
- **ça ne me plaît pas du tout** no me gusta nada
- **– je vous dérange ? – non, pas du tout –** ¿os molesto? – no, en absoluto.

tout-à-l'égout *nm inv* sumidero *(m)*.

toutefois *adv* sin embargo, no obstante ▪ **si toutefois** si (es que) ▪ **si toutefois tu changeais d'avis** si (es que) cambias de idea.

tout-petit *nm* ▪ **les tout-petits** los pequeñines.

tout-puissant, **toute-puissante** *adj* todopoderoso(sa).

toux *nf* tos *(f)*.

toxicité *nf* toxicidad *(f)*.

toxicomane *nmf* toxicómano *(m)*, -na *(f)*.

toxine *nf* toxina *(f)*.

toxique *adj* tóxico(ca).

tps *(abr écrite de* **temps***)* t.

trac *nm* nerviosismo *(m)* *(antes de examinarse o salir a escena)* ▪ **avoir le trac** estar nervioso(sa).

traçabilité *nf* trazabilidad *(f)*.

tracas *nm* preocupación *(f)*.

tracasserie *nf* molestia *(f)* *(Esp)*, vaina *(f)* *(Amér)*.

trace *nf* **1.** *(empreinte)* huella *(f)*, rastro *(m)* ▪ **marcher sur les traces de qqn** *fig* seguir las huellas de alguien **2.** *(marque)* huella *(f)* **3.** *(gén pl)* *(vestige)* huella *(f)* **4.** *(très petite quantité)* huella *(f)*, traza *(f)*.

tracé *nm* trazado *(m)*.

tracer ▪ *vt* trazar. ▪ *vi fam* ir a todo gas.

trachéite *nf* traqueítis *(f inv)*.

tract *nm* **1.** octavilla *(f)* **2.** *(de propagande politique)* panfleto *(m)*.

tractation *nf* *(gén pl)* trato *(m)*.

tracter *vt* remolcar.

tracteur *nm* tractor *(m)*.

traction *nf* tracción *(f)* ▪ **traction avant/arrière** tracción delantera/trasera.

tradition *nf* tradición *(f)*.

traditionnel, **elle** *adj* tradicional.

traducteur, **trice** *nm, f* traductor *(m)*, -ra *(f)*. ■ **traducteur** *nm* INFORM traductor *(m)*.

traduction *nf* traducción *(f)*.

traduire *vt* **1.** *(gén)* traducir ▪ **traduire en** traducir al **2.** DR ▪ **traduire qqn en justice** llevar a alguien a los tribunales.

trafic *nm* tráfico *(m)*.

trafiquant, **e** *nm, f* traficante *(mf)*.

trafiquer ▪ *vt* **1.** *(falsifier)* falsear **2.** *(moteur)* trucar **3.** *fam (manigancer)* tramar. ▪ *vi* traficar.

tragédie *nf* tragedia *(f)*.

tragi-comédie *nf* tragicomedia *(f)*.

tragique ▪ *adj* trágico(ca). ▪ *nm (auteur tragique)* trágico *(m)*, -ca *(f)*.

tragiquement *adv* trágicamente.

trahir *vt* traicionar. ■ **se trahir** *vp* traicionarse.

trahison *nf* traición *(f)*.

train nm 1. (chemin de fer & TECHNOL) tren (m) ▪ **train d'atterrissage** tren de aterrizaje ▪ **train auto-couchettes** tren coche-cama ▪ **train avant/arrière** tren delantero/trasero (m). 2. (allure) marcha (f), paso (m) 3. fam (postérieur) trasero (m) (Esp), traste (m) (Amér) ▪ **aller bon train** ir a buen paso ▪ **être en train** (être en forme) estar en forma ▪ **mettre qqch en train** poner algo en marcha. ▪ **train de vie** nm tren (m) de vida ▪ **en train de** loc prép ▪ **être en train de faire qqch** estar haciendo algo ▪ **je suis en train de lire** estoy leyendo.

trainant, e adj 1. (robe) que arrastra 2. (voix) cansa no(na), lánguido(da).

traine nf 1. (de robe) cola (f) 2. (de pêche) traíña (f) ▪ **être à la traine** ir rezagado(da).

traineau nm trineo (m).

trainée nf 1. (trace) reguero (m) 2. (de comète) estela (f) 3. tfam péj (prostituée) zorra (f).

trainer ▪ vt 1. (gén) arrastrar 2. (forcer à aller) llevar a rastras. ▪ vi 1. (s'attarder) rezagarse 2. (errer) callejear, vagabundear 3. (maladie, affaire) ir para largo ▪ **faire trainer qqch** dar largas a algo ▪ **ça n'a pas trainé !** ¡no ha tardado mucho! 4. (pendre) colgar 5. (ne pas être rangé) estar tirado(da). ▪ **se trainer** vp 1. (marcher avec peine) arrastrarse 2. (durer) hacerse largo(ga).

train-train nm fam rutina (f).

traire vt ordeñar.

trait nm 1. (ligne) trazo (m) ▪ **à grands traits** a grandes rasgos ▪ **trait d'union** guión (m) 2. (caractéristique) rasgo (m) ▪ **trait d'esprit** agudeza (f) 3. (flèche) saeta (f). ▪ **traits** nmpl (du visage) rasgos (mpl), facciones (fpl) ▪ **avoir les traits tirés** tener cara de cansado(da).

traitant, e adj 1. (shampooing, crème) tratante 2. (médecin) de cabecera.

traite nf 1. (de vache) ordeño (m) 2. COMM letra (f) de cambio 3. (d'esclaves) trata (f). ▪ **d'une seule traite** loc adv de un tirón, de una tirada.

traité nm tratado (m) ▪ **traité de non-prolifération** tratado de no proliferación.

traitement nm 1. (gén) tratamiento (m) ▪ **traitement de l'information** procesamiento (m) de la información ▪ **traitement des données** proceso (m) de datos ▪ **traitement de texte** tratamiento de textos 2. (envers quelqu'un) trato (m) 3. (rémunération) paga (f).

traiter ▪ vt 1. (gén) tratar ▪ **traiter qqn de** tratar a alguien de ▪ **bien/mal traiter qqn** tratar bien/mal a alguien 2. INFORM (données) procesar. ▪ vi 1. (négocier) tratar 2. (livre) ▪ **traiter de** tratar de.

traiteur nm restaurador (m) especializado en comidas preparadas.

traitre, esse ▪ adj traidor(ra). ▪ nm, f traidor (m), -ra (f) ▪ **en traitre** a traición.

traitrise nf sout traición (f).

trajectoire nf trayectoria (f).

trajet nm trayecto (m).

tralala nm péj parafernalia (f).

trame nf trama (f).

tramer vt sout tramar. ▪ **se tramer** vp tramarse.

trampoline nm cama (f) elástica.

tramway nm tranvía (m).

tranchant, e adj 1. (instrument) cortante, afilado(da) (Esp), filoso(sa) (Amér) 2. (personne) cortante 3. (ton) tajante. ▪ **tranchant** nm filo (m).

tranche nf 1. (de pain) rebanada (f) 2. (de jambon) loncha (f), lonja (f) 3. (de saucisson) rodaja (f) 4. (de livre, de pièce) canto (m) 5. (de loterie) sorteo (m) 6. (période) intervalo (m) 7. (partie) serie (f).

trancher ▪ vt 1. (gén) cortar 2. (pain) rebanar 3. fig (question, difficulté) zanjar. ▪ vi 1. fig (décider) decidirse 2. (contraster) ▪ **trancher avec** contrastar con.

tranquille adj tranquilo(la) ▪ **laisser qqch/qqn tranquille** dejar algo/a alguien tranquilo ou en paz ▪ **rester** ou **se tenir tranquille** quedarse ou estarse quieto(ta).

tranquillement adv tranquilamente.

tranquillisant, e adj 1. (nouvelle) tranquilizador(ra) 2. (médicament) tranquilizante. ▪ **tranquillisant** nm tranquilizante (m).

tranquilliser vt tranquilizar. ▪ **se tranquilliser** vp tranquilizarse.

tranquillité nf tranquilidad (f) ▪ **en toute tranquillité** con toda tranquilidad.

transaction nf transacción (f).

transat ▪ nm tumbona (f) (Esp), reposera (f) (Amér). ▪ nf regata (f) transatlántica.

transatlantique ▪ adj transatlántico(ca). ▪ nm transatlántico (m). ▪ nf regata (f) transatlántica.

transcription nf transcripción (f).

transcrire vt transcribir.

transe nf sout ansia (f) ▪ **être en transe** estar en trance ▪ fig estar fuera de sí.

transférer vt 1. (bureaux) transferir 2. (prisonnier, inculpé) trasladar.

transfert nm 1. (de fonds, de marchandises & PSYCHO) transferencia (f) 2. (de prisonnier, de population) traslado (m) 3. DR (de biens immobiliers) transmisión (f).

transfigurer vt transfigurar.

transformateur, trice adj transformador(ra). ▪ **transformateur** nm transformador (m).

transformation nf 1. (changement, conversion) transformación (f) 2. SPORT (d'essai) transformación (f) (de ensayo).

transformer vt ▪ **transformer qqch en qqch** transformar algo en algo. ▪ **se transformer** vp ▪ **se transformer en** transformarse en.

transfuge nmf tránsfuga (mf).

transfuser vt (du sang) hacer una transfusión a.

transfusion nf transfusión (f) • **transfusion sanguine** transfusión de sangre ou sanguínea.

transgénique adj transgénico(ca).

transgresser vt transgredir, quebrantar.

transhumance nf trashumancia (f).

transi, e adj • **être transi de** (froid) estar aterido de • (peur) estar transido de.

transistor nm transistor (m).

transit nm tránsito (m) • **en transit** en tránsito.

transiter vi transitar, estar en tránsito.

transitif, ive adj transitivo(va).

transition nf transición (f) • **sans transition** sin transición.

transitivité nf transitividad (f).

transitoire adj transitorio(ria).

translucide adj translúcido(da).

transmettre vt • **transmettre qqch à qqn** transmitir algo a alguien. ■ **se transmettre** vp transmitirse.

transmissible adj transmisible.

transmission nf transmisión (f).

transparaître vi transparentarse.

transparence nf transparencia (f).

transparent, e adj transparente. ■ **transparent** nm transparencia (f).

transpercer vt traspasar.

transpiration nf transpiración (f), sudor (m).

transpirer vi transpirar, sudar.

transplanter vt 1. (arbre, organe) trasplantar 2. fig (population, usine) trasladar.

transport nm 1. (gén) transporte (m) 2. (de personnes) traslado (m) • **transports en commun** transportes públicos 3. (accès) arrebato (m).

LES MOYENS DE TRANSPORT

- l'autobus / el autobús
- l'avion / el avión
- le bateau / el barco
- la bicyclette/le vélo / la bicicleta/la bici
- le camion / el camión
- la camionnette / la camioneta
- l'hélicoptère / el helicóptero
- le métro / el metro
- la Mobylette / la mobylette
- le monospace / el monovolumen
- la moto / la moto
- les rollers / los patines en línea
- le scooter / el escúter
- le train / el tren
- le tramway / el tranvía
- la trottinette / el patinete
- la voiture / el coche.

transportable adj 1. (marchandise) transportable 2. (blessé) trasladable.

transporter vt 1. (gén) llevar 2. (voyageurs, marchandises) transportar 3. (personne) trasladar. ■ **se transporter** vp trasladarse.

transporteur nm 1. (personne) transportista (mf) • **transporteur routier** transportista (camionero) 2. (machine) transportador (m).

transposer vt 1. (mots) transponer 2. (situation, intrigue) trasladar 3. (à l'écran) llevar 4. MUS transportar.

transposition nf 1. (de mots) transposición (f) 2. (de situation, d'intrigue) traslado (m) 3. MUS transporte (m).

transsexuel, elle adj & nm, f transexual.

transvaser vt transvasar, trasegar.

transversal, e adj transversal.

trapèze nm trapecio (m).

trapéziste nmf trapecista (mf).

trappe nf 1. (ouverture) trampa (f), trampilla (f) 2. (piège) trampa (f).

trapu, e adj (personne) achaparrado(da).

traquenard nm trampa (f).

traquer vt 1. (animal) acorralar 2. (personne) acosar 3. fig (rechercher, être à l'affût de) ir a la busca y captura de.

traumatisant, e adj traumatizante.

traumatiser vt traumatizar.

traumatisme nm 1. (psychique) trauma (m) 2. (physique) traumatismo (m).

travail nm 1. (gén) trabajo (m) • **demander du travail** (sujet : projet) dar trabajo • **se mettre au travail** ponerse a trabajar • **travail intellectuel** trabajo intelectual • **travail à la chaîne** producción (f) en cadena • **travail au noir** trabajo clandestino 2. (de la mémoire, du souvenir) mecanismo (m) 3. (du temps, de la fermentation, etc) obra (f). ■ **travaux** nmpl 1. (gén) trabajos (mpl) • **travaux des champs** faenas (fpl) del campo 2. (d'aménagement) obras (fpl), reformas (fpl) • **travaux publics** obras públicas • **une entreprise de travaux publics** una empresa de obras públicas.

travaillé, e adj 1. (matériau, style) trabajado(da) 2. (tourmenté) • **être travaillé par** estar minado por.

travailler ■ vi 1. (gén) trabajar 2. SCOL estudiar • **travailler chez/dans** trabajar en • **travailler sur** ou **à qqch** trabajar en algo • **travailler à temps partiel** trabajar a tiempo parcial 3. (métal, bois) alabearse 4. (vin) fermentar. ■ vt 1. (gén) trabajar • **travailler son piano** ejercitarse en el piano 2. (tracasser) atormentar.

travailleur, euse ■ adj trabajador(ra). ■ nm, f trabajador (m), -ra (f) • **travailleur émigré/indépendant** trabajador emigrante/autónomo.

travelling nm travelling (m).

travers nm defecto (m). ■ **à travers** loc adv a través. ■ loc prép · **à travers qqch** a través de algo. ■ **au travers** loc adv a través. ■ **au travers de** loc prép a través de. ■ **de travers** loc adv **1.** (marcher) de través **2.** (placer) torcido(da) · **avaler de travers** atragantarse **3.** (se garer) atravesado(da) **4.** (comprendre) al revés · **aller de travers** ir al revés · **faire tout de travers** no hacer nada a derechas · **regarder qqn de travers** mirar a alguien con malos ojos. ■ **en travers** loc adv de través. ■ **en travers de** loc prép · **être en travers de** estar atravesado(da) en.

traverse nf **1.** (chemin) atajo (m) **2.** (de chemin de fer) traviesa (f).

traversée nf travesía (f).

traverser vt **1.** (gén) atravesar **2.** (rue) cruzar.

traversin nm travesaño (m) (almohada).

travesti, e adj travestido(da). ■ **travesti** nm travesti (m), travesti (m).

travestir vt disfrazar. ■ **se travestir** vp **1.** (pour un bal) disfrazarse **2.** (en femme) travestirse.

trébucher vi **1.** (tomber) tropezar, dar un traspié · **trébucher sur** ou **contre qqch** tropezar con ou contra algo **2.** fig (buter) · **trébucher sur qqch** tropezar con algo.

trèfle nm trébol (m) · **trèfle à quatre feuilles** trébol de cuatro hojas.

treille nf **1.** (de vigne) parra (f) **2.** (tonnelle) emparrado (m).

treillis nm **1.** (clôture) enrejado (m) **2.** (toile) arpillera (f) **3.** MIL traje (m) de faena.

treize adj num inv & nm inv trece. · voir aussi **six**

trekking nm trekking (m).

tréma nm diéresis (f inv).

tremblant, e adj tembloroso(sa).

tremblement nm temblor (m) · **tremblement de terre** terremoto (m) · **et tout le tremblement** fam y toda la pesca.

trembler vi **1.** (gén) temblar **2.** fig (avoir peur) · **trembler pour qqch/pour qqn** temblar por algo/por alguien · **trembler de faire qqch** sout temer hacer algo.

trembloter vi **1.** (personne) temblequear **2.** (voix, lumière) temblar.

trémousser ■ **se trémousser** vp menearse.

trempe nf **1.** (caractère) temple (m) · **de cette/sa trempe** de esta/su temple **2.** fam (coups) paliza (f, Esp), golpiza (f) (Amér).

trempé, e adj (mouillé) calado(da) · **trempé jusqu'aux os** calado hasta los huesos

tremper ■ vt **1.** (mouiller) mojar **2.** (plonger) · **tremper qqch dans** empapar algo en **3.** (métal) templar. ■ vi (linge) estar en remojo, remojarse · **faire tremper** poner en remojo.

tremplin nm trampolín (m).

trentaine nf **1.** (nombre) · **une trentaine de** una treintena de **2.** (âge) · **avoir la trentaine** tener los treinta

trente ■ adj num inv treinta ■ nm inv treinta (m inv). · voir aussi **six**

trente-trois-tours nm inv elepé (m), long-play (m).

trentième ■ adj num & nmf trigésimo(ma). ■ nm treintavo (m), treintava parte (f). · voir aussi **sixième**

trépasser vi sout fallecer.

trépidant, e adj trepidante.

trépied nm trípode (m).

trépigner vi patalear.

très adv mucho(cha) (devant un nom), muy (devant un adjectif ou un adverbe) · **très malade** muy enfermo · **très bien** muy bien · **très à l'aise** muy a gusto · **arriver très en retard** llegar muy tarde ou con mucho retraso · **avoir très envie de** tener muchas ganas de · **avoir très peur/très faim** tener mucho miedo/mucha hambre.

À PROPOS DE...

très

L'adverbe « très » se traduit parfois par un adjectif quand il se rapporte à un nom. Il s'accorde alors en genre et en nombre avec ce nom.

trésor nm tesoro (m). · **des trésors d'ingéniosité** ingeniosidad (f) a raudales. ■ **Trésor** nm · **le Trésor public** el Tesoro Público.

trésorerie nf tesorería (f).

trésorier, ère nm, f tesorero (m), -ra (f).

tressaillement nm estremecimiento (m).

tressaillir vi estremecerse.

tressauter vi bambolearse.

tresse nf trenza (f).

tresser vt trenzar.

tréteau nm caballete (m).

treuil nm torno (m) elevador.

trêve nf tregua (f) · **trêve de plaisanteries/de sottises** basta de bromas/de tonterías. ■ **sans trêve** loc adv sin tregua.

tri nm **1.** (de lettres) clasificación (f) **2.** (de candidats) selección (f) · **faire le tri dans qqch** poner orden en algo · **tri sélectif (des ordures ménagères)** separación (f) selectiva (de basuras).

triage nm (de lettres) clasificación (f).

triangle nm triángulo (m).

triangulaire adj triangular.

triathlon nm triatlón (m).

tribal, e adj tribal.

tribord *nm* estribor *(m)* • **à tribord** a estribor.

tribu *nf* tribu *(f)*.

tribulations *nfpl* tribulaciones *(fpl)*.

tribunal *nm* tribunal *(m)* • **tribunal correctionnel** ≃ sala *(f)* de lo penal • **tribunal d'instance** ≃ juzgado *(m)* municipal • **tribunal de grande instance** ≃ audiencia *(f)* provincial o regional.

tribune *nf* tribuna *(f)*.

tribut *nm sout* tributo *(m)*.

tributaire *adj* tributario(ria) • **être tributaire de qqch/de qqn** depender de algo/de alguien.

tricher *vi* **1.** *(au jeu)* hacer trampas **2.** *(à un examen)* copiar **3.** *(mentir)* • **tricher sur qqch** engañar sobre algo.

tricherie *nf* **1.** *(gén)* trampa *(f)* **2.** *(tromperie)* engaño *(m)*.

tricheur, euse *nm, f* **1.** *(au jeu)* tramposo *(m)*, -sa *(f)* **2.** *(à un examen)* copión *(m)*, -ona *(f)*.

tricolore *adj* tricolor.

tricot *nm* **1.** *(étoffe)* punto *(m)* • **faire du tricot** hacer punto **2.** *(vêtement)* jersey *(m)*.

tricoter ◈ *vt* • **tricoter qqch** hacer algo de punto, tejer algo. ◈ *vi* hacer punto, tejer.

tricycle *nm* triciclo *(m)*.

trier *vt* **1.** *(classer)* clasificar **2.** *(sélectionner)* seleccionar.

trigonométrie *nf* trigonometría *(f)*.

trilingue *adj* & *nmf* trilingüe.

trimestre *nm* trimestre *(m)*.

trimestriel, elle *adj* trimestral.

tringle *nf* varilla *(f)* • **tringle à rideaux** riel *(m)*.

Trinité *npr* Trinidad *(f)*.

trinquer *vi* **1.** *(boire)* brindar • **trinquer à** *(à la santé de)* beber a **2.** *fam (subir un dommage)* pagar el pato.

trio *nm* trío *(m)*.

triomphal, e *adj* triunfal.

triomphant, e *adj* triunfante.

triomphe *nm* triunfo *(m)* • **porter qqn en triomphe** llevar a alguien a hombros.

triompher *vi* **1.** *(gén)* triunfar • **triompher de qqch/de qqn** triunfar sobre algo/sobre alguien **2.** *(jubiler)* cantar victoria.

tripes *nfpl* **1.** *(d'animal)* tripas *(fpl)* **2.** CULIN *(plat)* callos *(mpl)* **3.** *fam (de personne)* agallas *(fpl)* • **rendre tripes et boyaux** echar las tripas.

triple *adj* & *nm* triple.

triplé *nm* **1.** *(au turf)* combinación *(f)* de los tres caballos ganadores *(en la Quintuple Plus)* **2.** SPORT triplete *(m)*. ■ **triplés, ées** *nmf pl* trillizos *(mpl)*, trillizas *(fpl)* (Esp), triates *(mpl)* (Amér).

triste *adj* triste • **être triste de faire qqch** estar triste por hacer algo.

tristesse *nf* tristeza *(f)*.

triturer *vt* triturar.

trivial, e *adj* **1.** *(banal)* trivial **2.** *péj (vulgaire)* grosero(ra) (Esp), guarango(ga) (Amér).

troc *nm* trueque *(m)*.

trois ◈ *adj num* tres. ◈ *nm* tres *(m inv)*. • *voir aussi* **six**

troisième ◈ *adj & nmf* tercero(ra). ◈ *nm* tercero *(m)*, tercera parte *(f)*. ◈ *nf* **1.** SCOL ≃ tercero *(m)* de la ESO *(educación secundaria obligatoria)* **2.** *(vitesse)* tercera *(f)*. • *voir aussi* **sixième**

trombe *nf* tromba *(f)*.

trombone *nm* **1.** *(agrafe)* clip *(m)* **2.** MUS trombón *(m)*.

trompe *nf* trompa *(f)*.

trompe-l'œil *nm inv* **1.** *(peinture)* trampantojo *(m)* • **en trompe-l'œil** de trampantojo **2.** *fig (apparence)* engañifa *(f)*.

tromper *vt* **1.** *(gén)* engañar **2.** *(vigilance)* burlar **3.** *sout (espoir)* frustrar. ■ **se tromper** *vp* equivocarse • **se tromper de** equivocarse de.

tromperie *nf* engaño *(m)*, engañifa *(f)*.

trompette *nf* trompeta *(f)*.

trompettiste *nmf* trompetista *(mf)*.

trompeur, euse ◈ *adj* **1.** *(personne)* embustero(ra) **2.** *(chose)* engañoso(sa) • **c'est trompeur** eso engaña. ◈ *nm, f* embustero *(m)*, -ra *(f)*.

tronc *nm* **1.** *(gén)* tronco *(m)* **2.** *(d'église)* cepillo *(m)*. ■ **tronc commun** *nm* tronco *(m)* común.

tronche *nf fam péj* pinta *(f)*.

tronçon *nm* **1.** *(morceau)* trozo *(m)* **2.** *(de route, de chemin de fer)* tramo *(m)*.

tronçonneuse *nf* sierra *(f)* eléctrica.

trône *nm* trono *(m)* • **monter sur le trône** subir al trono.

trôner *vi* **1.** *(gén)* reinar **2.** *hum (faire l'important)* pavonearse.

trop *adv* **1.** *(avec adjectif, adverbe et verbe)* demasiado • **trop loin/vieux** demasiado lejos/viejo **2.** *(devant un nom)* demasiado(da) • **avoir trop chaud** tener demasiado calor • **avoir trop faim** tener demasiada hambre **3.** *(avec complément)* • **trop de** demasiado(da) • **trop d'argent** demasiado dinero • **trop de tristesse** demasiada tristeza **4.** *(dans une négation)* • **pas trop** no mucho, no demasiado • **sans trop savoir pourquoi** sin saber muy bien por qué. ■ **de trop, en trop** *loc adv* de más • **être de trop** estar de más. ■ **par trop** *loc adv sout* en demasía, demasiado.

trophée *nm* trofeo *(m)*.

tropical, e *adj* tropical.

tropique *nm* trópico *(m)*. ■ **tropiques** *nmpl* trópicos *(mpl)*.

trop-plein *nm* **1.** *(de récipient)* sobrante *(m)* **2.** *(de barrage)* rebosadero *(m)* **3.** *(d'énergie)* exceso *(m)*.

troquer *vt* • **troquer qqch contre qqch** trocar algo por algo.

trot *nm* trote *(m)*.

trotter *vi* trotar.

trottiner *vi* trotar.

trottoir *nm* acera *(f)* (Esp), vereda *(f)* (Amér).

trou *nm* **1.** (gén) agujero *(m)* **2.** (dans le sol) hoyo *(m)* • **trou d'air** bolsa *(f)* de aire • **trou de mémoire** laguna *(f)* • **boire comme un trou** beber como una esponja **3.** (temps libre) hueco *(m)* **4.** fam (prison) trullo *(m)*.

troublant, e *adj* **1.** (ressemblance, coïncidence) inquietante **2.** (sourire, femme) turbador(ra), perturbador(ra).

trouble *adj* turbio(bia). ◼ *nm* **1.** (désordre) confusión *(f)* **2.** (émotion) turbación *(m)*, confusión *(f)* **3.** (dérèglement) trastorno *(m)*. ◼ **troubles** *nmpl* disturbios *(mpl)*.

trouble-fête *nmf* aguafiestas *(mf inv)*.

troubler *vt* **1.** (gén) turbar, perturbar **2.** (eau) enturbiar **3.** (vue) nublar. ◼ **se troubler** *vp* **1.** (eau) enturbiarse **2.** (personne) turbarse.

trouée *nf* **1.** (ouverture) boquete *(m)* **2.** MIL & GÉOGR brecha *(f)*.

trouer *vt* (percer) agujerear.

troupe *nf* **1.** MIL tropa *(f)* **2.** (d'amis) pandilla *(f)* **3.** THÉÂTRE compañía *(f)*, troupe *(f)*

troupeau *nm* **1.** (d'animaux domestiques) rebaño *(m)*, manada *(f)* **2.** (de porcs) piara *(f)* **3.** (d'animaux sauvages) manada *(f)* **4.** péj (groupe de personnes) manada *(f)* (Esp), tiritpuchal *(m)* (Amér).

trousse *nf* estuche *(m)* • **trousse de secours** botiquín *(m)* de primeros auxilios • **trousse de toilette** bolsa *(f)* de aseo.

trousseau *nm* **1.** (de mariée) ajuar *(m)* **2.** (de clefs) manojo *(m)*.

trouvaille *nf* hallazgo *(m)*.

trouvé, e *adj* • **bien trouvé** acertado • **tout trouvé** fácil.

trouver *vt* encontrar • **trouver bon/mauvais que** encontrar mal/bien que • **il trouve toujours quelque chose à dire** siempre encuentra algo que decir • **trouver qqch à qqn** encontrarle algo a alguien • **trouver que** creer que. ◼ **se trouver** ◼ *vp* encontrarse. ◼ *v impers* • **il se trouve que** resulta que.

truand *nm* **1.** mafioso *(m)* **2.** fam timador *(m)*.

truc *nm* fam **1.** (combine) truco *(m)* **2.** (chose) chisme *(m)* (Esp), coso *(m)* (Amér) • **le théâtre c'est mon truc** lo mío es el teatro.

trucage = **truquage**.

truculent, e *adj* truculento(ta).

truelle *nf* llana *(f)*.

truffe *nf* **1.** (champignon) trufa *(f)* **2.** (museau) morro *(m)*.

truffer *vt* trufar • **truffé de** repleto de.

truie *nf* cerda *(f)*, marrana *(f)*.

truite *nf* trucha *(f)*.

truquage, trucage *nm* **1.** (de dés & CINÉ) trucaje *(m)* **2.** (d'élections) amaño *(m)*.

truquer *vt* **1.** (dés & CINÉ) trucar **2.** (élections) amañar.

trust *nm* trust *(m)*.

ts *abrév de* **tous**.

tsar, tzar *nm* zar *(m)*.

tsé-tsé *nf inv* ▷ **mouche**.

tsigane = **tzigane**.

tu *pron pers* tú • **dire tu à qqn** tratar de tú a alguien, tutear a alguien.

tuba *nm* **1.** MUS tuba *(f)* **2.** (de plongée) tubo *(m)*.

tube *nm* **1.** (gén) tubo *(m)* • **tube à essai** tubo de ensayo • **tube cathodique** tubo catódico **2.** fam (chanson) éxito *(m)*. ◼ **tube digestif** *nm* tubo digestivo.

tubercule *nm* tubérculo *(m)*.

tuberculose *nf* tuberculosis *(f inv)*.

tue-mouches *adj inv* matamoscas.

tuer *vt* matar.

tuerie *nf* matanza *(f)*.

tue-tête ◼ **à tue-tête** *loc adv* **1.** (chanter) a voz en grito **2.** (crier) hasta desgañitarse.

tueur, euse *nm, f* **1.** (meurtrier) asesino *(m)*, -na *(f)* • **tueur en série** asesino en serie **2.** (dans un abattoir) matarife *(m)*.

tuile *nf* **1.** (sur un toit) teja *(f)* **2.** fam (désagrément) marrón *(m)*.

tulipe *nf* **1.** BOT tulipán *(m)* **2.** (abat-jour) tulipa *(f)*.

tulle *nm* tul *(m)*.

tuméfié, e *adj* tumefacto(ta).

tumeur *nf* tumor *(m)*.

tumulte *nm* tumulto *(m)*.

tunique *nf* túnica *(f)*

Tunisie *nf* • **la Tunisie** Túnez.

tunnel *nm* túnel *(m)*

turban *nm* turbante *(m)*.

turbine *nf* turbina *(f)*.

turbo *nm* turbo *(m)*.

turbulence *nf* turbulencia *(f)*.

turbulent, e *adj* **1.** turbulento(ta) **2.** (enfant) revoltoso(sa).

Turkménistan *npr* • **le Turkménistan** Turkmenistán.

turnover *nm* rotación *(f)* de la mano de obra.

Turquie *nf* • **la Turquie** Turquía.

turquoise ◼ *nf* (pierre) turquesa *(f)*. ◼ *adj inv* (couleur) turquesa (en apposition).

tutelle *nf* tutela *(f)*.

tuteur, trice *nm, f* tutor *(m)*, -ra *(f)*. ◼ **tuteur** *nm* tutor *(m)*, rodrigón *(m)*.

tutoyer *vt* tutear. ◼ **se tutoyer** *vp* tutearse.

tuyau nm **1.** (conduit - gén) tubo (m) • (- de plume, de cheminée, d'orgue) cañón (m) • **tuyau d'arrosage** manga (f) ou manguera (f) de riego • **tuyau d'échappement** tubo de escape **2.** fam (renseignement) soplo (m).

tuyauterie nf tubería (f), cañería (f).

TV (abr de **télévision**) nf TV (f) • **un programme TV** un programa de televisión • **la redevance TV** pour expliquer ce que c'est, vous pouvez dire : es el impuesto que se paga anualmente por tener un televisor y que sirve para financiar la televisión pública.

TVA (abr de **taxe sur la valeur ajoutée**) nf IVA (m) • **le taux de TVA** la tasa del IVA.

tweed nm tweed (m).

tympan nm ANAT & ARCHIT tímpano (m).

type nm tipo (m) • **un chic/sale type** un tipo estupendo/asqueroso.

typhoïde nf tifoidea (f).

typhon nm tifón (m).

typhus nm tifus (m inv).

typique adj típico(ca).

typographie nf tipografía (f).

tyran nm tirano (m), -na (f).

tyrannie nf tiranía (f).

tyrannique adj tiránico(ca).

tyranniser vt tiranizar.

tzar = **tsar**.

tzigane, tsigane adj cíngaro(ra), zíngaro(ra). ■ **Tzigane, Tsigane** nmf cíngaro (m), -ra (f).

u, U nm inv (lettre) u (f), U (f).

UDF (abr de **Union pour la démocratie française**) nf pour expliquer à un hispanophone ce que c'est, vous pouvez dire : es un partido político francés de centroderecha.

UE (abr de **Union européenne**) nf UE (f) • **les pays membres de l'UE** los países miembros de la UE.

UER nf (abr de **Union européenne de radiodiffusion**) UER (f).

Ukraine npr • **l'Ukraine** Ucrania.

ulcère nm úlcera (f).

ulcérer vt **1.** MÉD ulcerar **2.** (indigner) afectar, indignar.

ULM (abr de **ultraléger motorisé**) nm ultraligero (m) • **voler en ULM** volar en ultraligero.

ultérieur, e adj ulterior.

ultérieurement adv posteriormente.

ultimatum nm ultimátum (m).

ultime adj último(ma).

ultramoderne adj ultramoderno(na).

ultrasensible adj ultrasensible.

ultrason nm ultrasonido (m).

ululement nm ululación (f).

UMP (abr de **Union pour un mouvement populaire**) nf pour expliquer à un hispanophone ce que c'est, vous pouvez dire : es un partido político francés de derecha.

un, une ■ art indéf un, una. ■ pron indéf • **l'un l'autre** el uno al otro • **l'un... l'autre** (el) uno... (el) otro • **l'un et/ou l'autre** uno y/u otro. ■ adj num un, una. ■ **un** nm inv uno (m). • voir aussi **six**

unanime adj unánime.

unanimité nf unanimidad (f) • **à l'unanimité** por unanimidad.

UNESCO, Unesco (abr de **United Nations Educational, Scientific and Cultural Organization**) nf UNESCO (f) • **site classé au patrimoine mondial de l'UNESCO** sitio declarado patrimonio mundial de la UNESCO.

uni, e adj **1.** (personnes, famille, couple) unido(da) **2.** (surface, mer, route) llano(na) **3.** (de couleur) liso(sa).

UNICEF, Unicef (abr de **United Nations International Children's Emergency Fund**) nf UNICEF (f).

unifier vt unificar.

uniforme adj & nm uniforme.

uniformiser vt uniformar.

unijambiste adj & nmf cojo(ja).

unilatéral, e adj unilateral.

union nf unión (f) • **l'union fait la force** la unión hace la fuerza • **union conjugale/libre** unión conyugal/libre. ■ **Union européenne** nf Unión (f) Europea. ■ **Union soviétique** nf Unión (f) Soviética.

unique adj único(ca).

uniquement adv **1.** (exclusivement) únicamente **2.** (seulement) sólo.

unir vt unir • **unir qqch à qqch** unir algo a algo. ■ **s'unir** vp unirse.

unitaire adj unitario(ria).

unité nf unidad (f). ■ **unité centrale** nf INFORM unidad (f) central.

univers nm **1.** (gén) universo (m) **2.** fig (milieu) mundo (m), universo (m).

universel, elle adj universal.

universitaire ■ adj universitario(ria). ■ nmf profesor (m), -ra (f) de universidad.

université *nf* universidad *(f).*

untel, unetelle, Untel, Unetelle *nm, f* fulano *(m)*, -na *(f).*

uranium *nm* uranio *(m).*

urbain, e *adj* **1.** *(de la ville)* urbano(na) **2.** *sout (poli)* cortés.

urbaniser *vt* urbanizar.

urbanisme *nm* urbanismo *(m).*

urbaniste *nmf* urbanista *(mf).*

urgence *nf* urgencia *(f)* • **les urgences** *(d'un hôpital)* urgencias. ■ **d'urgence** *loc adv* urgentemente.

urgent, e *adj* urgente.

urgentiste *nmf* MÉD médico(ca) de urgencias.

urine *nf* orina *(f).*

uriner *vi* orinar.

urinoir *nm* urinario *(m).*

urne *nf* urna *(f).*

URSSAF, Urssaf *(abr de* **Union de recouvrement des cotisations de sécurité et d'allocations familiales)** *nf pour expliquer ce que c'est, vous pouvez dire :* es un organismo encargado de recaudar las cotizaciones de la Seguridad Social y de los subsidios familiares.

urticaire *nf* urticaria *(f).*

Uruguay *npr* • **l'Uruguay** Uruguay.

USA *(abr de* **United States of America)** *nmpl* • **les USA** EE.UU. *(mpl)*

usage *nm* uso *(m)* • **'à usage externe'** 'uso tópico' • **'à usage interne'** 'vía oral, rectal o parenteral' • **faire de l'usage** durar mucho • **hors d'usage** inservible • **il est d'usage de...** es costumbre...

usagé, e *adj* usado(da).

usager *nm* usuario *(m)*, -ria *(f).*

usé, e *adj* **1.** *(vêtement)* gastado(da) **2.** *(eaux)* residual **3.** *(personne)* estropeado(da) **4.** *(plaisanterie)* manido(da).

user *vt* **1.** *(vêtement, santé, force)* gastar **2.** *(personne)* estropear. ■ **s'user** *vp* **1.** *(chaussures, vêtement)* gastarse, desgastarse **2.** *(personne)* agotarse **3.** *(sentiment)* debilitarse.

usine *nf* fábrica *(f).*

usiner *vt* **1.** *(façonner)* mecanizar **2.** *(fabriquer)* fabricar.

usité, e *adj* usado(da) • **très/peu usité** muy/poco usado.

USP *(abr de* **unité de soins palliatifs)** *nf* MÉD UCP *(f).*

ustensile *nm* utensilio *(m).*

usufruit *nm* usufructo *(m).*

usure *nf* **1.** *(détérioration, affaiblissement)* desgaste *(m)* **2.** *(intérêt de prêt)* usura *(f).*

usurier, ère *nm, f* usurero *(m)*, -ra *(f).*

usurpateur, trice *adj & nm, f* usurpador(ra).

usurper *vt* usurpar.

ut *nm inv* ut *(m).*

utérus *nm* útero *(m).*

utile *adj* útil • **être utile à qqch/à qqn** ser útil para algo/a alguien.

utilisateur, trice *nm, f* usuario *(m)*, -ria *(f).*

utiliser *vt* **1.** *(employer)* utilizar **2.** *(tirer parti de)* aprovechar.

utilitaire ■ *adj* utilitario(ria). ■ *nm* INFORM programa *(m)* de utilidad.

utilité *nf* **1.** *(usage)* utilidad *(f)* **2.** *(intérêt)* interés *(m)* • **d'utilité publique** de interés público, de utilidad pública.

utopie *nf* utopía *(f).*

utopiste *nmf* utópico *(m)*, -ca *(f)*, utopista *(mf).*

UV ■ *nf* *(abr de* **unité de valeur)** ≃ asignatura *(f)* • **valider/obtenir une UV** ≃ validar/obtener una asignatura. ■ *nm* *(abr de* **ultraviolet)** rayo *(m)* UVA • **faire des UV** tomar rayos UVA.

v, V *nm inv* (lettre) v *(f)*, V *(f)* • **col en V** cuello de pico.

v.[1] **1.** LITTÉR *(abr écrite de* **vers)** v **2.** *(abr écrite de* **verset)** v.

v.[2]**, V.** *(abr écrite de* **voir)** V, v.

va *interj* ¡venga! *(Esp)*, ¡ándele! *(Amér)* • **va pour cette fois** por esta vez pase.

vacance *nf* **1.** *(de poste)* vacante *(f)* **2.** *(du pouvoir)* vacío *(m)*. ■ **vacances** *nfpl* vacaciones *(fpl)* • **être en vacances** estar de vacaciones • **les grandes vacances** las vacaciones de verano.

vacancier, ère ■ *adj* vacacional, de vacaciones. ■ *nm, f* **1.** persona *(f)* de vacaciones **2.** *(d'été)* veraneante *(nf).*

vacant, e *adj* **1.** *(poste, emploi)* vacante **2.** *(logement)* desocupado(da), vacío(a).

vacarme *nm* jaleo *(m)*, estrépito *(m)* *(Esp)*, despidole *(m)* *(Amér).*

vacataire *adj & nmf* substituto(ta).

vacation *nf* **1.** *(période)* diligencia *(f)* **2.** *(rémunération)* dietas *(fpl).*

vaccin *nm* vacuna *(f)* • **vaccin antirabique** vacuna antirrábica.

vaccination *nf* vacunación *(f).*

vacciner *vt* vacunar.

vache ◼ *nf* **1.** zool vaca *(f)* ▪ **manger de la vache enragée** *fig* pasar las de Caín ▪ **vaches grasses/maigres** *fig* vacas gordas/flacas **2.** *fam (personne méchante)* hueso *(m)*. ◼ *adj fam* **1.** *(sévère)* ▪ **être vache** ser un hueso **2.** *(pénible)* duro(ra). ◼ **vache à eau** *nf* bolsa *(f)* de agua.

vachement *adv fam* tope ▪ **c'est vachement bien** es tope guay ▪ **il y a vachement de monde** hay mogollón de gente.

vaciller *vi* vacilar.

vadrouiller *vi fam* vagar.

va-et-vient *nm inv* **1.** *(gén)* vaivén *(m)* **2.** *(charnière)* muelle *(m)*.

vagabond, e ◼ *adj* **1.** *(chien, personne)* vagabundo(da) **2.** *(vie)* errante **3.** *(humeur, imagination)* errabundo(da). ◼ *nm, f* vagabundo *(m)*, -da *(f)*.

vagabondage *nm* vagabundeo *(m)*.

vagin *nm* vagina *(f)*.

vagissement *nm* **1.** *(de nouveau-né)* vagido *(m)* **2.** *(d'animal)* chillido *(m)*.

vague[1] *adj* **1.** *(idée, promesse)* vago(ga) **2.** *(vêtement)* amplio(plia) **3.** *(avant le nom) (cousin)* lejano(na).

vague[2] *nf* ola *(f)* ▪ **vague déferlante** ola rompiente.

vaguement *adv* vagamente.

vaillant, e *adj* **1.** *(vigoureux)* fuerte **2.** *sout (courageux)* valeroso(sa), valiente.

vain, e *adj* vano(na) ▪ **en vain** en vano.

vaincre *vt* vencer.

vaincu, e ◼ *adj* vencido(da). ◼ *nm, f* vencido *(m)*, -da *(f)*.

vainement *adv* vanamente.

vainqueur ◼ *nm* vencedor *(m)*, -ra *(f)*. ◼ *adj m (air)* triunfante.

vaisseau *nm* **1.** naut & archit nave *(f)* ▪ **vaisseau spatial** nave espacial ▪ **brûler ses vaisseaux** *fig & sout* quemar sus naves **2.** anat vaso *(m)*.

vaisselle *nf* vajilla *(f)* ▪ **faire la vaisselle** fregar los platos.

val *nm* valle *(m)*.

valable *adj* **1.** *(carte, excuse, raison)* válido(da) **2.** *(œuvre)* de valor.

valet *nm* **1.** *(serviteur)* sirviente *(m)* ▪ **valet d'écurie** mozo *(m)* de cuadra ▪ **valet de ferme** gañán *(m)* **2.** *fig & péj (homme servile)* lacayo *(m)* **3.** *(aux cartes)* ≃ sota *(f)*.

valeur *nf* valor *(m)* ▪ **de (grande) valeur** de (gran) valor, (muy) valioso(sa) ▪ **mettre en valeur** poner de relieve.

valide *adj* **1.** válido(da) **2.** *(personne)* sano(na).

valider *vt* validar.

validité *nf* validez *(f)*.

valise *nf* maleta *(f)* *(Esp)*, petaca *(f)* *(Amér)*.

vallée *nf* valle *(m)*.

vallon *nm* pequeño valle *(m)*.

vallonné, e *adj* ondulado(da).

valoir ◼ *vi* **1.** *(gén)* valer ▪ **à valoir sur** comm a cuenta de ▪ **faire valoir** *(faire ressortir)* hacer resaltar ▪ *(faire produire)* beneficiar ▪ *(faire état de)* hacer valer ▪ **ne rien valoir** no valer nada **2.** *(équivaloir à)* equivaler a. ◼ *v impers* ▪ **il vaut mieux que** *(+ subjonctif)* más vale que *(+ subjonctif)*. ◼ **se valoir** *vp* ser tal para cual.

valse *nf* **1.** *(danse & mus)* vals *(m)* **2.** *fam (de personnel)* baile *(m)*.

valser *vi* **1.** *(danser)* valsear **2.** *fam (être projeté)* ir a parar.

valve *nf* **1.** *(gén)* válvula *(f)* **2.** *(de mollusque)* valva *(f)*.

vampire *nm* vampiro *(m)*.

vandalisme *nm* vandalismo *(m)*.

vanille *nf* vainilla *(f)*.

vanité *nf* vanidad *(f)*.

vaniteux, euse *adj* & *nm, f* vanidoso(sa).

vanne *nf* **1.** *(d'écluse)* compuerta *(f)* **2.** *fam (remarque)* pulla *(f)*.

vannerie *nf* cestería *(f)*.

vantard, e *adj* & *nm, f* jactancioso(sa).

vanter *vt* alabar. ◼ **se vanter** *vp* jactarse *(Esp)*, compadrear *(Amér)* ▪ **se vanter de qqch/de faire qqch** jactarse de algo/de hacer algo.

va-nu-pieds *nmf* descamisado *(m)*, -da *(f)*.

vapeur ◼ *nf* vapor *(m)* ▪ **à la vapeur** culin al vapor ▪ **à toute vapeur** *fig* a toda máquina. ◼ *nm (bateau)* vapor *(m)*.

vaporisateur *nm* vaporizador *(m)*.

vaporiser *vt* vaporizar.

vaquer *vi* ▪ **vaquer à qqch** ocuparse de algo.

variable *adj* & *nf* variable.

variante *nf* variante *(f)*.

variateur *nm* variador *(m)*.

variation *nf* variación *(f)*.

varice *nf* variz *(f)*.

varicelle *nf* varicela *(f)*.

varié, e *adj* variado(da).

varier *vt* & *vi* variar.

variété *nf* variedad *(f)*. ◼ **variétés** *nfpl* variedades *(fpl)*.

variole *nf* viruela *(f)*, viruelas *(fpl)*.

Varsovie *npr* Varsovia.

vase ◼ *nm* florero *(m)*, jarrón *(m)*. ◼ *nf* cieno *(m)*.

vaseline *nf* vaselina *(f)*.

vaste *adj* vasto(ta), amplio(plia).

Vatican *npr* ▪ **le Vatican** el Vaticano.

vautour *nm* buitre *(m)*.

vds *(abr écrite de* **vends***)* se vende(n) ▪ **vds TV TBE** se vende TV en buen estado.

veau nm **1.** (animal) ternero (m), becerro (m) • **tuer le veau gras** fig tirar la casa por la ventana **2.** (viande) ternera (f) **3.** (peau) becerro (m) **4.** fam péj (personne) zángano (m) **5.** fam péj (voiture) cacharro (m).

vecteur nm vector (m).

vécu, e adj vivido(da).

vedette nf **1.** NAUT lancha (f) motora **2.** (star) estrella (f), vedette (f) **3.** (personnalité) figura (f).

végétal, e adj vegetal.

végétarien, enne adj & nm, f vegetariano(na).

végétation nf vegetación (f). ■ **végétations** nfpl MÉD vegetaciones (fpl).

végéter vi péj & fig vegetar.

véhémence nf vehemencia (f).

véhément, e adj vehemente.

véhicule nm vehículo (m).

veille nf **1.** (jour précédent) día (m) anterior, víspera (f) **2.** (éveil, privation de sommeil) vigilia (f), velo (f) **3.** MIL (garde de nuit) imaginaria (f).

veillée nf **1.** (soirée) velada (f) **2.** (d'un mort) velatorio (m).

veiller vi **1.** (rester éveillé) velar **2.** (être de garde) estar de guardia **3.** (rester vigilant) • **veiller à qqch** cuidar de algo • **veiller à faire qqch** asegurarse de hacer algo • **veiller sur qqch/sur qqn** cuidar de algo/de alguien.

veilleur nm vigilante (m) nocturno (Esp), nochero (m) (Amér).

veilleuse nf **1.** (lampe) lamparilla (f), mariposa (f) **2.** (d'allumage) piloto (m). ■ **veilleuses** nfpl AUTO luces (fpl) de posición.

veinard, e ∎ nm, f fam • **quel veinard !** ¡qué potra! ∎ adj • **il est vraiment veinard !** ¡tiene una potra increíble!

veine nf **1.** (inspiration & ANAT) vena (f) **2.** (marque - du bois) vena (f) • (- de la pierre) vena (f), veta (f) **3.** fam (chance) potra (f).

veineux, euse adj **1.** ANAT venoso(sa) **2.** (bois) veteado(da).

véliplanchiste nmf windsurfista (mf).

velléité nf veleidad (f).

vélo nm fam bici (f).

vélocité nf velocidad (f).

vélodrome nm velódromo (m).

vélomoteur nm velomotor (m).

velours nm terciopelo (m) • **velours côtelé** pana (f).

velouté, e adj **1.** (papier, peau, lumière) aterciopelado(da) **2.** (vin) suave **3.** (crème) untuoso(sa). ■ **velouté** nm **1.** (douceur) terciopelo (m) **2.** (potage) crema (f).

velu, e adj velludo(da).

vénal, e adj venal.

vendange nf vendimia (f).

vendanger vt & vi vendimiar.

vendeur, euse nm, f **1.** (gén) vendedor (m), -ra (f) **2.** (employé de magasin) dependiente (m), -ta (f).

vendre vt vender.

vendredi nm viernes (m inv). • voir aussi **samedi**

vendu, e adj & nm, f vendido(da).

vénéneux, euse adj venenoso(sa).

vénérable adj venerable.

vénération nf veneración (f).

vénérer vt venerar.

vénérien, enne adj venéreo(a).

Venezuela npr • **le Venezuela** Venezuela.

vengeance nf venganza (f) • **crier vengeance** clamar venganza.

venger vt vengar. ■ **se venger** vp vengarse • **se venger de qqch/de qqn** vengarse de algo/de alguien.

vengeur, eresse adj & nm, f vengador(ra).

venimeux, euse adj venenoso(sa).

venin nm veneno (m).

venir vi

1. SE DÉPLACER = venir • **Marie est venue me voir** Marie vino a verme • **quand viens-tu me voir à Marseille ?** ¿cuándo vienes a verme a Marsella?

2. SURVENIR = llegar • **les problèmes viennent toujours quand on s'y attend le moins** los problemas llegan cuando menos uno se lo espera

3. AVOIR POUR CAUSE • **ton erreur vient d'un manque d'attention** tu error se debe a una falta de atención

4. ARRIVER = llegar • **alors, cette paella, ça vient ?** bueno, ¿llega o qué, esta paella? • **ça ne me serait jamais venu à l'esprit** ou **à l'idée** nunca se me hubiera ocurrido

5. POUSSER = crecer, desarrollarse, darse • **un sol où les arbres fruitiers viennent bien** un suelo en que los frutales se dan bien

6. INDIQUE L'ORIGINE = venir, provenir • **elle vient de Cordoue** viene de Córdoba • **c'est un mot qui vient du latin** es una palabra que viene del latín • **cette montre lui vient de son grand-père** este reloj le viene de su abuelo

7. INDIQUE UNE ÉVENTUALITÉ • **si elle venait à mourir...** si muriera...

■ **à venir** loc adj

• **il y aura de grands changements dans les années à venir** habrá grandes cambios en los años venideros.

■ **en venir à** *vp* + *prép*

• **où veux-tu en venir ?** ¿adónde quieres ir a parar?
• **j'en viens à souhaiter qu'il meure** a veces deseo incluso que se muera
• **venons-en aux faits** pasemos a los hechos
• **ils en sont venus aux mains** llegaron a las manos.

■ **venir de** *vp* + *prép*

EXPRIME LE PASSÉ PROCHE = acabar de
• **elle vient d'arriver** acaba de llegar.

Venise *npr* Venecia.

vent *nm* **1.** *(air)* viento *(m)* • **bon vent !** ¡buen viaje! • **quel bon vent vous amène ?** ¿qué le trae por aquí? **2.** *(gaz intestinal)* ventosidad *(f)*, gas *(m)*.

vente *nf* venta *(f)* • **en vente libre** *(médicament)* sin receta médica • **vente en ligne** venta en línea • **vente par téléphone** venta por teléfono.

venteux, euse *adj* ventoso(sa).

ventilateur *nm* ventilador *(m)*.

ventilation *nf* **1.** *(de pièce)* ventilación *(f)* **2.** FIN desglose *(m)*.

ventouse *nf* ventosa *(f)*.

ventre *nm* **1.** *(abdomen)* barriga *(f)*, estómago *(m)* **2.** ANAT vientre *(m)* • **à plat ventre** boca abajo • **avoir/prendre du ventre** tener/echar barriga • **avoir mal au ventre** tener dolor de estómago **3.** *(de bouteille, de cruche)* panza *(f)*.

ventriloque *adj* & *nmf* ventrílocuo(cua).

venue *nf* *(arrivée)* llegada *(f)*.

Vénus *npr* ASTRON & MYTHOL Venus.

vépéciste *nm* empresa *(f)* de venta por correspondencia.

vêpres *nfpl* vísperas *(fpl)*.

ver *nm* gusano *(m)* • **ver solitaire** solitaria *(f)* • **vers intestinaux** lombrices *(fpl)* intestinales.

véracité *nf* veracidad *(f)*.

véranda *nf* marquesina *(f)*.

verbal, e *adj* verbal.

verbaliser ■ *vt* verbalizar. ■ *vi* multar.

verbe *nm* verbo *(m)*.

verdâtre *adj* verdoso(sa).

verdeur *nf* **1.** *(de fruit, de bois)* verdor *(m)* **2.** *(vigueur)* vigor *(m)* **3.** *(crudité)* • **la verdeur** la rudeza **4.** *(du vin)* verdor *(m)*.

verdict *nm* **1.** DR sentencia *(f)* **2.** *fig (jugement)* veredicto *(m)*.

verdir ■ *vt* pintar de verde. ■ *vi* verdear.

verdoyant, e *adj* que verdece.

verdure *nf* **1.** *(végétation, couleur)* verdor *(m)* **2.** *(plantes potagères)* verdura *(f)*.

véreux, euse *adj* **1.** *(fruit)* agusanado(da) **2.** *fig (affaire)* sospechoso(sa) **3.** *fig (personne)* podrido(da).

verge *nf* **1.** ANAT verga *(f)* **2.** *sout (baguette)* fusta *(f)*.

verger *nm* vergel *(m)*.

vergetures *nfpl* estrías *(fpl)*.

verglas *nm* hielo *(m)* *(en la calzada)*.

véridique *adj* **1.** *(témoignage, récit)* verídico(ca) **2.** *sout (personne)* veraz.

vérification *nf* comprobación *(f)*, verificación *(f)*.

vérifier *vt* comprobar, verificar.

véritable *adj* **1.** *(gén)* verdadero(ra) **2.** *(or, perle)* auténtico(ca).

véritablement *adv* verdaderamente.

vérité *nf* **1.** *(gén)* verdad *(f)* **2.** *(ressemblance - d'une reproduction)* parecido *(m)* • *(- d'un personnage)* credibilidad *(f)*. ■ **en vérité** *loc adv* en realidad.

vermeil, eille *adj* bermejo(ja). ■ **vermeil** *nm* corladura *(f)*.

vermicelle *nm* fideo *(m)* • **soupe au vermicelle** sopa de fideos.

vermine *nf* **1.** *(parasites)* miseria *(f)* **2.** *fig (canaille)* chusma *(f)*.

vermoulu, e *adj* carcomido(da).

verni, e *adj (chaussures)* de charol • **être verni** *fam* tener chiripa.

vernir *vt* barnizar.

vernis *nm* **1.** *(gén)* barniz *(m)* **2.** *(pour cuir)* charol *(m)* • **vernis à ongles** esmalte *(m)* de uñas.

vernissage *nm* **1.** *(action de vernir)* barnizado *(m)* **2.** *(d'exposition)* vernissage *(m)*.

vérole *nf* sífilis *(f inv)*.

verre *nm* **1.** *(matière)* vidrio *(m)* **2.** *(récipient, dose)* vaso *(m)*, copa *(f)* **3.** *(de vue)* cristal *(m)* • **verres de contact** lentes *(fpl)* de contacto • **verres progressifs** lentes *(fpl)* progresivas **4.** *(boisson alcoolisée)* copa *(f)* • **boire** OU **prendre un verre** tomar una copa.

verrière *nf* **1.** *(baie vitrée & ARCHIT)* vidriera *(f)* **2.** AÉRON cristalera *(f)*.

verrou *nm* cerrojo *(m)* • **être sous les verrous** estar en la cárcel • **mettre qqn sous les verrous** encerrar a alguien *(en la cárcel)*.

verrouillage *nm* cierre *(m)* *(automático)*.

verrouiller *vt* **1.** *(porte)* cerrar con cerrojo **2.** *(prisonnier)* encerrar.

verrue *nf* verruga *(f)*.

vers¹ *nm* verso *(m)*.

vers² *prép* **1.** *(en direction de)* a, hacia **2.** *(aux environs de - temporel)* hacia, sobre • *(- spatial)* hacia.

Versailles *npr* Versalles • **le château de Versailles** el palacio de Versalles.

versant nm vertiente (f).

versatile adj versátil.

verse ■ **à verse** loc adv • **pleuvoir à verse** llover a cántaros.

Verseau nm ASTROL Acuario (m).

versement nm 1. pago (m) 2. (sur un compte) abono (m), ingreso (m) • **versements échelonnés** pago a plazos ou fraccionado.

verser ◼ vt 1. (eau, sang, larmes) derramar 2. (vin) echar 3. (payer) pagar • **verser de l'argent sur son compte** ingresar dinero en su cuenta. ◼ vi (se renverser) volcar (Esp), voltearse (Amér).

verset nm versículo (m).

verseur adj m vertedor.

version nf 1. (traduction) traducción (f) directa 2. (interprétation, variante) versión (f) • **version française/originale** versión francesa/original.

verso nm dorso (m).

vert, e adj 1. (gén) verde 2. (vin) agraz, verde 3. (vieillard) lozano(na) 4. (avant le nom) (réprimande) severo(ra).

vertébral, e adj vertebral.

vertèbre nf vértebra (f).

vertébré, e adj vertebrado(da).

vertement adv severamente.

vertical, e adj vertical. ◼ **verticale** nf vertical (f) • **à la verticale** en vertical.

vertige nm vértigo (m) • **avoir des vertiges** tener mareos • **donner le vertige** dar vértigo.

vertigineux, euse adj vertiginoso(sa).

vertu nf virtud (f).

vertueux, euse adj virtuoso(sa).

verve nf elocuencia (f).

vésicule nf vesícula (f) • **vésicule biliaire** vesícula biliar.

vessie nf vejiga (f).

veste nf chaqueta (f) (Esp), saco (m) (Amér) • **veste croisée/droite** chaqueta cruzada/recta.

vestiaire nm 1. (gén) guardarropa (m) 2. (gén pl) (de sportifs) vestuario (m).

vestibule nm vestíbulo (m).

vestige nm (gén pl) vestigio (m).

vestimentaire adj indumentario(ria).

veston nm chaqueta (f) (de hombre) (Esp), saco (m) (Amér).

Vésuve npr Vesubio (m).

vêtement nm prenda (f), vestido (m) • **les vêtements** la ropa.

vétéran nm veterano (m).

vétérinaire adj & nmf veterinario(ria).

vététiste nmf practicante (mf) de ciclismo de montaña.

vêtir vt vestir. ◼ **se vêtir** vp vestirse.

LES VÊTEMENTS

- le blouson en cuir / la cazadora de cuero
- le bonnet / el gorro
- le bonnet de bain / el gorro de baño
- la botte / la bota
- le caleçon de bain / el bañador
- la chaussette / el calcetín
- la chaussure / el zapato
- la chaussure de sport / la zapatilla de deporte
- la chemise / la camisa
- la chemise de nuit / el camisón
- le chemisier / la blusa
- le collant / las medias
- la culotte / las bragas
- l'écharpe / la bufanda
- le gant / el guante
- le gilet / la chaqueta
- l'imperméable / el impermeable
- le jean / los vaqueros
- la jupe / la falda
- les lunettes de soleil / las gafas de sol
- le maillot de bain / el bañador
- le manteau / el abrigo
- la mini-jupe / la minifalda
- le pantalon / el pantalón
- la pantoufle / la zapatilla
- le peignoir de bain / el albornoz de baño
- le pull / el jersey
- le pyjama / el pijama
- la robe / el vestido
- la sandale / la sandalia
- le short / el pantalón corto
- le slip / los calzoncillos
- le slip de bain / el bañador
- la socquette / el calcetín corto
- le soutien-gorge / el sujetador
- le survêtement / el chándal
- le tee-shirt / la camiseta
- la tennis / la zapatilla de deporte
- la veste / la chaqueta

---

veto nm veto (m) • **mettre son veto à qqch** vetar algo.

vêtu, e adj vestido(da) • **chaudement vêtu** bien abrigado.

vétuste adj vetusto(ta).

veuf, veuve adj & nm, f viudo(da).

veuvage nm viudez (f) • **pension de veuvage** pensión de viudedad.

vexation nf vejación (f).

vexer vt ofender. ◼ **se vexer** vp ofenderse, molestarse.

VF (abr de version française) nf versión (f) francesa • **regarder un film en VF** mirar una película en versión francesa.

via *prép* vía.

viabiliser *vt* **1.** *(entreprise)* hacer viable **2.** *(terrain)* acondicionar.

viable *adj* viable.

viaduc *nm* viaducto *(m)*.

viager, ère *adj* vitalicio(cia). ■ **viager** *nm* vitalicio *(m)* • **vendre qqch en viager** = constituir un censo vitalicio.

Viagra® *nm* Viagra® *(m ou f)*.

viande *nf* carne *(f)*.

vibration *nf* vibración *(f)*.

vibrer *vi* vibrar.

vibreur *nm* TÉLÉCOM vibrador *(m)*.

vice *nm* vicio *(m)*.

vice-président, e *nm, f* vicepresidente *(m)*, -ta *(f)*.

vice versa *loc adv* viceversa.

vicié, e *adj* viciado(da).

vicieux, euse *adj* **1.** *(personne, conduite, regard)* vicioso(sa) **2.** *(animal)* resabiado(da) **3.** *(attaque)* traicionero(ra).

victime *nf* víctima *(f)* • **être victime de** ser víctima de.

victoire *nf* victoria *(f)*.

victorieux, euse *adj* **1.** *(gén)* victorioso(sa) **2.** *(mine, air)* triunfante.

victuailles *nfpl* vituallas *(fpl)*.

vidange *nf* **1.** TECHNOL vaciado *(m)* **2.** AUTO cambio *(m)* de aceite **3.** *(mécanisme)* desagüe *(m)*.

vidanger *vt* vaciar.

vide ■ *adj* vacío(a). ■ *nm* vacío *(m)* • **vide juridique** vacío jurídico • **sous vide** al vacío.

vidé, e *adj* reventado(da).

vidéo ■ *nf* vídeo *(m)*. ■ *adj inv* de vídeo.

vidéocassette *nf* cinta *(f)* de vídeo, videocasete *(m)*.

vidéoclub *nm* videoclub *(m)*.

vidéoconférence = **visioconférence**.

vidéodisque *nm* videodisco *(m)*.

vidéoprojecteur *nm* videoproyector *(m)*.

vide-ordures *nm inv* conducto *(m)* de basuras *(Esp)*, tiradero *(m)* *(Amér)*.

vidéothèque *nf* videoteca *(f)*.

vidéotransmission *nf* videotransmisión *(f)*.

vide-poches *nm inv* **1.** *(corbeille)* bandeja *(f)* *(para depositar objetos menudos)* **2.** *(de voiture)* guantera *(f)*.

vider *vt* **1.** *(sac, poche, verre)* vaciar **2.** *(lieu)* abandonar **3.** *(salle, maison)* desalojar **4.** CULIN *(poulet, poisson)* limpiar **5.** *fam (personne - épuiser)* agotar • *(- expulser)* echar *(Esp)*, botar *(Amér)*. ■ **se vider** *vp* **1.** *(gén)* vaciarse **2.** *(eaux)* evacuarse.

videur *nm* segura *(m)*.

vie *nf* vida *(f)* • **avoir la vie sauve** salir ileso(sa) • **en vie** con vida • **être en vie** estar vivo(va)

• **gagner sa vie** ganarse la vida • **avoir la vie dure** *(être résistant)* tener más vidas que un gato.

vieillard *nm* anciano *(m)*.

vieillerie *nf* antigualla *(f)*.

vieillesse *nf* **1.** *(période de la vie)* vejez *(f)* **2.** *(personnes âgées)* tercera edad *(f)*.

vieillir ■ *vi* **1.** *(personne)* envejecer **2.** *(s'affiner - vin)* envejecer • *(- fromage)* curarse **3.** *(tradition, idée, mot)* quedarse anticuado(da). ■ *vt* envejecer.

vieillissement *nm* **1.** *(de personne)* envejecimiento *(m)* **2.** *(de vin)* envejecimiento *(m)* **3.** *(de fromage)* curación *(f)* **4.** *(de mot, d'idée, de tradition)* caída *(f)* en desuso.

vierge ■ *nf* virgen *(f)*. ■ *adj* **1.** virgen **2.** *(page)* en blanco **3.** *(casier judiciaire)* limpio(pia). ■ **Vierge** *nf* ASTROL Virgo *(m)*.

Viêt Nam *npr* • **le Viêt Nam** Vietnam *(m)*.

vieux, vieille ■ *adj* *(au masculin* **vieil** *devant une voyelle ou h muet)* **1.** *(gén)* viejo(ja) **2.** *(vin)* añejo(ja) **3.** *(client, connaissance)* de toda la vida **4.** *(meuble, maison, histoire)* antiguo(gua). ■ *nm, f* **1.** *(personne âgée)* viejo *(m)*, -ja *(f)* **2.** *tfam (parents)* viejo *(m)*, -ja *(f)*.

vif, vive *adj* **1.** *(gén)* vivo(va) **2.** *(froid)* intenso(sa) **3.** *(reproche, discussion)* violento(ta) **4.** *(sensation, émotion)* fuerte. ■ **vif** *nm* **1.** DR vivo *(m)* **2.** *(poisson)* cebo *(m)* vivo • **à vif** *(blessure)* en carne viva • *fig (nerfs)* a flor de piel.

vigie *nf* **1.** NAUT *(personne)* vigía *(m)* **2.** NAUT *(poste)* atalaya *(f)* **3.** *(de chemin de fer)* garita *(f)*.

vigilance *nf* vigilancia *(f)*.

vigilant, e *adj* vigilante.

vigile *nm* **1.** *(veilleur)* vigilante *(m)* **2.** *(policier privé)* guardia *(m)* jurado.

vigne *nf* **1.** *(plante)* vid *(f)* **2.** *(vignoble)* viña *(f)*. ■ **vigne vierge** *nf* viña *(f)* virgen.

vigneron, onne *nm, f* viñador *(m)*, -ra *(f)*.

vignette *nf* **1.** ART *(motif)* viñeta *(f)* **2.** *(de médicament)* etiqueta *(f)*.

vignoble *nm* viñedo *(m)*.

vigoureux, euse *adj* vigoroso(sa).

vigueur *nf* vigor *(m)*. ■ **en vigueur** *loc adj* en vigor • **être en vigueur** estar en vigor, estar vigente.

VIH *(abr de* **Virus de l'immunodéficience humaine)** *nm* VIH *(m)* • **être infecté/contaminé par le VIH** estar infectado/contaminado por el VIH.

vilain, e *adj* **1.** *(mauvais, grossier)* malo(la) **2.** *(laid, grave)* feo(a).

vilebrequin *nm* **1.** *(outil)* berbiquí *(m)* **2.** AUTO cigüeñal *(m)*.

villa *nf* chalé *(m)*, villa *(f)*.

village *nm* pueblo *(m)*.

villageois, e adj & nm, f aldeano(na), lugare-
ño(ña).

ville nf ciudad (f) • **ville champignon** ciudad
hongo • **ville dortoir** ciudad dormitorio.

LA VILLE
- l'ambulance / la ambulancia
- l'arrêt de bus / la parada de autobús
- la boutique / la tienda
- la chaussée / la calzada
- le cinéma / el cine
- le feu / el semáforo
- le grand magasin / el gran almacén
- l'hôpital / el hospital
- l'immeuble / el edificio
- le kiosque à journaux / el kiosko
- la mairie / el ayuntamiento
- le parking / al aparcamiento
- le passage piétons / el paso de peatones
- le piéton / el peatón
- la place / la plaza
- la rue / la calle
- la station de taxis / la parada de taxis
- le taxi / el taxi
- le trottoir / la acera
- les vitrines / los escaparates.

villégiature nf veraneo (m) • **aller en villégiature** ir de veraneo.

vin nm **1.** (de raisin) vino (m) • **cuver son vin** dormir la mona **2.** (liqueur) licor (m). ■ **vin d'honneur** nm vino (m) de honor.

vinaigre nm vinagre (m).

vinaigrette nf vinagreta (f).

vindicatif, ive adj vindicativo(va).

vingt adj num inv & nm inv veinte. • voir aussi **six**

vingtaine nf veintena (f).

vingtième ■ adj num & nmf vigésimo(ma).
■ nm vigésimo (m), veinteava parte (f). • voir
aussi **sixième**

vinicole adj vinícola.

vinification nf vinificación (f).

vinyle nm vinilo (m).

viol nm violación (f).

violacé, e adj violáceo(a).

violation nf violación (f).

violence nf violencia (f) • **violence routière**
violencia vial • **se faire violence** contenerse.

violent, e adj violento(ta).

violer vt violar.

violet, ette adj violeta. ■ **violet** nm (couleur)
violeta (m).

violette nf violeta (f).

violeur nm violador (m).

violon nm **1.** MUS violín (m) **2.** arg crim (prison)
talego (m).

violoncelle nm violoncelo (m), violonchelo
(m).

violoniste n nf violinista (mf).

vipère nf víbora (f).

virage nm **1.** (sur la route) curva (f) • **'virage dangereux'** 'curva peligrosa' **2.** fig (changement de
direction) viraje (m) **3.** MÉD reacción (f) positiva.

viral, e adj viral.

virée nf fam vuelta (f).

virement nm **1.** FIN transferencia (f) • **virement
automatique** giro (m) automático • **virement bancaire** transferencia bancaria • **virement postal** giro (m) postal **2.** NAUT virada (f).

virer ■ vi **1.** (véhicule, virer à droite/à gauche girar a la derecha/a la izquierda • **virer de
bord** NAUT virar de bordo **2.** (étoffe) cambiar de
color • **virer à** (couleur) tirar a **3.** PHOTO virar
■ vt **1.** FIN transferir **2.** fam (renvoyer) echar (Esp),
botar (Amér).

virevolter vi **1.** (danseur) hacer piruetas **2.** (cheval) hacer escarceos **3.** (voleter, revolotear.

virginité nf virginidad (f).

virgule nf coma (f).

viril, e adj viril, varonil.

virilité nf virilidad (f)

virtuel, elle adj virtual.

virtuose nmf virtuoso (m), -sa (f).

virulence nf virulencia (f).

virulent, e adj virulento(ta).

virus nm INFORM & MÉD virus (m inv).

vis nf tornillo (m) • **vis sans fin** tornillo sin fin.

visa nm **1.** (cachet) visado (m) **2.** fig (approbation)
visto (m) bueno.

visage nm rostro (m).

vis-à-vis nm **1.** (personne) vecino (m), -na (f) de
enfrente **2.** (immeuble) edificio (m) de enfrente
• **sans vis-à-vis** sin nada enfrente. ■ **vis-à-vis
de** loc prép **I.** (en face de) enfrente de **2.** (en
comparaison de) en comparación con **3.** (à
l'égard de) con respecto a.

viscéral, e adj visceral.

viscère nm (gén pl) víscera (f).

viscose nf viscosa (f).

visé, e adj **1.** (concerné) aludido(a) **2.** (convoité)
pretendido(da).

visée nf **1.** (avec une arme) puntería (f) **2.** (gén pl)
(intention, dessein) intención (f).

viser ■ vt **1.** (cible) apuntar a **2.** fig (poste) aspirar
a **3.** fig (personne) concernir **4.** fam (fille, voiture)
echar el ojo a **5.** (document) visar. ■ vi **1.** (pour
tirer) apuntar • **viser à** (arme) apuntar a • (avoir
pour but) pretender **2.** (avoir des ambitions) • **viser haut** apuntar alto.

viseur nm **1.** PHOTO visor (m) **2.** (d'arme) mira (f).

visibilité nf visibilidad (f).

visible adj **1.** (gén) visible **2.** (évident) patente.

visiblement *adv* visiblemente.

visière *nf* visera (f).

visioconférence, vidéoconférence *nf* video-conferencia (f), visioconferencia (f).

vision *nf* visión (f).

visionnaire *adj* & *nmf* visionario(ria).

visionner *vt* visionar.

visite *nf* 1. *(gén)* visita (f) • **visite de politesse** visita de cumplido 2. *(d'expert, de douane)* inspección (f). ■ **visite médicale** *nf* revisión (f) médica.

visiter *vt* visitar.

visiteur, euse *nm, f* *(touriste)* visitante (mf) • **avoir un visiteur** *(chez soi)* tener visita.

vison *nm* visón (m).

visqueux, euse *adj* 1. *(liquide, surface)* visco-so(sa) 2. *péj (personne, manières)* repulsivo(va).

visser *vt* 1. *(avec des vis)* atornillar 2. *(couvercle)* apretar 3. *fam (enfant)* apretar los tornillos a.

visu ■ **de visu** *loc adv* con mis/tus *etc* propios ojos.

visualiser *vt* visualizar.

visuel, elle *adj* visual.

vital, e *adj* vital.

vitalité *nf* vitalidad (f).

vitamine *nf* vitamina (f).

vitaminé, e *adj* vitaminado(da).

vite *adv* 1. *(rapidement)* deprisa, de prisa • **faire vite** apresurarse • **vite !** ¡deprisa! 2. *(tôt)* pronto.

vitesse *nf* 1. *(gén)* velocidad (f) • **à toute vitesse** a toda velocidad • **être en perte de vitesse** perder velocidad • **vitesse de pointe** velocidad punta 2. *(hâte)* rapidez (f) 3. AUTO • **changer de vitesse** cambiar de marcha.

viticole *adj* vitícola.

viticulteur, trice *nm, f* viticultor (m), -ra (f).

viticulture *nf* viticultura (f).

vitrail *nm* vidriera (f) *(de iglesia)*.

vitre *nf* 1. *(carreau)* cristal (m) 2. *(glace - de voiture)* luna (f) • *(- de train)* ventanilla (f).

vitreux, euse *adj* 1. *(qui contient du verre)* ví-treo(a) 2. *fig (œil, regard)* vidrioso(sa).

vitrifier *vt* vitrificar.

vitrine *nf* 1. *(de boutique)* escaparate (m) 2. *(meuble)* vitrina (f).

vivable *adj* 1. *(appartement)* habitable 2. *(situation)* soportable.

vivace *adj* vivaz.

vivacité *nf* 1. *(d'esprit, d'enfant)* vivacidad (f) 2. *(de coloris, de teint)* viveza (f) 3. *(de propos)* violencia (f).

vivant, e *adj* 1. *(gén)* vivo(va) 2. *(ville, quartier, rue)* animado(da). ■ **vivant** *nm* 1. *(vie)* • **du vivant de qqn** en vida de alguien 2. *(personne)* vivo (m).

vive[1] *nf* peje (m) araña.

vive[2] *interj* • **vive... !** ¡viva...!

vivement ■ *adv* 1. *(agir)* con presteza 2. *(répondre, affecter)* vivamente. ■ *interj* • **vivement les vacances !** ¡que lleguen pronto las vacaciones! • **vivement que** *(+ subjonctif)* fam que *(+ subjonctif)* ya • **vivement qu'il s'en aille !** ¡que se vaya ya!

vivifiant, e *adj* vivificante.

vivisection *nf* vivisección (f).

vivre ■ *vi* vivir • **vivre pour qqch/qqn** vivir para algo/alguien • **vivre bien/mal** vivir bien/mal • **qui vivra verra** vivir para ver. ■ *vt (faire l'expérience de)* vivir. ■ *nm* • **avoir le vivre et le couvert** tener casa y comida. ■ **vivres** *nmpl* víveres (mpl).

vizir *nm* visir (m).

VO *(abr de* version originale*) nf* VO (f) • **un film en VO** una película en VO.

vocable *nm* 1. LING vocablo (m) 2. RELIG advocación (f).

vocabulaire *nm* vocabulario (m).

vocale ⊳ **corde**.

vocation *nf* vocación (f) • **avoir la vocation** tener vocación.

vociférations *nfpl* vociferaciones (fpl).

vociférer ■ *vi* vociferar • **vociférer contre qqn** vociferar contra alguien. ■ *vt* vociferar.

vodka *nf* vodka (m).

vœu *nm* 1. *(promesse & RELIG)* voto (m) 2. *(souhait)* deseo (m) • **former des vœux pour** hacer votos por 3. *(requête)* petición (f). ■ **vœux** *nmpl* felicidades (fpl).

vogue *nf* fama (f) • **en vogue** en boga.

voguer *vi* sout bogar.

voici *prép* 1. *(pour désigner)* • **le voici** aquí está • **voici mon père** éste es mi padre • **le voici qui arrive** míralo, ahora *ou* aquí llega • **vous cherchiez des allumettes ? en voici** ¿buscabais cerillas? aquí hay • **vous vouliez les clefs, les voici** queríais las llaves, aquí están 2. *(introduit ce dont on va parler)* he aquí, esto es • **voici ce qui s'est passé** he aquí lo que pasó, esto es lo que pasó 3. *(il y a)* hace • **voici trois mois/quelques années** hace tres meses/varios años.

voie *nf* 1. *(gén)* vía (f) • **par voie buccale/rectale** por vía oral/rectal • **voie d'eau** vía de agua

• **voie ferrée** via férrea • **voie de garage** vía muerta • **voie maritime/navigable** vía marítima/navegable • **voies de fait** vías de hecho • **voies respiratoires** vías respiratorias **2.** *(route)* carril *(m)* • **à plusieurs voies** de varios carriles • **la voie publique** la vía pública **3.** *fig (chemin)* camino *(m)* • **mettre qqn sur la voie** encaminar a alguien **4.** *(filière, moyen)* medio *(m)* • **par la voie hiérarchique** por el conducto reglamentario. ■ **en voie de** *loc prép* en vías de • **en voie de développement** en vías de desarrollo. ■ **Voie lactée** *nf* Vía *(f)* Láctea.

voilà *prep* **1.** *(pour désigner)* • **le voilà** ahí está • **vous cherchiez de l'encre ? en voilà** ¿buscabais tinta? ahí hay • **vous vouliez les clefs, les voilà** queríais las llaves, ahí están **2.** *(temporel)* ya • **le voilà endormi** ya se ha dormido • **nous voilà arrivés** ya hemos llegado **3.** *(reprend ce dont on a parlé)* esto es **4.** *(introduit ce dont on va parler)* he ahí, esto es • **voilà ce qui s'est passé** esto es lo que pasó • **voilà où je voulais en venir** ahí es donde quería llegar **5.** *(il y a)* hace • **voilà trois mois/quelques années** hace tres meses/varios años.

À PROPOS DE...

voici et voilà

« Voilà », de même que « voici », ne se traduisent pas par une préposition mais par une tournure verbale qui s'accorde avec le sujet.

voile ■ *nf* **1.** *(de bateau)* vela *(f)* • **mettre à la voile** hacerse a la vela • **toutes voiles dehors** a toda vela **2.** *sport (de planeur)* aleta *(f)*. ■ *nm* **1.** *(tissu, coiffure)* velo *(m)* • **jeter un voile sur** correr un tupido velo sobre • **prendre le voile** *RELIG* tomar el velo **2.** *(brume)* capa *(f)* **3.** *PHOTO* veladura *(f)* **4.** *MÉD (au poumon)* mancha *(f)*. ■ **voile du palais** *nm ANAT* velo *(m)* del paladar.

voilé, e *adj* **1.** *(femme, statue)* con velo **2.** *(allusion, regard, photo)* velado(da) **3.** *(ciel)* brumoso(sa) **4.** *(métal, roue)* torcido(da) **5.** *(bois)* alabeado(da) **6.** *(son, voix)* tomado(da).

voiler *vt* **1.** *(avec un voile)* tapar con un velo **2.** *(vérité, regard, photo)* velar **3.** *(métal, roue)* torcer **4.** *(bois)* alabear. ■ **se voiler** *vp* **1.** *(femme)* ponerse un velo **2.** *(yeux, voix, astre)* velarse **3.** *(métal, roue)* torcerse **4.** *(bois)* alabearse.

voilier *nm* velero *(m)*.

voilure *nf* **1.** *(de bateau)* velamen *(m)* **2.** *(d'avion)* planos *(mpl)* de sustentación **3.** *(de parachute)* tela *(f)* **4.** *(de métal)* torcedura *(f)* **5.** *(de bois)* alabeo *(m)*.

voir ■ *vt* ver • **aller voir qqn** ir a ver a alguien • **faire voir (qqch à qqn)** mostrar *ou* enseñar (algo a alguien) • **je ne la vois pas en secré-**

taire no la veo como secretaria • **laisser voir qqch** dejar ver algo • **voir page...** véase página... • **avoir assez vu qqn** *fam* haber visto bastante a alguien. ■ *vi* ver. ■ **se voir** *vp* verse.

voire *adv* (e) incluso.

voirie *nf* **1.** *ADMIN* ≃ ministerio *(m)* de transportes **2.** *(décharge)* servicios *(mpl)* municipales de limpieza.

voisin, e ■ *adj* **1.** *(pays, ville, maison)* vecino(na) **2.** *(idées)* parecido(da). ■ *nm, f* vecino *(m)*, -na *(f)*.

voisinage *nm* **1.** *(entourage)* vecindario *(m)* **2.** *(voisins)* vecindad *(f)* **3.** *(environs)* cercanía *(f)*.

voiture *nf* coche *(m)* (Esp), carro *(m)* (Amér) • **voiture banalisée** coche camuflado • **voiture de fonction** coche de servicio • **voiture de location/d'occasion** coche de alquiler/de segunda mano • **voiture de sport** coche deportivo.

voix *nf* **1.** *(gén & GRAMM)* voz *(f)* • **à mi-voix** a media voz • **à voix basse/haute** en voz baja/alta • **de vive voix** de viva voz **2.** *(suffrage)* voto *(m)* • **mettre aux voix** poner a votación.

vol *nm* **1.** *(d'oiseau, d'avion)* vuelo *(m)* • **vol charter** vuelo chárter • **au vol** al vuelo • **à vol d'oiseau** en línea recta • **en plein vol** en pleno vuelo **2.** *(groupe d'oiseaux)* bandada *(f)* **3.** *(délit)* robo *(m)*.

vol. *(abr écrite de* **volume**) vol.

volage *adj* soul voluble, veleidoso(sa).

volaille *nf* **1.** *(collectif)* aves *(fpl)* (de corral) **2.** *(volatile)* ave *(f)* (de corral).

volant, e ■ *adj* **1** *(animal, machine)* volador(ra) **2.** *(brigade, pont, escalier)* volante **3.** *(page)* suelto(ta). ■ *nm* volante *(m)* (Esp), timón *(m)* (Amér).

volatil, e *adj* volátil.

volatiliser *vt* volatilizar. ■ **se volatiliser** *vp* volatilizarse.

volcan *nm* volcán *(m)*.

volcanique *adj* volcánico(ca).

volcanologue = **vulcanologue**.

volée *nf* **1.** *(d'oiseau)* vuelo *(m)* • **de haute volée** de altos vuelos **2.** *(de flèches)* ráfaga *(f)* **3.** *SPORT* volea *(f)* • **à la volée** de volea **4.** *(de coups)* paliza *(f)* (Esp), golpiza *(f)* (Amér) *fam* **5.** *(de cloches)* campanada *(f)* • **sonner à la volée** repicar (campanas) **6.** *(de marches)* tramo *(m)* **7.** *AGRIC* • **semer à la volée** sembrar a voleo.

voler ■ *vi* volar. ■ *vt* robar.

volet *nm* **1.** *(de maison)* postigo *(m)* **2.** *(de dépliant)* hoja *(f)* **3.** *(d'émission)* episodio *(m)* **4.** *(d'avion)* flap *(m)* **5.** *INFORM* pestaña *(f)* de seguridad.

voleur, euse ■ *adj* ladrón(ona). ■ *nm, f* ladrón *(m)*, -ona *(f)* • **voleur de grand chemin** salteador *(m)* de caminos • **voleur à la tire** carterista *(m)*.

volière *nf* pajarera *(f)*.

volley-ball *nm* balonvolea *(m)*.

volontaire ▪ *nmf* voluntario *(m)*, -ria *(f)*. ▪ *adj* **1.** *(activité, omission)* voluntario(ria) **2.** *(caractère)* voluntarioso(sa).

volontariat *nm* voluntariado *(m)*.

volonté *nf* voluntad *(f)* ▪ **à volonté** a voluntad ▪ **bonne/mauvaise volonté** buena/mala voluntad.

volontiers *adv* **1.** *(avec plaisir)* con mucho gusto **2.** *(naturellement, ordinairement)* fácilmente.

volt *nm* voltio *(m)*.

voltage *nm* voltaje *(m)*.

volte-face *nf inv* **1.** *(demi-tour)* media vuelta *(f)* ▪ **faire volte-face** dar media vuelta **2.** *fig (revirement)* giro *(m)*.

voltige *nf* **1.** *(au trapèze)* acrobacia *(f)* ▪ **haute voltige** acrobacia ▪ *fam fig* malabarismo *(m)* **2.** *(à cheval)* volteo *(m)* **3.** *(en avion)* acrobacia *(f)* aérea.

voltiger *vi* **1.** *(acrobate)* hacer acrobacias **2.** *(insectes, oiseaux)* revolotear **3.** *(flotter)* flotar.

volubile *adj* *(bavard)* locuaz.

volume *nm* volumen *(m)*.

volumineux, euse *adj* voluminoso(sa).

volupté *nf* voluptuosidad *(f)*.

voluptueux, euse *adj* & *nm, f* voluptuoso(sa).

volute *nf* voluta *(f)*.

vomi *nm* *fam* vomitona *(f)*.

vomir *vi* & *vt* vomitar.

vorace *adj* voraz.

voracité *nf* **1.** *(gloutonnerie)* voracidad *(f)* **2.** *fig (avidité)* codicia *(f)*.

vote *nm* **1.** *(suffrage, voix)* voto *(m)* ▪ **vote par correspondance/par procuration** voto por correo/por poder **2.** *(élection)* votación *(f)*.

voter *vi* & *vt* votar.

votre *adj poss* vuestro(tra).

vôtre ▪ **le vôtre, la vôtre** *pron poss* el vuestro(la vuestra).

vouer *vt* **1.** *(promettre, jurer)* ▪ **vouer qqch à qqn** profesar algo a alguien **2.** *(employer, consacrer)* ▪ **vouer qqch à qqch** consagrar algo a algo **3.** *(condamner)* ▪ **être voué à** estar condenado a.

---

vouloir *vt*

1. APPLIQUER SA VOLONTÉ, SON ÉNERGIE À OBTENIR QQCH = querer
▪ **il veut ce poste** quiere ese puesto

2. DEMANDER AVEC AUTORITÉ, EXIGER = querer
▪ **je veux des résultats** quiero resultados
▪ **je veux qu'il parte maintenant** quiero que se vaya ahora
▪ **je ne veux pas entendre parler de ça !** ¡no quiero oír hablar de esto!

3. EXIGER DE PAR SA NATURE, SON AUTORITÉ
▪ **le règlement veut que personne ne sorte sans autorisation** el reglamento especifica que nadie puede salir sin autorización
▪ **comme le veut la tradition** como manda la tradición

4. AVOIR TELLE INTENTION, TEL PROJET = querer
▪ **il voudrait devenir médecin** querría llegar a ser médico

5. DEMANDER
▪ **si tu veux mon avis...** si quieres (saber) mi opinión...
▪ **que voulez-vous de moi ?** ¿qué quiere de mí?

6. ACCEPTER = querer
▪ **ils n'ont pas voulu qu'elle vienne au mariage** no quisieron que viniera a la boda
▪ **je ne veux pas de lui chez moi** no lo quiero en mi casa
▪ **je veux bien du poulet** con mucho gusto tomaré pollo
▪ **je veux bien être patiente, mais il y a des limites** de acuerdo, tendré paciencia, pero hay límites
▪ **la voiture ne veut pas démarrer** el coche no quiere arrancar

7. SOUHAITER, DÉSIRER = querer
▪ **voulez-vous boire quelque chose ?** ¿quiere beber algo?
▪ **comme tu veux !** ¡como quieras!
▪ **que tu le veuilles ou non** quieras o no
▪ **je l'ai vexé sans le vouloir** le he ofendido sin querer
▪ **je ne te veux que du bien** te deseo lo mejor

8. DANS UNE DEMANDE FORMELLE OU POLIE
▪ **veuillez m'excuser un instant** discúlpenme un momento, por favor
▪ **veuillez vous asseoir** siéntese, por favor
▪ **'veuillez accepter, Madame, Monsieur, l'expression de mes salutations distinguées'** 'cordialmente'

9. MARQUE LA RÉSIGNATION
▪ **que veux-tu !** ¡qué quieres que te diga!, ¡qué se le va a hacer!

10. DANS DES EXPRESSIONS
▪ **pourquoi tu m'en veux ?** ¿por qué estás resentido conmigo?
▪ **tu l'auras voulu !** ¡tú lo habrás querido!
▪ **quand on veut, on peut** querer es poder
▪ **Dieu le veuille !** ¡Dios lo quiera!

▪ **s'en vouloir** *vp*

▪ **je m'en veux de le lui avoir dit** me arrepiento de habérselo dicho
▪ **il s'en voulait d'avoir eu des doutes** no se perdonaba haber dudado.

■ **bon vouloir** *nm*

buena voluntad *(f)*
• **notre inscription dépend de son bon vouloir** nuestra inscripción depende de su buena voluntad.

voulu, e *adj* **1.** *(requis)* debido(da) **2.** *(délibéré)* deseado(da).

vous *pron pers* **1.** *(plusieurs personnes - gén)* vosotros(tras) • *(- complément d'objet direct, de verbe pronominal)* os • **dépêchez-vous !** ¡daos prisa! • **il vous l'a donné** os lo ha dado • **je vous aime** os quiero • **vous devez vous occuper de lui** debéis ocuparos de él • **à vous** *(possessif)* vuestro(tra) **2.** *(une seule personne - gén)* usted • *(- complément d'objet direct)* le(la) • *(- de verbe pronominal)* se • **dépêchez-vous !** ¡dese prisa! • **il vous l'a donné** se lo ha dado • **je vous aime** la quiero, le amo • **vous devez vous occuper de lui** debe ocuparse de él • **à vous** *(possessif)* suyo(ya). ■ **vous-même** *pron pers* usted mismo(usted misma). ■ **vous-mêmes** *pron pers* vosotros mismos(vosotras mismas).

voûte *nf* bóveda *(f)* • **voûte plantaire** bóveda plantar.

voûter *vt* abovedar. ■ **se voûter** *vp* encorvarse.

vouvoyer *vt* tratar de usted. ■ **se vouvoyer** *vp* tratarse de usted.

voyage *nm* viaje *(m)* • **voyage d'affaires/organisé/de noces** viaje de negocios/organizado/de novios.

voyager *vi* **1.** *(gén)* viajar **2.** *(marchandise)* • **voyager bien/mal** viajar bien/mal.

voyageur, euse *nm, f* viajero *(m)*, -ra *(f)* • **voyageur de commerce** viajante *(mf)* (de comercio).

voyance *nf* videncia *(f)*.

voyant, e ◆ *adj* vistoso(sa). ◆ *nm, f* vidente *(mf)*. ■ **voyant** *nm* piloto *(m)*, indicador *(m)* luminoso • **voyant d'essence/d'huile** indicador de nivel de gasolina/de aceite.

voyelle *nf* vocal *(f)*.

voyeur, euse *nm, f* mirón *(m)*, -ona *(f)*, voyeur *(mf)*.

voyou *nm* golfo *(m)*.

vrac ■ **en vrac** *loc adv* **1.** *(sans emballage, au poids)* a granel **2.** *(en désordre)* en desorden.

vrai, e *adj* **1.** *(gén)* verdadero(ra) • **c'est** *OU* **il est vrai que** es verdad *OU* cierto que **2.** *(réel)* auténtico(ca) **3.** *(naturel)* natural. ■ **vrai** *nm* • **à vrai dire, à dire vrai** a decir verdad.

vraiment *adv* **1.** *(véritablement)* verdaderamente **2.** *(franchement)* realmente.

vraisemblable *adj* **1.** *(plausible)* verosímil **2.** *(probable)* probable.

vraisemblance *nf* verosimilitud *(f)*.

vrille *nf* **1.** BOT tijereta *(f)*, zarcillo *(m)* **2.** *(outil &* AÉRON*)* barrena *(f)* **3.** *(spirale)* caracol *(m)*.

vrombir *vi* zumbar.

vrombissement *nm* zumbido *(m)*.

VTT *(abr de vélo tout terrain)* *nm* BTT *(f)* • **faire du VTT** hacer BTT.

vu, e ◆ *adj* **1.** *(gén)* visto(ta) **2.** *(compris)* • **(c'est bien) vu ?** ¿lo has captado? ■ **vu** *prép* en vista de. ■ **vue** *nf* **1.** *(sens)* vista *(f)* • **de vue** de vista • **à première vue** a primera vista **2.** ➪ **prise** **3.** *(idée)* visión *(f)*. ■ **vu que** *loc conj* dado que. ■ **en vue de** *loc prep* con vistas a.

vulgaire *adj* vulgar.

vulgarisation *nf* **1.** vulgarización *(f)* **2.** *(des connaissances)* divulgación *(f)*.

vulgariser *vt* **1.** vulgarizar **2.** *(connaissances)* divulgar.

vulgarité *nf* vulgaridad *(f)*.

vulnérable *adj* vulnerable.

vulve *nf* vulva *(f)*.

w, W *nm inv* *(lettre)* w *(f)*, W *(f)*.

wagon *nm* vagón *(m)* • **wagon fumeurs/non-fumeurs** vagón de fumadores/de no fumadores • **wagon de première/de seconde classe** vagón de primera/de segunda clase.

wagon-citerne *nm* vagón *(m)* cisterna.

wagon-lit *nm* coche *(m)* cama *(Esp)*, carro *(m)* dormitorio *(Amér)*.

wagon-restaurant *nm* vagón *(m)* restaurante.

Walkman® *nm* walkman® *(m)*.

Washington *npr* Washington.

water-polo *nm* waterpolo *(m)*.

waterproof *adj inv* **1.** *(étanche)* acuático(ca) **2.** *(résistant à l'eau - gén)* resistente al agua • *(- mascara)* waterproof.

watt *nm* vatio *(m)*.

W-C *(abr de water closet)* *nmpl* WC *(m)* • **aller aux W-C** ir al servicio.

Web *nm* • **le Web** la Web.

webcam *nf* webcam *(f)*.

webmestre *nm* webmaster *(mf)*.

week-end *nm* fin *(m)* de semana.

western *nm* western *(m)*, película *(f)* de vaqueros *OU* del Oeste.

whisky *nm* whisky *(m)*.
white-spirit *nm* aguarrás *(m)*.
WWF *(abr de* **World Wildlife Fund***)* WWF.
WWW *(abr de* **World Wide Web***) nm* WWW *(f)*.
WYSIWYG *(abr de* **what you see is what you get***)* WYSIWYG.

yiddish ◼ *adj inv* judeoalemán(ana). ◼ *nm inv* yiddish *(m)*.
yoga *nm* yoga *(m)*.
yogourt, yoghourt = **yaourt**.
Yougoslavie *npr* ◦ **la Yougoslavie** Yugoslavia ◦ **l'ex-Yougoslavie** la ex Yugoslavia.
yoyo *nm* MÉD tubito *(m)*.

X

x, X *nm inv (lettre)* x *(f)*, X *(f)*. ◼ **X** *nf* ◦ **l'X** *(École polytechnique)* la Escuela Politécnica.
xénophobie *nf* xenofobia *(f)*.
xérès *nm* jerez *(m)*.
xylophone *nm* xilófono *(m)*.

Y

y¹, Y *nm inv (lettre)* y *(f)*, Y *(f)*.
y² ◼ *adv* ◦ **j'y vais demain** iré mañana ◦ **mets-y du sel** échale *ou* ponle sal ◦ **va voir sur la table si les clefs y sont** ve a ver si las llaves están encima de la mesa ◦ **on ne peut pas couper cet arbre, des oiseaux y font leur nid** no podemos talar este árbol porque algunos pájaros anidan en él ◦ **ils ont rapporté des vases anciens et y ont fait pousser des fleurs exotiques** trajeron vasijas antiguas y plantaron flores exóticas (en ellas). ◼ *pron (la traduction varie selon la préposition utilisée avec le verbe)* ◦ **pensez-y** piénseselo, piense en ello ◦ **n'y compte pas** no cuentes con ello ◦ **j'y suis !** *(j'ai compris)* ¡ya veo!
yacht *nm* yate *(m)*.
yankee *adj* yanqui. ◼ **Yankee** *nm, f* yanqui.
yaourt, yogourt, yoghourt *nm* yogurt *(m)*.
yard *nm* yarda *(f)*.
yen *nm* yen *(m)*.

Z

z, Z *nm inv (lettre)* z *(f)*, Z *(f)*.
Zaïre *npr* ◦ **le Zaïre** (el) Zaire.
zapper *vi* hacer zapping.
zapping *nm* zapping *(m)*.
zèbre *nm* **1.** *(animal)* cebra *(f)* **2.** *fam (individu)* elemento *(m)*.
zébré, e *adj* rayado(da).
zébrure *nf* **1.** *(de pelage)* rayado *(m)* **2.** *(marque)* varazo *(m)*.
zébu *nm* cebú *(m)*.
zèle *nm* celo *(m)* ◦ **faire du zèle** *péj* pasarse.
zélé, e *adj* celoso(sa) *(trabajador)*.
zen *adj & nm* zen.
zénith *nm* cenit *(m)*.
zéro ◼ *nm* **1.** *(gén)* cero *(m)* ◦ **deux buts à zéro** dos goles a cero ◦ **à zéro** *(moral)* por los suelos ◦ **repartir à** *ou* **de zéro** volver a empezar desde cero **2.** *fam (personne)* cero *(m)* a la izquierda. ◼ *adj* cero *(en aposición)*.
zeste *nm* corteza *(f)*, cáscara *(f) (de cítricos)* ◦ **zeste de citron** corteza de limón.
zézayer *vi* cecear.
zigzag *nm* zigzag *(m)* ◦ **en zigzag** en zigzag.
zigzaguer *vi* zigzaguear.
zinc *nm* **1.** *(matière)* cinc *(m)*, zinc *(m)* **2.** *fam (comptoir)* barra *(f)* **3.** *fam vieilli (avion)* cacharro *(m)*.
zizi *nm fam* pajarito *(m)*.
zodiaque *nm* zodíaco *(m)*.
zona *nm* zona *(f)*.
zone *nf* **1.** *(région)* zona *(f)* ◦ **zone bleue** ≃ zona azul **2.** *fam péj (faubourg)* barriada *(f)* ◦ **c'est la zone !** ¡es un barrio chungo!
zoo *nm* zoo *(m)*.
zoologie *nf* zoología *(f)*.
zoom *nm* zoom *(m)*.
zoophile *adj & nmf* zoófilo(la).
zut *interj fam* ¡jolín!
zygomatique *adj* zigomático(ca).

Guide
pratique

Grammaire

Guide de communication

Grammaire
de l'espagnol

L'accent tonique

Tous les mots espagnols de plus d'une syllabe ont une syllabe tonique, c'est-à-dire plus fortement accentuée que les autres (c'est la syllabe sur laquelle la voix insiste, en allongeant la voyelle). On appelle accent tonique l'appui que la voix marque sur la voyelle de la syllabe accentuée.

- Les mots qui se terminent par une voyelle, par **-n** ou par **-s** sont régulièrement accentués sur l'avant-dernière syllabe : una si**ll**a, una **do**sis, un **cri**men.
- Les mots qui se terminent par une consonne (**-y** compris) sauf **-n** ou **-s**, sont régulièrement accentués sur la dernière syllabe : regu**lar**, es**toy**.
- Si l'accent tonique n'est pas à sa place normale, l'irrégularité est signalée par un accent aigu : **París**, el **mármol**, el **jabalí**, la **razón**, el espe**ctáculo**.

Remarques

La place de l'accent ne change jamais, y compris lorsque le mot passe au pluriel.

Exceptions :

carácter → caracteres

régimen → regímenes,

espécimen → especímenes

L'accent grammatical

Il est obligatoire sur tous les mots interrogatifs ou exclamatifs : **¿Quién?, ¡Cómo!**

Il sert à distinguer deux homonymes :

el *(le)*, **él** *(il)* ;

solo *(seul)*, **sólo** *(seulement)* ;

tu *(ton, ta)*, **tú** *(toi, tu)*.

C'est généralement le pronom qui porte l'accent écrit (l'accent marque la différence entre adjectifs et pronoms) :

este libro *ce livre* ;

éste *celui-ci.*

Alphabet

A (a)	f (efe)	l (ele)	p (pe)	w (uve doble)
b (be)	g (ge)	ll (elle)	q (cu)	x (equis)
c (ce)	h (ache)	m (eme)	r (erre)	t (te)
ch (che)	i (i)	n (ene)	s (ese)	y (i griega)
d (de)	j (jota)	ñ (eñe)	u (u)	z (zeta)
e (e)	k (ka)	o (o)	v (uve)	

L'alphabet espagnol comporte 29 lettres, elles sont du genre féminin.

las vocales : la **a**, la **e**, la **i**...

las consonantes : la **b**, la **c**...

Trois lettres n'existent pas dans l'alphabet français : **ch**, **ll**, **ñ**. Dans les dictionnaires :

ch (la che) est classé avec **c** (la ce) ;

ll (la elle) est classé avec **l** (la ele) ;

ñ (la eñe) est classé avec **n** (la ene).

Article

	Articles définis		Articles indéfinis	
	MASCULIN	FÉMININ	MASCULIN	FÉMININ
singulier	el	la	un	una
pluriel	los	las	-	-

- Articles contractés :

  a + el = **al** → Voy al colegio.

  de + el = **del** → Vuelven del restaurante.
- L'article indéfini pluriel « des » n'a pas d'équivalent en espagnol :

  Lee libros interesantes. *Il lit des livres intéressants.*
- L'article partitif « du », « de » n'existe pas en espagnol :

  Quiero pan. *Je veux du pain.*

  Dame agua. *Donne-moi de l'eau.*
- En espagnol, il n'y pas d'article devant les noms de pays (à quelques exceptions près) :

  España *l'Espagne* ;

  Francia *la France.*

« Lo » : article neutre

Il n'est jamais employé devant un nom.

Lo + adjectif ou participe passé = « ce qui est », « ce qu'il y a de » :

Lo interesante... *Ce qui est intéressant...*

Lo penoso es subir la cuesta. *Ce qu'il y a de pénible, c'est de monter la côte.*

Lo que = « ce qui », « ce que » :
Lo que me gusta... *Ce qui me plaît...*
Lo + adjectif + **que** = « combien », « comme » :
¡No te das cuenta lo guapo que es! *Tu ne te rends pas compte comme il est beau !*

Adjectifs

Formation du féminin : voir Genre
Formation du pluriel : voir Nombre

Adverbes en « mente »

Formation :

Féminin singulier de l'adjectif + **-mente** : lentamente, ferozmente.
Lorsque l'adjectif porte un accent écrit, l'adverbe le conserve à la même place :
fácilmente.

Omission de « mente »

Lorsque deux ou plusieurs adverbes se suivent, seul le dernier prend la forme
en **-mente**. Les autres se présentent comme des adjectifs au féminin singulier :
Lee lenta y distintamente. *Il lit lentement et distinctement.*

Apocope

On appelle apocope la perte de la voyelle finale ou de la dernière syllabe de
certains adjectifs lorsqu'ils sont devant un nom (comme en français *la Grand
rue*, par exemple) :
- **bueno, malo, primero, tercero, alguno, ninguno** perdent le **o** devant un nom
  masculin singulier : un libro bueno → un buen libro.
- **cualquiera** perd le **a** devant un nom singulier : cualquier niño.
- **grande** perd la syllabe **de** devant un nom singulier (masculin ou féminin) :
  una casa grande → una gran casa.

Attention au changement de sens, comme en français :
Napoleón era un gran hombre, pero no era un hombre grande. *Napoléon était
un grand homme, mais ce n'était pas un homme grand.*

C' est... qui / c' est... que

- On insiste sur l'objet : « quoi ? ».
  Je préfère le piano. = Je préfère quoi ? Le piano.
  Forme emphatique : *C'est le piano que je préfère.*

« Qui » et « que » se traduisent par **el que**, **la que**, **lo que**, **los que**, **las que**, éventuellement précédés d'une préposition :

Es el piano que prefiero. *C'est le piano que je préfère.*

- On insiste sur la circonstance : « quand? », « où? », « comment? ».

« Qui » et « que » se traduisent par **cuando**, **donde** ou **como**, éventuellement précédés de la préposition qui convient.

cuando (insistance sur le temps) :

Entonces fue cuando descubrí las playas más hermosas de América. *C'est alors que j'ai découvert les plus belles plages d'Amérique.*

donde (insistance sur le lieu) :

En México será donde veranearemos. *C'est au Mexique que nous irons passer l'été.*

Por aquí fue por donde pasó el ladrón. *C'est par ici que le voleur est passé.*

como (insistance sur la manière) :

Así es como se debe hablarme. *C'est ainsi qu'il faut s'adresser à moi.*

- On insiste sur la personne : « qui? ».

Tu me l'as dit. = Qui me l'a dit?

Toi. Forme emphatique : *C'est toi qui me l'as dit.*

« Qui » et « que » se traduisent par **quien**, **quienes**, éventuellement précédés de la préposition qui convient :

Fuiste tú quien me lo dijo. *C'est toi qui me l'as dit.*

A mí será a quien lo dirá primero. *C'est à moi qu'elle le dira en premier.*

Dans ces formes d'insistance, « être » se traduit toujours par **ser**, conjugué au même temps que le verbe de la subordonnée et à la même personne que celle sur laquelle porte l'insistance.

« Qui » ou « que » se traduisent en fonction du sens (on cherche d'abord à savoir à quelle question répond la phrase).

Comparaison

- Comparatif d'égalité : **tan... como...**

  Somos tan viejos como ellos. *Nous sommes aussi âgés qu'eux.*

- Comparatif de supériorité : **más... que...**

  Eres más alto que yo. *Tu es plus grand que moi.*

- Comparatif d'infériorité : **menos... que...**

  Soy menos rico que usted. *Je suis moins riche que vous.*

- Comparatifs irréguliers :

  bueno → **mejor**

  malo → **peor**

  grande → **mayor**

  pequeño, **joven** → **menor**

Concordance des temps

Elle s'applique avec beaucoup de rigueur en espagnol lorsque le verbe de la subordonnée doit être au subjonctif.

- Verbe de la principale au présent ou au futur de l'indicatif, à l'impératif, au passé composé → Verbe de la subordonnée au présent du subjonctif :
  Le diré que venga a casa. *Je lui dirai de venir à la maison.*
- Verbe de la principale à un temps du passé (imparfait, prétérit, plus-que-parfait) ou au conditionnel → Verbe de la subordonnée à l'imparfait du subjonctif :
  Le dije que viniera a casa. *Je lui ai dit de venir à la maison.*

Como si est toujours suivi de l'imparfait du subjonctif :
Habla como si lo supiera todo. *Il parle comme s'il savait tout.*

Conditionnel

Formation des verbes réguliers

Infinitif du verbe + les terminaisons de **haber** à l'imparfait de l'indicatif :
ía, ías, ía, íamos, íais, ían.

Démonstratifs

Comme en français, les pronoms et adjectifs démonstratifs s'accordent en genre et en nombre avec le nom qu'ils déterminent.

Ils permettent d'indiquer un éloignement progressif dans l'espace ou dans le temps par rapport au locuteur :

Este año vamos de vacaciones a Italia. *Cette année, nous partons en vacances en Italie.*

Aquel año fuimos de vacaciones a Italia. *Cette année-là, (il y a un an, deux ans...), nous sommes allés en vacances en Italie.*

Adjectifs démonstratifs

masc. sing. : **este / ese / aquel**
masc. plur. : **estos / esos / aquellos**
fém. sing. : **esta / esa / aquella**
fém. plur. : **estas / esas / aquellas**

Pronoms démonstratifs

Ils se différencient des adjectifs par un accent écrit sur la syllabe accentuée :
masc. sing. : **éste / ése / aquél**
masc. plur. : **éstos / ésos / aquéllos**

fém. sing. : **ésta / ésa / aquélla**

fém. plur. : **éstas / ésas / aquéllas**

Les pronoms démonstratifs ont une forme neutre : **esto / eso / aquello**. Cette forme neutre représente un objet dont on ne précise ni la nature ni le genre ; elle peut aussi représenter une phrase entière.

No me digas eso. *Ne me dis pas ça.*

Enclise

Le pronom personnel complément ou réfléchi se soude au verbe :

- à l'impératif :
  dilo *dis-le*
- à l'infinitif :
  Tengo que irme. *Je dois m'en aller.*
- au gérondif :
  Está lavándose. *Il est en train de se laver.*

Quand il y a plusieurs pronoms compléments, le pronom complément d'objet indirect (COI) est toujours placé avant le pronom complément d'objet direct (COD) :

explícamelo *explique-le-moi.*

> **Remarques**
>
> L'enclise est obligatoire à l'impératif et à l'infinitif, mais simplement préférable au gérondif.
>
> Il faut souvent rajouter un accent écrit :
>
> **levántate** *lève-toi* ;
>
> **diciéndolo** *en le disant.*

Être

« Être » peut se traduire par **ser**, **estar** ou par des semi-auxiliaires qui les remplacent.

On emploie toujours « ser »

- devant un nom ou un pronom attribut :
  Eres mi mejor amigo. *Tu es mon meilleur ami.*
  Nuestro coche es ése. *Celle-ci est notre voiture.*
- suivi de la préposition **de**, il indique l'appartenance :
  El coche es de mi padre. *La voiture est à mon père.*
- devant un nombre ou un indéfini :
  Somos tres. *Nous sommes trois.*
  Son muchos. *Ils sont nombreux.*
- pour dire l'heure :
  Es la una. *Il est une heure.*
  Son las dos. *Il est deux heures.*

- devant un adjectif, pour définir ou exprimer une caractéristique essentielle (identité, genre, nationalité, origine, profession…) :
  Elena es española, es de Madrid, es profesora, es guapa. *Elena est espagnole, elle est de Madrid, elle est professeur, elle est belle.*
- il permet d'indiquer la couleur, la matière :
  El cielo es azul. *Le ciel est bleu.*
  La mesa es de madera. *La table est en bois.*
- devant un participe passé, pour former la voix passive :
  La pared fue pintada por Miguel. *Le mur a été peint par Miguel.*

On emploie toujours « estar »

- pour situer dans l'espace ou dans le temps :
  Estoy en casa. *Je suis chez moi.*
  Estamos en invierno. *Nous sommes en hiver.*
- avec le gérondif, pour indiquer que l'action est en train de se faire (présent progressif) :
  ¿Qué estás haciendo? *Qu'es-tu en train de faire ?*
- devant un adjectif, pour traduire un état dépendant des circonstances (une transformation, un résultat, une situation accidentelle…) :
  ¡Tú aquí! ¡Qué contento estoy! *Toi ici ! Comme je suis content !*
  Esta anciana está muy sola. *Cette vieille dame est très seule.*
  ¡Qué guapa estás con este peinado! *Comme tu es belle avec ta nouvelle coiffure !*
- devant un participe passé, pour exprimer le résultat d'une action :
  La pared está pintada de blanco. *Le mur est peint en blanc.*
  Cuando llegué, la puerta estaba cerrada. *Quand je suis arrivé, la porte était fermée.*

Certains adjectifs changent de sens selon qu'ils sont employés avec **ser** ou **estar**.
Exemples :
Ser bueno/malo. *Être bon (bonté)/mauvais (méchant).*
Estar bueno/malo. *Être en bonne/mauvaise santé ; avoir bon/mauvais goût.*
Ser listo. *Être intelligent.*
Estar listo. *Être prêt.*
Ser orgulloso. *Être orgueilleux.*
Estar orgulloso. *Être fier.*
Ser vivo. *Être malin, futé.*
Estar vivo. *Être vivant.*

Les semi-auxiliaires qui remplacent « ser » ou « estar »

Ils les remplacent en ajoutant une nuance particulière :
  resultar (idée de conséquence, d'aboutissement)
  andar, **ir**, **venir** (idée de progression)
  hallarse, **quedar**, **permanecer** (idée de permanence)
  Siempre anda metido en líos. *Il est toujours impliqué dans des histoires compliquées.*

Exclamation

- L'exclamation porte sur un nom ou un adjectif. **¡Qué** + nom (ou adj)**!**
  ¡Qué elegancia! *Quelle élégance!*
  ¡Qué guapa estás! *Comme tu es belle!*
- L'exclamation porte sur un nom accompagné d'un adjectif. **¡Qué** + nom + **más** ou **tan** + adj**!**
  ¡Qué chica más ou tan linda! *Quelle belle fille!*
- L'exclamation porte sur un verbe. **¡Cuánto / Cómo** + verbe**!**
  ¡Cuánto / Cómo me gusta esta novela! *Comme ce roman me plaît!*
- L'exclamation porte sur une quantité, un nombre. **¡Cuánto, -a, -os, -as…!**
  ¡Cuántos coches en la autopista! *Que de voitures sur l'autoroute!*

Quelques exclamations

¡Hola! ¡Qué tal! *Salut! Ça va?*
¡Cuidado! ¡Ojo! *Attention!*
¡Anda! *Allez!*
¡Vaya piscina! *En voilà une piscine!*
¡Dichosa excursión! *Maudite excursion!*
¡Adelante! *Entrez!*
¡Fuera! *Dehors!*
¡Hombre! *Tiens!*
¡Basta! *Ça suffit!*
¡Vale! *D'accord!*

Toute phrase exclamative commence par un point d'exclamation à l'envers et se termine par un point d'exclamation à l'endroit. Les mots exclamatifs portent un accent écrit sur la syllabe accentuée.
¡Qué!, ¡Cómo!, ¡Cuánto!

Futur

Formation (verbes réguliers)

Infinitif du verbe + les terminaisons de **haber** au présent de l'indicatif : **-é, -ás, -á, -emos, -éis, -án**.

Emploi

Il peut servir à exprimer une hypothèse :
Dolerá mucho. *Cela doit faire très mal.*
¿Quién será? *Qui cela peut-il bien être?*

Futur proche

Ir conjugué au présent de l'indicatif + **a** + infinitif :
Vamos a comer. *Nous allons manger.*

Genre

Attention : Le **-o** n'est pas la marque du masculin, ni le **-a** la marque du féminin.

Exemples : **la mano, la moto, la radio, el Sena, el artista, el problema, el día, el mapa.**

- Les noms, les adjectifs et les participes qui se terminent en **-o** au masculin ont leur féminin en **-a** :

  amarillo → amarilla ;

  el hermano → la hermana ;

  cansado → cansada.

- Les noms terminés en **-or** sont généralement masculins (il existe des exceptions : **la flor, la labor**, ...) et ont leur féminin en **-ora** :

  el profesor → la profesora.

  Exception : **el actor → la actriz.**

- Les noms et adjectifs de nationalité ont leur féminin en **-a** :

  inglés → inglesa.

- Les adjectifs en **-án, -ín, -ón, -or** font leur féminin en **-a** :

  bonachón → bonachona.

  Exceptions : **mayor, menor, peor**... qui ne s'accordent pas en genre.

- Les autres adjectifs et participes sont identiques au masculin et au féminin :

  un vestido verde, una falda verde ;

  un chico original, una chica original.

Gérondif

Il correspond au participe présent français :

  hablando... *en parlant...*

Formation

Pour les verbes en **-ar** : radical du verbe + **-ando**.

Pour les verbes en **-er** et en **-ir** : radical du verbe + **-iendo**.

Pour les gérondifs irréguliers, voir **les tableaux de conjugaison** .

Emplois

Le gérondif est invariable.

- Employé seul

  – c'est un complément de manière (il permet de répondre à la question **¿Cómo?**) :

    Marta le contestó burlándose de él... *Marta lui a répondu en se moquant de lui...*

  – il exprime la simultanéité d'une action avec celle du verbe principal (« en même temps que ») :

    Come mirando la tele. *Il mange tout en regardant la télé.*

- Employé avec un auxiliaire

  – il permet d'exprimer les différents moments de l'action :

    estar + gérondif indique que l'action est en train de se faire (« être en train de »). C'est le présent progressif.

Estábamos comiendo cuando alguien llamó a la puerta. *Nous étions en train de manger quand quelqu'un a sonné à la porte.*

ir, **venir**, **andar** + gérondif indique que l'action se fait peu à peu :

Los alumnos van entrando en clase. *Les élèves rentrent au fur et à mesure en salle de cours.*

seguir, **continuar** + gérondif indique que l'action se poursuit (« continuer à ») :

Él seguía hablando aunque estaba solo. *Quoique seul, il continuait à parler.*

llevar + complément de temps + gérondif indique la durée de l'action (« cela fait... », « il y a... ») :

Llevo tres horas esperándote. *Cela fait trois heures que je t'attends.*

L'enclise est obligatoire au gérondif. Dans ce cas, il faut penser à vérifier l'accentuation.

« Gustar »

Ce verbe est l'une des traductions du verbe « aimer » lorsqu'il ne s'agit pas d'un sentiment pour une personne.

Il se construit comme le verbe « plaire » en français : le complément du verbe « aimer » devient sujet du verbe **gustar** :

Me gustan los caramelos. *J'aime les bonbons.*

[caramelos est le sujet du verbe **gustar** : « les bonbons me plaisent »]

Nos gusta la música. *Nous aimons la musique.*

[la música est le sujet du verbe **gustar** : « la musique me plaît »]

A ustedes les gusta viajar. *Vous aimez voyager.*

[viajar est le sujet du verbe **gustar** : « à vous, voyager vous plaît »]

(A mí)	me	gusta leer	gustan las flores.
(A ti)	te	gusta bailar	gustan los animales.
(A él/ella/usted)	le	gusta la ópera	gustan las flores.
(A nosotros/as)	nos	gusta la música	gustan los deportes.
(A vosotros/as)	os	gusta la montaña	gustan las flores.
(A ellos/as/ustedes)	les	gusta viajar	gustan los viajes.

D'autres verbes se construisent comme **gustar** (ce sont les tournures affectives) : **doler**, **encantar**, **ilusionar**, **fascinar**, **entusiasmar**, **apetecer**…

Habitude

Soler (conjugué) + verbe à l'infinitif exprime l'habitude, la généralité :

En verano solemos ir a la playa. *En été, nous avons l'habitude d'aller à la plage.*

Suele tomar el autobús para ir al cole. *Généralement, il prend le bus pour aller à l'école.*

Hypothèse

A lo mejor + indicatif (comme en français « peut-être » + indicatif) :
    A lo mejor nos vemos el martes. *Nous nous voyons peut-être mardi.*
Es posible que + subjonctif (comme en français) :
    Es posible que trabaje. *Il est possible qu'il travaille.*
Quizá, quizás, puede ser que + subjonctif :
    Quizá pueda salir mañana. *Je pourrai peut-être sortir demain.*
    Puede ser que salga mañana. *Je sortirai peut-être demain.*
Le futur simple :
    ¿Cuántos años tendrá este niño? *Quel âge peut bien avoir cet enfant ?*

	SUBORDONNÉE	PRINCIPALE
a) condition réalisable	si + présent de l'indicatif **Si tengo bastante dinero,** *Si j'ai assez d'argent* (un jour ! et c'est possible !),	futur de l'indicatif **compraré una casa.** *j'achèterai une maison.*
b) condition non réalisée (irréalisable dans le présent)	si + subjonctif imparfait **Si tuviera bastante dinero,** *Si j'avais assez d'argent* (mais ce n'est pas le cas),	conditionnel **compraría una casa.** *j'achèterais une maison.*
c) condition irréalisée dans le passé	si + subjonctif plus que parfait **Si hubiera tenido bastante dinero,** *Si j'avais eu assez d'argent* (mais je n'en n'avais pas assez),	conditionnel passé **habría** ou **hubiera comprado una casa.** *j'aurais acheté une maison.*

Négation

La négation **no**, (« ne… pas ») se place avant le groupe verbal :
    ¿No entiendes? *Tu ne comprends pas ?*
    No me gusta el campo. *Je n'aime pas la campagne.*
Dans une phrase négative, « mais » se traduit par **sino** :
    No quiero carne sino pescado. *Je ne veux pas de viande mais du poisson.*
Ya no… = « Ne… plus… » :
    Ya no hay nadie. *Il n'y a plus personne.*
No… sino… ou **No… más que…** = « Ne… que… » :
    No bebo sino agua. ou
    No bebo más que agua. *Je ne bois que de l'eau.*
Quand la négation porte sur deux verbes juxtaposés ou coordonnés, on remplace **no** par **ni** :
    Ni bebía ni comía. *Il ne mangeait ni ne buvait.*

Mots négatifs

nada (≠ algo) *rien*
nadie (≠ alguién) *personne*
nunca, **jamás** (≠ siempre) *jamais*
ninguno (≠ alguno) *personne*
tampoco (≠ también) *non plus*

Ils admettent une double construction :

- mot négatif + verbe :
  Nadie fue a la reunión. *Personne n'est allé à la réunion.*
- **No** + verbe + mot négatif :
  No fue nadie a la reunión. *Personne n'est allé à la réunion.*

Nombre

Les noms et adjectifs terminés par une voyelle non accentuée prennent un **-s** au pluriel :
  el vestido rojo → los vestidos rojos ;
  la chica holgazana → las chicas holgazanas.

Les noms et adjectifs terminés par une consonne, une voyelle accentuée ou un **-y** forment leur pluriel en ajoutant **-es** :
  cortés → corteses ;
  la capital → las capitales ;
  marroquí → marroquíes ;
  el rey → los reyes ;
  el joven → los jóvenes.

Les noms terminés par **-z** forment leur pluriel en
  -ces : la luz → las luces.

Numération

les nombres cardinaux

Uno devient **un** devant un nom masculin (apocope) :
  un solo niño, veintiún alumnos.

Ciento devient **cien** devant un nom (apocope) et un numéral qu'il multiplie :
  cien personas, cien mil.

La conjonction **y** se place entre les dizaines et les unités :
  140 = ciento cuarenta, 145 = ciento cuarenta y cinco.

Les centaines s'accordent avec le nom qui suit :
  Trescientas personas.

Mil est invariable comme en français :
  Dos mil *deux mille.*

Millar est un faux-ami : un millar = *un millier.*

les adjectifs ordinaux

primero, a, os, as	**segundo**, a, os, as
tercero, a, os, as	**cuarto**, a, os, as
quinto, a, os, as	**sexto**, a, os, as
séptimo, a, os, as	**octavo**, a, os, as
noveno, a, os, as	**décimo**, a, os, as

Primero et **tercero** s'apocopent : **la primera vez, el primer momento**, à partir de *once*, il est d'usage d'employer l'adjectif cardinal : **el piso catorce, Alfonso XII (doce)**.

Obligation

Obligation personnelle

Elle s'adresse à quelqu'un ou à quelque chose en particulier.
> **Tener** (conjugué) **que** + infinitif (c'est la tournure la plus employée) :
> > **Mañana tengo que madrugar.** *Demain, il faut que je me lève tôt.*
> **Deber** (conjugué) + infinitif (pour exprimer une obligation plus morale) :
> > **Debemos ayudar a nuestros padres.** *Nous devons aider nos parents.*

Obligation impersonnelle

Elle est générale et ne s'adresse à personne en particulier.
> **Hay que** + infinitif (c'est la structure la plus employée) :
> > **Hay que comer para vivir.** *Il faut manger pour vivre.*
> **Se debe** + infinitif (pour une obligation plus morale) :
> > **Se debe socorrer a los heridos.** *On doit secourir les personnes blessées.*

L'obligation impersonnelle peut être introduite par un verbe unipersonnel : **es preciso / es necesario / es menester / hace falta** + infinitif.
> **Es necesario presentar el pasaporte para pasar la frontera.** *Il est nécessaire de présenter son passeport pour passer la frontière.*

ON

Il y a plusieurs façons de traduire le pronom personnel indéfini *on*.
- **Se** + 3ᵉ personne du singulier ou du pluriel : « on » a le sens de « normalement », « généralement » (la personne qui parle peut faire partie de ce « on »). Cette tournure exprime un fait général, une interdiction.
  > **¿Cómo se dice en español?** *Comment on dit ça en espagnol?*
  > **Aquí no se puede aparcar.** *Ici, on ne peut pas se garer.*

Il faut faire l'accord au pluriel :
Se ve un barco en el horizonte. *On voit un bateau à l'horizon.*
Se ven bonitas ciudades en Castilla. *On voit de jolies villes en Castille.* [**ciudades** devient le sujet du verbe.]

- La troisième personne du pluriel :
  - quand « on » représente « les gens », « quelqu'un » (la personne qui parle ne fait pas partie de ce « on ») :

  Dicen que es un libro muy divertido. *On dit que c'est un livre très drôle.*
  - avec les verbes pronominaux :

  Te han llamado. *On t'a appelé.*
- **Uno**, **una** + 3ᵉ personne du singulier : quand le locuteur parle de lui-même, « on » est un équivalent de « je » :

  Cuando uno lee el texto. *Quand on lit le texte / quand je lis le texte.*

Ordre

- Le mode utilisé pour exprimer un ordre est l'impératif. Il y a cinq personnes :
  Deux pour le tutoiement : **tú / vosotros** ;
  Deux pour le vouvoiement : **usted / ustedes** ;
  La première personne du pluriel : **nosotros / nosotras**.
- Formation (pour les trois groupes) :
  Deuxième personne du singulier (**tú**) → 3ᵉ personne du présent de l'indicatif : **habla** ;
  Deuxième personne du pluriel (**vosotros**) → infinitif sans **-r** + **-d** :
  Recoged los libros. *Ramassez les livres.*
  Pour les autres personnes (**usted, nosotros, ustedes**) → on utilise le présent du subjonctif :
  hable usted, cantemos, vengan por favor.

> **Remarques**
> À l'impératif, l'enclise est obligatoire. Il faut penser à vérifier l'accentuation.
> **Cállate.** *Tais-toi.*

Il existe huit verbes irréguliers à la deuxième personne du singulier :

poner → **pon**	**venir** → **ven**	**decir** → **di**	**ser** → **sé**
tener → **ten**	**salir** → **sal**	**hacer** → **haz**	**ir** → **ve**

Le cas des verbes pronominaux :
- à la première personne du pluriel (**nosotros**), le **-s** disparaît :

  ¡Levantémonos! *Levons-nous!*
- à la deuxième personne du pluriel (**vosotros**), le **-d** disparaît :

  ¡Levantaos! *Levez-vous!*

L'infinitif peut avoir une valeur injonctive :

  ¡Cruzar la calle despacio! *Traversez la rue doucement!*

  ¡Callaros! *Taisez-vous!*

La défense

C'est un ordre négatif, une interdiction. On l'exprime avec **no** + le subjonctif présent à toutes les personnes.

  ¡No me llames esta noche! *Ne m'appelle pas ce soir!*

  ¡No salgáis solos! *Ne sortez pas tout seuls!*

Attention, on ne fait pas l'enclise :

iNo te pierdas! *Ne te perds pas !*

Le pronom complément se déplace, comme en français (prends-le! → ne le prends pas !).

Construction des verbes d'ordre (« pedir », « mandar », « decir »)

Les verbes d'ordre, suivis en français de l'infinitif, se construisent en espagnol avec **que** + subjonctif (attention, il faut respecter la concordance des temps !)

Te pido que te calles. *Je te demande de te taire.*

Te dije que vinieras. *Je t'ai dit de venir.*

N.B. Les verbes **mandar** et **impedir** admettent deux constructions : avec **que** + subjonctif ou avec l'infinitif :

El profesor me mandó callar. / El profesor me mandó que me callara. *Le professeur m'a ordonné de me taire.*

Participe passé

voir Temps composés

Passé (de l'indicatif)

L'imparfait

- Formation :

    radical + **-aba**, **-abas**, **-aba**, **-ábamos**, **-abais**, **-aban**, pour les verbes en **-ar** ;

    radical + **-ía**, **-ías**, **-ía**, **-íamos**, **-íais**, **-ían**, pour les verbes en **-er** et en **-ir**.

    Il existe trois verbes irréguliers à l'imparfait : **ir**, **ser** et **ver** (voir les tableaux de conjugaison).

- Emploi :

    comme son nom l'indique, il exprime que l'action n'est pas parfaite, qu'elle n'est pas terminée ; on insiste sur le déroulement de l'action plutôt que sur son terme. On peut comparer l'imparfait à un présent dans le passé. Comme en français, il exprime une action habituelle qui se répète dans le passé :

    Cuando era niño, vivía en Madrid. *Quand il était petit, il habitait à Madrid.*

Le passé simple (« preterito indefinido »)

- Formation (verbes réguliers) :

    pour les verbes en **-ar**, radical + **-é**, **-aste**, **-ó**, **-amos**, **-astéis**, **-aron** ;

    pour les verbes en **-er** et en **-ir**, radical + **-í**, **-iste**, **-ió**, **-imos**, **-isteis**, **-ieron**.

- Emploi :

    il est beaucoup plus utilisé en espagnol qu'en français et est souvent traduit par le passé composé français. Il exprime une action passée achevée, sans rapport avec le présent et située dans une période de temps révolue pour celui qui parle (hier, l'année dernière,...) :

    Ayer llovió. *Hier, il a plu.*

Le passé composé

- Formation :
  auxiliaire **haber** au présent de l'indicatif + participe passé (voir `Temps composés`).

- Emploi :
  il est beaucoup moins utilisé en espagnol qu'en français. Si l'action passée est achevée, mais dans une période de temps non révolue (aujourd'hui, ce matin, cette année,...), on emploie le passé composé :

  Ha llovido toda la mañana. *Il a plu toute la matinée.*

  On l'emploie également pour exprimer une action achevée, dont les conséquences sur le présent sont encore manifestes :

  He descubierto que me adoptaron. *J'ai découvert que j'ai été adopté.*

Remarques
Les temps composés se forment toujours avec l'auxiliaire **haber**. Le participe passé ne peut pas être séparé de l'auxiliaire **haber** et est invariable (dans les temps composés).

Possessifs

Adjectifs possessifs

Il existe deux formes d'adjectif possessif :
- devant le nom, **mi hermano**, c'est la forme atone ;
- après le nom, **un hermano mío**, c'est la forme accentuée.

Espagnol		Français
DEVANT LE NOM	COMPARATIF	SUPERLATIF
mi(s)	mío(s), mía(s)	mon, ma, mes
tu(s)	tuyo(s), tuya(s)	ton, ta, tes
su(s)	suyo(s), suya(s), de usted	son, sa, ses
nuestro(s), nuestra(s)	nuestro(s), nuestra(s)	notre, nos
vuestro(s), vuestra(s)	vuestro(s), vuestra(s)	votre, vos
su(s)	suyo(s), suya(s), de ustedes	leur, leurs

Pronoms possessifs

Les pronoms possessifs n'ont pas de forme propre. Ils s'obtiennent en mettant l'article défini devant la forme accentuée (c'est-à-dire l'adjectif situé après le substantif) :

Son los míos. *Ce sont les miens.*

Pronoms personnels

Les pronoms sujets

Le pronom personnel sujet n'est généralement pas utilisé en espagnol, les terminaisons suffisant à indiquer la personne. On ne l'emploie que pour insister ou lever une ambiguïté :

Soy frances. *Je suis français.*

Quédate, yo me voy. *Reste, moi je m'en vais.*

FRANÇAIS	ESPAGNOL
je	yo
tu	tú
il / lui / elle	él / ella
vous (politesse)	usted
nous	nosotros / nosotras
vous	vosotros / vosotras
ils / eux / elles	ellos / ellas

Les pronoms compléments introduits par une préposition

FRANÇAIS	ESPAGNOL	AVEC LA PRÉPOSITION « CON »
moi	para mí	conmigo
toi	a ti	contigo
lui, elle	sin él, ella	con él, con ella
vous (politesse)	de usted	con usted
(soi)	(sí)	(consigo)
nous	hacia nostros, as	con nosotros, as
vous	por vosotros, as	con vosotros, as
eux, elles	para ellos, ellas	con ellos, ellas
vous (politesse)	a ustedes	con ustedes
(soi)	(sí)	(consigo)

Podéis empezar sin mí. *Vous pouvez commencer sans moi.*

Esto es para usted. *Ceci est pour vous.*

Se dirigió hacia ellos. *Il s'est dirigé vers eux.*

Lo hice por ti. *Je l'ai fait pour toi.*

Les pronoms compléments sans préposition

direct		indirect		réfléchi	
FRANÇAIS	ESPAGNOL	FRANÇAIS	ESPAGNOL	FRANÇAIS	ESPAGNOL
me	me	me	me	me	me
te	te	te	te	te	te
le	lo (le), la	lui	le	se	se
nous	nos	nous	nos	nous	nos
vous	os	vous	os	vous	os
les	los (les), las	leur	les	se	se

Place des pronoms

Le pronom personnel complément sans préposition se place avant le verbe, sauf à l'infinitif, à l'impératif et au gérondif :

No la veo. *Je ne la vois pas.*

Le pronom complément d'objet indirect est toujours placé avant le pronom complément d'objet direct :

No me lo digas. *Ne me le dis pas.*

Lorsque deux pronoms de la 3e personne se suivent, le premier prend la forme du réfléchi :

Se lo dije ayer. *Je le lui ai dit hier.*

Dans les cas d'enclise, on respecte les règles précédentes et on vérifie l'accentuation :

No quiero decírselo. *Je ne veux pas le lui dire.*

Voir aussi Enclise.

Pronoms relatifs (qui, que, quoi, dont, où)

Le pronom sujet

Il se traduit par **que**, que l'antécédent soit une personne ou une chose :

El chico que telefoneó. *Le garçon qui a téléphoné.*

Il se traduit par **quien**, **quienes**, lorsque l'antécédent n'est pas exprimé, mais qu'il sous-entend une personne :

Quien va a Sevilla pierde su silla. *Qui va à la chasse perd sa place.*

Dans une proposition explicative, il peut se traduire par

– **el cual**, **la cual**, **los cuales**, **las cuales**, quand il a pour antécédent une personne ou une chose :

El bandido amenazó al anciano y a Amelia, la cual temblaba de miedo. *Le bandit menaça le vieil homme et Amelia, laquelle tremblait de peur.*

– **quien** et **quienes**, qui ne peuvent être employés que pour une personne ;

– **lo que**, qui est utilisé pour un antécédent neutre ou quand l'antécédent est toute la proposition :

Perdió toda la tarde esperándolo, lo que le puso de mal humor. *Il a passé tout l'après-midi à l'attendre, ce qui l'a mis de mauvaise humeur.*

Le pronom relatif complément

Le pronom relatif complément est **que** si l'antécédent est une chose :

La novela que hemos leído. *Le roman que nous avons lu.*

Si l'antécédent est une personne : **a quien(es)**, **al que**, **a la que**, **a los que**, **a las que** :

Las personas a quienes invitamos. *Les personnes que nous invitons.*

Remarques

En espagnol, **que** est le pronom relatif le plus employé. Il peut avoir comme antécédent des personnes ou des choses, être sujet ou complément.

Quantité

Adjectifs indéfinis

mucho, a, os, as = *beaucoup.*

Hay muchos niños en la playa. *Il y a beaucoup d'enfants sur la plage.*

poco, a, os, as = *peu.*

Lo dijo con pocas palabras. *Il l'a dit en peu de mots.*

bastante, es = *assez.*

No tienes bastantes naranjas. *Tu n'as pas assez d'oranges.*

demasiado, a, os, as = *trop, trop de.*

Hay demasiadas personas aquí. *Il y a trop de personnes ici.*

Adverbes indéfinis

Ils sont invariables.

mucho = *beaucoup.*

Te quiero mucho. *Je t'aime beaucoup.*

poco = *peu.*

Son poco interesantes. *Ils sont peu intéressants.*

bastante = *assez.*

No sois bastante fuertes. *Vous n'êtes pas assez forts.*

demasiado = *trop.*

Las calles son demasiado estrechas. *Les rues sont trop étroites.*

muy = *très.*

Son muy cultos. *Ils sont très cultivés.*

Répétition / Réitération

Volver a + infinitif :

Volví a llamarla anoche. *Je l'ai rappelée hier soir.*

Verbe + **de nuevo** / **otra vez** :

La llamé otra vez anoche. *Je l'ai rappelée hier soir.*

Le verbe précédé du préfixe **re-** rend également l'idée de répétition, mais cette possibilité est beaucoup moins fréquente qu'en français :

renacer *renaître* ;

revivir *revivre* ;

rehacer *refaire*.

Subjonctif

Formation du subjonctif présent

Pour les verbes en **-ar** : radical + **-e, -es, -e, -emos, -éis, -en**.

Pour les verbes en **-er** et en **-ir** : radical + **-a, -as, -a, -amos, -áis, -an**.

La diphtongue fonctionne comme à l'indicatif.

Si la première personne du singulier du présent de l'indicatif est irrégulière, tout le subjonctif présent est irrégulier :

salir : salgo → salga, salgas,...

Attention aux modifications orthographiques qui peuvent être entraînées par le changement de voyelle de la terminaison :

llegar → llegue ;

coger → coja.

Voir les tableaux de conjugaison pour les verbes irréguliers.

Formation du subjonctif imparfait

Il existe deux formes :

la forme en **-ra** et la forme en **-se**, qui se forment à partir de la troisième personne du pluriel du prétérit, pour les verbes réguliers et irréguliers. On remplace la terminaison **-aron** / **-ieron**, par **-ara** / **-iera** ou **-ase** / **-iese**.

Emplois

Le subjonctif se trouve presque toujours dans une subordonnée. C'est le mode de la subjectivité, de l'irréalité, de l'éventualité.

1. Dans une proposition subordonnée.

On emploie le subjonctif dans une proposition subordonnée chaque fois que l'action est envisagée comme improbable ou irréalisée.

• Dans une subordonnée complétive, après un verbe d'opinion ou de sentiment à la forme négative (puisque l'action sur laquelle porte l'opinion négative n'a pas de réalité) : **no parece que, no me gusta que, no pensaba que, es lástima que, es una pena que, es correcto que, es natural que, es seguro que**.

• Dans une subordonnée finale, après **para que, con objeto de que, a fin de que**.

Vengo para que hagas tus deberes. *Je viens pour que tu fasses tes devoirs.*

L'espagnol emploie le subjonctif après un verbe exprimant une volonté, un désir, une crainte :

querer *vouloir* ;

temer *craindre* ;

desear *désirer* ;

Quiero que vengas. *Je veux que tu viennes.*

Teme que la envenenen. *Elle a peur qu'on l'empoisonne.*

L'espagnol emploie le subjonctif à la place de l'infinitif français après les verbes exprimant un ordre, une prière, un conseil ou une recommandation :

decir *dire* ;

rogar *prier* ;

suplicar *supplier* ;

pedir *demander* ;

aconsejar *conseiller* ;

mandar *ordonner, commander* ;

prohibir *interdire.*

L'espagnol emploie également le subjonctif pour traduire l'aspect d'éventualité présenté par le futur français

- dans une proposition subordonnée temporelle, après **cuando, hasta que, siempre que** :

  Cuando vengan... *Quand ils viendront...*

- dans une proposition relative et comparative :

  Los que puedan... *Ceux qui le pourront...*

  Como quieras. *Comme tu voudras.*

On emploie l'imparfait du subjonctif :

- après **como si** dans la phrase conditionnelle, pour exprimer une condition irréalisable ou irréalisée dans le passé (voir Hypothèse) ;

- lorsque la proposition principale est au passé. C'est la concordance des temps .

Quand la subordonnée temporelle exprime une action postérieure à la principale, on utilise le subjonctif : en effet, **antes que** est suivi du subjonctif. Dans une subordonnée concessive (pour traduire « même si »), on utilise le subjonctif après **aunque, aun cuando**. Les locutions **por más... que, por mucho... que, por muy... que** sont suivies

– du subjonctif, si le locuteur considère l'action comme éventuelle ;

– de l'indicatif, s'il la considère comme réalisée.

2. Dans une proposition principale.

On emploie le subjonctif dans une proposition principale pour renforcer la valeur dubitative après :

  Es posible que... *Il est possible que...*

  Ojalá... *Pourvu que...*

  Quizá(s) / Tal vez / Acaso... *Peut-être...*

3. Dans une proposition indépendante.

On emploie également le subjonctif dans une proposition indépendante :

- pour exprimer la défense : **no** + subjonctif présent (voir Ordre)

- pour donner un ordre aux troisièmes personnes du singulier et du pluriel et à la première personne du pluriel : **usted, ustedes, nosotros** (voir Ordre)

- pour exprimer le regret : **¡Qué lastima que...!, ¡Qué pena, que...!**

- pour exprimer l'obligation personnelle, après **es preciso que..., es necesario que...** (voir Obligation).

Suffixes

Les diminutifs

- On ajoute **-ito, a** ou **-illo, a** aux mots qui se terminent par **-a** ou **-o** (ces voyelles s'élident) ou par une consonne (sauf **-n** et **-r**). **-ito, a** est le diminutif le plus commun. Il peut avoir une valeur affective. Appliqué à un adjectif, il en renforce le sens :

  solo *seul* → solito *tout seul* ;

  una casita *une petite maison* ;

  mi abuelita *ma chère grand-mère* ou *ma grand-mère chérie*.

  -illo, a indique que l'objet est petit :

  una cuchara *une cuillère* → una cucharilla *une petite cuillère*.

- On ajoute **-cito, a** aux mots terminés par **-e**, **-n**, ou **-r** :

  pobre → pobrecito ;

  joven → jovencito.

- On ajoute **-ecito, a** aux monosyllabes terminés par une consonne et aux mots à diphtongue de deux syllabes (leur voyelle finale s'élidant) :

  una vieja → una viejecita ;

  un pez → un pececito.

Les augmentatifs

Ils expriment la démesure et sont souvent péjoratifs, mais c'est toujours le contexte qui éclaire sur leur sens :

- **-ón, -ona** :

  un hombre →un hombrón *un gaillard* ;

  una mujer → una mujerona *une grande femme*.

  Il peut aussi marquer un excès :

  un dormilón *un dormeur* ;

  burlón *moqueur*.

- **-azo** :

  un coche → un cochazo *une grosse voiture*.

- **-ote, -ota** :

  una palabra → una palabrota *un gros mot* ;

  un grandote *un échalas*.

Les suffixes collectifs

Ils désignent les plantations.

-al et **-ar** :

  el trigo *le blé* → el trigal *le champ de blé* ;

  el olivo *l'olivier* → un olivar *une oliveraie*.

Les suffixes qui expriment les coups

-azo, a :

  un golpe de hacha → un hachazo *un coup de hache* ;

  un codazo *un coup de coude* ;

  un vistazo *un coup d'œil*.

Superlatifs

Superlatif absolu : **muy** + adj ou suffixe → **ísimo**.

Una chica muy guapa. → Una chica guapísima. *Une fille très belle* ou *extrêmement belle*.

Superlatif relatif : **el más / el menos** + adj

Es el más gordo de la familia; es también el menos simpático. *C'est le plus gros de la famille ; c'est aussi le moins sympathique.*

On ne répète pas l'article si le superlatif suit un nom déterminé :

Es el alumno más listo de la clase. *C'est l'élève le plus intelligent de la classe.*

Temps composés

Formation

Auxiliaire **haber** conjugué au temps souhaité + participe passé.

Haber est le seul auxiliaire utilisé pour la formation des temps composés.

L'auxiliaire **haber** :

- Présent de l'indicatif (pour la formation du passé composé) : **he**, **has**, **ha**, **hemos**, **habéis**, **han**.
- Imparfait de l'indicatif (pour la formation du plus-que-parfait) : **había**, **habías**, **había**, **habíamos**, **habíais**, **habían**.

Le participe passé :

- radical + **-ado**, pour les verbes en **-ar** ;
- radical + **-ido**, pour les verbes en **-er**, et en **-ir**.

Pour les participes passés irréguliers, voir les tableaux de conjugaison.

Contrairement au français, auxiliaire et participe sont inséparables et le participe passé est invariable :

He comido demasiado. *J'ai trop mangé.*

La sangría que has bebido. *La sangria que tu as bue.*

Vouvoiement

En espagnol vouvoyer quelqu'un revient à lui parler à la troisième personne, en utilisant les pronoms et adjectifs possessifs correspondants : *Monsieur veut-il que je lui porte ses bagages ?*

Le pronom personnel sujet correspondant au « vous de politesse » est **usted** si l'on s'adresse à une personne et **ustedes** si l'on s'adresse à plusieurs personnes.

¿Dónde está usted, (señor/señora)? *Où êtes-vous (Monsieur/Madame) ?*

Tous les accords se font à la troisième personne, y compris ceux des adjectifs et pronoms possessifs.

Señor, su coche está mal aparcado. *Monsieur, votre voiture est mal garée.*

¿Alguien le atiende? *On s'occupe de vous ?*

Pour éviter toute confusion sur la personne représentée par le pronom complément, on peut préciser : **a usted**, **a ustedes** :

No la veo a usted. *Je ne vous vois pas (Madame).*

Conjugaisons des verbes espagnols

	1 amar	2 temer
indicatif présent	amo ama amamos	temo teme tememos
indicatif imparfait	amaba amábamos	temía temíamos
passé simple	amé amó amamos amaron	temí temió temimos temieron
futur	amaré amará amaremos	temeré temerá temeremos
conditionnel présent	amaría amaríamos	temería temeríamos
subjonctif présent	ame amemos	tema temamos
isubjonctif imparfait	amara, amase amáramos, amásemos	temiera, temiese temiéramos, temiésemos
impératif	ama (tú), ame (él, ella, usted) amemos (nosotros) amad (vosotros) amen (ellos, ellas, ustedes)	teme (tú) tema (él, ella, usted) temamos (nosotros) temed (vosotros) teman (ellos, ellas, ustedes)
gérondif, part. passé	amando, amado	temiendo, temido

	3 partir	4 haber
indicatif présent	parto parte partimos	he ha hemos
indicatif imparfait	partía partíamos	había habíamos
passé simple	partí partió partimos partieron	hube hubo hubimos hubieron
futur	partiré partirá partiremos	habré habrá habremos
conditionnel présent	partiría partiríamos	habría habríamos
subjonctif présent	parta partamos	haya hayamos
isubjonctif imparfait	partiera, partiese partiéramos, partiésemos	hubiera, hubiese hubiéramos, hubiésemos
impératif	parte (tú) parta (él, ella, usted) partamos (nosotros) partid (vosotros) partan (ellos, ellas, ustedes)	he (tú) haya (él, ella, usted) hayamos (nosotros) habed (vosotros) hayan (ellos, ellas, ustedes)
gérondif, part. passé	partiendo, partido	habiendo, habido

	5 ser	6 actuar
indicatif présent	soy es somos	actúo actúa actuamos
indicatif imparfait	era éramos	actuaba actuábamos
passé simple	fui fue fuimos fueron	actué actuó actuamos actuaron
futur	seré será seremos	actuaré actuará actuaremos
conditionnel présent	sería seríamos	actuaría actuaríamos
subjonctif présent	sea seamos	actúe actuemos
isubjonctif imparfait	fuera, fuese fuéramos, fuésemos	actuara, actuase actuáramos, actuásemos
impératif	sé (tú) sea (él, ella, usted) seamos (nosotros) sed (vosotros) sean (ellos, ellas, ustedes)	actúa (tú) actúe (él, ella, usted) actuemos (nosotros) actuad (vosotros) actúen (ellos, ellas, ustedes)
gérondif, part. passé	siendo, sido	actuando, actuado

	7 adecuar	8 cambiar
indicatif présent	adecuo adecua adecuamos	cambio cambia cambiamos
indicatif imparfait	adecuaba adecuábamos	cambiaba cambiábamos
passé simple	adecué adecuó adecuamos adecuaron	cambié cambió cambiamos cambiaron
futur	adecuaré adecuará adecuaremos	cambiaré cambiará cambiaremos
conditionnel présent	adecuaría adecuaríamos	cambiaría cambiaríamos
subjonctif présent	adecue adecuemos	cambie cambiemos
isubjonctif imparfait	adecuara, adecuase adecuáramos, adecuásemos	cambiara, cambiase cambiáramos, cambiásemos
impératif	adecua (tú) adecue (él, ella, usted) adecuemos (nosotros) adecuad (vosotros) adecuen (ellos, ellas, ustedes)	cambia (tú) cambie (él, ella, usted) cambiemos (nosotros) cambiad (vosotros) cambien (ellos, ellas, ustedes)
gérondif, part. passé	adecuando, adecuado	cambiando, cambiado

	9 guiar	10 sacar
indicatif présent	guío guía guiamos	saco saca sacamos
indicatif imparfait	guiaba guiábamos	sacaba sacábamos
passé simple	guié guió guiamos guiaron	saqué sacó sacamos sacaron
futur	guiaré guiará guiaremos	sacaré sacará sacaremos
conditionnel présent	guiaría guiaríamos	sacaría sacaríamos
subjonctif présent	guíe guiemos	saque saquemos
isubjonctif imparfait	guiara, guiase guiáramos, guiásemos	sacara, sacase sacáramos, sacásemos
impératif	guía (tú) guíe (él, ella, usted) guiemos (nosotros) guiad (vosotros) guíen (ellos, ellas, ustedes)	saca (tú) saque (él, ella, usted) saquemos (nosotros) sacad (vosotros) saquen (ellos, ellas, ustedes)
gérondif, part. passé	guiando, guiado	sacando, sacado

	11 mecer	12 zurcir
indicatif présent	mezo mece mecemos	zurzo zurce zurcimos
indicatif imparfait	mecía mecíamos	zurcía zurcíamos
passé simple	mecí meció mecimos mecieron	zurcí zurció zurcimos zurcieron
futur	meceré mecerá meceremos	zurciré zurcirá zurciremos
conditionnel présent	mecería meceríamos	zurciría zurciríamos
subjonctif présent	meza mezamos	zurza zurzamos
isubjonctif imparfait	meciera, meciese meciéramos, meciésemos	zurciera, zurciese zurciéramos, zurciésemos
impératif	mece (tú) meza (él, ella, usted) mezamos (nosotros) meced (vosotros) mezan (ellos, ellas, ustedes)	zurce (tú) zurza (él, ella, usted) zurzamos (nosotros) zurcid (vosotros) zurzan (ellos, ellas, ustedes)
gérondif, part. passé	meciendo, mecido	zurciendo, zurcido

	13 cazar	14 proteger
indicatif présent	cazo caza cazamos	protejo protege protegemos
indicatif imparfait	cazaba cazábamos	protegía protegíamos
passé simple	cacé cazó cazamos cazaron	protegí protegió protegimos protegieron
futur	cazaré cazará cazaremos	protegeré protegerá protegeremos
conditionnel présent	cazaría cazaríamos	protegería protegeríamos
subjonctif présent	cace cacemos	proteja protejamos
isubjonctif imparfait	cazara, cazase cazáramos, cazásemos	protegiera, protegiese protegiéramos, protegiésemos
impératif	caza (tú) cace (él, ella, usted) cacemos (nosotros) cazad (vosotros) cacen (ellos, ellas, ustedes)	protege (tú) proteja (él, ella, usted) protejamos (nosotros) proteged (vosotros) protejan (ellos, ellas, ustedes)
gérondif, part. passé	cazando, cazado	protegiendo, protegido

	15 dirigir	16 llegar
indicatif présent	dirijo dirige dirigimos	llego llega llegamos
indicatif imparfait	dirigía dirigíamos	llegaba llegábamos
passé simple	dirigí dirigió dirigimos dirigieron	llegué llegó llegamos llegaron
futur	dirigiré dirigirá dirigiremos	llegaré llegará llegaremos
conditionnel présent	dirigiría dirigiríamos	llegaría llegaríamos
subjonctif présent	dirija dirijamos	llegue lleguemos
isubjonctif imparfait	dirigiera, dirigiese dirigiéramos, dirigiésemos	llegara, llegase llegáramos, llegásemos
impératif	dirige (tú) dirija (él, ella, usted) dirijamos (nosotros) dirigid (vosotros) dirijan (ellos, ellas, ustedes)	llega (tú) llegue (él, ella, usted) lleguemos (nosotros) llegad (vosotros) lleguen (ellos, ellas, ustedes)
gérondif, part. passé	dirigiendo, dirigido	llegando, llegado

	17 distinguir	18 delinquir
indicatif présent	distingo distingue distinguimos	delinco delinque delinquimos
indicatif imparfait	distinguía distinguíamos	delinquía delinquíamos
passé simple	distinguí distinguió distinguimos distinguieron	delinquí delinquió delinquimos delinquieron
futur	distinguiré distinguirá distinguiremos	delinquiré delinquirá delinquiremos
conditionnel présent	distinguiría distinguiríamos	delinquiría delinquiríamos
subjonctif présent	distinga distingamos	delinca delincamos
isubjonctif imparfait	distinguiera, distinguiese distinguiéramos, distinguiésemos	delinquiera, delinquiese delinquiéramos, delinquiésemos
impératif	distingue (tú) distinga (él, ella, usted) distingamos (nosotros) distinguid (vosotros) distingan (ellos, ellas, ustedes)	delinque (tú) delinca (él, ella, usted) delincamos (nosotros) delinquid (vosotros) delincan (ellos, ellas, ustedes)
gérondif, part. passé	distinguiendo, distinguido	delinquiendo, delinquido

	19 acertar	20 tender
indicatif présent	acierto acierta acertamos	tiendo tiende tendemos
indicatif imparfait	acertaba acertábamos	tendía tendíamos
passé simple	acerté acertó acertamos acertaron	tendí tendió tendimos tendieron
futur	acertaré acertará acertaremos	tenderé tenderá tenderemos
conditionnel présent	acertaría acertaríamos	tendería tenderíamos
subjonctif présent	acierte acertemos	tienda tendamos
isubjonctif imparfait	acertara, acertase acertáramos, acertásemos	tendiera, tendiese tendiéramos, tendiésemos
impératif	acierta (tú) acierte (él, ella, usted) acertemos (nosotros) acertad (vosotros) acierten (ellos, ellas, ustedes)	tiende (tú) tienda (él, ella, usted) tendamos (nosotros) tended (vosotros) tiendan (ellos, ellas, ustedes)
gérondif, part. passé	acertando, acertado	tendiendo, tendido

	21 discernir	22 adquirir
indicatif présent	discierno discierne discernimos	adquiero adquiere adquirimos
indicatif imparfait	discernía discerníamos	adquiría adquiríamos
passé simple	discerní discernió discernimos discernieron	adquirí adquirió adquirimos adquirieron
futur	discerniré discernirá discerniremos	adquiriré adquirirá adquiriremos
conditionnel présent	discerniría discerniríamos	adquiriría adquiriríamos
subjonctif présent	discierna discernamos	adquiera adquiramos
isubjonctif imparfait	discerniera, discerniese discerniéramos, discerniésemos	adquiriera, adquiriese adquiriéramos, adquiriésemos
impératif	discierne (tú) discierna (él, ella, usted) discernamos (nosotros) discernid (vosotros) disciernan (ellos, ellas, ustedes)	adquiere (tú) adquiera (él, ella, usted) adquiramos (nosotros) adquirid (vosotros) adquieran (ellos, ellas, ustedes)
gérondif, part. passé	discerniendo, discernido	adquiriendo, adquirido

	23 sonar	24 mover
indicatif présent	sueno suena sonamos	muevo mueve movemos
indicatif imparfait	sonaba sonábamos	movía movíamos
passé simple	soné sonó sonamos sonaron	moví movió movimos movieron
futur	sonaré sonará sonaremos	moveré moverá moveremos
conditionnel présent	sonaría sonaríamos	movería moveríamos
subjonctif présent	suene sonemos	mueva movamos
isubjonctif imparfait	sonara, sonase sonáramos, sonásemos	moviera, moviese moviéramos, moviésemos
impératif	suena (tú) suene (él, ella, usted) sonemos (nosotros) sonad (vosotros) suenen (ellos, ellas, ustedes)	mueve (tú) mueva (él, ella, usted) movamos (nosotros) moved (vosotros) muevan (ellos, ellas, ustedes)
gérondif, part. passé	sonando, sonado	moviendo, movido

	25 dormir	26 pedir
indicatif présent	duermo duerme dormimos	pido pide pedimos
indicatif imparfait	dormía dormíamos	pedía pedíamos
passé simple	dormí durmió dormimos durmieron	pedí pidió pedimos pidieron
futur	dormiré dormirá dormiremos	pediré pedirá pediremos
conditionnel présent	dormiría dormiríamos	pediría pediríamos
subjonctif présent	duerma durmamos	pida pidamos
isubjonctif imparfait	durmiera, durmiese durmiéramos, durmiésemos	pidiera, pidiese pidiéramos, pidiésemos
impératif	duerme (tú) duerma (él, ella, usted) durmamos (nosotros) dormid (vosotros) duerman (ellos, ellas, ustedes)	pide (tú) pida (él, ella, usted) pidamos (nosotros) pedid (vosotros) pidan (ellos, ellas, ustedes)
gérondif, part. passé	durmiendo, dormido	pidiendo, pedido

	27 sentir	28 reír
indicatif présent	siento siente sentimos	río ríe reímos
indicatif imparfait	sentía sentíamos	reía reíamos
passé simple	sentí sintió sentimos sintieron	reí rió reimos rieron
futur	sentiré sentirá sentiremos	reiré reirá reiremos
conditionnel présent	sentiría sentiríamos	reiría reiríamos
subjonctif présent	sienta sintamos	ría riamos
isubjonctif imparfait	sintiera, sintiese sintiéramos, sintiésemos	riera, riese riéramos, riésemos
impératif	siente (tú) sienta (él, ella, usted) sintamos (nosotros) sentid (vosotros) sientan (ellos, ellas, ustedes)	ríe (tú) ría (él, ella, usted) riamos (nosotros) reíd (vosotros) rían (ellos, ellas, ustedes)
gérondif, part. passé	sintiendo, sentido	riendo, reído

	29 nacer	30 parecer
indicatif présent	nazco nàce nacemos	parezco parece parecemos
indicatif imparfait	nacía nacíamos	parecía parecíamos
passé simple	nací nació nacimos nacieron	parecí pareció parecimos parecieron
futur	naceré nacerá naceremos	pareceré parecerá pareceremos
conditionnel présent	nacería naceríamos	parecería paraceríamos
subjonctif présent	nazca nazcamos	parezca parezcamos
isubjonctif imparfait	naciera, naciese naciéramos, naciésemos	pareciera, pareciese pareciéramos, pareciésemos
impératif	nace (tú) nazca (él, ella, usted) nazcamos (nosotros) naced (vosotros) nazcan (ellos, ellas, ustedes)	parece (tú) parezca (él, ella, usted) parezcamos (nosotros) pareced (vosotros) parezcan (ellos, ellas, ustedes)
gérondif, part. passé	naciendo, nacido	pareciendo, parecido

	31 conocer	32 lucir
indicatif présent	conozco conoce conocemos	luzco luce lucimos
indicatif imparfait	conocía conocíamos	lucía lucíamos
passé simple	conocí conoció conocimos conocieron	lucí lució lucimos lucieron
futur	conoceré conocerá conoceremos	luciré lucirá luciremos
conditionnel présent	conocería conoceríamos	luciría luciríamos
subjonctif présent	conozca conozcamos	luzca luzcamos
isubjonctif imparfait	conociera, conociese conociéramos, conociésemos	luciera, luciese luciéramos, luciésemos
impératif	conoce (tú) conozca (él, ella, usted) conozcamos (nosotros) conoced (vosotros) conozcan (ellos, ellas, ustedes)	luce (tú) luzca (él, ella, usted) luzcamos (nosotros) lucid (vosotros) luzcan (ellos, ellas, ustedes)
gérondif, part. passé	conociendo, conocido	luciendo, lucido

	33 conducir	34 comenzar
indicatif présent	conduzco conduce conducimos	comienzo comienza comenzamos
indicatif imparfait	conducía conducíamos	comenzaba comenzábamos
passé simple	conduje condujo condujimos condujeron	comencé comenzó comenzamos comenzaron
futur	conduciré conducirá conduciremos	comenzaré comenzará comenzaremos
conditionnel présent	conduciría conduciríamos	comenzaría comenzaríamos
subjonctif présent	conduzca conduzcamos	comience comencemos
isubjonctif imparfait	condujera, condujese condujéramos, condujésemos	comenzara, comenzase comenzáramos, comenzásemos
impératif	conduce (tú) conduzca (él, ella, usted) conduzcamos (nosotros) conducid (vosotros) conduzcan (ellos, ellas, ustedes)	comienza (tú) comience (él, ella, usted) comencemos (nosotros) comenzad (vosotros) comiencen (ellos, ellas, ustedes)
gérondif, part. passé	conduciendo, conducido	comenzando, comenzado

	35 negar	36 trocar
indicatif présent	niego niega negamos	trueco trueca trocamos
indicatif imparfait	negaba negábamos	trocaba trocábamos
passé simple	negué negó negamos negaron	troqué trocó trocamos trocaron
futur	negaré negará negaremos	trocaré trocará trocaremos
conditionnel présent	negaría negaríamos	trocaría trocaríamos
subjonctif présent	niegue neguemos	trueque troquemos
isubjonctif imparfait	negara, negase negáramos, negásemos	trocara, trocase trocáramos, trocásemos
impératif	niega (tú) niegue (él, ella, usted) neguemos (nosotros) negad (vosotros) nieguen (ellos, ellas, ustedes)	trueca (tú) trueque (él, ella, usted) troquemos (nosotros) trocad (vosotros) truequen (ellos, ellas, ustedes)
gérondif, part. passé	negando, negado	trocando, trocado

	37 forzar	38 avergonzar
indicatif présent	fuerzo fuerza forzamos	avergüenzo avergüenza avergonzamos
indicatif imparfait	forzaba forzábamos	avergonzaba avergonzábamos
passé simple	forcé forzó forzamos forzaron	avergoncé avergonzó avergonzamos avergonzaron
futur	forzaré forzará forzaremos	avergonzaré avergonzará avergonzaremos
conditionnel présent	forzaría forzaríamos	avergonzaría avergonzaríamos
subjonctif présent	fuerce forcemos	avergüence avergoncemos
isubjonctif imparfait	forzara, forzase forzáramos, forzásemos	avergonzara, avergonzase avergonzáramos, avergonzásemos
impératif	fuerza (tú) fuerce (él, ella, usted) forcemos (nosotros) forzad (vosotros) fuercen (ellos, ellas, ustedes)	avergüenza (tú) avergüence (él, ella, usted) avergoncemos (nosotros) avergonzad (vosotros) avergüencen (ellos, ellas, ustedes)
gérondif, part. passé	forzando, forzado	avergonzando, avergonzado

	39 colgar	40 jugar
indicatif présent	cuelgo cuelga colgamos	juego juega jugamos
indicatif imparfait	colgaba colgábamos	jugaba jugábamos
passé simple	colgué colgó colgamos colgaron	jugué jugó jugamos jugaron
futur	colgaré colgará colgaremos	jugaré jugará jugaremos
conditionnel présent	colgaría colgaríamos	jugaría jugaríamos
subjonctif présent	cuelgue colguemos	juegue juguemos
isubjonctif imparfait	colgara, colgase colgáramos, colgásemos	jugara, jugase jugáramos, jugásemos
impératif	cuelga (tú) cuelgue (él, ella, usted) colguemos (nosotros) colgad (vosotros) cuelguen (ellos, ellas, ustedes)	juega (tú) juegue (él, ella, usted) juguemos (nosotros) jugad (vosotros) jueguen (ellos, ellas, ustedes)
gérondif, part. passé	colgando, colgado	jugando, jugado

	41 cocer	42 regir
indicatif présent	cuezo	rijo
	cuece	rige
	cocemos	regimos
indicatif imparfait	cocía	regía
	cocíamos	regíamos
passé simple	cocí	regí
	coció	rigió
	cocimos	regimos
	cocieron	rigieron
futur	coceré	regiré
	cocerá	regirá
	coceremos	regiremos
conditionnel présent	cocería	regiría
	coceríamos	regiríamos
subjonctif présent	cueza	rija
	cozamos	rijamos
isubjonctif imparfait	cociera, cociese	rigiera, rigiese
	cociéramos, cociésemos	rigiéramos, rigiésemos
impératif	cuece (tú)	rige (tú)
	cueza (él, ella, usted)	rija (él, ella, usted)
	cozamos (nosotros)	rijamos (nosotros)
	coced (vosotros)	regid (vosotros)
	cuezan (ellos, ellas, ustedes)	rijan (ellos, ellas, ustedes)
gérondif, part. passé	cociendo, cocido	rigiendo, regido

	43 seguir	44 argüir
indicatif présent	sigo	arguyo
	sigue	arguye
	seguimos	argüimos
indicatif imparfait	seguía	argüía
	seguíamos	argüíamos
passé simple	seguí	argüí
	siguió	arguyó
	seguimos	argüimos
	siguieron	arguyeron
futur	seguiré	argüiré
	seguirá	argüirá
	seguiremos	argüiremos
conditionnel présent	seguiría	argüiría
	seguiríamos	argüiríamos
subjonctif présent	siga	arguya
	sigamos	arguyamos
isubjonctif imparfait	siguiera, siguiese	arguyera, arguyese
	siguiéramos, siguiésemos	arguyéramos, arguyésemos
impératif	sigue (tú)	arguye (tú)
	siga (él, ella, usted)	arguya (él, ella, usted)
	sigamos (nosotros)	arguyamos (nosotros)
	seguid (vosotros)	argüid (vosotros)
	sigan (ellos, ellas, ustedes)	arguyan (ellos, usted, ustedes)
gérondif, part. passé	siguiendo, seguido	arguyendo, argüido

	45 averiguar	46 agorar
indicatif présent	averiguo averigua averiguamos	agüero agüera agoramos
indicatif imparfait	averiguaba averiguábamos	agoraba agorábamos
passé simple	averigüé averiguó averiguamos averiguaron	agoré agoró agoramos agoraron
futur	averiguaré averiguará averiguaremos	agoraré agorará agoraremos
conditionnel présent	averiguaría averiguaríamos	agoraría agoraríamos
subjonctif présent	averigüe averigüemos	agüere agoremos
isubjonctif imparfait	averiguara, averiguase averiguáramos, averiguásemos	agorara, agorase agoráramos, agorásemos
impératif	averigua (tú) averigüe (él, ella, usted) averigüemos (nosotros) averiguad (vosotros) averigüen (ellos, ellas, ustedes)	agüera (tú) agüere (él, ella, usted) agoremos (nosotros) agorad (vosotros) agüeren (ellos, ellas, ustedes)
gérondif, part. passé	averiguando, averiguado	agorando, agorado

	47 errar	48 desosar
indicatif présent	yerro yerra erramos	deshueso deshuesa desosamos
indicatif imparfait	erraba errábamos	desosaba desosábamos
passé simple	erré erró erramos erraron	desosé desosó desosamos desosaron
futur	erraré errará erraremos	desosaré desosará desosaremos
conditionnel présent	erraría erraríamos	desosaría desosaríamos
subjonctif présent	yerre erremos	deshuese desosemos
isubjonctif imparfait	errara, errase erráramos, errásemos	desosara, desosase desosáramos, desosásemos
impératif	yerra (tú) yerre (él, ella, usted) erremos (nosotros) errad (vosotros) yerren (ellos, ellas, ustedes)	deshuesa (tú) deshuese (él, ella, usted) desosemos (nosotros) desosad (vosotros) deshuesen (ellos, ellas, ustedes)
gérondif, part. passé	errando, errado	desosando, desosado

	49 oler	50 leer
indicatif présent	huelo huele olemos	leo lee leemos
indicatif imparfait	olía olíamos	leía leíamos
passé simple	olí olió olimos olieron	leí leyó leímos leyeron
futur	oleré olerá oleremos	leeré leerá leeremos
conditionnel présent	olería oleríamos	leería leeríamos
subjonctif présent	huela olamos	lea leamos
isubjonctif imparfait	oliera, oliese oliéramos, oliésemos	leyera, leyese leyéramos, leyésemos
impératif	huele (tú) huela (él, ella, usted) olamos (nosotros) oled (vosotros) huelan (ellos, ellas, ustedes)	lee (tú) lea (él, ella, usted) leamos (nosotros) leed (vosotros) lean (ellos, ellas, ustedes)
gérondif, part. passé	oliendo, olido	leyendo, leído

	51 huir	52 andar
indicatif présent	huyo huye huimos	ando anda andamos
indicatif imparfait	huía huíamos	andaba andábamos
passé simple	huí huyó huimos huyeron	anduve anduvo anduvimos anduvieron
futur	huiré huirá huiremos	andaré andará andaremos
conditionnel présent	huiría huiríamos	andaría andaríamos
subjonctif présent	huya huyamos	ande andemos
isubjonctif imparfait	huyera, huyese huyéramos, huyésemos	anduviera, anduviese anduviéramos, anduviésemos
impératif	huye (tú) huya (él, ella, usted) huyamos (nosotros) huid (vosotros) huyan (ellos, ellas, ustedes)	anda (tú) ande (él, ella, usted) andemos (nosotros) andad (vosotros) anden (ellos, ellas, ustedes)
gérondif, part. passé	huyendo, huido	andando, andado

	53 asir	54 caber
indicatif présent	asgo ase asimos	quepo cabe cabemos
indicatif imparfait	asía asíamos	cabía cabíamos
passé simple	así asió asimos asieron	cupe cupo cupimos cupieron
futur	asiré asirá asiremos	cabré cabrá cabremos
conditionnel présent	asiría asiríamos	cabría cabríamos
subjonctif présent	asga asgamos	quepa quepamos
isubjonctif imparfait	asiera, asiese asiéramos, asiésemos	cupiera, cupiese cupiéramos, cupiésemos
impératif	ase (tú) asga (él, ella, usted) asgamos (nosotros) asid (vosotros) asgan (ellos, ellas, ustedes)	cabe (tú) quepa (él, ella, usted) quepamos (nosotros) cabed (vosotros) quepan (ellos, ellas, ustedes)
gérondif, part. passé	asiendo, asido	cabiendo, cabido

	55 caer	56 dar
indicatif présent	caigo cae caemos	doy da damos
indicatif imparfait	caía caíamos	daba dábamos
passé simple	caí cayó caímos cayeron	di dio dimos dieron
futur	caeré caerá caeremos	daré dará daremos
conditionnel présent	caería caeríamos	daría daríamos
subjonctif présent	caiga caigamos	dé demos
isubjonctif imparfait	cayera, cayese cayéramos, cayésemos	diera, diese diéramos, diésemos
impératif	cae (tú) caiga (él, ella, usted) caigamos (nosotros) caed (vosotros) caigan (ellos, ellas, ustedes)	da (tú) dé (él, ella, usted) demos (nosotros) dad (vosotros) den (ellos, ellas, ustedes)
gérondif, part. passé	cayendo, caído	dando, dado

	57 decir	58 erguir
indicatif présent	digo dice decimos	irgo, yergo irgue, yergue erguimos
indicatif imparfait	decía decíamos	erguía erguíamos
passé simple	dije dijo dijimos dijeron	erguí irguió erguimos irguieron
futur	diré dirá diremos	erguiré erguirá erguiremos
conditionnel présent	diría diríamos	erguiría erguiríamos
subjonctif présent	diga digamos	irga, yerga irgamos
isubjonctif imparfait	dijera, dijese dijéramos, dijésemos	irguiera, irguiese irguiéramos, irguiésemos
impératif	di (tú) diga (él, ella, usted) digamos (nosotros) decid (vosotros) digan (ellos, ellas, ustedes)	irgue, yergue (tú) irga, yerga (él, ella) irgamos (nosotros) erguid (vosotros) irgan, yergan (ellos, ellas, ustedes)
gérondif, part. passé	diciendo, dicho	irguiendo, erguido

	59 estar	60 hacer
indicatif présent	estoy está estamos	hago hace hacemos
indicatif imparfait	estaba estábamos	hacía hacíamos
passé simple	estuve estuvo estuvimos estuvieron	hice hizo hicimos hicieron
futur	estaré estará estaremos	haré hará haremos
conditionnel présent	estaría estaríamos	haría haríamos
subjonctif présent	esté estemos	haga hagamos
isubjonctif imparfait	estuviera, estuviese estuviéramos, estuviésemos	hiciera, hiciese hiciéramos, hiciésemos
impératif	está (tú) esté (él, ella, usted) estemos (nosotros) estad (vosotros) estén (ellos, ellas, ustedes)	haz (tú) haga (él, ella, usted) hagamos (nosotros) haced (vosotros) hagan (ellos, ellas, ustedes)
gérondif, part. passé	estando, estado	haciendo, hecho

61 ir	62 oír
indicatif présent	voy	oigo
	va	oye
	vamos	oímos
indicatif imparfait	iba	oía
	íbamos	oíamos
passé simple	fui	oí
	fue	oyó
	fuimos	oímos
	fueron	oyeron
futur	iré	oiré
	irá	oirá
	iremos	oiremos
conditionnel présent	iría	oiría
	iríamos	oiríamos
subjonctif présent	vaya	oiga
	vayamos	oigamos
isubjonctif imparfait	fuera, fuese	oyera, oyese
	fuéramos, fuésemos	oyéramos, oyésemos
impératif	ve (tú)	oye (tú)
	vaya (él, ella, usted)	oiga (él, ella, usted)
	vayamos (nosotros)	oigamos (nosotros)
	id (vosotros)	oíd (vosotros)
	vayan (ellos, ellas, ustedes)	oigan (ellos, ellas, ustedes)
gérondif, part. passé	yendo, ido	oyendo, oído

63 placer	64 poder
indicatif présent	plazco	puedo
	place	puede
	placemos	podemos
indicatif imparfait	placía	podía
	placíamos	podíamos
passé simple	plací	pude
	plació, plugo	pudo
	placimos	pudimos
	placieron, pluguieron	pudieron
futur	placeré	podré
	placerá	podrá
	placeremos	podremos
conditionnel présent	placería	podría
	placeríamos	podríamos
subjonctif présent	plazca	pueda
	plazcamos	podamos
isubjonctif imparfait	placiera, placiese	pudiera, pudiese
	placiéramos, placiésemos	pudiéramos, pudiésemos
impératif	place (tú)	puede (tú)
	plazca (él, ella, usted)	pueda (él, ella, usted)
	plazcamos (nosotros)	podamos (nosotros)
	placed (vosotros)	poded (vosotros)
	plazcan (ellos, ellas, ustedes)	puedan (ellos, ellas, ustedes)
gérondif, part. passé	placiendo, placido	pudiendo, podido

	65 poner	66 predecir
indicatif présent	pongo pone ponemos	predigo predice predecimos
indicatif imparfait	ponía poníamos	predecía predecíamos
passé simple	puse puso pusimos pusieron	predije predijo predijimos predijeron
futur	pondré pondrá pondremos	prediré predirá prediremos
conditionnel présent	pondría pondríamos	prediría prediríamos
subjonctif présent	ponga pongamos	prediga predigamos
isubjonctif imparfait	pusiera, pusiese pusiéramos, pusiésemos	predijera, predijese predijéramos, predijésemos
impératif	pon (tú) ponga (él, ella, usted) pongamos (nosotros) poned (vosotros) pongan (ellos, ellas, ustedes)	predice (tú) prediga (él, ella, usted) predigamos (nosotros) predecid (vosotros) predigan (ellos, ellas, ustedes)
gérondif, part. passé	poniendo, puesto	prediciendo, predicho

	67 querer	68 raer
indicatif présent	quiero quiere queremos	rao, raigo, rayo rae raemos
indicatif imparfait	quería queríamos	raía raíamos
passé simple	quise quiso quisimos quisieron	raí rayó raímos rayeron
futur	querré querrá querremos	raeré raerá raeremos
conditionnel présent	querría querríamos	raería raeríamos
subjonctif présent	quiera queramos	raiga, raya raigamos, rayamos
isubjonctif imparfait	quisiera, quisiese quisiéramos, quisiésemos	rayera, rayese rayéramos, rayésemos
impératif	quiere (tú) quiera (él, ella, usted) queramos (nosotros) quered (vosotros) quieran (ellos, ellas, ustedes)	rae (tú) raiga, raya (él, ella, usted) raigamos, rayamos (nosotros) raed (vosotros) raigan, rayan (ellos, ellas, ustedes)
gérondif, part. passé	queriendo, querido	rayendo, raído

	69 roer	70 saber
indicatif présent	roo, roigo, royo roe roemos	sé sabe sabemos
indicatif imparfait	roía roíamos	sabía sabíamos
passé simple	roí royó roímos royeron	supe supo supimos supieron
futur	roeré roerá roeremos	sabré sabrá sabremos
conditionnel présent	roería roeríamos	sabría sabríamos
subjonctif présent	roa, roiga, roya roamos, roigamos, royamos	sepa sepamos
isubjonctif imparfait	royera, royese royéramos, royésemos	supiera, supiese supiéramos, supiésemos
impératif	roe (tú) roa, roiga, roya (él, ella, usted) roamos, roigamos, royamos (nos.) roed (vosotros) roan, roigan, royan (ellos[as], us.)	sabe (tú) sepa (él, ella, usted) sepamos (nosotros) sabed (vosotros) sepan (ellos, ellas, ustedes)
gérondif, part. passé	royendo, roído	sabiendo, sabido

	71 salir	72 tener
indicatif présent	salgo sale salimos	tengo tiene tenemos
indicatif imparfait	salía salíamos	tenía teníamos
passé simple	salí salió salimos salieron	tuve tuvo tuvimos tuvieron
futur	saldré sadrá saldremos	tendré tendrá tendremos
conditionnel présent	saldría saldríamos	tendría tendríamos
subjonctif présent	salga salgamos	tenga tengamos
isubjonctif imparfait	saliera, saliese saliéramos, saliésemos	tuviera, tuviese tuviéramos, tuviésemos
impératif	sal (tú) salga (él, ella, usted) salgamos (nosotros) salid (vosotros) salgan (ellos, ellas, ustedes)	ten (tú) tenga (él, ella, usted) tengamos (nosotros) tened (vosotros) tengan (ellos, ellas, ustedes)
gérondif, part. passé	saliendo, salido	teniendo, tenido

	73 traer	74 valer
indicatif présent	traigo trae traemos	valgo vale valemos
indicatif imparfait	traía traíamos	valía valíamos
passé simple	traje trajo trajimos trajeron	valí valió valimos valieron
futur	traeré traerá traeremos	valdré valdrá valdremos
conditionnel présent	traería traeríamos	valdría valdríamos
subjonctif présent	traiga traigamos	valga valgamos
isubjonctif imparfait	trajera, trajese trajéramos, trajésemos	valiera, valiese valiéramos, valiésemos
impératif	trae (tú) traiga (él, ella, usted) traigamos (nosotros) traed (vosotros) traigan (ellos, ellas, ustedes)	vale (tú) valga (él, ella, usted) valgamos (nosotros) valed (vosotros) valgan (ellos, ellas, ustedes)
gérondif, part. passé	trayendo, traído	valiendo, valido

	75 venir	76 ver
indicatif présent	vengo viene venimos	veo ve vemos
indicatif imparfait	venía veníamos	veía veíamos
passé simple	vine vino venimos vinieron	vi vio vimos vieron
futur	vendré vendrá vendremos	veré verá veremos
conditionnel présent	vendría vendríamos	vería veríamos
subjonctif présent	venga vengamos	vea veamos
isubjonctif imparfait	viniera, viniese viniéramos, viniésemos	viera, viese viéramos, viésemos
impératif	ven (tú) venga (él, ella, usted) vengamos (nosotros) venid (vosotros) vengan (ellos, ellas, ustedes)	ve (tú) vea (él, ella, usted) veamos (nosotros) ved (vosotros) vean (ellos, ellas, ustedes)
gérondif, part. passé	viniendo, venido	viendo, visto

77 yacer

indicatif présent	yazco, yazgo, yago yace yacemos
indicatif imparfait	yacía yacíamos
passé simple	yací yació yacimos yacieron
futur	yaceré yacerá yaceremos
conditionnel présent	yacería yaceríamos
subjonctif présent	yazca, yazga, yaga yazcamos, yazgamos, yagamos
subjonctif imparfait	yaciera, yaciese yaciéramos, yaciésemos
impératif	yace, yaz (tú) yazca, yazga, yaga (él, ella, usted) yazcamos, yazgamos, yagamos (nos.) yaced (vosotros) yazcan, yazgan, yagan (ellos...)
gérondif, part. passé	yaciendo, yacido

Verbes défectifs

	78 abolir	79 balbucir
		Les formes non conjuguées sont remplacées par celles du verbe : balbucear.
indicatif présent	*ne se conjuque pas*	*ne se conjuque pas*
	–	balbuces
	–	balbuce
	abolimos	balbucemos
	abolís	balbucís
	inusité	balbucen
indicatif imparfait	abolía	balbucía
	abolías	balbucías
	abolía	balbucía
	abolíamos	balbucíamos
	abolíais	balbucíais
	abolían	balbucían
passé simple	abolí	balbucí
	aboliste	balbuciste
	abolió	balbució
	abolimos	balbucimos
	abolisteis	balbucisteis
	abolieron	balbucieron
futur	aboliré	balbuciré
	abolirás	balbucirás
	abolirá	balbucirá
	aboliremos	balbuciremos
	aboliréis	balbuciréis
	abolirán	balbucirán
conditionnel présent	aboliría	balbuciría
	abolirías	balbucirías
	aboliría	balbuciría
	aboliríamos	balbuciríamos
	aboliríais	balbuciríais
	abolirían	balbucirían
subjonctif présent	*ne se conjugue pas*	*ne se conjugue pas*
subjonctif imparfait	aboliera, aboliese	balbuciera, balbuciese
	abolieras, abolieses	balbucieras, balbucieses
	aboliera, aboliese	balbuciera, balbuciese
	aboliéramos, aboliésemos	balbuciéramos, balbuciésemos
	abolierais, abolieseis	balbucierais, balbucieseis
	abolieran, aboliesen	balbucieran, balbuciesen
impératif	*ne se conjugue pas*	balbuce (tú)
	–	*ne se conjugue pas*
	abolid (vosotros)	balbucid (vosotros)
	ne se conjugue pas	*ne se conjugue pas*
	–	–
gérondif, part. passé	aboliendo, abolido	balbuciendo, balbucido

80 desolar	81 soler
S'utilise seulement à l'infinitif et comme participe desolado.	
indicatif présent	suelo sueles suele solemos soléis suelen
indicatif imparfait	solía solías solía solíamos solíais solían
passé simple	solí soliste solió solimos solisteis solieron
futur	*ne se conjugue* *à aucune personne*
conditionnel présent	*ne se conjugue* *à aucune personne*
subjonctif présent	suela suelas suela solamos soláis suelan
subjonctif imparfait	soliera, soliese solieras, solieses soliera, soliese soliéramos, soliésemos solierais, solieseis solieran, soliesen
impératif	*ne se conjugue* *à aucune personne*
gérondif, part. passé	soliendo, solido

Guide de communication

À l'office du tourisme

¿Tiene un plano de la ciudad?
Avez-vous un plan de la ville ?

Quisiera un plano de los transportes públicos con los horarios.
Je voudrais un plan des transports en commun avec les horaires.

¿Hay algún autobús nocturno?
Est-ce qu'il y a un bus de nuit ?

¿Tiene una lista de los albergues juveniles/de los campings de la región?
Avez-vous une liste des auberges de jeunessse / des campings de la région ?

¿Tiene una guía de restaurantes de la ciudad?
Avez-vous un guide des restaurants de la ville ?

¿Tienen un programa de espectáculos?
Auriez-vous un programme des spectacles ?

Busco un hotel no demasiado caro.
Je cherche un hôtel pas trop cher.

¿Me puede recomendar un hotel cerca del centro?
Pouvez-vous me recommander un hôtel près du centre ?

¿Cuáles son los horarios de apertura de los museos?
Quels sont les horaires d'ouverture des musées ?

¿Hay visitas guiadas?
Y a-t-il des visites guidées ?

¿Dónde alquilan coches?
Où peut-on louer une voiture ?

L'hébergement

À l'hôtel

¿Le quedan habitaciones para esta noche?
Vous reste-t-il des chambres pour la nuit ?

¿Ofrecen media pensión / pensión completa?
Faites-vous la demi-pension / la pension complète ?

¿Qué precios tienen?
Quels sont vos tarifs ?

Querríamos una habitación doble / dos habitaciones individuales para esta noche.
Nous voudrions une chambre double / deux chambres simples pour la nuit.

Querría una habitación con ducha / con baño.
Je voudrais une chambre avec douche / avec baignoire.

Querría una habitación tranquila / con vistas al mar.
J'aimerais une chambre tranquille / avec vue sur la mer.

Pensamos quedarnos tres noches.
Nous pensons rester trois nuits.

Querríamos quedarnos una noche más.
Nous aimerions rester une nuit supplémentaire.

Reservé por teléfono/por Internet una habitación a nombre de Pignon.
J'ai réservé une chambre au nom de Pignon par téléphone / par Internet.

Hemos reservado una habitación para dos noches.
Nous avons réservé une chambre pour deux nuits.

¿Hay ascensor?
Est-ce qu'il y a un ascenseur ?

¿Alguien puede subirme el equipaje?
Est-ce que vous pourriez faire monter mes bagages ?

¿Tienen caja fuerte para guardar los objetos de valor?
Avez-vous un coffre pour déposer les objets de valeur ?

¿Hay un punto Internet en el hotel?
Y a-t-il une borne internet dans l'hôtel ?

¿Hay un parking privado para los clientes del hotel?
Y a-t-il un parking réservé aux clients de l'hôtel ?

¿Me puede despertar a las siete?
Pourriez-vous me réveiller à sept heures ?

¿A qué hora se sirve el desayuno?
À quelle heure le petit déjeuner est-il servi ?

¿Me pueden servir el desayuno en la habitación?
Pouvez-vous me servir le petit déjeuner dans la chambre ?

La llave de la habitación 121, por favor.
La clé de la chambre 121, s'il vous plaît.

¿Tiene algún recado para mí?
Est-ce qu'il y a des messages pour moi ?

El aire acondicionado / La televisión no fuciona.
L'air conditionné / La télévision ne marche pas.

No hay luz en el cuarto de baño.
Il n'y a pas de lumière dans la salle de bains.

¿Me pueden traer otra manta?
Est-il possible d'avoir une couverture supplémentaire ?

Me voy mañana. ¿Me puede preparar la cuenta, por favor?
Je pars demain. Pouvez-vous préparer ma note, s'il vous plaît ?

À l'auberge de jeunesse

Aquí tiene mi carné de alberguista.
Voici ma carte d'adhérent des auberges de jeunesse.

¿Tienen habitaciones dobles/para cuatro personas?
Avez-vous des chambres doubles / pour quatre personnes ?

¿Sólo tienen dormitorios comunes?
Vous avez uniquement des dortoirs ?

¿Las habitaciones son mixtas?
Les chambres sont-elles mixtes ?

¿Cuánto cuesta por noche en dormitorio común?
Quel est le prix d'une nuit en dortoir ?

¿El desayuno está incluido?
Le petit déjeuner est-il compris ?

¿Hay cocina equipada para preparar las comidas?
Y a-t-il une cuisine équipée pour préparer les repas ?

¿Hay consigna automática?
Y a-t-il une consigne automatique ?

¿Hay lavandería automática?
Y a-t-il une laverie automatique ?

¿Hay toque de queda?
Est-ce qu'il y a un couvre-feu ?

¿A qué hora hay que dejar las habitaciones libres?
À quelle heure faut-il libérer les chambres ?

¿Dan toallas?
Est-il possible d'avoir des serviettes de toilette ?

Au camping

¿Les quedan plazas libres?
Vous reste-il des emplacements libres ?

¿Cuánto cuesta una plaza para una tienda y dos personas?
Combien coûte un emplacement pour une tente et deux personnes ?

Querríamos una plaza para dos tiendas y un coche.
Nous voudrions un emplacement pour deux tentes et une voiture.

¿Alquilan tiendas de campaña?
Est-il possible de louer une tente ?

¿Alquilan sacos de dormir?
Est-ce que vous louez des sacs de couchage ?

¿Dónde se encuentran las instalaciones sanitarias?
Où se trouvent les sanitaires ?

¿El camping propone actividades?
Le camping propose-t-il des activités ?

¿En el camping hay discoteca?
Est-ce qu'il y a une discothèque dans le camping ?

Se renseigner en ville

¿Puede ayudarme? Creo que me he perdido.
Pourriez-vous m'aider ? Je crois que je me suis perdu.

¿Podría indicarme en el plano dónde estamos?
Pourriez-vous m'indiquer où nous sommes sur le plan ?

¿Me puede indicar cómo ir a la estación, por favor?
Pouvez-vous m'indiquer la direction de la gare, s'il vous plaît ?

¿Cómo se llega a la autopista?
Comment rejoint-on l'autoroute ?

¿Voy bien para la estación?
Est-ce bien la direction de la gare ?

Perdone, estoy buscando la comisaría.
Excusez-moi, je cherche le commissariat.

Perdone, estoy buscando el museo de arte moderno.
Excusez-moi, je cherche le musée d'art moderne.

¿Queda lejos? ¿Se puede ir andando?
C'est loin ? Peut-on y aller à pied ?

¿Queda lejos en coche?
Est-ce que c'est loin en voiture ?

¿Hay que coger el autobús / el metro?
Faut-il prendre le bus / le métro ?

¿Hay una parada de autobuses por aquí cerca?
Y a-t-il un arrêt de bus à proximité ?

¿Dónde está la estación de metro / la parada de taxis más cercana?
Où est la station de métro / la station de taxis la plus proche ?

¿Dónde se encuentra el hospital más cercano?
Où se trouve l'hôpital le plus proche ?

Les transports en commun

Prendre le bus

¿Dónde se compran los billetes?
Où peut-on acheter les tickets ?

¿Los billetes se pueden comprar en el autobús, directamente al conductor?
Peut-on acheter les tickets au chauffeur du bus ?

Dos billetes para la estación, por favor.
Deux tickets pour la gare, s'il vous plaît.

¿Que autobús hay que tomar para ir al aeropuerto?
Quel bus faut-il prendre pour aller à l'aéroport ?

Perdone, ¿dónde se encuentra la parada del 20?
Excusez-moi, où se trouve l'arrêt du 20 ?

¿Dentro de cuánto tiempo pasa el 48?
Dans combien de temps passe le 48 ?

¿Este autobús lleva al museo arqueológico?
Est-ce que ce bus va au musée archéologique ?

¿En que estación tengo que bajar para ir a la Gran Vía?
À quelle station dois-je descendre pour aller à la Gran Vía ?

¿Me puede avisar cuando tenga que bajarme?
Pourrez-vous me prévenir quand je devrai descendre ?

¿Hemos llegado al final de la línea?
Nous sommes arrivés au terminus ?

Prendre le train

¿A qué hora sale el próximo tren para Bilbao?
À quelle heure part le prochain train pour Bilbao ?

¿Hay algún tren más temprano / tarde?
Y a-t-il un train plus tôt / tard ?

¿El billete se puede comprar directamente en el tren?
Est-ce que je peux acheter le billet dans le train ?

Un billete de sólo ida para Málaga, por favor.
Un aller simple pour Malaga, s'il vous plaît.

Un billete de ida y vuelta para Salamanca, por favor.
Un aller-retour pour Salamanque, s'il vous plaît.

¿Hay que hacer transbordo?
Est-ce qu'il y a un changement ?

¿Hay precios reducidos para los jóvenes / los grupos?
Est-ce qu'il y a une réduction pour les jeunes / les groupes ?

¿Hay consigna de equipaje?
Y a-t-il une consigne pour les bagages ?

Querría reservar dos asientos en primera / segunda clase para Sevilla.
Je voudrais réserver deux places en première / seconde classe pour Séville.

Querría viajar en tren hotel.
Je voudrais voyager en train couchettes.

¿Dónde puedo picar el billete?
Où puis-je composter mon billet ?

¿De qué vías salen los trenes de cercanías?
De quels quais partent les trains de banlieue ?

Disculpe, ¿éste asiento está libre?
Excusez-moi, est-ce que cette place est libre ?

Perdone, creo que está usted sentado en mi asiento.
Excusez-moi, je crois que vous êtes assis à ma place.

¿Me podrá avisar cuando hayamos llegado a Zaragoza?
Pourrez-vous m'avertir quand nous serons arrivés à Saragosse ?

¿Hay bar/vagón restaurante en el tren?
Y a-t-il un bar / une voiture-restaurant dans le train ?

He perdido el enlace.
J'ai raté ma correspondance.

¿Hay un enlace para Madrid ?
Y a-t-il une correspondance pour Madrid ?

Prendre l'avion

¿Dónde está el mostrador de Air France, por favor?
Où est le guichet Air France, s'il vous plaît ?

¿A qué hora es el próximo vuelo para Perpiñán?
À quelle heure est le prochain vol pour Perpignan ?

¿Cuánto cuesta un billete de ida y vuelta para Estrasburgo?
Combien coûte un billet aller-retour pour Strasbourg ?

Querría reservar un billete de sólo ida para Niza.
Je voudrais réserver un aller simple pour Nice.

Póngame en la lista de espera, por favor.
Mettez-moi en liste d'attente, s'il vous plaît.

Tengo una reserva en el vuelo de las 9 para París.
J'ai une réservation sur le vol de 9 heures pour Paris.

Querría un asiento de pasillo / de ventana.
Je voudrais une place côté couloir / côté hublot.

¿Sirven comidas en el avión?
Un repas est-il servi dans l'avion ?

¿Dónde se factura el equipaje?
Où devons-nous enregistrer nos bagages ?

¿Me puede decir dónde se encuentra la puerta 2?
Pouvez-vous me dire où se trouve la porte 2 ?

He perdido la conexión del vuelo para Valencia.
J'ai raté ma correspondance pour Valence.

Mis maletas no han llegado.
Mes bagages ne sont pas arrivés.

Perdone, estoy buscando un carrito para llevar el equipaje.
Excusez-moi, je cherche un chariot pour mes bagages.

¿Dónde se encuentran los autobuses/trenes para ir al centro ciudad/a la estación central?
Où se trouvent les bus / trains pour se rendre au centre-ville / à la gare centrale ?

D'autres phrases utiles

¿Tiene un plano del metro, por favor?
Auriez-vous un plan de métro, s'il vous plaît ?

¿Dónde tengo que hacer transbordo para tomar la línea A?
Où dois-je changer pour prendre la ligne A ?

Un billete / Un bono, por favor.
Je voudrais un ticket / un carnet de tickets, s'il vous plaît.

Un bono diario / semanal / mensual, por favor.
Je voudrais un ticket pour la journée / hebdomadaire / mensuel, s'il vous plaît.

¿Tengo que picar el billete?
Faut-il que je composte mon billet ?

Prendre un taxi

¿Podría pedirme un taxi?
Pourriez-vous m'appeler un taxi ?

Querría reservar un taxi para las 8.
Je voudrais réserver un taxi pour 8h.

¿Cuánto cuesta un taxi de aquí al centro ciudad?
Combien coûte un taxi d'ici au centre-ville ?

¿Hay que pagar suplemento por el equipaje?
Doit-on payer un supplément pour les bagages ?

¿Cuánto tiempo se tarda para ir al aeropuerto?
Combien de temps met-on pour aller à l'aéroport?

¿Puedo sentarme delante?
Je peux monter devant ?

Lléveme a esta dirección, por favor.
Conduisez-moi à cette adresse, s'il vous plaît.

A la estación central / Al aeropuerto, por favor.
À la gare centrale / À l'aéroport, s'il vous plaît.

Pare aquí / en el semáforo / en la esquina.
Arrêtez-vous ici / au feu / au coin de la rue.

¿Cuánto le debo?
Combien je vous dois ?

Quédese con la vuelta.
Vous pouvez garder la monnaie.

En voiture / scooter

Louer un véhicule

Querría alquilar un coche / un escúter para una semana.
Je voudrais louer une voiture / un scooter pour une semaine.

¿Cuáles son las tarifas diarias de alquiler?
Quel est le tarif pour une journée ?

¿Cuánto cuesta el seguro a todo riesgo?
Combien coûte l'assurance tous risques ?

¿El kilometraje es ilimitado?
Le kilométrage est-il illimité ?

¿Puedo devolver el coche en el aeropuerto?
Est-ce que je peux rendre la voiture à l'aéroport ?

¿Puedo coger el vehículo en Madrid y devolverlo en Barcelona?
Puis-je prendre le véhicule à Madrid et le rendre à Barcelone ?

¿El depósito está lleno?
Est-ce que le réservoir est plein ?

¿Es preciso llenar el depósito antes de devolver el coche?
Dois-je faire le plein avant de rendre la voiture ?

Circuler en voiture / en scooter

¿Hay algún aparcamiento por aquí cerca?
Y a-t-il un parking près d'ici ?

¿Puedo estacionar aquí?
Est-ce que je peux stationner ici ?

Me he quedado sin gasolina.
Je suis en panne d'essence.

Estoy buscando una estación de servicio.
Je cherche une station-service.

He tenido un pinchazo.
J'ai crevé.

¿Dónde se encuentra el taller (de reparaciones) más cercano?
Où se trouve le garage le plus proche ?

¿Me puede venir a buscar la grúa?
Pouvez-vous m'envoyer une dépanneuse ?

¿Me puede remolcar hasta un taller (de reparaciones)?
Pourriez-vous me remorquer jusqu'à un garage ?

Dans une station-service

Lleno, por favor.
Le plein, s'il vous plaît.

¿A cuánto está la gasolina?
Quel est le prix de l'essence ?

Querría comprobar la presión de los neumáticos.
Je voudrais vérifier la pression des pneus.

Chez le garagiste

La batería está descargada.
La batterie est à plat.

El motor calienta / hace un ruido extraño.
Le moteur chauffe / fait un drôle de bruit.

Tengo el escúter averiado.
Mon scooter est en panne.

Se me ha caído el tubo de escape.
J'ai perdu le pot d'échappement.

El motor pierde aceite.
Il y a une fuite d'huile dans le moteur.

He tenido un accidente, el escúter ha quedado inmovilizado.
J'ai eu un accident, le scooter est immobilisé.

¿Puede comprobar los frenos?
Pourriez-vous vérifier les freins ?

¿Cuánto me van a costar las reparaciones?
Combien vont coûter les réparations ?

La restauration

Au café

¿Esta mesa está libre?
Cette table est-elle libre ?

¡(Camarero,) por favor!
S'il vous plaît !

¿Nos podría traer la lista de precios?
Pourriez-vous nous apporter la carte des consommations ?

¿De qué tienen bocadillos?
Qu'avez-vous comme sandwichs ?

¿Qué bebidas calientes / frías tienen?
Qu'avez-vous comme boissons chaudes / fraîches ?

Un café, un zumo de naranja y un cruasán, por favor.
Un café, un jus d'orange et un croissant, s'il vous plaît.

Un café americano, un café con leche y un capuchino, por favor.
Un café allongé, un grand crème et un cappuccino, s'il vous plaît.

Una caña, por favor.
Une bière pression, s'il vous plaît.

Nos traerá un aperitivo sin alcohol / una gaseosa, por favor.
Je voudrais un apéritif sans alcool / une limonade, s'il vous plaît.

¿Me pone otro vaso de tinto por favor?
Puis-je avoir un autre verre de vin rouge, s'il vous plaît ?

¿Me trae hielo?
Pourrais-je avoir des glaçons ?

¡La cuenta, por favor!
L'addition, s'il vous plaît !

Quédese con la vuelta.
Gardez la monnaie.

Au restaurant

Somos cuatro.
Nous sommes quatre.

Querría reservar una mesa para esta noche.
Je voudrais réserver une table pour ce soir.

Hemos hecho una reserva a nombre de Legrand.
Nous avons réservé au nom de Legrand.

¿Nos puede traer el menú / la carta de bebidas, por favor?
Pourriez-vous nous apporter le menu / la carte des boissons, s'il vous plaît ?

¿Cuáles son las especialidades regionales?
Quels sont les plats typiques de la région ?

¿Cuál es el plato del día?
Quel est le plat du jour ?

Soy vegetariano.
Je suis végétarien.

Para beber, una botella de agua mineral, por favor.
Comme boisson, une bouteille d'eau minérale, s'il vous plaît.

¿Nos puede recomendar un buen vino?
Est-ce que vous pouvez nous recommander un bon vin ?

¡Poco hecho / En su punto / Muy hecho, por favor!
Saignant / À point / Bien cuit, s'il vous plaît !

Mire, finalmente voy a tomar pescado en lugar de carne.
J'ai changé d'avis, je vais prendre le poisson à la place de la viande.

¿Me puede traer un vaso de agua / pan, por favor?
Est-ce que je pourrais avoir un verre d'eau / du pain, s'il vous plaît ?

Esto no es lo que había pedido.
Ce n'est pas ce que j'avais commandé.

¡La cuenta, por favor!
L'addition, s'il vous plaît !

Pagamos a escote, ¿vale?
Chacun paie sa part, d'accord ?

¿Aceptan las tarjetas de crédito?
Vous acceptez les cartes de crédit ?

¿Dónde están los servicios, por favor?
Où sont les toilettes, s'il vous plaît ?

Querría informarme.
Je peux vous demander un renseignement ?

Chez le médecin — À l'hôpital

Querría pedir hora con un médico generalista.
Je voudrais prendre un rendez-vous avec un médecin généraliste.

¿Este médico recibe sin haber pedido de hora?
Ce médecin reçoit-il sans rendez-vous ?

Me duele mucho la barriga y esta mañana tenía 39 de fiebre.
J'ai très mal au ventre et ce matin j'avais 39°C de fièvre.

Creo que he pillado la gripe.
Je crois que j'ai la grippe.

Tengo náuseas y me mareo.
J'ai mal au cœur et j'ai des vertiges.

He pasado la noche vomitando.
J'ai vomi toute la nuit.

Me he caído y me duele mucho el brazo / la pierna.
Je suis tombé et mon bras / ma jambe me fait très mal.

Me he torcido el tobillo.
Je me suis foulé la cheville.

Tengo una insolación.
J'ai attrapé un coup de soleil.

Estoy embarazada.
Je suis enceinte.

Soy diabético(ca)/epiléptico(ca).
Je suis diabétique / épileptique.

Soy del grupo cero positivo.
Mon groupe sanguin est 0 + .

¿Es contagioso?
C'est une maladie contagieuse ?

¿Cuándo cree que podré volver a viajar?
Quand pensez-vous que je serai en état de voyager ?

Preferiría que me repatriaran a Francia.
Je préférerais me faire rapatrier en France.

¿Me puede rellenar estos formularios para el seguro?
Pourriez-vous remplir ces formulaires pour mon assurance ?

¿Cuánto le debo, doctor?
Combien vous dois-je, Docteur ?

Au commissariat

Nos han agredido.
Nous avons été agressés.

Me han robado el bolso con toda la documentación.
On m'a volé mon sac avec tous mes papiers.

Me han robado el coche / la escúter.
On m'a volé ma voiture / mon scooter.

Ha habido un accidente.
Il y a eu un accident.

He perdido el carné de identidad.
J'ai perdu ma carte d'identité.

À la banque

¿Puedo cambiar aquí mis cheques de viaje?
Est-ce que je peux changer mes traveller's cheques ici ?

¿Dónde hay un cajero automático?
Où y a-t-il un distributeur de billets ?

El cajero automático se me ha tragado la tarjeta de crédito.
Le distributeur automatique a avalé ma carte de crédit.

Quisiera sacar dinero.
Je voudrais retirer de l'argent.

Querría conocer el estado de mi cuenta.
Je voudrais connaître la situation de mon compte.

Estoy esperando un giro de Francia a nombre de Jean Dupont. ¿Ha llegado ya?
J'attends un virement de France au nom de Jean Dupont. Est-il arrivé ?

Querría billetes de 10 euros.
Je voudrais des billets de 10 euros.

Quiero cambiar 100 euros en pesos / dólares.
Je voudrais changer 100 euros en pesos / dollars.

À la poste

Quiero diez sellos para Francia.
Je voudrais dix timbres pour la France.

Quiero enviar esta carta / este paquete por certificado.
Je voudrais envoyer cette lettre / ce paquet en recommandé.

¿Dónde debo indicar la dirección del destinatario y dónde la del remitente?
Où dois-je indiquer l'adresse du destinataire et celle de l'expéditeur ?

¿Cuánto tiempo tarda en llegar a Francia?
Ça met combien de temps pour arriver en France ?

¿Cuánto cuesta el envío de un paquete en correo urgente?
Combien coûte l'envoi d'un paquet par Chronopost ?

¿Tienen correo a nombre de Daniel Lejeune?
Y a-t-il du courrier au nom de Daniel Lejeune ?

Estoy esperando un giro a nombre de Chabrier.
J'attends un mandat au nom de Chabrier.

aA

a (*pl* **aes**), **A** (*pl* **Aes**) [a] *nf* a (*m inv*), A (*m inv*).

a *prép*

a + el = al

1. POUR INDIQUER LE LIEU OÙ L'ON VA = à, en
- **voy a Sevilla/a África/a Japón** je vais à Séville/en Afrique/au Japon
- **llegó a Barcelona/a la fiesta** il est arrivé à Barcelone/à la fête
2. POUR INDIQUER LE LIEU OÙ L'ON EST = à
- **está a más de cien kilómetros** c'est à plus de cent kilomètres
- **está a la derecha/a la izquierda** c'est à droite/à gauche
3. POUR INDIQUER UN MOMENT PRÉCIS = à
- **a las siete** à sept heures
- **a once años** à onze ans
- **a la salida del cine** à la sortie du cinéma
4. POUR INDIQUER LE TEMPS ÉCOULÉ
- **a las pocas semanas** quelques semaines après
- **al mes de casados** au bout d'un mois de mariage
5. POUR EXPRIMER LA SIMULTANÉITÉ = en
- **al oír la noticia se desmayó** en apprenant la nouvelle, il s'est évanoui
6. POUR INDIQUER UN PRIX = à
- **¿a cuánto están las peras?** à combien sont les poires ?
- **vende las peras a dos euros** elle vend les poires à deux euros
7. POUR INDIQUER LA DISTRIBUTION = par
- **cuarenta horas a la semana** quarante heures par semaine
- **a cientos/miles** par centaines/milliers
8. DEVANT UN COMPLÉMENT D'OBJET DIRECT
- **quiere a su hijo/gato** il aime son fils/chat
9. DEVANT UN COMPLÉMENT D'OBJET INDIRECT = à
- **dáselo a Juan** donne-le à Juan
10. POUR EXPRIMER LA MANIÈRE, LE MOYEN = à, en
- **lavar a máquina/a mano** laver à la machine/à la main
- **a la antigua** à l'ancienne
- **a escondidas** en cachette
11. POUR EXPRIMER LE BUT
- **entró a pagar** il est entré pour payer
- **vino a buscar un libro** il est venu chercher un livre

- **aprende a nadar** il apprend à nager
12. POUR EXPRIMER L'HYPOTHÈSE
- **a no ser por mí, hubieses fracasado** si je n'avais pas été là, tu aurais échoué
13. POUR DONNER UN ORDRE
- **¡a comer!** à table !
- **¡niños, a callar!** les enfants, taisez-vous !

■ **a por** *loc prép*

fam ALLER CHERCHER
- **ir a por pan** aller chercher du pain
- **ve a por los niños** va chercher les enfants.

■ **a que** *loc conj*

POUR EXPRIMER UN DÉFI
- **¿a que no lo haces?** je parie que tu ne le fais pas !

abad, **desa** *nm, f* abbé (*m*), abbesse (*f*).

abadía *nf* abbaye (*f*).

abajo ■ *adv* **1.** dessous - **vive abajo** il habite en dessous - **abajo del todo** tout en bas - **más abajo** plus bas **2.** en bas, vers le bas - **mirar hacia abajo** regarder en bas - **ir para abajo** descendre - **correr escaleras abajo** dévaler l'escalier - **calle abajo** en descendant la rue - **río abajo** en aval **3.** (*dans un texte*) ci-dessous. ■ *interj* - **¡abajo la dictadura!** à bas la dictature ! ■ **de abajo** *loc adj* - **el piso de abajo** l'étage en dessous - **la vecina de abajo** la voisine du dessous - **el estante de abajo** l'étagère du bas - **la tienda de abajo** le magasin d'en bas.

abalanzarse *vp* se ruer.

abalear *vt* (*Amér*) tirer sur.

abalorio *nm* **1.** perle (*f*) de verre **2.** verroterie (*f*).

abanderado *nm* litt & fig porte-drapeau (*m*).

abandonado, **da** *adj* **1.** abandonné(e) **2.** négligé(e) **3.** laissé(e) à l'abandon, mal entretenu(e).

abandonar *vt* **1.** abandonner **2.** quitter **3.** négliger. ■ **abandonarse** *vp* se négliger, se laisser aller **2.** - **abandonarse a** s'abandonner à, succomber à - sombrer dans.

abandono *nm* **1.** abandon (*m*) **2.** laisser-aller (*m inv*).

abanicar *vt* éventer. ■ **abanicarse** *vp* s'éventer.

abanico *nm litt* & *fig* éventail *(m)*.

abaratar *vt* baisser le prix de. ■ **abaratarse** *vp* **1.** baisser **2.** coûter moins cher.

abarcar *vt* **1.** embrasser, comprendre, recouvrir **2.** encercler **3.** embrasser du regard.

abarrotado, da *adj* **1.** plein(e) à craquer, bondé(e) **2.** comble • **abarrotado (de)** bourré(e) (de).

abarrotar *vt* • **abarrotar algo (de** ou **con)** remplir qqch (de) • bourrer qqch (de).

abarrote *nm (Amér)* épicerie *(f)*.

abarrotería *nf (Amér)* épicerie *(f)*.

abarrotero, ra *nm, f (Amér)* épicier *(m)*, -ère *(f)*.

abastecer *vt* approvisionner, ravitailler. ■ **abastecerse** *vp* • **abastecerse (de)** s'approvisionner (de ou en).

abasto *nm* • **no dar abasto** *fig* ne pas s'en sortir, être débordé(e).

abatible *adj* **1.** inclinable **2.** à abattants.

abatido, da *adj* abattu(e).

abatir *vt* abattre. ■ **abatirse** *vp* • **abatirse (sobre)** s'abattre (sur).

abdicación *nf* abdication *(f)*.

abdicar *vi* abdiquer • **abdicar de algo** *fig* renoncer à qqch.

abdomen *nm* abdomen *(m)*.

abdominal *adj* abdominal(e). ■ **abdominales** *nmpl* abdominaux *(mpl)* • **hacer abdominales** faire des abdominaux.

abecé *nm* **1.** alphabet *(m)* **2.** *fig* b.a.-ba *(m inv)*.

abecedario *nm* **1.** alphabet *(m)* **2.** abécédaire *(m)*.

abedul *nm* bouleau *(m)*.

abeja *nf* abeille *(f)*.

abejorro *nm* ZOOL bourdon *(m)*.

aberración *nf* aberration *(f)*.

abertura *nf* ouverture *(f)*.

abertzale [aβer'tsale] *adj* & *nmf* nationaliste basque.

abeto *nm* sapin *(m)*.

abierto, ta *adj* **1.** ouvert(e) • **estar abierto, a** être ouvert à • **abierto de par en par** grand ouvert **2.** *fig* à l'esprit ouvert. ■ **abierto** *pp* ⊳ **abrir**.

abigarrado, da *adj litt* & *fig* bigarré(e).

abismal *adj* abyssal(e).

abismo *nm* abîme *(m)*.

ablandar *vt* **1.** ramollir **2.** *fig* attendrir **3.** *(caractère)* adoucir **4.** *(rigueur)* assouplir **5.** *(colère)* apaiser. ■ **ablandarse** *vp* **1.** se ramollir **2.** *fig* s'attendrir **3.** *(caractère)* s'adoucir **4.** *(rigueur)* s'assouplir **5.** *(colère)* s'apaiser.

ablativo *nm* ablatif *(m)*.

abnegación *nf* dévouement *(m)*.

abnegarse *vp* se dévouer, se sacrifier.

abochornar *vt* vexer, faire honte à. ■ **abochornarse** *vp* rougir de honte.

abofetear *vt* gifler.

abogacía *nf* barreau *(m)*.

abogado, da *nm, f* avocat *(m)*, -e *(f)* • **abogado defensor** défenseur *(m)* • **abogado del estado** avocat représentant les intérêts de l'État • **abogado de oficio** avocat commis d'office • **abogado laboralista** avocat spécialisé en droit du travail • **hacer de abogado del diablo** se faire l'avocat du diable.

abogar *vi* • **abogar por algo/alguien** plaider pour qqch/qqn.

abolición *nf* abolition *(f)*.

abolir *vt* abolir.

abolladura *nf* bosse *(f)*.

abollar *vt* bosseler, cabosser. ■ **abollarse** *vp* se bosseler, se cabosser.

abombado, da *adj* bombé(e).

abominable *adj* abominable.

abominar *vt* **1.** condamner **2.** avoir en horreur.

abonado, da *nm, f* abonné *(m)*, -e *(f)*.

abonar *vt* **1.** régler • **abonar en cuenta** créditer un compte • **abonar algo en la cuenta de alguien** verser qqch sur le compte de qqn **2.** AGRIC amender. ■ **abonarse** *vp* • **abonarse (a)** s'abonner (à) • prendre un abonnement (à).

abonero, ra *nm, f (Amér)* colporteur *(m)*, -euse *(f)*.

abono *nm* **1.** abonnement *(m)*, carte *(f)* d'abonnement **2.** engrais *(m)* **3.** *(paiement)* règlement *(m)* **4.** crédit *(m)* **5.** *(Amér)* crédit *(m)* • **pagar en abonos** payer par versements échelonnés.

abordar *vt* aborder.

aborigen *adj* aborigène. ■ **aborígenes** *nmf pl* aborigènes *(mf pl)*.

aborrecer *vt* avoir en horreur, détester.

abortar ◈ *vi* **1.** avorter, se faire avorter **2.** faire une fausse couche **3.** *fig* échouer. ◈ *vt fig* faire avorter.

aborto *nm* **1.** avortement *(m)* **2.** fausse couche *(f)* **3.** *fam péj* avorton *(m)* **4.** *fam* • **te ha salido hecho un aborto** tu l'as complètement raté.

abotonar *vt* boutonner. ■ **abotonarse** *vp* se boutonner.

abovedado, da *adj* ARCHIT voûté(e).

abr., abr *(abr écrite de* **abril)** avr. • **23 abr. 2006** 23 avr. 2006.

abrasar ◈ *vt* **1.** brûler **2.** *(sujet : passion)* embraser **3.** *(sujet : soif, désir)* torturer **4.** *(sujet : haine, jalousie)* ronger. ◈ *vi* être brûlant(e). ■ **abrasarse** *vp* **1.** brûler **2.** se brûler **3.** griller.

abrazadera *nf* anneau *(m)*.

abrazar *vt* **1.** serrer dans ses bras **2.** *fig* épouser **3.** *fig* entrer dans.

abrazo *nm* accolade *(f)* ◦ **dar un abrazo a alguien** embrasser qqn ◦ **un (fuerte) abrazo** (très) affectueusement.

abrebotellas *nm inv* ouvre-bouteille *(m)*.

abrecartas *nm inv* coupe-papier *(m)*.

abrelatas *nm inv* ouvre-boîte *(m)*.

abrev. *(abr de* **abreviación***)* abrév. ◦ **k abrev. de "kilo"** kg abrév. de kilo.

abrevadero *nm* **1.** abreuvoir *(m)* **2.** point *(m)* d'eau.

abreviar *vt* **1.** abréger **2.** réduire **3.** écourter **4.** *(démarches)* accélérer.

abreviatura *nf* abréviation *(f)*.

abridor *nm* **1.** décapsuleur *(m)* **2.** ouvre-boîte *(m)*.

abrigar *vt* **1.** couvrir **2.** tenir chaud **3.** *fig (héberger)* nourrir. ■ **abrigarse** *vp* se couvrir ◦ **abrigarse de** s'abriter de ◦ se protéger de.

abrigo *nm* **1.** manteau *(m)* **2.** abri *(m)* ◦ **al abrigo de** à l'abri de.

abril *nm* avril *(m)*. ◦ *voir aussi* **septiembre** ■ **abriles** *nmpl* ◦ **tiene 14 abriles** elle a 14 printemps.

abrillantar *vt* faire briller.

abrir ■ *vt* **1.** ouvrir **2.** *(ailes)* déployer **3.** *(melon)* découper **4.** allumer **5.** percer **6.** creuser **7.** tracer **8.** *(jambes)* écarter. ■ *vi (établissement)* ouvrir. ■ **abrirse** *vp* **1.** ◦ **abrirse a alguien** s'ouvrir ou se confier à qqn **2.** ◦ **abrirse (con alguien)** être ouvert(e) (avec qqn) **3.** *(ciel)* se dégager **4.** *tfam* se casser.

abrochar *vt* **1.** fermer **2.** attacher. ■ **abrocharse** *vp* **1.** se fermer **2.** s'attacher ◦ **abróchense los cinturones** attachez vos ceintures.

abroncar *vt fam* **1.** passer un savon à **2.** huer.

abrumar *vt* **1.** accabler ◦ **el trabajo me abruma** je suis accablé de travail **2.** épuiser.

abrupto, ta *adj* abrupt(e).

absceso *nm* abcès *(m)*.

absentismo *nm* absentéisme *(m)* ◦ **absentismo laboral** absentéisme.

ábside *nm ou nf* abside *(f)*.

absolución *nf* **1.** DR acquittement *(m)* **2.** RELIG absolution *(f)*.

absolutismo *nm* absolutisme *(m)*.

absoluto, ta *adj* absolu(e). ■ **en absoluto** *loc adv* **1.** certainement pas ◦ **¿te gusta? – en absoluto** ça te plaît ? – pas du tout ◦ **nada en absoluto** rien du tout.

absolver *vt* **1.** DR acquitter ◦ **absolvieron al acusado del delito** ils ont acquitté l'accusé **2.** RELIG ◦ **absolver (a alguien de algo)** absoudre (qqn de qqch).

absorbente *adj* **1.** absorbant(e) **2.** *(personne)* accaparant(e) **3.** *(activité)* prenant(e).

absorber *vt* absorber ◦ **el trabajo lo absorbe** il est accaparé par son travail.

absorción *nf* absorption *(f)*.

absorto, ta *adj* absorbé(e) ◦ **absorto en** plongé dans.

abstemio, mia *adj* ◦ **es abstemio** il ne boit pas d'alcool.

abstención *nf* abstention *(f)*.

abstenerse *vp* ◦ **abstenerse (de algo/de hacer algo)** s'abstenir (de qqch/de faire qqch).

abstinencia *nf* abstinence *(f)*.

abstracción *nf* abstraction *(f)*.

abstracto, ta *adj* abstrait(e) ◦ **en abstracto** dans l'abstrait.

abstraer *vt* abstraire ◦ **abstraer conceptos** conceptualiser.

abstraído, da *adj* absorbé(e).

absuelto, ta *pp* ▷ **absolver**.

absurdo, da *adj* absurde. ■ **absurdo** *nm* absurde *(m)*.

abuchear *vt* huer.

abuelo, la *nm, f* **1.** grand-père *(m)*, grand-mère *(f)* **2.** papy *(m)*, mamie *(f)* ◦ **icuéntaselo a tu abuela!** *fam* à d'autres !

abulia *nf* veulerie *(f)*.

abúlico, ca *adj* veule.

abultado, da *adj* volumineux(euse).

abultar ■ *vt* **1.** gonfler **2.** faire enfler **3.** grossir. ■ *vi* **1.** prendre de la place **2.** faire une bosse.

abundancia *nf* abondance *(f)* ◦ **en abundancia** en abondance.

abundante *adj* abondant(e).

abundar *vi* abonder ◦ **la región abunda en riquezas** la région regorge de richesses.

aburguesarse *vp* s'embourgeoiser.

aburrido, da ■ *adj* **1.** ennuyeux(euse) ◦ **estar aburrido** s'ennuyer ◦ **estar aburrido de hacer algo** en avoir assez de faire qqch. ■ *nm, f* ◦ **es un aburrido** il est ennuyeux, il n'est pas drôle.

aburrimiento *nm* ennui *(m)*.

aburrir *vt* ennuyer. ■ **aburrirse** *vp* s'ennuyer.

abusado, da *adj (Amér)* rusé(e).

abusar *vi* abuser ◦ **abusar de algo/de alguien** abuser de qqch/de qqn.

abusivo, va *adj* abusif(ive).

abuso *nm* ◦ **abuso (de)** abus *(m)* (de).

abusón, ona *adj* & *nm, f* égoïste.

abyecto, ta *adj sout* abject(e).

a. C. *(abr écrite de* **antes de Cristo***)* av. J-C ◦ **en el siglo VIII a. C.** au VIIIe siècle av. J-C.

a/c *(abr écrite de* **a cuenta***)* ≃ au numéro du compte… ◦ **ingresar a/c n° 528-456** déposer sur le compte n° 528-456.

acá *adv* **1.** ici ◦ **de acá para allá** ici et là **2.** ◦ **de una semana acá** depuis une semaine **3.** *(Amér)* ici.

acabado, da *adj* **1.** poussé(e), approfondi(e) **2.** parfait(e) **3.** fini(e). ■ **acabado** *nm* finition *(f)*.

acabar *vt*

1. TERMINER = finir
• **cuando acabe este capítulo, me iré a dormir** quand j'aurai fini ce chapitre, j'irai me coucher
• **¿has acabado ya el trabajo?** as-tu déjà fini ton travail ?

2. UTILISER COMPLÈTEMENT
• **primero hay que acabar todos los recursos a tu alcance** tu dois d'abord avoir épuisé toutes les possibilités
• **habéis acabado el tiempo de que disponíais, entregad el examen** le temps dont vous disposiez est écoulé, rendez vos copies.

acabar *vi*

1. TERMINER = finir
• **¿ya se ha acabado?** c'est déjà fini ?

2. TERMINER D'UNE CERTAINE FAÇON = finir
• **acabar bien/mal** finir bien/mal

3. PASSER D'UN ÉTAT À UN AUTRE
• **acabar loco** devenir fou
• **acabó sola** elle a fini toute seule
• **acabamos agotados** à la fin nous étions épuisés

4. SUIVI D'UN GÉRONDIF
• **acabó cediendo** il a fini par céder.

■ **acabar de** *v + prép*

1. POUR EXPRIMER LE PASSÉ PROCHE = venir de
• **acabo de llegar ahora mismo** je viens juste d'arriver

2. DANS DES PHRASES NÉGATIVES = ne pas arriver à
• **no acabo de entender su reacción** je n'arrive pas à comprendre sa réaction

3. DANS DES EXPRESSIONS
• **de nunca acabar** à n'en plus finir, sans fin.

■ **acabar con** *v + prép*

1. VENIR À BOUT DE QQCH
• **hay que acabar con el problema de la droga** il faut en finir avec le problème de la drogue
• **estás acabando con mi paciencia** tu vas me faire perdre patience, tu vas me pousser à bout
• **una enfermedad acabó con su salud** une maladie lui a ruiné la santé

2. EN FINIR AVEC OU SE DÉBARRASSER DE QQN
• **acabaron con el enemigo** ils sont venus à bout de l'ennemi.

■ **acabar en** *v + prép*

finir en
• **las palabras que acaban en "n"** les mots qui finissent en « n ».

■ **acabar por** *v + prép*

finir par
• **acabaron por venir** ils ont fini par venir.

■ **acabarse** *vp*

1. SE TERMINER
• **las vacaciones se han acabado** les vacances sont finies
• **se ha acabado la comida** il ne reste plus rien à manger
• **¡se acabó!** ça suffit !, un point c'est tout !

2. TERMINER
• **acábate la sopa** finis ta soupe
• **se nos ha acabado la gasolina** nous n'avons plus d'essence.

acacia *nf* acacia *(m)*.

academia *nf* **1.** école *(f)* **2.** académie *(f)*. ■ **Academia** *nf* • **Real Academia Española** académie de la langue espagnole, ≃ Académie *(f)* française.

la Real Academia Española

Cette institution officielle est chargée de fixer les normes linguistiques et grammaticales de la langue espagnole dans l'ensemble des pays hispanophones. Elle publie périodiquement une grammaire ainsi que des bulletins présentant les nouveaux mots admis dans la langue. En collaboration avec les académies des pays hispanophones d'Amérique et des Philippines, la Real Academia publie notamment un dictionnaire, le *Diccionario de la Real Academia* (DRAE), ouvrage de référence dans tout le monde hispanique.

académico, ca ☒ *adj* **1.** scolaire **2.** universitaire **3.** académique. ☒ *nm, f* académicien *(m)*, -enne *(f)*.

acaecer *v impers* sout avoir lieu.

acalorado, da *adj* **1.** *(chaud)* • **estar acalorado** avoir chaud **2.** *fig (animé par la passion - personne)* emporté(e) • ardent(e) *(défenseur)* • (- débat) passionné(e) • (- thème) brûlant(e) **3.** échauffé(e).

acalorar *vt* **1.** donner chaud **2.** échauffer. ■ **acalorarse** *vp* **1.** avoir chaud **2.** s'échauffer.

acampada *nf* camping *(m)* • **hacer acampada libre** faire du camping sauvage.

acampar *vi* camper.

acanalar *vt* **1.** sillonner **2.** canneler.

acantilado *nm* falaise *(f)*.

acaparar *vt* litt & fig accaparer, monopoliser.

acápite *nm* (Amér) paragraphe *(m)*.

acaramelado, da *adj* **1.** caramélisé(e) **2.** *fig* tout sucre tout miel **3.** • **estar acaramelados** roucouler.

acariciar *vt* caresser. ■ **acariciarse** *vp* se caresser.

acarrear *vt* **1.** emporter **2.** *(sujet : eau)* charrier **3.** *fig* entraîner **4.** *fig* amener **5.** *fig* poser.

acartonarse *vp fam* se ratatiner.

acaso *adv* peut-être • **acaso venga** peut-être viendra-t-il • **vendrá acaso** il viendra peut-être • **¿acaso no lo sabías?** comme si tu ne le savais pas ! • **por si acaso** au cas où. ■ **si acaso** *loc adv* à la rigueur • **hoy no puedo, si acaso mañana** aujourd'hui je ne peux pas, demain à la rigueur. ■ *loc conj* si jamais • **si acaso llama** si jamais il appelle.

acatar *vt* observer, respecter.

acatarrarse *vp* s'enrhumer.

acaudalado, da *adj* fortuné(e).

acaudillar *vt* **1.** commander, diriger **2.** *fig* prendre la tête de.

acceder *vi* **1.** • **acceder (a algo/a hacer algo)** consentir (à qqch/à faire qqch) **2.** • **acceder a** accéder à.

accesible *adj* accessible.

acceso *nm* **1.** accès *(m)* • **acceso a** accès à **2.** abord *(m)* **3.** *fig* • accès *(m)* • quinte *(f)*.

accesorio, ria *adj* accessoire, secondaire. ■ **accesorio** *nm (gén pl)* accessoire *(m)* • **accesorios de cocina** ustensiles *(mpl)* de cuisine.

accidentado, da ■ *adj* **1.** mouvementé(e) **2.** accidenté(e). ■ *nm, f* accidenté *(m)*, -e *(f)*.

accidental *adj* **1.** secondaire, accessoire **2.** accidentel(elle) **3.** fortuit(e).

accidentarse *vp* avoir un accident.

accidente *nm* **1.** *(gén & GÉOGR)* accident *(m)* • **accidente laboral/de tráfico** accident du travail/de la route • **accidente del terreno** accident de terrain **2.** GRAMM flexion *(f)*.

acción *nf* **1.** action *(f)* • **poner en acción** mettre en route **2.** acte *(m)* • **unir la acción a la palabra** joindre le geste à la parole.

accionar *vt* actionner.

accionista *nmf* actionnaire *(mf)*.

acechar *vt* guetter.

acecho *nm* guet *(m)* • **escapar al acecho de** échapper au regard de • **estar al acecho (de)** *litt* & *fig* être à l'affût (de).

aceite *nm* huile *(f)*.

aceitera *nf* burette *(f)* d'huile. ■ **aceiteras** *nfpl* huilier *(m)*.

aceitoso, sa *adj* huileux(euse), gras(grasse).

aceituna *nf* olive *(f)* • **aceituna rellena** olive farcie.

aceleración *nf* accélération *(f)*.

acelerador, ra *adj* d'accélération. ■ **acelerador** *nm* accélérateur *(m)*.

acelerar *vt* & *vi* accélérer. ■ **acelerarse** *vp* **1.** s'activer **2.** s'emballer • **ino te aceleres!** *fam fig* du calme !

acelga *nf* bette *(f)*.

acento *nm* accent *(m)*.

acentuación *nf* accentuation *(f)*.

acentuar *vt litt* & *fig* accentuer. ■ **acentuarse** *vp litt* & *fig* s'accentuer.

acepción *nf* acception *(f)*.

aceptable *adj* acceptable.

aceptación *nf* **1.** acceptation *(f)* **2.** succès *(m)* • **tener buena aceptación** être bien reçu(e).

aceptar *vt* accepter.

acequia *nf* canal *(m)* d'irrigation.

acera *nf* **1.** trottoir *(m)* **2.** côté *(m)* de la rue • **de la otra acera, de la acera de enfrente** *fam péj* de la jaquette.

acerbo, ba *adj sout* acerbe.

acerca ■ **acerca de** *loc prép* au sujet de.

acercar *vt* rapprocher • **¡acércame el pan!** passe-moi le pain ! ■ **acercarse** *vp* **1.** se rapprocher, s'approcher **2.** *(aller, venir)* passer **3.** *(avoisiner)* approcher.

acero *nm* acier *(m)* • **acero inoxidable** acier inoxydable.

acérrimo, ma *adj* **1.** acharné(e) **2.** *(ennemi)* juré(e).

acertado, da *adj* **1.** bon (bonne) **2.** dans le mille **3.** judicieux(euse).

acertar ■ *vt* **1.** mettre dans le mille **2.** deviner **3.** bien choisir. ■ *vi* **1.** bien faire • **acertaste al decírselo** tu as bien fait de le lui dire **2.** • **acertar a hacer algo** arriver à faire qqch **3.** • **acertar con** trouver.

acertijo *nm* devinette *(f)*.

acetona *nf* acétone *(f)*.

achacar *vt* • **achacar algo a alguien** faire retomber qqch sur qqn.

achantar *vt fam* flanquer la trouille à. ■ **achantarse** *vp fam* se dégonfler.

achaque *nm* problème *(m)* de santé.

achatado, da *adj* écrasé(e).

achicar *vt* **1.** rétrécir **2.** *(eau - d'un bateau)* écoper • *(- d'un terrain)* drainer **3.** *fig* intimider. ■ **achicarse** *vp* se laisser intimider • **achicarse ante alguien** s'aplatir devant qqn.

achicharrar ■ *vt* **1.** griller, faire brûler **2.** *fig* • **achicharrar (a)** harceler *OU* accabler (de). ■ *vi* **1.** *(soleil)* être de plomb **2.** *(chaleur)* être torride. ■ **achicharrarse** *vp* **1.** *fig* cuire *(au soleil)* **2.** griller, brûler.

achicoria *nf* chicorée *(f)*.

achinado, da *adj* **1.** bridé(e) **2.** oriental(e) **3.** *(Amér)* d'origine indienne.

achuchado, da *adj fam* **1.** dur(e) **2.** *(qui suffit à peine)* juste.

achuchar *vt fam* **1.** serrer très fort dans ses bras **2.** écraser **3.** *fig* tanner.

achuchón *nm fam* **1.** gros câlin *(m)* **2.** malaise *(m)* • **le dio un achuchón** il s'est senti mal.

acicalar *vt* pomponner. ■ **acicalarse** *vp* **1.** se faire beau(belle) **2.** se pomponner.

acicate *nm fig* stimulant *(m)*.

acidez *nf* **1.** acidité *(f)* **2.** • **acidez (de estómago)** aigreurs *(fpl)* (d'estomac).

ácido, da *adj* acide. ■ **ácido** *nm* **1.** acide *(m)* • **ácido desoxirribonucleico/ribonucleico** acide désoxyribonucléique/ribonucléique **2.** *fam* acide *(m)*.

acierto *nm* **1.** bonne réponse *(f)* **2.** combinaison *(f)* gagnante **3.** discernement *(m)* • **tuviste mucho acierto** tu as vu juste **4.** succès *(m)*, réussite *(f)*.

aclamación *nf* acclamation *(f)* • **por aclamación** *fig* par acclamation.

aclamar *vt* **1.** acclamer **2.** proclamer.

aclaración *nf* éclaircissement *(m)*.

aclarar ■ *vt* **1.** éclaircir **2.** désépaissir *(les cheveux)* **3.** allonger *(une sauce)* • **aclarar la voz** s'éclaircir la voix **4.** rincer. ■ *v impers* **1.** s'éclaircir **2.** • **está aclarando** le jour se lève • *(temps)* ça se lève. ■ **aclararse** *vp fam* **1.** être clair(e) **2.** • **ya me aclaro** je vois • **no me aclaro** je n'y comprends rien **3.** s'y retrouver.

aclaratorio, ria *adj* explicatif(ive).

aclimatación *nf* acclimatation *(f)*.

aclimatar *vt* **1.** acclimater **2.** *fig* habituer. ■ **aclimatarse** *vp* • **aclimatarse (a)** s'acclimater (à) *(climat)* • s'adapter (à) *(ambiance)*.

acné *nm ou nf* acné *(f)*.

acobardar *vt* faire peur à. ■ **acobardarse** *vp* avoir peur • **acobardarse ante** se laisser impressionner par.

acogedor, ra *adj* accueillant(e).

acoger *vt* accueillir, recevoir. ■ **acogerse** *vp* • **acogerse a** se retrancher derrière, recourir à.

acojonar *vt vulg* **1.** foutre les boules à **2.** *(surprendre)* scier. ■ **acojonarse** *vp vulg* avoir les boules.

acolchar *vt* **1.** matelasser **2.** capitonner.

acometer ■ *vt* **1.** attaquer **2.** se lancer dans. ■ *vi* • **acometer contra** foncer dans *ou* sur.

acometida *nf* **1.** assaut *(m)* **2.** raccordement *(m)*.

acomodado, da *adj* **1.** *(riche)* aisé(e) **2.** *(bien installé)* calé(e) *(dans un fauteuil)*.

acomodador, ra *nm, f* ouvreur *(m)*, -euse *(f)*.

acomodar *vt* **1.** placer, faire asseoir **2.** arranger. ■ **acomodarse** *vp* se mettre à l'aise • **acomodarse en** s'installer dans.

acomodaticio, cia *adj* accommodant(e), arrangeant(e).

acompañamiento *nm* **1.** cortège *(m)* **2.** escorte *(f)* **3.** MÚS accompagnement *(m)* **4.** CULIN garniture *(f)*.

acompañante *nmf* compagnon *(m)*, compagne *(f)* • **no tengo acompañante para la fiesta** je n'ai personne pour m'accompagner à la fête.

acompañar ■ *vt* **1.** accompagner • **acompañar a alguien** accompagner qqn • raccompagner qqn **2.** tenir compagnie à qqn **3.** *(partager)* • **acompañar en algo a alguien** partager qqch avec qqn • **acompañar en el sentimiento** présenter ses condoléances **4.** *(ajouter)* joindre. ■ *vi* tenir compagnie • **la desgracia le acompaña** la malchance le poursuit.

acompasar *vt* rythmer • **acompasar algo (a)** régler qqch (sur).

acomplejar *vt* • **acomplejar a alguien** donner des complexes à qqn. ■ **acomplejarse** *vp* avoir des complexes.

acondicionado, da *adj* **1.** aménagé(e) **2.** équipé(e).

acondicionador *nm* **1.** après-shampooing *(m)* **2.** climatiseur *(m)*.

acondicionar *vt* **1.** aménager **2.** équiper.

acongojar *vt* angoisser. ■ **acongojarse** *vp* **1.** s'affoler **2.** être terrorisé(e).

aconsejar *vt* conseiller • **aconsejar a alguien que haga algo** conseiller à qqn de faire qqch.

aconstitucional *adj* anticonstitutionnel(elle).

acontecer *v impers* arriver.

acontecimiento *nm* événement *(m)* • **adelantarse** *ou* **anticiparse a los acontecimientos** devancer les événements.

acopio *nm* surabondance *(f)* • **hacer acopio de** faire provision de • s'armer de *(courage, patience)*.

acoplar *vt* **1.** ajuster, raccorder **2.** *fig* adapter **3.** aménager *(un horaire)*. ■ **acoplarse** *vp* **1.** s'entendre **2.** s'ajuster.

acorazado, da *adj* blindé(e). ■ **acorazado** *nm* cuirassé *(m)*.

acordar *vt* • **acordar algo** décider qqch, convenir de qqch, se mettre d'accord sur qqch • **acordar hacer algo** décider *ou* convenir de faire qqch, se mettre d'accord pour faire qqch • **según lo acordado** comme convenu. ■ **acordarse** *vp* • **acordarse de algo** se souvenir de qqch, se rappeler qqch • **acordarse de hacer algo** penser à faire qqch.

acorde ■ *adj* • **acorde (con)** en accord (avec). ■ *nm* MÚS accord *(m)*.

acordeón *nm* accordéon *(m)*.

acordonar *vt* **1.** lacer **2.** encercler.

acorralar *vt* **1.** traquer **2.** *fig* acculer.

acortar *vt* **1.** raccourcir **2.** écourter. ■ **acortarse** *vp* **1.** raccourcir **2.** être écourté(e).

acosar *vt* **1.** traquer **2.** harceler.

acoso *nm* **1.** poursuite *(f)* **2.** harcèlement *(m)* ◦ **acoso sexual** harcèlement sexuel.

acostar *vt* coucher. ■ **acostarse** *vp* **1.** se coucher **2.** ◦ **acostarse con alguien** *fam* coucher avec qqn.

acostumbrado, da *adj* **1.** habituel(elle) **2.** ◦ **estar acostumbrado (a)** être habitué (à).

acostumbrar ⬓ *vt* habituer ◦ **acostumbrar a alguien a algo/a hacer algo** habituer qqn à qqch/à faire qqch. ⬓ *vi* ◦ **acostumbrar a hacer algo** avoir l'habitude de faire qqch. ■ **acostumbrarse** *vp* **1.** ◦ **acostumbrarse a algo** s'habituer à qqch **2.** ◦ **acostumbrarse a hacer algo** s'habituer à *ou* prendre l'habitude de faire qqch.

acotación *nf* **1.** annotation *(f)* **2.** indication *(f)* scénique.

acotamiento *nm (Amér)* bas-côté *(m)*.

acotar *vt* **1.** délimiter **2.** annoter.

acrecentar *vt* accroître.

acreditado, da *adj* **1.** reconnu(e) **2.** réputé(e) **3.** accrédité(e).

acreditar *vt* **1.** certifier **2.** autoriser **3.** attester **4.** accréditer *(un ambassadeur)*.

acreedor, ra *adj* ◦ **hacerse acreedor de** se montrer digne de. ⬓ *nm, f* créancier *(m)*, -ère *(f)*.

acribillar *vt* **1.** cribler ◦ **me han acribillado los mosquitos** je me suis fait dévorer par les moustiques **2.** *fam fig* ◦ **acribillar a alguien a preguntas** bombarder qqn de questions.

acrílico, ca *adj* acrylique.

acristalar *vt* vitrer.

acrobacia *nf* acrobatie *(f)*.

acróbata *nmf* acrobate *(mf)*.

acromático, ca *adj* achromatique.

acrópolis *nf inv* acropole *(f)*.

acta *nf (el)* **1.** procès-verbal *(m)* ◦ **levantar acta** dresser un procès-verbal **2.** acte *(m)*. ■ **actas** *nfpl* actes *(mpl)*.

actitud *nf* attitude *(f)*.

activar *vt* **1.** *(gén & CHIM)* activer **2.** déclencher.

actividad *nf* activité *(f)*.

activismo *nm* POLIT action *(f)* directe.

activo, va *adj* actif(ive) ◦ **volcán activo** volcan en activité ◦ **en activo** en activité. ■ **activo** *nm* actif *(m)*.

acto *nm* **1.** *(action & THÉÂTRE)* acte *(m)* ◦ **hacer acto de presencia** faire acte de présence ◦ **acto sexual** acte sexuel **2.** cérémonie *(f)*. ■ **en el acto** *loc adv* sur-le-champ ◦ **fotos de carné en el acto** photos d'identité minute.

actor, triz *nm, f* acteur *(m)*, -trice *(f)*.

actuación *nf* **1.** conduite *(f)*, façon *(f)* d'agir **2.** rôle *(m)* **3.** intervention *(f)* **4.** jeu *(m)* **5.** DR ◦ **las actuaciones del juez** la procédure.

actual *adj* actuel(elle).

actualidad *nf* actualité *(f)* ◦ **de actualidad** d'actualité ◦ **en la actualidad** actuellement, à l'heure actuelle ◦ **ser actualidad** faire la une de l'actualité.

actualizar *vt* **1.** actualiser **2.** mettre à jour **3.** renouveler.

actualmente *adv* actuellement.

actuar *vi* **1.** agir ◦ **actuar de** remplir la fonction de **2.** jouer **3.** instruire un procès.

acuarela *nf* aquarelle *(f)*. ■ **acuarelas** *nfpl* aquarelles *(fpl)*.

acuario *nm* aquarium *(m)* ■ **Acuario** ⬓ *nm inv* Verseau *(m inv)*. ⬓ *nmf inv* verseau *(m inv)*.

acuartelar *vt* **1.** caserner **2.** consigner.

acuático, ca *adj* aquatique.

acuchillar *vt* **1.** poignarder **2.** poncer.

acuciar *vt sout* presser ◦ **acuciar con preguntas** presser de questions.

acuclillarse *vp* s'accroupir.

acudir *vi* **1.** *(aller)* ◦ **acudir a** se rendre à *(un rendez-vous)* ◦ aller à *(l'école, l'église)* **2.** arriver ◦ **acudir en auxilio de** venir en aide à **3.** *(avoir recours à)* ◦ **acudir a** faire appel à.

acueducto *nm* aqueduc *(m)*.

acuerdo *nm* accord *(m)* ◦ **de acuerdo** d'accord ◦ **de acuerdo con** en accord avec ◦ **estar de acuerdo** être d'accord ◦ **llegar a un acuerdo** parvenir à un accord ◦ **ponerse de acuerdo** se mettre d'accord ◦ **acuerdo marco** accord-cadre *(m)*.

acumular *vt* accumuler. ■ **acumularse** *vp* s'accumuler.

acunar *vt* bercer.

acuñar *vt* frapper ◦ **acuñar moneda** battre monnaie.

acuoso, sa *adj* **1.** aqueux(euse) **2.** juteux(euse).

acupuntura *nf* acupuncture *(f)*.

acurrucarse *vp* se blottir.

acusación *nf* accusation *(f)*.

acusado, da *adj & nm, f* accusé(e).

acusar *vt* accuser ◦ **acusar (a alguien de algo)** accuser (qqn de qqch) ◦ **acuso recibo de su carta** j'ai bien reçu votre lettre.

acusativo *nm* accusatif *(m)*.

acuse de recibo *nm* accusé *(m)* de réception.

acusica *adj & nmf fam* rapporteur(euse).

acústico, ca *adj* acoustique. ■ **acústica** *nf* acoustique *(f)*.

a.D. *(abr écrite de anno Domini)* A.D. ◦ **en 1124 a.D.** en 1124 A.D.

adagio *nm* **1.** adage *(m)* **2.** adagio *(m)*.

adaptación *nf* ◦ **adaptación (a)** adaptation (à).

adaptar *vt* adapter. ■ **adaptarse** *vp* ◦ **adaptarse (a)** s'adapter (à).

adecuado, da adj adéquat(e) • **adecuado para niños** qui convient parfaitement aux enfants.

adecuar vt adapter. ■ **adecuarse** vp • **adecuarse a** s'adapter à.

adefesio nm fam horreur (f) • **estar** OU **ir hecho un adefesio** être fringué comme l'as de pique.

a. de JC., a. JC. (abr écrite de antes de Jesucristo) av. J-C • **en el año 785 a. de JC.** en l'an 785 av. J-C.

adelantado, da adj avancé(e), en avance • **por adelantado** d'avance.

adelantamiento nm AUTO dépassement (m).

adelantar ■ vt 1. avancer • **adelantar con : ¿qué adelantas con eso?** à quoi ça t'avance ? 2. dépasser 3. doubler. ■ vi 1. faire des progrès 2. (montre) avancer. ■ **adelantarse** vp 1. être en avance • **adelantarse para hacer algo** s'y prendre à l'avance pour faire qqch • **adelantársele a alguien** devancer qqn 2. (montre) avancer 3. (dans l'espace) s'avancer, avancer.

adelante adv en avant • **de ahora en adelante** dorénavant, à l'avenir • **más adelante** plus tard • plus loin • plus bas • **ir adelante** fig aller de l'avant • **salir adelante** fig s'en sortir • **seguir adelante** suivre son cours. ■ interj • **¡adelante!** en avant ! • entrez !

adelanto nm 1. avance (f) 2. progrès (m).

adelgazar ■ vi maigrir. ■ vt perdre (des kilos).

ademán nm geste (m) • **hacer ademán de** faire mine de. ■ **ademanes** nmpl manières (fpl).

además adv en plus, de plus, en outre • **además de** non seulement, outre que • **además de ser caro es malo** non seulement c'est cher, mais en plus c'est mauvais.

adentrarse vp • **adentrarse en** s'enfoncer dans • pénétrer plus avant dans.

adentro adv à l'intérieur, dedans • **tierra adentro** à l'intérieur des terres • **mar adentro** au large.

adentros nmpl • **para mis/tus** etc **adentros** dans mon/ton etc for intérieur, en moi-même/toi-même etc.

adepto, ta ■ adj adepte • **ser adepto a** être un adepte de • être partisan de. ■ nm, f • **adepto (a)** adepte (mf) • partisan (m) (de).

aderezar vt 1. assaisonner 2. parer.

aderezo nm 1. assaisonnement (m) 2. parure (f).

adeudar vt 1. devoir (de l'argent) 2. COMM débiter.

adherir vt coller. ■ **adherirse** vp coller.

adhesión nf adhésion (f).

adhesivo, va adj adhésif(ive). ■ **adhesivo** nm 1. autocollant (m) 2. adhésif (m).

adicción nf • **adicción (a)** dépendance (f) (par rapport à).

adición nf 1. ajout (m) 2. addition (f).

adicional adj 1. supplémentaire 2. additionnel(le).

adicto, ta ■ adj • **adicto (a)** dépendant (de). ■ nm, f fidèle (mf) • **un adicto al alcohol/al tabaco** un alcoolique/fumeur.

adiestrar vt 1. dresser (un animal) 2. entraîner (une personne) 3. exercer (un soldat).

adinerado, da adj nanti(e).

adiós ■ nm adieu (m). ■ interj • **¡adiós!** au revoir !

adiposo, sa adj adipeux(euse).

aditivo nm additif (m).

adivinanza nf devinette (f).

adivinar vt deviner. ■ **adivinarse** vp se deviner.

adivino, na nm, f devin (m), devineresse (f).

adjetivo, va adj adjectival(e). ■ **adjetivo** nm adjectif (m).

adjudicación nf 1. attribution (f) 2. adjudication (f).

adjudicar vt 1. attribuer 2. décerner (un prix) 3. allouer (une pension) 4. DR adjuger. ■ **adjudicarse** vp s'attribuer.

adjuntar vt joindre.

adjunto, ta ■ adj 1. ci-joint(e) • **'adjunto le remito...'** 'veuillez trouver ci-joint...' 2. adjoint(e). ■ nm, f adjoint (m), -e (f).

adm. = admón.

administración nf administration (f). ■ **Administración** nf Administration (f) • **Administración pública** service (m) public.

administrador, ra adj & nm, f administrateur(trice), gestionnaire.

administrar vt 1. administrer 2. gérer 3. rendre (la justice) 4. économiser (ses forces) 5. rationner (des aliments). ■ **administrarse** vp gérer son budget.

administrativo, va ■ adj administratif(ive). ■ nm, f employé (m), -e (f) de bureau.

admirable adj admirable.

admiración nf 1. admiration (f) 2. étonnement (m) 3. point (m) d'exclamation.

admirador, ra nm, f admirateur (m), -trice (f).

admirar vt 1. admirer 2. étonner. ■ **admirarse** vp • **admirarse (de)** s'étonner (de) • être en admiration (devant).

admisible adj acceptable.

admisión nf 1. admission (f) 2. acceptation (f).

admitir vt 1. admettre • **admitir a alguien en** admettre qqn à OU dans 2. accepter.

admón., adm. (abr écrite de administración) adm.

ADN (abr de ácido desoxirribonucleico) nm ADN (m) • **una prueba de ADN** un test ADN • **un chip de ADN** une puce ADN.

adobar vt faire mariner.

adobe *nm* pisé *(m)* *(brique)*.

adobo *nm* **1.** marinage *(m)* **2.** marinade *(f)*.

adoctrinar *vt* endoctriner.

adolecer ■ **adolecer de** *vi* **1.** souffrir de **2.** pécher par.

adolescencia *nf* adolescence *(f)*.

adolescente *adj* & *nmf* adolescent(e).

adonde *adv* où ⬩ **la ciudad adonde vamos** la ville où nous allons.

adónde *adv* où ⬩ **¿adónde vas?** où vas-tu ?

adondequiera *adv* n'importe où ⬩ **adondequiera que vaya** où que j'aille.

adonis *nm inv fig* adonis *(m)*.

adopción *nf* adoption *(f)*.

adoptar *vt* adopter.

adoptivo, va *adj* adoptif(ive).

adoquín *nm* **1.** pavé *(m)* **2.** *fam* cruche *(f)*.

adorable *adj* **1.** adorable **2.** merveilleux(euse), délicieux(euse).

adoración *nf* adoration *(f)*.

adorar *vt* adorer.

adormecer *vt* **1.** endormir **2.** *fig* calmer **3.** engourdir *(les membres)* **4.** insensibiliser *(les gencives)*. ■ **adormecerse** *vp* s'endormir.

adormidera *nf* pavot *(m)*.

adormilarse *vp* s'assoupir.

adornar ◼ *vt* décorer, orner. ◼ *vi* être décoratif(ive).

adorno *nm* ornement *(m)*, décoration *(f)* ⬩ **de adorno** décoratif(ive), pour décorer ⬩ *(persona)* inutile.

adosado, da *adj* **1.** jumeau(elle) **2.** mitoyen(enne) ⬩ **un garaje adosado a la casa** un garage attenant à la maison.

adquirir *vt* **1.** acquérir **2.** remporter *(un succès)* **3.** contracter *(une maladie, un vice)*.

adquisición *nf* acquisition *(f)*.

adquisitivo, va *adj* ⬩ **el poder adquisitivo** le pouvoir d'achat.

adrede *adv* exprès ⬩ **lo hizo adrede** il l'a fait exprès.

adrenalina *nf* adrénaline *(f)*.

adscribir *vt* **1.** attribuer **2.** fixer *(un horaire)* **3.** rattacher. ■ **adscribirse** *vp* ⬩ **adscribirse (a)** adhérer (à) ⬩ souscrire (à).

adscrito, ta *adj* rattaché(e). ■ **adscrito** *pp* ⟹ **adscribir**.

aduana *nf* douane *(f)*.

adueñarse *vp* ⬩ **adueñarse de algo** s'approprier qqch ⬩ *fig* s'emparer de qqch.

adulación *nf* flatterie *(f)*.

adulador, ra *adj* & *nm, f* flatteur(euse).

adular *vt* flatter.

adulterar *vt* **1.** dénaturer, falsifier **2.** frelater *(un vin)* **3.** déformer *(la vérité)*.

adulterio *nm* adultère *(m)*.

adúltero, ra *adj* & *nm, f* adultère.

adulto, ta *adj* & *nm, f* adulte.

advenedizo, za *adj* & *nm, f* **1.** étranger(ère) *(à un lieu)* **2.** parvenu(e) *(à une position)*.

advenimiento *nm* avènement *(m)*.

adverbio *nm* adverbe *(m)*.

adversario, ria *nm, f* adversaire *(mf)*.

adversidad *nf* adversité *(f)*.

adverso, sa *adj* **1.** adverse **2.** *(circonstances)* défavorable **3.** *(destination, vent)* contraire.

advertencia *nf* avertissement *(m)* ⬩ **servir de advertencia** servir de leçon.

advertir *vt* **1.** remarquer **2.** signaler, faire remarquer **3.** avertir, prévenir.

adviento *nm* Avent *(m)*.

adyacente *adj* adjacent(e).

aéreo, a *adj* aérien(enne).

aerobic [aeˈroβik] *nm* aérobic *(m)*.

aeroclub *(pl* **aeroclubes** *ou* **aeroclubs)** *nm* aéro-club *(m)*.

aerodeslizador *nm* aéroglisseur *(m)*.

aerodinámico, ca *adj* aérodynamique. ■ **aerodinámica** *nf* aérodynamique *(f)*.

aeródromo *nm* aérodrome *(m)*.

aeroespacial *adj* aérospatial(e).

aerofagia *nf* aérophagie *(f)*.

aerofaro *nm* balise *(f)* lumineuse *(d'aéroport)*.

aerolínea *nf* ligne *(f)* aérienne.

aerolito *nm* aérolithe *(m)*.

aeromodelismo *nm* aéromodélisme *(m)*.

aeromoza *nf* *(Amér)* hôtesse *(f)* de l'air.

aeronauta *nmf* aéronaute *(mf)*.

aeronáutico, ca *adj* aéronautique. ■ **aeronáutica** *nf* aéronautique *(f)*.

aeronaval *adj* aéronaval(e).

aeronave *nf* aéronef *(m)*.

aeroplano *nm* aéroplane *(m)*.

aeropuerto *nm* aéroport *(m)*.

aerosol *nm* aérosol *(m)*.

aerostático, ca *adj* aérostatique.

aeróstato *nm* aérostat *(m)*.

aerotaxi *nm* avion-taxi *(m)*.

aerotransportado, da *adj* aéroporté(e).

aerotrén *nm* Aérotrain® *(m)*.

afabilidad *nf* affabilité *(f)*.

afable *adj* affable, avenant(e).

afamado, da *adj* renommé(e).

afán *nm* **1.** ardeur *(f)* **2.** soif *(f)* *(d'aventure)* **3.** désir *(m)* *(d'apprendre, etc)*.

afanador, ra *nm, f* *(Amér)* agent de service dans un établissement public.

afanar *vt* *fam* *(voler)* piquer. ■ **afanarse** *vp* ⬩ **afanarse (por hacer algo)** s'efforcer (de faire qqch).

afanoso, sa *adj* 1. laborieux(euse) 2. • **afanoso por** avide de.

afear *vt* enlaidir.

afección *nf* affection (*f*).

afectación *nf* affectation (*f*).

afectado, da ◼ *adj* 1. affecté(e) • **afectado por** affecté par 2. atteint(e) • **afectado de** atteint de. ◼ *nm, f* 1. victime (*f*) (*d'un accident*) 2. sinistré (*m*), -e (*f*) 3. malade (*mf*).

afectar *vt* 1. affecter 2. toucher 3. (*sujet : maladie, désastre*) frapper 4. (*sujet : décision, discussion*) porter tort à.

afectísimo, ma *adj* • '**suyo afectísimo**' 'bien à vous'.

afectivo, va *adj* 1. affectif(ive) 2. sensible.

afecto *nm* affection (*f*) • **sentir afecto por alguien, tenerle afecto a alguien** avoir de l'affection pour qqn.

afectuoso, sa *adj* affectueux(euse).

afeitar *vt* raser. ◼ **afeitarse** *vp* se raser.

afelpado, da *adj* • **un tejido afelpado** un tissu peluché.

afeminado, da *adj* efféminé(e). ◼ **afeminado** *nm* efféminé (*m*).

afeminarse *vp* être efféminé.

aferrarse *vp* • **aferrarse (a)** *litt* & *fig* s'accrocher (à).

affaire [a'fer] *nm* affaire (*f*).

afianzar *vt* 1. cautionner (*une idée*) 2. étayer (*une théorie*) 3. appuyer (*une demande*) 4. renforcer (*un soupçon*) 5. consolider, renforcer (*un mur, etc*). ◼ **afianzarse** *vp* se cramponner • **afianzarse con** se raccrocher à • **afianzarse en** être conforté(e) dans.

afiche *nm* (*Amér*) affiche (*f*).

afición *nf* 1. penchant (*m*) • **por afición** par goût, pour le plaisir • **tener afición a algo** aimer bien qqch 2. fans (*mpl*) 3. SPORT supporters (*mpl*) 4. ART amateurs (*mpl*).

aficionado, da ◼ *adj* • **ser aficionado a algo** être un grand amateur de qqch. ◼ *nm, f* amateur (*mf*) • **para ser un aficionado pinta bien** pour un amateur, il ne peint pas mal.

aficionar *vt* • **aficionar a alguien a algo** faire aimer qqch à qqn. ◼ **aficionarse** *vp* • **aficionarse a algo** prendre goût à qqch, se passionner pour qqch.

afilado, da *adj* 1. effilé(e) 2. (*couteau*) aiguisé(e) 3. (*crayon*) taillé(e) 4. *fig* incisif(ive).

afilador, ra ◼ *adj* à aiguiser. ◼ *nm, f* rémouleur (*m*). ◼ **afiladora** *nf* affûteuse (*f*).

afilalápices *nm inv* taille-crayon (*m*).

afilar *vt* 1. aiguiser 2. tailler (*un crayon*).

afiliado, da *nm, f* 1. affilié (*m*), -e (*f*) 2. adhérent (*m*), -e (*f*).

afiliarse *vp* • **afiliarse a** s'affilier à • adhérer à.

afín *adj* 1. voisin(e) 2. (*goûts*) commun(e) 3. (*matières*) similaire.

afinar *vt* 1. accorder (*un instrument*) 2. poser (*sa voix*) 3. peaufiner (*un travail*) 4. ajuster (*un tir*) 5. affiner (*un métal*).

afinidad *nf* affinité (*f*) • **por afinidad** par alliance.

afirmación *nf* affirmation (*f*).

afirmar *vt* 1. affirmer 2. conforter 3. CONSTR renforcer. ◼ **afirmarse** *vp* 1. se confirmer 2. • **afirmarse en lo dicho** maintenir ce que l'on a dit.

afirmativo, va *adj* affirmatif(ive) • **en caso afirmativo** dans l'affirmative.

aflicción *nf* peine (*f*) profonde.

afligir *vt* affliger. ◼ **afligirse** *vp* être affligé(e).

aflojar ◼ *vt* 1. desserrer (*une ceinture, un nœud*) 2. donner du mou (*à une corde*) 3. *fam* (*donner*) filer. ◼ *vi* 1. (*fièvre*) baisser 2. (*vent*) tomber 3. (*tempête*) se calmer 4. *fig* lâcher du lest.

aflorar *vi litt* & *fig* affleurer.

afluencia *nf* affluence (*f*), flot (*m*).

afluente *nm* affluent (*m*).

afluir *vi* 1. • **afluir a** affluer à 2. (*fleuve*) se jeter dans.

afonía *nf* extinction (*f*) de voix.

afónico, ca *adj* aphone.

aforo *nm* capacité (*f*) (*d'accueil*) • **el teatro tiene un aforo de 1.000 plazas** le théâtre a 1 000 places • '**aforo completo**' 'complet'.

afortunado, da ◼ *adj* 1. chanceux(euse) • **es muy afortunado** il a beaucoup de chance 2. heureux(euse). ◼ *nm, f* gagnant (*m*), -e (*f*).

afrancesado, da ◼ *adj* très français(e) • **tiene un estilo afrancesado** il a un style très français. ◼ *nm, f* partisan de Napoléon pendant la guerre d'Espagne.

afrenta *nf* 1. déshonneur (*m*) 2. affront (*m*).

África *npr* Afrique (*f*).

africano, na ◼ *adj* africain(e). ◼ *nm, f* Africain (*m*), -e (*f*).

afro *adj inv* 1. afro (*inv*) 2. africain(e).

afroamericano, na *adj* afro-américain(e).

afrodisíaco, ca, afrodisiaco, ca *adj* aphrodisiaque. ◼ **afrodisíaco, afrodisiaco** *nm* aphrodisiaque (*m*).

afrontar *vt* 1. affronter 2. confronter.

afuera *adv* dehors, à l'extérieur. ◼ **afueras** *nfpl* • **las afueras** la banlieue, les environs (*mpl*).

afuerita *adv* (*Amér*) *fam* dehors.

afusilar *vt* (*Amér*) *fam* fusiller.

agachar *vt* baisser (*la tête, etc*). ◼ **agacharse** *vp* se baisser.

agalla *nf* (*gén pl*) ZOOL ouïe (*f*). ◼ **agallas** *nfpl* cran (*m*) • **tener agallas** avoir du cran.

agarrada *nf* ▷ **agarrado**.

agarrado, da *adj* **1.** accroché(e) • **agarrado de** accroché à • **agarrados del brazo** bras dessus bras dessous • **agarrados de la mano** main dans la main **2.** *fam* radin(e). ■ **agarrado** *nm* slow (m). ■ **agarrada** *nf fam* prise (f) de bec.

agarrar ◼ *vt* **1.** saisir **2.** attraper *(un voleur, une maladie)* • **agarrarla** *fam* prendre une cuite **3.** *(Amér)* prendre • **agarrar a alguien por el brazo** prendre qqn par le bras • **agarrar un taxi** prendre un taxi. ◼ *vi* prendre. ■ **agarrarse** *vp* **1.** s'accrocher • **agarrarse de** OU **a algo** se raccrocher à qqch • **agarrarse fuerte** se cramponner **2.** CULIN attacher **3.** *fam fig (se disputer)* s'accrocher **4.** *(pretexter)* • **agarrarse a algo** prendre qqch pour excuse.

agarrón *nm* **1.** empoignade (f) **2.** • **dar un agarrón a alguien** empoigner qqn.

agarrotar *vt* **1.** serrer **2.** comprimer. ■ **agarrotarse** *vp* **1.** s'engourdir **2.** s'enrayer.

agasajar *vt* traiter comme un roi(une reine) • **agasajar a alguien con algo** offrir qqch à qqn.

ágata *nf* (el) agate (f).

agazaparse *vp* **1.** se tapir **2.** se pelotonner.

agencia *nf* **1.** agence (f) • **agencia de aduanas** bureau (m) de douane • **agencia de viajes/de publicidad** agence de voyages/de publicité • **agencia inmobiliaria/matrimonial** agence immobilière/matrimoniale **2.** succursale (f).

agenda *nf* **1.** agenda (m) • **agenda de direcciones** carnet (m) d'adresses • **agenda de teléfonos** répertoire (m) téléphonique **2.** programme (m).

agente ◼ *nmf* agent (m) • **agente comercial** commercial (m), -e (f) • **agente de aduanas** douanier (m) • **agente de cambio** agent de change • **agente secreto** agent secret. ◼ *nm* agent (m).

ágil *adj* **1.** agile **2.** *(style)* enlevé(e) **3.** *(esprit)* alerte.

agilidad *nf* agilité (f).

agilizar *vt* faciliter.

agitación *nf* agitation (f).

agitador, ra ◼ *adj* violent(e). ◼ *nm, f* agitateur (m), -trice (f).

agitar *vt* **1.** secouer, remuer, agiter **2.** *(inquiéter)* agiter **3.** semer le trouble.

aglomeración *nf* **1.** agglomération (f) **2.** attroupement (m).

aglomerar *vt* **1.** agglomérer **2.** accumuler. ■ **aglomerarse** *vp* s'amasser.

aglutinar *vt* **1.** agglutiner **2.** *fig* regrouper **3.** conjuguer *(les efforts)* **4.** rassembler *(des idées)*.

agnóstico, ca *adj* & *nm, f* agnostique.

ago., ago *(abr écrite de* agosto*)* août • **15 ago. 2006** 15 août 2006.

agobiar *vt* accabler, submerger • **estoy agobiado** je suis débordé • *(déprimé)* je n'en peux plus. ■ **agobiarse** *vp* • **no te agobies** ne t'en fais pas.

agobio *nm* **1.** étouffement (m) **2.** accablement (m) • **iqué agobio!** quel cauchemar !

agolparse *vp* **1.** s'attrouper **2.** *(sang)* affluer **3.** *fig* s'accumuler.

agonía *nf* **1.** agonie (f) **2.** *fig* angoisse (f).

agonizante *adj* agonisant(e).

agonizar *vi* **1.** agoniser, être à l'agonie **2.** *fig* souffrir le martyre.

agorafobia *nf* agoraphobie (f).

agosto *nm* **1.** août (m) **2.** *fig* temps (m) des moissons • **hacer su agosto** faire son beurre.• *voir aussi* **septiembre**

agotado, da *adj* épuisé(e) • **agotado de trabajar** épuisé par le travail.

agotador, ra *adj* épuisant(e).

agotamiento *nm* épuisement (m).

agotar *vt* épuiser.

agraciado, da ◼ *adj* **1.** ravissant(e) **2.** *(chanceux)* • **agraciado con algo** qui a la chance de gagner qqch. ◼ *nm, f* heureux gagnant (m), heureuse gagnante (f).

agraciar *vt* **1.** embellir **2.** accorder **3.** *sout* • **agraciar con** gratifier de.

agradable *adj* agréable.

agradar *vi* être agréable.

agradecer *vt* **1.** *(personne)* • **agradecer algo a alguien** remercier qqn de qqch • être reconnaissant(e) à qqn de qqch **2.** *(choses)* apprécier.

agradecido, da *adj* reconnaissant(e).

agradecimiento *nm* reconnaissance (f).

agrado *nm* **1.** plaisir (m) **2.** complaisance (f).

agrandar *vt* agrandir.

agrarlo, rla *adj* **1.** agraire **2.** agricole.

agravante ◼ *adj* aggravant(e). ◼ *nm* circonstance (f) aggravante.

agravar *vt* **1.** aggraver **2.** augmenter (le poids de). ■ **agravarse** *vp* s'aggraver.

agraviar *vt* offenser.

agravio *nm* **1.** offense (f) **2.** injustice (f) • **no puedo pagarte más a ti que a los demás porque sería un agravio comparativo** je ne peux pas te payer plus que les autres, ce serait avoir deux poids, deux mesures.

agredir *vt* agresser.

agregado, da ◼ *adj* ajouté(e). ◼ *nm, f* **1.** maître (m) auxiliaire **2.** attaché (m), -e (f) • **agregado cultural** attaché culturel. ■ **agregado** *nm* **1.** ajout (m) **2.** ÉCON agrégat (m).

agregar *vt* • **agregar (algo a algo)** ajouter (qqch à qqch). ■ **agregarse** *vp* • **agregarse (a algo)** rejoindre (qqch).

agresión *nf* agression (f).

agresividad *nf* agressivité *(f)*.

agresivo, va *adj* 1. agressif(ive) 2. *fig* dynamique.

agresor, ra *nm, f* agresseur *(m)*.

agreste *adj* 1. agreste 2. champêtre 3. sauvage 4. *fig* fruste.

agriar *vt* 1. rendre aigre 2. *fig* aigrir. ■ **agriarse** *vp* 1. tourner 2. devenir aigre 3. *fig* s'aigrir.

agrícola *adj* agricole.

agricultor, ra *nm, f* agriculteur *(m)*, -trice *(f)*.

agricultura *nf* agriculture *(f)*.

agridulce *adj* aigre-doux(aigre-douce).

agrietar *vt* 1. *(mur)* lézarder 2. *(terre)* crevasser 3. *(lèvres, mains)* gercer. ■ **agrietarse** *vp* se gercer.

agrio, gria *adj* 1. aigre 2. *fig* âpre. ■ **agrios** *nmpl* agrumes *(mpl)*.

agronomía *nf* agronomie *(f)*.

agropecuario, ria *adj* agricole.

agroturismo *nm* tourisme *(m)* vert.

agrupación *nf* 1. groupe *(m)* 2. regroupement *(m)*.

agrupamiento *nm* regroupement *(m)*.

agrupar *vt* grouper, regrouper.

agua *nf (el)* eau *(f)* • **agua bendita/destilada/ dulce/potable** eau bénite/distillée/douce/potable • **agua mineral** eau minérale • **agua (mineral) con gas/sin gas** eau gazeuse/plate • **hacer agua** faire eau • *fig* couler. ■ **aguas** *nfpl* 1. eaux *(fpl)* • **aguas territoriales** *ou* **jurisdiccionales** eaux territoriales 2. pente *(f) (de toit)* 3. eau *(f) (d'un diamant)*. ■ **agua de colonia** eau *(f)* de Cologne. ■ **agua oxigenada** *nf* eau *(f)* oxygénée.

aguacate *nm* 1. avocat *(m)* 2. avocatier *(m)*.

aguacero *nm* averse *(f)*.

aguachirle *nm* lavasse *(f)*.

aguado, da *adj* 1. *(vin, etc)* coupé(e) 2. *(soupe)* trop liquide 3. *fig* gâché(e). ■ **aguada** *nf* gouache *(f)*.

aguafiestas *nmf inv* rabat-joie *(mf inv)*.

aguafuerte *nm ou nf* eau-forte *(f)*.

aguamarina *nf* aigue-marine *(f)*.

aguamiel *nf (Amér)* eau mélangée avec du sucre de canne.

aguanieve *nf* neige *(f)* fondue.

aguantar ■ *vt* 1. tenir 2. supporter 3. retenir. ■ *vi* résister. ■ **aguantarse** *vp* 1. se retenir 2. faire avec.

aguante *nm* 1. patience *(f)* 2. résistance *(f)* • **tener aguante** être résistant(e).

aguar *vt* 1. couper *(avec de l'eau)* 2. *fig* gâcher. ■ **aguarse** *vp* être gâché(e).

aguardar *vt* être dans l'attente de.

aguardiente *nm* eau-de-vie *(f)*.

aguarrás *nm* white-spirit *(m)*.

agudeza *nf* 1. finesse *(f)* 2. *fig* acuité *(f)* 3. mot *(m)* d'esprit.

agudizar *vt* 1. aiguiser 2. *fig* accentuer. ■ **agudizarse** *vp* 1. devenir plus aigu(uë) 2. devenir plus subtil(e).

agudo, da *adj* 1. pointu(e) 2. *(crise, voix, note)* aigu(uë) 3. *(problème, maladie)* grave 4. *(odeur, goût)* fort(e) 5. *fig* • *(esprit)* vif(vive) • *(ouïe)* fin(e) • *(vue)* perçant(e) 6. *fig* spirituel(elle) 7. GRAMM • **palabra aguda** mot accentué sur la dernière syllabe.

agüero *nm* • **de buen/mal agüero** de bon/ mauvais augure.

aguijón *nm* 1. dard *(m)* 2. épine *(f)* 3. *fig* motivation *(f)*.

aguijonear *vt* 1. aiguillonner *(un taureau)* 2. éperonner *(un cheval)* 3. *fig* titiller.

águila *nf (el)* 1. aigle *(m)* 2. *fig (personne)* lumière *(f)*.

aguileño, ña *adj* aquilin • **una nariz aguileña** un nez aquilin.

aguilucho *nm* aiglon *(m)*.

aguinaldo *nm* étrennes *(fpl)*.

aguja *nf* aiguille *(f)* • **aguja hipodérmica** seringue *(f)* hypodermique. ■ **agujas** *nfpl* 1. aiguillettes *(fpl)* 2. RAIL aiguillage *(m)*.

agujerear *vt* percer un trou dans. ■ **agujerearse** *vp* trouer • **agujerearse los calcetines** trouer ses chaussettes.

agujero *nm* trou *(m)* • **agujero negro** trou noir • **agujero de ozono** trou d'ozone.

agujetas *nfpl* courbatures *(fpl)*.

aguzar *vt* 1. aiguiser 2. *fig* stimuler • ▷ **ingenio, oído**.

ah *interj* • **¡ah!** ah !

ahí *adv* là • **la solución está ahí** c'est là qu'est la solution • **¡ahí tienes!** voilà ! • **está por ahí** il est quelque part par là • **il est sorti** • **de ahí que** d'où le fait que • **por ahí, por ahí** à peu près • **por ahí va la cosa** c'est à peu près ça.

ahijado, da *nm, f* 1. filleul *(m)*, -e *(f)* 2. *fig* protégé *(m)*, -e *(f)*.

ahínco *nm* acharnement *(m)*.

ahogar *vt* 1. noyer 2. étrangler 3. *litt & fig* étouffer. ■ **ahogarse** *vp* 1. se noyer 2. s'étouffer 3. *fig* étouffer.

ahogo *nm* 1. étouffement *(m)* 2. *fig* oppression *(f)*.

ahondar *vi* • **ahondar (en algo)** s'enfoncer (dans qqch) • *fig* approfondir (qqch).

ahora ■ *adv* maintenant • **ahora vive en México** maintenant il vit au Mexique • **ahora nos vemos** on se voit tout à l'heure • **de ahora mismo** tout de suite • à l'instant • **ha salido ahora mismo** il vient juste de sortir, il est sorti à l'instant • **ven ahora mismo** viens tout de suite • **por ahora** pour le moment. ■ *conj* 1. que...

ou que… • **ahora haga frío, ahora calor, siempre viste igual** qu'il fasse froid ou qu'il fasse chaud, il s'habille toujours de la même façon **2.** mais • **dámelo, ahora no me hago responsable** donne-le-moi, mais je n'en prends pas la responsabilité • **ahora bien** cela dit.

ahorcado, da *nm, f* pendu *(m)*, -e *(f)*.

ahorcar *vt* pendre. ■ **ahorcarse** *vp* se pendre.

ahorita, ahoriíta *adv (Amér) fam* tout de suite.

ahorrar *vt* **1.** économiser **2.** épargner. ■ **ahorrarse** *vp* **1.** s'épargner **2.** s'éviter.

ahorro *nm* **1.** épargne *(f)* **2.** *(gén pl)* économies *(fpl)* **3.** *fig* gain *(m)*.

ahuecar ◨ *vt* **1.** creuser **2.** évider • **ahuecar las manos** tendre le creux de la main **3.** retaper *(un oreiller)* **4.** faire bouffer *(un vêtement)* **5.** ameublir *(la terre)*. ◨ *vi fam* mettre les voiles. ■ **ahuecarse** *vp fam fig* boire du petit-lait.

ahuevado, da *adj (Amér) fam* abruti(e).

ahumado, da *adj* fumé(e). ■ **ahumado** *nm* fumage *(m)*.

ahumar *vt* **1.** fumer **2.** enfumer. ■ **ahumarse** *vp* **1.** prendre un goût de fumée **2.** noircir.

ahuyentar *vt* **1.** faire fuir **2.** *fig* chasser.

airado, da *adj* irrité(e).

airar *vt* exaspérer.

aire *nm* **1.** air *(m)* • **al aire** à l'air • **al aire libre** en plein air • **estar algo en el aire** *(idée)* être dans l'air • *(projet)* être encore vague • *(rumeur)* circuler • **tomar el aire** prendre l'air **2.** allure *(f)* **3.** grâce *(f)* *(d'une danseuse)* • **a mi/tu etc aire** à ma/ta etc guise. ■ **aires** *nmpl* airs *(mpl)* • **darse aires** *fig* se donner de grands airs. ■ **aire acondicionado** *nm* air *(m)* conditionné.

airear *vt* **1.** aérer **2.** *fig* ébruiter. ■ **airearse** *vp* s'aérer.

airoso, sa *adj* **1.** gracieux(euse) **2.** • **salir airoso de algo** s'en tirer brillamment.

aislado, da *adj* isolé(e).

aislar *vt* isoler.

aizkolari *nm* bûcheron participant à des compétitions sportives au Pays basque.

ajá *interj* • **¡ajá!** ha ! • *fam* voilà !

ajardinado, da *adj* aménagé(e) en espaces verts.

a. JC. = **a. de JC.**

ajedrez *nm* échecs *(mpl)*.

ajeno, na *adj* **1.** d'autrui **2.** • **ajeno a** étranger(ère) à *(une affaire)* • contraire à *(un caractère)* • indépendant(e) de *(la volonté)* • **ajeno de** *fig* libre de.

ajetreo *nm* **1.** agitation *(f)* **2.** effervescence *(f)*.

ají *nm (Amér)* piment *(m)* rouge, chili *(m)*.

ajiaco *nm (Amér)* ragoût aux piments.

ajillo *nm* • **al ajillo** *loc adj* avec une sauce à base d'huile, d'ail et de piment.

ajo *nm* ail *(m)* • **andar** *OU* **estar en el ajo** *fig* être dans le coup.

ajuar *nm* trousseau *(m)* *(de mariée)*.

ajuntarse *vp fam* se mettre ensemble.

ajustado, da *adj* **1.** moulant(e) **2.** serré(e) **3.** correct(e) **4.** *(prix)* raisonnable. ■ **ajustado** *nm* ajustage *(m)*.

ajustar *vt* **1.** ajuster **2.** adapter *(une conduite)* **3.** aménager *(un horaire)* **4.** serrer **5.** façonner *(des pièces)* **6.** calfeutrer *(une fenêtre)* **7.** arranger *(un mariage)* **8.** négocier *(un prix, la paix)* **9.** DR conclure. ■ **ajustarse** *vp* • **ajustarse a** s'adapter à • cadrer avec.

ajuste *nm* **1.** ajustage *(m)* **2.** façonnage *(m)* *(de pièces)* **3.** réglage *(m)* *(d'un mécanisme)* **4.** ajustement *(m)* *(des salaires)* • **ajuste de cuentas** *fig* règlement *(m)* de comptes.

al ⯈ **a, el.**

ala *nf (el)* **1.** aile *(f)* **2.** pente *(f)* *(d'un toit)* **3.** bord *(m)* *(d'un chapeau)* **4.** abattant *(m)* *(d'une table)* **5.** SPORT ailier *(m)* • **dar alas a alguien** donner des ailes à qqn. ■ **ala delta** *nf* deltaplane *(m)*.

alabanza *nf* louange *(f)*.

alabar *vt* vanter • **alabar algo** faire les louanges de qqch.

alabastro *nm* albâtre *(m)*.

alacena *nf* placard *(m)* à provisions.

alacrán *nm* scorpion *(m)*.

alado, da *adj* ailé(e). .

alambique *nm* alambic *(m)*.

alambrada *nf* grillage *(m)*.

alambre *nm* **1.** fil *(m)* de fer **2.** *(Amér)* brochette *(f)*.

alameda *nf* **1.** peupleraie *(f)* **2.** promenade *(f)* *(bordée d'arbres)*.

álamo *nm* peuplier *(m)*.

alarde *nm* • **alarde (de)** déploiement *(m)* (de) • **hacer alarde de** faire étalage de.

alardear *vi* • **alardear de** se targuer de.

alargador, ra *adj* • **un cable alargador** un prolongateur. ■ **alargador** *nm* ÉLECTR rallonge *(f)*.

alargar *vt* **1.** rallonger **2.** passer • **alargar algo a alguien** passer qqch à qqn **4.** *fig* • augmenter • étendre. ■ **alargarse** *vp* **1.** *(jours)* rallonger **2.** *(réunion)* se prolonger **3.** *fig* se répandre *(en commentaires)*.

alarido *nm* hurlement *(m)*.

alarma *nf* **1.** alarme *(f)* • **señal de alarma** signal *(m)* d'alarme • **dar la alarma** sonner l'alarme **2.** *fig* inquiétude *(f)* • **alarma social** climat *(m)* d'inquiétude **3.** alerte *(f)*.

alarmante *adj* alarmant(e).

alarmar *vt* **1.** alerter **2.** *fig* alarmer. ■ **alarmarse** *vp* s'alarmer.

Álava *npr* Álava, Alava.

alazán, ana *adj* alezan(e).

alba *nf (el)* aube *(f)*.

albacea *nm, f* exécuteur *(m)*, -trice *(f)* testamentaire.

Albacete *npr* Albacete.

albahaca *nf* basilic *(m)*.

albaicín *nm* quartier d'une ville construit à flanc de colline, en particulier à Grenade (el Albaicín).

Albania *npr* Albanie *(f)*.

albañil *nm* maçon *(m)*.

albañilería *nf* maçonnerie *(f)*.

albarán *nm* bon *(m)* de livraison.

albaricoque *nm* **1.** abricot *(m)* **2.** abricotier *(m)*.

albatros *nm inv* albatros *(m)*.

albedrío *nm* guise *(f)* • **libre albedrío** libre arbitre *(m)*.

alberca *nf* **1.** bassin *(m)* **2.** réservoir *(m)* d'eau **3.** *(Amér)* piscine *(f)*.

albergar *vt* **1.** héberger **2.** nourrir *(des sentiments)* **3.** caresser *(des espoirs)*. ■ **albergarse** *vp* loger.

albergue *nm* **1.** hébergement *(m)* **2.** refuge *(m)* • **albergue de juventud** *ou* **juvenil** auberge *(f)* de jeunesse.

albino, na *adj* & *nm, f* albinos.

albis ■ **in albis** *loc adv* • **estar/quedarse in albis** *(ignorer)* ne rien entendre • *(être distrait)* avoir la tête ailleurs.

albóndiga *nf* boulette *(f)* (de viande).

albor *nm* **1.** blancheur *(f)* **2.** lueur *(f)* du jour **3.** *(gén pl)* fig aube *(f)*.

alborada *nf* **1.** petit matin *(m)* **2.** aubade *(f)*.

alborear *v impers* poindre *(le jour)*.

albornoz *nm* peignoir *(m)* (de bain).

alborotar ■ *vi* chahuter. ■ *vt* **1.** mettre en émoi **2.** ameuter **3.** mettre sens dessus dessous. ■ **alborotarse** *vp* s'affoler.

alboroto *nm* **1.** tapage *(m)*, vacarme *(m)* **2.** agitation *(f)* **3.** bazar *(m)*.

alborozar *vt* transporter de joie.

alborozo *nm* débordement *(m)* de joie.

albufera *nf* marécage *(m)* (du Levant espagnol) • **La Albufera** La Albufera.

álbum *nm* album *(m)*.

albúmina *nf* albumine *(f)*.

alcachofa *nf* **1.** artichaut *(m)* **2.** pomme *(f)* (de douche, d'arrosoir) **3.** crépine *(f)* (d'un tuyau).

alcahuete, ta *nm, f* **1.** entremetteur *(m)*, -euse *(f)* **2.** commère *(f)*.

alcalde, esa *nm, f* maire *(m)* • **la alcaldesa** Madame le maire • la femme du maire.

alcaldía *nf* **1.** mairie *(f)* **2.** commune *(f)*.

alcance *nm* portée *(f)* • **al alcance de** à portée de • **al alcance de la mano** à la portée de la main • **a mi/a tu** *etc* **alcance** à ma/à ta *etc* portée • **dar alcance a alguien** rattraper qqn • **de corto/largo alcance** à faible/longue portée • **de gran alcance** d'une grande portée • **de pocos alcances** limitée(e) intellectuellement • **fuera de alcance** hors d'atteinte, hors de portée.

alcanfor *nm* camphre *(m)*.

alcantarilla *nf* égout *(m)*.

alcantarillado *nm* • **el alcantarillado** les égouts *(mpl)*.

alcanzar ■ *vt* **1.** atteindre **2.** rattraper **3.** attraper **4.** *(remettre à)* passer **5.** obtenir **6.** *(affecter)* toucher, frapper. ■ *vi* **1.** • **alcanzar para algo/hacer algo** suffire pour qqch/faire qqch **2.** • **alcanzar a hacer algo** arriver à faire qqch.

alcaparra *nf* câpre *(f)*.

alcayata *nf* piton *(m)*.

alcázar *nm* alcazar *(m)*.

alce ■ *v* ▷ **alzar**. ■ *nm* ZOOL élan *(m)*.

alcoba *nf* chambre *(f)* à coucher.

alcohol *nm* alcool *(m)*.

alcoholemia *nf* taux *(m)* d'alcool dans le sang, alcoolémie *(f)*.

alcohólico, ca ■ *adj* **1.** alcoolisé(e) **2.** alcoolique. ■ *nm, f* alcoolique *(mf)*.

alcoholímetro *nm* **1.** alcoomètre *(m)* **2.** Alcootest® *(m)*.

alcoholismo *nm* alcoolisme *(m)*.

alcohotest *nm* Alcootest® *(m)*.

alcornoque *nm* **1.** chêne-liège *(m)* **2.** fig empoté(e).

aldaba *nf* **1.** marteau *(m)* **2.** loquet *(m)*.

aldea *nf* petit village *(m)*, hameau *(m)*.

aldeano, na *nm, f* villageois *(m)*, -e *(f)*.

ale *interj* • **¡ale!** allez !

aleación *nf* alliage *(m)*.

aleatorio, ria *adj* aléatoire.

alebrestarse *vp (Amér)* **1.** s'énerver **2.** se mettre en colère.

aleccionar *vt* **1.** • **aleccionar algo a alguien** apprendre qqch à qqn **2.** • **aleccionar a alguien** faire la leçon à qqn.

alegación *nf* argument *(m)*.

alegar *vt* **1.** alléguer, prétexter **2.** avancer *(des preuves, des arguments)*.

alegato *nm* plaidoyer *(m)*.

alegoría *nf* allégorie *(f)*.

alegórico, ca *adj* allégorique.

alegrar *vt* **1.** • **alegrar a alguien** faire plaisir à qqn **2.** fig égayer **3.** fig griser. ■ **alegrarse** *vp* **1.** se réjouir, être content(e) **2.** fig être un peu gai(e).

alegre *adj* **1.** gai(e), joyeux(euse) **2.** réjoui(e) **3.** heureux(euse) **4.** réjouissant(e) **5.** fig insouciant(e) **6.** fam éméché(e) **7.** fig • dissolu(e) • léger(ère) • facile.

alegría *nf* **1.** joie *(f)* • **me da mucha alegría ver- te** ça me fait très plaisir de te voir **2.** gaieté *(f)* **3.** *fig* légèreté *(f)*, insouciance *(f)*.

alejamiento *nm* éloignement *(m)*.

alejar *vt* **1.** éloigner, écarter **2.** *fig* chasser. ■ **alejarse** *vp* s'éloigner, s'écarter.

aleluya ■ *nm ou nf* alléluia *(m)*. ■ *interj* • **iale- luya!** alléluia !

alemán, ana ■ *adj* allemand(e). ■ *nm, f* Alle- mand *(m)*, -e *(f)*. ■ **alemán** *nm* allemand *(m)*.

Alemania *npr* Allemagne *(f)*.

alentador, ra *adj* encourageant(e).

alentar *vt* encourager.

alergia *nf litt & fig* allergie *(f)* • **tener alergia a algo** être allergique à qqch • **él me da alergia** *fam* il me donne des boutons.

alérgico, ca *adj litt & fig* • **alérgico (a)** allergi- que (à).

alero *nm* **1.** auvent *(m)* **2.** SPORT ailier *(m)*.

alerta ■ *adv* • **estar alerta** être sur ses gardes, être sur le qui-vive. ■ *nf* alerte *(f)* • **dar la voz de alerta** donner l'alerte. ■ *interj* • **ialerta!** alerte !

alertar *vt* alerter.

aleta *nf* **1.** nageoire *(f)* **2.** palme *(f)* **3.** aile *(f)* (de nez, de voiture).

aletargar *vt* engourdir, donner envie de dor- mir **3.** ■ **aletargarse** *vp* **1.** *(animal)* hiberner **2.** *(personne)* s'assoupir.

aletear *vi* battre des ailes.

alevín *nm* **1.** alevin *(m)* **2.** *fig* débutant *(m)*, -e *(f)* **3.** SPORT poussin *(m)*, -e *(f)*.

alevosía *nf* traîtrise *(f)*.

alfabetizar *vt* alphabétiser.

alfabeto *nm* alphabet *(m)*.

alfalfa *nf* luzerne *(f)*.

alfarería *nf* poterie *(f)*.

alférez *nm* ≃ sous-lieutenant *(m)*.

alfil *nm* fou *(m)* (aux échecs).

alfiler *nm* épingle *(f)* • **alfiler de corbata** épin- gle de cravate • **alfiler de gancho** *(Amér)* épin- gle de nourrice.

alfombra *nf* tapis *(m)*.

alfombrar *vt* tapisser (le sol).

alfombrilla *nf* **1.** carpette *(f)* **2.** paillasson *(m)* **3.** tapis *(m)* de bain.

alforja *nf* *(gén pl)* **1.** besace *(f)* **2.** sacoche *(f)* (de selle).

alga *nf* (el) algue *(f)*.

algarroba *nf* **1.** vesce *(f)* **2.** caroube *(f)*.

algarrobo *nm* caroubier *(m)*.

algazara *nf* • **con gran algazara** à grand bruit.

álgebra *nf* (el) algèbre *(f)*.

álgido, da *adj* **1.** *(point)* culminant(e) **2.** *(mo- ment)* critique, fort(e).

algo ■ *pron* quelque chose • **¿tienes algo que decir?** as-tu quelque chose à dire ? • **por algo lo habrá dicho** ce n'est pas pour rien qu'il l'a dit • **por algo será** il y a certainement une raison • **algo de** un peu de • **algo de dinero** un peu d'argent • **algo es algo** c'est mieux que rien, c'est toujours ça. ■ *adv* un peu, légère- ment • **es algo presumida** elle est un peu pré- tentieuse.

algodón *nm* coton *(m)* • **algodón (hidrófilo)** coton (hydrophile) • **criado entre algodones** *fig* élevé dans du coton.

algoritmo *nm* algorithme *(m)*.

alguacil *nm* huissier *(m)*.

alguien *pron* quelqu'un • **¿hay alguien en ca- sa?** il y a quelqu'un ? • **llegará a ser alguien** il deviendra quelqu'un.

alguno, na *adj*

devant un nom masculin singulier : **algún**

1. INDÉTERMINÉ
• **algún día** un jour
• **algún tiempo después** quelque temps après
• **algunas veces** quelquefois
• **en algún sitio** quelque part
• **en algunos casos** dans certains cas
• **alguno que otro** quelques-uns

2. APRÈS UN NOM, AVEC UN SENS NÉGATIF = aucun(e)
• **no tengo duda alguna** je n'ai aucun doute
• **no hay mejora alguna** il n'y a aucune amé- lioration.

alguno *pron*

• **¿te gustó alguno?** est-ce qu'il y en a un qui t'a plu ?
• **algunos de sus amigos no vinieron** cer- tains de ses amis ne sont pas venus
• **algunos de entre ellos se fueron a esquiar** quelques-uns d'entre eux sont allés faire du ski.

alhaja *nf* **1.** bijou *(m)* **2.** *fig* joyau *(m)*.

aliado, da *adj* allié(e).

alianza *nf* alliance *(f)*.

aliar *vt* allier. ■ **aliarse** *vp* s'allier.

alias ■ *adv* alias. ■ *nm inv* **1.** surnom *(m)* **2.** pseudonyme *(m)*.

alicaído, da *adj* **1.** abattu(e) **2.** *fig* affaibli(e).

alicates *nmpl* pince *(f)*.

aliciente *nm* **1.** encouragement *(m)* **2.** attrait *(m)*.

alienación *nf* aliénation *(f)*.

alienar *vt* **1.** rendre fou(folle) **2.** PHILO aliéner. ■ **alienarse** *vp* devenir fou(folle).

aliento *nm* **1.** haleine *(f)* • **cobrar aliento** re- prendre haleine *ou* son souffle • **quedarse sin**

aliento être hors d'haleine, être à bout de souffle • avoir le souffle coupé **2.** *fig* courage *(m)*.

aligerar *vt* **1.** alléger *(un poids)* **2.** accélérer *(le rythme)* **3.** hâter *(le pas)* **4.** *fig* soulager *(la douleur)*.

alijo *nm* marchandise *(f)* de contrebande • **se capturó un importante alijo de hachís** d'importantes quantités de haschisch ont été saisies.

alimaña *nf* animal *(m)* nuisible.

alimentación *nf* alimentation *(f)* • **alimentación de papel** bac *(m)* d'alimentation papier.

alimentar *vt* **1.** nourrir **2.** entretenir *(le feu, une relation)* **3.** alimenter *(une machine)*. *vi* être nourrissant(e). • **alimentarse** *vp* se nourrir, s'alimenter.

alimenticio, cia *adj* **1.** alimentaire **2.** nourrissant(e) • **un producto alimenticio** un produit alimentaire.

alimento *nm* **1.** aliment *(m)* **2.** nourriture *(f)*.

alineación *nf* **1.** alignement *(m)* **2.** composition *(f)* *(d'une équipe)*.

aliñar *vt* assaisonner.

aliño *nm* assaisonnement *(m)*.

alioli *nm* aïoli *(m)*.

alirón *interj* • **¡alirón!, ¡alirón!** hip, hip, hip, hourra !

alisar *vt* **1.** lisser **2.** défroisser. • **alisarse** *vp* • **alisarse el pelo** se lisser les cheveux.

alistarse *vp* MIL s'engager.

aliviar *vt* **1.** calmer, atténuer **2.** apaiser *(l'esprit)* **3.** soulager *(une personne)* **4.** alléger *(une charge)*.

alivio *nm* soulagement *(m)*.

aljibe *nm* **1.** citerne *(f)* **2.** bateau-citerne *(m)*.

allá *adv* **1.** là-bas • **allá abajo** là en bas • **allá arriba** là-haut • **más allá** plus loin • **más allá de** au-delà de **2.** • **allá por los años veinte** autrefois, dans les années vingt • **allá para Navidad** aux environs de Noël • **allá él/ella** *etc* libre à lui/elle *etc*. • **el más allá** l'au-delà *(m)*.

allanamiento *nm* • **proceder al allanamiento** entrer par la force • **allanamiento de morada** violation *(f)* de domicile.

allegado, da *adj* proche. *nm, f* **1.** proche parent *(m)*, -e *(f)* • **los allegados** les proches *(mpl)* **2.** proche *(m)*.

allí *adv* **1.** là, là-bas • **allí nació** c'est là-bas qu'elle est née • **allí mismo** à cet endroit-là • **está por allí** il est quelque part par là • **voy hacia allí** j'y vais **2.** • **hasta allí** jusqu'alors, jusque-là.

alma *nf (el)* **1.** âme *(f)* **2.** cœur *(m)* • **partir el alma a alguien** briser le cœur de *ou* à qqn

• **sentirlo en** *ou* **con el alma** regretter du fond du cœur • **ser un alma de cántaro** être sans cœur.

almacén *nm* magasin *(m)*. • **(grandes) almacenes** *nmpl* grand magasin *(m)*.

almacenar *vt* **1.** stocker **2.** collectionner.

almendra *nf* amande *(f)*.

almendrado, da *adj* en amande. • **almendrado** *nm* Esquimau® enrobé de chocolat et d'amandes • **de almendrado** aux amandes.

almendro *nm* amandier *(m)*.

Almería *npr* Almería.

almíbar *nm* sirop *(m)* • **en almíbar** au sirop.

almidón *nm* amidon *(m)*.

almidonar *vt* amidonner, empeser.

almirantazgo *nm* amirauté *(f)*.

almirante *nm* amiral *(m)*.

almohada *nf* oreiller *(m)*.

almohadilla *nf* petit coussin *(m)*, coussinet *(m)*.

almorrana *nf (gén pl)* hémorroïde *(f)*.

almorzar *vt* **1.** manger (de qqch) au déjeuner **2.** • **almorzar un bocadillo** prendre un sandwich. *vi* **1.** déjeuner **2.** prendre un en-cas.

almuerzo *nm* **1.** déjeuner *(m)* **2.** en-cas pris entre le petit déjeuner et le déjeuner.

aló *interj (Amér)* • **¿aló?** allô ?

alocado, da *nm, f* inconséquent *(m)*, -e *(f)*.

alojamiento *nm* logement *(m)*.

alojar *vt* **1.** loger **2.** héberger. • **alojarse** *vp* **1.** loger • **alojarse en el hotel** descendre à l'hôtel, passer la nuit à l'hôtel **2.** se loger.

alondra *nf* alouette *(f)*.

alpaca *nf* **1.** alpaga *(m)* **2.** maillechort *(m)*.

alpargata *nf (gén pl)* espadrille *(f)*.

Alpes *nmpl* • **los Alpes** les Alpes *(fpl)*.

alpinismo *nm* alpinisme *(m)*.

alpinista *nmf* alpiniste *(mf)*.

alpino, na *adj* alpin(e).

alpiste *nm* **1.** alpiste *(m)* **2.** millet *(m)* long.

alquilar *vt* louer. • **alquilarse** *vp* **1.** se louer **2.** être à louer • **'se alquila'** 'à louer'.

alquiler *nm* **1.** location *(f)* • **de alquiler** de location • **tenemos pisos de alquiler** nous avons des appartements à louer **2.** loyer *(m)* **3.** location *(f)*.

alquimia *nf* alchimie *(f)*.

alquitrán *nm* goudron *(m)*.

alrededor *adv* **1.** • **alrededor (de)** autour (de) • **a tu alrededor** autour de toi • **de alrededor** environnant(e) **2.** • **alrededor de** environ, aux alentours de. • **alrededores** *nmpl* environs *(mpl)*, alentours *(mpl)*.

alta *nf* ▷ **alto**.

altanería *nf* morgue *(f)*, suffisance *(f)*.

altar *nm* autel *(m)*.

altavoz *nm* haut-parleur *(m)*.

alteración *nf* **1.** modification *(f)* **2.** agitation *(f)* **3.** trouble *(m)*.

alterar *vt* **1.** modifier **2.** troubler **3.** perturber **4.** altérer, détériorer **5.** gâter. ■ **alterarse** *vp* **1.** se troubler **2.** se détériorer **3.** se gâter.

altercado *nm* altercation *(f)*.

alternador *nm* alternateur *(m)*.

alternar ◼ *vt* faire alterner. ◼ *vi* **1.** nouer des relations ▪ **alternar con alguien** fréquenter qqn **2.** *(se succéder)* ▪ **alternar con** alterner avec. ■ **alternarse** *vp* **1.** se relayer **2.** alterner.

alternativo, va *adj* alternatif(ive). ■ **alternativa** *nf* *(gén* & TAUROM*)* alternative *(f)*.

alterne *nm* ▪ **un bar de alterne** un bar à entraîneuses.

alterno, na *adj* **1.** alternatif(ive) **2.** GÉOM alterne.

alteza *nf* *fig* grandeur *(f)* d'âme. ■ **Alteza** *nf* Altesse *(f)* ▪ **Su Alteza Real** Son Altesse Royale.

altibajos *nmpl* **1.** irrégularités *(fpl)* **2.** ▪ **tener altibajos** *fig* avoir *ou* connaître des hauts et des bas.

altillo *nm* **1.** *placard situé en hauteur dans une niche* **2.** mamelon *(m)*.

altiplano *nm* haut plateau *(m)*.

altísimo, ma *adj* très haut(e).

altisonante *adj* pompeux(euse).

altitud *nf* altitude *(f)*.

altivez *nf* morgue *(f)*, suffisance *(f)*

altivo, va *adj* hautain(e).

alto, ta *adj* **1.** haut(e) **2.** *(personne, arbre)* grand(e) **3.** *(prix)* élevé(e) **4.** *(qualité)* supérieur(e) **5.** *(música, voz)* fort(e) **6.** *(heure)* avancé(e). ■ **alto** ◼ *nm* **1.** hauteur *(f)* **2.** halte *(f)* **3.** MUS alto *(m)* ▪ **pasar por alto** passer sous silence ▪ **por todo lo alto** en grand. ◼ *adv* **1.** haut **2.** fort. ◼ *interj* ▪ **¡alto!** halte ! ■ **alta** *nf (el)* **1.** *fin de l'arrêt maladie* ▪ **dar de alta** *ou* **el alta** *donner l'autorisation de reprendre le travail* **2.** autorisation *(f)* de sortie **3.** inscription *(f)*.

altoparlante *nm (Amér)* haut-parleur *(m)*.

altramuz *nm* lupin *(m)*.

altruismo *nm* altruisme *(m)*.

altura *nf* **1.** hauteur *(f)* ▪ **tener dos metros de altura** avoir deux mètres de haut ▪ mesurer deux mètres ▪ **altura de espíritu** grandeur *(f)* d'âme ▪ mar haute *(f)* **3.** altitude *(f)* **4.** niveau *(m)* ▪ **a la altura de** au niveau de. ■ **alturas** *nfpl* cieux *(mpl)* ▪ **a estas alturas** *fig* maintenant ▪ **a estas alturas del año, ya no hay nieve** l'année est trop avancée pour qu'il y ait de la neige ▪ **a estas alturas del partido me pides... *fam*** c'est maintenant que tu me demandes…

alubia *nf* haricot *(m)* blanc.

alucinación *nf* hallucination *(f)*.

alucinado, da *adj* **1.** halluciné(e) **2.** *fam fig* épaté(e) ▪ **estoy alucinado** je n'en reviens pas.

alucinante *adj litt* & *fig* hallucinant(e).

alucinar ◼ *vi* **1.** avoir des hallucinations, délirer **2.** *fam* rêver, halluciner. ◼ *vt fam fig* épater.

alucinógeno, na *adj* hallucinogène. ■ **alucinógeno** *nm* hallucinogène *(m)*.

alud *nm litt* & *fig* avalanche *(f)*.

aludido, da *nm, f* personne *(f)* visée ▪ **darse por aludido** se sentir visé.

aludir *vi* ▪ **aludir a** faire allusion à ▪ évoquer.

alumbrado *nm* éclairage *(m)*.

alumbramiento *nm* **1.** éclairage *(m)* **2.** mise *(f)* au monde.

alumbrar ◼ *vt* **1.** éclairer **2.** mettre au monde. ◼ *vi* éclairer.

aluminio *nm* aluminium *(m)*.

alumnado *nm* effectif *(m)* scolaire.

alumno, na *nm, f* élève *(mf)*.

alunizar *vi* atterrir sur la Lune, alunir.

alusión *nf* allusion *(f)* ▪ **hacer alusión a** faire allusion à.

alusivo, va *adj* allusif(ive) ▪ **alusivo a** faisant allusion à.

aluvión *nm* **1.** crue *(f)* **2.** alluvion *(f)* **3.** *fig* flot *(m)*.

alvéolo, alveolo *nm* alvéole *(m ou f)*.

alza *nf (el)* hausse *(f)* ▪ **en alza** en hausse.

alzamiento *nm* soulèvement *(m)*.

alzar *vt* **1.** lever **2.** élever *(la voix, un immeuble)* **3.** hausser *(el ton)* **4.** relever **5.** soulever. ■ **alzarse** *vp* **1.** se lever **2.** se soulever.

a.m. *(abr écrite de ante meridiem)* a.m. ▪ **abierto por las mañanas de 8 a 11 a.m.** ouvert le matin de 8h à 11h.

ama *nf* ⯈ **amo**.

amabilidad *nf* amabilité *(f)*.

amabilísimo, ma *superl* = **amable**.

amable *adj* aimable.

amaestrado, da *adj* dressé(e).

amaestrar *vt* dresser.

amagar ◼ *vt* **1.** annoncer **2.** esquisser. ◼ *vi* menacer.

amago *nm* **1.** signe *(m)* avant-coureur **2.** menace *(f)*.

amainar *vi* **1.** se calmer **2.** *(vent)* faiblir **3.** *fig (colère)* passer.

amalgama *nf* amalgame *(m)*.

amalgamar *vt* amalgamer.

amamantar *vt* allaiter.

amanecer ◼ *nm* lever *(m)* du jour. ◼ *v impers* commencer à faire jour. ◼ *vi* arriver au lever du jour.

amanerado, da *adj* **1.** efféminé(e) **2.** maniéré(e).

amansar *vt* **1.** dompter **2.** *fig* calmer. ■ **amansarse** *vp* se calmer.

amante *nmf* **1.** amant *(m)*, maîtresse *(f)* **2.** *fig* • **ser (un) amante de algo** être un amoureux de qqch, avoir le goût de qqch.

amañar *vt* **1.** truquer **2.** fausser *(un résultat)* **3.** falsifier *(un document)*.

amaño *nm (gén pl)* ruse *(f)*.

amapola *nf* **1.** coquelicot *(m)* **2.** pavot *(m)*.

amar *vt* aimer.

amaranto *nm* amarante *(f)*.

amargado, da *adj & nm, f* aigri(e).

amargar *vt* **1.** donner un goût amer à **2.** *fig* gâcher • **amargar la vida** gâcher la vie. ■ **amargarse** *vp* **1.** devenir aigre **2.** *fig* s'aigrir.

amargo, ga *adj litt & fig* amer(ère).

amargor *nm* amertume *(f)*.

amargoso, sa *adj (Amér)* amer(ère).

amargura *nf* amertume *(f)*.

amarillento, ta *adj* jaunâtre.

amarillo, lla *adj* **1.** jaune **2.** PRESSE à sensation. ■ **amarillo** *nm* jaune *(m)*.

amarilloso, sa *adj (Amér)* jaunâtre.

amarra *nf* amarre *(f)*.

amarrar *vt* amarrer • **amarrar algo/a alguien (a algo)** attacher qqch/qqn (à qqch).

amarre *nm* amarrage *(m)*.

amarrete *adj (Amér) fam péj* rapiat(e).

amasar *vt* **1.** pétrir **2.** *fam fig* amasser.

amasia *nf (Amér)* maîtresse *(f)*.

amasiato *nm (Amér)* concubinage *(m)*.

amasijo *nm* **1.** tas *(m)* **2.** *fam fig* ramassis *(m)*.

amateur [ama'ter] *adj inv & nmf* amateur.

amazona *nf* **1.** MYTHOL amazone *(f)* **2.** *fig* cavalière *(f)*.

Amazonas *npr* • **el Amazonas** l'Amazone.

Amazonia *npr* Amazonie *(f)*.

amazónico, ca ⊠ *adj* amazonien(enne). ⊠ *nm, f* Amazonien *(m)*, -enne *(f)*.

ámbar *nm* ambre *(m)*.

ambición *nf* ambition *(f)*.

ambicionar *vt* avoir l'ambition de, désirer.

ambicioso, sa *adj & nm, f* ambitieux(euse).

ambidextro, tra *adj & nm, f* ambidextre.

ambientación *nf* **1.** atmosphère *(f)* **2.** décoration *(f)* **3.** adaptation *(f)* **4.** bruitage *(m)*.

ambientador *nm* désodorisant *(m)*.

ambiental *adj* **1.** d'ambiance **2.** ambiant(e) **3.** de l'environnement, environnemental(e).

ambiente ⊠ *adj* ambiant(e). ⊠ *nm* **1.** air *(m)*, atmosphère *(f)* **2.** environnement *(m)* **3.** milieu *(m)* **4.** ambiance *(f)* **5.** *(Amér)* pièce *(f)* *(d'appartement)*.

ambigüedad *nf* ambiguïté *(f)*.

ambiguo, gua *adj* ambigu(uë).

ámbito *nm* **1.** enceinte *(f)* **2.** portée *(f)* *(d'une loi)* **3.** milieu *(m)*.

ambivalente *adj* ambivalent(e).

ambos, bas ⊠ *pron pl* tous les deux(toutes les deux). ⊠ *adj pl* les deux.

ambulancia *nf* ambulance *(f)*.

ambulante *adj* ambulant(e).

ambulatorio *nm* **1.** dispensaire *(m)* **2.** hôpital *(m)* de jour.

ameba, amiba *nf* amibe *(f)*.

amedrentar *vt* • **amedrentar a** effrayer, faire peur à. ■ **amedrentarse** *vp* s'effrayer, avoir peur.

amén *adv* amen • **en un decir amén** *fig* en moins de temps qu'il n'en faut pour le dire.

amenaza *nf* **1.** menace *(f)* • **amenaza de muerte** menace de mort **2.** alerte *(f)* • **amenaza de bomba** alerte à la bombe.

amenazar *vt* menacer • **amenaza lluvia** la pluie menace • **amenazar a alguien con algo/con hacer algo** menacer qqn de qqch/de faire qqch • **amenazar a alguien de algo** menacer qqn de qqch.

amenidad *nf* **1.** entrain *(m)* **2.** agrément *(m)*, charme *(m)*.

amenizar *vt fig* égayer.

ameno, na *adj* agréable.

América *npr* Amérique *(f)* • **América Central/del Norte/del Sur** Amérique centrale/du Nord/du Sud • **América Latina** Amérique latine.

americana *nf* ▷ **americano**.

americanismo *nm* américanisme *(m)*.

americano, na ⊠ *adj* américain(e). ⊠ *nm, f* Américain *(m)*, -e *(f)*. ■ **americana** *nf* veste *(f)*.

ameritar *vt (Amér)* mériter.

amerizar *vi* amerrir.

ametralladora *nf* mitrailleuse *(f)*.

ametrallar *vt* mitrailler.

amianto *nm* amiante *(m)*.

amiba = **ameba**.

amígdala *nf* amygdale *(f)*.

amigdalitis *nf inv* amygdalite *(f)*.

amigo, ga ⊠ *adj* **1.** ami(e) • **hacerse amigo de** devenir ami avec • **hacerse amigos** devenir amis **2.** • **ser amigo de algo** être amateur de qqch. ⊠ *nm, f* **1.** ami *(m)*, -e *(f)* • **el amigo invisible** tradition qui consiste à offrir un cadeau à une personne que l'on connaît bien sans que celle-ci sache de qui il provient **2.** *fam* petit ami *(m)*, petite amie *(f)*.

el amigo invisible

La tradition de « l'ami invisible » est très répandue en Espagne. Il s'agit de tirer au sort, parmi un groupe d'amis, celui qui recevra un cadeau, générale-ment de peu de valeur. L'intérêt du jeu tient au fait que l'on ignore l'identité de celui qui offre le cadeau. Ce n'est qu'au moment où on le reçoit que l'on doit deviner de qui il provient. C'est en général à la période de Noël que l'on joue à l'ami invisible.

amigote, amiguete *nm fam* copain (*m*), pote (*m*).

amiguismo *nm* copinage (*m*).

aminoácido *nm* acide (*m*) aminé.

aminorar ◼ *vt* **1.** réduire **2.** ralentir. ◼ *vi* diminuer.

amistad *nf litt* & *fig* amitié (*f*) • **hacer** OU **trabar amistad (con)** lier amitié (avec), se lier d'ami-tié (avec). ◼ **amistades** *nfpl* amis (*mpl*), rela-tions (*fpl*).

amistoso, sa *adj* amical(e) • **consejo amistoso** conseil d'ami.

amnesia *nf* amnésie (*f*).

amnistía *nf* amnistie (*f*).

amnistiar *vt* amnistier.

amo, ama *nm, f* **1.** maître (*m*), maîtresse (*f*) **2.** propriétaire (*mf*) **3.** patron (*m*), -onne (*f*). ◼ **ama de casa** *nf* maîtresse (*f*) de maison. ◼ **ama de cría** *nf* nourrice (*f*). ◼ **ama de llaves** *nf* gouvernante (*f*).

amodorrarse *vp* s'assoupir.

amoldar *vt* • **amoldar algo (a)** adapter OU ajus-ter qqch (à). ◼ **amoldarse** *vp* • **amoldarse a** s'adapter à.

amonestación *nf* **1.** réprimande (*f*) **2.** SPORT avertissement (*m*). ◼ **amonestaciones** *nfpl* bans (*mpl*).

amonestar *vt* **1.** réprimander **2.** SPORT donner un avertissement à **3.** publier les bans de.

amoníaco, amoniaco *nm* **1.** ammoniac (*m*) **2.** ammoniaque (*f*).

amontonar *vt* **1.** entasser **2.** accumuler **3.** amasser. ◼ **amontonarse** *vp* **1.** (*personnes*) se masser **2.** (*problèmes, trabajo*) s'accumuler **3.** (*ideas, demandes*) se bousculer.

amor *nm* amour (*m*) • **hacer el amor** faire l'amour • **por amor al arte** pour l'amour de l'art • **¡por el amor de Dios!** pour l'amour de Dieu ! ◼ **amor propio** *nm* amour-propre (*m*).

amoral *adj* amoral(e).

amoratado, da *adj* violacé(e).

amoratar *vt* **1.** rendre violacé(e) **2.** contusion-ner. ◼ **amoratarse** *vp* **1.** violacer **2.** bleuir.

amordazar *vt* **1.** bâillonner **2.** museler.

amorfo, fa *adj litt* & *fig* amorphe.

amorío *nm fam* flirt (*m*) • **los amoríos de su juventud** ses amours de jeunesse.

amoroso, sa *adj* **1.** aimant(e), affectueux(eu-se) **2.** amoureux(euse) **3.** (*après un nom*) (*lettre*) d'amour.

amortajar *vt* ensevelir.

amortiguador, ra *adj* qui amortit. ◼ **amorti-guador** *nm* amortisseur (*m*).

amortiguar *vt* **1.** amortir **2.** atténuer.

amortización *nf* ÉCON amortissement (*m*).

amortizar *vt* ÉCON amortir.

amotinar *vt* **1.** soulever **2.** ameuter. ◼ **amoti-narse** *vp* **1.** se soulever **2.** se mutiner.

amparar *vt* protéger. ◼ **ampararse** *vp* **1.** • **am-pararse en** *fig* s'abriter derrière (*la loi*) • se re-trancher derrière (*des excuses*) **2.** • **ampararse de** OU **contra** se protéger de OU contre.

amparo *nm* **1.** protection (*f*) **2.** abri (*m*) • **al am-paro de** sous la protection de • à l'aide de • à l'abri de.

amperio *nm* ampère (*m*).

ampliación *nf* **1.** agrandissement (*m*) **2.** élar-gissement (*m*) **3.** prolongation (*f*) (*d'un délai*) **4.** développement (*m*) (*d'un commerce*) **5.** aug-mentation (*f*) • **ampliación de capital** aug-mentation de capital.

ampliar *vt* **1.** agrandir **2.** élargir **3.** prolonger (*un délai*) **4.** développer (*un commerce*) **5.** aug-menter (*un capital*) **6.** poursuivre (*des études*).

amplificación *nf* amplification (*f*).

amplificador, ra *adj* amplificateur(trice). ◼ **amplificador** *nm* amplificateur (*m*).

amplificar *vt* amplifier.

amplio, plia *adj* **1.** grand(e) **2.** vaste **3.** (*véte-ment, majorité*) large **4.** (*pouvoirs, connaissances*) étendu(e) **5.** (*étude, explication*) approfondi(e).

amplitud *nf* **1.** largeur (*f*) **2.** grandeur (*f*) **3.** *fig* • étendue (*f*) (*des connaissances*) • ampleur (*f*) (*d'une catastrophe*) **4.** PHYS amplitude (*f*).

ampolla *nf* ampoule (*f*).

amputar *vt* amputer.

Amsterdam *npr* Amsterdam.

amueblar *vt* meubler.

amuleto *nm* amulette (*f*).

amurallar *vt* entourer de murailles.

anacronismo *nm* anachronisme (*m*).

anagrama *nm* anagramme (*f*).

anal *adj* anal(e). ◼ **anales** *nmpl litt* & *fig* annales (*fpl*).

analfabetismo *nm* analphabétisme (*m*), illet-trisme (*m*).

analfabeto, ta *adj* & *nm, f* analphabète, illet-tré(e).

analgésico, ca *adj* analgésique. ◼ **analgésico** *nm* analgésique (*m*).

análisis *nm inv* analyse *(f)* • **análisis gramatical** analyse grammaticale.

analista *nmf* MÉD, INFORM & FIN analyste *(mf)* • **analista programador** analyste-programmeur *(m)*.

analizar *vt* analyser.

analogía *nf* analogie *(f)* • **por analogía** par analogie • **presentar analogías** présenter des similitudes.

analógico, ca *adj* **1.** analogue **2.** INFORM & TECHNOL analogique.

análogo, ga *adj* analogue • **análogo a** semblable à.

anaranjado, da *adj* orangé(e).

anarquía *nf* litt & fig anarchie *(f)*.

anárquico, ca *adj* litt & fig anarchique.

anarquista *adj* & *nmf* anarchiste.

anatomía *nf* anatomie *(f)*.

anatómico, ca *adj* anatomique.

anca *nf (el)* croupe *(f)* • **ancas de rana** cuisses *(fpl)* de grenouille.

ancestral *adj* ancestral(e).

ancho, cha *adj* large • **a mis/tus/sus** etc **anchas** fig à mon/ton/son etc aise • **quedarse tan ancho** ne pas être gêné pour autant. ■ **ancho** *nm* largeur *(f)* • **cinco metros de ancho** cinq mètres de large • **a lo ancho (de)** sur (toute) la largeur (de). ■ **ancho de tela** *nm* lé *(m)*.

anchoa *nf* anchois *(m)*.

anchura *nf* largeur *(f)*.

anciano, na ◼ *adj* âgé(e). ◼ *nm, f* personne *(f)* âgée, vieux monsieur *(m)*, vieille dame *(f)*.

ancla *nf (el)* ancre *(f)*.

anclar *vi* jeter l'ancre.

andadas *nfpl* • **volver a las andadas** fam fig rechuter.

andaderas *nfpl* trotteur *(m)*.

andadura *nf* marche *(f)*.

ándale, ándele *interj (Amér)* fam • **¡ándale!** allez !

Andalucía *npr* Andalousie *(f)*.

andalucismo *nm* **1.** *doctrine défendant les valeurs politiques, économiques et culturelles de l'Andalousie* **2.** *mot ou expression propre aux Andalous.*

andaluz, za ◼ *adj* andalou(se). ◼ *nm, f* Andalou *(m)*, -se *(f)*.

andamio *nm* échafaudage *(m)*.

andando *interj* • **¡andando!** en route !

andante ◼ *adj* **1.** errant(e) **2.** ambulant(e). ◼ *adv* MUS andante.

andanza *nf (gén pl)* aventure *(f) (gén pl)* • **mala andanza** mauvaise fortune *(f)*.

andar[1] ◼ *vi* **1.** marcher • **hemos venido andando** nous sommes venus à pied **2.** être • **andar preocupado** être inquiet • **andar mal de dinero** être à court d'argent • **las cosas andan mal** les choses vont mal • **creo que anda por ahí** je crois qu'il est quelque part par là • **andar haciendo algo** être en train de faire qqch • **andar tras algo/alguien** être à la recherche de qqch/qqn • courir après qqch/qqn • **andar en** être dans *(la paperasserie, les affaires)* • être mêlé(e) à *(une affaire, une histoire)* • être en *(procès)* **3.** *(devant* **a** *+ nom pluriel)* • **andaban a puñetazos** ils se battaient à coups de poing • **andaban a gritos** ils se criaient dessus **4.** • **andará por los sesenta años** il doit avoir dans les soixante ans • **andamos por los mil números vendidos** nous avons vendu dans les mille numéros • **quien mal anda mal acaba** on récolte ce que l'on a semé. ◼ *vt* parcourir • **anduvieron tres kilómetros** ils ont fait trois kilomètres (à pied). ■ **andarse** *vp* • **andarse con cuidado/misterios** faire attention/ des mystères. ■ **anda** *interj* • **¡anda!** allez ! • non ! sans blague ! • **¡anda ya!** c'est pas vrai !

andar[2] *nm* démarche *(f)*, allure *(f)*. ■ **andares** *nmpl* démarche *(f)* • **tener andares de** avoir une démarche de, marcher comme.

andas *nfpl* brancard *(m)* • **llevar a alguien en andas** fig être aux petits soins pour qqn.

ándele = **ándale**.

andén *nm* **1.** quai *(m) (de gare)* **2.** *(Amér)* trottoir *(m)* **3.** *(Amér)* terrasse *(f)*.

Andes *nmpl* • **los Andes** les Andes *(fpl)*.

andinismo *nm (Amér)* alpinisme pratiqué dans les Andes.

andinista *nmf (Amér)* alpiniste, dans les Andes.

andino, na ◼ *adj* **1.** andin(e) **2.** des Andes. ◼ *nm, f* Andin *(m)*, -e *(f)*.

Andorra *npr* • **(el principado de) Andorra** (la principauté d')Andorre *(f)*.

andorrano, na ◼ *adj* andorran(e). ◼ *nm, f* Andorran *(m)*, -e *(f)*.

andrajo *nm* litt & fig loque *(f)*.

andrajoso, sa ◼ *adj* déguenillé(e). ◼ *nm, f* gueux *(m)*, gueuse *(f)*.

andrógino, na *adj* androgyne. ■ **andrógino** *nm* androgyne *(m)*.

androide *nm* androïde *(m)*.

andurriales *nmpl* coin *(m)* perdu.

anécdota *nf* anecdote *(f)*.

anecdótico, ca *adj* anecdotique.

anegar *vt* **1.** inonder **2.** noyer. ■ **anegarse** *vp* **1.** s'inonder • **sus ojos se anegaron en lágrimas** ses yeux se sont baignés de larmes **2.** se noyer.

anemia *nf* anémie *(f)*.

anémona *nf* anémone *(f)*.

anestesia *nf* anesthésie *(f)*.

anestésico, ca *adj* anesthésique, anesthésiant(e). ■ **anestésico** *nm* anesthésique *(m)*, anesthésiant *(m)*.

anestesista *nmf* anesthésiste *(mf)*.

anexar *vt* joindre.

anexión *nf* annexion *(f)*.

anexionar *vt* annexer.

anexo, xa *adj* **1.** *(bâtiment)* annexe **2.** *(document)* joint(e). ■ **anexo** *nm* annexe *(f)*.

anfetamina *nf* amphétamine *(f)*.

anfibio, bia *adj litt* & *fig* amphibie. ■ **anfibios** *nmpl* amphibiens *(mpl)*.

anfiteatro *nm* amphithéâtre *(m)*.

anfitrión, ona ◼ *adj* d'accueil *(après un nom)*. ◼ *nm, f* hôte *(m)*, hôtesse *(f)*.

ánfora *nf (el)* amphore *(f)*.

ángel *nm litt* & *fig* ange *(m)* • **ángel custodio** *ou* **de la guarda** ange gardien • **tener ángel** avoir du charme.

angelical *adj* angélique.

angina *nf (gén pl)* angine *(f)* • **tener anginas** avoir une angine. ■ **angina de pecho** *nf* angine *(f)* de poitrine.

anglicano, na *adj* & *nm, f* anglican(e).

anglicismo *nm* anglicisme *(m)*.

angloamericano, na ◼ *adj* anglo-américain(e). ◼ *nm, f* Anglo-Américain *(m)*, -e *(f)*.

anglosajón, ona ◼ *adj* anglo-saxon(onne). ◼ *nm, f* Anglo-Saxon *(m)*, -onne *(f)*.

Angola *npr* Angola *(m)*.

angora *nf* angora *(m)* • **de angora** en angora • en mohair.

angosto, ta *adj sout* étroit(e).

angostura *nf* **1.** étroitesse *(f)* **2.** angustura *(f)*.

anguila *nf* anguille *(f)*.

angula *nf* alevin *(m)* d'anguille.

angular *adj* angulaire. ■ **gran angular** *nm* objectif *(m)* grand-angle, grand-angle *(m)*.

ángulo *nm* angle *(m)*.

anguloso, sa *adj* anguleux(euse).

angustia *nf* angoisse *(f)*.

angustiar *vt* angoisser. ■ **angustiarse** *vp* s'angoisser.

angustioso, sa *adj* angoissant(e).

anhelante *adj* • **anhelante (por algo/por hacer algo)** désireux(euse) (de qqch/de faire qqch).

anhelar *vt* **1.** briguer **2.** aspirer à • **anhelar hacer algo** rêver de faire qqch.

anhelo *nm* aspiration *(f)*, désir *(m)*.

anhídrido *nm* anhydride *(m)* • **anhídrido carbónico** dioxyde *(m)* de carbone.

anidar *vi* **1.** faire son nid, nicher **2.** • **anidar en** *fig* habiter.

anilla *nf* anneau *(m)*. ■ **anillas** *nfpl* SPORT anneaux *(mpl)*.

anillo *nm* **1.** *(gén* & ASTRON*)* anneau *(m)* **2.** bague *(f)* • **anillo de boda** alliance *(f)*.

animación *nf* animation *(f)*.

animado, da *adj* **1.** animé(e) **2.** en pleine forme **3.** drôle.

animador, ra *nm, f* animateur *(m)*, -trice *(f)*.

animadversión *nf* antipathie *(f)*.

animal ◼ *adj* **1.** animal(e) **2.** *fam fig* bête • **ser animal** être une brute. ◼ *nmf fam fig* brute *(f)*. ◼ *nm* animal *(m)* • **animal doméstico** *ou* **de compañía** animal domestique *ou* de compagnie.

animalada *nf fam fig* ânerie *(f)*

animar *vt* **1.** encourager **2.** • **animar a alguien** remonter le moral à qqn **3.** animer *(une discussion, une fête)* **4.** activer *(le feu)*. ■ **animarse** *vp* **1.** s'animer **2.** se réjouir **3.** *(oser)* • **animarse (a hacer algo)** se décider (à faire qqch).

ánimo ◼ *nm* **1.** courage *(m)* **2.** encouragement *(m)* • **dar ánimos a alguien** encourager qqn **3.** *(but)* • **con ánimo de** avec l'intention de • **sin ánimo de** sans intention de **4.** humeur *(f)* • **tener el ánimo dispuesto para** être d'humeur à. ◼ *interj* • **¡ánimo!** courage !

animoso, sa *adj* **1.** courageux(euse) **2.** résolu(e).

aniñado, da *adj* **1.** enfantin(e) **2.** d'enfant.

aniquilar *vt* anéantir, exterminer.

anís *(pl anises)* *nm* **1.** anis *(m)* **2.** ≃ pastis *(m)*.

aniversario *nm* anniversaire *(m)*.

ano *nm* anus *(m)*.

anoche *adv* hier soir, la nuit dernière • **antes de anoche** avant-hier soir.

anochecer ◼ *nm* • **al anochecer** à la tombée de la nuit. ◼ *v impers* faire nuit • **ya empieza a anochecer** la nuit commence à tomber. ◼ *vi* arriver quelque part de nuit.

anodino, na *adj* **1.** quelconque, insipide **2.** inconsistant(e).

ánodo *nm* anode *(f)*.

anomalía *nf* anomalie *(f)*.

anómalo, la *adj* anormal(e).

anonadado, da *adj* **1.** abasourdi(e) **2.** anéanti(e).

anonimato *nm* anonymat *(m)*.

anónimo, ma *adj* anonyme. ■ **anónimo** *nm* lettre *(f)* anonyme.

anorak, anorac *nm* anorak *(m)*.

anorexia *nf* anorexie *(f)*.

anormal *adj* & *nmf* anormal(e).

anotación *nf* note *(f)*, annotation *(f)*.

anotar *vt* **1.** noter **2.** annoter.

anquilosamiento *nm* **1.** stagnation *(f)* *(de l'économie)* **2.** sclérose *(f)* *(d'un parti)* **3.** MÉD ankylose *(f)*.

anquilosarse *vp* **1.** *(économie)* stagner **2.** *(idées)* se scléroser **3.** MÉD s'ankyloser.

ansia *nf (el)* **1.** *(envie)* ● **ansia de** soif *(f)* de ● **hacer algo con ansia** faire qqch avec avidité **2.** anxiété *(f)* **3.** angoisse *(f)*.

ansiar *vt* ● **ansiar hacer algo** mourir d'envie de faire qqch ● **ansio llegar a casa** il me tarde d'arriver à la maison.

ansiedad *nf* anxiété *(f)*.

ansioso, sa *adj* **1.** impatient(e) ● **estar ansioso por** *ou* **de hacer algo** mourir d'impatience de faire qqch **2.** anxieux(euse).

antagónico, ca *adj* **1.** antagonique **2.** opposé(e).

antagonista *nmf* ● **antagonista de** opposant *(m)*, -e *(f)* à.

antaño *adv* autrefois, jadis.

antártico, ca *adj* antarctique. ■ **Antártico** *npr* ● **el Antártico** l'Antarctique *(m) (océan)*.

Antártida *npr* ● **la Antártida** l'Antarctique *(m) (continent)*.

ante¹ *nm* **1.** daim *(m)* **2.** élan *(m)*.

ante² *prép* **1.** devant ● **ante las circunstancias** vu les circonstances ● **ante el juez** par-devant le juge ● **ante notario** par-devant notaire ● **ante los ojos** sous les yeux **2.** ● **su opinión prevaleció ante la mía** son opinion a prévalu sur la mienne. ■ **ante todo** *loc adv* avant tout.

anteanoche *adv* avant-hier soir.

anteayer *adv* avant-hier.

antebrazo *nm* avant-bras *(m)*.

antecedente ◨ *adj* précédent(e). ◨ *nm* **1.** précédent *(m)* **2.** *(gén pl)* ● *(passé)* antécédents *(mpl)* ● *(expérience)* bagage *(m)* **3.** *(gén pl)* précédents *(mpl) (d'un sujet)* ● **poner en antecedentes** aviser.

anteceder *vt* précéder.

antecesor, ra *nm, f* prédécesseur *(m)*.

antedicho, cha *adj* **1.** susdit(e), susmentionné(e) **2.** susnommé(e).

antediluviano, na *adj litt* & *fig* antédiluvien(enne).

antelación *nf* ● **con antelación** à l'avance ● **con una hora de antelación** avec une heure d'avance.

antemano ■ **de antemano** *loc adv* d'avance.

antena *nf* RADIO, TV & ZOOL antenne *(f)*.

anteojos *nmpl* **1.** jumelles *(fpl)* **2.** *(Amér)* lunettes *(fpl)*.

antepasado, da *nm, f* ancêtre *(mf)*.

antepenúltimo, ma *adj* & *nm, f* antépénultième, avant avant-dernier(ère).

anteponer *vt* **1.** *(placer devant)* ● **anteponer algo a algo** mettre qqch devant qqch **2.** faire passer avant. ■ **anteponerse** *vp* ● **anteponerse a** passer avant.

anterior *adj* **1.** d'avant, précédent(e) ● **la parada anterior** l'arrêt d'avant ● **la noche anterior** la nuit précédente ● **anterior a** antérieur à **2.** antérieur(e) **3.** de devant.

anterioridad *nf* ● **con anterioridad** à l'avance ● **con anterioridad a** avant.

antes *prép*

1. DANS LE TEMPS
● **la inscripción es gratuita pero antes debe rellenar un formulario** l'inscription est gratuite, mais auparavant vous devez remplir un formulaire
● **poco antes** peu de temps avant
● **lo antes posible** dès que possible

2. DANS L'ESPACE = avant
● **correos está antes de la farmacia** la poste est avant la pharmacie

3. EN PREMIER = avant
● **yo estaba antes** j'étais là avant
● **llegaron antes que yo** ils sont arrivés avant moi

4. POUR INDIQUER UNE PRÉFÉRENCE
● **antes ir a la cárcel que mentir** plutôt aller en prison que mentir
● **prefiero el mar antes que la montaña** je préfère la mer à la montagne.

antes *adj*
● **el año antes** l'année d'avant *ou* précédente
● **el mes antes** le mois d'avant *ou* précédent
● **el día antes** le jour d'avant, la veille.

■ **antes de** *loc prép*

avant de
● **lávate las manos antes de comer** lave-toi les mains avant de manger.

■ **antes (de) que** *loc conj*

avant que
● **antes (de) que llegarais** avant que vous n'arriviez.

antesala *nf* hall *(m)* ● **estar en la antesala de** *fig* être au seuil de.

antiadherente *adj* antiadhésif(ive).

antiaéreo, a *adj* antiaérien(enne).

antiarrugas *adj inv* antirides.

antibala, antibalas *adj inv* pare-balles.

antibiótico, ca *adj* antibiotique. ■ **antibiótico** *nm* antibiotique *(m)*.

anticiclón *nm* anticyclone *(m)*.

anticipación *nf* avance *(f)* ● **con anticipación a** avant ● **con anticipación** à l'avance ● **con un mes de anticipación** avec un mois d'avance.

anticipado, da *adj* anticipé(e) ● **por anticipado** par anticipation, d'avance.

anticipar *vt* **1.** avancer *(un départ, un travail)* **2.** anticiper **3.** *(information)* • **no te puedo anticipar nada** je ne peux encore rien te dire. ■ **anticiparse** *vp* être en avance, être avancé(e) • **anticiparse a su tiempo** être en avance sur son temps • **anticiparse a alguien** précéder qqn, devancer qqn • **anticiparse a hacer algo** faire qqch plus tôt que prévu.

anticipo *nm* **1.** avance *(f)*, acompte *(m)* **2.** *(présage)* signe *(m)*.

anticlerical *adj* anticlérical(e).

anticonceptivo, va *adj* **1.** contraceptif(ive) **2.** de contraception. ■ **anticonceptivo** *nm* contraceptif *(m)*.

anticongelante ▨ *adj* antigivrant(e). ▨ *nm* antigel *(m)*.

anticonstitucional *adj* anticonstitutionnel(elle).

anticorrosivo, va *adj* anticorrosion *(inv)*. ■ **anticorrosivo** *nm* antirouille *(m)*.

anticorrupción *adj inv* anticorruption *(f inv)*.

anticuado, da *adj* **1.** démodé(e) **2.** *(mot)* vieilli(e) **3.** *(personne)* vieux jeu **4.** *(idée)* vieillot(otte).

anticuario, ria *nm, f* antiquaire *(mf)* • **en un anticuario** chez un antiquaire.

anticuerpo *nm* anticorps *(m)*.

antidepresivo, va *adj* antidépresseur. ■ **antidepresivo** *nm* antidépresseur *(m)*.

antideslizante *adj* antidérapant(e).

antidisturbios *adj inv* ⟼ **brigada**.

antidoping [anti'ðopin] *adj* antidopage *(inv)*, antidoping *(inv)*.

antídoto *nm* antidote *(m)*.

antier *adv (Amér) fam* l'autre jour.

antiespasmódico, ca *adj* antispasmodique. ■ **antiespasmódico** *nm* antispasmodique *(m)*.

antiestético, ca *adj* inesthétique.

antifaz *nm* masque *(m)*, loup *(m)*.

antigás *adj inv* à gaz • **una careta antigás** un masque à gaz.

antigualla *nf péj* **1.** vieillerie *(f)* **2.** *(personne)* vieux fossile *(m)*.

antigubernamental *adj* contre le *ou* opposé(e) au gouvernement.

antigüedad *nf* **1.** antiquité *(f)* **2.** ancienneté *(f)*. ■ **antigüedades** *nfpl* antiquités *(fpl)*.

antiguo, gua *adj* **1.** ancien(enne) **2.** vieux(vieille) **3.** dépassé(e) • **a la antigua** à l'ancienne.

antihéroe *nm* antihéros *(m)*.

antihigiénico, ca *adj* antihygiénique.

antihistamínico, ca *adj* antihistaminique. ■ **antihistamínico** *nm* antihistaminique *(m)*.

antiinflacionista *adj* anti-inflationniste.

antiinflamatorio, ria *adj* anti-inflammatoire. ■ **antiinflamatorio** *nm* anti-inflammatoire *(m)*.

antílope *nm* antilope *(f)*.

antimilitarista *adj* & *nmf* antimilitariste.

antinatural *adj* contre nature.

antiniebla *adj inv* antibrouillard *(inv)*.

antioxidante ▨ *adj* antirouille. ▨ *nm* antirouille *(m)*.

antipatía *nf* **1.** antipathie *(f)* **2.** répugnance *(f)* • **tener antipatía a alguien** avoir de l'antipathie pour qqn.

antipático, ca ▨ *adj* antipathique. ▨ *nm, f* personne *(f)* desagréable.

antípodas *nfpl* • **las antípodas** les antipodes *(mpl)*.

antiquísimo, ma *adj* très ancien(enne).

antirreflectante *adj* antireflet *(inv)*.

antirrobo ▨ *adj inv* antivol *(inv)*. ▨ *nm* antivol *(m)*.

antisemita *adj* & *nmf* antisémite.

antiséptico, ca *adj* antiseptique. ■ **antiséptico** *nm* antiseptique *(m)*.

antiterrorista *adj* antiterroriste.

antítesis *nf inv* antithèse *(f)*.

antitetánico, ca *adj* antitétanique.

antivirus *nm inv* **1.** MÉD antiviral *(m)* **2.** INFORM antivirus *(m)*.

antojarse *v impers* **1.** *(caprice)* • **antojársele a alguien algo/hacer algo** avoir envie de qqch/ de faire qqch **2.** *(possibilité)* • **se me antoja que...** j'ai le sentiment que…

antojitos *nmpl (Amér)* amuse-gueule *(mpl)*.

antojo *nm* envie *(f)* • **a mi/tu** *etc* **antojo** à ma/ta *etc* guise.

antología *nf* anthologie *(f)*.

antónimo *nm* antonyme *(m)*.

antonomasia *nf* • **por antonomasia** par excellence.

antorcha *nf* torche *(f)* • **antorcha olímpica** flambeau *(m)* olympique.

antracita *nf* anthracite *(m)*.

antro *nm péj* boui-boui *(m)*.

antropófago, ga *adj* & *nm, f* anthropophage.

antropología *nf* anthropologie *(f)*.

anual *adj* annuel(elle).

anualidad *nf* annuité *(f)*.

anuario *nm* annuaire *(m)*.

anudar *vt litt* & *fig* nouer. ■ **anudarse** *vp litt* & *fig* se nouer • **se le anudó la voz** sa gorge se noua.

anulación *nf* **1.** annulation *(f)* **2.** DR abrogation *(f)*.

anular[1] ▨ *adj* annulaire. ▨ *nm* ⟼ **dedo**.

anular[2] *vt* 1. annuler 2. décommander 3. DR abroger 4. *fig* étouffer. ■ **anularse** *vp* être annulé(e).

anunciación *nf* annonce (*f*). ■ **Anunciación** *nf* RELIG Annonciation (*f*).

anunciante ■ *adj* • **la empresa anunciante** l'annonceur (*m*). ■ *nm, f* annonceur (*m*), -euse (*f*).

anunciar *vt* 1. annoncer 2. • **anunciar algo** faire de la publicité pour qqch. ■ **anunciarse** *vp* • **anunciarse en** passer une annonce dans • faire de la publicité dans.

anuncio *nm* 1. annonce (*f*) 2. publicité (*f*) • **anuncio (publicitario)** message (*m*) publicitaire • spot (*m*) publicitaire • encart (*m*) publicitaire • affiche (*f*) (publicitaire) • **anuncio por palabras** petites annonces.

anverso *nm* 1. face (*f*) (d'une monnaie) 2. recto (*m*) (d'une feuille).

añadido, da *adj* • **añadido (a)** ajouté (à). ■ **añadido** *nm* ajout (*m*).

añadidura *nf* complément (*m*) • **por añadidura** en plus, qui plus est.

añadir *vt* ajouter.

añejo, ja *adj* 1. vieux(vieille) 2. ancien(enne).

añicos *nmpl* • **hacer añicos** mettre en pièces (quelque chose) • démolir (quelqu'un).

añil *nm* indigo (*m*).

año *nm* 1. année (*f*), an (*m*) • **en el año 1939** en 1939 • **los años 30** les années 30 • **desde hace tres años** depuis trois ans • **¡feliz año nuevo!** bonne année ! • **año académico** OU **escolar** année scolaire • **año bisiesto** année bissextile • **año nuevo** nouvel an 2. • **año (fiscal)** exercice (*m*) (annuel). ■ **años** *nmpl* âge (*m*) • **¿cuántos años tienes? – tengo 17 (años)** quel âge as-tu ? – j'ai 17 ans • **cumplir años** fêter son anniversaire. ■ **año luz** (*pl* **años luz**) *nm* année-lumière (*f*) • **estar a años luz de** *fig* être à des années-lumière de.

añoranza *nf* 1. nostalgie (*f*) (du passé) 2. regret (*m*) (d'une personne) 3. mal (*m*) du pays.

añorar *vt* avoir la nostalgie de • **añora su país natal** il a le mal du pays • **añoro a mi hermana** ma sœur me manque.

anzuelo *nm* 1. hameçon (*m*) 2. *fam* appât (*m*).

aorta *nf* aorte (*f*).

apabullar *vt* troubler. ■ **apabullarse** *vp* se laisser dépasser par les événements.

apacentar *vt* faire paître.

apache ■ *adj* apache. ■ *nmf* Apache (*mf*).

apacible *adj* 1. paisible 2. doux(douce).

apaciguar *vt* apaiser, calmer. ■ **apaciguarse** *vp* s'apaiser, se calmer.

apadrinar *vt* 1. être le parrain de 2. parrainer.

apagado, da *adj* 1. éteint(e) 2. terne 3. (son) étouffé(e) 4. (voix) faible, petit(e).

apagar *vt* 1. éteindre 2. calmer (la douleur) 3. étancher (la soif) 4. faire perdre (ses illusions) 5. atténuer (une couleur) 6. étouffer (un son) • **apaga y vámonos** *fig* n'en parlons plus. ■ **apagarse** *vp* 1. s'éteindre 2. (illusions) s'envoler.

apagón *nm* coupure (*f*) OU panne (*f*) de courant.

apaisado, da *adj* oblong(ongue).

apalabrar *vt* convenir verbalement de.

apalancamiento *nm fam* flemmardise (*f*).

apalancar *vt* 1. forcer (avec un pied-de-biche) 2. soulever (avec un levier). ■ **apalancarse** *vp tfam* • **se apalancó** il est resté planté là.

apalear *vt* rouer de coups.

apañado, da *adj fam* débrouillard(e).

apañar *vt fam* 1. retaper, rafistoler, raccommoder 2. goupiller. ■ **apañarse** *vp fam* se débrouiller • **apañárselas (para hacer algo)** *fig* se débrouiller (pour faire qqch).

apaño *nm fam* 1. rafistolage (*m*) 2. (couture) reprise (*f*) 3. magouille (*f*).

aparador *nm* 1. buffet (*m*) 2. vitrine (*f*).

aparato *nm* 1. appareil (*m*) 2. poste (*m*) (de radio, de télévision) 3. apparat (*m*), pompe (*f*).

aparatoso, sa *adj* 1. tape-à-l'œil 2. spectaculaire.

aparcamiento *nm* 1. créneau (*m*) 2. stationnement (*m*) 3. parking (*m*) 4. place (*f*) (de parking).

aparcar ■ *vt* 1. garer 2. suspendre. ■ *vi* se garer • **'prohibido aparcar'** 'défense de stationner'.

aparear *vt* 1. accoupler 2. rassembler par paires 3. mettre deux par deux. ■ **aparearse** *vp* s'accoupler.

aparecer *vi* 1. apparaître 2. figurer (sur une liste) 3. arriver 4. être retrouvé(e) 5. (publier) paraître. ■ **aparecerse** *vp* (la Vierge etc) apparaître.

aparejador, ra *nm, f* métreur (*m*), -euse (*f*).

aparejo *nm* 1. harnais (*m*) 2. palan (*m*) 3. gréement (*m*). ■ **aparejos** *nmpl* matériel (*m*).

aparentar ■ *vt* 1. (faire semblant) • **aparentar algo** feindre OU simuler qqch • **aparentar hacer algo** faire semblant de faire qqch 2. faire • **no aparenta los años que tiene** il ne fait pas son âge. ■ *vi* se faire remarquer.

aparente *adj* 1. apparent(e) 2. voyant(e).

aparición *nf* 1. apparition (*f*) 2. parution (*f*).

apariencia *nf* 1. apparence (*f*) • **guardar las apariencias** sauver les apparences • **las apariencias engañan** les apparences sont trompeuses 2. frime (*f*).

apartado, da *adj* **1.** écarté(e). **2.** retiré(e). ■ **apartado** *nm* **1.** alinéa *(m)* **2.** *(dans un bureau)* section *(f).* ■ **apartado de correos** *nm* boîte *(f)* postale.

apartamento *nm* appartement *(m).*

apartar *vt* **1.** écarter ‣ **apartar la vista** détourner les yeux ‣ **no apartar la vista de algo/ alguien** ne pas quitter qqch/qqn des yeux **2.** séparer **3.** mettre de côté. ■ **apartarse** *vp* se pousser ‣ **apartarse de** *(personne)* s'éloigner de ‣ **s'écarter de** *(sujet, chemin)* ‣ se retirer de *(monde).*

aparte ◼ *adv* **1.** à part **2.** ‣ **aparte de** *(en dehors de)* mis à part ‣ **aparte de fea...** *(en plus de)* non seulement elle est laide... ◼ *adj inv* à part. ◼ *nm* **1.** alinéa *(m)* **2.** THÉÂTRE aparté *(m).*

apartheid [apar'teid] *nm* apartheid *(m).*

apasionado, da *adj* & *nm, f* passionné(e).

apasionante *adj* passionnant(e).

apasionar *vt* passionner. ■ **apasionarse** *vp* **1.** s'enthousiasmer **2.** *(s'énerver)* s'emporter ‣ **apasionarse por** *ou* **con** se passionner pour, être passionné(e) de.

apatía *nf* apathie *(f).*

apático, ca ◼ *adj* apathique. ◼ *nm, f* mou *(m),* molle *(f).*

apátrida *adj* & *nmf* apatride.

apdo. *(abr écrite de* **apartado)** BP ‣ **escribir al Apdo. (n°) 463 37080 Salamanca** écrire à BP n° 463 37080 Salamanca.

apeadero *nm* halte *(f).*

apear *vt* **1.** faire descendre **2.** *fam (dissuader)* ‣ **apear a alguien de algo** faire démordre qqn de qqch ‣ **no conseguimos apearlo de sus ideas** nous n'avons pas réussi à le faire démordre de ses idées. ■ **apearse** *vp* ‣ **apearse (de)** descendre (de).

apechugar *vi fam* ‣ **apechugar con** *(travail)* se coltiner, s'appuyer ‣ subir *(les conséquences).*

apedrear ◼ *vt* lapider. ◼ *v impers* grêler.

apegarse *vp* ‣ **apegarse (a)** s'attacher (à).

apego *nm* attachement *(m)* ‣ **tener apego a** être attaché(e) à ‣ **tomar apego a** se prendre d'affection pour.

apelación *nf* DR appel *(m).*

apelar *vi* **1.** DR faire appel ‣ **apelar ante/contra** se pourvoir en/contre **2.** ‣ **apelar a** avoir recours à *(une personne, la violence, etc)* ‣ en appeler à *(sens commun, bonté).*

apelativo, va *adj* GRAMM appellatif(ive). ■ **apelativo** *nm* surnom *(m).*

apellidar *vt* baptiser, surnommer. ■ **apellidarse** *vp* se nommer, s'appeler.

apellido *nm* nom *(m)* (de famille).

los apellidos

En Espagne et dans les pays hispanophones, il est courant de porter les noms de famille de son père et de sa mère. Par exemple, si *María* a pour parents *Alejandro Gómez Ortega* et *Isabel Ruíz Costa*, son nom de famille officiel sera *María Gómez Ruíz* (depuis quelque temps on peut choisir l'ordre des noms et prendre celui de la mère en premier). Dans la vie de tous les jours cependant, elle s'appellera *María Gómez.* Lorsqu'une femme se marie, elle garde généralement son nom de jeune fille, mais elle peut aussi choisir d'adopter le premier nom de famille de son mari : ainsi, si *María Gómez Ruíz* épouse *Gustavo Núñez Lago,* elle peut soit garder son nom de jeune fille, soit adopter le nom de *María Gómez de Núñez,* ou encore se faire appeler *Señora Núñez.*

apelmazar *vt* **1.** *(tissu)* feutrer **2.** *(riz)* faire coller **3.** *(gâteau)* alourdir. ■ **apelmazarse** *vp* **1.** *(tissu)* se feutrer **2.** *(riz)* coller **3.** *(gâteau)* être lourd(e).

apelotonar *vt* **1.** mettre en boule *(un vêtement)* **2.** mettre en pelote *(la laine).* ■ **apelotonarse** *vp* s'agglutiner.

apenado, da *adj (Amér)* gêné(e).

apenar *vt* faire de la peine. ■ **apenarse** *vp* avoir de la peine.

apenas *adv* **1.** à peine ‣ **apenas me puedo mover** je peux à peine bouger ‣ **apenas** si c'est à peine si **2.** à peine, tout juste ‣ **hace apenas dos minutos** ça fait à peine *ou* tout juste deux minutes **3.** à peine, dès que ‣ **apenas llegó, le dieron la mala noticia** il était à peine arrivé qu'on lui annonça la mauvaise nouvelle ‣ **apenas nos fueron, me acosté** je me suis couché dès qu'ils sont partis.

apéndice *nm* **1.** *(gén* & ANAT*)* appendice *(m)* **2.** annexe *(f) (d'un document).*

apendicitis *nf inv* appendicite *(f).*

apercibir *vt* **1.** mettre en garde **2.** prévenir. ■ **apercibirse** *vp* ‣ **apercibirse de algo** remarquer qqch.

aperitivo *nm* **1.** apéritif *(m)* **2.** amuse-gueule *(m).*

apertura *nf* **1.** ouverture *(f)* **2.** percement *(m)* **3.** ART vernissage *(m)* **4.** SPORT coup *(m)* d'envoi **5.** *politique d'ouverture.*

aperturista ◼ *adj* **1.** d'ouverture **2.** à l'ouverture. ◼ *nmf* partisan *(m)* de l'ouverture.

apesadumbrar *vt* accabler. ■ **apesadumbrarse** *vp* être accablé(e).

apestar ◙ *vi* • **apestar (a algo)** puer (qqch) • **este cuarto apesta a tabaco** cette chambre pue le tabac. ◙ *vt* **1.** empester **2.** transmettre la peste.

apetecer ◙ *vi* • **¿te apetece un café?** tu as envie d'un café ? • **me apetece salir** j'ai envie de sortir. ◙ *vt* • **tenían todo cuanto apetecían** ils avaient tout ce dont ils avaient envie.

apetecible *adj* **1.** appétissant(e) **2.** *(vacances, etc)* tentant(e).

apetito *nm* appétit *(m)* • **abrir el apetito** ouvrir l'appétit • **tener apetito** avoir faim.

apetitoso, sa *adj* **1.** délicieux(euse) **2.** *(repas)* appétissant(e) **3.** *(proposition)* alléchant(e).

apiadar *vt* apitoyer. ■ **apiadarse** *vp* • **apiadarse (de)** s'apitoyer (sur).

ápice *nm* **1.** iota *(m)* • **no ceder ni un ápice** ne pas céder d'un pouce **2.** sommet *(m)* **3.** haut *(m)* (d'un immeuble, d'une feuille) **4.** bout *(m)* (de la langue) **5.** fig sommet *(m)*.

apicultura *nf* apiculture *(f)*.

apilable *adj* empilable, superposable.

apilar *vt* empiler. ■ **apilarse** *vp* s'empiler.

apiñar *vt* entasser. ■ **apiñarse** *vp* s'entasser, se serrer les uns contre les autres.

apio *nm* céleri *(m)*.

apisonadora *nf* rouleau *(m)* compresseur.

aplacar *vt* calmer. ■ **aplacarse** *vp* se calmer.

aplastante *adj* **1.** *(majorité, etc)* écrasant(e) **2.** *(logique)* implacable.

aplastar *vt* écraser.

aplatanar *vt* fam **1.** *(chaleur)* abrutir **2.** *(grippe)* sonner. ■ **aplatanarse** *vp* fam se ramollir.

aplaudir *vt* litt & fig applaudir.

aplauso *nm* **1.** applaudissement *(m)* **2.** fig éloge *(m)*.

aplazamiento *nm* report *(m)*.

aplazar *vt* reporter.

aplicación *nf* application *(f)*.

aplicado, da *adj* appliqué(e).

aplicar *vt* appliquer. ■ **aplicarse** *vp* **1.** • **aplicarse en (hacer) algo** s'appliquer à (faire) qqch **2.** • **aplicarse a alguien/a algo** s'appliquer à qqn/à qqch.

aplomo *nm* aplomb *(m)* • **perder el aplomo** perdre son aplomb.

apocado, da *adj* timide.

apocalipsis *nm ou nf inv* apocalypse *(f)*. ■ **Apocalipsis** *nm ou nf inv* Apocalypse *(f)*.

apocarse *vp* **1.** s'effrayer **2.** se rabaisser.

apócope *nf* apocope *(f)*.

apodar *vt* surnommer. ■ **apodarse** *vp* être surnommé(e).

apoderado, da *nm, f* **1.** fondé *(m)*, -e *(f)* de pouvoir **2.** TAUROM manager *(m)*.

apoderar *vt* déléguer ses pouvoirs à. ■ **apoderarse** *vp* • **apoderarse de** s'emparer de.

apodo *nm* surnom *(m)*.

apogeo *nm* apogée *(m)* • **estar en (pleno) apogeo** être à l'apogée.

apolillar *vt* faire des trous. ■ **apolillarse** *vp* être mité(e), se miter.

apolítico, ca *adj* apolitique.

apología *nf* apologie *(f)*.

apoplejía *nf* apoplexie *(f)*.

apoquinar *vt* & *vi* fam casquer.

aporrear *vt* taper.

aportación *nf* apport *(m)* • **hacer una aportación a una causa** contribuer à une cause.

aportar *vt* **1.** apporter **2.** fournir *(des renseignements, des preuves)* **3.** *(argent)* faire un apport de.

aposentar *vt* loger. ■ **aposentarse** *vp* se loger.

aposento *nm* **1.** chambre *(f)* **2.** • **dar aposento, tomar aposento** loger.

aposición *nf* apposition *(f)*.

aposta *adv* exprès.

apostante *nmf* parieur *(m)*, -euse *(f)*.

apostar[1] *vt* parier. ◙ *vi* • **apostar (por)** parier *ou* miser (sur). ■ **apostarse** *vp* • **apostarse algo con alguien** parier qqch avec qqn • **apostarse algo a que** parier qqch que.

apostar[2] *vt* poster. ■ **apostarse** *vp* se poster.

apostilla *nf* annotation *(f)*.

apóstol *nm* litt & fig apôtre *(m)*.

apostólico, ca *adj* apostolique.

apóstrofo *nm* apostrophe *(f)*.

apoteósico, ca *adj* triomphal(e).

apoyar *vt* **1.** appuyer **2.** fig soutenir. ■ **apoyarse** *vp* **1.** *(se tenir)* • **apoyarse en** s'appuyer sur **2.** • **apoyarse en** fig reposer sur **3.** se soutenir.

apoyo *nm* **1.** support *(m)*, appui *(m)* **2.** fig soutien *(m)*.

apreciable *adj* **1.** *(qui se remarque)* sensible **2.** fig remarquable.

apreciación *nf* appréciation *(f)*.

apreciar *vt* **1.** apprécier **2.** distinguer **3.** estimer • **apreciar que es necesario hacer algo** juger nécessaire de faire qqch.

aprecio *nm* estime *(f)*.

aprehender *vt* **1.** appréhender *(une personne)* **2.** saisir *(une marchandise, une nuance)*.

aprehensión *nf* **1.** capture *(f)* *(d'une personne)* **2.** saisie *(f)* *(d'une marchandise)*.

apremiante *adj* pressant(e), urgent(e).

apremiar ◙ *vt* **1.** presser, bousculer **2.** • **apremiar a alguien a hacer algo** contraindre qqn à faire qqch. ◙ *vi* presser.

apremio *nm* urgence *(f)*.

aprender *vt* apprendre, retenir. ■ **aprenderse** *vp* apprendre.

aprendiz, za *nm, f* **1.** apprenti *(m)*, -e *(f)* **2.** débutant *(m)*, -e *(f)*.

aprendizaje *nm* apprentissage *(m)*.

aprensión *nf* • **aprensión (por)** appréhension *(f)* (de) • dégoût *(m)* (pour).

aprensivo, va *adj* **1.** craintif(ive) **2.** *(scrupuleux)* délicat(e) **3.** *(hypocondriaque)* alarmiste.

apresar *vt* **1.** saisir *(un animal)* **2.** capturer *(une personne)*.

apresurado, da *adj* **1.** pressé(e) **2.** *(départ, fuite)* précipité(e).

apresurar *vt* **1.** activer *(des démarches)* **2.** presser *(une personne)*. ■ **apresurarse** *vp* se dépêcher.

apretado, da *adj* **1.** serré(e) **2.** fig critique **3.** fig *(programme)* chargé(e).

apretar ■ *vt* **1.** serrer • **estos zapatos me aprietan** ces chaussures me serrent **2.** appuyer sur **3.** fig presser *(le pas)* **4.** tasser *(des vêtements, des objets)* **5.** pincer *(les lèvres)* **6.** fig *(faire pression)* • **apretar a alguien** harceler qqn, faire pression sur qqn. ■ *vi (pluie, tempête)* redoubler. ■ **apretarse** *vp* se serrer • **apretarse el cinturón** se serrer la ceinture.

apretón *nm* bousculade *(f)* • **apretón de manos** poignée *(f)* de main.

apretujar *vt* **1.** *(objets)* tasser **2.** *(personnes)* écraser. ■ **apretujarse** *vp* **1.** se masser **2.** *(à cause du froid, de la peur)* se blottir, se pelotonner.

apretujón *nm fam* • **dar un apretujón a alguien** *(accolade)* serrer qqn très fort • bousculer qqn.

aprieto *nm fig* situation *(f)* difficile • **poner en un aprieto a alguien** mettre qqn dans l'embarras • **verse en un aprieto** être très ennuyé(e).

aprisa *adv* vite.

aprisionar *vt* **1.** emprisonner **2.** immobiliser.

aprobación *nf* approbation *(f)*.

aprobado, da *adj* **1.** approuvé(e) **2.** *(candidat)* reçu(e). ■ **aprobado** *nm* mention *(f)* passable.

aprobar *vt* **1.** approuver **2.** adopter *(une loi)* **3.** réussir *(à un examen)*.

apropiación *nf* appropriation *(f)*.

apropiado, da *adj* approprié(e).

apropiar *vt* • **apropiar (a)** adapter (à). ■ **apropiarse** *vp* • **apropiarse de algo** s'approprier qqch.

aprovechable *adj* **1.** utilisable **2.** *(vêtement)* mettable.

aprovechado, da ■ *adj* **1.** *(personne)* • **es muy aprovechado** c'est un profiteur **2.** *(temps)* bien employé(e) **3.** *(espace)* bien conçu(e) • **un día bien aprovechado** une journée bien remplie **4.** appliqué(e). ■ *nm, f* profiteur *(m)*, -euse *(f)*.

aprovechamiento *nm* **1.** utilisation *(f)*, exploitation *(f)* **2.** SCOL assimilation *(f)*.

aprovechar ■ *vt* **1.** *(gén)* • **aprovechar algo** profiter de qqch **2.** récupérer, se servir de. ■ *vi* **1.** profiter, être profitable • **ique aproveche!** bon appétit ! **2.** progresser, faire des progrès. ■ **aprovecharse** *vp* • **aprovecharse (de)** profiter (de), tirer parti (de).

aprovisionamiento *nm* approvisionnement *(m)*.

aprox. *(abr écrite de* **aproximadamente)** approx. • **'metro a 2 minutos aprox.'** 'métro à 2 mn d'ici approx.'

aproximación *nf* **1.** rapprochement *(m)* **2.** approximation *(f)* • **con aproximación** approximativement **3.** lot *(m)* de consolation.

aproximadamente *adv* approximativement.

aproximado, da *adj* approximatif(ive).

aproximar *vt* approcher, rapprocher. ■ **aproximarse** *vp* **1.** approcher **2.** s'approcher.

aptitud *nf* aptitude *(f)* • **tener aptitud para algo** être doué(e) pour qqch.

apto, ta *adj* **1.** *(capable)* • **apto (para)** apte (à) **2.** bon(bonne) • **apto para el servicio militar** bon pour le service **3.** CINÉ • **película no apta para menores** film interdit aux moins de dix-huit ans.

apuesta ■ *nf* pari *(m)*. ■ *v* ⊳ **apostar**.

apuesto, ta *adj* fringant(e).

apuntador, ra *nm, f* THÉÂTRE souffleur *(m)*, -euse *(f)*.

apuntalar *vt litt & fig* étayer.

apuntar ■ *vt* **1.** noter • **apuntar a alguien** inscrire qqn • **apúntamelo (en la cuenta)** mets-le sur mon compte **2.** pointer • **apuntar a alguien (con el dedo)** montrer qqn du doigt • **apuntar a alguien (con un arma)** viser qqn **3.** THÉÂTRE souffler **4.** fig évoquer **5.** fig signaler **6.** souligner *(l'importance de)*. ■ *vi* poindre. ■ **apuntarse** *vp* **1.** s'inscrire **2.** être partant(e) • **apuntarse (a hacer algo)** se joindre à qqn (pour faire qqch) • **yo me apunto** je viens avec vous.

apunte *nm* **1.** note *(f)* *(écrite)* **2.** esquisse *(f)* **3.** écriture *(f)* *(comptable)*. ■ **apuntes** *nmpl* SCOL notes *(fpl)*, cours *(mpl)*.

apuñalar *vt* poignarder.

apurado, da *adj* **1.** dans le besoin • **apurado de** à court de **2.** *(honteux)* gêné(e) **3.** *(difficile)* délicat(e).

apurar *vt* **1.** finir **2.** COMM épuiser **3.** *(presser)* bousculer **4.** inquiéter **5.** *(faire honte)* gêner. ■ **apurarse** *vp* **1.** s'inquiéter **2.** se dépêcher.

apuro *nm* **1.** gros ennui *(m)* • **estar en apuros** avoir des problèmes • **sacar de un apuro a alguien** tirer qqn d'affaire **2.** manque *(m)* *(d'argent)* **3.** gêne *(f)* • **me da apuro decírtelo** ça me gêne *ou* ça m'ennuie de te le dire.

aquejado, da *adj* • **aquejado de** atteint de.

aquel, aquella (*mpl* **aquellos,** *fpl* **aquellas**) *adj dém* ce, cette • **dame aquellos libros** donne-moi les livres qui sont là-bas • **aquel edificio que se ve a lo lejos es nuevo** le bâtiment qu'on voit là-bas, au loin, est neuf • **en aquella época** à cette époque-là.

aquél, aquélla (*mpl* **aquéllos,** *fpl* **aquéllas**) *pron dém* celui-là, celle-là • **este cuadro me gusta pero aquél del fondo no** ce tableau(-ci) me plaît mais pas celui du fond • **aquél fue mi último día en Londres** ce fut mon dernier jour à Londres • **aquéllos que quieran hablar que levanten la mano** que ceux qui veulent parler lèvent la main.

aquelarre *nm* sabbat (*m*).

aquella ⊳ **aquel**.

aquélla ⊳ **aquél**.

aquello *pron dém neutre* cela • **aquello que se ve al fondo es el mar** c'est la mer que l'on voit dans le fond • **no sé si aquello lo dijo en serio** je ne sais pas s'il a dit cela sérieusement.

aquellos, aquellas ⊳ **aquel**.

aquéllos, aquéllas ⊳ **aquél**.

aquí *adv* **1.** ici • **aquí arriba/abajo** en haut/bas • **aquí cerca** près d'ici • **aquí dentro** dedans • **aquí fuera** dehors • **aquí mismo** ici même • **por aquí** par ici • **de aquí a mañana** d'ici demain • **aquí empezaron los problemas** c'est là que les problèmes ont commencé.

ara *nf* (*el*) *sout* **1.** pierre (*f*) d'autel **2.** autel (*m*). ■ **en aras de** *loc prép* au nom de.

árabe ◼ *adj* arabe. ◼ *nmf* Arabe (*mf*). ◼ *nm* arabe (*m*).

Arabia Saudita, Arabia Saudí *npr* Arabie saoudite (*f*).

arábigo, ga *adj* **1.** arabique **2.** arabe.

arado *nm* charrue (*f*).

Aragón *npr* Aragon (*m*).

aragonés, esa ◼ *adj* aragonais(e). ◼ *nm, f* Aragonais (*m*), -e (*f*).

arancel *nm* **1.** tarif (*m*) douanier **2.** droit (*m*) de douane, taxe (*f*).

arancelario, ria *adj* douanier(ère), de douane.

arándano *nm* **1.** airelle (*f*) **2.** myrtille (*f*).

arandela *nf* TECHNOL rondelle (*f*).

araña *nf* **1.** araignée (*f*) **2.** lustre (*m*).

arañar *vt* **1.** griffer **2.** égratigner, érafler **3.** *fig* grappiller.

arañazo *nm* égratignure (*f*), éraflure (*f*).

arar *vt* labourer.

arbitraje *nm* arbitrage (*m*).

arbitrar *vt* **1.** SPORT & DR arbitrer **2.** prendre (*des mesures*) **3.** employer (*des ressources*).

arbitrariedad *nf* **1.** arbitraire (*m*) **2.** acte (*m*) arbitraire • **con arbitrariedad** de façon arbitraire.

arbitrario, ria *adj* arbitraire.

arbitrio *nm* volonté (*f*).

árbitro *nm* SPORT & DR arbitre (*m*).

árbol *nm* **1.** arbre (*m*) • **árbol de Navidad** sapin (*m*) de Noël **2.** NAUT mât (*m*). ■ **árbol genealógico** *nm* arbre (*m*) généalogique.

arbolar *vt* **1.** NAUT mâter **2.** arborer • **arbolar la bandera** hisser le pavillon **3.** (*mer*) déchaîner.

arboleda *nf* bois (*m*).

arbusto *nm* arbuste (*m*).

arca *nf* (*el*) coffre (*m*) • **arca de Noé** arche (*f*) de Noé. ■ **arcas** *nfpl* caisses (*fpl*) • **arcas públicas** caisses de l'État.

arcada *nf* **1.** (*gén pl*) haut-le-cœur (*m inv*) **2.** ARCHIT arcade (*f*) **3.** arche (*f*).

arcaico, ca *adj* archaïque.

arcángel *nm* archange (*m*).

arce *nm* érable (*m*).

arcén *nm* bas-côté (*m*).

archiconocido, da *adj fam* archiconnu(e).

archiduque, esa *nm, f* archiduc (*m*), archiduchesse (*f*).

archipiélago *nm* archipel (*m*).

archivador, ra *nm, f* archiviste (*mf*). ■ **archivador** *nm* classeur (*m*).

archivar *vt* **1.** classer **2.** *fig* enfouir **3.** INFORM archiver.

archivo *nm* **1.** archives (*fpl*) **2.** INFORM fichier (*m*).

arcilla *nf* argile (*f*).

arcipreste *nm* archiprêtre (*m*).

arco *nm* **1.** arc (*m*) **2.** ARCHIT arche (*f*) • **arco de herradura** arc (*m*) en fer à cheval • **arco triunfal** *ou* **de triunfo** arc (*m*) de triomphe **3.** MUS archet (*m*) **4.** (*Amér*) SPORT buts (*mpl*). ■ **arco iris** *nm inv* arc-en-ciel (*m*).

arcón *nm* grand coffre (*m*).

arder *vi litt* & *fig* brûler • **está que arde** (*lieu, réunion*) ça chauffe, ça barde • (*personne*) il bout de colère.

ardid *nm* ruse (*f*).

ardiente *adj* **1.** brûlant(e) **2.** (*braise, désir, défenseur*) ardent(e) **3.** fervent(e) (*admirateur*).

ardilla *nf* écureuil (*m*).

ardor *nm* **1.** *litt* & *fig* ardeur (*f*) **2.** brûlure (*f*).

arduo, dua *adj* ardu(e).

área *nf* (*el*) **1.** zone (*f*) • **área de servicio** aire (*f*) de service **2.** GÉOM surface (*f*) **3.** AGRIC are (*m*) **4.** SPORT • **área (de castigo** *ou* **penalti)** surface (*f*) de réparation).

arena *nf* **1.** sable (*m*) • **arenas movedizas** sables mouvants **2.** HIST & TAUROM arène (*f*).

arenal *nm* grève (*f*) (*rivage*).

arenga *nf* harangue (*f*).

arenilla *nf* **1.** sable (*m*) fin **2.** poussière (*f*) (*dans l'œil*).

arenoso, sa *adj* **1.** sablonneux(euse) **2.** de sable.

arenque *nm* hareng *(m)*.

aretes *nmpl (Amér)* boucles *(fpl)* d'oreille.

argamasa *nf* CONSTR mortier *(m)*.

Argel *npr* Alger.

Argelia *npr* Algérie *(f)*.

argelino, na ◼ *adj* algérien(enne). ◼ *nm, f* Algérien *(m)*, -enne *(f)*.

Argentina *npr* • **(la) Argentina** (l')Argentine *(f)*.

argentino, na ◼ *adj* argentin(e). ◼ *nm, f* Argentin *(m)*, -e *(f)*.

argolla *nf* **1.** anneau *(m)* **2.** *(Amér)* alliance *(f)*.

argot *(pl* **argots)** *nm* **1.** argot *(m)* **2.** jargon *(m)*.

argucia *nf* sophisme *(m)*.

argumentación *nf* argumentation *(f)*.

argumentar *vt* **1.** argumenter **2.** invoquer.

argumento *nm* **1.** argument *(m)* **2.** thème *(m)*.

aridez *nf litt* & *fig* aridité *(f)*.

árido, da *adj* **1.** aride **2.** *fig* rébarbatif(ive). ◼ **áridos** *nmpl* céréales *et* légumes secs.

Aries ◼ *nm inv* Bélier *(m)*. ◼ *nm, f inv* bélier *(m inv)*.

ariete *nm* **1.** HIST & MIL bélier *(m)* **2.** SPORT avant-centre *(m)*.

arisco, ca *adj* **1.** farouche **2.** bourru(e), revêche.

arista *nf* arête *(f)*.

aristocracia *nf* aristocratie *(f)*.

aristócrata *nmf* aristocrate *(mf)*.

aritmético, ca *adj* arithmétique. ◼ **aritmética** *nf* arithmétique *(f)*.

arlequín *nm* arlequin *(m)*.

arma *nf (el)* arme *(f)* • **arma blanca/de fuego** arme blanche/à feu • **arma homicida** arme du crime • **una mujer de armas tomar** une maîtresse femme. ◼ **armas** *nfpl* armes *(fpl)*.

armada *nf* ▷ **armado**.

armadillo *nm* tatou *(m)*.

armado, da *adj* armé(e). ◼ **armada** *nf* **1.** marine *(f)* **2.** flotte *(f)*.

armador, ra *nm, f* armateur *(m)*.

armadura *nf* **1.** monture *(f) (de lunettes)* **2.** charpente *(f) (de toit)* **3.** carcasse *(f) (de bateau)* **4.** armure *(f)*.

armamentista *adj* de l'armement • ▷ **carrera**.

armamento *nm* armement *(m)*.

armar *vt* **1.** armer **2.** monter *(un meuble, une tente)* **3.** *fam fig* faire • **armar un escándalo** faire un scandale • **armarla** *fam* faire des histoires. ◼ **armarse** *vp* s'armer • **armarse de** s'armer de • **se armó la gorda** *ou* **la de San Quintín** *ou* **la de Dios es Cristo** *fam* ça a bardé.

armario *nm* armoire *(f)* • **armario (empotrado)** placard *(m)*.

armatoste *nm* **1.** *(meuble)* mastodonte *(m)* **2.** *(machine)* engin *(m)*.

armazón *nm ou nf* **1.** armature *(f)* **2.** ARCHIT ossature *(f)*.

armería *nf* **1.** arsenal *(m)* **2.** musée *(m)* de l'armée **3.** armurerie *(f)*.

armiño *nm* hermine *(f)*.

armisticio *nm* armistice *(m)*.

armonía, harmonía *nf* harmonie *(f)*.

armónico, ca *adj* harmonique. ◼ **armónico** *nm* harmonique *(m)*. ◼ **armónica** *nf* harmonica *(m)*.

armonioso, sa *adj* harmonieux(euse).

armonizar ◼ *vt (gén* & MUS*)* harmoniser. ◼ *vi* • **armonizar con** être en harmonie avec.

arnés *nm* armure *(f)*. ◼ **arneses** *nmpl* **1.** harnais *(m)* **2.** matériel *(m)*.

aro *nm* **1.** cercle *(m)* **2.** TECHNOL bague *(f)* **3.** *(boucle d'oreille, bague)* anneau *(m)* • **los aros olímpicos** les anneaux olympiques **4.** rond *(m)* de serviette • **entrar** *ou* **pasar por el aro** céder, s'incliner.

aroma *nm* arôme *(m)*

aromaterapia *nf* aromathérapie *(f)*.

aromático, ca *adj* aromatique.

aromatizar *vt* aromatiser.

aros *nmpl (Amér)* boucles *(fpl)* d'oreille.

arpa *nf (el)* harpe *(f)*.

arpía *nf fig* & MYTHOL harpie *(f)*.

arpillera *nf* toile *(f)* à sac, toile *(f)* de jute.

arpón *nm* harpon *(m)*.

arquear *vt* **1.** arquer **2.** hausser *(les sourcils)* **3.** courber *(le dos)* • **arquear el lomo** faire le gros dos. ◼ **arquearse** *vp* ployer.

arqueo *nm* **1.** courbure *(f)* **2.** COMM caisse *(f)* • **arqueo de caja** contrôle *(m)* *ou* vérification *(f)* de caisse.

arqueología *nf* archéologie *(f)*.

arqueólogo, ga *nm, f* archéologue *(mf)*.

arquero *nm* **1.** archer *(m)* **2.** gardien *(m)* de but.

arquetipo *nm* archétype *(m)*.

arquitecto, ta *nm, f* architecte *(mf)*.

arquitectura *nf* architecture *(f)*.

arrabal *nm* • **los arrabales** les faubourgs, les quartiers populaires.

arrabalero, ra ◼ *adj* **1.** des faubourgs, des quartiers populaires **2.** populacier(ère) **3.** *(langage)* de charretier. ◼ *nm, f* zonard *(m)*, -e *(f)*.

arraigar ◼ *vi* **1.** prendre racine, pousser **2.** *fig* s'enraciner. ◼ **arraigarse** *vp* se fixer • **arraigarse a** s'attacher à.

arraigo *nm* enracinement *(m)* • **tener mucho arraigo** être bien ancré(e).

arrancar ◼ *vt* **1.** arracher **2.** déraciner **3.** faire démarrer **4.** mettre en marche **5.** INFORM lancer. ◼ *vi* **1.** démarrer **2.** *(provenir de)* • **arrancar**

de remonter à **3.** partir. ■ **arrancarse** *vp*
• **arrancarse a hacer algo** se mettre à faire
qqch.
arranque *nm* **1.** point *(m)* de départ, début *(m)*
2. démarreur *(m)* **3.** *fig* accès *(m)* • **en un**
arranque de generosidad dans un élan de générosité.
arras *nfpl* **1.** arrhes *(fpl)* **2.** *les treize pièces de*
monnaie ou autre cadeau que le jeune marié of-
fre à sa femme pendant la cérémonie du maria-
ge.
arrasar *vt* ravager, dévaster.
arrastrar *vt* **1.** traîner **2.** remorquer **3.** *(sujet :*
air, courant) emporter **4.** *fig* rallier **5.** *fig* entraîner • **arrastrar a alguien a algo/a hacer al-**
go pousser qqn à qqch/à faire qqch. ■ *vi* traîner (par terre). ■ **arrastrarse** *vp* **1.** se traîner
2. ramper **3.** *fig* ramper.
arrastre *nm* **1.** déplacement *(m)* **2.** *(pêche)*
• **pesca de arrastre** pêche *(f)* au chalut OU à
la traîne • **estar para el arrastre** *fam* être au
bout du rouleau.
arre *interj* • **iarre !** hue !
arrear *vt* **1.** stimuler *(un animal)* **2.** presser *(une*
personne) **3.** *fam* flanquer *(un coup)* **4.** harnacher.
arrebatado, da *adj* **1.** emporté(e) **2.** tout rou-
ge(toute rouge) **3.** furieux(euse).
arrebatar *vt* **1.** arracher **2.** *fig* fasciner. ■ **arre-**
batarse *vp* s'emporter.
arrebato *nm* **1.** emportement *(m)* **2.** extase *(f)*
• **arrebato de amor** transport *(m)* amoureux
• **arrebato de ira** accès *(m)* de colère.
arrebujar *vt* **1.** mettre en vrac **2.** emmitoufler.
■ **arrebujarse** *vp* s'emmitoufler.
arreciar *vi* *litt* & *fig* *(vent, fièvre, etc)* redoubler.
arreglado, da *adj* **1.** réparé(e) **2.** *(vêtement)* re-
touché(e) **3.** rangé(e) **4.** *(personne)* arrangé(e),
soigné(e) **5.** *fig (problème)* réglé(e) **6.** *fig (prix)* raisonnable.
arreglar *vt* **1.** *(gén & MUS)* arranger **2.** *(soigner)* remettre d'aplomb **3.** ranger **4.** *(problème)* régler
5. *(personne)* préparer **6.** pomponner **7.** *fam*
• **iya te arreglaré!** tu vas voir ! ■ **arreglarse** *vp*
1. s'arranger • **saber arreglárselas** savoir s'y
prendre **2.** *(personne)* se préparer **3.** se pomponner.
arreglo *nm* **1.** arrangement *(m)* **2.** retouche *(f)*
• **no tiene arreglo** cela ne peut pas s'arranger,
il n'y a pas de solution • **con arreglo a** conformément à.
arremangar = **remangar**.
arremeter *vi* • **arremeter contra** se jeter sur
• *fig* s'en prendre à.
arremetida *nf* bourrade *(f)*.
arremolinarse *vp* **1.** *fig (personnes)* se bousculer
2. *(choses)* tourbillonner.
arrendamiento, arriendo *nm* **1.** location *(f)*
2. loyer *(m)*.

arrendar *vt* louer.
arrendatario, ria ■ *adj* de location. ■ *nm, f*
1. locataire *(mf)* **2.** AGRIC exploitant *(m)*, -e *(f)*.
arrepentido, da ■ *adj* repenti(e), repentant(e)
• **estar arrepentido de algo** regretter qqch.
■ *nm, f* repenti *(m)*, -e *(f)*.
arrepentimiento *nm* repentir *(m)*.
arrepentirse *vp* • **arrepentirse (de algo)** se repentir (de qqch), regretter (qqch).
arrestar *vt* arrêter.
arresto *nm* arrestation *(f)*.
arriar *vt* **1.** amener *(les voiles)* **2.** baisser *(le pa-*
villon).
arriba ■ *adv* **1.** au-dessus • **vive (en el piso de)**
arriba il habite au-dessus • **arriba del todo**
tout en haut • **más arriba** plus haut, au-dessus
2. en haut • **mirar hacia arriba** regarder en
l'air • **ir para arriba** monter • **calle arriba** en
remontant la rue • **río arriba** en amont **3.** ci-
dessus • **de arriba abajo** du début à la fin • de
la tête aux pieds • **mirar a alguien de arriba**
abajo regarder qqn de haut en bas. ■ *interj*
• **iarriba !** courage ! • **iarriba la República!** vive la République ! • **iarriba las manos!** haut
les mains ! ■ **arriba de** *loc prép* **1.** plus de
2. *(Amér)* sur. ■ **de arriba** *loc adj* • **la vecina de**
arriba la voisine du dessus • **el estante de**
arriba l'étagère du haut.
arribar *vi* **1.** parvenir **2.** NAUT toucher au port.
arribeño, ña *nm, f (Amér) fam* habitant *(m)*,
-e *(f)* des hauts plateaux.
arribista *adj* & *nmf* arriviste.
arriendo = **arrendamiento**.
arriesgado, da *adj*   **1.** risqué(e)   **2.** auda-
cieux(euse).
arriesgar *vt* risquer. ■ **arriesgarse** *vp* s'exposer, prendre des risques • **arriesgarse a** se risquer à.
arrimar *vt* **1.** approcher, rapprocher **2.** *fig* mettre dans un coin. ■ **arrimarse** *vp* **1.** s'approcher, se rapprocher • **arrimarse a algo** s'appuyer sur **2.** • **arrimarse a alguien** *fig* s'en
remettre à qqn.
arrinconar *vt* **1.** mettre dans un coin **2.** *fig* mettre au pied du mur **3.** *fig* délaisser, mettre à
l'écart.
arrodillarse *vp* s'agenouiller.
arrogancia *nf* arrogance *(f)*.
arrogante *adj* arrogant(e).
arrojado, da *adj* courageux(euse), intrépide.
arrojar *vt* **1.** jeter **2.** cracher *(de la fumée, de la*
lave) **3.** dégager *(une odeur)* **4.** chasser **5.** faire
apparaître, mettre en évidence *(un résultat)*
6. *(vomir)* rendre. ■ **arrojarse** *vp* se jeter.
arrojo *nm* courage *(m)*.
arrollador, ra *adj* **1.** *(force)* irrésistible **2.** *(succès)*
retentissant(e) **3.** *(beauté)* éblouissant(e).

arrollar *vt* **1.** enrouler **2.** *(véhicule)* renverser **3.** *(sujet : eau, vent)* emporter **4.** mettre en déroute.

arropar *vt* **1.** couvrir **2.** *fig* protéger. ■ **arroparse** *vp* se couvrir.

arroyo *nm* **1.** ruisseau *(m)* **2.** caniveau *(m)*.

arroz *nm* riz *(m)* • **arroz blanco** riz nature • **arroz con leche** riz au lait.

arruga *nf* **1.** pli *(m)* **2.** ride *(f)*.

arruinar *vt litt & fig* ruiner. ■ **arruinarse** *vp* se ruiner.

arrullar *vt* chanter une berceuse à, bercer. ■ **arrullarse** *vp litt & fig* roucouler.

arrullo *nm* **1.** roucoulement *(m)* **2.** berceuse *(f)* **3.** *fig* murmure *(m)*.

arrumar *vt (Amér)* empiler.

arrume *nm (Amér)* pile *(f)*.

arsenal *nm* **1.** arsenal *(m)* **2.** stock *(m)*.

arsénico *nm* arsenic *(m)*.

art. *(abr écrite de* **artículo)** art. • **'conforme al art. 14'** 'conformément à l'art. 14'.

arte *nm ou nf* **1.** art *(m)* **2.** ruse *(f)* • **por** *ou* **con malas artes** par des moyens pas très catholiques. ■ **artes** *nfpl* arts *(mpl)* • **artes gráficas/plásticas** arts graphiques/plastiques • **bellas artes** beaux-arts *(mpl)*.

artefacto *nm* engin *(m)*.

arteria *nf* artère *(f)*.

artesanal *adj* artisanal(e).

artesanía *nf* artisanat *(f)*.

artesano, na *nm, f* artisan *(m)*, -e *(f)*.

Ártico *npr* • **el Ártico** l'Arctique *(m)*.

articulación *nf* articulation *(f)*.

articulado, da *adj* articulé(e).

articular *vt* **1.** articuler **2.** élaborer.

artículo *nm* article *(m)* • **artículo de fondo** article de fond.

artífice *nmf* artisan *(m)*, -e *(f)*.

artificial *adj litt & fig* artificiel(elle).

artificio *nm* **1.** engin *(m)* **2.** *fig* artifice *(m)*.

artificioso, sa *adj fig* trompeur(euse).

artillería *nf* artillerie *(f)*.

artillero *nm* artilleur *(m)*.

artilugio *nm* **1.** engin *(m)* **2.** *fig* stratagème *(m)*.

artimaña *nf (gén pl)* ruse *(f)*, subterfuge *(m)*, artifice *(m)*.

artista *nmf litt & fig* artiste *(mf)*.

artístico, ca *adj* artistique.

artritis *nf inv* arthrite *(f)*.

artrosis *nf inv* arthrose *(f)*.

arz. *abrév de* **arzobispo**.

arzobispo *nm* archevêque *(m)*.

as *nm* as *(m)*.

asa *nf (el)* anse *(f) (poignée)*.

asado *nm* rôti *(m)*.

asador *nm* **1.** rôtissoire *(f)* **2.** broche *(f)* **3.** grill *(m)*.

asaduras *nfpl* abats *(mpl)*.

asalariado, da *nm, f* salarié *(m)*, -e *(f)*.

asalmonado, da *adj* saumon *(inv)*.

asaltante *nmf* assaillant *(m)*, -e *(f)*.

asaltar *vt* **1.** assaillir **2.** prendre d'assaut **3.** attaquer • **asaltar con** *fig* assaillir de **4.** *(sujet : doute)* assaillir **5.** *(sujet : idée)* venir à.

asalto *nm* **1.** assaut *(m)* **2.** hold-up *(m)* **3.** attaque *(f)*, agression *(f)* **4.** SPORT round *(m)*.

asamblea *nf* assemblée *(f)*.

asar *vt* **1.** rôtir **2.** griller **3.** *fig (importuner)* • **asar a alguien a preguntas** harceler qqn de questions. ■ **asarse** *vp fig* cuire, étouffer.

ascendencia *nf* **1.** ascendance *(f)* **2.** • **es de baja/alta ascendencia** il est de basse/haute extraction **3.** *fig (influence)* ascendant *(m)*.

ascendente ◼ *adj* ascendant(e). ◼ *nm* ASTROL ascendant *(m)*.

ascender ◼ *vi* **1.** monter **2.** augmenter **3.** être promu(e) **4.** SPORT monter dans le classement • **ascender a primera división** monter en première division **5.** *(facture, somme)* • **ascender a** s'élever à. ◼ *vt* • **ascender a alguien (a algo)** promouvoir qqn (à qqch).

ascendiente *nmf* ancêtre *(mf)*.

ascensión *nf* ascension *(f)*. ■ **Ascensión** *nf* RELIG Ascension *(f)*.

ascenso *nm* **1.** avancement *(m)*, promotion *(f)* **2.** SPORT • **el equipo lucha por el ascenso a primera** l'équipe fait tout pour monter en première division **5.** ascension *(f) (d'une montagne)*.

ascensor *nm* ascenseur *(m)*.

ascético, ca *adj* ascétique.

asco *nm* dégoût *(m)* • **¡qué asco de tiempo!** quel sale temps!, quel temps pourri ! • **¡qué asco !** c'est dégoûtant *ou* répugnant ! • **dar asco** dégoûter • **hacer ascos a algo** faire la fine bouche devant qqch • **estar hecho un asco** *fam* être vraiment dégoûtant(e) • **ser un asco** *fam (chose)* être nul(nulle) • être une horreur • être vraiment dégoûtant(e).

ascua *nf (el)* charbon *(m)* ardent • **arrimar el ascua a su sardina** tirer la couverture à soi.

aseado, da *adj* **1.** *(personne)* net(nette) **2.** *(animal)* propre **3.** soigné(e).

asear *vt* nettoyer. ■ **asearse** *vp* **1.** faire sa toilette **2.** se préparer.

asediar *vt* **1.** assiéger **2.** *fig* harceler.

asedio *nm* **1.** siège *(m)* **2.** *fig* harcèlement *(m)*.

asegurado, da *nm, f* assuré *(m)*, -e *(f)*.

asegurador, ra *nm, f* assureur *(m)*.

asegurar *vt* **1.** *(fixer)* assujettir **2.** resserrer *(un écrou)* **3.** *(garantir)* assurer. ■ **asegurarse** *vp* **1.** *(vérifier)* • **asegurarse de que** s'assurer que • **asegúrate de cerrar la puerta** n'oublie pas de fermer la porte **2.** *(prendre une garantie)* • **asegurarse (contra)** s'assurer (contre).

asentamiento *nm* **1.** assise *(f) (d'un bâtiment)* **2.** colonie *(f) (de personnes)*.

asentar vt **1.** implanter *(une entreprise)* **2.** installer *(un campement, un village)* **3.** asseoir *(les fondations)* **4.** parfaire *(ses connaissances)*. ■ **asentarse** vp **1.** s'établir, se fixer **2.** se déposer.

asentir vi *(être d'accord)* ◈ **asentir (a algo)** admettre (qqch) **2.** acquiescer.

aseo nm **1.** toilette *(f)* **2.** propreté *(f)* **3.** salle *(f)* d'eau. ■ **aseos** nmpl toilettes *(fpl)*.

aséptico, ca adj **1.** aseptique **2.** fig aseptisé(e).

asequible adj accessible.

aserradero nm scierie *(f)*.

asesinar vt assassiner.

asesinato nm assassinat *(m)*.

asesino, na ■ adj **1.** assassin(e) **2.** meurtrier(ère). ■ nm, f assassin *(m)*, meurtrier *(m)*, -ère *(f)*.

asesor, ra nm, f **1.** conseiller *(m)*, -ère *(f)* **2.** DR assesseur *(m)* ◈ **asesor de imagen** conseiller en communication ◈ **asesor fiscal** conseiller fiscal **3.** ÉCON consultant *(m)*, -e *(f)*.

asesorar vt conseiller. ■ **asesorarse** vp ◈ **asesorarse (en algo)** se faire conseiller (sur qqch) ◈ **asesorarse de** *ou* **con alguien** prendre conseil auprès de qqn.

asesoría nf **1.** conseil *(m)* **2.** cabinet-conseil *(m)* ◈ **asesoría jurídica** cabinet juridique.

asestar vt **1.** asséner *(un coup)* **2.** tirer.

asexuado, da adj asexué(e).

asfaltado nm **1.** goudronnage *(m)*, asphaltage *(m)* **2.** chaussée *(f)*.

asfaltar vt goudronner, asphalter.

asfalto nm asphalte *(m)*.

asfixia nf asphyxie *(f)*.

asfixiante adj **1.** *(chaleur)* asphyxiant(e) **2.** étouffant(e).

asfixiar vt **1.** asphyxier **2.** fig étouffer, oppresser. ■ **asfixiarse** vp **1.** s'asphyxier **2.** fam crever de chaleur **3.** fig étouffer.

así *adv*

1. DE CETTE FAÇON
◈ **así es/fue como empezó todo** voilà comment tout a commencé, c'est ainsi que tout a commencé
◈ **era así de largo** il était long comme ça
◈ **algo así** quelque chose comme ça
◈ **y así todos los días** et c'est comme ça tous les jours
◈ **y así sucesivamente** et ainsi de suite
◈ **¡así es!** c'est ça !
◈ **así, así** comme ci comme ça

2. DE CE TYPE
◈ **quiero uno así** j'en voudrais un comme ça.

así *conj*

◈ **no lo haré así me paguen** je ne le ferai pas même pour de l'argent.

así *adj inv*

DE CE TYPE = pareil(eille)
◈ **con vecinos así, uno vive más tranquilo** avec des voisins pareils, on vit plus tranquille.

■ **así como** *loc adv*

1. DE MÊME QUE = ainsi que
◈ **habló de Lorca así como de poetas contemporáneos** il a parlé de Lorca, ainsi que de poètes contemporains
◈ **estaban sus padres así como sus hermanas** il y avait ses parents ainsi que ses sœurs

2. AUSSITÔT QUE = dès que
◈ **llámame así como llegues** téléphone-moi dès que tu seras arrivé.

■ **así no más** *loc adv (Amér) fam*

1. SOUDAINEMENT
◈ **ocurrió así no más** c'est arrivé sans prévenir

2. MOYENNEMENT
◈ **¿cómo estás? — así no más** ça va ? — comme ci comme ça.

■ **así pues** *loc adv*

EXPRIME LA CONSÉQUENCE = donc, par conséquent
◈ **no lo necesito, así pues, te lo devuelvo** je n'en ai pas besoin, donc *ou* par conséquent, je te le rends.

■ **así que** *loc conj*

1. EXPRIME LA CONSÉQUENCE = alors
◈ **estoy enferma así que no voy a ir** je suis malade, alors je ne vais pas y aller

2. AUSSITÔT QUE = dès que
◈ **me iré así que haya terminado** je partirai dès que j'aurai terminé.

■ **así y todo** *loc adv*

malgré tout
◈ **no tienen dinero, y así y todo, han ido a esquiar** ils n'ont pas d'argent et, malgré tout, ils sont partis au ski.

Asia npr Asie *(f)* ◈ **Asia Menor** Asie Mineure.

asiático, ca ■ adj asiatique. ■ nm, f Asiatique *(mf)*.

asidero nm **1.** manche *(m)* *(d'un outil)* **2.** fig soutien *(m)*.

asiduidad nf assiduité *(f)*.

asiduo, dua ■ adj assidu(e). ■ nm, f habitué *(m)*, -e *(f)*.

asiento nm **1.** siège (m) • **tomar asiento** prendre place **2.** (billet) place (f) **3.** assise (f) **4.** site (m) **5.** COMM écriture (f) • **asiento contable** écriture comptable.

asignación nf **1.** attribution (f) (à une personne) **2.** répartition (f) (entre plusieurs personnes) **3.** affectation (f) (de fonds, à un poste) **4.** appointements (mpl) **5.** traitement (m).

asignar vt **1.** • **asignar algo a alguien** assigner ou attribuer qqch à qqn **2.** • **asignar a alguien a** affecter qqn à.

asignatura nf SCOL matière (f).

asilado, da nm, f réfugié (m), -e (f).

asilo nm litt & fig asile (m) • **asilo político** asile politique.

asimilación nf **1.** (gén & LING) assimilation (f) **2.** confrontation (f).

asimilar vt **1.** assimiler **2.** confronter. ◼ **asimilarse** vp s'assimiler.

asimismo adv aussi, de même • **es asimismo necesario que...** de même, il est nécessaire que.

asistencia nf **1.** présence (f) **2.** assistance (f) • **asistencia médica** soins (mpl) • **asistencia técnica** assistance technique **3.** fréquentation (f) **4.** SPORT passe (f).

asistenta nf femme (f) de ménage.

asistente nmf **1.** assistant (m), -e (f) • **una asistente social** une assistante sociale **2.** • **los asistentes** les personnes présentes.

asistido, da adj AUTO & INFORM assisté(e).

asistir ◼ vt **1.** (acompañar) assister **2.** (venir en aide) secourir **3.** soigner. ◼ vi • **asistir a** assister à.

asma nf (el) asthme (m).

asno nm litt & fig âne (m).

asociación nf association (f) • **asociación de consumidores** association de (défense des) consommateurs • **asociación de ideas** association d'idées.

asociado, da ◼ adj associé(e). ◼ nm, f **1.** associé (m), -e (f) **2.** maître (m) de conférences.

asociar vt associer. ◼ **asociarse** vp s'associer.

asolar vt dévaster.

asomar ◼ vi **1.** apparaître **2.** (chemise) sortir, dépasser **3.** (soleil) poindre. ◼ vt passer • **asomar la cabeza por la ventana** passer la tête par la fenêtre. ◼ **asomarse** vp • **asomarse a** se pencher à.

asombrar vt **1.** stupéfier **2.** étonner. ◼ **asombrarse** vp • **asombrarse (de)** s'étonner (de).

asombro nm **1.** stupéfaction (f) **2.** étonnement (m).

asombroso, sa adj **1.** stupéfiant(e), ahurissant(e) **2.** étonnant(e).

asomo nm **1.** pointe (f) **2.** ombre (f) (d'un doute) **3.** lueur (f) (d'espoir) • **ni por asomo** pas le moins du monde • **no creer algo ni por asomo** ne pas croire une seconde à quelque chose.

aspa nf (el) **1.** aile (f) (de moulin) **2.** pale (f) (d'hélice).

aspaviento nm (gén pl) simagrée (f) • **hacer aspavientos** faire des simagrées.

aspecto nm **1.** aspect (m), apparence (f) **2.** (personne) allure (f), mine (f) • **tener buen/mal aspecto** avoir bonne/mauvaise mine • **bajo este aspecto** sous cet angle • **en todos los aspectos** à tous points de vue.

aspereza nf **1.** rugosité (f) (de la peau) **2.** aspérité (f) (d'un terrain) **3.** âpreté (f) (d'un goût) **4.** fig rudesse (f) • **limar asperezas** arrondir les angles.

áspero, ra adj **1.** rugueux(euse) **2.** rêche **3.** âpre **4.** (terrain) raboteux(euse) **5.** fig revêche.

aspersión nf aspersion (f).

aspersor nm **1.** asperseur (m) **2.** pulvérisateur (m).

aspiración nf aspiration (f).

aspirador nm → **aspiradora**.

aspiradora nf aspirateur (m).

aspirante ◼ adj aspirant(e). ◼ nmf candidat (m), -e (f).

aspirar ◼ vt aspirer. ◼ vi • **aspirar a algo** aspirer à qqch.

aspirina® nf aspirine (f).

asquear vt dégoûter.

asquerosidad nf **1.** nullité (f) **2.** horreur (f) **3.** • **es una asquerosidad** c'est vraiment répugnant.

asqueroso, sa adj répugnant(e).

asta nf (el) **1.** hampe (f) (d'un drapeau, d'une lance) **2.** manche (m) (d'un pinceau) **3.** corne (f) (de taureau).

asterisco nm astérisque (m).

astigmatismo nm astigmatisme (m).

astilla nf **1.** éclat (m) (de pierre, de bois) **2.** écharde (f) (dans un doigt).

astillero nm chantier (m) naval.

astracán nm astrakan (m).

astringente adj astringent(e).

astro nm **1.** astre (m) **2.** fig vedette (f), star (f).

astrofísica nf astrophysique (f).

astrología nf astrologie (f).

astrólogo, ga nm, f astrologue (mf).

astronauta nmf astronaute (mf).

astronomía nf astronomie (f).

astrónomo, ma nm, f astronome (mf).

astucia nf **1.** astuce (f) **2.** (gén pl) ruse (f).

astuto, ta adj **1.** astucieux(euse) **2.** rusé(e).

asumir vt assumer.

Asunción npr GÉOGR Asunción.

asunto nm **1.** sujet (m) **2.** affaire (f) **3.** fam liaison (f) (amoureuse). ■ **Asuntos Exteriores** nmpl Affaires (fpl) étrangères.

asustado, da adj effrayé(e).

asustar vt effrayer, faire peur à. ■ **asustarse** vp • **asustarse (de)** avoir peur (de) • **no se asusta de** ou **por nada** il n'a peur de rien.

atacante ■ adj attaquant(e). ■ nmf assaillant (m), -e (f).

atacar vt **1.** attaquer • **me ataca los nervios** fig il me tape sur les nerfs **2.** être surpris(e) par • **me atacó el sueño** j'ai été surpris par le sommeil • **le atacó la fiebre** il a eu une poussée de fièvre • **me atacó la risa** j'ai été pris d'un fou rire **3.** fig critiquer, s'en prendre à • (sujet : médicament) combattre.

atadura nf **1.** attache (f) **2.** lien (m) (sentimental) **3.** fig astreinte (f) **4.** fig contrainte (f).

atajar ■ vi couper, prendre un raccourci. ■ vt **1.** fig (interrompre) • **atajar a alguien** couper la parole à qqn **2.** stopper (une hémorragie, une offensive) **3.** maîtriser (un incendie) **4.** enrayer (un processus, une épidémie).

atajo nm **1.** raccourci (m) **2.** péj bande (f), ramassis (m).

atañer vi concerner, regarder.

ataque ■ v ⊳ **atacar**. ■ nm **1.** attaque (f) **2.** fig crise (f) • **ataque cardíaco** ou **al corazón** crise cardiaque • **ataque de tos** quinte (f) de toux • **ataque de risa** fou rire (m).

atar vt **1.** attacher **2.** fig relier **3.** fig astreindre. ■ **atarse** vp **1.** (attacher) • **atarse los cordones** nouer ses lacets **2.** (s'engager) prendre des engagements.

atardecer ■ nm tombée (f) du jour. ■ v impers • **atardece** le jour tombe.

atareado, da adj occupé(e), pris(e).

atascar vt boucher. ■ **atascarse** vp **1.** se boucher **2.** fig s'embourber, s'enliser **3.** fig bafouiller.

atasco nm **1.** engorgement (m) **2.** AUTO embouteillage (m) **3.** fig entrave (f).

ataúd nm cercueil (m).

ataviar vt parer. ■ **ataviarse** vp • **ataviarse (con)** se parer (de).

ate nm (Amér) gelée (f) de coing.

atemorizar vt effrayer. ■ **atemorizarse** vp s'effrayer, prendre peur.

Atenas npr Athènes.

atención ■ nf **1.** attention (f) • **llamar la atención** attirer l'attention • rappeler à l'ordre • **poner** ou **prestar atención** prêter attention **2.** prévenance (f), égard (m). ■ interj • **¡atención !** votre attention s'il vous plaît ! ■ **atenciones** nfpl attentions (fpl).

atender ■ vt **1.** répondre à, accéder à (une demande) **2.** faire cas de (conseils) **3.** s'occuper de **4.** soigner (un patient) **5.** servir (un client)

• **¿le atienden?** on s'occupe de vous ? ■ vi **1.** être attentif(ive) • **atender (a algo)** écouter (qqch) **2.** répondre • **atender por** répondre au nom de.

ateneo nm cercle (m).

atenerse vp • **atenerse a** s'en tenir à (ordres, instructions) • observer (la loi) • **atente a las consecuencias** tu l'auras voulu.

atentado nm attentat (m).

atentamente adv **1.** attentivement **2.** poliment **3.** (dans la correspondance) • **'le saluda muy atentamente'** 'veuillez agréer, Madame/Monsieur, mes salutations distinguées'.

atentar vi • **atentar contra** attenter à.

atento, ta adj **1.** attentif(ive) • **atento a** attentif à **2.** attentionné(e).

atenuante nm DR circonstance (f) atténuante.

atenuar vt atténuer.

ateo, a adj & nm, f athée.

aterrador, ra adj terrifiant(e).

aterrar vt terrifier.

aterrizaje nm atterrissage (m) • **aterrizaje forzoso** atterrissage forcé.

aterrizar vi **1.** atterrir **2.** fig débarquer.

aterrorizar vt terroriser. ■ **aterrorizarse** vp paniquer.

atesorar vt **1.** amasser (des richesses) **2.** accumuler (des connaissances) **3.** réunir (des qualités).

atestado nm constat (m).

atestar vt **1.** remplir, bourrer **2.** DR attester.

atestiguar vt • **atestiguar algo** témoigner de qqch.

atiborrar vt bourrer. ■ **atiborrarse** vp fam fig • **atiborrarse (de)** s'empiffrer (de).

ático nm appartement situé au dernier étage d'un immeuble.

atinar vi **1.** voir juste • **atinar con** trouver (la réponse, le chemin) **2.** viser juste **3.** • **atinar a hacer algo** réussir à faire qqch.

atingencia nf (Amér) **1.** rapport (m) **2.** remarque (f).

atípico, ca adj atypique.

atisbar vt entrevoir.

atisbo nm (gén pl) **1.** soupçon (m) **2.** lueur (f) (d'espoir).

atizar vt **1.** attiser (le feu, les sentiments) **2.** éveiller (les soupçons) **3.** fam flanquer (une gifle). ■ **atizarse** vp fam (absorber) s'envoyer.

atlántico, ca adj atlantique. ■ **Atlántico** nm • **el Atlántico** l'Atlantique (m).

atlas nm inv atlas (m).

atleta nmf litt & fig athlète (mf).

atlético, ca adj athlétique.

atletismo nm athlétisme (m).

atmósfera nf litt & fig atmosphère (f).

atmosférico, ca *adj* atmosphérique.

atolladero *nm fig* pétrin *(m)*, impasse *(f)* • **sacar del atolladero** tirer d'affaire.

atolondrado, da *adj* & *nm, f* étourdi(e).

atolondramiento *nm* étourderie *(f)*.

atómico, ca *adj* atomique.

atomizador *nm* atomiseur *(m)*.

átomo *nm litt* & *fig* atome *(m)*.

atónito, ta *adj* sans voix • **mirar con ojos atónitos** regarder avec des yeux ronds.

átono, na *adj* atone.

atontado, da *adj* **1.** étourdi(e) **2.** abruti(e).

atontar *vt* **1.** étourdir **2.** abrutir.

atormentar *vt litt* & *fig* torturer.

atornillar *vt* visser.

atorón *nm (Amér)* embouteillage *(m)*.

atorrante *(Amér)* ◼ *adj* **1.** feignant(e) **2.** *(mal habillé)* • **ella iba atorrante** elle était habillée comme une pauvresse. ◼ *nmf* clochard *(m)*, -e *(f)*.

atosigar *vt fig* harceler.

atracador, ra *nm, f* voleur *(m)*, -euse *(f)* (à main armée).

atracar ◼ *vi* • **atracar (en)** accoster (à). ◼ *vt* **1.** attaquer *(une banque)* **2.** agresser *(une personne)*. ◼ **atracarse** *vp* • **atracarse de** se gaver de.

atracción *nf* **1.** attraction *(f)* **2.** *fig* attrait *(m)* **3.** charme *(m) (d'une personne)* • **sentir atracción por** être attiré(e) par.

atraco *nm* hold-up *(m inv)*.

atracón *nm fam* • **darse un atracón (de)** se goinfrer (de).

atractivo, va *adj* attirant(e) ◼ **atractivo** *nm* **1.** attrait *(m)* **2.** charme *(m) (d'une personne)*.

atraer *vt fig* attirer.

atragantarse *vp* • **atragantarse (con)** s'étrangler (avec) • **se me ha atragantado** *fig* je ne peux plus le voir en peinture.

atrancar *vt* **1.** barricader *(une porte)* **2.** bloquer *(une serrure)* **3.** boucher. ◼ **atrancarse** *vp* **1.** s'enfermer à double tour **2.** se boucher **3.** *fig* bafouiller.

atrapar *vt* **1.** attraper **2.** *fam (obtenir)* décrocher **3.** *fam (tromper)* rouler.

atrás *adv* **1.** derrière, à l'arrière • **los niños suben atrás** les enfants montent derrière *ou* à l'arrière **2.** arrière, en arrière • **hacer marcha atrás** faire marche arrière • **dar un paso atrás** faire un pas en arrière **3.** plus tôt, avant • **(pocos) días atrás** quelques jours plus tôt, il y a quelques jours.

atrasado, da *adj* **1.** en retard **2.** arriéré(e) • **mi reloj está atrasado** ma montre retarde.

atrasar ◼ *vt* **1.** retarder **2.** reporter • **atrasar el reloj una hora** retarder sa montre d'une heu-

re. ◼ *vi* retarder • **mi reloj atrasa** ma montre retarde. ◼ **atrasarse** *vp* **1.** retarder **2.** prendre du retard.

atraso *nm* retard *(m)*. ◼ **atrasos** *nmpl* arriérés *(mpl)*.

atravesar *vt* **1.** traverser **2.** mettre en travers **3.** traverser, passer à travers **4.** transpercer. ◼ **atravesarse** *vp* se mettre en travers • **se me ha atravesado** *fig* je ne peux plus le voir.

atrayente *adj* attrayant(e), séduisant(e).

atreverse *vp* • **atreverse (a algo/hacer algo)** oser (qqch/faire qqch).

atrevido, da ◼ *adj* **1.** effronté(e) **2.** intrépide **3.** osé(e). ◼ *nm, f* effronté *(m)*, -e *(f)*.

atrevimiento *nm* **1.** hardiesse *(f)* **2.** *(insolence)* écart *(m)*.

atribución *nf* attribution *(f)*.

atribuir *vt* • **atribuir algo a** attribuer qqch à. ◼ **atribuirse** *vp* s'attribuer.

atributo *nm (gén* & INFORM*)* attribut *(m)*.

atrio *nm* **1.** parvis *(m) (d'une église)* **2.** cour *(f)* intérieure *(d'une maison)*.

atrocidad *nf* **1.** atrocité *(f)* **2.** *fig* énormité *(f)*.

atropellado, da *adj* précipité(e).

atropellar *vt* **1.** renverser **2.** *fig* piétiner, marcher sur. ◼ **atropellarse** *vp* bredouiller.

atropello *nm* **1.** accident *(m)* • **fue víctima de un atropello** il a été renversé par une voiture **2.** *fig* violation *(f)*.

atroz *adj* **1.** atroce **2.** infâme.

ATS *(abr de* **ayudante técnico sanitario***) nm, f* infirmier *(m)*, -ère *(f)*.

atte. *abrév de* **atentamente**.

atuendo *nm* toilette *(f)*, tenue *(f)*.

atún *nm* thon *(m)*.

aturdido, da *adj* abasourdi(e).

aturdimiento *nm* **1.** confusion *(f)* **2.** étourderie *(f)*.

aturdir *vt* **1.** étourdir **2.** *fig* abasourdir. ◼ **aturdirse** *vp* **1.** être étourdi(e) **2.** *fig* être abasourdi(e).

audacia *nf* audace *(f)*.

audaz *adj* audacieux(euse).

audición *nf* audition *(f)*.

audiencia *nf* **1.** audience *(f)* • **conceder una audiencia** accorder un entretien **2.** auditoire *(m)* **3.** RADIO & TV audience *(f)* • **de máxima audiencia** à très forte audience, à très fort indice d'écoute **4.** cour *(f)* **5.** palais *(m)* de justice • **audiencia pública** audience *(f)* publique.

audífono *nm* audiophone *(m)*, appareil *(m)* acoustique.

audio *nm* son *(m)*.

audiovisual *adj* audiovisuel(elle).

auditivo, va *adj* auditif(ive).

auditor, ra *nm, f* **1.** auditeur *(m)*, -trice *(f)* **2.** audit *(m)*.

auditoría *nf* **1.** audit *(m)* **2.** cabinet *(m)* d'audit.

auditorio *nm* **1.** auditoire *(m)* **2.** auditorium *(m)*.

auge *nm* essor *(m)*.

augurar *vt* **1.** *(sujet : personne)* prédire **2.** *(sujet : événement)* présager.

augurio *nm* augure *(m)*.

aula *nf* (el) **1.** salle *(f)* de classe **2.** salle *(f)* de cours.

aullar *vi* hurler.

aullido *nm* hurlement *(m)*.

aumentar ■ *vt* **1.** augmenter ▪ **aumentar de peso** prendre du poids **2.** *(optique)* grossir **3.** monter *(le son)*. ■ *vi* augmenter.

aumentativo, va *adj* augmentatif(ive). ■ **aumentativo** *nm* augmentatif *(m)*.

aumento *nm* **1.** augmentation *(f)* ▪ **ir en aumento** augmenter ▪ *(tension)* monter **2.** *(optique)* grossissement *(m)* ▪ **de aumento** grossissant(e).

aun ■ *adv* même ▪ **aun en pleno invierno...** même en plein hiver... ■ *conj* bien que ▪ **aun estando malo, vendrá** il viendra, bien qu'il soit malade ▪ **ni aun puesto de puntillas logra ver** même sur la pointe des pieds, il ne voit pas. ■ **aun cuando** *loc conj* quand bien même, même si ▪ **no mentiría aun cuando le fuera en ello la vida** elle ne mentirait pas même si elle devait en mourir.

aún *adv* encore ▪ **aún no ha llamado** il n'a pas encore appelé.

aunar *vt* **1.** rassembler *(des idées, des bonnes volontés)* **2.** conjuguer, unir *(ses efforts)*. ■ **aunarse** *vp* s'unir.

---

aunque *conj*

1. SUIVI DE L'INDICATIF = bien que
▪ **aunque está enfermo, sigue trabajando** bien qu'il soit malade, il continue à travailler
2. SUIVI DU SUBJONCTIF = même si
▪ **aunque esté enfermo, tendrá que seguir trabajando** même s'il est malade, il devra continuer à travailler.

---

aúpa *interj fam* ▪ **¡aúpa!** hop là ! ▪ debout làdedans ! ▪ **¡aúpa el Atlético!** allez l'Atlético ! ■ **de aúpa** *loc adj fam* du tonnerre ▪ **un miedo de aúpa** une peur bleue ▪ **un frío de aúpa** un froid de canard.

aupar *vt* **1.** hisser ▪ **aupar a alguien** faire la courte échelle à qqn **2.** *fig* encourager. ■ **auparse** *vp* ▪ **auparse en** s'élever à.

aureola *nf litt* & *fig* auréole *(f)*.

auricular ■ *adj* auriculaire. ■ *nm* écouteur *(m)*. ■ **auriculares** *nmpl* casque *(m)*.

aurora *nf* aurore *(f)*.

auscultar *vt* ausculter.

ausencia *nf* **1.** absence **2.** carence *(f)* *(en fer, etc)* **3.** manque *(m)* *(d'air)*.

ausentarse *vp* s'absenter.

ausente *adj* & *nmf* absent(e).

austeridad *nf* austérité *(f)*.

austero, ra *adj* austère ▪ **ser austero en la comida** manger avec modération.

austral *adj* austral(e).

Australia *npr* Australie *(f)*.

australiano, na ■ *adj* australien(enne). ■ *nm, f* Australien *(m)*, -enne *(f)*.

Austria *npr* Autriche *(f)*.

austríaco, ca, austriaco, ca ■ *adj* autrichien(enne). ■ *nm, f* Autrichien *(m)*, -enne *(f)*.

autarquía *nf* autarcie *(f)*.

auténtico, ca *adj* **1.** authentique **2.** vrai(e) **3.** véritable ▪ **son brillantes auténticos** ce sont de vrais diamants ▪ **es un auténtico cretino** c'est un vrai crétin.

auto *nm* **1.** *fam (voiture)* auto *(f)* **2.** DR ordonnance *(f)*, arrêt *(m)* **3.** LITTÉR ≃ mystère *(m)* *(drame religieux des XVIᵉ et XVIIᵉ siècles)*.

autoadhesivo, va *adj* autocollant(e).

autobiografía *nf* autobiographie *(f)*.

autobús *nm* autobus *(m)*.

autocar *nm* autocar *(m)*.

autocine *nm* drive-in *(m inv)*.

autocontrol *nm* self-control *(m)*.

autóctono, na *adj* & *nm, f* autochtone.

autodefensa *nf* **1.** autodéfense *(f)* **2.** self-défense *(f)*.

autodeterminación *nf* autodétermination *(f)*.

autodidacta *adj* & *nmf* autodidacte.

autoedición *nf* publication *(f)* assistée par ordinateur, PAO *(f)*.

autoescuela *nf* auto-école *(f)*.

autoestop, autostop *nm* auto-stop *(m)* ▪ **hacer autoestop** faire de l'auto-stop.

autoestopista, autostopista *nm, f* auto-stoppeur *(m)*, -euse *(f)*.

autógrafo *nm* autographe *(m)*.

autómata *nm litt* & *fig* automate *(m)*.

automático, ca *adj* **1.** automatique **2.** mécanique.

automatización *nf* automatisation *(f)* ▪ **automatización de fábricas** robotisation *(f)*.

automatizar *vt* automatiser.

automedicarse *vp* prendre des médicaments sans avis médical.

automóvil *nm* automobile *(f)*.

automovilismo *nm* automobilisme *(m)*.

automovilista *nmf* automobiliste *(mf)*.

automovilístico, ca *adj* automobile.

autonomía nf **1.** autonomie (f) **2.** Communauté (f) autonome.

autonómico, ca adj **1.** autonome **2.** d'une Communauté autonome.

autónomo, ma ◼ adj **1.** autonome **2.** indépendant(e), à son compte. ◼ nm, f travailleur (m) indépendant.

autopista nf autoroute (f) • **autopista de la información** fig autoroute de l'information.

autopsia nf autopsie (f).

autor, ra nm, f auteur (m).

autoría nf **1.** paternité (f) littéraire **2.** perpétration (f).

autoridad nf **1.** autorité (f) • **ser una autoridad en** faire autorité en matière de **2.** • **la autoridad** les autorités (fpl).

autoritario, ria adj autoritaire.

autorización nf autorisation (f) • **dar autorización a alguien (para hacer algo)** donner l'autorisation à qqn (de faire qqch).

autorizado, da adj autorisé(e).

autorizar vt autoriser.

autorretrato nm autoportrait (m).

autoservicio nm **1.** libre-service (m) **2.** self-service (m).

autostop = **autoestop**.

autostopista = **autoestopista**.

autosuficiencia nf autosuffisance (f).

autosugestión nf autosuggestion (f).

autovía nf route (f) à quatre voies, quatre-voies (f).

aux. (abr écrite de **auxiliar**) auxiliaire (mf) • **aux. de Justicia** auxiliaire de justice.

auxiliar [1] ◼ adj **1.** (gén & GRAMM) auxiliaire **2.** (meuble) d'appoint. ◼ nmf assistant (m), -e (f) • **auxiliar administrativo** employé (m) de bureau • **auxiliar técnico sanitario** infirmier (m), -ère (f).

auxiliar [2] vt assister, aider.

auxilio nm aide (f), secours (m), assistance (f) • **pedir auxilio** demander de l'aide, appeler au secours • **primeros auxilios** premiers secours.

av., avda. (abr écrite de **avenida**) av.

aval nm **1.** (personne) caution (f), garant (m) **2.** (banque) aval (m).

avalancha nf litt & fig avalanche (f).

avalar vt **1.** avaliser, donner son aval à **2.** se porter garant de.

avalista nmf caution (f), garant (m), -e (f).

avance ◼ nm **1.** avance (f) (d'argent) **2.** avancée (f) (des troupes) **3.** progrès (mpl) (de la science, etc) **4.** présentation (f) des programmes • **avance informativo** flash (m) d'informations • **avance meteorológico** prévisions (fpl) météo. ◼ v ▷ **avanzar**.

avanzadilla nf MIL avant-garde (f).

avanzado, da adj **1.** avancé(e) **2.** (élève) en avance. ◼ **avanzada** nf MIL avant-garde (f).

avanzar ◼ vi avancer. ◼ vt **1.** avancer **2.** annoncer.

avaricia nf avarice (f).

avaricioso, sa adj & nm, f intéressé(e).

avaro, ra adj & nm, f avare.

avasallar vt **1.** écraser • **no te dejes avasallar** ne te laisse pas faire **2.** asservir.

avda. = **av.**

ave nf (el) **1.** oiseau (m) • **ave de rapiña** oiseau de proie • **ave rapaz** rapace (m) **2.** (Amér) poulet (m).

AVE (abr de **alta velocidad española**) nm train à grande vitesse espagnol, ≃ TGV (m).

avecinarse vp approcher, être proche.

avellana nf noisette (f).

avemaría nf (el) Ave Maria (m inv), Ave (m inv)

avena nf avoine (f).

avenencia nf (accord) entente (f).

avenida nf avenue (f).

avenido, da adj • **bien/mal avenidos** en bons/ mauvais termes.

avenirse vp s'entendre • **avenirse a algo** s'entendre sur qqch • **avenirse a hacer algo** consentir ou se résoudre à faire qqch.

aventajado, da adj remarquable.

aventajar vt dépasser, devancer • **aventajar a alguien en algo** surpasser qqn en qqch, l'emporter sur qqn en qqch.

aventón nm (Amér) • **dar un aventón a alguien** déposer qqn (en voiture).

aventura nf aventure (f).

aventurado, da adj **1.** risqué(e) **2.** (projet, affirmation) hasardeux(euse).

aventurarse vp s'aventurer.

aventurero, ra ◼ adj d'aventure. ◼ nm, f aventurier (m), -ère (f).

avergonzar vt faire honte. ◼ **avergonzarse** vp • **avergonzarse (de algo/de alguien)** avoir honte (de qqch/de qqn).

avería nf **1.** panne (f) **2.** NAUT avarie (f).

averiado, da adj en panne.

averiar vt endommager. ◼ **averiarse** vp tomber en panne.

averiguación nf recherche (f), enquête (f).

averiguar vt **1.** (investiguer) rechercher, chercher à savoir **2.** (apprendre) arriver à savoir, découvrir.

aversión nf aversion (f).

avestruz nm autruche (f).

aviación nf aviation (f).

aviador, ra nm, f aviateur (m), -trice (f).

aviar *vt* **1.** faire *(une valise)* **2.** mettre en ordre *(une pièce)* **3.** préparer *(un repas)*.

avícola *adj* avicole.

avicultura *nf* aviculture *(f)*.

avidez *nf* avidité *(f)*.

ávido, da *adj* • **ávido (de)** avide (de).

avinagrado, da *adj* **1.** aigre **2.** *fig* aigri(e) **3.** *fig* renfrogné(e).

avinagrarse *vp* **1.** tourner au vinaigre **2.** *fig* s'aigrir.

avío *nm* • **el avío** les préparatifs *(mpl)* • les provisions *(fpl)*. ■ **avíos** *nmpl fam* attirail *(m)* • **avíos de coser** nécessaire *(m)* de couture.

avión *nm* avion *(m)* • **en avión** en avion • **por avión** par avion • **avión a reacción** avion à réaction • **avión nodriza** ravitailleur *(m)*.

avioneta *nf* avion *(m)* de tourisme.

avisar *vt* **1.** prévenir **2.** appeler *(au téléphone)*.

aviso *nm* **1.** avertissement *(m)* • **poner sobre aviso a alguien** mettre qqn sur ses gardes • **sin previo aviso** sans préavis **2.** avis *(m)* **3.** *(dans un aéroport)* appel *(m)* • **hasta nuevo aviso** jusqu'à nouvel ordre.

avispa *nf* guêpe *(f)*.

avispado, da *adj fam* futé(e).

avispero *nm* **1.** guêpier *(m)* **2.** *fig* fourmilière *(f)* **3.** *fig* sac *(m)* de nœuds.

avituallar *vt* ravitailler.

avivar *vt* raviver.

A.VV *(pl* **AA.VV)** *(abr écrite de* **Asociación de Vecinos)** association *(f)* de voisins *ou* de voisinage.

axila *nf* aisselle *(f)*.

axioma *nm* axiome *(m)*.

ay ◼ *nm* plainte *(f)*. ◼ *interj* • **¡ay!** aïe ! • oh ! • **¡ay de ti!** gare à toi !

ayer ◼ *adv litt* & *fig* hier • **ayer noche** hier soir • **ayer por la mañana** hier matin. ◼ *nm fig* • **del ayer** d'antan, du temps jadis.

aymara ◼ *adj* & *nm* aymara. ◼ *nm, f* Aymara *(mf)*.

ayo, ya *nm, f* **1.** précepteur *(m)*, -trice *(f)* **2.** gouvernante *(f)*.

ayuda *nf* aide *(f)*.

ayudante *adj* & *nmf* assistant(e).

ayudar *vt* aider. ■ **ayudarse** *vp* • **ayudarse (de** *ou* **con)** s'aider (de) • **hacer algo ayudándose de alguien** faire qqch avec l'aide de qqn.

ayunar *vi* jeûner.

ayunas *nfpl* • **en ayunas** à jeun • **estar en ayunas** jeûner • *fig* ne rien savoir de qqch.

ayuno *nm* jeûne *(m)* • **hacer ayuno** faire maigre.

ayuntamiento *nm* **1.** municipalité *(f)* **2.** *(édifice)* mairie *(f)*.

azabache *nm* jais *(m)*.

azada *nf* houe *(f)*.

azafata *nf* hôtesse *(f)*.

azafate *nm (Amér)* plateau *(m)*.

azafrán *nm* safran *(m)*.

azahar *nm* fleur *(f)* d'oranger.

azar *nm* hasard *(m)* • **al azar** au hasard • **por (puro) azar** par (pur) hasard.

azotaina *nf fam* **1.** raclée *(f)* **2.** fessée *(f)*.

azotar *vt* **1.** frapper **2.** fouetter **3.** • **azotar a alguien** donner une fessée à qqn **4.** *fig* s'abattre sur.

azote *nm* **1.** coup *(m)* **2.** gifle *(f)* **3.** fessée *(f)* **4.** coup *(m)* de fouet **5.** *fig* fléau *(m)*.

azotea *nf* **1.** terrasse *(f)* **2.** *fam fig* ciboulot *(m)*.

azteca ◼ *adj* & *nm* aztèque. ◼ *nmf* Aztèque *(mf)*.

azúcar *nm ou nf* sucre *(m)* • **azúcar moreno** sucre roux.

azucarado, da *adj* sucré(e).

azucarero, ra *adj* sucrier(ère). ■ **azucarero** *nm* sucrier *(m)*.

azucena *nf* lis *(m)*, lys *(m)*.

azufre *nm* soufre *(m)*.

azul ◼ *adj* bleu(e). ◼ *nm* bleu *(m)*.

azulejo *nm* azulejo *(m)*, carreau *(m)* de faïence.

azulgrana *adj inv* du football-club de Barcelone.

b

b, B [be] *nf* b *(m inv)*, B *(m inv)*.

baba *nf* bave *(f)*.

babear *vi* baver.

babero *nm* bavoir *(m)*.

babi *nm* tablier *(m)* *(d'écolier)*.

Babilonia *npr* Babylone.

babilónico, ca *adj* **1.** babylonien(enne) **2.** somptueux(euse).

bable *nm dialecte asturien*.

babor *nm* bâbord *(m)* • **a babor** à bâbord.

babosada *nf (Amér) fam* bêtise *(f)*.

baboso, sa ◼ *adj* **1.** baveux(euse) **2.** *(Amér) fam* crétin(e). ◼ *nm, f (Amér) fam* crétin *(m)*, -e *(f)*. ■ **babosa** *nf* limace *(f)*.

babucha *nf* babouche *(f)*.

baca *nf* galerie *(f)* *(de voiture)*.

bacalao *nm* morue *(f)* • **bacalao a la vizcaína** *spécialité basque de morue salée à l'oignon et à la tomate* • **bacalao al pil-pil** *spécialité basque de morue salée à l'huile et à l'ail* • **partir** ou **cortar el bacalao** *fam fig* mener la barque.

bacanal *nf* orgie *(f)*.

bacarrá, bacará *nm* baccara *(m)*.

bache *nm* **1.** *(sur la route)* cassis *(m)* **2.** nid-de-poule *(m)* **3.** *fig* mauvaise passe *(f)*, moment *(m)* difficile **4.** AÉRON trou *(m)* d'air.

bachiller *nmf* bachelier *(m)*, -ère *(f)*.

bachillerato *nm* **1.** *cycle de fin d'études secondaires en Espagne correspondant à la première et à la terminale* **2.** *diplôme obtenu à la fin de ce cycle.*

bacilo *nm* bacille *(m)*.

bacinica *nf* *(Amér)* pot *(m)* de chambre.

bacon ['beikon] *nm inv* bacon *(m)*.

bacteria *nf* bactérie *(f)*.

bacteriológico, ca *adj* bactériologique.

báculo *nm* crosse *(f)*.

Badajoz *npr* Badajoz.

badén *nm* **1.** *(sur la route)* cassis *(m)* **2.** *(pour l'eau)* rigole *(f)*.

bádminton *nm inv* badminton *(m)*.

bagaje *nm* bagage *(m)*.

bagatela *nf* bagatelle *(f)*.

bahía *nf* baie *(f)*.

Bahrein, Bahrain *npr* Bahréin *(m)*.

bailaor, ra *nm, f* danseur *(m)*, -euse *(f)* de flamenco.

bailar ◼ *vt* danser • **que me quiten lo bailado** *fam* c'est toujours ça de pris. ◼ *vi* **1.** danser **2.** *fig (bois, métal)* jouer • **bailarle a alguien algo** être trop grand(e) • **los pies me bailan en los zapatos** je nage dans mes chaussures.

bailarín, ina *nm, f* danseur *(m)*, -euse *(f)*.

baile *nm* **1.** danse *(f)* **2.** bal *(m)*. ◼ **baile de San Vito** *nm* danse *(f)* de Saint-Guy.

bailotear *vi fam* se trémousser.

baja *nf* ▷ **bajo**.

bajada *nf* **1.** descente *(f)* **2.** pente *(f)* **3.** baisse *(f)*. ◼ **bajada de bandera** *nf* prise *(f)* en charge.

bajamar *nf* marée *(f)* basse.

bajar ◼ *vt* **1.** baisser • **bajar los precios/el telón/el volumen** baisser les prix/le rideau/le son • **bajar la cabeza** baisser la tête **2.** descendre • **bajar las escaleras** descendre l'escalier • **bajar las maletas del armario** descendre les valises de l'armoire. ◼ *vi* **1.** baisser **2.** dégonfler **3.** descendre. ◼ **bajarse** *vp* **1.** se baisser **2.** **bajarse (de)** descendre (de) • **se bajó a la calle para comprar pan** il est descendu acheter du pain.

bajero, ra *adj* de dessous • **una sábana bajera** un drap de dessous.

bajeza *nf* bassesse *(f)*.

bajial *nm* *(Amér)* plaine *(f)*.

bajo, ja *adj* **1.** bas(basse) **2.** *(personne)* petit(e) **3.** *(son)* grave, faible • **en voz baja** à voix basse **4.** *(qualité)* mauvais(e) **5.** *(instinct)* primaire **6.** *(paroles)* ignoble **7.** *(langage)* vulgaire. ◼ **bajo** ◼ *nm* **1.** *(gén pl)* ourlet *(m)* **2.** rez-de-chaussée *(m inv)* **3.** MUS basse *(f)* **4.** MUS bassiste *(mf)*. ◼ *adv* bas • **hablar bajo** parler tout bas. ◼ *prép* **1.** sous • **bajo el sol/el puente** sous le soleil/le pont • **bajo los Austrias** sous les Habsbourg • **bajo pena de** sous peine de • **bajo palabra** sur parole • **estamos a dos grados bajo cero** il fait moins deux. ◼ **baja** *nf* **1.** baisse *(f)* **2.** • **dar de baja a alguien** licencier qqn • **excluir qqn** • **darse de baja (de)** quitter, donner sa démission (de) • se retirer (de) **3.** congé *(m)* maladie, arrêt *(m)* maladie • **estar de baja** être arrêté(e) ou en congé maladie **4.** perte *(f)*, mort *(m)*. ◼ **bajos** *nmpl* rez-de-chaussée *(m inv)*.

bajón *nm* chute *(f)* • **dar un bajón** *(température)* chuter • *(santé)* se dégrader.

bajura *nf* ▷ **pesca**.

bala *nf* balle *(f)*.

balacear *vt* *(Amér)* blesser par balle.

balacera *nf* *(Amér)* fusillade *(f)*.

balada *nf* **1.** ballade *(f)* **2.** slow *(m)*.

balance *nm* **1.** *(gén & COMM)* bilan *(m)* **2.** résultat *(m)* *(d'une discussion, d'une réunion)* • **hacer el balance (de)** faire le point (de).

balancear *vt* balancer. ◼ **balancearse** *vp* **1.** se balancer **2.** NAUT rouler.

balanceo *nm* **1.** balancement *(m)* **2.** NAUT roulis *(m)* **3.** oscillation *(f)* *(de pendule)*.

balancín *nm* **1.** fauteuil *(m)* à bascule, rocking-chair *(m)* **2.** balancelle *(f)* **3.** *(balançoire)* bascule *(f)* **4.** AUTO culbuteur *(m)*.

balanza *nf* *(gén & COMM)* balance *(f)* • **balanza comercial/de pagos** balance commerciale/des paiements *(f)* • **se inclinó la balanza a nuestro favor** la balance a penché de notre côté.

balar *vi* bêler.

balaustrada *nf* balustrade *(f)*.

balazo *nm* **1.** balle *(f)* **2.** blessure *(f)* par balle.

balbucear = **balbucir**.

balbuceo *nm* balbutiement *(m)*.

balbucir, balbucear *vt* & *vi* balbutier.

Balcanes *nmpl* • **los Balcanes** les Balkans *(mpl)*.

balcón *nm* **1.** balcon *(m)* **2.** belvédère *(m)*.

baldado, da *adj* **1.** impotent(e) **2.** éreinté(e).

balde *nm* seau *(m)*. ◼ **en balde** *loc adv* en vain.

baldeo *nm* lavage *(m)* à grande eau.

baldosa *nf* **1.** carreau *(m)* **2.** dalle *(f)*.

baldosín *nm* petit carreau *(m)*.
balear[1] *vt (Amér)* blesser par balle.
balear[2] *adj* des Baléares.
Baleares *nfpl* • **(las) Baleares** les Baléares *(fpl)*.
baleárico, ca *adj* des Baléares.
baleo *nm (Amér)* coup *(m)* de feu.
balido *nm* bêlement *(m)*.
balín *nm* balle *(f)* de petit calibre.
baliza *nf* balise *(f)*.
ballena *nf* baleine *(f)*.
ballesta *nf* **1.** arbalète *(f)* **2.** ressort *(m)* de suspension.
ballet [ba'le] *(pl* **ballets)** *nm* ballet *(m)*.
balneario *nm* station *(f)* thermale, ville *(f)* d'eaux.
balompié *nm* football *(m)*.
balón *nm* **1.** ballon *(m)* **2.** bulle *(f) (de bande dessinée)*.
baloncesto *nm* basket-ball *(m)*.
balonmano *nm* hand-ball *(m)*.
balonvolea *nm* volley-ball *(m)*.
balsa *nf* **1.** radeau *(m)* **2.** étang *(m)* • **ser una balsa de aceite** *fig* être d'un calme plat.
balsámico, ca *adj* apaisant(e) • **una pastilla balsámica** une pastille qui adoucit la gorge.
bálsamo *nm litt & fig* baume *(m)*.
Báltico *npr* • **el Báltico** la Baltique.
Bálticos *adj* ▷ **países Bálticos**.
baluarte *nm litt & fig* bastion *(m)*.
bamba *nf* bamba *(f)*. ■ **bambas** *nfpl* tennis *(mpl)*.
bambalina *nf* THÉÂTRE frise *(f)* • **entre bambalinas** *fig* sur les planches.
bambú *(pl* **bambúes** *ou* **bambús)** *nm* bambou *(m)*.
banal *adj* banal(e).
banana *nf* banane *(f)*.
banca *nf* **1.** banque *(f)*, secteur *(m)* bancaire • **banca telefónica** télébanque *(f)* **2.** banc *(m)*.
bancario, ria *adj* bancaire.
bancarrota *nf* faillite *(f)* • **en bancarrota** en faillite.
banco *nm* **1.** banc *(m)* • **banco de peces** banc de poissons • **banco de arena** banc de sable **2.** banque *(f)* • **banco de sangre** banque du sang **3.** établi *(m)*. ■ **Banco Mundial** *nm* Banque *(f)* mondiale.
banda *nf* **1.** bande *(f)* • **banda armada** bande armée • **banda magnética** bande magnétique **2.** fanfare *(f)* **3.** écharpe *(f)* **4.** ruban *(m)* **5.** ligne *(f)* de touche • **se cerró en banda** il n'a rien voulu savoir. ■ **banda sonora** *nf* bandeson *(f)*, bande *(f)* originale.
bandada *nf* **1.** volée *(f) (d'oiseaux)* **2.** banc *(m) (de poissons)* **3.** groupe *(m) (d'enfants)*.

bandazo *nm* embardée *(f)* • **dar bandazos** *(bateau)* gîter • *(personne ivre)* tituber • *fig* être une vraie girouette.
bandeja *nf* plateau *(m)* • **servir** *ou* **dar algo a alguien en bandeja** *fig* amener qqch à qqn sur un plateau.
bandera *nf* drapeau *(m)* • **jurar bandera** prêter serment au drapeau • **bandera blanca** drapeau blanc.
banderilla *nf* **1.** banderille *(f)* **2.** mini-brochette *(f) (amuse-gueule)*.
banderín *nm* **1.** fanion *(m)* **2.** MIL porte-drapeau *(m)*.
bandido, da *nm, f* **1.** bandit *(m)* **2.** coquin *(m)*, -e *(f)*.
bando *nm* **1.** camp *(m)* **2.** arrêté *(m) (municipal)*.
bandolero, ra *nm, f* brigand *(m)*. ■ **bandolera** *nf* bandoulière *(f)* • **en bandolera** en bandoulière.
bandurria *nf* mandoline *(f)* espagnole.
banjo ['bandʒo] *nm* banjo *(m)*.
banquero, ra *nm, f* banquier *(m)*, -ère *(f)*.
banqueta *nf* **1.** banquette *(f)* **2.** *(Amér)* trottoir *(m)*.
banquete *nm* banquet *(m)* • **darse un banquete** *fig* faire un festin.
banquillo *nm* **1.** petit banc *(m)* **2.** SPORT banc *(m)* **3.** DR • **banquillo (de los acusados)** banc *(m)* des accusés.
bañadera *nf (Amér)* **1.** baignoire *(f)* **2.** bus *(m)*.
bañador *nm* maillot *(m)* de bain.
bañar *vt* **1.** baigner **2.** • **bañar con** *ou* **de** CULIN enrober de • *(avec de l'or)* recouvrir de **3.** • **bañar en** tremper dans. ■ **bañarse** *vp* **1.** se baigner **2.** *(Amér)* prendre une douche.
bañera *nf* baignoire *(f)*.
bañista *nmf* baigneur *(m)*, -euse *(f)*.
baño *nm* **1.** bain *(m)* **2.** baignade *(f)* • **darse un baño** prendre un bain **3.** baignoire *(f)* **4.** salle *(f)* de bains **5.** couche *(f) (de peinture, etc)*. ■ **baños** *nmpl* eaux *(fpl)*, bains *(mpl)*. ■ **baño María** *nm* bain-marie *(m)*.
baobab *(pl* **baobabs)** *nm* baobab *(m)*.
baquetas *nfpl* baguettes *(fpl)*.
bar *nm* bar *(m)* • **bar musical** bar avec une ambiance de discothèque.
barahúnda *nf* **1.** *(bruit)* foire *(f)* **2.** *(désordre)* chantier *(m)*.
baraja *nf* jeu *(m)* de cartes • **baraja española** jeu de cartes espagnoles.
barajar *vt* **1.** battre *(les cartes)* **2.** *fig* brasser **3.** mettre en avant *(une idée)* **4.** envisager *(une possibilité)*. ■ **barajarse** *vp* **1.** être envisagé(e) **2.** être examiné(e).
baranda, barandilla *nf* **1.** rampe *(f)* **2.** balustrade *(f)*.

baratija *nf* babiole *(f)*.

baratillo *nm* brocanteur *(m)*.

barato, ta *adj* bon marché, pas cher(ère). ■ **barato** *adv* (à) bon marché • **comprar barato** acheter à bas prix • **salir barato** ne pas revenir cher.

barba *nf* barbe *(f)* • **dejarse barba** se laisser pousser la barbe • **por barba** par tête.

barbacoa *nf* barbecue *(m)*.

barbaridad *nf* 1. atrocité *(f)* • **¡qué barbaridad!** quelle horreur ! 2. ineptie *(f)* 3. • **una barbaridad (de)** des tonnes (de) • **comer una barbaridad** manger comme quatre • **gastar una barbaridad** dépenser une fortune.

barbarie *nf* barbarie *(f)*.

barbarismo *nm* barbarisme *(m)*.

bárbaro, ra ■ *adj* 1. (gén & HIST) barbare • **¡qué bárbaro!** quelle brute!, quel sauvage ! 2. grossier(ère) 3. *fam* super. ■ *nm, f* Barbare *(mf)*. ■ **bárbaro** *adv fam* • **pasarlo bárbaro** s'éclater.

barbecho *nm* jachère *(f)*.

barbería *nf* coiffeur *(m)* (pour hommes) *(salon)*.

barbero *nm* coiffeur *(m)* (pour hommes).

barbilampiño ■ *adj* imberbe. ■ *nm* jeunot *(m)*.

barbilla *nf* menton *(m)*.

barbo *nm* barbeau *(m)*.

barbudo, da *adj* & *nm, f* barbu(e).

barca *nf* barque *(f)*.

barcaza *nf* péniche *(f)* • **barcaza de desembarque** allège *(f)*.

Barcelona *npr* Barcelone.

barcelonés, esa ■ *adj* barcelonais(e). ■ *nm, f* Barcelonais *(m)*, -e *(f)*.

barco *nm* bateau *(m)* • **barco de vela/de motor** bateau à voile/à moteur • **barco mercante** cargo *(m)*.

baremo *nm* barème *(m)*.

bario *nm* baryum *(m)*.

barítono *nm* baryton *(m)*.

barman *(pl* **barmans)** *nm* barman *(m)*.

Barna *abrév de* **Barcelona**.

barniz *nm* vernis *(m)*.

barnizar *vt* vernir.

barómetro *nm* baromètre *(m)*.

barón, onesa *nm, f* baron *(m)*, -onne *(f)*.

barquero, ra *nm, f* passeur *(m)*, -euse *(f)*.

barquillo *nm* gaufrette *(f)*.

barra *nf* 1. barre *(f)* 2. lingot *(m)* (d'or) 3. pain *(m)* (de glace) 4. tringle *(f)* • **barra de labios** rouge *(m)* à lèvres • **barra de pan** ≃ baguette *(f)* 5. comptoir *(m)*, bar *(m)* • **barra americana** bar à hôtesses • **barra libre** boisson à volonté 6. INFORM barre *(f)* • **barra de desplazamiento**

ascenseur *(m)* • **barra de herramientas** barre d'outils • **barra de menús** barre de menu • **barra espaciadora** barre d'espacement.

barrabasada *nf fam* 1. belle bêtise *(f)* 2. vacherie *(f)*.

barraca *nf* 1. baraque *(f)* 2. stand *(m)* 3. chaumière *(f)* (à Valence et en Murcie).

barracón *nm* baraquement *(m)*.

barranco *nm* 1. précipice *(m)* 2. ravin *(m)*.

barraquismo *nm* • **el barraquismo** la prolifération des bidonvilles.

barrena *nf* TECHNOL mèche *(f)* • **barrena de mano** vrille *(f)*.

barrenar *vt* 1. forer, pertorer 2. enfreindre *(la loi)* 3. manquer à *(un principe)* 4. saboter *(les efforts de quelqu'un)*.

barrendero, ra *nm, f* balayeur *(m)*, -euse *(f)*.

barreno *nm* 1. foret *(m)* 2. trou *(m)* de mine.

barreño *nm* bassine *(f)*.

barrer *vt* 1. balayer 2. *fam* battre à plate couture.

À PROPOS DE...

barrer

Attention **barrer** est un faux-ami ! Il signifie « balayer ».

barrera *nf* 1. barrière *(f)* • **barreras arancelarias** barrières douanières 2. SPORT mur *(m)* (de joueurs).

barriada *nf* quartier *(m)*.

barricada *nf* barricade *(f)*.

barrido *nm* (gén & TECHNOL) balayage *(m)* • **dar un barrido** donner un coup de balai.

barriga *nf* ventre *(m)* • **echar barriga** prendre du ventre.

barrigón, ona *adj* 1. *(homme)* bedonnant 2. *(femme)* qui a du ventre. ■ **barrigón** *nm* 1. (gros) ventre *(m)* 2. gros père *(m)*.

barril *nm* 1. baril *(m)* 2. tonneau *(m)* • **de barril** (à) la pression.

barrio *nm* 1. quartier *(m)* • **mandar a alguien al otro barrio** *fam fig* achever qqn 2. *(Amér)* bidonvilles *(mpl)*.

barriobajero, ra *péj* ■ *adj* peuple. ■ *nm, f* zonard *(m)*, -e *(f)*.

barrizal *nm* bourbier *(m)*.

barro *nm* 1. boue *(f)* 2. argile *(f)* 3. acné *(f)*.

barroco, ca *adj* 1. ART baroque 2. *fig* ampoulé(e) 3. *fig* extravagant(e). ■ **barroco** *nm* ART baroque *(m)*.

barrote *nm* barreau *(m)*.

bartola ■ **a la bartola** *loc adv fam* • **tumbarse a la bartola** flemmarder • **tomar algo a la bartola** prendre qqch à la rigolade.

bártulos nmpl affaires (fpl) • **liar los bártulos** fam fig prendre ses cliques et ses claques.

barullo nm fam **1.** boucan (m) • **armar barullo** faire du boucan **2.** bazar (m).

basalto nm basalte (m).

basar vt baser. ■ **basarse** vp • **basarse en** se baser sur.

basca nf **1.** fam potes (mpl) **2.** mal (m) au cœur.

báscula nf bascule (f). ■ **báscula de baño** nf pèse-personne (m).

bascular vi basculer.

base nf base (f) • **a base de** (aliment) à base de • (médicament) à coup de • **a base de bien** fam drôlement bien • **sentar las bases** poser les jalons. ■ **base de datos** nf base (f) de données.

básico, ca adj de base, essentiel(elle), basique.

basílica nf basilique (f).

basilisco nm • **ponerse hecho un basilisco** fam fig se mettre en rogne.

basta interj • **¡basta!** ça suffit ! • **¡basta de caprichos!** finis les caprices ! • **¡basta de bromas!** trêve de plaisanteries !

bastante adv assez • **no come bastante** il ne mange pas assez • **es lo bastante lista para...** elle est assez futée pour... • **gana bastante** il gagne bien sa vie. ■ adj assez • **no tengo bastante dinero** je n'ai pas assez d'argent • **tengo bastante frío** j'ai plutôt froid • **éramos bastantes** nous étions assez nombreux • **gana bastante dinero** il gagne pas mal d'argent.

bastar vi suffire • **basta con decirlo** il suffit de le dire • **basta con que se lo digas** il suffit que tu le lui dises. ■ **bastarse** vp se débrouiller tout seul(toute seule) • **él solo se basta y sobra para llevar la empresa** il est tout à fait capable de gérer l'entreprise tout seul.

bastardo, da ■ adj **1.** bâtard(e) **2.** péj infâme. ■ nm, f bâtard (m), -e (f).

bastidor nm (cadre & AUTO) châssis (m). ■ **bastidores** nmpl coulisses (fpl) • **entre bastidores** fig dans les coulisses.

basto, ta adj **1.** grossier(ère) **2.** rugueux(euse). ■ **bastos** nmpl l'une des quatre couleurs du jeu de cartes espagnol.

bastón nm **1.** canne (f) • bâton (m) (de ski). ■ **bastón de mando** nm bâton (m) de commandement.

basura nf **1.** ordures (fpl) **2.** fig (de mauvaise qualité) saleté (f).

basurero nm **1.** éboueur (m) **2.** décharge (f).

bata nf **1.** robe (f) de chambre **2.** blouse (f) (de travail).

batacazo nm • **darse** OU **pegarse un batacazo** se casser la figure.

batalla nf **1.** bataille (f) • **batalla campal** MIL bataille rangée • fig foire (f) d'empoigne **2.** fig lutte (f) • **de batalla** de tous les jours.

batallar vi litt & fig batailler.

batallón, ona adj **1.** bagarreur(euse) **2.** turbulent(e) **3.** fam épineux(euse). ■ **batallón** nm fig & MIL bataillon (m).

batata nf patate (f) douce.

bate nm SPORT batte (f).

batear ■ vt SPORT frapper. ■ vi SPORT être à la batte.

batería ■ nf **1.** (gén, MUS & MIL) batterie (f) • **batería de cocina** batterie de cuisine **2.** THÉÂTRE rampe (f) • **aparcar en batería** se garer en épi. ■ nmf MUS batteur (m), -euse (f).

batido, da adj **1.** (crème) fouetté(e) **2.** (blancs d'œufs, chemin) battu(e). ■ **batido** nm **1.** battage (m) **2.** milk-shake (m). ■ **batida** nf **1.** battue (f) **2.** (police) • **dar una batida** ratisser.

batidor nm **1.** CULIN fouet (m) **2.** rabatteur (m) **3.** MIL éclaireur (m).

batidora nf • **batidora (eléctrica)** batteur (m) • mixer (m).

batiente nm **1.** battant (m) **2.** brise-lames (m) **3.** brisant (m).

batín nm veste (f) d'intérieur.

batir ■ vt **1.** battre **2.** fouetter (la crème) **3.** (sujet : la police) ratisser. ■ vi (pluie) battre. ■ **batirse** vp se battre.

baturro, rra ■ adj aragonais(e). ■ nm, f paysan (m) aragonais, paysanne (f) aragonaise • **es un baturro** il est buté.

batuta nf baguette (f) de chef d'orchestre • **llevar la batuta** fig faire la loi.

baúl nm **1.** malle (f) **2.** (Amér) coffre (m) (de voiture).

bautismo nm baptême (m) (sacrement).

bautizar vt litt & fig baptiser.

bautizo nm baptême (m) (cérémonie).

Baviera npr Bavière (f).

baya nf baie (f).

bayeta nf **1.** flanelle (f) **2.** lavette (f) (carré de tissu-éponge).

bayoneta nf baïonnette (f).

baza nf **1.** pli (m) (aux cartes) **2.** atout (m) • **meter baza en** mettre son nez dans.

bazar nm bazar (m).

bazo, za adj bis(e). ■ **bazo** nm ANAT rate (f).

bazofia nf litt & fig cochonnerie (f).

bazuca, bazooka nm bazooka (m).

BBVA (abr écrite de Banco Bilbao Vizcaya Argentaria) nm établissement bancaire espagnol.

Bco. (abr écrite de banco) banque (f).

be nf • **be larga** OU **grande** (Amér) b (m inv), lettre (f) b.

beatificar vt **1.** béatifier **2.** fig ennoblir.

beato, ta *adj* & *nm, f* **1.** bienheureux(euse) **2.** dévot(e) **3.** *fig* bigot(e).

bebe, ba *nm, f (Amér) fam* bébé *(m)*, petit garçon *(m)*, petite fille *(f)*.

bebé *nm* bébé *(m)* • **bebé probeta** bébé-éprouvette.

bebedero *nm* **1.** auget *(m)* **2.** abreuvoir *(m)*.

bebedor, ra *nm, f* buveur *(m)*, -euse *(f)*.

beber ◼ *vt* **1.** boire **2.** *fig* puiser. ◼ *vi* boire • **beber a** ou **por** *(trinquer)* boire a.

bebida *nf* boisson *(f)*.

bebido, da *adj* gris(e) (ivre).

beca *nf* bourse *(f)*.

becar *vt* • **becar a alguien** attribuer une bourse à qqn.

becario, ria *nm, f* boursier *(m)*, -ère *(f)*.

becerro, rra *nm, f* veau *(m)*, génisse *(f)*.

bechamel = **besamel**.

bedel *nm* appariteur *(m)*.

begonia *nf* bégonia *(m)*.

beige ['beis] *adj* & *nm inv* beige.

béisbol *nm* base-ball *(m)*.

bejuco *nm (Amér)* liane *(f)*.

belén *nm* **1.** crèche *(f) (de Noël)* **2.** *fam* foutoir *(m)* **3.** *(gén pl) fig (ennuis)* histoire *(f)*.

belga ◼ *adj* belge. ◼ *nmf* Belge *(mf)*.

Bélgica *npr* Belgique *(f)*.

Belgrado *npr* Belgrade.

bélico, ca *adj* **1.** de guerre **2.** guerrier(ère).

belicoso, sa *adj* belliqueux(euse).

beligerante *adj* & *nmf* belligérant(e).

bellaco, ca *nm, f* scélérat *(m)*, -e *(f)*.

belleza *nf* beauté *(f)*.

bello, lla *adj* beau(belle).

bellota *nf* gland *(m)*.

bemol ◼ *adj* bémol. ◼ *nm* bémol *(m)* • **tiene (muchos) bemoles** *fig* ce n'est pas de la tarte • il en a dans le ventre • c'est un peu fort.

bendecir *vt* **1.** bénir **2.** consacrer.

bendición *nf* bénédiction *(f)*.

bendito, ta ◼ *adj* **1.** bénit(e) **2.** bienheureux(euse) **3.** sacré(e). ◼ *nm, f* simple *(m)* d'esprit.

benedictino, na *adj* & *nm, f* bénédictin(e).

benefactor, ra ◼ *adj* bienfaisant(e). ◼ *nm, f* bienfaiteur *(m)*, -trice *(f)*.

beneficencia *nf* bienfaisance *(f)*.

beneficiar *vt* profiter à • **esta actitud no te beneficia** cette attitude te fait du tort. ◼ **beneficiarse** *vp* gagner • **no se beneficia nadie** personne n'y gagne • **beneficiarse de algo** profiter de qqch.

beneficiario, ria *nm, f* bénéficiaire *(mf)*.

beneficio *nm* **1.** bienfait *(m)* • **a beneficio de** au profit de • **en beneficio de todos** dans l'intérêt de tous • **en beneficio propio** dans son propre intérêt **2.** bénéfice *(m)*.

beneficioso, sa *adj* bienfaisant(e).

benéfico, ca *adj* **1.** bienfaisant(e) **2.** de bienfaisance.

Benelux *npr* • **el Benelux** le Benelux.

beneplácito *nm* consentement *(m)*.

benevolencia *nf* bienveillance *(f)*.

benévolo, la, benevolente *adj* bienveillant(e).

bengala *nf* **1.** fusée *(f)* de détresse **2.** feu *(m)* de Bengale.

benigno, na *adj* **1.** MÉD bénin(igne) **2.** *(climat, température)* doux(douce).

benjamín, ina *nm, f* benjamin *(m)*, -e *(f)*.

berberecho *nm* coque *(f) (coquillage)*.

berenjena *nf* aubergine *(f)*.

berenjenal *nm fam* pagaille *(f)* • **meterse en un berenjenal** se mettre dans de beaux draps.

Berlín *npr* Berlin.

berlinés, esa ◼ *adj* berlinois(e) ◼ *nm, f* Berlinois *(m)*, -e *(f)*.

bermejo, ja *adj* vermeil(eille).

bermudas *nm* ou *nf pl* bermuda *(m)*.

Bermudas *npr* • **las Bermudas** les Bermudes *(fpl)* • **el triángulo de las Bermudas** le triangle des Bermudes.

Berna *npr* Berne.

berrear *vi* **1.** beugler **2.** *(enfant)* brailler.

berrido *nm* **1.** beuglement *(m)* **2.** braillement *(m) (d'enfant)*.

berrinche *nm fam* • **coger un berrinche** piquer une crise.

berro *nm* cresson *(m)*.

berza *nf* chou *(m)*.

berzotas *nm, f inv fam* • **ser un berzotas** être bouché(e).

besamel, bechamel *nf* béchamel *(f)*.

besar *vt* embrasser. ◼ **besarse** *vp* s'embrasser.

beso *nm* baiser *(m)* • **comer a besos** couvrir de baisers.

bestia ◼ *adj fig* • **es muy bestia** c'est une vraie brute. ◼ *nmf fig (personne)* brute *(f)*. ◼ *nf (animal)* bête *(f)* • **bestia de carga** bête de somme.

bestial *adj* **1.** bestial(e) **2.** *fam* terrible **3.** *fam* super.

bestialidad *nf* **1.** brutalité *(f)* **2.** *fam* énormité *(f)* **3.** *fam* • **una bestialidad de** des tonnes de.

best seller [bes'seler] *(pl* **best sellers**) *nm* best-seller *(m)*.

besucón, ona ◼ *adj* • **es muy besucón** il a la manie d'embrasser. ◼ *nm, f* • **es un besucón** il a la manie d'embrasser.

besugo *nm* **1.** daurade *(f)* **2.** *fam* andouille *(f)*.

besuquear vt fam bécoter. ■ **besuquearse** vp fam se bécoter.

bético, ca adj de la Bétique (ancien nom de l'Andalousie).

betún nm **1.** cirage (m) **2.** bitume (m).

bianual adj **1.** bisannuel(elle) **2.** semestriel(elle).

biberón nm biberon (m).

biblia nf bible (f). ■ **Biblia** nf • **la Biblia** la Bible.

bibliografía nf bibliographie (f).

biblioteca nf bibliothèque (f).

bibliotecario, ria nm, f bibliothécaire (mf).

bicarbonato nm **1.** CHIM bicarbonate (m) **2.** MÉD bicarbonate (m) (de soude).

bicentenario nm bicentenaire (m).

bíceps nm inv biceps (m).

bicharraco nm fam **1.** bestiole (f) **2.** sale type (m).

bicho nm **1.** (animal) bête (f) **2.** (insecte) bestiole (f) **3.** (personne) peste (f) • **bicho raro** drôle d'oiseau (m).

bici nf fam vélo (m).

bicicleta nf bicyclette (f).

bicoca nf fam • **ser algo una bicoca** être une bonne affaire • **una bicoca de trabajo** une bonne planque.

bicolor adj bicolore.

bidé nm bidet (m).

bidimensional adj en deux dimensions.

bidón nm bidon (m).

biela nf bielle (f).

Bielorrusia npr Biélorussie (f).

---

bien adv

1. CORRECTEMENT, DE MANIÈRE SATISFAISANTE = bien
• **has hecho bien** tu as bien fait
• **habla bien el inglés** il parle bien l'anglais
• **¡muy bien!** très bien !
• **este vestido te sienta muy bien** cette robe te va très bien
• **encontrarse bien** se sentir bien
• **¿seguro que estás bien? te veo un poco pálida...** tu es sûre que tu vas bien ? je te trouve un peu pâle...

2. DE BONNE QUALITÉ
• **este libro está muy bien** ce livre est très bien
• **tus deberes no están bien** ton travail n'est pas bon

3. GOÛT, ODEUR = bon
• **saber bien** avoir bon goût
• **oler bien** sentir bon

4. POUR EXPRIMER SON ACCORD = d'accord
• **¿nos vamos? – ¡bien!** on y va ? – d'accord !
• **¡está bien!** d'accord !

5. DANS DES EXPRESSIONS
• **¡ya está bien!** ça suffit !
• **nos lo pasamos muy bien en la fiesta** on s'est vraiment bien amusés à la fête
• **como bien le parezca** comme bon vous semble.

bien adj inv

bien
• **es gente bien** ce sont des gens bien
• **un chico bien** un garçon bien.

bien conj

POUR EXPRIMER UNE ALTERNATIVE
• **puede pagar bien en efectivo bien con tarjeta** vous pouvez payer soit en liquide soit par carte.

bien nm

1. SENS MORAL = bien
• **el bien y el mal** le bien et le mal
• **hacer el bien** faire le bien
2. PROPRIÉTÉ = bien
• **un bien público** un bien public
3. INTÉRÊT = bien
• **es por tu bien** c'est pour ton bien
4. SCOL ≃ mention assez bien.

■ **bienes** nmpl

PROPRIÉTÉS = biens
• **legó todos sus bienes a una fundación** il a légué tous ses biens à une fondation
• **bienes de consumo** biens de consommation
• **bienes gananciales** DR ≃ acquêts (mpl)
• **bienes muebles/inmuebles** biens mobiliers/immobiliers.

■ **más bien** loc adv

POUR INDIQUER UNE TENDANCE = plutôt
• **el clima de esta región es más bien húmedo** le climat de cette région est plutôt humide.

bienal ◨ adj biennal(e), bisannuel(elle). ◨ nf biennale (f).

bienaventurado, da nm, f bienheureux (m), -euse (f).

bienestar nm **1.** bien-être (m) **2.** (financièrement) confort (m).

bienhechor, ra nm, f bienfaiteur (m), -trice (f).

bienio nm **1.** espace de deux ans **2.** prime d'ancienneté accordée au bout de deux ans d'activité.

bienvenido, da adj bienvenu(e) • **¡bienvenido!** soyez le bienvenu ! ■ **bienvenida** nf bienvenue (f) • **dar la bienvenida** souhaiter la bienvenue.

bies nm inv biais (m) • **al bies** (couture) en biais • (chapeau, etc) de biais.

bife *nm (Amér)* = **bistec**.

bífido, da *adj* bifide.

biftec = **bistec**.

bifurcación *nf* bifurcation *(f)*.

bifurcarse *vp* **1.** bifurquer **2.** se diviser en deux.

bigamia *nf* bigamie *(f)*.

bígamo, ma *adj* & *nm, f* bigame.

bigote *nm* moustache *(f)*.

bigotudo, da *adj* moustachu(e).

bikini = **biquini**.

bilateral *adj* bilatéral(e).

bilbaíno, na *adj* & *nm, f* de Bilbao.

biliar *adj* biliaire.

bilingüe *adj* bilingue.

bilingüismo *nm* bilinguisme *(m)*.

bilis *nf inv* bile *(f)*.

billar *nm* billard *(m)*.

billete *nm* billet *(m)* • **sacar un billete** prendre un billet • **billete de ida y vuelta** aller-retour *(m)* • **billete sencillo** aller *(m)* simple.

billetera *nf* portefeuille *(m)*.

billetero *nm* = **billetera**.

billón *nm* billion *(m)*.

bingo *nm* **1.** bingo *(m)* **2.** salle *(f)* de bingo.

binóculo *nm* binocle *(m)*.

biodegradable *adj* biodégradable.

biografía *nf* biographie *(f)*.

biográfico, ca *adj* biographique.

biógrafo, fa *nm, f* biographe *(mf)*.

biología *nf* biologie *(f)*.

biológico, ca *adj* biologique.

biólogo, ga *nm, f* biologiste *(mf)*.

biombo *nm* paravent *(m)*.

biopsia *nf* biopsie *(f)*.

bioquímico, ca *adj* biochimique. ■ *nm, f* biochimiste *(mf)*. ■ **bioquímica** *nf* biochimie *(f)*.

biorritmo *nm* biorythme *(m)*.

biosfera *nf* biosphère *(f)*.

bipartidismo *nm* bipartisme *(m)*.

bipartito, ta *adj* bipartite, biparti(e).

biplaza *adj m* & *nm* biplace.

biquini, bikini *nm* bikini *(m)*, deux-pièces *(m)*.

birlar *vt fam* faucher.

birra *nf tfam* mousse *(f)*.

birrete *nm* **1.** barrette *(f) (de prêtre)* **2.** bonnet *(m) (de professeur, d'avocat)* **3.** toque *(f) (de juge)*.

birria *nf* **1.** *fam (chose, personne)* horreur *(f)* **2.** *fam (tableau)* croûte *(f)* **3.** *fam* camelote *(f)* **4.** *(Amér)* viande grillée typique de certaines régions du Mexique.

bis ■ *adj inv* bis • **viven en el 15 bis** ils habitent au 15 bis. ■ *nm* bis *(m)* • **pedir un bis** bisser. ■ *adv* bis.

bisabuelo, la *nm, f* arrière-grand-père *(m)*, arrière-grand-mère *(f)*.

bisagra *nf* charnière *(f)*.

biscuit *nm* biscuit *(m) (porcelaine)*.

bisección *nf* bissection *(f)*.

bisector, triz *adj* bissecteur(trice). ■ **bisectriz** *nf* bissectrice *(f)*.

biselar *vt* biseauter.

bisexual *adj* & *nmf* bisexuel(elle).

bisiesto *adj* ▷ **año**.

bisnieto, ta *nm, f* arrière-petit-fils *(m)*, arrière-petite-fille *(f)*.

bisonte *nm* bison *(m)*.

bisoño, ña ■ *adj* novice. ■ *nm, f* **1.** débutant *(m)*, -e *(f)* **2.** MIL jeune recrue *(f)*.

bistec, biftec, bife *nm (Amér)* bifteck *(m)*.

bisturí *(pl* **bisturíes** *ou* **bisturís)** *nm* bistouri *(m)*.

bisutería *nf* bijoux *(mpl)* fantaisie.

bit ['bit] *(pl* **bits)** *nm* INFORM bit *(m)*.

bíter, bitter *nm* bitter *(m)*.

bizco, ca ■ *adj* • **es bizco** il louche. ■ *nm, f* loucheur *(m)*, -euse *(f)*.

bizcocho *nm* **1.** gâteau *(m)* **2.** biscuit *(m)*.

bizquear *vi* **1.** loucher **2.** *fam fig* être épaté(e).

blablablá *nm fam* bla-bla *(m)*.

blanco, ca ■ *adj* blanc (blanche). ■ *nm, f* Blanc *(m)*, Blanche *(f)*. ■ **blanco** *nm* **1.** blanc *(m)* **2.** cible *(f)* • **dar en el blanco** mettre dans le mille • **fue el blanco de todas las miradas** tous les regards se sont portés sur lui **3.** *fig* but *(m)*. ■ **blanca** *nf* MUS blanche *(f)* • **estar** *ou* **quedarse sin blanca** *fig* ne pas avoir un sou. ■ **blanco del ojo** *nm* blanc *(m)* de l'œil. ■ **en blanco** *loc adv* **1.** • **dejar su hoja en blanco** rendre copie blanche **2.** • **quedarse con la mente en blanco** avoir un trou de mémoire **3.** • **pasar la noche en blanco** passer une nuit blanche.

blancura *nf* blancheur *(f)*.

blandengue ■ *adj litt* & *fig* mollasse. ■ *nmf* lavette *(f)*.

blando, da *adj* **1.** mou (molle) **2.** *(viande)* tendre **3.** *fig* faible • **es demasiado blando con los alumnos** il n'est pas assez sévère avec les élèves.

blandura *nf* **1.** mollesse *(f)* **2.** *fig* faiblesse *(f)*.

blanquear *vt* blanchir.

blanquecino, na *adj* **1.** blanchâtre **2.** blafard(e).

blanqueo *nm* **1.** blanchissage *(m)* **2.** blanchiment *(m)*.

blanquillo *nm (Amér)* **1.** œuf *(m)* **2.** pêche *(f)*.

blasfemar *vi* **1.** blasphémer **2.** jurer.

blasfemia *nf* **1.** blasphème *(m)* **2.** juron *(m)* **3.** *fig* sacrilège *(m)*.

blasfemo, ma ■ *adj* **1.** blasphématoire **2.** blasphémateur(trice). ■ *nm, f* blasphémateur *(m)*, -trice *(f)*.

blazer ['bleiser] *(pl* **blazers)** *nm* blazer *(m)*.

bledo *nm* ● **me importa un bledo** *fam* je m'en fiche comme de l'an quarante.

blindado, da *adj* blindé(e).

blindar *vt* blinder.

bloc *(pl* **blocs)** *nm* bloc-notes *(m)*.

bloque ■ *v* ▷ **blocar**. ■ *nm* **1.** *(gén & INFORM)* bloc *(m)* **2.** immeuble *(m)*. ■ **bloque del motor** *nm* bloc-moteur *(m)*.

bloquear *vt* **1.** bloquer **2.** saisir *(des biens)* **3.** faire opposition à *(un chèque)* **4.** geler *(un compte, des crédits)*. ■ **bloquearse** *vp* **1.** se bloquer **2.** *(personne)* faire un blocage.

bloqueo *nm* **1.** blocage *(m)* **2.** blocus *(m)* **3.** embargo *(m)* ● **bloqueo económico** embargo économique **4.** saisie *(f) (de biens)* **5.** gel *(m)* *(d'un compte, de crédits)*.

blues ['blus] *nm inv* blues *(m)*.

blusa *nf* chemisier *(m)*.

blusón *nm* chemise *(f)* ample.

bluyín *nm* jean *(m)*.

bluyines *nmpl* *(Amér)* = **bluyín**.

boa *nf* boa *(m)*.

bobada *nf fam* bêtise *(f)* ● **decir/hacer bobadas** dire/faire des bêtises.

bobería *nf fam* bêtise *(f)*.

bobina *nf* bobine *(f)*.

bobo, ba *adj & nm, f* **1.** idiot(e) **2.** niais(e).

boca *nf* bouche *(f)* ● **mantener seis bocas** avoir six bouches à nourrir ● **boca de metro** bouche de métro ● **abrir** *ou* **hacer boca** mettre en appétit ● **se me hace la boca agua** j'en ai l'eau à la bouche ● **quitar de la boca** ôter de la bouche. ■ **boca arriba** *loc adv* sur le dos. ■ **boca abajo** *loc adv* sur le ventre, à plat ventre. ■ **boca a boca** *nm* bouche-à-bouche *(m inv)*.

bocacalle *nf* rue *(f)* ● **gire a la izquierda en la tercera bocacalle** prenez la troisième rue à gauche.

bocadillo *nm* **1.** sandwich *(m)* **2.** bulle *(f) (de bande dessinée)*.

bocado *nm* **1.** bouchée *(f)* **2.** morceau *(m)* ● **no probar bocado** ne rien avaler **3.** ● **dar un bocado** mordre.

bocajarro ■ **a bocajarro** *loc adv* **1.** à brûle-pourpoint **2.** à bout portant.

bocanada *nf* **1.** gorgée *(f)* **2.** bouffée *(f)*.

bocata *nm fam* sandwich *(m)*.

bocazas *nmf inv fam péj* grande gueule *(f)*.

boceto *nm* ébauche *(f)*, esquisse *(f)*.

bochorno *nm* chaleur *(f)* étouffante ● **pasó un bochorno** il est devenu tout rouge *(de honte)*.

bochornoso, sa *adj* **1.** étouffant(e) **2.** honteux (euse).

bocinazo *nm* coup *(m)* de Klaxon.

boda *nf* mariage *(m)* ● **bodas de diamantes/ oro/plata** noces *(fpl)* de diamants/d'or/d'argent.

bodega *nf* **1.** cave *(f)* à vin **2.** bar *(m)* à vin **3.** NAUT cale *(f)* **4.** AÉRON soute *(f)* à bagages.

bodegón *nm* **1.** nature *(f)* morte **2.** taverne *(f)*.

bodrio *nm fam péj* ● **es un bodrio** ça ne vaut rien ● c'est infâme.

body *(pl* **bodies** *ou* **bodys)** *nm* body *(m)*.

BOE *(abr de* **Boletín Oficial del Estado)** *nm Journal officiel espagnol,* ≃ JO ● **publicado en el BOE** publié au BOE.

bofetada *nf* gifle *(f)* ● **darse de bofetadas con** *fig* ne pas aller du tout avec ● *(couleurs)* jurer avec.

bofetón *nm* claque *(f)*.

bofia *nf fam* ● **la bofia** les poulets *(mpl)*, les flics *(mpl)*.

boga *nf* nage *(f)* ● **estar en boga** être en vogue.

bogavante *nm* homard *(m)*.

Bogotá, Santa Fe de Bogotá *npr* Bogotá, Santa Fe de Bogotá.

bogotano, na ■ *adj* de Bogotá. ■ *nm, f* habitant *(m)*, -e *(f)* de Bogotá.

bohemio, mia ■ *adj* **1.** bohème **2.** de bohème **3.** bohémien(enne). ■ *nm, f* **1.** bohème *(m)* **2.** Bohémien *(m)*, -enne *(f)*.

boicot *(pl* **boicots)**, **boycot** *(pl* **boycots)** *nm* boycott *(m)*.

boicotear, boycotear *vt* boycotter.

boina *nf* béret *(m)*.

bol *nm* bol *(m)*.

bola *nf* **1.** boule *(f)* **2.** bille *(f)* **3.** *fam* ● **contar bolas** raconter des bobards ● **en bolas** *fam* à poil.

bolada *nf (Amér) fam* occase *(f)*.

bolardo *nm* plot *(m)* *(empêchant le stationnement sur les trottoirs)*.

bolea *nf* SPORT volée *(f)*.

bolear *vt (Amér)* **1.** cirer **2.** *fig* embrouiller.

bolera *nf* bowling *(m)*.

bolería *nf (Amér)* cireur *(m)* de chaussures *(boutique)*.

bolero *nm* **1.** boléro *(m)* **2.** *(Amér)* cireur *(m)* de chaussures.

boletería *nf (Amér)* guichet *(m)*.

boletero, ra *nm, f (Amér)* **1.** guichetier *(m)* -ère *(f)* **2.** menteur *(m)*, -euse *(f)*.

boletín *nm* bulletin *(m)* ● **boletín de noticias** *ou* **informativo** bulletin d'informations ● **boletín de prensa** communiqué *(m)* de presse ● **boletín meteorológico** bulletin météorologique.

boleto nm **1.** billet (m) (de loterie, de tombola) **2.** bulletin (m) (de loto).

boli nm fam stylo (m), Bic® (m).

boliche nm **1.** cochonnet (m) **2.** boulodrome (m).

bólido nm bolide (m).

bolígrafo nm stylo-bille (m).

bolillo nm (Amér) petit pain (m).

bolívar nm bolivar (m).

Bolivia npr Bolivie (f).

boliviano, na ◼ adj bolivien(enne). ◼ nm, f Bolivien (m), -enne (f).

bollo nm **1.** pain (m) au lait **2.** ◾ **los bollos** la viennoiserie **3.** bosse (f).

bolo nm **1.** quille (f) **2.** (Amér) fam poivrot (m). ◼ **bolos** nmpl quilles (fpl).

bolsa nf **1.** sac (m) ◾ **bolsa de basura** sac-poubelle (m) ◾ **bolsa de viaje** sac de voyage **2.** Bourse (f) ◾ **la bolsa baja/sube** la Bourse est en baisse/en hausse ◾ **jugar en bolsa** jouer en Bourse **3.** (cavité) poche (f) **4.** (Amér) (de vêtement) poche (f) ◾ **bolsa de dormir** sac (m) de couchage. ◼ **bolsa de agua caliente** nf bouillotte (f).

bolsillo nm poche (f) ◾ **de bolsillo** de poche ◾ **meterse a alguien en el bolsillo** mettre qqn dans sa poche.

bolso nm sac (m) (à main).

boludo, da nm, f (Amér) tfam con (m), conne (f).

bomba nf **1.** bombe (f) ◾ **bomba atómica** bombe atomique ◾ **bomba de mano** grenade (f) **2.** pompe (f) **3.** (Amér) pompe (f) à essence ◾ **pasarlo bomba** fam s'éclater.

bombachos nmpl culotte (f) bouffante.

bombardear vt litt & fig bombarder.

bombardeo nm bombardement (m).

bombardero, ra adj de bombardement. ◼ **bombardero** nm bombardier (m).

bombazo nm bombardement (m) ◾ **ser un bombazo** fig faire l'effet d'une bombe.

bombear vt pomper.

bombero, ra nm, f pompier (m).

bombilla nf ampoule (f) (électrique).

bombillo nm (Amér) ampoule (f) (électrique).

bombín nm chapeau (m) melon.

bombo nm grosse caisse (f) ◾ **dar mucho bombo a** fig faire beaucoup de bruit autour de (quelque chose) ◾ ne pas tarir d'éloges sur (quelqu'un) ◾ **con mucho bombo, a bombo y platillo** fig en fanfare.

bombón nm **1.** chocolat (m) (bonbon) **2.** Esquimau® (m) **3.** fam fig (femme) ◾ **ser un bombón** être jolie comme un cœur.

bombona nf bonbonne (f) ◾ **bombona de butano** bouteille (f) de gaz.

bonachón, ona fam ◼ adj bonhomme. ◼ nm, f brave homme (m), brave femme (f).

bonanza nf **1.** (temps, mer) calme (m) plat **2.** prospérité (f).

bondad nf bonté (f) ◾ **tener la bondad de hacer algo** avoir la bonté de faire qqch.

bondadoso, sa adj bon(bonne) ◾ **es bondadoso** il respire la bonté.

bonete nm barrette (f) (d'ecclésiastique).

boniato nm patate (f) douce.

bonificar vt **1.** COMM faire un rabais de **2.** bonifier.

bonito, ta adj **1.** joli(e) **2.** gentil(ille). ◼ **bonito** nm thon (m).

bono nm **1.** bon (m) d'achat **2.** COMM (titre) obligation (f) **3.** bon (m) (du Trésor) ◾ **bono basura** obligation de pacotille.

bonobús nm coupon d'autobus valable pour dix trajets.

bonoloto nf ≃ loto (m).

bonotrén nm (carte (f) d') abonnement (m) de train.

bonsai nm bonsaï (m).

boñiga nf bouse (f).

boom nm boom (m).

boquerón nm anchois (m) (frais).

boquete nm brèche (f).

boquiabierto, ta adj ◾ **estar boquiabierto** avoir la bouche ouverte ◾ **quedarse boquiabierto** fig rester bouche bée.

boquilla nf **1.** fume-cigarette (m inv) **2.** tuyau (m) (d'une pipe, d'un appareil) **3.** bec (m) (de flûte). ◾ **de boquilla** loc adj fam (promesses, etc) en l'air.

borbotear, borbotar vi bouillonner.

borbotón ◾ **a borbotones** loc adv à gros bouillons.

borda nf NAUT ◾ **por la borda** par-dessus bord. ◼ **fuera borda** nm hors-bord (m).

bordado, da adj brodé(e). ◼ **bordado** nm broderie (f).

bordar vt **1.** broder **2.** fignoler.

borde ◼ adj tfam emmerdant(e). ◼ nmf tfam emmerdeur (m), -euse (f). ◼ nm bord (m) ◾ **al borde de** fig au bord de.

bordear vt **1.** border **2.** longer **3.** fig friser (ans) ◾ frôler (le succès).

bordelés, esa ◼ adj bordelais(e). ◼ nm, f Bordelais (m), -e (f).

bordillo nm **1.** bord (m) **2.** bordure (f) (de trottoir, de quai).

bordo nm NAUT bord (m). ◼ **a bordo** loc adv à bord.

Borgoña npr Bourgogne (f).

borgoñón, ona ◼ adj bourguignon(onne). ◼ nm, f Bourguignon (m), -onne (f).

borla nf 1. pompon (m) 2. pompon du bonnet des diplômés universitaires dont la couleur varie suivant la faculté.

borrachera nf 1. • **coger una borrachera** se soûler 2. fig ivresse (f).

borrachín, ina nm, f fam poivrot (m), -e (f).

borracho, cha ◼ adj 1. soûl(e) 2. fig • **borracho de** ivre de. ◼ nm, f ivrogne (mf). ◼ **borracho** nm baba (m) au rhum.

borrador nm 1. brouillon (m) 2. gomme (f) 3. tampon (m) (pour effacer au tableau) 4. cahier (m) de brouillon.

borrar vt 1. effacer 2. gommer 3. rayer. ◼ **borrarse** vp 1. s'effacer 2. • **se me ha borrado su cara** je ne me souviens plus de son visage.

borrasca nf tempête (f).

borrego, ga nm, f 1. agneau (m), agnelle (f) 2. fam péj plouc (mf).

borrón nm pâté (m) • **hacer borrón y cuenta nueva** faire table rase.

borroso, sa adj 1. flou(e) 2. à moitié effacé(e).

Bosnia npr Bosnie (f).

Bosnia-Herzegovina npr Bosnie-Herzégovine (f).

bosnio, nia ◼ adj bosniaque. ◼ nm, f Bosniaque (mf).

bosque nm 1. bois (m) 2. forêt (f).

bosquejar vt ébaucher, esquisser.

bosquejo nm 1. ébauche (f), esquisse (f) 2. • **hacer un bosquejo de algo** fig peindre qqch à grands traits.

bostezar vi bâiller.

bostezo nm bâillement (m).

bota nf 1. botte (f) • **bota de agua** ou **de goma** ou **de lluvia** botte en caoutchouc 2. outre (f).

botafumeiro nm encensoir (m).

botana nf (Amér) amuse-gueule (m).

botánico, ca ◼ adj botanique. ◼ nm, f botaniste (mf). ◼ **botánica** nf botanique (f).

botar ◼ vt 1. NAUT lancer 2. fam virer (quelqu'un) 3. faire rebondir (une balle) 4. • **botar el córner** SPORT tirer un corner 5. (Amér) jeter. ◼ vi 1. sauter 2. (voiture) cahoter 3. (balle) rebondir.

bote nm 1. pot (m) 2. boîte (f) 3. bouteille (f) (en plastique) 4. canot (m) • **bote salvavidas** canot de sauvetage 5. pourboire (m) 6. bond (m) • **dar botes de alegría** sauter de joie 7. rebond (m) (d'une balle) • **dar botes** rebondir • **chupar del bote** fam s'en mettre plein les poches • **tener en el bote a alguien** avoir qqn dans la poche. ◼ **a bote pronto** loc adv 1. au rebond 2. fig du tac au tac.

botella nf bouteille (f) • **botella de oxígeno** MÉD bouteille d'oxygène • NAUT bouteille de plongée.

botellín nm canette (f).

boticario, ria nm, f vieilli apothicaire (m).

botijo nm cruche (f).

botín nm 1. butin (m) 2. bottine (f).

botiquín nm 1. armoire (f) à pharmacie 2. trousse (f) à pharmacie.

botón nm bouton (m) (de fleur, de vêtement). ◼ **botones** nm inv 1. groom (m) 2. garçon (m) de courses.

boutique [bu'tik] nf boutique (f) (de vêtements).

bóveda nf voûte (f).

bovino, na adj bovin(e). ◼ **bovinos** nmpl bovins (mpl).

boxeador, ra nm, f boxeur (m), -euse (f).

boxear vi boxer.

boxeo nm boxe (f).

boxer (pl boxers) nm boxer (m).

boya nf 1. (en mer) bouée (f) 2. flotteur (m).

boyante adj 1. heureux(euse) 2. (affaires, économie) prospère, florissant(e) 3. (situation) brillant(e).

boycot = **boicot**.

boycotear = **boicotear**.

boy scout ['bojes'kaut] (pl **boy scouts**) nm boy-scout (m).

bozal nm 1. muselière (f) 2. (Amér) licol (m).

bracear vi 1. remuer ou agiter les bras 2. nager la brasse.

braga nf (gén pl) culotte (f).

bragueta nf braguette (f).

braille ['braile] nm braille (m).

bramar vi 1. mugir 2. hurler (de douleur) 3. rugir (de colère).

bramido nm 1. mugissement (m) 2. hurlement (m) 3. rugissement (m).

brandy, brandi nm brandy (m).

branquia nf (gén pl) branchie (f).

brasa nf braise (f) • **a la brasa** sur la braise.

brasero nm brasero (m).

brasier, brassier nm (Amér) soutien-gorge (m).

Brasil npr • **(el) Brasil** (le) Brésil.

brasileño, ña ◼ adj brésilien(enne). ◼ nm, f Brésilien (m), -enne (f).

brasilero, ra ◼ adj (Amér) brésilien(enne). ◼ nm, f Brésilien (m), -enne (f).

braveza nf bravoure (f).

bravío, a adj 1. (animal) sauvage 2. (personne) indomptable.

bravo, va adj 1. (personne) brave 2. (animal) sauvage 3. (mer) démonté(e). ◼ **bravo** ◼ nm brave (m). ◼ interj • **¡bravo!** bravo ! • **por las bravas** loc adv de force.

bravuconear vi péj fanfaronner.

bravura nf 1. (personne) bravoure (f) 2. (animal) férocité (f).

braza nf brasse (f).

brazada *nf* brassée *(f)*, brasse *(f)*.

brazalete *nm* 1. bracelet *(m)* 2. brassard *(m)*.

brazo *nm* 1. bras *(m)* • **cogidos del brazo** bras dessus bras dessous • **llevar en brazos** porter dans ses bras 2. patte *(f)* avant 3. jambe *(f)* • **quedarse** *ou* **estarse con los brazos cruzados** rester les bras croisés • **ser el brazo derecho de alguien** être le bras droit de qqn. ■ **brazo de gitano** *nm* 1. ≃ gâteau *(m)* roulé 2. ≃ bûche *(f)* de Noël glacée. ■ **brazo de mar** *nm* bras *(m)* de mer.

brebaje *nm* breuvage *(m)*.

brecha *nf* 1. brèche *(f)* 2. • **hacer brecha en alguien** *fig* ébranler qqn.

bregar *vi* 1. se battre 2. trimer 3. *fig* se démener.

breva *nf* 1. figue *(f)* 2. cigare *(m)* aplati 3. *(chance)* veine *(f)* • **ino caerá esa breva!** *fam* je n'aurai pas cette veine *ou* chance !

breve *adj* bref(brève) • **en breve** d'ici peu.

brevedad *nf* brièveté *(f)* • **a** *ou* **con la mayor brevedad** dans les plus brefs délais.

bribón, ona *nm, f* vaurien *(m)*, -enne *(f)*.

bricolaje, bricolage *nm* bricolage *(m)*.

brida *nf* bride *(f)*.

bridge *nm* bridge *(m)* *(jeu)*.

brigada ■ *nm* ≃ adjudant *(m)*. ■ *nf* brigade *(f)* • **brigada antidisturbios** ≃ CRS *(mpl)* • **brigada antidroga** brigade des stupéfiants.

brillante ■ *adj* 1. brillant(e) 2. *(sourire)* radieux(euse). ■ *nm* brillant *(m)* *(diamant)*.

brillantez *nf* *fig* splendeur *(f)*.

brillantina *nf* brillantine *(f)*.

brillar *vi* litt & *fig* briller.

brillo *nm* éclat *(m)*.

brilloso, sa *adj (Amér)* brillant(e).

brincar *vi* sauter • **brincar de alegría** sauter de joie.

brinco *nm* bond *(m)*.

brindar ■ *vi* trinquer • **brindar por algo/alguien** porter un toast à qqch/qqn • **brindar a la salud de alguien** boire à la santé de qqn. ■ *vt* offrir. ■ **brindarse** *vp* • **brindarse a hacer algo** offrir de faire qqch.

brindis *nm inv* toast *(m)*.

brío *nm* 1. *(pour marcher)* allant *(m)* 2. *(pour travailler)* entrain *(m)*.

brioche [brioʃ] *nm* brioche *(f)*.

brisa *nf* brise *(f)*.

británico, ca ■ *adj* britannique. ■ *nm, f* Britannique *(mf)*.

brizna *nf* 1. brin *(m)* *(de fil)* 2. souffle *(m)* *(d'air)*.

broca *nf* mèche *(f)* *(outil)*.

brocha *nf* brosse *(f)* *(de peintre)* • **brocha de afeitar** blaireau *(m)*.

brochazo *nm* coup *(m)* de pinceau.

broche *nm* 1. agrafe *(f)* *(de robe)* 2. fermoir *(m)* *(de collier)* 3. *(bijou)* broche *(f)*.

broker ['broker] *(pl* **brokers)** *nm* agent *(m)* de change.

broma *nf* 1. plaisanterie *(f)* 2. farce *(f)* • **en broma** pour rire • **gastar una broma a alguien** faire une farce à qqn • **ni en broma** *fig* jamais de la vie.

bromear *vi* plaisanter.

bromista *adj* & *nmf* farceur(euse).

bromuro *nm* bromure *(m)*.

bronca *nf* ▷ **bronco**.

bronce *nm* bronze *(m)*.

bronceado, da *adj* bronzé(e). ■ **bronceado** *nm* bronzage *(m)*.

bronceador, ra *adj* bronzant(e). ■ **bronceador** *nm* crème *(f)* solaire.

bronco, ca *adj* 1. *(matériau)* grossier(ère) 2. *(voix, son, toux)* rauque 3. *fig (personne, manières)* rustre. ■ **bronca** *nf* 1. bagarre *(f)* • **buscar bronca** chercher la bagarre 2. *(réprimande)* • **echar una bronca a alguien** passer un savon à qqn 3. huées *(fpl)*.

bronquio *nm* bronche *(f)*.

bronquitis *nf inv* bronchite *(f)*.

brotar *vi* 1. *(plante)* pousser 2. *(liquide)* jaillir 3. *fig (sentiments, etc)* naître 4. *(boutons)* sortir.

brote *nm* 1. bourgeon *(m)* 2. *fig* premiers signes *(mpl)*.

bruces ■ **de bruces** *loc adv* à plat ventre • **caerse de bruces** s'étaler de tout son long.

bruja *nf* ▷ **brujo**.

brujería *nf* sorcellerie *(f)*.

brujo, ja ■ *adj* ensorceleur(euse). ■ *nm, f* sorcier *(m)*, -ère *(f)*. ■ **bruja** ■ *nf* 1. laideron *(m)* • **estar hecha una bruja** être épouvantable 2. mégère *(f)*. ■ *adj inv (Amér) fam* à sec *(sans argent)*.

brújula *nf* boussole *(f)*.

bruma *nf* brume *(f)*.

bruñido *nm* brunissage *(m)*.

brusco, ca *adj* brusque.

Bruselas *npr* Bruxelles.

brusquedad *nf* 1. soudaineté *(f)* 2. brusquerie *(f)* • **con brusquedad** brusquement.

brut *adj inv (champagne)* brut.

brutal *adj* 1. brutal(e) 2. *fam* super.

brutalidad *nf* 1. brutalité *(f)* 2. ânerie *(f)*.

bruto, ta ■ *adj* 1. lourdaud(e) 2. rustre 3. *(pétrole, salaire)* brut(e) • **en bruto** brut. ■ *nm, f* brute *(f)*.

BSCH *(abr écrite de* **Banco Santander Central Hispano)** *nm* établissement bancaire espagnol.

bucal *adj* buccal(e).

Bucarest *npr* Bucarest.

bucear *vi* faire de la plongée sous-marine • **bucear en** *fig* se plonger dans • fouiller dans *(le passé)*.

buceo *nm* plongée *(f)* (sous-marine).

buche *nm* **1.** jabot *(m)* **2.** *fam* panse *(f)*.

bucle *nm* **1.** *(gén &* INFORM*)* boucle *(f)* **2.** virage *(m)* en épingle à cheveux.

bucólico, ca *adj* **1.** champêtre **2.** bucolique.

Budapest *npr* Budapest.

budismo *nm* bouddhisme *(m)*.

buen ▷ **bueno**.

buenaventura *nf* **1.** bonne aventure *(f)* **2.** destin *(m)*.

bueno, na *(mejor* est le comparatif et le superlatif de *bueno) adj (devant un nom masculin singulier :* **buen***)* **1.** bon(bonne) • **un hombre bueno** un homme bon • **un buen cuchillo** un bon couteau • **una buena siesta** une bonne sieste • **ser bueno con alguien** être gentil avec qqn **2.** sage • **un niño bueno** un enfant sage **3.** *(sain)* • **estar bueno** être en bonne santé **4.** *(temps, climat)* • **hace buen día** *ou* **tiempo** il fait beau **5.** *fam (beau)* • **está bueno** il est canon **6.** *(usage emphatique)* • **ese buen hombre** ce brave homme • **un buen día** un beau jour • **de buenas a primeras** tout à coup • de prime abord • **estar de buenas** être de bonne humeur • **lo bueno es que...** la meilleure c'est que… • **ser de buen ver** être bien de sa personne. ■ **bueno** ◼ *adv* bon. ◼ *interj (Amér)* **¿bueno?** allô ? ■ **buenas** *interj* • **¡buenas!** bonjour !

Buenos Aires *npr* Buenos Aires.

buey *nm* bœuf *(m)*.

búfalo *nm* buffle *(m)*.

bufanda *nf* écharpe *(f)*.

bufar *vi* **1.** *(taureau)* souffler **2.** *(cheval)* s'ébrouer **3.** *fig (personne)* fulminer.

bufé, buffet *(pl* buffets*) nm* buffet *(m)* (de réception).

bufete *nm* cabinet *(m)* (d'avocats).

buffet = **bufé**.

bufido *nm* **1.** soufflement *(m)* **2.** *fam* gueulante *(f)* • **lanzar un bufido** pousser une gueulante.

bufón, ona *adj* bouffon(onne). ■ **bufón** *nm* bouffon *(m)*.

bufonada *nf* bouffonnerie *(f)*.

buhardilla *nf* **1.** mansarde *(f)* **2.** lucarne *(f)*.

búho *nm* hibou *(m)*.

buitre *nm* **1.** vautour *(m)* **2.** *fig* requin *(m)*.

bujía *nf* AUTO bougie *(f)*.

bulbo *nm* BOT & ANAT bulbe *(m)*.

buldozer *(pl* buldozers*)*, **bulldozer** *(pl* bulldozers*)* [bul'doθer] *nm* bulldozer *(m)*.

bulevar *(pl* bulevares*) nm* boulevard *(m)*.

Bulgaria *npr* Bulgarie *(f)*.

búlgaro, ra ◼ *adj* bulgare. ◼ *nm, f* Bulgare *(mf)*. ■ **búlgaro** *nm* bulgare *(m)*.

bulín *nm (Amér)* garçonnière *(f)*.

bulla *nf* raffut *(m)* • **armar bulla** faire du raffut.

bulldozer = **buldozer**.

bullicio *nm* **1.** brouhaha *(m)* **2.** agitation *(f)*.

bullicioso, sa ◼ *adj* **1.** animé(e) **2.** turbulent(e). ◼ *nm, f* nerveux *(m)*, -euse *(f)*.

bullir *vi* **1.** bouillir **2.** bouillonner **3.** *fig* grouiller, fourmiller.

bulto *nm* **1.** bosse *(f)* • **hacer mucho bulto** prendre beaucoup de place **2.** masse *(f)* **3.** *(de personne)* silhouette *(f)* **4.** paquet *(m)* • **bulto de mano** bagage *(m)* à main • **escurrir el bulto** se dérober • éluder la question.

bumerán *(pl* bumerans*) nm* boomerang *(m)*.

bungalow [buŋga'lo] *(pl* bungalows*) nm* bungalow *(m)*.

búnquer *(pl* búnquers*)*, **búnker** *(pl* búnkers*) nm* **1.** bunker *(m)* **2.** *fig* faction conservatrice d'un parti.

buñuelo *nm* **1.** beignet *(m)* • **buñuelo de viento** pet-de-nonne *(m)* **2.** *fig (chose)* horreur *(f)*.

BUP *(abr de* **Bachillerato Unificado Polivalente)** *nm* ancien cycle d'enseignement pour les élèves de 14 à 17 ans en Espagne • **1°/2°/3° de BUP** 1ère/2ème/3ème année de BUP, ≃ classe de troisième/classe de seconde/classe de première.

buque *nm* navire *(m)*.

burbuja *nf* bulle *(f)*.

burbujear *vi* faire des bulles, pétiller.

burdel *nm* bordel *(m)*.

burdo, da *adj* grossier(ère).

Burgos *npr* Burgos.

burgués, esa *adj & nm, f* bourgeois(e).

burguesía *nf* bourgeoisie *(f)*.

Burkina Faso *npr* Burkina *(m)*.

burla *nf* **1.** moquerie *(f)* • **hacer burla de algo/alguien** se moquer de qqch/qqn **2.** plaisanterie *(f)* **3.** escroquerie *(f)*.

burlar *vt* **1.** tromper **2.** déjouer *(la vigilance de)* **3.** contourner *(la loi)*. ■ **burlarse** *vp* • **burlarse de** se moquer de.

burlesco, ca *adj* **1.** burlesque **2.** *(ton)* moqueur(euse).

burlón, ona *adj* moqueur(euse).

buró *nm (Amér)* table *(f)* de nuit.

burocracia *nf* bureaucratie *(f)*.

burócrata *nmf* bureaucrate *(mf)*.

burofax® *nm* service de télécopie disponible dans les bureaux de poste.

burrada *nf* **1.** ânerie *(f)* **2.** *fam (quantité)* • **hay una burrada de gente** il y a vachement de monde.

burro, rra ◼ *adj* bête. ◼ *nm, f* **1.** âne *(m)*, ânesse *(f)* **2.** *fig* âne *(m)* • **ser un burro para el tra-**

bajo travailler comme une bête • **no ver tres en un burro** *fam* être myope comme une taupe.
bursátil *adj* boursier(ère).
Burundi *npr* Burundi *(m)*.
bus *nm* AUTO & INFORM bus *(m)*.
busca ◼ *nf* recherche *(f)* • **en busca de** en quête de *(qqch)* • à la recherche de *(qqn)*. ◼ *nm inv* = **buscapersonas**.
buscapersonas, busca *nm inv* bip *(m)*
buscar ◼ *vt* **1.** chercher **2.** INFORM rechercher. ◼ *vi* • **ir/venir/pasar a buscar a alguien/algo** aller/venir/passer chercher qqn/qqch.
buscavidas *nmf inv fam* **1.** débrouillard *(m)*, -e *(f)* **2.** fouinard *(m)*, -e *(f)*.
buscón, ona *nm, f* • **es un buscón** il vit d'expédients.
búsqueda *nf* recherche *(f)*.
busto *nm* buste *(m)*.
butaca *nf* **1.** fauteuil *(m)* **2.** *(au théâtre, etc)* place *(f)* • **butaca (de patio)** fauteuil *(m)* d'orchestre.
Bután *npr* Bhoutan *(m)*.
butano *nm* gaz *(m)* (butane).
butifarra *nf* saucisse *(f)* • **butifarra catalana** ≃ boudin *(m)*.
buzo *nm* **1.** plongeur *(m)* **2.** bleu *(m)* de travail.
buzón *nm* boîte *(f)* aux lettres • **buzón electrónico** boîte aux lettres électronique • **buzón de voz** boîte vocale.
buzoneo *nm dépôt de matériel publicitaire dans les boîtes aux lettres.*
byte ['bait] *nm* INFORM octet *(m)*.

c, C [θe] *nf* c *(m inv)*, C *(m inv)*.
c., c/ *(abr écrite de* **calle**) r.
c/ *abrév de* **cuenta**.
cabal *adj* accompli(e). ◼ **cabales** *nmpl* • **no estar en sus cabales** *fig* ne pas avoir toute sa tête.
cabalgar *vi* chevaucher.
cabalgata *nf* chevauchée *(f)*. ◼ **cabalgata de los Reyes Magos** *nf* défilé de chars et de cavaliers déguisés en Rois mages pour l'Épiphanie.
caballa *nf* maquereau *(m)*.

caballería *nf* **1.** monture *(f)* **2.** cavalerie *(f)* **3.** chevalerie *(f)*.
caballero ◼ *adj* galant(e). ◼ *nm* **1.** gentleman *(m)* • **ser todo un caballero** être un vrai gentleman **2.** monsieur *(m)* • **'caballeros'** 'messieurs' • **de caballero** pour homme **3.** chevalier *(m)*.
caballete *nm* **1.** tréteau *(m)* **2.** chevalet *(m)* **3.** arête *(f)* *(de nez)*.
caballito *nm* petit cheval *(m)*. ◼ **caballitos** *nmpl* manège *(m)* (de chevaux de bois). ◼ **caballito de mar** *nm* hippocampe *(m)*.
caballo *nm* **1.** cheval *(m)* • **montar a caballo** faire du cheval **2.** cavalier *(m)* **3.** *l'une des cartes du jeu espagnol*, ≃ dame *(f)* **4.** cavalier *(m)* **5.** *tfam (drogue)* héro *(f)* • **estar a caballo entre** être à cheval sur.
cabaña *nf* **1.** cabane *(f)* **2.** cheptel *(m)*.
cabaré *nm* cabaret *(m)*.
cabecear *vi* **1.** hocher la tête **2.** dodeliner de la tête **3.** faire une tête **4.** *(véhicule)* bringuebaler **5.** *(bateau)* tanguer.
cabecera *nf* **1.** chevet *(m)* **2.** place *(f)* d'honneur **3.** tête *(f)* de chapitre **4.** PRESSE manchette *(f)* **5.** source *(f)* *(d'un fleuve)*.
cabecilla *nmf* meneur *(m)*, -euse *(f)*.
cabellera *nf* chevelure *(f)*.
cabello *nm* **1.** cheveu *(m)* **2.** cheveux *(mpl)*. ◼ **cabello de ángel** *nm* **1.** confiture de citrouille utilisée en pâtisserie **2.** cheveu *(m)* d'ange.
caber *vi* **1.** rentrer, tenir • **no cabe nadie más** il n'y a plus de place **2.** aller • **no me caben los pantalones** ce pantalon est trop petit pour moi **3.** • **cabe la posibilidad de que...** il est possible que... • **cabe preguntarse si...** on peut se demander si... **4.** • **diez entre dos caben a cinco** MATH dix divisé par deux égale cinq • **dentro de lo que cabe** autant que possible • l'un dans l'autre.
cabestrillo ◼ **en cabestrillo** *loc adj* en écharpe.
cabestro *nm* **1.** licou *(m)* **2.** sonnailler *(m)*.
cabeza *nf* **1.** tête *(f)* • **actuar con cabeza** agir avec discernement • **a la** *ou* **en cabeza** à la *ou* en tête • **de cabeza** à la tête la première • **tirarse de cabeza (a)** plonger (dans) • **cabeza lectora** tête de lecture **2.** chef *(m)* • **cabeza de familia** chef de famille **3.** ville *(f)* principale **4.** chef-lieu *(m)* • **alzar** *ou* **levantar cabeza** s'en sortir • **anda de cabeza por ganar dinero** il ne sait plus quoi faire pour gagner de l'argent • **andar** *ou* **estar mal de la cabeza** ne pas tourner rond • **no se le pasó por la cabeza que...** ça ne lui est pas venu à l'esprit que... • **sentar la cabeza** se ranger • **se le subió a la cabeza** ça lui est monté à la tête • **traer de**

cabeza rendre fou(folle) OU malade. ■ **cabeza de ajo** nf tête (f) d'ail. ■ **cabeza de turco** nf tête (f) de Turc.

cabezada nf **1.** dodelinement (m) • **dar cabezadas** dodeliner de la tête **2.** signe (m) de (la) tête **3.** coup (m) de tête.

cabezal nm **1.** tête (f) de lecture **2.** traversin (m).

cabezón, ona ◼ adj **1.** qui a une grosse tête **2.** têtu(e). ◼ nm, f entêté (m), -e (f).

cabezota fam ◼ adj têtu(e) comme une mule. ◼ nmf tête (f) de mule.

cabezudo, da adj & nm, f cabochard(e). ■ **cabezudo** nm déguisement de carnaval en forme de tête géante.

cabida nf **1.** contenance (f) **2.** capacité (f).

cabina nf **1.** cabine (f) **2.** cabine (f) de bain • **cabina telefónica** cabine téléphonique.

cabinera nf (Amér) hôtesse (f) de l'air.

cabizbajo, ja adj tête basse • **miraba el suelo, cabizbajo** il regardait par terre, la tête basse.

cable nm câble (m) • **echar un cable** fam filer un coup de main.

cabo nm **1.** cap (m) **2.** cordage (m) **3.** ≃ brigadier (m) **4.** ≃ caporal (m) **5.** bout (m) **6.** pointe (f) (de crayon) • **atar cabos** faire des recoupements • **llevar algo a cabo** mener qqch à bien, réaliser qqch. • **al cabo de** loc prép au bout de. ■ **cabo suelto** nm point (m) d'interrogation • **no dejar ningún cabo suelto** ne rien laisser au hasard.

cabra nf chèvre (f) • **está como una cabra** fam il est complètement taré • il est excité comme une puce.

cabrales nm inv fromage bleu des Asturies au goût très fort.

cabré ⊳ **caber**.

cabrear vt tfam emmerder. ■ **cabrearse** vp tfam se foutre en rogne.

cabreo nm tfam rogne (f) • **cogerse** OU **coger un cabreo** se foutre en rogne.

cabría ⊳ **caber**.

cabriola nf **1.** (cheval) • **lanzar una cabriola** caracoler **2.** (enfant) cabriole (f).

cabrito nm **1.** chevreau (m) **2.** tfam petite ordure (f).

cabro, bra nm, f (Amér) fam gamin (m), -e (f).

cabrón, ona adj & nm, f vulg enfoiré(e). ■ **cabrón** nm vulg cocu (m).

cabuya nf (Amér) corde (f).

caca nf fam **1.** crotte (f) **2.** caca (m) **3.** • **es caca** c'est crade **4.** • **es una caca** fig c'est de la cochonnerie.

cacahuete, cacahuate (Amér) nm **1.** cacahouète (f) **2.** arachide (f).

cacao nm **1.** cacao (m) **2.** cacaoyer (m) **3.** fam pagaille (f) • **tener un cacao mental** s'emmêler les pinceaux.

cacarear ◼ vt fam crier sur les toits. ◼ vi caqueter, glousser.

cacatúa nf **1.** cacatoès (m) **2.** fam vieille sorcière (f).

Cáceres npr Cáceres.

cacería nf partie (f) de chasse.

cacerola nf fait-tout (m inv).

cacha nf fam cuisse (f). ■ **cachas** adj inv & nm inv fam • **está cachas** il est baraqué.

cachalote nm cachalot (m).

cacharrazo nm grand coup (m) • **dar cacharrazos** taper comme une brute.

cacharro nm **1.** pot (m) **2.** ustensile (m) • **fregar los cacharros** faire la vaisselle **3.** fam truc (m) **4.** fam (voiture) guimbarde (f).

cachaza nf • **tener cachaza** fam être cool.

cachear vt fouiller (une personne).

cachemir, cachemira nf cachemire (m).

cacheo nm fouille (f).

cachet [ka'tʃe] (pl **cachets**) nm **1.** style (m) **2.** (originalité) cachet (m).

cachetada nf (Amér) fam baffe (f).

cachete nm **1.** joue (f) **2.** gifle (f) • **dar un cachete** donner une gifle.

cachirulo nm **1.** fam bidule (m) **2.** flacon (m) **3.** foulard du costume traditionnel aragonais que les hommes se mettent sur la tête.

cachivache nm fam truc (m).

cacho nm **1.** fam bout (m) **2.** (Amér) corne (f) (de taureau).

cachondearse vp fam se marrer • **cachondearse de** se ficher de.

cachondeo nm fam rigolade (f).

cachondo, da fam ◼ adj **1.** marrant(e) **2.** excité(e). ◼ nm, f **1.** rigolo (m), -ote (f) **2.** chaud lapin (m).

cachorro, rra nm, f **1.** chiot (m) **2.** petit (m).

cacique nm **1.** éléphant (m) **2.** fig & péj tyran (m) **3.** cacique (m).

caco nm fam voleur (m).

cacto nm = **cactus**.

cactus nm inv cactus (m).

cada adj inv **1.** chaque • **a cada rato** à chaque instant • **cada cual** chacun • **cada uno (de)** chacun (de) • **cada una de cada diez personas** une personne sur dix **2.** tous les, toutes les • **cada dos días** tous les deux jours **3.** (valeur progressive) • **cada vez** OU **día más** de plus en plus • **cada vez más largo** de plus en plus long **4.** (valeur emphatique) • **ise pone cada sombrero!** elle met de ces chapeaux !

cadáver nm cadavre (m).

cadavérico, ca adj cadavérique.

cadena *nf* **1.** chaîne *(f)* » **en cadena** en chaîne » à la chaîne » **cadena de montaje** chaîne de montage **2.** chasse *(f)* (d'eau) **3.** RADIO station *(f)* **4.** enchaînement *(m)*. ■ **cadenas** *nfpl* AUTO chaînes *(fpl)*. ■ **cadena perpetua** *nf* » **a cadena perpetua** à perpétuité.

cadencia *nf* cadence *(f)*.

cadera *nf* hanche *(f)*.

cadete *nm* MIL cadet *(m)*.

Cádiz *npr* Cadix.

caducar *vi* **1.** expirer **2.** être périmé(e).

caducidad *nf* **1.** expiration *(f)* **2.** *(d'un aliment, d'un médicament)* ⟶ **fecha**.

caduco, ca *adj* **1.** périmé(e) **2.** *(personne)* décati(e) **3.** *(célébrité, beauté)* éphémère **4.** DR & BOT caduc(caduque).

caer *vi* **1.** tomber » **caer en domingo** tomber un dimanche **2.** *(comprendre)* saisir » **¿no caes?** tu ne vois pas ? **3.** *fig (se rappeler)* » **caer en algo** se rappeler qqch » **¡ya caigo!** j'y suis ! **4.** *fig (apparaître)* » **dejarse caer por casa de alguien** passer chez qqn **5.** *fig (convenir)* » **su cumplido me cayó bien** son compliment m'a fait plaisir » **el comentario le cayó mal** la remarque ne lui a pas plu » **me cae bien** je l'aime bien » **me cae mal, no me cae bien** je ne l'aime pas, il ne me revient pas **6.** *fig* se trouver » **caer lejos** être loin » **caer bajo** tomber bien bas » **estar al caer** être sur le point d'arriver » être sur le point de tomber. ■ **caerse** *vp* tomber » **caerse de** tomber de » tomber sur » **caerse del árbol** tomber de l'arbre » **caerse de lado** tomber sur le côté » **caerse de espaldas** tomber à la renverse.

café ■ *nm* **1.** café *(m)* » **café con leche** café au lait » **café descafeinado** café décaféiné » **café instantáneo** OU **soluble** café instantané OU soluble » **café solo** café noir » **café teatro** café-théâtre *(m)* **2.** caféier *(m)*. ■ *adj inv* couleur café.

cafeína *nf* caféine *(f)*.

cafetera *nf* ⟶ **cafetero**.

cafetería *nf* snack-bar *(m)*.

cafetero, ra *adj* **1.** producteur(trice) de café **2.** amateur de café. ■ **cafetera** *nf* **1.** cafetière *(f)* **2.** *fam (appareil)* vieux machin *(m)* **3.** *fam (voiture)* guimbarde *(f)*.

cafiche *nm (Amér) fam* maquereau *(m)*.

cafre ■ *adj* grossier(ère). ■ *nmf* grossier personnage *(m)*.

cagada *nf* ⟶ **cagado**.

cagado, da *nm, f vulg* trouillard *(m)*, -e *(f)*. ■ **cagada** *nf vulg* **1.** connerie *(f)* **2.** *(excrément)* merde *(f)* **3.** chiure *(f)*.

cagar *vulg* ■ *vi* chier. ■ *vt* foutre en l'air » **la has cagado** *fig* tu t'es foutu dedans. ■ **cagarse** *vp*

vulg **1.** chier dans sa culotte **2.** *fig (pour insulter)* » **ime cago en tu madre!** putain de ta mère ! **3.** *fig* chier dans son froc.

caído, da *adj* **1.** *fig* » abattu(e) **2.** *(moral)* bas (basse). ■ **caído** *nm (gén pl)* » **los caídos** les morts *(pour la patrie)*. ■ **caída** *nf* **1.** chute *(f)* **2.** baisse *(f)* **3.** tombée *(f) (du jour)* **4.** pente *(f)*.

caimán *nm* **1.** caïman *(m)* **2.** *fig* vieux renard *(m)*.

caja *nf* **1.** boîte *(f)* » **caja de herramientas** boîte à outils **2.** caisse *(f)* » **caja de ahorros** caisse d'épargne » **caja registradora** caisse enregistreuse **3.** boîtier *(m)* **4.** cercueil *(m)* **5.** coffre *(m)* » **caja fuerte** OU **de caudales** coffre-fort *(m)* **6.** cage *(f) (d'escalier, d'ascenseur)* **7.** conduit *(m) (de cheminée)* **8.** » **caja torácica** cage thoracique **9.** MUS caisse *(f)* de résonance. ■ **caja de música** *nf* boîte *(f)* à musique. ■ **caja negra** *nf* boîte *(f)* noire.

cajero, ra *nm, f* caissier *(m)*, -ère *(f)*. ■ **cajero** *nm* » **cajero (automático)** distributeur *(m)* (automatique de billets).

cajetilla *nf* **1.** boîte *(f) (d'allumettes)* **2.** paquet *(m) (de cigarettes)*.

cajón *nm* **1.** tiroir *(m)* **2.** caisse *(f) (en bois, etc)*. ■ **cajón de sastre** *nm* fourre-tout *(m inv)*.

cajuela *nf (Amér)* coffre *(m)*.

cal *nf* chaux *(f)*.

cal. *(abr écrite de calorías)* cal. » **un plato de pasta tiene alrededor de 350 cal.** une assiette de pâtes contient environ 350 cal.

cala *nf* **1.** crique *(f)* **2.** cale *(f)* **3.** morceau *(m) (de fruit, pour goûter)* **4.** arum *(m)*.

calabacín *nm* courgette *(f)*.

calabaza *nf* **1.** courge *(f)* **2.** potiron *(m)*, citrouille *(f)* **3.** calebasse *(f)* » **dar calabazas a alguien** *fam fig (prétendant)* envoyer promener qqn » recaler qqn *(à un examen)* » **recibir calabazas** *fam fig (prétendant)* se faire jeter » se faire recaler *(à un examen)*.

calabozo *nm* **1.** cachot *(m)* **2.** *(au commissariat)* dépôt *(m)*.

calada *nf* ⟶ **calado**.

calado, da *adj* trempé(e). ■ **calado** *nm* **1.** tirant *(m)* d'eau **2.** profondeur *(f) (du port)* **3.** broderie *(f)* ajourée. ■ **calada** *nf* **1.** trempage *(m)* **2.** bouffée *(f) (de cigarette)*.

calamar *nm* calmar *(m)*, calamar *(m)*.

calambre *nm* **1.** décharge *(f)* électrique **2.** crampe *(f)*.

calamidad *nf* calamité *(f)* » **es una calamidad** c'est une catastrophe. ■ **calamidades** *nfpl* malheurs *(mpl)*.

calamitoso, sa *adj* désastreux(euse).

calaña *nf péj* » **de esa calaña** de cet acabit.

calar ■ *vt* **1.** transpercer, passer au travers de **2.** *fig* percer à jour *(quelqu'un)* **3.** ajourer **4.** enfoncer *(un chapeau)* **5.** entamer *(un fruit)*

6. percer, perforer *(un mur, une planche).* ◼ *vi*
1. avoir un tirant d'eau **2.** *fig (idées, mots, mode)*
prendre ◦ **calar en** avoir un impact sur ◦ **calar
en lo más hondo** *fig* aller au fond des choses.
◼ **calarse** *vp* **1.** se faire tremper **2.** *(moteur)* caler.

calavera ◼ *nf* tête *(f)* de mort. ◼ *nm fig* tête *(f)*
brûlée. ◼ **calaveras** *nfpl (Amér)* AUTO feux *(mpl)*
arrière.

calcar *vt* **1.** décalquer **2.** calquer **3.** *fig* ◦ reproduire *(un mouvement)* ◦ reprendre *(une scène).*

calceta *nf* bas *(m)* (de laine) ◦ **hacer calceta**
tricoter.

calcetín *nm* chaussette *(f)* ◦ **calcetines rojos**
des chaussettes rouges.

calcificarse *vp* se calcifier.

calcinar *vt* calciner.

calcio *nm* calcium *(m).*

calco *nm litt & fig* calque *(m)* ◦ **ser un calco de**
être calqué(e) sur.

calcomanía *nf* décalcomanie *(f).*

calculador, ra *adj litt & fig* calculateur(trice).
◼ **calculadora** *nf* calculatrice *(f).*

calcular *vt* **1.** calculer **2.** croire ◦ **calculo que
estaremos de vuelta temprano** je crois que
nous serons rentrés tôt ◦ **le calculo sesenta
años** je lui donne soixante ans.

cálculo *nm* MATH & MÉD calcul *(m).*

caldear *vt* **1.** chauffer **2.** échauffer *(les esprits).*

caldera *nf* **1.** fait-tout *(m inv)* **2.** chaudière *(f).*

calderilla *nf* petite monnaie *(f).*

caldero *nm* chaudron *(m).*

caldo *nm* **1.** bouillon *(m)* **2.** *(gén pl)* *(vin, huile)* cru
(m).

calefacción *nf* chauffage *(m)* ◦ **calefacción
central** chauffage central.

calefactor *nm* radiateur *(m).*

calendario *nm* calendrier *(m)* ◦ **calendario de
trabajo** planning *(m)* ◦ **calendario escolar** calendrier scolaire ◦ **calendario laboral** année
(f) de travail.

calentador, ra *adj* chauffant(e). ◼ **calentador**
nm **1.** chauffe-eau *(m inv)* **2.** guêtre *(f).*

calentar *vt* **1.** faire chauffer ◦ **calentar agua** faire chauffer de l'eau **2.** *fig (public)* chauffer **3.** *fig*
frapper. ◼ **calentarse** *vp* **1.** se réchauffer **2.** *(repas)* chauffer **3.** *(les esprits, un sportif)* s'échauffer
4. *tfam fig* bander.

calentura *nf* **1.** température *(f)* ◦ **tener calentura** avoir de la fièvre **2.** bouton *(m)* de fièvre.

calenturiento, ta *adj* **1.** fiévreux(euse) **2.** *fig*
◦ **una mente calenturienta** une âme exaltée
◦ **una imaginación calenturienta** une imagination débridée.

calesitas *nfpl (Amér)* manège *(m)* (de chevaux
de bois).

calibración *nf* = **calibrado.**

calibrado *nm* calibrage *(m).*

calibrar *vt* **1.** calibrer **2.** *fig* mesurer.

calibre *nm* **1.** calibre *(m)* **2.** jauge *(f)* **3.** *fig* taille
(f), importance *(f)* ◦ **de mucho calibre** de tail-
le.

calidad *nf* qualité *(f)* ◦ **la calidad humana** les
qualités humaines ◦ **de calidad** de qualité ◦ **en
calidad de** en qualité de, en tant que.

cálido, da *adj* **1.** chaud(e) **2.** chaleureux(euse).

caliente *adj* **1.** chaud(e) ◦ **en caliente** *fig* à
chaud **2.** *fig* passionné(e) **3.** *tfam* ◦ **ponerse caliente** bander.

calificación *nf* **1.** qualification *(f)* **2.** SCOL note
(f).

calificar *vt* **1.** qualifier **2.** SCOL noter.

calificativo, va *adj* qualificatif(ive). ◼ **calificativo** *nm* ◦ **no encuentro calificativos para
describir su generosidad** je ne trouve pas de
mots pour décrire sa générosité ◦ **le aplica-
mos el calificativo de imbécil** on le qualifie
d'imbécile.

caligrafía *nf* **1.** calligraphie *(f)* **2.** écriture *(f).*

cáliz *nm* calice *(m).*

calizo, za *adj* calcaire. ◼ **caliza** *nf* calcaire *(m).*

callado, da *adj* **1.** réservé(e) **2.** silencieux(euse).

callar ◼ *vi* se taire. ◼ *vt* **1.** taire, passer sous
silence **2.** garder *(un secret).* ◼ **callarse** *vp* se
taire.

calle *nf* **1.** rue *(f)* ◦ **calle peatonal** rue piétonnière *ou* piétonne **2.** SPORT couloir *(m)* ◦ **dejar
a alguien en la calle, echar a alguien a la calle**
mettre qqn sur le pavé, mettre qqn à la porte.

callejear *vi* flâner.

callejero, ra *adj* **1.** *(scène)* de la rue **2.** *(vente)* am-
bulant(e) ◦ **un perro callejero** un chien errant
◦ **es muy callejera** elle est tout le temps dehors. ◼ **callejero** *nm* répertoire *(m)* des rues.

callejón *nm* ruelle *(f)* ◦ **callejón sin salida** *litt &
fig* impasse *(f).*

callejuela *nf* ruelle *(f).*

callista *nmf* pédicure *(mf).*

callo *nm* durillon *(m)*, cor *(m)* ◦ **es un callo** *fam
fig* il est laid comme un pou. ◼ **callos** *nmpl*
tripes *(fpl).*

calma *nf* calme *(m)* ◦ **estar en calma** être calme.

calmante ◼ *adj* calmant(e). ◼ *nm* calmant *(m).*

calmar *vt* calmer. ◼ **calmarse** *vp* se calmer.

caló *nm* parler gitan repris dans la langue fami-
lière.

calor *nm* chaleur *(f)* ◦ **entrar en calor** se réchauffer ◦ SPORT s'échauffer ◦ **tener calor** avoir
chaud.

caloría *nf* calorie *(f).*

calote *nm (Amér)* escroquerie *(f).*

calumnia *nf* calomnie *(f).*

calumniar *vt* calomnier.

calumnioso, sa *adj* calomnieux(euse).

caluroso, sa *adj* **1.** chaud(e) **2.** *fig* chaleureux (euse).

calva *nf* ⊳ **calvo.**

calvario *nm* **1.** chemin *(m)* de croix **2.** *fig* calvaire *(m).*

calvicie *nf* calvitie *(f).*

calvo, va *adj & nm, f* chauve. ■ **calva** *nf* crâne *(m)* dégarni.

calzada *nf* chaussée *(f).*

calzado, da *adj* **1.** chaussé(e) **2.** *(oiseau)* pattu(e). ■ **calzado** *nm* chaussure *(f).*

calzador *nm* chausse-pied *(m inv).*

calzar *vt* **1.** chausser **2.** mettre *(des gants)* **3.** porter *(des chaussures)* • **¿qué número calza?** quelle est votre pointure ? **4.** caler. ■ **calzarse** *vp* se chausser • **calzarse unas sandalias** mettre des sandales.

calzo *nm* cale *(f).*

calzón *nm (gén pl)* **1.** *vieilli* culotte *(f)* **2.** *(Amér)* slip *(m).*

calzoncillos *nmpl* **1.** slip *(m)* **2.** caleçon *(m).*

cama *nf* lit *(m)* • **estar en** *ou* **guardar cama** rester au lit, garder le lit • **hacer la cama** faire son lit • **cama nido** lit gigogne.

camada *nf* portée *(f).*

camafeo *nm* camée *(m).*

camaleón *nm litt & fig* caméléon *(m).*

cámara ■ *nf* **1.** chambre *(f)* • **cámara de gas** chambre à gaz • **cámara frigorífica** chambre froide **2.** caméra *(f)* • **a cámara lenta** au ralenti • **cámara (fotográfica)** appareil *(m)* photo **3.** carré *(m)* *(des officiers)* **4.** chambre *(f)* à air. ■ *nmf* cameraman *(m).*

camarada *nmf* camarade *(mf).*

camaradería *nf* camaraderie *(f).*

camarero, ra *nm, f* **1.** *(de bar, de restaurant)* serveur *(m),* -euse *(f),* garçon *(m)* **2.** *(d'hôtel)* garçon d'étage *(m),* femme de chambre *(f)* **3.** chambellan *(m),* dame *(f)* d'honneur.

camarilla *nf* bande *(f)* *(groupe).*

camarón *nm* crevette *(f).*

camarote *nm* cabine *(f).*

cambalache *nm (Amér)* boutique *(f)* d'articles d'occasion.

cambiador *nm* table *(f)* à langer.

cambiante *adj* changeant(e).

cambiar ■ *vt* changer • **cambiar algo (por)** échanger qqch (contre). ■ *vi* **1.** • **cambiar (de)** changer (de) • **cambiar de parecer** changer d'avis **2.** AUTO • **cambiar (de velocidades)** changer de vitesse. ■ **cambiarse** *vp* se changer • **cambiarse de zapatos** changer de chaussures • **cambiarse de casa** déménager.

cambio *nm* **1.** changement *(m)* • **cambio climático** changement climatique • **a las primeras de cambio** *fig* tout d'un coup **2.** échange *(m)* • **a cambio** en échange **3.** monnaie *(f)* **4.** *(actions, devises)* change *(m)* **5.** AUTO • **cambio (de marchas** *ou* **velocidades)** changement *(m)* de vitesse. ■ **en cambio** *loc adv* **1.** en revanche *sout,* par contre *fam* **2.** à la place, en échange. ■ **cambio de rasante** *nm* sommet *(m)* de côte. ■ **libre cambio** *nm* libre-échange *(m).*

cambista *nmf* cambiste *(mf).*

cambujo, ja *adj (Amér)* métis(isse) *(d'Indien et de Noir).*

camelar *vt fam* embobiner.

camelia *nf* camélia *(m).*

camello, lla *nm, f* chameau *(m),* chamelle *(f).* ■ **camello** *nm fam* dealer *(m).*

camellón *nm (Amér)* terre-plein *(m)* central.

camelo *nm fam* baratin *(m).*

camerino *nm* THÉÂTRE loge *(f).*

camilla ■ *nf* brancard *(m).* ■ *adj* ⊳ **mesa.**

camillero, ra *nm, f* brancardier *(m).*

caminante *nmf* marcheur *(m),* -euse *(f).*

caminar ■ *vi* marcher • **caminar (hacia)** *fig* aller (au-devant de) • **caminar hacia su ruina** *fig* courir à sa perte. ■ *vt* parcourir.

caminata *nf* trotte *(f).*

camino *nm* **1.** chemin *(m)* • **de camino** en chemin • **nos pilla de camino** c'est sur le chemin • **abrirse alguien camino** *fig* faire son chemin • **andar por mal camino** *fig* être sur la mauvaise pente • **quedarse alguien a medio camino** *fig* s'arrêter en chemin **2.** route *(f).*

camión *nm* **1.** camion *(m)* • **camión cisterna** camion-citerne *(m)* **2.** *(Amér)* bus *(m).*

camionero, ra *nm, f* camionneur *(m),* routier *(m).*

camioneta *nf* camionnette (*f*).

camisa *nf* **1.** chemise (*f*) **2.** TECHNOL manchon (*m*) **3.** ZOOL mue (*f*) **4.** BOT peau (*f*) • **se mete en camisa de once varas** il se mêle de ce qui ne le regarde pas • **mudar** OU **cambiar de camisa** retourner sa veste. ■ **camisa de fuerza** *nf* camisole (*f*) de force.

camiseta *nf* **1.** maillot (*m*) de corps **2.** tee-shirt (*m*) **3.** SPORT maillot (*m*).

camisola *nf* **1.** nuisette (*f*) **2.** (*Amér*) chemisier (*m*) **3.** (*Amér*) chemise (*f*) de nuit.

camisón *nm* chemise (*f*) de nuit.

camorra *nf* bagarre (*f*) • **buscar camorra** chercher la bagarre.

campal *adj* ▷ **batalla**.

campamento *nm* **1.** campement (*m*) **2.** troupe (*f*).

campana *nf* **1.** cloche (*f*) **2.** hotte (*f*) (*de cheminée*) • **doblar las campanas** sonner les cloches • **sonner le glas** • **campana extractora de humos** hotte (*f*) aspirante • **oír campanas y no saber dónde** ne comprendre qu'à moitié.

campanada *nf* **1.** sonnerie (*f*) (*de cloche, de réveil*) **2.** fig (*événement*) • **la campanada del siglo** l'événement (*m*) du siècle • **ser la campanada** faire sensation.

campanario *nm* clocher (*m*).

campanilla *nf* **1.** (*instrument, fleur*) clochette (*f*) **2.** (*porte*) sonnette (*f*).

campanilleo *nm* tintement (*m*).

campante *adj* **1.** fam cool • **estar** OU **quedarse tan campante** fig ne pas broncher **2.** fier (fière).

campaña *nf* campagne (*f*) (*électorale, publicitaire*).

campechano, na *adj* simple • **es un hombre campechano** c'est un chic type.

campeón, ona *nm, f* champion (*m*), -onne (*f*).

campeonato *nm* championnat (*m*) • **de campeonato** fam fig d'enfer.

campero, ra *adj* de campagne. ■ **campera** *nf* **1.** (*gén pl*) ≃ camarguaise (*f*) **2.** (*Amér*) blouson (*m*).

campesino, na *adj* & *nm, f* paysan(anne).

campestre *adj* champêtre.

camping ['kampin] *nm* camping (*m*).

campo *nm* **1.** champ (*m*) • **campo de batalla/de tiro** champ de bataille/de tir • **dejar el campo libre** fig laisser le champ libre **2.** campagne (*f*) **3.** SPORT & AÉRON terrain (*m*) **4.** court (*m*) (*de tennis*) **5.** fig domaine (*m*). ■ **campo de concentración** *nm* camp (*m*) de concentration. ■ **campo de trabajo** *nm* **1.** chantier (*m*) de jeunesse **2.** camp (*m*) de travail. ■ **campo visual** *nm* champ (*m*) visuel.

Campsa (*abr de* **Compañía Arrendataria del Monopolio de Petróleos, SA**) *nf* compagnie pétrolière espagnole semi-publique.

campus *nm inv* campus (*m*).

camuflaje *nm* camouflage (*m*).

camuflar *vt* camoufler.

cana *nf* ▷ **cano**.

Canadá *npr* • **(el) Canadá** (le) Canada.

canadiense ◼ *adj* canadien(enne). ◼ *nmf* Canadien (*m*), -enne (*f*).

canal ◼ *nm* **1.** canal (*m*) **2.** carcasse (*f*) **3.** RADIO & TV chaîne (*f*) • **canal temático** chaîne thématique **4.** conduite (*f*) (*d'eau, de gaz*). ◼ *nm ou nf* gouttière (*f*).

canalé *nm* côtes (*fpl*) (*d'un tricot*).

canalizar *vt* litt & fig canaliser.

canalla *nmf* canaille (*f*).

canalón *nm* **1.** gouttière (*f*) **2.** = **canelón**.

canapé *nm* CULIN (*sofa*) canapé (*m*).

Canarias *npr* • **(las) Canarias** (les) Canaries (*fpl*).

canario, ria ◼ *adj* canarien(enne). ◼ *nm, f* Canarien (*m*), -enne (*f*). ■ **canario** *nm* ZOOL canari (*m*).

canasta *nf* **1.** corbeille (*f*) **2.** (*jeu de cartes*) canasta (*f*) **3.** SPORT panier (*m*).

canastilla *nf* **1.** corbeille (*f*) **2.** layette (*f*).

canasto *nm* grande corbeille (*f*).

cancela *nf* grille (*f*).

cancelación *nf* annulation (*f*).

cancelar *vt* **1.** annuler **2.** résilier **3.** solder (*une dette*) **4.** lever (*une hypothèque*).

cáncer *nm* fig & MÉD cancer (*m*). ◼ **Cáncer** ◼ *nm inv* Cancer (*m inv*). ◼ *nmf inv* cancer (*m inv*).

cancerígeno, na *adj* cancérigène.

canceroso, sa *adj* & *nm, f* cancéreux(euse).

cancha *nf* **1.** terrain (*m*) (*de football, de golf*) **2.** court (*m*) (*de tennis*).

canciller *nm* **1.** chancelier (*m*) **2.** ministre (*m*) des Affaires étrangères.

canción *nf* chanson (*f*) • **canción de cuna** berceuse (*f*).

cancionero *nm* **1.** recueil (*m*) de chansons **2.** recueil (*m*) de poésies.

candado *nm* cadenas (*m*).

candela *nf* chandelle (*f*) • **dar candela** fam fig donner du feu.

candelabro *nm* candélabre (*m*).

candelero *nm* chandelier (*m*) • **estar en el candelero** fig être très en vue.

candente *adj* **1.** incandescent(e) **2.** fig (*sujet*) brûlant(e).

candidato, ta *nm, f* candidat (*m*), -e (*f*).

candidatura *nf* **1.** candidature (*f*) **2.** liste (*f*) (*de candidats*).

candidez *nf* candeur (*f*).

cándido, da *adj* candide.

candil *nm* **1.** lampe *(f)* à huile **2.** *(Amér)* lustre *(m)*.

candilejas *nfpl* **1.** feux *(mpl)* de la rampe **2.** *fig* théâtre *(m)*.

canelo, la *adj* cannelle *(inv)*. ■ **canela** *nf* cannelle *(f)*.

canelón *nm* cannelloni *(m)*.

cangrejo *nm* crabe *(m)*.

canguro ◆ *nm* kangourou *(m)*. ◆ *nmf fam* baby-sitter *(mf)* • **hacer de canguro** faire du baby-sitting.

caníbal *adj & nmf* cannibale.

canibalismo *nm* cannibalisme *(m)*.

canica *nf* bille *(f)*. ■ **canicas** *nfpl (jeu)* billes *(fpl)*.

caniche *nm* caniche *(m)*.

canícula *nf* canicule *(f)*.

canijo, ja ◆ *adj péj* rachitique. ◆ *nm, f* nabot *(m)*, -e *(f)*.

canilla *nf* **1.** tibia *(m)* **2.** cannette *(f) (de fil)* **3.** *(Amér)* robinet *(m)* **4.** *(Amér) fam (pied)* canne *(f)*.

canillita *nm (Amér) fam* crieur *(m)* de journaux.

canino, na *adj* canin(e). ■ **canino** *nm* canine *(f)*.

canjear *vt* échanger.

cano, na *adj* blanc(blanche). ■ **cana** *nf* cheveu *(m)* blanc.

canoa *nf* **1.** canot *(m)* **2.** SPORT canoë *(m)*.

canódromo *nm* cynodrome *(m)*.

canon *nm* **1.** *(norme & MUS)* canon *(m)* **2.** idéal *(m)* **3.** redevance *(f)*.

canónigo *nm* chanoine *(m)*.

canonizar *vt* canoniser.

canoso, sa *adj* grisonnant(e).

cansado, da *adj* **1.** fatigué(e) • **estar cansado de algo** *fig* être fatigué de qqch **2.** fatigant(e).

cansador, ra *adj (Amér)* **1.** fatigant(e) **2.** ennuyeux(euse).

cansancio *nm* fatigue *(f)*.

cansar *vt & vi* fatiguer. ■ **cansarse** *vp* • **cansarse (de)** se fatiguer (de) • **cansarse (de algo/de hacer algo)** *fig* se lasser de qqch/de faire qqch.

Cantabria *npr* Cantabrique.

cantábrico, ca *adj* de Cantabrique. ■ **Cantábrico** *nm* • **el Cantábrico** le golfe de Gascogne.

cántabro, bra ◆ *adj* cantabre. ◆ *nm, f* Cantabre *(mf)*.

cantaleta *nf (Amér)* **1.** rengaine *(f)* **2.** *fig* sermon *(m)*.

cantamañanas *nmf inv* baratineur *(m)*, -euse *(f)*.

cantante *adj & nmf* chanteur(euse).

cantaor, ra *nm, f* chanteur *(m)*, -euse *(f)* de flamenco.

cantar ◆ *vt* **1.** chanter **2.** *(bingo, gros lot)* annoncer **3.** *(heures)* sonner. ◆ *vi* **1.** chanter **2.** *fam fig (confesser)* • **cantar (de plano)** lâcher le morceau **3.** *fam fig* puer. ◆ *nm sout* chanson *(f)*.

cántaro *nm* cruche *(f)*.

cante *nm fam* bourde *(f)*. ■ **cante jondo** *nm* âme du chant flamenco.

cantera *nf* **1.** carrière *(f) (de pierres)* **2.** *fig* vivier *(m)*.

cantero *nm (Amér)* parterre *(m)*.

cantidad ◆ *nf* **1.** quantité *(f)* • **cantidad de** beaucoup de • **hay cantidad de gente** il y a beaucoup de monde **2.** somme *(f) (d'argent)*. ◆ *adv fam* vachement • **cantidad de bien** vachement bien.

cantilena, cantinela *nf* rengaine *(f)*, couplet *(m)*.

cantimplora *nf* gourde *(f)*.

cantina *nf* **1.** MIL popote *(f)* **2.** buffet *(m)* de la gare **3.** cafétéria *(f)* **4.** cantine *(f)*.

cantinela = cantilena.

canto *nm* **1.** chant *(m)* **2.** arête *(f) (d'une table)* **3.** tranche *(f) (d'un livre, d'une pièce)* **4.** • **de canto** sur le côté • *(livre)* sur la tranche **5.** dos *(m) (d'un couteau)* **6.** caillou *(m)* • **canto rodado** galet *(m)*.

cantor, ra *adj & nm, f* chanteur(euse).

canturrear, canturriar *vt & vi* chantonner.

canutas *nfpl fam* • **pasarlas canutas** en baver.

canuto *nm* **1.** tube *(m)* **2.** *fam* pétard *(m)*.

caña *nf* **1.** tige *(f)* • **caña de azúcar** canne *(f)* à sucre **2.** demi *(m)* • **darle** *ou* **meterle caña a algo** *fam* se défoncer pour qqch. ■ **caña (de pescar)** *nf* canne *(f)* à pêche • **pescar con caña** pêcher à la ligne.

cáñamo *nm* chanvre *(m)*.

cañería *nf* canalisation *(f)*.

caño *nm* tuyau *(m)*.

cañón *nm* **1.** canon *(m)* **2.** conduit *(m) (de cheminée)* **3.** tuyau *(m) (d'un orgue)* **4.** cañon *(m)*, canyon *(m)*.

caoba *nf* acajou *(m)*.

caos *nm inv* chaos *(m)*.

caótico, ca *adj* chaotique.

cap. *(abr écrite de* **capítulo***)* chap. • **'consultar el cap. 5'** 'consulter le chap. 5'.

capa *nf* **1.** *(vêtement & TAUROM)* cape *(f)* **2.** couche *(f) (de peinture, de glace, sociale, etc)* • **capa de ozono** couche d'ozone • **andar** *ou* **ir de capa caída** *(affaire)* battre de l'aile • *(personne)* être dans une mauvaise passe.

capacidad *nf* capacité *(f)*.

capacitación *nf* formation *(f)*.

capacitar *vt* • **capacitar a alguien para algo** former qqn à qqch • **capacitar a alguien para hacer algo** habiliter qqn à faire qqch.

capar *vt* châtrer.

caparazón nm carapace (f) • **meterse en su caparazón** fig rentrer dans sa coquille.

capataz nm **1.** chef (m) d'exploitation **2.** chef (m) de chantier.

capaz adj • **capaz (de algo/de hacer algo)** capable (de qqch/de faire qqch).

capazo nm cabas (m).

capear vt fig **1.** contourner (les difficultés) **2.** se dérober à (ses engagements) **3.** fuir (le travail) **4.** TAUROM faire des passes avec la cape.

capellán nm aumônier (m).

caperuza nf capuchon (m) (de vêtement, de stylo).

capicúa ⬧ adj inv palindrome. ⬧ nm inv nombre (m) palindrome.

capilar ⬧ adj capillaire. ⬧ nm capillaire (m).

capilla nf chapelle (f) • **capilla ardiente** chapelle ardente.

cápita ■ **per cápita** loc adj **1.** par personne **2.** par habitant.

capital ⬧ adj capital(e) • **lo capital es...** l'essentiel, c'est... ⬧ nm capital (m). ⬧ nf capitale (f).

capitalismo nm capitalisme (m).

capitalista adj & nmf capitaliste.

capitalizar vt capitaliser • **capitalizar algo** fig tirer profit de qqch.

capitán, ana nm, f capitaine (m).

capitanear vt **1.** MIL commander **2.** (diriger) mener **3.** SPORT être le capitaine de.

capitanía nf état-major (m).

capitel nm ARCHIT chapiteau (m).

capitoste nmf péj caïd (m).

capitulación nf capitulation (f).

capitular vi capituler.

capítulo nm chapitre (m).

capó, capot [ka'po] (pl **capots**) nm capot (m).

caporal nm caporal (m).

capot = **capó**.

capota nf AUTO capote (f).

capote nm **1.** (manteau) capote (f) **2.** TAUROM cape (f).

capricho nm caprice (m) • **darse un capricho** se faire un petit plaisir • **por puro capricho** par pur caprice.

caprichoso, sa adj capricieux(euse).

Capricornio ⬧ nm inv Capricorne (m inv). ⬧ nmf inv capricorne (m inv).

cápsula nf **1.** capsule (f) **2.** gélule (f).

captar vt **1.** gagner (la sympathie) **2.** capter (l'attention) **3.** (comprendre) saisir **4.** RADIO capter.

captura nf capture (f).

capturar vt capturer.

capucha nf **1.** capuche (f) **2.** capuchon (m) (de stylo).

capuchón nm capuchon (m).

capullo, lla adj & nm, f vulg con(conne). ■ **capullo** nm **1.** bouton (m) (de fleur) **2.** cocon (m) (de ver) **3.** vulg gland (m).

caqui, kaki ⬧ adj inv kaki (inv). ⬧ nm **1.** plaqueminier (m) **2.** kaki (m).

cara nf **1.** visage (m), figure (f) • **cara a cara** face à face • **de cara** dans les yeux **2.** tête (f) • **tener buena/mala cara** avoir bonne/mauvaise mine • **tener cara de enfado/sueño** avoir l'air fâché(e)/fatigué(e) • **tiene cara de ponerse a llover** on dirait qu'il va pleuvoir **3.** face (f) • **a cara o cruz** à pile ou face **4.** fam culot (m) • **tener (mucha) cara, tener la cara muy dura** avoir un sacré culot **5.** façade (f) • **cruzar la cara a alguien** gifler qqn • **de cara a** en vue de • **de cara al futuro** face à l'avenir • **decir algo a alguien a ou en cara** dire qqch en face à qqn • **echar en cara** jeter à la figure • **romper ou partir la cara a alguien** casser la figure à qqn • **nos veremos las caras** on se retrouvera.

carabela nf caravelle (f).

carabina nf **1.** carabine (f) **2.** fam fig chaperon (m).

Caracas npr Caracas.

caracol nm **1.** escargot (m) • **caracol de mar** bigorneau (m) **2.** coquillage (m) **3.** ANAT limaçon (m) **4.** accroche-cœur (m).

caracola nf conque (f).

carácter (pl **caracteres**) nm caractère (m) • **(tener) buen/mal carácter** (avoir) bon/mauvais caractère.

característico, ca adj caractéristique. ■ **característica** nf caractéristique (f).

caracterización nf **1.** caractérisation (f) **2.** grimage (m).

caracterizar vt **1.** caractériser **2.** incarner **3.** grimer. ■ **caracterizarse** vp • **caracterizarse por** se caractériser par.

caradura adj & nmf fam gonflé(e) • **es un caradura** il est gonflé.

carajillo nm café arrosé de rhum ou de cognac.

carajo nm tfam • **¡qué carajo!** bordel !

caramba interj • **¡caramba!** ça alors ! • zut alors !

carambola nf carambolage (m). ■ **carambolas** interj (Amér) fam • **¡carambolas!** zut !

caramelizar vt caraméliser.

caramelo nm **1.** bonbon (m) **2.** caramel (m).

carantoñas nfpl • **hacer carantoñas** faire des mamours • fig faire patte de velours.

carátula nf **1.** couverture (f) (de livre) **2.** pochette (f) (de disque) **3.** masque (m).

caravana nf **1.** caravane (f) **2.** roulotte (f) **3.** (embouteillage) bouchon (m). ■ **caravanas** nfpl (Amér) **1.** pendants (mpl) d'oreilles **2.** courbettes (fpl).

caray *interj* • **¡caray!** mince !

carbón *nm* **1.** charbon (*m*) **2.** fusain (*m*).

carboncillo *nm* fusain (*m*).

carbonero, ra *adj* & *nm, f* charbonnier(ère). ■ **carbonera** *nf* **1.** cave (*f*) à charbon **2.** pile (*f*) de bois.

carbonilla *nf* **1.** escarbille (*f*) **2.** poussier (*m*).

carbonizar *vt* carboniser. ■ **carbonizarse** *vp* être carbonisé(e).

carbono *nm* carbone (*m*).

carburador *nm* carburateur (*m*).

carburante *nm* carburant (*m*).

carburar ■ *vt* carburer. ■ *vi fam* gazer.

carca *adj* & *nmf péj* réac.

carcajada *nf* éclat (*m*) de rire • **reír a carcajadas** rire aux éclats.

carcajearse *vp* rire aux éclats • **carcajearse de** se moquer de.

carcamal *nmf fam péj* **1.** (*homme*) vieux croulant (*m*) **2.** (*femme*) vieille peau (*f*).

cárcel *nf* prison (*f*).

carcelero, ra *nm, f* gardien (*m*), -enne (*f*) de prison.

carcoma *nf* **1.** ver (*m*) à bois **2.** vermoulure (*f*).

carcomer *vt* **1.** ronger **2.** (*santé*) miner.

cardar *vt* **1.** carder (*la laine*) **2.** crêper (*les cheveux*).

cardenal *nm* **1.** cardinal (*m*) **2.** (*hématome*) bleu (*m*).

cárdigan, cardigán *nm* cardigan (*m*).

cardinal *adj* cardinal(e).

cardiólogo, ga *nm, f* cardiologue (*mf*).

cardiovascular *adj* cardio-vasculaire.

cardo *nm* chardon (*m*) • **es un cardo** *fam fig* il est aimable comme une porte de prison.

carecer ■ **carecer de** *vi* manquer de.

carena *nf* carénage (*m*).

carencia *nf* **1.** manque (*m*) **2.** MÉD carence (*f*).

carente *adj* dépourvu(e) • **carente de** dépourvu de • **carente de interés** sans intérêt.

carestía *nf* **1.** manque (*m*) **2.** cherté (*f*).

careta *nf* **1.** masque (*m*) • **careta antigás** masque à gaz **2.** *fig* façade (*f*).

carey *nm* **1.** caret (*m*) **2.** (*matière*) écaille (*f*).

carga *nf* **1.** (*gén,* MIL & ÉLECTR) charge (*f*) • **volver a la carga** revenir à la charge **2.** chargement (*m*) **3.** cargaison (*f*) • **de carga y descarga** (*zone*) de livraisons **4.** recharge (*f*).

cargado, da *adj* **1.** chargé(e) **2.** (*boisson alcoolisée*) tassé(e) • **un café cargado** un café serré **3.** lourd(e) • **un cielo cargado** un ciel couvert • **¡qué habitación más cargada!** on étouffe dans cette pièce !

cargador, ra *adj* chargeur(euse). ■ **cargador** *nm* **1.** chargeur (*m*) **2.** (*personne*) débardeur (*m*).

cargamento *nm* chargement (*m*), cargaison (*f*).

cargante *adj fam fig* assommant(e).

cargar ■ *vt* **1.** (*gén,* MIL & ÉLECTR) charger **2.** recharger **3.** faire payer (*un montant, une facture, une dette*) **4.** faire monter (*un prix*) • **cargar algo en cuenta** mettre qqch sur un compte **5.** *fig* donner • **lo cargaron de trabajo/de responsabilidades** ils lui ont donné beaucoup de travail/de responsabilités **6.** *fam fig* assommer **7.** (*sujet : fumée*) • **cargar la cabeza** donner mal à la tête • **cargar el ambiente** enfumer l'atmosphère. ■ *vi* **1.** • **cargar algo sobre alguien** retomber sur qqn **2.** • **cargar con** porter (*un paquet*) • prendre à sa charge (*des frais*) • *fig* assumer (*des responsabilités, la responsabilité*) • *fig* accepter (*les conséquences*). ■ **cargarse** *vp* **1.** *fam* bousiller **2.** *fam* recaler **3.** *fam* dégommer **4.** (*par la fumée*) • **se me carga el pecho** j'ai les poumons tout encrassés.

cargo *nm* **1.** (*gén* & DR) charge (*f*) • **correr a cargo de** être à la charge de • **hacerse cargo de** se charger de • prendre en charge • se rendre compte de **2.** (*emploi*) poste (*m*) **3.** ÉCON débit (*m*).

cargosear *vt* (*Amér*) agacer.

cargoso, sa *adj* (*Amér*) agaçant(e).

carguero *nm* cargo (*m*).

Caribe *npr* • **el Caribe** la mer des Caraïbes.

caricatura *nf* caricature (*f*).

caricaturizar, caricaturar *vt* caricaturer.

caricia *nf litt* & *fig* caresse (*f*).

caridad *nf* charité (*f*).

caries *nf inv* carie (*f*).

carillón *nm* carillon (*m*).

cariño *nm* **1.** affection (*f*), tendresse (*f*) • **tomar cariño a alguien** prendre qqn en affection **2.** soin (*m*) **3.** (*appellation affectueuse*) chéri (*m*), -e (*f*).

cariñoso, sa *adj* affectueux(euse).

carisma *nm* charisme (*m*).

carismático, ca *adj* charismatique.

Cáritas *nf* Caritas Internationalis (*œuvre de charité*).

caritativo, va *adj* **1.** charitable **2.** (*association*) caritatif(ive).

cariz *nm* (*seulement sing*) tournure (*f*).

carlista *adj* & *nmf* carliste.

carmesí (*pl* **carmesíes** OU **carmesís**) ■ *adj* cramoisi(e). ■ *nm* rouge (*m*) cramoisi.

carmín ■ *adj* carmin (*inv*). ■ *nm* **1.** carmin (*m*) **2.** rouge (*m*) à lèvres.

carnada *nf litt* & *fig* appât (*m*).

carnal *adj* 1. charnel(elle) 2. *(oncle, neveu)* au premier degré 3. *(cousin)* germain(e).

carnaval *nm* carnaval *(m)*.

el carnaval

Le carnaval se déroule généralement la deuxième semaine de février, environ quarante jours avant la Semaine sainte. Le lundi et le mardi de la semaine de carnaval, les écoles sont fermées. Toute la population participe à la fête en arborant des déguisements souvent somptueux et défile au milieu des chars et au son des guitares, tambours, sifflets et pétards. Les carnavals les plus célèbres sont ceux de Cadix en Andalousie et de Tenerife aux Canaries.

carnaza *nf litt* & *fig* appât *(m)*.

carne *nf* 1. chair *(f)* • **en carne viva** à vif • **ser alguien de carne y hueso** *fig* être qqn d'humain 2. viande *(f)* • **carne de cerdo** viande de porc • **carne de cordero** mouton *(m)* • agneau *(m)* • **carne de ternera** veau *(m)* • **carne picada** viande hachée. ■ **carne de gallina** *nf* chair *(f)* de poule.

carné, carnet *(pl* carnets*)* *nm* 1. carte *(f)* • **carné de conducir** permis *(m)* de conduire • **carné de identidad** carte d'identité 2. agenda *(m)*.

carnicería *nf* 1. boucherie *(f)* 2. *fig* carnage *(m)*.

carnicero, ra ◼ *adj* carnassier(ère). ◼ *nm, f litt* & *fig* boucher *(m)*, -ère *(f)*.

cárnico, ca *adj* 1. *(industrie)* de la viande 2. *(produit)* de boucherie.

carnívoro, ra *adj* 1. carnivore 2. *(oiseau)* carnassier(ère). ■ **carnívoros** *nmpl* carnivores *(mpl)*.

carnoso, sa *adj* charnu(e).

caro, ra *adj* cher(chère). ■ **caro** *adv* • **costar/vender caro** coûter/vendre cher • **esta tienda vende caro** ce magasin est cher.

carozo *nm (Amér)* noyau *(m) (de fruit)*.

carpa *nf* 1. carpe *(f)* 2. chapiteau *(m)* 3. tente *(f)*.

carpeta *nf* 1. chemise *(f) (de bureau)* 2. INFORM dossier *(m)*.

carpintería *nf* 1. menuiserie *(f)* 2. charpenterie *(f)* 3. charpente *(f)*.

carpintero, ra *nm, f* 1. menuisier *(m)* 2. charpentier *(m)*.

carraca *nf* 1. crécelle *(f)* 2. *fig* épave *(f)*.

carraspear *vi* 1. parler d'une voix rauque 2. se racler la gorge.

carraspera *nf* • **tener carraspera** être enroué(e).

carrera *nf* 1. *(gén* & SPORT*)* course *(f)* • **en una carrera** en courant • **tomar carrera** prendre de l'élan • **carrera armamentista** OU **de armamentos** course aux armements 2. parcours *(m)* 3. cursus *(m)* (universitaire) • **hacer la carrera de derecho** faire des études de droit 4. *(profession)* carrière *(f)* 5. *nom de certaines rues en Espagne*.

carrerilla *nf* • **coger** OU **tomar carrerilla** prendre de l'élan. ■ **de carrerilla** *loc adv* 1. d'une seule traite 2. de A à Z.

carreta *nf* charrette *(f)*.

carretada *nf* 1. charretée *(f)* 2. *fam (grande quantité)* tonne *(f)*.

carrete *nm* 1. bobine *(f)* 2. pellicule *(f)* 3. *(pour la pêche)* moulinet *(m)* 4. ruban *(m) (de machine à écrire)*.

carretera *nf* route *(f)* • **carretera comarcal/ nacional** route départementale/nationale • **carretera de cuota** *(Amér)* autoroute *(f)*.

carretero, ra *nm, f* charretier *(m)*, -ère *(f)*. ■ **carretero** *nm (Amér)* route *(f)*.

carretilla *nf* brouette *(f)*.

carril *nm* 1. voie *(f)* • **carril bici** voie cyclable • **carril bus** couloir *(m)* d'autobus 2. rail *(m)* 3. ornière *(f)*.

carrillo *nm* joue *(f)* • **comer a dos carrillos** *fig* manger comme quatre.

carro *nm* 1. chariot *(m)* • **carro de combate** char *(m)* d'assaut • **¡para el carro!** *fam* eh, mollo ! 2. *(Amér)* voiture *(f)* • **carro comedor** wagon-restaurant *(m)*.

carrocería *nf* 1. carrosserie *(f)* 2. atelier *(m)* de carrosserie.

carromato *nm* 1. roulotte *(f)* 2. guimbarde *(f)*.

carroña *nf* charogne *(f)*.

carroza ◼ *nf* carrosse *(m)*. ◼ *nmf fam* ringard *(m)*, -e *(f)*.

carruaje *nm* voiture *(f)*.

carrusel *nm* 1. manège *(m)* 2. carrousel *(m)*.

carta *nf* 1. lettre *(f)* • **echar una carta** poster une lettre • **carta de recomendación** lettre de recommandation 2. *(de jeu, menu, routière)* carte *(f)* • **a la carta** à la carte • **echar las cartas a alguien** tirer les cartes à qqn • **carta verde** carte verte *(délivrée par les assurances automobiles)* 3. charte *(f)* • **jugarse todo a una carta** *fig* mettre tous ses œufs dans le même panier. ■ **carta de ajuste** *nf* TV mire *(f)*. ■ **carta blanca** *nf* • **tener carta blanca** avoir carte blanche.

À PROPOS DE...

carta

Attention ***carta*** est un faux-ami ! ***Carta*** désigne « une lettre » ou « une carte à jouer ».

cartabón *nm* équerre *(f)*.

Cartagena *npr* Carthagène • **Cartagena de Indias** Carthagène d'Indes.

cartapacio *nm* **1.** cartable *(m)* **2.** cahier *(m)*.

cartearse *vp* s'écrire, échanger des lettres.

cartel *nm* **1.** affiche *(f)* • **'prohibido fijar carteles'** 'défense d'afficher' **2.** *fig (succès)* • **de cartel** de renom.

cártel *nm* cartel *(m)*.

cárter *nm* AUTO carter *(m)*.

cartera *nf* **1.** portefeuille *(m)* • **cartera de clientes** fichier *(m)* (de) clients • **cartera de pedidos** carnet *(m)* de commandes **2.** porte-documents *(m)* **3.** serviette *(f)* **4.** cartable *(m)*.

carterista *nmf* pickpocket *(m)*.

cartero, ra *nm, f* facteur *(m)*, -trice *(f)*.

cartílago *nm* cartilage *(m)*.

cartilla *nf* **1.** livret *(m)* • **cartilla de ahorros** livret de caisse d'épargne • **cartilla de la seguridad social** carte *(f)* de sécurité sociale • **cartilla militar** livret matricule **2.** *premier livre de lecture*.

cartografía *nf* cartographie *(f)*.

cartomancia *nf* cartomancie *(f)*.

cartón *nm* **1.** carton *(m)* • **cartón piedra** carton-pâte *(m)* **2.** cartouche *(f) (de cigarettes)*.

cartuchera *nf* cartouchière *(f)*.

cartucho *nm* **1.** cartouche *(f) (d'arme)* **2.** cornet *(m) (de papier)* **3.** rouleau *(m) (de pièces)*.

cartujo, ja *adj* chartreux(euse). ■ **cartujo** *nm* **1.** chartreux *(m)* **2.** *fig* ermite *(m)*. ■ **cartuja** *nf* chartreuse *(f)*.

cartulina *nf* bristol *(m)*.

casa *nf* **1.** maison *(f)* • **casa adosada/unifamiliar** maison jumelle/individuelle • **Casa Consistorial** hôtel *(m)* de ville • **casa de campo** maison de campagne • **casa de huéspedes** pension *(f)* de famille • **casa de socorro** poste *(m)* de secours **2.** logement *(m)* **3.** famille *(f)* • **caérsele a uno la casa encima** ne plus se supporter chez soi • avoir le moral à zéro • **echar** OU **tirar la casa por la ventana** jeter l'argent par les fenêtres • **ser de andar por casa** ne pas être génial(e).

casaca *nf* casaque *(f)*.

casado, da ■ *adj* marié(e) • **estar casado con alguien** être marié avec qqn. ■ *nm, f* marié *(m)*, -e *(f)*.

casamiento *nm* mariage *(m)*.

casar ■ *vt* **1.** marier **2.** enfiler *(des perles)* **3.** recoller *(des morceaux)*. ■ *vi* aller ensemble. ■ **casarse** *vp* • **casarse (con)** se marier (avec).

cascabel *nm* grelot *(m)*.

cascada *nf* cascade *(f)*.

cascado, da *adj* **1.** *fam* nase **2.** éraillé(e).

cascanueces *nm inv* casse-noix *(m inv)*.

cascar ■ *vt* **1.** casser *(un œuf, une noix, la voix)* **2.** fêler *(un pot, une assiette)* **3.** *fam (sujet : maladie)* amocher **4.** *fam* cogner. ■ *vi fam* papoter.

cáscara *nf* **1.** coquille *(f) (d'œuf, de noix, etc)* **2.** écorce *(f) (d'orange, de citron)* **3.** zeste *(m)* **4.** peau *(f) (de banane)*.

cascarilla *nf* **1.** enveloppe *(f) (du riz, du maïs)* **2.** coque *(f) (du cacao)*.

cascarón *nm* coquille *(f) (d'œuf)*.

casco *nm* **1.** casque *(m)* **2.** coque *(f) (d'un bateau)* **3.** *(ville)* • **casco antiguo** vieille ville *(f)* • **casco urbano** centre-ville *(m)* **4.** sabot *(m) (de cheval)* **5.** bouteille *(f)* vide **6.** *(morceau)* éclat *(m)*. ■ **cascos** *nmpl fam* tête *(f)* • **ser alegre** OU **ligero de cascos** être tête en l'air. ■ **cascos azules** *nmpl* • **los cascos azules** les casques bleus.

caserío *nm* **1.** hameau *(m)* **2.** ferme *(f)* **3.** maison *(f)* de campagne.

caserna *nf* caserne *(f)*.

casero, ra ■ *adj* **1.** *(recette)* maison *(inv)* **2.** *(travaux)* ménager(ère) **3.** *(soirée)* familial(e), de famille **4.** casanier(ère). ■ *nm, f* **1.** propriétaire *(mf)* **2.** intendant *(m)*, -e *(f)*.

caserón *nm* bâtisse *(f)*.

caseta *nf* **1.** maisonnette *(f)* **2.** cabine *(f) (de plage)* **3.** stand *(m) (de tir)* **4.** *tente installée dans les foires pour danser le flamenco* **5.** niche *(f) (de chien)*.

casete, cassette [ka'sete] ■ *nm ou nf* cassette *(f)*. ■ *nm* magnétophone *(m)*.

casi *adv* presque • **casi no dormí** je n'ai presque pas dormi • **casi se cae** il a failli tomber • **casi nunca** presque jamais.

casilla *nf* **1.** guichet *(m)* **2.** casier *(m) (d'une armoire)* **3.** case *(f) (d'un imprimé, aux échecs)* • **casilla de correos** *(Amér)* boîte *(f)* postale.

casillero *nm* casier *(m)*.

casino *nm* **1.** casino *(m)* **2.** *(association)* cercle *(m)*.

caso *nm* **1.** *(gén & GRAMM)* cas *(m)* • **el caso es que...** le fait est que... • **en el mejor/peor de los casos** dans le meilleur/pire des cas • **caso que, dado el caso que, en caso de que** au cas où • **en todo** OU **cualquier caso** en tout cas **2.** DR affaire *(f)* • **hacer caso a** prêter attention à • **no hacer** OU **venir al caso** *fam* être hors de propos • **ser un caso** *fam* être un cas.

caspa *nf* pellicules *(fpl) (de cheveux)*.

casquete *nm* calotte *(f)*.

casquillo *nm* **1.** douille *(f) (de balle)* **2.** culot *(m) (d'une ampoule)* **3.** manche *(m) (d'un bâton de ski)*.

cassette = **casete.**

casta *nf* **1.** lignée *(f)* **2.** race *(f)* **3.** *(en Inde)* caste *(f)*.

castaña *nf* ▷ **castaño**.

castañetear ◼ *vt* • **castañetear los dedos** faire claquer ses doigts. ◼ *vi* claquer des dents.

castaño, ña *adj* 1. marron *(inv)* 2. châtain. ◼ **castaño** *nm* 1. marron *(m inv)* 2. châtain *(m)* 3. châtaignier *(m).* ◼ **castaña** *nf* 1. châtaigne *(f)* • **castañas asadas** marrons *(mpl)* chauds 2. *fam* châtaigne *(f)* 3. *fam* cuite *(f)* • **agarrarse una castaña** prendre une cuite.

castañuela *nf* castagnette *(f).*

castellanizar *vt* hispaniser.

castellano, na ◼ *adj* castillan(e). ◼ *nm, f* Castillan *(m)*, -e *(f).* ◼ **castellano** *nm* castillan *(m)*, espagnol *(m).*

castellanoparlante *adj* & *nmf* castillanophone, hispanophone.

Castellón *npr* Castellon.

castidad *nf* chasteté *(f).*

castigador, ra *fam* ◼ *adj* de séducteur(trice). ◼ *nm, f* tombeur *(m)*, -euse *(f).*

castigar *vt* 1. punir • **le han castigado sin postre** il a été privé de dessert 2. SPORT pénaliser 3. *(maltraiter)* endommager, frapper 4. mortifier *(le corps)* 5. *fig* séduire.

castigo *nm* 1. punition *(f)* • **quedar sin castigo** rester impuni(e) 2. épreuve *(f)* 3. SPORT pénalité *(f).*

Castilla *npr* Castille *(f).*

Castilla-La Mancha *npr* Castille-La Manche.

Castilla-León *npr* Castille-León.

castillo *nm* 1. château *(m)* 2. NAUT • **castillo de popa/de proa** gaillard *(m)* d'arrière/d'avant.

castizo, za *adj* 1. pur(e) 2. *(auteur)* puriste.

casto, ta *adj* chaste.

castor *nm* castor *(m).*

castrar *vt* 1. castrer 2. *fig (affaiblir)* • **castrar el entendimiento** ramollir le cerveau.

castrense *adj* militaire.

casual *adj* fortuit(e).

casualidad *nf* hasard *(m)* • **dio la casualidad de que...** il s'est trouvé que... • **por casualidad** par hasard • **¡qué casualidad!** quelle coïncidence !

casulla *nf* chasuble *(f).*

cataclismo *nm litt* & *fig* cataclysme *(m).*

catacumbas *nfpl* catacombes *(fpl).*

catador, ra *nm, f* dégustateur *(m)*, -trice *(f)* • **catador de vinos** taste-vin *(m inv).*

catalán, ana ◼ *adj* catalan(e). ◼ *nm, f* Catalan *(m)*, -e *(f).* ◼ **catalán** *nm* catalan *(m).*

catalanismo *nm* 1. *doctrine défendant les valeurs politiques, économiques et culturelles de la Catalogne* 2. catalanisme *(m).*

catalejo *nm* longue-vue *(f).*

catalizador, ra *adj* 1. catalytique 2. *fig* • **ser el elemento catalizador de** être le détonateur de. ◼ **catalizador** *nm litt* & *fig* catalyseur *(m).*

catalogar *vt* cataloguer • **se le cataloga entre los mejores especialistas** on le classe parmi les meilleurs spécialistes • **catalogar a alguien de algo** taxer qqn de qqch.

catálogo *nm* catalogue *(m).*

Cataluña *npr* Catalogne *(f).*

catamarán *nm* catamaran *(m).*

cataplasma *nf* 1. cataplasme *(m)* 2. *fam fig* pot *(m)* de colle.

catapulta *nf* catapulte *(f).*

catar *vt* 1. goûter 2. déguster.

catarata *nf* 1. chute *(f)* • **cataratas de Iguazú** chutes d'Iguaçu 2. *(gén pl)* MÉD cataracte *(f).*

catarro *nm* rhume *(m).*

catarsis *nf* catharsis *(f).*

catastro *nm* cadastre *(m).*

catástrofe *nf* catastrophe *(f).*

catastrófico, ca *adj* catastrophique.

catch ['kat∫] *(pl catchs)* *nm* catch *(m).*

cátcher ['kat∫er] *(pl catchers)* *nm* catcher *(m inv).*

cate *nm fam* • **dar un cate a alguien** flanquer une baffe à qqn • **sacar un cate** être recalé, -e *(f)*, prendre une gamelle.

catear *vt fam* coller, recaler.

catecismo *nm* catéchisme *(m).*

cátedra *nf* chaire *(f).*

catedral *nf* cathédrale *(f).*

catedrático, ca *nm, f* professeur *(m)* d'université, ≃ professeur *(m)* agrégé.

categoría *nf* 1. catégorie *(f)* 2. rang *(m)* • **de categoría** *(personne)* de haut rang • grand(e) *(artiste)* • *(produit)* de qualité • *(hôtel)* bon(bonne) 3. • **de primera categoría** de premier choix, de qualité supérieure.

categórico, ca *adj* catégorique.

catequesis *nf inv* catéchèse *(f).*

catering ['katerin] *nm* catering *(m).*

cateto, ta *adj* & *nm, f péj* plouc.

cátodo *nm* cathode *(f).*

catolicismo *nm* catholicisme *(m).*

católico, ca ◼ *adj* catholique. ◼ *nm, f* catholique *(mf).*

catolizar *vt* convertir au catholicisme.

catorce *adj num inv* & *nm inv* quatorze. • *voir aussi* **seis**

catorceavo, va, catorzavo, va *adj num* quatorzième.

catre *nm* 1. lit *(m)* de camp 2. *fam* pieu *(m).*

catrín, ina *adj (Amér) fam* bêcheur(euse).

cauce *nm* 1. cours *(m)* 2. lit *(m) (d'un fleuve)* 3. canal *(m) (d'irrigation).*

caucho *nm* caoutchouc *(m).*

caudal nm **1.** débit (m) (d'eau) **2.** fortune (f) **3.** mine (f) • **tiene un caudal de conocimientos** c'est un puits de science.

caudaloso, sa adj **1.** à fort débit **2.** fortuné(e).

caudillo nm **1.** caudillo (m), chef (m) militaire **2.** chef (m) de file.

causa nf cause (f) • **a causa de** à cause de.

causalidad nf causalité (f).

causante ◊ adj • **la razón causante de** la cause de. ◊ nmf **1.** (cause) • **ser el causante de** être à l'origine de **2.** (Amér) contribuable (mf).

causar vt **1.** causer **2.** faire (plaisir, des victimes) **3.** provoquer (une maladie) **4.** porter (préjudice).

cáustico, ca adj litt & fig caustique.

cautela nf précaution (f) • **con cautela** avec précaution.

cauteloso, sa adj & nm, f prudent(e).

cautivador, ra ◊ adj captivant(e) • **una mirada cautivadora** un regard charmeur. ◊ nm, f charmeur (m), -euse (f).

cautivar vt **1.** capturer **2.** captiver.

cautiverio nm captivité (f).

cautividad nf = cautiverio.

cautivo, va adj & nm, f captif(ive).

cauto, ta adj prudent(e).

cava ◊ adj ANAT cave. ◊ nm vin catalan fabriqué selon la méthode champenoise. ◊ nf **1.** cave (f) **2.** AGRIC bêchage (m).

cavar ◊ vt creuser. ◊ vi **1.** bêcher **2.** biner.

caverna nf caverne (f).

cavernícola ◊ adj **1.** (animaux) cavernicole **2.** (personnes) des cavernes. ◊ nmf **1.** HIST homme (m) des cavernes **2.** fig ours (m).

caviar nm caviar (m).

cavidad nf cavité (f).

cavilar vi réfléchir.

cayado nm **1.** houlette (f) (de berger) **2.** crosse (f) (d'évêque).

cayo nm îlot bas et sablonneux.

caza ◊ nf **1.** chasse (f) • **salir** ou **ir de caza** aller à la chasse **2.** gibier (m). ◊ nm avion (m) de chasse.

cazabombardero nm chasseur (m) bombardier.

cazador, ra ◊ adj de chasse. ◊ nm, f litt & fig chasseur (m), -euse (f). ■ **cazadora** nf blouson (m).

cazadotes nm inv coureur (m) de dot.

cazalla nf eau-de-vie anisée.

cazar vt **1.** chasser **2.** fig attraper • **lo cazaron con las manos en la masa** ils l'ont pris la main dans le sac **3.** fam dégoter.

cazo nm **1.** casserole (f) **2.** louche (f).

cazoleta nf **1.** cassolette (f) **2.** fourneau (m) (d'une pipe).

cazuela nf **1.** casserole en terre cuite **2.** ragoût (m) • **a la cazuela** à la casserole.

cazurro, rra ◊ adj **1.** abruti(e) **2.** têtu(e) **3.** renfrogné(e). ◊ nm, f brute (f).

c/c abrév de **cuenta corriente**.

CC OO, CC.OO. (abr de **Comisiones Obreras**) nfpl syndicat ouvrier espagnol proche du parti communiste.

CD nm **1.** (abr de **compact disc**) CD (m) • **un lector de CD** un lecteur de CD **2.** (abr écrite de **cuerpo diplomático, consejo directivo**) CD (m).

CD-I (abr de **Compact Disc Interactivo**) nm CD-I (m).

CDS (abr de **Centro Democrático y Social**) nm parti politique espagnol de tendance libérale.

ce nf c (m inv) • **ce cedilla** c cédille.

CE ◊ nm (abr de **Consejo de Europa**) CE (m). ◊ nf **1.** (abr écrite de **Comunidad Europea**) CE (f) **2.** (abr de **constitución española**) Constitution (f) espagnole.

cebada nf orge (f).

cebar vt **1.** gaver **2.** mettre en marche (une machine) **3.** amorcer (une arme, un hameçon) **4.** alimenter (un feu, un four). ■ **cebarse** vp • **cebarse en** s'acharner sur.

cebo nm **1.** appât (m) **2.** pâtée (f).

cebolla nf **1.** oignon (m) **2.** filtre (m) **3.** crapaudine (f).

cebolleta nf **1.** ciboulette (f) **2.** petit oignon (m) (frais).

cebollino nm **1.** ciboule (f) **2.** fam crétin (m), -e (f).

cebra nf zèbre (m).

cecear vi zézayer.

ceceo nm zézaiement (m) (prononciation propre à certains parlers andalous et latino-américains).

cecina nf viande séchée et salée.

cedazo nm tamis (m).

ceder ◊ vt céder. ◊ vi **1.** céder • **ceder a** céder à • **ceder en** céder sur • **ceder a una propuesta** accepter une proposition • **ceder en sus pretensiones** en rabattre **2.** se détendre **3.** (douleur) s'apaiser **4.** (temps) s'adoucir **5.** (temperature) baisser.

cedro nm cèdre (m).

cédula nf certificat (m) • **cédula de habitabilidad** certificat garantissant l'habitabilité d'un logement • **cédula (de identidad)** (Amér) carte (f) d'identité.

CEE (abr de **Comunidad Económica Europea**) nf CEE (f) • **los estados/países miembros de la CEE** les états/pays membres de la CEE.

cegar ◊ vt **1.** aveugler **2.** boucher **3.** murer. ◊ vi être aveuglant(e). ■ **cegarse** vp litt & fig être aveuglé(e).

cegato, ta *adj* & *nm, f fam* bigleux(euse).

ceguera *nm* **1.** cécité *(f)* **2.** *fig* aveuglement *(m)*.

ceja *nf* **1.** sourcil *(m)* **2.** rebord *(m)* **3.** MUS sillet *(m)* **4.** MUS capodastre *(m)* • **meterse algo entre ceja y ceja** *fam fig* se mettre qqch dans la tête.

cejar *vi* • **cejar en** renoncer à, abandonner • **no cejar en su empeño** ne pas abandonner la partie.

celar *vt* **1.** surveiller **2.** *fig* dissimuler **3.** *fig* nourrir secrètement.

celda *nf* cellule *(f)*.

celebración *nf* **1.** célébration *(f)* **2.** *(réalisation)* tenue *(f)*.

celebrar *vt* **1.** célébrer *(un centenaire, une messe)* **2.** fêter *(une réunion, une bonne nouvelle)* **3.** tenir *(un anniversaire, une assemblée)* **4.** disputer *(un match)* **5.** organiser *(des élections)* **6.** se réjouir de, se féliciter de **7.** louer, faire l'éloge de. ▪ **celebrarse** *vp* **1.** avoir lieu **2.** être célébré(e).

célebre *adj* célèbre.

celebridad *nf* célébrité *(f)*.

celeridad *nf* promptitude *(f)*.

celeste *adj* céleste.

celestial *adj* **1.** céleste **2.** de Dieu **3.** *fig* divin(e) **4.** *fig* céleste.

celestina *nf* entremetteuse *(f)*.

celibato *nm* célibat *(m)*.

célibe *adj* & *nmf* célibataire.

celo *nm* **1.** zèle *(m)* **2.** ferveur *(f)* **3.** ZOOL amours *(fpl) (femelle)* en chaleur • *(mâle)* en rut **4.** Scotch® *(m)*. ▪ **celos** *nmpl* jalousie *(f)* • **dar celos** rendre jaloux(ouse) • **tener celos de alguien** être jaloux(ouse) de qqn.

celofán® *nm* Cellophane® *(f)*.

celosía *nf* jalousie *(f) (de fenêtre)*.

celoso, sa ▪ *adj* **1.** jaloux(ouse) **2.** *(de confiance)* • **celoso en su trabajo** exigeant dans son travail. ▪ *nm, f* jaloux *(m)*, -ouse *(f)*.

celta ▪ *adj* celte. ▪ *nmf* Celte *(mf)*. ▪ *nm* celtique *(m)*.

celtíbero, ra, celtibero, ra ▪ *adj* celtibère. ▪ *nm, f* Celtibère *(mf)*.

céltico, ca *adj* celtique.

célula *nf* cellule *(f)*. ▪ **célula fotoeléctrica** *nf* cellule *(f)* photoélectrique.

celular *adj* cellulaire.

celulitis *nf inv* cellulite *(f)*.

celulosa *nf* cellulose *(f)*.

cementar *vt* cémenter.

cementerio *nm* **1.** cimetière *(m)* **2.** dépotoir *(m)* • **cementerio de automóviles** *ou* **coches** casse *(f)*.

cemento *nm* **1.** ciment *(m)* • **cemento armado** béton *(m)* armé **2.** cément *(m)*.

cena *nf* dîner *(m)* • **dar una cena** avoir un mon de à dîner.

cenagal *nm* bourbier *(m)* • **estar metido en un cenagal** *fig* être en mauvaise posture.

cenagoso, sa *adj* bourbeux(euse).

cenar ▪ *vt* manger au dîner • **cenó huevos** il a mangé des œufs au dîner. ▪ *vi* dîner.

cencerro *nm* sonnaille *(f)* • **estar como un cencerro** *fam fig* avoir un grain.

cenefa *nf* **1.** liseré *(m)* **2.** plinthe *(f)* **3.** frise *(f)*.

cenicero *nm* cendrier *(m)*.

cenit, zenit *nm* zénith *(m)* • **en el cenit de** *fig* au sommet de.

cenizo, za *adj* **1.** cendré(e) **2.** cendreux(euse). ▪ **cenizo** *nm* **1.** poisse *(f)* • **ser un cenizo** porter la poisse **2.** BOT oïdium *(m)*. ▪ **ceniza** *nf* cendre *(f)*. ▪ **cenizas** *nfpl* cendres *(fpl) (d'un défunt)*.

censar *vt* recenser.

censo *nm* **1.** recensement *(m)* • **censo (electoral)** listes *(fpl)* électorales **2.** ≃ taxe *(f)* d'habitation.

censor, ra *nm, f* censeur *(m)*. ▪ **censor de cuentas** *nm* expert-comptable *(m)*.

censura *nf* **1.** censure *(f)* **2.** fermeture *(f) (d'un local)* **3.** interdiction *(f) (d'une activité)* **4.** condamnation *(f)* • **ha sido objeto de censura por...** il a été condamné pour…

censurar *vt* **1.** censurer **2.** blâmer.

centauro *nm* centaure *(m)*.

centavo, va *adj num* centième.

centella *nf* **1.** éclair *(m)* **2.** étincelle *(f)* **3.** *fig (chose, personne)* • **ser una centella** être plus rapide que l'éclair • **como una centella** comme l'éclair.

centellear *vi* scintiller.

centelleo *nm* scintillement *(m)*.

centena *nf* centaine *(f)*.

centenar *nm* centaine *(f)*.

centenario, ria *adj* centenaire. ▪ **centenario** *nm* centenaire *(m)* • **quinto centenario** cinq centième anniversaire.

centeno *nm* seigle *(m)*.

centésimo, ma *adj num* centième.

centígrado, da *adj* centigrade. ▪ **centígrado** *nm* degré *(m)* centigrade.

centigramo *nm* centigramme *(m)*.

centilitro *nm* centilitre *(m)*.

centímetro *nm* centimètre *(m)*.

céntimo *nm* centime *(m)*.

centinela *nm* sentinelle *(f)*.

centollo *nm* araignée *(f)* de mer.

centrado, da *adj* **1.** centré(e) • **centrado en** centré *ou* basé sur **2.** *(personne)* équilibré(e).

central ■ *adj* central(e). ■ *nm* SPORT arrière *(m)* centre. ■ *nf* **1.** maison *(f)* mère **2.** centrale *(f)* • **central nuclear/térmica** centrale nucléaire/thermique.

centralismo *nm* centralisme *(m)*.

centralista *adj* & *nmf* centraliste.

centralita *nf* standard *(m)* (téléphonique).

centralización *nf* centralisation *(f)*.

centralizar *vt* centraliser.

centrar *vt* **1.** *(gén* & *sport)* centrer • **centrar una novela en cuestiones sociales** axer un roman sur des problèmes sociaux **2.** pointer *(une arme)* **3.** cadrer *(une photo)* **4.** *(personne)* stabiliser **5.** attirer • **centrar la atención/la mirada en algo** fixer son attention/son regard sur qqch. ■ **centrarse** *vp* **1.** *(se concentrer)* • **centrarse en** se concentrer sur **2.** se stabiliser.

céntrico, ca *adj* central(e) • **un piso céntrico** un appartement situé en plein centre-ville.

centrifugar *vt* centrifuger.

centrífugo, ga *adj* centrifuge.

centrista *adj* & *nmf* centriste.

centro *nm* **1.** centre *(m)* • **me voy al centro** je vais en ville **2.** foyer *(m)* *(de rébellion, etc)* **3.** institution *(f)* *(catholique, etc)* **4.** institut *(m)* *(d'études, de recherche)* **5.** cible *(f)* *(des regards)* **6.** objet *(m)* *(de curiosité)* **7.** cœur *(m)* *(d'un problème)*. ■ **centro comercial** *nm* centre *(m)* commercial. ■ **centro de gravedad** *nm* centre *(m)* de gravité. ■ **centro de mesa** *nm* centre *(m)* de table.

centroafricano, na ■ *adj* centrafricain(e). ■ *nm, f* Centrafricain *(m)*, -e *(f)*.

centrocampista *nmf* SPORT demi *(m)*.

céntuplo, pla *adj* centuple • **la céntupla parte** le centième. ■ **céntuplo** *nm* centuple *(m)*.

centuria *nf* **1.** *sout* siècle *(m)* **2.** centurie *(f)*.

centurión *nm* centurion *(m)*.

ceñir *vt* **1.** *(vêtement)* mouler **2.** *(ceinture)* serrer • **ceñir por la cintura** prendre par la taille • **ceñir a** *fig* limiter à, borner à. ■ **ceñirse** *vp* serrer • **se ciñó el cinturón** il serra sa ceinture • **ceñirse a** *fig* s'en tenir à.

ceño *nm* • **fruncir el ceño** froncer les sourcils.

CEOE *(abr de* **Confederación Española de Organizaciones Empresariales)** *nf* confédération espagnole des organisations patronales, ≃ Medef *(m)*.

cepa *nf* **1.** cep *(m)* **2.** souche *(f)* • **un sevillano de pura cepa** un Sévillan de souche.

cepillar *vt* **1.** brosser **2.** bouchonner *(un cheval)* **3.** raboter **4.** *fam* *(flatter)* • **cepillar a alguien** cirer les pompes à qqn. ■ **cepillarse** *vp* **1.** se brosser • **cepillarse los dientes** se brosser les dents **2.** *fam* s'envoyer *(un repas)* **3.** *fam* expédier *(un travail)* **4.** *fam* dévaliser **5.** *fam* *(rater)* étendre **6.** *vulg* butter.

cepillo *nm* **1.** brosse *(f)* **2.** rabot *(m)* **3.** *(boîte)* tronc *(m)*.

cepo *nm* **1.** piège *(m)* **2.** *(pour les voitures)* sabot *(m)* **3.** attache *(f)* **4.** *(pour les prisonniers)* cep *(m)*.

CEPSA *(abr de* **Compañía Española de Petróleos, SA)** *nf* groupe pétrolier espagnol • **la petrolera CEPSA** le groupe pétrolier CEPSA.

cera *nf* **1.** cire *(f)* • **cera depilatoria/virgen** cire dépilatoire/vierge **2.** fart *(m)*.

cerámica *nf* céramique *(f)*.

ceramista *nmf* céramiste *(mf)*.

cerca ■ *nf* clôture *(f)*. ■ *adv* **1.** près • **vive muy cerca** il habite tout près • **por aquí cerca** tout près • **de cerca** de près **2.** proche • **la Navidad ya está cerca** Noël est proche. ■ **cerca de** *loc prép* près de • **vive cerca de aquí** il habite près d'ici • **ganó cerca de tres millones** il a gagné près de trois millions.

cercado *nm* **1.** clôture *(f)* **2.** enclos *(m)*.

cercanía *nf* proximité *(f)*. ■ **cercanías** *nfpl* **1.** banlieue *(f)* **2.** environs *(mpl)*.

cercano, na *adj* • **cercano (a)** proche (de) • **vive en un pueblo cercano** il habite un village voisin.

cercar *vt* **1.** clôturer **2.** encercler.

cerciorar *vt* assurer. ■ **cerciorarse** *vp* • **cerciorarse (de)** s'assurer (de) • **me cercioré de que no había nadie** je me suis assuré qu'il n'y avait personne.

cerco *nm* **1.** cercle *(m)* **2.** cerne *(m)* *(d'une blessure)* **3.** *(tache)* auréole *(f)* **4.** encadrement *(m)* *(de porte, de fenêtre)* **5.** halo *(m)* **6.** haie *(f)* *(de soldats)* **7.** cordon *(m)* *(de policiers)*.

cerda *nf* ⮞ **cerdo**.

Cerdeña *npr* Sardaigne *(f)*.

cerdo, da ■ *nm, f* **1.** porc *(m)*, truie *(f)* **2.** *fam* fig porc *(m)*. ■ **cerdo** *nm* *(viande)* porc *(m)*. ■ **cerda** *nf* **1.** soie *(f)* *(du porc)* **2.** crin *(m)* *(du cheval)*.

cereal *nm* céréale *(f)*.

cerebelo *nm* cervelet *(m)*.

cerebral *adj* cérébral(e).

cerebro *nm* **1.** *fig* & ANAT cerveau *(m)* **2.** cervelle *(f)* • **utilizar el cerebro** faire fonctionner sa cervelle • **tiene cerebro** il est loin d'être bête **3.** *fig* tête *(f)*.

ceremonia *nf* cérémonie *(f)*.

ceremonial ■ *adj* **1.** cérémoniel(elle) **2.** de cérémonie. ■ *nm* cérémonial *(m)*.

ceremonioso, sa *adj* **1.** cérémonieux(euse) **2.** *(accueil, salut, etc)* solennel(elle).

cereza *nf* cerise *(f)*.

cerezo *nm* **1.** cerisier *(m)* **2.** merisier *(m)*.

cerilla *nf* allumette *(f)*.

cerillo *nm* *(Amér)* allumette *(f)*.

cerner, cernir *vt* tamiser. ■ **cernerse, cernirse** *vp* *litt* & *fig* planer.

cernícalo *nm* **1.** buse *(f)* **2.** *fam* mufle *(m)*.

cernir = **cerner**.

cero *nm* zéro *(m)* • **hace cinco grados bajo cero** il fait moins cinq • **ser un cero a la izquierda** *fam* être un zéro. • *voir aussi* **seis**

cerrado, da *adj* **1.** fermé(e) **2.** *(tiempo, cielo)* couvert(e) **3.** *(vegetación, pluie)* dru(e) • **hace una noche cerrada** il fait nuit noire **4.** *(personne)* réservé(e) **5.** *(peu réceptif)* **ser muy cerrado** avoir des idées bien arrêtées **6.** *(sens, message)* caché(e) **7.** *(accent)* prononcé(e) **8.** *(courant, circuit)* coupé(e).

cerradura *nf* serrure *(f)*.

cerrajería *nf* serrurerie *(f)*.

cerrajero, ra *nm, f* serrurier *(m)*.

cerrar ◼ *vt* **1.** fermer **2.** couper *(l'eau, le gaz)* **3.** barrer *(le chemin, la route)* • **cerrar el desfile** fermer la marche **4.** boucher **5.** *fig* clore *(une discussion, un contrat)* **6.** conclure *(un accord)* **7.** refermer *(une blessure)*. ◼ *vi* fermer • **cerrar con llave** fermer à clé • **cerrar con candado** cadenasser • **cerrar con cerrojo** verrouiller. ◼ **cerrarse** *vp* **1.** se fermer • **cerrarse a** être fermé(e) à **2.** *(blessure)* se refermer **3.** *(débat, cérémonie)* être clos(e).

cerrazón *nf* **1.** *(obscurité)* • **había una gran cerrazón** le ciel s'obscurcissait **2.** *fig* entêtement *(m)*.

cerro *nm* colline *(f)* • **irse por los cerros de Úbeda** *fig* s'écarter du sujet.

cerrojo *nm* verrou *(m)* • **echar el cerrojo** mettre le verrou.

certamen *nm* concours *(m)* *(de poésie, etc)*.

certero, ra *adj* **1.** *(tir)* précis(e) **2.** *(opinion, jugement)* sûr(e) **3.** *(réponse)* juste.

certeza *nf* certitude *(f)* • **tener la certeza de que...** être certain(e) que…

certidumbre *nf* certitude *(f)*.

certificación *nf* **1.** *(action)* attestation *(f)* **2.** *(document)* certificat *(m)*.

certificado, da *adj* *(lettre, paquet)* recommandé(e). ◼ **certificado** *nm* certificat *(m)* • **certificado médico** certificat médical.

certificar *vt* **1.** certifier **2.** *(innocence)* prouver **3.** *(soupçons, etc)* confirmer **4.** envoyer en recommandé.

cerumen *nm* cérumen *(m)*.

cervato *nm* faon *(m)*.

cervecería *nf* brasserie *(f)*.

cervecero, ra ◼ *adj* **1.** de la bière **2.** producteur(trice) de bière. ◼ *nm, f* brasseur *(m)*, -euse *(f)*.

cerveza *nf* bière *(f)* • **cerveza de barril** bière (à la) pression • **cerveza negra** bière brune.

cervical ◼ *adj* cervical(e). ◼ *nf* *(gén pl)* vertèbres *(fpl)* cervicales.

cesante ◼ *adj* **1.** sans emploi **2.** *(Amér)* au chômage. ◼ *nmf* sans-emploi *(mf inv)*.

cesantear *vt* *(Amér)* renvoyer.

cesar ◼ *vt* **1.** démettre de ses fonctions **2.** révoquer *(un fonctionnaire)*. ◼ *vi* • **cesar (de hacer algo)** cesser (de faire qqch) • **sin cesar** sans cesse, sans arrêt • **cesar (de** *ou* **en)** démissionner (de).

cesárea *nf* césarienne *(f)* • **practicar una cesárea** faire une césarienne.

cese *nm* **1.** arrêt *(m)* **2.** cessation *(f)* **3.** renvoi *(m)* **4.** révocation *(f)* *(d'un fonctionnaire)* **5.** ordre *(m)* de cessation de paiements.

cesión *nf* cession *(f)*.

césped *nm* pelouse *(f)*, gazon *(m)* • **'prohibido pisar el césped'** 'pelouse interdite'.

cesta *nf* **1.** panier *(m)* **2.** couffin *(m)*. ◼ **cesta de la compra** *nf* panier *(m)* de la ménagère.

cesto *nm* **1.** corbeille *(f)* **2.** SPORT panier *(m)*.

cetro *nm* sceptre *(m)* • **ostentar el cetro de** *fig* tenir le sceptre de.

cf., cfr. *(abr écrite de* **confróntese)** cf *ou* cf.

• **'cf. cap. 7'** 'cf. chap.7'.

cg *(abr écrite de* **centigramo)** cg.

ch, Ch [tʃe] *nf* ch, Ch.

ch/ *abrév de* **cheque**.

chabacano, na *adj* vulgaire. ◼ **chabacano** *nm* *(Amér)* **1.** abricotier *(m)* **2.** abricot *(m)*.

chabola *nf* baraque *(f)* • **los barrios de chabolas** les bidonvilles.

chacal *nm* chacal *(m)*.

chacarero, ra *nm, f* *(Amér)* **1.** fermier *(m)*, -ère *(f)* **2.** bavard *(m)*, -e *(f)*.

chacha *nf fam* bonne *(f)*.

chachachá *nm* cha-cha-cha *(m inv)*.

cháchara *nf fam* papotage *(m)* • **estar de cháchara** papoter.

chacra *nf* *(Amér)* ferme *(f)*.

chafar *vt* **1.** écraser **2.** *(coiffure)* aplatir **3.** froisser **4.** *fig* bouleverser *(les plans, un projet)* **5.** *(sujet: maladie)* mettre à plat • **chafar la moral** saper le moral. ◼ **chafarse** *vp* tomber à l'eau.

chaflán *nm* **1.** pan *(m)* coupé • **hacer chaflán** faire l'angle **2.** GÉOM chanfrein *(m)*.

chagra *(Amér)* ◼ *nmf* paysan *(m)*, -anne *(f)*. ◼ *nf* ferme *(f)*.

chal *nm* châle *(m)*.

chalado, da *fam* ◼ *adj* dingue. ◼ *nm, f* dingue *(mf)*.

chaladura *nf fam* **1.** lubie *(f)* **2.** béguin *(m)*.

chalar *vt* rendre fou(folle). ◼ **chalarse** *vp* perdre la tête • **chalarse por alguien** s'enticher de qqn.

chalé, chalet *(pl* **chalets)** *nm* **1.** pavillon *(m)* **2.** maison *(f)* de campagne **3.** chalet *(m)*.

chaleco *nm* gilet *(m)* • **chaleco salvavidas** gilet de sauvetage.

chalet = **chalé**.

chalupa *nf* chaloupe *(f)*.

chamaco, ca *nm, f (Amér) fam* gamin *(m)*, -e *(f)*.

chamarra *nf* blouson *(m)*.

chamba *nf fam* **1.** *(chance)* • **tener chamba** avoir du pot **2.** *(Amér)* boulot *(m)*.

chamiza *nf* **1.** chaume *(m)* **2.** petit bois *(m)*.

chamizo *nm* **1.** tison *(m)* **2.** cahute *(f)* **3.** *fam péj* bouge *(m)*.

champán, champaña *nm* champagne *(m)*.

champiñón *nm* champignon *(m)* *(de Paris)*.

champú *nm* shampooing *(m)*.

chamuscar *vt* CULIN flamber. ■ **chamuscarse** *vp* **1.** se griller *(les moustaches)* **2.** se brûler *(les cheveux)*.

chamusquina *nf* • **oler a chamusquina** *fam fig* sentir le roussi.

chance *nf (Amér)* possibilité *(f)*, occasion *(f)*.

chanchada *nf (Amér)* **1.** saleté *(f)* **2.** sale coup *(m)*.

chancho *nm (Amér)* cochon *(m)*.

chanchullo *nm fam* magouille *(f)*.

chancla *nf* **1.** *péj* savate *(f)* **2.** tong *(f)*.

chancleta *nf* tong *(f)*.

chándal *(pl* **chándales** *ou* **chandals)**, **chandal** *(pl* **chandals)** *nm* survêtement *(m)*.

changarro *nm (Amér)* petit magasin *(m)*.

chanquete *nm* alevin d'anchois préparé en friture.

chantaje *nm* chantage *(m)*.

chantajear *vt* faire chanter.

chantajista *nmf* maître-chanteur *(m)*.

chanza *nf* plaisanterie *(f)*.

chao *interj fam* • **ichao!** ciao !, tchao !

chapa *nf* **1.** plaque *(f)* **2.** capsule *(f)* **3.** badge *(m)* **4.** jeton *(m)* *(du vestiaire)* **5.** *(Amér)* serrure *(f)*. ■ **chapas** *nfpl* • **jugar a las chapas** jouer à pile ou face.

chapado, da *adj* plaqué(e) • **chapado en oro** plaqué or • **chapado a la antigua** *fig* vieux jeu.

chaparro, rra ■ *adj* boulot(otte). ■ *nm, f* petit gros *(m)*, petite boulotte *(f)*. ■ **chaparro** *nm* buisson *(m)* d'yeuses.

chaparrón *nm* **1.** averse *(f)* • **un chaparrón de** *fam fig* une pluie de **2.** *fam (reprimande)* • **dar un chaparrón a alguien** passer un savon à qqn.

chapeado, da *adj* plaqué(e).

chapear *vt (Amér)* débroussailler.

chapela *nf* béret *(m)*.

chapista *adj & nmf* tôlier *(m)*.

chapopote *nm (Amér)* goudron *(m)*.

chapotear *vi* barboter.

chapucear *vt* **1.** bricoler *(un moteur)* **2.** bâcler *(un travail)*.

chapucería *nf* • **es una chapucería** ce n'est ni fait ni à faire.

chapucero, ra ■ *adj* bâclé(e). ■ *nm, f* • **ser chapucero** bâcler son travail.

chapulín *nm (Amér)* sauterelle *(f)*.

chapurrear, chapurrar *vt* baragouiner.

chapuza *nf* **1.** travail *(m)* de cochon **2.** *(travail ocasional)* bricole *(f)*.

chapuzón *nm* • **darse un chapuzón** piquer une tête.

chaqué *nm* jaquette *(f)*.

chaqueta *nf* **1.** veste *(f)* **2.** cardigan *(m)*.

chaquetón *nm* trois-quarts *(m)*.

charada *nf* charade *(f)*.

charanga *nf* **1.** fanfare *(f)* **2.** *fam* bamboula *(f)*.

charca *nf* mare *(f)*.

charco *nm* flaque *(f)* (d'eau).

charcutería *nf* charcuterie *(f)*.

charla *nf* discussion *(f)* • **dar una charla sobre** faire un exposé sur.

charlar *vi* discuter, bavarder.

charlatán, ana ■ *adj* bavard(e). ■ *nm, f* **1.** bavard *(m)*, -e *(f)* **2.** baratineur *(m)*, -euse *(f)* **3.** camelot *(m)*.

charlestón *nm* charleston *(m)*.

charlotada *nf* **1.** bouffonnerie *(f)* **2.** corrida *(f)* bouffonne.

charlotear *vi* papoter.

charnego, ga *nm, f péj* en Catalogne, immigrant venant d'une autre région d'Espagne.

charol *nm* **1.** cuir *(m)* verni **2.** *(chaussures)* • **de charol** verni(e) **3.** vernis *(m)* **4.** *(Amér)* plateau *(m)*.

charola *nf (Amér)* plateau *(m)*.

chárter ■ *adj inv* charter ■ *nm inv* charter *(m)*.

chasca *nf (Amér)* tignasse *(f)*.

chascar *vt* faire claquer *(la langue, les doigts)*. ■ *vi* **1.** *(langue)* claquer **2.** *(bois)* craquer.

chasco *nm* **1.** déception *(f)* • **llevarse un chasco** être très déçu(e) **2.** *(escroquerie)* tour *(m)*.

chasis *nm inv* **1.** châssis *(m)* *(d'un véhicule, d'un appareil photo)* **2.** *fam fig (personne)* • **quedarse en el chasis** n'avoir que la peau sur les os.

chasquear ■ *vt* **1.** faire claquer *(un fouet, la langue)* **2.** *fig* jouer un tour. ■ *vi* *(bois)* craquer.

chasquido *nm* **1.** claquement *(m)* *(de langue, d'un fouet)* **2.** détonation *(f)* *(d'une arme)* **3.** craquement *(m)* *(du bois)*.

chatarra *nf* **1.** ferraille *(f)* **2.** *fam péj (bijou)* camelote *(f)* **3.** *fam* ferraille *(f)*, mitraille *(f)*.

chatarrero, ra *nm, f* ferrailleur *(m)*.

chateo *nm* • **ir de chateo** faire la tournée des bars.

chato, ta ◼ *adj* **1.** *(nez)* aplati(e) **2.** au nez camus **3.** plat(e). ◼ *nm, f fam* mon coco *(m)*, ma cocotte *(f)* • **ichata!** ma poule ! ◼ **chato** *nm* petit verre *(m) (de vin)*.

chau, chaucito *interj (Amér) fam* • **ichau!** salut !

chauvinista = **chovinista**.

chava *nf (Amér) fam* nana *(f)*.

chaval, la *nm, f fam* jeune *(mf)*.

chaveta *nf* **1.** clavette *(f)* **2.** *fam* boule *(f)* • **perder la chaveta** perdre la boule **3.** *(Amér)* canif *(m)*.

chavo *nm fam* **1.** *(argent)* • **no tener un chavo** ne pas avoir un radis **2.** *(Amér)* mec *(m)*.

che, ché *interj (Amér) fam* • **iche!** eh !

chef ['tʃef] *(pl* **chefs***) nm* chef *(m)*, chef *(m)* cuisinier.

chelo, la *adj (Amér)* blond(e).

chepa *nf fam* bosse *(f)*.

cheque *nm* chèque *(m)* • **extender un cheque** faire un chèque • **cheque al portador** chèque au porteur • **cheque cruzado** *ou* **barrado/nominativo** chèque barré/nominatif *ou* à ordre • **cheque (de) gasolina** chèque *(m)* essence • **cheque de viaje** chèque de voyage, traveller's cheque.

chequear *vt* **1.** MÉD • **chequear a alguien** faire un bilan de santé à qqn **2.** vérifier.

chequeo *nm* **1.** bilan *(m)* de santé **2.** vérification *(f)*.

chequera *nf* carnet *(m)* de chèques.

chévere *adj (Amér) fam* super.

Chiapas *npr* Chiapas.

chic *adj inv* chic.

chica *nf* ▷ **chico**.

chicano, na ◼ *adj* chicano. ◼ *nm, f* Chicano *(mf)*. ◼ **chicano** *nm* langue des Mexicains émigrés aux États-Unis.

chicarrón, ona *nm, f* grand garçon *(m)*, grande fille *(f)*.

chicha *nf fam* **1.** viande *(f)* **2.** *(de personne)* graisse *(f)* **3.** *(Amér)* boisson alcoolisée à base de maïs fermenté.

chícharo *nm (Amér)* petit pois *(m)*.

chicharra *nf* **1.** cigale *(f)* **2.** *(Amér)* sonnette *(f)*.

chicharro *nm* chinchard *(m)*.

chicharrón *nm* charbon *(m) (viande carbonisée)*. ◼ **chicharrones** *nmpl* rillons *(mpl)*.

chiche *nm (Amér)* **1.** *fam* babiole *(f)* **2.** *tfam* néné *(m)*.

chichón *nm* bosse *(f)*.

chicle *nm* chewing-gum *(m)*.

chiclé, chicler *nm* AUTO gicleur *(m)*.

chico, ca ◼ *adj* petit(e). ◼ *nm, f* garçon *(m)*, fille *(f)* • **imira, chico!** *fam* écoute, mon vieux ! ◼ **chico** *nm* garçon *(m)* de courses. ◼ **chica** *nf* bonne *(f)*.

chicote *nm (Amér)* **1.** fouet *(m)* **2.** mégot *(m)*.

chifla *nf* **1.** *(moquerie)* • **hacer chifla a alguien** se moquer de qqn **2.** sifflement *(m)*.

chiflado, da *fam* ◼ *adj* cinglé(e) • **chiflado por** *fig* dingue de. ◼ *nm, f* cinglé *(m)*, -e *(f)*.

chiflar ◼ *vt fam* raffoler de, adorer • **me chiflan las patatas fritas** j'adore les chips. ◼ *vi* siffler. ◼ **chiflarse** *vp* • **chiflarse por algo** s'emballer pour qqch • **chiflarse por alguien** s'enticher de qqn.

chiflido *nm (Amér)* sifflement *(m)*.

chilaba *nf* djellaba *(f)*.

chile *nm* piment *(m)*.

Chile *npr* Chili *(m)*.

chileno, na ◼ *adj* chilien(enne). ◼ *nm, f* Chilien *(m)*, -enne *(f)*.

chillar *vi* **1.** crier **2.** *(enfant)* brailler **3.** grincer **4.** *fam (gronder)* • **le chilló** il lui a crié dessus.

chillido *nm* **1.** cri *(m)* **2.** grincement *(m)*.

chillón, ona ◼ *adj* **1.** criard(e) **2.** braillard(e). ◼ *nm, f* braillard *(m)*, -e *(f)*.

chimenea *nf* cheminée *(f)*.

chimpancé *nm* chimpanzé *(m)*.

china *nf* ▷ **chino**.

China *npr* • **(la) China** (la) Chine.

chinchar *vt fam* taquiner. ◼ **chincharse** *vp fam* • **ahora te chinchas** maintenant, tant pis pour toi.

chinche ◼ *nf (insecte)* punaise *(f)*. ◼ *adj* & *nmf fam fig* enquiquineur *(m)*, -euse *(f)*.

chincheta *nf (clou)* punaise *(f)*.

chinchilla *nf* chinchilla *(m)*.

chinchín *nm* **1.** flonflon *(m)* **2.** *fam* toast *(m)* • **ichinchín!** tchin-tchin !

chinchón *nm* alcool *(m)* d'anis.

chingado, da *adj (Amér) vulg* foutu(e). ◼ **chingada** *nf (Amér) vulg* • **ivete a la chingada!** va te faire foutre !

chingar ◼ *vt* **1.** *tfam* emmerder **2.** *tfam* foutre en l'air **3.** *(Amér) vulg* baiser. ◼ *vi vulg* baiser. ◼ **chingarse** *vp vulg* se bourrer la gueule.

chingón, ona *adj (Amér) fam* super.

chino, na ◼ *adj* chinois(e). ◼ *nm, f* **1.** Chinois *(m)*, -e *(f)* **2.** *(Amér)* métis *(m)*, -isse *(f)*. ◼ **chino** *nm* **1.** chinois *(m)* **2.** *(Amér)* boucle *(f) (de cheveux)*. ◼ **china** *nf* **1.** caillou *(m)* **2.** *fam (drogue)* boulette *(f)*. ◼ **chinos** *nmpl* jeu qui consiste à deviner combien de pièces ou de cailloux l'autre joueur cache dans sa main.

chip *(pl* **chips***) nm* INFORM puce *(f)*.

chipirón *nm* petit calmar *(m)*.

Chipre *npr* Chypre.

chiquillada *nf* gaminerie *(f)*.

chiquillo, lla *nm, f* gamin *(m)*, -e *(f)*.

chiquito, ta *adj* tout petit(toute petite). ◼ **chiquito** *nm* petit verre *(m) (de vin)*.

chiribita *nf* étincelle *(f)*. ■ **chiribitas** *nfpl fam* • **los ojos le hacían chiribitas** *fig* ses yeux jetaient des étincelles.

chirimbolo *nm fam* truc *(m)*.

chirimoya *nf* anone *(f)*.

chiringuito *nm* **1.** *fam* buvette *(f)* **2.** affaire *(f)* • **montarse un chiringuito** monter une petite affaire.

chiripa *nf fam fig* • **tener chiripa** avoir du bol • **de** *ou* **por chiripa** par miracle.

chirla *nf (coquillage)* petite coque *(f)*.

chirona *nf fam* • **en chirona** en taule.

chirriar *vi* grincer.

chirrido *nm* grincement *(m)*.

chis, chist *interj* • **¡chis!** chut !

chisme *nm* **1.** commérage *(m)* **2.** *fam* truc *(m)*.

chismorrear *vi* faire des commérages, cancaner.

chismoso, sa *adj & nm, f* cancanier(ère).

chispa *nf* **1.** étincelle *(f)* • **echa chispas** *fam* il n'est pas à prendre avec des pincettes **2.** gouttelette *(f)* **3.** *fig* pincée *(f)* **4.** *fig* esprit *(m)*.

chispazo *nm* **1.** étincelle *(f)* **2.** *fig* detonateur *(m)*.

chispear ◼ *vi* **1.** étinceler **2.** *fig* • *(yeux)* pétiller *(de joie, de malice)* • jeter des étincelles *(de colère)*. ◼ *v impers* pleuvoter • **apenas chispeaba** il ne tombait que quelques gouttes.

chisporrotear *vi* **1.** *(bois)* craquer **2.** *(feu)* crépiter **3.** *(huile)* grésiller.

chist = **chis**.

chistar *vi* • **sin chistar** sans broncher.

chiste *nm* histoire *(f)* drôle, blague *(f)* • **contar chistes** raconter des histoires drôles *ou* des blagues • **chiste verde** blague cochonne.

chistera *nf* chapeau *(m)* haut de forme.

chistorra *nf saucisson typique d'Aragon et de Navarre*.

chistoso, sa ◼ *adj* **1.** blagueur(euse) **2.** drôle. ◼ *nm, f* blagueur *(m)*, -euse *(f)*.

chita ■ **a la chita callando** *loc adv fam* **1.** *(sans bruit)* doucement **2.** en douce.

chitón *interj* • **¡chitón!** chut !

chivar *vt fam* souffler *(la réponse)*. ■ **chivarse** *vp fam* **1.** cafter **2.** moucharder.

chivatazo *nm fam* mouchardage *(m)* • **dar el chivatazo** moucharder.

chivato, ta *adj & nm, f fam* mouchard(e). ■ **chivato** *nm* **1.** voyant *(m)* lumineux **2.** sonnerie *(f)* **3.** *(Amér) fam* ponte *(m)*.

chivo, va *nm, f* chevreau *(m)*, chevrette *(f)* • **ser el chivo expiatorio** *fig* être le bouc émissaire.

choc, shock [ʃok, tʃok] *nm* choc *(m) (psychologique)*.

chocante *adj* choquant(e).

chocar ◼ *vi* **1.** heurter • **chocar contra** rentrer dans **2.** *fig (se disputer)* s'accrocher **3.** *fig* se battre **4.** *fig* choquer. ◼ *vt* taper dans *(les mains)* • **¡choca esa mano** *ou* **los cinco!, ¡chócala!** tope là ! • **chocaron sus copas** ils ont trinqué.

chochear *vi* **1.** être gâteux(euse) **2.** *fam fig (être fou de)* • **chochear por alguien** être gaga devant qqn • **chochear por algo** être dingue de qqch.

chocho, cha *adj* **1.** gâteux(euse) **2.** *fam fig* gaga.

choclo *nm (Amér)* maïs *(m)*.

chocolate *nm* **1.** chocolat *(m)* • **chocolate a la taza** chocolat à cuire • **chocolate blanco/con leche** chocolat blanc/au lait **2.** *fam* shit *(m)*.

chocolatina *nf* barre *(f)* chocolatée.

chófer, chofer *nmf* chauffeur *(m)*.

chollo *nm fam* **1.** bon plan *(m)* **2.** occase *(f)*.

chomba, chompa *nf (Amér)* pull *(m)*.

chompipe *nm (Amér)* dindon *(m)*.

chongo *nm (Amér)* chignon *(m)*.

chopo *nm* peuplier *(m)* noir.

choque ◼ *nm* **1.** choc *(m)* **2.** collision *(f)* **3.** *fig* accrochage *(m)*. ◼ *v* ▷ **chocar**.

chorizar *vt fam* chourer.

chorizo *nm* **1.** chorizo *(m)* **2.** *fam* voleur *(m)*.

choro *nm (Amér)* moule *(f)*.

chorra ◼ *nmf tfam* • **es un chorra** il est nase. ◼ *nf tfam* • **tener chorra** avoir du pot.

chorrada *nf fam* **1.** *(cadeau)* bricole *(f)* **2.** *(parole)* bêtise *(f)*.

chorrear ◼ *vi* **1.** goutter **2.** couler. ◼ *vt* ruisseler de • **chorrear sudor** ruisseler de sueur.

chorro *nm* **1.** jet *(m)* • **salir a chorros** couler à flots **2.** filet *(m)* **3.** *fig* flot *(m) (de choses, de personnes, d'argent)*.

choteo *nm fam* blague *(f)* • **tomar a choteo** prendre à la rigolade.

chotis *nm inv* danse, musique et chanson typiques de Madrid à la mode au début du siècle.

choto, ta *nm, f* **1.** chevreau *(m)*, chevrette *(f)* **2.** veau *(m)*.

chovinista, chauvinista [tʃoβi'nista] *adj & nmf* chauvin(e).

choza *nf* hutte *(f)*.

christmas *nm* carte *(f)* de vœux.

chubasco *nm* averse *(f)*.

chubasquero *nm* ciré *(m)*.

chúcaro, ra *adj (Amér) fam* sauvage.

chuchería *nf* **1.** friandise *(f)* **2.** babiole *(f)*.

chucho *nm fam (chien)* cabot *(m)*.

chufa *nf* souchet *(m) (tubercule avec lequel on fait la "horchata")*.

chulada *nf* **1.** vantardise *(f)* **2.** *fam* bijou *(m)* • **¡qué chulada de coche tienes!** t'en as une belle voiture !

chulear *fam* ◼ *vt* • **chulear a alguien** se faire entretenir par qqn. ◼ *vi* frimer • **chulear de** se vanter de.

chulería *nf* **1.** insolence *(f)* **2.** vantardise *(f)* **3.** charme *(m)*.

chuleta ◼ *nf* **1.** côtelette *(f)* **2.** côte *(f)* **3.** *fam* antisèche *(f)*. ◼ *adj* & *nmf fam* frimeur(euse).

chulo, la ◼ *adj* **1.** *(insolent)* • **ponerse chulo** la ramener **2.** crâneur(euse) **3.** *fam* chouette **4.** typique de Madrid. ◼ *nm, f* **1.** crâneur *(m)*, -euse *(f)* **2.** *figure typique des quartiers populaires de Madrid.* ◼ **chulo** *nm tfam* maquereau *(m)*.

chumbera *nf* figuier *(m)* de Barbarie.

chumbo *adj* ⊳ **higo**.

chungo, ga *adj fam* craignos. ◼ **chunga** *nf fam* • **tomarse algo a chunga** prendre qqch à la rigolade.

chupa *nf fam (blouson)* cuir *(m)*.

chupachup® *(pl* **chupachups**) *nm* sucette *(f)* ronde.

chupado, da *adj* **1.** squelettique **2.** *fam (facile)* • **está chupado** c'est du tout cuit. ◼ **chupada** *nf* taffe *(f)*.

chupar *vt* **1.** sucer **2.** *(fumer)* tirer sur **3.** absorber **4.** soutirer *(de l'argent)*. ◼ **chuparse** *vp* **1.** devenir squelettique **2.** *fam* se taper • **se ha chupado siete kilómetros andando** il s'est tapé sept kilomètres à pied.

chupatintas *nmf inv péj* gratte-papier *(m inv)*.

chupe *nm (Amér)* ragoût *(m)*.

chupete *nm* tétine *(f)*.

chupetón *nm fam* suçon *(m)*.

chupi *adj fam* génial(e).

chupinazo *nm fam* **1.** coup *(m)* de feu **2.** coup *(m)* de canon **3.** *coup d'envoi d'une fête* **4.** SPORT shoot *(m)* • **dar un chupinazo** shooter.

chupón, ona *adj* **1.** qui tète beaucoup **2.** *fam fig* parasite. ◼ **chupón** *nm (Amér)* tétine *(f)*.

churrería *nf commerce de « churros ».*

churro *nm* **1.** *long beignet cylindrique* **2.** *fam* bide *(m)* **3.** *fam* truc *(m)* mal foutu **4.** *fam (chance)* pot *(m)*.

churrusco *nm morceau de pain roussi.*

churumbel *nm fam* chérubin *(m)*.

chusco, ca *adj* cocasse. ◼ **chusco** *nm fam* quignon *(m)* (de pain).

chusma *nf* racaille *(f)*.

chut *nm* shoot *(m)*.

chutar *vi* **1.** shooter **2.** *fam* marcher • **esto va que chuta** ça marche comme sur des roulettes. ◼ **chutarse** *vp tfam* se shooter.

chute *nm tfam (héroïne)* shoot *(m)*.

CIA *(abr de* **Central Intelligence Agency)** *nf* CIA *(f)*.

cía., Cía. *(abr écrite de* **compañía)** Cie.

CULTURE...

los churros

Les *churros* sont des sortes de beignets en forme de tubes cannelés, frits dans de l'huile et saupoudrés de sucre que l'on consomme chauds en les trempant dans une grande tasse de chocolat épais. Traditionnellement servis au petit déjeuner, ils sont davantage réservés maintenant aux petits matins des lendemains de fête comme le 1er de l'An ou après un mariage. On peut les consommer dans certains bars accompagnés d'un grand chocolat chaud très épais ou les acheter dans des *churrerías*.

cianuro *nm* cyanure *(m)*.

ciático, ca *adj* sciatique. ◼ **ciática** *nf* sciatique *(f)*.

cicatero, ra *adj* & *nm, f* pingre.

cicatriz *nf litt* & *fig* cicatrice *(f)*.

cicatrizar *vt* & *vi* cicatriser.

cicerone *nmf* guide *(mf)*.

cíclico, ca *adj* **1.** cyclique **2.** *(apprentissage)* progressif(ive).

ciclismo *nm* cyclisme *(m)*.

ciclista *adj* & *nmf* cycliste.

ciclo *nm* cycle *(m)*.

ciclocrós *nm* cyclo-cross *(m inv)*.

ciclomotor *nm* cyclomoteur *(m)*.

ciclón *nm* cyclone *(m)*.

ciclostil, ciclostilo *nm* **1.** polycopie *(f)* **2.** machine *(f)* à polycopier.

cicuta *nf* ciguë *(f)*.

Cid *npr* • **el Cid Campeador** le Cid Campeador.

ciego, ga ◼ *adj* **1.** aveugle • **a ciegas** à l'aveuglette **2.** *fig* aveuglé(e) • **ciego de** aveuglé par, fou de **3.** obstrué(e) **4.** *tfam (drogué)* défoncé(e). ◼ *nm, f* aveugle *(mf)*. ◼ **ciego** *nm tfam (de drogue)* défonce *(f)*.

cielo *nm* **1.** ciel *(m)* **2.** *(appellation affectueuse)* • **(mi) cielo** mon ange • **ser un cielo** être un ange **3.** plafond *(m)* • **cielo raso** faux plafond • **como llovido** *ou* **caído del cielo** à pic • comme par miracle. ◼ **cielos** *interj* • **¡cielos!** ciel !

ciempiés *nm inv* mille-pattes *(m inv)*.

cien *adj num inv* & *nm inv* cent • **cien mil** cent mille • **al cien por cien** à cent pour cent • **pura lana al cien por cien** cent pour cent pure laine.• *voir aussi* **seis** ◼ **todo a cien** *nm chaîne de magasins proposant des articles pour la maison à prix très réduits.*

ciénaga *nf* marécage *(m)*.

ciencia *nf* science *(f)*. ■ **ciencias** *nfpl* sciences *(fpl)*. ■ **ciencia ficción** *nf* science-fiction *(f)*.

cieno *nm* **1.** vase *(f)* **2.** *fig* boue *(f)*.

científico, ca *adj* & *nm, f* scientifique.

ciento *adj num* & *nm* cent • **ciento cincuenta** cent cinquante • **cientos de miles de euros** des centaines de milliers d'euros • **por ciento** pour cent • **al ciento por ciento** *(Amér)* à cent pour cent. • *voir aussi* **seis**

cierne ■ **en ciernes** *loc adj* en herbe.

cierre *nm* **1.** fermeture *(f)* **2.** fermeture *(f)* Éclair®.

cierto, ta *adj* certain(e) • **cierta tristeza** une certaine tristesse • **estar en lo cierto** être dans le vrai • **lo cierto es que…** c'est un fait que… ■ **cierto** *adv* certainement. ■ **por cierto** *loc adv* au fait.

ciervo, va *nm, f* cerf *(m)*, biche *(f)*.

CIF *nm abrév de* **código de identificación fiscal**.

cifra *nf* chiffre *(m)*.

cifrado, da *adj* codé(e).

cifrar *vt* **1.** coder **2.** *fig (centrer)* • **cifrar en** fonder sur, placer dans. ■ **cifrarse** *vp* • **cifrarse en** se chiffrer par *ou* en.

cigala *nf* langoustine *(f)*.

cigarra *nf* cigale *(f)*.

cigarrillo *nm* cigarette *(f)*.

cigarro *nm* **1.** cigarette *(f)* **2.** cigare *(m)*.

cigüeña *nf* cigogne *(f)*.

cigüeñal *nm* vilebrequin *(m)*.

cilicio *nm* cilice *(m)*.

cilindrada *nf* cylindrée *(f)*.

cilíndrico, ca *adj* cylindrique.

cilindro *nm* cylindre *(m)*.

cima *nf* **1.** cime *(f)* **2.** *fig* sommet *(m)*.

cimbrear *vt* **1.** faire vibrer **2.** balancer *(les hanches)*.

cimentar *vt* **1.** creuser les fondations de **2.** fonder *(une ville)* **3.** *fig* cimenter.

cimiento *nm (gén pl)* CONSTR assises *(fpl)* • **los cimientos** les fondations *(fpl)* • **echar los cimientos de algo** *fig* jeter les bases de qqch.

cinc, zinc *nm* zinc *(m)*.

cincel *nm (outil)* ciseau *(m)*.

cincelar *vt* ciseler.

cincha *nf* sangle *(f)*.

cincho *nm* **1.** ceinture en tissu **2.** cerceau *(m) (de tonneau)*.

cinco *adj num inv* cinq. ■ *nm inv* cinq *(m inv)* • **¡choca esos cinco!** *fig* tope là ! • *voir aussi* **seis**

cincuenta *adj num inv* & *nm inv* cinquante. • *voir aussi* **sesenta**

cincuentón, ona *nm, f* quinquagénaire *(mf)*.

cine, cinema *nm* cinéma *(m)* • **cine de terror** films *(mpl)* d'horreur • **cine fantástico** cinéma fantastique.

el cine español

Certains acteurs et actrices espagnols sont aujourd'hui connus dans le monde entier, comme Victoria Abril, Antonio Banderas, Penélope Cruz ou Javier Bardem. C'est aussi le cas de metteurs en scène tels que Carlos Saura et, plus récemment, Pedro Almodóvar, Bigas Luna ou encore Alejandro Amenábar, qui ont largement contribué à faire connaître le cinéma ibérique au-delà de ses frontières. Le *Festival Internacional de Cine de San Sebastián*, qui a lieu au mois de janvier, s'est imposé comme un important rendez-vous pour tous les cinéphiles et récompense les meilleurs professionnels dans chacune des leurs spécialités avec le prix *Goya*, l'équivalent espagnol des *Césars*.

cineasta *nmf* cinéaste *(mf)*.

cineclub *nm* ciné-club *(m)*.

cinéfilo, la ■ *adj* de cinéphile. ■ *nm, f* cinéphile *(mf)*.

cinema = **cine**.

cinemascope® *nm* CinémaScope® *(m)*.

cinematografía *nf* cinématographie *(f)*

cinematográfico, ca *adj* cinématographique.

cinematógrafo *nm* cinématographe *(m)*.

cinerama® *nm* Cinérama® *(m)*.

cíngaro, ra, zíngaro, ra ■ *adj* tsigane. ■ *nm, f* Tsigane *(mf)*.

cínico, ca *adj* & *nm, f* cynique.

cinismo *nm* cynisme *(m)*.

cinta *nf* **1.** ruban *(m)* • **cinta adhesiva** *ou* **autoadhesiva** ruban adhésif • **cinta métrica** mètre *(m)* ruban **2.** cassette *(f)* • **cinta de vídeo** cassette vidéo • **cinta magnética** *ou* **magnetofónica** bande *(f)* magnétique **3.** *(mécanisme)* • **cinta (transportadora)** transporteur *(m)* à bande • tapis *(m)* roulant *(de marchandises, de personnes)* **4.** INFORM bande *(f)*. ■ **cinta de lomo** *nf* rôti *(m)* de porc.

cintura *nf* **1.** taille *(f)* **2.** ceinture *(f)*.

cinturilla *nf* gros grain *(m)*.

cinturón *nm* **1.** *(gén & SPORT)* ceinture *(f)* **2.** périphérique *(m)*. ■ **cinturón de seguridad** *nm* ceinture *(f)* (de sécurité).

ciprés *nm* cyprès *(m)*.

circense *adj* de cirque.

circo *nm* cirque *(m)*.

circuito nm **1.** (gén, SPORT & ÉLECTR) circuit (m) **2.** piste (f) (de bicyclettes) **3.** périmètre (m). ■ **corto circuito** nm court-circuit (m).

circulación nf circulation (f).

circular[1] adj circulaire. ■ nf circulaire (f).

circular[2] vi **1.** circuler ■ **circular por** (personnes, liquides) circuler dans ■ (véhicules) circuler sur **2.** (monnaie) être en circulation.

circulatorio, ria adj circulatoire.

círculo nm **1.** (gén & GÉOM) cercle (m) **2.** attroupement (m). ■ **círculo vicioso** nm cercle vicieux. ■ **círculos** nmpl milieux (mpl).

circuncisión nf circoncision (f).

circundante adj environnant(e).

circundar vt entourer.

circunferencia nf circonférence (f).

circunscribir vt circonscrire. ■ **circunscribirse** vp ■ **circunscribirse a** s'en tenir à.

circunscripción nf **1.** étroitesse (f) **2.** circonscription (f).

circunscrito, ta adj circonscrit(e). ■ **circunscrito** pp ➪ **circunscribir**.

circunstancia nf **1.** (gén & DR) circonstance (f) **2.** condition (f).

circunstancial adj fortuit(e).

circunvalar vt faire le tour de.

cirio nm cierge (m) ■ **ser/montar un cirio** fig être/fairetoute une histoire.

cirrosis nf inv cirrhose (f).

ciruela nf prune (f) ■ **ciruela pasa** pruneau (m).

cirugía nf chirurgie (f) ■ **cirugía estética** OU **plástica** chirurgie esthétique OU plastique.

cirujano, na nm, f chirurgien (m), -enne (f).

cisco nm **1.** poussier (m) **2.** fam grabuge (m) ■ **hecho cisco** (personne) démoli ■ (chose) déglingué ■ **tener los pies hechos cisco** avoir les pieds en compote.

cisma nm schisme (m).

cisne nm cygne (m).

cisterna nf **1.** chasse (f) d'eau **2.** citerne (f).

cistitis nf inv cystite (f).

cisura nf fissure (f).

cita nf **1.** rendez-vous (m) ■ **tener una cita** avoir rendez-vous **2.** citation (f).

citación nf citation (f).

citar vt citer. ■ **citarse** vp se donner rendez-vous.

cítara nf cithare (f).

citología nf **1.** cytologie (f) **2.** frottis (m).

cítrico, ca adj citrique ■ **un fruto cítrico** un agrume. ■ **cítricos** nmpl agrumes (mpl).

CiU (abr de **Convergència i Unió**) nf coalition nationaliste catalane.

ciudad nf ville (f).

ciudadanía nf **1.** citoyenneté (f) **2.** ■ **la ciudadanía** les habitants (mpl).

ciudadano, na ■ adj citadin(e). ■ nm, f **1.** citadin (m), -e (f) **2.** citoyen (m), -enne (f).

Ciudad de México, Ciudad de Méjico npr Mexico.

Ciudad Real npr Ciudad Real.

cívico, ca adj civique.

civil ■ adj litt & fig courtois(e) ■ **tener un comportamiento civil** se comporter correctement. ■ nm **1.** civil (m) **2.** fam membre de la Guardia Civil.

civilización nf civilisation (f).

civilizado, da adj civilisé(e).

civilizar vt civiliser. ■ **civilizarse** vp apprendre les bonnes manières.

civismo nm **1.** civisme (m) **2.** civilité (f).

cizaña nf ivraie (f) ■ **meter** OU **sembrar cizaña** fig semer la zizanie.

cl (abr écrite de **centilitro**) cl.

clamar ■ vt clamer, crier ■ **clamar justicia** demander justice. ■ vi ■ **clamar a** en appeler à ■ **clamar contra** crier à ■ **clamar contra la injusticia** crier à l'injustice.

clamor nm clameur (f).

clamoroso, sa adj retentissant(e).

clan nm clan (m).

clandestino, na adj clandestin(e).

claqué nm ■ **el claqué** les claquettes (fpl).

claqueta nf clap (m).

clara nf ➪ **claro**.

claraboya nf lucarne (f).

clarear ■ vt éclairer. ■ v impers **1.** poindre ■ **al clarear el día** au point du jour **2.** (temps) s'éclaircir. ■ **clarearse** vp **1.** être transparent(e) **2.** fig se trahir ■ **su maldad se clarea en sus palabras** sa méchanceté transparaît dans ses paroles.

claridad nf **1.** clarté (f) **2.** pureté (f) (de l'eau, d'un diamant) ■ **me lo dijo con una claridad meridiana** il me l'a dit très clairement **3.** lucidité (f).

clarificar vt **1.** clarifier **2.** éclaircir (un sujet, un mystère).

clarín nm clairon (m).

clarinete ■ nm clarinette (f). ■ nmf clarinettiste (mf).

clarividencia nf clairvoyance (f).

claro, ra adj **1.** clair(e) **2.** (image) net(nette) ■ **tener la mente clara** avoir les idées claires ■ **una clara victoria** une franche victoire ■ **claro está que...** il est clair que... ■ **dejar claro que...** faire comprendre que... ■ **a las claras** clairement ■ **poner** OU **sacar en claro** tirer au clair ■ **pasar una noche en claro** passer une nuit blanche **3.** (dilué) léger(ère) **4.** clairsemé(e) ■ **claro** ■ nm **1.** vide (m) **2.** clairière (f) **3.** éclaircie (f) **4.** (en peinture) clair (m). ■ adv clairement. ■ interj ■ **¡claro (está)!** bien sûr

■ **clara** *nf* **1.** blanc *(m)* *(œuf)* **2.** *(boisson)* pana- ché *(m)* **3.** *(calvitie)* ● **tiene unas claras** il se dé- garnit.

clase *nf* **1.** classe *(f)* ● **clase media/obrera** *ou* **trabajadora** classe moyenne/ouvrière ● **clase preferente/turista** classe affaires/loisirs ● **las clases pasivas** les retraités *(mpl)* ● **primera clase** première classe **2.** *(type)* ● **toda clase de** toutes sortes de **3.** *genre (m) (d'une personne)* **4.** cours *(m)* ● **dar clases** donner des cours ● suivre des cours ● **clases particulares** cours particuliers.

clásico, ca ■ *adj* **1.** classique **2.** *(particulier)* ● **clá- sico de** typique de. ■ *nm, f* classique *(m)*.

clasificación *nf* classement *(m)*.

clasificar *vt* classer. ■ **clasificarse** *vp* se classer ● **se clasificó para la final** il s'est qualifié pour la finale.

clasista *adj* & *nmf* élitiste.

claudicar *vi* **1.** abandonner **2.** ● **claudicar de** manquer à *(ses devoirs, ses principes)* ● faillir à *(ses promesses, ses engagements)*.

claustro *nm* **1.** cloître *(m)* **2.** réunion *(f)* ● **claus- tro de profesores** conseil *(m)* de classe.

claustrofobia *nf* claustrophobie *(f)*.

cláusula *nf* **1.** clause *(f)* **2.** GRAMM proposition *(f)*.

clausura *nf* **1.** *(gén* & RELIG*)* clôture *(f)* **2.** ferme- ture *(f)*.

clausurar *vt* **1.** clôturer **2.** fermer.

clavadista *nmf (Amér)* plongeur *(m)*, -euse *(f)*.

clavado, da *adj* **1.** cloué(e) **2.** *(pile)* sonnant(e) ● **ir clavado** aller comme un gant ● **ser clava- do a alguien** être la copie conforme de qqn **3.** *fam* planté(e) ● **permanecer clavado en la puerta** rester planté devant la porte **4.** *fam (ébahi)* ● **me dejó clavado** il m'a scié.

clavar *vt* **1.** planter **2.** clouer ● **clavar la mira- da/la atención en** *fig* fixer son regard/son at- tention sur ● **clavar en el suelo** *fam fig* clouer sur place **3.** *tfam* faire casquer. ■ **clavarse** *vp* **1.** *(se planter quelque chose dans)* ● **me clavé un cristal en el pie** je me suis planté un bout de verre dans le pied **2.** *(Amér)* ● **clavársela** *fam* prendre une cuite.

clave ■ *adj inv* clef ● **es el punto clave** c'est l'élément clef. ■ *nm* clavecin *(m)*. ■ *nf* **1.** code *(m)* ● **en clave** codé(e) **2.** *(solution* & MUS*)* clef *(f)*.

clavel *nm* œillet *(m)*.

clavetear *vt* **1.** clouter **2.** clouer grossièrement.

clavicémbalo *nm* clavecin *(m)*.

clavicordio *nm* clavecin *(m)*.

clavícula *nf* clavicule *(f)*.

clavija *nf* **1.** TECHNOL & MUS cheville *(f)* **2.** ÉLECTR fiche *(f)*.

clavo *nm* **1.** clou *(m)* **2.** clou *(m)* de girofle **3.** MÉD broche *(f)* ● **agarrarse a un clavo ar-**
diendo être prêt(e) à tout *(pour s'en sortir)* ● **como un clavo** pile à l'heure ● **dar en el clavo** mettre dans le mille.

claxon® *nm* Klaxon® *(m)*.

clemencia *nf* clémence *(f)*.

clemente *adj litt* & *fig* clément(e).

cleptómano, na *nm, f* kleptomane *(mf)*.

clerical *adj* & *nmf* clérical(e).

clérigo *nm* prêtre *(m)*.

clero *nm* clergé *(m)*.

cliché, clisé *nm litt* & *fig* cliché *(m)*.

cliente, ta *nm, f* client *(m)*, -e *(f)*.

clientela *nf* clientèle *(f)*.

clima *nm litt* & *fig* climat *(m)*.

climatizado, da *adj* climatisé(e).

climatizar *vt* climatiser.

climatología *nf* climatologie *(f)*.

clímax *nm inv* point *(m)* culminant.

clínico, ca *adj* **1.** clinique **2.** *(dossier, matériel)* médical(e). ■ **clínica** *nf* clinique *(f)*.

clip *nm* **1.** trombone *(m)* **2.** pince *(f) (pour les cheveux)* **3.** *(boucle d'oreille, vidéo)* clip *(m)*.

clisé = **cliché**.

clítoris *nm inv* clitoris *(m)*.

cloaca *nf* égout *(m)*.

cloquear *vi* glousser.

cloro *nm* chlore *(m)*.

clorofila *nf* chlorophylle *(f)*.

cloroformo *nm* chloroforme *(m)*.

club *(pl* **clubes** *ou* **clubs)** *nm* club *(m)* ● **club de fans** fan-club *(m)* ● **club náutico** yacht-club *(m)*.

cm *(abr écrite de* **centímetro***)* cm.

CNT *(abr de* **Confederación Nacional del Tra- bajo***)* *nf* syndicat espagnol anarchiste.

Co. *(abr écrite de* **compañía***)* Cie.

coacción *nf* pression *(f)*.

coaccionar *vt* ● **coaccionar a alguien a** *ou* **para hacer algo** faire pression sur qqn pour lui faire faire qqch.

coagular *vt* **1.** coaguler **2.** *(lait)* cailler. ■ **coagu- larse** *vp* **1.** (se) coaguler **2.** *(lait)* (se) cailler.

coágulo *nm* caillot *(m)*.

coalición *nf* coalition *(f)*.

coaligar = **coligar**.

coartada *nf* alibi *(m)*.

coartar *vt* **1.** entraver **2.** brider *(des sentiments)*.

coautor, ra *nm, f* coauteur *(m)*.

coba *nf fam* lèche *(f)* ● **dar coba a alguien** pas- ser de la pommade à qqn.

cobalto *nm* cobalt *(m)*.

cobarde *adj* & *nmf* lâche.

cobardía *nf* lâcheté *(f)*.

cobertizo *nm* appentis *(m)*.

cobertura *nf* couverture *(f)* • **cobertura informativa** couverture d'un événement.

cobija *nf (Amér)* couverture *(f)*.

cobijar *vt* abriter. ■ **cobijarse** *vp* **1.** se réfugier **2.** s'abriter.

cobijo *nm* **1.** refuge *(m)* **2.** abri *(m)* • **dar cobijo a alguien** héberger qqn.

cobra *nf* cobra *(m)*.

cobrador, ra *nm, f* **1.** *(bus)* receveur *(m)*, -euse *(f)* **2.** *(facturas, quittances)* encaisseur *(m)*.

cobrar ■ *vt* **1.** encaisser *(un chèque, une dette)* **2.** toucher *(un salaire)* • **¿me cobra, por favor?** je vous dois combien s'il vous plaît ? • **me han cobrado muy caro** on m'a pris très cher **3.** *(acquérir)* • **cobrar importancia** prendre de l'importance **4.** *(ressentir)* • **cobrar afecto a alguien** prendre qqn en affection. ■ *vi* **1.** être payé(e) **2.** *fam* • **¡vas a cobrar!** tu vas t'en ramasser une ! ■ **cobrarse** *vp* se solder par.

cobre *nm* **1.** cuivre *(m)* **2.** *(Amér)* sou *(m)* • **no tener un cobre** ne pas avoir un sou.

cobrizo, za *adj* **1.** cuivré(e) **2.** cuivreux(euse).

cobro *nm* encaissement *(m)*.

coca *nf* **1.** coca *(f)* **2.** *fam* coke *(f)*.

cocaína *nf* cocaïne *(f)*.

cocción *nf* cuisson *(f)*.

cóccix, coxis *nm inv* coccyx *(m)*.

cocear *vi* ruer.

cocer *vt* cuire. ■ **cocerse** *vp* **1.** cuire • **a medio cocerse** à mi-cuisson **2.** *fig* se tramer.

coche *nm* voiture *(f)* • **coche cama** wagon-lit *(m)* • **coche celular** fourgon *(m)* cellulaire • **coche de alquiler/de bomberos/de carreras** voiture de location/de pompiers/de course • **coche familiar** break *(m)* • **coche restaurante** wagon-restaurant *(m)* • **ir en el coche de san Fernando** *fam* aller à pinces. ■ **coche bomba** *nm* voiture *(f)* piégée.

cochera *nf* **1.** garage *(m)* **2.** dépôt *(m)* *(d'autobus)*.

cochinada *nf fam fig* **1.** cochonnerie *(f)* **2.** vacherie *(f)*.

cochinilla *nf* **1.** cloporte *(m)* **2.** cochenille *(f)*.

cochinillo *nm* cochon *(m)* de lait.

cochino, na ■ *adj* **1.** dégoûtant(e) **2.** *(temps)* de cochon **3.** • **¡este cochino dinero!** l'argent, toujours l'argent ! ■ *nm, f* cochon *(m)*, truie *(f)*.

cocido *nm* • **cocido (madrileño)** ≃ pot-au-feu *(m)*.

cociente *nm* quotient *(m)*.

cocina *nf* **1.** cuisine *(f)* • **cocina de mercado** cuisine du marché **2.** *(electroménager)* cuisinière *(f)*.

cocinar ■ *vt* cuisiner. ■ *vi* faire la cuisine, cuisiner.

cocinero, ra *nm, f* cuisinier *(m)*, -ère *(f)*.

cocker *nm* cocker *(m)*.

coco *nm* **1.** cocotier *(m)* **2.** noix *(f)* de coco **3.** *fam* caboche *(f)* • **comerse el coco** se prendre la tête **4.** *fam* Père *(m)* fouettard.

cocodrilo *nm* crocodile *(m)*.

cocotero *nm* cocotier *(m)*.

cóctel, coctel *nm* cocktail *(m)*. ■ **cóctel molotov** *nm* cocktail *(m)* Molotov.

coctelera *nf* shaker *(m)*.

codazo *nm* coup *(m)* de coude • **abrirse paso a codazos** jouer des coudes.

codear *vt* pousser du coude. ■ **codearse** *vp* • **codearse (con)** fréquenter.

codera *nf* **1.** *(pièce de cuir)* coude *(m)* **2.** SPORT coudière *(f)*.

codicia *nf* **1.** cupidité *(f)* • **mirar con codicia** convoiter du regard **2.** *fig (d'apprendre, de connaître)* • **codicia (de)** soif *(f)* (de).

codiciar *vt* convoiter.

codicioso, sa *adj* avide.

codificar *vt* **1.** *(gén & INFORM)* coder **2.** codifier *(une loi)*.

código *nm* code *(m)* • **código civil/penal** code civil/pénal • **código de barras** code-barres *(m)* • **código de circulación** code de la route • **código de identificación fiscal** code d'identification fiscale *(attribué à toute personne physique ou morale payant des impôts en Espagne)* • **código máquina** langage *(m)* machine • **código postal** code postal.

codillo *nm* **1.** *(gén & CULIN)* épaule *(f)* **2.** coude *(m)* *(d'un tuyau)*.

codo *nm* **1.** coude *(m)* • **estaba de codos sobre la mesa** il était accoudé à la table **2.** coudée *(f)* • **codo con codo, codo a codo** coude à coude • **empinar el codo** fam lever le coude • **hablar por los codos** *fam* être un moulin à paroles.

codorniz *nf* caille *(f)*.

COE *(pl* **COE** *ou* **COEs)** *(abr de* **Compañías de Operaciones Especiales)** *nfpl* corps d'élite de l'armée espagnole.

coeficiente *nm* **1.** coefficient *(m)* **2.** taux *(m)* • **coeficiente intelectual** *ou* **de inteligencia** quotient *(m)* intellectuel.

coercer *vt* limiter.

coetáneo, a *adj* contemporain(e).

coexistir *vi* coexister.

cofia *nf* coiffe *(f)*.

cofradía *nf* **1.** confrérie *(f)* **2.** corporation *(f)*.

cofre *nm* **1.** coffret *(m)* **2.** coffre *(m)*.

coger ■ *vt* **1.** prendre • **coger el avión** prendre l'avion • **coger a alguien de** *ou* **por la mano** prendre qqn par la main • **le fui cogiendo cariño** je me suis pris d'affection pour lui **2.** attraper *(un voleur, un poisson, la grippe, etc)* **3.** rattraper *(un véhicule, quelqu'un)* **4.** cueillir **5.** *(sujet : voiture)* renverser **6.** *(sujet : taureau)* encorner **7.** *(comprendre)* saisir • **no cogió el chiste** il n'a pas compris la plaisanterie **8.** *(surprendre)* • **me cogió la lluvia** la pluie m'a surpris **9.** *(rencontrer)* • **lo cogí de buen humor** je suis bien tombé, il était de bonne humeur **10.** RADIO capter **11.** *(Amér) vulg* baiser. ◼ *vi* • **coger cerca/lejos (de)** être près/loin (de) • **coger a la derecha/a la izquierda** prendre à droite/à gauche • **cogió y se fue** il est parti sans faire ni une ni deux. ◼ **cogerse** *vp* **1.** s'accrocher • **cogerse de** ou **a algo** s'accrocher à qqch **2.** se prendre • **cogerse los dedos en la puerta** se prendre les doigts dans la porte.

cogida *nf* **1.** coup *(m)* de corne **2.** cueillette *(f)*.

cognac = **coñac**.

cogollo *nm* **1.** cœur *(m) (de laitue, de chou)* **2.** bourgeon *(m)*.

cogorza *nf fam* cuite *(f)*.

cogote *nm fam* colback *(m)*.

cohabitar *vi* vivre ensemble • **cohabitar con alguien** vivre avec qqn.

cohecho *nm* corruption *(f)*.

coherencia *nf* cohérence *(f)*.

coherente *adj* cohérent(e).

cohesión *nf* cohésion *(f)*.

cohete *nm* fusée *(f)*.

cohibido, da *adj* intimidé(e).

cohibir *vt* intimider. ◼ **cohibirse** *vp* se laisser intimider.

COI *(abr de* **Comité Olímpico Internacional)** *nm* CIO *(m)*.

coima *nf (Amér) fam* pot-de-vin *(m)*.

coincidencia *nf* coïncidence *(f)*.

coincidir *vi* **1.** coïncider **2.** *(versions)* se recouper **3.** *(dates)* concorder **4.** *(deux personnes)* se retrouver **5.** être d'accord • **todos coinciden en que...** tout le monde s'accorde à dire que... • **todos coinciden en los gustos** ils ont tous les mêmes goûts.

coito *nm* coït *(m)*.

cojear *vi* **1.** boiter **2.** être bancal(e) **3.** *fig* battre de l'aile • **cojear de** se ressentir de.

cojera *nf* boiterie *(f)*.

cojín *nm* coussin *(m)*.

cojinete *nm* **1.** palier *(m)* **2.** coussinet *(m)* • **cojinete de bolas** roulement *(m)* à billes.

cojo, ja ◼ *adj* **1.** boiteux(euse) **2.** bancal(e). ◼ *nm, f* boiteux *(m)*, -euse *(f)*.

cojón *nm (gén pl) vulg* couille *(f)*. ◼ **cojones** *interj vulg* • **¡cojones!** bordel !

cojonudo, da *adj vulg* super.

cojudez *nf (Amér) tfam* connerie *(f)*.

cojudo, da *adj (Amér) tfam* con *(m)*, conne *(f)*.

col *nf* chou *(m)* • **col de Bruselas** chou de Bruselas.

cola *nf* **1.** queue *(f)* • **hacer cola** faire la queue • **cola de caballo** queue de cheval **2.** traîne *(f)* **3.** colle *(f)* **4.** Coca® *(m)* • **tener** ou **traer cola** avoir des répercussions.

colaboración *nf* collaboration *(f)*.

colaborador, ra ◼ *adj* coopératif(ive). ◼ *nm, f* collaborateur *(m)*, -trice *(f)*.

colaborar *vi* • **colaborar (en/con)** collaborer (à/avec) • **colaborar a que** contribuer à ce que.

colación *nf* collation *(f)* • **sacar** ou **traer a colación** *fig* faire mention de.

colado, da *adj* **1.** *(liquido)* filtré(e) **2.** *fig (amoureux)* • **estar colado por alguien** *fam* en pincer pour qqn. ◼ **colada** *nf* lessive *(f)* • **hacer la colada** faire la lessive.

colador *nm* passoire *(f)*.

colapsar ◼ *vt* paralyser. ◼ *vi* s'effondrer.

colapso *nm* **1.** chute *(f)* de tension **2.** AUTO • **provocar el colapso del tráfico** paralyser la circulation **3.** effondrement *(m) (de l'activité)*.

colar ◼ *vt* **1.** filtrer **2.** passer *(le lait)* **3.** écouler *(de l'argent sale)* **4.** faire croire à *(un mensonge)* **5.** *(dans un passage étroit)* glisser, introduire. ◼ *vi* prendre • **su mentira no cuela** son mensonge ne prend pas • **esto no cuela** c'est louche. ◼ **colarse** *vp* **1.** *(liquido)* • **colarse (por** ou **en)** s'infiltrer (dans) **2.** se faufiler *(quelque part)* **3.** s'incruster *(dans une fête)* • **colarse en una cola** resquiller **4.** *fam* se planter.

colateral *adj* collatéral(e).

colcha *nf* couvre-lit *(m)*.

colchón *nm* **1.** matelas *(m)* **2.** INFORM mémoire *(f)* tampon.

colchoneta *nf* **1.** *(de plage)* matelas *(m)* pneumatique **2.** *(de gymnastique)* tapis *(m)* de sol.

cole *nm fam* (collège) bahut *(m)*.

colear *vi* **1.** remuer la queue **2.** *fig (sujet, problème)* • **el asunto todavía colea** l'affaire n'est pas close.

colección *nf litt & fig* collection *(f)*.

coleccionable ◼ *adj* détachable. ◼ *nm* supplément *(m)* détachable.

coleccionar *vt* collectionner.

coleccionista *nmf* collectionneur *(m)*, -euse *(f)*.

colecta *nf* collecte *(f)*.

colectividad *nf* collectivité *(f)* • **la colectividad agrícola** l'ensemble *(m)* des agriculteurs.

colectivo, va *adj* collectif(ive). ◼ **colectivo** *nm* **1.** ensemble *(m)* • **colectivo médico** profession *(f)* médicale **2.** groupe *(m)* d'étude, comité *(m)*.

colector, ra ◼ *adj* collecteur(trice). ◼ *nm, f* receveur *(m)*, -euse *(f)* • **colector de contribu-**

ciones receveur des contributions. ■ **colector** *nm* collecteur *(m)* • **colector de basuras** vide-ordures *(m inv)*.

colega *nmf* **1.** collègue *(mf)* **2.** confrère *(m)*, consœur *(f)* **3.** *fam* pote *(m)*.

colegiado, da *adj* inscrit(e) (à un ordre professionnel). ■ **colegiado** *nm* SPORT arbitre *(m)*.

colegial, la *nm*, *f* collégien *(m)*, -enne *(f)*. ■ **colegial** *adj* scolaire.

colegio *nm* **1.** école *(f)* **2.** corporation *(f)* **3.** ordre *(m)* • **colegio de abogados** barreau *(m)*.

cólera ◼ *nm* choléra *(m)*. ◼ *nf* colère *(f)* • **montar en cólera** prendre une colère.

colérico, ca *adj* **1.** coléreux(euse) **2.** cholérique.

colesterol *nm* cholestérol *(m)*.

coleta *nf (de cheveux)* couette *(f)*.

coletilla *nf* petite note *(f)*.

colgado, da ◼ *adj* **1.** • **colgado (de)** pendu (à) **2.** raccroché(e) **3.** *fam fig* • **dejar colgado a alguien** *fam* laisser qqn en rade • **estar colgado** *fam* être taré. ◼ *nm*, *f fam* camé *(m)*, -e *(f)* • **ser un colgado** être paumé.

colgador *nm* étendoir *(m)*.

colgante ◼ *adj* suspendu(e). ◼ *nm* **1.** breloque *(f)* **2.** pendentif *(m)*.

colgar ◼ *vt* **1.** pendre **2.** accrocher **3.** étendre • **colgar el teléfono** raccrocher **4.** • **colgar algo a alguien** mettre qqch sur le dos de qqn **5.** laisser tomber **6.** coller. ◼ *vi* **1.** • **colgar (de)** pendre (à) **2.** raccrocher. ■ **colgarse** *vp* • **colgarse (de)** se suspendre (à), se pendre (à).

colibrí *(pl* **colibríes** OU **colibrís)** *nm* colibri *(m)*.

cólico *nm* colique *(f)*.

coliflor *nf* chou-fleur *(m)*.

coligar, coaligar *vt* allier • **coligar dos países** resserrer les liens entre deux pays.

colilla *nf* mégot *(m)*.

colimba *nf (Amér) fam* service *(m)* (militaire).

colina *nf* colline *(f)*.

colindante *adj* **1.** limitrophe **2.** voisin(e).

colisión *nf* **1.** collision *(f)* **2.** *fig* affrontement *(m)*.

colisionar *vi litt & fig* • **colisionar contra** heurter.

collage *nm* collage *(m)*.

collar *nm* collier *(m)*.

collarín *nm* minerve *(f)*.

colmado, da *adj* plein(e), rempli(e). ■ **colmado** *nm* épicerie *(f)*.

colmar *vt* **1.** remplir à ras bord **2.** *fig* combler.

colmena *nf* ruche *(f)*.

colmillo *nm* **1.** canine *(f)* **2.** croc *(m)* **3.** défense *(f)*.

colmo *nm* comble *(m)*.

colocación *nf* **1.** emplacement *(m)* **2.** *fig* placement *(m)* **3.** place *(f)*.

colocado, da *adj* **1.** placé(e) • **estar muy bien colocado** avoir une bonne place **2.** *fam* fait(e).

colocar *vt* **1.** placer • **colocar a alguien en...** placer qqn chez... **2.** mettre • **colocar algo al revés** mettre qqch à l'envers. ■ **colocarse** *vp* **1.** trouver une place **2.** *fam* se défoncer **3.** *fam* prendre une cuite.

colofón *nm* **1.** couronnement *(m)* **2.** achevé *(m)* d'imprimer.

Colombia *npr* Colombie *(f)*.

colombiano, na ◼ *adj* colombien (enne). ◼ *nm*, *f* Colombien *(m)*, -enne *(f)*.

colon *nm* côlon *(m)*.

colonia *nf* **1.** colonie *(f)* **2.** • **colonias (de verano)** colonie *(f)* (de vacances) **3.** eau *(f)* de Cologne **4.** *(Amér)* quartier *(m)*, ≃ arrondissement *(m)* • **colonia proletaria** bidonville *(m)*.

colonial *adj* colonial(e).

colonización *nf* colonisation *(f)*.

colonizador, ra *adj & nm*, *f* colonisateur(trice).

colonizar *vt* coloniser.

colono *nm* colon *(m)*.

coloquial *adj* parlé(e) *(langue)*.

coloquio *nm* **1.** discussion *(f)* **2.** colloque *(m)*.

color *nm* **1.** couleur *(f)* • **de color** de couleur • **en color** en couleurs • **lleno de color** *fig* coloré(e) **2.** jour *(m)*.

colorado, da *adj* rouge • **poner colorado a alguien** faire rougir qqn • **ponerse colorado** rougir. ■ **colorado** *nm* rouge *(m)*.

colorante ◼ *adj* colorant(e). ◼ *nm* colorant *(m)*.

colorear *vt* colorier.

colorete *nm* blush *(m)*, fard *(m)* à joues.

colorido *nm* coloris *(m)*, couleur *(f)*.

colorista *adj* varié(e).

colosal *adj* colossal(e).

coloso *nm* **1.** colosse *(m)* **2.** *fig* géant *(m)*, -e *(f)*.

columna *nf* **1.** *(gén & ARCHIT)* colonne *(f)* **2.** *fig* pilier *(m)*. ■ **columna vertebral** *nf* colonne *(f)* vertébrale.

columnista *nmf* chroniqueur *(m)*, -euse *(f)*.

columpiar *vt* balancer. ■ **columpiarse** *vp* se balancer.

columpio *nm* balançoire *(f)*.

coma ◼ *nm* coma *(m)* • **en coma** dans le coma. ◼ *nf* virgule *(f)*.

comadreja *nf* belette *(f)*.

comadrona *nf* sage-femme *(f)*.

comandancia *nf* **1.** grade *(m)* de commandant **2.** charge *(f)* de commandant **3.** bureau *(m)* du commandant.

comandante *nmf* commandant *(m)*.

comandar *vt* MIL commander.

comando *nm* MIL commando *(m)*.

comarca *nf* région *(f)*.

comba *nf* corde *(f)* à sauter • **jugar a la comba** sauter à la corde.

combar *vt* faire ployer. ■ **combarse** *vp* ployer.

combate *nm* combat *(m)*.

combatiente *nmf* combattant *(m)*, -e *(f)*.

combatir ■ *vi* • **combatir (contra)** combattre (contre). ■ *vt* combattre.

combativo, va *adj* combatif(ive).

combi *nm* réfrigérateur-congélateur *(m)*.

combinación *nf* **1.** *(gén,* CHIM & MATH*)* combinaison *(f)* **2.** cocktail *(m)* **3.** *(plan)* manœuvre *(f)* **4.** *(dans les transports)* • **tener buena combinación** ne pas avoir beaucoup de changements *(en métro, etc)*.

combinado *nm* **1.** cocktail *(m)* **2.** assortiment *(m)* de glaces **3.** SPORT équipe *(f)* de sélection.

combinar *vt* **1.** combiner **2.** assortir **3.** organiser.

combustible ■ *adj* combustible. ■ *nm* combustible *(m)*.

combustión *nf* combustion *(f)*

comecocos *nm inv fam* casse-tête *(m)* • **ser un comecocos** prendre la tête.

comedia *nf* **1.** comédie *(f)* **2.** *(genre)* comique *(m)* **3.** *fig* farce *(f)*.

comediante, ta *nm, f litt & fig* comédien *(m)*, -enne *(f)*.

comedido, da *adj* réservé(e).

comedirse *vp* être réservé(e).

comedor *nm* salle *(f)* à manger • **comedor de empresa** restaurant *(m)* d'entreprise.

comensal *nmf* convive *(mf)*.

comentar *vt* commenter • **se lo comentaré** je lui en parlerai.

comentario *nm* commentaire *(m)*. ■ **comentarios** *nmpl* commentaires *(mpl)* (malveillants).

comentarista *nmf* commentateur *(m)*, -trice *(f)*.

comenzar ■ *vt* commencer • **comenzar a hacer algo** commencer à faire qqch • **comenzar haciendo algo** commencer par faire qqch. ■ *vi* commencer.

comer ■ *vi* **1.** manger **2.** déjeuner. ■ *vt* **1.** manger **2.** consommer *(de l'énergie, etc)* **3.** *(couleurs)* ternir **4.** *(aux échecs, aux dames)* prendre **5.** *(sujet : jalousie)* dévorer. ■ **comerse** *vp* **1.** manger **2.** *(métal)* ronger **3.** *(fortune)* engloutir **4.** *(aux échecs, aux dames)* prendre **5.** boire *(les paroles de quelqu'un)* **6.** *fam* avaler *(une lettre, une syllabe)* **7.** *fam* sauter *(une ligne, un mot)*.

comercial *adj* **1.** commercial(e) **2.** *(zone, rue)* commerçant(e).

comercializar *vt* commercialiser.

comerciante *nmf* commerçant *(m)*, -e *(f)*.

comerciar *vi* commercer • **comerciar con** faire du commerce avec.

comercio *nm* commerce *(m)* • **comercio electrónico** commerce électronique • **comercio exterior/interior** commerce extérieur/intérieur • **libre comercio** libre-échange *(m)*.

comestible *adj* comestible. ■ **comestibles** *nmpl* alimentation *(f)*.

cometa ■ *nm* comète *(f)*. ■ *nf* cerf-volant *(m)*.

cometer *vt* commettre.

cometido *nm* **1.** objectif *(m)* **2.** devoir *(m)*.

comezón *nf* démangeaison *(f)* • **sentir la comezón de algo** *fig* être torturé(e) par qqch • **sentía comezón por hablar** *fig* ça le démangeait de parler.

cómic *(pl* comics*)* *nm* bande *(f)* dessinée.

comicidad *nf* comique *(m)*.

comicios *nmpl* élections *(fpl)*.

cómico, ca ■ *adj* comique. ■ *nm, f* comique *(mf)*.

comida *nf* **1.** nourriture *(f)* • **comida rápida** restauration *(f)* rapide **2.** repas *(m)* **3.** déjeuner *(m)*.

comidilla *nf fam* • **ser la comidilla** être l'objet de tous les potins.

comienzo *nm* commencement *(m)*, début *(m)*.

comillas *nfpl* guillemets *(mpl)* • **entre comillas** entre guillemets.

comino *nm* cumin *(m)* • **me importa un comino** *fam fig* je m'en fiche complètement.

comisaría *nf* commissariat *(m)*.

comisario, ria *nm, f* **1.** commissaire *(m)* • **comisario europeo** commissaire européen **2.** commissaire *(mf)* *(d'une exposition)*.

comisión *nf* **1.** commission *(f)* • **(trabajar) a comisión** (travailler) à la commission • **comisión investigadora** commission d'enquête **2.** DR • **acusado de la comisión de delitos** accusé d'avoir commis des délits.

comisura *nf* commissure *(f)*.

comité *nm* comité *(m)*.

comitiva *nf* cortège *(m)*.

como ■ *adv* **1.** comme • **vive como un rey** il vit comme un roi • **lo he hecho como es debido** je l'ai fait comme il faut • **como te lo decía ayer** comme je te le disais hier • **es (tan) negro como el carbón** il est noir comme du charbon • **es tan alto como yo** il est aussi grand que moi **2.** comme, en tant que • **asiste a las clases como oyente** il assiste aux cours comme auditeur libre • **como periodista tengo una opinión muy diferente sobre el tema** en tant que journaliste j'ai un avis très différent sur le sujet **3.** à peu près, environ • **me quedan como diez euros** il me reste à peu près dix euros. ■ *conj* **1.** comme • **como no llegabas, nos fuimos** comme tu n'arrivais pas, nous sommes partis **2.** si • **icomo vuelvas a hacerlo!** si jamais tu recommences ! **3.** que • **verás como vas a ganar** tu vas voir que tu vas gagner. ■ **como que** *loc conj* que • **le pareció como que lloraban** il lui sembla qu'ils pleuraient. ■ **como quiera que** *loc conj* de quelque façon que • **como quiera que se vista, siempre va bien** quoi qu'elle mette, elle est toujours bien habillée • **como quiera que sea** quoi qu'il en soit. ■ **como si** *loc conj* comme si.

cómo ◪ *adv* **1.** comment • **¿cómo lo has hecho?** comment l'as-tu fait ? • **¿cómo te llamas?** comment t'appelles-tu ? • **no sé cómo has podido decir eso** je ne sais pas comment tu as pu dire ça • **¿a cómo están los tomates?** à combien sont les tomates ? • **¿cómo?** comment ? **2.** comme • **icómo pasan los años!** comme les années passent ! • **icómo no!** bien sûr ! ◪ *nm* • **el cómo y el porqué** le comment et le pourquoi. ◪ *interj* • **icómo!** comment !

cómoda *nf* commode (*f*).

comodidad *nf* • **es una gran comodidad** c'est très pratique. ■ **comodidades** *nfpl* confort (*m*).

comodín *nm* **1.** joker (*m*) **2.** (*chose*) passe-partout (*m*) **3.** (*personne*) homme (*m*) à tout faire.

cómodo, da *adj* **1.** confortable **2.** pratique • **sentirse cómodo** être à l'aise.

comodón, ona *adj & nm, f fam* flemmard(e).

comoquiera *adv* n'importe comment • **comoquiera que...** de quelque façon que...

compa *nmf* (*Amér*) *fam* copain (*m*), copine (*f*).

compactar *vt* **1.** réduire **2.** faire rétrécir (*la laine*).

compact disk, compact disc *nm* **1.** Compact Disc® (*m*), disque (*m*) laser **2.** platine (*f*) laser.

compacto, ta *adj* **1.** compact(e) **2.** *fig* (*écriture*) serré(e).

compadecer *vt* avoir pitié de • **te compadezco** je compatis. ■ **compadecerse** *vp* • **compadecerse de alguien** plaindre qqn.

compadrear *vi* (*Amér*) *fam* crâner.

compadreo *nm fam* • **hay un buen ambiente de compadreo** il y a une bonne ambiance entre copains.

compaginar *vt* **1.** concilier **2.** mettre en page. ■ **compaginarse** *vp* • **compaginarse con** aller de pair avec.

compañerismo *nm* camaraderie (*f*).

compañero, ra *nm, f* **1.** compagnon (*m*), compagne (*f*) • **compañero sentimental** ami (*m*) **2.** collègue (*mf*) **3.** camarade (*mf*) **4.** pendant (*m*) • **he perdido el compañero de este guante** j'ai perdu l'autre gant.

compañía *nf* **1.** compagnie (*f*) • **en compañía de** en compagnie de • **hacer compañía a al-**

guien tenir compagnie à qqn. **2.** société (*f*) • **compañía de seguros** compagnie (*f*) d'assurances • **compañía multinacional** société multinationale.

comparación *nf* comparaison (*f*) • **en comparación con** par rapport à • **sin comparación** de loin • **es el más fuerte sin comparación** il est de loin le plus fort.

comparar *vt* • **comparar (con)** comparer (à).

comparativo, va *adj* comparatif(ive).

comparecer *vi* **1.** DR comparaître **2.** se présenter.

comparsa ◪ *nf* **1.** figurants (*mpl*) **2.** *troupe de compagnons qui chantent pour critiquer les notables de leur ville ou de leur village*. ◪ *nmf* **1.** figurant (*m*), -e (*f*) **2.** *fig* subalterne (*mf*).

compartimento, compartimiento *nm* compartiment (*m*).

compartir *vt* partager.

compás *nm* **1.** (*gén & NAUT*) compas (*m*) **2.** (*période & MUS*) mesure (*f*) **3.** rythme (*m*) • **al compás** en rythme • **llevar/perder el compás** tenir/perdre le rythme • **marcar el compás** battre la mesure.

compasión *nf* compassion (*f*).

compasivo, va *adj* compatissant(e).

compatibilizar *vt* rendre compatible.

compatible *adj* (*gén & INFORM*) compatible.

compatriota *nmf* compatriote (*mf*).

compendiar *vt* résumer.

compendio *nm* **1.** précis (*m*) **2.** *fig* (*synthèse*) • **se considera como un compendio de virtudes** à l'entendre, c'est la vertu personnifiée.

compenetración *nf* entente (*f*).

compenetrarse *vp* se compléter.

compensación *nf* **1.** compensation (*f*) • **en compensación (por)** en échange (de) **2.** dédommagement (*m*).

compensar *vt* **1.** (*valoir la peine*) • **no me compensa (perder tanto tiempo)** ça ne vaut pas la peine (que je perde tant de temps) • **ver a sus hijos sanos le compensaba de tantos sacrificios** voir ses enfants en bonne santé le récompensait de tous ses sacrifices **2.** (*indemniser*) • **compensar a alguien (de ou por)** dédommager qqn (de).

competencia *nf* **1.** (*gén & ÉCON*) concurrence (*f*) • **libre competencia** libre concurrence **2.** (*ressort*) • **no es de mi competencia** cela n'est pas de mon ressort **3.** compétence (*f*) **4.** attribution (*f*).

competente *adj* compétent(e).

competer *vi* • **competer a** incomber à.

competición *nf* **1.** lutte (*f*) **2.** SPORT compétition (*f*).

competidor, ra *adj & nm, f* concurrent(e).

competir *vi* **1.** *(entre personnes)* • **competir (por/con)** concourir (pour/avec), être en compétition (pour/avec) **2.** *(entre entreprises, entre produits)* • **competir (con)** faire concurrence (à).

competitividad *nf* compétitivité *(f)*.

competitivo, va *adj* **1.** compétitif(ive) **2.** concurrentiel(elle) **3.** de compétition.

compilar *vt* **1.** *(gén &* INFORM*)* compiler **2.** rassembler *(des informations)*

compinche *nmf fam* acolyte *(m)*.

complacencia *nf* **1.** plaisir *(m)*, satisfaction *(f)* **2.** complaisance *(f)*.

complacer *vt* rendre heureux(euse) • **me complace verlo** je suis heureuse de le voir • **complacer a alguien** faire plaisir à qqn.

complaciente *adj* **1.** prévenant(e) **2.** complaisant(e).

complejo, ja *adj* complexe. ■ **complejo** *nm* complexe *(m)* • **complejo (industrial)** complexe industriel.

complementar *vt* compléter. ■ **complementarse** *vp* se compléter.

complementario, ria *adj* complémentaire.

complemento *nm* complément *(m)*.

completar *vt* compléter.

completo, ta *adj* complet(ète) • **por completo** complètement, en entier.

complexión *nf* constitution *(f)*.

complicación *nf* **1.** complication *(f)* **2.** complexité *(f)*.

complicado, da *adj* compliqué(e) • **complicado (en)** impliqué (dans).

complicar *vt* compliquer • **complicar (en)** impliquer (dans). ■ **complicarse** *vp* se compliquer.

cómplice *nmf* complice *(mf)*.

complicidad *nf* complicité *(f)* • **de complicidad** complice.

compló, complot *(pl* **complots)** *nm* complot *(m)*.

componente ■ *adj* composant(e). ■ *nm ou nf* composant *(m)*. ■ *nmf (personne)* membre *(m)*.

componer *vt* **1.** composer **2.** arranger **3.** réparer **4.** décorer **5.** parer. ■ **componerse** *vp* **1.** *(être formé de)* • **componerse de** se composer de **2.** *(personne)* se parer.

comportamiento *nm* comportement *(m)*.

comportar *vt* impliquer. ■ **comportarse** *vp* se conduire.

composición *nf* composition *(f)*.

compositor, ra *nm, f* compositeur *(m)*, -trice *(f)*.

compostura *nf* **1.** réparation *(f)* **2.** raccommodage *(m)* **3.** maintien *(m)* *(d'une personne)* **4.** expression *(f)* *(du visage)* **5.** circonspection *(f)*.

compota *nf* compote *(f)*.

compra *nf* achat *(m)* • **ir de compras** aller faire des courses • **compra a plazos** achat à tempérament • **hacer la compra** faire son marché • **ir a la compra** aller au marché.

comprador, ra *adj & nm, f* acheteur(euse).

comprar *vt* acheter.

compraventa *nf* achat *(m)* et vente.

comprender *vt* comprendre. ■ **comprenderse** *vp* se comprendre *(entre personne)*.

comprensión *nf* compréhension *(f)*.

comprensivo, va *adj* compréhensif(ive).

compresa *nf* **1.** compresse *(f)* **2.** serviette *(f)* hygiénique.

comprimido, da *adj* comprimé(e). ■ **comprimido** *nm* comprimé *(m)*.

comprimir *vt* comprimer.

comprobante *nm* **1.** pièce *(f)* justificative **2.** reçu *(m)*.

comprobar *vt* vérifier.

comprometer *vt* **1.** compromettre **2.** faire honte à **3.** impliquer • **comprometer a alguien (a hacer algo)** engager qqn (à faire qqch). ■ **comprometerse** *vp* **1.** *(s'engager)* • **comprometerse (a hacer algo/en algo)** s'engager (à faire qqch/dans qqch) **2.** se fiancer.

comprometido, da *adj* **1.** engagé(e) **2.** *(difficile)* délicat(e).

compromiso *nm* **1.** engagement *(m)* • **compromiso matrimonial** promesse *(f)* de mariage **2.** *(rendez-vous)* • **tengo un compromiso** je suis pris, je ne suis pas libre **3.** *(accord)* compromis *(m)* **4.** embarras *(m)*.

compuerta *nf* vanne *(f)*.

compuesto, ta *adj* **1.** composé(e) • **compuesto de** composé de **2.** paré(e).

compulsar *vt* **1.** confronter avec l'original **2.** faire une copie conforme de.

compungido, da *adj* contrit(e).

computador *nm* = **computadora**.

computadora *nf* ordinateur *(m)*.

computar *vt* **1.** calculer **2.** prendre en compte.

cómputo *nm* calcul *(m)*.

comulgar *vi* **1.** communier **2.** *fig (idées, etc)* • **comulgar con algo** partager qqch.

común *adj* **1.** commun(e) • **hacer algo en común** faire qqch ensemble • **tener algo en común** avoir qqch en commun • **por lo común** en général **2.** courant(e) **3.** ordinaire.

comuna *nf* communauté *(f)*.

comunicación *nf* **1.** communication *(f)* • **ponerse en comunicación con alguien** se mettre en rapport avec qqn **2.** allocution *(f)*. ■ **comunicaciones** *nfpl* moyens *(mpl)* de communication.

comunicado, da adj desservi(e) • **bien comunicado** bien desservi. ■ **comunicado** nm communiqué (m).

comunicar ⬟ vt 1. communiquer 2. (mouvement, virus) transmettre. ■ vi 1. (personne) • **comunicar con alguien** contacter qqn 2. (deux choses) communiquer • **comunicar con algo** communiquer avec qqch • (deux régions, etc) être relié(e) à qqch 3. (téléphone, ligne) être occupé(e). ■ **comunicarse** vp 1. communiquer 2. se voir 3. (deux pièces) communiquer 4. (deux régions, etc) • **Sevilla se comunica con Jerez por autopista** Séville est reliée à Jerez par l'autoroute 5. (feu) se propager.

comunicativo, va adj communicatif(ive).

comunidad nf communauté (f) • **comunidad autónoma** communauté autonome. ■ **Comunidad Europea** nf Communauté (f) européenne. ■ **Comunidad Valenciana** npr communauté (f) autonome de Valence.

las comunidades autónomas

Ce terme désigne une entité publique, territoriale et autonome mise en place après l'adoption de la Constitution de 1978 dans une volonté de décentralisation politique. L'Espagne compte 17 *comunidades autónomas*; chacune est dotée d'organes administratifs propres et peut être constituée d'une ou de plusieurs provinces. Au niveau institutionnel, chaque communauté a une Assemblée législative élue au suffrage universel direct ainsi qu'un Conseil de gouvernement, organe exécutif et administratif. Les domaines de compétences de ces collectivités ont été acquis de façon graduelle et sont variables d'une autonomie à l'autre. En plus du rôle qui leur est dévolu, certaines ont, par exemple, des pouvoirs en matière de fiscalité, d'autres des compétences en matière d'éducation et de santé.

comunión nf litt & fig communion (f).

comunismo nm communisme (m).

comunista adj & nmf communiste.

comunitario, ria adj communautaire.

con prép

1. POUR INDIQUER L'ACCOMPAGNEMENT = avec • **¿quieres venir con nosotros?** veux-tu venir avec nous ?

2. À L'ÉGARD DE = avec • **fueron muy amables con ella** ils ont été très gentils avec elle

3. POUR INDIQUER LA MANIÈRE • **la miró con atención** il l'a regardée avec attention • **hablaba con calma** elle parlait calmement • **lo ha conseguido con su esfuerzo** il y est parvenu grâce à ses efforts

4. POUR INDIQUER LE MOYEN, L'INSTRUMENT • **bebía con una pajita** il buvait avec une paille • **corta la carne con el cuchillo** coupe la viande avec le couteau

5. POUR INDIQUER UNE CARACTÉRISTIQUE • **la chica con el suéter rojo/con los ojos azules** la fille au pull rouge/aux yeux bleus

6. POUR INDIQUER LE CONTENU • **una cartera con varios documentos** une serviette contenant plusieurs documents

7. POUR INDIQUER LA CONCESSION = bien que • **con lo estudiosa que es la suspendieron** bien qu'elle soit très studieuse, elle n'a pas été reçue

8. SUIVI DE L'INFINITIF, POUR INDIQUER UNE CONDITION = si • **con salir a las diez vale** si nous partons à dix heures, ça va

9. MALGRÉ • **¡mira que perder con lo bien que jugaste!** quel dommage que tu aies perdu, tu avais pourtant si bien joué !

■ **con (tal) que** loc conj

SUIVI DE SUBJONCTIF, POUR INDIQUER UNE CONDITION = du moment que • **con que llegue a tiempo me conformo** du moment qu'il arrive à l'heure, je ne me plains pas.

conato nm 1. tentative (f) • **conato de robo** tentative de vol 2. début (m) • **conato de incendio** début d'incendie.

concadenar = **concatenar**.

concatenar, concadenar vt enchaîner.

concavidad nf 1. concavité (f) 2. anfractuosité (f).

cóncavo, va adj concave.

concebir vt & vi concevoir.

conceder vt 1. accorder 2. décerner (un prix) 3. admettre.

concejal, la nm, f conseiller municipal (m), conseillère municipale (f).

concentración nf 1. concentration (f) • **concentración parcelaria** ÉCON remembrement (m) 2. rassemblement (m) (de gens) 3. SPORT entraînement (m).

concentrado nm concentré (m).

concentrar vt 1. rassembler 2. CHIM & MIL concentrer. ■ **concentrarse** vp 1. se concentrer 2. se rassembler.

concéntrico, ca adj concentrique.

concepción *nf* conception *(f)*.

concepto *nm* **1.** concept *(m)* **2.** *(opinion)* • **tener un gran concepto de alguien** avoir une haute idée de qqn **3.** *(motif)* • **bajo ningún concepto** en aucun cas • **en concepto de** au titre de **4.** chapitre *(m)* *(d'un budget)*.

concernir *v impers* concerner • **en lo que concierne a...** en ce qui concerne... • **por lo que a mí me concierne** en ce qui me concerne.

concertar ◼ *vt* **1.** convenir de *(prix)* **2.** fixer *(un rendez-vous)* **3.** conclure *(un pacte, etc)*. ◼ *vi* • **concertar (con)** concorder (avec).

concertina *nf* concertina *(m)*.

concertista *nmf* concertiste *(mf)*.

concesión *nf* **1.** *(gén & COMM)* concession *(f)* **2.** remise *(f)* *(d'un prix, d'une récompense, d'une coupe)*.

concesionario, ria *adj & nm, f* concessionnaire.

concha *nf* **1.** coquille *(f)* **2.** carapace *(f)* **3.** écaille *(f)* **4.** *(Amér)* *vulg* chatte *(f)* ◼ **concha de su madre** *nmf* *(Amér)* *vulg* salaud *(m)*, salope *(f)*.

conchabarse *vp* *fam* s'acoquiner.

conchudo, da *adj* *(Amér)* *vulg* con(conne).

conciencia, consciencia *nf* conscience *(f)* • **a conciencia** consciencieusement • **remorderle a alguien la conciencia** avoir mauvaise conscience.

concienciar *vt* faire prendre conscience. ◼ **concienciarse** *vp* prendre conscience.

concierto *nm* **1.** concerto *(m)* **2.** concert *(m)* **3.** accord *(m)* **4.** ordre *(m)*.

conciliar *vt* **1.** réconcilier **2.** concilier • **conciliar el sueño** trouver le sommeil.

concilio *nm* concile *(m)*

concisión *nf* concision *(f)*.

conciso, sa *adj* concis(e).

conciudadano, na *nm, f* concitoyen *(m)*, -enne *(f)*.

cónclave, conclave *nm* **1.** conclave *(m)* **2.** réunion *(f)*.

concluir ◼ *vt* **1.** terminer, finir **2.** conclure. ◼ *vi* finir • **concluir haciendo** *ou* **por hacer algo** finir par faire qqch.

conclusión *nf* **1.** conclusion *(f)* • **en conclusión** pour conclure **2.** accord *(m)* • **llegar a una conclusión** parvenir à un accord.

concluyente *adj* concluant(e).

concordancia *nf* **1.** *(gén & GRAMM)* concordance *(f)* **2.** accord *(m)* *(entre deux mots)*.

concordar ◼ *vt* **1.** mettre d'accord **2.** accorder. ◼ *vi* **1.** concorder **2.** *GRAMM* s'accorder • **concordar en género y número** s'accorder en genre et en nombre.

concorde *adj* • **estar concorde** être d'accord.

concordia *nf* entente *(f)*.

concretar *vt* **1.** préciser • **concretar una fecha** convenir d'une date **2.** *(concrétiser)* • **concretar un acuerdo** conclure un accord **3.** résumer. ◼ **concretarse** *vp* **1.** *(se limiter)* • **concretarse a hacer algo** se borner à faire qqch **2.** se concrétiser.

concreto, ta *adj* **1.** concret(ète) **2.** précis(e) • **en concreto** en bref • précisément • **nada en concreto** rien de précis. ◼ **concreto armado** *nm* béton *(m)* armé.

concurrencia *nf* **1.** assistance *(f)* **2.** coïncidence *(f)* **3.** concours *(m)* *(de circonstances)* **4.** ÉCON concurrence *(f)*.

concurrido, da *adj* **1.** fréquenté(e) **2.** couru(e).

concurrir *vi* • **concurrir a** assister à, contribuer à, participer à.

concursante *nmf* participant *(m)*, -e *(f)* *(à un concours)*.

concursar *vi* concourir.

concurso *nm* **1.** concours *(m)* • **concurso de televisión** jeu *(m)* télévisé **2.** adjudication *(f)* • **salir a concurso** être mis(e) en adjudication **3.** appel *(m)* d'offres • **concurso público** adjudication *(f)*.

condado *nm* comté *(m)*.

condal *adj* comtal(e) • **la Ciudad Condal** Barcelone.

conde, esa *nm, f* comte *(m)*, comtesse *(f)*.

condecoración *nf* **1.** *(insigne)* décoration *(f)* **2.** remise *(f)* de décoration.

condecorar *vt* décorer *(d'une médaille)*.

condena *nf* peine *(f)*.

condenado, da ◼ *adj* **1.** condamné(e) **2.** RELIG damné(e) **3.** *fam fig* satané(e). ◼ *nm, f* **1.** condamné *(m)*, -e *(f)* **2.** RELIG damné *(m)*, -e *(f)*.

condenar *vt* condamner • **condenar a alguien a algo/a hacer algo** condamner qqn à qqch/à faire qqch • **condenar a** vouer à *(l'échec, au silence)*.

condensar *vt* *litt & fig* condenser.

condescendencia *nf* **1.** complaisance *(f)* **2.** condescendance *(f)*.

condescender *vi* • **condescender a** consentir à • condescendre à.

condescendiente *adj* complaisant(e).

condición *nf* **1.** condition *(f)* • **de condición humilde** de condition modeste • **con una sola condición** à une seule condition **2.** caractère *(m)*. ◼ **condiciones** *nfpl* **1.** dispositions *(fpl)* **2.** conditions *(fpl)* • **condiciones atmosféricas/de vida** conditions atmosphériques/de vie **3.** état *(m)* • **estar en condiciones (de** *ou* **para hacer algo)** être en état (de faire qqch) • **no estar en condiciones, estar en malas condiciones** *(aliment)* être avarié(e).

condicionado, da *adj* conditionné(e).

condicional ◼ *adj* **1.** *(gén & gramm)* condition-nel(elle) **2.** sous condition. ◼ *nm* gramm condi-tionnel *(m)*.

condicionar *vt* ◦ **condicionar (algo a algo)** fai-re dépendre (qqch de qqch) ◦ **condicionará su respuesta al resultado** il donnera sa réponse en fonction du résultat.

condimentar *vt* assaisonner.

condimento *nm* condiment *(m)*.

condolencia *nf* condoléances *(fpl)* ◦ **expresar su condolencia a alguien** présenter ses condoléances à qqn.

condolerse *vp* ◦ **condolerse (de)** compatir (à).

condón *nm fam* capote *(f)*.

cóndor *nm* condor *(m)*.

conducción *nf* **1.** conduite *(f)* **2.** phys conduc-tion *(f)*.

conducir ◼ *vt* **1.** conduire ◦ **conducir una inves-tigación** mener une enquête **2.** amener *(un li-quide)*. ◼ *vi* conduire ◦ **tu decisión no nos con-dujo a nada** ta décision ne nous a menés à rien.

conducta *nf (comportement)* conduite *(f)*.

conducto *nm* **1.** *(d'un fluide & anat)* conduit *(m)* **2.** *fig* voie *(f)*.

conductor, ra ◼ *adj* phys conducteur(trice). ◼ *nm, f* **1.** conducteur *(m)*, -trice *(f)* **2.** chauf-feur *(m)*. ◼ **conductor** *nm* phys conducteur *(m)*.

conectado, da *adj* **1.** électr branché(e) **2.** in-form connecté(e).

conectar ◼ *vt* électr ◦ **conectar algo (a)** bran-cher qqch (sur) ◦ **conectar algo (con)** raccor-der qqch (à). ◼ *vi* **1.** radio & tv prendre l'anten-ne **2.** *(personne)* ◦ **conectar con** entrer en contact avec.

conejo, ja *nm, f* lapin *(m)*, -e *(f)*.

conexión *nf* **1.** lien *(m)* **2.** électr branchement *(m)* **3.** radio & tv liaison *(f)*.

conexo, xa *adj* connexe.

confabular *vi* deviser. ◼ **confabularse** *vp* ◦ **confabularse para hacer algo** comploter de faire qqch.

confección *nf* **1.** confection *(f)*, prêt-à-porter *(m)* **2.** préparation *(f) (d'un repas, d'un médi-cament)* **3.** établissement *(m) (d'une liste)*.

confeccionar *vt* **1.** confectionner **2.** préparer *(une boisson, un repas)* **3.** dresser, établir *(une liste)*.

confederación *nf* confédération *(f)*.

confederado, da *adj* confédéré(e).

confederarse *vp* se confédérer.

conferencia *nf* **1.** conférence *(f)* ◦ **dar una con-ferencia** faire une conférence **2.** communica-tion *(f)* (longue distance) ◦ **poner una confe-rencia** téléphoner (à l'étranger).

conferir *vt* ◦ **conferir algo a alguien** conférer qqch à qqn ◦ *(responsabilités)* confier qqch à qqn.

confesar *vt* **1.** avouer ◦ **confesar su ignorancia** confesser son ignorance **2.** relig ◦ **confesar a alguien** confesser qqn ◦ **confesar algo** confes-ser qqch. ◼ **confesar** *vp* relig ◦ **confesarse (de algo)** se confesser (de qqch).

confesión *nf* **1.** aveu *(m)* **2.** relig confession *(f)*.

confesionario *nm* confessionnal *(m)*.

confesor *nm* confesseur *(m)*.

confeti *nmpl* confetti *(m)*.

confiado, da *adj* confiant(e).

confianza *nf* **1.** *(foi)* ◦ **confianza (en algo/al-guien)** confiance (en qqch/qqn) ◦ **tengo con-fianza en que se arreglarán las cosas** j'ai bon espoir que les choses s'arrangent ◦ **de con-fianza** de confiance **2.** *(intimité)* ◦ **tengo mucha confianza con él** nous sommes très intimes ◦ **nos tratamos con mucha confianza** nous sommes très proches ◦ **conmigo hay confian-za** nous sommes entre amis ◦ **en confianza** entre nous. ◼ **confianzas** *nfpl* ◦ **tomar con-fianzas con alguien** prendre des libertés avec qqn.

confiar ◼ *vt* ◦ **confiar algo a alguien** confier qqch à qqn. ◼ *vi* **1.** *(avoir confiance)* ◦ **confiar en** avoir confiance en *ou* dans, compter sur **2.** *(es-pérer)* ◦ **confiar en/en que** avoir bon espoir de/que ◦ **confío en verle mañana** j'espère le voir demain. ◼ **confiarse** *vp* être sûr(e) de soi.

confidencia *nf* confidence *(f)*.

confidencial *adj* confidentiel(elle).

confidente *nmf* **1.** confident *(m)*, -e *(f)* **2.** *(déla-teur)* indicateur *(m)*, -trice *(f)*.

configurar *vt* **1.** donner forme à **2.** inform confi-gurer.

confín *nm (gén pl)* confins *(mpl)*.

confinar *vt* **1.** interner ◦ **confinar en el domi-cilio** assigner à résidence **2.** exiler.

confirmación *nf* confirmation *(f)*.

confirmar *vt* confirmer ◦ **confirma la idea que tenía de que...** cela me conforte dans l'idée que...

confiscar *vt* confisquer.

confitado, da *adj* confit(e).

confite *nm* sucrerie *(f)*.

confitería *nf* **1.** confiserie *(f)* **2.** *(Amér)* café *(m)*.

confitura *nf* confiture *(f)*.

conflagración *nf* conflagration *(f)*.

conflictivo, va *adj* **1.** *(situation)* conflictuel(elle) **2.** *(sujet)* polémique **3.** *(personne)* contestataire.

conflicto *nm* conflit *(m)*.

confluir *vi* **1.** confluer **2.** converger **3.** se rejoin-dre.

conformar *vt* adapter. ■ **conformarse** *vp*
• **conformarse con** se contenter de • se résigner à.
conforme ◪ *adj* • **conforme a** conforme à
• adapté(e) à • **conforme con** d'accord avec
• heureux(euse) de. ◪ *adv* 1. tel(telle) que)
• **te lo cuento conforme lo he vivido** je te
le raconte tel que je l'ai vécu • **conforme a**
conformément à 2. à mesure que • **conforme
envejecía** à mesure qu'il vieillissait.
conformidad *nf* 1. consentement *(m)* • **conformidad con** consentement à 2. résignation
(f).
conformista *adj* & *nmf* conformiste.
confort *nm* confort *(m)*.
confortable *adj* confortable.
confortar *vt* réconforter.
confrontar *vt* confronter • **confrontar a los
testigos** confronter les témoins.
confundir *vt* 1. *(gén)* • **confundir una cosa con
otra** confondre une chose avec une autre
• **confundir algo** mélanger qqch • **confundí la
receta** je me suis trompé de recette 2. embrouiller. ■ **confundirse** *vp* 1. se tromper • **se
ha confundido** *(au téléphone)* vous faites erreur
2. s'embrouiller 3. *(ne pas se distinguer)* • **confundirse en** *OU* **entre** se fondre dans.
confusión *nf* 1. confusion *(f)* 2. erreur *(f)*.
confuso, sa *adj* confus(e).
congelación *nf* 1. congélation *(f)* 2. gel *(m)*.
congelador *nm* congélateur *(m)*.
congelados *nmpl* surgelés *(mpl)*.
congelar *vt* 1. congeler 2. surgeler 3. geler.
■ **congelarse** *vp litt* & *fig* geler.
congeniar *vi* • **congeniar (con)** sympathiser
(avec).
congénito, ta *adj* 1. congénital(e) 2. héréditaire 3. *fig* inné(e).
congestión *nf* congestion *(f)* • **la congestión
del tráfico** les encombrements *(mpl)*.
congestionar *vt* bloquer. ■ **congestionarse** *vp*
1. être congestionné(e) • **se le congestionó la
cara de rabia** son visage est devenu rouge de
colère 2. être bloqué(e).
conglomerado *nm* 1. GÉOL & ÉCON conglomérat
(m) 2. TECHNOL aggloméré *(m)* 3. *fig* groupement *(m)* • **conglomerado urbano** conurba-
tion *(f)*.
congoja *nf* angoisse *(f)*.
congraciarse *vp* • **congraciarse con alguien**
s'attirer la sympathie de qqn.
congratular *vt* • **congratular a alguien por algo** féliciter qqn de *OU* pour qqch. ■ **congratularse** *vp* • **congratularse por algo** se féliciter
de qqch • **congratularse de que** *OU* **que** se
féliciter que.
congregación *nf* congrégation *(f)*.

congregar *vt* réunir.
congresista *nmf* 1. congressiste *(mf)* 2. membre *(m)* du Congrès.
congreso *nm* 1. congrès *(m)* 2. POLIT • **Congreso de Diputados** ≃ Chambre *(f)* des députés.
■ **Congreso** *nm* *(aux États-Unis)* • **el Congreso**
le Congrès.
congrio *nm* congre *(m)*.
congruente *adj* • **ser congruente (con)** avoir
un rapport logique (avec).
cónico, ca *adj* 1. conique 2. pointu(e).
conjetura *nf* conjecture *(f)* • **hacerse una conjetura** se livrer à des conjectures • **hacer conjeturas** se perdre en conjectures.
conjugación *nf* 1. GRAMM • conjugaison *(f)*
• groupe *(m)* *(de verbes)* 2. ensemble *(m)* *(de
choses)*.
conjugar *vt* 1. *(gén* & GRAMM*)* conjuguer 2. rassembler.
conjunción *nf litt* & *fig* conjonction *(f)*.
conjuntar *vt* 1. assortir 2. SPORT souder *(une
équipe)*.
conjuntivo, va *adj* conjonctif(ive).
conjunto, ta *adj* 1. conjoint(e) 2. simultané(e).
■ **conjunto** *nm* 1. *(gén,* MATH & MUS*)* ensemble
(m) 2. groupe *(m)* *(de rock, etc)* • **en conjunto**
dans l'ensemble • **un conjunto de circunstancias** un concours de circonstances 3. tenue *(f)*
(de sport).
conjurar ◪ *vi* conspirer. ◪ *vt* 1. conjurer 2. parer à.
conjuro *nm* 1. conjuration *(f)* 2. exhortation *(f)*.
conllevar *vt* 1. impliquer • **conllevar riesgos**
comporter des risques 2. supporter, endurer.
conmemoración *nf* commémoration *(f)*.
conmemorar *vt* commémorer.
conmigo *pron pers* avec moi • **llevo/tengo
algo conmigo** je porte/j'ai quelque chose sur
moi.
conmoción *nf* 1. commotion *(f)* • **conmoción
cerebral** commotion cérébrale 2. bouleversement *(m)* *(politique, social)*.
conmocionar *vt* 1. commotionner 2. bouleverser *(politiquement, socialement)*.
conmovedor, ra *adj* émouvant(e).
conmover *vt* 1. émouvoir 2. ébranler. ■ **conmoverse** *vp* 1. s'émouvoir 2. s'ébranler.
conmutador *nm* 1. commutateur *(m)* 2. standard *(m)* téléphonique.
connotación *nf* connotation *(f)*.
cono *nm* cône *(m)*.
conocedor, ra *nm, f* connaisseur *(m)*, -eu-
se *(f)* • **ser un buen conocedor de...** être un fin
connaisseur en...
conocer *vt* 1. connaître • **conocer a alguien de
oídas** avoir entendu parler de qqn • **conocer**

a alguien de vista connaître qqn de vue • **darse a conocer** se faire connaître • **conocer a alguien** faire la connaissance de qqn **2.** (reconnaître) • **conocer a alguien (por algo)** reconnaître qqn (à qqch). ■ **conocerse** ◙ vp **1.** se connaître • **conocerse de toda la vida** se connaître depuis toujours **2.** faire connaissance. ◙ v impers • **se conoce que...** apparemment...

conocido, da ◙ adj connu(e). ◙ nm, f connaissance (f).

conocimiento nm connaissance (f) • **perder/recobrar el conocimiento** perdre / reprendre connaissance. ■ **conocimientos** nmpl connaissances (fpl) • **tener muchos conocimientos** savoir beaucoup de choses.

conque conj alors • **está de mal humor, conque trátale con cuidado** il est de mauvaise humeur, alors sois gentil avec lui • **¿conque nos vamos o nos quedamos?** alors, on reste ou on s'en va ?

conquista nf litt & fig conquête (f).

conquistador, ra ◙ adj séducteur(trice). ◙ nm, f **1.** conquérant (m), -e (f) **2.** HIST conquistador (m) **3.** fig séducteur (m), -trice (f).

conquistar vt litt & fig conquérir.

consabido, da adj **1.** (blague, etc) classique **2.** (coutume, etc) traditionnel(elle).

consagración nf **1.** consécration (f) **2.** sacre (m).

consagrar vt **1.** consacrer **2.** sacrer • **consagrar algo a algo/a alguien** consacrer qqch à qqch/à qqn. ■ **consagrarse** vp **1.** • **consagrarse a** se consacrer à **2.** (succès) obtenir la consécration.

consciencia = **conciencia**.

consciente adj conscient(e) • **ser consciente de algo** être conscient(e) de qqch • **estar consciente** (éveillé) être conscient(e).

consecución nf **1.** réalisation (f) (d'un désir, d'un objectif) **2.** obtention (f) (d'un prix) **3.** réussite (f) (d'un projet).

consecuencia nf conséquence (f) • **a** ou **como consecuencia de** à la suite de • **tener consecuencias** avoir des conséquences.

consecuente adj conséquent(e).

consecutivo, va adj consécutif(ive) • **el número dos es el consecutivo al uno** le chiffre deux vient immédiatement après le un.

conseguir vt **1.** obtenir **2.** atteindre (un objectif) • **conseguir hacer algo** réussir à faire qqch.

consejero, ra nm, f **1.** conseiller (m), -ère (f) • **Juan es un buen consejero** Juan est de bon conseil **2.** ministre (m) (d'un gouvernement autonome).

consejo nm conseil (m) • **dar un consejo** donner un conseil. ■ **Consejo de Europa** nm Conseil (m) de l'Europe.

consenso nm **1.** consensus (m) **2.** consentement (m) • **de mutuo consenso** d'un commun accord.

consensuar vt approuver à la majorité.

consentimiento nm consentement (m).

consentir ◙ vt **1.** permettre **2.** tolérer • **no te consiento que me repliques así** je ne te permets pas de me répondre de cette façon **3.** gâter • **le consentía todos los caprichos** elle lui passait tous ses caprices. ◙ vi • **consentir en algo/en hacer algo** consentir à qqch/à faire qqch.

conserje nmf gardien (m), -enne (f).

conserjería nf **1.** réception (f) **2.** loge (f) **3.** conciergerie (f).

conserva nf conserve (f) • **en conserva** en conserve.

conservación nf **1.** conservation (f) **2.** entretien (m).

conservador, ra adj & nm, f conservateur(trice).

conservante nm (produit) conservateur (m).

conservar vt **1.** garder (des lettres, un secret, la santé). ■ **conservarse** vp être bien conservé(e) • **se conserva joven** il reste jeune.

conservatorio nm conservatoire (m).

considerable adj **1.** considérable **2.** remarquable.

consideración nf **1.** examen (m) • **en consideración a algo** compte tenu de qqch **2.** considération (f) • **en consideración a alguien** par égard pour qqn • **tratar a alguien con consideración** avoir beaucoup d'égards pour qqn **3.** (importance) • **de consideración** grave • **hubo varios heridos de consideración** plusieurs personnes ont été grièvement blessées.

considerado, da adj **1.** attentionné(e) **2.** (respecté) apprécié(e).

considerar vt considérer • **considerar las consecuencias** mesurer les conséquences.

consigna nf consigne (f).

consignar vt **1.** consigner **2.** allouer **3.** (paquet) envoyer, laisser à la consigne.

consigo ◙ pron pers **1.** avec soi **2.** avec lui, avec elle **3.** avec vous • **llevar mucho dinero consigo no es prudente** il n'est pas prudent d'avoir beaucoup d'argent sur soi • **lleva siempre la pistola consigo** il a toujours son pistolet sur lui. ◙ v ▷ **conseguir**.

consiguiente adj résultant(e) • **recibimos la noticia con la consiguiente pena** nous avons appris la nouvelle et en avons été peinés • **por consiguiente** par conséquent.

consistencia nf consistance (f).

consistente *adj* consistant(e).

consistir *vi* • **consistir en** consister en • reposer sur.

consola *nf* console *(f)* • **consola de videojuegos** console de jeux (vidéo).

consolación *nf* consolation *(f)*.

consolar *vt* consoler. ■ **consolarse** *vp* se consoler.

consolidar *vt* consolider.

consomé *nm* consommé *(m)*.

consonancia *nf* harmonie *(f)* • **en consonancia con** en accord avec.

consonante *nf* consonne *(f)*.

consorcio *nm* pool *(m)*, consortium *(m)*.

conspiración *nf* conspiration *(f)*.

conspirador, ra *nm, f* conspirateur *(m)*, -trice *(f)*.

conspirar *vi* conspirer.

constancia *nf* 1. persévérance *(f)* 2. constance *(f)* 3. preuve *(f)* • **dejar constancia de algo** prouver qqch • laisser un témoignage de qqch • (enregistrer) inscrire qqch.

constante ■ *adj* constant(e). ■ *nf* constante *(f)*.

Constantinopla *npr* Constantinople.

constar *vi* 1. (information) • **constar (en)** figurer (dans) • **me consta que ha llegado** je suis sûr qu'il est arrivé • **hacer constar** faire observer • **que conste que...** note que..., notez que... 2. (être constitué de) • **constar de** se composer de.

constatar *vt* 1. constater 2. vérifier.

constelación *nf* constellation *(f)*.

consternación *nf* consternation *(f)*.

consternar *vt* consterner.

constipado, da *adj* • **estar constipado** être enrhumé. ■ **constipado** *nm* rhume *(m)*.

À PROPOS DE...

constipado

Constipado est un faux-ami, il signifie « enrhumé » ou « rhume ».

---

constiparse *vp* s'enrhumer.

constitución *nf* 1. constitution *(f)* 2. composition *(f)*. ■ **Constitución** *nf* • **la Constitución** la Constitution.

constitucional *adj* constitutionnel(elle).

constituir *vt* constituer • **constituye para nosotros un honor...** c'est pour nous un honneur de...

constituyente ■ *adj* constituant(e). ■ *nm* constituant *(m)*.

constreñir *vt* 1. (obliger) • **constreñir a alguien a hacer algo** contraindre qqn à faire qqch 2. (oppresser) étouffer.

construcción *nf* 1. construction *(f)* 2. bâtiment *(m)*.

constructivo, va *adj* constructif(ive).

constructor, ra *adj* constructeur(trice). ■ **constructor** *nm* constructeur *(m)*. ■ **constructora** *nf* entreprise *(f)* de ou en bâtiment.

construir *vt* construire.

consuegro, gra *nm, f* • **mis consuegros** les beaux-parents de mon fils/ma fille.

consuelo *nm* consolation *(f)*, réconfort *(m)*.

cónsul *nmf* consul *(m)*.

consulado *nm* consulat *(m)*.

consulta *nf* 1. consultation *(f)* • **hacer una consulta a alguien** consulter qqn 2. consultation *(f)* 3. cabinet *(m)* (médical).

consultar ■ *vt* 1. consulter 2. vérifier. ■ *vi* • **consultar con alguien** consulter qqn.

consultorio *nm* 1. cabinet *(m)* (de consultation) 2. courrier *(m)* des lecteurs 3. émission durant laquelle un spécialiste répond aux questions des auditeurs 4. bureau *(m)* • **consultorio jurídico** cabinet *(m)* juridique.

consumar *vt* consommer (le mariage).

consumición *nf* consommation *(f)*.

consumidor, ra *nm, f* consommateur *(m)*, -trice *(f)*.

consumir ■ *vt* 1. consommer 2. (sujet : feu, maladie) consumer. ■ *vi* consommer. ■ **consumirse** *vp* 1. être rongé(e) (par la maladie) 2. être consumé(e).

consumismo *nm* surconsommation *(f)*.

consumo *nm* consommation *(f)*.

contabilidad *nf* comptabilité *(f)* • **llevar la contabilidad** tenir la comptabilité.

contabilizar *vt* comptabiliser.

contable *nmf* comptable *(mf)*.

contactar *vi* • **contactar con alguien** contacter qqn.

contacto *nm* contact *(m)* • **perder el contacto con alguien** perdre (le) contact avec qqn.

contado, da *adj* 1. rare • **contadas veces, en contadas ocasiones** rarement 2. compté(e). ■ **al contado** *loc adv* • **pagar al contado** payer comptant.

contagiar *vt* 1. transmettre (une maladie) 2. contaminer (une personne). ■ **contagiarse** *vp* 1. (maladie) se transmettre 2. (personne) être contaminé(e) 3. (rire) se communiquer • **contagiarse con algo** attraper qqch.

contagio *nm* contagion *(f)*.

contagioso, sa *adj* 1. contagieux(euse) 2. (rire) communicatif(ive).

container *nm* = **contenedor**.

contaminación *nf* 1. pollution *(f)* 2. contamination *(f)*.

contaminar *vt* 1. polluer 2. contaminer 3. fig donner le mauvais exemple à.

contar ◼ *vt* **1.** compter ◦ **contar a alguien entre** compter qqn parmi **2.** raconter. ◼ *vi* **1.** compter ◦ **contar con algo/alguien** compter sur qqch/qqn ◦ **no contaba con esto** je ne m'attendais pas à ça **2.** avoir, disposer de ◦ **cuenta con dos horas para hacerlo** il a deux heures pour le faire.

contemplación *nf* contemplation (f). ◼ **contemplaciones** *nfpl* égards (mpl) ◦ **no andarse con contemplaciones** ne pas y aller par quatre chemins.

contemplar *vt* **1.** contempler **2.** envisager.

contemplativo, va *adj* contemplatif(ive).

contemporáneo, a *adj* contemporain(e).

contención *nf* **1.** soutènement (m) **2.** (moderación) retenue (f).

contenedor, ra *adj* qui contient. ◼ **contenedor, container** *nm* container (m) ◦ **contenedor de basura** benne (f) à ordures.

contener *vt* **1.** contenir **2.** retenir (sa respiration, un rire). ◼ **contenerse** *vp* se retenir.

contenido *nm* contenu (m).

contentar *vt* faire plaisir à. ◼ **contentarse** *vp* ◦ **contentarse con algo** se contenter de qqch.

contento, ta *adj* content(e) ◦ **contento con** content de. ◼ **contento** *nm* joie (f).

contestación *nf* réponse (f).

contestador ◼ **contestador automático** *nm* répondeur (m) (automatique).

contestar *vt* répondre.

contestatario, ria *adj* contestataire.

contexto *nm* contexte (m).

contextualizar *vt* replacer dans son contexte.

contienda ◼ *nf* **1.** combat (m) **2.** (guerre) conflit (m). ◼ *v* ▷ **contender**.

contigo *pron pers* avec toi.

contiguo, gua *adj* **1.** contigu(ë) **2.** voisin(e).

continencia *nf* **1.** abstinence (f) **2.** modération (f).

continental *adj* continental(e).

continente *nm* **1.** continent (m) **2.** contenant (m).

contingente ◼ *adj* imprévisible. ◼ *nm* contingent (m).

continuación *nf* suite (f) ◦ **a continuación** ensuite.

continuar ◼ *vt* continuer. ◼ *vi* continuer ◦ **continuar haciendo algo** continuer à faire qqch.

continuidad *nf* **1.** continuité (f) **2.** maintien (m).

continuo, nua *adj* **1.** continu(e) **2.** perpétuel (elle) **3.** continuel(elle) **4.** persévérant(e).

contonearse *vp* se dandiner.

contorno *nm* **1.** contour (m) **2.** (gén pl) alentours (mpl).

contorsionarse *vp* **1.** se contorsionner **2.** se tordre (de douleur).

contorsionista *nmf* contorsionniste (mf).

contra ◼ *prép* contre ◦ **en contra** contre ◦ **estar en contra de algo** être contre qqch ◦ **en contra de** contrairement à. ◼ *nm* ◦ **el pro y el contra** le pour et le contre.

contraataque *nm* contre-attaque (f).

contrabajo ◼ *nm* **1.** contrebasse (f) **2.** basse (f). ◼ *nmf* contrebassiste (mf).

contrabandista *nmf* contrebandier (m), -ère (f).

contrabando *nm* contrebande (f).

contracción *nf* contraction (f).

contraceptivo, va *adj* contraceptif(ive). ◼ **contraceptivo** *nm* contraceptif (m).

contrachapado, da *adj* contreplaqué(e). ◼ **contrachapado** *nm* contreplaqué (m).

contracorriente *nf* contre-courant (m) ◦ **ir a contracorriente** *fig* aller à contre-courant.

contradecir *vt* contredire. ◼ **contradecirse** *vp* se contredire.

contradicción *nf* contradiction (f).

contradicho, cha *pp* ▷ **contradecir**.

contradictorio, ria *adj* contradictoire.

contraer *vt* **1.** contracter **2.** prendre (un accent) **3.** attraper (une maladie). ◼ **contraerse** *vp* se contracter.

contraespionaje *nm* contre-espionnage (m).

contraindicación *nf* contre-indication (f).

contralor *nm* (Amér) inspecteur (m) des Finances.

contraloría *nf* (Amér) inspection (f) des Finances.

contralto *nmf* contralto (mf).

contraluz *nm* contre-jour (m) ◦ **a contraluz** à contre-jour.

contramaestre *nm* **1.** maître (m) d'équipage **2.** contremaître (m), -esse (f).

contrapartida *nf* contrepartie (f) ◦ **como contrapartida** en contrepartie.

contrapelo ◼ **a contrapelo** *loc adv* **1.** à rebrousse-poil **2.** *fig* à contrecœur.

contrapesar *vt* *litt* & *fig* contrebalancer.

contrapeso *nm* contrepoids (m) ◦ **servir de contrapeso** faire contrepoids.

contraponer *vt* **1.** opposer **2.** confronter. ◼ **contraponerse** *vp* s'opposer.

contraportada *nf* **1.** quatrième (f) de couverture **2.** dernière page (f) (d'un journal).

contraproducente *adj* contre-productif(ive).

contrapuesto, ta ◼ **contrapuesto** *pp* ▷ **contraponer**.

contrapunto *nm* **1.** MUS contrepoint (m) **2.** *fig* note (f) d'originalité.

contrariar *vt* contrarier.

contrariedad *nf* **1.** ennui *(m)* **2.** contrariété *(f)* **3.** contradiction *(f).*

contrario, ria *adj* **1.** contraire **2.** adverse ∘ **ser contrario a algo** être opposé à qqch ∘ **llevar la contraria** contredire ∘ contraricer. ■ **contrario** *nm* **1.** adversaire *(m)* **2.** contraire *(m)* ∘ **al** OU **por el contrario** au contraire ∘ **al contrario de lo que pensaba** contrairement à ce que je pensais ∘ **de lo contrario** sinon ∘ **todo lo contrario** bien au contraire

contrarreloj *adj* contre-la-montre.

contrarrestar *vt* **1.** neutraliser **2.** compenser **3.** SPORT retourner *(la balle).*

contrasentido *nm* **1.** contresens *(m)* **2.** nonsens *(m inv).*

contraseña *nf* mot *(m)* de passe.

contrastar ▨ *vi* contraster. ▨ *vt* **1.** éprouver **2.** résister à.

contraste *nm* **1.** contraste *(m)* **2.** différence *(f) (de caractères), etc).*

contratar *vt* **1.** embaucher **2.** engager ∘ **contratar algo con alguien** passer un contrat pour qqch avec qqn.

contratiempo *nm* contretemps *(m)* ∘ **tener un contratiempo** avoir un empêchement ∘ **a contratiempo** MUS à contretemps ∘ *(gén)* trop tard.

contratista *nmf* entrepreneur *(m)*, -euse *(f).*

contrato *nm* contrat *(m)* ∘ **contrato de aprendizaje** contrat d'apprentissage ∘ **contrato basura** *contrat de travail dont les conditions sont très désavantageuses pour l'employé* ∘ **contrato a tiempo parcial** contrat à temps partiel.

contribución *nf* contribution *(f).*

contribuir *vi* **1.** contribuer ∘ **contribuir a** participer à **2.** payer des impôts.

contribuyente *nmf* contribuable *(mf).*

contrincante *nmf* adversaire *(mf).*

control *nm* **1.** contrôle *(m)* **2.** commande *(f) (d'un appareil).*

controlador, ra *nm*, *f* contrôleur *(m)*, -euse *(f)* ∘ **controlador aéreo** aiguilleur *(m)* du ciel. ■ **controlador** *nm* INFORM contrôleur *(m)* ∘ **controlador de disco** contrôleur de disque.

controlar *vt* **1.** surveiller **2.** contrôler **3.** régler. ■ **controlarse** *vp* se contrôler.

controversia *nf* controverse *(f).*

contundencia *nf* **1.** force *(f)* **2.** *fig* ∘ **con contundencia** d'un ton tranchant.

contundente *adj* **1.** contondant(e) **2.** *fig* convaincant(e) **3.** *(logique)* implacable **4.** *(preuve)* indiscutable.

contusión *nf* contusion *(f).*

convalecencia *nf* convalescence *(f).*

convaleciente *adj* convalescent(e).

convalidar *vt* **1.** valider ∘ **le convalidaron muchas asignaturas** il a obtenu l'équivalence dans beaucoup de matières **2.** confirmer *(une décision, etc).*

convencer *vt* ∘ **convencer a alguien (de algo)** convaincre qqn (de qqch). ■ **convencerse** *vp* ∘ **convencerse de algo** se convaincre de qqch.

convencimiento *nm* conviction *(f).*

convención *nf* convention *(f).*

convencional *adj* conventionnel(elle).

conveniencia *nf* **1.** opportunité *(f)* **2.** *(d'une réponse)* à-propos *(m inv)* **3.** convenance *(f)* ∘ **por su propia conveniencia** dans son propre intérêt. ■ **conveniencias** *nfpl* convenances *(fpl).*

conveniente *adj* **1.** bon(bonne) **2.** opportun(e) **3.** convenable ∘ **sería conveniente asistir a la reunión** il vaudrait mieux aller à la réunion.

convenio *nm* convention *(f).*

convenir ▨ *vi* convenir ∘ **conviene analizar la situación** il serait bon d'analyser la situation ∘ **no te conviene hacerlo** tu ne devrais pas le faire ∘ **convenir en que** convenir que ∘ **convenimos en reunirnos** nous avons convenu de nous réunir ∘ **convenir en** convenir de ∘ **convenir en que** admettre que. ▨ *vt* ∘ **convenir algo** convenir de qqch.

convento *nm* couvent *(m).*

convergencia *nf* **1.** croisement *(m)* **2.** *fig* convergence *(f).*

converger *vi* converger ∘ **converger en** tendre vers.

conversación *nf* conversation *(f).* ■ **conversaciones** *nfpl* pourparlers *(mpl).*

conversada *nf (Amér)* conversation *(f).*

conversador, ra ▨ *adj* bavard(e). ▨ *nm, f* ∘ **ser un gran conversador** être très volubile.

conversar *vi* ∘ **conversar con alguien** avoir une conversation avec qqn.

conversión *nf* conversion *(f).*

converso, sa *adj* & *nm, f* converti(e).

convertir *vt* convertir ∘ **convertir a alguien a algo** convertir qqn à qqch ∘ **convertir algo en** transformer qqch en ∘ **convirtió a su hijo en una estrella** il a fait de son fils une vedette. ■ **convertirse** *vp* **1.** RELIG ∘ **convertirse (a)** se convertir (à) **2.** *(se transformer)* ∘ **convertirse en** devenir.

convexo, xa *adj* convexe.

convicción *nf* conviction *(f)* ∘ **tener la convicción de que...** être convaincu(e) que... ■ **convicciones** *nfpl* convictions *(fpl).*

convicto, ta *adj* ∘ **convicto de** convaincu de.

convidar ▨ *vt* inviter ∘ **convidar a alguien a tomar algo** offrir un verre à qqn. ▨ *vi* ∘ **convidar a** inviter à.

convincente *adj* convaincant(e).

convite nm **1.** invitation (f) **2.** banquet (m).

convivencia nf vie (f) en commun.

convivir vi ◦ **convivir con** vivre avec ◦ **convive con sus hermanos** il vit avec ses frères.

convocar vt **1.** convoquer (une assemblée, les élections) **2.** appeler à (la grève).

convocatoria nf **1.** convocation (f) **2.** appel (m) (à la grève) **3.** session (f) (d'examen).

convoy (pl **convoyes**) nm convoi (m).

convulsión nf **1.** convulsion (f) **2.** agitation (f) (politique, sociale) **3.** (de terre, de mer) secousse (f).

convulsionar vt convulsionner, convulser.

conyugal adj conjugal(e).

cónyuge nmf conjoint (m), -e (f).

coña nf tfam **1.** connerie (f) ◦ **estar de coña** déconner **2.** galère (f) ◦ **dar la coña** emmerder.

coñac (pl **coñacs**), **cognac** (pl **cognacs**) nm cognac (m).

coñazo nm tfam ◦ **ser un coñazo** être chiant(e).

coño vulg ◆ nm **1.** (sexe) con (m) **2.** (valeur emphatique) ◦ **¿dónde coño está el jersey?** où est le pull, bordel ? ◦ **¿qué coño estás haciendo?** qu'est-ce que tu fais, bordel ? ◆ interj ◦ **¡coño!** (exprime la colère) bordel ! ◦ (exprime l'étonnement) putain !

cooperación nf coopération (f) ◦ **cooperación internacional** coopération (aide aux pays en développement).

cooperar vi ◦ **cooperar (en algo)** coopérer (à qqch).

cooperativa nf ▷ **cooperativo**.

cooperativo, va adj coopératif(ive). ◆ **cooperativa** nf coopérative (f) ◦ **cooperativa agrícola** coopérative agricole.

coord. (abr écrite de **coordinador**) coord.

coordinador, ra adj & nm, f coordinateur(trice).

coordinar vt **1.** coordonner **2.** aligner (des mots).

copa nf **1.** verre (m) (à pied) **2.** (contenu) verre (m) ◦ **ir de copas** sortir prendre un verre **3.** cime (f) **4.** calotte (f) ◦ **de copa (alta)** haut de forme **5.** SPORT coupe (f). ◆ **copas** nfpl l'une des quatre couleurs du jeu de cartes espagnol.

copar vt **1.** accaparer **2.** MIL prendre par surprise.

Copenhague npr Copenhague.

copeo nm ◦ **ir de copeo** faire la tournée des bars.

copete nm **1.** huppe (f) **2.** houppe (f) ◦ **de alto copete** huppé(e).

copia nf **1.** copie (f) **2.** (photo) épreuve (f) ◦ **copia de seguridad** copie de sauvegarde ◦ **ser una copia de alguien** être tout le portrait de qqn.

copiar ◆ vt copier. ◆ vi copier (à un examen).

copiloto nmf copilote (mf).

copión, ona nm, f copieur (m), -euse (f).

copioso, sa adj **1.** copieux(euse) **2.** (pluie, chevelure) abondant(e).

copla nf **1.** chanson (f) populaire **2.** couplet (m).

copo nm flocon (m).

copropiedad nf copropriété (f).

copropietario, ria nm, f copropriétaire (mf).

copular vi copuler.

copulativo, va adj copulatif(ive).

coquetear vi **1.** minauder **2.** aguicher.

coqueto, ta adj **1.** coquet(ette) **2.** aguicheur (euse).

coraje nm **1.** courage (m) **2.** (rage) ◦ **dar coraje** mettre en colère.

coral ◆ adj choral(e). ◆ nm corail (m). ◆ nf **1.** chorale (f) **2.** choral (m).

Corán nm ◦ **el Corán** le Coran.

coraza nf **1.** carapace (f) **2.** cuirasse (f).

corazón nm **1.** cœur (m) ◦ **no tener corazón** ne pas avoir de cœur, être sans cœur ◦ **ser de buen corazón** avoir bon cœur **2.** courage (m) **3.** ▷ **dedo** ◦ **de (todo) corazón** de tout cœur.

corazonada nf **1.** pressentiment (m) **2.** coup (m) de tête.

corbata nf cravate (f).

corbeta nf corvette (f).

Córcega npr Corse (f).

corchea nf croche (f).

corchete nm **1.** agrafe (f) **2.** bouton-pression (m) **3.** crochet (m).

corcho nm **1.** liège (m) **2.** bouchon (m).

córcholis interj ◦ **¡córcholis!** nom d'une pipe !

cordel nm ficelle (f).

cordero, ra nm, f litt & fig agneau (m), agnelle (f).

cordial adj cordial(e).

cordialidad nf cordialité (f).

cordillera nf **1.** chaîne (f) (de montagnes) **2.** cordillère (f). ◆ **cordillera Cantábrica** npr ◦ **la cordillera Cantábrica** les monts (mpl) Cantabriques.

Córdoba npr Cordoue.

cordón nm **1.** cordon (m) **2.** lacet (m) ◦ **cordón umbilical** cordon ombilical **3.** fil (m) **4.** (Amér) bord (m) du trottoir.

cordura nf **1.** raison (f) **2.** sagesse (f).

Corea npr Corée (f) ◦ **República de Corea** ou **Corea del Sur** la République de Corée ou Corée du Sud ◦ **República Popular Democrática de Corea** ou **Corea del Norte** la République populaire démocratique de Corée ou Corée du Nord.

corear vt **1.** reprendre en chœur **2.** approuver.

coreografía nf chorégraphie (f).

coreógrafo, fa nm, f chorégraphe (mf).

corista ◼ *nmf* choriste *(mf)*. ◼ *nf* girl *(f)*.

cornada *nf* coup *(m)* de corne.

cornamenta *nf* **1.** cornes *(fpl)* **2.** bois *(mpl)* **3.** *fam* cornes *(fpl) (du conjoint trompé)*.

córnea *nf* cornée *(f)*.

córner *(pl* **corners)** *nm* corner *(m)*.

corneta ◼ *nf* cornet *(m)*. ◼ *nmf* cornettiste *(mf)*.

cornete *nm* cornet *(m)*.

cornetín ◼ *nm* cornet *(m)* à piston. ◼ *nmf* cornettiste *(mf)*.

cornisa *nf* corniche *(f)*.

cornudo, da ◼ *adj* **1.** à cornes **2.** *fam fig* cocu(e). ◼ *nm, f fam fig* cocu *(m)*, -e *(f)*.

coro *nm* chœur *(m)* ◦ **a coro** en chœur ◦ **hablar a coro** parler tous en même temps.

corona *nf* **1.** couronne *(f)* ◦ **corona fúnebre/de laurel** couronne mortuaire/de lauriers **2.** auréole *(f)*.

coronación *nf litt* & *fig* couronnement *(m)*.

coronar *vt* **1.** couronner **2.** *fig* achever **3.** *fig* atteindre.

coronel *nmf* colonel *(m)*.

coronilla *nf* sommet *(m)* du crâne ◦ **estar hasta la coronilla** *fig* en avoir par-dessus la tête.

corpiño *nm* bustier *(m)*.

corporación *nf* corporation *(f)*.

corporal *adj* corporel(elle).

corporativo, va *adj* corporatif(ive).

corpóreo, a *adj* corporel(elle).

corpulencia *nf* corpulence *(f)*.

corpulento, ta *adj* corpulent(e).

corral *nm* **1.** cour *(f)* (de ferme) **2.** basse-cour *(f)* **3.** *ancien théâtre en plein air*.

correa *nf* **1.** *(gén* & TECHNOL*)* courroie *(f)* **2.** bracelet *(m)* *(de montre)* **3.** laisse *(f)* **4.** anse *(f)* **5.** ceinture *(f)*.

corrección *nf* correction *(f)* ◦ **con toda corrección** parfaitement.

correccional *nm* maison *(f)* de redressement.

correctivo, va *adj* correctif(ive). ◼ **correctivo** *nm* correction *(f)*.

correcto, ta *adj* correct(e) ◦ **políticamente correcto** politiquement correct.

corrector, ra ◼ *adj* correcteur(trice). ◼ *nm, f* ◦ **corrector de estilo** lecteur-correcteur *(m)* ◦ **corrector tipográfico** correcteur typographique.

corredor, ra *nm, f* **1.** coureur *(m)*, -euse *(f)* **2.** courtier *(m)*, -ère *(f)* ◦ **corredor de comercio** ≃ agent *(m)* de change. ◼ **corredor** *nm* corridor *(m)*.

corregir *vt* corriger. ◼ **corregirse** *vp* se corriger.

correlación *nf* corrélation *(f)*.

correlativo, va *adj* **1.** corrélatif(ive) **2.** consécutif(ive).

correo ◼ *nm* **1.** courrier *(m)* ◦ **a vuelta de correo** par retour du courrier ◦ **echar al correo** poster ◦ **correo certificado** courrier recommandé ◦ **correo comercial** prospectus *(m)* ◦ **correo electrónico** courrier électronique **2.** poste *(f)*. ◼ *adj* postal(e). ◼ **Correos** *nmpl* poste *(f)*.

correoso, sa *adj* **1.** caoutchouteux(euse) **2.** *(pain)* mou(molle) **3.** *(viande, substance)* coriace.

correr ◼ *vi* **1.** courir ◦ **a todo correr** à toute vitesse **2.** aller vite **3.** rouler vite **4.** *(fleuve, eau du robinet)* couler **5.** *(chemin)* passer **6.** *(temps, heures)* passer **7.** *(nouvelle)* se propager **8.** *(rumeur)* courir **9.** *(monnaie)* avoir cours **10.** *(payer)* ◦ **correr con** prendre à sa charge ◦ régler ◦ **correr a cargo de** être à la charge de **11.** être dû(due). ◼ *vt* **1.** courir *(une distance)* **2.** parcourir *(un lieu)* **3.** pousser *(une table, une chaise)* **4.** tirer *(des rideaux)* **5.** connaître *(des aventures, des vicissitudes)* **6.** courir *(un risque)* **7.** *(Amér)* renvoyer. ◼ **correrse** *vp* **1.** *(personne)* se pousser **2.** *(chose)* glisser **3.** *(peinture, couleur)* couler **4.** *vulg* jouir.

correría *nf* escapade *(f)*.

correspondencia *nf* **1.** rapport *(m)* *(entre deux choses)* **2.** correspondance *(f)* ◦ **mantener una correspondencia con alguien** entretenir une correspondance avec qqn **3.** courrier *(m)*.

corresponder *vi* **1.** *(payer, compenser)* ◦ **corresponder a algo** remercier de qqch ◦ **me lo ofreció para corresponderme** il me l'a offert pour me remercier **2.** *(coïncider)* ◦ **corresponder (con)** correspondre (à) **3.** *(revenir à)* ◦ **te corresponde a ti hacerlo** c'est à toi de le faire ◦ **le corresponde la herencia** l'héritage lui revient **4.** rendre ◦ **él la quiere y ella le corresponde** il l'aime et elle le lui rend bien. ◼ **corresponderse** *vp* **1.** *(s'écrire)* ◦ **corresponderse con alguien** correspondre avec qqn **2.** *(s'aimer)* ◦ **corresponderse en el amor** s'aimer mutuellement **3.** *(deux pièces)* communiquer.

correspondiente *adj* correspondant(e).

corresponsal *nmf* **1.** PRESSE correspondant *(m)*, -e *(f)* **2.** COMM représentant *(m)*, -e *(f)*.

corretear *vi* **1.** *(enfants)* galoper **2.** *(rats)* trotter **3.** *fam* traîner.

correveidile *nmf* rapporteur *(m)*, -euse *(f)*.

corrido, da *adj* **1.** bon(bonne) ◦ **un kilo corrido de…** un bon kilo de… **2.** gêné(e). ◼ **corrida** *nf* corrida *(f)* ◦ **dar una corrida** *fig* courir. ◼ **de corrido** *loc adv* **1.** par cœur **2.** d'un trait.

corriente ◼ *adj* **1.** courant(e) **2.** ordinaire. ◼ *nf* courant *(m)* ◦ **estar al corriente de** être à jour pour ◦ être au courant de ◦ **ir contra corriente** aller à contre-courant.

corro *nm* **1.** cercle *(m)* **2.** ronde *(f)* » **en corro** en rond **3.** *(à la Bourse)* corbeille *(f)*.

corroborar *vt* corroborer.

corroer *vt* **1.** corroder **2.** GÉOL éroder **3.** *fig* ronger.

corromper *vt* corrompre. ■ **corromperse** *vp* **1.** pourrir **2.** se corrompre.

corrosivo, va *adj* **1.** corrosif(ive) **2.** décapant (e).

corrupción *nf* corruption *(f)*.

corrusco *nm* quignon *(m)* de pain.

corsario, ria *adj* pirate » **una nave corsaria** un bateau pirate » **un capitán corsario** un corsaire. ■ **corsario** *nm* corsaire *(m)*.

corsé *nm* corset *(m)*.

cortacésped *nm* tondeuse *(f)* à gazon.

cortado, da *adj* **1.** gercé(e) **2.** *(lait)* tourné(e) **3.** *fig* timide **4.** *fig* coincé(e) » **quedarse cortado** être décontenancé **5.** *(style)* haché(e). ■ **cortado** *nm* *(café)* noisette *(f)*.

cortafuego *nm* coupe-feu *(m inv)*.

cortante *adj* **1.** coupant(e) **2.** *fig* cassant(e) **3.** *(vent)* cinglant(e) **4.** *(froid)* glacial(e).

cortapisa *nf* entrave *(f)* » **poner cortapisas** mettre des bâtons dans les roues.

cortar ■ *vt* **1.** couper **2.** tondre *(le gazon)* **3.** arrêter *(un abus, une hémorragie)* **4.** interrompre *(une conversation)* **5.** découper *(du papier)* **6.** tailler *(de la toile)* **7.** gercer *(les mains, les lèvres)* **8.** faire tourner *(le lait)* **9.** faire tomber *(la mayonnaise)* **10.** réduire *(les dépenses)* **11.** retirer *(une bourse, une subvention)* **12.** couper court *(à des abus)* **13.** fendre *(l'air, les vagues)* **14.** *fig* gêner » **me corta su seriedad** sa gravité me met mal à l'aise. ■ *vi* **1.** couper **2.** *fam* rompre. ■ **cortarse** *vp* **1.** se couper **2.** *(lèvres, mains)* se gercer **3.** *(lait)* tourner **4.** *(mayonnaise)* ne pas prendre **5.** *fig* se troubler.

cortaúñas *nm inv* coupe-ongles *(m inv)*.

corte ■ *nm* **1.** déchirure *(f)* **2.** entaille *(f)* *(dans la peau)* **3.** coupe *(f)* *(de cheveux, d'un vêtement, d'un schéma)* » **corte y confección** confection *(f)* **4.** *(blessure, pause, interruption)* coupure *(f)* **5.** coupon *(m)* *(de tissu)* **6.** ton *(m)* *(d'une œuvre)* **7.** fil *(m)* *(d'un couteau)* **8.** *fam* *(remarque humiliante)* gifle *(f)* **9.** *fam* honte *(f)* » **me da corte salir a la calle** j'ai honte de sortir. ■ *nf* cour *(f)*. ■ **Cortes** *nfpl* » **las Cortes** le Parlement espagnol.

cortejar *vt* courtiser.

cortejo *nm* cortège *(m)*.

cortés *adj* courtois(e).

cortesía *nf* **1.** politesse *(f)* » **de cortesía** de politesse **2.** gentillesse *(f)* **3.** *(cadeau)* » **el aperitivo es cortesía de la casa** l'apéritif vous est offert par la maison.

corteza *nf* **1.** écorce *(f)* **2.** croûte *(f)* *(de pain, de fromage, etc)* **3.** peau *(f)* *(d'orange)* » **corteza terrestre** croûte terrestre **4.** cortex *(m)*.

cortijo *nm* ferme *(f)* (andalouse).

cortina *nf* rideau *(m)*.

cortisona *nf* cortisone *(f)*.

corto, ta *adj* **1.** court(e) » **una corta espera** une brève attente **2.** *fig (niais)* » **corto (de alcances)** simplet » **quedarse corto** voir trop juste » être en deçà de la vérité.

cortocircuito *nm* court-circuit *(m)*.

cortometraje *nm* court-métrage *(m)*.

cosa *nf* **1.** chose *(f)* » **poca cosa** pas grand-chose **2.** *(gén pl)* affaires *(fpl)* **3.** *(gén pl)* matériel *(m)* » **cosas de coser** nécessaire *(m)* de couture **4.** *(gén pl)* truc *(m)* » **¡qué cosas tienes!** tu as de ces idées ! **5.** *(gén pl)* manie *(f)* » **como quien no quiere la cosa** mine de rien » **como si tal cosa** comme si de rien n'était » **eso es cosa mía** c'est moi que ça regarde. ■ **cosa de** *loc prép* environ » **tuvimos que esperar cosa de 10 minutos** on a dû attendre quelque chose comme 10 minutes.

coscorrón *nm* coup *(m)* sur la tête.

cosecha *nf* **1.** récolte *(f)* **2.** moisson *(f)* » **de su (propia) cosecha** *fig* de son cru.

cosechar ■ *vt* **1.** récolter **2.** moissonner **3.** *fig* obtenir. ■ *vi* **1.** faire la récolte **2.** moissonner.

coseno *nm* cosinus *(m)*.

coser ■ *vt* **1.** coudre **2.** agrafer » **ser cosa de coser y cantar** être simple comme bonjour. ■ *vi* coudre.

cosido *nm* *(action)* couture *(f)*.

cosmético, ca *adj* cosmétique. ■ **cosmético** *nm* cosmétique *(m)*. ■ **cosmética** *nf* cosmétique *(f)*.

cósmico, ca *adj* cosmique.

cosmopolita *adj* cosmopolite.

cosmos *nm inv* cosmos *(m)*.

coso *nm* *(Amér)* truc *(m)*.

cosquillas *nfpl* chatouilles *(fpl)* » **hacer cosquillas** chatouiller, faire des chatouilles » **tengo cosquillas** ça me chatouille.

cosquilleo *nm* **1.** chatouillement *(m)* **2.** *fig* frisson *(m)*.

costa *nf* côte *(f)*. ■ **Costa Brava** *nf* » **la Costa Brava** la Costa Brava. ■ **Costa del Sol** *nf* » **la Costa del Sol** la Costa del Sol. ■ **a costa de** *loc prép* **1.** aux dépens de **2.** au prix de. ■ **a toda costa** *loc adv* à tout prix.

costado *nm* flanc *(m)* » **dormir de costado** dormir sur le côté » **en ambos costados de la calle** des deux côtés de la rue.

costal *nm* sac *(m)* *(de jute)*.

costanera *nf* *(Amér)* bord *(m)* de mer.

costar ■ *vt* **1.** coûter **2.** prendre *(du temps)*. ■ *vi* coûter.

Costa Rica npr Costa Rica (m).

costarricense ◼ adj costaricien(enne). ◼ nmf Costaricien (m), -enne (f).

coste nm coût (m) • **coste de la vida** coût de la vie.

costear vt 1. payer, financer 2. (rentabiliser) couvrir 3. NAUT longer, côtoyer.

costero, ra ◼ adj côtier(ère). ◼ nm, f habitant (m), -e (f) du littoral.

costilla nf 1. côte (f) 2. côtelette (f) 3. barreau (m) (d'une chaise) 4. membrure (f) (d'un bateau) 5. fam fig (conjoint) moitié (f).

costo nm 1. coût (m) 2. fam hasch (m).

costoso, sa adj 1. coûteux(euse) 2. fig pénible 3. fig difficile.

costra nf croûte (f).

costumbre nf 1. habitude (f) 2. coutume (f).

costumbrismo nm peinture (f) des mœurs.

costura nf couture (f) • **alta costura** haute couture.

costurera nf couturière (f).

costurero nm 1. corbeille (f) à ouvrage 2. couturier (m).

cota nf 1. cote (f) 2. cotte (f) • **cota de mallas** cotte de mailles.

cotarro nm • **alborotar el cotarro** mettre la pagaille • **dirigir el cotarro** faire la loi.

cotejar vt (comparer) confronter.

cotejo nm confrontation (f).

cotidiano, na adj quotidien(enne).

cotilla nmf fam commère (f).

cotillear vi fam faire des ragots.

cotilleo nm fam potin (m).

cotillón nm cotillon (m) • **artículos de cotillón** cotillons (mpl).

cotización nf 1. prix (m) 2. cours (m) 3. cotation (f).

cotizar ◼ vt 1. estimer 2. coter. ◼ vi cotiser, verser une cotisation. ◼ **cotizarse** vp 1. (en Bourse) • **cotizarse (a)** être coté(e) (à) 2. être apprécié(e).

coto nm réserve (f) • **coto de caza** chasse (f) gardée • **poner coto a** mettre le holà à.

cotorra nf 1. perruche (f) 2. fam fig pie (f) • **hablar como una cotorra** être un moulin à paroles.

COU (abr de curso de orientación universitaria) nm ancienne année de préparation à l'entrée à l'université.

cowboy ['kauboi] (pl cowboys) nm cow-boy (m).

coxis = **cóccix**.

coyote nm coyote (m).

coyuntura nf 1. conjoncture (f) 2. occasion (f) 3. jointure (f).

coz nf 1. ruade (f) 2. coup (m) de sabot 3. recul (m) (d'une arme).

CP (abr écrite de **código postal**) code (m) postal.

crac (pl **cracs**), **crack** (pl **cracks**) nm 1. star (f) 2. FIN krach (m).

crack nm inv 1. crack (m) 2. = **crac**.

cráneo nm crâne (m).

crápula ◼ nm débauché (m). ◼ nf débauche (f).

cráter nm cratère (m).

crawl = **crol**.

creación nf création (f).

creador, ra adj & nm, f créateur(trice).

crear vt 1. créer 2. provoquer (du désordre, le mécontentement) 3. répandre (une rumeur).

creatividad nf créativité (f).

creativo, va adj & nm, f créatif (m), -ive (f).

crecer vi 1. (enfants, sentiments) grandir 2. (plantes, cheveux) pousser 3. (jours, nuits) allonger 4. (fleuve) grossir 5. (marée) monter 6. (lune) croître 7. (intérêt, goût) être croissant(e). ◼ **crecerse** vp prendre de l'assurance.

creces ◼ **con creces** loc adv largement.

crecido, da adj grand(e) ◼ **crecida** nf crue (f).

creciente ◼ adj croissant(e). ◼ nm phase (f) ascendante (de la Lune).

crecimiento nm 1. croissance (f) 2. augmentation (f) (de prix).

credencial nf laissez-passer (m). ◼ **credenciales** nfpl lettres (fpl) de créance.

credibilidad nf crédibilité (f).

crédito nm 1. crédit (m) • **a crédito** à crédit • **crédito al consumo** crédit à la consommation 2. confiance (f) • **dar crédito a algo** croire qqch 3. UNIV = unité (f) de valeur.

credo nm litt & fig credo (m).

crédulo, la adj crédule.

creencia nf 1. croyance (f) 2. conviction (f).

creer ◼ vt croire. ◼ vi • **creer en** croire en. ◼ **creerse** vp 1. se croire • **¿quién se cree que es?** pour qui se prend-il ? 2. croire.

creíble adj crédible.

creído, da nm, f prétentieux (m), -euse (f).

crema ◼ nf 1. crème (f) 2. cirage (m). ◼ adj inv crème.

cremallera nf 1. fermeture (f) Éclair[®] 2. crémaillère (f).

crematístico, ca adj financier(ère).

crematorio, ria adj crématoire. ◼ **crematorio** nm crématorium (m).

cremoso, sa adj crémeux(euse).

crepe ['krep] nf crêpe (f).

crepitar vi crépiter.

crepúsculo nm litt & fig crépuscule (m).

crespo, pa adj crépu(e).

cresta nf 1. crête (f) • **dar a alguien en la cresta** fig rabattre le caquet à qqn 2. huppe (f).

Creta npr Crète (f).

cretino, na nm, f crétin (m), -e (f).

cretona nf cretonne (f).

creyente *nmf* croyant *(m)*, -e *(f)*.

cría *nf* ⊳ **crío.**

criadero *nm* **1.** pépinière *(f)* **2.** élevage *(m)* **3.** gisement *(m)*.

criadilla *nf* testicules d'animal *(taureau par exemple)* utilisés en cuisine.

criado, da ⊠ *adj* élevé(e) • **bien criado** bien élevé. ⊠ *nm, f* domestique *(mf)*.

criador, ra ⊠ *adj* producteur(trice). ⊠ *nm, f* éleveur *(m)*, -euse *(f)* • **criador de vino** viticulteur *(m)*.

crianza *nf* **1.** allaitement *(m)* **2.** élevage *(m)* *(d'animaux, du vin)* **3.** éducation *(f)*.

criar *vt* **1.** allaiter **2.** élever *(des animaux, des enfants)* **3.** cultiver. ■ **criarse** *vp* **1.** grandir **2.** se reproduire.

criatura *nf* **1.** enfant *(m)* **2.** nourrisson *(m)* **3.** créature *(f)*.

criba *nf* **1.** crible *(m)* **2.** passage *(m)* au crible.

cricket ['kriket] *nm* cricket *(m)*.

Crimea *npr* Crimée *(f)*.

crimen *nm* crime *(m)*.

criminal *adj & nmf* criminel(elle).

crin *nf* **1.** crin *(m)* **2.** *(gén pl)* crinière *(f)*.

crío, a *nm, f* gamin *(m)*, -e *(f)*. ■ **cría** *nf* **1.** petit *(m)* **2.** élevage *(m)* **3.** culture *(f)*.

criollo, lla ⊠ *adj* créole. ⊠ *nm, f* Créole *(mf)*.

cripta *nf* crypte *(f)*.

crisantemo *nm* chrysanthème *(m)*.

crisis *nf inv* **1.** crise *(f)* **2.** pénurie *(f)*.

crisma *nf fam* • **romperle la crisma a alguien** casser la figure à qqn.

crisol *nm* **1.** creuset *(m)* **2.** révélateur *(m)*.

crispar *vt* crisper • **crispar los nervios** taper sur les nerfs. ■ **crisparse** *vp* se crisper.

cristal *nm* **1.** verre *(m)* **2.** cristal *(m)* **3.** vitre *(f)*, carreau *(m)* **4.** *fig* glace *(f)*.

cristalera *nf* **1.** verrière *(f)* **2.** porte *(f)* vitrée **3.** armoire *(f)* à glace.

cristalería *nf* **1.** verrerie *(f)* **2.** vitrerie *(f)* • **pasar por la cristalería** aller chez le vitrier.

cristalino, na *adj* cristallin(e). ■ **cristalino** *nm* cristallin *(m)*.

cristalizar *vt* cristalliser. ■ **cristalizarse** *vp* **1.** se cristalliser **2.** se concrétiser • **cristalizarse en** *fig* aboutir à.

cristiandad *nf* chrétienté *(f)*.

cristianismo *nm* **1.** christianisme *(m)* **2.** chrétienté *(f)*.

cristiano, na *adj & nm, f* chrétien(enne).

cristo *nm* christ *(m)*. ■ **Cristo** *nm* Christ *(m)*.

criterio *nm* **1.** critère *(m)* **2.** discernement *(m)* **3.** avis *(m)*.

crítica *nf* ⊳ **crítico.**

criticar *vt* critiquer.

crítico, ca *adj & nm, f* critique. ■ **crítica** *nf* critique *(f)*.

criticón, ona ⊠ *adj* qui a la critique facile. ⊠ *nm, f* critiqueur *(m)*, -euse *(f)*.

Croacia *npr* Croatie *(f)*.

croar *vi* coasser.

croata ⊠ *adj* croate. ⊠ *nmf* Croate *(mf)*.

crol, crawl ['krol] *nm* crawl *(m)*.

cromado *nm* chromes *(mpl)*.

cromatismo *nm* chromatisme *(m)*.

cromo *nm* **1.** chrome *(m)* **2.** image *(f)*.

cromosoma *nm* chromosome *(m)*.

crónico, ca *adj* chronique. ■ **crónica** *nf* **1.** chronique *(f)* **2.** magazine *(m)* d'information.

cronista *nmf* chroniqueur *(m)*, -euse *(f)*.

cronología *nf* chronologie *(f)*.

cronometrar *vt* chronométrer.

cronómetro *nm* chronomètre *(m)*.

croqueta *nf* croquette *(f)*.

croquis *nm inv* croquis *(m)*.

cross *nm inv* cross *(m inv)*.

cruasán *nm (pâtisserie)* croissant *(m)*.

cruce ⊠ *nm* **1.** *(de chemins & BIOL)* croisement *(m)* **2.** carrefour *(m)* *(de routes, de rues)* **3.** interférence *(f)* **4.** court-circuit *(m)*. ⊠ *v* ⊳ **cruzar.**

crucero *nm* **1.** croisière *(f)* **2.** croisée *(f)* du transept.

crucial *adj* crucial(e).

crucificar *vt* **1.** crucifier **2.** *fig* tourmenter.

crucifijo *nm* crucifix *(m)*.

crucifixión *nf* crucifixion *(f)*.

crucigrama *nm* mots croisés *(mpl)*.

crudeza *nf* **1.** rigueur *(f)* *(du temps)* **2.** crudité *(f)* *(d'une description)* **3.** rudesse *(f)* *(d'un comportement)* **4.** dureté *(f)* *(de la vérité, de la réalité)*.

crudo, da *adj* **1.** cru(e) • **es la cruda realidad** c'est la dure réalité • **de forma cruda** crûment **2.** rude, rigoureux(euse) **3.** écru(e). ■ **crudo** *nm* pétrole *(m)* brut, brut *(m)*.

cruel *adj* cruel(elle).

crueldad *nf* cruauté *(f)*.

cruento, ta *adj* sanglant(e).

crujido *nm* **1.** craquement *(m)* **2.** grincement *(m)* *(de dents)* **3.** crissement *(m)* *(de la soie)*.

crujiente *adj* **1.** craquant(e) **2.** croustillant(e).

crujir *vi* **1.** craquer **2.** *(dents)* grincer **3.** *(soie)* crisser.

cruz *nf* **1.** croix *(f)* **2.** *(d'une pièce)* pile *(f)* **3.** fourche *(f)* **4.** *fig* • poids *(m)* • calvaire *(m)* • **hacer cruz y raya** tourner la page • couper les ponts. ■ **Cruz Roja** *nf* • **la Cruz Roja** la Croix-Rouge.

cruza *nf (Amér)* croisement *(m)*.

cruzado, da *adj (gén & BIOL)* croisé(e) • **cruzado (en)** en travers de).

cruzar *vt* **1.** croiser **2.** mettre en travers **3.** traverser *(une rue)* **4.** échanger *(des mots)*. ■ **cruzarse** *vp* • **cruzarse con alguien** croiser qqn

• **me crucé con ella** je l'ai croisée • **cruzarse de brazos/piernas** croiser les bras/les jambes.

CSIC (abr de **Consejo Superior de Investigaciones Científicas**) nm conseil supérieur de la recherche scientifique en Espagne, ≃ CNRS (m).

cta. (abr de **cuenta**) cpte • **cta. cte. nº 193-1533** cpte courant nº 193-1533.

cte. (abr de **corriente**) courant • **cta. cte. nº 193-1533** cpte courant nº 193-1533.

CTNE (abr écrite de **Compañía Telefónica Nacional de España**) nf compagnie espagnole des télécommunications, ≃ France Télécom.

ctra. (abr écrite de **carretera**) rte.

c/u (abr écrite de **cada uno**) chacun • **20 paquetes de 50 g c/u** 20 paquets de 50 g chacun.

cuaderno nm cahier (m).

cuadra nf **1.** écurie (f) **2.** (Amér) pâté (m) de maisons.

cuadrado, da adj **1.** (gén & MATH) carré(e) **2.** (personne) • **estar cuadrada** fam être un pot à tabac. ■ **cuadrado** nm carré (m).

cuadrangular adj quadrangulaire.

cuadrante nm **1.** GÉOGR & GÉOM quadrant (m) **2.** cadran (m).

cuadrar vi **1.** (informations, faits) concorder **2.** (caractères, vêtements) s'accorder • **su confesión no cuadra con la declaración** ses aveux ne concordent pas avec sa déclaration **3.** (numéros, compte) tomber juste **4.** convenir • **le cuadra ese trabajo** ce travail lui convient parfaitement. ■ **cuadrarse** vp **1.** se mettre au garde-à-vous **2.** durcir le ton.

cuadrícula nf quadrillage (m).

cuadrilátero nm **1.** quadrilatère (m) **2.** ring (m).

cuadrilla nf **1.** bande (f) **2.** équipe (f) **3.** équipe qui assiste le matador.

cuadro nm **1.** tableau (m) • **cuadro de costumbres** étude (f) de mœurs • **cuadro sinóptico** tableau synoptique **2.** spectacle (m) **3.** carré (m) • **a cuadros** à carreaux **4.** équipe (f) • **el cuadro de dirigentes** la direction **5.** cadre (m) (de bicyclette).

cuajar ◨ vt **1.** (lait) cailler **2.** (sang) coaguler **3.** couvrir (de décorations). ◨ vi **1.** (projet) aboutir **2.** (accord) être conclu(e) **3.** (personne) être adopté(e) **4.** (mode) prendre **5.** (neige) tenir. ■ **cuajarse** vp **1.** (lait) cailler **2.** (flan, glace) prendre **3.** (sang) coaguler **4.** se remplir • **se le cuajaron los ojos de lágrimas** ses yeux se sont emplis de larmes.

cuajo nm **1.** présure (f) **2.** fig nonchalance (f). ■ **de cuajo** loc adv complètement • **arrancar de cuajo** déraciner (un arbre) • arracher (un pied, une main).

cual pron rel

1. SUJET = qui
• **llamé a Juan, el cual dormía** j'ai appelé Juan, qui dormait
• **han sacado un nuevo producto, el cual es muy eficaz** ils ont sorti un nouveau produit, qui est très efficace

2. COMPLÉMENT D'OBJET DIRECT = que
• **es el libro el cual te presté** c'est le livre que je t'ai prêté
• **Jorge es el hermano de Ana, a la cual por cierto veo a menudo** Jorge est le frère d'Ana, que je vois souvent

3. COMPLÉMENT D'OBJET INDIRECT = auquel, à laquelle
• **un amigo al cual confío mis secretos** un ami auquel je confie mes secrets
• **la chica a la cual regalé el libro** la fille à laquelle j'ai offert le livre
• **la película a la cual hago referencia** le film auquel je fais référence

4. COMPLÉMENT DE MOYEN, DE BUT, ETC. = lequel, laquelle
• **el ordenador con el cual trabajo** l'ordinateur avec lequel je travaille
• **el puesto para el cual me contrataron** le poste pour lequel on m'a embauché
• **la amiga con la cual fui al cine** l'amie avec laquelle je suis allé au cinéma

5. COMPLÉMENT DE LIEU
• **la cabina desde la cual te llamo** la cabine d'où je t'appelle

6. PRÉCÉDÉ DE LA PRÉPOSITION « DE » = dont
• **el club del cual soy socio** le club dont je suis membre
• **el libro/el actor del cual te hablé** le livre/l'acteur dont je t'ai parlé
• **una noticia de la cual me alegro** une nouvelle dont je me réjouis

7. DANS DES EXPRESSIONS
• **sea cual sea el resultado** quel que soit le résultat.

■ **lo cual** pron indéf

• **vendrán atletas de todas partes del mundo, lo cual requiere mucha organización** des athlètes du monde entiers vont venir, ce qui demande beaucoup d'organisation
• **está muy enfadada, lo cual comprendo perfectamente** elle est très fâchée, ce que je comprends parfaitement.

cuál pron **1.** quel, quelle • **¿cuál es la diferencia?** quelle est la différence ? **2.** lequel, laquelle • **¿cuál prefieres?** laquelle préfères-tu ? • **no sé cuáles son mejores** je ne sais pas lesquels sont les meilleurs **3.** (dans des phrases distributives) • **todos han contribuido, cuál más, cuál menos** ils ont tous participé, certains plus que d'autres.

cualidad *nf* qualité *(f)*.

cualificado, da *adj* qualifié(e).

cualitativo, va *adj* qualitatif(ive).

cualquiera ◼ *adj (devant un substantif singulier :*cualquier*)* **1.** *(devant un substantif)* n'importe quel, n'importe quelle • **cualquier día vendré a visitarte** un de ces jours, je viendrai te rendre visite • **en cualquier momento** n'importe quand • **en cualquier lugar** n'importe où **2.** *(après un substantif)* quelconque • **un sitio cualquiera** un endroit quelconque. ◼ *pron (pl* cualesquiera*)* n'importe qui • **cualquiera te lo dirá** n'importe qui te le dira • **cualquiera que** quiconque • quel que(quelle que) • **cualquiera que te viera se reiría** quiconque te verrait rirait • **cualquiera que sea la razón** quelle que soit la raison. ◼ *nm, f* moins que rien *(mf)*. ◼ *nf fam* traînée *(f)*.

cuan *adv* • **se desplomó cuan largo era** il est tombé de tout son long.

cuando ◼ *adv* • **mañana es cuando me voy de vacaciones** c'est demain que je pars en vacances • **de cuando en cuando, de vez en cuando** de temps en temps. ◼ *conj* **1.** quand, lorsque • **cuando llegué a París** quand *ou* lorsque je suis arrivé à Paris **2.** si • **cuando tú lo dices será verdad** si c'est toi qui le dis, ça doit être vrai.

cuándo ◼ *adv* quand • **¿cuándo vienes?** quand viens-tu ? • **le pregunté cuándo se iba** je lui ai demandé quand il partait. ◼ *nm* • **ignora el cómo y el cuándo de la operación** il ignore comment et quand se déroulera l'opération.

cuantía *nf* **1.** quantité *(f)* **2.** montant *(m)*.

cuantificar *vt* quantifier.

cuantitativo, va *adj* quantitatif(ive).

---

cuanto, ta *adj*

1. POUR INDIQUER LA TOTALITÉ = tout le, toute la
• **despilfarra cuanto dinero gana** il gaspille tout l'argent qu'il gagne

2. POUR INTRODUIRE UNE CORRÉLATION
• **cuantas más mentiras digas, menos te creerán** plus tu raconteras de mensonges, moins on te croira
• **cuanto menos pienses en ello, mejor será** moins tu y penseras, mieux ce sera.

cuanto *pron*

1. POUR INDIQUER UN GROUPE DÉTERMINÉ = tous ceux, toutes celles
• **dio las gracias a todos cuantos la ayudaron** elle remercia tous ceux qui l'avaient aidée
• **es la mejor versión entre todas cuantas conozco** c'est la meilleure version parmi toutes celles que je connais

---

2. POUR INDIQUER LA TOTALITÉ
• **comprendo cuanto dice** je comprends tout ce qu'il dit
• **me gustaron cuantas vi** toutes celles que j'ai vues m'ont plu
• **come cuanto quieras** mange autant que tu voudras

3. POUR INTRODUIRE UNE CORRÉLATION
• **cuanto más se tiene, más se quiere** plus on en a, plus on en veut.

◼ **cuanto antes** *loc adv*

• **ven cuanto antes** viens le plus vite possible *ou* dès que possible
• **cuanto antes empecemos, antes acabaremos** plus vite nous commencerons, plus vite nous aurons fini.

◼ **en cuanto** *loc conj*

AUSSITÔT QUE = dès que
• **nos vamos en cuanto termine de llover** nous partirons dès qu'il cessera de pleuvoir.

◼ **en cuanto a** *loc prép*

POUR CE QUI EST DE
• **en cuanto a lo que te dije el otro día, olvídalo** quant à *ou* en ce qui concerne ce que je t'ai dit l'autre jour, oublie-le.

---

cuánto, ta *adj*

1. DANS DES PHRASES INTERROGATIVES = combien de
• **¿cuánto dinero tienes?** combien d'argent as-tu ?
• **no sé cuántas horas tardaré en hacerlo** je ne sais pas combien d'heures je mettrai pour le faire

2. DANS DES PHRASES EXCLAMATIVES
• **¡cuánta gente hay!** que de monde !
• **¡cuánto tiempo sin verte!** ça fait tellement longtemps que je ne t'ai pas vu !

cuánto *pron*

1. DANS DES PHRASES INTERROGATIVES = combien
• **¿cuánto has ganado este mes?** combien as-tu gagné ce mois-ci ?
• **dime cuántas necesitas** dis-moi combien il t'en faut

2. DANS DES PHRASES EXCLAMATIVES
• **¡cuánto me gusta este cuadro!** que j'aime ce tableau !
• **¡cuánto han cambiado las cosas!** comme les choses ont changé !
• **hablando de cómics, ¡cuántos tienes!** en parlant de BD, qu'est-ce que tu en as !

---

cuarenta *nm inv* quarante *(m inv)*. • *voir aussi* **sesenta**

cuarentena *nf* quarantaine *(f)* • **poner en cuarentena** mettre en quarantaine • attendre
pour divulguer.

cuaresma *nf* carême *(m)*.

cuartear *vt* 1. couper en quartiers *(un fruit)*
2. dépecer *(du bétail)*.

cuartel *nm* caserne *(f)* • **iguerra sin cuartel!** *fig*
pas de quartier !

cuartelazo *nm (Amér)* putsch *(m)*.

cuartelillo *nm* poste *(m) (de police)*.

cuarteto *nm* 1. quatuor *(m)* 2. quartette *(m) (de
jazz)* 3. quatrain *(m)* 4. ensemble *(m)* de quatre (éléments).

cuartilla *nf* feuille *(f)* (de papier).

cuarto, ta *adj num* quatrième • **una cuarta
parte** un quart.• *voir aussi* **sexto** ■ **cuarto**
nm 1. quart *(m)* • **ser tres cuartos de lo mismo** *fig* être du pareil au même 2. pièce *(f)*
3. chambre *(f)* • **cuarto de baño** salle *(f)* de
bains • **cuarto de estar** salle *(f)* de séjour
4. *(gén pl)* sou *(m)* 5. *(gén pl)* quartier *(m) (de lune)* • **cuarto creciente/menguante** premier/
dernier quartier.

cuarzo *nm* quartz *(m)*.

cuate, ta *nm, f (Amér)* fam copain *(m)*, copine *(f)*.

cuatrimestral *adj* 1. *(tous les quatre mois)* • **una
revista cuatrimestral** un magazine qui sort
tous les quatre mois 2. de quatre mois.

cuatro ■ *adj num* 1. *(chiffre)* quatre 2. *fig (peu)*
• **cuatro fresones** une poignée de fraises • **parece que pasó hace cuatro días** on dirait que
c'était hier. ■ *nm inv* quatre *(m inv)*.• *voir
aussi* **seis**

cuatrocientos, tas *adj num inv* quatre
cents.• *voir aussi* **seiscientos**

cuba *nf* tonneau *(m)* • **estar como una cuba** *fig*
être complètement rond(e).

Cuba *npr* Cuba.

cubalibre *nm* rhum-Coca *(m)*, Cuba-libre *(m)*.

cubano, na ■ *adj* cubain(e). ■ *nm, f* Cubain
(m), -e *(f)*.

cubertería *nf (couverts)* ménagère *(f)*.

cubeta *nf* 1. petit tonneau *(m)* 2. cuvette *(f) (de
baromètre)* 3. PHOTO bac *(m)* 4. *(Amér)* seau *(m)*.

cúbico, ca *adj* cubique • **metro cúbico** mètre
cube.

cubierto, ta *adj* couvert(e) • **estar/ponerse a
cubierto** être/se mettre à l'abri. ■ **cubierto**
■ *pp* ▷ **cubrir**. ■ *nm* 1. couvert *(m)* 2. menu
(m). ■ **cubierta** *nf* 1. couverture *(f) (de livre)*
2. couvre-lit *(m)* 3. housse *(f) (de meuble)* 4. enveloppe *(f)* de pneu 5. pont *(m) (d'un bateau)*.

cubilete *nm* gobelet *(m)*.

cubismo *nm* cubisme *(m)*.

cubito *nm* glaçon *(m)*.

cubo *nm* 1. seau *(m)* • **cubo de la basura** poubelle *(f)* 2. GÉOM & MATH cube *(m)*.

cubrecama *nm* couvre-lit *(m)*.

cubrir *vt* 1. couvrir 2. cacher 3. pourvoir • **cubrir sus necesidades** pourvoir à ses besoins.
■ **cubrirse** *vp* • **cubrirse (de)** se couvrir (de)
• **cubrirse de gloria** se couvrir de gloire.

cucaña *nf* mât *(m)* de cocagne.

cucaracha *nf* cafard *(m)*.

cuchara *nf* 1. cuillère *(f)*, cuiller *(f)* 2. *(appareil)*
benne *(f)*.

cucharada *nf* cuillerée *(f)*.

cucharilla *nf* 1. petite cuillère *(f)*, cuillère *(f)* à
café.

cucharón *nm* louche *(f)*.

cuchichear *vi* chuchoter.

cuchilla *nf* lame *(f)*.

cuchillo *nm* couteau *(m)*.

cuchitril *nm* 1. taudis *(m)* 2. boui-boui *(m)*.

cuclillo *nm (oiseau)* coucou *(m)*.

cuco, ca *adj fam* 1. mignon(onne) 2. futé(e).
■ **cuco** *nm (oiseau)* coucou *(m)*.

cucú *(pl* **cucúes***) nm (chant, pendule)* coucou *(m)*.

cucurucho *nm* 1. cornet *(m)* 2. cagoule *(f) (de
pénitent)*.

cuello *nm* 1. cou *(m)* 2. col *(m)* • **cuello de botella** goulot *(f)* • *fig* goulet *(m)*.

cuenca *nf* 1. *(d'un fleuve, d'une région minière)* bassin *(m)* 2. orbite *(f)*.

Cuenca *npr* Cuenca.

cuenco *nm* 1. terrine *(f)* 2. jatte *(f)* 3. ramequin
(m).

cuenta ■ *nf* 1. compte *(m)* • **echar cuentas** faire
les comptes • **he perdido la cuenta** je ne sais
plus où j'en suis • **me lo dijo tantas veces que
perdí la cuenta** il me l'a dit je ne sais combien
de fois • **cuenta atrás** compte à rebours 2. FIN
& COMM compte *(m)* • **abrir una cuenta** ouvrir
un compte • **pagar a cuenta** verser un accomp-
te • **cuenta corriente** compte courant • **cuenta de ahorros** compte (d')épargne 3. *(calcul)*
opération *(f)* 4. *(facture)* note *(f)* 5. *(au restaurant)* addition *(f)* 6. charge *(f)* • **los gastos co-
rren de mi cuenta** je prends les frais à ma
charge • **déjalo de mi cuenta** laisse-moi m'en
occuper • **lo haré por mi cuenta** je le ferai
moi-même 7. perle *(f) (de collier)* 8. grain *(m)*
(d'un chapelet) • **a fin de cuentas** en fin de
compte, tout compte fait • **ajustarle las cuentas a alguien** régler son compte à qqn • **caer
en la cuenta** comprendre • **darse cuenta de**
se rendre compte de • **más de la cuenta** un
peu trop • **tener en cuenta algo** tenir compte
de qqch. ■ *v* ▷ **contar**.

cuentarrevoluciones *nm inv* compte-tours *(m
inv)*.

cuentista *nm, f* **1.** conteur *(m)*, -euse *(f)* **2.** menteur *(m)*, -euse *(f)*.

cuento *nm* **1.** conte *(m)* **2.** histoire *(f)* ▪ **lo que me dices es un cuento** tu me racontes des histoires ▪ **cuento chino** histoire à dormir debout ▪ **eso no viene a cuento** cela n'a rien à voir ▪ **tener (mucho) cuento** jouer la comédie.

cuerda *nf* **1.** corde *(f)* **2.** ressort *(m)* ▪ **dar cuerda a un reloj** remonter une montre ▪ **habla como si le hubieran dado cuerda** il ne peut plus s'arrêter de parler ▪ **tener mucha cuerda, tener cuerda para rato** en avoir pour un moment. ■ **cuerdas vocales** *nfpl* cordes *(fpl)* vocales.

cuerdo, da ■ *adj* **1.** *(sain d'esprit)* ▪ **no estás muy cuerdo** tu ne vas pas bien **2.** raisonnable, sage. ■ *nm, f* sage *(mf)*.

cueriza *nf (Amér)* fam trempe *(f)*.

cuerno *nm* **1.** corne *(f)* **2.** MUS trompe *(f)*. ■ **cuernos** *nmpl* fam cornes *(fpl)*.

cuero *nm* cuir *(m)* ▪ **cuero cabelludo** cuir chevelu ▪ **en cueros (vivos)** nu(e) comme un ver.

cuerpo *nm* corps *(m)* ▪ **de cuerpo entero** en pied ▪ **de cuerpo presente** sur son lit de mort ▪ **en cuerpo y alma** *fig* corps et âme ▪ **luchar cuerpo a cuerpo** lutter corps à corps ▪ **tomar cuerpo** prendre corps.

cuervo *nm* corbeau *(m)*.

cuesta ■ *nf* côte *(f)* ▪ **ir cuesta abajo** descendre (la côte) ▪ **ir cuesta arriba** monter (la côte) ▪ **llevar a cuestas** porter sur le dos ▪ **se le hizo cuesta arriba hacer este trabajo** *fig* ça lui a été pénible de faire ce travail. ■ *v* ⊳ **costar**.

cuestión *nf* **1.** question *(f)* **2.** problème *(m)*.

cuestionar *vt* remettre en question.

cuestionario *nm* questionnaire *(m)*.

cueva *nf* grotte *(f)*.

cuicos *nmpl (Amér)* fam flics *(mpl)*.

cuidado ■ *nm* **1.** attention *(f)* ▪ **un genio de cuidado** un sacré caractère ▪ **tener cuidado con** faire attention à **2.** soin *(m)* ▪ **cuidados intensivos** soins intensifs ▪ **eso me trae sin cuidado** *fig* je n'en ai rien à faire. ■ *interj* ▪ **¡cuidado!** attention !

cuidadoso, sa *adj* soigneux(euse).

cuidar ■ *vt* **1.** soigner **2.** prendre soin de. ■ *vi* ▪ **cuidar de** s'occuper de. ■ **cuidarse** *vp* se ménager ▪ **cuidarse de** s'occuper de.

culata *nf* **1.** culasse *(f)* **2.** croupe *(f)*.

culé *(pl* **culés)** *adj* fam du football-club de Barcelone.

culebra *nf* couleuvre *(f)*.

culebrón *nm* feuilleton *(m)* mélo.

culinario, ria *adj* culinaire.

culminación *nf* point *(m)* culminant.

culminar ■ *vt* ▪ **culminar (con)** mettre le point final (à). ■ *vi* culminer ▪ **culminar (con)** *fig* s'achever (par).

culo *nm* **1.** derrière *(m)* *(d'une personne)* **2.** fond *(m)* *(d'un objet, d'un liquide)* **3.** cul *(m)* *(d'une bouteille)*.

culpa *nf* faute *(f)* ▪ **tiene la culpa** c'est de sa faute ▪ **echar la culpa a alguien** rejeter la faute sur qqn ▪ **por culpa de** à cause de.

culpabilidad *nf* culpabilité *(f)*.

culpable ■ *adj* ▪ **culpable (de)** coupable (de) ▪ **declarar culpable a alguien** déclarer qqn coupable ▪ **declararse culpable** plaider coupable. ■ *nmf* coupable *(mf)* ▪ **tú eres el culpable** c'est de ta faute.

culpar *vt* ▪ **culpar a alguien de algo** reprocher qqch à qqn ▪ accuser qqn de qqch.

cultismo *nm* mot *(m)* savant.

cultivar *vt* cultiver. ■ **cultivarse** *vp* se cultiver.

cultivo *nm* culture *(f)* *(des terres)*.

culto, ta *adj* **1.** cultivé(e) **2.** *(langage)* soutenu(e). ■ **culto** *nm* culte *(m)*.

cultura *nf* culture *(f)*.

cultural *adj* culturel(elle).

culturismo *nm* musculation *(f)*, culturisme *(m)*.

cumbre *nf* **1.** sommet *(m)* **2.** POLIT conférence *(f)* au sommet ▪ **en el momento cumbre de su carrera** au faîte de sa carrière.

cumpleaños *nm inv* anniversaire *(m)*.

cumplido, da *adj* **1.** bon(bonne) ▪ **un cumplido vaso de...** un bon verre de... ▪ **una cumplida recompensa** une bonne récompense ▪ **cinco años cumplidos** cinq ans révolus **2.** parfait(e) ▪ **es un cumplido galán** c'est un parfait séducteur **3.** poli(e). ■ **cumplido** *nm* **1.** compliment *(m)* **2.** *(courtoisie)* ▪ **sin cumplidos** sans façons.

cumplidor, ra ■ *adj* sûr(e), digne de confiance. ■ *nm, f* personne *(f)* de confiance.

cumplimentar *vt* **1.** accueillir **2.** féliciter **3.** exécuter.

cumplimiento *nm* **1.** accomplissement *(m)* **2.** exécution *(f)* **3.** respect *(m)* *(d'une loi, d'une promesse)* **4.** échéance *(f)*.

cumplir ■ *vt* **1.** accomplir *(un devoir, une mission)* **2.** exécuter *(un ordre, un contrat)* **3.** tenir *(une promesse, une parole)* **4.** respecter *(la loi)* **5.** avoir ▪ **ha cumplido 40 años** il a fêté ses 40 ans **6.** purger *(une peine)* **7.** faire *(son service militaire)*. ■ *vi* **1.** expirer **2.** faire son devoir ▪ **cumplir con alguien** s'acquitter de ses obligations envers qqn ▪ **para** *ou* **por cumplir** par courtoisie ▪ **cumplir con el deber** remplir son devoir ▪ **cumplir con la palabra** tenir parole.

cúmulo *nm* **1.** tas *(m)* *(de papiers, de vêtements)* **2.** cumulus *(m)* **3.** *fig* série *(f)*.

cuna *nf litt & fig* berceau *(m)*.

cundir *vi* **1.** se répandre • **cunde la voz de que...** le bruit court que... **2.** *(être rentable)* • **esta semana me ha cundido mucho** j'ai bien rempli ma semaine • **este jamón nos ha cundido mucho** avec ce jambon, nous avons eu largement de quoi manger • **me cunde más cuando estudio por la mañana** c'est le matin que je travaille le mieux.

cuneta *nf* **1.** caniveau *(m)* **2.** fossé *(m)*.

cuña *nf* **1.** cale *(f)* **2.** coin *(m)* • **hacer la cuña** faire du chasse-neige **3.** urinal *(m)* **4.** *(Amér) fam* • **tener cuña** avoir du piston.

cuñado, da *nm, f* beau-frère *(m)*, belle-sœur *(f)*.

cuño *nm* poinçon *(m)*.

cuota *nf* **1.** cotisation *(f)* **2.** contribution *(f)* **3.** frais *(mpl)* **4.** quote-part *(f)* • **cuota de mercado** part *(f)* de marché.

cupé *nm* coupé *(m)*.

cupido *nm* *fig* coureur *(m)* de jupons.

cupiera *(etc)* ⟳ **caber.**

cuplé *nm* chanson populaire espagnole légèrement satirique et licencieuse.

cupo ⬧ *nm* **1.** contingent *(m)* *(de recrues)* **2.** quota *(m)* *(de marchandises)* **3.** quote-part *(f)*. ⬧ *v* ⟳ **caber.**

cupón *nm* **1.** bon *(m)* **2.** billet *(m)* *(de loterie)* **3.** *(Bourse)* coupon *(m)*.

cúpula *nf* **1.** coupole *(f)* **2.** dôme *(m)* • **la cúpula** *fig* les dirigeants *(mpl)*.

cura ⬧ *nm* curé *(m)*. ⬧ *nf* **1.** guérison *(f)* **2.** soin *(m)*.

curación *nf* guérison *(f)*.

curado, da *adj* **1.** *(aliment)* sec(sèche) **2.** *(poisson)* salé(e) **3.** *(viande)* séché(e) • **estoy curado de espanto** j'en ai vu d'autres. ⬧ **curado** *nm* **1.** séchage *(m)* **2.** salage *(m)* *(du poisson)*.

curandero, ra *nm, f* guérisseur *(m)*, -euse *(f)*.

curar ⬧ *vt* **1.** soigner **2.** faire sécher *(un aliment, un matériau)*. ⬧ *vi* guérir. ⬧ **curarse** *vp* **1.** se soigner **2.** • **curarse (de)** guérir (de) **3.** *(aliment, matériau)* sécher • **curarse en salud** prendre ses précautions • *fig* parer à toute éventualité.

curativo, va *adj* curatif(ive).

curcuncho, cha *adj (Amér)* bossu(e). ⬧ **curcuncho** *nm (Amér)* **1.** bosse *(f)* **2.** bossu *(m)*.

curdo, da ⬧ *adj* kurde. ⬧ *nm, f* Kurde *(mf)*.

curiosear ⬧ *vi* **1.** épier **2.** fouiner. ⬧ *vt* parcourir *(un livre, une revue)*.

curiosidad *nf* **1.** curiosité *(f)* **2.** *(propreté)* soin *(m)*.

curioso, sa ⬧ *adj* **1.** curieux(euse) **2.** soigneux (euse) **3.** soigné(e). ⬧ *nm, f* curieux *(m)*, -euse *(f)*.

curita® *nf (Amér)* pansement *(m)* adhésif.

currante *adj & nmf fam* bosseur(euse).

currar, currelar *vi fam* bosser.

---

curre = **curro.**

currelar = **currar.**

currículum, currículo *nm* CV *(m)*, curriculum *(m)* • **currículum vitae** curriculum vitae *(m)*.

curro, curre *nm fam* boulot *(m)*.

cursar *vt* **1.** faire des études de • **cursar leyes** faire son droit **2.** envoyer **3.** donner *(des ordres, des instructions)* **4.** présenter *(une demande, un dossier)*.

cursi ⬧ *adj fam* **1.** snob **2.** cucul (la praline). ⬧ *nmf* bêcheur *(m)*, -euse *(f)*.

cursilería *nf* **1.** objet *(m)* de mauvais goût **2.** mauvais goût *(m)* *(d'un objet)* **3.** manières *(fpl)* *(d'une personne)*.

cursillo *nm* **1.** stage *(m)* **2.** cycle *(m)* de conférences.

cursiva *nf* ⟳ **letra.**

curso *nm* **1.** *(gén & ÉCON)* cours *(m)* • **de curso legal** ayant cours légal • **seguir su curso** suivre son cours • **en curso** en cours • **dar curso a algo** donner libre cours à qqch **2.** année *(f)* scolaire **3.** SCOL promotion *(f)*.

cursor *nm* curseur *(m)*.

curtido, da *adj* tanné(e). ⬧ **curtido** *nm* tannage *(m)*.

curtir *vt* **1.** tanner **2.** *fig* aguerrir. ⬧ **curtirse** *vp* **1.** sécher *(des peaux)* **2.** s'aguerrir.

curva *nf* ⟳ **curvo.**

curvatura *nf* courbure *(f)*.

curvo, va ⬧ *adj* courbe. ⬧ **curva** *nf* **1.** courbe *(f)* **2.** virage *(m)* *(d'une route)* • **las curvas** *fig* les formes *(fpl)*, les rondeurs *(fpl)*.

Cusco = **Cuzco.**

cúspide *nf litt & fig* sommet *(m)*.

custodia *nf* **1.** garde *(f)* **2.** ostensoir *(m)*.

custodiar *vt* **1.** garder **2.** veiller sur.

custodio ⬧ *adj* ⟳ **ángel.** ⬧ *nm* gardien *(m)*.

cutáneo, a *adj* cutané(e).

cutícula *nf* cuticule *(f)*.

cutis *nm inv* peau *(f)* *(du visage)*.

cutre *adj fam* **1.** miteux(euse), minable **2.** radin(e).

cutter *(pl cutters) nm* cutter *(m)*.

cuyo, ya *adj* dont le, dont la • **ése es el señor cuyo hijo viste ayer** c'est le monsieur dont tu as vu le fils hier • **un equipo cuya principal estrella...** une équipe dont la vedette... • **el libro en cuya portada...** le livre sur la couverture duquel... • **ésos son los amigos en cuya casa nos hospedamos** ce sont les amis chez qui nous avons logé.

Cuzco, Cusco *npr* Cuzco *(f)*.

CV *(abr de* **currículum vitae***) nm* CV *(m)* • **redactar el CV** rédiger son CV.

d, D [de] *nf* d *(m inv)*, D *(m inv)*.

D. *abrév de* **don**.

dactilar *adj* ➪ **huella**.

dádiva *nf* **1.** présent *(m)* **2.** don *(m)*.

dado, da *adj* donné(e) • **en un momento dado** à un moment donné • **ser dado a** être féru de • être enclin à. ■ **dado** *nm* dé *(m)*. ■ **dado que** *loc conj* étant donné que.

daga *nf* dague *(f)*.

daguerrotipo *nm* daguerréotype *(m)*.

dale *interj* • **idale!** allez!, vas-y !

dalia *nf* dahlia *(m)*.

dálmata *nmf* dalmatien *(m)*, -enne *(f)*.

daltónico, ca *adj & nm, f* daltonien(enne).

daltonismo *nm* daltonisme *(m)*.

dama *nf* dame *(f)*. ■ **dama de honor** *nf* **1.** demoiselle *(f)* d'honneur **2.** dame *(f)* d'honneur. ■ **damas** *nfpl (jeux)* dames *(fpl)*.

damisela *nf péj & iron* donzelle *(f)*.

damnificado, da *adj & nm, f* sinistré(e).

damnificar *vt* endommager.

dandi, dandy *nm* dandy *(m)*.

danés, esa ◨ *adj* danois(e). ◧ *nm, f* Danois *(m)*, -e *(f)*. ■ **danés** *nm* danois *(m)*.

danza *nf* danse *(f)*.

dañar *vt* **1.** endommager **2.** abîmer **3.** *fig* porter tort à. ■ **dañarse** *vp* **1.** *(personne)* se faire mal **2.** *(chose)* s'abîmer.

danzar *vi* **1.** danser **2.** *fig* avoir la bougeotte.

dañino, na *adj* **1.** nocif(ive) **2.** nuisible.

daño *nm* **1.** mal *(m)* • **hacer(se) daño** (se) faire mal **2.** dégât *(m)*, dommage *(m)* • **daños y perjuicios** dommages et intérêts.

---

dar *vt*

1. OFFRIR = donner
• **dame un caramelo** donne-moi un bonbon
• **¿te gusta? te lo doy** ça te plaît ? je te le donne
• **nos dio un beso a cada uno** il nous a fait une bise à chacun

2. COMMUNIQUER UN RENSEIGNEMENT, UNE INFORMATION = donner
• **¿podrías darme un ejemplo?** pourrais-tu me donner un exemple ?

• **¿quién te ha dado mi número de teléfono?** qui t'a donné mon numéro de téléphone ?

3. DONNER, ACCORDER QQCH À QQN = donner
• **me dio un buen consejo** il m'a donné un bon conseil
• **no nos dio permiso para ir** il ne nous a pas donné la permission d'y aller
• **en el piso nuevo todavía no nos han dado la luz/el agua** dans notre nouvel appartement, on ne nous a pas encore branché l'électricité/l'eau

4. PRODUIRE = donner
• **esta tierra da mucho trigo** cette terre donne beaucoup de blé
• **esta fuente ya no da agua** cette source ne donne plus d'eau

5. INDIQUER L'HEURE = sonner
• **el reloj ha dado las dos** l'horloge a sonné deux heures

6. ACTIVER UN DISPOSITIF = allumer
• **da la luz de la cocina** allume la lumière de la cuisine

7. PROVOQUER UN ÉTAT, UN SENTIMENT OU UNE RÉACTION
• **dar gusto/miedo/pena** faire plaisir/peur/de la peine
• **dar risa** faire rire
• **dar escalofríos** donner des frissons

8. *fam* À LA TÉLÉ, AU CINÉMA = passer
• **hoy dan una película de miedo en la segunda cadena** aujourd'hui, on passe un film d'horreur sur la 2

9. *fam* AU THÉÂTRE = jouer
• **¿qué dan esta semana en el Capitolio?** qu'est-ce qu'on joue au Capitolio cette semaine ?

10. *fam* FAIRE EN SORTE QUE QQN PASSE UN MAUVAIS MOMENT
• **me dio la tarde con sus preguntas** il m'a enquiquinée tout l'après-midi avec ses questions
• **dar la lata** casser les pieds

11. DANS DES EXPRESSIONS
• **dar los buenos días** dire bonjour
• **dar las gracias** dire merci, remercier
• **dar un paseo** faire une promenade
• **dar un grito** pousser un cri
• **dar un empujón a alguien** bousculer qqn
• **dar prisa** presser.

---

dar *vi*

1. INDIQUE L'HEURE = sonner
• **acaban de dar las tres** trois heures viennent juste de sonner

2. SUIVI D'UN NOM INDIQUANT UN ÉTAT = avoir
• **le dio un mareo/un ataque de nervios** il a eu un malaise/une crise de nerfs

3. DANS DES EXPRESSIONS

• **la falda ha dado mucho de sí** la jupe s'est beaucoup détendue

• **los zapatos han dado de sí** les chaussures se sont faites

• **te digo que pares y tú idale (que dale)!** *fam* je te dis d'arrêter et toi tu continues !

■ **dar a** *v + prép*

1. ÊTRE ORIENTÉ VERS, DONNER SUR

• **la fachada principal da al este** la façade principale est orientée à l'est

• **la ventana da al patio** la fenêtre donne sur la cour

• **la puerta da a la calle** la porte donne sur la rue

2. METTRE UN MÉCANISME EN ACTION

• **dar a la manilla** tourner la poignée

• **dar al botón** appuyer sur le bouton.

■ **dar con** *v + prép*

• **he dado con la solución** j'ai trouvé la solution

• **di con él al salir de aquí** je l'ai rencontré en sortant d'ici.

■ **dar contra** *v + prép*

heurter

• **la piedra dio contra el cristal** la pierre a heurté la vitre.

■ **dar de** *v + prép*

1. SUIVI D'UN INFINITIF = donner

• **¿os han dado de comer?** on vous a donné à manger ?

• **le da de mamar a su hijo** elle allaite son fils

2. SUIVI D'UN NOM = donner

• **dar de golpes** donner des coups et des coups.

■ **dar para** *v + prép*

1. SUFFIRE

• **esa tela no da para una falda** il n'y a pas assez de tissu pour faire une jupe

2. DANS DES EXPRESSIONS

• **esta tarjeta de teléfono no da para más** il n'y a plus d'unités sur cette carte de téléphone

• **no doy para más** je suis épuisé.

■ **dar por** *v + prép*

1. PRENDRE UNE HABITUDE, UNE MANIE

• **le ha dado por dejarse la barba** il s'est mis en tête de se laisser pousser la barbe

• **le ha dado por creerse Napoléon** maintenant, il se prend pour Napoléon

2. CONSIDÉRER QQN OU QQCH COMME

• **con estas palabras dio la conversación por terminada** sur ce, il a considéré la conversation close

• **lo doy por hecho** c'est comme si c'était fait

• **lo dieron por muerto** on l'a tenu pour mort.

■ **dar que** *loc conj*

SUIVI DE L'INFINITIF

• **esa historia dio mucho que hablar** cette histoire a fait beaucoup parler.

■ **darse** *vp*

1. SE PRODUIRE = arriver

• **se ha dado el caso de pacientes que se han curado totalmente** il est arrivé que des patients soient complètement guéris

2. AVOIR PLUS OU MOINS D'HABILETÉ OU DE FACILITÉS POUR QQCH

• **se le dan bien la informática** il est doué en informatique

• **se me dan bien las matemáticas** je suis bon en mathématiques

• **se le da mal la ortografía** il n'est pas bon en orthographe

3. DANS DES EXPRESSIONS

• **quiso dárnosla** *fam* il a voulu nous rouler.

■ **darse a** *vp + prép*

SE CONSACRER À QQCH

• **darse a la bebida** s'adonner à la boisson.

■ **darse de** *vp + prép*

SE CONSIDÉRER COMME, TENIR LE RÔLE DE

• **se las da de listo** il se croit très intelligent

• **se las da de valiente** il joue les durs.

■ **darse por** *vp + prép*

CONSIDÉRER

• **puedes darte por satisfecho** tu as des raisons d'être satisfait.

dardo *nm* **1.** fléchette *(f)* **2.** *fig* pique *(f)*.

dársena *nf* **1.** bassin *(m)* **2.** dock *(m)*.

datar ■ *vt* dater. ■ *vi* • **datar de** dater de, remonter à.

dátil *nm* datte *(f)*. ■ **dátil (de mar)** *nm* datte *(f)* de mer.

dato *nm* **1.** *(gén,* INFORM & MATH*)* donnée *(f)* **2.** renseignement *(m)* • **datos personales** noms, prénoms, adresse, etc.

dcha., der. *(abr écrite de* **derecha)** dr., dte.

d. de JC., d. JC. *(abr écrite de* **después de Jesucristo)** apr. J-C • **en el año 128 d. de JC.** en l'an 128 apr. J-C.

de *prép*

de + el = del

1. INDIQUE L'APPARTENANCE = de
- **el coche de mi padre** la voiture de mon père
2. INDIQUE LA MATIÈRE = en
- **un reloj de oro** une montre en or
3. INDIQUE LE CONTENU = de
- **bebió un vaso de agua** il a bu un verre d'eau
- **los libros de historia** les livres d'histoire
4. INDIQUE UNE CARACTÉRISTIQUE = à, en
- **un aparato de fácil manejo** un appareil facile à utiliser
- **un sello de sesenta céntimos** un timbre à soixante centimes
- **la señora de verde** la dame en vert
5. INDIQUE LE BUT = de
- **una bici de carreras** un vélo de course
6. INDIQUE LA CAUSE = de
- **llorar de alegría** pleurer de joie
7. INDIQUE LA MANIÈRE = de
- **de una sola vez** d'un coup
8. INDIQUE LA PROVENANCE, L'ORIGINE = de
- **vengo de mi casa** je viens de chez moi
- **soy de Bilbao** je suis de Bilbao
- **es de buena familia** elle est de bonne famille
9. INDIQUE LE MOMENT
- **a las tres de la tarde** à trois heures de l'après-midi
- **llegamos de madrugada** nous sommes arrivés à l'aube
- **trabaja de noche y duerme de día** il travaille la nuit et dort le jour
- **de pequeño, comía muchos caramelos** quand il était petit, il mangeait beaucoup de bonbons
10. INDIQUE UN POINT DE DÉPART DANS LE TEMPS = de
- **de nueve a cinco** de neuf heures à cinq heures
11. INDIQUE LE MÉTIER
- **trabaja de bombero** il est pompier
- **trabaja de camarero en un restaurante** il travaille comme serveur dans un restaurant
12. DANS DES PHRASES SUPERLATIVES = de
- **el mejor de todos** le meilleur de tous
13. SUIVI DE L'INFINITIF, EXPRIME UNE CONDITION
- **de haber querido ayudarme, lo habría hecho** s'il avait voulu m'aider, il l'aurait fait
14. AVEC UNE VALEUR EMPHATIQUE
- **el idiota de tu hermano** ton idiot de frère

dé ▷ **dar**.

deambular *vi* déambuler.

deán *nm* (*ecclésiastique*) doyen (*m*).

debajo *adv* dessous • **por debajo de** en dessous de, au-dessous de • **por debajo de la ro-**dilla au-dessous du genou • **por debajo del puente** sous le pont • **debajo de** sous • **debajo de la cama** sous le lit.

debate *nm* débat (*m*).

debatir *vt* • **debatir algo** débattre de qqch. ■ **debatirse** *vp* se débattre.

debe *nm* débit (*m*) • **debe y haber** débit et crédit.

deber *nm* (*ce à quoi l'on est obligé par la loi, la morale*) devoir • **todos tenemos derechos y deberes** nous avons tous des droits et des devoirs. ■ **deberes** *nmpl* (*travaux écrits*) devoirs • **hacer los deberes** faire ses devoirs.

deber *vt*

1. ÊTRE TENU DE PAYER, DE RESTITUER, DE FOURNIR = devoir
- **¿cuánto** ou **qué le debo?** combien je vous dois ?
- **me debes al menos una explicación** tu me dois au moins une explication
2. EXPRIME UNE OBLIGATION MORALE, UNE NÉCESSITÉ = devoir
- **debo hacerlo** je dois le faire
- **debes dominar tus impulsos** tu dois maîtriser tes impulsions
- **deberían abolir esa ley** cette loi devrait être abolie.

■ **deber de** *v + prép*

EXPRIME UNE HYPOTHÈSE = devoir
- **deben de ser las siete** il doit être sept heures
- **no debe de haber nadie en casa** il ne doit y avoir personne à la maison
- **debe de tener más de sesenta años** elle doit avoir plus de soixante ans.

■ **deberse a** *vp + prép*

1. ÊTRE TENU DE SE CONSACRER À QQCH OU QQN = se devoir à
- **dice que se debe a sus hijos** elle dit qu'elle se doit à ses enfants
2. ÊTRE CAUSÉ PAR = être dû(due) à
- **el retraso se debe a la huelga** le retard est dû à la grève.

debido, da *adj* **1.** dû(due) **2.** nécessaire • **como es debido** comme il se doit • comme il faut, correctement. ■ **debido a** *loc prép* du fait de, en raison de.

débil ◼ *adj* **1.** faible **2.** affaibli(e) (*par une maladie*). ◼ *nmf* faible (*mf*).

À PROPOS DE...

débil

Débil est un faux-ami ! Il signifie « faible ».

debilidad *nf* faiblesse *(f)* • **tener** *ou* **sentir debilidad por** *fig* avoir un faible pour.
debilitar *vt* affaiblir. ■ **debilitarse** *vp* s'affaiblir.
debut *(pl debuts)* *nm* **1.** débuts *(mpl) (d'un artiste)* **2.** sortie *(f) (d'un film)* **3.** première *(f) (d'une pièce de théâtre).*
debutar *vi* débuter, faire ses débuts.
década *nf* **1.** décennie *(f)* **2.** décade *(f).*
decadencia *nf* décadence *(f).*
decadente *adj* **1.** décadent(e) **2.** *(batiment)* dégradé(e).
decaer *vi* **1.** décliner **2.** *(malade)* s'affaiblir **3.** *(état de santé)* s'aggraver **4.** *(qualité)* baisser **5.** *(enthousiasme)* tomber.
decaído, da *adj* **1.** abattu(e) **2.** affaibli(e).
decaimiento *nm* **1.** abattement *(m)* **2.** faiblesse *(f).*
decálogo *nm* **1.** décalogue *(m)* **2.** *fig* règles *(fpl)* d'or.
decano, na *nm, f* doyen *(m)*, -enne *(f).*
decapitar *vt* décapiter.
decena *nf* dizaine *(f).*
decencia *nf* décence *(f)* • **con decencia** décemment.
decenio *nm* décennie *(f).*
decente *adj* **1.** décent(e) **2.** *(prix, pourboire)* correct(e) • **una mujer decente** une femme qui se respecte.
decepción *nf* déception *(f).*
decepcionar *vt* décevoir.
decibelio *nm* décibel *(m).*
decidido, da *adj* décidé(e).
decidir *vt* décider • **decidir hacer algo** décider de faire qqch • **decidir algo** décider de qqch.
décima *nf* ⊳ **décimo.**
decimal ◼ *adj* décimal(e) • **la parte decimal** le dixième. ◼ *nm* décimale *(f).*
décimo, ma *adj num* dixième.• *voir aussi* **sexto** ◼ **décimo** *nm* dixième *(m).* ◼ **décima** *nf* dixième *(m)* • **una décima de segundo** un dixième de seconde • **tiene unas décimas (de fiebre)** il a un peu de fièvre.
decimoctavo, va *adj num* dix-huitième.
decimocuarto, ta *adj num* quatorzième.
decimonoveno, na *adj num* dix-neuvième.
decimoquinto, ta *adj num* quinzième.
decimoséptimo, ma *adj num* dix-septième.
decimosexto, ta *adj num* seizième.
decimotercero, ra *adj num* treizième.
decir *vt* **1.** dire • **¿cómo se dice?** comment dit-on ? • **decir a alguien que haga algo** dire à qqn de faire qqch • **decir mucho de algo** en dire long sur qqch • **se dice que...** il paraît que... • **decir que sí/no** dire oui/non • **¿diga?, ¿dígame?** allô ! **2.** réciter • **decir para sí** se dire • **... y dijo para sí: "ya veremos"** ... et il s'est dit : « on verra bien » • **el qué dirán** le qu'en-dira-t-on • **es decir** c'est-à-dire • **no me dice nada el tenis** le tennis ne me dit rien.

decisión *nf* décision *(f).*
decisivo, va *adj* décisif(ive).
declamar *vt* déclamer.
declaración *nf* **1.** déclaration *(f)* • **declaración del impuesto sobre la renta, declaración de renta** déclaration d'impôts sur le revenu, déclaration de revenus **2.** déposition *(f).*
declarar ◼ *vt* déclarer. ◼ *vi* **1.** déposer **2.** témoigner. ■ **declararse** *vp* se déclarer • **declararse a favor/en contra de algo** se déclarer pour/contre qqch • **declararse culpable/inocente** plaider coupable/non coupable.
declinar *vt* & *vi* décliner.
declive *nm* **1.** déclin *(m)* **2.** pente *(f)* • **en declive** en pente • *fig* en déclin.
decodificador = **descodificador.**
decoración *nf* **1.** décoration *(f)* **2.** THÉÂTRE décor *(m).*
decorado *nm* décor *(m)* • **el decorado** CINÉ & THÉÂTRE les décors.
decorar *vt* décorer.
decorativo, va *adj* décoratif(ive).
decoro *nm* **1.** décence *(f)* • **vestir con (mucho) decoro** s'habiller (très) convenablement **2.** dignité *(f)* • **vivir con decoro** vivre décemment.
decoroso, sa *adj* convenable.
decrecer *vi* décroître.
decrépito, ta *adj* *péj* **1.** *(personne)* décrépit(e) **2.** *(civilisation)* décadent(e).
decretar *vt* décréter.
decreto *nm* décret *(m)* • **decreto ley** décret-loi *(m).*
dedal *nm* dé *(m)* (à coudre).
dedicación *nf* **1.** *(de temps)* dévouement *(m)* • **de dedicación en exclusiva** à plein temps, à temps complet **2.** attribution *(f) (de fonds)* **3.** consécration *(f) (de monuments).*
dedicar *vt* **1.** consacrer *(du temps, de l'argent, de l'énergie)* **2.** adresser *(des mots)* **3.** dédier **4.** dédicacer. ■ **dedicarse** *vp* • **dedicarse a** *(un métier)* faire • **se dedica a la fotografía** il fait de la photo • **se consacrer à** *(une activité, quelqu'un)* • **¿a qué te dedicas?** qu'est-ce que tu fais dans la vie ? • **me dedico a la enseñanza** je suis enseignant.
dedicatoria *nf* dédicace *(f).*
dedo *nm* **1.** doigt *(m)* • **a dedo** au hasard • **elegir a alguien a dedo** désigner qqn • **hacer dedo** *fam* faire du stop • **(dedo) anular** annulaire *(m)* • **(dedo) corazón** majeur *(m)* • **dedo gordo** *ou* **pulgar** pouce *(m)* • **(dedo) índice** index *(m)* • **(dedo) meñique** petit doigt *(m)* • **(dedo) corazón** majeur 2. orteil *(m)* • **pillarse** *ou* **cogerse los dedos** *fig* se brûler les doigts • **poner el dedo en la llaga** mettre le doigt sur la plaie.
deducción *nf* déduction *(f).*
deducir *vt* déduire.
defecar *vi* déféquer.
defecto *nm* défaut *(m).* ■ **por defecto** *loc adv* par défaut.

defectuoso, sa *adj* **1.** défectueux(euse) **2.** mal fait(e).

defender *vt* défendre • **defender a alguien (de)** protéger qqn (de). ■ **defenderse** *vp* se défendre • **defenderse (de)** se protéger (de) • **se defiende del frío** il se protège du froid • **se defiende en el trabajo** *fig* il se défend bien dans son travail.

defensa ◼ *nf* **1.** défense *(f)* • **en defensa propia** pour se défendre **2.** plaidoyer *(m).* ◼ *nmf* arrière *(m).* ■ **defensas** *nfpl* défenses *(fpl).*

defensivo, va *adj* **1.** défensif(ive) **2.** de défense. ■ **defensiva** *nf* • **ponerse/estar a la defensiva** se mettre/être sur la défensive.

defensor, ra ◼ *adj* ▷ **abogado.** ◼ *nm, f* défenseur *(m).* ■ **defensor del pueblo** *nm* ≃ médiateur *(m)* (de la République).

deferencia *nf* déférence *(f)* • **por deferencia a** par respect pour.

deficiencia *nf* **1.** défaillance *(f)* **2.** insuffisance *(f).*

deficiente *adj* **1.** déficient(e) **2.** *(aliment)* pauvre **3.** *(élève)* médiocre. ■ **deficiente (mental)** *nmf* arriéré *(m),* -e *(f).*

déficit *nm inv* **1.** déficit *(m)* **2.** manque *(m).*

deficitario, ria *adj* déficitaire.

definición *nf* **1.** définition *(f)* **2.** description *(f)* **3.** position *(f)* *(idéologique).*

definir *vt* définir. ■ **definirse** *vp* **1.** se définir **2.** prendre position.

definitivo, va *adj* définitif(ive) • **en definitiva** en définitive.

deforestación *nf* déboisement *(m),* déforestation *(f).*

deformación *nf* déformation *(f).*

deformar *vt litt & fig* déformer. ■ **deformarse** *vp* se déformer.

deforme *adj* difforme.

defraudar *vt* **1.** décevoir **2.** frauder • **defraudar a Hacienda** frauder le fisc.

defunción *nf* décès *(m).*

degeneración *nf* **1.** décadence *(f)* **2.** dégénérescence *(f).*

degenerado, da ◼ *adj* décadent(e). ◼ *nm, f* dégénéré *(m),* -e *(f).*

degenerar *vi* • **degenerar (en)** dégénérer (en).

deglutir *vt & vi* déglutir.

degollar *vt* égorger.

degradar *vt* **1.** *(moralement & MIL)* dégrader **2.** *(poste)* rétrograder. ■ **degradarse** *vp* **1.** se dégrader **2.** se rabaisser.

degustación *nf* dégustation *(f).*

dehesa *nf* pâturage *(m).*

dejadez *nf* laisser-aller *(m).*

dejado, da ◼ *adj* **1.** négligent(e) **2.** *(aspect)* négligé(e). ◼ *nm, f* souillon *(mf).*

---

dejar *vt*

1. DÉPOSER = laisser
• **deja el libro en la mesa** laisse le livre sur la table
• **he dejado el abrigo en el guardarropa** j'ai laissé mon manteau au vestiaire

2. CONFIER, DONNER QQCH À QQN = laisser
• **dejaré la llave a la portera** je laisserai la clé à la concierge
• **su abuelo le dejó mucho dinero** son grand-père lui a laissé beaucoup d'argent
• **deja un poco de café para mí** laisse-moi un peu de café
• **¿puedes dejarme el boli/cien euros?** peux-tu me prêter ton stylo/cent euros ?

3. AUTORISER, PERMETTRE
• **deja que tu hijo venga con nosotros** laisse ton fils venir avec nous
• **sus gritos no me dejaron dormir** ses cris m'ont empêché de dormir

4. ABANDONNER
• **está triste porque su novia lo dejó** il est triste parce que sa fiancée l'a quitté
• **se negó a dejar a sus hijos** il a refusé d'abandonner ses enfants
• **lo obligaron a dejar el país** il a été obligé de quitter le pays
• **tuvo que dejar los estudios y ponerse a trabajar** il a dû abandonner ses études et commencer à travailler

5. CESSER DE, ARRÊTER DE
• **ha dejado la bebida** il a arrêté de boire
• **sin dejar de hablar** sans cesser de parler

6. NE PAS IMPORTUNER QQN = laisser
• **¡déjame!, que tengo trabajo** laisse-moi tranquille, j'ai du travail !

7. NE PAS S'OCCUPER DE QQCH = laisser
• **déjalo, no importa** laisse tomber, ce n'est pas grave

8. LAISSER QQN QUELQUE PART = déposer
• **¿te puedo dejar en algún sitio? – sí, déjame en la estación, por favor** je peux te déposer quelque part ? – oui, dépose-moi à la gare, s'il te plaît

9. NE PAS OMETTRE
• **lo copió todo, sin dejar una coma** il a tout recopié à la virgule près

10. NE PAS FAIRE QQCH
• **dejó la cama sin hacer** il n'a pas fait son lit
• **dejaron varias cuestiones por resolver** ils ont laissé plusieurs points en suspens

11. CHANGER L'ÉTAT DE QQN OU QQCH
• **me ha dejado los zapatos como nuevos** il a remis mes chaussures à neuf
• **con lo que me dijiste, me dejaste preocupado** avec ce que tu m'as dit, j'ai commencé à m'inquiéter

12. REPOUSSER, DIFFÉRER UNE ACTION = attendre
• **dejó que terminara de llover para salir** il a attendu qu'il cesse de pleuvoir pour sortir
• **dejaremos la fiesta para cuando se encuentre bien** nous attendrons qu'il aille mieux pour faire cette fête
13. DANS DES EXPRESSIONS
• **más vale dejarlo correr** il vaut mieux laisser tomber.

dejar *vi*

laisser
• **esta traducción deja (mucho** ou **bastante) que desear** cette traduction laisse (beaucoup) à désirer.

■ **dejar de** *v + prép*

1. CESSER DE FAIRE QQCH = arrêter
• **he decidido dejar de fumar** j'ai décidé d'arrêter de fumer
• **¡deja de gritar!** arrête de crier !
2. NE PAS MANQUER DE FAIRE QQCH
• **¡no dejes de escribirme!** n'oublie pas de m'écrire !
• **no dejaremos de venir a verte** nous ne manquerons pas de venir te voir.

■ **dejarse** *vp*

1. OUBLIER = laisser
• **me dejé el paraguas en el taxi** j'ai laissé mon parapluie dans le taxi
2. PERMETTRE À QQN DE FAIRE QQCH = se laisser
• **se dejó engañar** il s'est laissé berner
• **¡no me voy a dejar insultar!** je ne vais pas me laisser insulter !
3. SE LAISSER ALLER, NE NÉGLIGER
• **se dejó mucho después del divorcio** il s'est beaucoup laissé aller après son divorce
4. *fam* ÊTRE AGRÉABLE, EN PARLANT DE QQCH
• **no está mal este cóctel, se deja beber** pas mal ce cocktail, il se laisse boire
• **una película que se deja mirar** un film qui se laisse regarder
5. DANS DES EXPRESSIONS
• **si puedo me dejaré caer por tu casa** si je peux, je passerai chez toi
• **se deja llevar por lo que le dicen sus amigos** il se laisse influencer par ses amis
• **no te dejes llevar por la cólera** ne te laisse pas emporter par la colère.

■ **dejarse de** *vp + prép*

arrêter de
• **¡déjate de tonterías!** arrête de raconter des bêtises !

deje *nm* **1.** accent *(m)* **2.** *fig* arrière-goût *(m)*.
del ▷ **de.**
delantal *nm* tablier *(m)*.

delante *adv* devant • **pasar delante** passer devant • **el de delante** celui de devant. ■ **delante de** *loc prép* devant • **delante de la ventana** devant la fenêtre • **delante de él** devant lui • **delante de mi casa** devant chez moi • **por delante de todos** devant tout le monde.

delantero, ra ■ *adj* avant, de devant • **las ruedas delanteras** les roues avant. ■ *nm, f* SPORT avant *(m)*. ■ **delantera** *nf* **1.** SPORT ligne *(f)* d'attaque **2.** *fam (décolleté)* • **¡vaya delantera!** il y a du monde au balcon ! • **llevar la delantera a alguien** avoir de l'avance sur qqn.

delatar *vt* **1.** dénoncer **2.** *fig (sujet : yeux, sourire, etc)* trahir. ■ **delatarse** *vp* se trahir.

delator, ra *nm, f* délateur *(m)*, -trice *(f)*.

delegación *nf* **1.** délégation *(f)* **2.** filiale *(f)* **3.** office *(m)* régional • **delegación de Hacienda** centre *(m)* des impôts **5.** agence *(f)*.

delegado, da *nm, f* **1.** délégué *(m)*, -e *(f)* **2.** COMM représentant *(m)*, -e *(f)*.

delegar *vt* • **delegar algo (en** ou **a alguien)** déléguer qqch (à qqn).

deleite *nm* délice *(m)*.

deletrear *vt* épeler.

deleznable *adj* **1.** *(climat, livre, conduite)* exécrable **2.** *(raison, excuse)* minable.

delfín *nm* dauphin *(m)*.

delgado, da *adj* **1.** mince **2.** maigre **3.** fin(e).

deliberación *nf* délibération *(f)*.

deliberar *vi* délibérer.

delicadeza *nf* délicatesse *(f)*.

delicado, da *adj* **1.** délicat(e) **2.** attentionné(e) **3.** affaibli(e) • **estar delicado de salud/del estómago** avoir la santé/l'estomac fragile.

delicia *nf* délice *(m)* • **¡qué delicia!** quel plaisir ! • **estar contigo es una delicia** c'est un vrai plaisir d'être avec toi.

delicioso, sa *adj* **1.** *(repas)* délicieux(euse) **2.** *(personne)* charmant(e).

delimitar *vt* délimiter.

delincuencia *nf* délinquance *(f)*.

delincuente *nmf* délinquant *(m)*, -e *(f)*.

delineante *nmf* dessinateur *(m)*, -trice *(f)*

delinquir *vi* commettre un délit.

delirante *adj* délirant(e).

delirar *vi* délirer.

delirio *nm* délire *(m)*.

delito *nm* délit *(m)* • **delito ecológico** délit à l'encontre de l'environnement • **cometer un delito** commettre un délit.

delta *nm* delta *(m)*.

demacrado, da *adj* **1.** *(visage)* émacié(e) **2.** *(corps)* décharné(e).

demagogo, ga *nm, f* démagogue *(mf)*.

demanda *nf* 1. *(gén & ÉCON)* demande *(f)* • **demanda salarial** revendication *(f)* salariale 2. action *(f)* en justice • **presentar una demanda contra alguien** poursuivre qqn en justice.

demandante *nmf* demandeur *(m)*, -eresse *(f)*.

demandar *vt* • **demandar a alguien (por difamación)** poursuivre qqn (en diffamation).

demarcación *nf* 1. démarcation *(f)* 2. zone *(f)* • **demarcación territorial** circonscription *(f)*.

demás ◼ *adj inv* autre • **la demás gente** les autres gens. ◼ *pron inv* • **las/los demás** les autres • **lo demás** le reste • **por lo demás** à part ça • **y demás** et autres.

demasiado, da *adj* trop de • **demasiado pan** trop de pain • **demasiada comida** trop à manger. ◼ **demasiado** *adv* trop • **habla demasiado** il parle trop • **va demasiado rápido** il va trop vite.

demencia *nf* démence *(f)*.

demencial *adj* démentiel(elle).

demente *adj & nmf* dément(e).

democracia *nf* démocratie *(f)*.

demócrata *adj & nmf* démocrate.

democrático, ca *adj* démocratique.

demografía *nf* démographie *(f)*.

demoler *vt* démolir.

demolición *nf* démolition *(f)*.

demonio *nm* 1. RELIG démon *(m)* 2. *fig* diable *(m)* 3. *(valeur emphatique)* • **¿dónde/qué demonios...?** bon sang, où/qui...? ◼ **demonios** *interj* • **idemonios!** flûte !

demora *nf* retard *(m)*.

demorar *vt* retarder. ◼ **demorarse** *vp* 1. s'attarder 2. être en retard.

demostración *nf* 1. démonstration *(f)* 2. preuve *(f)* 3. manifestation *(f)* *(de douleur, de joie)* 4. exhibition *(f)* *(sportive)* 5. étalage *(m)* *(de pouvoir, de richesses)*.

demostrar *vt* 1. démontrer 2. manifester *(de la joie, de l'impatience, de la douleur)* 3. faire étalage de *(son pouvoir, de ses richesses)* 4. montrer *(un fonctionnement, un processus)*.

denegar *vt* rejeter.

denigrante *adj* 1. *(accusation, peine)* infamant(e) 2. *(travail, activité)* dégradant(e) 3. *(façon de traiter)* humiliant(e).

denigrar *vt* humilier.

denominación *nf* dénomination *(f)* • **denominación de origen** appellation *(f)* d'origine.

denominador *nm* dénominateur *(m)* • **denominador común** dénominateur commun.

denotar *vt* témoigner de • **un lenguaje que denota mucha cultura** un langage qui témoigne d'une grande culture.

densidad *nf* densité *(f)* • **alta/doble densidad** haute/double densité • **densidad de población** densité de population.

denso, sa *adj* 1. dense 2. épais(aisse).

dentadura *nf* denture *(f)* • **la higiene de la dentadura** l'hygiène des dents • **dentadura postiza** dentier *(m)*.

dentera *nf* • **dar dentera** faire grincer des dents • *fig* faire envie.

dentífrico, ca *adj* dentifrice. ◼ **dentífrico** *nm* dentifrice *(m)*.

dentista *nmf* dentiste *(mf)*.

dentro *adv* dedans, à l'intérieur • **quedarse dentro** rester à l'intérieur • **ahí dentro** là-dedans • **el bolsillo de dentro** la poche intérieure • **por dentro** à l'intérieur • *fig* intérieurement • **hay que lavar el coche por dentro** il faut laver l'intérieur de la voiture. ◼ **dentro de** *loc prép* dans • **dentro del sobre** dans l'enveloppe • **dentro de un año** dans un an • **dentro de lo posible** dans la mesure du possible • **dentro de poco** d'ici peu • **dentro de mi/tu** etc **alma** en moi/toi etc.

denuncia *nf* 1. plainte *(f)* • **presentar una denuncia (contra)** déposer une plainte (contre) 2. dénonciation *(f)*.

denunciar *vt* 1. signaler 2. dénoncer.

deparar *vt* 1. causer *(une surprise)* 2. procurer *(du plaisir)* 3. offrir *(une opportunité)* • **lo que nos depara la vida** ce que la vie nous réserve.

departamento *nm* 1. département *(m)* 2. *(dans un grand magasin)* rayon *(m)* 3. *(à l'école, à l'université)* section *(f)* 4. *(dans une entreprise)* service *(m)* 5. *(d'un tiroir, d'une valise)* compartiment *(m)*.

departir *vi* converser.

dependencia *nf* 1. dépendance *(f)* 2. *(département)* service *(m)*. ◼ **dependencias** *nfpl* 1. pièces *(fpl)* 2. dépendances *(fpl)*.

depender *vi* dépendre • **depender de algo/de alguien** dépendre de qqch/de qqn.

dependienta *nf* vendeuse *(f)*.

dependiente ◼ *adj* dépendant(e). ◼ *nm* vendeur *(m)*.

depilar *vt* épiler. ◼ **depilarse** *vp* s'épiler.

depilatorio, ria *adj* dépilatoire. ◼ **depilatorio** *nm* dépilatoire *(m)*.

deplorable *adj* 1. déplorable 2. *(personne)* lamentable.

deportar *vt* 1. déporter 2. expulser *(un immigrant)*.

deporte *nm* sport *(m)* • **deportes de riesgo** sports *(mpl)* à haut risque • **hacer deporte** faire du sport • **practicar un deporte** pratiquer un sport.

deportista *adj & nmf* sportif(ive).

deportivo, va *adj* 1. sportif(ive) • **la ropa deportiva** les vêtements de sport 2. *(conduite, comportement)* sport, fair-play 3. *(bateau, port)* de plaisance. ◼ **deportivo** *nm* voiture *(f)* de sport.

deposición *nf* **1.** destitution *(f) (d'un ministre, d'un secrétaire)* **2.** déposition *(f) (d'un roi)* **3.** selles *(fpl)*.

depositar *vt* **1.** déposer **2.** *fig* • **depositar su confianza en alguien** placer sa confiance en qqn • **depositar ilusiones en alguien** entretenir des illusions sur qqn • **depositar cariño en alguien** donner son affection à qqn. ■ **depositarse** *vp* se déposer.

depositario, ria *adj* & *nm, f* dépositaire.

depósito *nm* **1.** dépôt *(m)* • **depósito de cadáveres** morgue *(f)* • **depósito de muebles** garde-meuble *(m)* • **depósito legal** dépôt légal **2.** réservoir *(m)* • **depósito de gasolina** réservoir d'essence.

depravado, da *adj* & *nm, f* dépravé(e).

depravar *vt* dépraver.

depreciar *vt* déprécier. ■ **depreciarse** *vp* se déprécier.

depredador, ra *adj* **1.** prédateur(trice) **2.** *fig* rapace. ■ **depredador** *nm* prédateur *(m)*.

depresión *nf* dépression *(f)* • **depresión atmosférica** dépression atmosphérique.

depresivo, va *adj* **1.** dépressif(ive) **2.** déprimant(e). ■ *nm, f* dépressif *(m)*, -ive *(f)*.

deprimido, da *adj* déprimé(e).

deprimir *vt* **1.** déprimer **2.** *fig* appauvrir. ■ **deprimirse** *vp* être déprimé(e).

deprisa, de prisa *adv* vite.

depto., dep. *(abr écrite de* **departamento)** dépt.

depuración *nf* **1.** épuration *(f)* **2.** *fig* purge *(f) (d'un organisme, d'une corporation)*.

depurar *vt* **1.** épurer **2.** *fig* purger **3.** affiner *(le goût)*.

der. = **dcha.**

derby *(pl* **derbys)** *nm* derby *(m)*.

derecha *nf* ⊳ **derecho**.

derecho, cha *adj* **1.** droit(e) • **en la fila derecha** dans la file de droite **2.** droit • **andar derecho** se tenir droit **3.** droit • **me fui derecho a la cama** je suis allé (tout) droit au lit • **ir derecho al grano** aller droit au but. ■ **derecho** *adv* droit • **siga derecho por esta calle hasta el final** continuez tout droit jusqu'au bout de la rue. ■ *nm* **1.** droit *(m)* • **¡no hay derecho!** ce n'est pas juste ! • **'reservado el derecho de admisión'** 'droit d'entrée réservé' • **derecho civil/penal** droit civil/pénal • **derechos humanos** droits de l'homme **2.** *(d'un tissu, d'un vêtement)* endroit *(m)* • **del derecho** à l'endroit. ■ **derecha** *nf* droite *(f)* • **a la derecha** à droite • **ser de derechas** être de droite. ■ **derechos** *nmpl* droits *(mpl)* • **derechos de aduana** droits de douane • **derechos de autor** droits d'auteur.

deriva *nf* dérive *(f)* • **a la deriva** à la dérive.

derivación *nf* dérivation *(f)*.

derivado, da *adj* dérivé(e). ■ **derivado** *nm* dérivé *(m)*.

derivar *vt* **1.** dériver **2.** dévier *(une route)* **3.** détourner *(la conversation)*. ■ *vi* **1.** dériver **2.** détourner • **derivar de** dériver de.

dermatólogo, ga *nm, f* dermatologue *(mf)*.

dermis *nf inv* derme *(m)*.

derogación *nf* dérogation *(f)*.

derramamiento *nm* écoulement *(m)* • **derramamiento de sangre** effusion *(f)* de sang.

derramar *vt* **1.** répandre **2.** renverser *(par accident)* • **derramar lágrimas** verser des larmes. ■ **derramarse** *vp* se répandre.

derrame *nm* **1.** MED épanchement *(m)* • **derrame sinovial** épanchement de synovie **2.** déversement *(m)* (d'un liquide) **3.** écoulement *(m)* (de sang).

derrapar *vi* déraper.

derretir *vt* fondre. ■ **derretirse** *vp* fondre • **derretirse (por alguien)** *fam fig* être fou(folle) (de qqn).

derribar *vt* **1.** démolir *(un bâtiment)* **2.** abattre *(un arbre, un avion)* **3.** *fig* renverser *(un gouvernement, un dirigeant)*.

derribo *nm* **1.** démolition *(f)* **2.** abattage *(m)* *(d'arbres)* **3.** gravats *(mpl)*.

derrocar *vt* POLIT renverser.

derrochar *vt* **1.** gaspiller **2.** déborder de • **derrochar energía** il déborde d'énergie.

derroche *nm* **1.** gaspillage *(m)* **2.** profusion *(f)* **3.** explosion *(f)* (de joie).

derrota *nf* **1.** échec *(m)* **2.** MIL & SPORT défaite *(f)* **3.** NAUT route *(f)*.

derrotar *vt* **1.** *(gén & SPORT)* battre **2.** MIL vaincre **3.** *fig* accabler.

derrotero *nm* **1.** chemin *(m)* **2.** NAUT route *(f)*.

derrotista *adj* & *nmf* défaitiste.

derrumbamiento *nm litt* & *fig* effondrement *(m)*.

derrumbar *vt* **1.** démolir *(physiquement)* **2.** abattre *(moralement)*. ■ **derrumbarse** *vp litt* & *fig* s'effondrer.

desaborido, da *fam* ■ *adj* rasoir. ■ *nm, f* raseur *(m)*, -euse *(f)*.

desabotonar *vt* déboutonner. ■ **desabotonarse** *vp* se déboutonner • **desabotonarse el abrigo** déboutonner son manteau.

desabrochar *vt* **1.** déboutonner **2.** dégrafer **3.** défaire *(une ceinture)*. ■ **desabrocharse** *vp* se déboutonner • **desabrocharse el abrigo** déboutonner son manteau.

desacato *nm* **1.** désobéissance *(f)* **2.** manque *(m)* de respect **3.** DR outrage *(m)*.

desacierto *nm* maladresse *(f)*.

desaconsejar *vt* déconseiller.

desacorde *adj* discordant(e) • **estar desacorde con algo** être en désaccord avec qqch.

desacreditar *vt* discréditer.

desactivar *vt* désamorcer.

desacuerdo *nm* désaccord *(m)*.

desafiante *adj* provocant(e).

desafinar *vi* 1. chanter faux 2. jouer faux.

desafío *nm* défi *(m)*.

desaforado, da *adj* 1. *(appétit, ambition)* démesuré(e) 2. *(cri)* épouvantable.

desafortunado, da ◪ *adj* 1. *(personne)* malchanceux(euse) • **ser desafortunado** ne pas avoir de chance 2. *(accident, déclaration)* malheureux(euse). ◪ *nm, f* • **es un desafortunado con las mujeres/los coches** il n'a pas de chance avec les femmes/les voitures.

desagradable *adj* 1. désagréable 2. *(aspect)* déplaisant(e).

desagradar *vi* déplaire.

desagradecido, da *nm, f* ingrat *(m)*, -e *(f)*.

desagrado *nm* mécontentement *(m)*.

desagraviar *vt* • **desagraviar a alguien por algo** se faire pardonner qqch par qqn • dédommager qqn de qqch.

desagravio *nm* dédommagement *(m)* *(pour un préjudice)*.

desagüe *nm* 1. tuyau *(m)* d'écoulement 2. écoulement *(m)*.

desaguisado *nm* dégâts *(mpl)*.

desahogado, da *adj* 1. spacieux(euse) 2. dégagé(e) 3. *(personne)* aisé(e) 4. *(situation, position)* confortable.

desahogar *vt* 1. soulager *(sa peine)* 2. décharger *(sa colère)* 3. donner libre cours à *(ses passions)*. ■ **desahogarse** *vp* 1. s'épancher 2. se libérer *(d'une dette)*.

desahogo *nm* 1. soulagement *(m)* *(moral)* 2. *(espace)* • **tener un mayor desahogo** avoir plus de place 3. aisance *(f)* *(financière)* • **vivir con desahogo** vivre confortablement.

desahuciar *vt* 1. expulser 2. condamner.

desahucio *nm* expulsion *(f)*.

desaire *nm* affront *(m)* • **hacer un desaire a alguien** faire un affront à qqn.

desajuste *nm* 1. jeu *(m)* *(d'une pièce)* 2. dérèglement *(m)* *(d'une machine)* 3. discordance *(f)* *(entre plusieurs déclarations)* 4. déséquilibre *(m)* *(économique)*.

desalentar *vt* décourager. ■ **desalentarse** *vp* se décourager.

desaliento *nm* découragement *(m)*.

desaliñado, da *adj* 1. *(aspect)* négligé(e) 2. *(cheveux)* ébouriffé(e).

desaliño *nm* négligé *(m)* • **un cierto aire de desaliño** un petit air négligé.

desalmado, da ◪ *adj* sans-cœur. ◪ *nm, f* • **es un desalmado** il n'a pas de cœur.

desalojar *vt* 1. *(faire)* évacuer *(par la force, en urgence)* 2. déloger *(un occupant)* 3. quitter *(de son propre chef)*.

desambientado, da *adj* 1. *(personne)* mal à l'aise 2. *(chose)* déplacé(e).

desamor *nm* 1. manque *(m)* d'affection 2. indifférence *(f)* 3. aversion *(f)*.

desamparado, da ◪ *adj* abandonné(e), délaissé(e). ◪ *nm, f* laissé-pour-compte *(m)*, laissée-pour-compte *(f)*.

desamparar *vt* abandonner, délaisser.

desamparo *nm* 1. abandon *(m)* 2. détresse *(f)*.

desangrar *vt* 1. saigner 2. *fig* ruiner. ■ **desangrarse** *vp* 1. saigner abondamment 2. perdre tout son sang.

desanimado, da *adj* 1. *(personne)* découragé(e) 2. *(fête, endroit)* • **la fiesta estaba muy desanimada** il n'y avait pas d'ambiance à la fête.

desanimar *vt* décourager. ■ **desanimarse** *vp* se décourager.

desánimo *nm* découragement *(m)*.

desapacible *adj* 1. désagréable 2. *(temps)* vilain(e).

desaparecer *vi* disparaître.

desaparecido, da *nm, f* disparu *(m)*, -e *(f)*.

desaparición *nf* disparition *(f)*.

desapego *nm* indifférence *(f)*.

desapercibido, da *adj* • **pasar desapercibido** passer inaperçu.

desaprensivo, va *nm, f* • **es un desaprensivo** il est sans scrupules.

desaprobar *vt* désapprouver.

desaprovechar *vt* 1. ne pas profiter de • **he desaprovechado las vacaciones** je n'ai pas profité des vacances 2. perdre *(du temps, une occasion)* 3. gaspiller *(du tissu, de l'eau, etc)*.

desarmador *nm* *(Amér)* tournevis *(m)*.

desarmar *vt* 1. désarmer 2. démonter.

desarme *nm* 1. désarmement *(m)* 2. démontage *(m)*.

desarraigar *vt* 1. déraciner 2. éradiquer.

desarraigo *nm* *litt* & *fig* déracinement *(m)*.

desarreglar *vt* 1. déranger 2. dérégler.

desarreglo *nm* 1. désordre *(m)* 2. dérèglement *(m)* *(d'un mécanisme)*.

desarrollado, da *adj* 1. *(personne)* épanoui(e) 2. *(pays)* développé(e).

desarrollar *vt* 1. développer 2. faire pousser *(une plante)* 3. dérouler 4. avoir *(une activité, une expérience)*. ■ **desarrollarse** *vp* 1. *(enfant)* grandir 2. *(plante)* pousser 3. se développer 4. se dérouler.

desarrollo *nm* 1. développement *(m)* 2. croissance *(f)* *(d'un enfant, d'une plante)*.

desarticular *vt* **1.** déboîter *(un os)* **2.** démonter *(un mécanisme)* **3.** démanteler *(une organisation, un groupe)* **4.** déjouer *(un plan)*.

desasirse *vp* se dégager • **desasirse de** se défaire de *(d'une habitude, d'un vice)*.

desasosegar *vt* **1.** troubler **2.** inquiéter.

desasosiego *nm* trouble *(m)*.

desastre *nm* **1.** désastre *(m)* • **desastre aéreo** catastrophe *(f)* aérienne **2.** *fig (personne)* calamité *(f)*.

desastroso, sa *adj* **1.** désastreux(euse) **2.** *fam* nul(nulle).

desatar *vt* **1.** détacher *(tempête, colère, passions)* déchaîner **3.** *(langue)* délier. ■ **desatarse** *vp* **1.** se détacher **2.** *(tempête, violence)* éclater **3.** *(colère, passions)* se déchaîner.

desatascar *vt* **1.** déboucher **2.** désembourber.

desatender *vt* **1.** négliger *(une obligation, un travail)* **2.** ne pas écouter *(des conseils)* **3.** rester sourd à *(une prière)* **4.** *(personne)* • **desatender a alguien** ne pas s'occuper de qqn • **le procesaron por desatender a una persona** il a été condamné pour non-assistance à personne en danger.

desatino *nm* **1.** folie *(f)* **2.** bêtise *(f)*.

desautorizar *vt* **1.** désavouer *(quelqu'un)* **2.** démentir *(une nouvelle, une déclaration)* **3.** interdire *(une grève, une manifestation)* **4.** discréditer.

desavenencia *nf* **1.** désaccord *(m)* **2.** brouille *(f)*.

desavenirse *vp* • **desavenirse (con)** se brouiller (avec).

desayunar ■ *vi* déjeuner, prendre son petit déjeuner. ■ *vt* • **desayunar algo** prendre qqch au petit déjeuner.

desayuno *nm* petit déjeuner *(m)*.

desazón *nf* **1.** fadeur *(f)* **2.** inquiétude *(f)* • **causar desazón** chagriner.

desazonar *vt* causer du chagrin à.

desbancar *vt fig* supplanter.

desbandada *nf* dispersion *(f)* • **a la desbandada** à la débandade.

desbarajuste *nm* désordre *(m)*.

desbaratar *vt* **1.** *(mécanisme)* détraquer **2.** faire échouer *(une conspiration, un plan)* **3.** dilapider *(une fortune)*.

desbloquear *vt* **1.** débloquer **2.** lever le blocus de.

desbocado, da *adj* **1.** *(cheval)* emballé(e) **2.** *(vêtement)* • **un jersey desbocado** un pull au col qui bâille.

desbocarse *vp (cheval)* s'emballer.

desbordamiento *nm litt* & *fig* débordement *(m)*.

desbordar *vt* **1.** *(rivière)* sortir de • **el agua desborda el lavabo** l'eau déborde du lavabo

2. dépasser *(les limites, la ligne)* **3.** pousser à bout *(la patience)*. ■ **desbordarse** *vp* **1.** *(liquide, fleuve)* • **desbordarse (de)** déborder (de) **2.** *fig (sentiments)* se déchaîner.

descabalgar *vi* descendre de cheval.

descabellado, da *adj* insensé(e).

descabezar *vt* **1.** décapiter *(une personne)* **2.** étêter *(une plante, un arbre)*.

descafeinado, da *adj* **1.** décaféiné(e) **2.** *fig* édulcoré(e). ■ **descafeinado** *nm* décaféiné *(m)*.

descalabrar *vt* **1.** blesser à la tête **2.** *fam fig* malmener.

descalabro *nm* revers *(m)*.

descalcificar *vt* décalcifier.

descalificar *vt* disqualifier.

descalzar *vt* déchausser. ■ **descalzarse** *vp* se déchausser.

descalzo, za *adj* **1.** pieds nus, nu-pieds **2.** RELIG déchaux, déchaussé(e).

descampado *nm* terrain *(m)* vague.

descansar *vi* **1.** se reposer • **¡que descanses!** dors bien ! **2.** *(cadavre, poutre, théorie)* • **descansar (en)** reposer (sur).

descansillo *nm* palier *(m)* (d'escalier).

descanso *nm* **1.** repos *(m)* • **tomarse un descanso** se reposer • **¡descanso!** repos ! **2.** soulagement *(m)* **3.** pause *(f)* **4.** CINÉ & THÉÂTRE entracte *(m)* **5.** SPORT mi-temps *(f)*.

descapotable ■ *adj* décapotable. ■ *nm* décapotable *(f)*.

descarado, da ■ *adj* **1.** effronté(e) **2.** éhonté(e). ■ *nm, f* effronté *(m)*, -e *(f)*.

descarga *nf* **1.** déchargement *(m)* **2.** décharge *(f) (d'électricité, d'une arme)*.

descargar ■ *vt* décharger. ■ *vi (tempête)* s'abattre. ■ **descargarse** *vp* **1.** *(s'épancher)* • **descargarse con alguien** se défouler sur qqn **2.** DR prouver son innocence **3.** *(batterie)* se décharger.

descargo *nm* **1.** déchargement *(m)* **2.** excuse *(f)* **3.** DR décharge *(f)* • **en descargo de mi/tu** *etc* **conciencia** par acquit de conscience **4.** acquittement *(m)* **5.** reçu *(m)*.

descarnado, da *adj* **1.** *(personne, animal)* décharné(e) **2.** *(description)* cru(e).

descaro *nm* effronterie *(f)*.

descarriarse *vp* **1.** s'égarer **2.** *fig* s'écarter du droit chemin.

descarrilamiento *nm* déraillement *(m)*.

descarrilar *vi* dérailler.

descartar *vt* **1.** écarter **2.** rejeter *(une aide, une proposition)*.

descastado, da *nm, f* ingrat *(m)*, -e *(f)*.

descendencia *nf* **1.** descendants *(mpl)* • **tener descendencia** avoir des enfants **2.** origine *(f)*.

descender *vi* **1.** descendre *(de catégorie)* • **descender de** *(train, avion, ancêtre)* descendre de • découler de **2.** *(quantité, valeur, niveau)* baisser.

descenso *nm* **1.** *(gén & SPORT)* descente *(f)* **2.** baisse *(f)*.

descentrado, da *adj* **1.** décentré(e) **2.** désaxé(e) **3.** déconcentré(e).

descentralizar *vt* décentraliser.

descentrar *vt* **1.** décentrer **2.** désaxer.

descifrar *vt* **1.** déchiffrer **2.** élucider *(un mystère)* **3.** démêler *(un problème)*.

descodificador, ra, decodificador, ra *adj* de décodage. ■ **descodificador, decodificador** *nm* décodeur *(m)*.

descolgar *vt* décrocher. ■ **descolgarse** *vp* se décrocher • **descolgarse (por algo)** se laisser glisser (le long de qqch) • **descolgarse de** se détacher de.

descolonización *nf* décolonisation *(f)*.

descolorido, da *adj* décoloré(e).

descompasado, da *adj* excessif(ive).

descomponer *vt* **1.** *(pourrir, diviser)* décomposer **2.** *(abîmer)* détraquer **3.** mettre en désordre **4.** défaire *(une coiffure)* **5.** *fig (mettre en colère)* • **eso le descompuso** ça l'a mis hors de lui **6.** *fig* bouleverser. ■ **descomponerse** *vp* **1.** *(pourrir)* se décomposer **2.** *(se mettre en colère)* • **se descompuso** il s'est mis dans tous ses états **3.** *(Amér)* tomber en panne.

descomposición *nf* décomposition *(f)* • **descomposición de vientre** diarrhée *(f)*.

descompostura *nf* **1.** laisser-aller *(m)* *(vestimentaire)* **2.** *(comportement)* grossièreté *(f)* **3.** *(Amér)* panne *(f)*.

descompuesto, ta *pp* ▷ **descomponer**.

descomunal *adj* énorme.

desconcentrar *vt* déconcentrer.

desconcertante *adj* déconcertant(e).

desconcertar *vt* déconcerter. ■ **desconcertarse** *vp* être déconcerté(e).

desconchado *nm* écaillure *(f)* *(de peinture)*.

desconcierto *nm* **1.** désordre *(m)* **2.** confusion *(f)*.

desconectar *vt* **1.** débrancher **2.** couper *(une ligne)*. ■ **desconectarse** *vp* se détacher • **desconectarse de algo** se couper de qqch.

desconfianza *nf* méfiance *(f)*.

desconfiar *vi* • **desconfiar de** se méfier de • ne pas avoir confiance en.

descongelar *vt* **1.** décongeler *(un produit)* **2.** dégivrer *(un réfrigérateur)* **3.** dégeler *(des crédits)* **4.** débloquer *(un compte)* **5.** libérer *(les salaires, les prix)*.

descongestionar *vt* **1.** *(gén & MÉD)* décongestionner **2.** *fig (laisser libre)* débloquer.

desconocer *vt* ne pas connaître • **desconozco sus planes** je ne connais pas ses projets.

desconocido, da ■ *adj* **1.** inconnu(e) **2.** méconnaissable. ■ *nm, f* inconnu *(m)*, -e *(f)*.

desconocimiento *nm* méconnaissance *(f)*.

desconsiderado, da *nm, f* malotru *(m)*, -e *(f)*.

desconsolar *vt* affliger.

desconsuelo *nm* peine *(f)*, douleur *(f)*.

descontado, da *adj* déduit(e). ■ **por descontado** *loc adv* • **dar por descontado que** être convaincu(e) que.

descontar *vt* **1.** *(quantité)* • **descontar algo de** déduire qqch de **2.** COMM escompter.

descontentar *vt* • **descontentar a alguien** *(mesures, nouvelles)* mécontenter qqn • *(attitude)* déplaire à qqn.

descontento, ta *adj* mécontent(e). ■ **descontento** *nm* mécontentement *(m)*, grogne *(f)* *fam*.

descontrol *nm* *fam* pagaille *(f)*.

desconvocar *vt* • **desconvocar una huelga** annuler un ordre de grève.

descorazonador, ra *adj* décourageant(e).

descorazonar *vt* décourager.

descorchar *vt* déboucher.

descorrer *vt* tirer *(les rideaux, le verrou, etc)*.

descoser *vt* découdre.

descosido, da *adj* décousu(e). ■ **descosido** *nm* • **como un descosido** *(boire)* comme un trou • *(manger)* comme quatre • *(courir)* comme un dératé • *(crier)* comme un putois • *(rire)* comme un bossu • **hablar como un descosido** être un moulin à paroles.

descoyuntar *vt* déboîter. ■ **descoyuntarse** *vp* se déboîter • **se descoyuntó el hombro** il s'est déboîté l'épaule.

descrédito *nm* discrédit *(m)*.

descreído, da *nm, f* incroyant *(m)*, -e *(f)*.

descremado, da *adj* écrémé(e).

describir *vt* décrire.

descripción *nf* description *(f)*.

descrito, ta *pp* ▷ **describir**.

descuartizar *vt* dépecer.

descubierto, ta ■ *adj* découvert(e). ■ **descubierto** ■ *pp* ▷ **descubrir**. ■ *nm* **1.** découvert *(m)* *(d'un compte bancaire)* **2.** déficit *(m)* *(d'une entreprise)*. ■ **al descubierto** *loc adv* **1.** en plein air **2.** à découvert **3.** ouvertement **4.** FIN à découvert.

descubridor, ra *nm, f* découvreur *(m)*, -euse *(f)*.

descubrimiento nm **1.** découverte (f) **2.** invention (f) **3.** inauguration (f).

descubrir vt **1.** découvrir **2.** inventer **3.** inaugurer **4.** apercevoir **5.** dévoiler *(ses intentions, un secret)* **6.** démasquer *(un coupable).* ■ **descubrirse** vp se découvrir • **descubrirse ante algo** *fig* être en admiration devant qqch.

descuento nm **1.** remise (f), réduction (f) *(d'un prix)* **2.** FIN escompte (m).

descuidado, da adj **1.** *(personne)* négligé(e) **2.** *(jardin, plantes)* mal entretenu(e) **3.** distrait(e).

descuidar ■ vt négliger. ■ vi ne pas s'inquiéter • **descuida, que yo me encargo** ne t'inquiète pas, je m'en occupe. ■ **descuidarse** vp **1.** se négliger, se laisser aller **2.** ne pas faire attention

descuido nm **1.** négligence (f) **2.** inattention (f).

desde prép **1.** *(temps)* depuis • **desde el lunes hasta el viernes** du lundi au vendredi • **desde hace mucho/un mes** depuis longtemps/un mois • **no lo veo desde el mes pasado** je ne l'ai pas vu depuis un mois • **desde ahora** dès à présent • **desde entonces** depuis • **desde entonces no lo he vuelto a ver** je ne l'ai plus revu depuis • **desde que** depuis que • **desde que murió mi madre** depuis que ma mère est morte **2.** *(espace)* de • **desde aquí hasta el centro** d'ici au centre-ville. ■ **desde luego** *loc adv* **1.** *(pour confirmer)* bien sûr **2.** *(en guise de reproche)* décidément • **¡desde luego tienes cada idea!** décidément, tu as de ces idées !

desdecir vi • **desdecir de** être indigne de • ne pas aller avec. ■ **desdecirse** vp se dédire • **desdecirse de** revenir sur.

desdén nm dédain (m).

desdentado, da adj édenté(e).

desdeñar vt dédaigner.

desdeñoso, sa adj dédaigneux(euse).

desdibujarse vp s'estomper.

desdicha nf malheur (m).

desdichado, da adj & nm, f malheureux(euse).

desdicho, cha pp ▷ **desdecir**.

desdoblar vt **1.** déplier **2.** dédoubler.

desear vt **1.** désirer • **desearía estar allí** je voudrais y être • **¿qué desea?** *(dans une boutique)* vous désirez ? **2.** souhaiter • **te deseo un feliz año nuevo** je te souhaite une bonne année.

desecar vt **1.** dessécher **2.** *(marais, rivière)* assécher. ■ **desecarse** vp **1.** se dessécher **2.** *(marais, rivière)* s'assécher.

desechable adj jetable.

desechar vt **1.** se débarrasser de **2.** rejeter *(une offre, une aide)* **3.** passer outre *(les critiques)* **4.** chasser *(une idée)* **5.** écarter *(un soupçon).*

desecho nm déchet (m).

desembalar vt déballer.

desembarazar vt débarrasser • **desembarazar el paso** dégager le passage. ■ **desembarazarse** vp • **desembarazarse de** se débarrasser de.

desembarcar vt & vi débarquer. ■ **desembarcarse** vp *(Amér)* descendre.

desembarco nm *(de passagers & MIL)* débarquement (m).

desembarque nm débarquement (m) *(de marchandises).*

desembocadura nf embouchure (f).

desembocar vi • **desembocar en** *(fleuve)* se jeter dans • *(rue)* déboucher sur • **la disputa desembocó en drama** la dispute a tourné au drame.

desembolso nm versement (m) • **desembolso inicial** acompte (m).

desembuchar ■ vt dégorger. ■ vi *fam fig* vider son sac.

desempañar vt **1.** *(avec un chiffon)* enlever la buée de **2.** *(de façon électronique)* désembuer.

desempaquetar vt **1.** défaire *(un paquet)* **2.** déballer *(une caisse, un carton).*

desempatar vi départager • **jugar para desempatar** faire la belle.

desempate nm résultat (m) final • **el partido de desempate** la belle.

desempeñar vt **1.** remplir *(une mission)* **2.** exercer *(une fonction)* **3.** jouer *(un rôle)* **4.** récupérer *un objet mis en gage.* ■ **desempeñarse** vp se libérer de ses dettes.

desempeño nm **1.** exercice (m) *(d'une charge, d'une mission, d'une fonction)* **2.** interprétation (f) *(d'un rôle).*

desempleado, da nm, f chômeur (m), -euse (f).

desempleo nm chômage (m).

desempolvar vt **1.** épousseter **2.** *fig* remuer *(des souvenirs).*

desencadenar vt **1.** détacher (un prisonnier, un chien) **2.** déchaîner (les passions, la fureur) **3.** déclencher (une guerre, un conflit) **4.** engager (une polémique). ■ **desencadenarse** vp **1.** se déchaîner **2.** (guerre, conflit) se déclencher.

desencajar vt déboîter. ■ **desencajarse** vp **1.** se déboîter **2.** (visage) se décomposer.

desencantar vt **1.** décevoir **2.** désenchanter. ■ **desencantarse** vp déchanter.

desencanto nm désenchantement (m).

desenchufar vt débrancher.

desenfadado, da adj **1.** (personne, comportement) décontracté(e) **2.** (comédie, programme de télévision) léger(ère).

desenfado nm décontraction (f).

desenfocado, da adj **1.** (image) flou(e) **2.** (vision) trouble.

desenfrenado, da adj **1.** (rythme, course) effréné(e) • **un baile desenfrenado** une danse endiablée **2.** (comportement, style) débridé(e) **3.** (appétit) insatiable.

desenfreno nm **1.** frénésie (f) **2.** débordement (m).

desenfundar vt **1.** enlever la housse de (meuble, vêtement) **2.** dégainer (un pistolet).

desenganchar vt **1.** décrocher (un wagon) **2.** dételer. ■ **desengancharse** vp **1.** se décrocher, se dégager **2.** fam décrocher.

desengañar vt • **desengañar a alguien** ouvrir les yeux à qqn • **desengañar a alguien** faire perdre ses illusions à qqn. ■ **desengañarse** vp • **desengáñate** détrompe-toi.

desengaño nm déception (f) • **llevarse un desengaño con alguien** être déçu(e) par qqn.

desengrasar vt dégraisser.

desenlace nm dénouement (m).

desenmarañar vt litt & fig démêler.

desenmascarar vt démasquer.

desenredar vt litt & fig démêler. ■ **desenredarse** vp • **desenredarse de algo** bien se tirer de qqch • **desenredarse el pelo** se démêler les cheveux.

desenrollar vt dérouler.

desenroscar vt dévisser.

desentenderse vp faire la sourde oreille.

desenterrar vt litt & fig déterrer.

desentonar vi **1.** (chanteur) chanter faux **2.** (instrument) jouer faux **3.** (couleurs) détonner **4.** (personne, manières) être déplacé(e).

desentrenado, da adj rouillé(e) • **estar desentrenado** manquer d'entraînement.

desentumecer vt dégourdir. ■ **desentumecerse** vp se dégourdir.

desenvoltura nf aisance (f).

desenvolver vt défaire (un paquet). ■ **desenvolverse** vp **1.** (affaire, processus) se dérouler **2.** (personne) s'en tirer.

desenvuelto, ta pp ⊳ **desenvolver**. ■ **desenvuelto** adj **1.** à l'aise **2.** débrouillard(e).

deseo nm **1.** désir (m) **2.** souhait (m) • **buenos deseos** meilleurs vœux.

deseoso, sa adj • **estar deseoso de algo/de hacer algo** avoir envie de qqch/de faire qqch.

desequilibrado, da adj & nm, f déséquilibré(e).

desequilibrio nm déséquilibre (m).

desertar vi déserter.

desértico, ca adj **1.** désertique **2.** désert(e).

desertización nf désertification (f).

desertor nm déserteur (m).

desesperación nf désespoir (m) • **causar desesperación** désespérer • **con desesperación** désespérément • **ser una desesperación** être désespérant(e).

desesperado, da adj désespéré(e) • **actuar a la desesperada** tenter le tout pour le tout.

desesperante adj désespérant(e).

desesperar vt désespérer. ■ **desesperarse** vp **1.** se désespérer **2.** s'arracher les cheveux.

desestabilizar vt déstabiliser.

desestimar vt **1.** sous-estimer **2.** rejeter.

desfachatez nf fam toupet (m).

desfalco nm détournement (m) de fonds.

desfallecer vi **1.** défaillir • **desfallecer de** mourir de (faim, peur) • tomber de (fatigue) **2.** s'évanouir.

desfallecimiento nm **1.** évanouissement (m) **2.** malaise (m).

desfase nm **1.** décalage (m) **2.** déphasage (m).

desfavorable adj défavorable.

desfigurar vt **1.** défigurer (un visage) **2.** déformer (un corps, la vérité).

desfiladero nm défilé (m) (en montagne).

desfilar vi **1.** MIL défiler **2.** fig se retirer.

desfile nm défilé (m).

desfogar vt **1.** décharger (sa colère, sa mauvaise humeur) **2.** donner libre cours à (ses passions). ■ **desfogarse** vp se défouler.

desgajar vt **1.** arracher **2.** couper en quartiers (une orange). ■ **desgajarse** vp **1.** être arraché(e) **2.** (pages d'un livre) se détacher • **desgajarse de** s'arracher à.

desgana nf • **tener desgana** manquer d'appétit • **hacer algo con desgana** faire qqch à contre-cœur.

desganado, da adj • **estoy desganado** je n'ai pas faim • fig je n'ai envie de rien.

desgarbado, da adj dégingandé(e).

desgarrador, ra adj déchirant(e).

desgarrar vt litt & fig déchirer. ■ **desgarrarse** vp se déchirer • **se me desgarra el corazón** ça me fend le cœur.

desgarro nm déchirure (f).

desgastar *vt* user. ■ **desgastarse** *vp* 1. s'user 2. *fig (personne)* être fatigué(e).

desgaste *nm* usure (f).

desglosar *vt* 1. découper 2. détacher *(un formulaire)* 3. ventiler *(des frais)*.

desglose *nm* 1. découpage *(m)* 2. ventilation *(f) (des frais)*.

desgracia *nf* 1. malheur *(m)* 2. malchance *(f)* • **por desgracia** malheureusement • **caer en desgracia** tomber en disgrâce.

desgraciado, da ◪ *adj* 1. malheureux(euse) 2. *(événement)* funeste 3. • **ser desgraciado** ne pas avoir de chance. ◪ *nm, f* 1. malheureux *(m)*, -euse *(f)* 2. *fig* pauvre homme *(m)*, pauvre femme *(f)*.

desgraciar *vt* 1. abîmer 2. gâcher 3. esquinter 4. *fig* faire échouer.

desgranar *vt* 1. égrener *(le maïs, le raisin)* 2. débiter *(des phrases, des insultes)* 3. énumérer *(des avantages, etc)*.

desgravar *vt* dégrever.

desgreñado, da *adj* echevelé(e).

desguace *nm* casse *(f) (de voitures)*.

deshabitado, da *adj* inhabité(e).

deshabituar *vt* déshabituer. ■ **deshabituarse** *vp* se déshabituer.

deshacer *vt* 1. défaire 2. faire fondre 3. rompre *(un pacte, un contrat)* 4. annuler *(une affaire)* 5. déjouer *(un plan)* 6. dissoudre *(une organisation)* 7. détruire *(une maison)* 8. briser *(un couple)* 9. *fig* abattre 10. déchirer *(un livre)* 11. dépecer *(du bétail)*. ■ **deshacerse** *vp* 1. disparaître 2. se désespérer 3. *fig* • **deshacerse de** se débarrasser de • **deshacerse en** se répandre en *(compliments)* • ne pas tarir de *(éloges)* • se confondre en *(excuses)* • **deshacerse por** se mettre en quatre pour • *(être amoureux)* être fou(folle) de.

desharrapado, da ◪ *adj* déguenillé(e). ◪ *nm, f* clochard *(m)*, -e *(f)*.

deshecho, cha *adj* 1. défait(e) 2. fondu(e) 3. *(moteur, machine)* mort(e) 4. *fig* abattu(e). ■ **deshecho** *pp* ▷ **deshacer**.

desheredar *vt* déshériter.

deshidratar *vt* déshydrater. ■ **deshidratarse** *vp* se déshydrater.

deshielo *nm* dégel *(m)*.

deshilachar *vt* effilocher.

deshilvanado, da *adj fig (discours, scénario)* décousu(e).

deshinchar *vt* 1. *(pneu)* dégonfler 2. *(ballon)* désenfler. ■ **deshincharse** *vp* 1. *(enflure)* désenfler 2. *(ballon, pneu)* se dégonfler 3. *fam fig (personne pédante, prétentieuse)* s'écraser.

deshojar *vt* 1. effeuiller 2. arracher les pages de. ■ **deshojarse** *vp* s'effeuiller.

deshollinar *vt* ramoner.

deshonesto, ta *adj* 1. malhonnête 2. *(sans pudeur)* indécent(e).

deshonra *nf* déshonneur *(m)*.

deshonrar *vt* déshonorer.

deshora ■ **a deshora, a deshoras** *loc adv* 1. au mauvais moment 2. à n'importe quelle heure • **llegar a deshora** rentrer à une heure indue.

deshuesar *vt* 1. désosser 2. dénoyauter.

deshumanizar *vt* déshumaniser. ■ **deshumanizarse** *vp* devenir inhumain(e).

desidia *nf* laisser-aller *(m inv)*.

desierto, ta *adj* 1. désert(e) 2. *(libre)* • **la vacante queda desierta** le poste reste à pourvoir • **el premio ha quedado desierto** le prix n'a pas été attribué. ■ **desierto** *nm* désert *(m)*.

designar *vt* 1. désigner 2. choisir 3. fixer *(une date)*.

designio *nm* dessein *(m)*.

desigual *adj* 1. inégal(e) 2. dépareillé(e) • **un terreno desigual** un terrain accidenté 3. *(caractère, temps)* changeant(e).

desilusión *nf* désillusion *(f)* • **llevarse una desilusión con** être très déçu(e) par.

desilusionar *vt* 1. décevoir 2. désillusionner. ■ **desilusionarse** *vp* 1. être déçu(e) 2. • **idesilusiónate!** ne te fais pas d'illusions !

desincrustar *vt* détartrer *(les canalisations)*.

desinfección *nf* désinfection *(f)*.

desinfectar *vt* désinfecter.

desinflamar *vt* désenflammer.

desinflar *vt* 1. dégonfler 2. *fig* minimiser 3. démoraliser. ■ **desinflarse** *vp* 1. se dégonfler 2. se démoraliser.

desintegración *nf* 1. désintégration *(f)* 2. éclatement *(m) (d'un groupe, d'une organisation)*.

desintegrar *vt* désintégrer. ■ **desintegrarse** *vp* se désintégrer.

desinterés *nm* 1. manque *(m)* d'intérêt, indifférence *(f)* 2. désintéressement *(m)*.

desinteresado, da *adj* désintéressé(e).

desinteresarse *vp* • **desinteresarse de** ou **por algo** se désintéresser de qqch.

desintoxicar *vt* désintoxiquer.

desistir *vi* • **desistir (de hacer algo)** renoncer (à faire qqch).

desleal *adj* déloyal(e).

deslealtad *nf* déloyauté *(f)*.

desleír *vt* délayer.

desligar *vt* détacher • **desligar algo (de)** *fig* dissocier qqch (de). ■ **desligarse** *vp* 1. se détacher 2. se dégager *(d'une obligation)* • **desligarse de** *fig* se dissocier de • **desligarse de un grupo** prendre ses distances à l'égard d'un groupe.

deslindar *vt* 1. délimiter 2. *fig* cerner.

desliz *nm* 1. faux pas *(m)* 2. *fig* dérapage *(m)* • **cometer un desliz** commettre un impair • **un desliz de juventud** une erreur de jeunesse.

deslizar *vt* glisser. ■ **deslizarse** *vp* 1. glisser 2. *(serpent)* ramper 3. *(larmes)* couler 4. *(s'introduire)* se glisser 5. *(temps)* passer.

deslomar *vt* esquinter. ■ **deslomarse** *vp fam* s'esquinter.

deslucido, da *adj* 1. terni(e) 2. terne.

deslumbrar *vt litt* & *fig* éblouir.

desmadejar *vt fig* affaiblir.

desmadrarse *vp fam* délirer.

desmadre *nm fam* bazar *(m)*.

desmán *nm* 1. excès *(m)*, abus *(m)* 2. *(gén pl)* malheur *(m)*.

desmandarse *vp* 1. n'en faire qu'à sa tête 2. se rebeller.

desmantelar *vt* 1. démanteler 2. *(usine)* désaffecter 3. *(voilier)* démâter.

desmaquillador, ra *adj* démaquillant(e).

desmayar *vi* faiblir. ■ **desmayarse** *vp* s'évanouir.

desmayo *nm* 1. évanouissement *(m)* 2. défaillance *(f)* • **sin desmayo** sans relâche.

desmedido, da *adj* démesuré(e).

desmelenado, da *adj* 1. déchaîné(e) 2. décoiffé(e).

desmembrar *vt* 1. démembrer 2. faire éclater.

desmemoriado, da ◙ *adj* distrait(e) • **ser desmemoriado** ne pas avoir de mémoire. ◙ *nm, f* ingrat *(m)*, -e *(f)*.

desmentir *vt* démentir.

desmenuzar *vt* 1. déchiqueter, réduire en charpie 2. émietter *(du pain)* 3. *fig* éplucher *(les comptes, etc)*.

desmerecer ◙ *vt* être indigne de, ne pas mériter • **desmerece la recompensa** il ne mérite pas la récompense. ◙ *vi* perdre • **desmerecer de alguien en algo** être inférieur(e) à qqn en qqch.

desmesurado, da *adj* démesuré(e).

desmitificar *vt* démythifier.

desmontar *vt* démonter.

desmoralizar *vt* démoraliser. ■ **desmoralizarse** *vp* se démoraliser.

desmoronamiento *nm* éboulement *(m)*.

desmoronar *vt* 1. abattre *(un édifice)* 2. faire s'ébouler *(des rochers)* 3. *fig* décourager. ■ **desmoronarse** *vp* 1. *(édifice)* s'écrouler 2. *(rochers)* s'ébouler 3. *fig (personne, empire)* s'effondrer.

desnatado, da *adj* écrémé(e).

desnaturalizado, da *adj* dénaturé(e).

desnivel *nm* 1. clivage *(m)*, déséquilibre *(m)* *(culturel, social)* 2. dénivellation *(f)*.

desnivelar *vt* 1. déséquilibrer 2. dérégler *(une balance)* 3. déniveler. ■ **desnivelarse** *vp* 1. être dénivelé(e) 2. *fig* basculer.

desnucar *vt* briser la nuque. ■ **desnucarse** *vp* se rompre le cou.

desnudar *vt* 1. déshabiller 2. *fig* dépouiller. ■ **desnudarse** *vp* se déshabiller.

desnudez *nf* nudité *(f)*.

desnudo, da *adj* 1. nu(e) 2. *(arbre, paysage, épaules)* dénudé(e) 3. *(décoration, style)* dépouillé(e). ■ **desnudo** *nm* nu *(m)*.

desnutrición *nf* malnutrition *(f)*.

desobedecer *vt* désobéir.

desobediencia *nf* désobéissance *(f)*.

desobediente *adj* désobéissant(e).

desocupado, da *adj* 1. inoccupé(e) 2. au chômage.

desocupar *vt* 1. évacuer 2. libérer.

desodorante *nm* 1. déodorant *(m)* 2. désodorisant *(m)*.

desolación *nf* 1. dévastation *(f)* • **causar desolación** dévaster 2. désolation *(f)*.

desolador, ra *adj* 1. *(nouvelle)* désolant(e) 2. *(spectacle)* affligeant(e).

desolar *vt* 1. dévaster 2. désoler.

desorbitado, da *adj* exorbitant(e) • **con los ojos desorbitados** les yeux exorbités.

desorden *nm* désordre *(m)*.

desordenado, da *adj* 1. *(personne)* désordonné(e) 2. *(pièce, armoire, etc)* en désordre 3. *fig* déréglé(e).

desordenar *vt* 1. mettre en désordre, déranger 2. décoiffer.

desorganización *nf* désorganisation *(f)*.

desorganizar *vt* désorganiser.

desorientar *vt litt* & *fig* désorienter. ■ **desorientarse** *vp* être désorienté(e).

despabilar = **espabilar**

despachar ◙ *vt* 1. vendre *(une marchandise, une entrée)* 2. servir *(un client)* 3. *fam* expédier *(un travail, un discours)* 4. *fam* engloutir *(un repas)* 5. *fam* descendre *(une boisson)* 6. traiter *(un sujet)* 7. régler *(une question)*. ◙ *vi* 1. *(sur un sujet)* • **despachar con alguien** avoir un entretien avec qqn 2. *fam* activer. ■ **despacharse** *vp* • **despacharse (con alguien)** se soulager (auprès de qqn).

despacho *nm* 1. bureau *(m)* 2. vente *(f)* 3. *(dans un théâtre)* • **despacho de localidades** guichet *(m)* • *(kiosque)* ≃ bureau *(m)* de location • **despacho de pan** dépôt *(m)* de pain 4. dépêche *(f)* 5. DR mandat *(m)*.

despacio *adv* lentement.

despampanante *adj fam (fille)* canon.

desparejar *vt* dépareiller.

desparpajo *nm fam* sans-gêne *(m inv)*.

desparramar *vt* **1.** répandre *(un liquide)* **2.** *fig* dilapider *(de l'argent)*. ■ **desparramarse** *vp* **1.** *(liquide)* se répandre **2.** *(personnes, bétail)* se disperser.

despecho *nm* dépit *(m)*

despectivo, va *adj* **1.** méprisant(e) • **de manera despectiva** avec mépris **2.** GRAMM péjoratif(ive). ■ **despectivo** *nm* forme *(f)* péjorative.

despedazar *vt* **1.** dépecer **2.** *fig* briser *(moralement)*.

despedida *nf* **1.** *(adieux)* • **la despedida** les adieux **2.** soirée *(f)* d'adieux.

despedir *vt* **1.** faire ses adieux à • **fuimos a despedirlo a la estación** nous sommes allés lui dire au revoir à la gare **2.** renvoyer **3.** licencier **4.** jeter **5.** *(sujet : volcan)* cracher **6.** *fig* dégager. ■ **despedirse** *vp* • **despedirse (de)** dire au revoir (à) *(quelqu'un)* • dire adieu (à) *(quelque chose)*.

despegado, da *adj fig* distant(e).

despegar *vt* & *vi* décoller. ■ **despegarse** *vp* se décoller • **despegarse de alguien** se détacher de qqn.

despegue *nm* décollage *(m)*.

despeinar *vt* décoiffer. ■ **despeinarse** *vp* se décoiffer.

despejado, da *adj* dégagé(e) • **tener la mente despejada** *fig* avoir les idées claires.

despejar *vt* **1.** dégager **2.** débarrasser *(une table)* **3.** MATH déterminer *(une inconnue)*. ■ **despejarse** *vp* **1.** s'éclaircir les idées **2.** se réveiller **3.** *(temps)* s'éclaircir **4.** *(ciel)* se dégager.

despeje *nm* SPORT dégagement *(m)*.

despellejar *vt* **1.** dépouiller *(un animal)* **2.** *fig (criticar)* • **despellejar a alguien** casser du sucre sur le dos de qqn.

despelotarse *vp fam* **1.** se mettre à poil **2.** *(rire)* • **despelotarse (de risa)** se tordre de rire.

despensa *nf* garde-manger *(m)*.

despeñadero *nm* précipice *(m)*.

despeñar *vt* précipiter, jeter. ■ **despeñarse** *vp* se précipiter.

desperdiciar *vt* **1.** gaspiller **2.** perdre *(une occasion)*.

desperdicio *nm* **1.** gaspillage *(m)* **2.** perte *(f) (de temps)* • **los desperdicios** les déchets.

desperdigar *vt* disperser.

desperezarse *vp* s'étirer.

desperfecto *nm* **1.** dégât *(m)* **2.** défaut *(m)* • **sufrir desperfectos** être endommagé(e).

despertador *nm (objet)* réveil *(m)*.

despertar *vt* **1.** réveiller **2.** éveiller *(l'intérêt)* **3.** provoquer *(l'admiration)*. ■ *vi* se réveiller. ■ *nm (action)* réveil *(m)*. ■ **despertarse** *vp* se réveiller.

despiadado, da *adj* impitoyable.

despido *nm* licenciement *(m)*.

despiece *nm* dépeçage *(m)*.

despierto, ta *adj litt* & *fig* éveillé(e).

despilfarrar *vt* gaspiller.

despilfarro *nm* gaspillage *(m)*.

despintar *vt* délaver.

despistado, da *adj* tête en l'air • **estar despistado** être désorienté. ■ *nm, f* tête *(f)* en l'air.

despistar *vt* **1.** égarer **2.** semer *(la police, etc)* **3.** *fig* désorienter, dérouter. ■ **despistarse** *vp* **1.** s'égarer **2.** *fig* avoir un moment d'inattention.

despiste *nm* **1.** étourderie *(f)* **2.** faute *(f)* d'étourderie.

desplante *nm (remarque, etc)* insolence *(f)*.

desplazado, da *adj fig* • **encontrarse desplazado** ne pas se sentir à sa place.

desplazamiento *nm* déplacement *(m)*.

desplazar *vt* déplacer • **desplazar a alguien/algo** *fig* supplanter qqn/qqch. ■ **desplazarse** *vp* se déplacer • **tiene que desplazarse cinco kilómetros** il doit faire cinq kilomètres.

desplegar *vt* **1.** *(gén* & MIL*)* déployer **2.** déplier.

despliegue *nm* déploiement *(m)*.

desplomarse *vp litt* & *fig* s'effondrer.

desplumar *vt litt* & *fig* plumer.

despoblado, da *adj* dépeuplé(e).

despojar *vt* • **despojar a alguien de algo** dépouiller qqn de qqch. ■ **despojarse** *vp* • **despojarse de** se dépouiller de *(ses biens, ses vêtements)* • se priver de *(manger)*.

despojo *nm* dépouillement *(m)*. ■ **despojos** *nmpl* **1.** restes *(mpl)* **2.** abats *(mpl)* **3.** abattis *(mpl)* **4.** dépouille *(f)* (mortelle).

desposar *vt* marier. ■ **desposarse** *vp* se marier.

desposeer *vt* • **desposeer a alguien de algo** déposséder qqn de qqch.

déspota *nmf litt* & *fig* despote *(m)*.

despotricar *vi* • **despotricar (contra)** *fam* pester (contre).

despreciar *vt* **1.** mépriser **2.** rejeter.

desprecio *nm* mépris *(m)*.

desprender *vt* **1.** détacher **2.** décoller **3.** dégager *(une odeur)* **4.** diffuser *(de la lumière)*. ■ **desprenderse** *vp* **1.** se détacher **2.** se décoller **3.** *fig (déduire de)* • **de sus palabras se desprende que...** ses paroles laissent entendre que... **4.** *(se libérer de)* • **desprenderse de** se défaire de.

desprendido, da *adj* généreux(euse), désintéressé(e).

desprendimiento *nm* **1.** détachement *(m)* • **desprendimiento de retina** décollement *(m)* de la rétine **2.** *fig* générosité *(f)*.

despreocupado, da ◫ *adj* insouciant(e). ◫ *nm, f* insouciant *(m)*, -e *(f)* ▪ **es un despreocupado en el vestir** il s'habille n'importe comment.

despreocuparse *vp* ▪ **despreocuparse de** ne plus penser à *(quelque chose)* ▪ négliger *(quelqu'un, un commerce)*.

desprestigiar *vt* discréditer.

desprevenido, da *adj* ▪ **coger** ou **pillar desprevenido** prendre au dépourvu ▪ **estar desprevenido** ne pas s'attendre à qqch.

desproporcionado, da *adj* disproportionné(e).

despropósito *nm* absurdité *(f)*, bêtise *(f)*.

desprovisto, ta *adj* ▪ **desprovisto de** dépourvu de.

___

después *adv*

1. INDIQUE LA POSTÉRIORITÉ DANS LE TEMPS = après
▪ **te lo diré después** je te le dirai après ou plus tard
▪ **poco después** peu après
▪ **años después** des années après
▪ **el año después** l'année d'après
▪ **dos días después** deux jours plus tard
▪ **¿qué pasó después?** qu'est-ce qui s'est passé ensuite ?
▪ **llamé primero y después entré** j'ai sonné, puis je suis entré

2. INDIQUE LA POSTÉRIORITÉ DANS L'ESPACE
▪ **dos filas después** deux rangs plus loin.

■ **después de** *loc prép*

1. INDIQUE LA POSTÉRIORITÉ DANS LE TEMPS = après
▪ **llegó después de ti** il est arrivé après toi
▪ **después de hablar con él te lo podré confirmar** je pourrai te le confirmer après avoir parlé avec lui
▪ **después de comer** après le déjeuner

2. INDIQUE UN POINT DE DÉPART DANS LE TEMPS = une fois
▪ **después de hechos los cálculos** une fois les calculs faits
▪ **después de cerrada la ventana** une fois la fenêtre fermée.

■ **después de que** *loc conj*

INDIQUE LA POSTÉRIORITÉ DANS LE TEMPS = après que
▪ **después de que lo hice** après que je l'ai fait
▪ **después de que hubiese hablado** après qu'il eut parlé.

■ **después de todo** *loc adv*

TOUT COMPTE FAIT = après tout
▪ **después de todo no tiene mayor importancia** après tout, ce n'est pas si important que ça.

___

despuntar ◫ *vt* épointer. ◫ *vi* **1.** bourgeonner **2.** éclore **3.** *fig (personne)* ▪ **despuntar entre/por** se distinguer de/par ▪ **no despunta por su inteligencia** il ne brille pas par son intelligence **4.** poindre.

desquiciar *vt* **1.** dégonder **2.** *fig* détraquer, perturber **3.** *fig* rendre fou(folle), faire sortir de ses gonds.

desquitarse *vp* ▪ **desquitarse de** se venger de, prendre sa revanche sur.

desquite *nm* revanche *(f)*.

destacamento *nm* MIL détachement *(m)*.

destacar ◫ *vt* **1.** souligner, faire remarquer ▪ **cabe destacar que...** il convient de souligner que... **2.** MIL détacher. ◫ *vi* ressortir. ■ **destacarse** *vp* ▪ **destacarse (de/por)** se distinguer (de/par).

destajo *nm (contrat)* forfait *(m)* ▪ **a destajo** à la pièce ▪ au forfait ▪ *fig* d'arrache-pied.

destapar *vt* **1.** ouvrir *(une bouteille,* etc*)* **2.** découvrir *(un lit, un meuble,* etc*)*. ■ **destaparse** *vp* **1.** *(se déshabiller)* se découvrir **2.** *fig* se montrer sous son vrai jour.

destartalado, da *adj* **1.** *(maison, meuble)* délabré(e) **2.** *(voiture, appareil)* déglingué(e) *fam* **3.** dépareillé(e).

destello *nm* **1.** éclat *(m)* **2.** scintillement *(m)* **3.** *fig* lueur *(f)*.

destemplado, da *adj* **1.** fiévreux(euse) **2.** désaccordé(e) **3.** *(temps)* maussade **4.** *(caractère, etc)* emporté(e) **5.** *(voix, ton)* aigre.

desteñir ◫ *vt* ▪ **desteñir algo** déteindre sur qqch. ◫ *vi* **1.** déteindre **2.** ternir.

desternillarse *vp* *fam* ▪ **desternillarse de risa** se tordre de rire.

desterrar *vt* **1.** exiler **2.** *fig* chasser **3.** *fig* bannir.

destetar *vt* sevrer.

destiempo ■ **a destiempo** *loc adv* à contretemps.

destierro *nm* exil *(m)*.

destilación *nf* distillation *(f)*.

destilar ◫ *vt* **1.** distiller **2.** suinter. ◫ *vi* suinter, goutter.

destilería *nf* distillerie *(f)*.

destinar *vt* **1.** destiner **2.** adresser *(une lettre)* **3.** affecter ▪ **destinar a alguien a** affecter qqn à ▪ envoyer qqn à.

destinatario, ria *nm, f* destinataire *(mf)*.

destino *nm* **1.** destin *(m)* **2.** destination *(f)* ▪ **con destino a** à destination de **3.** affectation *(f)*, poste *(m)*.

destitución *nf* destitution *(f)*.

destituir *vt* destituer.

destornillador *nm* **1.** tournevis *(m)* **2.** vodka-orange *(f)*.

destornillar *vt* dévisser.

destreza *nf (habileté)* adresse *(f)*.

destronar *vt litt* & *fig* détrôner.

destrozar *vt* **1.** mettre en pièces **2.** abîmer, détériorer **3.** détruire **4.** *fig* briser.

destrozo *nm* dégât (*m*) • **ocasionar grandes destrozos** faire de gros dégâts.

destrucción *nf* destruction (*f*).

destruir *vt* **1.** détruire **2.** démolir (*un argument, un projet*).

desvaído, da *adj* **1.** (*couleur*) pâle, passé(e) **2.** (*regard*) vague **3.** (*forme, contour*) flou(e).

desvalido, da *adj* & *nm, f* démuni(e).

desvalijar *vt* dévaliser.

desván *nm* grenier (*m*).

desvanecer *vt* dissiper. ■ **desvanecerse** *vp* **1.** (*gén*) se dissiper **2.** (*personne*) s'évanouir.

desvanecimiento *nm* évanouissement (*m*).

desvariar *vi* délirer, divaguer.

desvarío *nm* **1.** (*parole*) absurdité (*f*) **2.** (*geste*) folie (*f*) **3.** délire (*m*).

desvelar *vt* **1.** (*café, thé*) empêcher de dormir **2.** dévoiler (*une nouvelle, un secret*). ■ **desvelarse** *vp* **1.** • **desvelarse por hacer algo** se donner du mal pour faire qqch **2.** (*Amér*) se coucher tard.

desvelo *nm* **1.** insomnie (*f*) **2.** effort (*m*).

desventaja *nf* désavantage (*m*).

desventura *nf* malheur (*m*).

desvergonzado, da *adj* & *nm, f* effronté(e).

desvergüenza *nf* **1.** effronterie (*f*) **2.** insolence (*f*).

desvestir *vt* dévêtir. ■ **desvestirse** *vp* se dévêtir.

desviación *nf* déviation (*f*).

desviar *vt* **1.** détourner **2.** dévier (*une balle, un tir, la circulation*) **3.** dérouter (*un bateau*) **4.** éluder (*une question*). ■ **desviarse** *vp* dévier, changer de route • **desviarse de tema** faire une digression • **desviarse de propósito** changer de cap.

desvincular *vt* • **desvincular a alguien de una obligación** dégager qqn d'une obligation. ■ **desvincularse** *vp* • **desvincularse de se** détacher de (*ses amis*) • se dégager de (*ses responsabilités*).

desvío *nm* **1.** déviation (*f*) **2.** *fig* désaffection (*f*), froideur (*f*).

desvirtuar *vt* dénaturer.

desvivirse *vp* • **desvivirse (por alguien/algo)** se dépenser sans compter pour qqn/qqch • **desvivirse por hacer algo** mourir d'envie de faire qqch.

detallar *vt* détailler.

detalle *nm* **1.** détail (*m*) • **con detalle** en détail • **entrar en detalles** entrer dans les détails **2.** attention (*f*) • **tener un detalle** avoir une délicate attention. ■ **al detalle** *loc adv* au détail.

detallista ■ *adj* pointilleux(euse). ■ *nmf* COMM détaillant (*m*), -e (*f*).

detectar *vt* détecter.

detective *nmf* détective (*mf*).

detener *vt* **1.** arrêter **2.** retenir. ■ **detenerse** *vp* **1.** s'arrêter **2.** s'attarder.

detenidamente *adv* attentivement.

detenido, da ■ *adj* **1.** approfondi(e) **2.** (*arrêté*) • **estar detenido** être en état d'arrestation. ■ *nm, f* détenu (*m*), -e (*f*).

detenimiento ■ **con detenimiento** *loc adv* avec attention.

detergente *nm* **1.** lessive (*f*) **2.** détergent (*m*).

deteriorar *vt* détériorer. ■ **deteriorarse** *vp fig* se détériorer, se dégrader.

deterioro *nm* détérioration (*f*).

determinación *nf* détermination (*f*) • **tomar una determinación** prendre une résolution.

determinado, da *adj* **1.** certain(e) • **en determinados casos** dans certains cas **2.** déterminé(e).

determinar *vt* **1.** déterminer **2.** fixer (*une date*) **3.** être à l'origine de • **determinar algo/hacer algo** décider qqch/de faire qqch. ■ **determinarse** *vp* • **determinarse a hacer algo** se résoudre à faire qqch.

detestar *vt* détester.

detractor, ra *adj* & *nm, f* détracteur(trice).

detrás *adv* **1.** derrière • **siéntate detrás** assieds-toi derrière • **tus amigos vienen detrás** tes amis nous suivent **2.** après, ensuite • **primero entró él y detrás ella** il est entré le premier et elle après lui. ■ **detrás de** *loc prep* **1.** derrière • **detrás de la puerta** derrière la porte • **estar detrás de algo** être derrière qqch **2.** par-derrière • **decir algo detrás de alguien** dire qqch dans le dos de qqn. ■ **por detrás** *loc adv* par derrière • **hablar de alguien por detrás** parler de qqn dans son dos.

detrimento *nm* • **causar detrimento** faire des dégâts • **en detrimento de** au détriment de.

detrito *nm* détritus (*m*). ■ **detritos** *nmpl* détritus (*mpl*).

deuda *nf* dette (*f*) • **deuda pública** dette publique.

deudor, ra *adj* & *nm, f* débiteur(trice).

devaluación *nf* dévaluation (*f*).

devaluar *vt* dévaluer.

devanar *vt* dévider.

devaneos *nmpl* **1.** divagations (*fpl*) **2.** amourettes (*fpl*).

devastar *vt* dévaster.

devoción *nf fig* & RELIG dévotion (*f*).

devocionario *nm* missel (*m*).

devolución *nf* **1.** retour (*m*) **2.** restitution (*f*) (*de courrier*), retour (*m*) à l'expéditeur **3.** remboursement (*m*).

devolver ◼ *vt* **1.** rendre **2.** rembourser **3.** renvoyer, retourner *(une lettre, un paquet)* **4.** redonner *(de l'éclat)* **5.** remettre *(à sa place).* ◼ *vi* rendre.

devorar *vt litt* & *fig* dévorer.

devoto, ta ◼ *adj* **1.** dévot(e) **2.** • **ser muy devoto (de alguien)** être un fervent admirateur (de qqn) **3.** de dévotion • **una imagen devota** une image pieuse. ◼ *nm, f* **1.** adepte *(mf)* **2.** dévot *(m)*, -e *(f)*.

devuelto, ta *pp* ▷ **devolver**.

dg *(abr écrite de* **decigramo**) dg.

di *(etc)* ▷ **dar**. ▷ **decir**.

día *nm* **1.** jour *(m)* • **me voy el día ocho** je pars le huit • **¿a qué día estamos?** quel jour sommes-nous ? • **al día siguiente** le lendemain • **a plena luz del día** en plein jour • **día y noche** jour et nuit • **a 60 días vista** à 60 jours de vue • **el día de hoy/de mañana** aujourd'hui/demain • **hoy en día** de nos jours • **todos los días** tous les jours • **un día sí y otro no** un jour sur deux • **día de pago** jour de paie • **día festivo** jour férié • **día hábil** ou **laborable** ou **de trabajo** jour ouvrable • **de día** en día de jour en jour • **del día** du jour • **menú del día** plat du jour • **pan del día** du pain frais **2.** *(temps, espace de temps)* journée *(f)* • **un día lluvioso** une journée pluvieuse • **todo el (santo) día** toute la (sainte) journée **3.** fête *(f)* • **día de los Inocentes** ≃ 1er avril • **el día de la madre** la fête des Mères • **el día de San Juan** la Saint-Jean • **mañana será otro día** demain, il fera jour • **poner algo al día** mettre qqch à jour • **poner alguien al día** mettre qqn au courant • **un día es un día** une fois n'est pas coutume • **vivir al día** vivre au jour le jour. ◼ **días** *nmpl* **1.** vie *(f)* • **pasar sus días haciendo algo** passer sa vie à faire qqch **2.** époque *(f)* • **en mis días** à mon époque, de mon temps. ◼ **buen día** *interj (Amér)* • **¡buen día!** bonjour ! • **¡buenos días!** *interj* • **¡buenos días!** bonjour !

diabético, ca *adj* & *nm, f* diabétique.

diablo *nm* diable *(m).* ◼ **diablos** *fam* ◼ *nmpl* • **¿dónde/cómo diablos...?** où/comment diable... ? • ◼ *interj* • **¡diablos!** diable !

diablura *nf* diablerie *(f).*

diabólico, ca *adj litt* & *fig* diabolique.

diadema *nf* **1.** serre-tête *(m)* **2.** diadème *(m).*

diáfano, na *adj* **1.** diaphane **2.** *fig* limpide.

diafragma *nm* diaphragme *(m).*

diagnosticar *vt* diagnostiquer.

diagnóstico *nm* diagnostic *(m).*

diagonal ◼ *adj* diagonal(e). ◼ *nf* diagonale *(f).*

diagrama *nm* diagramme *(m).*

dial *nm* cadran *(m) (de téléphone).*

dialecto *nm* dialecte *(m).*

diálisis *nf inv* dialyse *(f).*

dialogar *vi* dialoguer.

diálogo *nm* dialogue *(m).*

diamante *nm* diamant *(m).* ◼ **diamantes** *nmpl (aux cartes)* carreau *(m).*

diámetro *nm* diamètre *(m).*

diana *nf* **1.** *(cible)* • **hacer diana** faire mouche **2.** réveil *(m) (à la caserne).*

diapasón *nm* diapason *(m).*

diapositiva *nf* diapositive *(f).*

diario, ria *adj* **1.** quotidien(enne) **2.** journalier(ère) • **a diario** tous les jours • **ropa de diario** vêtements de tous les jours. ◼ **diario** *nm* journal *(m).*

diarrea *nf* diarrhée *(f).*

dibujante *nmf* dessinateur *(m),* -trice *(f).*

dibujar *vt* & *vi* dessiner.

dibujo *nm* dessin *(m)* • **dibujo lineal** ou **técnico** dessin industriel • **dibujos animados** dessins animés.

dic., dic *(abr écrite de* **diciembre**) déc. • **25 dic. 2005** 25 déc. 2005.

diccionario *nm* dictionnaire *(m).*

dice ▷ **decir**.

dicha *nf* **1.** bonheur *(m)* **2.** chance *(f).*

dicho, cha *adj* ce, cette • **o mejor dicho** ou plutôt • **dicho y hecho** aussitôt dit aussitôt fait. ◼ **dicho** ◼ *pp* ▷ **decir**. ◼ *nm* dicton *(m).*

dichoso, sa *adj* **1.** heureux(euse) **2.** *(valeur emphatique)* maudit(e).

diciembre *nm* décembre *(m).* • *voir aussi* **septiembre**

dicotomía *nf* dichotomie *(f).*

dictado *nm* dictée *(f).*

dictador, ra *nm, f* dictateur *(m).*

dictadura *nf* dictature *(f).*

dictáfono® *nm* Dictaphone® *(m).*

dictamen *nm* **1.** opinion *(f)* • **dar un dictamen** donner un avis **2.** rapport *(m).*

dictar *vt* **1.** dicter **2.** prononcer *(une phrase, un jugement)* **3.** promulguer *(une loi, un décret).*

dictatorial *adj* dictatorial(e).

didáctico, ca *adj* didactique.

diecinueve ◼ *adj num inv* dix-neuf • **el siglo diecinueve** le dix-neuvième siècle. ◼ *nm inv* dix-neuf *(m inv).* • *voir aussi* **seis**

dieciocho ◼ *adj num inv* dix-huit • **el siglo dieciocho** le dix-huitième siècle. ◼ *nm inv* dix-huit *(m inv).* • *voir aussi* **seis**

dieciséis ◼ *adj num inv* seize • **el siglo dieciséis** le seizième siècle. ◼ *nm inv* seize *(m inv).* • *voir aussi* **seis**

diecisiete ◼ *adj num inv* dix-sept • **el siglo diecisiete** le dix-septième siècle. ◼ *nm inv* dix-sept *(m inv).* • *voir aussi* **seis**

diente *nm* dent *(f)* • **diente de leche** dent de lait • **hablar entre dientes** parler entre ses dents. ◼ **diente de ajo** *nm* gousse *(f)* d'ail.

diera ▷ dar.

diéresis *nf inv* tréma *(m)*.

dieron *(etc)* ▷ dar.

diésel *adj* diesel.

diestro, tra *adj* **1.** adroit(e) **2.** droitier(ère) • **a diestro y siniestro** *fig* à tort et à travers.

dieta *nf* régime *(m)*. ■ **dietas** *nfpl* indemnités *(fpl)* • **dietas por desplazamiento** frais *(mpl)* de déplacement.

dietario *nm* livre *(m)* de comptes.

dietético, ca *adj* diététique. ■ **dietética** *nf* diététique *(f)*.

dietista *nmf (Amér)* nutritionniste *(mf)*.

diez *adj num inv* & *nm inv* dix. • *voir aussi* **seis**

difamar *vt* diffamer.

diferencia *nf* **1.** différence *(f)* **2.** différend *(m)*.

diferencial ■ *adj* **1.** différentiel(elle) **2.** distinctif(ive). ■ *nm* différentiel *(m)*.

diferenciar *vt* **1.** différencier **2.** reconnaître *(les couleurs, les lettres)* • **diferenciar lo bueno de lo malo** distinguer le bien et le mal. ■ **diferenciarse** *vp* **1.** *(être différent)* • **diferenciarse (de)** se différencier (de) **2.** se distinguer.

diferente ■ *adj* différent(e) • **diferente de** *ou* **a** différent de. ■ *adv* différemment.

diferido ■ **en diferido** *loc adv* en différé.

diferir ■ *vt* différer. ■ *vi* • **diferir (de)** différer (de) • **difiero de ti en opiniones** nous n'avons pas les mêmes opinions.

difícil *adj* difficile • **difícil de hacer** difficile à faire.

dificultad *nf* difficulté *(f)* • **con dificultades** en difficulté • **pasar dificultades** connaître des moments difficiles.

dificultar *vt* rendre difficile.

difuminar *vt* **1.** estomper *(une couleur)* **2.** dissiper *(une odeur)* **3.** assourdir *(un son)*.

difundir *vt* **1.** diffuser **2.** répandre *(une nouvelle)*. ■ **difundirse** *vp* **1.** se diffuser **2.** *(nouvelle)* se répandre **3.** *(épidémie)* se propager **4.** être diffusé(e).

difunto, ta *adj* & *nm, f* défunt(e).

difusión *nf* diffusion *(f)*.

diga ▷ decir.

digerir *vt litt* & *fig* digérer.

digestión *nf* digestion *(f)*.

digestivo, va *adj* digestif(ive).

digital *adj* **1.** digital(e) **2.** numérique.

dígito *nm* chiffre *(m)*.

dignarse *vp* • **dignarse hacer algo** daigner faire qqch.

dignidad *nf* dignité *(f)*.

dignificar *vt* rendre digne.

digno, na *adj* • **digno (de)** digne (de).

digo ▷ decir.

digresión *nf* digression *(f)*.

dijera *(etc)* ▷ decir.

dilapidar *vt* dilapider.

dilatar *vt* **1.** dilater **2.** faire durer.

dilema *nm* dilemme *(m)*.

diligencia *nf* **1.** *(soin)* application *(f)* **2.** *(rapidité)* • **con diligencia** rapidement **3.** démarche *(f) (auprès de quelqu'un)* **4.** *(véhicule)* diligence *(f)*.

diligente *adj* appliqué(e).

diluir *vt* diluer. ■ **diluirse** *vp* se diluer.

diluviar *v impers* pleuvoir à torrents.

diluvio *nm* déluge *(m)*.

dimensión *nf* dimension *(f)*.

diminutivo *nm* diminutif *(m)*.

diminuto, ta *adj* tout petit(toute petite), minuscule.

dimisión *nf* démission *(f)* • **presentar la dimisión** présenter sa démission.

dimitir *vi* • **dimitir (de)** démissionner (de).

dimos ▷ dar.

Dinamarca *npr* Danemark *(m)*.

dinámico, ca *adj* dynamique.

dinamismo *nm* dynamisme *(m)*.

dinamita *nf* dynamite *(f)*.

dinamo, dínamo *nf* dynamo *(f)*.

dinastía *nf* dynastie *(f)*.

dineral *nm fam* fortune *(f)*.

dinero *nm* argent *(m)* • **dinero negro** *ou* **sucio** argent sale • **dinero público** fonds *(mpl)* publics • **andar bien de dinero** être en fonds • **un hombre de dinero** un homme riche.

dinosaurio *nm* dinosaure *(m)*.

dintel *nm* linteau *(m)*.

dio ▷ dar.

diócesis *nf inv* diocèse *(m)*.

dioptría *nf* dioptrie *(f)*.

dios, osa *nm, f* dieu *(m)*, déesse *(f)* • **todo dios** *tfam* tout le monde. ■ **Dios** *nm* Dieu • **a Dios gracias** grâce à Dieu • **a la buena de Dios** au petit bonheur la chance • **¡Dios mío!** mon Dieu ! • **¡por Dios!** je t'en/vous en prie ! • **¡vaya por Dios!** nous voilà bien !

diploma *nm* diplôme *(m)*.

diplomacia *nf* diplomatie *(f)*.

diplomado, da *adj* & *nm, f* diplômé(e).

diplomático, ca ■ *adj* diplomatique. ■ *nm, f* diplomate *(mf)*.

diptongo *nm* diphtongue *(f)*.

diputación *nf* **1.** conseil *(m)* **2.** députation *(f)* • **diputación provincial** ≃ conseil *(m)* général.

diputado, da *nm, f* député *(m)*, -e *(f)*.

dique *nm* **1.** digue *(f)* **2.** dock *(m)*.

dir. (*abr écrite de* **dirección**) dir. • **después del peaje tomar dir. Vigo** après le péage, prendre la dir. de Vigo.

Dir. (*abr écrite de* **director**) Dir. • **dir. Gral.** Dir. Gén.

dirá ⊳ **decir**.

dirección *nf* **1.** direction (*f*) **2.** sens (*m*) • **dirección prohibida** sens interdit • **dirección única** sens unique • **dirección asistida** direction assistée • **dirección comercial/general** direction commerciale/générale • **en dirección a** en direction de **3.** adresse (*f*). ▪ **Dirección General de Tráfico** *nf organisme chargé de la circulation routière, dépendant du ministère de l'Intérieur espagnol.*

directivo, va ◆ *adj* **1.** directeur(trice) **2.** de direction. ◼ *nm, f* dirigeant (*m*), -e (*f*). ◼ **directiva** *nf* **1.** direction (*f*) **2.** directive (*f*).

directo, ta *adj* direct(e). ◼ **directo** ◪ *nm* direct (*m*). ◪ *adv* tout droit, directement. ◼ **directa** *nf* cinquième vitesse (*f*) (*dernière vitesse*). ◼ **en directo** *loc adv* en direct.

director, ra *nm, f* directeur (*m*), -trice (*f*) • **director de cine** réalisateur (*m*) • **director de escena** *ou* **teatro** metteur (*m*) en scène • **director de orquesta** chef (*m*) d'orchestre • **director general** president-directeur (*m*) général.

directorio *nm* répertoire (*m*).

directriz *nf* directrice (*f*). ◼ **directrices** *nfpl* directives (*fpl*).

diría ⊳ **decir**.

dirigente *adj* & *nmf* dirigeant(e).

dirigir *vt* **1.** diriger **2.** mettre en scène (*une pièce de théâtre*) **3.** réaliser (*un film*) **4.** adresser (*un mot, une lettre*) **5.** (*conseiller*) guider **6.** • **dirigir algo a** consacrer qqch à. ◼ **dirigirse** *vp* • **dirigirse a** *ou* **hacia** se diriger vers • **dirigirse a alguien** s'adresser à qqn.

discar *vt* (*Amér*) composer (*un numéro de téléphone*).

discernir *vt* discerner.

disciplina *nf* discipline (*f*).

discípulo, la *nm, f* disciple (*mf*).

disc-jockey [dis'jokei] (*pl* **disc-jockeys**) *nm, f* disc-jockey (*mf*).

disco *nm* **1.** disque (*m*) • **disco compacto** disque compact • **disco de larga duración** trente-trois-tours (*m*) • **disco duro/flexible** disque dur/souple **2.** feu (*m*) • **disco rojo** feu rouge.

discografía *nf* discographie (*f*).

disconforme *adj* • **estar disconforme con** ne pas être d'accord avec, être en désaccord avec.

disconformidad *nf* désaccord (*m*).

discontinuo, nua *adj* discontinu(e).

discordante *adj* discordant(e).

discordia *nf* discorde (*f*).

discoteca *nf* discothèque (*f*).

discreción *nf* discrétion (*f*). ◼ **a discreción** *loc adv* à volonté.

discrecional *adj* spécial(e).

discrepancia *nf* divergence (*f*).

discrepar *vi* diverger • **discrepar de** être en désaccord avec.

discreto, ta *adj* **1.** discret(ète) **2.** modéré(e).

discriminación *nf* discrimination (*f*).

discriminar *vt* discriminer.

disculpa *nf* excuse (*f*) • **pedir disculpas** présenter ses excuses.

disculpar *vt* excuser.

discurrir *vi* **1.** (*temps, vie*) s'écouler **2.** (*cérémonie, séance*) se dérouler **3.** réfléchir.

discurso *nm* discours (*m*).

discusión *nf* discussion (*f*).

discutible *adj* discutable.

discutir ◪ *vi* **1.** se disputer **2.** (*converser*) • **discutir de** *ou* **sobre** discuter de. ◪ *vt* • **discutir algo** discuter de qqch.

disecar *vt* disséquer.

disección *nf* dissection (*f*).

diseminar *vt* disséminer.

disentir *vi* ne pas être d'accord.

diseñador, ra *nm, f* dessinateur (*m*), -trice (*f*), designer (*m*) • **diseñador de modas** créateur (*m*) • **diseñador gráfico** concepteur (*m*) graphique.

diseñar *vt* **1.** dessiner **2.** concevoir.

diseño *nm* **1.** dessin (*m*) **2.** conception (*f*) • **de diseño** design • **diseño asistido por ordenador** conception (*f*) assistée par ordinateur (*CAO*) • **diseño gráfico** conception graphique.

disertación *nf* dissertation (*f*).

disfraz *nm* déguisement (*m*) • **de disfraces** costumé(e).

disfrazar *vt* déguiser. ◼ **disfrazarse** *vp* • **disfrazarse (de)** se déguiser (en).

disfrutar ◪ *vi* **1.** s'amuser **2.** • **disfrutar de** bénéficier de (*confort*) • jouir de (*bonne santé, faveur*). ◪ *vt* • **disfrutar algo** profiter de qqch.

disgregar *vt* **1.** disperser **2.** (*roche*) désagréger ◼ **disgregarse** *vp* **1.** (*famille, manifestation*) se disperser **2.** (*roche*) se désagréger **3.** (*empire*) se morceler.

disgustar *vt* déplaire. ◼ **disgustarse** *vp* se fâcher.

disgusto *nm* **1.** contrariété (*f*) • **dar un disgusto** contrarier • **llevarse un disgusto** être contrarié(e) **2.** ennui (*m*) • **estar a disgusto** être mal à l'aise **3.** (*dispute*) • **tener un disgusto con alguien** s'accrocher avec qqn.

disidente *adj* & *nmf* dissident(e).

disimular ◼ *vt* dissimuler, cacher. ◼ *vi* **1.** faire l'innocent(e) **2.** faire comme si de rien n'était.

disimulo *nm* dissimulation (f) • **con disimulo** en cachette.

disipar *vt* dissiper. ◼ **disiparse** *vp* se dissiper.

diskette = **disquete.**

dislexia *nf* dyslexie (f).

dislocar *vt* démettre. ◼ **dislocarse** *vp* se démettre.

disminución *nf* **1.** diminution (f) **2.** baisse (f) (des températures, des salaires, etc).

disminuir *vt* & *vi* diminuer.

disolución *nf* **1.** dissolution (f) **2.** (mélange) solution (f).

disolvente ◼ *adj* dissolvant(e). ◼ *nm* dissolvant (m).

disolver *vt* dissoudre. ◼ **disolverse** *vp* **1.** se dissoudre **2.** (manifestation) se disperser.

disparar ◼ *vt* lancer (une flèche, son dard). ◼ *vi* tirer. ◼ **dispararse** *vp* **1.** (arme à feu) partir **2.** s'emporter **3.** (prix) s'envoler.

disparatado, da *adj* **1.** absurde **2.** extravagant(e) • **¡qué ideas más disparatadas!** quelles drôles d'idées !

disparate *nm* **1.** bêtise (f) **2.** drôle d'idée (f) **3.** fortune (f) • **costar un disparate** coûter une fortune.

disparidad *nf* disparité (f).

disparo *nm* **1.** coup (m) de feu **2.** tir (m).

dispensar *vt* **1.** excuser **2.** rendre (les honneurs) **3.** réserver (un accueil) **4.** donner (son aide). ◼ *vi* • **dispensar de** dispenser de.

dispensario *nm* dispensaire (m).

dispersar *vt* disperser. ◼ **dispersarse** *vp* se disperser.

dispersión *nf* **1.** (gén & PHYS) dispersion (f) **2.** désordre (m).

disperso, sa *adj* dispersé(e).

disponer ◼ *vt* **1.** disposer • **disponer lo necesario para** prendre ses dispositions pour **2.** (prescrire) • **disponer algo** (sujet : personne) décider de qqch • (sujet : loi) stipuler qqch. ◼ *vi* • **disponer de** disposer de. ◼ **disponerse** *vp* • **disponerse a** s'apprêter a.

disponibilidad *nf* disponibilité (f).

disponible *adj* disponible.

disposición *nf* disposition (f) • **a disposición de** à la disposition de • **tener disposición para** avoir des dispositions pour • **estar** *ou* **hallarse en disposición de** être en état de.

dispositivo *nm* dispositif (m) • **dispositivo intrauterino** stérilet (m).

dispuesto, ta *adj* prêt(e) • **estar dispuesto a algo/a hacer algo** être prêt à qqch/a faire qqch • **ser muy dispuesto** avoir de bonnes dispositions. ◼ **dispuesto** *pp* ▷ **disponer.**

disputa *nf* dispute (f).

disputar *vt* • **disputar algo** se disputer qqch • **disputar algo** discuter de qqch.

disquete, diskette [dis'kete] *nm* disquette (f).

disquetera *nf* unité (f) de disquette.

distancia *nf* distance (f) • **a distancia** à distance • **se saludaron a distancia** ils se sont salués de loin • **de larga distancia** international(e).

distanciar *vt* **1.** éloigner **2.** (dans une compétition) distancer. ◼ **distanciarse** *vp* s'éloigner, prendre ses distances.

distante *adj* **1.** éloigné(e) • **no está muy distante** ce n'est pas très loin **2.** (froid) distant(e).

distar *vi* (se trouver) • **ese sitio dista varios kilómetros de aquí** cet endroit est à plusieurs kilomètres d'ici • **distar de** fig être loin de.

diste (etc) ▷ **dar.**

distender *vt* **1.** distendre **2.** détendre (une corde, l'atmosphère).

distendido, da *adj* décontracté(e).

distinción *nf* distinction (f) • **a distinción de** à la différence de.

distinguido, da *adj* **1.** éminent(e) **2.** distingué(e).

distinguir *vt* distinguer • **distinguir con** décorer de. ◼ **distinguirse** *vp* se distinguer.

distintivo, va *adj* distinctif(ive). ◼ **distintivo** *nm* **1.** badge (m) **2.** signe (m) distinctif.

distinto, ta *adj* différent(e). ◼ **distintos, tas** *adj pl* plusieurs.

distorsión *nf* **1.** entorse (f) **2.** distorsion (f) (d'images, de sons).

distracción *nf* distraction (f).

distraer *vt* distraire. ◼ **distraerse** *vp* **1.** se distraire **2.** être distrait(e) **3.** se déconcentrer • **distraerse un momento** avoir un moment d'inattention.

distraído, da ◼ *adj* **1.** amusant(e) **2.** distrait(e). ◼ *nm, f* étourdi (m), -e (f).

distribución *nf* distribution (f).

distribuidor, ra ◼ *adj* **1.** qui distribue **2.** de distribution. ◼ *nm, f* distributeur (m), -trice (f) • **distribuidor exclusivo** représentant (m) exclusif. ◼ **distribuidor** *nm* distributeur (m).

distribuir *vt* distribuer.

distrito *nm* **1.** district (m) **2.** SCOL académie (f) • **distrito postal** secteur (m) postal.

disturbio *nm* troubles (mpl), émeute (f).

disuadir *vt* dissuader.

disuasión *nf* dissuasion (f).

disuasivo, va *adj* dissuasif(ive).

disuelto, ta *pp* ▷ **disolver.**

DIU (abr de **dispositivo intrauterino**) *nm* stérilet (m) • **insertar un DIU** poser un stérilet.

diurético, ca *adj* diurétique. ◼ **diurético** *nm* diurétique (m).

diurno, na *adj* diurne.

divagar *vi* 1. *(dévier)* • **divagar sobre** se perdre en considérations sur 2. errer 3. divaguer.

diván *nm* divan *(m)*.

divergencia *nf* litt & fig divergence *(f)*.

divergir *vi* litt & fig diverger.

diversidad *nf* diversité *(f)*.

diversificar *vt* diversifier. ■ **diversificarse** *vp* se diversifier.

diversión *nf* distraction *(f)*.

diverso, sa *adj* 1. différent(e) 2. divers(e). ■ **diversos, sas** *adj pl* plusieurs.

divertido, da *adj* amusant(e), drôle.

divertir *vt* amuser. ■ **divertirse** *vp* 1. s'amuser 2. se divertir.

dividendo *nm* dividende *(m)*.

dividir *vt* 1. diviser 2. couper en morceaux 3. partager.

divinidad *nf* divinité *(f)*.

divino, na *adj* 1. divin(e) 2. fig merveilleux(euse) 3. *(goût, repas)* exquis(e).

divisa *nf (gén pl)* 1. devise *(f)* (étrangère) 2. insigne *(m)*.

divisar *vt* apercevoir.

división *nf* 1. *(gén, MIL & SPORT)* division *(f)* 2. fig discorde *(f)* • **hubo división de opiniones** les avis ont été partagés.

divisor *nm* diviseur *(m)*.

divo, va *nm, f* 1. chanteur *(m)* d'opéra, diva *(f)* 2. fig vedette *(f)*.

divorciado, da *adj & nm, f* divorcé(e).

divorciar *vt* 1. prononcer le divorce de 2. fig séparer *(deux choses)*. ■ **divorciarse** *vp* divorcer.

divorcio *nm* litt & fig divorce *(m)*.

divulgación *nf* 1. divulgation *(f)* 2. vulgarisation *(f)*.

divulgar *vt* 1. divulguer 2. propager *(une rumeur)* 3. vulgariser.

d. JC. = d. de JC.

Djibuti = Yibuti.

dl *(abr écrite de* **decilitro)** dl.

dm *(abr écrite de* **decímetro)** dm.

DNI *(abr écrite de* **documento nacional de identidad)** *nm* carte d'identité espagnole, ≃ CNI *(f)* • **tramitar el DNI** faire les démarches nécessaires pour obtenir sa carte d'identité.

do *nm* do *(m)*.

dobladillo *nm* ourlet *(m)*.

doblado, da *adj* 1. plié(e) 2. doublé(e).

doblaje *nm* doublage *(m)*.

doblar ◼ *vt* 1. *(gén, NAUT & CINÉ)* doubler 2. plier 3. tordre 4. *(tourner)* • **doblar la esquina** tourner au coin de la rue 5. fig *(frapper)* • **doblar a alguien a palos** rouer qqn de coups. ◼ *vi* 1. tourner 2. *(cloches)* • **doblar (a muerto)** sonner le glas. ■ **doblarse** *vp* • **doblarse a** *ou* **ante algo** plier sous *ou* se soumettre à qqch • *(demande)* accéder à qqch.

doble ◼ *adj* double • **de doble sentido** à double sens • **doble "l"** deux « l » • **tiene doble número de habitantes** elle a deux fois plus d'habitants • **doble de ancho que...** deux fois plus large que... ◼ *nmf* 1. double *(m)*, sosie *(m)* 2. doublure *(f)*. ◼ *nm* double *(m)* • **gana el doble que yo** elle gagne deux fois plus que moi. ◼ *adv* double • **ver doble** voir double • **trabajar doble** travailler deux fois plus. ■ **dobles** *nm inv* double *(m)*.

doblegar *vt* 1. plier 2. faire fléchir. ■ **doblegarse** *vp* • **doblegarse a** se plier à • **doblegarse ante/bajo** fléchir devant/sous.

doblez ◼ *nm* pli *(m)*. ◼ *nm ou nf* fig duplicité *(f)*.

doce ◼ *adj num inv* douze • **las doce** midi • minuit. ◼ *nm inv* douze *(m inv)*. • *voir aussi* **seis**

doceavo, va *adj num* douzième.

docena *nf* douzaine *(f)* • **por docenas** à la douzaine • *(en quantité)* beaucoup.

docencia *nf* enseignement *(m)*.

docente ◼ *adj* 1. enseignant(e) 2. d'enseignement. ◼ *nmf* enseignant *(m)*, -e *(f)*.

dócil *adj* 1. docile 2. *(enfant)* facile.

docto, ta *adj & nm, f* savant(e).

doctor, ra *nm, f* docteur *(m)* • **doctor en** docteur en • **doctor ès** docteur ès.

doctorar *vt* • **doctorar a alguien** délivrer un doctorat à qqn.

doctrina *nf* doctrine *(f)*.

documentación *nf* 1. documentation *(f)* 2. papiers *(mpl)*.

documentado, da *adj* documenté(e) • **ir documentado** avoir ses papiers sur soi.

documental ◼ *adj* documentaire. ◼ *nm* documentaire *(m)*.

documentar *vt* 1. documenter 2. fournir des documents à l'appui de 3. informer. ■ **documentarse** *vp* se documenter.

documento *nm* 1. document *(m)* • **documento nacional de identidad** carte *(f)* nationale d'identité 2. témoignage *(m)*.

dogma *nm* dogme *(m)*.

dogmático, ca *adj* dogmatique.

dólar *nm* dollar *(m)*.

dolencia *nf* douleur *(f)*.

doler *vi* 1. faire mal • **me duele la pierna** ma jambe me fait mal • **me duele la cabeza** j'ai mal à la tête 2. faire de la peine, faire du mal • **me duele verte llorar** ça me fait de la peine de te voir pleurer. ■ **dolerse** *vp* • **dolerse de** *ou* **por** se plaindre de • regretter de • être affligé(e) par.

dolido, da *adj* meurtri(e).

dolmen *nm* dolmen *(m)*.

dolor *nm* douleur *(f)* ▪ **dolor de muelas** rage *(f)* de dents ▪ **tener dolor de cabeza/de estó-mago** avoir des maux de tête/d'estomac ▪ **tener dolor de barriga/de riñones** avoir mal au ventre/aux reins.

dolorido, da *adj* **1.** endolori(e) **2.** peiné(e).

doloroso, sa *adj* douloureux(euse).

domador, ra *nm, f* dompteur *(m)*, -euse *(f)*.

domar *vt* **1.** dompter *(un fauve, une passion)* **2.** dresser *(une personne, un animal)*.

domesticar *vt* **1.** domestiquer *(un animal)* **2.** apprivoiser *(une personne)*.

doméstico, ca *adj* **1.** ménager(ère) **2.** domestique.

domiciliación *nf* domiciliation *(f)* ▪ **domicilia-ción bancaria** domiciliation (bancaire).

domiciliar *vt* payer par virement bancaire.

domicilio *nm* domicile *(m)* ▪ **domicilio social** siège *(m)* social.

dominante *adj* **1.** dominant(e) **2.** domina-teur(trice).

dominar *vt* **1.** dominer **2.** maîtriser. ■ **domi-narse** *vp* se dominer, se maîtriser.

domingo *nm* dimanche *(m)*. ▪ *voir aussi* **sába-do**

dominguero, ra *fam* ◼ *adj* du dimanche. ◼ *nm, f* ▪ **conduce como un dominguero** c'est un vrai conducteur du dimanche.

dominical *adj* dominical(e).

dominicano, na ◼ *adj* dominicain(e). ◼ *nm, f* Dominicain *(m)*, -e *(f)*.

dominio *nm* **1.** domination *(f)* ▪ **el dominio de los Austrias** l'empire d'Autriche **2.** pouvoir *(m)* ▪ **el dominio de la Iglesia** le pouvoir de l'Église **3.** *(territoire, univers)* domaine *(m)* **4.** maîtrise *(f) (des connaissances)*. ■ **dominios** *nmpl* territoires *(mpl)*.

dominó *nm* **1.** dominos *(mpl)* **2.** domino *(m)*.

don *nm* **1.** *(titre)* ▪ **don Luis García, don Luis** monsieur Luis García, monsieur García **2.** don *(m)* ▪ **tener el don de los idiomas** avoir le don des langues ▪ **tener el don de los negocios** avoir le sens des affaires.

donaire *nm* **1.** grâce *(f)* **2.** allure *(f)* **3.** esprit *(m)* **4.** mot *(m)* d'esprit.

donante *nmf* **1.** donateur *(m)*, -trice *(f)* **2.** don-neur *(m)*, -euse *(f)*.

donar *vt* faire don de.

donativo *nm* don *(m)*.

doncella *nf* **1.** damoiselle *(f)* **2.** bonne *(f)*.

donde ◼ *adv* où ▪ **el bolso está donde lo de-jaste** le sac est là où tu l'as laissé ▪ **de** *ou* **des-de donde** d'où ▪ **pasaré por donde me man-den** je passerai par où on me dira de passer.

◼ *pron* où ▪ **ésa es la casa donde nací** c'est la maison où je suis né ▪ **de donde** d'où ▪ **la ciudad de donde viene** la ville d'où il vient ▪ **ése es el camino por donde pasamos** c'est le chemin par lequel nous sommes passés. ■ **de donde** *loc adv* d'où.

dónde *adv (interrogatif)* où ▪ **¿dónde estás?** où es-tu ? ▪ **no sé dónde está** je ne sais pas où il est ▪ **¿a dónde vas?** où vas-tu ? ▪ **¿de dónde eres?** d'où es-tu ? ▪ **¿por dónde se va al tea-tro?** par ou va-t-on au théâtre ?

dondequiera ■ **dondequiera** *loc adv* où que ▪ **dondequiera que estés** où que tu sois.

donostiarra *adj & nmf* de Saint-Sébastien.

doña *nf* ▪ **doña Luisa García, doña Luisa** ma-dame Luisa García, madame García.

Doñana *npr* ▪ **coto de Doñana** parc national espagnol situé dans la province de Huelva.

dopado, da *adj* dopé(e).

dopaje, doping *nm* dopage *(m)*.

dopar *vt* doper.

doping ['dopin] = **dopaje**.

doquier ■ **por doquier** *loc adv* partout.

dorado, da *adj* **1.** doré(e) **2.** *fig* d'or. ■ **dorada** *nf* daurade *(f)*.

dorar *vt* **1.** dorer **2.** faire revenir **3.** faire dorer **4.** enjoliver. ■ **dorarse** *vp* dorer.

dormilón, ona *fam* ◼ *adj (dormeur)* ▪ **es un niño dormilón** c'est un enfant qui dort beaucoup. ◼ *nm, f* marmotte *(f)*. ■ **dormilona** *nf (Amér)* chemise *(f)* de nuit.

dormir ◼ *vt* endormir ▪ **dormir la siesta** faire la sieste. ◼ *vi* dormir. ■ **dormirse** *vp* **1.** s'en-dormir ▪ **dormirse en los laureles** s'endormir sur ses lauriers **2.** s'engourdir ▪ **se me ha dor-mido la mano** j'ai la main tout engourdie.

dormitar *vi* somnoler.

dormitorio *nm* **1.** chambre *(f)* (à coucher) **2.** dortoir *(m)*.

dorsal ◼ *adj* dorsal(e). ◼ *nm* dossard *(m)*.

dorso *nm* dos *(m)* ▪ **'véase al dorso'** 'voir au dos'.

dos ◼ *adj num inv* deux ▪ **cada dos por tres** à tout bout de champ. ◼ *nm inv* deux *(m)*. ▪ *voir aussi* **seis**

DOS *(abr de disk operating system) nm* DOS *(m)*.

doscientos, tas *adj num inv* deux cents. ▪ *voir aussi* **seiscientos**

dosificar *vt* **1.** doser **2.** *fig* peser.

dosis *nf inv litt & fig* dose *(f)*.

dossier [do'sjer] *(pl dossiers ou dossieres) nm* dossier *(m)*.

dotación *nf* **1.** dotation *(f)* **2.** personnel *(m)*.

dotado, da *adj* ▪ **dotado para** doué pour ▪ **do-tado de** équipé de.

dotar *vt* doter • **dotar algo de** équiper qqch de • fournir le personnel nécessaire à • **dotar a alguien de** *fig* douer qqn de.

dote *nm ou nf* dot *(f)*. ■ **dotes** *nfpl* qualités *(fpl)* • **tener dotes de** être doué(e) pour.

Dr. *(abr écrite de **doctor**)* Dʳ.

Dra. *(abr écrite de **doctora**)* Dʳ.

dragar *vt* draguer.

dragón *nm* dragon *(m)*.

drama *nm* drame *(m)* • **hacer un drama** *fig* faire tout un cirque • **hacer un drama de algo** *fig* faire un drame de qqch.

dramático, ca *adj* litt & *fig* dramatique.

dramatizar *vt* 1. dramatiser 2. adapter *(une œuvre, un poème)*.

dramaturgo, ga *nm, f* dramaturge *(m)*.

drástico, ca *adj* 1. radical(e) 2. draconien(enne), drastique.

drenar *vt* drainer.

driblar *vt* dribbler.

droga *nf* drogue *(f)*.

drogadicto, ta *adj & nm, f* toxicomane.

drogar *vt* droguer. ■ **drogarse** *vp* se droguer.

droguería *nf* droguerie *(f)*.

dromedario *nm* dromadaire *(m)*.

drugstore [droɣes'tor] *(pl* **drugstores***) nm* drugstore *(m)*.

dto. *(abr de **descuento**)* • **un 10% (de) dto.** 10 % de remise *ou* de réduction.

dual *adj* dual(e).

dualidad *nf* dualité *(f)*.

Dublín *npr* Dublin.

ducado *nm* 1. duché *(m)* 2. ducat *(m)*.

ducha *nf* douche *(f)* • **tomar** *ou* **darse una ducha** prendre une douche.

duchar *vt* doucher. ■ **ducharse** *vp* se doucher.

duda *nf* doute *(m)* • **no cabe duda** il n'y a pas de doute • **salir de dudas** en avoir le cœur net • **sin duda** sans doute.

dudar ◼ *vi* 1. *(ne pas avoir confiance)* • **dudar de** douter de 2. *(ne pas être sûr)* • **dudar sobre** avoir des doutes sur 3. hésiter. ◼ *vt* douter • **dudo que venga** je doute qu'il vienne • **lo dudo** j'en doute.

dudoso, sa *adj* 1. *(improbable)* • **es dudoso que...** il n'est pas certain que... 2. hésitant(e) 3. douteux(euse).

duelo *nm* 1. duel *(m)* 2. deuil *(m)*.

duende *nm* 1. lutin *(m)* 2. *fig* charme *(m)*.

dueño, ña *nm, f* propriétaire *(mf)*.

Duero *nm* • **el Duero** le Douro.

dulce ◼ *adj* 1. doux(douce) 2. sucré(e). ◼ *nm* 1. gâteau *(m)* 2. bonbon *(m)* • **dulce de membrillo** pâte *(f)* de coings. ■ **dulces** *nmpl* sucreries *(fpl*, friandises *(fpl)*.

dulcificar *vt* 1. sucrer 2. *fig* adoucir.

dulzura *nf* douceur *(f)*.

duna *nf* dune *(f)*.

dúo *nm* duo *(m)* • **a dúo** en duo.

duodécimo, ma *adj num* douzième.

duodeno *nm* duodénum *(m)*.

dúplex *nm inv* duplex *(m)*.

duplicado, da *adj* en double exemplaire. ■ **duplicado** *nm* duplicata *(m)* • **por duplicado** en double exemplaire.

duplicar *vt* 1. doubler 2. faire un double de. ■ **duplicarse** *vp* doubler • **se ha duplicado el precio** le prix a doublé.

duque, esa *nm, f* duc *(m)*, duchesse *(f)*.

duración *nf* durée *(f)*.

duradero, ra *adj* durable.

durante *prép* pendant • **durante las vacaciones** pendant les vacances • **durante toda la semana** toute la semaine.

durar *vi* 1. durer 2. persister.

durazno *nm (Amér)* pêche *(f)*.

dureza *nf* 1. dureté *(f)* 2. durillon *(m)*.

duro, ra *adj* dur(e) • **ser duro de pelar** être un dur à cuire. ■ **duro** ◼ *nm* 1. *(monnaie)* • **un duro** cinq pesetas 2. dur *(m)*. ◼ *adv* dur • **trabajar duro** travailler dur • **pegar duro** frapper fort.

d/v *(abr de **días vista**)* • **giro a 15 d/v a la orden del Banco Popular** virement à 15 jours à l'ordre du Banco Popular.

e¹, E [e] *nf* e *(m inv)*, E *(m inv)*.

e² *conj* (**e** *à la place de* **y** *devant des mots qui commencent par* **i** *ou* **hi**) et.

EA *(abr écrite de **Eusko Alkartasuna**) nf* parti politique basque né d'une scission du PNV.

ebanista *nmf* ébéniste *(mf)*.

ebanistería *nf* 1. ébénisterie *(f)* 2. atelier *(m)* d'ébéniste.

ébano *nm* ébène *(f)*.

ebrio, bria *adj* litt & *fig* ivre.

Ebro *nm* • **el Ebro** l'Èbre *(m)*.

ebullición *nf* ébullition *(f)*.

eccema *nm* eczéma *(m)*.

echar *vt*

1. LANCER, JETER QQCH
- **echó un hueso al perro** il a jeté un os au chien
- **échame la pelota** lance-moi la balle
- **la carne está mala, échala a la basura** la viande est avariée, jette-la à la poubelle
- **los pescadores echaron las redes** les pêcheurs ont lancé les filets

2. DÉPOSER QQCH DANS UN ENDROIT DÉTERMINÉ
- **eché la carta al buzón** j'ai posté la lettre
- **echar azúcar en el café** mettre du sucre dans son café

3. FERMER
- **echar la llave** fermer à clé
- **echar el cerrojo** fermer le verrou

4. DÉGAGER QQCH
- **echar vapor/chispas** faire de la vapeur/des étincelles
- **echar humo** fumer
- **echar lágrimas** verser des larmes

5. METTRE QQN À LA PORTE
- **lo han echado del colegio** il a été exclu du collège
- **la empresa ha echado a catorce empleados** l'entreprise a licencié quatorze employés

6. IMPOSER UNE PEINE
- **le echaron diez años de prisión** il a été condamné à dix ans de prison

7. DONNER DE LA NOURRITURE
- **fue a echar comida a las gallinas** il est allé donner à manger aux poules
- **¿qué os han echado hoy de comer?** qu'est-ce qu'on vous a servi à manger aujourd'hui ?

8. PRODUIRE QQCH, EN PARLANT D'UN ORGANISME
- **los rosales echan flores** les rosiers fleurissent
- **echar los dientes** faire ses dents

9. *fam* AU CINÉMA, À LA TÉLÉ = passer
- **¿qué echan en el cine de al lado?** qu'est-ce qui passe au cinéma d'à côté ?

10. *fam* AU THÉÂTRE = jouer
- **en el Zorrilla echan un vodevil** au théâtre Zorrilla, on joue un vaudeville

11. *fam* FAIRE UNE SUPPOSITION
- **¿cuántos años me echas?** quel âge tu me donnes ?
- **¿qué precio le echas?** ça a coûté combien, d'après toi ?

12. DANS DES EXPRESSIONS
- **echar abajo** abattre
- **echar cuentas** faire des comptes
- **echo de menos aquella época** je regrette cette époque
- **echo de menos a mis hijos** mes enfants me manquent
- **las lluvias echaron a perder la cosecha** les pluies ont abîmé la récolte

- **echó a perder todos nuestros planes** il a gâché tous nos projets
- **echar las cartas** tirer les cartes
- **echar el freno de mano** mettre le frein à main.

■ **echar a** *v + prép*

COMMENCER À RÉALISER UNE ACTION = se mettre à
- **echó a correr** il s'est mis à courir.

■ **echar por** *v + prép*

fam SUIVI D'UN COMPLÉMENT DE LIEU
- **echar por el camino de la izquierda** prendre le chemin à gauche.

■ **echarse** *vp*

1. S'ÉTENDRE QUELQUE PART = s'allonger
- **estoy agotado, me voy a echar un ratito** je suis épuisé, je vais m'allonger un moment

2. SE PRÉCIPITER VERS QQCH OU QQN = se jeter
- **al vernos se nos echó encima** quand il nous a vus, il s'est jeté sur nous
- **los niños se echaron sobre el pastel** les enfants se sont jetés sur le gâteau

3. DANS DES EXPRESSIONS
- **echarse a un lado** se pousser
- **me eché atrás para que pasaran** j'ai reculé pour leur permettre de passer
- **¡ahora ya no te puedes echar atrás!** désormais, tu ne peux plus changer d'avis !
- **toda la comida se ha echado a perder** toute la nourriture s'est abîmée
- **con la lluvia la fiesta se echó a perder** la fête a été gâchée par la pluie.

■ **echarse a** *vp + prép*

COMMENCER À RÉALISER UNE ACTION = se mettre à
- **se echó a llorar** il s'est mis à pleurer.

echarpe *nm* écharpe *(f)*.

eclesiástico, ca *adj* ecclésiastique. ■ **eclesiástico** *nm* ecclésiastique *(m)*.

eclipsar *vt* **1.** éclipser **2.** *fig* faire de l'ombre à.

eclipse *nm* éclipse *(f)*.

eco *nm* écho *(m)* • **hacerse eco de** se faire l'écho de. ■ **eco del radar** *nm* écho-radar *(m)*.

ecografía *nf* échographie *(f)*.

ecología *nf* écologie *(f)*.

ecológico, ca *adj* écologique.

ecologista *adj & nmf* écologiste.

economato *nm* économat *(m)*.

economía *nf* économie *(f)* • **economía sumergida** économie parallèle.

económico, ca *adj* **1.** économique • **sirven comidas económicas** on sert des repas à bas prix **2.** économe. ■ **económicas** *nfpl* sciences *(fpl)* économiques.

economista *nmf* économiste *(mf)*.

economizar *vt litt* & *fig* économiser.

ecosistema *nm* écosystème *(m)*.

ecuación *nf* équation *(f)*.

ecuador *nm* équateur *(m)*.

Ecuador *npr* • **(el) Ecuador** l'Équateur *(m)*.

ecuánime *adj* **1.** impartial(e) **2.** d'humeur égale.

ecuatoriano, na ◼ *adj* équatorien(enne). ◼ *nm, f* Équatorien *(m)*, -enne *(f)*.

ecuestre *adj* équestre.

edad *nf* âge *(m)* • **¿qué edad tienes?** quel âge as-tu ? • **una persona de edad** une personne âgée • **edad del pavo** âge ingrat • **edad escolar** âge scolaire • **Edad Media** Moyen Âge • **tercera edad** troisième âge.

edelweiss [eðel'βais] *nm inv* edelweiss *(m)*.

edén *nm litt* & *fig* éden *(m)*.

edición *nf* édition *(f)* • **edición de bolsillo** édition de poche • **edición electrónica** édition électronique.

edicto *nm* édit *(m)*.

edificante *adj* édifiant(e).

edificar *vt* **1.** construire **2.** édifier.

edificio *nm* **1.** bâtiment *(m)* **2.** immeuble *(m)*.

edil *nm* conseiller *(m)* municipal, conseillère *(f)* municipale.

Edimburgo *npr* Édimbourg.

editar *vt* éditer.

editor, ra ◼ *adj* éditeur(trice). ◼ *nm, f* **1.** éditeur *(m)*, -trice *(f)* **2.** réalisateur *(m)*, -trice *(f)*. ◼ **editor** *nm* éditeur *(m)* de textes.

editorial ◼ *adj* éditorial(e). ◼ *nm* éditorial *(m)*. ◼ *nf* maison *(f)* d'édition.

edredón *nm* édredon *(m)* • **edredón (nórdico)** couette *(f)*.

educación *nf* éducation *(f)* • **recibió una buena educación en esa escuela** il a reçu une bonne éducation dans cette école • **¡qué poca educación!** qu'il est mal élevé ! • **educación física** éducation physique.

educado, da *adj* bien élevé(e) • **mal educado** mal élevé.

educador, ra *nm, f* éducateur *(m)*, -trice *(f)*.

educar *vt* **1.** éduquer **2.** élever.

edulcorante ◼ *adj* édulcorant(e). ◼ *nm* édulcorant *(m)*.

edulcorar *vt* édulcorer.

EE *(abr écrite de* **Euskadiko Ezkerra**) *nm parti politique basque de gauche.*

EE UU *(abr écrite de* **Estados Unidos**) *npr* USA *(mpl)*.

efectivamente *adv* effectivement.

efectividad *nf* effet *(m)*.

efectivo, va *adj* **1.** positif(ive) **2.** réel(elle) • **hacer efectivo** mettre à exécution *(une menace, un plan, une promesse)* • réaliser *(un rêve)* • exaucer *(un souhait)* • payer *(un crédit)*. ◼ **efectivo** *nm* liquidités *(fpl)*, avoirs *(mpl)* en liquide • **no tengo efectivo** je n'ai pas de liquide • **en efectivo** en espèces. ◼ **efectivos** *nmpl* effectifs *(mpl)*.

efecto *nm* **1.** effet *(m)* • **efecto invernadero** effet de serre • **efecto óptico** illusion *(f)* d'optique • **efectos especiales** effets spéciaux • **efectos secundarios** effets secondaires • **efecto 2000** bogue *(m)* de l'an 2000 **2.** trucage *(m)* **3.** but *(m)* • **a efecto de** dans le but de • **a efectos de, para los efectos de** pour. ◼ **en efecto** *loc adv* en effet.

efectuar *vt* effectuer. ◼ **efectuarse** *vp* avoir lieu.

efeméride *nf* date *(f)* anniversaire. ◼ **efemérides** *nfpl* éphéméride *(f)*.

efervescencia *nf litt* & *fig* effervescence *(f)*.

efervescente *adj* effervescent(e).

eficacia *nf* efficacité *(f)*.

eficaz *adj* efficace.

eficiencia *nf* efficacité *(f)*.

eficiente *adj* efficace.

efímero, ra *adj* éphémère.

efusión *nf* effusion *(f)*.

efusivo, va *adj* expansif(ive).

EGB *(abr de* **enseñanza general básica**) *nf ancien cycle d'enseignement comprenant l'école primaire et les trois premières années du secondaire.*

egipcio, cia ◼ *adj* égyptien(enne). ◼ *nm, f* Égyptien *(m)*, -enne *(f)*.

Egipto *npr* Égypte *(f)* • **el Egipto antiguo** l'Égypte ancienne.

egocéntrico, ca *adj* & *nm, f* égocentrique.

egoísmo *nm* égoïsme *(m)*.

egoísta *adj* & *nmf* égoïste.

ególatra *adj* égotiste.

egresado, da *nm, f (Amér)* diplômé *(m)*, -e *(f)*.

egresar *vi (Amér)* obtenir son diplôme.

egreso *nm (Amér)* diplôme *(m)*.

eh *interj* • **¡eh!** hé !

ej. *(abr écrite de* **ejemplo**) ex.

eje *nm* **1.** axe *(m)* **2.** NAUT arbre *(m)* **3.** NAUT essieu *(m)*.

ejecución *nf* exécution *(f)*.

ejecutar *vt* exécuter.

ejecutivo, va ◼ *adj* exécutif(ive) • **la secretaría ejecutiva** le secrétariat de direction. ◼ *nm, f* cadre *(mf)* • **ejecutivo agresivo** jeune cadre dynamique. ◼ **ejecutivo** *nm* exécutif *(m)*.

ejem *interj* • **¡ejem!** hum !

ejemplar ◼ *adj* exemplaire. ◼ *nm* exemplaire *(m)*.

ejemplificar *vt* **1.** illustrer (par des exemples) **2.** donner des exemples de.

ejemplo *nm* exemple *(m)* • **por ejemplo** par exemple.

ejercer ◼ *vt* exercer. ◼ *vi* exercer • **ejercer de** exercer la profession de.

ejercicio *nm* exercice *(m)*.

ejercitar *vt* exercer. ◼ **ejercitarse** *vp* • **ejercitarse (en algo)** s'exercer (à qqch).

ejército *nm litt & fig* armée *(f)*.

ejote *nm (Amér)* haricot *(m)* vert.

el, la *(mpl* **los,** *fpl* **las)** *art (devant un nom féminin singulier qui commence par* **a** *ou* **ha** *tonique :* **el** *;* **a** + **el** = **al** *;* **de** + **el** = **del**) **1.** le, la • **el libro/la casa** le livre/la maison • **el amor/la vida** l'amour/la vie • **el agua/hacha/águila** l'eau/la hache/l'aigle • **los niños imitan a los adultos** les enfants imitent les adultes • **el Sena/Everest** la Seine/l'Everest • **¡ahora con ustedes, el inigualable Pérez!** et voici l'inégalable Pérez ! • **prefiero el grande** je préfère le grand **2.** *(indique l'appartenance)* • **se rompió la pierna** il s'est cassé la jambe • **se quitó los zapatos** il a enlevé ses chaussures **3.** *(avec les jours de la semaine)* **vuelven el sábado** ils reviennent samedi prochain **4.** *(devant la préposition* **de***)* • **el de** celui de, celle de • **he perdido el tren, cogeré el de las doce** j'ai raté mon train, je prendrai celui de midi • **mi hermano y el de Juan** mon frère et celui de Juan **5.** *(devant* **que***)* • **el que** celui qui, celle qui • celui que, celle que • **el que primero llegue...** celui qui arrivera le premier... • **coge el que quieras** prends celui que tu voudras.

él, ella *pron pers* **1.** il, elle **2.** lui, elle • **él se llama Juan** il s'appelle Juan • **el culpable es él** c'est lui le coupable • **díselo a él/ella** dis-le-lui • **voy con ella** je vais avec elle • **le hablé de él** je lui ai parlé de lui • **de él/ella** à lui/elle.

elaborar *vt* **1.** élaborer, mettre au point **2.** fabriquer.

elasticidad *nf* **1.** élasticité *(f) (d'un muscle, d'un tissu)* **2.** souplesse *(f) (dans le sport, dans le caractère)*.

elástico, ca *adj litt & fig* élastique. ◼ **elástico** *nm* élastique *(m)*. ◼ **elásticos** *nmpl* bretelles *(fpl)*.

elección *nf* **1.** élection *(f)* **2.** choix *(m)*. ◼ **elecciones** *nfpl* élections *(fpl)*.

electo, ta *adj* élu(e).

elector, ra *nm, f* électeur *(m)*, -trice *(f)*.

electorado *nm* électorat *(m)*.

electoral *adj* électoral(e).

electricidad *nf* électricité *(f)*.

electricista ◼ *adj* • **un ingeniero electricista** un ingénieur électricien. ◼ *nmf* électricien *(m)*, -enne *(f)*.

eléctrico, ca *adj* électrique.

electrificar *vt* électrifier.

electrizar *vt litt & fig* électriser.

electrocutar *vt* électrocuter. ◼ **electrocutarse** *vp* s'électrocuter.

electrodoméstico *nm (gén pl)* appareil *(m)* électroménager • **los electrodomésticos** l'électroménager *(m)*.

electromagnético, ca *adj* électromagnétique.

electrón *nm* électron *(m)*.

electrónico, ca *adj* électronique. ◼ **electrónica** *nf* électronique *(f)*.

elefante, ta *nm, f* éléphant *(m)*. ◼ **elefante marino** nm éléphant *(m)* de mer.

elegancia *nf* élégance *(f)*.

elegante *adj* élégant(e).

elegantoso, sa *adj (Amér)* chic.

elegía *nf* élégie *(f)*.

elegir *vt* **1.** choisir **2.** élire.

elemental *adj* **1.** élémentaire **2.** évident(e).

elemento *nm* **1.** élément *(m)* **2.** *fam* numéro *(m)* • **¡vaya elemento!** quel numéro !

elenco *nm* **1.** THÉÂTRE troupe *(f)*, distribution *(f)* **2.** liste *(f)*.

elepé *nm* 33-tours *(m inv)*.

elevación *nf* **1.** élévation *(f)* **2.** levage *(m)* • **de elevación** de levage.

elevado, da *adj* **1.** élevé(e) **2.** *fig* noble.

elevador, ra *adj* élévateur(trice). ◼ **elevador** *nm* **1.** élévateur *(m)* **2.** ascenseur *(m)*.

elevalunas *nm inv* lève-glace *(m)*.

elevar *vt* **1.** élever • **elevar al cuadrado/al cubo** élever au carré/au cube **2.** monter *(du matériel, des marchandises)*. ◼ **elevarse** *vp* • **elevarse (a)** s'élever (à).

elidir *vt* élider.

eliminar *vt* éliminer.

elipse *nf* ellipse *(f)*.

élite, elite *nf* élite *(f)*.

elitista *adj* & *nmf* élitiste.

elixir, elíxir *nm litt & fig* élixir *(m)*.

ella ▷ **él**.

ellas ▷ **ellos**.

ello *pron pers neutre* **1.** cela • **me es antipático, pero ello no impide que le hable** il m'est antipathique, mais cela ne m'empêche pas de lui parler **2.** *(après une préposition)* • **de ello** en, de cela • **no quiero hablar de ello** je ne veux pas en parler • **en ello** y • **no quiero pensar en ello** je ne veux pas y penser • **para ello** pour cela • **para ello tendremos que...** pour cela nous devrons...

ellos, ellas *pron pers* **1.** ils, elles **2.** eux, elles • **ellos se llaman Juan y Carlos** ils s'appellent Juan et Carlos • **los culpables son ellos** ce sont eux les coupables • **díselo a ellos** dis-le-leur • **voy con ellas** je vais avec elles • **le hablé de ellos** je lui ai parlé d'eux • **de ellos/ellas** à eux/elles.

elocuencia *nf* éloquence *(f)*.

elocuente *adj* éloquent(e).

elogiar *vt* • **elogiar algo/a alguien** faire l'éloge de qqch/qqn.

elogio *nm* éloge *(m)*.

El Salvador *npr* (le) Salvador.

elucidar *vt* élucider.

elucubración *nf* élucubration *(f)*.

elucubrar *vt* 1. *(réfléchir)* • **elucubrar sobre** méditer sur 2. *péj* échafauder.

eludir *vt* 1. éviter 2. éluder *(une question)* 3. contourner *(une difficulté)* 4. échapper à *(des poursuivants)*.

e-mail [imejl] *nm* 1. *(message)* e-mail *(m)*, mél *(m)* • **enviar un e-mail** envoyer un e-mail *ou* mél • **recibir un e-mail** recevoir un e-mail *ou* mél 2. *(système)* courrier *(m)* électronique, e-mail *(m)*.

emanar *vi* • **emanar de** émaner de.

emancipación *nf* 1. émancipation *(f)* 2. affranchissement *(m)* *(d'un esclave)* 3. indépendance *(f)* *(d'un territoire)*.

emancipar *vt* 1. émanciper 2. affranchir *(un esclave)*. ■ **emanciparse** *vp* s'émanciper.

embadurnar *vt* • **embadurnar (de algo)** barbouiller (de qqch). ■ **embadurnarse** *vp* • **embadurnarse (de algo)** se barbouiller (de qqch).

embajada *nf* ambassade *(f)*.

embajador, ra *nm, f* ambassadeur *(m)*, -drice *(f)*.

embalaje *nm* emballage *(m)*.

embalar *vt* emballer. ■ **embalarse** *vp* *litt* & *fig* s'emballer.

embalsamar *vt* embaumer.

embalse *nm* 1. barrage *(m)* 2. réservoir *(m)*.

embarazada ◪ *adj f* enceinte • **dejar embarazada** mettre enceinte • **(estar) embarazada de** (être) enceinte de • **quedarse embarazada** tomber enceinte. ◪ *nf* femme *(f)* enceinte.

embarazar *vt* 1. faire un enfant à 2. gêner.

embarazo *nm* grossesse *(f)*.

embarazoso, sa *adj* embarrassant(e).

embarcación *nf* 1. embarcation *(f)* 2. embarquement *(m)*.

embarcadero *nm* embarcadère *(m)*.

embarcar ◪ *vt* embarquer • **embarcar a alguien en algo** *fig* entraîner qqn dans qqch. ◪ *vi* embarquer. ■ **embarcarse** *vp* s'embarquer • **embarcarse en algo** *fig* se lancer dans qqch.

embargar *vt* 1. DR saisir 2. *(sujet : sentiment)* paralyser, saisir.

embargo *nm* 1. DR saisie *(f)* 2. embargo *(m)*.

embarque *nm* embarquement *(m)*.

embarrancar *vi* s'échouer. ■ **embarrancarse** *vp* s'embourber.

embarullar *vt* *fam* embrouiller. ■ **embarullarse** *vp* *fam* s'embrouiller.

embate *nm* 1. accès *(m)* *(de colère, de jalousie)* 2. coup *(m)* • **embate de mar** coup de mer.

embaucar *vt* embobiner.

embeber *vt* absorber *(un liquide)*. ■ **embeberse** *vp* 1. s'absorber 2. *fig* s'imprégner.

embellecedor *nm* enjoliveur *(m)*.

embellecer *vt* embellir.

embestida *nf* *(attaque)* charge *(f)*.

embestir *vt* *(attaquer)* charger.

emblema *nm* emblème *(m)*.

emblemático, ca *adj* emblématique.

embobar *vt* ébahir. ■ **embobarse** *vp* rester bouche bée.

embocadura *nf* embouchure *(f)*.

embolado *nm* *fam* 1. bobard *(m)* 2. pétrin *(m)*.

embolia *nf* embolie *(f)*.

émbolo *nm* piston *(m)*.

embolsar *vt* mettre dans un sac. ■ **embolsarse** *vp* empocher.

embonar *vt* *(Amér)* *fam* aller comme un gant à.

emborrachar *vt* soûler. ■ **emborracharse** *vp* se soûler.

emborronar *vt* 1. gribouiller sur 2. griffonner.

emboscada *nf* *litt* & *fig* embuscade *(f)*.

embotellado, da *adj* en bouteille. ■ **embotellado** *nm* mise *(f)* en bouteilles.

embotellamiento *nm* 1. embouteillage *(m)* 2. mise *(f)* en bouteilles.

embotellar *vt* 1. embouteiller 2. mettre en bouteilles.

embozar *vt* 1. boucher 2. *fig* déguiser. ■ **embozarse** *vp* 1. se couvrir le visage 2. se boucher.

embragar *vi* embrayer.

embrague *nm* embrayage *(m)*.

embriagar *vt* enivrer. ■ **embriagarse** *vp* s'enivrer.

embriaguez *nf* ivresse *(f)*.

embrión *nm* *litt* & *fig* embryon *(m)*.

embrollo *nm* 1. embrouillement *(m)* 2. *fig* imbroglio *(m)* 3. *fig* mensonge *(m)*.

embromado, da *adj* *(Amér)* *fam* casse-pieds.

embromar *vt* *(Amér)* *fam* casser les pieds à.

embrujar *vt* ensorceler, envoûter.

embrujo *nm* 1. ensorcellement *(m)* 2. charme *(m)*.

embrutecer *vt* abrutir. ■ **embrutecerse** *vp* s'abrutir.

embuchado, da *adj* • **carne embuchada** viande préparée en boyaux.

embuchar *vt* 1. *fam* engloutir 2. farcir *(avec de la viande)*.

embudo *nm* entonnoir *(m)*.

embuste *nm* mensonge *(m)*.

embustero, ra adj & nm, f menteur(euse).

embutido nm charcuterie (f).

embutir vt **1.** farcir **2.** fig bourrer.

emergencia nf urgence (f).

emerger vi émerger.

emigración nf **1.** émigration (f) **2.** migration (f).

emigrante adj & nmf émigrant(e).

emigrar vi **1.** émigrer **2.** migrer.

eminencia nf sommité (f) ■ **Eminencia** nf • **Su Eminencia** Son Éminence.

eminente adj **1.** éminent(e) **2.** élevé(e).

emir nm émir (m).

emirato nm émirat (m).

Emiratos Árabes Unidos npr • **los Emiratos Árabes Unidos** les Émirats arabes unis.

emisión nf émission (f).

emitir vt & vi émettre.

emoción nf émotion (f).

emocionante adj **1.** émouvant(e), touchant(e) **2.** palpitant(e).

emocionar vt **1.** émouvoir, toucher **2.** fig enflammer. ■ **emocionarse** vp **1.** être ému(e), être touché(e) **2.** fig s'enflammer.

emotivo, va adj **1.** émotif(ive) **2.** émouvant(e).

empachar vt donner une indigestion à. ■ **empacharse** vp avoir une indigestion.

empacho nm indigestion (f).

empadronar vt recenser • **estoy empadronado en Madrid** je suis inscrit sur les listes électorales de Madrid. ■ **empadronarse** vp se faire recenser.

empalagar vt écœurer.

empalagoso, sa adj écœurant(e).

empalizada nf palissade (f).

empalmar ◼ vt **1.** raccorder **2.** enchaîner (des projets, des idées) **3.** FOOTBALL reprendre de volée. ◼ vi **1.** (moyen de transport) • **empalmar (con)** assurer la correspondance (avec) **2.** (autoroutes, routes) se rejoindre **3.** s'enchaîner • **un chiste empalmaba con otro** les blagues s'enchaînaient.

empalme nm **1.** raccordement (m) **2.** embranchement (m).

empanada nf chausson fourré à la viande ou autre ingrédient salé.

empanadilla nf petit chausson fourré à la viande ou autre ingrédient salé.

empanar vt paner.

empantanar vt embourber. ■ **empantanarse** vp s'embourber.

empañar vt **1.** embuer **2.** fig ternir. ■ **empañarse** vp être embué(e).

empapar vt **1.** tremper **2.** (terre) détremper. ■ **empaparse** vp **1.** être trempé(e) **2.** se faire tremper • **empaparse de** fig s'imprégner de.

empapelar vt **1.** tapisser (avec du papier peint) **2.** fam fig traîner en justice.

empaquetar vt emballer.

emparedado, da adj enfermé(e) entre quatre murs, claquemuré(e). ■ **emparedado** nm sandwich de pain de mie.

emparedar vt **1.** emmurer **2.** fam coffrer.

emparejar vt **1.** assembler par paires **2.** mettre deux par deux **3.** mettre au même niveau. ■ **emparejarse** vp se mettre en couple.

emparentar vi • **emparentar con** s'apparenter à.

emparrar vt faire grimper (une plante).

empastar vt plomber (une dent).

empaste nm plombage (m) (d'une dent).

empatar ◼ vi **1.** SPORT égaliser • **empatar a dos** faire deux partout • **empatar a cero** faire match nul, zéro partout **2.** être en ballottage. ◼ vt (Amér) emboîter.

empate nm **1.** • **empate a dos** deux partout • **empate a cero** match (m) nul, zéro à zéro **2.** ballottage (m) **3.** (Amér) emboîtement (m).

empecinarse vp se buter • **empecinarse en una idea** avoir une idée en tête.

empedernido, da adj invétéré(e) • **es un fumador empedernido** c'est un fumeur invétéré.

empedrado nm pavement (m).

empedrar vt paver.

empeine nm **1.** cou-de-pied (m) **2.** empeigne (f).

empeñado, da adj **1.** gagé(e) **2.** (obstiné) • **estar empeñado en hacer algo** s'obstiner à faire qqch.

empeñar vt **1.** mettre en gage **2.** donner (sa parole) **3.** engager (son honneur). ■ **empeñarse** vp **1.** • **empeñarse en hacer algo** s'obstiner à faire qqch • s'efforcer de faire qqch **2.** s'endetter.

empeño nm **1.** mise (f) en gage **2.** acharnement (m) • **tener empeño en hacer algo** tenir absolument à faire qqch.

empeorar vi empirer.

empequeñecer vt **1.** rapetisser **2.** fig minimiser.

emperador, triz nm, f empereur (m), impératrice (f). ■ **emperador** nm espadon (m).

emperifollar vt fam pomponner. ■ **emperifollarse** vp fam **1.** se mettre sur son trente et un **2.** se pomponner.

emperrarse vp • **emperrarse (en hacer algo)** s'entêter (à faire qqch).

empezar ◼ vt commencer. ◼ vi • **empezar a/por hacer algo** commencer à/par faire qqch • **para empezar** pour commencer.

empinado, da adj escarpé(e).

empinar vt **1.** (pot, pichet) incliner (pour boire) ▪ **empinar el codo** lever le coude **2.** dresser. ■ **empinarse** vp **1.** (animal) se dresser sur ses pattes de derrière **2.** (personne) se mettre sur la pointe des pieds **3.** vulg (sexe) ▪ **se le empina** il bande.

empírico, ca ▨ adj empirique. ▨ nm, f empiriste (mf).

emplasto nm emplâtre (m).

emplazamiento nm **1.** emplacement (m) **2.** assignation (f), mise (f) en demeure.

emplazar vt **1.** installer **2.** assigner en justice.

empleado, da nm, f employé (m), -e (f).

emplear vt **1.** employer **2.** mettre (du temps à) ▪ **empleó mucho tiempo en hacerlo** il a mis beaucoup de temps à le faire. ■ **emplearse** vp s'employer, s'utiliser.

empleo nm emploi (m) ▪ **tener un buen empleo** avoir une bonne situation.

emplomadura nf (Amér) plombage (m) (d'une dent).

emplomar vt plomber (une dent).

empobrecer vt appauvrir. ■ **empobrecerse** vp s'appauvrir.

empollar ▨ vt **1.** couver (un œuf) **2.** fam potasser. ▨ vi fam bûcher. ■ **empollarse** vp fam ▪ **empollarse las matemáticas** bûcher les maths.

empollón, ona adj & nm, f fam polard(e).

empolvarse vp se poudrer.

emporrarse vp fam se défoncer (avec du hachisch).

empotrado, da adj encastré(e).

empotrar vt encastrer.

emprendedor, ra adj entreprenant(e) ▪ **tener espíritu emprendedor** être entreprenant(e).

emprender vt entreprendre ▪ **emprender el vuelo** s'envoler.

empresa nf entreprise (f) ▪ **empresa de seguridad** société (f) de gardiennage ▪ **empresa privada** entreprise privée ▪ **pequeña y mediana empresa** PME (f).

empresarial adj patronal(e). ■ **empresariales** nfpl études (fpl) de commerce.

empresario, ria nm, f chef (m) d'entreprise.

empréstito nm emprunt (m).

empujar vt pousser ▪ **empujar a alguien a que haga algo** pousser qqn à faire qqch.

empuje nm **1.** (impulsion) poussée (f) **2.** (énergie) entrain (m).

empujón nm **1.** grand coup (m) ▪ **abrirse paso a empujones** se frayer un chemin en bousculant tout le monde **2.** fig effort (m).

empuñadura nf **1.** poignée (f) **2.** pommeau (m) (d'une épée).

empuñar vt **1.** empoigner **2.** braquer (une arme).

emular vt **1.** (personne) ▪ **emular a alguien** rivaliser avec qqn ▪ imiter qqn **2.** INFORM émuler.

emulsión nf émulsion (f).

en prép

1. À L'INTÉRIEUR DE = dans
 ▪ **lo he guardado en el cajón** je l'ai rangé dans le tiroir
 ▪ **¡come todo lo que tienes en el plato!** mange tout ce qu'il y a dans ton assiette !
 ▪ **entraron en la habitación** ils sont entrés dans la pièce

2. INDIQUE LE LIEU OÙ SE TROUVE QQN OU QQCH = à, dans
 ▪ **viven en París** ils vivent à Paris
 ▪ **en casa** à la maison
 ▪ **en el trabajo** au travail
 ▪ **en la calle** dans la rue

3. INDIQUE LA POSITION DE QQCH = sur
 ▪ **en la mesa/el estante** sur la table/l'étagère

4. INDIQUE UN MOMENT PRÉCIS = en, à
 ▪ **llegará en mayo** il arrivera en mai
 ▪ **nació en 1967** il est né en 1967
 ▪ **en Navidad/invierno** à Noël/en hiver
 ▪ **en aquella época** à cette époque-là
 ▪ **en la antigüedad** dans l'Antiquité

5. INDIQUE LA DURÉE = en
 ▪ **lo hizo en dos días** il l'a fait en deux jours

6. INDIQUE LE MOYEN DE TRANSPORT = en
 ▪ **ir en tren/coche/avión/barco** aller en train/voiture/avion/bateau

7. INDIQUE LA MANIÈRE = en
 ▪ **pagar en metálico** payer en liquide
 ▪ **fabricar en serie** fabriquer en série
 ▪ **lo dijo en inglés** il l'a dit en anglais
 ▪ **en voz baja** à voix basse
 ▪ **lo conocí en su forma de hablar** je l'ai reconnu à sa façon de parler

8. INDIQUE LA DESTINATION DE QQCH = en
 ▪ **todo se lo gasta en ropa** il dépense tout son argent en vêtements

9. SUIVI D'UN CHIFFRE
 ▪ **te lo dejo en 25 euros** je te le laisse à 25 euros
 ▪ **las ganancias se calculan en millones** les gains se chiffrent en millions

10. INDIQUE UNE SPÉCIALITÉ, UNE QUALITÉ = en
 ▪ **es un experto en la materia** c'est un expert en la matière
 ▪ **es doctor en medicina** il est docteur en médecine
 ▪ **le supera en inteligencia** elle est plus intelligente que lui.

enagua nf (gén pl) jupon (m).

enajenación nf aliénation (f).

enajenamiento nm = enajenación.

enajenar vt **1.** rendre fou(folle) **2.** (enchanter) ravir **3.** DR aliéner.

enaltecer *vt* exalter.

enamoradizo, za *adj* • **ser enamoradizo** avoir un cœur d'artichaut.

enamorado, da *adj & nm, f* amoureux(euse).

enamorar *vt* séduire. ■ **enamorarse** *vp* • **enamorarse (de)** tomber amoureux(euse) (de).

enano, na *adj & nm, f* nain(e).

enarbolar *vt* arborer.

enardecer *vt* 1. enflammer 2. échauffer *(les esprits)*.

encabezamiento *nm* 1. en-tête *(m)* 2. avant-propos *(m inv)*.

encabezar *vt* 1. être en tête de 2. mettre l'entête a 3. être à la tête de.

encabritarse *vp* 1. se cabrer 2. *fam* se mettre en boule.

encadenar *vt* enchaîner.

encajar ■ *vt* 1. emboîter, faire entrer 2. ajuster 3. remettre *(un os déboîté)* 4. assener *(un coup)* 5. lancer *(des insultes)* 6. *(recevoir)* encaisser. ■ *vi* 1. s'emboîter, s'ajuster 2. *(convenir)* • **encajar (con)** cadrer (avec) • **encajar (bien) en/con** aller (bien) dans/avec.

encaje *nm* 1. dentelle *(f)* 2. emboîtement *(m)*, ajustement *(m)*.

encalar *vt* blanchir à la chaux.

encallar *vi* échouer. ■ **encallarse** *vp* *fig* rester lettre morte.

encaminar *vt* *fig* orienter. ■ **encaminarse** *vp* • **encaminarse a** *ou* **hacia** se diriger vers.

encamotarse *vp (Amér) fam* • **encamotarse de** s'amouracher (de).

encandilar *vt* éblouir. ■ **encandilarse** *vp* être ébloui(e).

encantado, da *adj* 1. enchanté(e) • **encantado de conocerle** enchanté de faire votre connaissance 2. *(maison, lieu)* hanté(e) 3. *(personne)* ensorcelé(e).

encantador, ra *adj* charmant(e).

encantar *vt* 1. *(enchanter)* • **encantarle a alguien algo/hacer algo** adorer qqch/faire qqch 2. jeter un sort à.

encanto *nm* 1. charme *(m)* • **ser un encanto** être adorable 2. *(appellation affectueuse)* • **oye, encanto** écoute, mon trésor. ■ **encantos** *nmpl* charmes *(mpl)*.

encañonar *vt* viser.

encapotado, da *adj (ciel)* couvert(e).

encapotarse *vp (ciel)* se couvrir.

encapricharse *vp* 1. *(s'obstiner)* • **encapricharse con hacer algo** se mettre en tête de faire qqch • **encaprichársele algo a alguien** se mettre qqch en tête 2. *(tomber amoureux)* • **encapricharse con algo** s'emballer pour qqch • **encapricharse con alguien** s'enticher de qqn.

encapuchado, da ■ *adj* masqué(e). ■ *nm, f* homme *(m)* masqué, femme *(f)* masquée.

encapuchar *vt* encapuchonner.

encaramar *vt* jucher. ■ **encaramarse** *vp* • **encaramarse a** *ou* **en** se jucher *ou* se percher sur.

encarar *vt* 1. *(gén & DR)* confronter 2. affronter, faire face à. ■ **encararse** *vp* • **encararse a** *ou* **con** tenir tête à.

encarcelar *vt* emprisonner, écrouer, incarcérer.

encarecer *vt* 1. faire monter les prix de 2. *(prier)* • **encarecer a alguien que haga algo** supplier qqn de faire qqch. ■ **encarecerse** *vp* augmenter.

encarecimiento *nm* augmentation *(f)*, hausse *(f)* • **con encarecimiento** instamment • **encarecimiento de la vida** hausse du coût de la vie.

encargado, da ■ *adj* • **encargado de algo** responsable de qqch • **encargado de hacer algo** chargé de faire qqch. ■ *nm, f* 1. responsable *(mf)* 2. gérant *(m)*, -e *(f)*.

encargar *vt* 1. *(charger)* • **encargar a alguien de algo/que haga algo** charger qqn de qqch/de faire qqch 2. *(passer une commande)* commander. ■ **encargarse** *vp* • **encargarse de algo/de hacer algo** se charger de qqch/de faire qqch.

encargo *nm* 1. commande *(f)* • **hacer un encargo** passer une commande • **por encargo** sur commande 2. commission *(f)*.

encariñar *vt* attendrir. ■ **encariñarse** *vp* • **encariñarse con** s'attacher à.

encarnación *nf* incarnation *(f)*.

encarnado, da *adj* 1. incarné(e) 2. incarnat(e) 3. rouge. ■ **encarnado** *nm* incarnat *(m)*.

encarnar *vt* incarner.

encarnizado, da *adj* acharné(e).

encarnizarse *vp* • **encarnizarse (con)** s'acharner (sur).

encarrilar *vt* 1. remettre sur les rails 2. *fig* mettre sur la bonne voie.

encasillar *vt* 1. cataloguer 2. inscrire sur du papier quadrillé.

encasquetar *vt* 1. *fam (imposer)* • **encasquetar algo a alguien** *(idée, théorie)* enfoncer qqch dans le crâne de qqn • *(discours, leçon)* assener qqch à qqn • *(travail, paquet)* refiler qqch à qqn 2. *(chapeau)* enfoncer sur la tête. ■ **encasquetarse** *vp* • **se encasquetó la boina** il a enfoncé son béret sur sa tête • **encasquetársele a alguien hacer algo** se mettre en tête de faire qqch.

encasquillarse *vp* s'enrayer.

encauzar *vt* 1. canaliser 2. mener.

encender *vt* 1. allumer • **encender la chimenea** faire du feu dans la cheminée 2. *fig* enflammer *(les cœurs, une discussion)* • provoquer *(la colère)*. ■ **encenderse** *vp* s'allumer.

encendido, da *adj* **1.** allumé(e) **2.** *fig* enflammé(e) **3.** *(joues)* en feu. ■ **encendido** *nm* allumage *(m)*.

encerado, da *adj* ciré(e). ■ **encerado** *nm* **1.** cirage *(m)* **2.** tableau *(m)* noir.

encerar *vt* cirer.

encerrar *vt* **1.** enfermer **2.** renfermer. ■ **encerrarse** *vp* s'enfermer • **encerrarse en sí mismo** se renfermer *ou* se replier sur soi-même.

encerrona *nf* **1.** piège *(m)* **2.** corrida *(f)* privée.

encestar *vt* SPORT marquer un panier.

enceste *nm* SPORT panier *(m)*.

encharcar *vt* inonder, détremper. ■ **encharcarse** *vp* **1.** s'inonder, être détrempé(e) **2.** *fig* • **encharcarse en** sombrer dans *(la boisson, la drogue)*.

enchilarse *vp* *(Amér)* *fam fig* se mettre en pétard.

enchironar *vt* *fam* coffrer.

enchufado, da *adj* & *nm, f* *fam* pistonné(e).

enchufar *vt* **1.** brancher **2.** *fam* pistonner.

enchufe *nm* **1.** prise *(f)* (de courant) **2.** *fam* piston *(m)*.

encía *nf* gencive *(f)*.

encíclica *nf* encyclique *(f)*.

enciclopedia *nf* encyclopédie *(f)*.

encierro *nm* **1.** *(action d'enfermer)* • **su encierro duró dos días** il s'est enfermé pendant deux jours **2.** réclusion *(f)* **3.** mise *(f)* au toril *(tradition selon laquelle les taureaux sont conduits à travers la ville jusqu'au toril)* **4.** toril *(m)*.

encima *adv* **1.** dessus • **ponlo encima** mets-le dessus • **yo vivo encima** je vis au-dessus • **por encima** par-dessus, au-dessus • *fig* superficiellement • **leer por encima** lire en diagonale **2.** en plus **3.** *(sur soi)* • **llevar un abrigo encima** porter un manteau • **llevar dinero encima** avoir de l'argent sur soi. ■ **encima de** *loc prép* **1.** sur • **encima de la mesa** sur la table • **encima de tu casa** au-dessus de chez toi • **estar encima de alguien** être sur le dos de qqn **2.** *(en plus)* • **encima de ser guapo es gracioso** non seulement il est beau, mais en plus il est drôle. ■ **por encima de** *loc prép* **1.** au-dessus de • **por encima de la ciudad** au-dessus de la ville • **por encima de sus posibilidades** au-dessus de ses moyens **2.** *fig* plus que • **por encima de todo** plus que tout.

encina *nf* chêne *(m)* vert.

encinta *adj f* • **estar encinta** être enceinte.

enclaustrar *vt* cloîtrer. ■ **enclaustrarse** *vp* se cloîtrer.

enclave *nm* enclave *(f)*.

enclenque *adj* malingre.

encofrar *vt* coffrer.

encoger ◪ *vt* **1.** faire rétrécir *(un vêtement)* **2.** contracter *(un membre)*. ◪ *vi* rétrécir. ■ **en-**

cogerse *vp* **1.** *(vêtement)* rétrécir **2.** *(membre)* se contracter • **encogerse de hombros** hausser les épaules.

encogido, da *adj* timoré(e) • **tener el corazón encogido** avoir le cœur serré.

encolar *vt* **1.** coller **2.** encoller.

encolerizar *vt* mettre en colère. ■ **encolerizarse** *vp* se mettre en colère.

encomendar *vt* confier • **le encomiendo a usted mi hijo** je vous confie mon fils. ■ **encomendarse** *vp* • **encomendarse a** s'en remettre à.

encomienda *nf* **1.** service *(m)* **2.** HIST encomienda *(f)* *(dans l'Amérique espagnole, territoire soumis à l'autorité d'un conquistador)* **3.** *(Amér)* colis *(m)*.

encontrado, da *adj* opposé(e).

encontrar *vt* **1.** trouver **2.** rencontrer *(une personne, des difficultés)*. ■ **encontrarse** *vp* **1.** se trouver • **encontrarse con alguien** rencontrer qqn, tomber sur qqn **2.** *fig* se sentir • **encontrarse mal de salud** être en mauvaise santé.

encorvar *vt* courber. ■ **encorvarse** *vp* **1.** se voûter **2.** se courber.

encrespar *vt* **1.** *(esprit)* irriter **2.** *(mer)* déchaîner **3.** *(cheveux)* friser.

encrucijada *nf* **1.** croisement *(m)* **2.** *fig* carrefour *(m)*.

encuadernación *nf* reliure *(f)*.

encuadernador, ra *nm, f* relieur *(m)*, -euse *(f)*.

encuadernar *vt* relier • **encuadernar en rústica** brocher.

encuadrar *vt* **1.** encadrer **2.** cadrer.

encubierto, ta *adj* **1.** *(sens, etc)* caché(e) **2.** *(mots, etc)* couvert(e) **3.** *(intentions)* secret(ète). ■ **encubierto** *pp* ⊳ **encubrir**.

encubridor, ra ◪ *adj* complice. ◪ *nm, f* **1.** complice *(mf)* **2.** receleur *(m)*, -euse *(f)*.

encubrir *vt* **1.** cacher **2.** être complice de **3.** DR receler **4.** dissimuler.

encuentro *nm* **1.** *(gén & SPORT)* rencontre *(f)* **2.** trouvaille *(f)*.

encuesta *nf* **1.** sondage *(m)* **2.** enquête *(f)*.

encuestador, ra *nm, f* enquêteur *(m)*, -trice *(f)*.

encuestar *vt* • **encuestar a alguien** interroger qqn.

endeble *adj* faible.

endémico, ca *adj* *fig* & MÉD endémique.

endemoniado, da ◪ *adj* **1.** *fam fig (enfant, vie, etc)* infernal(e) • **un trabajo endemoniado** un travail ingrat **2.** *(temps, odeur)* épouvantable **3.** possédé(e). ◪ *nm, f* possédé *(m)*, -e *(f)* du démon.

endenantes *adv* *(Amér)* *fam* **1.** l'autre jour **2.** avant.

enderezar *vt litt & fig* redresser. ■ **enderezarse** *vp* se redresser.

endeudamiento *nm* endettement *(m)*.

endeudarse *vp* s'endetter.

endiablado, da *adj* épouvantable.

endibia, endivia *nf* endive *(f)*.

endiñar *vt fam* **1.** flanquer *(un coup)* **2.** refiler *(un travail)*.

endivia = **endibia**.

endomingado, da *adj* endimanché(e).

endomingar *vt* endimancher. ■ **endomingarse** *vp* s'endimancher.

endosar *vt* **1.** *fig* repasser ▪ **me endosó sus maletas** il m'a repassé ses valises **2.** COMM endosser.

endulzar *vt* **1.** sucrer **2.** *fig* adoucir.

endurecer *vt* **1.** durcir **2.** *(muscles, etc)* raffermir **3.** *fig (personne)* endurcir.

ene., ene *(abr écrite de* **enero**) janv. ▪ **5 ene. 2007** 5 janv. 2007.

enemigo, ga *adj & nm, f* ennemi(e) ▪ **ser enemigo de algo** détester qqch. ■ **enemigo** *nm* ennemi *(m)*.

enemistad *nf* inimitié *(f)*.

enemistar *vt* brouiller. ■ **enemistarse** *vp* se brouiller.

energético, ca *adj* énergétique.

energía *nf* **1.** *fig & PHYS* énergie *(f)* **2.** force *(f)*.

enérgico, ca *adj* énergique.

energúmeno, na *nm, f fig* énergumène *(mf)*.

enero *nm* janvier *(m)*. ▪ *voir aussi* **septiembre**

enervar *vt* **1.** affaiblir **2.** énerver.

enésimo, ma *adj* **1.** *fig* enième ▪ **por enésima vez** pour la énième fois **2.** MATH ▪ **enésima potencia** puissance n.

enfadar *vt* fâcher, mettre en colère. ■ **enfadarse** *vp* se fâcher, se mettre en colère.

enfado *nm* colère *(f)*.

enfangar *vt* couvrir de boue. ■ **enfangarse** *vp* **1.** se couvrir de boue **2.** *fam fig* tremper *(dans une affaire louche)*.

énfasis *nm inv* emphase *(f)*.

enfático, ca *adj* emphatique.

enfatizar *vt* souligner, mettre l'accent sur.

enfermar ■ *vt* **1.** contaminer **2.** *fig (irriter)* rendre malade. ■ *vi* tomber malade. ■ **enfermarse** *vp (Amér)* tomber malade.

enfermedad *nf* **1.** maladie *(f)* **2.** mal *(m) (de la société)*.

enfermería *nf* infirmerie *(f)*.

enfermero, ra *nm, f* infirmier *(m)*, -ère *(f)*.

enfermizo, za *adj* **1.** maladif(ive) **2.** *(climat)* insalubre **3.** *(aliment, curiosidad)* malsain(e).

enfermo, ma *adj & nm, f* malade.

enfilar ■ *vt* **1.** prendre *(une direction)* **2.** pointer *(une arme)*. ■ *vi* ▪ **enfilar hacia** aller tout droit vers ▪ **enfiló hacia su casa** il est allé directement chez lui.

enflaquecer ■ *vt* amaigrir, faire maigrir. ■ *vi* maigrir.

enfocar *vt* **1.** faire la mise au point de *(image, objectif)* **2.** braquer, diriger *(la lumière, un projecteur)* **3.** *fig* aborder *(un thème, une question)*.

enfoque *nm* **1.** mise *(f)* au point *(d'une image)* **2.** *fig* approche *(f) (d'un sujet)*.

enfrascado, da *adj* ▪ **enfrascado en** absorbé dans.

enfrascar *vt* **1.** mettre en pot **2.** mettre en flacon. ■ **enfrascarse** *vp* ▪ **enfrascarse en** se plonger dans.

enfrentar *vt* **1.** affronter **2.** mettre face à face **3.** opposer. ■ **enfrentarse** *vp* **1.** s'affronter **2.** SPORT se rencontrer **3.** affronter, faire face à ▪ **enfrentarse a alguien** tenir tête à qqn ▪ **enfrentarse con alguien** affronter qqn.

enfrente *adv* en face ▪ **la tienda de enfrente** le magasin d'en face ▪ **enfrente de mi casa** en face de chez moi. ▪

enfriamiento *nm* refroidissement *(m)*.

enfriar *vt* refroidir. ■ **enfriarse** *vp* **1.** se refroidir **2.** refroidir **3.** attraper froid.

enfundar *vt* rengainer. ■ **enfundarse** *vp* ▪ **enfundarse el abrigo** endosser son manteau.

enfurecer *vt* rendre furieux(euse). ■ **enfurecerse** *vp* s'emporter.

enfurruñarse *vp fam* **1.** ronchonner **2.** bouder.

engalanar *vt* décorer. ■ **engalanarse** *vp* se faire beau(belle).

enganchar *vt* **1.** accrocher *(une remorque, des wagons)* **2.** atteler *(des chevaux)* **3.** ▪ **enganchar a alguien** *fam fig* mettre le grappin sur qqn, mettre la main sur qqn **4.** *fam* ▪ prendre *(une cuite)* ▪ décrocher *(un emploi)* ▪ dégoter *(un mari, etc)*. ■ **engancharse** *vp* **1.** s'accrocher **2.** MIL s'engager **3.** *fam (avoir une addiction)* ▪ **engancharse a** devenir accro à.

enganche *nm* **1.** accrochage *(m)* **2.** attelage *(m)* **3.** *(Amér)* acompte *(m)*.

engañabobos *nm inv* **1.** attrape-nigaud *(m)* **2.** charlatan *(m)*.

engañar *vt* tromper ▪ **engañar el hambre** tromper la faim ▪ **las apariencias engañan** les apparences sont trompeuses. ■ **engañarse** *vp* **1.** se leurrer **2.** se tromper.

engañifa *nf fam* ▪ **hacerle una engañifa a alguien** mener qqn en bateau.

engaño *nm* tromperie *(f)*.

engañoso, sa *adj* trompeur(euse).

engarzar *vt* **1.** enfiler *(des perles)* **2.** sertir **3.** *fig* enchaîner *(des idées, les mots)*.

engatusar *vt fam* embobiner.

engendrar *vt litt* & *fig* engendrer.

engendro *nm* **1.** horreur *(f)* **2.** monstre *(m)*.

englobar *vt* englober.

engomar *vt* **1.** encoller **2.** apprêter.

engordar ⬛ *vt* **1.** engraisser *(un animal)* **2.** gaver *(une oie)* **3.** remplir *(les caisses)* **4.** faire fructifier *(un compte)*. ⬛ *vi* **1.** *(personne)* grossir **2.** *(aliment)* faire grossir.

engorro *nm* embêtement *(m)* ▪ **ivaya un engorro!** tu parles d'une partie de plaisir !

engorroso, sa *adj* **1.** pénible **2.** *(situation)* délicat(e).

engranaje *nm* **1.** engrenage *(m)* **2.** *fig* enchaînement *(m) (d'idées)* **3.** *fig* rouages *(mpl)*.

engranar *vt* **1.** engrener **2.** *fig* enchaîner *(les idées)*.

engrandecer *vt* **1.** *fig* exalter **2.** agrandir.

engrasar *vt* graisser.

engreído, da *adj* & *nm, f (prétentieux)* suffisant(e).

engrescar *vt* ▪ **engrescar a alguien con** monter qqn contre. ⬛ **engrescarse** *vp* se quereller.

engrosar *vt* **1.** *(personne)* faire grossir **2.** *(texte)* augmenter **3.** *fig* grossir ▪ **diez personas engrosaron nuestras filas** dix personnes sont venues grossir nos rangs.

engullir *vt* engloutir *(de la nourriture)*.

enhebrar *vt* enfiler.

enhorabuena ⬛ *nf* félicitations *(fpl)*. ⬛ *adv* heureusement ▪ **enhorabuena lo hiciste** tu as eu raison de le faire ▪ **ienhorabuena (por...)!** félicitations (pour...) !

enigma *nm* énigme *(f)*.

enigmático, ca *adj* énigmatique.

enjabonar *vt* **1.** savonner **2.** *fig* passer de la pommade à.

enjambre *nm* **1.** essaim *(m)* **2.** *fig* foule *(f)*.

enjaular *vt* **1.** mettre en cage **2.** *fam fig* coffrer.

enjoyar *vt* parer de bijoux. ⬛ **enjoyarse** *vp* se parer de bijoux.

enjuagar *vt* rincer. ⬛ **enjuagarse** *vp* se rincer.

enjuague *nm* **1.** rinçage *(m)* **2.** bain *(m)* de bouche.

enjugar *vt* **1.** sécher **2.** *fig* éponger.

enjuiciar *vt* **1.** porter un jugement sur **2.** DR juger *(une personne)* **3.** DR instruire *(une cause)*.

enjuto, ta *adj* décharné(e).

enlace ⬛ *nm* **1.** *(gén & CHIM)* liaison *(f)* **2.** délégué *(m)*, -e *(f)*, responsable *(mf)* ▪ **servir de enlace entre** servir d'intermédiaire entre **3.** *(union)* ▪ **enlace (matrimonial)** mariage *(m)* **4.** correspondance *(f)* ▪ **vía de enlace** voie *(f)* de raccordement. ⬛ *v* ▷ **enlazar**.

enlatar *vt* **1.** mettre en boîte **2.** mettre en conserve.

enlazar ⬛ *vt* ▪ **enlazar algo a** OU **con** lier qqch à ▪ relier qqch à. ⬛ *vi* ▪ **enlazar (con)** assurer la correspondance (avec). ⬛ **enlazarse** *vp* s'unir *(par les liens du mariage)*.

enloquecer ⬛ *vt* **1.** rendre fou(folle) **2.** *fig* adorer ▪ **me enloquece comer** j'adore manger. ⬛ *vi* devenir fou(folle).

enlutado, da *adj* en deuil.

enmarañar *vt* **1.** emmêler **2.** embrouiller.

enmarcar *vt* encadrer.

enmascarado, da ⬛ *adj* masqué(e). ⬛ *nm, f* homme *(m)* masqué, femme *(f)* masquée.

enmascarar *vt litt* & *fig* masquer.

enmendar *vt* **1.** corriger **2.** réparer **3.** amender. ⬛ **enmendarse** *vp* se corriger.

enmicado *nm (Amér)* film *(m)* plastique.

enmienda *nf* **1.** amendement *(m)* ▪ **hacer propósito de enmienda** prendre de bonnes résolutions **2.** correction *(f) (apportée à un document)*.

enmohecer *vt* **1.** laisser moisir **2.** rouiller, faire rouiller. ⬛ **enmohecerse** *vp* **1.** moisir **2.** *fig* se rouiller.

enmoquetar *vt* moquetter ▪ **enmoquetar una habitación** poser de la moquette dans une pièce.

enmudecer ⬛ *vt* faire taire. ⬛ *vi* **1.** rester muet(ette) **2.** se taire.

ennegrecer *vt* **1.** noircir **2.** *(sujet : nuages)* assombrir. ⬛ **ennegrecerse** *vp* **1.** se noircir **2.** *(ciel)* s'assombrir.

ennoblecer *vt* **1.** anoblir **2.** *fig* ennoblir.

enojar *vt* irriter, mettre en colère. ⬛ **enojarse** *vp* se mettre en colère.

enojo *nm* colère *(f)* ▪ **causar enojo** irriter ▪ agacer, ennuyer.

enojoso, sa *adj* **1.** irritant(e) **2.** *(mots)* déplaisant(e).

enorgullecer *vt* enorgueillir. ⬛ **enorgullecerse** *vp* ▪ **enorgullecerse de** s'enorgueillir de.

enorme *adj litt* & *fig* énorme.

enormidad *nf litt* & *fig* énormité *(f)*.

enrabiar *vt* faire enrager. ⬛ **enrabiarse** *vp* se mettre en colère.

enraizar *vi* s'enraciner.

enramada *nf* **1.** ramure *(f)* **2.** tonnelle *(f)*.

enrarecer *vt* raréfier. ⬛ **enrarecerse** *vp* se raréfier.

enredadera ⬛ *adj* grimpant(e). ⬛ *nf* **1.** plante *(f)* grimpante **2.** liseron *(m)*.

enredar ⬛ *vt* **1.** emmêler **2.** embrouiller ▪ **enredar a alguien en** *fig* entraîner qqn dans. ⬛ *vi* **1.** faire des bêtises **2.** *fig (fouiller)* trafiquer **3.** *(semer la zizania)* intriguer. ⬛ **enredarse** *vp* **1.** s'emmêler **2.** s'embrouiller **3.** *(sujet : plantes)* grimper **4.** *(commencer)* • **enredarse en algo** se lancer dans qqch **5.** *fam (couple)* • **enredarse con alguien** se mettre en ménage avec qqn.

enredo *nm* **1.** enchevêtrement *(m)* **2.** nœud *(m) (dans les cheveux)* **3.** imbroglio *(m)* **4.** liaison *(f) (amoureuse).* ■ **enredos** *nmpl* attirail *(m).*

enrejado *nm* **1.** grille *(f)* **2.** treillage *(m).*

enrevesado, da *adj* compliqué(e).

enriquecer *vt* enrichir. ■ **enriquecerse** *vp* s'enrichir.

enrojecer ◪ *vt* **1.** rougir **2.** faire rougir. ◪ *vi* rougir. ■ **enrojecerse** *vp* **1.** rougir **2.** s'empourprer.

enrolar *vt* enrôler. ■ **enrolarse** *vp* • **enrolarse (en)** s'enrôler (dans).

enrollar *vt* **1.** enrouler **2.** *fam* brancher **3.** *fam* embobiner. ■ **enrollarse** *vp fam* **1.** *(fréquenter)* • **enrollarse con** sortir avec **2.** avoir la langue bien pendue • **enrollarse por teléfono** rester des heures au téléphone • **enrollarse con alguien** tenir la jambe à qqn **3.** être sympa • **¡enróllate!** sois sympa !

enroscar *vt* **1.** visser **2.** enrouler.

ensaimada *nf gâteau brioché typique de Majorque.*

ensalada *nf litt & fig* salade *(f).*

ensaladilla *nf* macédoine *(f)* • **ensaladilla rusa** salade *(f)* russe.

ensalzar *vt* porter aux nues.

ensambladura *nf* = **ensamblaje.**

ensamblaje *nm* assemblage *(m).*

ensanchar *vt* **1.** élargir **2.** agrandir.

ensanche *nm* **1.** élargissement *(m)* **2.** zone *(f)* d'extension urbaine, quartiers *(mpl)* neufs.

ensangrentar *vt* ensanglanter.

ensañarse *vp* • **ensañarse con** s'acharner contre *ou* sur.

ensartar *vt* **1.** enfiler **2.** planter *(un couteau, une aiguille).*

ensayar *vt* **1.** tester **2.** THÉÂTRE répéter.

ensayista *nmf* essayiste *(mf).*

ensayo *nm* **1.** THÉÂTRE répétition *(f)* **2.** test *(m)* **3.** LITTÉR & SPORT essai *(m).*

enseguida *adv* **1.** tout de suite • **enseguida vamos** on arrive tout de suite **2.** aussitôt • **la reconoció enseguida** il la reconnut aussitôt.

ensenada *nf* anse *(f) (de mer).*

enseña *nf* enseigne *(f).*

enseñante *nmf* enseignant *(m),* -e *(f).*

enseñanza *nf* enseignement *(m)* • **enseñanza a distancia** enseignement à distance • **enseñanza superior/universitaria** enseignement supérieur/universitaire • **primera enseñanza, enseñanza primaria** enseignement primaire • **segunda enseñanza, enseñanza media** enseignement secondaire.

enseñar *vt* **1.** apprendre **2.** enseigner **3.** montrer **4.** laisser voir.

enseres *nmpl* **1.** effets *(mpl) (personnels)* **2.** matériel *(m) (du travailleur).*

ensillar *vt* seller.

ensimismarse *vp* **1.** *(se plonger)* • **ensimismarse en** se plonger dans **2.** se replier sur soi-même.

ensombrecer *vt* assombrir. ■ **ensombrecerse** *vp* s'assombrir.

ensoñación *nf* rêverie *(f).*

ensopar *vt (Amér)* tremper.

ensordecer ◪ *vt* **1.** rendre sourd(e) **2.** assourdir. ◪ *vi* devenir sourd(e).

ensortijar *vt* boucler.

ensuciar *vt litt & fig* salir. ■ **ensuciarse** *vp* se salir.

ensueño *nm* rêve *(m).*

entablado *nm* **1.** estrade *(f)* **2.** plancher *(m).*

entablar *vt* **1.** poser un plancher sur **2.** engager *(une conversation)* **3.** entamer *(des négociations)* **4.** nouer *(une amitié)* **5.** mettre une attelle à.

entallar *vt* **1.** ajuster *(un vêtement)* **2.** sculpter.

entarimado *nm* **1.** plancher *(m)* **2.** parquet *(m)* **3.** estrade *(f).*

ente *nm* **1.** être *(m)* **2.** organisme *(m),* société *(f)* • **ente público** service *(m)* public **3.** *fam* phénomène *(m).*

entelequia *nf* **1.** entéléchie *(f)* **2.** vue *(f)* de l'esprit.

entendederas *nfpl fam* jugeote *(f)* • **ser duro** *ou* **corto de entendederas** ne pas avoir la comprenette facile.

entender ◪ *vt* **1.** comprendre • **¿qué entiendes tú por amistad?** qu'est-ce que tu entends par amitié ? **2.** penser • **yo no entiendo las cosas así** je ne vois pas les choses de cette façon-là. ◪ *vi* • **entender de** *ou* **en algo** s'y connaître en qqch. ◪ *nm* • **a mi entender** à mon sens. ■ **entenderse** *vp* **1.** se comprendre **2.** communiquer **3.** *(se mettre d'accord)* s'entendre **4.** avoir une liaison.

À PROPOS DE...

entender

Attention ! *Entender* est un faux-ami. Il signifie « comprendre ».

entendido, da ◪ *adj* **1.** compris(e) • **¡entendido!** entendu ! • **no se da por entendido** il fait comme s'il n'était pas au courant **2.** *(expert)* • **ser entendido en** s'y connaître en. ◪ *nm, f* connaisseur *(m),* -euse *(f).* ■ **bien entendido que** *loc adv* qu'il soit clair que.

entendimiento *nm* jugement *(m)* • **con mucho entendimiento** avec une grande présence d'esprit.

entente *nf* entente *(f) (commerciale, industrielle).*

enterado, da *adj* averti(e) • **enterado en** informé sur • **estar enterado de** être au courant de • **no se da por enterado** il fait comme s'il n'était pas au courant.

enterar *vi* • **enterar a alguien de algo** informer qqn de qqch. ■ **enterarse** *vp* 1. *(connaître, découvrir)* • **enterarse de algo** apprendre qqch • **me enteré de que te habías mudado** j'ai appris que tu avais déménagé 2. *fam* piger • **no me entero** je n'y comprends rien 3. *(s'informer)* • **enterarse de algo** se renseigner sur qqch 4. *(s'apercevoir)* • **enterarse (de)** se rendre compte (de).

entereza *nf* 1. fermeté *(f)* 2. force *(f)* de caractère 3. intégrité *(f).*

enternecer *vt* attendrir. ■ **enternecerse** *vp* s'attendrir.

entero, ra *adj* 1. entier(ère) • **el pueblo entero** tout le village • **la casa entera** toute la maison 2. *(caractère)* fort(e) 3. intact(e).

enterrador, ra *nm, f* fossoyeur *(m)*, -euse *(f).*

enterrar *vt* 1. enterrer 2. *fig* enfouir. ■ **enterrarse** *vp fig* s'enterrer.

entibiar *vt* 1. faire tiédir 2. freiner *(son enthousiasme, son ardeur)* 3. *(tendresse, amitié)* affaiblir. ■ **entibiarse** *vp* 1. tiédir 2. *(atmosphère, pièce)* se réchauffer 3. *(sentiment)* s'affaiblir.

entidad *nf* 1. organisme *(m)* • **entidad deportiva** club *(m)* sportif • **entidad local** collectivité *(f)* locale • **sociedad** *(f)* • **una entidad privada** une société privée • **entidad bancaria** établissement *(m)* bancaire 3. PHILO entité *(f)* 4. *(importance)* envergure *(f).*

entierro *nm* enterrement *(m)* • **el entierro de la sardina** *fête ayant lieu dans certaines régions d'Espagne au moment des Cendres.*

entlo. *abrév de* entresuelo.

entoldado *nm* tente *(f).*

entonación *nf* intonation *(f)* • **cantar con buena entonación** chanter dans le ton.

entonar ■ *vt* 1. entonner 2. revigorer. ■ *vi* 1. chanter juste 2. • **entonar con** être assorti(e) à.

entonces *adv* alors • **en** *ou* **por aquel entonces** en ce temps-là • **desde entonces** depuis.

entornar *vt* 1. entrebâiller *(une porte)* 2. entrouvrir *(une vitre, une fenêtre)* • **ojos entornados** yeux mi-clos.

entorno *nm* environnement *(m)* • **entorno informático** environnement.

entorpecer *vt* 1. engourdir *(les membres, l'esprit)* 2. entraver *(un mouvement)* 3. gêner *(la circulation)* 4. retarder *(un processus, une évolution)* 5. encombrer *(un chemin, une route).*

entrada *nf* 1. entrée *(f)* 2. hall *(m) (d'un hôtel)* 3. arrivée *(f) (de gaz, d'eau)* 4. place *(f)* • **sacar una entrada** prendre une place 5. apport *(m)* initial 6. recette *(f)* • **entrada de dinero** rentrée *(f)* d'argent 7. *(sur le front)* • **tener entradas** avoir les tempes dégarnies.

entrante ■ *adj* 1. *(année, mois)* prochain(e) 2. nouveau(elle) *(président, gouvernement).* ■ *nm* 1. *(plat)* entrée *(f)* 2. renfoncement *(m).*

entraña *nf (gén pl)* 1. entrailles *(fpl)* 2. cœur *(m) (d'un sujet, d'une question).*

entrañable *adj* 1. cher(chère) 2. *(amitié)* profond(e) 3. *(carte, personne, scène)* attendrissant(e).

entrañar *vt* comporter.

---

entrar *vi*

1. ALLER À L'INTÉRIEUR D'UN LIEU = entrer
   • **está prohibido entrar** il est interdit d'entrer
   • **¡no te quedes ahí en la puerta, hombre, entra!** ne reste pas là à la porte, entre !
   • **entré por la ventana** je suis entré par la fenêtre

2. TENIR DANS
   • **los vaqueros del año pasado no me entran** je ne rentre pas dans mes jeans de l'année dernière
   • **este anillo no te entra** cette bague est trop petite pour toi

3. DÉMARRER
   • **entró el año con buen tiempo** l'année a commencé avec du beau temps

4. COMMENCER À SE FAIRE SENTIR
   • **le entraron ganas de hablar** il a eu envie de parler
   • **le entró pánico** il fut pris de panique
   • **me está entrando frío** je commence à avoir froid

5. *fam* ÊTRE COMPRIS OU ASSIMILÉ = rentrer
   • **no le entra la geometría** la géométrie, ça ne rentre pas

6. VITESSE = passer
   • **no entra la tercera** la troisième ne passe pas.

entrar *vt*

1. METTRE À L'INTÉRIEUR = rentrer
   • **entra las sillas porque está lloviendo** rentre les chaises parce qu'il pleut

2. AJUSTER UN VÊTEMENT
   • **entrar unos pantalones** reprendre un pantalon

3. *fam* ABORDER QQN
   • **a ése no sé por dónde entrarle** celui-là, je ne sais pas comment le prendre.

■ **entrar a** v + prép

commencer à
  • **entró a trabajar aquí el mes pasado** il a commencé à travailler ici le mois dernier.

■ **entrar de** v + prép

ENTRER DANS UNE ENTREPRISE EN QUALITÉ DE = être embauché(e) comme
  • **entró de telefonista y ahora es director** il a débuté comme standardiste et maintenant il est directeur.

■ **entrar en** v + prép

1. ALLER À L'INTÉRIEUR D'UN LIEU = entrer dans
  • **entró en la casa** il entra dans la maison
2. PASSER DANS UN NOUVEL ÉTAT = entrer dans
  • **entramos en un período de cambios** nous entrons dans une période de changements
3. S'ENGAGER DANS UNE PROFESSION = entrer dans
  • **decidió entrar en el ejército** il a décidé d'entrer dans l'armée
4. TENIR DANS, ÊTRE INCLUS DANS
  • **no entramos todos en tu coche** nous ne tenons pas tous dans ta voiture
  • **¿cuántas entran en un kilo?** il y en a combien dans un kilo ?
  • **esto no entraba en mis cálculos** ceci n'entrait pas dans mes calculs
  • **esto no entra en el precio** ce n'est pas compris dans le prix.

entre prép **1.** entre • **entre Barcelona y Madrid** entre Barcelone et Madrid • **entre la vida y la muerte** entre la vie et la mort • **entre nosotros** entre nous **2.** parmi, dans, au milieu de (choses) • **entre los mejores** parmi les meilleurs • **entre los papeles** dans les papiers • **entre los rosales** au milieu des rosiers **3.** (addition) • **entre tú y yo lo conseguiremos** à nous deux nous y arriverons • **entre una cosa y otra, nos salió carísimo** au total, ça nous est revenu très cher.

entreabierto, ta pp ▷ **entreabrir**.

entreabrir vt entrouvrir.

entreacto nm entracte (m).

entrecejo nm • **fruncir el entrecejo** froncer les sourcils.

entrecomillado, da adj entre guillemets. ■ **entrecomillado** nm citation (f).

entrecortado, da adj entrecoupé(e).

entrecot, entrecots, entrecote, entrecotes nm entrecôte (f).

entredicho nm • **estar en entredicho** être mis(e) en doute • **poner en entredicho** mettre en doute.

entrega nf **1.** remise (f) (de clés, d'argent, d'un prix) **2.** livraison (f) (d'une commande, d'un paquet) **3.** dévouement (m) **4.** fascicule (m).

entregar vt **1.** remettre (de clés, d'argent, un prix) **2.** livrer (une commande, un paquet). ■ **entregarse** vp **1.** se rendre **2.** • **entregarse a** se consacrer à (sa famille, ses amis, son travail) • s'adonner à (un vice, la boisson) • s'abandonner à (la passion, un homme).

entreguerras ■ **de entreguerras** loc adj de l'entre-deux-guerres.

entrelazar vt entrecroiser.

entremés nm (gén pl) hors-d'œuvre (m inv).

entremeter vt insérer. ■ **entremeterse** vp • **entremeterse en** se mêler de.

entremezclar vt mélanger. ■ **entremezclarse** vp se mêler.

entrenador, ra nm, f entraîneur (m), -euse (f).

entrenamiento nm entraînement (m).

entrenar ◪ vt entraîner. ◪ vi s'entraîner. ■ **entrenarse** vp s'entraîner.

entrepierna nf entrejambe (m).

entresacar vt **1.** sélectionner **2.** tirer (d'un texte) **3.** dépaissir (des cheveux) **4.** éclaircir (un bois).

entresijos nmpl **1.** dessous (mpl) (d'une affaire) **2.** ficelles (fpl) (d'un métier) **3.** arcanes (mpl) (du pouvoir).

entresuelo nm entresol (m).

entretanto adv pendant ce temps, entre-temps.

entretención nf (Amér) distraction (f).

entretener vt **1.** distraire **2.** retarder, retenir (une personne) **3.** repousser (une date, une décision) **4.** entretenir **5.** tromper (la faim) **6.** calmer (la douleur). ■ **entretenerse** vp **1.** • **entretenerse (con)** être distrait(e) (par) **2.** se distraire **3.** s'attarder.

entretenido, da adj **1.** distrayant(e) **2.** prenant(e).

entretenimiento nm **1.** distraction (f) **2.** entretien (m).

entretiempo nm • **de entretiempo** (vêtement) de demi-saison.

entrever vt litt & fig entrevoir.

entrevero nm (Amér) enchevêtrement (m).

entrevista nf **1.** entretien (m) (entre deux personnes) **2.** interview (f) • **hacer una entrevista a alguien** interviewer qqn.

entrevistar vt interviewer. ■ **entrevistarse** vp • **entrevistarse (con)** avoir un entretien (avec).

entrevisto, ta pp ▷ **entrever**.

entristecer vt **1.** (personne) attrister **2.** (chose) rendre triste. ■ **entristecerse** vp • **entristecerse (por** ou **con algo)** s'attrister (de qqch).

entrometerse vp • **entrometerse en** se mêler de • s'immiscer dans (la conversation).

entrometido, da = **entremetido**.

entroncar *vi* ▪ **entroncar con** *(familia)* être apparenté(e) à ▪ *(transports)* assurer la correspondance avec.

entronizar *vt* **1.** introniser **2.** *fig* élever.

entubar *vt* **1.** tuber **2.** intuber.

entuerto *nm* tort *(m)* ▪ **deshacer entuertos** jouer les redresseurs de torts.

entumecer *vt* engourdir. ▪ **entumecerse** *vp* s'engourdir.

entumecido, da *adj* engourdi(e) ▪ **los dedos entumecidos** les doigts gourds.

enturbiar *vt litt* & *fig* troubler. ▪ **enturbiarse** *vp litt* & *fig* se troubler.

entusiasmar *vt* enthousiasmer, emballer ▪ **me entusiasma la música** j'adore la musique. ▪ **entusiasmarse** *vp* ▪ **entusiasmarse (con)** s'enthousiasmer (pour), s'emballer (pour).

entusiasmo *nm* enthousiasme *(m)*.

entusiasta ⬧ *adj* enthousiaste. ⬧ *nmf* passionné *(m)*, -e *(f)*.

enumeración *nf* énumération *(f)*.

enumerar *vt* énumérer.

enunciación *nf* énonciation *(f)*.

enunciado *nm* *(gén* & *LING)* énoncé *(m)*.

enunciar *vt* énoncer.

envainar *vt* rengainer.

envalentonar *vt* ▪ **envalentonar a alguien** donner du courage à qqn. ▪ **envalentonarse** *vp* s'enhardir.

envanecer *vt* gonfler d'orgueil. ▪ **envanecerse** *vp* ▪ **envanecerse de algo** être fier(fière) de qqch ▪ **envanecerse de hacer algo** s'enorgueillir de faire qqch.

envanecimiento *nm* vanité *(f)*.

envasado *nm* conditionnement *(m)* ▪ **envasado en latas** mise *(f)* en conserve.

envasar *vt* conditionner *(un article, une marchandise)*.

envase *nm* **1.** conditionnement *(m)* **2.** emballage *(m)* ▪ **envase desechable** emballage jetable **3.** bouteille *(f)* **4.** boîte *(f)* ▪ **'envase sin retorno'** 'bouteille non consignée'.

envejecer *vt* & *vi* vieillir.

envejecimiento *nm* vieillissement *(m)*.

envenenamiento *nm* empoisonnement *(m)*.

envenenar *vt* empoisonner.

envergadura *nf* envergure *(f)*.

envés *nm* envers *(m)*.

enviado, da *nm, f* envoyé *(m)*, -e *(f)* ▪ **enviado especial** envoyé spécial.

enviar *vt* envoyer ▪ **enviar a alguien por algo/a hacer algo** envoyer qqn chercher qqch/faire qqch ▪ **enviar algo por correo** poster qqch.

envidia *nf* **1.** envie *(f)* **2.** jalousie *(f)* ▪ **me da envidia tu nuevo vestido** je suis jalouse de ta nouvelle robe ▪ **tener envidia de** être jaloux(ouse) de.

envidiar *vt* **1.** envier **2.** être jaloux(ouse) de.

envidioso, sa *adj* & *nm, f* envieux(euse).

envilecer *vt* avilir.

envío *nm* **1.** envoi *(m)* ▪ **el paquete se perdió en el envío** le paquet s'est perdu pendant le transport **2.** colis *(m)*.

envite *nm* **1.** *(au jeu)* mise *(f)* **2.** *fig* offre *(f)*.

enviudar *vi* devenir veuf(veuve).

envoltorio *nm* emballage *(m)*.

envoltura *nf* enveloppe *(f)* ▪ **poner una envoltura** emballer.

envolver *vt* **1.** envelopper ▪ **le envuelve el cariño de su familia** sa famille l'entoure de tendresse **2.** enrouler **3.** *(implicar)* ▪ **envolver a alguien en** mêler qqn à **4.** enjôler. ▪ **envolverse** *vp* s'envelopper.

envuelto, ta *pp* ⬧ **envolver**.

enyesar *vt* plâtrer ▪ **tiene un brazo enyesado** il a un bras dans le plâtre.

enzarzar *vt* envenimer ▪ **enzarzar a alguien en** entraîner qqn dans *(una discusión, una disputa)*. ▪ **enzarzarse** *vp* ▪ **enzarzarse en** s'empêtrer dans *(una disputa, una affaire)*.

enzima *nf* enzyme *(f)*.

epatar *vt* épater.

e.p.d. *(abr écrite de* **en paz descanse)** RIP.

épica *nf* ⬧ **épico**.

epicentro *nm* épicentre *(m)*.

épico, ca *adj* épique. ▪ **épica** *nf* poésie *(f)* épique.

epicúreo, a *adj* & *nm, f* épicurien(enne).

epidemia *nf* épidémie *(f)*.

epidermis *nf inv* épiderme *(m)*.

epiglotis *nf inv* épiglotte *(f)*.

epígrafe *nf* épigraphe *(f)*.

epilepsia *nf* épilepsie *(f)*.

epílogo *nm litt* & *fig* épilogue *(m)*.

episcopado *nm* épiscopat *(m)*.

episodio *nm* épisode *(m)*.

epístola *nf* épître *(f)*.

epitafio *nm* épitaphe *(f)*.

epíteto *nm* épithète *(f)*.

época *nf* **1.** époque *(f)* ▪ **de época** *(habit, voiture)* d'époque ▪ *(film)* historique **2.** saison *(f)*.

epopeya *nf litt* & *fig* épopée *(f)*.

equidad *nf* équité *(f)*.

equidistante *adj* équidistant(e).

equilátero, ra *adj* équilatéral(e).

equilibrado, da *adj* équilibré(e). ▪ **equilibrado** *nm* équilibrage *(m)*.

equilibrar *vt* équilibrer.

equilibrio *nm* équilibre *(m)* • **perder el equilibrio** perdre l'équilibre • **hacer equilibrios** *fig* ménager la chèvre et le chou.

equilibrista *nmf* équilibriste *(mf)*.

equino, na *adj* chevalin(e).

equinoccio *nm* équinoxe *(m)*.

equipaje *nm* bagages *(mpl)* • **equipaje de mano** bagage *(m)* à main.

equipar *vt* • **equipar (con** ou **de)** équiper (en ou de). ■ **equiparse** *vp* s'équiper.

equiparar *vt* • **equiparar a** ou **con** comparer à. ■ **equipararse** *vp* se comparer.

equipo *nm* **1.** matériel *(m)* **2.** trousseau *(m)* *(d'une mariée)* **3.** paquetage *(m)* *(d'un soldat)* **4.** *(gén & SPORT)* équipe *(f)* • **equipo de rescate** équipe de secours **5.** MUS • **equipo (de sonido)** chaîne *(f)* (hi-fi).

equis ◣ *adj inv* x, X • **un número equis de personas** un nombre x de personnes. ◣ *nf inv* x *(m inv)*.

equitación *nf* équitation *(f)*.

equitativo, va *adj* équitable.

equivalente ◣ *adj* équivalent(e). ◣ *nm* équivalent *(m)*.

equivaler *vi* • **equivaler a** équivaloir à.

equivocación *nf* erreur *(f)*.

equivocado, da *adj* erroné(e).

equivocar *vt* • **equivocar algo con algo** confondre qqch avec qqch. ■ **equivocarse** *vp* • **equivocarse (de)** se tromper (de) • **equivocarse con alguien** se tromper sur qqn.

equívoco, ca *adj* équivoque. ■ **equivoco** *nm* malentendu *(m)*.

era ◣ *nf* **1.** ère *(f)* **2.** époque *(f)* • **era cristiana** ère chrétienne **3.** AGRIC aire *(f)*. ◣ *v* ▷ **ser**.

erario *nm* budget *(m)*.

ERASMUS *(abr écrite de* **European Action Scheme for the Mobility of University Students)** *nm* Erasmus.

ERC *(abr écrite de* **Esquerra Republicana de Catalunya)** *nf parti nationaliste catalan de gauche.*

erección *nf* érection *(f)*

erecto, ta *adj* **1.** dressé(e) **2.** *(pénis)* en érection.

eres ▷ **ser**.

erguido, da *adj* dressé(e).

erguir *vt* dresser. ■ **erguirse** *vp* se dresser.

erigir *vt* **1.** ériger **2.** nommer.

Eritrea *npr* Érythrée *(f)*.

eritreo, a ◣ *adj* érythréen(enne). ◣ *nm, f* Érythréen *(m)*, -enne *(f)*.

erizado, da *adj litt* & *fig* hérissé(e).

erizar *vt* hérisser. ■ **erizarse** *vp* se hérisser.

erizo *nm* hérisson *(m)*. ■ **erizo de mar** *nm* oursin *(m)*.

ermita *nf* ermitage *(m)*.

ermitaño, ña *nm, f* ermite *(m)*. ■ **ermitaño** *nm* bernard-l'ermite *(m)*.

eros *nm inv* éros *(m)*.

erosionar *vt* éroder. ■ **erosionarse** *vp* être érodé(e).

erótico, ca *adj* érotique.

erotismo *nm* érotisme *(m)*.

erradicación *nf* éradication *(f)*.

erradicar *vt* éradiquer.

errante *adj* **1.** errant(e) **2.** vagabond(e).

errar ◣ *vt* **1.** se tromper de *(chemin, de direction)* • **errar la vocación** rater sa vocation **2.** manquer *(son tir, son coup)*. ◣ *vi* **1.** faire erreur, se tromper **2.** manquer son coup *(en tirant)* **3.** errer.

errata *nf* erratum *(m)*, coquille *(f)*.

erre *nf* r *(m inv)* • **erre que erre** obstinément.

erróneo, a *adj* erroné(e).

error *nm* erreur *(f)* • **estar en un error** être dans l'erreur • **salvo error u omisión** sauf erreur ou omission • **error de bulto** grossière erreur.

Ertzaintza *nf* police autonome basque.

eructar *vi* faire un rot.

eructo *nm* rot *(m)*.

erudito, ta *adj* & *nm, f* érudit(e).

erupción *nf* éruption *(f)* *(de volcan)* • **en erupción** en éruption.

es ▷ **ser**.

esa ▷ **ese**.

ésa ▷ **ése**.

esbelto, ta *adj* svelte.

esbozar *vt litt* & *fig* ébaucher.

esbozo *nm* ébauche *(f)*.

escabechado, da *adj* mariné(e). ■ **escabechado** *nm* **1.** *(action)* marinage *(m)* **2.** *(plat)* marinade *(f)*.

escabeche *nm* **1.** marinade *(f)* **2.** escabèche *(f)* *(de poissons)* • **escabeche de sardina/perdiz** sardines/perdrix marinées.

escabechina *nf* massacre *(m)*.

escabroso, sa *adj* **1.** *(surface)* inégal(e) • **un terreno escabroso** un terrain accidenté **2.** scabreux(euse) **3.** délicat(e).

escabullirse *vp* **1.** filer **2.** s'éclipser **3.** se défiler.

escacharrar, descacharrar *vt fam* **1.** bousiller **2.** ficher en l'air *(la journée, un plan)*. ■ **escacharrarse, descacharrarse** *vp* **1.** *fam* se détraquer **2.** *(plan)* cafouiller.

escafandra *nf* scaphandre *(m)*.

escala *nf* **1.** échelle *(f)* • **a escala 1:50.000** à l'échelle de 1/50 000ᵉ • **a escala internacional** à l'échelle internationale • **a gran escala** à grande échelle **2.** MUS *(de couleurs)* gamme *(f)*

• **escala musical** gamme 3. escale (f) • **hacer escala** faire escale 4. cote (f) • **escala de popularidad** cote de popularité.

escalada nf litt & fig escalade (f).

escalador, ra ◆ adj qui fait de l'alpinisme. ▨ nm, f 1. grimpeur (m), -euse (f) 2. alpiniste (mf) 3. fam jeune loup (m), carriériste (mf).

escalafón nm 1. hiérarchie (f) 2. tableau (m) d'avancement.

escalar vt escalader • **escalar puestos** fam fig grimper dans l'échelle sociale.

escaldado, da adj 1. CULIN blanchi(e) 2. fig échaudé(e).

escaldar vt 1. CULIN blanchir 2. chauffer à blanc 3. fig blesser à vif. ▪ **escaldarse** vp 1. s'ébouillanter 2. se brûler (avec une flamme, le soleil).

escalera nf 1. escalier (m) • **escalera de caracol** escalier en colimaçon • **escalera mecánica** ou **automática** Escalator® (m) 2. (aux cartes) quinte (f) • **escalera de color** quinte flush.

escaléxtric nm 1. circuit (m) miniature 2. échangeur (m).

escalfar vt pocher (un œuf).

escalinata nf perron (m).

escalofriante adj terrifiant(e).

escalofrío nm (gén pl) frisson (m).

escalón nm 1. marche (f) 2. fig échelon (m).

escalonar vt échelonner.

escalope nm escalope (f).

escama nf 1. ZOOL & BOT écaille (f) 2. paillette (f) (de savon) 3. squame (f).

escamar vt 1. écailler 2. fam fig mettre la puce à l'oreille.

escamotear vt 1. escroquer 2. subtiliser.

escampar v impers cesser de pleuvoir.

escandalizar vt 1. scandaliser 2. faire du tapage dans. ▪ **escandalizarse** vp se scandaliser • **escandalizarse de** être scandalisé(e) par.

escándalo nm 1. scandale (m) 2. tapage (m) 3. chahut (m) (en classe).

escandaloso, sa ◆ adj 1. scandaleux(euse) 2. tapageur(euse) 3. (enfants) bruyant(e). ▨ nm, f • **es un escandaloso** il est très bruyant.

escáner (pl **escáners**), **scanner** ['es'kaner] (pl **scanners**) nm scanner (m).

escaño nm siège (m) (au Parlement).

escapada nf 1. escapade (f) 2. SPORT échappée (f).

escapar vi • **escapar (de)** s'échapper (de) (endroit, lieu) • **escapar de algo/a alguien** échapper à qqch/à qqn. ▪ **escaparse** vp 1. (fuir) • **escaparse (de algo)** s'échapper (de qqch) (involontairement) 2. • **se le escapó la risa/un taco** un rire/un gros mot lui a échappé • **se le escapó el tren/la ocasión** il a manqué son train/l'occasion 3. (liquide, gaz, etc) fuir.

escaparate nm vitrine (f).

escapatoria nf 1. évasion (f) 2. escapade (f) • **no tener escapatoria** être au pied du mur 3. fam échappatoire (f).

escape nm 1. fuite (f) (d'eau, de gaz, etc) 2. échappement (m) (d'une voiture) • **a escape** à toute vitesse.

escapulario nm scapulaire (m).

escaquearse vp fam se défiler • **escaquearse de hacer algo** s'arranger pour ne pas faire qqch.

escarabajo nm 1. scarabée (m) 2. fam (voiture) coccinelle (f).

escaramuza nf escarmouche (f).

escarbar vt 1. gratter (la terre) 2. fig fouiller (une vie, le passé).

escarceos nmpl 1. incursions (fpl) 2. divagations (fpl).

escarcha nf givre (m).

escarlata adj & nf écarlate (f).

escarlatina nf scarlatine (f).

escarmentar vi tirer la leçon (d'une expérience).

escarmiento nm (avertissement) leçon (f).

escarnio nm raillerie (f).

escarola nf frisée (f).

escarpado, da adj escarpé(e).

escasear vi manquer.

escasez nf 1. pénurie (f) 2. indigence (f).

escaso, sa adj 1. (ressources, repas) maigre 2. (nombre, quantité) faible 3. • **andar escaso de dinero** être à court d'argent 4. rare 5. (presque complet) • **un metro/kilo escaso** à peine un mètre/kilo • **media hora escasa** une petite demi-heure.

escatimar vt 1. rogner sur (le repas, les moyens) 2. ménager (ses efforts) • **no escatimar algo** ne pas lésiner sur qqch.

escay, skay [es'kai] nm Skaï® (m).

escayola nf plâtre (m).

escena nf scène (f) • **poner en escena** mettre en scène • **hacer una escena** fig faire une scène.

escenario nm 1. (planches) scène (f) 2. CINÉ & THÉÂTRE cadre (m) 3. fig (lieu de l'action) théâtre (m) • **el escenario del crimen** le lieu du crime.

escenificar vt mettre en scène.

escenografía nf 1. scénographie (f) 2. mise (f) en scène.

escepticismo nm scepticisme (m).

escéptico, ca adj & nm, f sceptique.

escindir vt scinder. ▪ **escindirse** vp • **escindirse (en)** (parti politique) se scinder (en) • (atome) se diviser (en).

escisión nf 1. scission (f) (d'un parti politique, etc) 2. fission (f) (du noyau).

esclarecer vt tirer au clair, élucider.

esclarecimiento *nm* élucidation *(f)*.

esclava *nf* ▷ **esclavo**.

esclavitud *nf litt* & *fig* esclavage *(m)*.

esclavizar *vt* réduire en esclavage • **el vino/su trabajo le esclaviza** il est esclave du vin/de son travail.

esclavo, va *adj* & *nm, f litt* & *fig* esclave. ■ **esclava** *nf* gourmette *(f)*.

esclerosis *nf inv* sclérose *(f)*.

esclusa *nf* écluse *(f)*.

escoba *nf* balai *(m)*.

escobilla *nf* **1.** balayette *(f)* **2.** ÉLECTR balai *(m)* **3.** *(Amér)* brosse *(f)*

escocedura *nf* **1.** brûlure *(f)* **2.** irritation *(f)*.

escocer *vi* **1.** *(blessure, condiment)* brûler **2.** *fig* blesser. ■ **escocerse** *vp (peau)* être meurtri(e).

escocés, esa ◼ *adj* écossais(e). ◼ *nm, f* Écossais *(m)*, -e *(f)*. ◼ **escocés** *nm* écossais *(m)*.

Escocia *npr* Écosse *(f)*.

escoger *vt* choisir.

escogido, da *adj* choisi(e).

escolar ◼ *adj* scolaire. ◼ *nm, f* écolier *(m)*, -ère *(f)*.

escolarizar *vt* scolariser.

escoliosis *nf inv* scoliose *(f)*.

escollo *nm litt* & *fig* écueil *(m)*.

escolta *nf* escorte *(f)*.

escoltar *vt* escorter.

escombro *nm (gén pl)* **1.** décombres *(mpl)* **2.** gravats *(mpl)*.

esconder *vt litt* & *fig* cacher. ■ **esconderse** *vp* se cacher • **esconderse de** se dérober à *(un regard, la vue de)* • fuir *(une personne)*.

escondido, da *adj* **1.** caché(e) **2.** *(endroit)* retiré(e). ■ **a escondidas** *loc adv* en cachette.

escondite *nm* **1.** cachette *(f)* **2.** cache-cache *(m inv)*.

escondrijo *nm* cachette *(f)*.

escopeta *nf* fusil *(m)* *(de chasse)*.

escoria *nf* **1.** scorie *(f)* **2.** *fig* rebut *(m)*.

Escorpio, Escorpión ◼ *nm inv* Scorpion *(m inv)*. ◼ *nm, f inv* scorpion *(m inv)*.

escorpión *nm* scorpion *(m)*. ■ **Escorpión** *nm inv* & *nmf inv* = **Escorpio**.

escotado, da *adj* décolleté(e).

escotar *vt* décolleter.

escote *nm* **1.** encolure *(f)* **2.** décolleté *(m)* • **pagar a escote** partager les frais • **pagamos a escote** chacun paie sa part.

escotilla *nf* écoutille *(f)*.

escozor *nm* **1.** brûlure *(f)* **2.** piqûre *(f)* *(d'ortie)*.

escribiente *nmf* employé *(m)*, -e *(f)* aux écritures.

escribir *vt* écrire. ■ **escribirse** *vp* s'écrire.

escrito, ta *adj* écrit(e) • **por escrito** par écrit. ■ **escrito** ◼ *pp* ▷ **escribir**. ◼ *nm* **1.** écrit *(m)* **2.** texte *(m)*.

escritor, ra *nm, f* écrivain *(m)*.

escritorio *nm* **1.** secrétaire *(m)* **2.** bureau *(m)*.

escritura *nf* **1.** écriture *(f)* **2.** acte *(m)*. ■ **Sagrada Escritura** *nf (gén pl)* • **la Sagrada Escritura** l'Écriture *(f)* sainte.

escrúpulo *nm* **1.** scrupule *(m)* **2.** méticulosité *(f)* **3.** dégoût *(m)*.

escrupuloso, sa *adj* **1.** scrupuleux(euse) **2.** délicat(e).

escrutar *vt* **1.** scruter **2.** *(aux élections)* • **escrutar los votos** dépouiller le scrutin.

escrutinio *nm* dépouillement *(m)* du scrutin.

escuadra *nf* **1.** GÉOM équerre *(f)* **2.** NAUT escadre *(f)* **3.** MIL escouade *(f)*.

escuadrilla *nf* escadrille *(f)*.

escuadrón *nm* escadron *(m)*.

escuálido, da *adj sout* décharné(e) • **un rostro escuálido** un visage émacié.

escucha *nf* écoute *(f)* • **escuchas telefónicas** écoutes téléphoniques.

escuchar *vt litt* & *fig* écouter. ■ **escucharse** *vp* s'écouter parler.

escudería *nf* écurie *(f)*.

escudo *nm* **1.** bouclier *(m)* **2.** blason *(m)*, armes *(fpl)* **3.** écu *(m)* **4.** *(monnaie portugaise)* escudo *(m)*.

escudriñar *vt* **1.** scruter **2.** *(enquêter)* fouiller dans.

escuela *nf* école *(f)* • **escuela privada/pública** école privée/publique • **escuela universitaria** institut *(m)* universitaire • **ser de la vieja escuela** être de la vieille école.

escueto, ta *adj* **1.** sobre **2.** succinct(e).

escuincle, cla *nm, f (Amér)* gamin *(m)*, -e *(f)*.

esculpir *vt* sculpter.

escultismo, scoutismo *nm* scoutisme *(m)*.

escultor, ra *nm, f* sculpteur *(m)*.

escultura *nf* sculpture *(f)*.

escupidera *nf* crachoir *(m)*.

escupir *vt* & *vi* cracher.

escupitajo *nm* crachat *(m)*.

escurreplatos *nm inv* égouttoir *(m)* (à vaisselle).

escurridizo, za *adj* **1.** *(sol)* glissant(e) **2.** *(personne)* fuyant(e) **3.** *(réponse)* évasif(ive).

escurridor *nm* passoire *(f)*.

escurrir ◼ *vt* **1.** égoutter **2.** essorer *(du linge)* **3.** vider jusqu'à la dernière goutte. ◼ *vi* **1.** goutter **2.** *(sol)* glisser. ■ **escurrirse** *vp* **1.** s'égoutter **2.** *(chose)* glisser.

ese[1] *nf* s *(m inv)* • **hacer eses** *(personne)* tituber • *(voiture)* zigzaguer.

ese², **esa** (*mpl* **esos**, *fpl* **esas**) *adj dém* **1.** ce, cette, ce…-là, cette…-là • **¿qué es ese ruido?** qu'est-ce que c'est que ce bruit ? • **esa corbata que llevas hoy es muy bonita** la cravate que tu portes aujourd'hui est très belle • **busco precisamente ese libro** c'est précisément ce livre que je cherche • **prefiero esa casa a ésta** je préfère cette maison-là à celle-ci **2.** *(après un substantif)* **péj** ce…-là, cette…-là • **el hombre ese no me inspira confianza** cet homme-là ne m'inspire pas confiance.

ése, **ésa** (*mpl* **ésos**, *fpl* **ésas**) *pron dém* **1.** celui-là, celle-là • **no cojas este diccionario, coge ése** ne prends pas ce dictionnaire-ci, prends celui-là • **dame un vaso – ¿cuál? – ése que está en la mesa** donne-moi un verre – lequel ? – celui qui est sur la table • **ésa es mi idea de…** c'est l'idée que je me fais de… **2.** *(après avoir été mentionné)* • **entraron Ana y María, ésa con un vestido rojo** Ana et María sont entrées, la première portait une robe rouge **3.** **fam** *(emploi péjoratif)* **¿qué se ha creído ésa?** qu'est-ce qu'elle croit, celle-là ? • **ése me ha querido timar** ce type-là a essayé de me rouler.

esencia *nf* **1.** essence (*f*) **2.** essentiel (*m*) • **quinta esencia** quintessence (*f*).

esencial *adj* essentiel(elle).

esfera *nf* **1.** sphère (*f*) **2.** cadran (*m*) *(de montre)* • **las altas esferas de** *fig* les hautes sphères de **3.** *fig* domaine (*m*).

esférico, ca *adj* sphérique. ■ **esférico** *nm* ballon (*m*).

esfinge *nf* sphinx (*m*).

esfínter *nm* sphincter (*m*).

esforzar *vt* forcer *(sa voix, sa vue)*. ■ **esforzarse** *vp* faire des efforts • **esforzarse en** *ou* **por hacer algo** s'efforcer de faire qqch.

esfuerzo *nm* effort (*m*).

esfumar *vt* estomper. ■ **esfumarse** *vp fig* se volatiliser.

esgrima *nf* escrime (*f*).

esgrimir *vt* **1.** manier *(une arme blanche)* **2.** *(menacer)* brandir **3.** *fig* invoquer.

esguince *nm* **1.** foulure (*f*) **2.** *(avec déchirure)* entorse (*f*).

eslabón *nm* maillon (*m*), chaînon (*m*) • **eslabón perdido** chaînon manquant.

eslogan (*pl* **eslóganes**), **slogan** [es'loɣan] (*pl* **slogans**) *nm* slogan (*m*).

eslora *nf* longueur (*f*) *(d'un bateau)*.

Eslovaquia *npr* Slovaquie (*f*).

Eslovenia *npr* Slovénie (*f*).

esmaltar *vt* émailler.

esmalte *nm* **1.** émail (*m*) **2.** **ART** émaillerie (*f*). ■ **esmalte (de uñas)** *nm* vernis (*m*) à ongles.

esmerado, da *adj* **1.** *(personne)* soigneux(euse) **2.** *(travail, prononciation, etc)* soigné(e).

esmeralda ■ *nf* émeraude (*f*). ■ *adj inv* (vert) émeraude. ■ *nm* vert (*m*) émeraude.

esmerarse *vp* • **esmerarse (en algo/en hacer algo)** s'appliquer (dans qqch/à faire qqch).

esmeril *nm* émeri (*m*).

esmerilar *vt* polir à l'émeri.

esmero *nm* soin (*m*), application (*f*).

esmirriado, da *adj* chétif(ive).

esmoquin (*pl* **esmóquines**), **smoking** [es'mokin] (*pl* **smokings**) *nm* smoking (*m*).

esnifar *vt fam* sniffer.

esnob (*pl* **esnobs**), **snob** (*pl* **snobs**) *adj inv* & *nmf* snob.

eso *pron dém neutre* cela, ça • **¿le habló usted de eso en particular?** lui avez-vous parlé de cela en particulier ? • **eso me interesa** ça m'intéresse • **eso es la Torre Eiffel** ça, c'est la tour Eiffel • **eso es lo que yo pienso** c'est ce que je pense • **eso de vivir solo no me gusta** je n'aime pas l'idée de vivre seul • **¡eso, eso!** c'est ça, c'est ça ! • **¿cómo es eso?** comment ça se fait ? • **¡eso es!** c'est ça ! ■ **a eso de** *loc prép* vers. ■ **en eso** *loc adv* sur ce. ■ **y eso que** *loc conj* et pourtant.

esófago *nm* œsophage (*m*).

esos, **esas** ⊳ **ese**.

ésos, **ésas** ⊳ **ése**.

esotérico, ca *adj* ésotérique.

esp 1. *(abr écrite de **especialista**)* spécialiste • **'se busca técnico esp en instalaciones eléctricas'** 'recherchons technicien spécialisé dans les installations électriques' **2.** *(abr écrite de **especialmente**)* spécialement.

espabilado, da, despabilado, da *adj* vif(vive).

espabilar, despabilar *vt* **1.** réveiller • **espabilar a alguien** *fig* dégourdir qqn **2.** expédier. ■ **espabilarse, despabilarse** *vp* **1.** se réveiller **2.** *fam* se remuer **3.** se dégourdir.

espachurrar = **despachurrar**.

espacial *adj* spatial(e).

espaciar *vt* espacer.

espacio *nm* **1.** espace (*m*) • **no tengo mucho espacio** je n'ai pas beaucoup de place • **por espacio de dos años** pendant deux ans • **espacio aéreo** espace aérien • **espacio de tiempo** laps (*m*) de temps **2.** émission (*f*) • **espacio musical** plage (*f*) musicale **3.** interligne (*m*) • **a doble espacio** à double interligne.

espacioso, sa *adj* spacieux(euse).

espada ■ *nf* épée (*f*) • **estar entre la espada y la pared** être pris entre deux feux. ■ *nm* matador (*m*). ■ **espadas** *nfpl* l'une des quatre couleurs du jeu de cartes espagnol.

espagueti, spaguetti *nm (gén pl)* spaghetti (*m*).

espalda *nf* **1.** dos (*m*) • **caerse de espaldas** tomber à la renverse • **tumbarse de espaldas** s'allonger sur le dos • **por la espalda** par-derrière

2. dos (m) crawlé • **cubrirse las espaldas** proteger ses arrières • **hablar de alguien a sus espaldas** parler de qqn dans son dos • **volver la espalda a alguien** tourner le dos à qqn.

espaldarazo nm • **dar un espaldarazo** donner une tape dans le dos • **se pegó un espaldarazo** il est tombé sur le dos.

espalderas nfpl espalier (m) (de gymnastique).

espantadizo, za adj craintif(ive).

espantajo nm **1.** épouvantail (m) **2.** croque mitaine (m).

espantapájaros nm inv épouvantail (m).

espantar vt **1.** faire fuir **2.** épouvanter. ■ **espantarse** vp s'affoler • **espantarse de** OU **por** être épouvanté(e) de OU par.

espanto nm épouvante (f) • **¡qué espanto!** quelle horreur ! • **estoy curado de espantos** fig j'en ai vu d'autres.

espantoso, sa adj **1.** épouvantable **2.** fig terrible **3.** horrible.

España npr Espagne (f) • **la España del Siglo de Oro** l'Espagne du siècle d'or.

español, la ◇ adj espagnol(e). ◇ nm, f Espagnol (m), -e (f). ■ **español** nm espagnol (m).

españolada nf péj qui présente un caractère hispanique exagéré.

españolizar vt hispaniser. ■ **españolizarse** vp **1.** (personne) prendre des habitudes espagnoles **2.** (mot) s'hispaniser.

esparadrapo nm sparadrap (m).

esparcido, da adj éparpillé(e).

esparcir vt **1.** répandre (de l'huile, une nouvelle, etc) **2.** éparpiller (des papiers, des objets). ■ **esparcirse** vp se répandre.

espárrago nm asperge (f).

esparto nm BOT alfa (m).

espasmo nm spasme (m).

espasmódico, ca adj spasmodique.

espatarrarse vp fam s'affaler.

espátula nf spatule (f).

especia nf épice (f).

especial adj **1.** spécial(e) **2.** (traitement) de faveur • **en especial** particulièrement • **uno en especial** un en particulier.

especialidad nf spécialité (f).

especialista ◇ adj spécialiste • **un médico especialista** un spécialiste. ◇ nmf **1.** spécialiste (mf) **2.** CINÉ cascadeur (m), -euse (f).

especializado, da adj spécialisé(e).

especializar vt spécialiser.

especie nf **1.** espèce (f) **2.** genre (m) **3.** sorte (f) • **pagar en especie** OU **especies** payer en nature.

especificar vt • **especificar algo** spécifier qqch • **especificar algo a alguien** préciser qqch à qqn.

específico, ca adj spécifique. ■ **específicos** nmpl (médicaments) spécialités (fpl).

espécimen (pl **especímenes**) nm spécimen (m).

espectacular adj spectaculaire.

espectáculo nm spectacle (m) • **dar el espectáculo** fig se donner en spectacle.

espectador, ra nm, f spectateur (m), -trice (f). ■ **espectadores** nmpl public (m).

espectral adj spectral(e).

espectro nm spectre (m).

especulación nf spéculation (f).

especular vi **1.** (réfléchir) • **especular (sobre)** spéculer (sur) **2.** FIN & COMM • **especular (con** OU **en)** spéculer (sur).

espejismo nm litt & fig mirage (m).

espejo nm **1.** glace (f), miroir (m) • **(espejo) retrovisor** rétroviseur (m) • **ser el espejo de algo** fig (société, époque) refléter qqch • **(alma) être le miroir de qqch 2.** fig modèle (m).

espeleología nf spéléologie (f).

espeluznante adj à donner la chair de poule.

espera nf **1.** attente (f) • **a la espera de** dans l'espoir de • **en espera de** dans l'attente de **2.** patience (f).

esperanto nm espéranto (m).

esperanza nf espoir (m) • **perder la esperanza** perdre l'espoir • **tener esperanza de hacer algo** avoir l'espoir de faire qqch • **esperanza de vida** espérance (f) de vie.

esperanzar vt donner de l'espoir.

esperar vt **1.** (attendre) • **esperar (algo/a alguien)** attendre (qqch/qqn) • **esperar algo de alguien** attendre qqch de qqn • **era algo de esperar** c'était à prévoir • **como era de esperar** comme il fallait s'y attendre **2.** (souhaiter) • **esperar que** espérer que • **espero que sí** j'espère bien • **esperar hacer algo** espérer faire qqch. ■ **esperarse** vp **1.** s'attendre à • **no se lo esperaba** il ne s'y attendait pas **2.** attendre • **se esperó durante una hora** il a attendu une heure.

esperma nm ou nf sperme (m).

espermatozoide nm spermatozoïde (m).

esperpento nm **1.** (personne) épouvantail (m) **2.** (chose) horreur (f).

espeso, sa adj **1.** épais(aisse) **2.** (végétation) dense **3.** (bois) touffu(e) **4.** fig impénétrable.

espesor nm épaisseur (f).

espesura nf **1.** fourré (m) **2.** épaisseur (f).

espía nm, f espion (m), -onne (f).

espiar vt épier.

espiga nf **1.** épi (m) **2.** (tissu) chevron (m) **3.** cheville (f) (en bois, en fer).

espigado, da adj **1.** fig (personne) • **es espigado** il est grand et mince **2.** (plante) monté(e) en graine.

espigón nm jetée (f).

espina *nf* **1.** arête (*f*) **2.** épine (*f*) **3.** *fig (peine)* • **tiene una espina clavada** il en a gros sur le cœur • **me da mala espina** cela ne me dit rien qui vaille. ■ **espina dorsal** *nf* épine (*f*) dorsale.

espinaca *nf (gén pl)* épinard (*m*).

espinazo *nm* échine (*f*).

espinilla *nf* **1.** tibia (*m*) **2.** *(botón)* point (*m*) noir.

espinoso, sa *adj litt* & *fig* épineux(euse).

espionaje *nm* espionnage (*m*).

espiral *nf* spirale (*f*) • **en espiral** en spirale.

espirar ◨ *vi* expirer. ◨ *vt* exhaler.

espiritista ◨ *adj* spirite. ◨ *nmf* médium (*mf*).

espíritu *nm* **1.** *(gén* & *RELIG)* esprit (*m*) **2.** *fig* force (*f*). ■ **Espíritu Santo** *nm* Saint-Esprit (*m*).

espiritual ◨ *adj* spirituel(elle). ◨ *nm* • **espiritual (negro)** negro spiritual (*m*).

espléndido, da *adj* **1.** splendide **2.** prodigue.

esplendor *nm* splendeur (*f*).

espliego *nm* lavande (*f*).

espoleta *nf* détonateur (*m*).

espolio = **expolio**.

espolvorear *vt* saupoudrer.

esponja *nf* éponge (*f*).

esponjoso, sa *adj* spongieux(euse).

espontaneidad *nf* spontanéité (*f*).

espontáneo, a ◨ *adj* spontané(e). ◨ *nm, f* spectateur qui saute dans l'arène pour toréer.

esporádico, ca *adj* sporadique.

esposar *vt* passer les menottes à.

esposo, sa *nm, f* époux (*m*), -ouse (*f*). ■ **esposas** *nfpl* menottes (*fpl*).

espray *(pl* esprays), **spray** *(pl* sprays) *nm* spray (*m*), aérosol (*m*).

esprint *(pl* esprints), **sprint** *(pl* sprints) *nm* sprint (*m*).

espuela *nf* **1.** éperon (*m*) **2.** *fig* aiguillon (*m*) **3.** *fam fig* coup (*m*) de l'étrier.

espuma *nf* **1.** mousse (*f*) *(de la bière, du savon)* **2.** mousse (*f*) coiffante *ou* de coiffage **3.** écume (*f*) *(des vagues, d'un bouillon)*.

espumadera *nf* écumoire (*f*).

espumarajo *nm (bave)* écume (*f*).

espumoso, sa *adj* **1.** *(mer, vagues)* écumeux(euse) **2.** *(vin)* mousseux(euse) **3.** *(savón)* moussant(e). ■ **espumoso** *nm* mousseux (*m*).

esputo *nm* expectoration (*f*).

esqueje *nm* bouture (*f*).

esquela *nf* faire-part (*m*) de décès.

esquelético, ca *adj* squelettique.

esqueleto *nm* squelette (*m*) • **menear** *ou* **mover el esqueleto** *fam* guincher.

esquema *nm* schéma (*m*).

esquemático, ca *adj* schématique.

esquematizar *vt* schématiser.

esquetch = **esquech**.

esquí *(pl* esquís), **ski** *nm* ski (*m*) • **esquí náutico** *ou* **acuático** ski nautique.

esquiador, ra *nm, f* skieur (*m*), -euse (*f*).

esquiar *vi* skier.

esquilar *vt* tondre *(les moutons)*.

esquimal ◨ *adj* esquimau(aude). ◨ *nm, f* Esquimau (*m*), -aude (*f*). ◨ *nm (langue)* esquimau (*m*).

esquina *nf* coin (*m*) • **a la vuelta de la esquina** au coin de la rue • **al doblar la esquina** en tournant au coin de la rue.

esquirol *nm fam (briseur de grève)* jaune (*mf*).

esquivar *vt* **1.** éviter **2.** esquiver *(un coup)*.

esquivo, va *adj* farouche.

esquizofrenia *nf* schizophrénie (*f*).

esta ▷ **este**.

ésta ▷ **éste**.

estabilidad *nf* stabilité (*f*).

estabilizar *vt* stabiliser. ■ **estabilizarse** *vp* se stabiliser.

estable *adj* stable.

establecer *vt* établir. ■ **establecerse** *vp* s'établir.

establecimiento *nm* établissement (*m*).

establo *nm* étable (*f*).

estaca *nf* **1.** pieu (*m*) **2.** gourdin (*m*).

estacada *nf* palissade (*f*) • **dejar a alguien en la estacada** laisser tomber qqn • **quedar** *ou* **quedarse alguien en la estacada** être abandonné(e) à son triste sort.

estación *nf* **1.** *(gén* & *INFORM)* station (*f*) • **estación de esquí** station de ski • **estación de gasolina** station-service (*f*), pompe (*f*) à essence • **estación de metro** station de métro • **estación de trabajo** poste (*m*) de travail • **estación emisora/meteorológica** station de radio/météo **2.** gare (*f*) *(ferroviaire)* • **estación de autocares** gare routière **3.** saison (*f*). ■ **estación de servicio** *nf* station-service (*f*).

estacionamiento *nm* stationnement (*m*) • **'estacionamiento indebido'** 'stationnement interdit'.

estacionar *vt* garer. ■ **estacionarse** *vp* se garer, stationner.

estacionario, ria *adj* stationnaire.

estadio *nm* stade (*m*).

estadista *nmf* homme (*m*) d'État.

estadístico, ca *adj* statistique. ■ **estadística** *n* statistique (*f*).

estado *nm* état (*m*) • **estar en buen/mal estado** être en bon/mauvais état • **la carne está en mal estado** la viande est avariée • **estado civil** état civil • **estado de ánimo** humeur (*f*) • **estado de excepción** *ou* **emergencia** état d'urgence • **estado de sitio** état de siège • **estado en estado (de esperanza** *ou* **buena esperan**

za) *fig* attendre un heureux événement. ■ **Estado** *nm* État *(m)* • **Estado Mayor** état-major *(m)*.

Estados Unidos (de América) *npr* les États-Unis (d'Amérique) *(mpl)* • **Estados Unidos de América salió vencedor** les États-Unis ont gagné.

estadounidense ◼ *adj* américain(e) *(des États-Unis)*. ◼ *nmf* Américain *(m)*, -e *(f)*.

estafa *nf* escroquerie *(f)*.

estafador, ra *nm, f* escroc *(m)*.

estafar *vt* escroquer.

estafeta *nf* bureau *(m)* de poste.

estalactita *nf* stalactite *(f)*.

estalagmita *nf* stalagmite *(f)*.

estallar *vi* 1. éclater 2. *(bombe)* exploser 3. *(verre, vitre)* voler en éclats • **estallar en sollozos/en una carcajada** éclater en sanglots/de rire.

estallido *nm* 1. explosion *(f)* 2. éclatement *(m)* *(d'un pneu, d'un conflit)*.

estambre *nm* 1. fil *(m)* de laine 2. étamine *(f)*

Estambul *npr* Istanbul.

estamento *nm* classe *(f)* *(de la société)*.

estampa *nf* 1. estampe *(f)* 2. image *(f)* • **este niño es la estampa de su padre** cet enfant est l'image de son père 3. allure *(f)*.

estampado, da *adj* 1. *(tissu)* imprimé(e) 2. *(signature)* apposé(e). ■ **estampado** *nm* imprimé *(m)*.

estampar *vt* 1. *(métal)* estamper 2. *(tissu)* imprimer 3. *(écrire)* • **estampar su firma** apposer sa signature 4. *fig (jeter)* • **estampar algo contra** fracasser qqch contre • **estampar a alguien contra** précipiter qqn contre 5. *fam fig* flanquer.

estampida *nf* fuite *(f)*, débandade *(f)*.

estampido *nm* fracas *(m)*.

estampilla *nf* 1. cachet *(m)* 2. estampille *(f)* 3. *(Amér)* timbre *(m)* 4. *(Amér)* image *(f)*.

estancarse *vp* 1. stagner 2. rester en suspens.

estancia *nf* 1. *(durée)* séjour *(m)* 2. pièce *(f)* 3. *(Amér)* ferme *(f)* d'élevage.

estanciero *nm* *(Amér)* fermier *(m)*.

estanco, ca *adj* étanche. ■ **estanco** *nm* bureau *(m)* de tabac.

estándar *(pl* **estándares)** *adj inv* & *nm* standard.

estandarizar *vt* standardiser.

estandarte *nm* étendard *(m)*.

estanque *nm* étang *(m)*.

estanquero, ra *nm, f* buraliste *(mf)*.

estante *nm* *(planche)* étagère *(f)*.

estantería *nf* *(meuble)* étagère *(f)*.

estaño *nm* étain *(m)*.

---

estar *vi*

1. INDIQUE UN ÉTAT TRANSITOIRE = être
  • **¿cómo estás?** comment vas-tu ?
  • **estoy enfermo/cansado** je suis malade/fatigué
  • **¡estás loco!** tu es fou !
  • **esta calle está sucia** cette rue est sale

2. ÊTRE DANS UN LIEU DÉTERMINÉ = être
  • **estoy aquí** je suis là
  • **¿está María?** est-ce que María est là ?

3. ÊTRE DANS UNE POSITION DÉTERMINÉE = être
  • **el cuadro está torcido** le tableau est de travers

4. RESTER QUELQUE PART UN TEMPS DÉTERMINÉ = rester
  • **estaré un par de horas y me iré** je resterai une heure ou deux et je m'en irai
  • **estuvo toda la tarde en casa** il est resté chez lui tout l'après-midi

5. ÊTRE PRÊT
  • **el almuerzo estará a las tres** le déjeuner sera prêt à trois heures

6. CONVENIR À QQN, EN PARLANT D'UN VÊTEMENT = aller
  • **este traje te está muy bien** cette robe te va très bien

estar *v aux*

1. SUIVI DU GÉRONDIF, INDIQUE QU'UNE ACTION EST EN TRAIN DE SE DÉROULER
  • **estoy pintando** je suis en train de peindre, je peins

2. SUIVI DU GÉRONDIF, EXPRIME LA DURÉE
  • **estuvieron trabajando día y noche** ils ont travaillé jour et nuit

3. AVANT UN PARTICIPE PASSÉ, FORME PASSIVE
  • **la exposición está organizada por el ayuntamiento** l'exposition est organisée par la mairie

■ **estar a** *v + prép*

1. POUR INDIQUER UNE VALEUR, UN PRIX = être
  • **¿a cuánto está el dólar?** à combien est le dollar ?

2. POUR SITUER DANS LE TEMPS = être
  • **¿a qué estamos hoy?** le combien sommes-nous aujourd'hui ?
  • **hoy estamos a 13 de julio** aujourd'hui, nous sommes le 13 juillet

3. DANS DES EXPRESSIONS = être
  • **estoy a régimen** je suis au régime.

■ **estar de** *v + prép*

1. OCCUPER UN POSTE = être
  • **está de director de la agencia** il est directeur de l'agence

2. INDIQUE UN ÉTAT = être
• **hoy estoy de buen/mal humor** aujourd'hui, je suis de bonne/mauvaise humeur
3. DANS DES EXPRESSIONS = être
• **estar de viaje** être en voyage.

■ **estar en** *v + prép*

1. INDIQUE LE LIEU OÙ SE TROUVE QQN OU QQCH = être
• **toda su familia está en Buenos Aires** toute sa famille est à Buenos Aires
• **estoy aquí** je suis là
• **la llave está en la cerradura** la clé est dans la serrure
• **el Museo del Prado está en Madrid** le Musée du Prado se trouve à Madrid
2. SE TROUVER = être
• **el problema está en la fecha** c'est la date qui pose problème.

■ **estar en que** *v + conj*

EXPRIME UNE OPINION
• **estoy en que no vendrá** je pense qu'il ne viendra pas.

■ **estar para** *v + prép*

1. INDIQUE L'HUMEUR, L'ÉTAT = être
• **no estoy para bromas** je ne suis pas d'humeur à plaisanter
• **no estoy para jugar** je ne suis pas en état de jouer
2. INDIQUE LA FINALITÉ = être
• **para eso están los amigos** les amis sont là pour ça.

■ **estar por** *v + prép*

1. INDIQUE QU'UNE ACTION N'A PAS ENCORE ÉTÉ ACCOMPLIE = être à, rester à
• **el trabajo más difícil todavía está por hacer** le travail le plus difficile est encore à faire
• **eso está por ver** ça reste à voir
2. INDIQUE QU'UNE ACTION EST IMMINENTE
• **estaba por irme cuando llegaste** j'étais sur le point de partir quand tu es arrivé
• **estuve por pegarle** j'ai failli le frapper
• **estoy por llamarlo** je suis tenté de l'appeler.

■ **estar que** *v + conj*

• **estoy que no sé qué hacer** je ne sais pas vraiment ce que je dois faire
• **hoy el jefe está que muerde** aujourd'hui, le boss est d'une humeur de chien.

■ **estarse** *vp*

DEMEURER DANS UN LIEU OU DANS UN ÉTAT = rester
• **puedes estarte unos días aquí** tu peux rester quelques jours ici
• **estate quieto** reste tranquille.

estárter (*pl* **estárters**), **starter** (*pl* **starters**) *nm* starter (*m*).

estatal *adj* de l'État • **un representante estatal** un représentant de l'État • **un organismo estatal** un organisme d'État • **una empresa estatal** une entreprise publique.

estático, ca *adj* statique. ■ **estática** *nf* statique (*f*).

estatismo *nm* **1.** étatisme (*m*) **2.** statisme (*m*).

estatua *nf* statue (*f*).

estatura *nf* stature (*f*).

estatus, status *nm inv* statut (*m*) social.

estatutario, ria *adj* statutaire.

estatuto *nm* statut (*m*) • **estatuto de autonomía** loi *définissant le fonctionnement d'une communauté autonome espagnole.*

el estatuto de autonomía

CULTURE…

Cette expression désigne l'ensemble des lois qui régissent le fonctionnement et les institutions de chaque communauté autonome espagnole. Tous les *estatutos* actuels, issus de la Constitution de 1978, sont entrés en vigueur entre 1979 et 1982. Il existait déjà des lois relatives au statut d'autonomie dans certaines régions, telles que la Catalogne, le Pays basque ou la Navarre, mais celles-ci avaient été abolies à la fin de la guerre civile.

este¹ *nm* est (*m*) • **el este de Europa** l'est de l'Europe. ■ *adj* **1.** (*zone, frontière*) est (*inv*) **2.** (*vent*) d'est. ■ **Este** *nm* • **el Este** l'Est • **los países del Este** les pays de l'Est.

este², esta (*mpl* **estos**, *fpl* **estas**) *adj dém* ce, cette, ce...-ci, cette...-ci • **este hombre** cet homme • **me regaló estos libros** elle m'a offert ces livres • **me gusta más esta casa que ésa** cette maison-ci me plaît plus que celle-là • **esta mañana ha llovido** ce matin il a plu • **no soporto a la niña esta** cette fille, je ne la supporte pas.

éste, ésta (*mpl* **éstos**, *fpl* **éstas**) *pron dém* **1.** celui-ci, celle-ci • **aquellos cuadros están bien, aunque éstos me gustan más** ces tableaux-là sont bien mais je préfère ceux-ci • **éste es el modelo más barato** c'est ou voici le modèle le moins cher • **éste ha sido el día más feliz de mi vida** ça a été le plus beau jour de ma vie **2.** *fam péj* • **¿qué hace aquí éste** qu'est-ce qu'il fait ici lui ? • **éste es el que me pegó** c'est lui qui m'a frappé.

estela *nf* **1.** sillage (*m*) (*d'un bateau*) **2.** traînée (*f*) (*d'une étoile filante*) • **dejar estela** *fig* laisser des traces.

estelar *adj* **1.** stellaire **2.** *fig* marquant(e) • **la figura estelar** la vedette • **el momento estelar** le moment clé.

estepa *nf* steppe *(f)*.

estera *nf* natte *(f) (en paille)*.

estercolero *nm* **1.** tas *(m)* de fumier **2.** *fig* porcherie *(f)*.

estéreo ◼ *adj inv* stéréo. ◼ *nm* chaîne *(f)* stéréo.

estereofónico, ca *adj* stéréophonique.

estereotipado, da *adj* stéréotypé(e).

estereotipo *nm* stéréotype *(m)*.

estéril *adj litt* & *fig* stérile.

esterilete *nm* stérilet *(m)*.

esterilizar *vt* stériliser.

esterilla *nf* natte *(f) (de plage)*.

esterlina ⟹ **libra**.

esternón *nm* sternum *(m)*.

esteta *nmf* esthète *(mf)*.

esteticista, esthéticienne [esteti'θjen] *nf* esthéticienne *(f)*.

estético, ca *adj* esthétique. ◼ **estética** *nf* esthétique *(f)*.

esthéticienne = **esteticista**.

estiércol *nm* fumier *(m)*.

estigma *nm litt* & *fig* stigmate *(m)*.

estilarse *vp fam* se faire, se porter, être à la mode • **ya no se estila ese tipo de pantalones** ce type de pantalon ne se fait plus.

estilete *nm* stylet *(m)*.

estilista *nmf* styliste *(mf)*.

estilístico, ca *adj* stylistique.

estilizar *vt* styliser • **estilizar la figura** mettre les formes en valeur.

estilo *nm* **1.** (*gén* & *gramm*) style *(m)* • **por el estilo de** dans le genre de • **estilo de vida** style de vie • **estilo directo/indirecto** style direct/indirect **2.** *sport* • **estilo libre** nage *(f)* libre • **estilo mariposa** nage *(f)* papillon • **algo por el estilo** quelque chose comme ça.

estilográfica *nf* ⟹ **pluma**.

estima *nf* estime *(f)* • **tener a alguien en mucha estima** tenir qqn en grande estime.

estimación *nf* **1.** estime *(f)* **2.** estimation *(f)*.

estimar *vt* estimer.

estimulante ◼ *adj* stimulant(e). ◼ *nm* stimulant *(m)*.

estimular *vt* stimuler.

estímulo *nm* **1.** stimulant *(m)* **2.** stimulation *(f)* **3.** stimulus *(m)*.

estío *nm sout* été *(m)*.

estipendio *nm* rétribution *(f)*.

estipulación *nf* **1.** fixation *(f) (des prix, etc)* **2.** *dr* stipulation *(f)*.

estipular *vt* stipuler.

estirado, da *adj* **1.** guindé(e) **2.** hautain(e).

estirar ◼ *vt* **1.** étirer **2.** tendre **3.** *fig* faire durer *(des économies, la conversation)*. ◼ *vi* • **estirar de** tirer sur. ◼ **estirarse** *vp* **1.** s'étirer **2.** s'étendre **3.** pousser.

estirón *nm* saccade *(f)* • **dar un estirón a algo** tirer sur qqch • **¡vaya estirón que ha dado este niño!** qu'est-ce qu'il a poussé ce petit !

estirpe *nf (lignée)* souche *(f)*.

estival *adj* estival(e).

esto *pron dém neutre* ceci, ça • **esto es un nuevo producto** ceci est un nouveau produit • **esto no puede ser** ça n'est pas possible • **esto que acabas de decir no tiene sentido** ce que tu viens de dire n'a pas de sens • **esto de trabajar de noche no me gusta** je n'aime pas travailler la nuit • **esto es** c'est-à-dire • **el precio neto, esto es libre de impuestos, es...** le prix net, c'est-à-dire hors taxe, est de...

Estocolmo *npr* Stockholm.

estofa *nf* espèce *(f)*, sorte *(f)* • **de baja estofa** de condition modeste.

estofado *nm* étouffade *(f)*.

estofar *vt* cuire à l'étouffée.

estoicismo *nm* stoïcisme *(m)*.

estoico, ca *adj* stoïque.

estomacal ◼ *adj* **1.** stomacal(e) • **dolencias estomacales** maux d'estomac **2.** *(boisson)* digestif(ive). ◼ *nm* digestif *(m)*.

estómago *nm* estomac *(m)*.

Estonia *npr* Estonie *(f)*.

estorbar ◼ *vt* gêner • **el ruido le estorba** le bruit le gêne • **no quiero estorbar** je ne veux pas vous déranger. ◼ *vi* bloquer le passage.

estorbo *nm* gêne *(f)*.

estornudar *vi* éternuer.

estornudo *nm* éternuement *(m)*.

estos, estas ⟹ **este**.

éstos, éstas ⟹ **éste**.

estoy ⟹ **estar**.

estrabismo *nm* strabisme *(m)*.

estrado *nm* **1.** estrade *(f)* **2.** *(pour une cérémonie officielle)* tribune *(f)*.

estrafalario *adj* saugrenu(e).

estragón *nm* estragon *(m)*.

estragos *nmpl* • **causar** *ou* **hacer estragos** faire des ravages.

estrambótico, ca *adj* farfelu(e).

estrangulador, ra *nm, f* étrangleur *(m)*, -euse *(f)*.

estrangulamiento *nm* étranglement *(m)*.

estrangular *vt* **1.** étrangler **2.** ligaturer **3.** étouffer dans l'œuf.

estraperlo *nm* marché *(m)* noir.

Estrasburgo *npr* Strasbourg.

estratagema *nf* stratagème *(m)*.

estratega *nmf* stratège (*m*).

estrategia *nf* stratégie (*f*).

estratégico, ca *adj* stratégique.

estratificar *vt* stratifier.

estrato *nm* **1.** strate (*f*) **2.** *fig* couche (*f*) (*sociale*).

estratosfera *nf* stratosphère (*f*).

estrechamiento *nm* **1.** rétrécissement (*m*) **2.** *fig* resserrement (*m*) (*des liens*).

estrechar *vt* **1.** rétrécir **2.** *fig* resserrer (*les liens*) **3.** serrer ◦ **estrechar entre sus brazos** serrer dans ses bras ◦ **estrechar la mano a alguien** serrer la main à qqn. ◼ **estrecharse** *vp* **1.** se rétrécir **2.** s'étreindre **3.** se serrer.

estrechez *nf* **1.** étroitesse (*f*) ◦ **estrechez de miras** étroitesse d'esprit **2.** *fig* (*manque d'argent*) ◦ **pasar estrecheces** être dans la gêne.

estrecho, cha ◼ *adj* **1.** étroit(e) ◦ **estar muy estrecho** être très serré **2.** *fig* strict(e). ◼ *nm, f fam* bégueule (*mf*) ◦ **hacerse el estrecho** jouer les prudes ◦ **ser una estrecha** être une saintenitouche. ◼ **estrecho** *nm* détroit (*m*).

estrella ◼ *adj inv* **1.** (*présentateur*) vedette **2.** (*produit*) phare. ◼ *nf* **1.** étoile (*f*) **2.** *fig* vedette (*f*), star (*f*) ◦ **tener buena/mala estrella** être né(e) sous une bonne/mauvaise étoile. ◼ **estrella de mar** *nf* étoile (*f*) de mer.

estrellado, da *adj* étoilé(e).

estrellar *vt* **1.** fracasser (*verre, assiette*) briser. ◼ **estrellarse** *vp* **1.** ◦ **estrellarse (contra)** se fracasser (contre) ◦ (*voiture, avion*) s'écraser (contre) **2.** *fig* s'effondrer.

estrellón *nm* (*Amér*) collision (*f*).

estremecer *vt* **1.** ébranler, faire trembler **2.** *fig* faire frémir. ◼ **estremecerse** *vp* ◦ **estremecerse (de)** frémir (de) (*horreur*) ◦ trembler de (*peur, de froid*).

estremecimiento *nm* frémissement (*m*).

estrenar *vt* **1.** étrenner **2.** THÉÂTRE donner la première de **3.** CINÉ projeter pour la première fois. ◼ **estrenarse** *vp* **1.** (*personne*) débuter **2.** (*film*) sortir.

estreno *nm* **1.** (*spectacle*) première (*f*) **2.** (*film*) sortie (*f*) **3.** débuts (*mpl*) (*dans un poste*).

estreñido, da *adj* constipé(e).

estreñimiento *nm* constipation (*f*).

estrépito *nm* **1.** fracas (*m*) **2.** *fig* ◦ **con gran estrépito** à grand bruit.

estrepitoso, sa *adj* retentissant(e).

estrés, stress *nm inv* stress (*m inv*).

estresar *vt* stresser.

estría *nf* vergeture (*f*).

estribar *vi* ◦ **estribar en** reposer sur.

estribillo *nm* **1.** refrain (*m*) **2.** *fam* tic (*m*) de langage.

estribo *nm* **1.** étrier (*m*) **2.** marchepied (*m*) ◦ **perder los estribos** perdre les pédales.

estribor *nm* tribord (*m*).

estricto, ta *adj* strict(e).

estridente *adj* **1.** strident(e) **2.** *fig* voyant(e).

estrofa *nf* strophe (*f*).

estropajo *nm* tampon (*m*) à récurer.

estropear *vt* **1.** abîmer **2.** faire échouer. ◼ **estropearse** *vp* **1.** tomber en panne **2.** s'abîmer **3.** échouer.

estropicio *nm* (*dégâts*) casse (*f*).

estructura *nf* structure (*f*).

estructurar *vt* structurer.

estruendo *nm* **1.** vacarme (*m*) **2.** grondement (*m*) (*du tonnerre*) **3.** tonnerre (*m*) (*d'applaudissements*) **4.** tumulte (*m*).

estrujar *vt* **1.** presser (*un citron, une orange*) **2.** froisser (*un papier*) **3.** écraser (*une boîte, une main*) **4.** *fig* exploiter **5.** (*soutirer de l'argent à*) saigner. ◼ **estrujarse** *vp* se serrer ◦ **estrujarse la cabeza** se creuser la tête.

estuario *nm* estuaire (*m*).

estucar *vt* stuquer.

estuche *nm* **1.** étui (*m*) **2.** coffret (*m*) (*à bijoux*). ◼ **estuche de aseo** *nm* trousse (*f*) de toilette.

estuco *nm* stuc (*m*).

estudiante *nmf* étudiant (*m*), -e (*f*).

estudiantil *adj* **1.** estudiantin(e) **2.** d'étudiants.

estudiar ◼ *vt* **1.** étudier **2.** apprendre (*une leçon, une langue*) ◦ **estudiar derecho** faire des études de droit. ◼ *vi* étudier ◦ **estudiar para médico** faire médecine ◦ **tengo que estudiar para aprobar** je dois travailler pour être reçu.

estudio *nm* **1.** étude (*f*) ◦ **estar en estudio** être à l'étude ◦ **estudio de mercado** étude de marché **2.** atelier (*m*) (*de peintre*) **3.** studio (*m*) (*de photographe*) **4.** (*gén pl*) CINÉ, RADIO & TV studio (*m*). ◼ **estudios** *nmpl* études (*fpl*) ◦ **tener estudios** avoir fait des études ◦ **estudios primarios/secundarios** études primaires/secondaires.

estudioso, sa ◼ *adj* studieux(euse). ◼ *nm, f* spécialiste (*mf*).

estufa *nf* poêle (*m*).

estupefaciente *nm* stupéfiant (*m*).

estupefacto, ta *adj* stupéfait(e).

estupendamente *adv* merveilleusement bien ◦ **encontrarse estupendamente** être en pleine forme.

estupendo, da *adj* formidable, magnifique.

estupidez *nf* stupidité (*f*) ◦ **decir/hacer una estupidez** dire/faire une bêtise.

estúpido, da ◼ *adj* stupide. ◼ *nm, f* idiot (*m*) -e (*f*).

estupor *nm* stupeur (*f*).

esturión *nm* esturgeon (*m*).

estuviera (*etc*) ▷ **estar**.

esvástica *nf* croix (*f*) gammée, svastika (*m*).

ETA (abr de **Euskadi ta Askatasuna**) nf ETA (f) ▪ **un presunto miembro de ETA** un membre présumé de l'ETA.

etapa nf étape (f) ▪ **por etapas** par étapes.

etarra ▪ adj de l'ETA. ▪ nmf membre (m) de l'ETA.

ETB (abr de **Euskal Telebista**) nf télévision autonome basque ▪ **realizar un documental para (la) ETB** réaliser un documentaire pour l'ETB.

etc. (abr écrite de etcétera) etc.

etcétera ▪ nm ▪ ... **y un largo etcétera** ... et j'en passe. ▪ adv et cetera.

éter nm éther (m).

etéreo, a adj **1.** éthéré(e) **2.** (vapeurs) d'éther.

eternidad nf litt & fig éternité (f).

eterno, na adj **1.** éternel(elle) **2.** fig interminable.

ético, ca adj éthique. ▪ **ética** nf **1.** éthique (f) **2.** morale (f) ▪ **ética profesional** conscience (f) professionnelle.

etílico, ca adj éthylique ▪ **en estado etílico** en état d'ivresse.

etimología nf étymologie (f).

Etiopía npr Éthiopie (f).

etiqueta nf **1.** étiquette (f) ▪ **de etiqueta** (dîner, tenue) habillé(e) ▪ (visite, réception) officiel(elle) ▪ (tenue) de soirée **2.** INFORM label (m).

etiquetar vt étiqueter ▪ **etiquetar a alguien de** fig étiqueter qqn comme.

etnia nf ethnie (f).

étnico, ca adj ethnique.

ETT (abr de **empresa de trabajo temporal**) nf agence (f) d'intérim ▪ **inscribirse/buscar trabajo en una ETT** s'inscrire dans une agence d'intérim/chercher du travail par le biais d'une agence d'intérim.

eucalipto nm eucalyptus (m).

eucaristía nf eucharistie (f).

eufemismo nm euphémisme (m).

euforia nf euphorie (f).

eufórico, ca adj euphorique.

eunuco nm eunuque (m).

eureka interj ▪ **¡eureka!** eurêka !

euro nm euro (m).

eurocheque nm eurochèque (m).

eurocomunismo nm eurocommunisme (m).

euroconector nm prise (f) Péritel®.

eurócrata nmf eurocrate (mf).

eurodiputado, da nm, f député (m) européen, députée (f) européenne, eurodéputé (m), -e (f).

Europa npr Europe (f).

europarlamentario, ria ▪ adj du Parlement européen. ▪ nm, f parlementaire (m) européen, parlementaire (f) européenne.

europeizar vt européaniser.

europeo, a ▪ adj européen(enne). ▪ nm, f Européen (m), -enne (f).

eurovisión nf Eurovision® (f).

Euskadi npr (Pays basque espagnol) Euskadi.

euskera ▪ adj euskarien(enne). ▪ nm euskera (m).

eutanasia nf euthanasie (f).

evacuación nf évacuation (f).

evacuado, da adj & nm, f évacué(e).

evacuar vt évacuer ▪ **evacuar (el vientre)** aller à la selle.

evadir vt **1.** (gén) ▪ **evadir (hacer algo)** éviter (de faire qqch) **2.** fuir (les responsabilités) **3.** éluder (une question). ▪ **evadirse** vp s'évader.

evaluación nf **1.** évaluation (f) **2.** SCOL contrôle (m) des connaissances **3.** SCOL (période) trimestre (m).

evaluar vt **1.** évaluer **2.** SCOL contrôler les connaissances de.

evangélico, ca adj & nm, f évangélique.

evangelio nm **1.** évangile (m) **2.** (doctrine) Évangile (m).

evaporar vt évaporer. ▪ **evaporarse** vp litt & fig s'évaporer.

evasión nf **1.** évasion (f) **2.** ÉCON fuite (f) ▪ **evasión de capitales** ou **divisas** fuite des capitaux.

evasivo, va adj évasif(ive). ▪ **evasiva** nf échappatoire (f) ▪ **responder con evasivas** se dérober à une question.

evento nm événement (m).

eventual adj **1.** temporaire **2.** éventuel(elle).

eventualidad nf **1.** précarité (f) d'une situation **2.** éventualité (f).

evidencia nf **1.** évidence (f) ▪ **poner algo en evidencia** mettre qqch en évidence ▪ **poner a alguien en evidencia** tourner qqn en ridicule **2.** preuve (f).

evidenciar vt mettre en évidence. ▪ **evidenciarse** vp être évident(e).

evidente adj évident(e).

evitar vt éviter.

evocación nf évocation (f).

evocar vt évoquer.

evolución nf évolution (f).

evolucionar vi évoluer.

evolucionismo nm évolutionnisme (m).

evolutivo, va adj évolutif(ive).

ex ▪ nmf fam ex (mf) (conjoint). ▪ adj ex ▪ **un ex ministro** un ex-ministre, un ancien ministre.

exacerbar vt **1.** exacerber **2.** excéder.

exactitud nf exactitude (f).

exacto, ta adj exact(e) ▪ **tres metros exactos** exactement trois mètres. ▪ **exacto** interj ▪ **¡exacto!** exactement !

exageración *nf* exagération *(f)* • **contar exageraciones** exagérer • **ser una exageración** être exagéré(e).

exagerado, da *adj* **1.** exagéré(e) **2.** *(prix, personne)* excessif(ive).

exagerar *vt* & *vi* exagérer.

exaltado, da *adj* & *nm, f* exalté(e).

exaltar *vt* **1.** élever **2.** exalter. ■ **exaltarse** *vp* s'exalter.

examen *nm* examen *(m)* • **hacer un examen de algo** examiner qqch • **presentarse a un examen** se présenter à un examen • **examen final** examen final • **examen oral** épreuve *(f)* orale, oral *(m)* • **examen parcial** partiel *(m)*.

examinar *vt* **1.** examiner **2.** faire passer un examen à • **examinar a alguien sobre algo** interroger qqn sur qqch. ■ **examinarse** *vp* passer un examen.

exánime *adj* **1.** inanimé(e) **2.** *fig* éreinté(e) • **dejar a alguien exánime** épuiser qqn.

exasperante *adj* exaspérant(e).

exasperar *vt* exaspérer. ■ **exasperarse** *vp* être exaspéré(e).

excavación *nf* **1.** excavation *(f)* **2.** fouille *(f)* *(archéologique)*.

excavador, ra *nm, f* fouilleur *(m)*, -euse *(f)* *(archéologique)*. ■ **excavadora** *nf* pelleteuse *(f)*.

excavar *vt* **1.** creuser **2.** fouiller *(une zone archéologique)*.

excedencia *nf* **1.** congé *(m)* *(des salariés, de maternité)* **2.** disponibilité *(f)* *(des fonctionnaires)*.

excedente ■ *adj* **1.** excédentaire **2.** *(salarié)* en congé, en congé de maternité **3.** *(fonctionnaire)* en disponibilité. ■ *nm* excédent *(m)*. ■ *nmf* **1.** employé *(m)*, -e *(f)* en congé **2.** fonctionnaire *(mf)* en disponibilité.

exceder ■ *vt* dépasser • **exceder a alguien** surpasser qqn. ■ *vi* • **exceder (a ou de algo)** dépasser (qqch). ■ **excederse** *vp* dépasser les bornes • **excederse (en algo)** exagérer (dans qqch) • **excederse en el peso** peser trop lourd.

excelencia *nf* excellence *(f)* • **por excelencia** par excellence. ■ **Excelencia** *nmf* • **Su Excelencia** Son Excellence.

excelente *adj* excellent(e).

excelso, sa *adj* *sout* **1.** éminent(e) *(poète, directeur)* **2.** *(montagne)* élevé(e).

excentricidad *nf* excentricité *(f)*.

excéntrico, ca *adj* & *nm, f* excentrique.

excepción *nf* exception *(f)* • **a ou con excepción de** à l'exception de. ■ **de excepción** *loc adj* d'exception.

excepcional *adj* exceptionnel(elle).

excepto *adv* excepté, hormis.

exceptuar *vt* exclure • **no exceptúo a nadie** je n'exclus personne • **exceptuando a los chicos** les garçons exceptés • **exceptuar a alguien (de)** dispenser qqn (de) *(obligation, devoir)*.

excesivo, va *adj* excessif(ive).

exceso *nm* **1.** excès *(m)* • **habla en exceso** il parle trop • **exceso de peso** excès de poids • surcharge *(f)* • **exceso de poder** abus *(m)* de pouvoir **2.** excédent *(m)* • **exceso de equipaje** excédent de bagages • **exceso de natalidad** excédent des naissances.

excipiente *nm* excipient *(m)*.

excisión *nf* excision *(f)*.

excitación *nf* excitation *(f)*.

excitado, da *adj* excité(e).

excitante ■ *adj* excitant(e), palpitant(e). ■ *nm* excitant *(m)*.

excitar *vt* **1.** exciter • **excitar a alguien a algo/a hacer algo** pousser qqn à qqch/à faire qqch **2.** aiguiser *(l'appétit)* **3.** éveiller *(le désir)* **4.** taper sur *(les nerfs)*. ■ **excitarse** *vp* s'exciter.

exclamación *nf* exclamation *(f)*.

exclamar ■ *vt* proférer. ■ *vi* s'exclamer.

excluir *vt* exclure • **excluir a alguien de** exclure qqn de.

exclusión *nf* exclusion *(f)*.

exclusiva *nf* ⟫ **exclusivo**.

exclusivo, va *adj* **1.** seul(e) **2.** exclusif(ive). ■ **exclusiva** *nf* exclusivité *(f)*.

Excma. *abrév de* **Excelentísima**.

Excmo. *abrév de* **Excelentísimo**.

excombatiente *nmf* ancien combattant *(m)*.

excomulgar *vt* excommunier.

excomunión *nf* excommunication *(f)*.

excremento *nm* *(gén pl)* excrément *(m)*.

exculpar *vt* • **exculpar a alguien de algo** disculper qqn de qqch • **DR** acquitter qqn de qqch.

excursión *nf* excursion *(f)* • **ir de excursión** partir en excursion • **darse una excursión** *fam* faire un tour.

excursionista *nmf* excursionniste *(mf)*.

excusa *nf* excuse *(f)*.

excusar *vt* **1.** excuser **2.** *(éviter)* • **excusar hacer algo** s'abstenir de faire qqch. ■ **excusarse** *vp* • **excusarse (con alguien por algo)** s'excuser (de qqch auprès de qqn).

exégesis *nf inv* exégèse *(f)*.

exento, ta *adj* • **exento (de)** exempt(e) (de) *(curiosités, d'erreurs)* • libéré(e) (de) *(ses responsabilités, ses obligations)* • exempté(e) (de) *(service militaire)* • exonéré(e) (de) *(d'impôts)* • dispensé(e) (de) *(cours)*.

exequias *nfpl* obsèques *(fpl)*.

exhalación *nf* **1.** *(émanation)* exhalaison *(f)* **2.** *(soupir)* exhalation *(f)* **3.** *(rapidité)* • **como una exhalación** comme l'éclair.

exhalar vt **1.** exhaler **2.** pousser (un soupir) **3.** proférer (des reproches).

exhaustivo, va adj exhaustif(ive).

exhausto, ta adj épuisé(e).

exhibición nf **1.** exposition (f) **2.** exhibition (f) (de danse, etc) **3.** projection (f) (d'un film) **4.** présentation (f) (de modèles) **5.** démonstration (f) (de force).

exhibicionismo nm litt & fig exhibitionnisme (m).

exhibir vt **1.** exposer (des tableaux, des photos) **2.** projeter (un film) **3.** présenter (un modèle, un produit). ■ **exhibirse** vp s'exhiber.

exhortación nf exhortation (f).

exhortar vt ◦ **exhortar a alguien a algo/a hacer algo** exhorter qqn à qqch/à faire qqch.

exhumar vt litt & fig exhumer.

exigencia nf exigence (f) ◦ **exigencias del trabajo** obligations (fpl) professionnelles.

exigente ◼ adj exigeant(e). ◼ nmf ◦ **es un exigente** il est exigeant.

exigir ◼ vt exiger. ◼ vi être exigeant(e).

exiguo, gua adj **1.** minime (salaire) **2.** maigre (salaire) **3.** (pièce) exigu(ë).

exiliado, da adj & nm, f exilé(e).

exiliar vt exiler. ■ **exiliarse** vp s'exiler.

exilio nm exil (m).

eximir vt ◦ **eximir de** exempter de.

existencia nf existence (f). ■ **existencias** nfpl stocks (mpl).

existencialismo nm existentialisme (m).

existir vi exister ◦ **existe...** il y a... ◦ **existen varias posibilidades** il y a plusieurs possibilités.

éxito nm **1.** succès (m) **2.** (livre) best-seller (m) **3.** (chanson) tube (m) ◦ **tener éxito** avoir du succès **4.** réussite (f).

exitoso, sa adj à succès.

éxodo nm exode (m).

exorbitante adj exorbitant(e).

exorbitar vt exagérer.

exorcismo nm exorcisme (m).

exorcizar vt exorciser.

exótico, ca adj exotique.

expandir vt **1.** PHYS dilater **2.** répandre (une nouvelle, une rumeur). ■ **expandirse** vp (rumeur) se répandre.

expansión nf **1.** (gén, PHYS & ÉCON) expansion (f) **2.** fig propagation (f) (d'une nouvelle) **3.** détente (f).

expansionarse vp **1.** PHYS se dilater **2.** se détendre **3.** (se confier) ◦ **expansionarse con alguien** s'épancher auprès de qqn **4.** ÉCON se développer.

expansionismo nm expansionnisme (m).

expansivo, va adj litt & fig expansif(ive).

expatriar vt expatrier. ■ **expatriarse** vp s'expatrier.

expectación nf **1.** attente (f) **2.** curiosité (f) **3.** impatience (f) générale.

expectativa nf **1.** expectative (f) ◦ **estar a la expectativa** être dans l'expectative ◦ **estar a la expectativa de** être dans l'attente de **2.** perspective (f).

expedición nf expédition (f).

expedicionario, ria ◼ adj expéditionnaire. ◼ nm, f membre (m) d'une expédition.

expediente nm **1.** dossier (m) **2.** enquête (f) ◦ **abrir expediente a alguien** prendre des sanctions contre qqn ◦ ouvrir une enquête administrative sur qqn ◦ **cubrir el expediente** fig faire acte de présence.

expedir vt **1.** expédier **2.** délivrer (un passeport, un certificat) **3.** dresser (un contrat).

expeditivo, va adj expéditif(ive).

expedito, ta adj (voie, chemin, etc) dégagé(e).

expeler vt **1.** expulser **2.** (fumée, chaleur) dégager.

expendedor, ra ◼ adj distributeur(trice) ◦ **una máquina expendedora de...** un distributeur automatique de... ◼ nm, f vendeur (m), -euse (f) ◦ **expendedor de tabaco** buraliste (mf). ■ **expendedor** nm ◦ **expendedor automático** distributeur (m) (automatique).

expendeduría nf bureau (m) de tabac.

expensas nfpl frais (mpl). ■ **a expensas de** loc prep aux dépens de, aux frais de.

experiencia nf expérience (f).

experimentado, da adj **1.** (personne) expérimenté(e) **2.** (méthode) éprouvé(e).

experimentar vt **1.** expérimenter **2.** connaître ◦ **experimentar lo que es el miedo** savoir ce qu'est la peur.

experimento nm (expérimentation) expérience (f).

experto, ta ◼ adj expert(e). ◼ nm, f expert (m).

expiar vt expier.

expirar vi expirer.

explanada nf terrain (m) découvert.

explanar vt **1.** aplanir (un terrain) **2.** fig préciser (un sujet).

explayar vt étendre. ■ **explayarse** vp **1.** se distraire **2.** (se confier) ◦ **explayarse con alguien** s'ouvrir à qqn.

explicación nf explication (f).

explicar vt **1.** expliquer **2.** enseigner (une matière). ■ **explicarse** vp s'expliquer.

explicitar vt expliciter.

explícito, ta adj explicite.

exploración nf **1.** exploration (f) **2.** prospection (f) (d'un gisement) **3.** MÉD examen (m).

explorador, ra ◼ *adj* de reconnaissance. ◼ *nm, f* **1.** explorateur *(m)*, -trice *(f)* **2.** scout *(m)*, -e *(f)*.

explorar *vt* **1.** explorer **2.** prospecter **3.** examiner.

explosión *nf* explosion *(f)* • **hacer explosión** exploser.

explosionar ◼ *vt* faire exploser. ◼ *vi* exploser.

explosivo, va *adj* explosif(ive). ◼ **explosivo** *nm* explosif *(m)*.

explotación *nf* exploitation *(f)* • **explotación agrícola** exploitation agricole.

explotar ◼ *vt* exploiter. ◼ *vi* exploser.

expoliar *vt* spolier.

expolio, espolio *nm sout* spoliation *(f)*.

exponente *nm* **1.** MATH exposant *(m)* **2.** *fig* représentant *(m)*, -e *(f)*.

exponer *vt* exposer. ◼ **exponerse** *vp* **1.** s'exhiber **2.** prendre des risques • **exponerse a** courir le risque de.

exportación *nf* exportation *(f)*.

exportar *vt* COMM & INFORM exporter.

exposición *nf* **1.** exposition *(f)* **2.** *(explication)* exposé *(m)* **3.** risque *(m)*.

expósito, ta ◼ *adj (enfant)* trouvé(e). ◼ *nm, f* enfant *(m)* trouvé, enfant *(f)* trouvée.

expositor, ra ◼ *adj (principe)* fondamental(e). ◼ *nm, f* **1.** exposant *(m)*, -e *(f)* **2.** *fig (qui explique)* avocat *(m)*, -e *(f)*.

exprés ◼ *adj inv (train, café)* express. ◼ *nm inv* = **expreso**.

expresar *vt* exprimer. ◼ **expresarse** *vp* s'exprimer.

expresión *nf* expression *(f)* • **reducir a la mínima expresión** réduire à sa plus simple expression.

expresionismo *nm* expressionnisme *(m)*.

expresivo, va *adj* **1.** expressif(ive) **2.** affectueux(euse).

expreso, sa *adj* formel(elle). ◼ **expreso, exprés** ◼ *nm (train, café)* express *(m)*. ◼ *adv* exprès.

exprimidor *nm* presse-agrume *(m)*.

exprimir *vt* **1.** presser *(un agrume)* **2.** *fig* exploiter *(une personne, une nouvelle)*.

À PROPOS DE...

exprimir

Exprimir est un faux-ami, il signifie « presser ».

expropiación *nf* **1.** expropriation *(f)* **2.** terrain *(m)* exproprié.

expropiar *vt* exproprier.

expuesto, ta *adj* **1.** exposé(e) **2.** dangereux(euse). ◼ **expuesto** *pp* ▷ **exponer**.

expulsar *vt* **1.** expulser **2.** rejeter *(des fumées, des gaz)*.

expulsión *nf* **1.** expulsion *(f)* **2.** AUTO échappement *(m)*.

exquisitez *nf* **1.** délicatesse *(f)* **2.** *(repas)* délice *(m)*.

exquisito, ta *adj* exquis(e).

extasiarse *vp* • **extasiarse (ante/con)** s'extasier (devant/sur).

éxtasis *nm inv* **1.** extase *(f)* **2.** *fam* ecstasy *(m)*.

extender *vt* **1.** étendre **2.** répandre *(des graines, du sucre)* **3.** délivrer *(un certificat)* **4.** libeller *(un chèque)*. ◼ **extenderse** *vp* • **extenderse (en/por)** s'étendre (sur/à).

extensión *nf* **1.** étendue *(f)* **2.** durée *(f)* **3.** *(action & INFORM)* extension *(f)* • **en toda la extensión de la palabra** dans tous les sens du terme **4.** TÉLÉCOM poste *(m)*.

extensivo, va *adj* extensif(ive) • **haz extensivos mis saludos a...** transmets mes salutations à...

extenso, sa *adj* **1.** *(plaine, membre)* étendu(e) **2.** long(longue) *(discours, conversation)*.

extenuar *vt* exténuer. ◼ **extenuarse** *vp* s'exténuer.

exterior ◼ *adj* **1.** extérieur(e) **2.** POLIT étranger(ère). ◼ *nm* **1.** extérieur *(m)* **2.** apparence *(f)*. ◼ **exteriores** *nmpl* extérieurs *(mpl)*.

exteriorizar *vt* extérioriser.

exterminar *vt* **1.** exterminer **2.** dévaster.

exterminio *nm* extermination *(f)*.

externo, na *adj* **1.** externe **2.** *(signe, aspect)* extérieur(e).

extinción *nf* extinction *(f)*.

extinguir *vt* **1.** éteindre **2.** exterminer *(une race)* **3.** tuer *(un sentiment, l'enthousiasme)*. ◼ **extinguirse** *vp* **1.** s'éteindre **2.** *(sentiment, enthousiasme, bruit)* cesser.

extintor, ra *adj* extincteur(trice). ◼ **extintor** *nm* extincteur *(m)*.

extirpación *nf* **1.** extirpation *(f)* **2.** MÉD ablation *(f)* **3.** *fig* éradication *(f) (d'un mal)*.

extirpar *vt* **1.** extirper **2.** arracher *(une dent)* **3.** *fig* éradiquer *(un mal)*.

extorsión *nf* **1.** désagrément *(m)*, dérangement *(m)* **2.** racket *(m) (de fonds)*, extorsion *(f)*.

extorsionar *vt* **1.** déranger **2.** extorquer.

extorsionista *nmf* escroc *(m)*, extorqueur *(m)*, -euse *(f) (de fonds)*.

extra ◼ *adj* **1.** *(qualité, produit)* supérieur(e) **2.** *(heures, travail, paie, frais)* supplémentaires. ◼ *nmf* CINÉ figurant *(m)*, -e *(f)*, doublure *(f)*. ◼ *nm* **1.** *(cadeau)* extra *(m)* **2.** *(plat)* supplément *(m)*. ◼ *nf* ▷ **paga**.

extracción *nf* extraction *(f)*.

extracelular *adj* extracellulaire.

extracto *nm* extrait *(m)* ◦ **extracto de cuentas** relevé *(m)* de compte.

extractor, ra *adj* **1.** d'extraction **2.** *(industrie)* de l'extraction. ■ **extractor** *nm* extracteur *(m)* ◦ **extractor (de humos)** hotte *(f)* (aspirante).

extraditar *vt* extrader.

extraer *vt* **1.** extraire **2.** arracher *(une dent)* **3.** tirer *(des conclusions).*

extralimitarse *vp fig* aller trop loin ◦ **extralimitarse en sus funciones** outrepasser ses fonctions.

extranjería *nf* extranéité *(f).*

extranjero, ra *adj & nm, f* étranger(ère). ■ **extranjero** *nm* ◦ **vivir en el extranjero** vivre à l'étranger.

extrañar *vt* **1.** étonner ◦ **me extrañó verte aquí** j'ai été étonné de te voir ici **2.** *(manquer à)* ◦ **extraña a sus padres** ses parents lui manquent **3.** exiler. ■ **extrañarse** *vp* ◦ **extrañarse de** s'étonner de.

extrañeza *nf* **1.** étonnement *(m)* **2.** extravagance *(f).*

extraño, ña *adj* **1.** étrange **2.** étranger(ère) **3.** étonnant(e).

extraoficial *adj* officieux(euse).

extraordinario, ria *adj* **1.** extraordinaire **2.** *(heure, travail)* supplémentaire **3.** *(édition, supplément)* spécial(e). ■ **extraordinario** *nm* **1.** CULIN extra *(m)* **2.** PRESSE número *(m)* hors série **3.** pli *(m)* urgent. ■ **extraordinaria** *nf* ▷ **paga.**

extraparlamentario, ria *adj* extraparlementaire.

extraplano, na *adj* extra-plat(e).

extrapolar *vt (tirer des conclusions)* déduire.

extrarradio *nm* banlieue *(f)*, périphérie *(f).*

extraterrestre *adj & nmf* extraterrestre.

extravagancia *nf* extravagance *(f).*

extravagante *adj* extravagant(e).

extraversión, extroversión *nf* extraversion *(f).*

extravertido, da, extrovertido, da *adj & nm, f* extraverti(e).

extraviado, da *adj* **1.** perdu(e) **2.** débauché(e).

extraviar *vt* égarer ◦ **le extraviaba la mirada** il avait le regard égaré. ■ **extraviarse** *vp* **1.** s'égarer **2.** se débaucher.

extravío *nm* **1.** perte *(f)* **2.** débauche *(f)* ◦ **extravío de juventud** écart *(m)* de jeunesse.

extremado, da *adj* **1.** extrême **2.** *(vêtement)* extravagant(e).

Extremadura *npr* Estrémadure *(f).*

extremar *vt* **1.** pousser à l'extrême **2.** renforcer *(la vigilance).* ■ **extremarse** *vp* donner le meilleur de soi-même.

extremaunción *nf* extrême-onction *(f).*

extremidad *nf* extrémité *(f).* ■ **extremidades** *nfpl (mains, pieds)* extrémités *(fpl).*

extremista *adj & nmf* extrémiste.

extremo, ma *adj* **1.** extrême **2.** *(idéologie)* extrémiste. ■ **extremo** *nm* **1.** *(dans l'espace)* extrémité *(f)* **2.** extrême *(m)* ◦ **en último extremo** en dernier recours ◦ **llegar al extremo de hacer algo** en arriver à faire qqch **3.** SPORT ailier *(m)* **4.** point *(m) (dans un texte).*

extrínseco, ca *adj* extrinsèque.

extroversión = **extraversión.**

extrovertido, da = **extravertido.**

exuberancia *nf litt & fig* exubérance *(f).*

exuberante *adj* exubérant(e).

exultante *adj* débordant(e).

exvoto *nm* ex-voto *(m inv).*

eyaculación *nf* éjaculation *(f).*

eyacular *vi* éjaculer.

f, F [efe] *nf* f *(m inv)*, Γ *(m inv).* ■ **23 F** *nm date de la tentative de coup d'État perpétrée le 23 février 1981 en Espagne.*

fa *nm* fa *(m inv).*

fa. *abrév de* **factura.**

fabada *nf* plat asturien comparable au cassoulet.

fábrica *nf* **1.** usine *(f)* **2.** fabrication *(f)* **3.** *fig* ◦ **es una fábrica de mentiras** il ment comme il respire **4.** maçonnerie *(f).*

fabricación *nf* fabrication *(f)* ◦ **fabricación en serie** fabrication en série.

fabricante ◼ *adj* qui fabrique. ◼ *nmf* fabricant *(m)*, -e *(f).*

fabricar *vt* **1.** fabriquer **2.** construire.

fábula *nf* fable *(f).*

fabuloso, sa *adj* fabuleux(euse).

facción *nf* faction *(f).* ■ **facciones** *nfpl* traits *(mpl)* (du visage) ◦ **tiene las facciones finas** il a les traits fins.

faccioso, sa *adj & nm, f* rebelle.

faceta *nf* facette *(f).*

facha ◼ *nf* allure *(f).* ◼ *nmf fam* facho *(mf).*

fachada *nf litt & fig* façade *(f).*

facial *adj* facial(e).

fácil *adj* **1.** facile ■ **ser una persona fácil** être facile à vivre **2.** *(probable)* ■ **es fácil que...** il est probable que...

facilidad *nf* facilité *(f)*. ■ **facilidades** *nfpl* facilités *(fpl)* ■ **facilidades de pago** facilités de paiement.

facilitar *vt* **1.** faciliter ■ **facilitar la vida** faciliter la vie **2.** fournir ■ **le facilitó la información** il lui a fourni le renseignement.

facsímil, facsímile *nm* fac-similé *(m)*.

factible *adj* faisable.

factor *nm* facteur *(m)*.

factoría *nf* **1.** usine *(f)* **2.** *(colonie)* comptoir *(m)*.

factótum *(pl* **factotums)** *nmf* factotum *(m)*.

factura *nf* facture *(f)* ■ **factura pro forma** OU **proforma** facture pro forma.

facturar *vt* **1.** facturer **2.** enregistrer un chiffre d'affaires de **3.** enregistrer.

facultad *nf* faculté *(f)* ■ **tener facultad para** être habilité(e) à.

facultar *vt* **1.** autoriser **2.** habiliter.

facultativo, va ◼ *adj* **1.** facultatif(ive) **2.** médical(e) **3.** de santé **4.** universitaire. ◼ *nm, f* médecin *(m)*.

faena *nf* travail *(m)* ■ **faenas del campo** travaux des champs ■ **hacerle una (mala) faena a alguien** *fig* jouer un (mauvais) tour à qqn.

faenar *vi* pêcher (en mer).

fagot ◼ *nm* basson *(m)*. ◼ *nmf* basson *(m)*.

faisán *nm* faisan *(m)*.

faja *nf* **1.** ceinture *(f)* **2.** gaine *(f)* **3.** bande *(f)* *(d'un livre, de terrain)*.

fajo *nm* **1.** liasse *(f)* *(de billets)* **2.** fagot *(m)* *(de bois)*.

fakir = **faquir**.

falacia *nf* supercherie *(f)*.

falangista *adj & nmf* phalangiste.

falaz *adj* fallacieux(euse).

falda *nf* **1.** jupe *(f)* ■ **falda pantalón** jupe-culotte *(f)* **2.** flanc *(m)* *(d'une montagne)* **3.** *(giron)* ■ **en la falda de alguien** sur les genoux de qqn ■ **en la falda materna** dans les jupes de sa mère **4.** tapis *(m)* de table **5.** pan *(m)* *(d'une nappe)*.

faldero, ra *adj* de compagnie ■ **un hombre faldero** un coureur de jupons.

faldón *nm* **1.** basque *(f)* *(d'une veste)* **2.** pan *(m)* *(de chemise)* **3.** pan *(m)* *(d'un toit)*.

falla *nf* **1.** GÉOL faille *(f)* **2.** défaut *(m)* **3.** grande figure en carton-pâte brûlée à Valence lors des fêtes de la Saint-Joseph. ■ **fallas** *nfpl* fêtes de la Saint-Joseph à Valence.

fallar ◼ *vt* **1.** prononcer *(un jugement)* **2.** décerner *(un prix)* **3.** *(rater)* ■ **fallar el tiro** manquer son coup. ◼ *vi* **1.** échouer ■ **falló en el examen** il a échoué à l'examen **2.** *(mémoire)* défaillir **3.** *(cœur, nerfs)* lâcher **4.** *(décevoir)* ■ **fallarle a alguien** laisser tomber qqn ■ **no me falles** je

compte sur toi **5.** rater **6.** céder **7.** rendre un jugement ■ **fallar a favor/en contra** se prononcer pour/contre.

fallecer *vi* décéder.

fallecimiento *nm* décès *(m)*.

fallo *nm* **1.** erreur *(f)* **2.** jugement *(m)* **3.** résultat *(m)* *(de concours)* **4.** défaillance *(f)*.

falo *nm* phallus *(m)*.

falsear *vt* **1.** *(résultat)* fausser **2.** *(fait, propos)* dénaturer.

falsedad *nf* **1.** fausseté *(f)* **2.** mensonge *(m)*.

falsete *nm* fausset *(m)*.

falsificación *nf* **1.** falsification *(f)* **2.** faux *(m)*.

falsificar *vt* **1.** falsifier **2.** contrefaire *(une signature)*.

falso, sa *adj* faux(fausse). ■ **en falso** *loc adv* ■ **dar un paso en falso** faire un faux pas ■ **declarar en falso** faire une fausse déclaration.

falta *nf* **1.** manque *(m)* ■ **hace falta pan** il faut du pain ■ **me haces falta** tu me manques ■ **falta de educación** manque d'éducation **2.** absence *(f)* ■ **echar en falta algo** remarquer l'absence de qqch ■ **echar en falta a alguien** regretter qqn **3.** défaut *(m)* **4.** *(erreur & SPORT)* faute *(f)* ■ **falta de ortografía** faute d'orthographe. ■ **a falta de** *loc prép* faute de.

faltar *vi* **1.** manquer ■ **faltar a su palabra** manquer à sa parole ■ **faltar a la confianza de** trahir la confiance de ■ **faltar (el respeto) a alguien** manquer de respect à qqn **2.** être absent(e) ■ **Pedro falta, creo que está enfermo** Pedro n'est pas là, je crois qu'il est malade ■ **faltó a la cita** il n'est pas venu au rendez-vous **3.** rester ■ **falta un mes para las vacaciones** il reste un mois jusqu'aux vacances ■ **sólo te falta firmar** il ne te reste plus qu'à signer ■ **falta mucho por hacer** il y a encore beaucoup à faire ■ **falta poco para que llegue** il ne va pas tarder à arriver ■ **faltó poco para que te matase** il s'en est fallu de peu qu'il le tue **4.** disparaître ■ **cuando sus padres falten** quand ses parents auront disparu ■ **ino faltaba** OU **faltaría más!** je vous en prie ! ■ il ne manquait OU manquerait plus que ça !

falto, ta *adj* dépourvu(e).

fam. *(abr écrite de* **familiar)** fam.

fama *nf* **1.** célébrité *(f)* **2.** réputation *(f)*.

famélico, ca *adj* famélique.

familia *nf* famille *(f)* ■ **acaba de tener familia** elle vient d'être mère ■ **en familia** en famille.

familiar ◼ *adj* **1.** familier(ère) **2.** familial(e). ◼ *nm* parent *(m)*, -e *(f)*.

familiaridad *nf* familiarité *(f)*.

familiarizar *vt* familiariser. ■ **familiarizarse** *vp* se familiariser.

famoso, sa ◼ *adj* **1.** célèbre **2.** *fam* fameux(euse). ◼ *nm, f* célébrité *(f)*.

fan (*pl* **fans**) *nmf* fan (*mf*).

fanático, ca *adj* & *nm, f* fanatique.

fanatismo *nm* fanatisme (*m*).

fandango *nm* **1.** fandango (*m*) **2.** *fam* chambard (*m*).

fanfarria *nf* **1.** *fam* fanfaronnade (*f*) **2.** fanfare (*f*).

fanfarrón, ona *adj* & *nm, f* fanfaron(onne).

fango *nm* boue (*f*).

fantasear ◼ *vi* rêvasser. ◼ *vt* rêver de ◦ **fantasea grandes éxitos** il rêve de grands succès.

fantasía *nf* **1.** imagination (*f*) ◦ **una joya de fantasía** un bijou fantaisie **2.** chimères (*fpl*) **3.** MUS fantaisie (*f*).

fantasma ◼ *nm* fantôme (*m*). ◼ *nmf fam* frimeur (*m*), -euse (*f*).

fantástico, ca *adj* fantastique.

fantoche *nm* **1.** fantoche (*m*) ◦ **estar hecho un fantoche** avoir l'air ridicule **2.** vantard (*m*), -e (*f*).

FAO (*abr de* **Food and Agriculture Organization**) *nf* FAO (*f*).

faquir, fakir *nm* fakir (*m*).

faraón *nm* pharaon (*m*).

fardar *vi fam* frimer.

fardo *nm* ballot (*m*).

farfullar *vt* & *vi* bredouiller.

faringe *nf* pharynx (*m*).

faringitis *nf inv* pharyngite (*f*).

farmacéutico, ca ◼ *adj* pharmaceutique. ◼ *nm, f* pharmacien (*m*), -enne (*f*).

farmacia *nf* pharmacie (*f*) ◦ **farmacia de turno** *ou* **de guardia** pharmacie de garde.

fármaco *nm* médicament (*m*).

faro *nm* phare (*m*) ◦ **faro antiniebla** phare antibrouillard ◦ **faro halógeno** phare halogène.

farol *nm* **1.** réverbère (*m*) **2.** lanterne (*f*) **3.** *fam* bluff (*m*).

farola *nf* réverbère (*m*).

farra *nf fam* bringue (*f*).

farragoso, sa *adj* embrouillé(e).

farsa *nf* farce (*f*).

farsante *adj* & *nmf* (*simulateur*) comédien(enne).

fascículo *nm* fascicule (*m*).

fascinante *adj* fascinant(e).

fascinar *vt* fasciner ◦ **me fascinan los coches deportivos** j'adore les voitures de sport.

fascismo *nm* fascisme (*m*).

fascista *adj* & *nmf* fasciste.

fase *nf* phase (*f*).

fastidiado, da *adj* ◦ **estar fastidiado** *fam* être mal fichu ◦ **estar fastidiado del estómago** avoir l'estomac barbouillé.

fastidiar *vt* **1.** gâcher (*une fête, un projet*) **2.** casser (*une machine, un objet*) **3.** ennuyer ◦ **ino (me) fastidies!** *fam* fiche-moi la paix ! ◼ **fastidiarse** *vp* **1.** rater **2.** (*projet*) tomber à l'eau **3.** (*machine*) se casser **4.** (*faire avec*) ◦ **te fastidias, fastidiate** tant pis pour toi.

fastidio *nm* ennui (*m*) ◦ **ser un fastidio** être ennuyeux(euse).

fastidioso, sa *adj* ennuyeux(euse).

fastuoso, sa *adj* fastueux(euse).

fatal ◼ *adj* **1.** fatal(e) **2.** très mauvais(e). ◼ *adv* très mal.

fatalidad *nf* **1.** malchance (*f*) **2.** fatalité (*f*).

fatalismo *nm* fatalisme (*m*).

fatídico, ca *adj* fatidique.

fatiga *nf* fatigue (*f*). ◼ **fatigas** *nfpl* difficultés (*fpl*).

fatigar *vt* fatiguer. ◼ **fatigarse** *vp* se fatiguer.

fatigoso, sa *adj* fatigant(e).

fatuo, tua *adj* **1.** niais(e) **2.** prétentieux(euse).

fauna *nf* faune (*f*).

favor *nm* **1.** faveur (*f*) ◦ **a favor de** en faveur de ◦ **de favor** de faveur ◦ **tener a** *ou* **en su favor** avoir en sa faveur **2.** service (*m*) ◦ **hacer un favor a alguien** rendre un service à qqn ◦ *fam* (*coucher avec*) se faire qqn ◦ **por favor** s'il vous plaît.

favorable *adj* ◦ **favorable (para)** favorable (à) ◦ **favorable para la salud** bon pour la santé ◦ **ser favorable a algo** être en faveur de qqch.

favorecer *vt* **1.** favoriser **2.** (*aller bien à*) avantager.

favoritismo *nm* favoritisme (*m*).

favorito, ta *adj* & *nm, f* favori(ite).

fax *nm inv* fax (*m*) ◦ **mandar por fax** faxer.

fayuquero, ra *nm, f* (*Amér*) contrebandier (*m*), -ère (*f*).

faz *nf* face (*f*).

FBI (*abr de* **Federal Bureau of Investigation**) *nm* FBI (*m*).

Fdo. (*abr écrite de* **firmado**) signé ◦ **'Fdo.: Fernando Alegre'** 'signé : Fernando Alegre'.

fe *nf* **1.** foi (*f*) ◦ **de buena fe** de bonne foi **2.** confiance (*f*) ◦ **digno de fe** digne de foi **3.** certificat (*m*) ◦ **fe de erratas** errata (*m inv*) ◦ **fe de vida** fiche (*f*) d'état civil ◦ **dar fe de que** certifier que.

fealdad *nf litt* & *fig* laideur (*f*).

feb., febr. (*abr écrite de* **febrero**) fév. ◦ **12 feb. 1967** 12 fév. 1967.

febrero *nm* février (*m*). ◦ *voir aussi* **septiembre**

febril *adj litt* & *fig* fébrile.

fecha *nf* date (*f*) ◦ **fecha de caducidad** date limite de consommation (*d'un produit alimentaire*) ◦ date limite d'utilisation (*d'un médicament*) ◦ date d'expiration (*d'un passeport*) ◦ **fecha tope** *ou* **límite** date limite.

fechar *vt* dater.

fechoría *nf* méfait *(m)*.

fécula *nf* fécule *(f)*.

fecundación *nf* fécondation *(f)* • **fecundación artificial/in vitro** fécondation artificielle/in vitro.

fecundar *vt* 1. féconder 2. fertiliser.

fecundo, da *adj* fécond(e).

federación *nf* fédération *(f)*.

federal ◼ *adj* 1. fédéral(e) 2. fédéraliste. ◼ *nmf* fédéraliste *(mf)*.

federar *vt* fédérer. ◼ **federarse** *vp* se fédérer.

federativo, va *nm, f* membre *(m)* d'une fédération.

feedback ['fidbak] *(pl* **feedbacks**) *nm* feedback *(m)*.

fehaciente *adj* 1. *(document)* qui fait foi 2. *(preuve)* irréfutable.

felicidad *nf* bonheur *(m)*. ◼ **felicidades** *interj* • **¡felicidades!** félicitations ! • *(pour un anniversaire)* joyeux anniversaire ! • *(pour une fête)* bonne fête ! • *(pour la nouvelle année)* meilleurs vœux !

felicitación *nf* 1. *(gén pl)* félicitations *(fpl)* 2. vœux *(mpl)* 3. carte *(f)* de vœux.

felicitar *vt* 1. féliciter 2. *(souhaiter)* • **felicitar el cumpleaños/el Año Nuevo/las Navidades** souhaiter un joyeux anniversaire/une bonne année/un joyeux Noël.

feligrés, esa *nm, f* paroissien *(m)*, -enne *(f)*.

felino, na *adj* félin(e). ◼ **felinos** *nmpl* félins *(mpl)*.

feliz *adj* 1. heureux(euse) 2. joyeux(euse) *(anniversaire, Noël)* 3. bon(bonne) *(année)*.

felpa *nf* 1. peluche *(f)* 2. tissu-éponge *(m)*.

felpudo *nm* paillasson *(m)*.

femenino, na *adj* 1. féminin(e) 2. femelle. ◼ **femenino** *nm* féminin *(m)*.

fémina *nf* femme *(f)*.

feminismo *nm* féminisme *(m)*.

feminista *adj & nmf* féministe.

fémur *(pl* **fémures**) *nm* fémur *(m)*.

fénix *nm inv* phénix *(m)*.

fenomenal *adj* 1. superbe 2. phénoménal(e).

fenómeno ◼ *nm* phénomène *(m)*. ◼ *adv fam* vachement bien • **lo pasamos fenómeno** c'était vachement bien.

feo, a ◼ *adj* 1. laid(e) 2. *(nez, temps, acte)* vilain(e) 3. sale *(affaire)* • **ponerse feo** *fig* mal tourner. ◼ *nm, f* • **es un feo** il est laid comme un pou • **una fea** un laideron. ◼ **feo** *nm* affront *(m)* • **hacer un feo** faire un affront.

féretro *nm* cercueil *(m)*.

feria *nf* 1. foire *(f)* • **la feria de abril** fête très populaire ayant lieu pendant une semaine à Sé-

ville au mois d'avril • **feria (de muestras)** salon *(m)* • **feria del automóvil/libro** salon de l'automobile/du livre 2. fête *(f)* foraine.

feriante *nmf* 1. forain *(m)* 2. exposant *(m)*, -e *(f)*.

fermentación *nf* fermentation *(f)*.

fermentar ◼ *vi* fermenter. ◼ *vt* faire fermenter.

ferocidad *nf* férocité *(f)*.

feroz *adj* 1. féroce • **el lobo feroz** le grand méchant loup 2. *(regard)* terrible 3. *(crime, maladie, souffrance)* atroce 4. *(faim)* de loup.

férreo, a *adj* 1. *(réseau, voie)* ferré(e) 2. *fig (volonté, discipline)* de fer.

ferretería *nf* quincaillerie *(f)*.

ferrocarril *nm* chemin *(m)* de fer.

ferroviario, ria ◼ *adj* ferroviaire. ◼ *nm, f* cheminot *(m)*.

ferry *(pl* **ferries**) *nm* ferry-boat *(m)*.

fértil *adj* fertile.

fertilidad *nf* fertilité *(f)*.

fertilizante ◼ *adj* fertilisant(e). ◼ *nm* engrais *(m)*.

fertilizar *vt* fertiliser.

ferviente *adj* fervent(e).

fervor *nm* ferveur *(f)*.

festejar *vt* 1. *(bien traiter)* • **festejar a alguien** être aux petits soins pour qqn 2. fêter • **el 10 se festeja el santo patrón** le 10, nous fêtons le patron de notre ville.

festejo *nm* petites attentions *(fpl)*. ◼ **festejos** *nmpl* festivités *(fpl)*.

festín *nm* festin *(m)*.

festival *nm* festival *(m)*.

festividad *nf* fête *(f)*.

festivo, va *adj* 1. de fête 2. férié(e) 3. enjoué(e) 4. badin(e).

fetal *adj* fœtal(e).

fetiche *nm* fétiche *(m)*.

fetichista *adj & nmf* fétichiste.

fétido, da *adj* fétide • **una bomba fétida** une boule puante.

feto *nm* fœtus *(m)* • **ser un feto** *fam péj* être laid(e) comme un pou.

feudal *adj* féodal(e).

feudalismo *nm* féodalisme *(m)*.

FF AA, FF.AA. *(abr de* **Fuerzas Armadas***) nfpl forces armées espagnoles.*

fiable *adj* fiable.

fiador, ra *nm, f* garant *(m)*, -e *(f)* • **salir fiador** se porter garant.

fiambre *nm* **1.** charcuterie *(f)* **2.** *fam* macchabée *(m)*.

fiambrera *nf* **1.** gamelle *(f)* **2.** ≃ Tupperware® *(m)*.

fianza *nf* caution *(f)*.

fiar ◼ *vt* **1.** faire crédit à **2.** se porter garant(e) de. ◼ *vi* • **ser de fiar** être quelqu'un de confiance. ◼ **fiarse** *vp* • **fiarse de algo/alguien** avoir confiance en qqch/qqn, se fier à qqch/qqn • **ino te fíes!** méfie-toi ! • **se fía demasiado** il est trop naïf.

fiasco *nm* fiasco *(m)*.

FIBA *(abr de* **Federación Internacional de Baloncesto Amateur***) nf* FIBA *(f)*.

fibra *nf* fibre *(f)* • **fibra de vidrio** fibre de verre • **fibra sensible** *fig* corde *(f)* sensible.

fibroma *nm* fibrome *(m)*.

ficción *nf* **1.** *(simulation)* comédie *(f)* **2.** fiction *(f)*.

ficha *nf* **1.** fiche *(f)* **2.** ticket *(m)* **3.** jeton *(m)* *(de juego, de teléfono)* **4.** *(juego)* domino *(m)* **5.** pièce *(f)* *(au jeu d'échecs)* **6.** SPORT licence *(f)*.

fichar ◼ *vt* **1.** mettre sur fiche **2.** *(sujeto : policía)* ficher **3.** SPORT engager **4.** *fam* classer, repérer. ◼ *vi* **1.** pointer **2.** • **fichar (por)** signer un contrat (avec).

fichero *nm* fichier *(m)*.

ficticio, cia *adj* fictif(ive).

ficus *nm inv* ficus *(m)*.

fidedigno, na *adj* digne de foi • **según fuentes fidedignas...** de source sûre…

fidelidad *nf* fidélité *(f)*.

fideo *nm* vermicelle *(m)*.

fiebre *nf* fièvre *(f)* • **fiebre amarilla** fièvre jaune • **fiebre del heno** rhume *(m)* des foins.

fiel *adj* & *nmf* fidèle.

fieltro *nm* *(tissu)* feutre *(m)*.

fiero, ra *adj litt* & *fig* féroce. ◼ **fiera** ◼ *nf* **1.** *(animal)* fauve *(m)* **2.** *(personne)* brute *(f)*. ◼ *nmf fam* bête *(f)* • **es un fiera en física** c'est une bête en physique.

fierro *nm* *(Amér)* fer *(m)*.

fiesta *nf* **1.** fête *(f)* **2.** jour *(m)* férié • **hacer fiesta** être en congé • **fiesta mayor** *fête du saint patron dans une localité* • **la fiesta nacional** les courses *(fpl)* de taureaux. ◼ **fiestas** *nfpl* fêtes *(fpl)*.

las fiestas populares

Entre janvier et décembre, on peut parcourir l'Espagne à travers ses fêtes traditionnelles. En voici quelques-unes : *Moros y Cristianos* qui ont lieu au mois d'avril à Alicante et où, vêtus de magnifiques costumes d'époque, on représente la victoire des chrétiens en 1275 ; las *Fallas* le 19 mars à Valence, où l'on peut voir des feux d'artifice, des pétards, des personnages géants en papier mâché que l'on brûle à minuit ; la *Rapa das bestas*, fêtes qui reprennent une coutume médiévale et au cours desquelles on capture pendant quelques heures des chevaux sauvages pour leur couper la crinière et la queue et qui ont lieu au mois de mai et juin en Galice ; *los Sanfermines* du 6 au 14 juillet à Pampelune (Navarre), où l'on court devant des taureaux sauvages dans les rues ; aux Asturies au mois d'août on peut participer au *Descenso del Sella* en descendant avec des pirogues les eaux sauvages de la rivière Sella, de Arriondas jusqu'à Ribadesella ; et ainsi de suite jusqu'à la fin de l'année.

FIFA *(abr de* **Federación Internacional de Fútbol Asociación***) nf* FIFA *(f)*.

figura *nf* **1.** figure *(f)* **2.** silhouette *(f)*.

figuraciones *nfpl* idées *(fpl)* • **son figuraciones tuyas** tu te fais des idées.

figurado, da *adj* figuré(e).

figurar ◼ *vi* **1.** figurer **2.** être en vue. ◼ *vt* **1.** figurer **2.** feindre. ◼ **figurarse** *vp* se figurer, s'imaginer • **iya me lo figuraba yo!** c'est bien ce que je pensais !

figurín *nm* dessin *(m)* de mode.

fijación *nf* **1.** fixation *(f)* **2.** PHOTO fixage *(m)*. ◼ **fijaciones** *nfpl* fixations *(fpl)* *(de skis)*.

fijador, ra *adj* fixateur(trice). ◼ **fijador** *nm (liquide)* fixateur *(m)* • **fijador de pelo** *(en spray)* laque *(f)* • *(en gel)* gel *(m)*.

fijar *vt* fixer • **fijar carteles** afficher • **fijar (el) domicilio** fixer • **fijar la mirada/la atención en** fixer son regard/son attention sur. ◼ **fijarse** *vp* faire attention • **no se fijó y se equivocó** il n'a pas fait attention et s'est trompé • **fijarse en algo** remarquer qqch • **fíjate lo que me dijo** tu te rends compte de ce qu'elle m'a dit.

fijo, ja adj **1.** fixe **2.** (client) fidèle. ■ **fijo** adv fam sûr • **mañana voy fijo** j'irai demain sûr.

fila nf **1.** rang (m) **2.** file (f) • **en fila** à la file, en file • **aparcar en doble fila** se garer en double file • **ponerse en fila** se mettre en rang • **en fila india** en file indienne. ■ **filas** nfpl rangs (mpl) • **cerrar filas** serrer les rangs.

filamento nm filament (m).

filántropo, pa nm, f philanthrope (mf).

filarmónico, ca adj philharmonique.

filatelia nf philatélie (f).

filete nm bifteck (m).

filiación nf **1.** filiation (f) **2.** POLIT appartenance (f).

filial ■ adj **1.** filial(e) **2.** COMM • **una compañía filial** une filiale. ■ nf COMM filiale (f).

filigrana nf **1.** filigrane (m) **2.** fig prouesse (f) **3.** (objet) bijou (m), merveille (f).

Filipinas npr • **(las) Filipinas** (les) Philippines (fpl).

film = **filme**.

filmar vt filmer • **filmar una película** tourner un film.

filme, film (pl **films**) nm film (m).

filmoteca nf cinémathèque (f).

filo nm fil (m) • **de doble filo, de dos filos** litt & fig à double tranchant. ■ **al filo de** loc prép sur le coup de.

filología nf philologie (f) • **estudiar filología inglesa** faire des études d'anglais.

filón nm litt & fig filon (m).

filoso, sa adj (Amér) aiguisé(e).

filosofía nf philosophie (f).

filósofo, fa nm, f philosophe (mf).

filtración nf **1.** filtrage (m) **2.** fuite (f) (d'une nouvelle, etc).

filtrar vt filtrer. ■ **filtrarse** vp **1.** (renseignement, lumière) filtrer **2.** (eau) s'infiltrer.

filtro nm **1.** filtre (m) **2.** philtre (m).

fimosis nf inv phimosis (m).

fin nm **1.** fin (f) • **dar** ou **poner fin a algo** mettre fin à qqch • **fin de semana** week-end (m) • **a fines de** (semaine, mois, an) à la fin de • **al** ou **por fin** enfin • **a fin de cuentas, al fin y al cabo** en fin de compte **2.** but (m). ■ **a fin de** loc prép afin de. ■ **en fin** loc adv enfin.

final ■ adj final(e). ■ nm **1.** fin (f) • **final feliz** happy end (m) **2.** bout (m) • **a finales de** (semaine, mois, an) à la fin de • **al final** finalement. ■ nf SPORT finale (f).

finalidad nf but (m), finalité (f) sout.

finalista adj & nmf finaliste.

finalizar ■ vt terminer, achever. ■ vi se terminer, prendre fin.

financiación nf financement (m).

financiar vt financer.

financiero, ra ■ adj financier(ère). ■ nm, f financier (m). ■ **financiera** nf société (f) financière.

financista nmf (Amér) financier (m).

finanzas nfpl finance (f) • **el mundo de las finanzas** le monde de la finance • **mis finanzas están por los suelos** mes finances sont au plus bas.

finca nf **1.** propriété (f) (à la campagne) **2.** immeuble (m).

fingir ■ vt feindre. ■ vi faire semblant.

finiquito nm solde (m) (de tout compte).

finito, ta adj fini(e).

finlandés, esa ■ adj finlandais(e). ■ nm, f Finlandais (m), -e (f). ■ **finlandés** nm finnois (m).

Finlandia npr Finlande (f).

fino, na adj **1.** fin(e) • **tiene el oído fino** elle a l'ouïe fine • **una manta fina** une couverture légère **2.** (goût, manières) raffiné(e) **3.** (langage) châtié(e) **4.** (personne) poli(e). ■ **fino** nm xérès très sec.

finura nf finesse (f).

firma nf **1.** signature (f) • **estampar una firma** apposer une signature **2.** firme (f).

firmamento nm firmament (m).

firmar vt signer.

firme ■ adj **1.** ferme • **se mantuvo firme en su posición** il est resté sur ses positions **2.** stable **3.** solide • **un argumento firme** un argument de poids. ■ nm revêtement (m). ■ adv ferme.

firmeza nf **1.** fermeté (f) **2.** solidité (f).

fiscal ■ adj fiscal(e). ■ nmf procureur (m) (de la République).

fiscalizar vt **1.** soumettre à un contrôle fiscal **2.** fig (contrôler) • **ideja de fiscalizar mi vida!** arrête de te mêler de mes affaires !

fisco nm fisc (m).

fisgar, fisgonear vi fouiner • **fisgar en** fouiller dans.

fisgón, ona adj & nm, f fouineur(euse).

fisgonear = **fisgar**.

físico, ca ■ adj physique. ■ nm, f physicien (m), -enne (f). ■ **físico** nm physique (m). ■ **física** nf physique (f).

fisiológico, ca adj physiologique.

fisonomía = **fisionomía**.

fisioterapeuta nmf physiothérapeute (mf).

fisonomía, fisionomía nf physionomie (f).

fístula nf fistule (f).

fisura nf **1.** fissure (f) **2.** fig faille (f).

flacidez, flaccidez nf flaccidité (f).

flácido, da, fláccido, da adj flasque.

flaco, ca ■ adj maigre. ■ nm, f (Amér) mon coco (m), ma cocotte (f).

flagelar vt flageller.

flagelo nm **1.** fouet (m) **2.** flagelle (m).

flagrante *adj* flagrant(e).

flamante *adj* **1.** flambant neuf **2.** resplendissant(e).

flambear *vt* flamber.

flamenco, ca ◫ *adj* **1.** flamenco(ca) **2.** flamand(e). ◫ *nm, f* **1.** danseur *(m)*, -euse *(f)* de flamenco **2.** chanteur *(m)*, -euse *(f)* de flamenco **3.** Flamand *(m)*, -e *(f)*. ◼ **flamenco** *nm* **1.** flamenco *(m)* **2.** ZOOL flamant *(m)* **3.** flamand *(m)*.

flan *nm* flan *(m)* • **estar hecho** *ou* **como un flan** *fig* trembler comme une feuille.

flanco *nm* flanc *(m)*.

Flandes *npr* Flandre *(f)*, Flandres *(fpl)*.

flanquear *vt* flanquer.

flaquear *vi* **1.** *(jambes)* flageoler **2.** *(forces, enthousiasme)* faiblir.

flaqueza *nf* faiblesse *(f)*.

flash [flaʃ] *(pl* **flashes**) *nm* flash *(m)* • **tener un flash** *fam* avoir un flash • **¡qué flash!** *fam* c'est dingue !

flato *nm* gaz • **tener flatos** avoir des gaz.

flatulento, ta *adj* flatulent(e).

flauta *nf* flûte *(f)*.

flecha *nf* flèche *(f)*.

flechazo *nm* **1.** coup *(m)* de flèche **2.** blessure *(f)* par flèche **3.** *fam* coup *(m)* de foudre.

fleco *nm* frange *(f)* *(d'un tissu)*.

flema *nf* **1.** lymphe *(f)* **2.** flegme *(m)*.

flemático, ca *adj* flegmatique.

flemón *nm* phlegmon *(m)*.

flequillo *nm* frange *(f)* *(de cheveux)*.

flete *nm* fret *(m)*.

flexibilidad *nf* **1.** flexibilité *(f)* **2.** souplesse *(f)* *(d'une personne)*.

flexible *adj* **1.** flexible **2.** *(personne)* souple.

flexión *nf* flexion *(f)*.

flipar *fam* ◫ *vi* **1.** *(s'amuser)* • **flipar (cantidad)** s'éclater (un max) **2.** être scié(e) **3.** *(avec de la drogue)* planer. ◫ *vt* botter.

flirtear *vi* flirter.

flojear *vi* **1.** *(forces)* faiblir **2.** *(mémoire)* flancher **3.** *(chaleur, ventes)* baisser **4.** • **flojear en algo** être faible en qqch.

flojera *nf fam* flemme *(f)*.

flojo, ja *adj* **1.** *(nœud, bandage)* lâche **2.** *(boisson, son, vent)* léger(ère) **3.** *(élève)* faible **4.** *(travail)* médiocre • **flojo en inglés** faible en anglais **5.** *fam (personne)* mou(molle), flemmard(e).

flor *nf* fleur *(f)* • **la flor (y nata)** la fine fleur • **en la flor de la edad** *ou* **de la vida** dans la fleur de l'âge. ◼ **a flor de** *loc prép* à fleur de.

flora *nf* flore *(f)*.

florecer *vi* **1.** fleurir **2.** être florissant(e).

floreciente *adj* florissant(e).

Florencia *npr* Florence.

florero *nm* vase *(m)*.

florido, da *adj* fleuri(e).

florista *nmf* fleuriste *(mf)*.

floristería *nf* • **voy a la floristería** je vais chez le fleuriste.

flota *nf* NAUT flotte *(f)*.

flotación *nf* **1.** flottaison *(f)* **2.** ÉCON flottement *(m)*.

flotador *nm* **1.** flotteur *(m)* **2.** bouée *(f)* *(pour enfant)*.

flotar *vi* flotter.

flote ◼ **a flote** *loc adv* à flot • **sacar a flote** *fig* remettre à flot, renflouer • **salir a flote** *fig* se remettre à flot, se renflouer.

flotilla *nf* flottille *(f)*.

fluctuar *vi* **1.** fluctuer **2.** hésiter.

fluidez *nf* **1.** *(gén & ÉCON)* fluidité *(f)* **2.** harmonie *(f)* *(des relations)* **3.** *fig* aisance *(f)* *(dans le langage)*.

fluido, da *adj* fluide. ◼ **fluido** *nm* fluide *(m)* • **fluido (eléctrico)** courant *(m)* (électrique).

fluir *vi* couler.

flujo *nm* *(gén & ÉCON)* flux *(m)* • **un flujo de palabras** un flot de paroles • **flujo de caja** marge *(f)* brute d'autofinancement • **flujo de lava** coulée *(f)* de lave.

flúor *nm* fluor *(m)*.

fluorescente ◫ *adj* fluorescent(e). ◫ *nm* néon *(m)*.

fluvial *adj* fluvial(e).

FM *(abr de* **frecuencia modulada**) *nf* FM *(f)*.

FMI *(abr de* **Fondo Monetario Internacional**) *nm* FMI *(m)*.

fobia *nf* phobie *(f)*.

foca *nf* **1**. phoque *(m)* **2**. *fam fig (personne)* grosse vache *(f)*.

foco *nm* **1**. *(gén & PHYS)* foyer *(m)* **2**. projecteur *(m)* **3**. *(Amér)* ampoule *(f)*.

fofo, fa *adj* flasque.

fogata *nf* flambée *(f)*.

fogón *nm* **1**. fourneau *(m)* **2**. chaudière *(f)*.

fogoso, sa *adj* fougueux(euse).

fogueo *nm* • **de fogueo** *(munition, tir)* à blanc.

foie-gras [fwa'ɣras] *nm inv* **1**. pâté *(m)* (de foie) **2**. foie gras *(m)*.

folclore, folclor, folklor *nm* folklore *(m)*.

folículo *nm* follicule *(m)*.

folio *nm* **1**. feuille *(f)* (de papier) **2**. *(format)* infolio *(m)*.

folklor = **folclore**.

follaje *nm* feuillage *(m)*.

folletín *nm* feuilleton *(m)*.

folleto *nm* **1**. brochure *(f)* **2**. prospectus *(m)* **3**. dépliant *(m)* **4**. notice *(f)*.

follón *nm fam* **1**. chahut *(m)* **2**. bazar *(m)* • **se armó un follón** ça a fait du chahut • **¡vaya follón!** quel bazar ! • **tener follones** avoir des histoires **3**. grabuge *(m)*.

fomentar *vt* **1**. encourager, développer **2**. susciter *(la haine, la guerre)*.

fomento *nm* développement *(m) (économique, industriel)*.

fonda *nf* auberge *(f)*.

fondear ◊ *vi* NAUT mouiller. ◊ *vt* fouiller.

fondo *nm* **1**. fond *(m)* • **al fondo de** au fond de • **tener buen fondo** avoir un bon fond • **tocar fondo** toucher le fond • **doble fondo** double fond **2**. *(argent, bibliothèque, archives)* fonds *(m inv)* • **a fondo perdido** à fonds perdu • **fondo común** caisse *(f)* commune • **fondo de inversión** fonds commun de placement • **fondo de pensiones** caisse *(f)* de retraite • **fondos reservados** fonds secrets **3**. SPORT endurance *(f)*. ◼ **a fondo** *loc adv* à fond. ◼ **en el fondo** *loc adv* au fond.

fonema *nm* phonème *(m)*.

fonético, ca *adj* phonétique. ◼ **fonética** *nf* phonétique *(f)*.

fontanería *nf* plomberie *(f)*.

fontanero, ra *nm, f* plombier *(m)*.

football = **fútbol**.

footing ['futin] *nm* footing *(m)*.

forajido, da *nm, f* hors-la-loi *(m inv)*.

foráneo, a *adj* étranger(ère).

forastero, ra *nm, f* étranger *(m)*, -ère *(f)*.

forcejear *vi* **1**. se débattre **2**. se démener.

fórceps *nm inv* forceps *(m)*.

forense *nmf* médecin *(m)* légiste.

forestal *adj* forestier(ère).

forfait [for'fe] *(pl* **forfaits***) nm* forfait *(m)*.

forja *nf* **1**. forge *(f)* **2**. forgeage *(m)*.

forjar *vt litt & fig* forger. ◼ **forjarse** *vp fig* se forger.

forma *nf* **1**. forme *(f)* • **estar en forma** être en forme **2**. façon *(f)* • **de cualquier forma, de todas formas** de toute façon • **de forma que** de façon que • **forma de pago** modalité *(f)* de paiement **3**. RELIG hostie *(f)*. ◼ **formas** *nfpl (silhouette, manières)* formes *(fpl)*.

formación *nf* formation *(f)* • **formación de personal** formation interne • **formación profesional** enseignement technique en Espagne.

formal *adj* **1**. bien élevé(e) **2**. *(de confiance)* sérieux(euse) **3**. *(accusation, engagement)* formel(elle) **4**. *(langage)* soutenu(e).

formalidad *nf* **1**. formalité *(f)* **2**. sérieux *(m)*.

formalizar *vt* **1**. régulariser *(une situation)* **2**. officialiser *(un accord, une relation)*.

formar *vt* former. ◼ **formarse** *vp* se former • **formarse una idea** se faire une idée.

formatear *vt* formater.

formato *nm (gén & INFORM)* format *(m)*.

formica® *nf* Formica® *(m)*.

formidable *adj* formidable.

formol *nm* formol *(m)*.

fórmula *nf* formule *(f)*.

formular ◊ *vt* formuler. ◊ *vi* CHIM rédiger des formules.

formulario *nm* formulaire *(m)*.

formulismo *nm* formalisme *(m)*.

fornido, da *adj* robuste.

foro *nm* **1**. *(tribunal)* barreau *(m)* **2**. THÉÂTRE fond *(m)* de la scène **3**. *(débat)* forum *(m)*.

forofo, fa *nm, f fam* SPORT supporter *(m)*.

forraje *nm* fourrage *(m)*.

forrar *vt* **1**. couvrir *(un livre, un meuble)* **2**. doubler *(un vêtement)*. ◼ **forrarse** *vp fam fig* se remplir les poches.

forro *nm* **1**. couverture *(f)* *(d'un livre)* **2**. housse *(f)* *(d'un meuble)* **3**. doublure *(f)* *(d'un vêtement)* • **forro polar** laine *(f)* polaire.

fortalecer *vt* **1**. renforcer **2**. fortifier *(physiquement)* **3**. réconforter *(moralement)*.

fortaleza *nf* **1**. force *(f)* **2**. forteresse *(f)*.

fortificación *nf* fortification *(f)*.

fortuito, ta *adj* fortuit(e).

fortuna *nf* **1**. chance *(f)* • **por fortuna** heureusement, par chance **2**. *(destin)* sort *(m)* **3**. fortune *(f)*.

forúnculo, furúnculo *nm* furoncle *(m)*.

forzado, da *adj* forcé(e).

forzar *vt* **1**. forcer **2**. abuser de.

forzoso, sa *adj* **1**. obligatoire **2**. inévitable • **es forzoso que...** il est nécessaire que...

forzudo, da *adj & nm, f* costaud(e).

fosa *nf* fosse *(f)* • **fosa común** fosse commune • **fosas nasales** fosses nasales.

fosfato *nm* phosphate *(m)*.

fosforescente *adj* phosphorescent(e).

fósforo *nm* **1.** phosphore *(m)* **2.** allumette *(f)*.

fósil ◼ *adj* fossile. ◼ *nm* **1.** fossile *(m)* **2.** *fam fig* vieux fossile *(m)*.

foso *nm* **1.** *(gén & sport)* fosse *(f)* **2.** fossé *(m)* **3.** tranchée *(f)* **4.** fosse *(f)* d'orchestre.

foto *nf* photo *(f)* • **sacar una foto** faire une photo.

fotocomponer *vt* photocomposer.

fotocopia *nf* photocopie *(f)*.

fotocopiadora *nf* photocopieuse *(f)*.

fotocopiar *vt* photocopier.

fotoeléctrico, ca *adj* photoélectrique.

fotogénico, ca *adj* photogénique.

fotografía *nf* photographie *(f)*.

fotografiar *vt* photographier.

fotógrafo, fa *nm, f* photographe *(mf)*.

fotomatón® *nm* Photomaton® *(m)*.

fotonovela *nf* roman-photo *(m)*.

fotorrobot *(pl* **fotorrobots)** *nf* portrait-robot *(m)*.

fotosíntesis *nf inv* photosynthèse *(f)*.

FP *(abr de* **formación profesional)** *nf* enseignement technique en Espagne.

fra. *abrév de* **factura.**

frac *(pl* **fracs** *ou* **fraques)** *nm* habit *(m)*, frac *(m)*.

fracasar *vi* échouer.

fracaso *nm* échec *(m)* • **fracaso escolar** échec scolaire.

fracción *nf* fraction *(f)*.

fraccionario, ria *adj* MATH fractionnaire • **la moneda fraccionaria** la petite monnaie.

fractura *nf* **1.** MÉD fracture *(f)* **2.** DR effraction *(f)*.

fracturarse *vp* se fracturer.

fragancia *nf* parfum *(m)*, senteur *(f)*.

fraganti ◼ **in fraganti** *loc adv* en flagrant délit.

fragata *nf* frégate *(f)*.

frágil *adj* fragile • **una memoria frágil** une mauvaise mémoire.

fragilidad *nf* fragilité *(f)*.

fragmentar *vt* fragmenter.

fragmento *nm* fragment *(m)*.

fragor *nm* **1.** fracas *(m)* **2.** grondement *(m)* (du tonnerre).

fragua *nf* forge *(f)*.

fraguar ◼ *vt* **1.** forger **2.** *fig* tramer. ◼ *vi (ciment, chaux)* prendre. ◼ **fraguarse** *vp* se tramer.

fraile *nm (religieux)* frère *(m)*.

frambuesa *nf* framboise *(f)*.

francés, esa ◼ *adj* français(e). ◼ *nm, f* Français *(m)*, -e *(f)*. ◼ **francés** *nm* français *(m)*.

Francia *npr* France *(f)*.

franciscano, na *adj & nm, f* franciscain(e).

francmasonería = **masonería.**

franco, ca ◼ *adj* **1.** franc(franche) • **franco de porte** franco de port **2.** net(nette) • **una franca mejoría** une nette amélioration **3.** HIST franc (franque). ◼ *nm, f* HIST Franc *(m)*, Franque *(f)*. ◼ **franco** *nm* franc *(m)*.

francotirador, ra *nm, f* franc-tireur *(m)*.

franela *nf* flanelle *(f)*.

franja *nf* **1.** frange *(f) (d'un tissu)* **2.** bande *(f) (de terre)* **3.** rai *(m) (de lumière)*.

franquear *vt* **1.** dégager *(la voie, un chemin)* **2.** franchir *(une rivière, un obstacle)* **3.** affranchir *(une lettre, une carte postale)*.

franqueo *nm* affranchissement *(m)*.

franqueza *nf* **1.** franchise *(f)* **2.** *(confiance)* • **tener franqueza con alguien** être en confiance avec qqn.

franquicia *nf* franchise *(f) (commerciale)*.

franquismo *nm* franquisme *(m)*.

frasco *nm* flacon *(m)*.

frase *nf* phrase *(f)* • **frase hecha** phrase toute faite.

fraternidad *nf* fraternité *(f)*.

fraterno, na *adj* fraternel(elle).

fratricida *adj & nmf* fratricide.

fraude *nm* fraude *(f)* • **fraude fiscal** fraude fiscale.

fraudulento, ta *adj* frauduleux(euse).

fray *nm* • **fray Luis** frère Luis.

frazada *nf (Amér)* couverture *(f)* • **frazada eléctrica** couverture chauffante.

frecuencia *nf* fréquence *(f)* • **frecuencia modulada** modulation *(f)* de fréquence • **con frecuencia** fréquemment.

frecuentar *vt* fréquenter.

frecuente *adj* fréquent(e).

fregadero *nm* évier *(m)*.

fregado, da *adj (Amér) fam* enquiquinant(e) • **estar fregado** s'enquiquiner. ◼ **fregado** *nm* **1.** lavage *(m)* **2.** récurage *(m) (des casseroles)* **3.** *fam* sac *(m)* de nœuds **4.** *fam* grabuge *(m)*.

fregar *vt* **1.** laver **2.** récurer *(les casseroles)* • **fregar los platos** faire la vaisselle **3.** frotter **4.** *(Amér) fam* enquiquiner.

fregona *nf* **1.** balai-serpillière *(m)* **2.** *péj* bonniche *(f)* **3.** *péj* poissarde *(f)*.

freidora nf friteuse (f).

freír vt **1.** faire frire **2.** fam enquiquiner • **freír a preguntas** bombarder de questions **3.** fam (tuer) refroidir. ■ **freírse** vp frire • **se fríen las patatas** les pommes de terre sont en train de frire.

frenar ◼ vt **1.** freiner **2.** réfréner (une impulsion, sa colère) • **frenar el coche** freiner. ◼ vi freiner.

frenazo nm **1.** AUTO coup (m) de frein **2.** fig coup (m) d'arrêt.

frenesí (pl **frenesíes** OU **frenesís**) nm **1.** frénésie (f) **2.** folie (f) furieuse.

frenético, ca adj **1.** frénétique **2.** fou furieux(folle furieuse).

freno nm **1.** (gén & AUTO) frein (m) **2.** mors (m) (d'une monture).

frente ◼ nf ANAT front (m). ◼ nm **1.** (gén, MÉTÉOR & POLIT) front (m) • **hacer frente a** faire face à (un problème) • tenir tête à (une personne) • **frente frío** front froid **2.** devant (m) • **estar al frente (de)** être à la tête (de). ■ **de frente** loc adv **1.** (photo) de face **2.** (rencontre) nez à nez **3.** (accident) de plein fouet **4.** (sans détours) de front. ■ **frente a** loc prép **1.** en face de • **frente a su casa** en face de chez lui **2.** par rapport à **3.** devant. ■ **frente a frente** loc adv face à face.

fresa nf **1.** (fruit & TECHNOL) fraise (f) **2.** fraisier (m).

fresco, ca ◼ adj **1.** frais(fraîche) • **su recuerdo permanece fresco en mi memoria** je garde son souvenir intact **2.** sans gêne. ◼ nm, f • **ser un fresco** être sans gêne. ■ **fresco** nm **1.** fresque (f) • **al fresco** à fresque **2.** fraîcheur (f) • **tomar el fresco** prendre le frais.

frescor nm fraîcheur (f).

frescura nf **1.** fraîcheur (f) **2.** sans-gêne (m).

fresno nm frêne (m).

fresón nm fraise (f).

frialdad nf **1.** froid (m) **2.** fig froideur (f).

fricandó nm fricandeau (m).

fricción nf friction (f) • **hacerse una fricción con** se frictionner à.

friega ◼ nf (massage) friction (f). ◼ v ➭ **fregar**.

frigidez nf frigidité (f).

frigorífico, ca adj frigorifique. ■ **frigorífico** nm réfrigérateur (m).

frijol, fríjol nm (Amér) haricot (m).

frío, a adj froid(e). ■ **frío** nm froid (m) • **en frío** à froid • **la noticia me cogió en frío** la nouvelle m'a pris de court • **hace un frío que pela** fam il fait un froid de canard.

friolero, ra adj & nm, f frileux(euse). ■ **friolera** nf fam • **costar la friolera de...** coûter la bagatelle de...

frisar vt friser • **frisar los cincuenta años** friser la cinquantaine.

frito, ta adj **1.** frit(e) **2.** fig • **me tiene frito** il me tape sur les nerfs. ■ **frito** ◼ pp ➭ **freír**. ◼ nm (gén pl) friture (f).

frívolo, la adj frivole.

frondoso, sa adj touffu(e).

frontal ◼ adj frontal(e). ◼ nm ANAT frontal (m).

frontera nf **1.** frontière (f) **2.** fig limite (f).

fronterizo, za adj frontalier(ère).

frontispicio nm **1.** façade (f) **2.** fronton (m) **3.** frontispice (m) (d'un livre).

frontón nm **1.** SPORT & ARCHIT fronton (m) **2.** pelote (f) basque.

frotar vt frotter. ■ **frotarse** vp se frotter.

fructífero, ra adj fructueux(euse).

frugal adj frugal(e).

fruncir vt froncer • **fruncir el ceño** froncer les sourcils • **fruncir la boca** faire la moue.

fruslería nf broutille (f).

frustración nf **1.** frustration (f) **2.** déception (f).

frustrar vt **1.** frustrer **2.** décevoir • **me frustra ver que no mejoro** ça me déçoit de voir que je ne progresse pas **3.** faire échouer. ■ **frustrarse** vp **1.** être frustré(e) **2.** être déçu(e) **3.** (plans, projets) tomber à l'eau **4.** (tentative) échouer.

fruta nf fruit (m) • **le gusta mucho la fruta** il aime beaucoup les fruits. ■ **fruta de sartén** nf beignet (m).

frutal ◼ adj fruitier(ère). ◼ nm arbre (m) fruitier.

frutería nf • **ir a la frutería** aller chez le marchand de fruits.

frutero, ra ◼ adj fruitier(ère). ◼ nm, f marchand (m), -e (f) de fruits. ■ **frutero** nm coupe (f) à fruits.

frutilla nf (Amér) fraise (f).

fruto nm fruit (m) • **dar fruto** fig porter ses fruits • **sacar fruto de algo** fig tirer profit de qqch. ■ **frutos secos** nmpl fruits (mpl) secs.

FSLN (abr de **Frente Sandinista de Liberación Nacional**) nm Front (m) sandiniste (mouvement nicaraguayen de gauche qui a renversé la dictature de Somoza en 1979).

fucsia ◼ nf fuchsia (m). ◼ adj inv & nm inv fuchsia.

fue ➭ **ir**. ➭ **ser**.

fuego nm feu (m) • **pegar fuego a** mettre le feu à • **fuegos artificiales** feu d'artifice.

fuelle nm soufflet (m).

fuente nf **1.** source (f) • **fuente de alimentación** source d'alimentation, alimentation (f) **2.** fontaine (f) • **fuente bautismal** fonts (mpl) baptismaux **3.** (vaisselle) plat (m).

fuera ◼ adv **1.** dehors • **hacia fuera** vers l'extérieur • **por fuera** à l'extérieur • **pintamos la casa por fuera** on a peint l'extérieur de la maison **2.** ailleurs • **esta semana estaré fuera** cette semaine je ne serai pas là • **de fuera** (d'un autre pays) étranger(ère) • (d'autre part) d'ailleurs **3.** fig (éloigné) • **fuera de** hors de • **eso está fuera de mis cálculos** je n'avais pas prévu ça • **estar fuera de sí** être hors de soi • **fuera de plazo** hors délai. ▣ **interj** • **ifuera!** dehors ! ▪ **fuera de** loc prép en dehors de • **fuera de eso, me puedes pedir lo que quieras** à part ça, tu peux me demander ce que tu veux. ▪ **fuera de juego** nm hors-jeu (m inv). ▪ **fuera de serie** ▣ adj hors pair. ▣ nmf • **ser un fuera de serie** être exceptionnel(elle). ▣ v **1.** ⊳ ir **2.** ⊳ ser.

fueraborda nm inv hors-bord (m inv).

fuero nm **1.** privilège (m) **2.** (au Moyen Âge) charte (f) • **los fueros** anciennes chartes espagnoles d'origine médiévale garantissant les privilèges, les libertés et les traditions d'une ville ou d'une région, encore en vigueur en Navarre par exemple **3.** tribunal (m).

fuerte ▣ adj **1.** fort(e) **2.** (matériel, mur, nœud) solide **3.** (froid, chaleur, couleur) intense **4.** (dispute, combat) dur(e) **5.** grossier(ère). ▣ adv **1.** fort • **trabaja fuerte** il travaille dur **2.** beaucoup • **come fuerte** il mange beaucoup. ▣ nm fort (m) • **ser algo el fuerte de alguien** être le point fort de qqn.

fuerza nf **1.** (gén & PHYS) force (f) • **tener fuerzas para** être assez fort(e) pour • **tiene que irse por fuerza** il doit absolument partir • **fuerzas del orden público** forces de l'ordre • **a fuerza de** à force de • **a la fuerza** (contre la volonté) de force • (par nécessité) forcement • **por la fuerza** par la force **2.** ÉLECTR courant (m). ▪ **fuerzas** ▣ nfpl (groupe de personnes) forces (fpl). ▣ v ⊳ forzar.

fuese ⊳ ir. ⊳ ser.

fuga nf **1.** fuite (f) **2.** évasion (f) (de prisonniers) **3.** MUS fugue (f).

fugarse vp s'évader (d'une prison) • **su marido se fugó con otra** son mari est parti avec une autre.

fugaz adj fugace.

fugitivo, va ▣ adj **1.** en fuite • **fugitivo de la ley** OU **justicia** qui fuit la justice **2.** fig fugitif(ive). ▣ nm, f fugitif (m), -ive (f).

fui ⊳ ir. ⊳ ser.

fulano, na nm, f Machin (m), -e (f) • **fulano de tal** M. Untel • **un fulano** un type. ▪ **fulana** nf prostituée (f).

fulgor nm éclat (m).

fullero, ra adj & nm, f tricheur(euse).

fulminante adj **1.** (maladie, regard) foudroyant(e) **2.** (renvoi, arrêt) immédiat(e) **3.** (explosif) détonant(e).

fulminar vt foudroyer • **fulminar a alguien con la mirada** foudroyer qqn du regard.

fumador, ra nm, f fumeur (m), -euse (f) • **fumador pasivo** fumeur passif.

fumar vt & vi fumer.

fumigar vt désinfecter (par fumigation).

función nf **1.** fonction (f) **2.** CINÉ séance (f) **3.** THÉÂTRE représentation (f).

funcional adj fonctionnel(elle).

funcionalidad nf fonctionnalité (f).

funcionamiento nm fonctionnement (m).

funcionar vi **1.** (appareil, machine) fonctionner • **funcionar con gasolina** marcher à l'essence • **'no funciona'** 'en panne' **2.** (plan, activité) marcher.

funcionario, ria nm, f fonctionnaire (mf).

funda nf **1.** étui (m) **2.** taie (f) (d'oreiller) **3.** housse (f) (de meuble, de machine) **4.** pochette (f) (de disque).

fundación nf fondation (f).

fundador, ra adj & nm, f fondateur(trice).

fundamental adj fondamental(e).

fundamentar vt • **fundamentar algo (en)** CONSTR asseoir qqch (sur) • fig (théorie, etc) fonder qqch (sur). ▪ **fundamentarse** vp • **fundamentarse (en)** CONSTR être assis(e) (sur) • fig (théorie, etc) se fonder (sur).

fundamento nm **1.** fig fondement (m) **2.** fig raison (f) • **sin fundamento** sans fondement. ▪ **fundamentos** nmpl fondations (fpl).

fundar vt fonder. ▪ **fundarse** vp • **fundarse (en)** se fonder (sur).

fundición nf **1.** (métal) fonte (f) **2.** fonderie (f).

fundir vt **1.** fondre • **fundieron sus intereses** ils ont uni leurs intérêts **2.** (ampoule, appareil) griller **3.** (fusible) faire sauter. ▪ **fundirse** vp **1.** (ampoule, appareil) griller **2.** (fusible) sauter **3.** fondre **4.** fig se fondre.

fúnebre adj funèbre.

funeral nm funérailles (fpl) •

funerario, ria adj funéraire • **una empresa funeraria** une entreprise de pompes funèbres. ▪ **funeraria** nf pompes (fpl) funèbres.

funesto, ta adj funeste.

fungicida ▣ adj fongicide. ▣ nm fongicide (m).

fungir vi (Amér) • **fungir de** faire office de.

funicular ▣ adj funiculaire. ▣ nm **1.** funiculaire (m) **2.** téléphérique (m).

furgón nm fourgon (m).

furgoneta nf fourgonnette (f).

furia nf fureur (f) • **ponerse hecho una furia** devenir fou furieux.

furioso, sa adj furieux(euse).

furor nm fureur (f) • **hacer furor** fig faire fureur.

furtivo, va adj furtif(ive) • **un cazador furtivo** un braconnier.

furúnculo = **forúnculo**.

fusible ◼ *adj* fusible. ◼ *nm* fusible *(m)* • **se han quemado los fusibles** les plombs ont sauté.

fusil *nm* fusil *(m)* *(de guerre)*.

fusilar *vt* **1.** fusiller **2.** *fam* plagier.

fusión *nf* fusion *(f)*.

fusionar *vt* & *vi* fusionner. ◼ **fusionarse** *vp* ÉCON fusionner.

fusta *nf* cravache *(f)*.

fustán *nm* *(Amér)* jupon *(m)*.

fuste *nm* fût *(m)*.

fútbol, futbol, football ['fudbol] *nm* football *(m)*.

futbolín *nm* baby-foot *(m inv)*.

futbolista *nmf* footballeur *(m)*, -euse *(f)*.

fútil *adj* futile.

futilidad *nf* futilité *(f)*.

futón *nm* futon *(m)*.

futuro, ra *adj* futur(e). ◼ **futuro** *nm* **1.** avenir *(m)* **2.** GRAMM futur. ◼ **futuros** *nmpl* ÉCON opérations *(fpl)* à terme.

futurología *nf* futurologie *(f)*.

g¹, G [xe] *nf* g *(m inv)*, G *(m inv)*.

g² *(abr écrite de gramo)* g.

gabacho, cha *fam péj* ◼ *adj* franchouillard(e). ◼ *nm, f* • **no me gustan los gabachos** je n'aime pas les Français.

gabán *nm* pardessus *(m)*.

gabardina *nf* gabardine *(f)*.

gabinete *nm* **1.** cabinet *(m)* • **gabinete de estudios** bureau *(m)* d'études **2.** boudoir *(m)*.

gacela *nf* gazelle *(f)*.

gaceta *nf* gazette *(f)*.

gacho, cha *adj* • **con la cabeza gacha** la tête basse. ◼ **gachas** *nfpl* bouillie de farine cuite avec du lard.

gafar *vt fam* porter la poisse à • **nos has gafado el viaje** tu nous as gâché le voyage.

gafas *nfpl* lunettes *(fpl)* • **gafas de sol** lunettes de soleil • **gafas progresivas** lunettes à verres progressifs.

gafe *fam* ◼ *adj* • **ser gafe** porter la poisse. ◼ *nmf* oiseau *(m)* de malheur.

gag *(pl gags)* *nm* gag *(m)*.

gaita *nf* **1.** cornemuse *(f)* **2.** *fam* galère *(f)*.

gajes *nmpl* primes *(fpl)* • **gajes del oficio** risques *(mpl)* du métier.

gajo *nm* **1.** quartier *(m)* *(de fruit)* **2.** grappillon *(m)* *(de raisin)* **3.** bouquet *(m)* *(de cerises)* **4.** rameau *(m)*.

gala *nf* gala *(m)* • **una fiesta de gala** une soirée de gala • **un vestido de gala** une tenue de soirée • **con sus mejores galas** dans ses plus beaux atours • **hacer gala de algo** faire étalage de qqch • être fier(ère) de qqch.

galáctico, ca *adj* galactique.

galán *nm* **1.** bel homme *(m)* **2.** THÉÂTRE jeune premier *(m)*. ◼ **galán de noche** *nm* valet *(m)* de nuit.

galante *adj* galant(e) • **tiene fama de galante** il a une réputation de galant homme.

galantear *vt* • **galantear a una mujer** faire la cour à une femme.

galantería *nf* galanterie *(f)*.

galápago *nm* tortue *(f)* d'eau douce.

galardón *nm* *(récompense)* prix *(m)*.

galaxia *nf* galaxie *(f)*.

galera *nf* galère *(f)*.

galería *nf* **1.** galerie *(f)* **2.** tringle *(f)* • **hacer algo para la galería** *fig* faire qqch pour la galerie. ◼ **galerías (comerciales)** *nfpl* galerie *(f)* marchande.

Gales *npr* pays *(m)* de Galles.

galés, esa ◼ *adj* gallois(e). ◼ *nm, f* Gallois *(m)*, -e *(f)*. ◼ **galés** *nm* gallois *(m)*.

Galicia *npr* Galice *(f)*.

galicismo *nm* gallicisme *(m)*.

galimatías *nm inv* galimatias *(m)*.

gallardía *nf* **1.** bravoure *(f)* **2.** prestance *(f)*.

gallego, ga ◼ *adj* galicien(enne). ◼ *nm, f* Galicien *(m)*, -enne *(f)*. ◼ **gallego** *nm* galicien *(m)*.

galleta *nf* biscuit *(m)*.

gallina ◼ *nf* poule *(f)* • **gallina ciega** colin-maillard *(m)* • **gallina clueca** couveuse *(f)*. ◼ *nmf* *fam fig* poule *(f)* mouillée.

gallinero *nm* poulailler *(m)*.

gallito *nm* *fig* *(dans un groupe)* petit chef *(m)* • **hacerse el gallito con alguien** jouer les durs avec qqn.

gallo *nm* **1.** coq *(m)* **2.** *fig* chef *(m)* **3.** couac *(m)* **4.** limande *(f)*.

galo, la ◼ *adj* **1.** HIST gaulois(e) **2.** français(e). ◼ *nm, f* **1.** HIST Gaulois *(m)*, -e *(f)* **2.** Français *(m)*, -e *(f)*.

galón *nm* **1.** *(décoration militaire)* galon *(m)* **2.** *(mesure)* gallon *(m)*.

galopar *vi* galoper.

galope *nm* galop *(m)*.

galpón *nm* *(Amér)* hangar *(m)*.

gama *nf* gamme *(f)*.

gamba *nf* crevette (*f*).

gamberrada *nf* acte (*m*) de vandalisme • **hacer gamberradas** faire des bêtises.

gamberro, rra ◼ *adj* • **un niño gamberro** un garnement. ◼ *nm, f* voyou (*m*).

gammaglobulina *nf* gammaglobuline (*f*).

gamo *nm* daim (*m*).

gamonal *nm* (*Amér*) cacique (*m*).

gamuza *nf* **1.** chamois (*m*) **2.** peau (*f*) de chamois.

gana *nf* • **gana (de)** envie (*f*) (de) • **lo hago porque me da la (real) gana** je le fais parce que ça me plaît • **no me da la gana de hacerlo** il est hors de question que je le fasse • **de buena gana** volontiers • **de mala gana** à contre-cœur. ◼ **ganas** *nfpl* **1.** envie (*f*) • **darle a alguien ganas de** avoir envie de • **tener ganas de algo/de hacer algo** avoir envie de qqch/de faire qqch • **quedarse con las ganas** rester sur sa faim **2.** appétit (*m*) • **comer con ganas** manger avec appétit.

ganadería *nf* **1.** élevage (*m*) **2.** cheptel (*m*).

ganado *nm* bétail (*m*).

ganador, ra *adj & nm, f* gagnant(e).

ganancial *adj* ⊳ **bien.**

ganancias *nfpl* bénéfices (*mpl*).

ganar ◼ *vt* **1.** gagner **2.** atteindre (*la gloire, la renommée*) **3.** conquérir (*une ville, un château*) **4.** (*être supérieur*) • **me ganas en astucia** tu es plus astucieux que moi. ◼ *vi* gagner • **gana con el trato** il gagne à être connu • **gana para vivir** il gagne juste de quoi vivre • **hemos ganado con el cambio** nous avons gagné au change • **ganamos en espacio** nous y avons gagné en place. ◼ **ganarse** *vp* • **ganarse algo** gagner qqch • bien mériter qqch • recevoir qqch • **ganarse a alguien** gagner la faveur de qqn.

ganchillo *nm* (*ouvrage*) crochet (*m*) • **hacer ganchillo** faire du crochet.

gancho *nm* **1.** (*gén & SPORT*) crochet (*m*) **2.** (*complice - COMM*) rabatteur (*m*) • (- *d'un joueur*) compère (*m*) **3.** (*Amér*) portemanteau (*m*) • **tener gancho** *fam* (*femme*) avoir du chien • (*vendeur, titre*) être accrocheur(euse).

gandul, la *adj & nm, f fam* flemmard(e).

ganga *nf fam* affaire (*f*) (en or).

ganglio *nm* ganglion (*m*).

gangrena *nf* gangrène (*f*).

gángster (*pl* **gángsters**) *nm* gangster (*m*).

ganso, sa *nm, f* **1.** jars (*m*), oie (*f*) **2.** *fam* abruti (*m*), -e (*f*).

garabatear *vt & vi* gribouiller.

garabato *nm* gribouillage (*m*).

garaje *nm* garage (*m*).

garante *nmf* garant (*m*), -e (*f*).

garantía *nf* garantie (*f*) • **este libro es una garantía de éxito** ce livre, c'est le succès assuré • **con garantía** sous garantie.

garantizar *vt* garantir • **garantizar algo a alguien** assurer qqch à qqn.

garapiñar = **garrapiñar.**

garbanzo *nm* pois (*m*) chiche.

garbeo *nm fam* balade (*f*) • **dar un garbeo** faire une balade.

garbo *nm* **1.** allure (*f*) (*d'une personne*) **2.** talent (*m*) (*pour l'écriture*).

gardenia *nf* gardénia (*m*).

garete *nm* • **ir** *ou* **irse al garete** *fam fig* se casser la figure.

garfio *nm* crochet (*m*).

gargajo *nm* crachat (*m*).

garganta *nf* gorge (*f*).

gargantilla *nf* (*collier*) ras-du-cou (*m*).

gárgara *nf* (*gén pl*) gargarisme (*m*) • **hacer gárgaras** faire des gargarismes.

gargarismo *nm* gargarisme (*m*).

garita *nf* MIL guérite (*f*).

garito *nm* **1.** tripot (*m*) **2.** *péj* boui-boui (*m*).

garra *nf* **1.** griffe (*f*) **2.** serre (*f*) (*d'un oiseau de proie*) • **caer en las garras de alguien** tomber entre les griffes de qqn • **tener garra** être accrocheur(euse).

garrafa *nf* carafe (*f*).

garrafal *adj* (*erreur*) monumental(e).

garrapata *nf* tique (*f*).

garrapiñar, garapiñar *vt* praliner.

garrote *nm* **1.** gourdin (*m*) **2.** garrot (*m*).

garúa *nf* (*Amér*) bruine (*f*).

garza *nf* héron (*m*).

gas *nm* gaz (*m*) • **gas butano** gaz butane • **gas lacrimógeno** gaz lacrymogène • **gas natural** gaz naturel. ◼ **gases** *nmpl* (*dans le tube digestif*) gaz (*mpl*). • **a todo gas** *loc adv* à toute allure.

gasa *nf* gaze (*f*).

gaseoducto *nm* gazoduc (*m*), pipeline (*m*).

gaseoso, sa *adj* gazeux(euse). ◼ **gaseosa** *nf* limonade (*f*).

gasóleo *nm* gazole (*m*).

gasolina *nf* essence (*f*) • **poner gasolina** prendre de l'essence • **gasolina normal** essence ordinaire • **gasolina sin plomo** essence sans plomb, sans-plomb (*m*) • **(gasolina) súper** super (*m*).

gasolinera *nf* pompe (*f*) à essence.

gastado, da *adj* usé(e).

gastar ◼ *vt* **1.** dépenser **2.** user **3.** porter • **¿qué número de zapatos gastas?** quelle est ta pointure? **4.** (*faire*) • **gastar una broma/cumplidos a alguien** faire une blague/des compliments à qqn. ◼ *vi* **1.** dépenser **2.** user. ◼ **gastarse** *vp* **1.** s'user **2.** (*bougie*) se consumer **3.** dépenser.

gasto *nm* dépense *(f)* • **cubrir gastos** couvrir les frais • **gasto público** dépenses *(fpl)* publiques.

gastritis *nf inv* gastrite *(f)*.

gastronomía *nf* gastronomie *(f)*.

gastrónomo, ma *nm, f* gastronome *(mf)*.

gatas ■ **a gatas** *loc adv* à quatre pattes.

gatear *vi* marcher à quatre pattes.

gatillo *nm* gâchette *(f)*.

gato, ta *nm, f* chat *(m)*, chatte *(f)* • **dar gato por liebre a alguien** *fam* rouler qqn • **buscar tres pies al gato** chercher midi à quatorze heures • **hay gato encerrado** il y a anguille sous roche. ■ **gato** *nm* AUTO cric *(m)*.

gauchada *nf (Amér) fig* service *(m)*.

gaucho, cha *nm, f* gaucho *(m)*.

gavilán *nm* épervier *(m)*.

gavilla *nf* 1. gerbe *(f) (de blés)* 2. fagot *(m) (de sarmientos)*.

gaviota *nf* mouette *(f)*.

gay *adj inv* & *nm* gay.

gazapo *nm* 1. lapereau *(m)* 2. lapsus *(m)* 3. IMPR coquille *(f)*.

gazpacho *nm* gaspacho *(m)*.

GB *(abr écrite de Gran Bretaña) nf* GB *(f)*.

géiser (*pl* **géiseres**), **géyser** (*pl* **géyseres**) *nm* geyser *(m)*.

gel *nm* gel *(m)*.

gelatina *nf* 1. gelée *(f) (de viande, etc)* 2. gélatine *(f)*.

gema *nf* gemme *(f)*.

gemelo, la *adj* & *nm, f* jumeau(elle). ■ **gemelo** *nm* mollet *(m)*. ■ **gemelos** *nmpl* 1. boutons *(mpl)* de manchette 2. jumelles *(fpl)*.

gemido *nm* gémissement *(m)*.

Géminis ▨ *nm inv* Gémeaux *(mpl)*. ▨ *nm, f inv (personne)* gémeaux *(m inv)*.

gemir *vi* gémir.

gen *nm* gène *(m)*.

gendarme *nm, f* gendarme *(m)*.

genealogía *nf* généalogie *(f)*.

generación *nf* génération *(f)* • **generación del 27** groupe d'écrivains espagnols nés vers le début du XXe siècle • **generación del 98** groupe d'écrivains hispanophones nés dans la deuxième moitié du XIXe siècle.

generador, ra *adj* générateur(trice). ■ **generador** *nm* ÉLECTR générateur *(m)*.

general ▨ *adj* général(e) • **en general, por lo general** en général • **hablar de algo en términos generales** parler de qqch en général. ▨ *nm* MIL général *(m)*.

generalidad *nf* 1. majorité *(f)* 2. généralité *(f)*.

generalísimo *nm* généralissime *(m)*.

Generalitat [ʒenerali'tat] *nf* nom du gouvernement de Catalogne et de celui de la communauté de Valence.

generalizar *vt* & *vi* généraliser. ■ **generalizarse** *vp* se généraliser.

generar *vt* générer.

genérico, ca *adj* générique.

género *nm* 1. *(gén* & GRAMM*)* genre *(m)* • **el género humano** le genre humain 2. article *(m)*, marchandise *(f)* 3. tissu *(m)*. ■ **géneros de punto** *nmpl* tricots *(mpl)*.

generosidad *nf* générosité *(f)*.

generoso, sa *adj* 1. généreux(euse) 2. *(repas)* copieux(euse).

génesis *nf inv* genèse *(f)*.

genético, ca *adj* génétique. ■ **genética** *nf* génétique *(f)*.

genial *adj* génial(e).

genio *nm* 1. caractère *(m)* 2. mauvais caractère *(m)* 3. génie *(m)*.

genital *adj* génital(e). ■ **genitales** *nmpl* organes *(mpl)* génitaux.

genocidio *nm* génocide *(m)*.

gente *nf* 1. gens *(mpl)* • **hay poca gente** il n'y a pas beaucoup de monde • **es buena gente** *fam* il est sympa • **la gente bien** *fam* les gens comme il faut • **la gente de bien** les gens bien • **la gente menuda** *(les enfants)* les petits *(mpl)* 2. *fam* • **mi gente** *(la famille)* les miens.

gentil *adj* 1. courtois(e) 2. aimable.

gentileza *nf* 1. courtoisie *(f)* 2. amabilité *(f)* 3. attention *(f)*, cadeau *(m)*.

gentío *nm* foule *(f)*.

gentuza *nf péj* 1. racaille *(f)* 2. populace *(f)*.

genuflexión *nf* génuflexion *(f)*.

genuino, na *adj* 1. authentique 2. *(cuir)* véritable.

GEO (*pl* **GEO** *ou* **GEOs**) *(abr de Grupo Especial de Operaciones) nm* brigade d'intervention spéciale de la police nationale espagnole ≃ GIGN *(m)*.

geografía *nf* géographie *(f)*.

geográfico, ca *adj* géographique.

geógrafo, fa *nm, f* géographe *(mf)*.

geología *nf* géologie *(f)*.

geólogo, ga *nm, f* géologue *(mf)*.

geometría *nf* géométrie *(f)*.

geranio *nm* géranium *(m)*.

gerencia *nf* gérance *(f)*.

gerente *nmf* gérant *(m)*, -e *(f)*.

geriatría *nf* gériatrie *(f)*.

germánico, ca ◼ *adj* **1.** HIST germain(e) **2.** germanique. ◼ *nm, f* **1.** HIST Germain *(m)*, -e *(f)* **2.** Allemand *(m)*, -e *(f)*. ◼ **germánico** *nm* germanique *(m)*.

germen *nm litt* & *fig* germe *(m)*.

germinar *vi litt* & *fig* germer.

gerundio *nm* gérondif *(m)*.

gestar *vi* être en gestation. ◼ **gestarse** *vp* **1.** *(proyecto)* être en gestation **2.** *(cambio)* se préparer **3.** *(revolución)* couver.

gesticulación *nf* **1.** gesticulation *(f)* **2.** *(gén pl)* gestes *(mpl)*.

gesticular *vi* gesticuler.

gestión *nf* **1.** démarche *(f)* **2.** gestion *(f)* • **gestión de cartera** gestion de portefeuille.

gestionar *vt* **1.** faire des démarches pour • **tengo que gestionar mis vacaciones** il faut que j'organise mes vacances **2.** gérer.

gesto *nm* **1.** geste *(m)* **2.** mimique *(f)* **3.** grimace *(f)*.

gestor, ra ◼ *adj* gestionnaire. ◼ *nm, f* personne faisant des démarches administratives pour le compte d'un particulier ou d'une entreprise.

gestoría *nf* cabinet *(m)* d'affaires.

góyser *(pl góyseres)* = **géiser**.

ghetto = **gueto**.

giba *nf* bosse *(f)*.

Gibraltar *npr* Gibraltar • **el peñón de Gibraltar** le rocher de Gibraltar • **el estrecho de Gibraltar** le détroit de Gibraltar.

gigabyte [xiɣaˈβait] *nm* gigaoctet *(m)*.

gigante, ta *nm, f* géant *(m)*, -e *(f)*. ◼ **gigante** *adj* géant(e).

gigantesco, ca *adj* gigantesque.

gigoló [ʒiɣoˈlo] *nm* gigolo *(m)*.

Gijón *npr* Gijón.

gil, la *nm, f (Amér) fam* empoté *(m)*, -e *(f)*.

gilipollada *nf tfam* connerie *(f)*.

gilipollas *adj inv* & *nm, f inv tfam* con(conne).

gimnasia *nf* gymnastique *(f)* • **confundir la gimnasia con la magnesia** prendre des vessies pour des lanternes.

gimnasio *nm* gymnase *(m)*.

gimnasta *nmf* gymnaste *(mf)*.

gimotear *vi* pleurnicher.

gin = **ginebra**.

gincana, gymkhana [jinˈkana] *nf* gymkhana *(m)*.

ginebra, gin [ˈjin] *nf* gin *(m)*.

Ginebra *npr* Genève.

ginecología *nf* gynécologie *(f)*.

ginecólogo, ga *nm, f* gynécologue *(mf)*.

giñar = **jiñar**.

gira *nf* tournée *(f)* • **estar de gira** être en tournée.

girar ◼ *vi* **1.** tourner • **girar en torno a** OU **alrededor de** *fig* tourner autour de **2.** COMM • **girar a sesenta días** payer à soixante jours. ◼ *vt* **1.** tourner **2.** faire tourner *(una peonza)* • **girar (el volante)** braquer **3.** virer *(de l'argent)* **4.** COMM tirer *(une lettre de change)*.

girasol *nm* tournesol *(m)*.

giratorio, ria *adj* **1.** *(movimiento)* giratoire **2.** *(mueble, silla)* pivotant(e) **3.** *(placa)* tournant(e) **4.** *(puerta)* à tambour.

giro *nm* **1.** tour *(m)* **2.** tournure *(f)* *(d'une conversation, d'une affaire, d'une phrase)* **3.** COMM traite *(f)* **4.** COMM virement *(m)* • **giro postal** virement postal, ≃ mandat *(m)*.

gis *nm (Amér)* craie *(f)*.

gitano, na ◼ *adj* **1.** gitan(e) **2.** *fam* roublard(e) • **¡si será gitano el tío este!** quel arnaqueur ce type ! ◼ *nm, f* Gitan *(m)*, -e *(f)*.

glacial *adj* **1.** glaciaire **2.** *(vent, accueil)* glacial(e).

glaciar ◼ *nm* glacier *(m)*. ◼ *adj* glaciaire.

gladiador *nm* gladiateur *(m)*.

gladiolo, gladíolo *nm* glaïeul *(m)*.

glándula *nf* glande *(f)*.

glasé *adj* glacé(e).

glicerina *nf* glycérine *(f)*.

global *adj* global(e).

globo *nm* **1.** globe *(m)* **2.** *(montgolfière, jouet)* ballon *(m)*.

glóbulo *nm* globule *(m)* • **glóbulo blanco/rojo** globule blanc/rouge.

gloria ◼ *nf* **1.** gloire *(f)* **2.** plaisir *(m)* • **es una gloria verte** c'est un plaisir de te voir ! • **saber a gloria** être exquis(e). ◼ *nm* gloria *(m)*.

glorieta *nf* **1.** rond-point *(m)* **2.** tonnelle *(f)*.

glorificar *vt* glorifier. ◼ **glorificarse** *vp* • **glorificarse de** se glorifier de.

glorioso, sa *adj* **1.** glorieux(euse) **2.** RELIG bienheureux(euse).

glosa *nf* glose *(f)*.

glosar *vt* gloser.

glosario *nm* glossaire *(m)*.

glotón, ona *adj* & *nm, f* glouton(onne).

glotonería *nf* gloutonnerie *(f)*.

glúcido *nm* glucide *(m)*.

glucosa *nf* glucose *(m)*.

gluten *nm* gluten *(m)*.

gnomo, nomo *nm* gnome *(m)*.

gobernación *nf (direction)* gouvernement *(m)*.

gobernador, ra ◼ *adj* gouvernant(e). ◼ *nm, f* gouverneur *(m)*.

gobernanta *nf* gouvernante *(f)*.

gobernante ◼ *adj* **1.** gouvernant(e) **2.** *(parti, personne)* au pouvoir. ◼ *nmf* gouvernant *(m)*.

gobernar *vt* **1.** *(gén & NAUT)* gouverner **2.** tenir *(une maison)* **3.** mener, gérer *(des affaires)*.

gobierno *nm* **1.** gouvernement *(m)* **2.** régime *(m)* • **gobierno parlamentario** régime parlementaire **3.** *(bâtiment)* • **gobierno civil** préfecture *(f)* **4.** NAUT gouverne *(f)*.

goce ◼ *v* ⟶ **gozar.** ◼ *nm* jouissance *(f)*, plaisir *(m)*.

godo, da ◼ *adj* des Goths. ◼ *nm, f* • **los godos** les Goths *(mpl)*.

gol *nm* SPORT but *(m)*.

goleada *nf* carton *(m)*.

goleador, ra *nm, f* buteur *(m)*, -euse *(f)*.

golear *vt* marquer de nombreux buts contre • **golear al equipo contrario** écraser l'adversaire.

golf *nm* golf *(m)*.

golfear *vi fam* glandouiller.

golfista *nmf* golfeur *(m)*, -euse *(f)*.

golfo, fa *adj & nm, f* voyou. ◼ **golfo** *nm* golfe *(m)* • **el golfo de León** le golfe du Lion • **el golfo de Vizcaya** le golfe de Gascogne • **el golfo Pérsico** le golfe Persique.

golondrina *nf* **1.** hirondelle *(f)* **2.** *(bateau)* vedette *(f)*.

golondrino *nm* hirondeau *(m)*.

golosina *nf* friandise *(f)*.

goloso, sa *adj & nm, f* gourmand(e).

golpe *nm* **1.** coup *(m)* **2.** accrochage *(m)* *(entre deux voitures)* • **golpe bajo** *litt* & *fig* coup bas • **golpe franco** SPORT coup franc **3.** *fam (trait d'esprit)* • **itiene cada golpe!** *(personne)* il en sort de belles ! • *(film)* il y a de ces gags ! • **no dar** *ou* **pegar golpe** *fam* ne pas en ficher une rame. ◼ **de golpe** *loc adv* **1.** d'un seul coup **2.** brusquement. ◼ **de golpe y porrazo** *loc adv* sans crier gare. ◼ **golpe de Estado** *nm* coup *(m)* d'État. ◼ **golpe de suerte** *nm* coup *(m)* de chance. ◼ **golpe de vista** *nm* coup *(m)* d'œil.

golpear *vt & vi* frapper.

golpista *adj & nmf* putschiste.

golpiza *nf (Amér)* volée *(f)*.

goma *nf* **1.** gomme *(f)* **2.** caoutchouc *(m)* • **goma espuma** Caoutchouc Mousse® *(m)* • **goma (elástica)** élastique *(m)* **3.** *fam* capote *(f)*. ◼ **Goma-2** *nf* plastic *(m)*.

gomina *nf* gomina *(f)*.

góndola *nf* **1.** gondole *(f)* **2.** *(Amér)* autobus *(m)*.

gondolero *nm* gondolier *(m)*.

gong *nm* gong *(m)*.

gordinflón, ona *fam* ◼ *adj* grassouillet(ette). ◼ *nm, f* gros bonhomme *(m)*, grosse bonne femme *(f)*.

gordo, da ◼ *adj* gros(grosse) • **me cae gordo** *fam* je ne peux pas le sentir. ◼ *nm, f* **1.** gros *(m)*, grosse *(f)* • **armar la gorda** *fam fig* faire une scène **2.** *(Amér)* mon coco *(m)*, ma cocotte *(f)*. ◼ **gordo** *nm* gros lot *(m)* • **tocarle a alguien el gordo** *fam fig* toucher le gros lot.

gordura *nf* embonpoint *(m)*.

gorgorito *nm* MUS roulade *(f)*.

gorila *nm* **1.** ZOOL gorille *(m)* **2.** *fam (garde du corps)* gorille *(m)* **3.** *fam* videur *(m)* *(d'une discothèque)*.

gorjear *vi (oiseaux)* gazouiller.

gorra ◼ *nf* casquette *(f)* • **de gorra** *fam* à l'œil. ◼ *nm fam* **1.** parasite *(m)* **2.** *(pour manger)* pique-assiette *(mf)*.

gorrear *fam* ◼ *vt* taper. ◼ *vi* vivre en parasite.

gorrinada, gorrinería *nf* **1.** cochonnerie *(f)* **2.** vacherie *(f)*.

gorrino, na *nm, f* **1.** *(animal)* goret *(m)* **2.** *fig (personne)* cochon *(m)*, -onne *(f)*.

gorrión *nm* moineau *(m)*.

gorro *nm* bonnet *(m)* • **estar hasta el gorro (de)** *fig* en avoir par-dessus la tête (de).

gorrón, ona *fam* ◼ *adj* • **ser gorrón** être un parasite. ◼ *nm, f* **1.** parasite *(m)* **2.** *(pour manger)* pique-assiette *(mf)*.

gorronear *fam* ◼ *vt* taper • **gorronear cigarros** taper des cigarettes. ◼ *vi* vivre aux crochets des autres.

gota *nf* **1.** *(gén & MÉD)* goutte *(f)* • **es la gota que colma el vaso** c'est la goutte d'eau qui fait déborder le vase • **sudar la gota gorda** *fam* suer à grosses gouttes • *fig* suer sang et eau **2.** souffle *(m)* *(d'air)* **3.** once *(f)* *(de bon sens)* **4.** • **no me queda ni gota de harina** il ne me reste pas un gramme de farine. ◼ **gota a gota** *nm* goutte-à-goutte *(m inv)*. ◼ **gota fría** *nf* orage *(m)* de chaleur.

gotear ◼ *vi* **1.** goutter **2.** *fig (bénéfices, revenus)* arriver au compte-gouttes. ◼ *v impers* tomber des gouttes.

gotera *nf* **1.** gouttière *(f)* **2.** fuite *(f)* **3.** tache *(f)* d'humidité.

gótico, ca *adj* gothique. ◼ **gótico** *nm* gothique *(m)*.

gourmet [gur'met] *(pl* **gourmets***) nmf* gourmet *(m)*.

goyesco, ca *adj* de Goya.

gozada *nf fam* • **ies una gozada!** c'est le pied

gozar *vi* **1.** éprouver du plaisir • **gozar con** s réjouir de • se régaler avec *(un bon repas)* • **go zar de** jouir de **2.** jouir *(sexuellement)*.

gozne *nm* gond *(m)*.

gozo *nm* plaisir *(m)* • **ser motivo de gozo** être une occasion de réjouissance • **imi gozo en un pozo!** *fig* c'est bien ma chance !

gpo. *(abr écrite de* **grupo**) gpe.

gr *(abr écrite de* **gramo**) g.

grabación *nf* enregistrement *(m)*.

grabado *nm* gravure *(f)*.

grabador, ra *nm, f* graveur *(m)*, -euse *(f)*. ▪ **grabadora** *nf* magnétophone *(m)*.

grabar *vt* **1.** graver **2.** *(son & INFORM)* enregistrer. ▪ **grabarse** *vp* • **grabarse en** *(souvenirs)* se graver dans.

gracia *nf* **1.** grâce *(f)* • **no es guapo pero tiene gracia** il n'est pas beau mais il a du charme • **goza de la gracia del rey** il jouit de la faveur du roi **2.** drôlerie *(f)* • **déjate de gracias** assez plaisanté • **caer en gracia** plaire • **hacer gracia a alguien** faire rire qqn • **(no) tener gracia** (ne pas) être drôle • **tiene gracia** *iron* c'est drôle **3.** *(art)* goût *(m)* **4.** talent *(m)*. ▪ **gracias** *nfpl* merci *(m)* • **dar las gracias** remercier • **gracias a** grâce à • **muchas gracias** merci beaucoup.

gracioso, sa ◨ *adj* drôle. ◨ *nm, f* **1.** comique *(m)* • **algún gracioso** un petit plaisantin **2.** THÉÂTRE bouffon *(m)*.

grada *nf* **1.** marche *(f)* *(pour monter ou descendre)* **2.** tribune *(f)* **3.** THÉÂTRE rangée *(f)*. ▪ **gradas** *nfpl* gradins *(mpl)*.

gradación *nf* **1.** gradation *(f)* **2.** dégradé *(m)*.

gradería *nf* = **graderío**.

graderío *nm* tribune *(f)*.

grado *nm* **1.** *(gén, GRAMM & GÉOM)* degré *(m)* **2.** MIL & SCOL grade *(m)* • **tener el grado de doctor** avoir le titre de docteur **3.** SCOL année *(f)* **4.** gré *(m)* • **de buen/mal grado** de bon/mauvais gré.

graduación *nf* **1.** graduation *(f)* **2.** titre *(m)* *(d'un vin, d'une liqueur, etc)* • **graduación de la vista** mesure *(f)* de l'acuité visuelle **3.** *(titre - MIL)* grade *(m)* • SCOL diplôme *(m)*.

graduado, da ◨ *adj* **1.** *(lunettes, thermomètre)* gradué(e) **2.** diplômé(e). ◨ *nm, f* diplômé *(m)*, -e *(f)*. ▪ **graduado** *nm* diplôme *(m)* • **graduado escolar** certificat *(m)* d'études

gradual *adj* graduel(elle).

graduar *vt* **1.** mesurer **2.** titrer *(un vin, une liqueur, etc)* **3.** régler **4.** échelonner *(un paiement)* **5.** graduer *(un thermomètre)* **6.** MIL promouvoir **7.** SCOL diplômer. ▪ **graduarse** *vp* • **graduarse (en)** obtenir son diplôme (de) • **graduarse la vista** se faire vérifier la vue.

rafía *nf* graphie *(f)*.

ráfico, ca *adj* **1.** graphique **2.** *fig (expressif)* parlant(e). ▪ **gráfico** *nm* graphique *(m)*. ▪ **gráfica** *nf (graphique)* courbe *(f)*.

rafito *nm* graphite *(m)*.

rafología *nf* graphologie *(f)*.

grafólogo, ga *nm, f* graphologue *(mf)*.

gragea *nf* dragée *(f)*.

grajo *nm (corbeau)* freux *(m)*.

gral. *(abr écrite de* **general**) gal.

gramática *nf* ⊏⊐ **gramático**.

gramatical *adj* grammatical(e).

gramático, ca ◨ *adj* grammatical(e). ◨ *nm, f* grammairien *(m)*, -enne *(f)*. ▪ **gramática** *nf* grammaire *(f)*.

gramo *nm* gramme *(m)*.

gramófono *nm* gramophone *(m)*.

gramola *nf* phonographe *(m)*.

gran *adj* ⊏⊐ **grande**.

granada *nf* grenade *(f)*.

Granada *npr* **1.** *(en Espagne)* Grenade **2.** *(aux Antilles)* (la) Grenade.

granar *vi* grener.

granate *adj inv & nm* grenat.

Gran Bretaña *npr* Grande-Bretagne *(f)*

grande ◨ *adj (devant un nom singulier :* **gran**) grand(e) • **es grande que...** *fig & iron* c'est un peu fort que... ◨ *nm (noble)* grand *(m)*. ▪ **a lo grande** *loc adv* en grande pompe • **vivir a lo grande** mener grand train. ▪ **grandes** *nmpl (les adultes)* grands *(mpl)*.

grandeza *nf* **1.** grandeur *(f)* **2.** grandesse *(f)* • **toda la grandeza de España** tous les grands d'Espagne.

grandioso, sa *adj* grandiose.

grandullón, ona ◨ *adj* dégingandé(e). ◨ *nm, f* *péj* grande perche *(f)*.

granel ▪ **a granel** *loc adv* **1.** en vrac **2.** *(pour un liquide)* au litre **3.** à foison.

granero *nm* grenier *(m)*.

granito *nm* granit *(m)*.

granizada *nf* **1.** grêle *(f)* **2.** *fig* pluie *(f)* • **una granizada de golpes** une volée de coups.

granizado *nm* CULIN granité *(m)*.

granizar *v impers* grêler.

granizo *nm* grêle *(f)*.

granja *nf* ferme *(f)* • **granja de vacas** ferme d'élevage bovin.

granjearse *vp* s'attirer *(l'admiration, l'amitié)*.

granjero, ra *nm, f* fermier *(m)*, -ère *(f)*.

grano *nm* **1.** grain *(m)* **2.** ANAT bouton *(m)* • **ir al grano** *fig* en venir au fait, aller droit au but.

granuja *nmf* **1.** canaille *(f)* **2.** garnement *(m)*.

granulado, da *adj* granulé(e) • **el azúcar granulado** le sucre cristallisé. ▪ **granulado** *nm* granulés *(mpl)*.

grapa *nf* agrafe *(f)*.

grapadora *nf* agrafeuse *(f)*.

grapar *vt* agrafer.

GRAPO *(abr de* **Grupos de Resistencia Antifascista Primero de Octubre**) *nmpl* groupes terroristes espagnols d'extrême gauche.

grasa *nf* ⊳ **graso**.

grasiento, ta *adj* graisseux(euse).

graso, sa *adj* gras (grasse). ■ **grasa** *nf* graisse *(f)*.

gratén *nm* gratin *(m)* ● **macarrones/patatas al gratén** gratin de macaroni/de pommes de terre.

gratificación *nf* gratification *(f)*.

gratificante *adj* gratifiant(e).

gratificar *vt* récompenser.

gratinado, da *adj* gratiné(e).

gratinar *vt* gratiner.

gratis *adv* **1.** gratuitement **2.** sans peine.

gratitud *nf* gratitude *(f)*.

grato, ta *adj* agréable ● **nos es grato comunicarle que…** nous avons le plaisir de vous informer que…

gratuito, ta *adj* gratuit(e).

grava *nf* gravier *(m)*.

gravamen *(pl* **gravámenes)** *nm* **1.** ÉCON taxe *(f)* **2.** ÉCON charge *(f)* **3.** *fig* obligation *(f)*.

gravar *vt* **1.** ÉCON grever **2.** ÉCON taxer **3.** *fig* aggraver.

grave *adj* **1.** grave **2.** GRAMM ● **una palabra grave** un mot accentué sur l'avant-dernière syllabe.

gravedad *nf* gravité *(f)*.

gravilla *nf* gravillon *(m)*.

gravitar *vi* **1.** PHYS graviter **2.** *fig (sujet : menace, danger)* ● **gravitar sobre** peser sur.

gravoso, sa *adj* **1.** onéreux(euse) **2.** pesant(e).

graznar *vi* croasser.

graznido *nm* **1.** *(corbeau)* croassement *(m)* **2.** *fig (personne)* cri *(m)* d'orfraie.

Grecia *npr* Grèce *(f)*.

grecorromano, na *adj* gréco-romain(e).

gregoriano, na *adj* grégorien(enne).

gremio *nm* **1.** corporation *(f)* **2.** *fam* camp *(m)*.

greña *nf (gén pl)* tignasse *(f)* ● **andar a la greña** *fam fig* se crêper le chignon.

gres *nm* grès *(m)*.

gresca *nf* **1.** chahut *(m)* **2.** bagarre *(f)*.

griego, ga ⬟ *adj* grec(grecque). ⬟ *nm, f* Grec *(m)*, Grecque *(f)*. ■ **griego** *nm* grec *(m)*.

grieta *nf* **1.** fissure *(f)* **2.** ANAT gerçure *(f)*.

grifa *nf fam* marijuana *(f)*.

grifería *nf* robinetterie *(f)*.

grifo *nm* **1.** robinet *(m)* ● **grifo monobloque** robinet monobloc **2.** *(Amér)* station-service *(f)*.

grill ['gril] *(pl* **grills)** *nm* gril *(m)*.

grillado, da *adj* & *nm, f fam* cinglé(e).

grillete *nm* fers *(mpl) (de prisonnier)*.

grillo *nm* grillon *(m)*.

grima *nf* ● **dar grima** écœurer ● faire grincer les dents.

gringo, ga *péj* ⬟ *adj* yankee. ⬟ *nm, f* amerloque *(m f)*.

gripa *nf (Amér)* grippe *(f)*.

gripe *nf* grippe *(f)*.

griposo, sa *adj* grippé(e).

gris ⬟ *adj* **1.** gris(e) **2.** *fig* morne ● **sentirse gris** être morose. ⬟ *nm* gris *(m)*.

gritar ⬟ *vi* crier. ⬟ *vt* ● **gritar a alguien** crier après qqn ● *(acteur, etc)* huer qqn.

griterío *nm* cris *(mpl)*.

grito *nm* cri *(m)* ● **dar** *ou* **pegar un grito** pousser un cri.

Groenlandia *npr* Groenland *(m)*.

grogui *adj* groggy ● **la noticia lo dejó grogui** *fam fig* la nouvelle l'a scié.

grosella *nf* groseille *(f)*.

grosería *nf* grossièreté *(f)*.

grosero, ra ⬟ *adj* grossier(ère). ⬟ *nm, f* malotru *(m)*, -e *(f)*.

grosor *nm* épaisseur *(f)*.

grosso ■ **grosso modo** *loc adv* grosso modo.

grotesco, ca *adj* grotesque.

grúa *nf* **1.** grue *(f)* **2.** dépanneuse *(f)* ● **grúa (municipal)** (camion de) la fourrière.

grueso, sa *adj* **1.** gros(grosse) **2.** épais(aisse). ■ **grueso** *nm* épaisseur *(f)* ● **el grueso de** le gros de.

grulla *nf* ZOOL grue *(f)*.

grumete *nm* mousse *(m)*.

grumo *nm* grumeau *(m)*.

grunge [grʌntʃ] *adj* grunge.

gruñido *nm* grognement *(m)* ● **soltar un gruñido a alguien** *fig* gronder qqn.

gruñir *vi* **1.** grogner **2.** *fam* râler.

gruñón, ona *fam* ⬟ *adj* grognon. ⬟ *nm, f* râleur *(m)*, -euse *(f)*.

grupa *nf* croupe *(f)*.

grupo *nm* groupe *(m)* ● **grupo de empresas** groupement *(m)* d'entreprises ● **grupo profesional** équipe *(f)* ■ **grupo sanguíneo** *nm* groupe *(m)* sanguin.

gruta *nf* grotte *(m)*.

guacal, huacal *nm (Amér)* **1.** calebasse *(f)* **2.** cage *(f)* **3.** cageot *(m)*.

guacamol, guacamole *nm* guacamole *(m) (purée d'avocat épicée typique du Mexique)*.

guachada *nf (Amér) fam* vacherie *(f)*.

guachimán *nm (Amér)* gardien *(m)*.

guacho, cha, huacho, cha *nm, f (Amér) fam (enfant)* bâtard *(m)*, -e *(f)*.

Guadalquivir *npr* ● **el Guadalquivir** le Guadaquivir.

guadaña *nf* faux *(f)*.

guagua *nf (Amér)* **1.** bus *(m)*. **2.** bébé *(m)*.

guajolote *nm (Amér)* **1.** dindon *(m)*. **2.** *fig* âne *(m)*.

gualdo, da *adj* jaune d'or.

guampa *nf (Amér)* corne *(f)*

guampudo, da *adj (Amér)* à cornes.

guanajo *nm (Amér)* dindon *(m)*.

guantazo *nm fam* baffe *(f)*.

guante *nm* gant *(m)* ▪ **echarle el guante a algo/a alguien** mettre le grappin sur qqch/qqn.

guantera *nf* boîte *(f)* à gants.

guapo, pa ◼ *adj* **1.** *(personne)* beau(belle) **2.** *fam (chose)* super *(inv)*, génial(e). ◼ *nm, f* **1.** *(brave)* ▪ **¿quién es el guapo que…?** qui a le courage de… ? **2.** vantard *(m)*, -e *(f)* ▪ **se cree el guapo del pueblo** il se prend pour le coq du village.

guarangada *nf (Amér)* grossièreté *(f)*.

guarda ◼ *nmf* gardien *(m)*, -enne *(f)* ▪ **guarda de caza** garde-chasse *(m)* ▪ **guarda jurado** agent *(m)* de sécurité privé. ◼ *nf* garde *(f)*.

guardabarrera *nmf* garde-barrière *(mf)*.

guardabarros *nm inv* garde-boue *(m inv)*.

guardabosque *nmf* garde *(m)* forestier.

guardacoches *nmf inv* gardien *(m)*, -enne *(f)* de parking.

guardacostas *nm inv* garde-côte *(m)*.

guardador, ra *nm, f* gardien *(m)*, -enne *(f)*.

guardaespaldas *nmf inv* garde *(m)* du corps.

guardameta *nmf* gardien *(m)* de but.

guardapolvo *nm* blouse *(f)*.

guardar *vt* **1.** garder ▪ **guardar cama/silencio** garder le lit/le silence ▪ **guardar la palabra** tenir parole ▪ **guardar las formas** *fig* sauver les apparences ▪ **guardar las leyes** observer les lois ▪ **guardar (de)** protéger de **2.** ranger. ◼ **guardarse** *vp* ▪ **guardarse de** se garder de ▪ **guardársela a alguien** *fig* garder à qqn un chien de sa chienne.

guardarropa ◼ *nmf* employé *(m)*, -e *(f)* de vestiaire. ◼ *nm* **1.** *(dans un lieu public)* vestiaire *(m)* **2.** *(chez un particulier)* penderie *(f)* **3.** garde-robe *(f)*.

guardarropía *nf* **1.** THÉÂTRE costumes *(mpl)* **2.** THÉÂTRE magasin *(m)* des accessoires.

guardería *nf (établissement)* crèche *(f)*.

guardia ◼ *nf* garde *(f)* ▪ **estar de guardia** être de garde ▪ **montar (la) guardia** monter la garde ▪ **guardia montada** police *(f)* montée ▪ **guardia municipal** *ou* **urbana** police *(f)* municipale ▪ **la vieja guardia** la vieille garde. ◼ *nmf* agent *(m)* ▪ **guardia de tráfico** agent de police. ◼ **Guardia Civil** *nf* Garde *(f)* civile, ≃ gendarmerie *(f)*.

guardián, ana *nm, f* gardien *(m)*, -enne *(f)* *(vigile)*.

guarecer *vt* ▪ **guarecer (de)** abriter (de), protéger (de). ◼ **guarecerse** *vp* ▪ **guarecerse (de)** s'abriter (de).

guarida *nf* **1.** tanière *(f)* **2.** *fig* repaire *(m)*.

guarnecer *vt (gén & CULIN)* ▪ **guarnecer (con)** garnir (de).

guarnición *nf* **1.** *(gén & CULIN)* garniture *(f)* **2.** MIL garnison *(f)*.

guarrada *nf fam* **1.** cochonnerie *(f)* **2.** tour *(m)* de cochon.

guarrería *nf fam* **1.** cochonnerie *(f)* **2.** *fig* crasse *(f)*.

guarro, rra ◼ *adj* dégoûtant(e). ◼ *nm, f* **1.** *(animal)* cochon *(m)*, truie *(f)* **2.** *fam* ▪ *(personne sale)* cochon *(m)*, -onne *(f)* ▪ *(personne corrompue)* pourriture *(f)*.

guarura *nm (Amér) fam (garde du corps)* gorille *(m)*.

guasa *nf fam* **1.** *(humour)* ▪ **déjate de guasas** arrête de rigoler ▪ **estar de guasa** être d'humeur à rigoler **2.** *(ennui)* ▪ **¡ese tío tiene una guasa!** quel raseur ce type ! ▪ **¡tiene guasa la cosa!** elle est forte, celle-là !

guasearse *vp fam* ▪ **guasearse (de alguien)** mettre (qqn) en boîte.

guasón, ona *adj & nm, f* blagueur *(m)*, -euse *(f)*.

Guatemala *npr* Guatemala *(m)*.

guatemalteco, ca ◼ *adj* guatémaltèque. ◼ *nm, f* Guatémaltèque *(mf)*.

guateque *nm* surprise-partie *(f)*, fête *(f)*.

guau *nm* ouah *(m)*.

guay *adj fam* super ▪ **muy guay** génial(e).

guayabo, ba *nm, f (Amér) fam* beau gosse *(m)*, belle fille *(f)* ▪ **guayabo** *nm* goyavier *(m)*. ◼ **guayaba** *nf* goyave *(f)*.

Guayana *npr* Guyane *(f)*.

guayín *nm (Amér)* camionnette *(f)*.

gubernativo, va *adj* du gouvernement ▪ **una orden gubernativa** ≃ un arrêté préfectoral.

guepardo *nm* guépard *(m)*.

güero, ra *adj (Amér) fam* blond(e).

guerra nf **1.** guerre (f) **2.** conflit (m) (d'intérêts, d'idées, d'opinions) • **declarar la guerra** déclarer la guerre • **guerra bacteriológica** guerre bactériologique • **guerra civil** guerre civile • **guerra fría** guerre froide • **guerra relámpago** guerre éclair • **dar guerra a alguien** fam fig donner du fil à retordre à qqn • **¡mira que das guerra!** fam ce que tu es casse-pieds !

CULTURE...

la guerra civil española

En 1936, une partie de l'armée espagnole stationnée au Maroc et dirigée par le général Franco se rebelle contre le gouvernement républicain : c'est le début de la guerre civile. Après des années d'affrontements particulièrement sanglants, les nationalistes, soutenus par l'Allemagne hitlérienne et l'Italie fasciste, remportent la victoire et installent Franco au pouvoir en 1939. Durant ces trois années de guerre, de nombreux artistes et intellectuels, tels que Federico García Lorca, furent assassinés. D'autres durent s'exiler, notamment en France et en Amérique latine, d'où ils dénoncèrent les horreurs de la guerre à travers leurs œuvres, comme Picasso dans *Guernica*. La dictature de Franco s'est achevée à sa mort, en 1975.

guerrear vi faire la guerre • **los dos pueblos guerrean** les deux peuples se font la guerre.

guerrero, ra ◧ adj guerrier(ère). ◧ nm, f guerrier (m). ■ **guerrera** nf MIL vareuse (f).

guerrilla nf **1.** groupe (m) de guérilleros **2.** guérilla (f).

guerrillero, ra nm, f guérillero (m).

gueto, ghetto ['geto] nm ghetto (m).

güevón nm (Amér) vulg connard (m).

guía ◧ nmf (personne) guide (mf) • **guía turístico** guide. ◧ nf **1.** (livre) guide (m) • **guía de ferrocarriles** indicateur (m) des chemins de fer • **guía telefónica** annuaire (m) (du téléphone) • **guía turística** guide touristique **2.** tringle (f) à glissière.

guiar vt **1.** guider • **el profesor guió el estudio** le professeur a dirigé l'étude **2.** AUTO conduire **3.** tuteurer. ■ **guiarse** vp • **guiarse (de** ou **por)** se guider (sur).

guijarro nm caillou (m).

guillado, da adj fam timbré(e).

guillotina nf **1.** guillotine (f) **2.** massicot (m).

guillotinar vt **1.** guillotiner **2.** massicoter.

guinda nf griotte (f).

guindilla nf piment (m) rouge.

Guinea npr Guinée (f).

guiñapo nm loque (f).

guiñar vt • **guiñar el ojo** faire un clin d'œil.

guiño nm clin (m) d'œil.

guiñol nm guignol (m).

guión nm **1.** (schéma) plan (m) **2.** CINÉ & TV scénario (m) **3.** GRAMM trait (m) d'union.

guionista nmf scénariste (mf).

Guipúzcoa npr Guipuscoa.

guipuzcoano, na adj & nm, f de Guipuscoa.

guiri nmf fam péj métèque (m).

guirigay nm **1.** fam brouhaha (m) **2.** charabia (m).

guirlache nm amandes grillées et caramélisées.

guirnalda nf guirlande (f).

guisa nf • **a guisa de** en guise de • **de esta guisa** de cette façon.

guisado nm ragoût (m).

guisante nm **1.** (plante) pois (m) **2.** (fruit) petit pois (m).

guisar ◧ vt fig cuisiner, mijoter. ◧ vi cuisiner.

guiso nm ragoût (m).

güisqui, whisky nm whisky (m).

guita nf fam pognon (m).

guitarra nf guitare (f).

guitarrista nmf guitariste (mf).

gula nf gloutonnerie (f) • **con (tanta) gula** (si) goulûment.

gurí, isa nm, f (Amér) fam gamin (m), -e (f).

guripa nm fam (policier) poulet (m).

guru, gurú nm gourou (m).

gusanillo nm fam • **sentir un gusanillo en el estómago** (avoir peur) avoir les tripes nouées • (avoir faim) avoir un petit creux • **tener el gusanillo de la conciencia** avoir quelque chose sur la conscience • **matar el gusanillo** manger un petit quelque chose.

gusano nm **1.** ver (m) **2.** fig moins-que-rien (mf).

gustar vi

1. EN PARLANT D'UNE PERSONNE
• **me gusta esa chica** j'aime bien cette fille, cette fille me plaît

2. EN PARLANT D'UNE CHOSE **=** aimer
• **me gusta el deporte** j'aime le sport
• **a mi hermano le gustan mucho las motos** mon frère aime beaucoup les motos
• **¿te gusta ir al cine?** est-ce que tu aimes aller au cinéma ?

gustar vt
• **gustó el guisado y lo encontró falto de sal** il a goûté le ragoût et a trouvé qu'il n'était pas assez salé.

■ **gustar de** v + prép

aimer
• **gusto de viajar** j'aime voyager.

gustazo *nm fam* • **darse el gustazo de** se payer le luxe de • **¡es un gustazo!** c'est le pied !

gusto *nm* **1.** goût *(m)* • **tener buen/mal gusto** avoir bon/mauvais goût • **tomar gusto a algo** prendre goût à qqch **2.** plaisir *(m)* • **con mucho gusto** avec plaisir • **da gusto estar aquí** ça fait plaisir d'être ici • **mucho** *ou* **tanto gusto** enchanté(e). ■ **a gusto** *loc adv* • **estar a gusto** être à son aise • **hacer algo a gusto** prendre plaisir à faire qqch • être à son aise pour faire qqch.

gustoso, sa *adj* savoureux(euse) • **hacer algo gustoso** faire qqch avec plaisir.

gutural *adj* guttural(e).

gymkhana = **gincana**.

h¹, H [atʃe] *nf* h *(m inv)*, H *(m inv)* • **por h o por b** *fig* pour une raison ou pour une autre.

h², h. *(abr écrite de* **hora***)* h • **a las 16 h** à 16 h.

ha ■ *v* ▷ **haber**. ■ *v (abr écrite de* **hectárea***)* ha.

hab., hab *(abr écrite de* **habitante***)* hab *ou* hab. • **hab./km²** hab/km².

haba *nf* fève *(f)*.

habano, na *adj* havanais(e). ■ **habano** *nm* havane *(m)*.

haber *nm* • **tiene varios millones en su haber** il a plusieurs millions à son crédit • **tiene numerosos premios en su haber** il a plusieurs prix à son actif. ■ **haberes** *nmpl* **1.** *(possessions)* biens • **le incautaron todos sus haberes** on lui a saisi tous ses biens **2.** *(rémunération)* appointements • **la cuenta en la que recibe sus haberes** le compte sur lequel il reçoit ses appointements.

haber *v aux*

1. AVEC UN VERBE TRANSITIF, POUR FORMER LES TEMPS COMPOSÉS = avoir
• **lo he hecho** je l'ai fait
• **ya se lo había dicho** je le lui avais déjà dit
• **los niños ya han comido** les enfants ont déjà mangé
• **esta canción todavía no la he oído nunca** je n'ai encore jamais entendu cette chanson

2. AVEC UN VERBE DE MOUVEMENT OU D'ÉTAT, POUR FORMER LES TEMPS COMPOSÉS = être
• **ha salido** il est sorti
• **nos hemos quedado en casa** nous sommes restés à la maison

3. AVEC UN VERBE PRONOMINAL, POUR FORMER LES TEMPS COMPOSÉS = être
• **niños, ¿os habéis lavado?** les garçons, vous vous êtes lavés ?

4. Y AVOIR, EXISTER = avoir
• **hay mucha gente en la calle** il y a beaucoup de monde dans la rue
• **en la manifestación había dos mil personas** il y avait deux mille personnes à la manif
• **hubo muchos problemas** il y a eu beaucoup de problèmes
• **¿quién habrá en la fiesta?** qui sera là à la fête ?

5. EXPRIME UN REPROCHE
• **haber venido a la reunión** tu n'avais qu'à venir à la réunion

6. DANS DES EXPRESSIONS
• **¿qué hay?** *fam* ça va ?
• **no hay de qué** il n'y a pas de quoi
• **¡hay que ver qué malo es!** qu'est-ce qu'il est méchant !
• **¡hay que ver cómo lo trata!** il faut voir comment il le traite !
• **como hay pocos** comme il y en a peu.

haber *vt*

se produire
• **los accidentes habidos este verano** les accidents qui se sont produits cet été.

■ **haber de** *v + prép*

1. EXPRIME UNE OBLIGATION = devoir
• **has de trabajar más** tu dois travailler davantage

2. EXPRIME UNE HYPOTHÈSE = devoir
• **ha de ser su hermano** ce doit être son frère
• **han de ser las tres** il doit être trois heures.

■ **haber que** *v + conj*

EXPRIME UNE OBLIGATION = falloir
• **habrá que encontrar una solución** il faudra trouver une solution.

■ **haberse** *vp*

devoir
• **para esto tendrás que habértelas con el director** pour cela, tu devras avoir affaire au directeur.

habichuela *nf* haricot *(m)*.

hábil *adj* **1.** habile **2.** DR • **hábil para** apte à • **días hábiles** jours ouvrables • **en tiempo hábil** dans le délai requis.

habilidad *nf* **1.** habileté *(f)* **2.** don *(m)* • **tener habilidad para algo** être doué(e) pour qqch.

habilitar *vt* **1.** aménager **2.** DR habiliter.

habiloso, sa *adj (Amér)* intelligent(e).

habitación *nf* **1.** pièce *(f)* **2.** chambre *(f)* • **habitación doble/simple** chambre double/individuelle.

habitáculo *nm* **1.** réduit *(m)* **2.** habitacle *(m)* (d'une voiture).

habitante *nm* habitant *(m)*, -e *(f)*.

habitar *vt & vi* habiter.

hábitat *(pl* **hábitats)** *nm* habitat *(m)*.

hábito *nm* **1.** habitude *(f)* **2.** habit *(m)*.

habitual *adj* **1.** habituel(elle) **2.** *(client, lecteur)* fidèle.

habituar *vt* • **habituar a alguien a** habituer qqn à. ■ **habituarse** *vp* • **habituarse a** s'habituer à • s'accoutumer à *(la drogue, etc)*.

habla *nf (el)* **1.** langue *(f)* **2.** parole *(f)* • **quedarse sin habla** rester sans voix • LING parler *(m)*. ■ **al habla** *loc adv* • **estar al habla con alguien** être en communication avec qqn.

hablador, ra *adj & nm, f* bavard(e).

habladurías *nfpl* cancans *(mpl)*, commérages *(mpl)*.

hablar ▨ *vi* • **hablar (con)** parler (à *ou* avec) • **hablar bien/mal de alguien** dire du bien/du mal de qqn • **hablar de tú/de usted a alguien** tutoyer/vouvoyer qqn • **hablar en voz alta/baja** parler à voix haute/basse • **¡ni hablar!** pas question ! ▨ *vt* **1.** parler *(une langue)* **2.** *(sujet)* • **hablar algo con alguien** discuter de qqch avec qqn. ■ **hablarse** *vp* se parler • **no hablarse con alguien** ne pas se parler • **hace un año que no se hablan** ils ne se parlent plus depuis un an.

habrá *(etc)* ⊳ **haber.**

hacendado, da *nm, f* propriétaire *(m)* terrien.

---

hacer *vt*

1. FABRIQUER, FAIRE = faire
• **hacer un vestido/un pastel** faire une robe/un gâteau
• **hacer una fotocopia** faire une photocopie

2. ACCOMPLIR UN GESTE, UNE ACTION = faire
• **le hice señas** je lui ai fait des signes
• **hacer planes** faire des projets

3. SOUMETTRE QQCH À UNE ACTION PARTICULIÈRE = faire
• **voy a hacer teñir este traje** je vais faire teindre cette robe
• **he hecho la cama** j'ai fait le lit

4. SE LIVRER À UNE OCCUPATION = faire
• **hacer un crucigrama** faire des mots croisés
• **debes hacer deporte** tu dois faire du sport

5. PRODUIRE, ÊTRE À L'ORIGINE DE = faire
• **el árbol hace sombra** l'arbre fait de l'ombre
• **no hagas ruido** ne fais pas de bruit

6. JOUER LE RÔLE DE
• **deja de hacer el tonto** arrête de faire l'idiot
• **hace el papel de detective** il joue le rôle d'un privé

7. PROVOQUER UN ÉTAT
• **me hizo daño/reír** il m'a fait mal/rire
• **te hará feliz** il te rendra heureuse

8. TRANSFORMER QQN EN QQCH = faire
• **hizo de ella una buena cantante** il a fait d'elle une bonne chanteuse

9. DONNER UNE CERTAINE IMPRESSION
• **este espejo te hace gordo** cette glace te grossit
• **este peinado la hace más joven** cette coiffure la rajeunit

10. IMAGINER, PENSER
• **yo te hacía en París** je te croyais à Paris.

---

hacer *vi*

1. AGIR = faire
• **déjame hacer a mí** laisse-moi faire

2. DANS DES EXPRESSIONS
• **¿hace?** *fam* d'accord ?
• **vamos al cine, ¿te hace?** *fam* on va au cinéma, ça te dit ?

---

hacer *v impers*

1. POUR INDIQUER LA TEMPÉRATURE, LE TEMPS QU'IL FAIT = faire
• **hace frío** il fait froid
• **hace buen tiempo** il fait beau

2. POUR INDIQUER UN POINT DE DÉPART DANS LE TEMPS
• **hace una semana** il y a une semaine
• **hace mucho** il y a longtemps
• **mañana hará un mes que estoy aquí** demain ça fera un mois que je suis ici.

■ **hacer como si** *ou* **como que** *v + conj*

• **hace como si no nos viera** il fait comme s'il ne nous voyait pas
• **hace como que no entiende** il fait semblant de ne pas comprendre.

■ **hacer de** *v + prép*

1. SERVIR DE
• **un sofá que también hace de cama** un canapé qui fait aussi office de lit

2. JOUER LE RÔLE DE
• **en su última película hace de vampiro** dans son dernier film, il joue le rôle d'un vampire.

■ **hacerse** *vp*

1. PASSER D'UN ÉTAT À UN AUTRE, VOLONTAIREMENT OU INVOLONTAIREMENT
 • **se hizo monja** elle est devenue bonne sœur
 • **se hizo rico** il est devenu riche
 • **hacerse viejo** se faire vieux

2. JOUER LE RÔLE DE
 • **se hace el gracioso** il fait le malin
 • **se hace la atrevida** elle joue les courageuses
 • **se hace el distraído para no saludar** il fait celui qui ne nous a pas vus pour ne pas nous dire bonjour

3. CUIRE
 • **deja el asado en el horno que se vaya haciendo** laisse le rôti dans le four pour qu'il cuise

4. SUIVI DE L'INFINITIF, ÉQUIVAUT À UNE FORME PASSIVE
 • **le gusta hacerse (de) rogar** elle aime se faire prier

5. INTRODUIT UNE OPINION
 • **se me hace que nos ha mentido** je crois qu'il nous a menti

6. DANS DES EXPRESSIONS
 • **se está haciendo tarde** il se fait tard
 • **no te hagas ilusiones** ne te fais pas d'illusions.

■ **hacerse a** *vp + prép*

S'HABITUER À = se faire à
 • **no me hago a esta casa** je ne me fais pas à cette maison.

■ **hacerse con** *vp + prép*

1. S'APPROPRIER
 • **se hicieron con todo el dinero** ils se sont emparés de tout l'argent
 • **los rebeldes se han hecho con el poder** les rebelles ont pris le pouvoir

2. SE PROCURER
 • **habrá que hacerse con víveres para la expedición** il faudra se procurer des vivres pour l'expédition.

hacha *nf (el)* hache *(f)* • **ser un hacha** *fam fig* être un as.

hachís, haschich [xa'ʃis], **hash** [xaʃ] *nm* haschisch *(m)*.

hacia *prép* vers • **hacia abajo/arriba** vers le bas/le haut • **hacia aquí/allí** par ici/là • **hacia atrás/adelante** en arrière/avant • **hacia las diez** vers dix heures.

hacienda *nf* 1. exploitation *(f)* agricole 2. fortune *(f)*. ■ **Hacienda** *nf* • **la Hacienda Pública** les Finances.

hackear [xake'ar] *vi* faire du piratage informatique.

hacker ['xaker] *nmf* hacker *(m)*, pirate *(m)* informatique.

hada *nf (el)* fée *(f)*.

haga *(etc)* ⟼ **hacer**.

Haití *npr* Haïti.

hala *interj* • **¡hala!** *(pour encourager)* allez ! • *(pour exprimer la surprise)* hou la !, ça alors !

halagador, ra *adj & nm, f* flatteur(euse).

halagar *vt* flatter.

halago *nm* flatterie *(f)*.

halagüeño, ña *adj (nouvelle, perspective)* encourageant(e).

halcón *nm* faucon *(m)*.

hale *interj* • **¡hale!** allez !

hálito *nm litt & fig* souffle *(m)*.

hall ['xol] *(pl* **halls**) *nm* hall *(m)*.

hallar *vt* trouver. ■ **hallarse** *vp* se trouver • **se halla enfermo/en reunión** il est malade/en réunion.

hallazgo *nm* 1. trouvaille *(f)* 2. découverte *(f)*.

halo *nm* 1. halo *(m)* 2. auréole *(f)* 3. *fig* auréole *(f)*, aura *(f)*.

halógeno, na *adj* halogène.

halterofilia *nf* haltérophilie *(f)*.

hamaca *nf* 1. hamac *(m)* 2. chaise *(f)* longue.

hambre *nf* faim *(f)* • **tener hambre** avoir faim • **matar el hambre** calmer sa faim.

hambriento, ta *adj* affamé(e).

hamburguesa *nf* hamburger *(m)*.

hamburguesería *nf* fast-food *(m)*.

hampa *nf* • **el hampa** *(la pègre)* le milieu.

hámster ['xamster] *(pl* **hámsters**) *nm* hamster *(m)*.

hándicap ['xandikap] *(pl* **hándicaps**) *nm* handicap *(m)*.

hangar *nm* hangar *(m)*.

hará *(etc)* ⟼ **hacer**.

harapiento, ta *adj* en haillons.

harapo *nm* haillon *(m)*.

hardware ['xar'wer] *nm* hardware *(m)*, matériel *(m)*.

harén *nm* harem *(m)*.

harina *nf* farine *(f)*.

harinoso, sa *adj* farineux(euse).

harmonía = **armonía**.

hartar *vt* 1. gaver 2. *fam* fatiguer. ■ **hartarse** *vp* 1. se gaver 2. *fam* en avoir marre 3. *(exagérer)* • **hartarse de hacer algo** faire qqch du matin au soir.

harto, ta *adj* 1. repu(e) 2. *fam* fatigué(e) • **estar harto de** en avoir marre de. ■ **harto** *adv* on ne peut plus • **es harto evidente** c'est on ne peut plus évident.

hartón *nm* indigestion *(f)* • **darse un hartón de llorar** pleurer toutes les larmes de son corps.

haschich = hachís.

hash = hachís.

hasta ◼ *prép* jusqu'à • **desde aquí hasta allí** d'ici jusque-là • **hasta ahora** à tout de suite • **hasta la vista** au revoir • **hasta luego** à tout à l'heure, à plus tard • au revoir • **hasta mañana** à demain • **hasta otra** à la prochaine • **hasta pronto** à bientôt. ◼ *adv* même. ◼ **hasta que** *loc conj* jusqu'à ce que.

hastiar *vt* lasser, excéder. ◼ **hastiarse** *vp* • **hastiarse de** se lasser de.

hastío *nm* 1. lassitude (*f*) 2. dégoût (*m*) (*pour la nourriture*).

hatajo *nm* • **hatajo (de)** ramassis (*m*) (de).

hatillo *nm* balluchon (*m*).

haya ◼ *v* ⊳ **haber**. ◼ *nf* hêtre (*m*).

haz ◼ *v* ⊳ **hacer**. ◼ *nm* 1. faisceau (*m*) 2. gerbe (*f*) (*de céréales, de fleurs*) 3. fagot (*m*) (*de bois*) 4. botte (*f*) (*de paille, de foin*) • **haz de rayos luminosos** faisceau lumineux.

hazaña *nf* exploit (*m*).

hazmerreír *nm* risée (*f*).

HB (*abr de* **Herri Batasuna**) *nf* parti indépendantiste basque.

Hda. (*abr écrite de* **hacienda**) finance (*f*).

he ⊳ **haber**.

hebilla *nf* boucle (*f*) (*de ceinture, de chaussure*).

hebra *nf* 1. brin (*m*) (*de fil, de tabac*) • **de hebra** (*tabac*) à rouler 2. fil (*m*) (*des légumes*).

hebreo, a ◼ *adj* hébreu(hébraïque). ◼ *nm, f* • **los hebreos** les Hébreux. ◼ **hebreo** *nm* hébreu (*m*).

hechicero, ra ◼ *adj* ensorcelant(e), envoûtant(e). ◼ *nm, f* sorcier (*m*), -ère (*f*).

hechizar *vt* litt & fig envoûter.

hechizo *nm* litt & fig envoûtement (*m*).

hecho, cha *adj* 1. fait(e) • **es un trabajo mal hecho** c'est un travail mal fait • **está muy bien hecha** *fam* elle est très bien faite • **está hecho todo un padrazo** c'est le père idéal • **ya es un hombre hecho y derecho** il est devenu un homme 2. cuit(e) • **el pastel está muy hecho** le gâteau est trop cuit • **un filete bien/muy/ poco hecho** un steak à point/bien cuit/saignant. ◼ **hecho** ◼ *pp* ⊳ **hacer**. ◼ *nm* fait (*m*) • **hecho diferencial** trait (*m*) distinctif. ◼ *interj* ¡**hecho!** d'accord ! ◼ **de hecho** *loc adv* de fait.

hechura *nf* (*forme*) façon (*f*).

hectárea *nf* hectare (*m*).

heder *vi* empester.

hedor *nm* puanteur (*f*).

hegemonía *nf* hégémonie (*f*).

hegemónico, ca *adj* hégémonique.

helada *nf* ⊳ **helado**.

heladería *nf* • **lo compré en la heladería** je l'ai acheté chez le marchand de glaces.

helado, da *adj* 1. gelé(e) 2. (*dessert*) glacé(e) 3. *fig* (*stupéfait*) • **quedarse helado** avoir un choc. ◼ **helado** *nm* glace (*f*). ◼ **helada** *nf* gelée (*f*).

helar ◼ *vt* 1. geler 2. *fig* (*laisser sans voix*) glacer. ◼ *v impers* geler • **ayer por la noche heló** il a gelé cette nuit. ◼ **helarse** *vp* geler • **se han helado las plantas** les plantes ont gelé • **ime estoy helando!** je gèle !

helecho *nm* fougère (*f*).

hélice *nf* hélice (*f*).

helicóptero *nm* hélicoptère (*m*).

helio *nm* hélium (*m*).

helipuerto *nm* héliport (*m*).

Helsinki *npr* Helsinki.

helvético, ca ◼ *adj* helvétique. ◼ *nm, f* Helvète (*mf*).

hematoma *nm* hématome (*m*).

hembra *nf* 1. (*animal*) femelle (*f*) 2. (*personne*) femme (*f*) 3. fille (*f*) 4. ÉLECTR prise (*f*) femelle.

hemeroteca *nf* bibliothèque (*f*) de périodiques.

hemiciclo *nm* hémicycle (*m*).

hemisferio *nm* hémisphère (*m*).

hemofilia *nf* hémophilie (*f*).

hemorragia *nf* hémorragie (*f*) • **hemorragia nasal** saignement (*m*) de nez.

hemorroides *nfpl* hémorroïdes (*fpl*).

henchir *vt* remplir • **henchir el pecho de aire** remplir ses poumons d'air.

hender = **hendir**.

hendidura *nf* fente (*f*).

hendir, hender *vt* fendre.

heno *nm* foin (*m*).

hepatitis *nf inv* hépatite (*f*).

heptágono *nm* heptagone (*m*).

herbicida *nm* désherbant (*m*).

herbívoro, ra ◼ *adj* herbivore. ◼ *nm, f* herbivore (*m*).

herbolario, ria *nm, f* herboriste (*mf*). ◼ **herbolario** *nm* herboristerie (*f*).

herboristería *nf* herboristerie (*f*).

hercio ['erθjo] *nm* hertz (*m*).

heredar *vt* hériter • **heredó un piso** il a hérité d'un appartement • **heredó una casa de su padre** il a hérité une maison de son père • **ha heredado la nariz de su madre** il a hérité du nez de sa mère.

heredero, ra ◼ *adj* • **el príncipe heredero** le prince héritier. ◼ *nm, f* héritier (*m*), -ère (*f*).

hereditario, ria *adj* héréditaire.

hereje *nm, f* 1. hérétique (*mf*) 2. *fig* blasphémateur (*m*), -trice (*f*).

herejía *nf* hérésie (*f*).

herencia *nf* héritage (*m*).

herido, da *adj* & *nm, f* blessé(e). ■ **herida** *nf*
litt & *fig* blessure *(f)*.

herir *vt litt* & *fig* blesser.

hermafrodita *adj* & *nmf* hermaphrodite.

hermanado, da *adj* **1.** *(personnes)* proche **2.** *(villes)* jumelé(e).

hermanar *vt* **1.** conjuguer *(ses efforts)* **2.** rapprocher *(deux personnes)* **3.** jumeler *(deux villes)*. ■ **hermanarse** *vp* **1.** *(villes)* être jumelé(e)
2. *(idées, tendances, etc)* s'associer.

hermanastro, tra *nm, f* demi-frère *(m)*, demi-
sœur *(f)*.

hermandad *nf* **1.** *(association)* amicale *(f)* **2.** *(RELIG
- d'hommes)* confrérie *(f)* (*- de femmes)* communauté *(f)* **3.** fraternité *(f)*.

hermano, na ■ *adj* frère(sœur). ■ *nm, f* frère
(m), sœur *(f)*.

hermético, ca *adj litt* & *fig* hermétique.

hermoso, sa *adj* beau(belle).

hermosura *nf* beauté *(f)*.

hernia *nf* hernie *(f)*.

herniarse *vp* **1.** développer une hernie **2.** *fam
(faire des efforts)* • **se hernia a trabajar** il se tue
au travail.

héroe *nm* héros *(m)*.

heroico, ca *adj* héroïque.

heroína *nf* héroïne *(f)*.

heroinómano, na *nm, f* héroïnomane *(mf)*.

heroísmo *nm* héroïsme *(m)*.

herpes *nm* herpès *(m)*.

herradura *nf* fer *(m)* à cheval

herramienta *nf* outil *(m)*.

herrería *nf* **1.** forge *(f)* • **en la herrería** chez le
forgeron **2.** forgeage *(m)*.

herrero *nm* forgeron *(m)*.

herrumbre *nf* rouille *(f)*.

hertz = **hercio**.

hervidero *nm* **1.** *(de sentimientos)* bouillonnement
(m) • **un hervidero de intrigas** un foyer d'in-
trigues **2.** *(de gens)* fourmilière *(f)*.

hervir ■ *vt* faire bouillir. ■ *vi* bouillir.

hervor *nm* ébullition *(f)* • **dar un hervor a algo**
CULIN blanchir qqch.

heterodoxo *adj* & *nmf* hétérodoxe.

heterogéneo, a *adj* hétérogène.

heterosexual *adj* & *nmf* hétérosexuel(elle).

hexágono *nm* hexagone *(m)*.

hez *nf litt* & *fig* lie *(f)*. ■ **heces** *nfpl* selles *(fpl)*.

hibernal *adj* hivernal(e).

hibernar *vi* hiberner.

híbrido, da *adj* hybride. ■ **híbrido** *nm* hybride
(m).

hice *(etc)* ▷ **hacer**.

hidalgo, ga ■ *adj* noble. ■ *nm, f* hidalgo *(m)*.

hidratación *nf* hydratation *(f)*.

hidratante ■ *adj* hydratant(e). ■ *nm* hydratant
(m).

hidratar *vt* hydrater.

hidrato *nm* hydrate *(m)*.

hidráulico, ca *adj* hydraulique.

hidroavión *nm* hydravion *(m)*.

hidroeléctrico, ca *adj* hydroélectrique.

hidrógeno *nm* hydrogène *(m)*.

hidrografía *nf* hydrographie *(f)*.

hidroplano *nm* **1.** hydroglisseur *(m)* **2.** hydravion *(m)*.

hidrostático, ca *adj* hydrostatique.

hiedra, yedra *nf* lierre *(m)*.

hiel *nf* fiel *(m)*.

hielo *nm* **1.** glace *(f)* **2.** verglas *(m)* *(sur la route)*
• **romper el hielo** *fig* rompre la glace.

hiena *nf* hyène *(f)*.

hierático, ca *adj* hiératique.

hierba, yerba *nf* herbe *(f)* • **este tipo es mala
hierba** ce type c'est de la mauvaise graine
• **mala hierba nunca muere** mauvaise herbe
croît toujours.

hierbabuena *nf* menthe *(f)*.

hierro *nm* **1.** fer *(m)* • **de hierro** *(santé, volonté,
etc)* de fer • **hierro forjado** fer forgé **2.** lame
(f) *(d'un poignard, d'un couteau)*.

HI-FI *(abr de high fidelity)* *nf* hi-fi *(f)*.

hígado *nm* foie *(m)*.

higiene *nf* hygiène *(f)*.

higiénico, ca *adj* hygiénique.

higienizar *vt* désinfecter.

higo *nm* figue *(f)* • **higo chumbo** figue de Barbarie.

higuera *nf* figuier *(m)*.

hijastro, tra *nm, f* *(enfants d'un premier mariage)*
beau-fils *(m)*, belle-fille *(f)*.

hijo, ja *nm, f* **1.** fils *(m)*, fille *(f)* • **hijo de papá**
fam fils à papa **2.** enfant *(mf)* *(d'une terre, d'un
pays)* **3.** *(vocatif)* • **¡ay, hija, qué mala suerte!**
ma pauvre, c'est vraiment pas de chance !
• **¡pues hijo, podrías haber avisado!** dis donc,
tu aurais pu prévenir ! • **hijo mío** mon fils
• **¡hijo mío, qué tonto eres!** qu'est-ce que tu
es bête mon pauvre ! ■ **hijo** *nm* enfant *(m)*
• **tiene dos hijos** elle a deux enfants. ■ **hijo
político** *nm* gendre *(m)*. ■ **hija política** *nf*
(bru) belle-fille *(f)*.

hilacha *nf* fil *(m)* *(qui dépasse)*.

hilada *nf* rangée *(f)*.

hilar *vt* filer.

hilaridad *nf* hilarité *(f)*.

hilatura *nf* filature *(f)*.

hilera *nf* rangée *(f)*.

hilo *nm* **1.** fil *(m)* **2.** *fig* filet *(m)* *(d'eau, de sang,
etc)* • **hilo de voz** filet de voix • **colgar** *ou*
pender de un hilo ne tenir qu'à un fil • **mover**

los hilos tirer les ficelles • **perder/seguir el hilo** perdre/suivre le fil. ■ **hilo musical** *nm* fond *(m)* musical.

hilván *nm* faufil *(m)*.

hilvanar *vt* **1.** faufiler, bâtir **2.** *fig* relier *(deux idées)* **3.** *fig* improviser *(un discours)*.

himen *nm* hymen *(m)*.

himno *nm* hymne *(m)*.

hincapié *nm* • **hacer hincapié en** mettre l'accent sur.

hincar *vt* planter.

hincha ◨ *v* ▷ **henchir.** ◨ *nmf* SPORT supporter *(m)*. ◨ *nf* haine *(f)* • **tenerle hincha a alguien** avoir une dent contre qqn.

hinchado, da *adj* **1.** gonflé(e) **2.** enflé(e) • **hinchado de orgullo** bouffi d'orgueil.

hinchar *vt* **1.** gonfler **2.** *(exagérer)* grossir. ■ **hincharse** *vp* **1.** enfler **2.** *fig (personne)* • **hincharse de orgullo** se gonfler d'orgueil **3.** se gaver *(à un repas)* **4.** se tuer *(au travail)*.

hinchazón *nf* enflure *(f)*.

hindú *(pl* **hindúes** OU **hindús)** ◨ *adj* **1.** indien(enne) **2.** RELIG hindou(e). ◨ *nmf* **1.** Indien *(m)*, -enne *(f)* **2.** RELIG hindou *(m)*, -e *(f)*.

hinduismo *nm* hindouisme *(m)*.

hinojo *nm* fenouil *(m)*.

hipar *vi* hoqueter.

hiper *nm fam* hyper *(m)*.

hiperactividad *nf* hyperactivité *(f)*.

hipérbaton *(pl* **hipérbatos** OU **hiperbatones)** *nm* hyperbate *(f)*.

hipérbola *nf* hyperbole *(f)*.

hipermercado *nm* hypermarché *(m)*.

hípico, ca *adj* hippique. ■ **hípica** *nf* hippisme *(m)*.

hipnosis *nf inv* hypnose *(f)*.

hipnótico, ca *adj* hypnotique.

hipnotismo *nm* hypnotisme *(m)*.

hipnotizador, ra ◨ *adj* **1.** hypnotique **2.** *fig* envoûtant(e). ◨ *nm, f* hypnotiseur *(m)*, -euse *(f)*.

hipnotizar *vt litt* & *fig* hypnotiser.

hipo *nm* hoquet *(m)* • **quitar el hipo** *fig* couper le souffle.

hipocondriaco, ca *adj* & *nm, f* hypocondriaque.

hipocresía *nf* hypocrisie *(f)*.

hipócrita *adj* & *nmf* hypocrite.

hipodérmico, ca *adj* hypodermique.

hipodermis *nf inv* hypoderme *(m)*.

hipódromo *nm* hippodrome *(m)*.

hipopótamo *nm* hippopotame *(m)*.

hipoteca *nf* hypothèque *(f)*.

hipotecar *vt litt* & *fig* hypothéquer.

hipotecario, ria *adj* hypothécaire.

hipotenusa *nf* hypoténuse *(f)*.

hipótesis *nf inv* hypothèse *(f)*.

hipotético, ca *adj* hypothétique.

hippy ['xipi] *(pl* **hippies)**, **hippie** ['xipi] *(pl* **hippies)** *adj* & *nmf* hippie.

hiriente *adj* blessant(e).

hirsuto, ta *adj* **1.** *(cheveux)* hirsute **2.** *fig (personne)* revêche.

hispánico, ca ◨ *adj* hispanique. ◨ *nm, f* **1.** Hispanique *(mf)* **2.** Espagnol *(m)*, -e *(f)*.

hispanidad *nf* **1.** *(culture)* hispanité *(f)* **2.** *(peuple)* monde *(m)* hispanique.

CULTURE...

el día de la hispanidad

Ce jour, fêté aussi bien en Espagne qu'en Amérique latine, commémore la découverte de l'Amérique par Christophe Colomb, navigateur génois au service des Rois Catholiques, Ferdinand d'Aragon et Isabelle de Castille, arrivé le 12 octobre 1492 dans une île des Bahamas. La découverte de l'Amérique fut une étape décisive dans l'histoire de l'Espagne.

hispanismo *nm* **1.** hispanisme *(m)* **2.** *étude de la culture espagnole.*

hispanizar *vt* hispaniser.

hispano, na ◨ *adj* **1.** espagnol(e) **2.** *(aux États-Unis)* latino, hispanique. ◨ *nm, f (aux États-Unis)* Latino *(mf)*, Hispanique *(mf)*.

Hispanoamérica *npr* Amérique *(f)* latine.

hispanoamericanismo *nm* hispano-américanisme *(m)*.

hispanoamericano, na ◨ *adj* hispano-américain(e). ◨ *nm, f* Hispano-Américain *(m)*, -e *(f)*.

hispanófono, na *adj* & *nm, f* hispanophone.

hispanohablante *adj* & *nmf* hispanophone.

histeria *nf* hystérie *(f)*.

histérico, ca *adj* & *nm, f* hystérique.

histerismo *nm* hystérie *(f)*.

historia *nf* histoire *(f)* • **historia del arte** histoire de l'art • **dejarse de historias** arrêter de raconter des histoires • **pasar algo a la historia** entrer dans l'histoire • **pasar alguien a la historia** laisser son nom dans l'histoire.

historiador, ra *nm, f* historien *(m)*, -enne *(f)*.

historial *nm* **1.** parcours *(m)* • **historial médico** OU **clínico** antécédents *(mpl)* médicaux • **historial profesional** parcours professionnel **2.** SPORT palmarès *(m)*.

histórico, ca *adj* **1.** historique **2.** véridique.

historieta *nf* **1.** histoire *(f)* drôle **2.** bande *(f)* dessinée.

hit ['xit] *(pl* **hits)** *nm* tube *(m)*.

hitleriano, na [xitle'rjano, na] *adj* & *nm, f* hitlérien(enne).

hito nm **1.** borne (f) **2.** fig événement (m) marquant » **mirar de hito en hito** regarder fixement.

hizo ➩ **hacer.**

hl (abr écrite de **hectolitro**) hl.

Hmnos. (abr de **Hermanos**) frères.

hnos. (abr écrite de **hermanos**) Frères » **Bodegas Pedro Páez y hnos.** Bodegas Pedro Páez et Frères.

hobby ['xoβi] (pl **hobbies**) nm hobby (m).

hocico nm **1.** museau (m) **2.** groin (m) (du porc, du sanglier) **3.** péj gueule (f) » **romper los hocicos a alguien** casser la gueule à qqn » **te vas a romper el hocico** ou **los hocicos** tu vas te casser la gueule.

hockey ['xokei] nm hockey (m) » **hockey sobre hielo/hierba/patines** hockey sur glace/gazon/patins.

hogar nm **1.** foyer (m) **2.** sout âtre (m) (de la cheminée).

hogareño, ña adj casanier(ère).

hogaza nf miche (f).

hoguera nf **1.** bûcher (m) **2.** feu (m) de joie.

hoja nf **1.** feuille (f) (d'une plante, de papier) **2.** lame (f) (de métal) » **hoja de afeitar** lame de rasoir **3.** battant (m) (de porte, de fenêtre). ■ **hoja de cálculo** nf INFORM feuille (f) de calcul, tableur (m).

hojalata nf fer-blanc (m).

hojaldre nm pâte (f) feuilletée.

hojarasca nf **1.** feuilles (fpl) mortes **2.** feuillage (m) épais.

hojear vt **1.** jeter un coup d'œil à **2.** feuilleter (un livre).

hola interj **1.** » **¡hola!** bonjour ! » **2.** fam salut !

Holanda npr Hollande (f).

holandés, esa ■ adj hollandais(e). ■ nm, f Hollandais (m), -e (f). ■ **holandés** nm hollandais (m).

holding ['xoldin] nm holding (m ou f).

holgado, da adj **1.** ample **2.** (situation financière) aisé(e) **3.** (victoire) facile.

holgar vi être inutile » **huelga decir que...** inutile de dire que...

holgazán, ana adj & nm, f fainéant(e).

holgazanear vi (paresser) traîner.

holgura nf **1.** ampleur (f) **2.** espace (m) **3.** jeu (m) (entre deux pièces) **4.** (confort) aisance (f).

hollar vt fouler.

hollín nm suie (f).

holocausto nm holocauste (m).

hombre ■ nm homme (m) » **el hombre de la calle** ou **de a pie** l'homme de la rue » **el hombre del saco** fam le croque-mitaine » **un buen hombre** un brave homme » **hombre de mundo** homme du monde » **hombre de palabra** homme de parole » **pobre hombre** pauvre homme » **de hombre a hombre** d'homme à

homme. ■ interj » **¡hombre!** (exprime la surprise) tiens ! » (exprime l'admiration) ça alors ! » (exprime l'évidence) et comment ! » **ven aquí hombre, no llores** viens ici, va, ne pleure pas. ■ **hombre orquesta** nm homme-orchestre (m). ■ **hombre rana** nm homme-grenouille (m).

hombrear vi jouer les hommes mûrs.

hombrera nf épaulette (f).

hombría nf virilité (f).

hombro nm épaule (f) » **a hombros** sur les épaules » **encogerse de hombros** hausser les épaules » **arrimar el hombro** fig donner un coup de main.

hombruno, na adj hommasse.

homenaje nm hommage (m) » **en homenaje a** en hommage à » **rendir homenaje a alguien** rendre hommage à qqn.

homenajeado, da ■ adj honoré(e). ■ nm, f personne (f) à laquelle il est rendu hommage.

homenajear vt honorer.

homeopatía nf homéopathie (f).

homicida adj & nmf meurtrier(ère).

homicidio nm homicide (m).

homilía nf homélie (f).

homogéneo, a adj homogène.

homologar vt (gén & SPORT) homologuer » **homologar con** aligner sur.

homólogo, ga adj & nm, f homologue.

homónimo, ma adj homonyme. ■ **homónimo** nm homonyme (m).

homosexual adj & nmf homosexuel(elle).

homosexualidad nf homosexualité (f).

hondo, da adj profond(e) » **en lo más hondo de** au plus profond de. ■ **honda** nf fronde (f).

hondonada nf dépression (f) (du terrain).

hondura nf profondeur (f).

Honduras npr Honduras (m).

hondureño, ña ■ adj hondurien(enne). ■ nm, f Hondurien (m), -enne (f).

honestidad nf honnêteté (f).

honesto, ta adj honnête.

Hong Kong npr Hongkong, Hong Kong.

hongo nm **1.** BIOL & MÉD champignon (m) **2.** chapeau (m) melon.

honor nm honneur (m) » **en honor a la verdad** pour être franc(franche) » **hacer honor a** faire honneur à. ■ **honores** nmpl honneurs (mpl).

honorabilidad nf honorabilité (f).

honorable adj honorable. ■ **Honorable** adj » **el Honorable Alcalde** monsieur le maire.

honorar vt honorer.

honorario, ria adj honoraire. ■ **honorarios** nmpl honoraires (mpl).

honorífico, ca adj honorifique.

honra nf honneur (m) » **tener a mucha honra algo** se flatter de qqch » **¡claro que soy ecologista, y a mucha honra!** bien sûr que je suis écologiste, et fier de l'être ! ■ **honras fúnebres** *nfpl* honneurs *(mpl)* funèbres OU suprêmes.

honradez *nf* honnêteté *(f)*.

honrado, da *adj* honnête.

honrar *vt* • **honrar (con)** honorer (de). ■ **honrarse** *vp* • **honrarse (con** OU **de** OU **en)** s'honorer (de).

honroso, sa *adj* honorable.

hora *nf* **1.** heure *(f)* • **a la hora** à l'heure • **a primera hora** à la première heure • **a primera/última hora de** en début/fin de • **a última hora** au dernier moment • **dar la hora** sonner l'heure • **de última hora** de dernière heure • *(nouvelle, information)* de dernière minute • **en su hora** le moment venu • **¿éstas son horas de llegar?** c'est à cette heure-ci qu'on rentre ? • **¿qué hora es?** quelle heure est-il ? • **trabajar/pagar por horas** travailler/payer à l'heure • **¡ya era hora!** il était temps ! • **hora oficial** heure légale • **hora punta** heure de pointe • **horas de oficina/de trabajo** heures de bureau/de travail • **horas de visita** heures de consultation • **horas extraordinarias** heures supplémentaires • **media hora** demi-heure *(f)* **2.** rendez-vous *(m)* • **dar/pedir hora** donner/prendre rendez-vous • **tener hora en el dentista** avoir rendez-vous chez le dentiste **3.** *(mort)* • **llegó su hora** son heure a sonné • **a buena hora me lo dices/lo traes** *etc* c'est maintenant que tu me le dis/tu me l'apportes *etc* • **en mala hora lo creí** mal m'en a pris de le croire • **la hora de la verdad** la minute de vérité.

horario, ria *adj* horaire • **tener problemas horarios** avoir des problèmes d'horaire. ■ **horario** *nm* **1.** horaire *(m)* **2.** SCOL emploi *(m)* du temps • **horario comercial** heures *(fpl)* d'ouverture • **horario intensivo** journée *(f)* continue • **horario laboral** horaire de travail.

horca *nf* **1.** potence *(f)* **2.** AGRIC fourche *(f)*.

horcajadas ■ **a horcajadas** *loc adv* à califourchon.

horchata *nf* orgeat *(m) (de souchet)*.

horizontal *adj* horizontal(e).

horizonte *nm* **1.** horizon *(m)* **2.** *(gén pl) (esprit)* • **tener amplitud de horizontes** avoir l'esprit ouvert.

horma *nf* **1.** forme *(f)* **2.** embauchoir *(m)*.

hormiga *nf* fourmi *(f)*.

hormigón *nm* béton *(m)* • **hormigón armado** béton armé.

hormigonera *nf* bétonnière *(f)*.

hormigueo *nm* • **sentir hormigueo en...** avoir des fourmis dans...

hormiguero ▨ *adj* ▷ **oso**. ▨ *nm litt & fig* fourmilière *(f)*.

hormiguita *nf* • **su mujer es una hormiguita** sa femme est une vraie petite fourmi.

hormona *nf* hormone *(f)*.

hornada *nf* fournée *(f)*.

hornear *vt* enfourner.

hornillo *nm* **1.** réchaud *(m)* **2.** fourneau *(m) (de laboratorio)*.

horno *nm* four *(m)* • **alto horno** haut-fourneau *(m)* • **horno eléctrico/microondas** four électrique/à micro-ondes.

Hornos *npr* • **el cabo de Hornos** le Cap Horn.

horóscopo *nm* **1.** signe *(m)* (du zodiaque) **2.** horoscope *(m)*.

horquilla *nf* **1.** épingle *(f)* à cheveux **2.** fourche *(f) (de bicicleta, etc)*.

horrendo, da *adj* **1.** horrible **2.** *fam* atroce.

hórreo *nm* silo en bois sur pilotis en Galice et dans les Asturies.

horrible *adj* horrible.

horripilante *adj* **1.** *fam* atroce **2.** terrifiant(e).

horripilar *vt* terrifier.

horror *nm* • **los horrores de la guerra** les horreurs de la guerre. ■ **horrores** *adv fam* • **me gusta horrores el chocolate** j'adore le chocolat.

horrorizado, da *adj* épouvanté(e).

horrorizar *vt* épouvanter. ■ **horrorizarse** *vp* être épouvanté(e).

horroroso, sa *adj* **1.** horrible **2.** *fam* atroce.

hortaliza *nf* légume *m(f)*.

hortelano, na *adj & nm, f* maraîcher(ère).

hortensia *nf* hortensia *(m)*.

hortera *adj & nmf fam* beauf.

horterada *nf fam* • **¡es una horterada!** c'est d'un beauf !

horticultor, ra *nm, f* horticulteur *(m)*, -trice *(f)*.

hosco, ca *adj* **1.** *(persona)* bourru(e) **2.** *(endroit)* sauvage.

hospedar *vt* héberger. ■ **hospedarse** *vp* **1.** loger **2.** descendre *(dans un hôtel)* • **se hospedó en el hotel Miramar** il est descendu à l'hôtel Miramar.

hospicio *nm* **1.** orphelinat *(m)* **2.** foyer *(m)* d'accueil *(pour les personnes démunies)*.

hospital *nm* hôpital *(m)*.

hospitalario, ria *adj* hospitalier(ère).

hospitalidad *nf* hospitalité *(f)*.

hospitalizar *vt* hospitaliser.

hosquedad *nf* antipathie *(f)*.

hostal *nm* hôtel *(m)*.

hostelería *nf* hôtellerie *(f)*.

hostia *nf* **1.** ostie *(f)* **2.** *vulg (raclée)* • **dar una hostia a alguien** foutre son poing dans la gueule à qqn **3.** *vulg (accident)* • **pegarse una hostia** se foutre en l'air. ■ **¡hostia!, ¡hostias!** *interj vulg* putain !

hostiar *vt vulg* • **hostiar a alguien** péter la gueule à qqn.

hostigar *vt* harceler.

hostil *adj* hostile.

hostilidad *nf* hostilité *(f)*.

hotel *nm* hôtel *(m)*.

hoy *adv* aujourd'hui • **de hoy en adelante** dorénavant • **hoy día, hoy en día, hoy por hoy** de nos jours.

hoyo *nm* **1.** *(gén &* SPORT*)* trou *(m)* **2.** *fam* tombe *(f)*.

hoyuelo *nm* fossette *(f)*.

hoz *nf* faucille *(f)*.

huacal = **guacal**.

hubiera *(etc)* ⊳ **haber**.

hucha *nf* tirelire *(f)*.

hueco, ca *adj* creux(euse). ■ **hueco** *nm* **1.** creux *(m)* **2.** *(espace libre)* place *(f)*.

huelga ■ *v* ⊳ **holgar**. ■ *nf* grève *(f)* • **declararse/estar en huelga** se mettre/être en grève • **huelga de hambre** grève de la faim • **huelga general** grève générale.

huelguista *adj* & *nmf* gréviste.

huella ■ *v* ⊳ **hollar**. ■ *nf* **1.** trace *(f)* • **huella digital** *ou* **dactilar** empreinte *(f)* digitale **2.** *fig* marque *(f)* • **dejar huella** marquer.

Huelva *npr* Huelva.

huérfano, na *adj* & *nm, f* orphelin(e).

huerta *nf* **1.** plaine *(f)* maraîchère **2.** verger *(m)* **3.** *plaines maraîchères irriguées de Valence et de Murcie.*

huerto *nm* jardin *(m)* potager, potager *(m)*.

Huesca *npr* Huesca.

hueso *nm* **1.** os *(m)* **2.** noyau *(m)* **3.** *fam* peau *(f)* de vache **4.** *fam* bête *(f)* noire **5.** *(Amér) fam* sinécure *(f)*.

huésped, da *nm, f* **1.** hôte *(m)*, hôtesse *(f)* **2.** client *(m)*, -e *(f) (d'un hôtel)*.

huesudo, da *adj* osseux(euse).

hueva *nf* œufs *(mpl) (de poisson)*.

huevada *nf (Amér) tfam* connerie *(f)*.

huevo *nm* **1.** *(gén &* CULIN*)* œuf *(m)* • **huevo a la copa** *ou* **tibio** *(Amér)* œuf à la coque • **huevo duro** œuf dur • **huevo frito** œuf sur le plat *(frit)* • **huevo pasado por agua** œuf à la coque • **huevos al plato** *œufs sur le plat accompagnés de chorizo* • **huevos revueltos** œufs brouillés **2.** *(gén pl) vulg* couilles *(fpl)* • **iy un huevo!** mon cul !

huevón, ona *nm, f (Amér) vulg* flemmard *(m)*, -e *(f)*. ■ **huevón** *nm (Amér) vulg* connard *(m)*.

huida *nf* **1.** fuite *(f)* **2.** évasion *(f) (de prisonniers)*.

huidizo, za *adj* **1.** fuyant(e) **2.** *(animal)* farouche.

huir ■ *vi* **1.** s'enfuir **2.** fuir • **huir de algo/alguien** fuir qqch/qqn. ■ *vt* fuir.

hule *nm* **1.** toile *(f)* cirée **2.** alaise *(f) (de bébé)*.

humanidad *nf* humanité *(f)*. ■ **humanidades** *nfpl* sciences *(fpl)* humaines.

humanismo *nm* humanisme *(m)*.

humanitario, ria *adj* humanitaire.

humanizar *vt* humaniser. ■ **humanizarse** *vp* s'humaniser.

humano, na *adj* humain(e). ■ **humano** *nm (gén pl)* homme *(m)*.

humareda *nf* nuage *(m)* de fumée.

humear *vi* fumer.

humedad *nf* humidité *(f)*.

humedecer *vt* **1.** humecter **2.** humidifier *(du linge)*. ■ **humedecerse** *vp* s'humecter.

húmedo, da *adj* humide.

humidificar *vt* humidifier.

humildad *nf* humilité *(f)*.

humilde *adj* humble.

humillación *nf* humiliation *(f)*.

humillado, da *adj* humilié(e).

humillante *adj* humiliant(e).

humillar *vt* humilier. ■ **humillarse** *vp* s'humilier.

humo *nm* fumée *(f)*. ■ **humos** *nmpl fig* • **tener (unos) humos** prendre de grands airs • **se le han subido los humos** ça lui est monté à la tête.

humor *nm* **1.** *(gén &* ANAT*)* humeur *(f)* • **buen/mal humor** bonne/mauvaise humeur **2.** humour *(m)* • **un programa de humor** une émission humoristique • **humor negro** humour noir.

humorismo *nm* humour *(m)* • **el mundo del humorismo** le monde des comiques.

humorista *nmf* **1.** comique *(mf)* **2.** humoriste *(mf)*.

humorístico, ca *adj* humoristique.

hundimiento *nm* **1.** naufrage *(m)* **2.** *(ruine)* effondrement *(m)*.

hundir *vt* **1.** plonger **2.** couler *(un bateau)* **3.** planter *(ses griffes, ses ongles)* **4.** provoquer l'effondrement de *(terrain)* **5.** fig anéantir *(quelqu'un)*. ■ **hundirse** *vp* **1.** couler **2.** *(sousmarin)* plonger **3.** *(toit, personne)* s'effondrer.

Hungría *npr* Hongrie *(f)*.

huracán *nm* ouragan *(m)*.

huraño, ña *adj* farouche.

hurgar *vi* fouiller. ■ **hurgarse** *vp* • **hurgarse la nariz** se mettre les doigts dans le nez.

hurón *nm* **1.** furet *(m)* **2.** *fig (personne)* ours *(m)*.

hurra *interj* • **ihurra!** hourra !

hurtadillas ■ **a hurtadillas** *loc adv* en cachette.

hurtar *vt* dérober.

hurto *nm* larcin *(m)*.

husmear ■ *vt* flairer. ■ *vi* fureter.

huso *nm* fuseau *(m)*. ■ **huso horario** *nm* fuseau *(m)* horaire.

huy *interj* • **ihuy!** *(exprime la douleur)* aïe ! • *(exprime la surprise)* oh là là !

i, I [i] *nf* i *(m inv)*, I *(m inv)*.

IAE *(abr de* **Impuesto sobre Actividades Económicas)** *nm impôt des travailleurs indépendants en Espagne.*

iba ⊳ **ir**.

ibérico, ca *adj* ibérique.

íbero, ra, ibero, ra ◼ *adj* ibère. ◼ *nm, f* Ibère *(mf)*. ◼ **íbero, ibero** *nm* ibère *(m)*.

iberoamericano, na ◼ *adj* latino-américain(e). ◼ *nm, f* Latino-Américain *(m)*, -e *(f)*.

Ibex 35 *nm indice boursier de référence composé de 35 valeurs industrielles espagnoles.*

Ibex NM *nm indice boursier de référence regroupant les principales valeurs technologiques cotées à la Bourse de Madrid.*

IBI *(abr de* **Impuesto de Bienes Inmuebles)** *nm impôt foncier espagnol.*

Ibiza *npr* Ibiza.

IC *(abr écrite de* **Iniciativa per Catalunya)** *nf parti politique catalan.*

iceberg *(pl* **icebergs)** *nm* iceberg *(m)*.

Icona *(abr de* **Instituto Nacional para la Conservación de la Naturaleza)** *nm organisme espagnol pour la protection de la nature,* ≃ SNPN *(f)*.

icono *nm (gén &* INFORM*)* icône *(f)*.

iconoclasta *adj &* nmf iconoclaste.

id ⊳ **ir**.

ida *nf* aller *(m)* • **un billete de ida y vuelta** un billet aller-retour.

idea *nf* **1.** idée *(f)* • **idea fija** idée fixe **2.** intention *(f)* • **cambiar de idea** changer d'avis • **con la idea de** avec l'intention de **3.** notion *(f)* • **no tener ni idea de algo** *(événement)* ne pas avoir la moindre idée de qqch • *(sujet, matière)* ne rien connaître en qqch.

ideal ◼ *adj* idéal(e). ◼ *nm* idéal *(m)*. ◼ **ideales** *nmpl* idéaux *(mpl)*.

idealista *adj &* nmf idéaliste.

idealizar *vt* idéaliser.

idear *vt* concevoir.

ideario *nm* idéologie *(f)*.

ídem *adv* idem • **ídem de ídem** *fam* kif-kif.

idéntico, ca *adj* identique • **idéntico a** identique à.

identidad *nf* identité *(f)*.

identificación *nf* identification *(f)*.

identificar *vt* identifier. ◼ **identificarse** *vp* • **identificarse (con)** s'identifier (avec).

ideología *nf* idéologie *(f)*.

ideólogo, ga *nm, f* idéologue *(mf)*.

idílico, ca *adj* idyllique.

idilio *nm* idylle *(f)*.

idioma *nm* langue *(f)*.

idiosincrasia *nf* **1.** particularité *(f)* **2.** *sout* idiosyncrasie *(f)*.

idiota *adj &* nmf idiot(e).

idiotez *nf* idiotie *(f)*.

ido, ida *adj* **1.** fou(folle) **2.** distrait(e).

idolatrar *vt* idolâtrer.

ídolo *nm* idole *(f)*.

idóneo, a *adj* **1.** idéal(e) **2.** *(personne)* indiqué(e) **3.** bon(bonne) *(mot, réponse).*

iglesia *nf* église *(f)*. ◼ **Iglesia** *nf* • **la Iglesia** l'Église *(f)*.

iglú *(pl* **iglúes** OU **iglús)** *nm* igloo *(m)*.

ignorancia *nf* ignorance *(f)*.

ignorante *adj &* nmf ignorant(e).

ignorar *vt* ignorer.

igual ◼ *adj* **1.** pareil(eille) • **dos libros iguales** deux livres pareils • **llevan jerseys iguales** ils portent le même pull • **igual que** le même que • **mi lápiz es igual que el tuyo** j'ai le même crayon que toi • **su hija es igual que ella** sa fille est comme elle **2.** égal(e) **3.** MATH • **A más B es igual a C** A plus B égale C. ◼ *nmf* égal *(m)*, -e *(f)* • **sin igual** sans égal(e). ◼ *adv* **1.** de la même façon • **al igual que** de la même façon que • **por igual** de la même façon • **repartió el dinero por igual** il a distribué l'argent à parts égales **2.** peut-être • **igual viene** il viendra peut-être • **me da igual salir o quedarme** ça m'est égal de sortir ou de rester là • **es igual a la hora que vengas** tu peux venir à l'heure que tu veux.

igualado, da *adj* • **estar igualado** être à égalité • **están muy igualados** ils sont quasiment à égalité.

igualar ◼ *vt* **1.** *(salaires, terrain)* égaliser • **igualar algo/a alguien a** OU **con** mettre qqch/qqn sur le même plan que **2.** *(personne)* • **igualar a alguien en** égaler qqn en • **nadie le iguala en generosidad** personne n'est aussi généreux que lui. ◼ *vi* SPORT égaliser. ◼ **igualarse** *vp* être égal(e) • **igualarse a** OU **con alguien** se comparer à qqn.

igualdad *nf* égalité *(f)* • **en igualdad de condiciones** à conditions égales • **igualdad de oportunidades** égalité des chances.

igualitario, ria *adj* égalitaire.

igualmente *adv* **1.** également **2.** *(formule de politesse)* • **recuerdos a tus padres gracias, igual-**

mente mon bon souvenir à tes parents merci, pareillement ▪ **¡que te diviertas mucho! ¡igualmente** amuse-toi bien! toi aussi.

iguana *nf* iguane *(m)*.

ikurriña *nf* drapeau officiel du Pays basque espagnol.

ilegal *adj* illégal(e).

ilegalizar *vt* rendre illégal.

ilegible *adj* illisible.

ilegítimo, ma *adj* illégitime.

ileso, sa *adj* indemne ▪ **el conductor salió** ou **resultó ileso** le conducteur est sorti indemne de l'accident.

ilícito, ta *adj* illicite.

ilimitado, da *adj* illimité(e).

iluminación *nf* **1.** éclairage *(m)* ▪ **esta calle tiene poca iluminación** cette rue est peu éclairée ▪ *(pour les fêtes)* illuminations *(fpl)* **2.** RELIG illumination *(f)*.

iluminar *vt* **1.** illuminer **2.** éclairer. ■ **iluminarse** *vp* **1.** *(rue)* être éclairé(e) **2.** *(monument)* être illuminé(e) **3.** *(visage, regard, etc)* s'illuminer, s'éclairer.

ilusión *nf* **1.** illusion *(f)* ▪ **hacerse** ou **forjarse ilusiones** se faire des illusions ▪ **ilusión optica** illusion d'optique **2.** rêve *(m)* **3.** espoir *(m)* **4.** joie *(f)* ▪ **¡qué ilusión verte!** quel plaisir de te voir ! ▪ **me hace (mucha) ilusión que vengas** ça me fait (très) plaisir que tu viennes.

ilusionar *vt* **1.** *(donner de l'espoir)* ▪ **ilusionar a alguien** donner de faux espoirs à qqn **2.** ravir ▪ **me ilusiona verte** je suis ravi de te voir. ■ **ilusionarse** *vp* ▪ **ilusionarse (con)** se faire des illusions (sur) ▪ se réjouir (de).

ilusionista *nmf* illusionniste *(mf)*.

iluso, sa *adj & nm, f* naïf(ïve).

ilusorio, ria *adj* illusoire.

ilustración *nf* **1.** illustration *(f)* **2.** *(culture)* instruction *(f)*.

ilustrado, da *adj* **1.** *(publication)* illustré(e) **2.** *(personne)* instruit(e) **3.** HIST éclairé(e).

ilustrador, ra *nm, f* illustrateur *(m)*, -trice *(f)*.

ilustrar *vt* **1.** illustrer **2.** instruire.

ilustrativo, va *adj* illustratif(ive).

ilustre *adj* **1.** illustre **2.** *(titre)* ▪ **el ilustre señor alcalde** monsieur le maire.

imagen *nf* image *(f)* ▪ **ser la viva imagen de alguien** être tout le portrait de qqn.

imaginación *nf* **1.** imagination *(f)* ▪ **pasar por la imaginación de alguien** venir à l'esprit ou à l'idée de qqn **2.** *(gén pl)* idées *(fpl)* ▪ **son imaginaciones tuyas** tu te fais des idées.

imaginar *vt* imaginer. ■ **imaginarse** *vp* s'imaginer.

imaginario, ria *adj* imaginaire.

imaginativo, va *adj* imaginatif(ive).

imán *nm* **1.** aimant *(m)* **2.** RELIG imam *(m)*.

imbécil *adj & nmf* imbécile.

imbecilidad *nf* imbécillité *(f)*.

imberbe *adj* imberbe.

imborrable *adj* fig ineffaçable, indélébile.

imbuir *vt* inculquer ▪ **imbuir a alguien ideas falsas** inculquer des idées fausses à qqn.

imitación *nf* **1.** imitation *(f)* **2.** *(d'une œuvre)* plagiat *(m)* ▪ **joya de imitación** bijou fantaisie ▪ **piel de imitación** imitation cuir.

imitador, ra *nm, f* imitateur *(m)*, -trice *(f)* ▪ **es una imitadora de...** elle imite...

imitar *vt* imiter.

impaciencia *nf* impatience *(f)*.

impacientar *vt* impatienter. ■ **impacientarse** *vp* s'impatienter.

impaciente *adj* ▪ **impaciente (por hacer algo)** impatient(e) (de faire qqch).

impactar *vt* **1.** frapper **2.** fig *(affecter)* toucher.

impacto *nm* **1.** impact *(m)* **2.** choc *(émotionnel)* *(m)*.

impagado, da *adj* impayé(e). ■ **impagado** *nm* impayé *(m)*.

impar *adj* **1.** impair(e) **2.** sans pareil(eille).

imparable *adj* imparable.

imparcial *adj* impartial(e).

imparcialidad *nf* impartialité *(f)*.

impartir *vt* donner.

impase, impasse [im'pas] *nm* impasse *(f)*.

impasible *adj* impassible.

impávido, da *adj* **1.** impassible **2.** sout impavide.

impecable *adj* impeccable.

impedido, da ▨ *adj* handicapé(e) ▪ **estar impedido de** avoir perdu l'usage de. ▨ *nm, f* handicapé *(m)*, -e *(f)*.

impedimento *nm* empêchement *(m)*.

impedir *vt* **1.** empêcher ▪ **impedir a alguien hacer algo** empêcher qqn de faire qqch **2.** gêner.

impenetrable *adj* litt & fig impénétrable.

impensable *adj* impensable.

impepinable *adj* fam indiscutable.

imperante *adj* dominant(e).

imperar *vi* régner, dominer.

imperativo, va *adj* impératif(ive). ■ **imperativo** *nm* (gén & GRAMM) impératif *(m)*.

imperceptible *adj* imperceptible.

imperdible *nm* épingle *(f)* de nourrice.

imperdonable *adj* impardonnable.

imperfección *nf* imperfection *(f)*.

imperfecto, ta *adj* imparfait(e). ■ **imperfecto** *nm* GRAMM imparfait *(m)*.

imperial *adj* impérial(e).

imperialismo *nm* impérialisme *(m)*.

impericia *nf* inexpérience *(f)*.

imperio *nm* **1.** empire *(m)* **2.** règne *(m)*.

imperioso, sa *adj* impérieux(euse).

impermeabilizar *vt* imperméabiliser.

impermeable *adj* & *nm* imperméable.

impersonal *adj* impersonnel(elle).

impertinencia *nf* impertinence *(f)*.

impertinente *adj* & *nmf* impertinent(e). ■ **impertinentes** *nmpl* face-à-main *(m)*.

imperturbable *adj* imperturbable.

ímpetu *nm* **1.** force *(f)* **2.** énergie *(f)*.

impetuoso, sa ◣ *adj* **1.** *(vague, vent, attaque)* violent(e) **2.** *(rythme)* soutenu(e) **3.** *(personne)* impulsif(ive), impétueux(euse). ◣ *nm, f* impulsif *(m)*, -ive *(f)*.

impío, a *adj* impie.

implacable *adj* implacable.

implantar *vt* **1.** *(gén & MÉD)* implanter **2.** poser *(une prothèse).* ■ **implantarse** *vp* s'implanter.

implicación *nf* implication *(f)*.

implicar ◣ *vt* impliquer. ■ **implicarse** *vp* • **implicarse en** intervenir dans, se mêler de.

implícito, ta *adj* implicite.

implorar *vt* implorer.

imponente *adj* **1.** *(bâtiment, montagne, etc)* imposant(e) **2.** *(œuvre, spectacle)* impressionnant(e) • **¡estás imponente con ese abrigo!** tu es superbe dans ce manteau !

imponer ◣ *vt* imposer • **imponer respeto/silencio** imposer le respect/le silence. ◣ *vi* en imposer. ■ **imponerse** *vp* s'imposer.

impopular *adj* impopulaire.

importación *nf* importation *(f)*.

importador, ra *adj* & *nm, f* importateur(trice).

importancia *nf* importance *(f)* • **dar importancia a algo** accorder de l'importance à qqch • **quitar importancia a algo** relativiser qqch • **darse importancia** *fig* faire l'important(e).

importante *adj* important(e).

importar ◣ *vt* **1.** *(gén & INFORM)* importer **2.** *(sujet : facture)* s'élever à **3.** *(sujet : article, marchandise)* valoir. ◣ *vi* **1.** *(préoccuper)* importer • **eso a ti no te importa** ça ne te regarde pas • **me importas mucho** tu comptes beaucoup pour moi • **no me importa** ça m'est égal • **nos importa saber…** il est important pour nous de savoir… • **¿y a ti qué te importa?** qu'est-ce que ça peut te faire ? **2.** *(sur le mode interrogatif)* ennuyer • **¿te importa que venga contigo?** ça t'ennuie si je viens avec toi ? ◣ *v impers* avoir de l'importance • **no importa** ça ne fait rien • **¡qué importa si llueve!** ça ne fait rien s'il pleut !

importe *nm* **1.** montant *(m)* *(d'une facture, etc)* **2.** prix *(m)* *(d'une marchandise).*

importunar ◣ *vt* importuner. ◣ *vi* être importun(e).

importuno, na = **inoportuno**.

imposibilidad *nf* impossibilité *(f)*.

imposibilitado, da *adj* paralysé(e) • **estar imposibilitado para hacer algo** être inapte à faire qqch • **verse imposibilitado para** *ou* **de hacer algo** se voir dans l'impossibilité de faire qqch.

imposibilitar *vt* • **imposibilitar a alguien para hacer algo** empêcher qqn de faire qqch, mettre qqn dans l'impossibilité de faire qqch.

imposible *adj* impossible.

imposición *nf* **1.** fait *(m)* d'imposer **2.** contrainte *(f)* **3.** *(impôt)* imposition *(f)* **4.** *(banque)* dépôt *(m)*.

impostor, ra ◣ *adj* • **una persona impostora** une personne qui se fait passer pour quelqu'un d'autre. ◣ *nm, f* **1.** imposteur *(m)* **2.** calomniateur *(m)*, -trice *(f)*.

impotencia *nf* impuissance *(f)*.

impotente ◣ *adj* impuissant(e). ◣ *nm* impuissant *(m)*.

impracticable *adj* **1.** irréalisable • **el buceo es impracticable sin aletas** on ne peut pas faire de plongée sans palmes **2.** impraticable.

imprecisión *nf* imprécision *(f)*.

impreciso, sa *adj* imprécis(e).

impregnar *vt* imprégner. ■ **impregnarse** *vp* • **impregnarse (de)** s'imprégner (de).

imprenta *nf* imprimerie *(f)*.

imprescindible *adj* indispensable.

impresentable *adj* • **estás impresentable** tu n'es pas présentable.

impresión *nf* **1.** impression *(f)* • **cambiar impresiones** échanger des impressions • **causar (una) buena/mala impresión** faire bonne/mauvaise impression • **dar la impresión de** donner l'impression de • **tener la impresión de que** *ou* **que** avoir l'impression que **2.** marque *(f)* **3.** *(dans la boue)* empreinte *(f)* • **impresión digital** *ou* **dactilar** empreinte digitale.

impresionable *adj* impressionnable.

impresionante *adj* impressionnant(e).

impresionar ◣ *vt* **1.** *(gén & PHOTO)* impressionner **2.** enregistrer *(des sons, un discours, etc).* ◣ *vi* • **esta película impresiona mucho** ce film est très impressionnant. ■ **impresionarse** *vp* être impressionné(e).

impresionismo *nm* impressionnisme *(m)*.

impreso, sa *adj* imprimé(e). ■ **impreso** ◣ *pp* ▷ **imprimir**. ◣ *nm* imprimé *(m)*.

impresor, ra ◣ *adj* imprimant(e), imprimeur(euse). ◣ *nm, f* imprimeur *(m)*. ■ **impresora** *nf* imprimante *(f)* • **impresora de chorro de tinta** imprimante à jet d'encre • **impresora láser** imprimante laser.

imprevisible *adj* imprévisible.

imprevisto, ta *adj* imprévu(e). ■ **imprevisto** *nm* imprévu *(m)* • **salvo imprevistos** sauf imprévu. ■ **imprevistos** *nmpl* faux frais *(mpl)*.

imprimir *vt & vi* imprimer.

improbable *adj* improbable.

improcedente *adj* **1.** inopportun(e) **2.** *(commentaire)* hors de propos **3.** *(demanda, réclamation)* irrecevable **4.** DR irrégulier(ère).

improperio *nm* injure *(f)*.

impropio, pia *adj* **1.** inapproprié(e) **2.** *(vocabulaire)* impropre **3.** *(étrange)* inhabituel(elle).

improvisación *nf* improvisation *(f)*.

improvisar *vt* improviser.

improviso ■ **de improviso** *loc adv* à l'improviste.

imprudencia *nf* imprudence *(f)*.

imprudente *adj & nmf* imprudent(e).

impúdico, ca *adj* impudique.

impuesto, ta *pp* ▷ **imponer.** ■ **impuesto** *nm* impôt *(m)*, taxe *(f)* • **impuesto sobre el valor añadido** taxe sur la valeur ajoutée • **impuesto sobre la renta** impôt sur le revenu.

impugnar *vt* contester.

impulsar *vt* **1.** pousser **2.** stimuler, développer.

impulsivo, va *adj & nm, f* impulsif(ive).

impulso *nm* **1.** impulsion *(f)* • **obedecer a sus impulsos** obéir à ses impulsions **2.** élan *(m)* • **tener un impulso de generosidad** avoir un élan de générosité • **tomar impulso** prendre de l'élan.

impulsor, ra *adj* moteur(trice). ■ *nm, f* promoteur *(m)*, -trice *(f)*.

impune *adj* impuni(e) • **quedar impune** rester impuni(e).

impunidad *nf* impunité *(f)* • **con la más absoluta impunidad** en toute impunité.

impureza *nf (gén pl)* impureté *(f)*.

impuro, ra *adj* impur(e).

imputación *nf* imputation *(f)*.

imputar *vt* imputer.

inabarcable *adj* trop vaste.

inacabable *adj* interminable.

inaccesible *adj* inaccessible.

inaceptable *adj* inacceptable.

inactividad *nf* inactivité *(f)*.

inactivo, va *adj* inactif(ive).

inadaptación *nf* inadaptation *(f)*.

inadaptado, da *adj & nm, f* inadapté(e).

inadecuado, da *adj* inadéquat(e).

inadmisible *adj* inadmissible.

inadvertido, da *adj* inaperçu(e) • **pasar inadvertido** passer inaperçu.

inagotable *adj* inépuisable.

inaguantable *adj* insupportable.

inalámbrico *adj* ▷ **teléfono.**

inalcanzable *adj* inaccessible.

inalterable *adj* **1.** inaltérable **2.** *(carácter)* imperturbable.

inamovible *adj* inamovible.

inanimado, da *adj* inanimé(e).

inánime *adj* inanimé(e), sans vie.

inapetencia *nf* inappétence *(f)*.

inapreciable *adj* **1.** inappréciable, inestimable **2.** insignifiant(e) **3.** *(différence)* imperceptible.

inapropiado, da *adj* **1.** inapproprié(e) **2.** *(comportamiento, attitude)* déplacé(e).

inasequible *adj* **1.** *(prix)* inabordable **2.** inaccessible.

inaudible *adj* inaudible.

inaudito, ta *adj* inouï(e).

inauguración *nf* **1.** inauguration *(f)* **2.** cérémonie *(f)* d'ouverture *(d'un congrès, etc)* **3.** mise *(f)* en service *(d'une route)*.

inaugurar *vt* inaugurer.

inca ■ *adj* inca. ■ *nm, f* Inca *(mf)*.

incaico, ca *adj* inca.

incalculable *adj* incalculable.

incalificable *adj* inqualifiable.

incandescente *adj* incandescent(e).

incansable *adj* infatigable.

incapacidad *nf* incapacité *(f)*.

incapacitado, da *adj & nm, f* DR incapable.

incapacitar *vt* • **incapacitar para** empêcher de • *(travail, etc)* rendre inapte à.

incapaz *adj* **1.** *(gén & DR)* • **incapaz (de)** incapable (de) • **es incapaz de matar una mosca** il ne ferait pas de mal à une mouche • **declarar incapaz a alguien** DR frapper qqn d'incapacité **2.** *(sans talent)* • **ser incapaz para** ne pas être doué pour.

incautación *nf* DR saisie *(f)*.

incautarse *vp* • **incautarse de** DR saisir • s'emparer de.

incauto, ta *adj & nm, f* naïf(ïve).

incendiar *vt* incendier. ■ **incendiarse** *vp* prendre feu.

incendiario, ria *adj & nm, f* incendiaire.

incendio *nm* incendie *(m)*.

incentivar *vt* stimuler.

incentivo *nm* incitation *(f)* • **un trabajo sin incentivos** un travail peu motivant.

incertidumbre *nf* incertitude *(f)*.

incesto *nm* inceste *(m)*.

incidencia *nf* **1.** incidence *(f)* **2.** incident *(m)*.

incidente *nm* incident *(m)*.

incidir *vi* • **incidir en** tomber dans *(l'erreur)* • mettre l'accent sur *(un thème)* • *(influer)* avoir une incidence sur • *(opérer)* faire une incision dans • **incidir en repeticiones** se répéter.

incienso *nm* encens *(m)*.

incierto, ta adj 1. incertain(e) 2. faux(fausse).

incineración nf incinération (f).

incinerar vt incinérer.

incipiente adj naissant(e).

incisión nf incision (f).

incisivo, va adj litt & fig incisif(ive). ■ **incisivo** nm incisive (f).

inciso, sa adj • **un estilo inciso** un style incisif. ■ **inciso** nm 1. parenthèse (f) (dans un discours) 2. GRAMM incise (f).

incitar vt • **incitar a alguien a algo/a hacer algo** inciter qqn à qqch/à faire qqch.

incl. (abr écrite de **incluido**) incl. • **IVA incl.** TVA incl.

inclemencia nf 1. rigueur (f) (d'un climat) 2. dureté (f) (d'une personne).

inclinación nf 1. inclinaison (f) 2. (terrain) pente (f) 3. (gout, salut) inclination (f) • **sentir inclinación por algo/alguien** avoir un penchant pour qqch/qqn.

inclinar vt 1. incliner • **inclinar la cabeza** incliner la tête (pour saluer) • pencher la tête (pour lire) • baisser la tête (de honte) 2. (influer) • **inclinar a alguien a hacer algo** pousser qqn à faire qqch. ■ **inclinarse** vp 1. se pencher 2. (pour saluer) • **inclinarse (ante)** s'incliner (devant) 3. fig (préférer) • **inclinarse por** pencher pour 4. fig (tendre à) • **inclinarse a** être enclin(e) à.

incluir vt 1. (mettre dans) inclure 2. (contenir) comprendre.

inclusive adv y compris • **hasta la página 9 inclusive** jusqu'à la page 9 incluse.

incluso, sa adj inclus(e). ■ **incluso** adv même • **invitó a todos, incluso a tu hermano** il a invité tout le monde, même ton frère • **incluso nos invitó a cenar** il nous a même invités à dîner.

incógnito, ta adj inconnu(e). ■ **de incógnito** loc adv incognito. ■ **incógnita** nf 1. MATH inconnue (f) 2. mystère (m).

incoherencia nf incohérence (f).

incoherente adj incohérent(e).

incoloro, ra adj incolore.

incomible adj immangeable.

incomodar vt 1. gêner 2. (sujet : visite, appel, etc) déranger 3. (sujet : situation) mettre mal à l'aise. ■ **incomodarse** vp • **incomodarse (por)** se fâcher (à cause de).

incomodidad nf • **ser una incomodidad** ne pas être confortable • ne pas être pratique.

incómodo, da adj 1. (peu pratique) • **ser incómodo** ne pas être confortable • ne pas être pratique 2. gênant(e) • **sentirse incómodo** se sentir mal à l'aise.

incomparable adj incomparable.

incompatible adj incompatible.

incompetencia nf incompétence (f).

incompetente adj incompétent(e).

incomprendido, da ■ adj 1. (mal compris) • **su discurso fue incomprendido** son discours n'a pas été compris 2. (personne) incompris(e). ■ nm, f incompris (m), -e (f).

incomprensible adj incompréhensible.

incomprensión nf incompréhension (f).

incomunicado, da adj isolé(e).

inconcebible adj inconcevable.

inconcluso, sa adj inachevé(e).

incondicional adj & nmf inconditionnel(elle).

inconexo, xa adj décousu(e).

inconformismo nm non-conformisme (m).

inconfundible adj caractéristique, reconnaissable entre tous(toutes).

incongruente adj 1. incongru(e) 2. (récit) incohérent(e).

inconsciencia nf litt & fig inconscience (f).

inconsciente ■ adj & nmf inconscient(e). ■ nm PSYCHO • **el inconsciente** l'inconscient (m).

inconsecuente ■ adj inconséquent(e). ■ nmf • **ser un inconsecuente** être inconséquent.

inconsistente adj inconsistant(e).

inconstancia nf inconstance (f).

inconstante adj inconstant(e).

inconstitucional adj inconstitutionnel(elle).

incontable adj 1. innombrable • **un número incontable de** un nombre incalculable de 2. inracontable.

incontinencia nf incontinence (f).

incontrolable adj incontrôlable.

inconveniencia nf inconvenance (f) • **ser una inconveniencia** être un inconvénient.

inconveniente ■ adj 1. (propos, conduite) déplacé(e) 2. (tenue, style) inconvenant(e). ■ nm 1. inconvénient (m) 2. problème (m) • **poner inconvenientes** faire des difficultés.

incordiar vt fam casser les pieds à.

incordio nm fam 1. (personne) casse-pieds (mf inv) 2. (situation) corvée (f).

incorporación nf incorporation (f).

incorporar vt 1. incorporer • **incorporar los huevos a la masa** incorporer les œufs à la pâte 2. redresser. ■ **incorporarse** vp 1. • **incorporarse a algo** (équipe, groupe) intégrer qqch • (travail) commencer qqch 2. se redresser.

incorrección nf incorrection (f).

incorrecto, ta adj incorrect(e).

incorregible adj incorrigible.

incorrupto, ta adj 1. (cadavre) intact(e) 2. fig (personne) non corrompu(e).

incredulidad nf incrédulité (f).

incrédulo, la adj & nm, f incrédule, sceptique

increíble adj incroyable.

incrementar *vt* accroître. ■ **incrementarse** *vp* s'accroître, augmenter.

incremento *nm* 1. accroissement *(m)* 2. hausse *(f) (des températures)*.

increpar *vt* 1. blâmer 2. injurier.

incriminar *vt* incriminer.

incrustar *vt* incruster. ■ **incrustarse** *vp* 1. s'incruster 2. *(deux objets, deux voitures)* s'encastrer 3. *fig* se graver *(dans l'esprit)* • **aquella imagen se le incrustó en la memoria** cette image s'est gravée dans sa mémoire.

incubadora *nf* couveuse *(f)*.

incubar *vt* couver.

inculcar *vt* • **inculcar algo a alguien** inculquer qqch à qqn.

inculpar *vt* • **inculpar a alguien (de)** inculper qqn (de).

inculto, ta ■ *adj* inculte. ■ *nm, f* ignorant *(m)*, -e *(f)*.

incultura *nf* inculture *(f)*.

incumbencia *nf* ressort *(m)* • **no es de mi incumbencia** ce n'est pas de mon ressort • **eso no es asunto de tu incumbencia** cela ne te regarde pas.

incumbir *vi* • **incumbir (a)** incomber (à).

incumplimiento *nm* 1. non-respect *(m) (de la loi, d'un contrat)* 2. non-exécution *(f) (d'un ordre)* • **incumplimiento de su palabra/su deber** manquement *(m)* à sa parole/son devoir.

incumplir *vt* 1. ne pas respecter *(la loi, un contrat)* 2. ne pas exécuter *(un ordre)* 3. manquer à *(son devoir, sa parole)* 4. ne pas tenir *(une promesse)*.

incurable *adj* incurable.

incurrir *vi* • **incurrir en** commettre *(une faute, un délit)* • encourir, s'exposer à *(le mépris, la haine, la colère)*.

incursión *nf* incursion *(f)*.

indagación *nf* investigation *(f)*.

indagar ■ *vt* rechercher *(les origines, les causes)*. ■ *vi* investiguer, procéder à des investigations.

indecencia *nf* indécence *(f)*.

indecente *adj* 1. *(impudique)* indécent(e) 2. *(indigne)* infect(e).

indecible *adj* indicible, inexprimable.

indecisión *nf* indécision *(f)*.

indeciso, sa *adj* indécis(e).

indefenso, sa *adj* sans défense.

indefinido, da *adj* indéfini(e) • **un contrato indefinido** un contrat à durée indéterminée.

indeleble *adj sout* indélébile.

indemne *adj* indemne.

indemnización *nf* 1. indemnisation *(f)* 2. indemnité *(f)*.

indemnizar *vt* • **indemnizar a alguien (por)** indemniser qqn (de).

independencia *nf* indépendance *(f)*.

independentista *adj* & *nmf* indépendantiste.

independiente *adj* indépendant(e).

independizar *vt* rendre indépendant(e) • **independizar a un país** accorder son indépendance à un pays. ■ **independizarse** *vp* 1. *(personne)* s'émanciper 2. *(pays)* accéder à l'indépendance • **independizarse de** devenir indépendant(e) de.

indeseable *adj* indésirable.

indeterminación *nf* indétermination *(f)*.

indeterminado, da *adj* 1. indéterminé(e) • **por un tiempo indeterminado** pour une durée indéterminée 2. GRAMM • **un artículo indeterminado** un article indéfini.

indexar *vt* INFORM indexer.

India *npr* • **(la) India** (l')Inde *(f)*.

indiano, na ■ *adj* indien(enne). ■ *nm, f* 1. *(indigène)* Indien *(m)*, -enne *(f)* 2. *Espagnol rentré en Espagne après avoir fait fortune en Amérique*.

indicación *nf* 1. indication *(f)* 2. *(signal, geste)* signe *(m)*.

indicador, ra *adj* indicateur(trice), qui indique. ■ **indicador** *nm* indicateur *(m)* • **indicador de velocidad** compteur *(m)* de vitesse.

indicar *vt* 1. indiquer • **indicar algo con la mirada** faire signe du regard 2. *(sujet : médecin)* prescrire.

indicativo, va *adj* indicatif(ive). ■ **indicativo** *nm* GRAMM indicatif *(m)*.

índice *nm* 1. *(gén & MATH)* indice *(m)* 2. taux *(m) (de natalité, d'alcool, d'accroissement)* • **índice de precios al consumo** indice des prix à la consommation 3. index *(m) (alphabétique, des auteurs, des œuvres)* 4. table *(f)* des matières 5. catalogue *(m) (d'une bibliothèque)* 6. ▷ **dedo**.

indicio *nm (signe)* indice *(m)*.

Índico *npr* • **el Índico** l'océan Indien.

indiferencia *nf* indifférence *(f)*.

indiferente *adj* indifférent(e).

indígena *adj* & *nmf* indigène.

indigencia *nf sout* indigence *(f)*, dénuement *(m)*.

indigente *adj* & *nmf* indigent(e).

indigestarse *vp* avoir une indigestion • **indigestarse de** se donner une indigestion de • **se me ha indigestado esa chica** *fam fig* je ne peux plus encaisser cette fille • **se me ha indigestado la novela** *fam fig* ce roman me sort par les yeux.

indigestión *nf* indigestion *(f)*.

indigesto, ta *adj litt* & *fig* indigeste.

indignación *nf* indignation *(f)*.

indignar *vt* indigner. ■ **indignarse** *vp* ▪ **indignarse (por algo/con alguien)** s'indigner (devant qqch/contre qqn).

indigno, na *adj* ▪ **indigno (de)** indigne (de).

indio, dia ◼ *adj* indien(enne). ◼ *nm, f* Indien *(m)*, -enne *(f)* ▪ **hacer el indio** *fig* faire le pitre.

indirecto, ta *adj* indirect(e). ■ **indirecta** *nf* sous-entendu *(m)* ▪ **lanzar una indirecta** lancer une pique ▪ glisser une allusion.

indisciplina *nf* indiscipline *(f)*.

indiscreción *nf* indiscrétion *(f)* ▪ **si no es indiscreción** si cela n'est pas indiscret.

indiscreto, ta *adj* indiscret(ète).

indiscriminado, da *adj* indistinct(e) ▪ **de modo indiscriminado** indistinctement.

indiscutible *adj* indiscutable.

indispensable *adj* indispensable.

indisponer *vt* 1. *(rendre malade)* indisposer 2. brouiller *(deux personnes)*.

indisposición *nf* 1. indisposition *(f)* 2. *(réticence)* ▪ **su indisposición para trabajar era manifiesta** manifestement, il n'était pas disposé à travailler.

indispuesto, ta *adj* souffrant(e). ■ **indispuesto** *pp* ▷ **indisponer**.

indistinto, ta *adj* 1. indistinct(e) 2. *(indifférent)* ▪ **es indistinto** peu importe ▪ **una cuenta indistinta** un compte joint *ou* commun.

individual *adj* 1. individuel(elle) 2. *(chambre)* simple, pour une personne 3. *(lit)* à une place 4. *(épreuve, compétition)* simple. ■ **individuales** *nmpl* SPORT simple *(m)* ▪ **individuales masculinos/femeninos** simple messieurs/dames.

individualismo *nm* individualisme *(m)*.

individualizar *vi* individualiser ▪ **no quiero individualizar** je ne veux nommer personne.

individuo, dua *nm, f* 1. individu *(m)* 2. *péj* type *(m)*, bonne femme *(f)*.

indocumentado, da ◼ *adj* 1. *(sans papiers d'identité)* ▪ **salió indocumentado** il est sorti sans ses papiers 2. ignare. ◼ *nm, f* ignare *(mf)*.

índole *nf* nature *(f)* ▪ **ser de índole pacífica** être d'un naturel pacifique.

indolencia *nf* indolence *(f)*.

indoloro, ra *adj* indolore.

indómito, ta *adj* 1. *(animal)* indompté(e) 2. *fig (personne, caractère)* indomptable.

Indonesia *npr* Indonésie *(f)*.

inducir *vt* 1. *(gén & PHYS)* induire ▪ **inducir a error** induire en erreur 2. *(inciter)* ▪ **inducir a alguien a algo/a hacer algo** inciter qqn à qqch/à faire qqch.

inductor, ra ◼ *adj* inducteur(trice). ◼ *nm, f* instigateur *(m)*, -trice *(f)*. ■ **inductor** *nm* inducteur *(m)*.

indudable *adj* indubitable.

indulgencia *nf* indulgence *(f)*.

indultar *vt* gracier.

indulto *nm* 1. *(total)* grâce *(f)* 2. *(partiel)* remise *(f)* de peine.

indumentaria *nf* costume *(m)*.

industria *nf* industrie *(f)*.

industrial ◼ *adj* industriel(elle). ◼ *nmf* industriel *(m)*.

industrializar *vt* industrialiser. ■ **industrializarse** *vp* s'industrialiser.

inédito, ta *adj* inédit(e).

INEF *(abr de* **Instituto Nacional de Educación Física)** *nm institut national espagnol de formation des professeurs d'éducation physique,* ≃ INSEP *(m)*.

inefable *adj* ineffable.

ineficaz *adj* inefficace.

ineficiente *adj* inefficace.

ineludible *adj* inévitable, incontournable.

INEM *(abr de* **Instituto Nacional de Empleo)** *nm institut national espagnol pour l'emploi,* ≃ ANPE *(f)* ▪ **una oficina del INEM** ≃ une agence (de l')ANPE.

ineptitud *nf* inaptitude *(f)*.

inepto, ta ◼ *adj* inepte. ◼ *nm, f* incapable *(mf)*.

inequívoco, ca *adj* évident(e), manifeste.

inercia *nf* inertie *(f)* ▪ **hacer algo por inercia** *fig* faire qqch par habitude.

inerme *adj* désarmé(e).

inerte *adj* inerte.

inesperado, da *adj* inespéré(e), inattendu(e).

inestable *adj* instable.

inevitable *adj* inévitable.

inexacto, ta *adj* inexact(e).

inexistencia *nf* inexistence *(f)*.

inexperiencia *nf* inexpérience *(f)*.

inexperto, ta *adj* inexpérimenté(e).

inexpresivo, va *adj* inexpressif(ive).

infalible *adj* infaillible.

infame *adj* infâme.

infamia *nf* infamie *(f)*.

infancia *nf* enfance *(f)*.

infante, ta *nm, f* 1. enfant *(mf)* 2. infant *(m)*, -e *(f)*. ■ **infante** *nm* fantassin *(m)*.

infantería *nf* infanterie *(f)*.

infanticidio *nm* infanticide *(m)*.

infantil *adj* 1. *(médecine, comportement)* infantile 2. *(langage, jeu)* enfantin(e) 3. *(programme, livre chaussures)* pour enfants.

infarto *nm* infarctus *(m)*.

infatigable *adj* infatigable.

infección *nf* infection *(f)*.

infeccioso, sa *adj* infectieux(euse).

infectar *vt* infecter. ■ **infectarse** *vp* s'infecter

infeliz ◨ *adj* **1.** malheureux(euse) **2.** *fig* brave. ◨ *nmf (ingénu)* ◦ **¡pobre infeliz!** il est bien brave !

inferior *adj* & *nmf* inférieur(e).

inferioridad *nf* infériorité *(f)*.

inferir *vt* **1.** conclure ◦ **infiero que es hora de marcharse** j'en conclus qu'il est temps de partir **2.** faire, causer ◦ **inferir una herida** blesser.

infernal *adj* infernal(e).

infestar *vt* **1.** contaminer **2.** *(sujet : animal nuisible)* infester **3.** *fig (sujet : publicités, affiches)* envahir.

infidelidad *nf* infidélité *(f)*.

infiel *adj* & *nmf* infidèle.

infiernillo *nm* réchaud *(m)*.

infierno *nm* enfer *(m)* ◦ **en el quinto infierno** au diable (vauvert) ◦ **¡vete al infierno!** va au diable !

infiltrado, da ◨ *adj* infiltré(e). ◨ *nm, f* ◦ **los infiltrados** les espions.

infiltrar *vt* **1.** *(gén* & *méd)* infiltrer **2.** *fig* inculquer. ◨ **infiltrarse** *vp* ◦ **infiltrarse (en)** s'infiltrer (dans).

ínfimo, ma *adj* infime.

infinidad *nf* ◦ **una infinidad de** une infinité de ◦ **en infinidad de ocasiones** à maintes reprises.

infinitivo, va *adj* infinitif(ive). ◨ **infinitivo** *nm* GRAMM infinitif *(m)*.

infinito, ta *adj* infini(e) ◦ **infinitas cartas** un nombre infini de lettres ◦ **infinito** *nm* infini *(m)*.

inflación *nf* inflation *(f)*.

inflamable *adj* inflammable.

inflamación *nf* inflammation *(f)*.

inflamar *vt* litt & fig enflammer. ◨ **inflamarse** *vp* s'enflammer.

inflamatorio, ria *adj* inflammatoire.

inflar *vt* **1.** gonfler **2.** *fig (exagérer)* grossir. ◨ **inflarse** *vp* ◦ **inflarse (de)** se gaver (de).

inflexible *adj* **1.** *(matière)* rigide **2.** *fig (caractère, attitudes, etc)* inflexible.

inflexión *nf* inflexion *(f)*.

infligir *vt* infliger.

influencia *nf* influence *(f)* ◦ **de influencia** *(personne)* influent(e).

influenciar *vt* influencer.

influir *vi* ◦ **influir en** influer sur, avoir de l'influence sur.

influjo *nm* influence *(f)*.

influyente *adj* influent(e).

información *nf* **1.** *(connaissance)* information *(f)*, renseignement *(m)* **2.** *(nouvelle)* information *(f)* ◦ **información meteorológica** bulletin *(m)* météorologique **3.** bureau *(m)* d'information

4. *(dans un aéroport)* comptoir *(m)* information **5.** *(dans un magasin)* accueil *(m)* **6.** renseignements *(mpl) (téléphoniques)*.

informal *adj* **1.** *(irresponsable)* peu sérieux(euse) **2.** *(réunion, etc)* informel(elle) **3.** *(tenue, etc)* décontracté(e).

informante *nmf* informateur *(m)*, -trice *(f)*.

informar *vt* informer ◦ **informar a alguien de algo** informer qqn de qqch. ◨ **informarse** *vp* ◦ **informarse (de)** s'informer (de) ◦ **informarse (sobre)** se renseigner (sur).

informático, ca ◨ *adj* informatique. ◨ *nm, f* informaticien *(m)*, -enne *(f)*. ◨ **informática** *nf* intormatique *(f)*.

informativo, va *adj* **1.** *(publicité)* informatif(ive) **2.** *(bulletin, revue)* d'information. ◨ **informativo** *nm* RADIO & TV journal *(m)*, informations *(fpl)*.

informatizar *vt* informatiser.

informe ◨ *adj* informe. ◨ *nm* rapport *(m)*. ◨ **informes** *nmpl* **1.** renseignements *(mpl)* **2.** références *(fpl)* *(d'un employé)*.

infortunio *nm* infortune *(f)*.

infracción *nf* infraction *(f)*.

infraestructura *nf* infrastructure *(f)*.

infrahumano, na *adj* inhumain(e).

infranqueable *adj* infranchissable.

infrarrojo, ja *adj* infrarouge.

infravalorar *vt* sous-estimer.

infringir *vt* enfreindre.

infundado, da *adj* infondé(e).

infundir *vt* **1.** inspirer *(la peur, la crainte, etc)* **2.** insuffler *(du courage)*.

infusión *nf* infusion *(f)*, tisane *(f)*.

infuso, sa *adj* infus(e).

ingeniar *vt* inventer. ◨ **ingeniarse** *vp* ◦ **ingeniárselas (para)** s'arranger (pour).

ingeniería *nf* **1.** *(science)* génie *(m)* **2.** *(études)* ◦ **estudia ingeniería** il fait des études d'ingénieur.

ingeniero, ra *nm, f* ingénieur *(m)* ◦ **ingeniero de caminos, canales y puertos** ingénieur des Ponts et chaussées.

ingenio *nm* **1.** esprit *(m)*, ingéniosité *(f)* ◦ **aguzar el ingenio** se creuser la tête **2.** engin *(m)*.

ingenioso, sa *adj* ingénieux(euse).

ingenuidad *nf* ingénuité *(f)*.

ingenuo, nua *adj* & *nm, f* ingénu(e).

ingerir *vt* ingérer.

Inglaterra *npr* Angleterre *(f)*.

ingle *nf* aine *(f)*.

inglés, esa ◨ *adj* anglais(e). ◨ *nm, f* Anglais *(m)*, -e *(f)*. ◨ **inglés** *nm* anglais *(m)*.

ingratitud *nf* ingratitude *(f)*.

ingrato, ta *adj* ingrat(e).

ingrávido, da *adj* **1.** *(sans gravité)* léger(e) **2.** *fig* aérien(enne) • **en estado ingrávido** en apesanteur.

ingrediente *nm* ingrédient *(m)*.

ingresar ◼ *vt* **1.** déposer, remettre *(un chèque)* **2.** déposer, verser *(de l'argent liquide)*. ◼ *vi* • **ingresar (en)** être admis(e) (dans OU à).

ingreso *nm* **1.** admission *(f)* **2.** dépôt *(m)*, versement *(m) (d'argent)* **3.** remise *(f) (de chèque)*. ◼ **ingresos** *nmpl* **1.** revenus *(mpl) (personnels)* **2.** recettes *(fpl) (commerciales)*.

inhabilitar *vt* **1.** déclarer inapte **2.** interdire.

inhabitable *adj* inhabitable.

inhabitado, da *adj* inhabité(e).

inhalador *nm* inhalateur *(m)*.

inhalar *vt* inhaler.

inherente *adj* inhérent(e).

inhibir *vt* **1.** *(gén & MÉD)* inhiber **2.** DR dessaisir. ◼ **inhibirse** *vp* se refréner • **inhibirse de** se dérober à *(ses responsabilités, ses engagements)*.

inhóspito, ta *adj* inhospitalier(ère).

inhumano, na *adj* inhumain(e).

INI *(abr de* **Instituto Nacional de Industria***) nm* organisme gouvernemental espagnol pour la promotion de l'industrie.

iniciación *nf* **1.** initiation *(f)* **2.** début *(m)*.

inicial ◼ *adj* initial(e). ◼ *nf* initiale *(f)*.

inicializar *vt* INFORM initialiser.

iniciar *vt* commencer.

iniciativa *nf* initiative *(f)*.

inicio *nm* début *(m)*.

inigualable *adj* inégalable.

ininteligible *adj* inintelligible.

ininterrumpido, da *adj* ininterrompu(e).

injerencia *nf* ingérence *(f)*.

injerir *vt* insérer. ◼ **injerirse** *vp* • **injerirse (en)** s'ingérer (dans).

injertar *vt* greffer.

injerto *nm* greffe *(f)*.

injuria *nf* injure *(f)*.

injuriar *vt* injurier.

injurioso, sa *adj* injurieux(euse).

injusticia *nf* injustice *(f)*.

injustificado, da *adj* injustifié(e).

injusto, ta *adj* injuste.

inmadurez *nf* immaturité *(f)*.

inmaduro, ra *adj* **1.** *(fruit)* pas mûr(e) **2.** *(personne)* immature.

inmediaciones *nfpl* abords *(mpl)*.

inmediatamente *adv* immédiatement.

inmediato, ta *adj* **1.** adjacent(e) **2.** voisin(e) **3.** immédiat(e) • **de inmediato** immédiatement.

inmejorable *adj* exceptionnel(elle).

inmensidad *nf* **1.** immensité *(f)* **2.** *fig* multitude *(f)*.

inmenso, sa *adj* immense.

inmersión *nf* immersion *(f)*.

inmerso, sa *adj* **1.** immergé(e) *(dans un liquide)* **2.** *fig* plongé(e) *(dans la lecture)*.

inmigración *nf* immigration *(f)*.

inmigrante *nmf* **1.** immigré *(m)*, -e *(f)* **2.** immigrant *(m)*, -e *(f)*.

inmigrar *vi* immigrer.

inminente *adj* imminent(e).

inmiscuirse *vp* • **inmiscuirse (en)** s'immiscer (dans).

inmobiliario, ria *adj* immobilier(ère). ◼ **inmobiliaria** *nf* société *(f)* immobilière.

inmoral *adj* immoral(e).

inmortal *adj* immortel(elle).

inmortalizar *vt* immortaliser.

inmóvil *adj* immobile.

inmovilizar *vt* immobiliser.

inmueble *adj & nm* immeuble.

inmundicia *nf* saleté *(f)*, crasse *(f)*. ◼ **inmundicias** *nfpl* immondices *(fpl)*.

inmundo, da *adj* immonde.

inmune *adj* **1.** MÉD immunisé(e) **2.** exempt(e).

inmunidad *nf* immunité *(f)*.

inmunizar *vt* immuniser.

inmutar *vt* impressionner. ◼ **inmutarse** *vp* • **no inmutarse** rester imperturbable.

innato, ta *adj* inné(e).

innecesario, ria *adj* inutile.

innovación *nf* innovation *(f)*.

innovador, ra *adj & nm, f* innovateur(trice), novateur(trice).

innovar *vt* innover.

innumerable *adj* innombrable.

inocencia *nf* innocence *(f)*.

inocentada *nf* plaisanterie traditionnelle faite le 28 décembre, jour des saints Innocents ≃ poisson *(m)* d'avril.

inocente *adj & nmf* innocent(e). ◼ **Inocentes** *nmf pl* • **los Santos Inocentes** les Saints-Innocents • **día de los Inocentes** ≃ 1er avril.

inodoro, ra *adj* inodore. ◼ **inodoro** *nm* toilettes *(fpl)*.

inofensivo, va *adj* inoffensif(ive).

inolvidable *adj* inoubliable.

inoperante *adj* **1.** *(mesure)* inopérant(e) **2.** *(personne)* inefficace.

inoportuno, na, importuno, na *adj* inopportun(e).

inoxidable *adj* inoxydable.

inquebrantable *adj* inébranlable.

inquietar *vt* inquiéter. ◼ **inquietarse** *vp* s'inquiéter.

inquieto, ta *adj* **1.** inquiet(ète) **2.** agité(e).

inquietud *nf* inquiétude *(f)*. ■ **inquietudes** *nfpl* préoccupations *(fpl)*.

inquilino, na *nm, f* locataire *(mf)*.

inquirir *vt sout* s'enquérir de.

inquisición *nf* enquête *(f)*. ■ **Inquisición** *nf* • **la Inquisición** l'Inquisition *(f)*.

inquisidor, ra *adj* inquisiteur(trice). ■ **inquisidor** *nm* inquisiteur *(m)*.

inri *nm* • **para más inri** *fam fig* pour couronner le tout.

insaciable *adj* insatiable.

insalubre *adj* insalubre.

Insalud (*abr de* **Instituto Nacional de la Salud**) *nm organisme gouvernemental espagnol de santé*, ≃ CPAM *(f)*.

insatisfacción *nf* insatisfaction *(f)*.

insatisfecho, cha *adj* **1.** insatisfait(e) **2.** *(non rassasié)* • **está insatisfecho con la comida** il n'est pas rassasié.

inscribir *vt* inscrire • **inscribir a alguien en** inscrire qqn à *(una escuela, un curso, etc)* • faire inscrire sur *(un registre civil, una lista, etc)*. ■ **inscribirse** *vp* s'inscrire • **inscribirse en** s'inscrire sur *(una lista, un registro)* • s'inscrire à *(una escuela, un curso)* • s'inscrire dans *(un club, una association)*.

inscripción *nf* inscription *(f)*.

inscrito, ta *adj* inscrit(e). ■ **inscrito** *pp* ▷ **inscribir**.

insecticida *adj & nm* insecticide.

insecto *nm* insecte *(m)*.

inseguridad *nf* insécurité *(f)*.

inseguro, ra *adj* **1.** *(persona)* • **es inseguro** il n'est pas sûr de lui **2.** *(proyecto, resultado, etc)* incertain(e) **3.** *(endroit, engin)* dangereux(euse).

inseminación *nf* insémination *(f)* • **inseminación artificial** insémination artificielle.

insensatez *nf* stupidité *(f)*.

insensato, ta *adj* ridicule.

insensibilidad *nf* insensibilité *(f)*.

insensible *adj* insensible.

inseparable *adj* inséparable.

insertar *vt* *(gén & INFORM)* insérer.

inservible *adj* inutilisable.

insidioso, sa *adj* insidieux(euse).

insigne *adj* éminent(e).

insignia *nf* **1.** *(décoration)* insigne *(m)* **2.** *(drapeau)* pavillon *(m)*.

insignificante *adj* insignifiant(e).

insinuar *vt* insinuer. ■ **insinuarse** *vp* **1.** faire des avances **2.** poindre.

insípido, da *adj litt & fig* insipide.

insistencia *nf* insistance *(f)*.

insistir *vi* • **insistir (en)** insister (sur).

insociable *adj* insociable.

insolación *nf* insolation *(f)*.

insolencia *nf* insolence *(f)*.

insolente *adj & nmf* insolent(e).

insolidario, ria *adj* non solidaire.

insólito, ta *adj* insolite.

insoluble *adj* insoluble.

insolvencia *nf* insolvabilité *(f)*.

insolvente *adj* insolvable.

insomnio *nm* insomnie *(f)*.

insondable *adj* insondable.

insonorizar *vt* insonoriser.

insoportable *adj* insupportable.

insostenible *adj* insoutenable.

inspección *nf* inspection *(f)*.

inspeccionar *vt* inspecter.

inspector, ra *nm, f* inspecteur *(m)*, -trice *(f)* • **inspector de Hacienda** inspecteur des impôts.

inspiración *nf* inspiration *(f)*.

inspirar *vt* inspirer. ■ **inspirarse** *vp* être inspiré(e) • **no escribe si no se inspira** il n'écrit pas s'il n'est pas inspiré • **inspirarse en** s'inspirer de.

instalación *nf* installation *(f)*. ■ **instalaciones** *nfpl* équipements *(mpl)*.

instalar *vt* installer. ■ **instalarse** *vp* • **instalarse (en)** s'installer (dans).

instancia *nf* 1. requête *(f)* • **a instancias de** sur la requête de • **en última instancia** *fig* en dernier ressort 2. DR instance *(f)*.

instantáneo, a *adj* instantané(e). ■ **instantánea** *nf* PHOTO instantané *(m)*.

instante *nm* instant *(m)* • **a cada instante** à chaque instant • **al instante** à l'instant • **en un instante** en un instant.

instar *vt* • **instar a** OU **para** prier instamment de.

instaurar *vt* instaurer.

instigar *vt* inciter.

instintivo, va *adj* instinctif(ive).

instinto *nm* instinct *(m)*.

institución *nf* institution *(f)*. ■ **instituciones** *nfpl* institutions *(fpl)*.

institucionalizar *vt* institutionnaliser.

instituir *vt* instituer.

instituto *nm* 1. institut *(m)* 2. lycée *(m)* • **instituto de Bachillerato** OU **Enseñanza Media** établissement *(m)* d'enseignement secondaire • **instituto de Formación Profesional** ≃ lycée technique • **instituto politécnico** *institut universitaire d'enseignement technique*. ■ **instituto de belleza** *nm* institut *(m)* de beauté.

institutriz *nf* institutrice *(f)*.

instrucción *nf* instruction *(f)*. ■ **instrucciones** *nfpl* mode *(m)* d'emploi.

instructivo, va *adj* instructif(ive).

instructor, ra ■ *adj* DR & MIL instructeur. ■ *nm, f* 1. moniteur *(m)*, -trice *(f)* 2. MIL instructeur *(m)*.

instruido, da *adj* instruit(e).

instruir *vt* instruire.

instrumental ■ *adj* instrumental(e). ■ *nm* instruments *(mpl)*.

instrumentista *nmf* instrumentiste *(mf)*.

instrumento *nm* instrument *(m)*.

insubordinado, da ■ *adj* 1. insubordonné(e) 2. *(enfant, attitude)* rebelle. ■ *nm, f* rebelle *(mf)*.

insubordinar *vt* soulever. ■ **insubordinarse** *vp* se soulever, se rebeller.

insubstancial = **insustancial**.

insuficiencia *nf* insuffisance *(f)*.

insuficiente ■ *adj* insuffisant(e). ■ *nm* SCOL mention qui signale que le travail ou les résultats sont insuffisants.

insufrible *adj* *fig* insupportable.

insular *adj* & *nmf* insulaire.

insulina *nf* insuline *(f)*.

insulso, sa *adj* *litt* & *fig* fade, insipide.

insultar *vt* insulter.

insulto *nm* insulte *(f)*.

insumiso, sa ■ *adj* insoumis(e). ■ *nm, f* 1. rebelle *(mf)* 2. MIL insoumis *(m)*.

insuperable *adj* 1. imbattable 2. insurmontable.

insurrección *nf* insurrection *(f)*.

insustancial, insubstancial *adj* 1. fade 2. *fig (sans intérêt)* creux(creuse).

intachable *adj* irréprochable.

intacto, ta *adj* intact(e).

integral ■ *adj* 1. intégral(e) 2. *(pain, riz)* complet(ète). ■ *nf* MATH intégrale *(f)*.

integrante ■ *adj* intégrant(e) • **los países integrantes de la OTAN** les pays membres de l'OTAN. ■ *nmf* membre *(m)*.

integrar *vt* 1. *(gén & MATH)* intégrer 2. *(faire partie)* composer • **los capítulos que integran el libro** les chapitres qui composent le livre. ■ **integrarse** *vp* • **integrarse (en)** s'intégrer (dans).

integridad *nf* *litt* & *fig* intégrité *(f)*.

íntegro, gra *adj* 1. intégral(e) 2. *fig* intègre.

intelecto *nm* intellect *(m)*.

intelectual *adj* & *nmf* intellectuel(elle).

inteligencia *nf* 1. intelligence *(f)* • **inteligencia artificial** intelligence artificielle 2. MIL • **los servicios de inteligencia** les services secrets.

inteligente *adj* *(gén & INFORM)* intelligent(e).

inteligible *adj* intelligible.

intemperancia *nf* 1. intolérance *(f)* 2. intempérance *(f)*.

intemperie *nf* • **a la intemperie** à la belle étoile • dehors.

intempestivo, va *adj* 1. *(arrivée, intervention)* intempestif(ive) 2. *(proposition, visite)* inopportun(e) 3. *(commentaire)* déplacé(e) • **a horas intempestivas** à des heures indues.

intemporal *adj* intemporel(elle).

intención *nf* intention *(f)* • **con buena/mala intención** dans une bonne/mauvaise intention.

intencionado, da *adj* intentionné(e).

intendencia *nf* intendance *(f)*.

intensidad *nf* *(gén & ÉLECTR)* intensité *(f)*.

intensificar *vt* intensifier. ■ **intensificarse** *vp* s'intensifier.

intensivo, va adj intensif(ive) • **la jornada intensiva** la journée continue.

intenso, sa adj intense.

intentar vt • **intentar hacer algo** essayer ou tenter de faire qqch.

intento nm 1. tentative (f) 2. SPORT essai (m).

interactivo, va adj INFORM interactif(ive).

intercalar vt 1. intercaler (des fiches, des feuilles) 2. insérer (des chapitres, des épisodes, etc).

intercambio nm échange (m).

interceder vi intercéder • **interceder por alguien** intercéder en faveur de qqn.

interceptar vt 1. intercepter (une lettre, une conversation, etc) 2. barrer (une route).

interés nm (gén & FIN) intérêt (m) • **tener interés en algo** tenir à qqch • **tiene interés en que vengamos** il tient à ce que nous venions • **tener interés por algo** être intéressé(e) par qqch • **tiene interés por comprar el cuadro** Il est intéressé par l'achat du tableau • **intereses creados** intérêts communs.

interesado, da ◙ adj intéressé(e). ◙ nm, f personne (f) intéressée.

interesante adj intéressant(e).

interesar ◙ vi être intéressant(e) • **el asunto no interesa** le sujet n'est pas intéressant. ◙ vt • **interesar a alguien en algo** intéresser qqn à qqch. ◙ **interesarse** vp • **interesarse (por)** s'intéresser (à) • **se interesó por tu salud** il s'est inquiété de ta santé.

interfaz nm ou nf INFORM interface (f).

interferencia nf PHYS interférence (f).

interferir ◙ vt 1. RADIO, TÉLÉCOM & TV brouiller 2. fig interrompre. ◙ vi interférer • **interferir en** interférer dans • se mêler de (sujet, problemes, etc) • intervenir dans (la conversation).

interfono nm interphone (m).

interino, na ◙ adj intérimaire • **el presidente interino** le président par intérim. ◙ nm, f intérimaire (mf). ◙ **interina** nf femme (f) de ménage.

interior ◙ adj intérieur(e) • **la ropa interior** les sous-vêtements. ◙ nm 1. intérieur (m) 2. (d'une personne) • **en mi interior** au fond de moi.

interiorismo nm architecture (f) d'intérieur.

interiorizar vt intérioriser.

interjección nf interjection (f).

interlineado nm interligne (m).

interlocutor, ra nm, f interlocuteur (m), -trice (f).

intermediario, ria adj & nm, f intermédiaire.

intermedio, dia adj intermédiaire. ◙ **intermedio** nm intermède (m) • **la película tuvo tres intermedios** il y a eu trois coupures publicitaires pendant le film.

interminable adj interminable.

intermitente ◙ adj intermittent(e). ◙ nm clignotant (m).

internacional adj international(e).

internado, da adj & nm, f 1. interné(e) 2. SCOL interne. ◙ **internado** nm internat (m).

internar vt 1. interner 2. SCOL mettre en pension 3. hospitaliser. ◙ **internarse** vp • **internarse en** s'enfoncer dans (un bois, etc) • se plonger dans (une affaire, etc).

internauta nmf internaute (mf).

Internet nm ou nf Internet (m).

interno, na ◙ adj 1. (gén & MÉD) interne 2. POLIT intérieur(e) 3. SCOL • **los alumnos internos** les internes. ◙ nm, f 1. (élève) interne (mf) 2. (prisonnier) interné (m), -e (f).

interparlamentario, ria adj interparlementaire.

interpelación nf interpellation (f).

interplanetario, ria adj interplanétaire.

Interpol (abr de **International Criminal Police Organization**) nf Interpol (m).

interpolar vt intercaler.

interponer vt 1. interposer 2. DR • **interponer un recurso** interjeter appel. ◙ **interponerse** vp s'interposer (entre deux) • **interponerse en** se mêler de (affaires, vie de quelqu'un).

interpretación nf interprétation (f).

interpretar vt interpréter.

intérprete nmf interprète (mf). ◙ **intérprete** nm INFORM interpréteur (m).

interpuesto, ta pp ▭ **interponer**

interrail nm carte (f) Inter Rail.

interrogación nf interrogation (f).

interrogante nm 1. interrogation (f) 2. GRAMM point (m) d'interrogation.

interrogar vt interroger.

interrogatorio nm interrogatoire (m).

interrumpir vt interrompre. ◙ **interrumpirse** vp s'interrompre • **la programación se interrumpió** le programme a été interrompu.

interrupción nf interruption (f) • **interrupción voluntaria del embarazo** interruption volontaire de grossesse.

interruptor nm interrupteur (m).

intersección nf intersection (f).

interurbano, na adj interurbain(e).

intervalo nm intervalle (m).

intervención nf intervention (f) • **intervención quirúrgica** intervention chirurgicale.

intervencionista adj & nmf interventionniste.

intervenir ◙ vi • **intervenir (en)** intervenir (dans) • **intervenir en un debate** participer à un débat. ◙ vt 1. MÉD opérer 2. TÉLÉCOM mettre sur écoutes 3. DR saisir (des armes, de la drogue, etc) 4. DR contrôler (les comptes).

interventor, ra nm, f **1.** contrôleur (m), -euse (f) de gestion **2.** contrôleur (m), -euse (f) **3.** scrutateur (m), -trice (f).

interviú (pl **interviús**) nf interview (f).

intestino, na adj intestin(e). ■ **intestino** nm intestin (m) • **intestino delgado** intestin grêle • **intestino grueso** gros intestin.

intimar vi • **intimar (con)** sympathiser (avec).

intimidación nf intimidation (f).

intimidad nf intimité (f) • **en la intimidad** dans l'intimité.

intimista adj intimiste.

íntimo, ma ■ adj intime. ■ nm, f intime (mf).

intolerable adj intolérable.

intolerancia nf intolérance (f).

intoxicación nf intoxication (f) • **intoxicación alimenticia** intoxication alimentaire.

intoxicar vt intoxiquer. ■ **intoxicarse** vp s'intoxiquer.

intranquilizar vt inquiéter. ■ **intranquilizarse** vp s'inquiéter.

intranquilo, la adj **1.** inquiet(ète) **2.** agité(e).

intransferible adj **1.** (droit, charge) intransmissible **2.** (compte) non transférable.

intransigente adj intransigeant(e).

intransitable adj impraticable.

intrascendente adj insignifiant(e).

intrauterino, na adj intra-utérin(e).

intrépido, da adj intrépide.

intriga nf **1.** curiosité (f) • **tener intriga por** être curieux(euse) de **2.** suspense (m) • **de intriga** à suspense **3.** intrigue (f).

intrigar vt & vi intriguer.

intrincado, da adj **1.** inextricable **2.** (affaire, problème) compliqué(e) • **un camino intrincado** un chemin tortueux.

intríngulis nm inv fam hic (m) • **el intríngulis de la historia** le fin mot de l'histoire.

intrínseco, ca adj intrinsèque.

introducción nf introduction (f).

introducir vt • **introducir (en)** introduire (dans). ■ **introducirse** vp • **introducirse (en)** s'introduire (dans).

intromisión nf intrusion (f).

introspectivo, va adj introspectif(ive).

introvertido, da adj & nm, f introverti(e).

intruso, sa adj & nm, f intrus(e).

intuición nf intuition (f).

intuir vt avoir l'intuition de, pressentir.

intuitivo, va adj intuitif(ive).

inundación nf inondation (f).

inundar vt **1.** inonder **2.** fig envahir. ■ **inundarse** vp • **inundarse (de)** être inondé(e) (de) • fig être envahi(e) (par).

inusitado, da adj **1.** (mot, langage) inusité(e) **2.** (froid, comportement, etc) inhabituel(elle).

inútil ■ adj **1.** inutile **2.** (personne) maladroit(e), invalide. ■ nmf **1.** incapable (mf) **2.** invalide (mf).

inutilidad nf **1.** inutilité (f) **2.** (objet) • **esta máquina es una inutilidad** cette machine ne sert à rien **3.** invalidité (f).

inutilizar vt • **inutilizar algo** rendre qqch inutilisable.

invadir vt litt & fig envahir.

invalidez nf invalidité (f) • **invalidez permanente/temporal** incapacité (f) permanente/temporaire.

inválido, da adj & nm, f invalide.

invariable adj invariable.

invasión nf invasion (f).

invasor, ra ■ adj • **el país invasor fue sancionado** le pays agresseur a été sanctionné. ■ nm, f envahisseur (m).

invectiva nf invective (f).

invención nf invention (f).

inventar vt inventer. ■ **inventarse** vp inventer • **se inventó una excusa** il a inventé une excuse.

inventario nm inventaire (m).

inventiva nf imagination (f).

invento nm invention (f).

inventor, ra nm, f inventeur (m), -trice (f).

invernadero, invernáculo nm serre (f).

invernar vi **1.** hiberner **2.** hiverner.

inverosímil adj invraisemblable.

inversión nf **1.** inversion (f) **2.** investissement (m) (de temps, d'argent) • **una mala inversión** un mauvais placement.

inverso, sa adj inverse. ■ **a la inversa** loc adv à l'inverse.

inversor, ra nm, f investisseur(euse).

invertebrado, da adj **1.** invertébré(e) **2.** fig non structuré(e). ■ **invertebrados** nmpl invertébrés (mpl).

invertido, da adj & nm, f homosexuel(elle).

invertir vt **1.** inverser **2.** investir **3.** mettre (du temps) • **invierto mucho tiempo en ir a tu casa** je mets beaucoup de temps pour aller chez toi.

investidura nf investiture (f).

investigación nf **1.** recherche (f) **2.** investigation (f) • **investigación y desarrollo** recherche-développement **3.** enquête (f).

investigador, ra ■ adj **1.** (qui étudie) • **un centro investigador** un centre de recherche **2.** (qui enquête) • **una comisión investigadora** une commission d'enquête. ■ nm, f **1.** chercheur (m), -euse (f) **2.** enquêteur (m), -euse (f).

investigar ■ vt **1.** faire des recherches sur **2.** rechercher, enquêter sur. ■ vi **1.** faire de la recherche **2.** enquêter.

investir *vt* • **investir a alguien con algo** *(charge)* investir qqn de qqch • *(grade, titre)* décerner qqch à qqn • *(médaille)* décorer qqn de qqch.

inveterado, da *adj (coutume)* ancré(e).

inviable *adj* infaisable.

invidente ◼ *adj* aveugle. ◼ *nmf* non-voyant *(m)*, -e *(f)*.

invierno *nm* hiver *(m)*.

invisible *adj* invisible.

invitación *nf* invitation *(f)*.

invitado, da *adj & nm, f* invité(e).

invitar *vt* inviter • **invitar a alguien a (hacer) algo** inviter qqn à (faire) qqch • **lo invitó a una copa** il lui a offert un verre • **invitar a** *fig* inviter à • **el sol invita a pasear** le soleil invite à la promenade.

in vitro *loc adv* in vitro.

invocar *vt* invoquer.

involución *nf fig* régression *(f) (d'une situation)*.

involucrar *vt* • **involucrar en** impliquer dans. ◼ **involucrarse** *vp* • **involucrarse en** être impliqué(e) dans.

involuntario, ria *adj* involontaire.

invulnerable *adj* invulnérable.

inyección *nf* **1.** injection *(f)* **2.** piqûre *(f)*.

inyectar *vt* injecter. ◼ **inyectarse** *vp* **1.** *(avec de la drogue)* se piquer **2.** *(avec un médicament)* se faire une piqûre de.

iodo = yodo.

ion *nm* ion *(m)*.

IPC *(abr de* índice de precios al consumo*) nm* IPC *(m)*.

---

ir *vi*

1. SE DÉPLACER VERS UN ENDROIT DÉTERMINÉ = aller
• **no quiero ir** je ne veux pas y aller
• **iremos en coche/en tren/andando** nous irons en voiture/en train/à pied
• **¡vamos!** on y va !

2. S'ÉTENDRE D'UN POINT À UN AUTRE = aller
• **nuestra parcela va de aquí hasta el mar** notre terrain va d'ici à la mer

3. DEVANT UN GÉRONDIF, INDIQUE QU'UNE ACTION SE RÉALISE PEU À PEU
• **voy mejorando mi estilo** j'améliore mon style
• **su estado va empeorando** son état se dégrade

4. FONCTIONNER, MARCHER
• **tu coche va muy bien** ta voiture marche très bien
• **sus negocios van mal** ses affaires vont mal

5. ÊTRE
• **iba muy borracho** il était complètement soûl
• **iba hecho un pordiosero** on aurait dit un mendiant

6. CONVENIR À QQN, EN PARLANT DE VÊTEMENTS, DE COULEURS = aller
• **te van muy bien estas gafas** ces lunettes te vont très bien
• **le va fatal el color negro** le noir ne lui va pas du tout

7. DANS UN PARI
• **van diez euros a que no lo haces** je te parie dix euros que tu ne le fais pas

8. AVEC UNE VALEUR EMPHATIQUE, INDIQUE QU'UNE ACTION SE PRODUIT DE FAÇON SOUDAINE OU IMPRÉVUE
• **fue y se puso a llorar** tout à coup, il s'est mis à pleurer
• **fue y se lo contó todo** d'un coup, il est allé tout lui raconter

9. DANS DES EXPRESSIONS
• **¿cómo te va?** comment vas-tu ?, comment ça va ?
• **¡qué va!** tu parles !
• **es el no va más** c'est le nec plus ultra
• **este tratamiento me ha ido muy bien** ce traitement m'a fait beaucoup de bien
• **unas vacaciones te harían bien** des vacances te feraient du bien

◼ **ir a** *v + prép*

1. SE DÉPLACER VERS UN ENDROIT DÉTERMINÉ = aller à
• **voy a Madrid/al cine** je vais à Madrid/au cinéma
• **todavía va al colegio** il va encore à l'école

2. SUIVI DE L'INFINITIF, EXPRIME LE FUTUR IMMÉDIAT = aller
• **voy a llamarlo ahora mismo** je vais l'appeler tout de suite
• **va a llover** il va pleuvoir

3. ÊTRE DANS TEL ÉTAT = aller
• **ir a mejor/a peor** aller mieux/moins bien

◼ **ir con** *v + prep*

1. ÊTRE VÊTU DE = être en
• **ir con corbata** être en cravate

2. ÊTRE EN HARMONIE AVEC = aller avec
• **el color del sofá no va con el de las cortinas** la couleur du canapé ne va pas avec celle des rideaux.

◼ **ir de** *v + prép*

1. TRAITER DE, AVOIR POUR SUJET = parler de
• **¿de qué va la película?** de quoi parle le film ?

2. ÊTRE VÊTU DE = être en
• **ir de azul** être en bleu

3. PRÉTENDRE ÊTRE
• **va de intelectual** il fait l'intello
• **pero ¿tú de qué vas?** mais tu te prends pour qui ?

◼ **ir en** *v + prép*

ÊTRE VÊTU DE = être en
• **ir en camiseta** être en tee-shirt.

■ **ir por** *v + prép*

1. ALLER CHERCHER QQCH OU QQN
- **ve a por el pan** va chercher le pain
- **si quieres yo iré por el niño** si tu veux, j'irai chercher le gamin

2. CONCERNER QQN, S'ADRESSER À QQN
- **lo que he dicho no va por nadie en particular** ce que je viens de dire ne vise personne en particulier
- **no mires al techo que esto va por ti** ne regarde pas au plafond, c'est de toi dont il s'agit

3. INDIQUE UNE COMPENSATION
- **eso va por lo que tú me hiciste** ça, c'est pour ce que tu m'as fait

4. ATTEINDRE = en être à
- **ya va por el cuarto vaso de vino** il en est à son quatrième verre de vin.

■ **irse** *vp*

QUITTER UN LIEU, PARTIR
- **como sigas así me voy** si tu continues comme ça, je m'en vais
- **se ha ido de viaje/a comer** il est parti en voyage/manger
- **esta mancha no se va** cette tache ne part pas
- **¡vete!** va-t-en !

ira *nf* colère *(f)*.
IRA *(abr de* **Irish Republican Army***) nm* IRA *(f)*.
Irak = Iraq.
irakí *(pl* **irakíes** *OU* **irakís)** = iraquí.
Irán *npr* • **(el) Irán** (l')Iran *(m)*.
Iraq, Irak *npr* • **(el) Iraq** (l')Iraq *(m)*, (l')Irak *(m)*.
iraquí *(pl* **iraquíes** *OU* **iraquís)*, **irakí** *(pl* **irakíes** *OU* **irakís)* adj irakien(enne). ◼ *nm, f* Irakien *(m)*, -enne *(f)*.
irascible *adj* irascible.
iris *nm inv* iris *(m)*.
Irlanda *npr* Irlande *(f)* • **Irlanda del Norte** Irlande du Nord.
irlandés, esa ◼ *adj* irlandais(e). ◼ *nm, f* Irlandais *(m)*, -e *(f)*. ◼ **irlandés** *nm* irlandais *(m)*.
ironía *nf* ironie *(f)* • **por una curiosa ironía,...** par une curieuse ironie du sort,...
irónico, ca *adj* ironique.
ironizar ◼ *vt* tourner en dérision. ◼ *vi* • **ironizar (sobre)** ironiser (sur).
IRPF *(abr de* **Impuesto sobre la Renta de las Personas Físicas***) nm* impôt sur le revenu des personnes physiques en Espagne, ≃ IRPP *(m)*.
irracional *adj* irrationnel(elle).
irradiar *vt* **1.** irradier **2.** rayonner de *(joie, bonheur)* **3.** déborder de *(sympathie)*.

irreal *adj* irréel(elle).
irreconocible *adj* méconnaissable.
irrecuperable *adj* irrécupérable.
irreflexión *nf* irréflexion *(f)*.
irreflexivo, va *adj* irréfléchi(e).
irrefutable *adj* irréfutable.
irregular *adj* irrégulier(ère).
irregularidad *nf* irrégularité *(f)*.
irrelevante *adj* **1.** insignifiant(e) **2.** qui n'est pas pertinent(e).
irremediable *adj* irrémédiable.
irreparable *adj* irréparable.
irresistible *adj* irrésistible.
irresoluto, ta *adj & nm, f sout* irrésolu(e).
irrespetuoso, sa *adj* irrespectueux(euse).
irrespirable *adj* irrespirable.
irresponsable *adj & nmf* irresponsable.
irreverente *adj* irrévérencieux(euse).
irreversible *adj* irréversible.
irrevocable *adj* irrévocable.
irrigar *vt* irriguer.
irrisorio, ria *adj* dérisoire.
irritable *adj* irritable.
irritar *vt* irriter. ◼ **irritarse** *vp* s'irriter.
irrompible *adj* incassable.
irrupción *nf* irruption *(f)*.
isla *nf* île *(f)* • **isla de Pascua** île de Pâques • **las islas Baleares** les îles Baléares • **las islas Canarias** les îles Canaries • **las islas Fidji** les îles Fidji • **las islas Malvinas** les îles Malouines.
islam *nm* islam *(m)*. ◼ **Islam** *nm* • **el Islam** l'Islam *(m)*.
islamismo *nm* **1.** islam *(m)* **2.** islamisme *(m)*.
islandés, esa ◼ *adj* islandais(e). ◼ *nm, f* Islandais *(m)*, -e *(f)*. ◼ **islandés** *nm* islandais *(m)*.
Islandia *npr* Islande *(f)*.
isleño, ña *adj & nm, f* insulaire.
islote *nm* îlot *(m)*.
isósceles ◼ *adj inv* isocèle. ◼ *nm inv* triangle *(m)* isocèle.
isótopo ◼ *adj* isotopique. ◼ *nm* CHIM isotope *(m)*.
Israel *npr* Israël.
israelí *(pl* **israelíes** *OU* **israelís)* ◼ *adj* israélien(enne). ◼ *nmf* Israélien *(m)*, -enne *(f)*.
istmo *nm* isthme *(m)*.
Italia *npr* Italie *(f)*.
italiano, na ◼ *adj* italien(enne). ◼ *nm, f* Italien *(m)*, -enne *(f)*. ◼ **italiano** *nm* italien *(m)*.
item, ítem *nm* **1.** objet *(m)* **2.** DR article *(m)* **3.** IN FORM élément *(m)* (d'information).
itinerante *adj* itinérant(e).
itinerario *nm* itinéraire *(m)*.
ITV *(abr de* **inspección técnica de vehículos***) n* contrôle technique des véhicules en Espagne.

i/v *(abr écrite de* **ida y vuelta)** A/R.

IVA *(abr de* **impuesto sobre el valor añadido)** *nm* TVA *(f)* • **el tipo** *ou* **la tasa del IVA** le taux de la TVA.

izar *vt* hisser.

izda, izqda *(abr écrite de* **izquierda)** gche.

izquierdo, da *adj* **1.** gauche **2.** *(file, bouton, voie)* de gauche. ■ **izquierda** *nf* **1.** *(gén & POLIT)* gauche *(f)* • **a la izquierda** à gauche • **de izquierdas** de gauche **2.** main *(f)* gauche **3.** SPORT *(pied)* gauche *(m)*.

j, J [xota] *nf* j *(m inv)*, J *(m inv)*.

ja *interj* • **¡ja!** ha !

jabalí, ina *nm, f* sanglier *(m)*, laie *(f)*.

jabalina *nf* javelot *(m)*.

jabón *nm* savon *(m)*.

jabonero, ra *adj* savonnier(ère). ■ **jabonera** *nf* porte-savon *(m)*.

jaca *nf* **1.** ZOOL bidet *(m)* **2.** jument *(f)*.

jacal *nm (Amér)* hutte *(f)*.

jacinto *nm* jacinthe *(f)*.

jacquard *nm inv* jacquard *(m)*.

jactarse *vp* • **jactarse de** se vanter de.

jacuzzi® *nm* Jacuzzi® *(m)*.

jadeante *adj* haletant(e).

jadear *vi* haleter.

jadeo *nm* halètement *(m)*.

Jaén *npr* Jaén, Jaen.

jaguar *(pl jaguars) nm* jaguar *(m)*.

jaiba *nf (Amér)* crabe *(m)*.

jalea *nf* gelée *(f)* • **jalea real** gelée royale.

jalear *vt* encourager *(par des cris, des applaudissements)*.

jaleo *nm fam* **1.** raffut *(m)* **2.** histoire *(f)* • **se ha metido en un jaleo muy gordo** il s'est embarqué dans une sale histoire **3.** pagaille *(f)*.

jalonar *vt litt & fig* jalonner.

Jamaica *npr* Jamaïque *(f)*.

jamás *adv* jamais • **jamás de los jamases** *fig* jamais, au grand jamais.

jamón *nm* jambon *(m)* • **jamón (de) York** jambon blanc • **jamón (en) dulce** jambon cuit • **jamón serrano** jambon de montagne *ou* cru, ≃ jambon de Bayonne.

Japón *npr* • **(el) Japón** (le) Japon.

japonés, esa ■ *adj* japonais(e). ■ *nm, f* Japonais *(m)*, -e *(f)*. ■ *nm* japonais *(m)*.

jaque *nm* échec *(m)* • **jaque mate** échec et mat.

jaqueca *nf* migraine *(f)*.

jarabe *nm* sirop *(m)*.

jarana *nf* **1.** java *(f)* • **estar** *ou* **irse de jarana** faire la java **2.** bagarre *(f)*.

jaranero, ra ■ *adj* • **es tan jaranero que sale todas las noches** il aime tellement faire la fête qu'il sort tous les soirs. ■ *nm, f* noceur *(m)*, -euse *(f)*.

jardín *nm* jardin *(m)* • **jardín botánico** jardin botanique. ■ **jardín de infancia** *nm* jardin *(m)* d'enfants.

jardinera *nf* ⊳ **jardinero**.

jardinería *nf* jardinage *(m)*.

jardinero, ra *nm, f* jardinier *(m)*, -ère *(f)*. ■ **jardinera** *nf* jardinière *(f)*.

jarra *nf* **1.** carafe *(f)* **2.** chope *(f)* *(pour contenir de la bière)* • **de** *ou* **en jarras** les poings sur les hanches. ■ **jarra de cerveza** *nf* chope *(f)* *(remplie de bière)*.

jarro *nm* pichet *(m)*.

jarrón *nm* vase *(m)*.

jaspeado, da *adj* jaspé(e).

jauja *nf fam* pays *(m)* de cocagne • **¡esto es jauja!** c'est Byzance !

jaula *nf* cage *(f)*.

jauría *nf* meute *(f)*.

jazmín *nm* jasmin *(m)*.

jazz [ʝas] *nm* jazz *(m)*.

JC *(abr écrite de* **Jesucristo)** J-C.

je *interj* • **¡je!** ha !

jeep® ['ʝip] *(pl jeeps) nm* Jeep® *(f)*.

jefatura *nf* direction *(f)*.

jefe, fa *nm, f* chef *(m)* • **jefe de estación** chef de gare • **jefe de Estado** chef d'État • **jefe de estudios** conseiller *(m)* d'éducation • **jefe de gobierno** chef de gouvernement.

jengibre *nm* gingembre *(m)*.

jerarquía *nf* hiérarchie *(f)* • **la alta jerarquía** les hauts dignitaires.

jerárquico, ca *adj* hiérarchique.

jerez *nm* xérès *(m)*.

jerga *nf* jargon *(m)*.

jerigonza *nf* **1.** charabia *(m)* **2.** jargon *(m)*.

jeringuilla *nf* seringue *(f)* • **jeringuilla hipodérmica** seringue hypodermique.

jeroglífico, ca *adj* hiéroglyphique. ■ **jeroglífico** *nm* **1.** hiéroglyphe *(m)* **2.** rébus *(m)*.

jerséi *(pl jerséis)*, **jersey** *(pl jerseys) nm* pull-over *(m)*.

Jerusalén *npr* Jérusalem.

jesuita *adj & nm* jésuite.

jesús *interj* • **¡jesús!** *(quand on éternue)* à tes/vos souhaits ! • *(exprime la surprise)* ça alors !

jet ['ʝet] *(pl jets)* ■ *nm* jet *(m)*. ■ *nf* = **jet-set**.

jeta *tfam* ◼ *nf* gueule *(f)* ◦ **tener (mucha) jeta** être gonflé(e). ◼ *nmf* ◦ **ies un jeta!** il a un culot monstre !

jet-set ['ʒetset], **jet** *nf* jet-set *(f)*.

jijona *nm* touron *(m)* (de Jijona).

jilguero *nm* chardonneret *(m)*.

jinete *nmf* cavalier *(m)*, -ère *(f)*.

jirafa *nf* girafe *(f)*.

jirón *nm* **1.** lambeau *(m)* ◦ **hecho jirones** en lambeaux **2.** *(Amér)* avenue *(f)*.

jitomate *nm (Amér)* tomate *(f)*.

JJ OO *(abr écrite de* **juegos olímpicos)** *nmpl* JO *(mpl)* ◦ **participar en los JJ OO** participer aux JO.

jockey = **yóquey.**

jocoso, sa *adj* cocasse.

joder *vulg* ◼ *vi* **1.** baiser **2.** faire chier ◦ **ino jodas!** tu déconnes ! ◼ *vt* **1.** emmerder **2.** niquer.

jofaina *nf* bassine *(f)*.

jogging ['ʒɔɣin] *nm* jogging *(m)*.

jolgorio *nm* fête *(f)*.

jolín, jolines *interj fam* ◦ **ijolín!** *(exprime la l'étonnement)* la vache ! ◦ *(exprime l'ennui)* mince !

jondo *adj* ⟶ **cante.**

Jordania *npr* Jordanie *(f)*.

jornada *nf* journée *(f)* ◦ **jornada de trabajo** journée *ou* temps *(m)* de travail ◦ **jornada intensiva** journée continue ◦ **media jornada** mi-temps *(m)*.

jornal *nm* salaire *(m)* journalier.

jornalero, ra *nm, f* journalier *(m)*, -ère *(f)*.

joroba *nf* bosse *(f)*.

jorobado, da ◼ *adj* **1.** *fam* mal fichu(e) ◦ **tengo el estómago jorobado** j'ai mal à l'estomac **2.** bossu(e). ◼ *nm, f* bossu *(m)*, -e *(f)*.

jorongo *nm (Amér)* **1.** couverture *(f)* **2.** poncho *(m)* (mexicain).

jota *nf* **1.** *(10ᵉ lettre de l'alphabet)* j *(m inv)* **2.** jota *(f)* *(chanson et danse populaires espagnoles avec accompagnement de castagnettes)* ◦ **no entiendo ni jota** *ou* **una jota de inglés** *fam* je ne comprends pas un mot d'anglais.

joto *nm (Amér) vulg* pédé *(m)*.

joven ◼ *adj* jeune. ◼ *nmf* jeune homme *(m)*, jeune fille *(f)* ◦ **ijoven!** garçon !

jovenzuelo, la *nm, f* gamin *(m)*, -e *(f)*.

jovialidad *nf* jovialité *(f)*.

joya *nf* **1.** bijou *(m)* **2.** *(personne)* perle *(f)* **3.** *(chose)* bijou *(m)*.

joyería *nf* bijouterie *(f)*, joaillerie *(f)*.

joyero, ra ◼ *nm, f* bijoutier *(m)*, -ère *(f)*, joaillier *(m)*, -ère *(f)*. ◼ **joyero** *nm* coffret *(m)* à bijoux.

Jr. *(abr écrite de* **junior)** Jr ◦ **Walter Gálvez Jr.** Walter Gálvez Jr.

juanete *nm* MÉD oignon *(m)*.

jubilación *nf* retraite *(f)* ◦ **jubilación anticipada** retraite anticipée.

jubilado, da *adj & nm, f* retraité(e).

jubilar *vt* **1.** mettre à la retraite *fam* **2.** *fig* mettre au placard *(un employé, un vêtement)*. ◼ **jubilarse** *vp* prendre sa retraite.

jubileo *nm* RELIG jubilé *(m)* ◦ **su casa es un jubileo** *fam fig* sa maison est un vrai moulin.

júbilo *nm* jubilation *(f)*.

judía *nf* haricot *(m)* ◦ **judía verde** *ou* **tierna** haricot vert.

judicial *adj* judiciaire.

judío, a ◼ *adj* juif(ive). ◼ *nm, f* Juif *(m)*, -ive *(f)*.

judo = **yudo.**

judoka = **yudoka.**

juego *nm* **1.** *(gén & SPORT)* jeu *(m)* ◦ **estar/poner en juego** être/mettre en jeu ◦ **estar (en) fuera de juego** SPORT être hors jeu ◦ *fig* être hors circuit ◦ **juego de azar** jeu de hasard ◦ **juego de manos** tour *(m)* de passe-passe ◦ **juego de palabras** jeu de mots ◦ **juegos olímpicos** jeux *(mpl)* Olympiques **2.** *(ensemble)* ◦ **hacer juego** aller avec ◦ **zapatos a juego con...** des chaussures assorties à... ◦ **juego de café/de té** service *(m)* à café/à thé.

juerga *nf fam* bringue *(f)* ◦ **irse** *ou* **estar de juerga** faire la bringue.

juerguista *fam* ◼ *adj* ◦ **es muy juerguista** il aime bien faire la fête. ◼ *nmf* fêtard *(m)*, -e *(f)*.

jueves *nm inv* jeudi *(m)* ◦ **no es nada del otro jueves** *fig* ça n'a rien d'extraordinaire.◦ *voir aussi* **sábado** ◼ **Jueves Santo** *nm* jeudi *(m)* saint.

juez, za *nm, f* juge *(m)* ◦ **juez de línea** juge de touche *(au football, au rugby)* ◦ juge de ligne *(au tennis)* ◦ **juez de paz** ≃ juge d'instance ◦ **juez de silla** arbitre *(m)* *(au tennis, etc)*.

jugada *nf* SPORT coup *(m)*, action *(f)* ◦ **ha sido una buena jugada de...** quelle belle action de... ! ◦ **hacer una mala jugada a alguien** *fig* jouer un mauvais tour à qqn.

jugador, ra *adj & nm, f* joueur(euse).

jugar ◼ *vi* jouer ◦ **jugar al balón/a la pelota** jouer au ballon/à la balle. ◼ *vt* **1.** faire *(un match)* ◦ **jugar un partido de fútbol** faire un match de foot **2.** jouer *(de l'argent, une carte)*. ◼ **jugarse** *vp* **1.** parier **2.** *(risquer)* jouer ◦ **te estás jugando el puesto** tu es en train de jouer ton poste ◦ **se jugó la vida para salvarla** il a risqué sa vie pour la sauver.

jugarreta *nf fam* sale coup *(m)*.

juglar *nm* jongleur *(m)* *(poète-musicien du Moyen Âge)*, ménestrel *(m)*.

jugo *nm* **1.** jus *(m)* **2.** ANAT SUC *(m)* **3.** *fig (intérêt* ◦ **un artículo con mucho jugo** un article très fouillé ◦ **sacar jugo a algo/alguien** tirer part de qqch/qqn.

jugoso, sa *adj* **1.** juteux(euse) **2.** *fig (intéressant* fouillé(e).

juguete *nm* jouet *(m)* ◦ **un coche de juguete** une petite voiture ◦ **una vajilla de juguete** une dînette.

juguetear *vi* jouer • **deja de juguetear con las llaves** arrête de t'amuser avec les clefs.

juguetería *nf* magasin *(m)* de jouets.

juguetón, ona *adj* joueur(euse).

juicio *nm* jugement *(m)* • **(no) estar en su (sano) juicio** (ne pas) avoir toute sa tête • **perder el juicio** perdre la raison. ∎ **Juicio Final** *nm* • **el Juicio Final** le Jugement *(m)* dernier.

juicioso, sa *adj* **1.** *(personne)* sensé(e) **2.** *(action)* judicieux(euse).

jul., jul *(abr écrite de* **julio)** juil. • **14 jul. 1789** 14 juil. 1789.

julio *nm* **1.** juillet *(m)* **2.** PHYS joule *(m)*. • *voir aussi* **septiembre**

jumbo ['ʝumbo] *nm* jumbo-jet *(m)*.

jun., jun *(abr écrite de* **junio)** juin • **24 jun. 1999** 24 juin 1999.

junco *nm* **1.** BOT jonc *(m)* **2.** NAUT jonque *(f)*.

jungla *nf* jungle *(f)*.

junio *nm* juin *(m)*. • *voir aussi* **septiembre**

júnior ['ʝunior] *(pl* **juniors)** ∎ *adj inv* junior. ∎ *nmf* SPORT junior *(mf)*.

junta *nf* **1.** assemblée *(f)* • **junta (general) de accionistas** assemblée (générale) des actionnaires • **junta directiva** comité *(m)* directeur • **junta militar** junte *(f)* (militaire) **2.** joint *(m)* • **junta de culata** joint de culasse.

juntar *vt* **1.** réunir **2.** joindre *(les mains)* **3.** rassembler *(des personnes, des fonds)*. ∎ **juntarse** *vp* **1.** *(personnes)* s'assembler **2.** *(rivières, chemins)* se rejoindre **3.** • **juntarse a** se rapprocher de **4.** vivre ensemble.

junto, ta *adj* **1.** ensemble • **nunca había visto tanta gente junta** je n'avais jamais vu autant de gens réunis • **rezaba con las manos juntas** elle priait les mains jointes **2.** cote a cote • **tenía los ojos juntos** il avait les yeux rapprochés. ∎ **junto a** *loc prép* à côté de, près de. ∎ **junto con** *loc prép* avec.

juntura *nf* jointure *(f)*.

jurado, da *adj* **1.** *(déclaration, etc)* juré(e) **2.** *(traducteur)* assermenté(e) **3.** ▷ **guarda**. ∎ **jurado** *nm* **1.** *(tribunal)* jury *(m)* **2.** *(membre)* juré *(m)*.

juramento *nm* **1.** serment *(m)* • **juramento hipocrático** serment d'Hippocrate **2.** juron *(m)*.

jurar ∎ *vt* **1.** jurer • **jurar por... que** jurer sur... que • **jurar por Dios que** jurer devant Dieu que • **jurársela** OU **jurárselas a alguien** *fam* jurer de se venger de qqn **2.** prêter serment à. ∎ *vi* *(blasphémer)* jurer.

jurel *nm* chinchard *(m)*.

jurídico, ca *adj* juridique.

jurisdicción *nf* **1.** autorité *(f)* • **estar fuera de la jurisdicción de alguien** ne pas être de la compétence de qqn **2.** DR juridiction *(f)*.

jurisdiccional *adj* **1.** juridictionnel(elle) **2.** ▷ **agua**.

jurisprudencia *nf* jurisprudence *(f)*.

jurista *nmf* juriste *(mf)*.

justa *nf* HIST joute *(f)*.

justamente *adv* justement • **tienen justamente la misma edad** ils ont exactement le même âge.

justicia *nf* justice *(f)* • **hacer justicia a** faire OU rendre justice à • **es de justicia que** c'est justice que • **tomarse alguien la justicia por su mano** se faire justice.

justiciero, ra *adj* & *nm, f* justicier(ère).

justificación *nf* *(gén &* INFORM*)* justification *(f)*.

justificante *nm* justificatif *(m)*.

justificar *vt* justifier • **justificar a alguien** justifier qqn. ∎ **justificarse** *vp* se justifier.

justo, ta *adj* juste • **tendremos la luz justa para...** nous aurons juste assez de lumière pour... • **estar** OU **venir justo** être juste. ∎ **justo** ∎ *nm* RELIG • **los justos** les justes. ∎ *adv* juste • **justo ahora iba a llamarte** j'allais justement t'appeler.

juvenil ∎ *adj* **1.** juvénile **2.** SPORT ≃ cadet. ∎ *nmf* *(gén pl)* SPORT ≃ cadet *(m)*, -ette *(f)*.

juventud *nf* **1.** jeunesse *(f)* **2.** *(ensemble des jeunes)* • **la juventud** les jeunes.

juzgado *nm* **1.** tribunal *(m)* • **juzgado de guardia** tribunal où une permanence est assurée **2.** juridiction *(f)*.

juzgar *vt* juger • **a juzgar por (como)** à en juger par (la façon dont).

k, K [ka] *nf* k *(m inv)*, K *(m inv)*.

kafkiano, na *adj* kafkaïen(enne).

kaki = **caqui**.

kárate *nm* karaté *(m)*.

kart *(pl* **karts)** *nm* kart *(m)*.

katiusca, katiuska *nf* botte *(f)* en caoutchouc.

Kazajistán, Kazaktán *npr* Kazakhstan, Kazakstan *(m)*.

Kenia *npr* Kenya *(m)*.

ketchup ['ketʃup], **catchup** ['katʃup], **catsup** *nm inv* ketchup *(m)*.

kg *(abr écrite de* **kilogramo)** kg.

KGB *(abr de* **Komitet Gosudárstvennoy Bezopásnosti)** *nm* KGB *(m)*.

kibbutz (pl **kibbutz** ou **kibbutzim**), **kibutz** (pl **kibutz** ou **kibutzim**) [ki'βuts, ki'βuθ] nm kibboutz (m).

kilo, quilo nm **1.** kilo (m) **2.** fam million (m) de pesetas.

kilobit nm kilobit (m).

kilogramo, quilogramo nm kilogramme (m).

kilometraje, quilometraje nm kilométrage (m).

kilométrico, ca, quilométrico, ca adj **1.** (distance, billet) kilométrique **2.** fig (long) interminable.

kilómetro, quilómetro nm kilomètre (m) • **kilómetros por hora** kilomètres à l'heure • **kilómetro cuadrado** kilomètre carré.

kimono = **quimono**.

kiosco = **quiosco**.

kit (pl **kits**) nm kit (m).

kiwi nm kiwi (m).

km (abr écrite de **kilómetro**) km.

km² (abr écrite de **kilómetro cuadrado**) km².

km/h (abr écrite de **kilómetro por hora**) km/h.

KO (abr de **knock-out**) nm K-O (m).

Kuwait [ku'βait] npr **1.** (pays) Koweït (m) **2.** (ville) Koweït.

l¹, L [ele] nf l (m inv), L (m inv).

l² (abr écrite de **litro**) l.

la¹ nm mus la (m).

la² ◼ art ⊳ **el**. ◼ pron ⊳ **lo**.

laberinto nm labyrinthe (m).

labia nf fam bagou (m).

labial ◼ adj labial(e). ◼ nf labiale (f).

labio nm (gén pl) **1.** lèvre (f) **2.** fig bouche (f).

labor nf **1.** travail (m) • **profesión: sus labores** profession : femme au foyer **2.** ouvrages (mpl) (de couture, de tricot, etc) • **labor de aguja** travaux (mpl) d'aiguille.

laborable adj ⊳ **día**.

laboral adj **1.** (journée, conditions) de travail **2.** (accident, droit) du travail.

laboratorio nm laboratoire (m) • **laboratorio de idiomas** ou **lenguas** laboratoire de langues.

laborioso, sa adj **1.** laborieux(euse) **2.** travailleur(euse).

laborista adj & nmf travailliste.

labrador, ra nm, f cultivateur (m), -trice (f).

labranza nf culture (f) • **una casa de labranza** une ferme.

labrar vt **1.** cultiver **2.** labourer **3.** travailler (le bois, la pierre, etc) **4.** fig • bâtir (sa fortune) • se préparer (à l'avenir, au futur) • faire (le malheur de). ◼ **labrarse** vp **1.** bâtir **2.** se préparer.

labriego, ga nm, f cultivateur (m), -trice (f).

laca nf **1.** laque (f) **2.** vernis (m) (à ongles) **3.** (objet) laque (m).

lacar vt laquer.

lacayo nm laquais (m).

lacerar vt **1.** lacérer (un corps, un visage, etc) **2.** fig blesser, meurtrir (une personne) **3.** salir (un honneur, une réputation) **4.** déchirer (le cœur).

lacio, cia adj **1.** (cheveux) raide **2.** (peau, plante) flétri(e) **3.** fig abattu(e).

lacón nm épaule de porc salée.

lacónico, ca adj laconique.

lacra nf fléau (m) • **las lacras de la sociedad** les plaies de la société.

lacrar vt cacheter à la cire.

lacre nm cire (f) à cacheter.

lacrimógeno, na adj **1.** (gaz) lacrymogène **2.** fig (roman, film, etc) à l'eau de rose.

lacrimoso, sa adj **1.** larmoyant(e) **2.** mélodramatique.

lactancia nf allaitement (m).

lactante nmf nourrisson (m).

lácteo, a adj **1.** (produit, industrie) laitier(ère) **2.** (régime) lacté(e) **3.** fig (peau) laiteux(euse).

lactosa nf lactose (m).

ladear vt • **ladear la cabeza** pencher la tête.

ladera nf versant (m).

ladino, na adj rusé(e). ◼ **ladino** nm ladino (m), judéo-espagnol (m).

lado nm **1.** côté (m) • **a ambos lados** des deux côtés • **de lado** de côté • **dormir de lado** dormir sur le côté • **por un lado..., por otro lado...** d'un côté..., d'un autre côté... • **en el lado (de)** sur le côté (de) • **en el lado de abajo/arriba** en bas/haut **2.** endroit (m) • **en algún lado** quelque part • **en algún otro lado** ailleurs • **dejar de lado, dejar a un lado** laisser de côté. ◼ **al lado** loc adv à côté. ◼ **al lado de** loc prép à côté de. ◼ **de al lado** loc adj d'à côté • **la casa de al lado** la maison d'à côté.

ladrar vi **1.** (sujet : chien) aboyer **2.** fig (sujet : personne) brailler.

ladrido nm **1.** (chien) aboiement (m) **2.** fig (personne) braillement (m).

ladrillo nm **1.** brique (f) **2.** fam fig (roman, etc) • **es un ladrillo** c'est ennuyeux comme la pluie.

ladrón, ona *adj* & *nm, f* voleur(euse). ■ **ladrón** *nm* ÉLECTR prise (f) multiple.

lagartija *nf* petit lézard (m).

lagarto, ta *nm, f* lézard (m).

lago *nm* lac (m).

lágrima *nf* larme (f) • **llorar a lágrima viva** pleurer à chaudes larmes.

lagrimal ■ *adj* lacrymal(e). ■ *nm* larmier (m).

laguna *nf* **1.** lagune (f) **2.** *fig* lacune (f).

La Habana *npr* La Havane.

La Haya *npr* La Haye.

laico, ca *adj* & *nm, f* laïque.

La Mancha *npr* (région d'Espagne) la Manche.

lamber *vt* (Amér) **1.** lécher **2.** *fam fig* lécher les bottes.

lamentable *adj* **1.** regrettable **2.** lamentable.

lamentar *vt* **1.** regretter **2.** déplorer (des victimes, un malheur, etc) • **lamentamos comunicarle...** nous sommes au regret de vous informer... ■ **lamentarse** *vp* se lamenter • **lamentarse de** *ou* **por algo** se lamenter sur qqch.

lamento *nm* lamentation (f).

lamer *vt* lécher. ■ **lamerse** *vp* se lécher.

lamido, da *adj* décharné(e). ■ **lamido** *nm* coup (m) de langue.

lámina *nf* **1.** lame (f) **2.** tranche (f) **3.** ART planche (f).

laminar[1] *adj* laminaire.

laminar[2] *vt* **1.** laminer **2.** stratifier.

lámpara *nf* **1.** lampe (f) **2.** *fig* tache (f).

lamparón *nm* grosse tache (f).

lampiño, ña *adj* **1.** imberbe **2.** (sans duvet) lisse.

lamprea *nf* lamproie (f).

lana ■ *nf* laine (f) • **de lana** en laine. ■ *nm* (Amér) fam fric (m).

lance ■ *v* ▷ **lanzar.** ■ *nm* **1.** (dans un jeu) coup (m) **2.** (au football) phase (f) de jeu **3.** circonstance (f) • **un lance difícil** un moment difficile **4.** altercation (f).

lanceta *nf* (Amér) dard (m).

lancha *nf* **1.** (embarcation - grande) chaloupe (f) • (- petite) barque (f) • **lancha salvavidas** canot (m) de sauvetage **2.** pierre (f) plate.

landó *nm* landau (m).

lanero, ra *adj* lainier(ère).

langosta *nf* **1.** langouste (f) **2.** criquet (m).

langostino *nm* (grosse crevette) bouquet (m).

languidecer *vi* languir.

languidez *nf* **1.** fragilité (f) **2.** langueur (f).

lánguido, da *adj* **1.** fragile **2.** alangui(e).

lanilla *nf* **1.** poil (m) (d'un lainage qui bouloche) **2.** lainage (m) fin.

lanolina *nf* lanoline (f).

lanza *nf* **1.** lance (f) **2.** timon (m).

lanzado, da *adj* **1.** (intrépide) • **ser lanzado** ne pas avoir froid aux yeux **2.** (rapide) • **ir lanzado** *fig* foncer.

lanzagranadas *nm inv* lance-grenade(s) (m).

lanzamiento *nm* **1.** lancement (m) **2.** SPORT lancer (m) • **lanzamiento de peso** lancer du poids **3.** jet (m) (d'un objet).

lanzar *vt* **1.** lancer **2.** pousser (un soupir, un cri, etc). ■ **lanzarse** *vp* **1.** se jeter **2.** (commencer) se lancer **3.** (se ruer) • **lanzarse sobre alguien** se précipiter sur qqn.

lapa *nf* **1.** patelle (f) **2.** *fam* pot (m) de colle • **pegarse como una lapa** être collant(e).

La Paz *npr* La Paz.

lapicera *nf* (Amér) stylo (m).

lapicero *nm* crayon (m).

lápida ■ **lápida mortuoria** *nf* pierre (f) tombale.

lapidar *vt* lapider.

lapidario, ria *adj* lapidaire.

lápiz *nm* crayon (m) • **lápiz de labios** crayon à lèvres • **lápiz de ojos** crayon pour les yeux • **lápiz óptico** crayon optique.

lapso *nm* laps (m) • **en el lapso de...** en l'espace de...

lapsus *nm inv* **1.** (en parlant) lapsus (m) **2.** (en agissant) impair (m).

larga *nf* ▷ **largo.**

largar *vt* **1.** larguer **2.** *fam* filer (de l'argent, un livre, etc) **3.** *fam* flanquer (une gifle, etc) **4.** *fam* débiter (un discours, un sermon) • **el acusado lo largó todo** l'accusé a lâché le morceau. ■ **largarse** *vp fam* ficher le camp, se tirer.

largavistas *nm inv* (Amér) jumelles (fpl).

largo, ga *adj* **1.** long(longue) **2.** et quelques • **una hora larga** une bonne heure **3.** grand(e) **4.** *fam* futé(e). ■ **largo** ■ *nm* longueur (f) • **siete metros de largo** sept mètres de long • **pasar de largo** (dans l'espace) passer sans s'arrêter • **a lo largo de** (dans l'espace) le long de • (dans le temps) tout au long de. ■ *adv* longuement • **hablar largo y tendido de algo** parler en long et en large de qqch. ■ *interj* • **¡largo (de aquí)!** hors d'ici ! ■ **larga** *nf* passe (f) de cape • **a la larga** à la longue • **está aprendiendo y, a la larga, piensa trabajar** pour le moment il apprend et, à long terme, il pense travailler • **dar largas a algo** faire traîner qqch (en longueur).

largometraje *nm* long-métrage (m).

larguero *nm* **1.** montant (m) (de lit, de porte, etc) **2.** SPORT barre (f) transversale.

largura *nf* longueur (f).

laringe *nf* larynx (m).

laringitis *nf inv* laryngite (f).

La Rioja *npr* La Rioja.

larva *nf* larve *(f)*.

las ⬛ *art* ▷ **el**. ⬛ *pron* ▷ **lo**.

lasaña *nf* lasagnes *(fpl)*.

lascivo, va ⬛ *adj* lascif(ive). ⬛ *nm, f* ◦ **ser un lascivo** être sensuel.

láser ⬛ *adj inv* ▷ **rayo**. ⬛ *nm inv* laser *(m)*.

lástex® *nm inv* Lastex® *(m)*.

lástima *nf* 1. pitié *(f)*, peine *(f)* ◦ **dar lástima** faire de la peine 2. dommage *(m)* ◦ **¡qué lástima!** quel dommage ! ◦ **hecho una lástima** en piteux état.

lastimar *vt* 1. faire mal à 2. *fig* blesser. ⬛ **lastimarse** *vp* ◦ **lastimarse (la pierna/el brazo)** se faire mal (à la jambe/au bras).

lastimoso, sa *adj* déplorable.

lastre *nm* 1. lest *(m)* 2. *fig* fardeau *(m)* ◦ **su pasado es un lastre para su carrera** son passé fait obstacle à sa carrière.

lata *nf* 1. boîte *(f)* (de conserve) ◦ **una lata de aceite** un bidon d'huile 2. *fam (ennui)* ◦ **es una lata** *(chose)* c'est casse-pieds ◦ *(personne)* c'est un casse-pieds ◦ **¡qué lata!** quelle barbe ! ◦ **dar la lata** casser les pieds.

latente *adj* latent(e).

lateral ⬛ *adj* 1. latéral(e) 2. DR collatéral(e). ⬛ *nm* 1. côté *(m)* 2. DR latéral *(m)*.

latido *nm* 1. *(palpitation)* battement *(m)* 2. *(douleur)* élancement *(m)*.

latifundio *nm* (grand domaine agricole) latifundium *(m)*.

latifundista *nmf* (grand propriétaire foncier) latifundiste *(m)*.

latigazo *nm* 1. coup *(m)* de fouet 2. claquement *(m)* de fouet 3. *fam (verre)* ◦ **pegarse un latigazo** s'en jeter un (derrière la cravate).

látigo *nm* fouet *(m)*.

latín *nm* latin *(m)* ◦ **sabe (mucho) latín** *fig* il est malin comme un singe.

latinajo *nm fam* latin *(m)* de cuisine.

latinismo *nm* latinisme *(m)*.

latino, na ⬛ *adj* latin(e). ⬛ *nm, f* Latin *(m)*, -e *(f)*.

latinoamericano, na ⬛ *adj* latino-américain (e). ⬛ *nm, f* Latino-Américain *(m)*, -e *(f)*.

latir *vi* 1. *(palpiter)* battre 2. être latent(e).

latitud *nf* 1. GÉOGR latitude *(f)* 2. étendue *(f)*.

latón *nm* laiton *(m)*.

latoso, sa *fam* ⬛ *adj* barbant(e). ⬛ *nm, f* raseur *(m)*, -euse *(f)*.

laúd *nm* luth *(m)*.

laureado, da *adj* lauréat(e).

laurel *nm* laurier *(m)*. ⬛ **laureles** *nmpl* lauriers *(mpl)* ◦ **dormirse en los laureles** *fig* s'endormir sur ses lauriers.

lava *nf* lave *(f)*.

lavabo *nm* 1. *(vasque)* lavabo *(m)* 2. *(pièce)* toilettes *(fpl)*.

lavadero *nm* lavoir *(m)*.

lavado *nm* lavage *(m)* ◦ **lavado de cerebro** lavage de cerveau ◦ **lavado de estómago** lavage d'estomac.

lavadora *nf* lave-linge *(m)*.

lavamanos *nm inv* lave-mains *(m inv)*.

lavanda *nf* lavande *(f)*.

lavandería *nf* blanchisserie *(f)*.

lavaplatos ⬛ *nmf* plongeur *(m)*, -euse *(f)* *(dans un café, un restaurant)*. ⬛ *nm inv* lave-vaisselle *(m inv)*.

lavar *vt* laver ◦ **lavar y marcar** un shampooing et un brushing ◦ **lavar su honor** sauver son honneur. ⬛ **lavarse** *vp* se laver.

lavativa *nf* 1. poire *(f)* à lavement 2. lavement *(m)*.

lavavajillas *nm inv* lave-vaisselle *(m)*.

laxante ⬛ *adj* 1. laxatif(ive) 2. relaxant(e). ⬛ *nm* laxatif *(m)*.

laxar *vt* purger *(le ventre)*.

lazada *nf* nœud *(m)*.

lazarillo *nm* 1. guide *(m)* d'aveugle 2. chien *(m)* d'aveugle.

lazo *nm* 1. nœud *(m)* 2. ruban *(m)* (pour les cheveux) 3. lasso *(m)* (de cow-boy) 4. *(gén pl)* *fig* lien *(m)*.

Lda. *abrév de* **licenciada**.

Ldo. *abrév de* **licenciado**.

le *pron pers* 1. *(complément indirect)* (à lui, à elle) lui 2. *(à « usted », à « ustedes »)* vous ◦ **le di una manzana** je lui ai donné une pomme ◦ **le tengo miedo** j'ai peur de lui/d'elle ◦ **le dije que no** *(à « usted »)* je vous ai dit non ◦ **le gusta leer** il/elle aime lire ◦ **añádele sal a las patatas** rajoute du sel dans les pommes de terre.

leader = **lider**.

leal ⬛ *adj* loyal(e). ⬛ *nmf* loyaliste *(mf)*.

lealtad *nf* loyauté *(f)*.

leasing ['lisin] *nm* leasing *(m)*.

lección *nf* leçon *(f)* ◦ **dar a alguien una lección de algo** donner une leçon de qqch à qqn.

lechal ⬛ *adj* (agneau, cochon) de lait. ⬛ *nm* agneau *(m)* de lait.

leche *nf* 1. lait *(m)* ◦ **leche condensada** lait concentré ◦ **leche descremada** OU **desnatada** lait écrémé ◦ **leche merengada** boisson sucrée à base de lait, de blanc d'œuf et de cannelle 2. *vulg (sperme)* foutre *(m)* ◦ **¡una leche!** mon cul ! ◦ **¡eres la leche!** tu te fais pas chier, toi ! 3. *vulg (gifle)* ◦ **pegar una leche a alguien** péter la gueule à qqn 4. *vulg (accident)* ◦ **pegarse** OU **darse una leche** se foutre en l'air 5. *vulg (mauvaise humeur)* ◦ **estar de mala leche** être d'une humeur de chiotte ◦ **tener mala leche** avoir un foutu caractère.

lechera *nf* ⊳ **lechero**.
lechería *nf vieilli* laiterie *(f)*, crémerie *(f)*.
lechero, ra *adj* & *nm, f* laitier(ère). ■ **lechera** *nf* **1.** *(pour transporter)* bidon *(m)* de lait **2.** *(pour servir)* pot *(m)* à lait.
lecho *nm* **1.** lit *(m)* **2.** fond *(m)* *(de la mer, d'un lac, d'un canal)* **3.** *(superposition de)* couche *(f)*.
lechón *nm* cochon *(m)* de lait.
lechuga *nf* **1.** laitue *(f)* **2.** *fam* billet de mille pesetas.
lechuza *nf* chouette *(f)*.
lectivo, va *adj* **1.** *(jour, journée)* de classe **2.** *(année)* scolaire.
lector, ra *nm, f* lecteur *(m)*, -trice *(f)*. ■ **lector** *nm* lecteur *(m)* • **lector óptico** lecteur optique.
lectorado *nm* poste *(m)* de lecteur.
lectura *nf* **1.** lecture *(f)* **2.** soutenance *(f)* *(de thèse)* **3.** relevé *(m)* *(d'un compteur)* • **lectura óptica** lecture optique.
leer ■ *vt* *(gén & INFORM)* lire. ■ *vi* lire • **leer de corrido** lire couramment.
legado *nm* **1.** legs *(m)* **2.** *fig* héritage *(m)* *(d'une génération)* **3.** légat *(m)* **4.** légation *(f)*.
legajo *nm* dossier *(m)*.
legal *adj* **1.** légal(e) • **un médico legal** un médecin légiste **2.** *fam* réglo.
legalidad *nf* légalité *(f)*.
legalizar *vt* légaliser.
legaña *nf* *(gén pl)* chassie *(f)*.
legañoso, sa *adj* chassieux(euse).
legar *vt* **1.** léguer **2.** déléguer.
legendario, ria *adj* légendaire.
legible *adj* lisible.
legión *nf* légion *(f)*. ■ **Legión** *nf* • **la Legión** la Légion. ■ **Legión de Honor** *nf* • **la Legión de Honor** la Légion d'honneur.
legionario, ria *adj* de la Légion. ■ **legionario** *nm* légionnaire *(m)*.
legislación *nf* législation *(f)*.
legislar *vi* légiférer.
legislatura *nf* législature *(f)*.
legitimar *vt* **1.** légitimer **2.** authentifier.
legítimo, ma *adj* **1.** légitime **2.** *(or, cuir, etc)* véritable **3.** *(œuvre)* authentique.
lego, ga ■ *adj* **1.** profane **2.** laïque. ■ *nm, f* **1.** profane *(mf)* **2.** laïc *(m)*, laïque *(f)*.
legua *nf* lieue *(f)* • **legua marina** lieue marine • **se ve a la legua** *fig* ça saute aux yeux.
legumbre *nf* *(gén pl)* légume *(m)*.
lehendakari = **lendakari**.
leído, da *adj* **1.** *(œuvre)* lu(e) **2.** *(personne)* lettré(e). ■ **leída** *nf* lecture *(f)*.
leitmotiv ['leitmo'tif] *nm* leitmotiv *(m)*.
lejanía *nf* éloignement *(m)* • **en la lejanía** dans le lointain.

lejano, na *adj* **1.** lointain(e) • **estar lejano** être loin • **no está tan lejano el día en que me hartará** je ne vais pas tarder à en avoir marre de lui **2.** *fig* distrait(e).
lejía *nf* eau *(f)* de Javel.
lejos *adv* loin • **a lo lejos** au loin • **de** *ou* **desde lejos** de loin. ■ **lejos de** *loc prép* loin de • **lejos de mejorar...** loin de s'améliorer…
lelo, la *adj* & *nm, f* niais(e).
lema *nm* **1.** devise *(f)* **2.** entrée *(f)* *(de dictionnaire)* **3.** MATH lemme *(m)*.
lencería *nf* **1.** linge *(m)* *(de maison)* **2.** lingerie *(f)* **3.** magasin *(m)* de blanc **4.** boutique *(f)* de lingerie.
lendakari, lehendakari *nm* président du gouvernement autonome du Pays basque espagnol.
lengua *nf* langue *(f)* • **lenguas amerindias** langues amérindiennes • **lengua de víbora** *ou* **viperina** *fig* langue de vipère • **lengua materna** langue maternelle • **lengua oficial** langue officielle • **irsele a alguien la lengua, irse de la lengua** *fig* ne pas tenir sa langue • **morderse la lengua** *fig* se mordre la langue • **tirar a alguien de la lengua** *fig* tirer les vers du nez à qqn.

lenguado *nm* sole *(f)*.

lenguaje *nm* langage *(m)* • **lenguaje cifrado** langage codé • **lenguaje coloquial** langue *(f)* parlée • **lenguaje corporal** langage du corps

• **lenguaje de programación** langage de programmation • **lenguaje máquina** langage machine.

lengüeta *nf* languette *(f)*.

lengüetada *nf* = **lengüetazo**.

lengüetazo *nm* coup *(m)* de langue.

lente *nf* lentille *(f)* • **lentes de contacto** verres *(mpl)* de contact. ■ **lentes** *nmpl* lunettes *(fpl)*.

lenteja *nf (gén pl)* lentille *(f)*.

lentejuela *nf (gén pl)* paillette *(f)*.

lenticular *adj* lenticulaire.

lentilla *nf (gén pl)* lentille *(f)* (de contact).

lentitud *nf* lenteur *(f)* • **con lentitud** lentement.

lento, ta *adj* lent(e) • **a fuego lento** à feu doux.

leña *nf* **1.** bois *(m)* *(de chauffage)* **2.** *fam fig (coup)* • **dar leña a alguien** flanquer une volée à qqn • **echar leña al fuego** jeter de l'huile sur le feu.

leñador, ra *nm, f* bûcheron *(m)*, -onne *(f)*.

leño *nm* bûche *(f)* • **dormir como un leño** dormir comme une souche.

Leo ■ *nm inv* Lion *(m)*. ■ *nmf inv (personne)* lion *(m inv)*.

león, ona *nm, f* **1.** lion *(m)*, lionne *(f)* **2.** *fig (personne)* • **ser una leona** être une tigresse. ■ **león marino** *nm* otarie *(f)*.

León *npr* León • **el golfo de León** le golfe du Lion.

leonera *nf* **1.** cage *(f)* aux lions **2.** *fam fig (pièce désordonnée)* bazar *(m)*.

leonino, na *adj* **1.** léonin(e) **2.** *(cuir)* de lion.

leopardo *nm* léopard *(m)*.

leotardo *nm* **1.** *(gén pl)* collant *(m) (épais)* **2.** justaucorps *(m)*.

lépero, ra *adj (Amér) fam* **1.** grossier(ère) **2.** rusé(e).

lepra *nf* lèpre *(f)*.

leproso, sa *adj & nm, f* lépreux(euse).

lerdo, da *adj & nm, f fam* empoté(e).

Lérida *npr* Lérida.

les *pron pers pl* **1.** *(complément indirect) (à eux, à elles)* leur **2.** *(à « ustedes »)* vous • **les he mandado un regalo** je leur ai envoyé un cadeau • **les he dicho lo que sé** je vous ai dit ce que je sais • **les tengo miedo** j'ai peur d'eux/de vous.

lesbiano, na *adj* lesbien(enne). ■ **lesbiana** *nf* lesbienne *(f)*.

lesión *nf* **1.** *(blessure & DR)* lésion *(f)* **2.** *(préjudice)* dommage *(m)* **3.** atteinte *(f) (à l'honneur)*.

lesionado, da *adj & nm, f* blessé(e).

lesionar *vt* **1.** blesser • **el alcoholismo lesiona el hígado** l'alcoolisme détériore le foie **2.** *fig* léser. ■ **lesionarse** *vp* • **lesionarse el brazo** se blesser au bras.

Lesotho, Lesoto *npr* Lesotho *(m)*.

letal *adj* mortel(elle).

letanía *nf (gén pl)* litanie *(f)*.

letargo *nm* **1.** *(gén & MÉD)* léthargie *(f)* **2.** hibernation *(f)*.

Letonia *npr* Lettonie *(f)*.

letra *nf* **1.** *(signe, sens)* lettre *(f)* • **dice mucho más de lo que la letra expresa** cela en dit plus long qu'il n'est écrit **2.** écriture *(f)* **3.** caractère *(m)* • **(letra) bastardilla** OU **cursiva** OU **itálica** (caractère) italique • **letra de imprenta** OU **de molde** caractère d'imprimerie • **letra mayúscula** capitale *(f)* • **letra negrita** OU **negrilla** caractère gras • **a la letra, al pie de la letra** *fig* à la lettre, au pied de la lettre **4.** paroles *(fpl) (d'une chanson)* **5.** COMM • **letra (de cambio)** traite *(f)*, lettre *(f)* de change. ■ **letras** *nfpl* SCOL lettres *(fpl)*.

letrado, da ■ *adj* lettré(e). ■ *nm, f* avocat *(m)*, -e *(f)*.

letrero *nm* écriteau *(m)*.

letrina *nf* latrines *(fpl)*.

leucemia *nf* leucémie *(f)*.

leucocito *nm (gén pl)* leucocyte *(m)*.

leva *nf* **1.** MIL levée *(f)* **2.** NAUT appareillage *(m)* **3.** TECHNOL came *(f)*.

levadura *nf* levure *(f)* • **levadura de cerveza** levure de bière.

levantamiento *nm* **1.** soulèvement *(m)* • **levantamiento de pesas** haltérophilie *(f)* **2.** *(suppression)* levée *(f)*.

levantar *vt* **1.** lever **2.** soulever *(un poids, un nuage de poussière)* • **levantar el campamento** lever le camp **3.** arracher **4.** démonter *(une tente, un stand, etc)* **5.** élever • **levantar el tono** hausser le ton **6.** relever *(un poteau, une barrière)* • **levantar el ánimo** remonter le moral **7.** *(pousser à la révolte)* • **levantar a alguien contra** monter qqn contre **8.** dresser *(un procès-verbal, un plan)*. ■ **levantarse** *vp* **1.** se lever **2.** s'élever **3.** se soulever.

levante *nm* **1.** levant *(m)* **2.** vent *(m)* d'est. ■ **Levante** *npr (région d'Espagne)* Levant *(m)*.

levantino, na ■ *adj* levantin(e). ■ *nm, f* Levantin *(m)*, -e *(f)*.

levar *vt* • **levar anclas** lever l'ancre.

leve *adj* **1.** léger(ère) **2.** *(maladie)* bénin(igne) **3.** petit(e) *(délit, péché)*.

levedad *nf* **1.** légèreté *(f)* **2.** bénignité *(f) (d'une maladie)* **3.** petitesse *(f) (d'un délit, d'un péché)*.

levita *nf* redingote *(f)*.

levitar *vi* léviter.

léxico, ca ■ *adj* lexical(e). ■ **léxico** *nm* lexique *(m)*.

lexicografía *nf* lexicographie *(f)*.

lexicón *nm* lexique *(m)*.

ley *nf* **1.** loi *(f)* • **las leyes del juego** les règles du jeu • **ser de buena ley** être digne de confiance • **ley de incompatibilidades** loi d'incompatibilité *(réglementant le cumul des fonctions)* • **ley de la oferta y de la demanda** loi de l'offre et de la demande • **con todas las de la ley**

en bonne et due forme • **regirse por la ley del embudo** avoir deux poids, deux mesures **2.** titre *(m) (d'un métal).* ■ **leyes** *nfpl* DR droit *(m).*

leyenda *nf* légende *(f)* • **la leyenda negra** la légende noire *(vision de la conquête de l'Amérique hostile aux colonisateurs espagnols).*

liar *vt* **1.** lier **2.** ficeler *(un paquet)* **3.** envelopper **4.** rouler *(une cigarette)* **5.** *fam fig* embrouiller • **liar a alguien en un asunto** mêler qqn à une histoire. ■ **liarse** *vp* **1.** s'embrouiller **2.** *(commencer)* • **liarse en** se lancer dans *(une discussion, etc)* **3.** *fam (sexuellement)* • **liarse (con alguien)** coucher (avec qqn).

Líbano *npr* • **el Líbano** le Liban.

libélula *nf* libellule *(f).*

liberación *nf* **1.** libération *(f)* **2.** levée *(f) (d'hypothèque).*

liberado, da *adj* libéré(e).

liberal ■ *adj* libéral(e). ■ *nmf* libéral *(m),* -e *(f).*

liberalismo *nm* libéralisme *(m).*

liberar *vt* libérer • **liberar (de algo a alguien)** dispenser (qqn de qqch). ■ **liberarse** *vp* • **liberarse (de algo)** se libérer (de qqch).

libertad *nf* liberté *(f)* • **dejar** *ou* **poner a alguien en libertad** laisser *ou* mettre qqn en liberté • **tener libertad para hacer algo** être libre de faire qqch • **tomarse la libertad de hacer algo** prendre la liberté de faire qqch • **libertad bajo fianza** liberté sous caution • **libertad condicional** liberté conditionnelle • **libertad de expresión** liberté d'expression • **libertad de imprenta** *ou* **prensa** liberté de la presse.

libertar *vt* libérer.

libertino, na *adj* & *nm, f* libertin(e).

Libia *npr* Libye *(f).*

libido *nf* libido *(f).*

libio, bia ■ *adj* libyen(enne). ■ *nm, f* Libyen *(m),* -enne *(f).*

libra *nf* livre *(f)* • **libra esterlina/irlandesa** livre sterling/irlandaise.

Libra ■ *nf inv* Balance *(f).* ■ *nmf inv (personne)* balance *(f inv).*

librador, ra *nm, f* COMM tireur *(m).*

libramiento *nm* COMM tirage *(m).*

libranza *nf* = libramiento.

librar ■ *vt* **1.** dispenser **2.** livrer **3.** COMM tirer. ■ *vi* être en congé. ■ **librarse** *vp* • **librarse de algo** se dispenser de qqch • **como tú fuiste a la reunión, él se libró** comme tu as été à la réunion, lui s'en est dispensé • **librarse de alguien** se débarrasser de qqn • **de buena te libraste** tu l'as échappé belle.

libre *adj* libre • **libre de** libre de • exonéré(e) de *(impôts)* • **libre de franqueo** franc de port • **libre de hipotecas** non hypothéqué(e) • **libre del servicio militar** dégagé des obligations militaires • **estudiar por libre** être candidat(e) libre.

librecambio *nm* libre-échange *(m).*

librepensador, ra ■ *adj* libre-penseur • **una persona librepensadora** un libre-penseur. ■ *nm, f* libre-penseur *(m).*

librería *nf* **1.** librairie *(f)* **2.** *(meuble)* bibliothèque *(f).*

librero, ra ■ *adj* du livre. ■ *nm, f* libraire *(mf).* ■ **librero** *nm (Amér) (meuble)* bibliothèque *(f).*

libreta *nf* **1.** carnet *(m)* **2.** COMM livre *(m)* de comptes. ■ **libreta de ahorros** *nf* livret *(m)* de caisse d'épargne.

libreto *nm* **1.** MUS livret *(m)* **2.** *(Amér)* scénario *(m).*

libro *nm* livre *(m)* • **llevar los libros** tenir les livres • **libro de bolsillo** livre de poche • **libro de escolaridad/de familia** livret *(m)* scolaire/de famille • **libro de reclamaciones** livre des réclamations • **libro de texto** manuel *(m)* scolaire • **día del libro** *Journée Mondiale du livre.*

Lic. *abrév de* licenciado.

licencia *nf* **1.** permission *(f)* **2.** COMM & SPORT licence *(f)* • **licencia de armas** permis *(m)* de port d'armes • **licencia de obras** permis *(m)* de construire **3.** *(confiance)* liberté *(f).*

licenciado, da *adj* & *nm, f* SCOL • **licenciado en** diplômé(e) en.

licenciar *vt* **1.** SCOL décerner le diplôme de fin de second cycle **2.** MIL libérer. ■ **licenciarse** *vp* **1.** SCOL • **licenciarse (en)** obtenir son diplôme de fin de second cycle (en) **2.** MIL être libéré.

licenciatura *nf* diplôme sanctionnant cinq années d'études supérieures en Espagne, ≃ DESS *(m).*

licencioso, sa *adj* licencieux(euse).

liceo *nm* **1.** lycée *(m)* **2.** club *(m).*

lícito, ta *adj* licite.

licor *nm* liqueur *(f).*

licuadora *nf* mixer *(m).*

licuar *vt* • **licuar (algo)** passer (qqch) au mixer.

licuefacción *nf* liquéfaction *(f).*

líder, leader ◼ *adj* qui occupe la première place. ◼ *nmf* leader *(m)*.

liderato, liderazgo *nm* **1.** sport première place *(f)* **2.** *(direction)* leadership *(m)*.

lidia *nf* combat *(m)*.

lidiar ◼ *vi (lutter)* • **lidiar (con)** lutter (contre). ◼ *vt* combattre (le taureau).

liebre *nf* lièvre *(m)*.

lienzo *nm* toile *(f)*.

lifting ['liftin] *nm* lifting *(m)*.

liga *nf* **1.** jarretière *(f)* **2.** *(d'états, de personnes)* ligue *(f)* **3.** sport championnat *(m)*.

ligadura *nf* **1.** *(action & MÉD)* ligature *(f)* **2.** lien *(m)* **3.** MUS liaison *(f)*.

ligamento *nm* ligament *(m)*.

ligar ◼ *vt* **1.** *(gén, CULIN & MUS)* lier **2.** ficeler *(un paquet)* **3.** MÉD ligaturer. ◼ *vi* **1.** *(se mettre d'accord)* • **ligar con** s'accorder avec **2.** *fam (séduire)* • **ligar (con alguien)** draguer (qqn).

ligazón *nf* **1.** liaison *(f)* **2.** rapport *(m) (entre deux faits)*.

ligereza *nf* **1.** légèreté *(f)* **2.** erreur *(f)*.

ligero, ra *adj* léger(ère) • **a la ligera** à la légère.

light [lait] *adj inv* **1.** *(repas)* allégé(e) **2.** *(boisson, tabac)* light.

ligón, ona *adj & nm, f fam* dragueur(euse).

liguero, ra *adj* sport du championnat. ◼ **liguero** *nm* porte-jarretelles *(m)*.

lija *nf* **1.** *(poisson)* roussette *(f)* **2.** papier *(m)* de verre.

lila ◼ *nf* BOT lilas *(m)*. ◼ *adj inv (couleur)* lilas. ◼ *nm* couleur *(f)* lilas.

liliputiense *adj & nmf fam* lilliputien(enne).

lima *nf* **1.** lime *(f)* **2.** *(plante)* limettier *(m)* **3.** *(fruit)* lime *(f)*.

Lima *npr* Lima.

limar *vt* **1.** limer **2.** polir.

limitación *nf* **1.** restriction *(f)* • **limitación de edad** limite *(f)* d'âge **2.** *(district, secteur)* limite *(f)*.

limitado, da *adj* limité(e).

limitar ◼ *vt* **1.** limiter **2.** délimiter *(un terrain)* **3.** *(définir)* délimiter. ◼ *vi* confiner. ◼ **limitarse** *vp* • **limitarse a** se borner à.

límite ◼ *adj inv* limite. ◼ *nm* limite *(f)*.

limítrofe *adj* limitrophe.

limón *nm* citron *(m)*.

limonada *nf* **1.** citronnade *(f)* **2.** rafraîchissement *(m)*.

limonero, ra *adj* • **la exportación limonera** les exportations de citrons. ◼ **limonero** *nm* citronnier *(m)*.

limosna *nf* aumône *(f)*.

limpia *nf (Amér)* **1.** défrichage *(m)* **2.** nettoyage *(m)*.

limpiabotas *nmf inv* cireur *(m)* de chaussures.

limpiacristales *nm inv* produit *(m)* pour les vitres.

limpiador, ra *nm, f* nettoyeur *(m)*, -euse *(f)*.

limpiamente *adv* **1.** adroitement **2.** proprement.

limpiaparabrisas *nm inv* essuie-glace *(m)*.

limpiar *vt* **1.** nettoyer **2.** *fam* faucher.

limpieza *nf* **1.** propreté *(f)* **2.** nettoyage *(m)* **3.** *fig* adresse *(f)* **4.** *fig* honnêteté *(f)*.

limpio, pia *adj* **1.** propre • **un cielo limpio** un ciel dégagé **2.** net(nette) **3.** honnête • **un asunto limpio** une affaire claire • **estar limpio** avoir la conscience tranquille **4.** *fam (sans argent)* • **dejar limpio a alguien** dépouiller qqn **5.** *(sans mélanges)* pur(e) • **a grito limpio** *fig* à grands cris • **a puñetazo limpio** *fig* à grands coups de poing. ◼ **limpio** *adv (jouer)* franc jeu. ◼ **en limpio** *loc adv* • **poner en limpio** mettre au propre • **sacar en limpio** tirer au clair.

linaje *nm* lignage *(m)*.

linaza *nf* linette *(f)*.

lince *nm* lynx *(m)* • **ser un lince para algo** *fig* avoir le génie de qqch.

linchar *vt* lyncher.

lindar *vi* • **lindar con algo** *(espace)* être contigu(ë) à qqch • *(concepts)* rejoindre qqch • **lindar con el ridículo** friser le ridicule.

linde *nm ou nf* limite *(f)*.

lindero, ra *adj* contigu(ë). ◼ **lindero** *nm* limite *(f)*.

lindo, da *adj* joli(e) • **de lo lindo** *fig* joliment.

línea *nf* **1.** *(gén, sport & MIL)* ligne *(f)* • **cortar la línea (telefónica)** couper la ligne (téléphonique) • **guardar la línea** garder la ligne • **línea continua** ligne blanche • **línea de puntos** pointillé *(m)* • **líneas aéreas** lignes aériennes **2.** rangée *(f)* **3.** file *(f) (de personnes)* **4.** *(catégorie)* rang *(m)* • **en la misma línea** sur le même plan **5.** lignée *(f)* • **en líneas generales** en gros • **leer entre líneas** lire entre les lignes.

linfático, ca *adj & nm, f* lymphatique.

lingote *nm* lingot *(m)*.

lingüista *nmf* linguiste *(mf)*.

lingüístico, ca *adj* linguistique. ◼ **lingüística** *nf* linguistique *(f)*.

linier [li'njer] *(pl* **liniers)** *nm* sport juge *(m)* de touche.

linimento *nm* liniment *(m)*.

lino *nm* lin *(m)*.

linterna *nf* lampe *(f)* de poche.

lío *nm* **1.** ballot *(m)* **2.** *fam fig* embrouillamini *(m)* • **hacerse un lío** s'emmêler les pinceaux • **meterse en un lío** se mettre dans une sale histoire **3.** *fam fig* vacarme *(m)* **4.** *fam fig* aventure *(f)*.

lionés, esa ◼ *adj* lyonnais(e). ◼ *nm, f* Lyonnais(e).

lipotimia *nf* lipothymie *(f)*.

liquen *nm* lichen *(m)*.

liquidación *nf* **1.** règlement *(m)* *(d'une facture)* **2.** liquidation *(f)* *(de la marchandise)* **3.** réalisation *(f)*.

liquidar *vt* **1.** liquider **2.** solder *(un compte)* **3.** *(dépenser rapidement)* engloutir **4.** résoudre *(un problème, une difficulté)*.

liquidez *nf* liquidité *(f)*.

líquido, da *adj* **1.** *(gén & PHYS)* liquide **2.** ECON liquide **3.** ECON net(nette). ■ **líquido** *nm* **1.** *(gén, PHYS & MÉD)* liquide *(m)* **2.** ECON liquidité *(f)*.

lira *nf* **1.** lyre *(f)* **2.** *(monnaie)* lire *(f)* **3.** *strophe de cinq ou six vers*.

lírico, ca ◪ *adj* lyrique. ◪ *nm, f* lyrique *(m)*. ■ **lírica** *nf* lyrique *(f)*.

lirio *nm* iris *(m)*.

lirón *nm* loir *(m)* • **dormir como un lirón** *fig* dormir comme un loir.

lis *nf* iris *(m)*.

Lisboa *npr* Lisbonne.

lisboeta ◪ *adj* lisbonnais(e). ◪ *nmf* Lisbonnais *(m)*, -e *(f)*.

lisiado, da *adj & nm, f* estropié(e).

liso, sa ◪ *adj* **1.** lisse **2.** *(terrain)* plat(e) **3.** *(tissu)* uni(e) • **200 metros lisos** 200 mètres plat. ◪ *nm, f (Amér)* effronté *(m)*, -e *(f)*.

lisonja *nf* flatterie *(f)*.

lisonjear *vt* flatter.

lista *nf* **1.** liste *(f)* • **pasar lista** faire l'appel • **lista de boda/de espera** liste de mariage/d'attente • **lista de precios** tarifs *(mpl)* • *(au restaurant)* carte *(f)* **2.** bande *(f) (de tissu, de papier)* **3.** latte *(f) (de bois)* **4.** rayure *(f) (d'un tissu)*. ■ **lista de correos** *nf* poste *(f)* restante.

listado, da *adj* à rayures.

listín *nm* annuaire *(m)*.

listo, ta *adj* **1.** malin(igne) **2.** dégourdi(e) • **pasarse de listo** vouloir faire le malin **3.** prêt(e).

listón *nm* baguette *(f) (d'encadrement)*.

litera *nf* **1.** lit *(m)* (superposé) **2.** couchette *(f) (de train, de bateau)*.

literal *adj* littéral(e).

literario, ria *adj* littéraire.

literato, ta *nm, f* écrivain *(m)*.

literatura *nf* littérature *(f)*.

litigar *vi* être en litige.

litigio *nm* litige *(m)*.

litografía *nf* **1.** lithographie *(f)* **2.** atelier *(m)* de lithographie.

litoral ◪ *adj* littoral(e). ◪ *nm* littoral *(m)*.

litro *nm* litre *(m)*.

Lituania *npr* Lituanie *(f)*.

liturgia *nf* liturgie *(f)*.

liviano, na *adj* léger(ère).

lívido, da *adj* livide.

ll, Ll [eʎe] *nf* l *(m)* mouillé.

llaga *nf* plaie *(f)*.

llagar *vt* faire une plaie à. ■ **llagarse** *vp* se couvrir de plaies.

llama *nf* **1.** flamme *(f)* **2.** lama *(m)*.

llamada *nf* **1.** *(gén & TÉLÉCOM)* appel *(m)* • **hacer una llamada** téléphoner • **llamada a cobro revertido** appel en PCV • **llamada a larga distancia** communication *(f)* vers l'étranger • **llamada interurbana** communication *(f)* interurbaine • **llamada urbana** communication *(f)* locale **2.** renvoi *(m) (dans un livre)*.

llamado *nm (Amér)* appel *(m) (téléphonique)*.

llamamiento *nm* appel *(m)*.

llamar ◪ *vt* **1.** appeler • **llamar (por teléfono) a alguien** téléphoner à qqn • **llamar de tú/usted a alguien** tutoyer/vouvoyer qqn **2.** DR citer • **llamar a alguien a juicio** appeler qqn à comparaître. ◪ *vi* **1.** frapper **2.** sonner *(à la porte)* **3.** téléphoner. ■ **llamarse** *vp (avoir pour nom)* s'appeler.

llamarada *nf* **1.** flambée *(f)* **2.** rougeur *(f)*.

llamativo, va *adj* voyant(e).

llamear *vi* flamber.

llaneza *nf* simplicité *(f)*.

llano, na *adj* **1.** plat(e) **2.** simple **3.** modeste • **el pueblo llano** le petit peuple **4.** GRAMM • **una palabra llana** un paroxyton **5.** GÉOM plan(e). ■ **llano** *nm* plaine *(f)*.

llanta *nf* **1.** jante *(f)* **2.** *(Amér)* roue *(f)*.

llanto *nm* pleurs *(mpl)*, larmes *(fpl)*.

llanura *nf* plaine *(f)*.

llave *nf* **1.** *(gén & SPORT)* clef *(f)* • **echar la llave** fermer à clef • **llave en mano** COMM clefs en main • **llave de contacto** clef de contact • **llave inglesa** clef anglaise • **llave maestra** passe-partout *(m)* **2.** robinet *(m) (d'eau, de gaz)* **3.** ÉLECTR interrupteur *(m)* • **llave de paso** robinet d'arrêt **4.** *(signe de ponctuation)* accolade *(f)*.

llavero *nm* porte-clefs *(m)*.

llavín *nm* petite clef *(f)*.

llegada *nf* arrivée *(f)*.

llegar *vi* **1.** arriver • **llegar de viaje** rentrer de voyage **2.** venir • **al llegar la noche** à la nuit tombante **3.** *(durar, atteindre)* • **llegar a ou hasta algo** atteindre qqch, arriver à qqch • **no llegó a la cima** il n'a pas atteint le sommet • **el abrigo le llega hasta la rodilla** son manteau lui arrive au genou • **no llegará a mañana** il ne passera pas la nuit **4.** suffire • **no me llega para pagar** je n'ai pas assez pour payer **5.** *(obtenir)* • **llegar a (ser) algo** devenir qqch • **llegarás a ser presidente** tu deviendras président • **isi llego a saberlo!** si j'avais su ! • **llegar a hacer algo** en arriver à faire qqch. ■ **llegarse** *vp* • **llegarse a** passer par.

llenar *vt* **1.** *(remplir)* • **llenar algo (de)** remplir qqch (de) **2.** *(satisfaire)* combler • **llenar a alguien de** remplir qqn de *(joie, d'indignation)* • abreuver qqn de *(conseils, de compliments)* • combler qqn de *(faveurs)*. ■ **llenarse** *vp* • **llenarse (de algo)** se remplir (de qqch) • se couvrir (de qqch) • **ya me he llenado** je n'ai plus faim.

lleno, na *adj* **1.** plein(e) • **tener la casa llena** avoir beaucoup de monde chez soi • **lleno de** plein de • couvert de **2.** repu(e) **3.** *fam* potelé(e). ■ **de lleno** *loc adv* en plein.

llevadero, ra *adj* supportable.

llevar *vt*

1. PORTER UN POIDS, UNE CHARGE
• **llevaba un saco a la espalda** il portait un sac sur le dos
• **el avión llevaba carga** l'avion transportait des marchandises

2. AVOIR SUR SOI
• **no llevo dinero** je n'ai pas d'argent sur moi

3. AVOIR SUR SOI, EN PARLANT D'UN VÊTEMENT = porter
• **lleva un traje nuevo/gafas** elle a porte une nouvelle robe/des lunettes

4. INDIQUE UN ÉTAT TRANSITOIRE = avoir
• **lleva el pelo corto/recogido** elle a les cheveux courts/attachés
• **llevas las manos sucias** tu as les mains sales *ou* tes mains sont sales

5. PORTER QQCH À QQN
• **le llevé un regalo** je lui ai apporté un cadeau

6. ACCOMPAGNER QQN QUELQUE PART
• **llevo a Diego a su casa** j'emmène Diego chez lui
• **nos llevó al teatro** il nous a emmenés au théâtre
• **llévenos al hospital** conduisez-nous à l'hôpital

7. MENER QQN À QQCH / À FAIRE QQCH = conduire
• **una estrategia que los llevó a la victoria** une strategie qui les a conduits à la victoire
• **ese éxito juvenil lo llevó a dejar los estudios** ce succès de jeunesse l'a conduit à abandonner ses études
• **el juego te va a llevar a la ruina** le jeu va te conduire à la ruine

8. POUR EXPRIMER LA DURÉE
• **lleva dos años aquí** ça fait deux ans qu'il est là
• **llevo una hora esperándote** ça fait une heure que je t'attends
• **me llevó un día hacer esta tarta** ça m'a pris une journée de faire ce gâteau

9. GÉRER
• **lleva bien su negocio** il mène bien ses affaires
• **el matrimonio que lleva el restaurante** le couple qui tient le restaurant

10. PRENDRE EN CHARGE
• **es ella quien lleva la casa** c'est elle qui s'occupe de la maison
• **llevar las cuentas** tenir les comptes

11. SUPPORTER
• **lleva su enfermedad con resignación** elle supporte sa maladie avec résignation
• **lleva mal su divorcio** il vit mal son divorce

12. DÉPASSER EN ÂGE, EN TAILLE
• **se llevan dos años** ils ont deux ans d'écart
• **mi hijo me lleva dos centímetros** mon fils me dépasse de deux centimètres

13. MAINTENIR
• **llevar el paso** marcher au pas

14. CONDUIRE UNE VOITURE = conduire
• **¿me dejas llevar el coche un ratito?** tu me laisses conduire un peu ?

llevar *vi*

1. DEVANT UN GÉRONDIF, EXPRIME LA CONTINUITÉ
• **llevan saliendo juntos desde el pasado verano** ils sortent ensemble depuis l'été dernier

2. DEVANT UN PARTICIPE PASSÉ, POUR FAIRE UN CONSTAT
• **lleva leída media novela** il en est à la moitié du roman
• **llevamos andados 20 kilómetros** jusque-là, nous avons parcouru 20 kilomètres.

■ llevar a *v + prép*

CONDUIRE, MENER À UN ENDROIT DÉTERMINÉ
• **esta carretera lleva a la ciudad** cette route mène à la ville
• **esta autopista lleva a Francia** cette autoroute va en France.

■ llevarse *vp*

1. PRENDRE, EMPORTER
• **los ladrones se llevaron todo** les voleurs ont tout emporté
• **¡alguien se ha llevado mi bolso!** quelqu'un a pris mon sac à main !
• **la riada se ha llevado la carretera** la crue a emporté la route

2. GAGNER = remporter
• **se llevó el premio a la mejor actriz** elle a remporté le prix de la meilleure actrice

3. DÉPLACER D'UN ENDROIT À UN AUTRE
• **se llevó la copa a los labios** elle porta le verre à ses lèvres

4. ÉPROUVER UNE SENSATION = avoir
• **¡me llevé un susto!** j'ai eu une de ces peurs !

5. AVOIR UNE BONNE OU UNE MAUVAISE RELATION AVEC QQN
• **llevarse bien/mal (con alguien)** s'entendre bien/mal (avec qqn)

6. ÊTRE À LA MODE
• **la minifalda ya no se lleva** la minijupe n'est plus à la mode

7. EN MATHÉMATIQUES = retenir
• **menos dos, más tres y me llevo seis...** moins deux, je pose trois et je retiens six...

llorar ▪ *vi* **1.** pleurer **2.** *fam (se plaindre)* ▪ **llorarle a alguien** supplier qqn. ▪ *vt* pleurer.

lloriquear *vi* pleurnicher.

lloro *nm* pleurs *(mpl)*.

llorón, ona ▪ *adj* **1.** pleurnicheur(euse) **2.** qui pleure beaucoup. ▪ *nm, f* pleurnicheur *(m)*, -euse *(f)*.

lloroso, sa *adj* **1.** *(personne)* en pleurs **2.** *(yeux, voix)* larmoyant(e).

llover ▪ *v impers* pleuvoir. ▪ *vi fig* pleuvoir ▪ **le llueve el trabajo** il a du travail à ne plus savoir qu'en faire.

llovizna *nf* bruine *(f)*.

lloviznar *v impers* bruiner.

lluvia *nf* pluie *(f)* ▪ **lluvia ácida** pluies *(fpl)* acides.

lluvioso, sa *adj* pluvieux(euse).

lo, la *(mpl* **los,** *fpl* **las)** *pron pers* **1.** *(complément direct) (personne, chose)* le, la, l' *(devant une voyelle)* **2.** *(formule de politesse)* vous ▪ **lo que la conozco** je ne le/la connais pas ▪ **la quiere** il l'aime ▪ **los vi** je les ai vus ▪ **la invito a mi fiesta** je vous invite à ma soirée. ▪ **lo** ▪ *pron pers neutre (prédicat)* le, l' *(devant une voyelle)* ▪ **su hermana es muy guapa pero él no lo es** sa sœur est très belle mais lui ne l'est pas ▪ **es muy bueno aunque no lo parezca** il est très gentil même s'il n'en a pas l'air. ▪ *art (neutre)* ▪ **lo antiguo tiene más valor que lo moderno** les choses anciennes ont plus de valeur que les modernes ▪ **lo mejor/peor** le mieux/pire ▪ **lo más gracioso es que...** le plus drôle c'est que... ▪ **lo de** *loc prép* ▪ **siento lo de ayer** je regrette ce qui s'est passé hier. ▪ **lo que** *loc conj* ce que ▪ **acepté lo que me ofrecieron** j'ai accepté ce qu'on m'a offert.

loa *nf* **1.** louange *(f)* **2.** LITTÉR éloge *(m)*.

loable *adj* louable.

loar *vt* louer.

lobato = **lobezno.**

lobby ['loβi] *(pl* **lobbies)** *nm* lobby *(m)*.

lobezno, lobato *nm* louveteau *(m)*.

lobo, ba *nm, f* loup *(m)*, louve *(f)*. ▪ **lobo de mar** *nm* loup *(m)* de mer.

lóbrego, ga *adj* lugubre.

lóbulo *nm* lobe *(m)*.

local ▪ *adj* local(e). ▪ *nm* **1.** local *(m)* **2.** *(endroit)* siège *(m)*.

localidad *nf* **1.** localité *(f)* **2.** *(siège, billet)* place *(f)*.

localismo *nm* **1.** esprit *(m)* de clocher **2.** LING régionalisme *(m)*.

localizar *vt* **1.** localiser **2.** trouver *(une personne, un objet)* **3.** joindre *(par téléphone)*. ▪ **localizarse** *vp* être localisé(e).

loción *nf* **1.** lotion *(f)* **2.** friction *(f)*.

loco, ca ▪ *adj* fou(folle) ▪ **estar loco de** *ou* **por** *ou* **con** être fou de ▪ **loco de atar** *ou* **de remate** fou à lier ▪ **a lo loco** *(conduire)* comme un fou ▪ *(répondre, travailler, etc)* n'importe comment. ▪ *nm, f* fou *(m)*, folle *(f)*.

locomoción *nf* locomotion *(f)* ▪ **los gastos de locomoción** les frais de transport.

locomotor, ra *ou* **triz** *adj* locomoteur(trice). ▪ **locomotora** *nf* locomotive *(f)*.

locuaz *adj* loquace.

locución *nf* locution *(f)*.

locura *nf* folie *(f)* ▪ **con locura** à la folie.

locutor, ra *nm, f* présentateur *(m)*, -trice *(f)*.

locutorio *nm* **1.** parloir *(m)* **2.** TÉLÉCOM **locutorio (telefónico)** cabines *(fpl)* téléphoniques **3.** RADIO & TV studio *(m)*.

lodo *nm* boue *(f)*.

logaritmo *nm* logarithme *(m)*.

lógico, ca ▪ *adj* logique ▪ **es lógico que...** c'est normal que... ▪ *nm, f* logicien *(m)*, -enne *(f)*. ▪ **lógica** *nf* logique *(f)*.

logístico, ca *adj* logistique. ▪ **logística** *nf* logistique *(f)*.

logopeda *nmf* orthophoniste *(mf)*.

logotipo *nm* logo *(m)*.

logrado, da *adj* **1.** réussi(e) **2.** *(prix, médaille)* obtenu(e).

lograr *vt* ▪ **lograr algo** obtenir qqch ▪ **lograr su objetivo** atteindre ses objectifs ▪ **lograr hacer algo** réussir à faire qqch.

logro *nm* réussite *(f)*.

Logroño *npr* Logroño.

LOGSE *(abr de* **Ley Orgánica de Ordenación General del Sistema Educativo)** *nf* loi de réforme de l'enseignement secondaire en Espagne.

loma *nf* colline *(f)*.

lombriz *nf* ▪ **lombriz (de tierra)** ver *(m)* de terre.

lomo *nm* **1.** dos *(m)* **2.** *(viande - de porc)* échine *(f)* ▪ *(- de bœuf)* bavette *(f)* ▪ **lomo bajo** bavette *(f)*.

lona *nf* **1.** toile *(f)* de bâche **2.** SPORT tapis *(m)*.

loncha *nf* tranche *(f)*.

londinense ▪ *adj* londonien(enne). ▪ *nmf* Londonien *(m)*, -enne *(f)*.

Londres *npr* Londres.

longaniza *nf* saucisse *(f)* sèche.

longitud *nf* **1.** longueur *(f)* ▪ **de diez metros de longitud** de dix mètres de long ▪ **longitud de onda** longueur d'onde **2.** GÉOGR & ASTRON longitude *(f)*.

longitudinal *adj* longitudinal(e).

lonja *nf* **1.** tranche *(f)* **2.** bourse *(f)* de commerce ▪ **lonja de pescado** halle *(f)* aux poissons **3.** parvis *(m)*.

loro *nm* **1.** perroquet *(m)* **2.** *fam* laideron *(m)* **3.** *fam fig* moulin *(m)* à paroles.

los ◼ *art* ▷ **el**. ◼ *pron* ▷ **lo**.

losa *nf* dalle *(f)*.

loseta *nf* carreau *(m)* *(de céramique)*.

lote *nm* **1.** lot *(m)* **2.** part *(f)* *(d'héritage)* • **lote de Navidad** *cadeau de Noël offert par les entreprises à leurs employés* **3.** *fam (caresser)* • **darse** ou **pegarse el lote** se peloter.

lotería *nf* **1.** loterie *(f)* • **jugar a la lotería** jouer à la loterie • **tocarle a alguien la lotería** gagner à la loterie **2.** kiosque de billets de loterie.

Lovaina *npr* Louvain.

loza *nf* **1.** *(matière)* faïence *(f)* **2.** *(objets)* vaisselle *(f)*.

lozanía *nf* vigueur *(f)*, fraîcheur *(f)*.

lozano, na *adj* **1.** vigoureux(euse) **2.** *(personne)* qui respire la santé.

LSD *(abr de* **lysergic diethylamide)** *nm* LSD *(m)* • **un viaje de LSD** un trip LSD.

Ltd., ltda. *(abr écrite de* **limitada)** SARL.

lubina *nf* bar *(m)*, loup *(m)* de mer.

lubricante *adj* = **lubrificante**.

lubricar *vt* = **lubrificar**.

lubrificante, lubricante ◼ *adj* lubrifiant(e). ◼ *nm* lubrifiant *(m)*.

lubrificar, lubricar *vt* lubrifier.

lucero *nm* **1.** étoile *(f)* *(brillante)* **2.** *fig* éclat *(m)* • **como un lucero** propre comme un sou neuf.

lucha *nf* lutte *(f)* • **lucha libre** lutte libre • **lucha de clases** lutte des classes.

luchar *vi* lutter, se battre • **luchar contra/por** lutter contre/pour.

lucidez *nf* lucidité *(f)*.

lúcido, da *adj* lucide.

luciérnaga *nf* ver *(m)* luisant.

lucimiento *nm* éclat *(m)*.

lucir ◼ *vi* **1.** briller **2.** *(étoiles)* luire **3.** profiter • **trabajé mucho pero no me ha lucido** j'ai beaucoup travaillé pour rien **4.** faire de l'effet. ◼ *vt* **1.** faire preuve de **2.** porter *(des bijoux, des vêtements)* • **lucir las piernas** montrer ses jambes. ◼ **lucirse** *vp (se distinguer)* • **lucirse (en)** briller (à) • **ite has lucido!** *fam fig & iron* tu as bonne mine !

lucrativo, va *adj* lucratif(ive).

lucro *nm* gain *(m)* • **el afán de lucro** l'appât du gain.

lucubrar *vt* **1.** *(réfléchir)* • **lucubrar sobre** méditer sur **2.** *péj* échafauder.

lúdico, ca *adj* ludique.

ludopatía *nf* dépendance *(f)* aux jeux.

luego ◼ *adv* **1.** ensuite • **primero aquí y luego allí** d'abord ici et ensuite là-bas • **primero dijo que no, pero luego aceptó** il a d'abord dit non et puis il a accepté • **cenamos y luego nos acostamos** on a dîné et on s'est couchés tout de suite après **2.** *(plus tard)* • **hazlo luego** fais-le

plus tard • **vendré luego** je viendrai tout à l'heure **3.** *(Amér)* rapidement • **lueguito vuelvo** je reviens dans une minute. ◼ *conj* donc • **pienso, luego existo** je pense donc je suis. ◼ **luego luego** *loc adv (Amér)* *fam* **1.** tout de suite **2.** de temps en temps.

lugar *nm* **1.** lieu *(m)* • **en el lugar del crimen** sur les lieux du crime • **dar lugar a** donner lieu à • **fuera de lugar** hors de propos • **no dejar lugar a dudas** cela ne fait aucun doute • **si ha lugar** s'il y a lieu • **tener lugar** avoir lieu **2.** endroit *(m)* • **en un lugar apartado** dans un endroit retiré • **en este lugar había una iglesia** à cet endroit, il y avait une église • **la gente del lugar** les gens du coin **3.** place *(f)* • **ocupar el segundo lugar** être à la deuxième place • **dejar las cosas en su lugar** laisser les choses à leur place • **en tu lugar, no lo haría** à ta place, je ne le ferais pas. ◼ **en lugar de** *loc prép* au lieu de. ◼ **lugar común** *nm* lieu *(m)* commun.

lugareño, ña *adj & nm, f* villageois(e).

Lugo *npr* Lugo.

lúgubre *adj* lugubre.

lujo *nm* luxe *(m)* • **con todo lujo de detalles** avec un grand luxe de détails • **un artículo de lujo** un produit de luxe • **un piso de lujo** *fig* un splendide appartement.

lujoso, sa *adj* luxueux(euse).

lujuria *nf* luxure *(f)*.

lumbago *nm* lumbago *(m)*.

lumbar *adj* lombaire.

lumbre *nf* **1.** feu *(m)* **2.** *fig* éclat *(m)*.

lumbrera *nf* *fam* • **no ser ninguna lumbrera** ne pas être une lumière.

luminoso, sa *adj litt & fig* lumineux(euse).

luna *nf* **1.** Lune *(f)* • **luna llena** pleine lune • **luna nueva** nouvelle lune **2.** *(miroir)* glace *(f)* • **estar en la luna** être dans la lune. ◼ **luna de miel** *nf* lune *(f)* de miel.

lunar ◼ *adj* lunaire. ◼ *nm* **1.** grain *(m)* de beauté **2.** *(d'un tissu)* pois *(m)* • **de** ou **con lunares** à pois.

lunático, ca *adj & nm, f* désaxé(e).

lunes *nm inv* lundi *(m)*. • *voir aussi* **sábado**

lupa *nf* loupe *(f)*.

lustrabotas *nm inv* cireur *(m)* de chaussures.

lustrador *(Amér) nm* = **lustrabotas**.

lustrar *vt* **1.** astiquer **2.** faire briller *(les chaussures)*.

lustre *nm litt & fig* éclat *(m)*.

lustro *nm* lustre *(m)* • **hace lustros que no lo veo** il y a des lustres que je ne l'ai pas vu.

lustroso, sa *adj* brillant(e).

luto *nm* deuil *(m)* • **vestir de luto** porter le deuil.

luxación *nf* luxation *(f)*.

Luxemburgo *npr* Luxembourg *(m)*.

luxemburgués, esa ◼ *adj* luxembourgeois(e). ◼ *nm, f* Luxembourgeois *(m)*, -e *(f)*.

luz *nf* **1.** lumière *(f)* **2.** électricité *(f)* • **pagar el recibo de la luz** payer la facture d'électricité • **se ha ido la luz** il y a une panne de courant • **cortar la luz** couper le courant • **encender/apagar la luz** allumer/éteindre la lumière **3.** phare *(m)* • **darle las luces a alguien** faire un appel de phares à qqn • **luces de carretera** *ou* **largas** feux *(mpl)* de route, phares • **luces de cruce** *ou* **cortas** feux *(mpl)* de croisement, codes *(mpl)* • **luces de posición** *ou* **situación** feux *(mpl)* de position, veilleuses *(fpl)* **4.** scintillement *(m)* • **despedir luces** étinceler **5.** ARCHIT ouverture *(f)* • **dar a luz** accoucher • **sacar a la luz** révéler • publier *(un livre)*.

lycra® *nf* Lycra® *(m)*.

m, M [eme] *nf* m *(m inv)*, M *(m inv)*. ◼ **m** *(abr écrite de* **metro***)* m.

m² *(abr écrite de* **metro cuadrado***)* m².

m³ *(abr écrite de* **metro cúbico***)* m³.

macabro, bra *adj* macabre.

macana *nf (Amér)* **1.** gourdin *(m)* **2.** *fam fig* bêtise *(f)* **3.** mensonge *(m)* **4.** *(contrariété)* • **¡qué macana!** quel dommage !

macarra *nm fam* **1.** loubard *(m)* **2.** maquereau *(m)*.

macarrón *nm (gén pl)* macaroni *(m)*.

macedonia *nf* macédoine *(f)*.

macerar *vt* CULIN faire macérer.

maceta *nf* **1.** pot *(m)* **2.** pot *(m)* de fleurs **3.** petit maillet *(m)*.

macetero *nm* cache-pot *(m)*.

machaca *nmf fam* **1.** casse-pieds *(mf inv)* **2.** homme *(m)* à tout faire.

machacar ◼ *vt* **1.** piler **2.** *fam fig* rabâcher **3.** *fam fig* potasser. ◼ *vi* **1.** *fig* insister **2.** *fig* rabâcher **3.** *(vaincre)* écraser.

machete *nm* machette *(f)*.

machista *adj & nmf* machiste.

macho ◼ *adj* **1.** mâle **2.** *fig* macho. ◼ *nm* **1.** mâle *(m)* **2.** *fig* macho *(m)* **3.** pièce *(f)* mâle **4.** ÉLECTR prise *(f)* mâle. ◼ *interj fam* • **¡oye, macho!** eh, mon vieux !

Machu Picchu *npr* Machu Picchu *(m)*.

macizo, za *adj* **1.** *(or, bois)* massif(ive) **2.** *fam fig (personne)* • **estar macizo** être baraqué. ◼ **macizo** *nm* GÉOGR & BOT massif *(m)*.

macramé *nm* macramé *(m)*.

macro *nf* INFORM macro-instruction *(f)*

macrobiótico, ca *adj* macrobiotique. ◼ **macrobiótica** *nf* macrobiotique *(f)*.

mácula *nf* **1.** *(gén & ASTRON)* tache *(f)* **2.** *fig* tromperie *(f)*.

macuto *nm* sac *(m)* à dos.

madeja *nf* pelote *(f)* • **madeja de lana** pelote de laine.

madera *nf* **1.** bois *(m)* **2.** planche *(f)* • **de madera** en bois **3.** *fig (dispositions pour)* • **tener madera de** avoir l'étoffe de.

madero *nm* **1.** madrier *(m)* **2.** *fig* bûche *(f)* **3.** *tfam* flic *(m)*.

madrastra *nf (marâtre)* belle-mère *(f)*.

madre *nf* **1.** mère *(f)* • **madre de alquiler** mère porteuse • **madre política** belle-mère *(f)* • **madre soltera** mère célibataire • **me vale madre** *(Amér) tfam fig* je m'en fous complètement **2.** lie *(f) (du vin)* **3.** lit *(m) (d'une rivière)*. ◼ **madre mía** *interj* • **¡madre mía!** mon Dieu !

Madrid *npr* Madrid.

madriguera *nf* **1.** tanière *(f)* **2.** terrier *(m) (du lapin)*.

madrileño, ña ◼ *adj* madrilène. ◼ *nm, f* Madrilène *(mf)*.

madrina *nf litt & fig* marraine *(f)*.

madroño *nm* **1.** arbousier *(m)* **2.** arbouse *(f)*.

madrugada *nf* matin *(m)* • **la una de la madrugada** une heure du matin.

madrugador, ra ◼ *adj* matinal(e). ◼ *nm, f* • **es un madrugador** il est matinal.

madrugar *vi* **1.** se lever tôt **2.** *fig* prendre les devants.

madrugón, ona *adj* matinal(e). ◼ **madrugón** *nm* • **darse** *ou* **pegarse un madrugón** *fam* se lever aux aurores.

madurar *vt & vi* mûrir.

madurez *nf* maturité *(f)*.

maduro, ra *adj* **1.** mûr(e) **2.** *(idée, projet, solution)* mûrement réfléchi(e).

maestría *nf (habileté)* maîtrise *(f)*.

maestro, tra ◼ *adj* maître(maîtresse) • **una viga maestra** une poutre maîtresse • **una pared maestra** un mur porteur • **un golpe maestro** un coup de maître. ◼ *nm, f* maître *(m)*, maîtresse *(f) (d'école)*. ◼ **maestro** *nm* **1.** *(sage, directeur)* maître *(m)* • **maestro de ceremonias** maître de cérémonie • **maestro de cocina** chef *(m)* cuisinier **2.** MUS maestro *(m)* • **maestro (de orquesta)** chef *(m)* d'orchestre **3.** matador *(m)*.

mafia *nf* mafia *(f)*.

mafioso, sa ◼ *adj* mafieux(euse). ◼ *nm, f* mafioso *(m)*.

Magallanes *npr* Magellan • **el estrecho de Magallanes** le détroit de Magellan.

magdalena *nf* madeleine *(f)*.

magia *nf* **1.** magie *(f)* **2.** charme *(m)* *(d'une personne)*.

mágico, ca *adj* magique.

magisterio *nm* **1.** *diplôme d'instituteur* **2.** enseignement *(m)* primaire **3.** corps *(m)* des instituteurs.

magistrado, da *nm, f* magistrat *(m)*.

magistral *adj* magistral(e).

magistratura *nf* magistrature *(f)* • **magistratura de trabajo** ≃ conseil *(m)* de prud'hommes.

magma *nm* magma *(m)*.

magnánimo, ma *adj* magnanime.

magnate *nm* magnat *(m)*.

magnesia *nf* magnésie *(f)*.

magnético, ca *adj* magnétique.

magnetismo *nm* magnétisme *(m)*.

magnetizar *vt* magnétiser.

magnetófono *nm* magnétophone *(m)*.

magnicidio *nm* assassinat *(m)* *(d'une personne haut placée)*.

magnificencia *nf* magnificence *(f)*.

magnífico, ca *adj* magnifique.

magnitud *nf* **1.** grandeur *(f)* **2.** ASTRON magnitude *(f)* **3.** *(importance)* ampleur *(f)*.

magnolia *nf* magnolia *(m)*.

mago, ga *nm, f* **1.** magicien *(m)*, -enne *(f)* **2.** enchanteur *(m)*, -eresse *(f)*.

magrebí *(pl* **magrebíes** *OU* **magrebís)** ◼ *adj* maghrébin(e). ◼ *nm, f* Maghrébin *(m)*, -e *(f)*.

magro, gra *adj* maigre. ◼ **magro** *nm* *(viande)* maigre *(m)*.

magulladura *nf* meurtrissure *(f)*.

magullar *vt* **1.** *(peau)* meurtrir **2.** *(fruit)* taler.

maharajá = **marajá**.

mahonesa *nf* = **mayonesa**.

maicena *nf* Maïzena® *(f)*.

mailing ['meilin] *nm* mailing *(m)*.

maillot [ma'jot] *(pl* **maillots)** *nm* **1.** SPORT maillot *(m)* **2.** *(danse)* justaucorps *(m)* **3.** *(gymnastique)* body *(m)* • **maillot amarillo** maillot jaune.

maître ['metre] *nm* maître *(m)* d'hôtel.

maíz *nm* maïs *(m)*.

majadero, ra *nm, f* idiot *(m)*, -e *(f)*.

majareta *adj & nmf fam* cinglé(e).

majestad *nf* majesté *(f)*.

majestuoso, sa *adj* majestueux(euse).

majo, ja ◼ *adj* **1.** gentil(ille) **2.** mignon(onne). ◼ *nm, f* nom donné au XVIIIᵉ siècle à un certain type populaire madrilène.

mal ◼ *adj* ⊳ **malo.** ◼ *nm* mal *(m)* • **el mal** le mal • **el mal de ojo** le mauvais œil • **no hay mal que por bien no venga** à quelque chose malheur est bon. ◼ *adv* mal • **encontrarse mal** se sentir mal • **oír/ver mal** entendre/voir mal • **oler mal** sentir mauvais • *fam fig* sembler louche • **saber mal** avoir mauvais goût • *fig* déplaire • **sentar mal a alguien** *(vêtement)* aller mal à qqn • *(repas, aliment)* ne pas réussir à qqn • *(commentaire, attitude)* ne pas plaire à qqn • **ir de mal en peor** aller de mal en pis • **no estaría mal que... ** ça serait bien que…

malabarismo *nm* • **hacer malabarismos** *litt & fig* jongler.

malabarista *nmf* jongleur *(m)*, -euse *(f)*.

malacostumbrado, da *adj (enfant)* gâté(e).

malacostumbrar *vt* **1.** donner de mauvaises habitudes à **2.** gâter *(un enfant)*.

Málaga *npr* Malaga.

malagueño, ña *adj & nm, f* malaguène, habitant(e) de Malaga.

malaleche *fam nf* **1.** humeur *(f)* de cochon **2.** foutu caractère *(m)* • **tener malaleche** être une peau de vache.

malapata *fam nf* poisse *(f)* • **has tenido malapata** tu n'as pas eu de pot.

malaria *nf* malaria *(f)*.

malasangre *nf* mauvais esprit *(m)* • **hacerse malasangre** *fam* se faire un sang d'encre.

Malasia *npr* Malaisie *(f)*.

malasombra *nf (malchance)* • **tener malasombra** avoir la poisse.

Malaui, Malawi *npr* Malawi *(m)*.

malcriado, da *adj & nm, f* mal élevé(e).

maldad *nf* méchanceté *(f)*.

maldecir ◼ *vt* maudire. ◼ *vi* médire.

maldición *nf* malédiction *(f)*.

maldito, ta *adj* maudit(e).

Maldivas *npr* • **las (islas) Maldivas** les (îles Maldives *(fpl)*.

maleable *adj* malléable.

maleante *adj & nmf* délinquant(e).

malecón *nm* jetée *(f)*.

maleducado, da *adj & nm, f* mal élevé(e).

maleficio *nm* maléfice *(m)*.

malentendido *nm* malentendu *(m)*.

malestar *nm* **1.** douleur *(f)* • **sentir malestar general** avoir mal partout **2.** *fig* malaise *(m)*.

maleta *nf* valise *(f)*.

maletero *nm* AUTO coffre *(m)*.

maletín *nm* **1.** mallette *(f)* **2.** attaché-case *(m)*.

malévolo, la *adj* malveillant(e).

maleza *nf* **1.** mauvaises herbes *(fpl)* **2.** broussailles *(fpl)*.

malformación *nf* malformation *(f)*.

malgastar *vt* gaspiller.

malhablado, da ■ *adj* grossier(ère). ■ *nm, f* • **es un malhablado** il parle comme un charretier.

malhechor, ra ■ *adj* malfaisant(e). ■ *nm, f* malfaiteur *(m)*.

malhumorado, da *adj* de mauvaise humeur.

malicia *nf* **1.** méchanceté *(f)* **2.** malice *(f)*.

malicioso, sa *adj* **1.** mauvais(e) **2.** malicieux (euse).

maligno, na *adj* **1.** malveillant(e) **2.** MÉD malin (igne) • **un tumor maligno** une tumeur maligne.

malla *nf* **1.** maille *(f)* **2.** filet *(m)*. ■ **mallas** *nfpl* caleçon *(m)* (de fille).

Mallorca *npr* Majorque.

mallorquín, ina ■ *adj* majorquin(e). ■ *nm, f* Majorquin *(m)*, -e *(f)*.

malo, la ■ *adj* (peor *est le comparatif et le superlatif de* **malo** ; *devant un nom masculin singulier :* **mal**) **1.** mauvais(e) • **una comida mala** un mauvais repas • **un resultado malo** un mauvais résultat • **pasar un mal rato** passer un mauvais quart d'heure • **es malo para los idiomas** il est mauvais en langues • **ser malo para la salud** être mauvais pour la santé **2.** méchant(e) • **ser malo con alguien** être méchant avec qqn **3.** dur(e) • **lo malo es que...** le problème, c'est que... **4.** malade, souffrant(e) • **estar malo** être malade • **ponerse malo** tomber malade **5.** vilain(e) • **estar de malas** être de mauvaise humeur • **por las malas** de force. ■ *nm, f* méchant *(m)*, -e *(f)* (d'un film, etc).

malograr *vt* **1.** gâcher **2.** rater **3.** endommager **4.** (Amér) casser. ■ **malograrse** *vp* **1.** tourner court **2.** mourir prématurément **3.** être endommagé(e) **4.** (Amér) se casser **5.** (Amér) (voiture, machine) tomber en panne.

malparado, da *adj* mal en point • **salió malparado de...** il ne s'est pas bien tiré de...

malpensado, da *nm, f* • **ser un malpensado** avoir l'esprit mal tourné.

malsonante *adj* grossier(ère).

malta *nm* malt *(m)*.

Malta *npr* Malte.

maltratar *vt* **1.** maltraiter **2.** abîmer.

maltrato *nm* mauvais traitements *(mpl)*.

maltrecho, cha *adj* en piteux état.

malva ■ *nf* BOT mauve *(f)*. ■ *adj inv* (couleur) mauve. ■ *nm* (couleur) mauve *(m)*.

malvado, da *adj & nm, f* méchant(e).

malversación *nf* malversation *(f)* • **malversación de fondos** détournement *(m)* de fonds.

malversar *vt* détourner (de l'argent).

Malvinas *npr* • **las Malvinas** les Malouines *(fpl)*.

malvivir *vi* vivre pauvrement.

mama *nf* **1.** (animal) mamelle *(f)* **2.** (femme) sein *(m)* **3.** fam maman *(f)*.

mamá *nf fam* maman *(f)* • **mamá grande** (Amér) fam mamie *(f)*.

mamadera *nf* (Amér) **1.** biberon *(m)* **2.** tétine *(f)*.

mamar ■ *vt* **1.** téter **2.** fig apprendre au berceau. ■ *vi* téter.

mamarracho *nm* **1.** (fantoche) • **estar hecho un mamarracho** être ridicule **2.** pauvre type *(m)* **3.** (film) navet *(m)* **4.** (tableau) croûte *(f)*.

mambo *nm* mambo *(m)*.

mamífero, ra *adj* mammifère. ■ **mamífero** *nm* mammifère *(m)*.

mamografía *nf* mammographie *(f)*.

mamotreto *nm péj* **1.** (livre) pavé *(m)* **2.** (meuble) mastodonte *(m)*.

mampara *nf* pare-douche *(m)*.

mamporro *nm fam* gnon *(m)* • **darse un mamporro** se cogner.

mamut *nm* mammouth *(m)*.

manada *nf* **1.** troupeau *(m)* (de chevaux, de vaches) **2.** bande *(f)* (de loups) **3.** harde *(f)* (de cerfs) **4.** horde *(f)* (de gens).

manager (pl **managers**) *nm* manager *(m)*.

Managua *npr* Managua.

manantial *nm* source *(f)*.

manazas *adj inv & nmf inv* empoté(e).

mancha *nf* tache *(f)*.

À PROPOS DE...

mancha

Attention ***mancha*** ne signifie pas « manche » mais « tache » !

manchar *vt fig* (déshonorer) souiller. ■ **mancharse** *vp* se tacher.

manchego, ga *adj* (région d'Espagne) de la Manche. ■ **manchego** *nm* ▷ **queso**.

mancillar *vt* souiller (l'honneur, etc).

manco, ca ■ *adj* **1.** manchot(e) **2.** fig (incomplet) boiteux(euse). ■ *nm, f* manchot *(m)*, -e *(f)*.

mancomunidad *nf* **1.** association *(f)* **2.** fédération *(f)* (de provinces, etc).

mancorna, mancuerna *nf* (Amér) bouton *(m)* de manchette.

mandado, da *nm, f* envoyé *(m)*, -e *(f)*. ■ **mandado** *nm* (course) commission *(f)*.

mandamás *nmf* **1.** grand patron *(m)* **2.** grand manitou *(m)*.

mandamiento *nm* commandement *(m)*.

mandar ■ *vt* **1.** ordonner • **el profesor mandó un trabajo para casa** le professeur nous a donné un travail à faire à la maison • **mandar hacer algo** faire faire qqch **2.** envoyer • **mandar a alguien a paseo** *ou* **a la porra** *fam* envoyer balader qqn **3.** commander *(une armée)* **4.** diriger *(un pays).* ◆ *vi péj* commander • **¿mande?** *fam* pardon ?

mandarín *nm* mandarin *(m).*

mandarina *nf* mandarine *(f).*

mandatario, ria *nm, f* mandataire *(mf).*

mandato *nm* **1.** mandat *(m)* • **mandato judicial** mandat (de justice) **2.** *(commandement)* ordre *(m).*

mandíbula *nf* mâchoire *(f).*

mandil *nm* tablier *(m).*

mando *nm* **1.** *(gén & MIL)* commandement *(m)* • **estar al mando de** diriger, commander • **los mandos** les dirigeants **2.** *(chef)* cadre *(m)* • **mandos intermedios** cadres moyens **3.** *(dispositif)* commande *(f)* • **mando a distancia** télécommande *(f).*

mandolina *nf* mandoline *(f).*

mandón, ona ◆ *adj* autoritaire. ◆ *nm, f* petit chef *(m)* • **es una mandona** elle veut mener tout le monde à la baguette.

mandril *nm* **1.** ZOOL mandrill *(m)* **2.** *(pièce)* mandrin *(m).*

manecilla *nf* **1.** aiguille *(f)* (d'une montre) **2.** fermoir *(m).*

manejable *adj* maniable.

manejar *vt* **1.** manier **2.** *fig* mener **3.** gérer *(les affaires)* • **manejar a alguien a su antojo** mener qqn par le bout du nez **4.** *(Amér)* conduire *(une voiture).* ◆ **manejarse** *vp* **1.** se déplacer **2.** se débrouiller.

manejo *nm* **1.** maniement *(m)* **2.** *(gén pl) fig* manigances *(fpl)* **3.** *fig (direction)* conduite *(f)* **4.** gestion *(f)* (d'affaires, d'une entreprise).

manera *nf* **1.** manière *(f)* • **de cualquier manera** n'importe comment • de toute façon • **de ninguna manera, en manera alguna** en aucune façon • jamais de la vie • **de todas maneras** de toute façon • **en cierta manera** d'une certaine manière • **de manera que** de telle sorte que • **no hay manera** il n'y a pas moyen **2.** *(gén pl)* manières *(fpl).*

manga *nf* **1.** *(de vêtement & SPORT)* manche *(f)* • **en mangas de camisa** en manches de chemise • **manga corta/larga** manche courte/longue **2.** *(filtre)* chausse *(f)* **3.** manche *(f)* à air **4.** *(en pâtisserie)* poche *(f)* à douille **5.** tuyau *(m)* (d'arrosage) • **ser de manga ancha, tener manga ancha** avoir les idées larges.

mangar *vt fam* piquer.

mango *nm* **1.** manche *(m)* (d'un outil) **2.** manguier *(m)* **3.** mangue *(f).*

mangonear *vi fam* **1.** fourrer son nez partout **2.** mener tout le monde à la baguette.

mangosta *nf* mangouste *(f).*

manguera *nf* **1.** tuyau *(m)* d'arrosage **2.** lance *(f)* d'incendie.

manía *nf* **1.** manie *(f)* **2.** folie *(f)* • **la manía de los videojuegos** la folie des jeux vidéo **3.** *fam (aversion)* • **coger manía a alguien** prendre qqn en grippe.

maniaco, ca, maníaco, ca *adj & nm, f (malade)* maniaque.

maniatar *vt* attacher les mains de.

maniático, ca *adj & nm, f* maniaque • **un maniático del fútbol** *fig* un fou de football.

manicomio *nm* asile *(m)* (d'aliénés).

manicuro, ra *nm, f* manucure *(mf).* ◼ **manicura** *nf* manucure *(f).*

manido, da *adj* (thème, etc) rebattu(e).

manifestación *nf* manifestation *(f).*

manifestar *vt* **1.** manifester **2.** déclarer. ◼ **manifestarse** *vp* **1.** manifester *(dans la rue)* **2.** *(devenir évident)* se manifester.

manifiesto, ta *adj* manifeste • **poner de manifiesto** mettre en évidence. ◼ **manifiesto** *nm* manifeste *(m).*

manillar *nm* guidon *(m).*

maniobra *nf* manœuvre *(f).*

maniobrar *vi* manœuvrer.

manipulación *nf* manipulation *(f).*

manipular *vt* **1.** manipuler **2.** trafiquer *(l'information, un résultat).*

maniquí *(pl* **maniquíes** OU **maniquís)** ◼ *nm* mannequin *(m) (de couturier).* ◼ *nmf* **1.** *(modèle)* mannequin *(m)* **2.** *fig* pantin *(m).*

manirroto, ta ◼ *adj* dépensier(ère). ◼ *nm, f* panier *(m)* percé.

manitas ◼ *adj inv* • **es muy manitas** il est très habile de ses mains. ◼ *nmf inv* bricoleur *(m),* -euse *(f)* • **ser un manitas** être bricoleur • **hacer manitas** se faire des caresses.

manito, mano *nm (Amér) fam* pote *(m).*

manivela *nf* manivelle *(f).*

manjar *nm* mets *(m).*

mano *nf* **1.** main *(f)* • **a mano** sous la main • à la main • **a mano armada** à main armée • **dar** OU **estrechar la mano a alguien** serrer la main à qqn **2.** ZOOL patte *(f)* de devant **3.** *(de porc)* pied *(m)* **4.** *(côté)* • **a mano derecha/izquierda** à droite/gauche **5.** couche *(f)* (de peinture, etc) **6.** *(adresse)* • **tiene buenas manos para bricolar** c'est un bon bricoleur **7.** *(capacité de travail)* • **necesitamos manos para descargar** on a besoin de bras pour décharger • **mano de obra** main-d'œuvre *(f)* **8.** *(influence)* • **tiene mano en el ministerio** il a le bras long au ministère **9.** *(aide, intervention)* coup *(m)* de main • **echar** OU **tender una mano a alguien** donner un coup de main à qqn **10.** *(mortier)* pilon *(m)* **11.** partie *(f)* *(de jeu)* **12.** *fig* volée *(f)* (de coups) • **bajo mano** en sous-main • **caer en manos de alguien** tomber entre les mains de qqn • **con las manos cruzadas, mano sobre mano** les bras croisés • **con las manos en la**

masa la main dans le sac • **de primera mano** de première main • **de segunda mano** d'occasion • **mano a mano** en tête à tête • **¡manos a la obra!** au travail ! • **¡manos arriba!, ¡arriba las manos!** haut les mains ! • **tener mano izquierda** savoir y faire.

manojo *nm* **1.** botte *(f)* (*d'asperges, de radis*) **2.** bouquet *(m)* (*de fleurs*) **3.** touffe *(f)* (*de cheveux*) **4.** trousseau *(m)* (*de clés*).

manoletina *nf* **1.** *passe inventée par le torero espagnol Manolete* **2.** (*chaussure*) ballerine *(f)*.

manómetro *nm* manomètre *(m)*.

manopla *nf* **1.** moufle *(f)* **2.** gant *(m)* de toilette.

manosear *vt* tripoter.

manotazo *nm* claque *(f)*.

mansalva ■ a mansalva *loc adv* en quantité.

mansedumbre *nf* **1.** douceur *(f)* **2.** docilité *(f)* (*d'un animal*).

mansión *nf* demeure *(f)*.

manso, sa *adj* **1.** paisible, doux(douce) **2.** docile **3.** (*Amér*) énorme.

manta ■ *nf* couverture *(f)* • **liarse la manta a la cabeza** fig sauter le pas, se jeter à l'eau. **■** *nmf fam* bon *(m)* à rien, bonne *(f)* à rien.

manteca *nf* **1.** graisse *(f)* (*animale*) • **manteca de cerdo** saindoux *(m)* **2.** beurre *(m)* • **manteca de cacao** beurre de cacao.

mantecado *nm* **1.** gâteau *(m)* au saindoux **2.** glace *(f)* à la vanille.

mantel *nm* nappe *(f)*.

mantelería *nf* linge *(m)* de table.

mantener *vt* **1.** maintenir • **mantengo que...** je maintiens *ou* je soutiens que... • **mantener la cabeza alta** garder la tête haute • **mantener a distancia** *ou* **a raya** tenir à distance **2.** entretenir • **mantener a una familia** entretenir une famille • **mantener relaciones/una conversación** entretenir des relations/une conversation • **mantener en buen estado** entretenir **3.** soutenir • **mantener un edificio** soutenir un bâtiment. **■ mantenerse** *vp* (*tenir, rester*) • **mantenerse derecho/en pie** se tenir droit/debout • **mantenerse joven** rester jeune • **mantenerse en el poder** rester au pouvoir • **mantenerse con** *ou* **de** vivre de.

mantenimiento *nm* **1.** entretien *(m)* **2.** maintenance *(f)* (*de matériel*).

mantequilla *nf* beurre *(m)*.

mantilla *nf* **1.** mantille *(f)* **2.** lange *(m)*.

manto *nm* **1.** grande cape *(f)* • **el manto de la Virgen** le manteau de la Vierge **2.** fig voile *(m)* **3.** manteau *(m)* (*terrestre*).

mantón *nm* châle *(m)*.

manual ■ *adj* manuel(elle). **■** *nm* (*livre*) manuel *(m)*.

manualidad *nf* (*gén pl*) travaux *(mpl)* manuels.

manubrio *nm* manivelle *(f)*.

manufacturar *vt* manufacturer.

manuscrito, ta *adj* manuscrit(e). **■ manuscrito** *nm* manuscrit *(m)*.

manutención *nf* **1.** entretien *(m)* **2.** nourriture *(f)* • **tener para su manutención** avoir de quoi se nourrir.

maña *nf* **1.** habileté *(f)* • **darse maña para** être doué(e) pour • **más vale maña que fuerza** plus fait douceur que violence **2.** (*gén pl*) ruse *(f)* • **darse maña para** faire tout ce que l'on peut pour.

mañana ■ *nf* **1.** matin *(m)* • **a las dos de la mañana** à deux heures du matin • **a la mañana siguiente** le lendemain matin • **por la mañana** le matin **2.** matinée *(f)* • **toda la mañana** toute la matinée. **■** *nm* lendemain *(m)*, avenir *(m)*. **■** *adv* demain • **¡hasta mañana!** à demain ! • **mañana por la mañana** demain matin • **pasado mañana** après-demain.

manzana *nf* **1.** pomme *(f)* **2.** pâté *(m)* de maisons.

manzanilla *nf* **1.** (*plante, infusion*) camomille *(f)* **2.** (*vin doux*) manzanilla *(m)* **3.** *type de petites olives*.

mañanitas *nfpl* (*Amér*) *chanson d'anniversaire mexicaine*.

manzano *nm* pommier *(m)*.

mañoso, sa *adj* adroit(e) de ses mains.

mapa *nm* carte *(f)* • **borrar del mapa** rayer de la carte • **desaparecer del mapa** disparaître de la circulation.

mapamundi *nm* mappemonde *(f)*.

maqueta *nf* maquette *(f)*.

maquillaje *nm* maquillage *(m)*.

maquillar *vt litt & fig* maquiller. **■ maquillarse** *vp* se maquiller.

máquina *nf* **1.** machine *(f)* • **hecho a máquina** fait à la machine • **escribir** *ou* **pasar a máquina** taper à la machine • **a toda máquina** à fond de train • **máquina de coser** machine à coudre • **máquina de escribir** machine à écrire • **máquina de vapor** machine à vapeur • **máquina fotográfica** appareil *(m)* photo • **máquina traganíqueles** (*Amér*) machine à sous • **(máquina) tragaperras** machine à sous **2.** (*Amér*) voiture *(f)*.

maquinación *nf* machination *(f)*.

maquinal *adj* machinal(e).

maquinar *vt* manigancer • **maquinar algo contra alguien** tramer qqch contre qqn.

maquinaria *nf* **1.** machinerie *(f)* **2.** mécanisme *(m)* (*d'une pendule*) • **maquinaria agrícola** matériel *(m)* agricole **3.** fig (*organisme*) machine *(f)*.

maquinilla *nf* • **maquinilla (de afeitar)** rasoir *(m)* • **maquinilla eléctrica** rasoir électrique.

maquinista *nmf* mécanicien *(m)* (*d'un train*).

mar *nm ou nf* mer *(f)* • **alta mar** haute mer • **el mar Báltico** la mer Baltique • **el mar Cantábrico** le golfe de Gascogne *(partie sud)* • **el mar Caribe** la mer des Caraïbes • **el mar Mediterráneo** la mer Méditerranée • **el mar Muerto** la mer Morte • **el mar Negro** la mer Noire • **el mar del Norte** la mer du Nord • **el mar Rojo** la mer Rouge • **la mar de** drôlement • **es la mar de inteligente** il est drôlement intelligent.

mar., mar, mzo., mzo *(abr écrite de* marzo) mars • **8 mar. 2003** 8 mars 2003.

marabunta *nf* **1.** invasion *(f)* de fourmis **2.** *fig* foule *(f)*.

maraca *nf* maraca *(f)*.

marajá, maharajá [mara'xa] *nm* maharaja *(m)*.

maraña *nf* **1.** broussaille *(f)* **2.** *fig* enchevêtrement *(m)*.

maratón *nm* marathon *(m)*.

maravilla *nf* **1.** *(objeto extraordinario)* merveille *(f)* **2.** émerveillement *(m)* **3.** BOT souci *(m)* • **a las mil maravillas, de maravilla** à merveille • **venir de maravilla** tomber à pic.

maravillar *vt* **1.** émerveiller **2.** stupéfier. ■ **maravillarse** *vp* **1.** s'émerveiller **2.** être stupéfait(e).

maravilloso, sa *adj* merveilleux(euse).

marca *nf* **1.** trace *(f)* **2.** marque *(f)* • **de marca** de marque • **marca de fábrica** marque • **marca registrada** marque déposée **3.** SPORT score *(m)* • **batir una marca** battre un record.

marcado, da *adj* **1.** marqué(e) **2.** *(animaux)* marqué(e) au fer rouge. ■ **marcado** *nm* **1.** mise *(f)* en plis **2.** marquage *(m)*.

marcador, ra *adj* marqueur(euse). ■ **marcador** *nm* tableau *(m)* d'affichage.

marcaje *nm* SPORT marquage *(m)*.

marcapasos *nm inv* pacemaker *(m)*.

marcar ⬥ *vt* **1.** marquer **2.** indiquer **3.** faire ressortir • **la falda le marca las caderas** sa jupe lui moule les hanches • **marcar la diferencia** faire la différence **4.** composer *(un numéro de téléphone)* **5.** faire une mise en plis. ⬥ *vi* marquer.

marcha *nf* **1.** marche *(f)* • **en marcha** *(machines)* en marche • *(affaires)* en cours • **poner en marcha** *(machine)* mettre en marche • *(affaires, commerce)* mettre en route • **sobre la marcha** au fur et à mesure • **dar marcha atrás** *fig* faire marche arrière **2.** *(sortie, abandon)* départ *(m)* **3.** AUTO vitesse *(f)* • **marcha atrás** marche *(f)* arrière **4.** *fam* ambiance *(f)* • **hay mucha marcha** il y a beaucoup d'ambiance • **ir de marcha** faire la bringue.

marchar *vi* **1.** *(avancer, fonctionner)* marcher **2.** partir. ■ **marcharse** *vp* s'en aller • **se marchó** il est parti.

marchitar *vt* faner. ■ **marchitarse** *vp* **1.** se faner **2.** s'étioler.

marchito, ta *adj* **1.** fané(e) **2.** étiolé(e).

marcial *adj* martial(e).

marco *nm* **1.** cadre *(m)* **2.** encadrement *(m) (de porte, de fenêtre)* **3.** *(monnaie)* mark *(m)* **4.** SPORT buts *(mpl)*.

marea *nf* marée *(f)* • **marea alta/baja** marée haute/basse • **marea negra** marée noire.

marear *vt* **1.** faire tourner la tête à **2.** *fam* assommer. ■ **marearse** *vp* **1.** avoir la tête qui tourne **2.** avoir le mal de mer *(en bateau)* **3.** avoir mal au cœur *(en voiture, en avion)*.

marejada *nf* **1.** houle *(f)* • **hay marejada** la mer est houleuse **2.** *fig* effervescence *(f)*.

maremoto *nm* raz *(m)* de marée.

mareo *nm* **1.** mal *(m)* au cœur **2.** mal *(m)* de mer **3.** *fam (tracas)* plaie *(f)*.

marfil *nm* ivoire *(m)*.

margarina *nf* margarine *(f)*.

margarita *nf* marguerite *(f)* • **deshojar la margarita** effeuiller la marguerite • *fig* tergiverser.

margen *nm ou nf* **1.** *(gén m)* *(gén & COMM)* marge *(f)* • **al margen** en marge • **margen de error** marge d'erreur **2.** *(gén f)* rive *(f)* **3.** *(gén m) (ocasión)* • **dar margen a alguien para hacer algo** donner à qqn l'occasion de faire qqch.

marginación *nf* marginalisation *(f)*.

marginado, da ⬥ *adj* marginalisé(e). ⬥ *nm, f* marginal *(m)*, -e *(f)*.

marica *nm tfam péj* pédale *(f)*.

maricón *nm tfam péj* pédé *(m)*.

mariconera *nf fam* sac *(m)* d'homme.

marido *nm* mari *(m)*.

marihuana *nf* marijuana *(f)*.

marimacho *nm fam péj* virago *(f)*.

marina *nf* ⊳ **marino**.

marinero, ra *adj* **1.** *(quartier, village)* de marins **2.** *(bateau)* marin(e). ■ **marinero** *nm* marin *(m)*.

marino, na *adj* marin(e). ■ **marino** *nm* marin *(m)*. • **marina** *nf* marine *(f)* • **marina mercante** marine marchande.

marioneta *nf* marionnette *(f)*. ■ **marionetas** *nfpl (théâtre)* marionnettes *(fpl)*.

mariposa *nf* **1.** papillon *(m)* **2.** veilleuse *(f)*.

mariposear *vi* papillonner.

mariquita ⬥ *nf* coccinelle *(f)*. ⬥ *nm tfam péj (homosexuel)* tante *(f)*.

marisco *nm* • **el marisco, los mariscos** le fruits *(mpl)* de mer.

marisma *nf* marais *(m) (du littoral)*.

marisquería *nf* restaurant *(m)* de poissons.

marítimo, ma *adj* maritime.

marketing ['marketin] *nm* marketing *(m)*.

mármol *nm* marbre *(m)* • **de mármol** *fig* d marbre.

marmota *nf* marmotte *(f)*.

marqués, **esa** nm, f marquis (m), -e (f).

marquesina nf **1.** (auvent) marquise (f) **2.** Abribus® (m).

marranada nf fam **1.** cochonnerie (f) **2.** saloperie (f).

marrano, **na** nm, f **1.** zool cochon (m), truie (f) **2.** fam (persona sale) cochon (m), -onne (f) **3.** fam (persona sin scrupules) sagouin (m), -e (f).

marrón adj & nm marron.

marroquí (pl **marroquíes** ou **marroquís**) ◼ adj marocain(e). ◼ nmf Marocain (m), -e (f).

Marruecos npr Maroc (m)

Marsella npr Marseille.

marsellés, **esa** ◼ adj marseillais(e). ◼ nm, f Marseillais(e). ◼ **Marsellesa** nf Marseillaise (f).

Marte npr ASTRON & MYTHOL Mars.

martes nm mardi (m) • **martes y trece** ≃ vendredi (m) treize. • voir aussi **sábado**

martillar = **martillear**.

martillear, **martillar** vi marteler.

martillo nm marteau (m).

mártir nmf martyr (m), -e (f).

martirio nm martyre (m).

martirizar vt litt & fig martyriser.

maruja nf fam bobonne (f).

marxismo nm marxisme (m).

marxista adj & nmf marxiste.

marzo nm mars (m). • voir aussi **septiembre**

mas conj mais • **hace mucho tiempo de eso, mas todavía lo recuerdo** il y a bien longtemps de cela, mais je m'en souviens encore.

---

más adv

1. COMPARATIF = plus
• **Gabriel es más alto** Gabriel est plus grand
• **hace más calor que ayer** il fait plus chaud qu'hier
• **necesito más tiempo** j'ai besoin de plus de temps
• **tengo más de cien euros** j'ai plus de cent euros
• **Lucía es más joven que tú** Lucía est plus jeune que toi
• **Mercedes tiene más experiencia que tú** Mercedes a plus d'expérience que toi
• **tiene dos años más que yo** elle a deux ans de plus que moi

2. SUPERLATIF = plus
• **el más alto** le plus grand
• **la más guapa** la plus belle
• **lo más importante** le plus important
• **es la más lista de la clase** c'est la plus intelligente de la classe
• **lo más posible** le plus possible

3. DAVANTAGE DE = encore
• **quiero más pastel** je veux encore du gâteau

4. DANS DES PHRASES NÉGATIVES, POUR INDIQUER QUE L'ON NE VEUT PAS CONTINUER = plus
• **no quiero más** je n'en veux plus
• **¡no puedo comer ni una cucharada más!** je ne peux pas manger une cuillerée de plus !

5. AVEC UN PRONOM INTERROGATIF OU UN PRONOM INDÉFINI
• **¿qué más?** quoi d'autre ?
• **¿alguien más quiere?** quelqu'un d'autre en veut ?
• **no vendrá nadie más** personne d'autre ne viendra

6. INDIQUE UNE PRÉFÉRENCE = mieux
• **más vale que nos vayamos** il vaut mieux que nous partions

7. DANS DES PHRASES EXCLAMATIVES, MARQUE L'INTENSITÉ
• **¡es más tonto!** il est tellement bête !
• **¡qué día más bonito!** quelle belle journée !

8. DANS UNE ADDITION = plus
• **uno más uno son dos** ou **igual a dos** un plus un font deux

9. DANS DES EXPRESSIONS
• **más bien** plutôt
• **más o menos** plus ou moins
• **el que más y el que menos** tout un chacun
• **más y más** de plus en plus, toujours plus
• **sin más (ni más)** comme ça, sans raison
• **¿qué más da?** qu'est-ce que ça peut faire ?
• **no estaba contento, es más, estaba furioso** il n'était pas content, je dirais même qu'il était furieux
• **no trabaja bien, es más, el jefe lo ha llamado a su despacho** il ne travaille pas bien, d'ailleurs le patron l'a convoqué dans son bureau.

---

más nm inv

1. LE MAXIMUM, LE PLUS
• **es lo más que puedo hacer** c'est tout ce que je peux faire

2. SIGNE DE L'ADDITION = plus
• **el más es el signo de la suma** le plus est le signe de l'addition.

◼ **de más** loc adv

de ou en trop
• **hay cinco euros de más** il y a cinq euros de ou en trop.

◼ **por más que** loc conj

avoir beau
• **por más que insistas no te lo diré** tu auras beau insister, je ne te le dirai pas.

masa *nf* 1. masse *(f)* 2. CULIN pâte *(f)* 3. *(Amér)* petit gâteau *(m)* 4. *(Amér)* pâte à base de maïs. ■ **masas** *nfpl (peuple)* • **las masas** les masses *(fpl)*.

masacre *nf* massacre *(m)*.

masaje *nm* massage *(m)*.

masajista *nmf* masseur *(m)*, -euse *(f)*.

mascar *vt* mâcher.

máscara *nf* masque *(m)* • **máscara antigás** masque à gaz.

mascarilla *nf* masque *(m)*.

mascota *nf* mascotte *(f)*.

masculino, na *adj* masculin(e).

mascullar *vt* marmonner.

masificación *nf* massification *(f)* • **la masificación de las aulas** les classes surchargées.

masilla *nf* mastic *(m)*.

masivo, va *adj* massif(ive).

masón, ona, francmasón, ona *nm, f* franc-maçon *(m)*, -onne *(f)*.

masonería, francmasonería *nf* franc-maçonnerie *(f)*.

masoquista *adj & nmf* masochiste.

mass media, mass-media *nmpl* mass media *(mpl)*.

máster *(pl* **masters***) nm* mastère *(m)*.

masticar *vt* 1. mâcher 2. *fig* ruminer.

mástil *nm* 1. mât *(m)* 2. manche *(m) (d'un instrument à cordes)*.

mastodonte *nm* mastodonte *(m)*.

masturbación *nf* masturbation *(f)*.

masturbar *vt* masturber. ■ **masturbarse** *vp* se masturber.

mata *nf* 1. buisson *(m)* 2. touffe *(f)*. ■ **mata de pelo** *nf* touffe *(f)* de cheveux.

matadero *nm* abattoir *(m)*.

matador, ra *adj fam* 1. *(laid)* monstrueux(euse) 2. *(fatigant)* tuant(e). ■ **matador** *nm* matador *(m)*.

matamoscas *nm inv* 1. tapette *(f)* (à mouches) 2. papier *(m)* tue-mouches.

matanza *nf* 1. tuerie *(f)* 2. abattage *(m) (des porcs)*.

matar *vt* 1. tuer 2. éteindre *(un feu)* 3. briser *(les espérances, etc)* 4. adoucir *(une couleur)* 5. oblitérer 6. arrondir • **matarlas callando** agir en douce. ■ **matarse** *vp* 1. se tuer 2. s'entre-tuer.

matarratas *nm inv* 1. mort-aux-rats *(f)* 2. *fig (boisson)* tord-boyaux *(m)*.

matasellos *nm inv* cachet *(m)*.

mate ■ *adj inv* mat(e). ■ *nm* 1. *(échecs)* mat *(m)* 2. SPORT *(basket-ball)* smash *(m)* 3. *(plante, boisson)* maté *(m)*.

matemático, ca ■ *adj* mathématique. ■ *nm, f* mathématicien *(m)*, -enne *(f)*. ■ **matemáticas** *nfpl* mathématiques *(fpl)*.

materia *nf* matière *(f)* • **materia prima, primera materia** matière première.

material ■ *adj* 1. matériel(elle) 2. véritable. ■ *nm* 1. matière *(f)* 2. matériau *(m) (de fabrication, de construction)* 3. *(instruments)* matériel *(m)*.

materialismo *nm* matérialisme *(m)*.

materialista *adj & nmf* matérialiste.

materializar *vt* matérialiser. ■ **materializarse** *vp* se matérialiser.

maternal *adj* maternel(elle).

maternidad *nf* maternité *(f)*.

materno, na *adj* maternel(elle).

matinal *adj* matinal(e).

matiz *nm* nuance *(f)*.

matizar *vt* 1. nuancer 2. *fig* détailler 3. *fig (donner un ton particulier)* • **matizar con** teinter de.

matojo *nm* buisson *(m)*.

matón, ona *nm, f fam* gros dur *(m)*, brute *(f)*. ■ **matón** *nm fam* gorille *(m)*.

matorral *nm* fourré *(m)*.

matraca *nf (instrument)* crécelle *(f)*.

matriarcado *nm* matriarcat *(m)*.

matrícula *nf* 1. inscription *(f)* 2. certificat *(m)* d'inscription 3. plaque *(f)* d'immatriculation ■ **matrícula de honor** *nf* ≃ félicitations *(fpl)* du jury.

matricular *vt* 1. inscrire *(un élève)* 2. immatriculer. ■ **matricularse** *vp* s'inscrire.

matrimonial *adj* matrimonial(e).

matrimonio *nm* 1. mariage *(m)* • **contraer matrimonio** se marier 2. couple *(m)*.

matriz ■ *nf* 1. *(gén & MATH)* matrice *(f)* 2. souche *(f) (d'un chéquier)*. ■ *adj* mère • **la casa matriz** la maison mère.

matrona *nf* 1. matrone *(f)* 2. sage-femme *(f)* 3. fouilleuse *(f)* (à la douane, dans une prison).

matutino, na *adj* **1.** matinal(e) **2.** *(presse)* du matin.

maullar *vi* miauler.

maullido *nm* miaulement *(m).*

mausoleo *nm* mausolée *(m).*

maxilar *adj* & *nm* maxillaire.

máxima *nf* ⟹ **máximo**.

máxime *adv* à plus forte raison.

máximo, ma ◼ *superl* = **grande**. ◼ *adj* maximal(e) ◦ **el máximo responsable** le plus haut responsable. ◼ **máximo** *nm* maximum *(m)* ◦ **como máximo** au maximum. ◼ **máxima** *nf* **1.** maxime *(f)* **2.** température *(f)* maximale.

mayo *nm* mai *(m).* ◦ *voir aussi* **septiembre**

mayonesa, mahonesa *nf* mayonnaise *(f).*

mayor ◼ *adj* **1.** *(comparatif)* ◦ **mayor (que)** *(en taille, en importance)* plus grand(e) (que) ◦ *(en âge)* plus âgé(e) (que) ◦ *(nombre)* supérieur(e) (à) ◦ **su hermano es dos años mayor** son frère a deux ans de plus **2.** *(superlatif)* ◦ **el/la mayor...** *(en taille, en importance)* le plus grand.../la plus grande... ◦ **el mayor de sus hermanos** le plus âgé de ses frères ◦ **el mayor número de pasajeros** le plus grand nombre de passagers **3.** *(grand)* ◦ **de mayor importancia** de la plus haute importance **4.** *(adulte)* grand(e) ◦ **mayor de edad** majeur(e) **5.** *(achat, vente)* en gros ◦ *(commerce, prix)* de gros. ◼ *nmf* ◦ **el/la mayor** l'aîné/l'aînée. ◼ *nm* MIL major *(m).* ◼ **mayores** *nmpl* grandes personnes *(fpl).*

mayoral *nm* **1.** *berger responsable de plusieurs troupeaux* **2.** contremaître *(m).*

mayordomo *nm* majordome *(m).*

mayoreo *nm (Amér)* gros *(m)* ◦ **al mayoreo** *(achat, vente)* en gros ◦ *(commerce, prix)* en gros.

mayoría *nf* majorité *(f)* ◦ **la mayoría de** la plupart de. ◼ **mayoría de edad** *nf* majorité *(f).*

mayorista ◼ *adj* de gros. ◼ *nmf* grossiste *(mf).*

mayoritario, ria *adj* majoritaire.

mayúsculo, la *adj* **1.** *(erreur)* monumental(e) **2.** *(effort, surprise)* énorme. ◼ **mayúscula** *nf* majuscule *(f).*

maza *nf* massue *(f).*

mazapán *nm* massepain *(m).*

mazazo *nm* coup *(m)* de massue.

mazmorra *nf* ◦ **las mazmorras** les oubliettes *(fpl).*

mazo *nm* **1.** maillet *(m)* **2.** paquet *(m)* **3.** liasse *(f)* *(de billets, de papiers).*

me *pron pers* **1.** me, m' *(devant une voyelle)* **2.** *(à la forme impérative)* me, moi, me ◦ **viene a verme** il vient me voir ◦ **me quiere** il m'aime ◦ **me lo dio** il me l'a donné ◦ **me tiene miedo** il a peur de moi ◦ **¡mírame!** regarde-moi ! ◦ **¡no me di-**

gas que no! ne me dis pas non ! ◦ **me gusta leer** j'aime lire ◦ **me encuentro mal** je me sens mal.

meandro *nm* méandre *(m).*

mear *vi vulg* pisser. ◼ **mearse** *vp vulg* pisser.

MEC *(abr de* **Ministerio de Educación y Ciencia)** *nm* ministère espagnol de l'Éducation *(f).*

mecachis *interj fam* ◦ **¡mecachis!** zut !

mecánica *nf* ⟹ **mecánico**.

mecánico, ca ◼ *adj* mécanique. ◼ *nm, f* mécanicien *(m),* -enne *(f).* ◼ **mecánica** *nf* mécanique *(f)*

mecanismo *nm* mécanisme *(m).*

mecanizar *vt* **1.** mécaniser **2.** usiner *(une pièce).*

mecanografía *nf* dactylographie *(f).*

mecanógrafo, fa *nm, f* dactylo *(mf).*

mecapal *nm (Amér)* sangle *(f)* de porteur.

mecedora *nf* fauteuil *(m)* à bascule.

mecenas *nmf inv* mécène *(m).*

mecer *vt* bercer. ◼ **mecerse** *vp* se balancer.

mecha *nf* mèche *(f)* ◦ **aguantar mecha** *fam* encaisser ◦ **a toda mecha** *fam* à fond la caisse.

mechero *nm* briquet *(m).*

mechón *nm* mèche *(f).*

medalla ◼ *nf* médaille *(f).* ◼ *nmf* médaillé *(m),* -e *(f)* ◦ **fue medalla de oro** il a eu la médaille d'or.

medallón *nm* médaillon *(m).*

Medellín *npr* Medellín ◦ **el cártel de Medellín** le cartel de Medellín.

mediación *nf* médiation *(f)* ◦ **por mediación de** par l'intermédiaire de.

mediado, da *adj* **1.** *(récipient)* à moitié plein(e) *ou* vide **2.** au milieu de *(œuvre, travail, nuit)* ◦ **mediada la noche** au milieu de la nuit ◦ **a mediados de** vers le milieu de ◦ **a mediados de enero** vers la mi-janvier.

mediana *nf* ⟹ **mediano**.

mediano, na *adj* moyen(enne). ◼ **mediana** *nf* **1.** GÉOM médiane *(f)* **2.** ligne *(f)* blanche *(d'une route).*

medianoche *(pl* **mediasnoches)** *nf* **1.** minuit *(m)* ◦ **a medianoche** au milieu de la nuit **2.** *petit sandwich rond.*

mediante *prép* grâce à.

mediar *vi* **1.** *(arriver à la moitié)* ◦ **mediaba el mes de julio** c'était la mi-juillet ◦ **mediaba la tarde cuando empezó a llover** il a commencé à pleuvoir en plein après-midi **2.** *(exister)* ◦ **media un kilómetro entre las dos casas** il y a un kilomètre entre les deux maisons ◦ **entre los dos edificios media un jardín** un jardin sépare les deux maisons **3.** *(intercéder)* ◦ **mediar en favor de alguien** intercéder en faveur de qqn **4.** s'écouler.

mediatizar *vt* avoir une influence sur.

medicación *nf* **1.** prescription *(f)* (médicale) **2.** administration *(f)* (de médicaments) **3.** traitement *(m)* *(médicamenteux)*.

medicamento *nm* médicament *(m)* • **medicamento genérico** (médicament) générique *(m)*.

medicar *vt* donner des médicaments à. ■ **medicarse** *vp* prendre des médicaments.

medicina *nf* **1.** médecine *(f)* **2.** médicament *(m)*.

medicinal *adj* médicinal(e).

medición *nf* (action) mesure *(f)*.

médico, ca ⚲ *adj* médical(e). ⚲ *nm, f* médecin *(m)* • **médico de cabecera** OU **familia** médecin de famille.

medida *nf* mesure *(f)* • **a (la) medida** *(vêtement)* sur mesure • **a la medida de** à la mesure de • **en cierta medida** dans une certaine mesure • **tomar la medida de algo** mesurer qqch • **tomar medidas** prendre des mesures • **a medida que** au fur et à mesure que. ■ **medidas** *nfpl* mensurations *(fpl)*.

medieval *adj* médiéval(e).

medievo, medioevo *nm* Moyen Âge *(m)*.

medio, dia *adj* **1.** demi(e) • **media docena** une demi-douzaine • **un kilo y medio** un kilo et demi **2.** moyen(enne) • **el español medio** l'Espagnol moyen **3.** *fig (beaucoup)* • **medio pueblo estaba allí** presque tous les habitants du village étaient là **4.** *fig (incomplet)* • **a media luz** dans la pénombre. ■ **medio** ⚲ *adv* à moitié • **medio borracha** à moitié soûle • **a medio hacer** à moitié fait(e). ⚲ *nm* **1.** milieu *(f)* **2.** *(centre, environnement social &* CHIM*)* milieu *(m)* • **en medios bien informados** dans les milieux bien informés • **en medio de** au milieu de • **ponerse por (en) medio** *fig* s'interposer **3.** *(système, manière)* moyen *(m)* • **por medio de** *(personne)* par l'intermédiaire de **4.** SPORT demi *(m)* • **quitar de en medio a alguien** *(éloigner)* écarter qqn • *(tuer)* se débarrasser de qqn. ■ **medios** *nmpl* moyens *(mpl)* • **medios de comunicación** OU **de información** médias *(mpl)* • **medios de transporte** moyens de transport. ■ **media** *nf* **1.** moyenne *(f)* **2.** *(heure)* • **al dar la media** à la demie **3.** *(gén pl) (vêtement féminin)* bas *(m)* **4.** SPORT demis *(mpl)*. ■ **a medias** *loc adv* **1.** *(payer)* moitié moitié **2.** *(faire, croire)* à moitié. ■ **medio ambiente** *nm* environnement *(m)*.

medioambiental *adj* environnemental(e), de l'environnement.

mediocre *adj* médiocre.

mediodía *(pl* **mediodías)** *nm (heure, sud)* midi *(m)* • **al mediodía** à midi.

medioevo, va = **medievo**.

medir *vt* **1.** mesurer **2.** *fig (évaluer)* peser. ■ **medirse** *vp* se mesurer • **medirse al hablar** mesurer ses paroles.

meditar ⚲ *vi* • **meditar (sobre)** méditer (sur). ⚲ *vt* méditer.

mediterráneo, a ⚲ *adj* méditerranéen(enne). ⚲ *nm, f* Méditerranéen *(m)*, -enne *(f)*. ■ **Mediterráneo** *npr* • **el Mediterráneo** la Méditerranée.

médium *nm, f inv* médium *(mf)*.

médula *nf* **1.** ANAT moelle *(f)* • **médula espinal** moelle épinière **2.** cœur *(m)* (d'un problème, d'une chose).

medusa *nf* méduse *(f)*.

megafonía *nf* **1.** sonorisation *(f)* **2.** haut-parleurs *(mpl)*.

megáfono *nm* haut-parleur *(m)*.

megavatio *nm* mégawatt *(m)*.

mejicano = **mexicano**.

Méjico = **México**.

mejilla *nf* joue *(f)*.

mejillón *nm* moule *(f)*.

mejor ⚲ *adj* **1.** *(comparatif et superlatif)* meilleur(e) • **el mejor pianista** le meilleur pianiste • **la mejor alumna** la meilleure élève • **mejor que** meilleur(e) que • **estar mejor** aller mieux **2.** *(préférable)* • **(es) mejor que...** il vaut mieux que... ⚲ *nm, f* • **el mejor** le meilleur • **la mejor** la meilleure • **lo mejor es que...** la meilleure c'est que... ⚲ *adv (comparatif et superlatif)* mieux • **ahora veo mejor (que antes)** je vois mieux maintenant (qu'avant) • **el que la conoce mejor** celui qui la connaît le mieux • **¡mejor para ella!** tant mieux pour elle ! ■ **a lo mejor** *loc adv* peut-être • **a lo mejor viene** il viendra peut-être. ■ **mejor dicho** *loc adv* plus exactement • **tiene dos primos o mejor dicho un primo y una prima** il a deux cousins ou, plus exactement, un cousin et une cousine.

mejora *nf* **1.** amélioration *(f)* **2.** augmentation *(f)*.

mejorar ⚲ *vt* **1.** améliorer • **esta película mejora a las demás** ce film est meilleur que les autres **2.** *(malade)* • **este medicamento lo mejoró** ce médicament lui a fait du bien **3.** augmenter *(un salaire, etc)*. ⚲ *vi* **1.** *(malade)* aller mieux **2.** *(temps)* s'améliorer **3.** *(situation, pays)* évoluer • **el país ha mejorado mucho** la situation économique du pays s'est beaucoup améliorée. ■ **mejorarse** *vp* **1.** s'améliorer **2.** *(malade)* aller mieux • **¡que te mejores!** meilleure santé !

mejoría *nf* amélioration *(f)*.

mejunje *nm litt & fig* mixture *(f)*.

melancolía *nf* mélancolie *(f)*.

melancólico, ca *adj & nm, f* mélancolique.

melaza *nf* mélasse *(f)*.

melena *nf* **1.** longue chevelure *(f)* **2.** crinière *(f)* *(du lion).*

melenudo, da *adj* & *nm, f péj* chevelu(e).

melindre *nm beignet au miel.*

mellado, da *adj* **1.** ébréché(e) **2.** édenté(e).

mellizos, zas *nm, f pl* faux jumeaux *(mpl),* fausses jumelles *(f).*

melocotón *nm* pêche *(f).*

melodía *nf* mélodie *(f).*

melódico, ca *adj* mélodique.

melodioso, sa *adj* mélodieux(euse).

melodrama *nm* **1.** mélodrame *(m)* **2.** *fig* drame *(m)* • **montar un melodrama** faire un drame.

melómano, na *nm, f* mélomane *(mf).*

melón *nm* **1.** melon *(m)* **2.** *fam fig (personne)* cruche *(f).*

melopea *nf fam* cuite *(f).*

meloso, sa *adj* **1.** sucré(e) **2.** *fig* mielleux(euse).

membrana *nf* membrane *(f).*

membrete *nm* en-tête *(m).*

membrillo *nm* coing *(m).*

memo, ma *adj* & *nm, f* niais(e).

memorable *adj* mémorable.

memorándum *(pl* memorandos *ou* memorándum*) nm* **1.** agenda *(m)* **2.** mémorandum *(m).*

memoria *nf* **1.** *(gén* & INFORM*)* mémoire *(f)* • **de memoria** par cœur • **hacer memoria (de algo)** essayer de se rappeler (qqch) • **traer algo a la memoria** rappeler qqch • **memoria RAM/ROM** mémoire RAM/ROM **2.** *(dissertation)* mémoire *(m)* **3.** rapport *(m)* *(d'entreprise)* **4.** inventaire *(m).* ■ **memorias** *nfpl* Mémoires *(mpl).*

memorizar *vt* mémoriser.

menaje *nm* articles *(mpl)* pour la maison • **menaje de cocina** ustensiles *(mpl)* de cuisine.

mención *nf* mention *(f).*

mencionar *vt* mentionner.

menda *fam* ■ *pron (celui qui parle)* bibi. ■ *nm (homme quelconque)* type *(m).*

mendicidad *nf* mendicité *(f).*

mendigar *vt* & *vi* mendier.

mendigo, ga *nm, f* mendiant *(m),* e *(f).*

mendrugo *nm* quignon *(m)* (de pain).

menear *vt* **1.** remuer **2.** hocher *(la tête)* **3.** balancer *(les hanches)* **4.** *fig* relancer. ■ **menearse** *vp* **1.** bouger **2.** *(se dépêcher, s'activer)* se remuer • **se va a llevar un disgusto de no te menees** *fam* je ne te dis pas la déception qu'il va avoir.

meneo *nm* **1.** mouvement *(m)* **2.** hochement *(m)* (de tête) **3.** balancement *(m)* (des hanches).

menester *nm* vieilli • **es menester que** il faut que. ■ **menesteres** *nmpl* occupations *(fpl).*

menestra *nf* jardinière *(f)* (de légumes).

mengano, na *nm, f* untel *(m),* unetelle *(f).*

menguante *adj* décroissant(e).

menguar ■ *vi* **1.** diminuer **2.** *(lune)* décroître. ■ *vt* diminuer.

menisco *nm* ménisque *(m).*

menopausia *nf* ménopause *(f).*

menor ■ *adj* **1.** *(comparatif)* • **menor (que)** *(en taille)* plus petit(e) (que) • *(en âge)* plus jeune (que) • *(en nombre)* inférieur(e) (à) • **mi hermano menor** mon petit frère • **de menor importancia** de moindre importance **2.** *(superlatif)* • **el menor/la menor** *(en taille, en nombre)* le plus petit/la plus petite • *(en âge)* le/la plus jeune • *(en importance)* le/la moindre **3.** *(jeune, de peu d'importance* & MUS*)* mineur(e) • **ser menor de edad** être mineur(e) • **un problema menor** un problème mineur • **en do menor** en do mineur • **al por menor** au détail. ■ *nmf* **1.** *(superlatif)* • **el menor** (fils, frère) le cadet • **la menor** la cadette **2.** mineur *(m),* -e *(f).*

Menorca *npr* Minorque.

menos *adv*

1. COMPARATIF = moins
   • **Tomás es menos gordo** Tomas est moins gros
   • **hace menos frío que ayer** il fait moins froid qu'hier
   • **menos manzanas** moins de pommes
   • **tengo menos de diez euros** j'ai moins de dix euros
   • **Teresa tiene menos libros que tú** Teresa a moins de livres que toi
   • **tengo dos años menos que tú** j'ai deux ans de moins que toi

2. SUPERLATIF = moins
   • **el menos alto** le moins grand
   • **la menos guapa** la moins belle
   • **lo menos importante** le moins important
   • **es la menos lista de la clase** c'est la moins intelligente de la classe
   • **lo menos posible** le moins possible

3. EXCEPTÉ = sauf
   • **todo menos eso** tout sauf ça

4. EN MATHÉMATIQUES = moins
   • **diez menos dos son** *ou* **igual a ocho** dix moins deux font huit

5. POUR INDIQUER L'HEURE
   • **son las dos menos diez** il est deux heures moins dix

6. DANS DES EXPRESSIONS
   • **¡menos mal!** heureusement !
   • **venir a menos** déchoir.

menos *nm inv*

1. LE MINIMUM, LE MOINS = moins
   • **es lo menos que puedo hacer** c'est le moins que je puisse faire

2. SIGNE DE LA SOUSTRACTION = moins
   • **el menos es el signo de la resta** le moins est le signe de la soustraction.

■ **al menos, por lo menos** *loc adv*

1. INDIQUE LA LIMITE INFÉRIEURE DANS LE CALCUL APPROXIMATIF D'UNE QUANTITÉ **=** au moins
• **por lo menos llamaron veinte personas** au moins vingt personnes ont appelé
2. INTRODUIT UNE EXPLICATION QUI LIMITE LA PORTÉE D'UNE AFFIRMATION **=** au moins
• **estamos en pleno agosto, pero al menos, no hace tanto calor como temíamos** nous sommes en plein mois d'août, mais au moins il ne fait pas aussi chaud qu'on le craignait
3. AU MINIMUM **=** au moins
• **explícame, al menos, qué hacías allí** explique-moi au moins ce que tu faisais là.

■ **a menos que** *loc conj*

SAUF SI **=** à moins que
• **saldremos de excursión a menos que llueva** nous irons en excursion, à moins qu'il ne pleuve
• **no tome nunca este medicamento en ayunas a menos que su doctor así lo indique** ne prenez jamais ce médicament à jeûn, à moins que votre médecin ne vous dise de le faire.

■ **de menos** *loc adv*

1. INDIQUE L'ABSENCE, LE MANQUE
• **hay dos euros de menos** il y a deux euros en moins
2. DANS DES EXPRESSIONS
• **es lo de menos** ce n'est pas le plus important.

menoscabar *vt* **1.** entamer *(le succès, l'honneur)* **2.** porter atteinte à *(droits, intérêts)*.

menospreciar *vt* **1.** mépriser **2.** sous-estimer.

mensaje *nm* message *(m)*.

mensajero, ra ◼ *adj* avant-coureur. ◼ *nm, f* **1.** messager *(m)*, -ère *(f)* **2.** coursier *(m)*, -ère *(f)*.

menstruación *nf* menstruation *(f)*.

menstruar *vi* avoir ses règles.

mensual *adj* mensuel(elle).

mensualidad *nf* **1.** mois *(m)* de salaire **2.** mensualité *(f)*.

menta *nf* menthe *(f)* • **de menta** à la menthe.

mental *adj* mental(e).

mentalidad *nf* mentalité *(f)*.

mentalizar *vt* • **mentalizar a alguien (de que)** faire prendre conscience à qqn que • convaincre qqn (que). ◼ **mentalizarse** *vp* se préparer *(psychologiquement)* • **mentalizarse de que** se faire à l'idée que.

mentar *vt* mentionner.

mente *nf* **1.** esprit *(m)* **2.** intention *(f)*.

mentecato, ta *nm, f* sot *(m)*, sotte *(f)*.

mentir *vi* mentir.

mentira *nf* mensonge *(m)* • **aunque parezca mentira** aussi étrange que cela puisse paraître • **de mentira** faux(fausse) • **un reloj de mentira** une fausse montre • **parece mentira que...** c'est incroyable que... • **parece mentira cómo pasa el tiempo** c'est fou comme le temps passe.

mentirijillas ◼ **de mentirijillas** *loc adv fam* pour rire.

mentiroso, sa *adj & nm, f* menteur(euse).

mentón *nm* menton *(m)*.

menú *(pl* **menús***) nm* menu *(m)* • **menú del día** menu du jour.

menudencia *nf* broutille *(f)*.

menudeo *nm (Amér)* vente *(f)* au détail.

menudillos *nmpl* abattis *(mpl) (de volaille)*.

menudo, da *adj* **1.** *(petit, insignifiant)* menu(e) **2.** *(devant un substantif ; avec une valeur emphatique)* • **¡menuda suerte he tenido!** j'ai eu une de ces chances ! • **¡menudo lío!** tu parles d'un pétrin ! • **¡menudo artista!** quel grand artiste ! ■ **a menudo** *loc adv* souvent.

meñique *nm* ▷ **dedo**.

meollo *nm* cœur *(m)* • **el meollo del asunto** le cœur du problème.

mercader *nmf* marchand *(m)*, -e *(f)*.

mercadería *nf* marchandise *(f)*.

mercadillo *nm* petit marché *(m)* aux puces.

mercado *nm* marché *(m)* • **mercado bursátil** marché financier • **mercado común** marché commun • **mercado de abastos** marché de gros.

mercancía *nf* marchandise *(f)*.

mercante *adj* marchand(e).

mercantil *adj* commercial(e).

mercenario, ria ◼ *adj* mercenaire. ◼ *nm, f* mercenaire *(m)*.

mercería *nf* mercerie *(f)*.

mercurio *nm* mercure *(m)*.

merecedor, ra *adj* méritant(e) • **ser merecedor de algo** mériter qqch.

merecer ◼ *vt* mériter • **merece la pena...** ça vaut la peine de... ◼ *vi* faire reconnaître ses mérites.

merecido *nm (punition)* • **recibirá su merecido** il aura ce qu'il mérite.

merendar ◼ *vi* goûter *(l'après-midi)*. ◼ *vt* • **merendar algo** boire qqch au goûter • manger qqch au goûter.

merendero *nm* buvette *(f)*.

merengue ◼ *nm* **1.** meringue *(f)* **2.** *(danse)* merengue *(m)*. ◼ *nmf fam* supporter du football club du Real Madrid.

meretriz *nf* péripatéticienne *(f)*.

meridiano, na *adj* **1.** méridien(enne) **2.** *(exposition)* au midi **3.** *fig (clair)* • **de mérito meridiana** une vérité éclatante. ■ **meridiano** *nm* méridien *(m).*

merienda ⬛ *v* ▷ **merendar.** ⬛ *nf* goûter *(m).*

mérito *nm* mérite *(m)* • **de mérito** de valeur • **hacer méritos para** tout faire pour.

merluza *nf* **1.** merlu *(m)*, colin *(m)* **2.** *fam* cuite *(f).*

merma *nf* diminution *(f)*

mermar ⬛ *vi* diminuer. ⬛ *vt* **1.** réduire **2.** entamer *(la fortune).*

mermelada *nf* confiture *(f).*

mero, ra *adj (devant un substantif)* seul(e) • **el mero hecho de...** le simple fait de... • **por mero placer** par pur plaisir. ■ **mero** *nm* mérou *(m).*

merodear *vi* rôder.

mes *nm* mois *(m)* • **tener el mes** *fig* avoir ses règles.

mesa *nf* table *(f)* • **bendecir la mesa** bénir le repas • **poner/quitar la mesa** mettre/débarrasser la table • **mesa camilla** petite table ronde équipée d'un brasero • **mesa de despacho** ou **oficina** bureau *(m)* • **mesa de edad** collège électoral réduit appelé à élire un maire ou un chef de gouvernement, comprenant entre autres le membre le plus jeune et le membre le plus âgé du collège entier • **mesa de mezclas** table de mixage • **mesa directiva** conseil *(m)* d'administration • ■ **mesa redonda** *nf (colloque)* table *(f)* ronde.

mesero, ra *nm, f (Amer)* serveur *(m)*, -euse *(f).*

meseta *nf* GÉOGR plateau *(m).*

mesías *nm* messie *(m).* ■ **Mesías** *nm* • **el Mesías** le Messie.

mesilla *nf* petite table *(f)* • **mesilla de noche** table de nuit.

mesón *nm* auberge *(f).*

mestizo, za ⬛ *adj* **1.** métis(isse) **2.** *(animal, plante)* hybride. ⬛ *nm, f* **1.** métis *(m)*, -isse *(f)* **2.** *(animal, plante)* hybride *(m).*

mesura *nf* mesure *(f)* • **con mesura** *(modération)* avec mesure.

meta *nf* **1.** but *(m)* • **fijarse una meta** se fixer un but **2.** SPORT ligne *(f)* d'arrivée.

metabolismo *nm* métabolisme *(m).*

metacrilato *nm* méthacrylate *(m).*

metáfora *nf* métaphore *(f).*

metal *nm* **1.** métal *(m)* **2.** MUS cuivres *(mpl).*

metálico, ca *adj* métallique. ■ **metálico** *nm* • **pagar en metálico** payer en liquide.

metalurgia *nf* métallurgie *(f).*

metamorfosis *nf inv* métamorphose *(f).*

metedura ■ **metedura de pata** *nf fam* gaffe *(f).*

meteorito *nm* météorite *(f).*

meteoro *nm* météore *(m).*

meteorología *nf* météorologie *(f).*

meteorológico, ca *adj* météorologique.

meteorólogo, ga *nm, f* météorologue *(mf).*

meter *vt*

1. PLACER DANS UN LIEU DÉTERMINÉ = mettre • **he metido los calcetines en el cajón de arriba** j'ai mis les chaussettes dans le tiroir du haut • **metió la llave en la cerradura** il a mis la clé dans la serrure • **mete todo el dinero en el banco** il met tout son argent à la banque • **lo metieron en la cárcel** on l'a mis en prison

2. PLACER DANS SITUATION PARTICULIÈRE = mettre • **¡en menudo lío nos ha metido!** il nous a mis dans un sacré pétrin !

3. CAUSER, PROVOQUER = faire • **no metáis tanto ruido** ne faites pas tant de bruit

4. FAIRE ENTRER QQN DANS QQCH = faire rentrer • **me metió en la asociación** il m'a fait rentrer dans l'association

5. PRODUIRE UN EFFET DÉTERMINÉ SUR QQN • **¡le vas a meter miedo al niño!** tu vas faire peur à l'enfant ! • **¡no me metas prisa!** ne me bouscule pas !

6. FAIRE PARTICIPER À UNE ACTIVITÉ • **nos metió a todos a hinchar globos para la fiesta** il nous a tous mis à contribution pour gonfler des ballons pour la fête

7. *fam* DONNER UN COUP = flanquer • **me metió un puñetazo** il m'a flanqué un coup de poing • **metió una patada a la máquina de bebidas** il a flanqué un coup de pied dans le distributeur de boissons

8. *fam* IMPOSER QQCH À QQN • **le han metido diez años de cárcel** il en a pris pour dix ans • **nos han metido una multa** on s'est pris un PV

9. *fam* DANS DES EXPRESSIONS • **meter una bronca a alguien** engueuler qqn • **nos metió el mismo rollo de siempre** il nous a sorti le même baratin.

■ **meterse** *vp*

1. SE PLACER, S'INSTALLER = se mettre • **no sabía dónde meterme** je ne savais plus où me mettre • **me metí en la cama a las diez** je me suis mis au lit à dix heures

2. ALLER QUELQUE PART, ENTRER DANS UN LIEU • **¿dónde se ha metido?** où est-il passé ? • **se metió en el cine** il est entré dans le cinéma

3. *fam* SE MÊLER DE QQCH QUI NE NOUS REGARDE PAS
• **ino te metas (por medio)!** mêle-toi de ce qui te regarde !
• **¿y tú por qué te metes?** de quoi tu te mêles ?
• **no te metas donde no te llaman** ne te mêle pas des affaires des autres.

■ **meterse a** *vp + prép*

1. COMMENCER À FAIRE QQCH = se mettre à
• **de repente se metió a gritar** tout à coup, elle s'est mise à hurler
2. CHANGER D'ÉTAT, DE MÉTIER
• **se metió a periodista** il est devenu journaliste
• **su hijo se ha metido a cura** son fils s'est fait curé.

■ **meterse con** *vp + prép*

fam EMBÊTER
• **los otros niños se meten con él** les autres enfants s'en prennent à lui.

■ **meterse en** *vp + prép*

1. *fam* SE METTRE DANS UNE SITUATION DONNÉE
• **siempre te estás metiendo en problemas** tu te fourres toujours dans les problèmes
2. *fam* SE MÊLER DE QQCH QUI NE NOUS REGARDE PAS
• **no te metas en los asuntos de los demás** ne te mêle pas des affaires des autres
• **se mete en todo** il se mêle de tout.

meterete, metete *adj (Amér) fam* fouineur(euse).

meticuloso, sa *adj* méticuleux(euse).

metido, da *adj* **1.** *(impliqué)* • **andar** OU **estar metido en** être mêlé à *(une affaire)* • être pris par *(son travail)* **2.** *(abondant)* • **metido en años** d'un âge avancé • **metido en carnes** bien en chair.

metódico, ca *adj* méthodique.

método *nm* méthode *(f)*.

metodología *nf* méthodologie *(f)*.

metomentodo *nmf fam* • **ser un metomentodo** fourrer son nez partout.

metralla *nf* mitraille *(f)*.

metralleta *nf* mitraillette *(f)*.

métrico, ca *adj* métrique.

metro *nm* **1.** mètre *(m)* **2.** métro *(m)*.

metrópoli *nf inv* = **metrópolis**.

metrópolis *nf* métropole *(f)*.

metropolitano, na *adj* métropolitain(e).

Mex. *abrév de* **México**.

mexicano, na, mejicano, na ◼ *adj* mexicain(e). ◼ *nm, f* Mexicain *(m)*, -e *(f)*.

México, Méjico *npr* Mexique *(m)* • **México (distrito federal)** Mexico (DF).

mezcla *nf* **1.** mélange *(m)* **2.** mixage *(m) (du son)*.

mezclar *vt* **1.** *(gén)* • **mezclar (con)** mélanger (à) **2.** *fig (impliquer)* • **mezclar a alguien en algo** mêler qqn à qqch. ◼ **mezclarse** *vp* **1.** *(gén)* • **mezclarse con** OU **entre** se mêler à **2.** *(intervenir)* • **mezclarse en** se mêler de **3.** *(personnes)* • **mezclarse (con)** se mélanger (à).

mezquino, na *adj* mesquin(e).

mezquita *nf* mosquée *(f)*.

mg *(abr écrite de* **miligramo)** mg.

mi[1] *nm* MUS mi *(m)*.

mi[2] *(pl* **mis)** *adj poss* mon, ma • **mis libros** mes livres.

mí *pron pers (après une préposition)* moi • **no se fía de mí** il n'a pas confiance en moi • **ia mí qué!** et alors ! • **para mí que...** à mon avis • **para mí que no viene** je pense qu'il ne viendra pas • **por mí** s'il ne tient qu'à moi • **por mí no hay inconveniente** en ce qui me concerne, je n'y vois pas d'inconvénient.

mía ⊳ **mío**.

miaja *nf* miette *(f)*.

miau *nm* miaou *(m)*.

michelines *nmpl fam* bourrelets *(mpl)*.

mico *nm* **1.** *(singe)* ouistiti *(m)* **2.** *fam (personne)* macaque *(m)*.

micro *nm fam* micro *(m)*.

microbio *nm* microbe *(m)*.

microbús *nf* minibus *(m)*.

microfilm *(pl* **microfilms), microfilme** *nm* microfilm *(m)*.

micrófono *nm* microphone *(m)* • **micrófono inalámbrico** micro *(m)* sans fil.

Micronesia *npr* Micronésie *(f)*.

microondas *nm inv* micro-ondes *(m inv)*.

microscópico, ca *adj* microscopique.

microscopio *nm* microscope *(m)*.

miedo *nm* peur *(f)* • **dar miedo** faire peur • **le da miedo la oscuridad** il a peur du noir • **temblar de miedo** trembler de peur • **tener miedo a algo/a hacer algo** avoir peur de qqch/de faire qqch • **tener miedo de** *fig* avoir peur de • **tengo miedo de que se entere** j'ai peur qu'il ne l'apprenne • **de miedo** *fam fig* super.

miedoso, sa *adj & nm, f* peureux(euse).

miel *nf* miel *(m)*.

miembro *nm* membre *(m)* • **miembro (viril)** membre (viril).

mientras ◼ *conj* **1.** pendant que • **puedo leer mientras escucho música** je peux lire pendant que j'écoute de la musique • **mientras más ando más sudo** plus je marche plus je transpire **2.** *(jusqu'à ce que)* • **mientras no se pruebe lo contrario** jusqu'à preuve du contraire • **mientras esté aquí** tant que je serai là **3.** *(au contraire)* • **mientras que** alors que.

▨ *adv* ▪ **mientras (tanto)** pendant ce temps ▪ **arréglate, mientras (tanto), hago las maletas** prépare-toi, pendant ce temps, je fais les valises.

miércoles *nm inv* mercredi *(m)*.▪ *voir aussi* **sábado**

mierda *vulg nf* **1.** merde *(f)* **2.** *(saleté)* ▪ **hay mucha mierda aquí** c'est franchement déqueulasse ici ▪ **irse a la mierda** *(pour rejeter)* aller se faire foutre ▪ *(ratar)* partir en couilles ▪ **mandar a la mierda** envoyer se faire foutre.

mies *nf* moisson *(f)* ▪ **segar la mies** moissonner. ▪ **mieses** *nfpl* moissons *(fpl)*.

miga *nf* **1.** mie *(f) (de pain)* **2.** *(gén pl) (restes)* miettes *(fpl)*. ▪ **migas** *nfpl* pain émietté, imbibé de lait et frit ▪ **hacer buenas/malas migas** *fam* faire bon/mauvais ménage.

migración *nf* migration *(f)*.

migraña *nf* migraine *(f)*.

migrar *vi* migrer.

migratorio, ria *adj* migratoire ▪ **un ave migratoria** un oiseau migrateur.

mijo *nm* millet *(m)*.

mil ▨ *adj num* mille ▪ **mil gracias** mille fois merci ▪ **mil excusas** mille excuses. ▨ *nm* mille *(m inv)*.▪ *voir aussi* **seis** ▨ **miles** *nmpl (grande quantité)* milliers *(mpl)*.

milagro *nm* miracle *(m)* ▪ **de milagro** par miracle.

milagroso, sa *adj* miraculeux(euse).

milenario, ria *adj* millénaire. ▪ **milenario** *nm* millénaire *(m)*.

milenio *nm* millénaire *(m)*.

milésimo, ma *adj num* millième. ▪ **milésima** *nf* millième *(m)*.

mili *nf fam* service *(m) (militaire)* ▪ **hacer la mili** faire son service.

milicia *nf* **1.** carrière *(f)* des armes **2.** *(gén pl)* milice *(f)*.

miliciano, na ▨ *adj* de l'armée. ▨ *nm, f* milicien *(m)*, -enne *(f)*.

miligramo *nm* milligramme *(m)*.

milímetro *nm* millimètre *(m)*

militante ▨ *adj* **1.** militant(e) **2.** *fig* engagé(e). ▨ *nmf* militant *(m)*, -e *(f)*.

militar[1] *adj & nmf* militaire.

militar[2] *vi* militer.

militarizar *vt* militariser.

milla *nf* ▪ **milla (marina)** mille *(m)* (marin).

millar *nm* millier *(m)*.

millón *nm* million *(m)* ▪ **un millón de** un million de ▪ *fig* des milliers de ▪ **un millón de gracias** mille fois merci. ▪ **millones** *nmpl* ▪ **costar/ganar millones** coûter/gagner des millions ▪ **tener millones** être riche à millions.

millonario, ria *adj & nm, f* millionnaire.

millonésimo, ma *adj num* millionième ▪ **es la millonésima vez que...** c'est la énième fois que... ▪ **millonésima** *nf* millionième *(m)*.

mimado, da *adj (enfant, etc)* gâté(e).

mimar *vt* gâter.

mimbre *nm* osier *(m)*.

mímico, ca *adj* mimique ▪ **un actor mímico** un mime. ▪ **mímica** *nf* **1.** geste *(m)* **2.** THÉÂTRE mime *(m)*.

mimo *nm* **1.** câlin *(m)* **2.** *(mauvaise éducation)* ▪ **con tanto mimo, este niño está maleducado** on a tellement gâté cet enfant qu'il est mal élevé **3.** THÉÂTRE mime *(m)*.

mimosa *nf* mimosa *(m)*.

mimoso, sa *adj* câlin(e).

min *(abr écrite de **minuto**)* min.

mina *nf* **1.** mine *(f)* **2.** *fig (personne)* perle *(f)* ▪ **mina de oro** *litt & fig* mine d'or.

minar *vt* miner.

mineral ▨ *adj* **1.** minéral(e) **2.** ▷ **agua.** ▨ *nm* minerai *(m)*.

minería *nf* **1.** extraction *(f)* minière **2.** industrie *(f)* minière.

minero, ra ▨ *adj* minier(ère). ▨ *nm, f* mineur *(m)*.

miniatura *nf* **1.** miniature *(f)* ▪ **en miniatura** en miniature **2.** modèle *(m)* réduit.

minibar *nm* minibar *(m)*.

minicadena *nf* minichaîne *(f)*.

minifalda *nf* minijupe *(f)*.

minigolf *(pl **minigolfs**)* nm minigolf *(m)*.

mínima *nf* ▷ **mínimo.**

mínimo, ma *adj* **1.** minime **2.** moindre ▪ **la temperatura mínima** la température minimale ▪ **no tengo la más mínima idea** je n'en ai pas la moindre idée ▪ **como mínimo** au minimum ▪ **como mínimo podrías haber...** tu aurais pu au moins... ▪ **en lo más mínimo** le moins du monde. ▪ **mínimo** *nm* minimum *(m)*. ▪ **mínima** *nf* température *(f)* minimale.

miniserie *nf* mini-série *(f)*.

ministerio *nm* ministère *(m)*. ▪ **Ministerio** *nm* ▪ **el Ministerio de Asuntos Exteriores** le ministère des Affaires étrangères.

ministro, tra *nm, f* ministre *(m)* ▪ **el ministro de Asuntos Exteriores** le ministre des Affaires étrangères ▪ **primer ministro** Premier ministre.

minoría *nf* minorité *(f)*.

minorista ▨ *adj* au détail. ▨ *nmf* détaillant *(m)*, -e *(f)*.

minoritario, ria *adj* minoritaire.

minucia *nf* **1.** vétille *(f)* **2.** détail *(m)* ▪ **reparar en minucias** se perdre dans les détails.

minuciosidad *nf* minutie *(f)*.

minucioso, sa *adj* minutieux(euse).

minúsculo, la *adj* minuscule. ■ **minúscula** *nf* minuscule *(f)*.

minusvalía *nf* **1.** moins-value *(f)* **2.** handicap *(m) (physique)*.

minusválido, da *adj* & *nm, f* handicapé(e) *(physique)*.

minuta *nf* **1.** honoraires *(mpl)* **2.** *(au restaurant)* carte *(f)*.

minutero *nm* aiguille *(f)* des minutes.

minuto *nm* minute *(f)*.

mío, mía *(mpl míos, fpl mías)* ◾ *adj poss* à moi • **este libro es mío** ce livre est à moi • **un amigo mío** un de mes amis • **no es asunto mío** ça ne me regarde pas • **no es culpa mía** ce n'est pas (de) ma faute. ◾ *pron poss (après un article défini)* • **el mío** le mien • **la mía** la mienne • **aquí guardo lo mío** c'est là que je range mes affaires • **ésta es la mía** *fam* à moi de jouer • **lo mío es el teatro** *fam* mon truc c'est le théâtre • **los míos** *(ma famille)* les miens.

miope *adj* & *nmf* myope.

miopía *nf* myopie *(f)*.

mira *nf* mire *(f)* • **con miras a** *fig* en vue de • **tener altas miras** viser haut.

mirado, da *adj* réfléchi(e) • **ser mirado en algo** faire attention à qqch • **bien mirado** tout bien considéré. ■ **mirada** *nf* regard *(m)* • **apartar la mirada** détourner les yeux • **dirigir** *ou* **lanzar la mirada** jeter un regard • **fulminar con la mirada** foudroyer du regard • **levantar la mirada** lever les yeux.

mirador *nm* **1.** bow-window *(m)* **2.** belvédère *(m)*.

miramiento *nm* égard *(m)* • **sin miramientos** sans égards.

mirar ◾ *vt* **1.** regarder • **¡mira!** regarde ! • **mirar de cerca/de lejos** regarder de près/de loin • **mirar algo por encima** *fig* jeter un coup d'œil à qqch • **si bien se mira** *fig* si l'on y regarde de près **2.** penser • **mira bien lo que haces** fais attention à ce que tu fais • **mira si vale la pena** vois si cela vaut la peine • **mirar bien/mal a alguien** penser du bien/du mal de qqn **3.** *(à l'impératif ; dans une explication)* • **mira, yo creo que...** écoute, je crois que... • **mira, mira** *(exprime la surprise)* tiens, tiens. ◾ *vi* **1.** regarder **2.** *(être situé)* • **mirar a** être orienté(e) au *(nord, sud, etc)* • donner sur *(une rue, une cour, etc)* **3.** *(prendre soin)* • **mirar por alguien/por algo** veiller sur qqn/à qqch. ■ **mirarse** *vp* se regarder.

mirilla *nf* judas *(m) (de porte)*.

mirlo *nm* merle *(m)*.

mirón, ona ◾ *adj fam* curieux(euse) • **un tío mirón** un voyeur. ◾ *nm, f* **1.** voyeur *(m)*, -euse *(f)* **2.** curieux *(m)*, -euse *(f)* **3.** badaud *(m)*, -e *(f)*.

mirra *nf* myrrhe *(f)*.

misa *nf* messe *(f)* • **oír** *ou* **ir a misa** aller à la messe • **esto va a misa** *fam fig* c'est tout vu • **no sabe de la misa la mitad** *fam fig* il n'en sait rien de rien.

misal *nm* **1.** missel *(m)* **2.** bréviaire *(m)*.

misántropo, pa *nm, f* misanthrope *(mf)*.

miscelánea *nf* mélange *(m)*.

miserable ◾ *adj* misérable • **una cantidad miserable** une misère • **un sueldo miserable** un salaire de misère. ◾ *nmf* **1.** avare *(mf)* **2.** misérable *(mf)*.

miseria *nf* **1.** misère *(f)* **2.** avarice *(f)*.

misericordia *nf* miséricorde *(f)* • **pedir misericordia** demander miséricorde.

mísero, ra *adj* misérable • **no nos ofreció ni un mísero café** il ne nous a même pas offert un malheureux café.

misil *nm* missile *(m)*.

misión *nf* mission *(f)*. ■ **misiones** *nfpl* RELIG missions *(fpl)*.

misionero, ra *adj* & *nm, f* missionnaire.

misiva *nf* *sout* missive *(f)*.

mismo, ma ◾ *adj* même • **el mismo piso** le même appartement • **del mismo color** de la même couleur • **en este mismo cuarto** dans cette même chambre • **en su misma calle** dans sa propre rue • **el rey mismo** le roi lui-même • **mí/ti** *etc* **mismo** moi-/toi- *etc* même • **itú mismo!** à toi de voir ! ◾ *pron* • **el mismo** le même • **se prohíbe la entrada al edificio al personal ajeno al mismo** accès interdit aux personnes étrangères à l'établissement • **lo mismo (que)** la même chose (que) • **dar** *ou* **ser lo mismo** être du pareil au même • **me da lo mismo** cela m'est égal • **estamos en las mismas** *fig* on n'est pas plus avancés. ■ **mismo** *adv* *(après un substantif)* • **hoy mismo** aujourd'hui même • **ahora mismo** tout de suite • **encima/detrás mismo** juste au-dessus/derrière • **mañana mismo** dès demain.

misógino, na *adj* & *nm, f* misogyne.

misterio *nm* mystère *(m)*.

misterioso, sa *adj* mystérieux(euse).

mística *nf* ➣ **místico**.

místico, ca *adj* & *nm, f* mystique. ■ **mística** *nf* mystique *(f)*.

mitad *nf* **1.** moitié *(f)* • **a mitad de precio** à moitié prix • **a mitad del camino** à mi-chemin • **mitad hombre, mitad animal** mi-homme, mi-bête • **cortar/partir por la mitad** couper/partager en deux • **mitad y mitad** moitié moitié **2.** milieu *(m)* • **en mitad de la reunión** au milieu de la réunion.

mítico, ca *adj* mythique.

mitificar *vt* **1.** mythifier **2.** *fig* idéaliser.

mitigar *vt* calmer *(la douleur, l'anxiété)*.

mitin (*pl* **mítines**) *nm* meeting (*m*).

mito *nm* **1.** mythe (*m*) ▪ **ies puro mito!** c'est un mythe ! ▪ **es un mito que se ha creado** c'est une invention de toutes pièces **2.** *(personnage - fabuleux)* personnage (*m*) mythique ▪ *(- célèbre)* figure (*f*) ▪ **un mito de la Historia** une figure de l'Histoire.

mitología *nf* mythologie (*f*).

mitote *nm (Amér) fam* grabuge (*m*).

mixto, ta *adj* mixte.

ml (*abr escrite de* **mililitro**) ml

mm (*abr escrite de* **milímetro**) mm.

mobiliario *nm* mobilier (*m*)

mocasín *nm* mocassin (*m*).

mochila *nf* sac (*m*) à dos.

mocho, cha *adj* **1.** *(pointe)* émoussé(e) **2.** *(arbre)* étêté(e) **3.** *(animal)* écorné(e).

mochuelo *nm* **1.** hibou (*m*) **2.** *fam* corvée (*f*).

moción *nf* **1.** motion (*f*) **2.** mouvement (*m*).

moco *nm* morve (*f*) ▪ **limpiarse los mocos** se moucher.

mocoso, sa *adj* ▪ **estar mocoso** avoir le nez qui coule. ▪ *nm, f fam péj* morveux (*m*), -euse (*f*).

moda *nf* mode (*f*) ▪ **estar de moda** être à la mode ▪ **estar pasado de moda** être démodé.

modal *adj* modal(e). ▪ **modales** *nmpl* manières (*fpl*).

modalidad *nf (type)* forme (*f*).

modelar *vt* **1.** modeler **2.** *fig* former *(le caractère)*.

modelo ▪ *adj* modèle. ▪ *nm* modèle (*m*). ▪ *nmf* **1.** modèle (*m*) *(d'un artiste)* **2.** mannequin (*m*).

moderación *nf* modération (*f*).

moderado, da *adj & nm, f* modéré(e).

moderador, ra ▪ *adj* modérateur(trice). ▪ *nm, f* animateur (*m*), -trice (*f*) *(d'un débat, d'une réunion)*.

moderar *vt* **1.** modérer *(la vitesse, les aspirations, etc)* **2.** animer *(un débat, une réunion)*. ▪ **moderarse** *vp* se modérer.

modernismo *nm* **1.** *(gén & LITTÉR)* modernisme (*m*) **2.** ARCHIT & ART modern style (*m inv*) ≃ Art (*m*) nouveau.

modernizar *vt* moderniser. ▪ **modernizarse** *vp* se moderniser.

moderno, na *adj* moderne.

modestia *nf* modestie (*f*).

modesto, ta ▪ *adj* modeste. ▪ *nm, f* ▪ **los modestos** les gens modestes.

módico, ca *adj* modique.

modificar *vt* modifier.

modista *nmf* **1.** *(styliste)* couturier (*m*) **2.** tailleur (*m*), couturière (*f*).

modisto *nm* **1.** *(styliste)* couturier (*m*) **2.** tailleur (*m*).

modo *nm* **1.** façon (*f*), manière (*f*) ▪ **el modo que tienes de comer** ta façon de manger ▪ **hazlo del modo que quieras** fais-le comme tu veux ▪ **a modo de** en guise de ▪ **de todos modos** de toute façon *ou* manière ▪ **en cierto modo** d'une certaine façon *ou* manière ▪ **de modo que** de façon que ▪ alors ▪ **lo hizo de modo que...** il a fait en sorte que... **2.** *(style & GRAMM)* mode (*m*) ▪ **modo de empleo** mode d'emploi ▪ **modo de vida** mode de vie. ▪ **modos** *nmpl* manières (*fpl*) ▪ **buenos/malos modos** bonnes/mauvaises manières

modorra *nf fam* ▪ **me entra la modorra** je ferais bien un petit somme.

modoso, sa *adj* sage.

modular *vt* moduler.

módulo *nm* module (*m*).

mofa *nf* moquerie (*f*).

moflete *nm* grosse joue (*f*).

mogollón ▪ *nm* **1.** *fam (beaucoup)* ▪ **un mogollón de** un tas de **2.** *tfam* bordel (*m*). ▪ *adv fam* vachement ▪ **me gustó mogollón** ça m'a vachement plu.

mohair [mo'er] *nm* mohair (*m*).

moho *nm* **1.** moisi (*m*) **2.** rouille (*f*).

mohoso, sa *adj* **1.** moisi(e) **2.** rouillé(e).

mojado, da *adj* mouillé(e).

mojar *vt* **1.** mouiller **2.** tremper *(le pain)*. ▪ **mojarse** *vp* se mouiller ▪ **el traje no puede mojarse** ce costume n'est pas lavable.

mojigato, ta ▪ *adj* **1.** prude **2.** faux(fausse). ▪ *nm, f* **1.** prude (*mf*) **2.** petit saint (*m*), petite sainte (*f*).

mojón *nm* borne (*f*).

molar[1] *nm* molaire (*f*).

molar[2] *tfam* ▪ *vt* brancher ▪ **¿te molaría ir al cine?** ça te brancherait d'aller au ciné ? ▪ **¡cómo me mola ese chico!** ce garçon me plaît vachement ! ▪ *vi* être vachement classe.

molcajete *nm (Amér)* mortier (*m*).

molde *nm* moule (*m*).

moldeado *nm* **1.** mise (*f*) en plis **2.** moulage (*m*).

moldear *vt* **1.** mouler **2.** modeler *(une sculpture, le caractère)* **3.** faire une mise en plis.

mole *nf* masse (*f*).

molécula *nf* molécule (*f*).

moler *vt* **1.** moudre *(le grain)* **2.** *fam (fatiguer)* crever.

molestar *vt* **1.** gêner **2.** *(distraire)* déranger ▪ **me molesta hacer...** ça m'ennuie de faire... **3.** faire mal **4.** vexer. ▪ **molestarse** *vp* **1.** se déranger ▪ **molestarse por alguien/algo** se déranger pour qqn/qqch • **molestarse en hacer algo** prendre la peine de faire qqch **2.** se vexer.

molestia *nf* **1.** gêne (*f*), dérangement (*m*) • **si no es demasiada molestia** si cela ne vous dérange pas trop **2.** ennui (*m*).

molesto, ta *adj* **1.** (*enquiquinant*) • **ser molesto** être gênant **2.** (*irrité*) • **estar molesto** être fâché **3.** (*mal à l'aise*) gêné(e).

molido, da *adj* moulu(e) • **estar molido** *fam* être crevé.

molinero, ra *adj* & *nm, f* meunier(ère).

molinillo *nm* moulin (*m*) (*à café*).

molino *nm* moulin (*m*).

molla *nf* **1.** chair (*f*) **2.** graisse (*f*).

molleja *nf* **1.** ris (*m*) (*de veau, d'agneau*) **2.** gésier (*m*) (*de volaille*).

mollera *nf* **1.** *fam fig* (*jugeote*) • **no le cabe en la mollera que...** il n'arrive pas à se mettre dans le crâne que... **2.** ANAT fontanelle (*f*).

moluscos *nmpl* mollusques (*mpl*).

momentáneo, a *adj* momentané(e).

momento *nm* moment (*m*) • **no para ni un momento** il n'arrête pas un instant • **a cada momento** tout le temps • **al momento** à l'instant • **de momento, por el momento** pour le moment • **desde el momento (en) que** (*temps*) dès l'instant où • (*cause*) du moment que • **de un momento a otro** d'un moment à l'autre.

momia *nf* momie (*f*).

mona *nf* ➩ **mono**.

Mónaco *npr* • **(el principado de) Mónaco** (la principauté de) Monaco.

monada *nf* **1.** (*merveille*) • **es una monada** (*personne*) elle est mignonne • (*chose*) c'est mignon **2.** pitrerie (*f*).

monaguillo *nm* enfant (*m*) de chœur.

monarca *nm* monarque (*m*).

monarquía *nf* monarchie (*f*).

monárquico, ca ◼ *adj* **1.** monarchique **2.** monarchiste. ◼ *nm, f* monarchiste (*mf*).

monasterio *nm* monastère (*m*).

Moncloa *npr* • **la Moncloa** résidence du chef du gouvernement espagnol.

monda *nf* **1.** (*action*) épluchage (*m*) **2.** épluchure (*f*) (*de fruit, de légume*) • **ser la monda** *fam* (*amusant*) être tordant(e) • (*effronté*) ne pas s'embêter.

mondadientes *nm inv* cure-dents (*m*).

mondadura *nf* **1.** épluchage (*m*) **2.** épluchure (*f*) (*de fruit, de légume*).

mondar *vt* éplucher, peler.

moneda *nf* **1.** pièce (*f*) (*de monnaie*) **2.** monnaie (*f*) • **moneda extranjera** monnaie étrangère.

monedero, ra *nm, f* monnayeur (*m*). ◼ **monedero** *nm* porte-monnaie (*m*).

monegasco, ca ◼ *adj* monégasque. ◼ *nm, f* Monégasque (*mf*).

monería *nf* **1.** pitrerie (*f*) (*d'un enfant*) **2.** singerie (*f*) (*d'un singe, d'un clown*).

monetario, ria *adj* monétaire.

mongólico, ca ◼ *adj* **1.** MÉD mongolien(enne) **2.** (*de Mongolie*) mongol(e). ◼ *nm, f* **1.** MÉD mongolien (*m*), -enne (*f*) **2.** (*de Mongolie*) Mongol (*m*), -e (*f*).

mongolismo *nm* mongolisme (*m*).

monigote *nm* **1.** (*poupée, personne*) pantin (*m*) **2.** (*dessin*) bonhomme (*m*).

monitor, ra *nm, f* moniteur (*m*), -trice (*f*). ◼ **monitor** *nm* INFORM moniteur (*m*).

monja *nf* religieuse (*f*).

monje *nm* moine (*m*).

mono, na ◼ *adj* mignon(onne). ◼ *nm, f* singe (*m*), guenon (*f*) • **ser el último mono** *fig* être la cinquième roue du carrosse. ◼ **mono** *nm* **1.** salopette (*f*) **2.** bleu (*m*) de travail **3.** combinaison (*f*) (*de ski*) **4.** *fam* manque (*m*) (*du drogué*). ◼ **mona** *nf* **1.** *fam* cuite (*f*) **2.** (*pâtisserie*) • **mona (de Pascua)** gâteau vendu à Pâques en Espagne, comme on vend les œufs de Pâques en France.

monóculo *nm* monocle (*m*).

monogamia *nf* monogamie (*f*).

monografía *nf* monographie (*f*).

monolingüe ◼ *adj* monolingue. ◼ *nm* dictionnaire (*m*) monolingue.

monólogo *nm* monologue (*m*).

monoparental *adj* monoparental(e).

monopatín *nm* skateboard (*m*), planche (*f*) à roulettes.

monopolio *nm* monopole (*m*).

monopolizar *vt* monopoliser.

monosílabo, ba *adj* monosyllabe. ◼ **monosílabo** *nm* monosyllabe (*m*).

monoteísmo *nm* monothéisme (*m*).

monotonía *nf* monotonie *(f).*
monótono, na *adj* monotone.
monovolumen *nm* monospace *(m).*
monseñor *nm* monseigneur *(m).*
monserga *nf fam* • **no me vengas con monsergas** ne me raconte pas d'histoires • **no son más que monsergas** ce ne sont que des balivernes.
monstruo ◪ *adj inv* **1.** *(grand)* énorme **2.** *fig* phénoménal(e). ◪ *nm* **1.** monstre *(m)* **2.** *fig* dieu *(m)*, génie *(m).*
monstruosidad *nf* monstruosité *(f).*
monstruoso, sa *adj* monstrueux(euse).
monta *nf* **1.** montant *(m)* **2.** importance *(f)* **3.** monte *(f) (à cheval).*
montacargas *nm inv* monte-charge *(m).*
montaje *nm* **1.** montage *(m)* **2.** THÉÂTRE réalisation *(f)* **3.** coup *(m)* monté.
montante *nm* montant *(m)* • **montantes compensatorios** montants compensatoires.
montaña *nf* montagne *(f)* • **montaña rusa** montagnes *(fpl)* russes.
montañés, esa *adj & nm, f* **1.** montagnard(e) **2.** de la région de Santander.
montañismo *nm* alpinisme *(m).*
montañoso, sa *adj* montagneux(euse).
montar ◪ *vt* **1.** *(gén,* THÉÂTRE & CINÉ*)* monter • **montar el piso** monter son ménage **2.** monter *(une mayonnaise, des blancs d'œufs)* **3.** fouetter *(une crème).* ◪ *vi* **1.** *(gén)* • **montar (a)** monter (à) • **montar en** monter à *(bicyclette)* • monter en *(avion)* **2.** *(additionner)* • **montar a** s'élever à. ◪ **montarse** *vp (gén)* • **montarse en** monter sur *(un cheval, une bicyclette)* • monter dans *(un avion)* • **montárselo** *fam fig* se débrouiller.
montaraz *adj* sauvage.
monte *nm* **1.** mont *(m)*, montagne *(f)* **2.** bois *(mpl).* ◪ **monte de piedad** *nm* mont-de-piété *(f).*
montepío *nm* caisse *(f)* de secours.
montés, esa *adj* sauvage.
Montevideo *npr* Montevideo.
montículo *nm* monticule *(m).*
monto *nm* montant *(m).*
montón *nm* tas *(m)* • **a** *ou* **de** *ou* **en montón** en bloc • **hay de eso a montones** il y en a des tas • **ganar a montones** gagner des mille et des cents • **un hombre del montón** monsieur Tout-le-Monde.
montura *nf* **1.** monture *(f)* **2.** harnais *(m)* **3.** selle *(f).*
monumental *adj* monumental(e).
monumento *nm* monument *(m).*
moña ◪ *nf* **1.** *fam* cuite *(f)* **2.** ruban *(m).* ◪ *nm tfam* pédé *(m).*

moño *nm* chignon *(m)* • **estar hasta el moño** *fig* en avoir ras le bol.
monzón *nm* mousson *(f).*
MOPU *(abr de* **Ministerio de Obras Públicas y Urbanismo)** *nm* ministère espagnol des Travaux publics et de l'Urbanisme.
moquear *vi* avoir le nez qui coule.
moqueta *nf* moquette *(f).*
mora *nf* mûre *(f).*
morada *nf sout* demeure *(f).*
morado, da *adj* violet(ette) • **pasarlas moradas** *fam fig* en voir de toutes les couleurs • **ponerse morado** *fam fig* s'empiffrer. ◪ **morado** *nm* **1.** *(couleur)* violet *(m)* **2.** *(hematome)* bleu *(m).* ,
moral ◪ *adj* moral(e) • **un ejemplo moral** un exemple de moralité. ◪ *nf* **1.** morale *(f)* **2.** moral *(m)* • **levantar la moral** remonter le moral. ◪ *nm* mûrier *(m)* noir.
moraleja *nf* morale *(f) (d'une fable).*
moralizar *vi* moraliser.
morbo *nm* **1.** *fam (plaisir malsain)* • **tener morbo** avoir une curiosité malsaine **2.** maladie *(f).*
morboso, sa *adj* morbide • **detalles morbosos** détails scabreux.
morcilla *nf* boudin *(m)* noir • **ique te/le** *etc* **den morcilla!** *tfam fig* va te/allez vous *etc* faire voir !
mordaz *adj* acerbe.
mordaza *nf* bâillon *(m).*
mordedura *nf* morsure *(f)*
morder ◪ *vt* **1.** mordre **2.** croquer *(un fruit)* • **estar alguien que muerde** être d'une humeur de chien. ◪ *vi* mordre. ◪ **morderse** *vp* se mordre.
mordida *nf (Amér) fam* bakchich *(m).*
mordisco *nm* **1.** morsure *(f)* • **dar un mordisco en algo** mordre dans qqch • *(fruit)* croquer qqch **2.** morceau *(m).*
mordisquear *vt* **1.** mordiller *(un objet)* **2.** grignoter *(un en-cas).*
moreno, na ◪ *adj* **1.** *(cheveux, peau)* brun(e) **2.** bronzé(e) • **ponerse moreno** bronzer **3.** *(pain, riz, etc)* complet(ète) • **el azúcar moreno** le sucre roux • **el trigo moreno** le blé noir. ◪ *nm, f* brun *(m)*, -e *(f).*
morera *nf* mûrier *(m)* blanc.
moretón *nm (hématome)* bleu *(m).*
morfina *nf* morphine *(f).*
moribundo, da *adj & nm, f* moribond(e).
morir *vi* mourir. ◪ **morirse** *vp* • **morirse (de)** mourir (de).
mormón, ona *adj & nm, f* mormon(e).
moro, ra ◪ *adj* **1.** HIST maure **2.** *péj* arabe **3.** *fam* macho. ◪ *nm, f* **1.** HIST Maure *(mf)* **2.** *péj* Arabe *(mf)* • **bajarse al moro** *fam* aller acheter du haschisch en Afrique du Nord • **hay moros en**

la costa les murs ont des oreilles. ■ **moro** nm fam macho (m). ■ **Moros y Cristianos** nmpl fête traditionnelle du Levant.

moroso, sa ◨ adj • **es un cliente moroso** ce client a un arriéré. ◨ nm, f mauvais payeur (m).

morrear vt & vi tfam se bécoter. ■ **morrearse** vp tfam se bécoter.

morriña nf mal (m) du pays.

morro nm 1. museau (m) 2. (gén pl) fam lèvres (fpl) • **estar de morros** bouder 3. fam avant (m) (d'une voiture) 4. fam nez (m) (d'un avion) 5. fam culot (m) • **¡qué morro tiene!** il a un de ces culots !

morsa nf ZOOL morse (m).

morse nm (invariable en apposition) (code) morse (m).

mortadela nf mortadelle (f).

mortaja nf linceul (m).

mortal adj & nmf mortel(elle).

mortalidad nf mortalité (f).

mortandad nf • **causar mortandad** causer des pertes.

mortero nm mortier (m).

mortífero, ra adj 1. mortel(elle) 2. (épidémie) meurtrier(ère).

mortificar vt 1. mortifier 2. fig tourmenter. ■ **mortificarse** vp 1. se mortifier 2. se tourmenter.

mortuorio, ria adj 1. mortuaire 2. (cortège) funèbre.

mosaico, ca adj (de Moïse) mosaïque. ■ **mosaico** nm mosaïque (f).

mosca nf mouche (f) • **estar mosca** fam faire la tête • **por si las moscas** au cas où • **¿qué mosca me/te etc ha picado?** quelle mouche m'a/t'a etc piqué ? ■ **mosca muerta** nf saintenitouche (f).

moscardón nm 1. mouche (f) bleue 2. fam fig (personne) casse-pieds (m inv).

moscatel nm (vin doux) muscat (m).

moscón nm 1. grosse mouche (f) 2. fam fig (personne) casse-pieds (m inv).

moscovita ◨ adj moscovite. ◨ nmf Moscovite (mf).

Moscú npr Moscou.

mosquearse vp fam prendre la mouche, se vexer.

mosquete nm mousquet (m).

mosquetero nm mousquetaire (m).

mosquetón nm mousqueton (m).

mosquitero nm moustiquaire (f).

mosquito nm moustique (m).

mosso d'esquadra nm membre de la police autonome catalane.

mostacho nm moustache (f).

mostaza nf moutarde (f).

mosto nm 1. jus (m) de raisin 2. moût (m).

mostrador nm comptoir (m).

mostrar vt 1. montrer 2. faire preuve de (intelligence, générosité). ■ **mostrarse** vp se montrer.

mota nf poussière (f) • **tener motas** (pullover) pelucher.

mote nm surnom (m).

motel nm motel (m).

motín nm 1. émeute (f) 2. mutinerie (f) (de soldats, de prisonniers).

motivación nf motivation (f).

motivar vt motiver.

motivo nm 1. raison (f), motif (m) • **con motivo de** (pour célébrer) à l'occasion de • (à cause de) en raison de • **por este motivo** pour cette raison 2. sujet (m) (d'une œuvre littéraire) 3. MUS motif (m).

moto nf moto (f) • **moto de agua** scooter (m) des mers.

motocicleta nf motocyclette (f).

motociclismo nm motocyclisme (m).

motociclista nmf motocycliste (mf).

motocross nm inv motocross (m).

motonáutico, ca adj motonautique. ■ **motonáutica** nf motonautisme (m).

motoneta nf (Amér) Scooter (m).

motor, ra ou **triz** adj moteur(trice). ■ **motor** nm moteur (m) • **motor de reacción** moteur à réaction. ■ **motora** nf bateau (m) à moteur.

motorismo nm motocyclisme (m).

motorista nmf motocycliste (mf).

motricidad nf motricité (f).

motriz nf ▷ **motor**.

mountain bike (pl **mountain bikes**) nm mountain bike (m), VTT (m).

mousse nm ou nf inv CULIN mousse (f).

movedizo, za adj 1. (pièce) amovible 2. (sables, terrain) mouvant(e).

mover vt 1. faire marcher 2. déplacer 3. remuer • **mover las masas** remuer les foules 4. provoquer • **mover la curiosidad** provoquer la curiosité • **mover a piedad/risa** faire pitié/rire 5. fig (inciter) • **mover a alguien a algo/a hacer algo** pousser qqn à qqch/à faire qqch. ■ **moverse** vp 1. (se mettre en mouvement, s'agiter) bouger 2. se déplacer 3. (fréquenter) • **moverse en/entre** évoluer dans/parmi 4. (se dépêcher) se secouer.

movido, da adj 1. agité(e) 2. (conversation, voyage) mouvementé(e) 3. (photo, image) flou(e). ■ **movida** nf fam (ambiance) • **aquí hay movida** il y a de l'ambiance ici • **movida (madrileña)** mouvement de renouveau culturel.

la movida madrileña

La *movida madrileña*, mouvement de renouveau culturel et artistique plutôt libéral basé sur la provocation, a vu le jour à Madrid dans les années 1980 en réaction aux décennies de dictature franquiste. Le mouvement regroupait des cinéastes, des peintres, des photographes et des musiciens, comme le réalisateur et acteur Pedro Almodóvar, les chanteurs Miguel Bosé et Alaska, ou encore le groupe Mecano.

móvil *adj & nm* mobile.

movilidad *nf* mobilité *(f)*.

movilizar *vt* mobiliser.

movimiento *nm* mouvement *(m)*.

moviola *nf* visionneuse *(f)*.

moza *nf* ⊳ **mozo**.

mozárabe *adj & nmf* mozarabe.

mozo, za ◼ *adj* jeune. ◼ *nm, f* **1.** jeune homme *(m)*, jeune fille *(f)* ▪ **es buen mozo** il est beau garçon **2.** *(Amér)* serveur *(m)*, -euse *(f)*. ◼ **mozo** *nm* **1.** *(serveur)* garçon *(m)* **2.** domestique *(m)* **3.** MIL appelé *(m)*.

mu *nm* meuh *(m)* ▪ **no decir ni mu** *fig* ne pas piper mot.

mucamo, ma *nm, f (Amér)* domestique *(mf)*.

muchachada *nf (Amér)* marmaille *(f)*.

muchacho, cha *nm, f* garçon *(m)*, fille *(f)*.

muchedumbre *nf* foule *(f)*.

mucho, cha ◼ *adj* **1.** beaucoup de ▪ **mucha gente** beaucoup de gens ▪ **muchos meses** plusieurs mois ▪ **mucho tiempo** longtemps **2.** très *(sommeil, faim, froid, etc)* ▪ **hace mucho calor** il fait très chaud. ◼ *pron* ▪ **muchos piensan que...** beaucoup de gens pensent que... ▪ **tener mucho que contar** avoir beaucoup de choses à raconter. ◼ **mucho** *adv* **1.** beaucoup ▪ **trabaja mucho** il travaille beaucoup ▪ **se divierte mucho** il s'amuse bien **2.** *(indique une comparaison)* bien ▪ **mucho antes/después** bien avant/après ▪ **mucho más/menos** beaucoup plus/moins ▪ **mucho mejor** bien mieux **3.** longtemps ▪ **lo sé desde hace mucho** je le sais depuis longtemps **4.** souvent ▪ **viene mucho por aquí** il vient souvent par ici ▪ **como mucho** *(comme maximum)* (tout) au plus ▪ *(dans tous les cas)* à la limite ▪ **con mucho** de loin ▪ **ni mucho menos** loin de là. ◼ **por mucho que** *loc conj* ▪ **por mucho que insistas...** tu auras beau insister...

mucosidad *nf* mucosité *(f)*.

muda *nf* **1.** *(de plumes, peau, voix)* mue *(f)* **2.** linge *(m)* de rechange.

mudanza *nf* **1.** changement *(m)* **2.** *(de plumes, peau)* mue *(f)* **3.** déménagement *(m)* ▪ **estar** OU **andar de mudanza** déménager.

mudar ◼ *vt* changer. ◼ *vi* ▪ **mudar de** changer de ▪ **mudar de casa** déménager ▪ **mudar de plumas/piel/voz** muer. ◼ **mudarse** *vp* ▪ **mudarse (de casa)** déménager ▪ **mudarse (de ropa)** se changer.

mudéjar *adj & nmf* mudéjar(e).

mudo, da *adj & nm, f* muet(ette).

mueble ◼ *nm* meuble *(m)* ▪ **mueble bar** bar *(m)*. ◼ *adj* ⊳ **bien**.

mueca *nf* **1.** grimace *(f)* **2.** moue *(f) (de dégoût)*.

muela ◼ *v* ⊳ **moler**. ◼ *nf* **1.** dent *(f)*, molaire *(f)* ▪ **tener dolor de muelas** avoir mal aux dents **2.** *(pierre)* meule *(f)*.

muelle *nm* **1.** ressort *(m) (d'un matelas, d'une montre)* **2.** quai *(m) (dans un port)*.

muérdago *nm* gui *(m)*.

muermo *nm fam* **1.** *(chose, situation)* barbe *(f)*, bagne *(m)* **2.** *(personne)* casse-pieds *(mf inv)* ▪ **tener muermo** être ramollo.

muerte *nf* **1.** mort *(f)* ▪ **de mala muerte** minable ▪ **muerte súbita (del lactante)** mort subite du nourrisson **2.** meurtre *(m)*.

muerto, ta ◼ *adj* mort(e) ▪ **estar muerto de miedo/de frío/de hambre** être mort de peur/de froid/de faim **2.** *(couleur)* terne. ◼ *nm, f* mort *(m)*, -e *(f)* ▪ **el día de los muertos** ≃ la Toussaint ▪ **hacer el muerto** faire la planche. ◼ **muerto** *pp* ⊳ **morir**.

el día de los muertos

Au Mexique, on fête le jour des morts les 1er et 2 novembre, le 1er étant le jour des enfants et le 2 celui des adultes. Selon la tradition, les morts reviennent ce jour-là pour retrouver les êtres qui leur sont chers. On dresse alors à la maison et dans les établissements publics des *altares*, autels décorés de fleurs et garnis de tissus de couleurs, de têtes de morts, où l'on dépose les portraits des défunts mais aussi leurs objets personnels et leurs plats préférés. Toute la nuit, des bougies et lanternes brûlent pour guider le retour des âmes et leur permettre d'entrer en contact avec leur famille. Puis, après avoir célébré leurs morts, les Mexicains célèbrent la vie en faisant la fête. Les enfants dégustent de petites têtes de morts en sucre appelées *calaveras de azúcar*.

muesca *nf* **1.** encoche *(f)* **2.** entaille *(f)*.

muesli *nm* muesli *(m)*.

muestra ◼ v ▷ **mostrar**. ◼ nf **1.** échantillon (m) • **para muestra (basta) un botón** un exemple suffit **2.** (signe, preuve) • **dar muestras de** faire preuve de (intelligence, prudence) • donner des marques de (tendresse, sympathie) • donner des signes de (fatigue) **3.** modèle (m) • **piso de muestra** appartement (m) témoin **4.** exposition (f).

muestrario nm **1.** échantillonnage (m) **2.** nuancier (m) (de couleurs).

muestreo nm échantillonnage (m) (pour une enquête).

mugido nm mugissement (m).

mugir vi **1.** mugir **2.** (vache) meugler.

mugre nf crasse (f).

mujer nf femme (f) • **mujer de la limpieza** femme de ménage.

mujeriego nm coureur (m) de jupons.

mujerzuela nf péj grue (f).

mulato, ta adj & nm, f mulâtre.

muleta nf **1.** béquille (f) **2.** fig soutien (m) **3.** TAUROM muleta (f).

mullido, da adj moelleux(euse).

mulo, la nm, f mulet (m), mule (f). ◼ **mula** nf fam fig **1.** brute (f) **2.** tête (f) de mule.

multa nf amende (f).

multar vt condamner à une amende.

multicine nm inv (après un nom) cinéma (m) ou complexe (m) multisalles.

multicopista nf machine (f) à polycopier.

multimedia adj inv multimédia.

multimillonario, ria adj & nm, f multimillionnaire.

multinacional nf multinationale (f).

múltiple adj multiple.

multiplicación nf multiplication (f).

multiplicar vt & vi multiplier. ◼ **multiplicarse** vp **1.** se multiplier **2.** être partout à la fois.

múltiplo, pla adj • **un número múltiplo** un multiple. ◼ **múltiplo** nm multiple (m).

multitud nf multitude (f).

multitudinario, ria adj • **una manifestación multitudinaria** une manifestation de masse.

multiuso adj inv à usages multiples.

mundanal adj de ce monde.

mundano, na adj **1.** mondain(e) **2.** de ce monde.

mundial ◼ adj mondial(e). ◼ nm coupe (f) du monde.

mundo nm **1.** monde (m) • **el cuarto mundo** le quart-monde • **el tercer mundo** le tiers-monde • **todo el mundo** tout le monde **2.** expérience (f) • **hombre/mujer de mundo** homme/femme du monde.

munición nf munition (f).

municipal ◼ adj municipal(e). ◼ nmf ▷ **guardia**.

municipio nm **1.** commune (f) **2.** (habitants) • **el municipio** les administrés (mpl) **3.** municipalité (f).

muñeco, ca nm, f poupée (f). ◼ **muñeco** nm fig marionnette (f). ◼ **muñeca** nf **1.** poignet (m) **2.** (Amér) fam piston (m). ◼ **muñeco de nieve** nm bonhomme (m) de neige.

muñequera nf SPORT poignet (m).

muñón nm moignon (m).

mural ◼ adj mural(e). ◼ nm peinture (f) murale.

muralla nf **1.** muraille (f) **2.** rempart (m).

murciélago nm chauve-souris (f).

murmullo nm murmure (m).

murmuración nf médisance (f).

murmurador, ra ◼ adj médisant(e). ◼ nm, f mauvaise langue (f).

murmurar ◼ vt murmurer. ◼ vi **1.** murmurer **2.** (critiquer) • **murmurar de** ou **sobre** dire du mal de **3.** fig marmonner.

muro nm mur (m). ◼ **Muro de las lamentaciones** nm • **el Muro de las lamentaciones** le mur des Lamentations.

mus nm inv jeu de cartes espagnol.

musa nf muse (f).

musaraña nf musaraigne (f) • **mirar a las musarañas** fig être dans la lune.

muscular adj musculaire.

musculatura nf musculature (f).

músculo nm muscle (m).

musculoso, sa adj **1.** ANAT musculeux(euse) **2.** (fort) musclé(e).

museo nm musée (m).

musgo nm BOT mousse (f).

música nf ▷ **músico**.

musical adj musical(e) • **un instrumento musical** un instrument de musique.

music-hall ['mjusik'xol] (pl **music-halls**) nm music-hall (m).

músico, ca ◼ adj musical(e). ◼ nm, f musicien (m), -enne (f). ◼ **música** nf musique (f) • **ivete con la música a otra parte!** fam va voir ailleurs si j'y suis !

musicoterapia nf musicothérapie (f).

musitar vt murmurer.

muslo nm cuisse (f).

mustio, tia adj **1.** fané(e) **2.** morne.

musulmán, ana adj & nm, f musulman(e).

mutación nf mutation (f) • **mutación de temperaturas** changement (m) de température.

mutante ◼ adj mutant(e). ◼ nm mutant (m).

mutar vt muter.

mutilado, da adj & nm, f mutilé(e).

mutilar vt mutiler.

mutismo *nm* mutisme *(m)*.

mutua *nf* ▷ **mutuo**.

mutualidad *nf* mutuelle *(f)*.

mutuo, tua *adj* mutuel(elle). ■ **mutua** *nf* mutuelle *(f)* ∘ **mutua de seguros** société *(f)* d'assurance mutuelle.

muy *adv* très ∘ **muy cerca/lejos** très près/loin ∘ **muy de mañana** de très bon matin ∘ **eso es muy de ella** c'est tout elle ∘ **¡el muy tonto!** quel idiot ! ∘ **por muy cansado que esté…** il a beau être fatigué…

Myanmar *npr* Myanmar *(m)*.

mzo., mzo = **mar.**

n, N ['ene] *nf* n *(m inv)*, N *(m inv)*. ■ **20 N** *nm* 20 novembre 1975, date de la mort du général Franco.

n/ *(abr de* **nuestro)** n/∘ **n/Ref.:** 2578 n/Réf. : 2578

n° *(abr écrite de* **número)** n° ∘ **no de tel.** n° de tél.

nabo *nm* navet *(m)*.

nácar *nm* nacre *(f)*.

nacer *vi* **1.** naître ∘ **nació en Granada** il est né à Grenade ∘ **ha nacido cantante** c'est un chanteur-né ∘ **ha nacido para trabajar** il est fait pour le travail **2.** *(rivière)* prendre sa source **3.** *(soleil)* se lever.

nacido, da ■ *adj* né(e). ■ *nm, f* ∘ **los nacidos en enero/en Valencia** les personnes nées en janvier/à Valence ∘ **un recién nacido** un nouveau-né ∘ **ser un mal nacido** *fig* être un odieux personnage.

naciente *adj* **1.** naissant(e) ∘ **el sol naciente** le soleil levant **2.** jeune ∘ **la república naciente** la jeune république.

nacimiento *nm* **1.** naissance *(f)* **2.** source *(f)* *(d'une rivière)* ∘ **de nacimiento** de naissance **3.** crèche *(f)* *(de Noël)*.

nación *nf* **1.** nation *(f)* **2.** pays *(m)*. ■ **Naciones Unidas** *nfpl* ∘ **las Naciones Unidas** les Nations *(fpl)* unies.

nacional ■ *adj* national(e). ■ *nmf (partisans de Franco)* ∘ **los nacionales** les nationalistes.

nacionalidad *nf* nationalité *(f)*.

nacionalismo *nm* nationalisme *(m)*.

nacionalista *adj & nmf* nationaliste.

nacionalizar *vt* **1.** nationaliser **2.** naturaliser.

nada ■ *pron* rien ∘ **no quiero nada** je ne veux rien ∘ **antes de nada** avant tout ∘ **de nada** *(en réponse à «gracias»)* de rien, je t'en/vous en prie ∘ **un regalito de nada** un petit cadeau de rien du tout ∘ **no dijo nada de nada** il n'a rien dit du tout ∘ **nada más** c'est tout ∘ **no quiero nada más** je ne veux rien d'autre ∘ **como si nada** comme si de rien n'était ∘ **¡de eso nada!** pas question ! ■ *adv* **1.** du tout ∘ **no me gusta nada** ça ne me plaît pas du tout **2.** peu ∘ **no hace nada que salió** il est sorti à l'instant même. ■ *nf* ∘ **la nada** le néant. ■ **nada más** loc adv à peine ∘ **nada más irte llamó tu padre** tu étais à peine parti que ton père a appelé.

nadador, ra *adj & nm, f* nageur(euse).

nadar *vi* nager ∘ **nadar en deudas** être criblé(e) de dettes ∘ **nadar en dinero** rouler sur l'or ∘ **nadar en la opulencia** nager dans l'opulence.

nadería *nf* rien *(m)* ∘ **se enfada por naderías** un rien l'irrite.

nadie ■ *pron* personne ∘ **nadie más** plus personne ∘ **nadie me lo ha dicho** personne ne me l'a dit ∘ **no ha llamado nadie** personne n'a téléphoné. ■ *nm* ∘ **ser un nadie** être un minable.

nado ■ **a nado** loc adv à la nage.

nafta *nf* naphte *(m)*.

naftalina *nf* naphtaline *(f)*.

naíf [na'if] *adj inv* ART naïf(ïve).

nailon, nilón, nylon® ['nailon] *nm* Nylon® *(m)*

naipe *nm* carte *(f)* (à jouer). ■ **naipes** *nmpl* cartes *(fpl)* (à jouer).

nalga *nf* fesse *(f)*.

nana *nf* **1.** berceuse *(f)* **2.** *fam* mamie *(f)*.

nanómetro *nm* nanomètre *(m)*.

nanosegundo *nm* nanoseconde *(f)*.

nanotecnología *nf* nanotechnologie *(f)*.

napa *nf* cuir *(m)* souple.

naranja ■ *adj inv* orange. ■ *nm (couleur)* orange *(m)*. ■ *nf (fruit)* orange *(f)*. ■ **media naranja** *nf fam fig (épouse)* moitié *(f)*.

naranjada *nf* orangeade *(f)*.

naranjo *nm* oranger *(m)*.

narciso *nm* BOT narcisse *(m)* ∘ **es un narciso** il est narcissique.

narcótico, ca *adj* narcotique. ■ **narcótico** *nm* narcotique *(m)*.

narcotizar *vt* administrer des narcotiques à.

narcotraficante *nmf* trafiquant *(m)*, -e *(f)* de drogue, narcotrafiquant *(m)*, -e *(f)*.

narcotráfico *nm* trafic *(m)* de stupéfiants.

nardo *nm* nard *(m)*.

narigudo, da *adj* ∘ **¡es tan narigudo!** il a un si grand nez !

nariz *nf* nez *(m)* ∘ **estar hasta las narices** *fig* en avoir par-dessus la tête ∘ **lo harás por narices**

fam tu vas le faire, il n'y a pas à tortiller ◦ **meter las narices en algo** *fig* fourrer son nez dans qqch.

narración *nf* **1.** narration *(f)* **2.** récit *(m)*.

narrador, ra *nm, f* narrateur *(m)*, -trice *(f)*.

narrar *vt* raconter.

narrativo, va *adj* narratif(ive). ■ **narrativa** *nf* *(genre littéraire)* roman *(m)*.

NASA *(abr de* National Aeronautics and Space Administration*)* *nf* NASA *(f)*.

nasal *adj* **1.** *(gén & GRAMM)* nasal(e) **2.** nasillard(e).

nata *nf* crème *(f)* ◦ **nata batida** OU **montada** crème fouettée ◦ **la (flor y) nata de...** *fig* la fine fleur de...

natación *nf* natation *(f)*.

natal *adj* natal(e).

natalicio *nm* **1.** jour *(m)* de naissance **2.** anniversaire *(m)*.

natalidad *nf* natalité *(f)*.

natillas *nfpl* crème *(f)* renversée.

nativo, va ■ *adj* **1.** natif(ive) ◦ **ser nativo de** être originaire de ◦ **un profesor de inglés nativo** un professeur d'anglais de langue maternelle anglaise **2.** *(originaire)* ◦ **ser natural de** être originaire de. ■ *nm, f* natif *(m)*, -ive *(f)*.

nato, ta *adj* **1.** *(de naissance)* né(e) ◦ **es un músico nato** c'est un musicien-né **2.** *(charge, titre)* de plein droit.

natural ■ *adj* **1.** naturel(elle) **2.** *(lumière)* du jour ◦ **esa reacción es natural en él** cette réaction est naturelle chez lui **3.** *(originaire)* ◦ **ser natural de** être originaire de. ■ *nmf* natif *(m)*, -ive *(f)*. ■ *nm* naturel *(m)* ◦ **al natural** au naturel.

naturaleza *nf* nature *(f)* ◦ **por naturaleza** par nature.

naturalidad *nf* naturel *(m)* ◦ **con toda naturalidad** tout naturellement.

naturalización *nf* naturalisation *(f)*.

naturalizar *vt* naturaliser. ■ **naturalizarse** *vp* se faire naturaliser.

naturista *nmf* naturiste *(mf)*.

naufragar *vi* **1.** *(bateau, personne)* faire naufrage **2.** *(commerce)* couler **3.** *(affaire, projet)* échouer.

naufragio *nm* *litt & fig* naufrage *(m)*.

náufrago, ga *adj & nm, f* naufragé(e).

náusea *nf* *(gén pl)* nausée *(f)* ◦ **tener náuseas** avoir la nausée ◦ **me da náuseas** ça me donne la nausée.

nauseabundo, da *adj* **1.** *(odeur)* nauséabond(e) **2.** *(comportement, attitude)* écœurant(e).

náutico, ca *adj* nautique. ■ **náutica** *nf* navigation *(f)*.

navaja *nf* **1.** couteau *(m)* (à lame pliante) **2.** canif *(m)* **3.** ZOOL couteau *(m)*.

navajero, ra *nm, f* agresseur armé d'un couteau.

naval *adj* naval(e).

Navarra *npr* Navarre *(f)*.

navarro, rra ■ *adj* navarrais(e). ■ *nm, f* Navarrais *(m)*, -e *(f)*.

nave *nf* **1.** navire *(m)* **2.** vaisseau *(m)* ◦ **nave espacial** vaisseau spatial **3.** nef *(f)* **4.** hangar *(m)*.

navegación *nf* navigation *(f)*.

navegador, ra *nm, f* internaute *(mf)*.

navegante ■ *adj* navigant(e) ◦ **un pueblo navegante** un peuple de navigateurs. ■ *nmf* navigateur *(m)*, -trice *(f)*.

navegar *vi* naviguer.

Navidad *nf* Noël *(m)* ◦ **¡Feliz Navidad!** joyeux Noël ! ◦ **las Navidades** les fêtes de Noël.

navideño, ña *adj* de Noël.

naviero, ra *adj* *(compagnie, entreprise)* de navigation. ■ **naviero** *nm* armateur *(m)*. ■ **naviera** *nf* compagnie *(f)* maritime.

navío *nm* vaisseau *(m)*.

nazi *adj & nmf* nazi(e).

nazismo *nm* nazisme *(m)*.

N. del A. *(abr écrite de* nota del autor*)* NDA, N.D.A.

N. del E. *(abr écrite de* nota del editor*)* NDE, N.D.E.

N. del T. *(abr écrite de* nota del traductor*)* NDT, N.D.T.

neblina *nf* brume *(f)*.

nebulosa *nf* ▷ **nebuloso**.

nebulosidad *nf* ASTRON nébulosité *(f)*.

nebuloso, sa *adj* nébuleux(euse). ■ **nebulosa** *nf* nébuleuse *(f)*.

necedad *nf* sottise *(f)*.

necesario, ria *adj* nécessaire ◦ **no es necesario que venga** il n'est pas nécessaire qu'il vienne ◦ **es necesario hacerlo** il faut le faire ◦ **es necesario que te ayudes** il faut que tu l'aides.

neceser *nm* nécessaire *(m)* (de toilette).

necesidad *nf* **1.** besoin *(m)* ◦ **en caso de necesidad** en cas de besoin ◦ **sentir la necesidad de** éprouver le besoin de **2.** nécessité *(f)* ◦ **por necesidad** par nécessité. ■ **necesidades** *nfpl* **1.** *(besoins physiologiques)* ◦ **hacer sus necesidades** faire ses besoins **2.** *(manque d'argent)* ◦ **pasar necesidades** être dans le besoin.

necesitado, da *adj & nm, f* nécessiteux(euse).

necesitar *vt* avoir besoin de ◦ **necesito ayuda/ verte** j'ai besoin d'aide/de te voir ◦ **necesito que me digas...** j'ai besoin que tu me dises... ◦ **'se necesita empleada'** 'on demande une employée'.

necio, cia *adj & nm, f* idiot(e).

necrología *nf* nécrologie *(f)*.

néctar *nm* nectar *(m)*.

nectarina *nf* nectarine *(f)*.

neerlandés, esa ■ *adj* néerlandais(e). ■ *nm, f* Néerlandais *(m)*, -e *(f)*. ■ **neerlandés** *nm* néerlandais *(m)*.

nefasto, ta *adj* néfaste.

negación *nf* **1.** *(gén* & GRAMM*)* négation *(f)* **2.** refus *(m)*.

negado, da ◼ *adj* ∘ **soy negado para el latín** je suis nul en latin. ◼ *nm, f* incapable *(mf)*.

negar *vt* **1.** nier **2.** refuser ∘ **negar el saludo/ la palabra a alguien** refuser de saluer qqn/de parler à qqn. ◼ **negarse** *vp* refuser ∘ **no me pude negar** je n'ai pas pu refuser ∘ **negarse a hacer algo** refuser de *ou* se refuser à faire qqch.

negativo, va *adj* négatif(ive). ◼ **negativo** *nm* PHOTO négatif *(m)*. ◼ **negativa** *nf* refus *(m)* ∘ **contestar con la negativa** répondre par la négative.

negligencia *nf* négligence *(f)*.

negligente *adj* négligent(e).

negociable *adj* négociable.

negociación *nf* négociation *(f)*.

negociante ◼ *adj* commerçant(e). ◼ *nmf* **1.** commerçant *(m)*, -e *(f)* **2.** *fig (intéressé)* ∘ **ser un negociante** être âpre au gain.

negociar ◼ *vi* faire du commerce ∘ **negociar (con)** négocier (avec). ◼ *vt* négocier.

negocio *nm* **1.** affaire *(f)* ∘ **hacer negocio** gagner de l'argent ∘ **negocio sucio** affaire louche **2.** *(établissement)* commerce *(m)*.

negra *nf* ▷ **negro**.

negrero, ra ◼ *adj* **1.** négrier(ère) **2.** *fig* tyrannique. ◼ *nm, f* *litt* & *fig* négrier *(m)*.

negrita, negrilla *nf* ▷ **letra**.

negro, gra ◼ *adj* **1.** *(gén,* CINÉ & LITTÉR*)* noir(e) **2.** *(tabaco, bière)* brun(e) ∘ **el mercado negro** le marché noir **3.** *(futur, avenir)* sombre **4.** *fam* furax ∘ **me pone negro** ça me tape sur les nerfs ∘ **pasarlas negras** *fam* en baver. ◼ *nm, f* Noir *(m)*, -e *(f)* ◼ **negro** *nm* **1.** *(couleur)* noir *(m)* **2.** *fig (travailleur anonyme)* larbin *(m)* **3.** nègre *(m) (d'un écrivain)*. ◼ **negra** *nf* MUS noire *(f)* ∘ **tener la negra** *fam fig* avoir la poisse.

negrura *nf* noirceur *(f)*.

nene, na *nm, f* *fam* bébé *(m)*.

nenúfar *nm* nénuphar *(m)*.

neocelandés, esa = **neozelandés**.

neoclasicismo *nm* néoclassicisme *(m)*.

neolítico, ca *adj* néolithique. ◼ **neolítico** *nm* néolithique *(m)*.

neologismo *nm* néologisme *(m)*.

neón *nm* néon *(m)*.

neopreno® *nm* Néoprène® *(m)*.

neoyorquino, na ◼ *adj* new-yorkais(e). ◼ *nm, f* New-Yorkais *(m)*, -e *(f)*.

neozelandés, esa, neocelandés, esa ◼ *adj* néo-zélandais(e). ◼ *nm, f* Néo-Zélandais *(m)*, -e *(f)*.

Nepal *npr* ∘ **el Nepal** le Népal.

nervio *nm* **1.** *(gén* & ANAT*)* nerf *(m)* ∘ **hacer algo con nervio** faire qqch avec énergie ∘ **tener nervio** avoir du nerf **2.** BOT & ARCHIT nervure *(f)*. ◼ **nervios** *nmpl (nervosité)* nerfs *(mpl)* ∘ **tener** **nervios** être nerveux(euse) ∘ **tener un ataque de nervios** avoir une crise de nerfs ∘ **poner los nervios de punta** taper sur les nerfs ∘ **tener los nervios de punta** avoir les nerfs à vif.

nerviosismo *nm* nervosité *(f)*.

nervioso, sa *adj* **1.** *(gén* & ANAT*)* nerveux(euse) **2.** énervé(e) ∘ **ponerse nervioso** s'énerver.

nervudo, da *adj (cou, mains)* nerveux(euse).

neto, ta *adj* net(nette).

neumático, ca *adj* **1.** pneumatique **2.** *(chambre)* à air. ◼ **neumático** *nm* pneu *(m)*.

neumonía *nf* pneumonie *(f)*.

neurálgico, ca *adj* névralgique.

neurastenia *nf* neurasthénie *(f)*.

neurología *nf* neurologie *(f)*.

neurólogo, ga *nm, f* neurologue *(mf)*.

neurona *nf* neurone *(m)*.

neurosis *nf inv* névrose *(f)*.

neurótico, ca ◼ *adj* **1.** *(troubles, comportement)* névrotique **2.** *(personne)* névrosé(e). ◼ *nm, f* névrosé *(m)*, -e *(f)*.

neutral ◼ *adj* neutre. ◼ *nm, f* ∘ **los neutrales** les pays neutres.

neutralidad *nf* neutralité *(f)*.

neutralizar *vt* neutraliser.

neutro, tra *adj* neutre.

neutrón *nm* neutron *(m)*.

nevado, da *adj* enneigé(e). ◼ **nevada** *nf* chute *(f)* de neige.

nevar *v impers* neiger.

nevera *nf* **1.** réfrigérateur *(m)* **2.** glacière *(f)*.

nevisca *nf* légère chute *(f)* de neige.

nexo *nm (rapport)* lien *(m)*.

ni ◼ *conj* ni ∘ **ni... ni...** ni... ni... ∘ **ni de día ni de noche** ni le jour ni la nuit ∘ **no canto ni bailo** je ne chante pas et ne danse pas non plus ∘ **ni uno ni otro** ni l'un ni l'autre ∘ **ni un/una...** même pas un/une... ∘ **no comió ni una manzana** il n'a même pas mangé une pomme ∘ **no dijo ni una palabra** il n'a pas dit un traître mot ∘ **ni que...** comme si... ∘ **¡ni que lo conocieras!** comme si tu le connaissais ! ∘ **¡ni pensarlo!, ¡ni hablar!** pas question ! ◼ *adv* même ∘ **ni tiene tiempo para comer** il n'a même pas le temps de manger ∘ **no quiero ni pensarlo** je ne veux même pas y penser.

Nicaragua *npr* Nicaragua *(m)*.

nicaragüense ◼ *adj* nicaraguayen(enne). ◼ *nmf* Nicaraguayen *(m)*, -enne *(f)*.

nicho *nm* niche *(f) (dans un mur)*.

nicky = **niqui**.

nicotina *nf* nicotine *(f)*.

nido *nm* nid *(m)*.

niebla *nf* *litt* & *fig* brouillard *(m)*.

nieto, ta *nm, f* petit-fils *(m)*, petite-fille *(f)*. ◼ **nietos** *nmpl* petits-enfants *(mpl)*.

nieve *nf* neige *(f)*. ◼ **nieves** *nfpl* chutes *(fpl)* de neige.

NIF (*abr de* **número de identificación fiscal**) *nm* numéro d'identification attribué à toute personne physique en Espagne.

night-club ['naitklub] (*pl* **night-clubs**) *nm* night-club (*m*).

Nilo *npr* ▪ **el Nilo** le Nil.

nilón = **nailon**.

Nimes *npr* Nîmes ▪ **de Nimes** nîmois(e).

nimiedad *nf* **1.** insignifiance (*f*) **2.** vétille (*f*).

nimio, mia *adj* insignifiant(e).

ninfa *nf* nymphe (*f*).

ninfómana *adj* & *nf* nymphomane.

ninguno, na ◻ *adj* (*devant un nom masculin :* **ningún**) **1.** aucun(e) ▪ **en ningún lugar** nulle part ▪ **ningún libro** aucun livre ▪ **ninguna mujer** aucune femme ▪ **no tiene ningunas ganas de estudiar** il n'a aucune envie de travailler ▪ **no tiene ninguna gracia** ce n'est pas drôle du tout **2.** (*valeur emphatique*) ▪ **no es ningún especialista** ce n'est vraiment pas un spécialiste. ◻ *pron* ▪ **ninguno (de)** aucun (de) ▪ **ninguno funciona** aucun ne marche ▪ **no vino ninguno** personne n'est venu ▪ **ninguno de ellos lo vio** aucun d'eux ne l'a vu ▪ **ninguna de las calles** aucune des rues.

niña *nf* ⟹ **niño**.

niñería *nf* enfantillage (*m*).

niñero, ra *adj* ▪ **es muy niñero** il aime beaucoup les enfants. ◼ **niñera** *nf* nourrice (*f*).

niñez *nf* **1.** enfance (*f*) **2.** *fig* enfantillage (*m*).

niño, ña ◻ *adj* (*enfant*) petit(e) ▪ **ser muy niño** être très jeune. ◻ *nm, f* **1.** enfant (*mf*), petit garçon (*m*), petite fille (*f*) **2.** bébé (*m*) ▪ **de niño** quand j'étais petit ▪ **los niños** les enfants ▪ **niño bien** enfant de bonne famille ▪ **niño bonito** *fig* chouchou (*m*) ▪ **niño prodigio** enfant prodige ▪ **estar como un niño con zapatos nuevos** être heureux comme un roi ▪ **si no escribes a máquina, ¿qué ordenador ni qué niño muerto te voy a regalar?** tu ne sais même pas taper à la machine, comment veux-tu que je t'offre un ordinateur ? **3.** (*jeune*) gamin (*m*), -e (*f*). ◼ **niña** *nf* pupille (*f*) ▪ **la niña de sus ojos** *fig* la prunelle de ses yeux.

nipón, ona ◻ *adj* nippon(onne). ◻ *nm, f* Nippon (*m*), -onne (*f*).

níquel *nm* nickel (*m*).

niquelar *vt* nickeler.

niqui, nicky *nm* tee-shirt (*m*).

níspero *nm* **1.** nèfle (*f*) **2.** néflier (*m*).

nitidez *nf* netteté (*f*).

nítido, da *adj* **1.** net(nette) **2.** (*eau, explication*) clair(e).

nitrato *nm* nitrate (*m*).

nitrógeno *nm* azote (*m*).

nivel *nm* niveau (*m*) ▪ **a nivel europeo** au niveau européen ▪ **al nivel de** à la hauteur de ▪ **al nivel del mar** au niveau de la mer ▪ **nivel de vida** niveau de vie.

nivelación *nf* nivellement (*m*).

nivelar *vt* **1.** niveler **2.** (*balance*) équilibrer.

Niza *npr* Nice.

no ◻ *nm* (*pl* **noes**) non (*m*) ▪ **un no rotundo** un non catégorique. ◻ *adv* **1.** non ▪ **¿te gusta? no** ça te plaît ? non ▪ **estás de acuerdo ¿no?** tu es d'accord, non ? **2.** (*à la forme négative*) ne... pas ▪ **no tengo hambre** je n'ai pas faim ▪ **no vienes?** tu ne viens pas ? ▪ **creo que no** je ne crois pas ▪ **no quiero nada** je ne veux rien ▪ **no hemos visto a nadie** nous n'avons vu personne ▪ **no fumadores** non-fumeurs ▪ **¿por qué no?** pourquoi pas ? ▪ **todavía no** pas encore ▪ **¡a que no te atreves!** je parie que tu ne le fais pas ! ▪ **¡cómo no!** bien sûr ! ▪ **no sólo... sino que** non seulement... mais... ▪ **no sólo se equivoca, sino que encima es testarudo** non seulement il a tort mais en plus il s'entête ▪ **¡pues no!, ¡que no!, ¡eso sí que no!** certainement pas !

nobiliario, ria *adj* nobiliaire.

noble *adj* & *nmf* noble.

nobleza *nf* noblesse (*f*).

noche *nf* **1.** nuit (*f*) **2.** soir (*m*) ▪ **esta noche ceno en casa** ce soir je dîne à la maison ▪ **de noche** la nuit ▪ (*travail*) de nuit ▪ **es de noche** il fait nuit ▪ **hacer noche en** passer la nuit à ▪ **por la noche** la nuit ▪ **ayer por la noche** hier soir ▪ **se ha hecho de noche** la nuit est tombée ▪ **de la noche a la mañana** du jour au lendemain. ◼ **buenas noches** *interj* ▪ **¡buenas noches!** (*pour prendre congé*) bonne nuit ! ▪ (*en arrivant, pour saluer*) bonsoir !

Nochebuena *nf* nuit (*f*) de Noël.

nochero *nm* (*Amér*) **1.** veilleur (*m*) de nuit **2.** table (*f*) de nuit.

Nochevieja *nf* nuit (*f*) de la Saint-Sylvestre.

noción *nf* notion (*f*). ◼ **nociones** *nfpl* ▪ **tener nociones de...** avoir des notions de...

nocivo, va *adj* nocif(ive).

noctámbulo, la *adj* & *nm, f* noctambule.

nocturno, na *adj* **1.** nocturne **2.** (*cours*) du soir **3.** (*train, travail, etc*) de nuit.

nodriza *nf* nourrice (*f*) ▪ ⟹ **avión**.

nogal *nm* noyer (*m*).

nómada *adj* & *nmf* nomade.

nombramiento *nm* nomination (*f*).

nombrar *vt* nommer.

nombre *nm* **1.** nom (*m*) ▪ **en nombre de** au nom de ▪ **nombre artístico** (*d'un artiste*) nom de scène ▪ (*d'un écrivain*) nom de plume ▪ **nombre completo, nombre y apellido** noms et prénoms ▪ **nombre de soltera** nom de jeune fille **2.** (*devant le nom*) ▪ **nombre (de pila)** prénom (*m*) **3.** *fig* renom (*m*).

À PROPOS DE...

nombre

Nombre est un faux-ami, il signifie « prénom ».

nomenclatura *nf* nomenclature (f).

nómina *nf* **1.** liste (f) du personnel • **estar en nómina** faire partie du personnel **2.** feuille (f) de paie **3.** paie (f).

nominal *adj* nominal(e).

nominar *vt* nommer.

nomo = gnomo

non ◼ *adj* impair(e). ◼ *nm* nombre (m) impair. ◼ **nones** *nmpl* • **decir que nones** dire que non.

nonagésimo, ma *adj num* quatre-vingt-dixième.

nordeste, noreste *adj & nm* nord-est.

nórdico, ca ◼ *adj* **1.** nord **2.** (scandinave) nordique. ◼ *nm, f* Nordique (mf).

noreste = **nordeste**.

noria *nf* **1.** noria (f) **2.** grande roue (f).

norma *nf* **1.** règle (f) • **norma de conducta** ligne (f) de conduite **2.** norme (f) (industrielle).

normal *adj* **1.** normal(e) **2.** (essence) ordinaire.

normalidad *nf* normalité (f) • **volver a la normalidad** revenir à la normale.

normalizar *vt* normaliser. ◼ **normalizarse** *vp* redevenir normal(e).

Normandía *npr* Normandie (f).

normando, da ◼ *adj* normand(e). ◼ *nm, f* Normand (m), -e (f). ◼ **normando** *nm* normand (m).

normativo, va *adj* normatif(ive). ◼ **normativa** *nf* réglementation (f).

noroeste *adj & nm* nord-ouest.

norte ◼ *nm* nord (m inv) • **el norte de Europa** le nord de l'Europe. ◼ *adj* (zone, frontière) nord (inv). ◼ **Norte** *nm* • **el Norte** le Nord.

Norteamérica *npr* Amérique (f) (du Nord).

norteamericano, na ◼ *adj* nord-américain(e), américain(e). ◼ *nm, f* Américain (m), -e (f).

Noruega *npr* Norvège (f).

noruego, ga ◼ *adj* norvégien(enne). ◼ *nm, f* Norvégien (m), -enne (f). ◼ **noruego** *nm* norvégien (m).

nos *pron pers* nous • **viene a vernos** il vient nous voir • **nos lo dio** il nous l'a donné • **vistámonos** habillons-nous • **nos queremos** nous nous aimons.

nosotros, tras *pron pers* nous • **nosotros mismos** nous-mêmes • **entre nosotros** entre nous.

nostalgia *nf* nostalgie (f).

nota *nf* (gén & MÚS) note (f) • **sacar buenas notas** avoir de bonnes notes • **tomar nota de algo** prendre note de qqch • **dar la nota** se faire remarquer.

notable ◼ *adj* **1.** remarquable **2.** (considérable) notable. ◼ *nm* **1.** SCOL mention (f) bien **2.** (gén pl) (personne) notable (m).

notar *vt* **1.** remarquer **2.** sentir, trouver • **la noto molesta** je la sens gênée • **notar calor/frío** trouver qu'il fait chaud/froid. ◼ **notarse** *vp* se voir.

notaría *nf* **1.** notariat (m) **2.** étude (f) (de notaire).

notario, ria *nm, f* notaire (m).

noticia *nf* nouvelle (f). ◼ **noticias** *nfpl* • **las noticias** les informations.

notificación *nf* notification (f).

notificar *vt* notifier.

notoriedad *nf* notoriété (f).

notorio, ria *adj* notoire.

nov., nov, novbre., novbre (abr écrite de **noviembre**) nov. • **17 nov. 1994** 17 nov. 1994.

novatada *nf* **1.** bizutage (m) **2.** erreur (f) de débutant • **pagar la novatada** faire les frais de son inexpérience.

novato, ta *adj & nm, f* débutant(e).

novecientos, tas *adj num* neuf cents. • *voir aussi* **seiscientos**

novedad *nf* **1.** nouveauté (f) **2.** nouveau (m) • **sin novedad** rien de nouveau. ◼ **novedades** *nfpl* COMM nouveautés (fpl).

novel *adj* débutant(e).

novela *nf* roman (m) • **novela policíaca** roman policier.

novelar *vt* romancer.

novelesco, ca *adj* romanesque.

novelista *nmf* romancier (m), -ère (f).

noveno, na *adj num* neuvième. • *voir aussi* **sexto**

noventa *adj num inv & nm inv* quatre-vingt-dix. • *voir aussi* **sesenta**

noviazgo *nm* fiançailles (fpl).

noviembre *nm* novembre *(m)*. ► *voir aussi* septiembre

novillada *nf* course de jeunes taureaux.

novillo, lla *nm, f* jeune taureau *(m)*, génisse *(f)* ► **hacer novillos** *fam fig* faire l'école buissonnière.

novio, via *nm, f* **1.** (petit) copain *(m)*, (petite) copine *(f)* **2.** fiancé *(m)*, -e *(f)* **3.** jeune marié *(m)*, jeune mariée *(f)* ► **los novios** les mariés.

nubarrón *nm* gros nuage *(m)*.

nube *nf* **1.** *(ciel)* nuage *(m)* **2.** *fig* nuée *(f)* ► **estar en las nubes** être dans les nuages ► **poner algo/a alguien por las nubes** porter qqch/qqn aux nues ► **vivir en las nubes** ne pas avoir les pieds sur terre.

nublado, da *adj* **1.** nuageux(euse) **2.** *fig (regard)* brouillé(e).

nublar *vt* **1.** *(ciel)* assombrir **2.** *fig (esprit)* obscurcir. ■ **nublarse** *vp* **1.** *(temps)* se couvrir **2.** *(yeux)* se voiler **3.** *fig (personne)* ► **se le nubló la razón** il a perdu son sang-froid.

nuca *nf* nuque *(f)*.

nuclear *adj* nucléaire.

núcleo *nm* noyau *(m)*.

nudillo *nm* jointure *(f) (des doigts)*.

nudismo *nm* nudisme *(m)*.

nudo *nm* **1.** nœud *(m)* ► **hacérsele a alguien un nudo en la garganta** avoir la gorge nouée **2.** *fig* lien *(m) (d'amitié)*.

nudoso, sa *adj* noueux(euse).

nuera *nf* belle-fille *(f)*.

nuestro, tra ◼ *adj poss* notre ► **nuestro padre** notre père ► **nuestros libros** nos livres ► **este libro es nuestro** ce livre est à nous ► **un amigo nuestro** un de nos amis ► **no es asunto nuestro** ça ne nous regarde pas ► **no es culpa nuestra** ce n'est pas (de) notre faute. ◼ *pron poss* ► **el nuestro** le nôtre ► **la nuestra** la nôtre ► **ésta es la nuestra** *fam* à nous de jouer ► **lo nuestro es el teatro** *fam* notre truc c'est le théâtre ► **los nuestros** *(notre famille)* les nôtres.

nueva *nf* ▷ **nuevo**.

Nueva Caledonia *npr* Nouvelle-Calédonie *(f)*.

Nueva Orleans *npr* Nouvelle-Orléans *(f)*.

Nueva York *npr* New York.

Nueva Zelanda *npr* Nouvelle-Zélande *(f)*.

nueve *adj num inv* & *nm inv* neuf. ► *voir aussi* seis

nuevo, va ◼ *adj* **1.** nouveau(elle) ► **el año nuevo** le nouvel an **2.** neuf(neuve). ◼ *nm, f* nouveau *(m)*, -elle *(f)*. ■ **buena nueva** *nf* bonne nouvelle *(f)*. ■ **de nuevo** *loc adv* de *ou* à nouveau.

nuez *nf* **1.** noix *(f)* **2.** pomme *(f)* d'Adam. ■ **nuez moscada** *nf* noix *(f)* (de) muscade.

nulidad *nf* nullité *(f)*.

nulo, la *adj* nul(nulle) ► **es nulo para la música** il est nul en musique.

núm. *(abr écrite de número)* n°.

numeración *nf* **1.** numérotation *(f)* **2.** chiffres *(mpl)*, numération *(f)*.

numeral *adj* numéral(e).

numerar *vt* **1.** numéroter **2.** compter. ■ **numerarse** *vp (personnes)* se compter.

numérico, ca *adj* numérique.

número *nm* **1.** *(quantité, MATH & GRAMM)* nombre *(m)* ► **un gran número de...** un grand nombre de... **2.** *(dans une série, un spectacle & PRESSE)* numéro *(m)* ► **número de matrícula** numéro d'immatriculation ► **número de teléfono** numéro de téléphone **3.** chiffre *(m)* ► **número redondo** chiffre rond **4.** *(taille* taille *(f) (d'un vêtement)* ► pointure *(f) (de chaussures)* **5.** billet *(m) (de loterie)* **6.** MIL membre *(m) (de la garde civile, etc)* ► **en números rojos** en rouge, à découvert ► **hacer números** faire les comptes ► **montar el número** faire son numéro.

numerología *nf* numérologie *(f)*.

numeroso, sa *adj* nombreux(euse).

nunca *adv* jamais ► **nunca me hablas** tu ne me parles jamais ► **no llama nunca** il n'appelle jamais ► **nunca jamás** *ou* **más** jamais plus.

nuncio *nm* nonce *(m)*.

nupcial *adj* nuptial(e).

nupcias *nfpl* noces *(fpl)*.

nurse ['nurs] *nf* nurse *(f)*.

nutria *nf* loutre *(f)*.

nutrición *nf* nutrition *(f)*.

nutrido, da *adj* **1.** nourri(e) **2.** *fig* nombreux (euse) ► **nutrido de** truffé de.

nutrir *vt* ► **nutrir (de** *ou* **con)** nourrir (de) ► **nutrir (de)** *fig* alimenter (en) *(eau, etc)*. ■ **nutrirse** *vp* ► **nutrirse de** *ou* **con** se nourrir de ► **nutrirse de** *ou* **con** *fig* se fournir en.

nutritivo, va *adj* nutritif(ive).

nylon® = **nailon**.

ñ, Ñ [eɲe] *nf* ñ *(m inv)*, Ñ *(m inv)* (lettre de l'alphabet espagnol).

ñoñería, ñoñez *nf* niaiserie *(f)*.

ñoño, ña *adj* **1.** *(personne)* timoré(e) **2.** *(fade style)* mièvre ► *(- apparence)* cucul.

ñudo *(Amér)* ■ **al ñudo** *loc adv fam* en vain.

o¹ (pl **oes**), **O** [o] nf o (m inv), O (m inv).

o² conj (le **o** se transforme en **u** devant les mots commençant par un **o** ou un **ho**) ou • **rojo o verde** rouge ou vert • **25 o 30** 25 ou 30 • **uno u otro** l'un ou l'autre • **10 ó 30** 10 ou 30. ■ **o sea (que)** loc conj autrement dit.

o/ abrév de **orden**.

oasis nm inv litt & fig oasis (f).

obcecar vt aveugler. ■ **obcecarse** vp • **obcecarse en** s'obstiner à • **obcecarse con** ou **por** être aveuglé(e) par.

obedecer ◼ vt obéir à. ◼ vi obéir • **calla y obedece** tais-toi et obéis • **obedecer a** être dû(due) à.

obediencia nf obéissance (f).

obediente adj obéissant(e).

obertura nf MUS ouverture (f).

obesidad nf obésité (f).

obeso, sa adj & nm, f obèse.

obispo nm évêque (m).

objeción nf objection (f) • **objeción de conciencia** objection de conscience.

objetar ◼ vt objecter • **si no tiene nada que objetar** si vous n'y voyez pas d'inconvénient, ◼ vi être objecteur de conscience.

objetividad nf objectivité (f).

objetivo, va adj objectif(ive). ■ **objetivo** nm objectif (m).

objeto nm objet (m) • **ser objeto de** faire l'objet de. ■ **objetos perdidos** nmpl objets (mpl) trouvés.

objetor, ra nm, f • **objetor (de conciencia)** objecteur (m) de conscience • **fue el único objetor a mi solicitud** c'est le seul qui se soit opposé à ma demande.

oblicuo, cua adj oblique.

obligación nf (gén & COMM) obligation (f).

obligado, da adj obligatoire • **es obligado llevar corbata** le port de la cravate est obligatoire.

obligar vt • **obligar a alguien a hacer algo** obliger qqn à faire qqch. ■ **obligarse** vp • **obligarse a hacer algo** s'engager à faire qqch.

obligatorio, ria adj obligatoire.

oboe ◼ nm hautbois (m). ◼ nmf hautboïste (mf).

obra nf 1. œuvre (f) • **obra de arte** œuvre d'art • **obra de caridad** œuvre de charité • **obra de consulta** ouvrage (m) de référence • **obra de teatro** pièce (f) de théâtre • **obras completas** œuvres complètes • **obra maestra** chef-d'œuvre (m) • **por obra de, por obra y gracia de** grâce à • **por obra y gracia del Espíritu Santo** par l'opération du Saint-Esprit 2. chantier (m) 3. travaux (mpl) • **obras públicas** travaux publics.

obrar vi 1. agir 2. (être en possession de) • **el documento obra en poder del notario** le notaire est en possession du document.

obrero, ra adj & nm, f ouvrier(ère).

obscenidad nf obscénité (f).

obsceno, na adj obscène.

obscurecer = oscurecer.

obscuridad = oscuridad.

obscuro = oscuro.

obsequiar vt offrir • **obsequiar a alguien con algo** offrir qqch à qqn.

obsequio nm cadeau (m).

observación nf 1. observation (f) 2. remarque (f).

observador, ra adj & nm, f observateur(trice).

observancia nf observance (f).

observar vt 1. observer 2. remarquer • **se observa una cierta mejora** on observe une légère amélioration.

observatorio nm observatoire (m).

obsesión nf obsession (f).

obsesionar vt obséder. ■ **obsesionarse** vp • **obsesionarse con** être obsédé(e) par.

obsesivo, va adj obsédant(e), obsessionnel (elle).

obseso, sa adj & nm, f obsédé(e).

obstaculizar vt 1. gêner 2. fig faire obstacle à.

obstáculo nm obstacle (m).

obstante ■ **no obstante** loc adv néanmoins.

obstetricia nf obstétrique (f).

obstinado, da adj obstiné(e).

obstinarse vp s'obstiner • **obstinarse en** s'obstiner (dans) (une idée, etc) • **obstinarse en hacer algo** s'obstiner à faire qqch.

obstrucción nf obstruction (f).

obstruir vt 1. obstruer 2. fig empêcher. ■ **obstruirse** vp s'obstruer, se boucher.

obtener vt obtenir. ■ **obtenerse** vp s'obtenir.

obturar vt obturer.

obtuso, sa ◼ adj 1. obtus(e) 2. émoussé(e). ◼ nm, f fig • **es un obtuso** il est obtus.

obús (pl **obuses**) nm 1. obusier (m) 2. obus (m).

obviar vt 1. parer à (un inconvénient, un problème) 2. contourner (une difficulté, un obstacle).

obvio, via adj évident(e).

oca nf 1. oie (f) 2. jeu (m) de l'oie.

ocasión *nf* occasion *(f)* • **con ocasión de** à l'occasion de • **de ocasión** d'occasion • **en alguna** *ou* **cierta ocasión** une fois • **en algunas ocasiones** parfois.

ocasional *adj* occasionnel(elle).

ocasionar *vt* causer.

ocaso *nm* **1.** crépuscule *(m)* **2.** fig déclin *(m)*.

occidental ◼ *adj* occidental(e). ◼ *nmf* Occidental *(m)*, -e *(f)*.

occidente *nm* occident *(m)* • **el sol se pone por occidente** le soleil se couche à l'ouest. ◼ **Occidente** *nm* • **(el) Occidente** (l')Occident *(m)*.

OCDE *(abr de* **Organización para la Cooperación y el Desarrollo Económico***) nf* OCDE *(f)*.

Oceanía *npr* Océanie *(f)*.

oceánico, ca *adj* **1.** *(de l'océan)* océanique **2.** *(d'Océanie)* océanien(enne).

océano *nm* océan *(m)* • **el océano (Glacial) Antártico** l'océan Antarctique • **el océano Atlántico** l'océan Atlantique • **el océano (Glacial) Ártico** l'océan Arctique • **el océano Índico** l'océan Indien • **el océano Pacífico** l'océan Pacifique.

ochenta ◼ *adj num inv* quatre-vingts • **ochenta hombres** quatre-vingts hommes • **ochenta y dos** quatre-vingt-deux • **página ochenta** page quatre-vingt. ◼ *nm inv* quatre-vingts *(m inv)*.• *voir aussi* **sesenta**

ocho *adj num inv & nm inv* huit.• *voir aussi* **seis**

ochocientos, tas *adj num* huit cents.• *voir aussi* **seiscientos**

ocio *nm* loisirs *(mpl)* • **el tiempo de ocio** le temps libre.

ocioso, sa *adj* **1.** oisif(ive) **2.** *(inutile)* oiseux(euse) • **el miércoles es un día ocioso** le mercredi, repos.

oclusión *nf* occlusion *(f)*.

ocre ◼ *nm* **1.** *(couleur)* ocre *(m)* **2.** *(minéral)* ocre *(f)*. ◼ *adj inv (couleur)* ocre.

oct., oct *(abr écrite de* **octubre***)* oct. • **12 oct. 1992** 12 oct. 1992.

octágono, na *adj* octogonal(e). ◼ **octágono** *nm* octogone *(m)*.

octano *nm* octane *(m)*.

octava *nf* ▷ **octavo**.

octavilla *nf* **1.** tract *(m)* **2.** IMPR in-octavo *(m inv)*.

octavo, va *adj num* huitième.• *voir aussi* **sexto** ◼ **octavo** *nm* huitième *(m)* • **octavos de final** SPORT huitièmes de finale. ◼ **octava** *nf* MUS octave *(f)*.

octeto *nm* INFORM octet *(m)*.

octogenario, ria *adj & nm, f* octogénaire.

octubre *nm* octobre *(m)*.• *voir aussi* **septiembre**

ocular *adj* oculaire.

oculista *nmf* oculiste *(mf)*.

ocultar *vt* cacher. ◼ **ocultarse** *vp* se cacher.

ocultismo *nm* occultisme *(m)*.

oculto, ta *adj* **1.** caché(e) **2.** fig *(pouvoir, sciences)* occulte.

ocupación *nf* **1.** occupation *(f)* **2.** profession *(f)*.

ocupado, da *adj* occupé(e).

ocupante *adj & nmf* occupant(e).

ocupar *vt* **1.** occuper **2.** employer.

ocurrencia *nf* **1.** idée *(f)* **2.** trait *(m)* d'esprit.

ocurrente *adj (drôle)* spirituel(elle).

ocurrir *vi* arriver • **aquí ocurre algo extraño** il se passe quelque chose de bizarre ici • **¿qué te ocurre?** qu'est-ce qui t'arrive ? ◼ **ocurrirse** *vp (venir à l'esprit)* • **no se me ocurre ninguna solución** je ne vois aucune solution • **¡ni se te ocurra!** tu n'as pas intérêt ! • **¿se te ocurre algo?** tu as une idée ? • **se me ocurre que podríamos salir** et si on sortait ?

oda *nf* ode *(f)*.

odiar *vt* **1.** haïr **2.** détester *(un aliment)*.

odio *nm* haine *(f)* • **tener odio a algo/alguien** haïr qqch/qqn.

odioso, sa *adj* **1.** odieux(euse) **2.** *(endroit, temps)* détestable.

odisea *nf* **1.** odyssée *(f)* **2.** fig épopée *(f)*.

odontología *nf* odontologie *(f)*.

oeste ◼ *nm* **1.** *(zone)* ouest *(m inv)* • **el oeste de Europa** l'ouest de l'Europe **2.** vent *(m)* d'ouest. ◼ *adj* **1.** *(zone, frontière)* ouest *(inv)* **2.** *(vent)* d'ouest. ◼ **Oeste** *nm* • **el Oeste** l'Ouest.

ofender ◼ *vt* offenser. ◼ *vi* faire offense. ◼ **ofenderse** *vp* se vexer.

ofensa *nf* **1.** offense *(f)* **2.** DR outrage *(m)*.

ofensivo, va *adj* **1.** offensant(e) **2.** offensif(ive). ◼ **ofensiva** *nf* offensive *(f)*.

oferta *nf* **1.** *(gén & ÉCON)* offre *(f)* • **oferta pública de adquisición** offre publique d'achat • **ofertas de trabajo** offres d'emploi **2.** promotion *(f)* • **de** *ou* **en oferta** en promotion.

ofertar *vt* faire une promotion sur.

office ['ofis] *nm inv* office *(m) (d'une cuisine)*.

oficial, la *nm, f* apprenti *(m)* qualifié, apprentie *(f)* qualifiée. ◼ **oficial** ◼ *adj* officiel(elle) ◼ *nm* **1.** officier *(m)* **2.** *(fonctionnaire)* • **oficial (administrativo)** employé *(m)* (administratif).

oficialismo *nm (Amér)* soutien inconditionnel du parti au pouvoir.

oficiar ◼ *vt* célébrer *(une messe, une cérémonie)*. ◼ *vi* **1.** *(prêtre)* officier **2.** *(remplir la fonction de)* • **oficiar de** faire office de.

oficina *nf* bureau *(m)* • **oficina de empleo** agence *(f)* pour l'emploi, ≃ ANPE *(f)* • **oficina de turismo** office *(m)* du tourisme.

oficinista *nmf* employé *(m)*, -e *(f)* de bureau.

oficio *nm* **1.** métier *(m)* • **ser del oficio** être du métier • **no tener oficio ni beneficio** être un bon à rien **2.** RELIG office *(m)* **3.** fonction *(f)*.

oficioso, sa *adj* officieux(euse).

ofimática *nf* bureautique *(f)*.

ofrecer *vt* **1.** offrir **2.** donner *(une fête, une possibilité)* **3.** ouvrir *(des perspectives)* **4.** présenter *(une particularité, un aspect)*. ■ **ofrecerse** *vp* • **ofrecerse a** ou **para hacer algo** s'offrir pour faire qqch.

ofrecimiento *nm* offre *(f)* • **ofrecimiento de** ou **para** offre de.

ofrenda *nf* offrande *(f)*.

ofrendar *vt* • **ofrendar algo a alguien** faire offrande de qqch à qqn.

oftalmología *nf* ophtalmologie *(f)*.

ofuscar *vt litt* & *fig* aveugler. ■ **ofuscarse** *vp* se troubler • **ofuscarse con** être obnubilé(e) par.

ogro *nm* **1.** ogre *(m)* **2.** *fig* monstre *(m)*.

oh *interj* • **¡oh!** oh !

oída ■ **de oídas** *loc adv* par ouï-dire.

oído *nm* oreille *(f)* **2.** ouïe *(f)* • **aguzar el oído** tendre l'oreille • **de oído** d'oreille • **hacer oídos sordos** faire la sourde oreille • **prestar oídos a algo** prêter foi à qqch • **ser duro de oído** être dur d'oreille • **ser todo oídos** être tout ouïe • **tener (buen) oído** avoir de l'oreille • **tener mal oído, no tener oído** ne pas avoir d'oreille.

oír *vt* **1.** entendre **2.** écouter • **¡oiga, por favor!** votre attention s'il vous plaît ! • **¡oiga!** allô ! (qui est à l'appareil ?) • **¡oye!** *fam* écoute !

OIT *nf* **1.** *(abr de* **Organización Internacional del Trabajo)** OIT *(f)* **2.** *(abr de* **Oficina Internacional del Trabajo)** BIT *(m)*.

ojal *nm* boutonnière *(f)*.

ojalá *interj* **1.** *(expresa el deseo)* • **¡ojalá lo haga!** pourvu qu'il le fasse ! **2.** *(expresa el arrepentimiento)* • **¡ojalá estuviera aquí!** si seulement il était là !

ojeada *nf* coup *(m)* d'œil • **echar** ou **dar una ojeada (a)** jeter un coup d'œil (à).

ojear *vt* regarder.

ojera *nf (gén pl)* cerne *(m)* • **tener ojeras** avoir des cernes ou les yeux cernés.

ojeriza *nf fam* • **tener ojeriza a alguien** avoir une dent contre qqn.

ojeroso, sa *adj* • **estar ojeroso** avoir les yeux cernés.

ojete *nm* **1.** œillet *(m) (pour passer les lacets)* **2.** *vulg* trou *(m)* de balle.

ojo ▣ *nm* **1.** œil *(m)* **2.** chas *(m) (d'une aiguille)* **3.** trou *(m) (d'une serrure)* • **andar con (mucho) ojo** faire (bien) attention • **a ojo (de buen cubero)** *fam* au jugé • **a ojos vistas** à vue d'œil • **comerse con los ojos a alguien** *fam* dévorer qqn des yeux • **echar el ojo a alguien/algo** jeter son dévolu sur qqn/qqch • **en un abrir y cerrar de ojos** en un clin d'œil • **mirar** ou **ver con buenos/malos ojos** voir d'un bon/mauvais œil • **no pegar ojo** ne pas fermer l'œil • **ojos que no ven, corazón que no siente** loin des yeux, loin du cœur • **tener (buen) ojo** avoir le coup d'œil. ▣ *interj* • **¡ojo!** attention ! ■ **ojo de buey** *nm* œil-de-bœuf *(m)*.

OK [o'kei] *interj* • **¡OK!** OK !

okupa *nmf tfam* squatter *(m)*.

ola *nf* vague *(f)* • **la nueva ola** la nouvelle vague.

ole, olé *interj* • **¡ole!** olé !

oleada *nf litt* & *fig* vague *(f)*.

oleaje *nm* houle *(f)*.

óleo *nm* ART huile *(f)*.

oleoducto *nm* oléoduc *(m)*, pipeline *(m)*.

oler ▣ *vt* sentir. ▣ *vi* sentir • **huele bien/mal** ça sent bon/mauvais • **huele a lavanda/tabaco** ça sent la lavande/le tabac • **huele a mentira** ça sent le mensonge. ■ **olerse** *vp (sospechar)* • **olerse algo** flairer qqch.

olfatear *vt litt* & *fig* flairer.

olfato *nm* **1.** odorat *(m)* **2.** *fig* flair *(m)*.

oligarquía *nf* oligarchie *(f)*.

olimpiada, olimpíada *nf* olympiade *(f)* • **las olimpiadas** les JO *(mpl)*.

olímpicamente *adv fam* • **pasar olímpicamente de algo** se ficher royalement de qqch.

oliva *nf* olive *(f)*.

olivar *nm* oliveraie *(f)*.

olivo *nm* olivier *(m)*.

olla *nf* marmite *(f)* • **olla a presión** ou **exprés** autocuiseur *(m)*, Cocotte-Minute® *(f)* • **olla podrida** ragoût *(m)*.

olmo *nm* orme *(m)*.

olor *nm* odeur *(f)* • **olor a** odeur de.

oloroso, sa *adj* odorant(e). ■ **oloroso** *nm* grand cru de Jerez.

OLP *(abr de* **Organización para la Liberación de Palestina)** *nf* OLP *(f)*.

olvidadizo, za *adj* tête en l'air *(inv)*.

olvidar *vt* oublier. ■ **olvidarse** *vp* • **olvidarse (algo/de hacer algo)** oublier (qqch/de faire qqch).

olvido *nm* oubli *(m)* • **caer en el olvido** tomber dans l'oubli.

ombligo *nm* nombril *(m)*.

omisión *nf* omission *(f)*.

omitir *vt* omettre.

ómnibus *nm inv (autobús)* omnibus *(m)*.

omnipotente *adj* omnipotent(e) • **se cree omnipotente** il se croit tout-puissant.

omnipresente *adj* omniprésent(e).

omnívoro, ra *adj* & *nm, f* omnivore.

omoplato, omóplato *nm* omoplate *(f)*.

OMS *(abr de* **Organización Mundial de la Salud)** *nf* OMS *(f)*.

once *adj num inv* & *nm inv* onze.◦ *voir aussi* **seis**

ONCE *(abr de* **Organización Nacional de Ciegos Españoles)** *nf* association nationale espagnole d'aide aux aveugles et aux handicapés qui organise notamment une loterie ◦ **el sorteo de la ONCE** le tirage au sort de la ONCE.

onceavo, va *adj num* onzième ◦ **onceava parte** onzième *(m)*.◦ *voir aussi* **sexto**

onda *nf* **1.** PHYS & RADIO onde *(f)* ◦ **onda corta** ondes courtes ◦ **onda larga** grandes ondes ◦ **onda media** ondes moyennes **2.** ondulation *(f)* *(d'une chevelure, d'un tissu)*.

ondear *vi* ondoyer.

ondulación *nf* ondulation *(f)*.

ondulado, da *adj* ondulé(e).

ondular *vt* & *vi* onduler.

ONG *(pl* **ONGs)** *(abr de* **Organización No Gubernamental)** *nf* ONG *(f)*.

ónice, ónix *nm ou nf* onyx *(m)*.

ónix = **ónice**.

on-line [ɔnlajn] *adj inv* INFORM en ligne.

onomástico, ca *adj sout* onomastique. ■ **onomástica** *nf* **1.** *sout (jour du saint)* fête *(f)* **2.** onomastique *(f)*.

onomatopeya *nf* onomatopée *(f)*.

ONU *(abr de* **Organización de las Naciones Unidas)** *nf* ONU *(f)* ◦ **el Consejo de Seguridad de la ONU** le Conseil de sécurité de l'ONU.

onza *nf* **1.** *(unité de monnaie)* once *(f)* **2.** carré *(m)* *(de chocolat)*.

OPA *(abr de* **oferta pública de adquisición)** *nf* OPA *(f)*.

opaco, ca *adj* opaque.

ópalo *nm* opale *(f)*.

opción *nf* **1.** choix *(m)* **2.** *(droit)* ◦ **dar opción a algo** donner droit à qqch ◦ **tener opción a algo** avoir droit à qqch **3.** COMM option *(f)* ◦ **opción de compra/de venta** option d'achat/de vente.

opcional *adj* optionnel(elle), facultatif(ive) ◦ **la radio es opcional** la radio est en option.

OPEP *(abr de* **Organización de Países Exportadores de Petróleo)** *nf* OPEP *(f)*.

ópera *nf* opéra *(m)*.

operación *nf* opération *(f)* ◦ **operación retorno** *opération de régulation de la circulation routière en période de retour de vacances.*

operador, ra *nm, f* **1.** chirurgien *(m)*, -enne *(f)* **2.** *(d'une machine)* opérateur *(m)*, -trice *(f)* **3.** projectionniste *(mf)* ◦ **operador de cámara** opérateur *(m)* de prises de vues. ■ **operador turístico** *nm* tour-opérateur *(m)*.

operar ■ *vt* opérer ◦ **operar a alguien de algo** opérer qqn de qqch. ■ *vi* **1.** opérer **2.** COMM réaliser une opération **3.** MATH faire une opération. ■ **operarse** *vp* **1.** *(gén)* ◦ **operarse (de)** se faire opérer (de) **2.** *(se produire)* s'opérer.

operario, ria *nm, f* ouvrier *(m)*, -ère *(f)*.

operativo, va *adj* opérationnel(elle).

opereta *nf* opérette *(f)*.

opinar ■ *vt* penser. ■ *vi* donner son avis *ou* son opinion ◦ **opinar bien de** penser du bien de.

opinión *nf* **1.** opinion *(f)*, avis *(m)* ◦ **expresar** *ou* **dar su opinión** donner son avis *ou* son opinion ◦ **opinión pública** opinion publique **2.** réputation *(f)*.

opio *nm* opium *(m)*.

opíparo, ra *adj* copieux(euse) ◦ **una comida opípara** un festin.

oponente *nm, f* **1.** opposant *(m)*, -e *(f)* SPORT adversaire *(mf)*.

oponer *vt* opposer. ■ **oponerse** *vp* ◦ **oponerse (a)** s'opposer (à).

oporto *nm* porto *(m)*.

oportunidad *nf* **1.** occasion *(f)* ◦ **aprovechar la oportunidad** profiter de l'occasion **2.** opportunité *(f)* **3.** chance *(f)* ◦ **dar otra oportunidad** redonner une chance. ■ **oportunidades** *nfpl* COMM promotions *(fpl)*.

oportunismo *nm* opportunisme *(m)*.

oportunista *adj* & *nmf* opportuniste.

oportuno, na *adj* opportun(e) ◦ **es oportuno decírselo ahora** il convient de le lui dire maintenant.

oposición *nf* **1.** *(gén* & POLIT*)* opposition *(f)* **2.** *(obstacle)* résistance *(f)* **3.** *(gén pl)* concours *(m)* ◦ **oposición a cátedra** ≃ concours de recrutement de ◦ **oposición a cátedra** ≃ concours de l'agrégation.

opositor, ra *nm, f* candidat *(m)*, -e *(f)* *(à un concours)*.

opresión *nf* **1.** oppression *(f)* **2.** pression *(f)* *(d'un bouton)*.

opresivo, va *adj* oppressif(ive).

opresor, ra ■ *adj* oppresseur ◦ **una política opresora** une politique d'oppression. ■ *nm, f* oppresseur *(m)*.

oprimir *vt* **1.** presser **2.** opprimer **3.** *fig* oppresser.

optar *vi* ◦ **optar por algo** choisir qqch ◦ **optar por hacer algo** choisir de faire qqch ◦ **optar a** aspirer à.

optativo, va *adj* optionnel(elle).

óptico, ca ■ *adj* optique. ■ *nm, f* opticien *(m)*, -enne *(f)*. ■ **óptica** *nf* **1.** optique *(f)* **2.** *(magasin)* ◦ **en la óptica** chez l'opticien.

optimismo *nm* optimisme *(m)*.

optimista *adj* & *nmf* optimiste.

óptimo, ma ◨ *superl* = **bueno**. ◨ *adj* **1.** optimal(e) **2.** *(température)* optimum.

opuesto, ta *adj* opposé(e). ■ **opuesto** *pp* ▷ **oponer**.

opulencia *nf* opulence *(f)*.

opulento, ta *adj* opulent(e).

OPV *(abr écrite de* **oferta pública de valores)** OPV *(f)* ■ **lanzar una OPV** lancer une OPV ■ **realizar una OPV** réaliser une OPV.

oración *nf* **1.** prière *(f)* **2.** GRAMM proposition *(f)*.

oráculo *nm* oracle *(m)*.

orador, ra *nm, f* orateur *(m)*, -trice *(f)*.

oral ◨ *adj* oral(e). ◨ *nm* ▷ **examen**.

órale *interj (Amér) fam* ■ **¡órale!** *(pour exprimer son accord)* d'accord ! ■ *(pour encourager)* allez !

orangután *nm* orang-outan *(m)*.

orar *vi* prier.

oratorio, ria *adj* oratoire. ■ **oratoria** *nf* art *(m)* oratoire.

órbita *nf* **1.** orbite *(f)* **2.** *fig* sphère *(f)* d'influence.

orca *nf* orque *(f)*.

orden *(pl* **órdenes)** ◨ *nm* ordre *(m)* ■ **en orden** en ordre ■ **por orden** par ordre ■ **orden público** ordre public. ◨ *nf (mandat & RELIG)* ordre *(m)* ■ **¡a la orden!** MIL à vos ordres ! ■ **por orden de** par ordre de ■ **orden de arresto** mandat *(m)* d'arrêt ■ **estar a la orden del día** être monnaie courante. ■ **del orden de** *loc prép* de l'ordre de. ■ **orden del día** *nm* ordre *(m)* du jour.

ordenado, da *adj* ordonné(e).

ordenador *nm* ordinateur *(m)* ■ **ordenador personal** ordinateur personnel ■ **ordenador portátil** ordinateur portable.

ordenanza ◨ *nm* **1.** employé *(m)* de bureau **2.** MIL ordonnance *(f)*. ◨ *nf (gén pl)* règlement *(m)*

ordenar *vt* **1.** ranger **2.** ordonner *(des idées, des chiffres)* ■ **ordenar alfabéticamente** classer par ordre alphabétique **3.** *(mandater & RELIG)* ordonner. ■ **ordenarse** *vp* RELIG ■ **ordenarse sacerdote** être ordonné prêtre.

ordeñar *vt* traire.

ordinal *adj* ordinal(e).

ordinariez *nf* **1.** vulgarité *(f)* **2.** *(action, expression)* grossièreté *(f)*.

ordinario, ria ◨ *adj* **1.** ordinaire **2.** grossier (ère), vulgaire. ◨ *nm, f* ■ **ser un ordinario** être vulgaire.

orégano *nm* origan *(m)*.

oreja *nf* oreille *(f)* ■ **con las orejas gachas** la queue entre les jambes.

orejera *nf* oreillette *(f)*.

Orense *npr* Orense.

orfanato, orfelinato *nm* orphelinat *(m)*.

orfandad *nf* **1.** *(état)* ■ **estar en orfandad** être orphelin(e) **2.** orphelinat *(m)* **3.** *fig* désarroi *(m)*.

orfebre *nmf* orfèvre *(mf)*.

orfebrería *nf* orfèvrerie *(f)*.

orfelinato = **orfanato**.

orgánico, ca *adj* organique.

organigrama *nm* organigramme *(m)*.

organillo *nm* orgue *(m)* de Barbarie.

organismo *nm* organisme *(m)*.

organista *nmf* organiste *(mf)*.

organización *nf* organisation *(f)*.

organizar *vt* organiser. ■ **organizarse** *vp* s'organiser.

órgano *nm* **1.** organe *(m)* **2.** MUS orgue *(m)*.

orgasmo *nm* orgasme *(m)*.

orgía *nf* orgie *(f)*.

orgullo *nm* **1.** fierté *(f)* **2.** orgueil *(m)*

orgulloso, sa ◨ *adj* **1.** fier(fière) ■ **estar orgulloso de** être fier de **2.** orgueilleux(euse) ■ **estar orgulloso** ◨ *nm, f* orgueilleux *(m)*, -euse *(f)*.

orientación *nf* **1.** orientation *(f)* **2.** *fig (information)* indication *(f)*.

oriental ◨ *adj* oriental(e). ◨ *nmf* Oriental *(m)*, -e *(f)*.

orientar *vt* orienter. ■ **orientarse** *vp* s'orienter.

oriente *nm* orient *(m)*, est *(m)* ■ **el sol sale por oriente** le soleil se lève à l'est. ■ **Oriente** *npr* ■ **(el) Oriente** l'Orient *(m)* ■ **Oriente Medio** Moyen-Orient *(m)* ■ **Oriente Próximo** Proche-Orient *(m)* ■ **Lejano** ou **Extremo Oriente** Extrême-Orient *(m)*.

orificio *nm* orifice *(m)*.

orig. *(abr écrite de* **original)** orig.

origen *nm* origine *(f)* ■ **de origen español** d'origine espagnole.

original ◨ *adj* **1.** original(e) **2.** originel(elle) ■ **el pecado original** le péché originel. ◨ *nm* original *(m)*.

originalidad *nf* originalité *(f)*.

originar *vt* provoquer, être à l'origine de. ■ **originarse** *vp* **1.** *(incendie)* se déclarer **2.** *(tempête)* éclater.

originario, ria *adj* **1.** *(originaire)* ■ **ser originario de** être originaire de **2.** *(initial, primitif)* original(e).

orilla *nf* **1.** bord *(m)* **2.** lisière *(f)*.

orín *nm* rouille *(f)*. ■ **orines** *nmpl* urines *(fpl)*.

orina *nf* urine *(f)*.

orinal *nm* pot *(m)* de chambre.

orinar *vt & vi* uriner. ■ **orinarse** *vp* ■ **orinarse en la cama/encima** faire pipi au lit/dans sa culotte.

oriundo, da ◼ *adj* ▪ **oriundo de** originaire de. ◼ *nm, f* sportif dont l'un des parents est espagnol.

orla *nf* **1.** bordure *(f)* **2.** *(de cadre)* passe-partout *(m)* **3.** *tableau comportant les photos des étudiants et des professeurs d'une même promotion.*

ornamentación *nf* ornementation *(f)*.

ornamento *nm* ornement *(m)*.

ornar *vt* orner, ornementer.

ornitología *nf* ornithologie *(f)*.

ornitólogo, ga *nm, f* ornithologue *(mf)*.

oro *nm* or *(m)* ▪ **de oro** en or ▪ **un reloj de oro** une montre en or ▪ **un corazón de oro** un cœur d'or ▪ **un marido de oro** un mari en or ▪ **estar cargado de oro** *fig* être riche comme Crésus ▪ **hacerse de oro** faire fortune ▪ **prometer el oro y el moro** promettre monts et merveilles. ◼ **oros** *nmpl* l'une des quatre couleurs du jeu de cartes espagnol. ◼ **oro negro** *nm (pétrole)* or *(m)* noir.

orografía *nf* orographie *(f)*.

orquesta *nf* orchestre *(m)*.

orquestar *vt litt* & *fig* orchestrer.

orquestina *nf* orchestre *(m)* de danse.

orquídea *nf* orchidée *(f)*.

ortiga *nf* ortie *(f)*.

ortodoncia *nf* orthodontie *(f)*.

ortodoxia *nf* orthodoxie *(f)*.

ortodoxo, xa *adj* & *nm, f* orthodoxe.

ortografía *nf* orthographe *(f)*.

ortopedia *nf* orthopédie *(f)*.

ortopédico, ca *adj* orthopédique.

oruga *nf* ZOOL *(chaîne)* chenille *(f)*.

orujo *nm* marc *(m)* *(de raisin, d'olives)*.

orzuelo *nm* orgelet *(m)*.

os *pron pers* vous ▪ **viene a veros** il vient vous voir ▪ **os lo dio** il vous l'a donné ▪ **levantaos** levez-vous ▪ **no os peleéis** ne vous disputez pas.

osa *nf* ⊳ **oso**.

osadía *nf* audace *(f)*.

osado, da *adj* audacieux(euse).

osamenta *nf* **1.** ossature *(f)* **2.** ossements *(mpl)*.

osar *vi* oser.

oscilación *nf* **1.** oscillation *(f)* **2.** fluctuation *(f)* *(de la température)*.

oscilar *vi* osciller.

oscurecer, obscurecer ◼ *vt* **1.** obscurcir, assombrir **2.** *fig (esprit)* troubler **3.** *fig* faire de l'ombre à. ◼ *v impers* commencer à faire nuit. ◼ **oscurecerse, obscurecerse** *vp* s'obscurcir, s'assombrir.

oscuridad, obscuridad *nf* obscurité *(f)*.

oscuro, ra, obscuro, ra *adj* **1.** obscur(e) ▪ **a oscuras** dans le noir **2.** *(couleur)* foncé(e) **3.** *(ciel, avenir)* sombre.

óseo, a *adj* osseux(euse).

Oslo *npr* Oslo.

oso, osa *nm, f* ours *(m)*, ourse *(f)* ▪ **oso de felpa** OU **de peluche** ours en peluche ▪ **oso hormiguero** fourmilier *(m)* ▪ **(oso) panda** panda *(m)* ▪ **oso polar** ours polaire.

ostensible *adj* ostensible ▪ **hicieron ostensible su desacuerdo** ils ont manifesté leur désaccord.

ostentación *nf* ostentation *(f)*.

ostentar *vt* **1.** détenir *(un record)* **2.** porter *(un titre)* **3.** arborer.

ostentoso, sa *adj* somptueux(euse).

ostra *nf* huître *(f)* ▪ **aburrirse como una ostra** *fam fig* s'ennuyer comme un rat mort. ◼ **ostras** *interj fam* ▪ **¡ostras!** la vache !

OTAN *(abr de Organización del Tratado del Atlántico Norte)* *nf* OTAN *(f)* ▪ **las fuerzas de la OTAN** les forces de l'OTAN.

OTI *(abr de Organización de Televisiones Iberoamericanas)* *nf* association regroupant toutes les chaînes de télévision de langue espagnole.

otitis *nf inv* otite *(f)*.

otoñal *adj* automnal(e).

otoño *nm litt* & *fig* automne *(m)*.

otorgamiento *nm* **1.** octroi *(m)* *(d'un privilège)* **2.** attribution *(f)* *(d'un prix)* **3.** DR passation *(f)*.

otorgar *vt* **1.** octroyer *(un privilège)* **2.** attribuer *(un prix)* **3.** conférer *(des pouvoirs)* ▪ **otorgar su apoyo/el perdón** accorder son soutien/son pardon.

otorrino, na *nm, f fam* oto-rhino *(mf)*.

otorrinolaringología *nf* oto-rhino-laryngologie *(f)*.

otro, tra ◼ *adj* autre ▪ **otro chico** un autre garçon ▪ **la otra calle** l'autre rue ▪ **otros tres goles** trois autres buts ▪ **el otro día** l'autre jour. ◼ *pron* un autre, une autre ▪ **dame otro** donne-m'en un autre ▪ **el otro, la otra** l'autre ▪ **no fui yo, fue otro** ce n'était pas moi, c'était quelqu'un d'autre ▪ **otros habrían abandonado** d'autres auraient abandonné.

output ['autput] *(pl* **outputs)** *nm* INFORM sortie *(f)*.

ovación *nf* ovation *(f)*.

ovacionar *vt* ovationner, faire une ovation à.

oval *adj* ovale.

ovalado, da *adj* ovale.

ovario *nm* ovaire *(m)*.

oveja *nf* brebis *(f)*. ◼ **oveja negra** *nf* brebis *(f)* galeuse.

overbooking [oβer'βukiŋ] *nm* **1.** surréservation *(f)* **2.** surbooking *(m)* *(dans les avions)*.

Oviedo *npr* Oviedo.

ovillo *nm* pelote *(f)* ▪ **hacerse un ovillo** *fig* se pelotonner.

ovino, na ◼ *adj* ovin(e). ◼ *nm, f* ▪ **los ovinos** les ovins *(mpl)*.

ovíparo, ra *adj* & *nm, f* ovipare.

ovni ['ofni] *(abr de* **objeto volador no identificado)** *nm* ovni *(m)*.

ovulación *nf* ovulation *(f)*.

ovular[1] *adj* ovulaire.

ovular[2] *vi* ovuler.

óvulo *nm* ovule *(m)*.

oxidación *nf* oxydation *(f)*.

oxidar *vt* **1.** rouiller **2.** CHIM oxyder. ◼ **oxidarse** *vp* **1.** rouiller, se rouiller **2.** CHIM s'oxyder.

óxido *nm* **1.** CHIM oxyde *(m)* **2.** rouille *(f)*.

oxigenado, da *adj* **1.** oxygéné(e) **2.** *(cheveux)* décoloré(e).

oxigenar *vt* oxygéner. ◼ **oxigenarse** *vp* s'oxygéner.

oxígeno *nm* oxygène *(m)*.

oyente *nm, f* **1.** RADIO auditeur *(m)*, -trice *(f)* **2.** *(élève)* auditeur *(m)* libre.

ozono *nm* ozone *(m)*.

p, P [pe] *nf* p *(m inv)*, P *(m inv)*.

p. = **pág.**

Pº *abrév de* paseo.

pabellón *nm* pavillon *(m)*.

pacer *vi* paître.

pachá *(pl* **pachás** *OU* **pachaes)** *nm* pacha *(m)* ▪ **vivir como un pachá** *fam fig* vivre comme un pacha.

pachanga *nf fam* java *(f)*.

pacharán *nm (liqueur)* prunelle *(f)*.

pachorra *nf fam* ▪ **tener pachorra** être pépère.

pachucho, cha *adj fam* ▪ **estar pachucho** être mal fichu.

paciencia *nf* patience *(f)* ▪ **perder la paciencia** perdre patience.

paciente *adj* & *nmf* patient(e).

pacificación *nf* pacification *(f)*.

pacificar *vt* pacifier.

pacífico, ca *adj* **1.** pacifique **2.** paisible. ◼ **Pacífico** *npr* ▪ **el Pacífico** le Pacifique.

pacifismo *nm* pacifisme *(m)*.

pacifista *adj* & *nmf* pacifiste.

pack *(pl* **packs)** *nm* pack *(m)*.

paco, ca *nm, f (Amér) fam* flic *(m)*.

pacotilla *nf* pacotille *(f)* ▪ **de pacotilla** de pacotille.

pactar ◼ *vt* négocier. ◼ *vi* ▪ **pactar con el enemigo/el diablo** pactiser avec l'ennemi/le diable.

pacto *nm* pacte *(m)* ▪ **hacer/romper un pacto** conclure/rompre un pacte.

padecer ◼ *vt* **1.** souffrir de *(maladie, froid, etc)* **2.** subir *(une injustice, des abus)* **3.** ▪ **padecer un cáncer** souffrir d'un cancer ▪ **ha padecido un infarto** il a eu un infarctus **4.** supporter ▪ **padeció todas sus impertinencias** elle a supporté toutes ses impertinences. ◼ *vi* souffrir ▪ **padecer de** souffrir de *(maladie)*.

padecimiento *nm* souffrance *(f)*.

padrastro *nm* **1.** *(second mari de la mère)* beau-père *(m)* **2.** envies *(fpl) (autour des ongles)*.

padrazo *nm fam* papa *(m)* gâteau.

padre ◼ *nm* père *(m)* ▪ **de padre y muy señor mío** *fam* de tous les diables. ◼ *adj* **1.** *fam (grand)* terrible ▪ **un susto padre** une peur bleue **2.** *(Amér)* génial(e). ◼ **padres** *nmpl* **1.** parents *(mpl)* **2.** *(ancêtres)* pères *(mpl)*.

padrenuestro *nm* Notre Père *(m)*.

padrino *nm* **1.** parrain *(m)* **2.** témoin *(m) (d'un acte solennel)* **3.** *fig* protecteur *(m)* ◼ **padrinos** *nmpl* parrains *(mpl)*.

padrísimo *adj (Amér) fam* génial(e).

padrón *nm* **1.** recensement *(m)* **2.** registre *(m)* électoral.

padrote *nm (Amér) fam* maquereau *(m)*.

paella *nf* paella *(f)*.

paellera *nf* poêle *(f)* à paella.

pág. *(pl* **págs.)**, **p.** *(pl* **pp)** *(abr écrite de* **página)** p.

paga *nf* paie *(f)* ▪ **paga extra** *OU* **extraordinaria** ≃ treizième mois *(m)*.

pagadero, ra *adj* payable.

pagano, na ◼ *adj* païen(enne). ◼ *nm, f* **1.** païen *(m)*, -enne *(f)* **2.** *fam (payeur)* ▪ **siempre soy yo el pagano** *(factures, compte)* c'est toujours pour ma pomme ▪ *(fautes des autres)* c'est toujours moi le dindon de la farce.

pagar ◼ *vt* **1.** payer ▪ **pagar con su vida** payer de sa vie **2.** *fig* rendre, payer de retour ▪ **me las pagarás** *fam* tu me le paieras ▪ **el que la hace la paga** qui casse les verres les paie. ◼ *vi* payer. ◼ **pagarse** *vp* se payer ▪ **pagarse unas vacaciones** se payer des vacances.

pagaré *nm* billet *(m)* à ordre ▪ **pagaré del Tesoro** bon *(m)* du Trésor.

página *nf* page *(f)* • **las páginas amarillas** ≃ les pages jaunes • **página web** page Web.

pago *nm* **1.** paiement *(m)* • **de pago** payant(e) **2.** *fig (récompense)* • **¿éste es el pago que me das?** c'est comme ça que tu me remercies ? • **en pago de** en remerciement de. ■ **pagos** *nmpl (lieu)* • **por estos pagos** par ici.

pagoda *nf* pagode *(f)*.

paila *nf (Amér)* poêle *(f)* • **a la paila** *(œufs)* au plat.

paipai *(pl* **paipais)**, **paipay** *(pl* **paipays)** *nm* éventail *(m)* en palme.

país *nm* pays *(m)* • **países desarrollados/subdesarrollados** pays développés/sous-développés. ■ **países Bálticos** *nmpl* • **los países Bálticos** les pays Baltes *(mpl)*.

paisaje *nm* paysage *(m)*.

paisajista *adj & nmf* paysagiste.

paisano, na ■ *adj* du même pays. ■ *nm, f* compatriote *(mf)*. ■ **paisano** *nm* civil *(m)* • **de paisano** en civil.

Países Bajos *npr* • **los Países Bajos** les Pays-Bas *(mpl)*.

País Vasco *npr* • **el País Vasco** le Pays basque.

paja *nf* **1.** paille *(f)* **2.** *fig* remplissage *(m)* **3.** *vulg (masturbation)* • **hacerse una paja** se branler.

pajar *nm* grenier *(m)* à foin.

pájara *nf fig* garce *(f)*.

pajarería *nf* oisellerie *(f)* • **en la pajarería** chez l'oiselier.

pajarita *nf* **1.** nœud *(m)* papillon **2.** cocotte *(f)* en papier.

pájaro *nm* **1.** oiseau *(m)* • **pájaro bobo** manchot *(m)* • **pájaro carpintero** pivert *(m)* **2.** *fig* vieux renard *(m)*.

paje *nm* page *(m)*.

pajilla, pajita *nf* paille *(f) (pour boire)*.

Pakistán = **Paquistán.**

pala *nf* **1.** pelle *(f)* • **pala mecánica** *OU* **excavadora** pelle mécanique **2.** raquette *(f) (de pingpong)* **3.** pale *(f)* **4.** empeigne *(f)*.

palabra *nf* **1.** mot *(m)* • **de palabra** de vive voix • **tomar** *OU* **coger la palabra a alguien** prendre qqn au mot **2.** *(aptitude, droit, promesse)* parole *(f)* • **dar/quitar la palabra a alguien** donner/couper la parole à qqn • **no tener palabra** ne pas avoir de parole • **palabra de honor** parole d'honneur • **en una palabra** en un mot.

palabrería *nf* bavardage *(m)*.

palabrota *nf* gros mot *(m)*.

palacete *nm* **1.** petit palais *(m)* **2.** *(en ville)* hôtel *(m)* particulier.

palacio *nm* palais *(m)* • **palacio de congresos** palais des congrès.

palada *nf* **1.** pelletée *(f)* **2.** coup *(m)* de pelle **3.** tour *(m)* d'hélice **4.** coup *(m)* de rame.

paladar *nm* palais *(m)*.

paladear *vt* savourer.

palanca *nf* **1.** levier *(m)* • **palanca de cambio** levier (de changement de) vitesse(s) • **palanca de mando** manche *(m)* à balai **2.** plongeoir *(m)*.

palangana *nf* cuvette *(f)*.

palangre *nm* palangre *(f)*.

palco *nm* THÉÂTRE loge *(f)*.

Palencia *npr* Palencia.

paleografía *nf* paléographie *(f)*.

paleolítico, ca *adj* paléolithique. ■ **paleolítico** *nm* paléolithique *(m)*.

Palestina *npr* Palestine *(f)*.

palestino, na ■ *adj* palestinien(enne). ■ *nm, f* Palestinien *(m)*, -enne *(f)*.

paleta *nf* **1.** petite pelle *(f)* **2.** truelle *(f)* **3.** CULIN spatule *(f)* **4.** ART palette *(f)* **5.** pale *(f)*.

paletilla *nf* **1.** omoplate *(f)* **2.** CULIN épaule *(f) (d'agneau)* **3.** CULIN palette *(f) (de porc)*.

paleto, ta *adj & nm, f* plouc.

paliar *vt* **1.** apaiser *(la douleur, la peine)* **2.** pallier *(une erreur, un problème)*.

palidecer *vi* pâlir.

palidez *nf* pâleur *(f)*.

pálido, da *adj* pâle.

palillero *nm* porte-cure-dents *(m inv)*.

palillo *nm* **1.** *(pour les dents)* • **palillo (de dientes)** cure-dents *(m inv)* **2.** baguette *(f) (de tambour, pour manger du riz)* **3.** *fig (personne)* • **estar hecho un palillo** être maigre comme un clou.

palique *nm fam* causette *(f)* • **estar de palique** papoter • **tener palique** avoir la langue bien pendue.

paliza *nf fam* **1.** *(coups, défaite)* raclée *(f)* **2.** *fig (effort)* • **el viaje en coche fue una paliza** le voyage en voiture a été crevant **3.** *fig* plaie *(f)*.

palma *nf* **1.** paume *(f) (d'une main)* **2.** palmier *(m)* **3.** *(feuille, triomphe)* palme *(f)*. ■ **palmas** *nfpl* applaudissements *(mpl)* • **batir palmas** applaudir.

palmada *nf* **1.** tape *(f) (de la main)* **2.** applaudissement *(m)* • **dar palmadas** frapper dans ses mains.

Palma de Mallorca *npr* Palma (de Majorque).

palmar[1] *adj* palmaire. ■ *nm* palmeraie *(f)*.

palmar[2] *vt & vi fam* • **palmar(la)** crever *(mourir)*.

palmarés *nm* palmarès *(m)*.

palmear ■ *vt* **1.** *(représentation)* applaudir **2.** *(personne)* • **palmear en la espalda** donner des tapes amicales dans le dos de. ■ *vi* **1.** applaudi[r] **2.** battre des mains *(au flamenco)*.

palmera *nf* palmier *(m)*.

palmito *nm* **1.** palmier *(m)* nain **2.** CULIN cœur *(m)* de palmier **3.** *fam* fig minois *(m)* • **tener palmito** avoir du charme.

palmo *nm* empan *(m)* • **un palmo de** un bout de • **estamos a un palmo de casa** nous sommes à deux pas de la maison • **palmo a palmo** point par point, minutieusement • **dejar a alguien/quedarse con un palmo de narices** laisser qqn/rester le bec dans l'eau.

palmotear *vi* battre des mains.

palmoteo *nm* applaudissement *(m)*.

palo *nm* **1.** bâton *(m)* **2.** manche *(m)* *(d'un balai)* **3.** SPORT *(des buts)* poteau *(m)* • *(de golf)* club *(m)* **4.** *(matière & BOT)* bois *(m)* **5.** coup *(m)* *(de bâton)* **6.** *fam (déception)* • **dar un palo a alguien** décevoir qqn • *(critiquer)* descendre qqn • **llevarse un palo** se ramasser *(à un examen)* • *(avec quelqu'un)* se prendre une baffe **7.** mât *(m)* **8.** couleur *(f)* *(aux cartes)* **9.** jambage *(m)* *(d'une lettre)* **10.** *fam* fig galère *(f)* • **es un palo** c'est la galère • **a palo seco** *(boisson)* sec • *(aliment)* sans rien, tout seul(toute seule).

paloma *nf* ⟶ **palomo**.

palomar *nm* pigeonnier *(m)*

palomilla *nf* **1.** teigne *(f)* **2.** *(écrou)* papillon *(m)* **3.** ARCHIT équerre *(f)*.

palomita *nf* • **palomita (de maíz)** pop-corn *(m inv)*

palomo, ma *nm, f* pigeon *(m)*, pigeonne *(f)* • **paloma mensajera** pigeon voyageur. ■ **paloma** *nf* colombe *(f)*.

palote *nm* bâton *(m)* *(pour apprendre à écrire)*.

palpable *adj* litt & fig palpable.

palpar ■ *vt* **1.** palper **2.** fig sentir. ■ *vi* tâtonner.

palpitación *nf* palpitation *(f)*.

palpitante *adj* palpitant(e).

palpitar *vi* **1.** palpiter **2.** fig *(émotion, nervosité)* • **en sus palabras palpitaba su emoción** ses paroles trahissaient son émotion.

palta *nf* *(Amér) (fruit)* avocat *(m)*.

paludismo *nm* paludisme *(m)*.

palurdo, da *adj & nm, f fam* balourd(e).

pamela *nf* capeline *(f)*.

pampa *nf* pampa *(f)*.

Pampa *npr* • **la Pampa** la Pampa.

pamplina *nf (gén pl) fam* fig balivernes *(fpl)*, bêtises *(fpl)* • **no hace más que contar pamplinas** il ne raconte que des bêtises.

pan *nm* **1.** pain *(m)* • **pan de molde** *ou* **inglés** pain de mie • **pan integral** pain complet • **pan rallado** chapelure *(f)* **2.** feuille *(f)* *(d'or, d'argent)* • **a pan y agua** au pain sec et à l'eau • **contigo pan y cebolla** avec toi jusqu'au bout du monde • **es pan comido** c'est du gâteau • **estar a pan y agua de dinero** fig être à court d'argent • **estar a pan y cuchillo** être logé(e) et nourri(e) • **llamar al pan pan y al vino vino** appeler un chat un chat • **ser el pan nuestro de cada día** être monnaie courante • **ser más bueno que el pan** être la bonté même.

pana *nf* velours *(m)* côtelé.

panacea *nf* panacée *(f)*.

panadería *nf* boulangerie *(f)*.

panadero, ra *nm, f* boulanger *(m)*, -ère *(f)*.

panal *nm* rayon *(m)* *(d'une ruche)*.

Panamá *npr* Panama *(m)*.

panameño, ña ■ *adj* panaméen(enne). ■ *nm, f* Panaméen *(m)*, -enne *(f)*.

Panamericana *npr* • **la Panamericana** autoroute panaméricaine.

la Panamericana

La *Panamericana* est l'autoroute qui parcourt quasiment sans interruption les 48 000 km qui séparent l'Alaska de la Patagonie. L'un des tronçons inachevés correspond à la grande forêt pamaméenne de *Dorién*. La construction de la route à cet endroit est extrêmement controversée en raison de la déforestation qu'elle implique, celle-ci constituant une grave menace pour l'écosystème en général mais également pour les cultures des populations indigènes environnantes.

pancarta *nf* pancarte *(f)*.

panceta *nf* lard *(m)*, poitrine *(f)* de porc.

pancho, cha *adj fam* pépère, peinard(e) • **se quedó tan pancho** ça ne lui a fait ni chaud ni froid

páncreas *nm inv* pancréas *(m)*.

panda ■ *nm* ⟶ **oso**. ■ *nf* bande *(f)* *(d'amis)*.

pandereta *nf* tambour *(m)* de basque.

pandero *nm* **1.** tambour *(m)* de basque **2.** *fam* popotin *(m)*.

pandilla *nf* bande *(f)* *(d'amis)*.

panecillo *nm* petit pain *(m)*.

panegírico, ca *adj* • **un discurso panegírico** un panégyrique *(m)*. ■ **panegírico** *nm* panégyrique *(m)*.

panel *nm* panneau *(m)* • **panel de mandos** tableau de commandes.

panera *nf* corbeille *(f)* à pain.

pánfilo, la ■ *adj* niais(e). ■ *nm, f* idiot *(m)*, -e *(f)*.

panfleto *nm* **1.** pamphlet *(m)* **2.** *(propaganda)* tract *(m)*.

pánico *nm* panique *(f)*.

panificadora *nf* boulangerie *(f)* (industrielle).

panocha *nf* épi *(m)* *(de maïs)*.

panorama *nm* panorama *(m)*.

panorámico, ca adj panoramique. ■ **panorámica** nf **1.** vue (f) panoramique **2.** CINÉ panoramique (m).

pantaletas nfpl (Amér) culotte (f).

pantalla nf **1.** (gén & INFORM) écran (m) • **la pequeña pantalla** le petit écran • **pantalla de cristal líquido** écran à cristaux liquides **2.** abat-jour (m). ■ **pantalla acústica** nf enceinte (f) acoustique.

pantalón nm (gén pl) pantalon (m) • **llevar pantalones azules** porter un pantalon bleu • **pantalones cortos** culottes (fpl) courtes • **pantalón pitillo** fuseau (m) • **pantalón tejano** OU **vaquero** jean (m).

pantano nm **1.** marais (m) **2.** retenue (f) d'eau.

pantanoso, sa adj **1.** marécageux(euse) **2.** fig épineux(euse).

panteísmo nm panthéisme (m).

panteón nm panthéon (m).

pantera nf panthère (f).

pantimedias nfpl (Amér) collants (mpl).

pantorrilla nf mollet (m).

pantufla nf (gén pl) pantoufle (f).

panty (pl **pantys**) nm collant (m).

panza nf panse (f).

panzada nf **1.** (coup) • **darse una panzada** s'étaler de tout son long • (dans l'eau) faire un plat **2.** fam (satiété) • **darse una panzada de comer** s'en mettre plein la panse • **darse una panzada de reír** mourir de rire.

pañal nm couche (f). ■ **pañales** nmpl **1.** langes (mpl) **2.** fig (débuts) • **en pañales** à ses débuts • **aún estoy en pañales** je suis encore débutant • **el proyecto está en pañales** le projet en est à ses débuts.

pañería nf draperie (f) • **ir a la pañería** aller chez le drapier.

paño nm **1.** drap (m) **2.** chiffon (m) • **paño de cocina** torchon (m) (de cuisine). ■ **paños** nmpl **1.** drapé (m) **2.** compresse (f) • **venir con paños calientes** fig prendre des gants • **estar en paños menores** être en petite tenue.

pañoleta nf fichu (m).

pañuelo nm **1.** mouchoir (m) • **pañuelo de papel** mouchoir en papier **2.** foulard (m).

papa nf pomme de terre (f) • **ni papa** fam fig rien du tout • **no sé ni papa de cocina** je n'y connais rien en cuisine. ■ **Papa** nm pape (m).

papá nm fam papa (m). ■ **papás** nmpl parents (mpl). ■ **Papá Noel** nm père (m) Noël.

papachador, ra adj (Amér) câlin(e).

papachar vt (Amér) cajoler.

papada nf double menton (m).

papagayo nm perroquet (m).

papalote nm (Amér) cerf-volant (m).

papamoscas nm inv gobe-mouches (m inv).

papanatas nm ou nf inv fam ballot (m).

papaya nf papaye (f).

papel nm **1.** (matière, document) papier (m) • **papel carbón** papier carbone • **papel celofán** Cellophane® (f) • **papel continuo** INFORM papier continu • **papel de aluminio** OU **de plata** papier (d')aluminium • **papel de embalar** OU **de embalaje** papier d'emballage • **papel de fumar** papier à cigarettes • **papel de lija** papier de verre • **papel higiénico** papier toilette • **papel pintado** papier peint • **papel secante** papier buvard **2.** rôle (m) • **desempeñar** OU **hacer el papel de** jouer le rôle de **3.** FIN valeur (f) • **papel moneda** papier-monnaie (m). ■ **papeles** nmpl papiers (mpl) (d'identité).

papela nf tfam dose (f) (d'héroïne).

papeleo nm paperasserie (f).

papelera nf ➪ **papelero**.

papelería nf papeterie (f).

papelero, ra adj papetier(ère). ■ **papelera** nf **1.** corbeille (f) à papier **2.** papeterie (f).

papeleta nf **1.** billet (m) **2.** bulletin (m) de vote **3.** SCOL bulletin (m) de notes **4.** fig (situation délicate) • **¡vaya papeleta!** quelle tuile !

papera nf goitre (m). ■ **paperas** nfpl oreillons (mpl).

papi nm fam papa (m).

papilla nf bouillie (f) • **hecho papilla** (fatigué) à ramasser à la petite cuillère • (abîmé) réduit(e) en bouillie.

papiro nm papyrus (m).

paquete nm **1.** paquet (m) • **paquete bomba** colis (m) piégé • **paquete postal** colis (m) postal **2.** INFORM • **paquete (de programas** OU **de software)** progiciel (m) **3.** (à moto) • **ir de paquete** monter derrière **4.** (ensemble) • **un paquete de medidas** un train de mesures • **paquete turístico** voyage (m) organisé **5.** fam couches (fpl) **6.** fam (pas capable) • **ser un paquete** être nul(nulle) **7.** fam (chose pénible) • **me ha tocado el paquete de...** c'est moi qui me suis tapé la corvée de…

paquidermo nm pachyderme (m).

Paquistán, Pakistán npr Pakistan (m).

par ◼ adj **1.** pair(e) **2.** égal(e) • **sin par** hors pair. ◼ nm **1.** paire (f) (de chaussures, de gants) • **dentro de un par de días** dans deux jours • **lo hizo un par de veces** il l'a fait deux ou trois fois **2.** (plusieurs) • **tomar un par de copas** prendre un ou deux verres **3.** (titre) pair (m). ■ **a la par** loc adv **1.** en même temps **2.** au même niveau **3.** FIN au pair. ■ **de par en par** loc adv • **abierto de par en par** grand ouvert.

PAR (abr de **Partido Aragonés Regionalista**) nm parti régionaliste aragonais.

para *prép*

1. INDIQUE LE BUT = **pour**
   - **sale para distraerse** elle sort pour se distraire
   - **lo he hecho para agradarte** je l'ai fait pour te faire plaisir
   - **¿para qué?** pourquoi ?
   - **no sirve para nada** ça ne sert à rien
   - **es malo para la salud** c'est mauvais pour la santé
2. INDIQUE LE DESTINATAIRE = **pour**
   - **es para ti** c'est pour toi
3. INDIQUE LA DESTINATION, LA DIRECTION
   - **salieron para Madrid** ils sont partis pour Madrid
   - **vete para casa** rentre à la maison
   - **échate para el lado** mets-toi sur le côté
4. INDIQUE UN MOMENT, UNE DURÉE
   - **tiene que estar hecho para mañana** ça doit être fait pour demain
   - **queda leche para dos días** il reste du lait pour deux jours
   - **faltan dos semanas para las vacaciones** il reste deux semaines avant les vacances
5. DANS UNE COMPARAISON = **pour**
   - **está muy espabilado para su edad** il est très éveillé pour son âge
6. INDIQUE LE POINT DE VUE
   - **para mí, no es la respuesta correcta** d'après moi *ou* à mon avis, ce n'est pas la bonne réponse
   - **para mí, no debería habérselo dicho** à mon avis, il n'aurait pas dû le lui dire
7. DEVANT UN INFINITIF, INDIQUE QUE QQCH EST IMMINENT
   - **la cena está lista para servir** le dîner est prêt à être servi.

■ **para que** *loc conj*

INDIQUE LE BUT = **pour que**
   - **te lo digo para que lo sepas** je te le dis pour que tu le saches.

parabién *(pl* parabienes*) nm* félicitations *(fpl).*
parábola *nf* parabole *(f).*
parabólico, ca *adj* parabolique.
parabrisas *nm inv* pare-brise *(m inv).*
paracaídas *nm inv* parachute *(m).*
paracaidista *nmf* parachutiste *(mf).*
parachoques *nm inv* pare-chocs *(m inv).*
parada *nf* ⊳ **parado.**
paradero *nm* **1.** point *(m)* de chute • **desconozco su paradero** j'ignore où il se trouve • **dieron con su paradero** ils ont trouvé où il était **2.** *(Amér)* arrêt *(m) (de bus).*
paradisiaco, ca, paradisíaco, ca *adj* paradisiaque.
parado, da ◼ *adj* **1.** *(immobile)* arrêté(e) **2.** timide **3.** *fam* au chômage • **salió bien/mal para-**

do il s'en est bien/mal tiré • **quedarse parado** rester interdit. ◼ *nm, f fam* chômeur *(m),* -euse *(f).* ■ **parada** *nf* **1.** arrêt *(m)* • **parada de autobús** arrêt d'autobus • **parada de taxis** station *(f)* de taxis • **parada discrecional** arrêt facultatif **2.** MIL parade *(f).*
paradoja *nf* paradoxe *(m).*
paradójico, ca *adj* paradoxal(e).
parador *nm (auberge)* relais *(m).* ■ **Parador Nacional** *nm grand hôtel géré par l'État.*

parafernalia *nf* **1.** attirail *(m) (d'une personne)* **2.** tralala *(m) (d'une cérémonie).*
parafrasear *vt* paraphraser.
paráfrasis *nf inv* paraphrase *(f).*
paraguas *nm inv* parapluie *(m).*
Paraguay *npr* • **(el) Paraguay** le Paraguay.
paraguayo, ya ◼ *adj* paraguayen(enne). ◼ *nm, f* Paraguayen *(m),* -enne *(f).*
paragüero *nm* porte-parapluie *(m).*
paraíso *nm* paradis *(m).*
paraje *nm* **1.** endroit *(m)* **2.** *(région)* contrée *(f).*
paralela ⊳ **paralelo.**
paralelismo *nm* parallélisme *(m).*
paralelo, la *adj* parallèle. ■ **paralelo** *nm* parallèle *(m).* • **en paralelo** ÉLECTR en parallèle. ■ **paralela** *nf* GÉOM parallèle *(f).* ■ **paralelas** *nfpl* SPORT barres *(fpl)* parallèles.
parálisis *nf inv* paralysie *(f).*
paralítico, ca *adj & nm, f* paralytique.
paralizar *vt* paralyser. ■ **paralizarse** *vp* **1.** être paralysé(e) **2.** *(travaux)* être arrêté(e).
parámetro *nm* paramètre *(m).*
páramo *nm* **1.** plateau *(m)* dénudé **2.** endroit *(m)* isolé.
parangón *nm* comparaison *(f)* • **sin parangón** sans pareil(eille).
paranoia *nf* paranoïa *(f).*
paranormal *adj* paranormal(e).
parapente *nm* parapente *(m).*
parapetarse *vp* • **parapetarse (tras)** se retrancher (derrière).
parapeto *nm* **1.** parapet *(m)* **2.** barricade *(f).*
parapléjico, ca *adj & nm, f* paraplégique.

parapsicología, parasicología *nf* parapsychologie *(f)*.

parar ◼ *vi* **1.** arrêter **2.** *(train, etc)* s'arrêter ◦ **no para de llover** il n'arrête pas de pleuvoir ◦ **sin parar** sans arrêt **3.** finir ◦ **¿en qué parará todo esto?** comment tout cela va-t-il finir ? ◦ **fue a parar a la cárcel** il a atterri en prison ◦ **¿dónde iremos a parar?** où en arrivera-t-on ? ◦ **ir a parar a manos de** tomber entre les mains de **4.** descendre *(à l'hôtel)*. ◼ *vt (Amér)* lever. ◼ **pararse** *vp* **1.** s'arrêter **2.** *(Amér)* se lever.

pararrayos *nm inv* paratonnerre *(m)*.

parasicología = **parapsicología**.

parásito, ta *adj* parasite. ◼ **parásito** *nm* parasite *(m)*. ◼ **parásitos** *nmpl (interférences)* parasites *(mpl)*.

parasol *nm* parasol *(m)*.

parcela *nf* parcelle *(f)*.

parche *nm* **1.** *(pour boucher un trou - dans un tissu)* pièce *(f)* ◦ *(- sur un pneu)* Rustine® *(f)* **2.** ◦ **parche de nicotina** patch *(m)* antitabac **3.** *(retouche)* ◦ **ser un parche en el panorama** faire tache dans le paysage **4.** rafistolage *(m)* **5.** pis-aller *(m inv)*.

parchís *nm inv* ≃ petits chevaux *(mpl)*.

parcial ◼ *adj* **1.** partiel(elle) **2.** partial(e). ◼ *nm (examen)* partiel *(m)*.

parcialidad *nf* partialité *(f)*.

parco, ca *adj* **1.** *(personne)* sobre ◦ **parco en** avare de **2.** *(aliment, salaire)* maigre.

pardillo, lla *adj* & *nm, f (ingénu)* poire.

pardo, da *adj* brun(e) ◦ **nubes pardas** des nuages sombres. ◼ **pardo** *nm* brun *(m)*.

parecer ◼ *nm* **1.** avis *(m)* **2.** allure *(f)* ◦ **es de buen parecer** elle a un physique agréable. ◼ *vi* ressembler à ◦ **un perro que parece un lobo** un chien qui ressemble à un loup. ◼ *v attr* avoir l'air, paraître ◦ **pareces cansado** tu as l'air fatigué ◦ **parece más grande** elle paraît plus grande. ◼ *v impers* **1.** *(croire, penser)* ◦ **me/te etc parece** il me/te *etc* semble ◦ **¿qué te parece?** qu'en penses-tu ? ◦ **me parece que…** j'ai l'impression que… ◦ **me parece muy bien** je trouve ça très bien ◦ **¿te parece?** ça te va ? **2.** *(être possible)* ◦ **parece que…** on dirait que… ◦ **al parecer** apparemment. ◼ **parecerse** *vp* se ressembler ◦ **se parecen en los ojos** ils ont les mêmes yeux.

parecido, da *adj (semblable)* ◦ **parecido (a)** semblable (à) ◦ **los gemelos son parecidos** les jumeaux se ressemblent ◦ **ser mal parecido** être laid. ◼ **parecido** *nm* ressemblance *(f)*.

pared *nf* **1.** *(gén & SPORT)* mur *(m)* **2.** ANAT *(d'une montagne, etc)* paroi *(f)*.

paredón *nm* **1.** gros mur *(m)* **2.** mur *(m)* des fusillés.

parejo, ja *adj* pareil(eille) ◦ **estar parejo** être quitte. ◼ **pareja** *nf* **1.** paire *(f)* **2.** couple *(m)* ◦ **pareja de hecho** couple vivant en concubi-

nage **3.** partenaire *(mf)* **4.** *(danse)* cavalier *(m)*, -ère *(f)* **5.** *(vêtement)* ◦ **la pareja de este calcetín** la deuxième chaussette.

parentela *nf (famille)* parenté *(f)*.

parentesco *nm* lien *(m)* de parenté.

paréntesis *nm inv* parenthèse *(f)* ◦ **entre paréntesis** entre parenthèses.

pareo *nm* pareo *(m)*.

paria *nmf litt & fig* paria *(m)*.

parida *nf fam* ◦ **no dice más que paridas** il ne raconte que des bêtises.

pariente, ta *nm, f* **1.** parent *(m)*, -e *(f)* **2.** *fam (conjoint - femme)* moitié *(f)* ◦ *(- mari)* homme *(m)*.

parietal *nm* pariétal *(m)*.

parir ◼ *vi* **1.** *(animal)* mettre bas **2.** *(femme)* accoucher. ◼ *vt* **1.** *(animal)* mettre bas **2.** *(femme)* accoucher de.

París *npr* Paris.

parisino, na *adj* parisien(enne). ◼ *nm, f* Parisien *(m)*, -enne *(f)*.

parking ['parkin] *nm* parking *(m)*.

parlamentar *vi* parlementer.

parlamentario, ria *adj* & *nm, f* parlementaire.

parlamento *nm* **1.** parlement *(m)* **2.** THÉÂTRE tirade *(f)*.

parlanchín, ina *adj* & *nm, f* bavard(e).

parlante *adj* parlant(e).

parlotear *vi fam* papoter, bavasser.

parmesano *nm* ▷ **queso**.

paro *nm* **1.** chômage *(m)* **2.** arrêt *(m)* ◦ **paro cardiaco** arrêt cardiaque ◦ **paro de imagen** arrêt sur image.

parodia *nf* parodie *(f)*.

parodiar *vt* parodier.

parpadear *vi* **1.** cligner des yeux, battre des paupières **2.** *(lumière)* vaciller **3.** *(de façon intermittente)* clignoter **4.** *(étoile)* scintiller.

párpado *nm* paupière *(f)*.

parque *nm* parc *(m)* ◦ **parque acuático** parc aquatique ◦ **parque de atracciones** parc d'attractions ◦ **parque de bomberos** caserne *(f)* de pompiers ◦ **parque nacional** parc national ◦ **parque temático** parc à thème ◦ **parque zoológico** parc zoologique.

parqué, parquet [par'ke] *(pl* parquets*)* *nm* parquet *(m)*.

parqueadero *nm (Amér)* parking *(m)*.

parquear *vt (Amér)* garer.

parquet = **parqué**.

parquímetro *nm* parcmètre *(m)*.

parra *nf* treille *(f)*.

parrafada *nf* **1.** *(discussion)* ◦ **echar una parrafada con alguien** discuter avec qqn **2.** *(monologue)* laïus *(m)*.

párrafo *nm* paragraphe *(m)*.

parranda *nf* **1.** *fam* virée *(f)* **2.** *petit orchestre de village.*

parricidio *nm* parricide *(m)*.

parrilla *nf* **1.** gril *(m)* • **a la parrilla** au gril **2.** *(salle de restaurant)* grill *(m)* **3.** SPORT • **parrilla (de salida)** grille *(f)* de départ **4.** *(Amér)* AUTO galerie *(f)*.

parrillada *nf assortiment de viandes ou de poissons grillés.*

párroco *nm* curé *(m)* (de la paroisse).

parroquia *nf* **1.** paroisse *(f)* **2.** clientèle *(f)*.

parroquiano, na *nm, f* **1.** paroissien *(m)*, -enne *(f)* **2.** client *(m)*, -e *(f)*.

parsimonia *nf* **1.** lenteur *(f)* **2.** parcimonie *(f)*.

parte ⬚ *nm* rapport *(m)* • **dar parte** informer • **parte facultativo** *ou* **médico** bulletin *(m)* de santé • **parte meteorológico** bulletin *(m)* météorologique. ⬚ *nf* **1.** *(morceau & DR)* partie *(f)* • **en parte** en partie • **por partes** peu à peu • **vayamos por partes** procédons par ordre **2.** *(portion, lieu)* part *(f)* • **la mayor parte de la gente** la plupart des gens • **en alguna parte** quelque part • **por ninguna parte** nulle part • **por todas partes** partout **3.** côté *(m)* • **estar** *ou* **ponerse de parte de alguien** être *ou* se mettre du côté de qqn • **los tengo de mi parte** *fig* ils sont de mon côté • **por parte de madre/padre** du côté maternel/paternel **4.** THÉÂTRE rôle *(m)* • **de parte de** de la part de • **¿de parte de quién?** c'est de la part de qui ? • **por mi parte** pour ma part • **por otra parte** d'autre part • **tener** *ou* **tomar parte en algo** prendre part à qqch. ■ **partes** *nfpl* parties *(fpl)* intimes.

partera *nf* sage-femme *(f)*.

parterre *nm* parterre *(m)*.

partición *nf* **1.** partage *(m)* **2.** partition *(f)* *(d'un territoire)*.

participación *nf* **1.** participation *(f)* **2.** ÉCON intéressement *(m)* **3.** billet *(m)* *(de loterie)* • **faire-part** *(m)*

participante *adj & nmf* participant(e).

participar ⬚ *vi* **1.** *(collaborer)* • **participar (en)** participer (à) **2.** *(profiter)* • **participar de** *ou* **en** prendre part à **3.** *(partager)* • **participar de algo** partager qqch • **participo de tus ideas** je partage tes idées. ⬚ *vt* • **participar algo a alguien** faire part de qqch à qqn.

partícipe ⬚ *adj* • **hacer partícipe de algo a alguien** faire part de qqch à qqn. ⬚ *nmf* participant *(m)*, -e *(f)*.

partícula *nf* particule *(f)*.

particular ⬚ *adj* **1.** particulier(ère) • **en particular** en particulier **2.** privé(e). ⬚ *nmf* particulier *(m)*. ⬚ *nm* sujet *(m)*.

particularizar ⬚ *vt* **1.** particulariser **2.** détailler. ⬚ *vi* **1.** entrer dans les détails **2.** *(viser)* • **particularizar en alguien** viser qqn en particulier.

partida *nf* ⟶ **partido**.

partidario, ria ⬚ *adj* partisan • **es partidaria de...** elle est partisane de... • **es partidario de cerrar la fábrica** il est pour la fermeture de l'usine. ⬚ *nm, f* partisan *(m)*.

partidista *adj* partisan(e).

partido, da *adj* **1.** cassé(e) **2.** fendu(e). ■ **partido** *nm* **1.** parti *(m)* • **buen/mal partido** bon/mauvais parti • **partido político** parti politique **2.** match *(m)* • **partido amistoso** match amical • **sacar partido de** tirer parti de • **tomar partido por** prendre parti pour. ■ **partida** *nf* **1.** départ *(m)* **2.** *(dans un jeu)* partie *(f)* **3.** *(document)* acte *(m)* **4.** *(COMM - marchandises)* lot *(m)* • *(- de facture)* poste *(m)*.

partir ⬚ *vt* **1.** casser **2.** couper **3.** partager. ⬚ *vi* • **partir (hacia)** partir (pour) • **partir de** partir de. ■ **partirse** *vp* se casser. ■ **a partir de** *loc prép* à partir de.

partitura *nf* partition *(f)*.

parto *nm* **1.** *(animal)* mise *(f)* bas **2.** *(femme)* accouchement *(m)* • **estar de parto** être en travail.

parvulario *nm* ecole *(f)* maternelle.

pasa *nf* raisin *(m)* sec.

pasable *adj* acceptable.

pasacalle *nm* MUS marche *(f)*.

pasada *nf* ⟶ **pasado**.

pasadizo *nm* passage *(m)*.

pasado, da *adj* **1.** dernier(ère) • **el año pasado** l'année dernière • **pasado un año** un an plus tard • **lo pasado, pasado está** le passé c'est le passé **2.** périmé(e) **3.** *(fruit)* blet(ette). ■ **pasado** *nm* passé *(m)*. ■ **pasada** *nf* **1.** *(couche)* • **dar una pasada de pintura** donner un coup de peinture **2.** *fam (chose extraordinaire)* • **tu coche nuevo**

es una pasada ta nouvelle voiture est vraiment géniale. ■ **de pasada** *loc adv* en passant. ■ **mala pasada** *nf* mauvais tour *(m)*.

pasador *nm* **1.** CONSTR goupille *(f)* **2.** barrette *(f)* *(pour les cheveux)*.

pasaje *nm* **1.** passage *(m)* **2.** passagers *(mpl)* **3.** billet *(m)*.

pasajero, ra *adj* & *nm, f* passager(ère).

pasamano *nm* galon *(m)*.

pasamanos *nm inv* main *(f)* courante.

pasamontañas *nm inv* passe-montagne *(m)*.

pasaporte *nm* passeport *(m)*.

pasapuré, pasapurés *nm inv* presse-purée *(m inv)*.

---

pasar *vt*

1. REMETTRE, TRANSMETTRE = passer
- **pásame la sal** passe-moi le sel
- **me ha pasado su catarro** il m'a passé son rhume

2. DU TEMPS = passer
- **pasó dos años en Roma** elle a passé deux années à Rome
- **ya hemos pasado las Navidades** Noël est déjà passé

3. FRANCHIR, TRAVERSER = passer
- **pasar la frontera** passer la frontière

4. FAIRE ALLER À TRAVERS UN FILTRE = passer
- **pasar la harina por el tamiz** passer la farine au tamis

5. À LA TÉLÉ, AU CINÉMA = passer
- **pasar una película** passer un film

6. AU THÉÂTRE = jouer
- **¿qué pasan actualmente en el Rex?** qu'est-ce qu'on joue en ce moment au Rex ?

7. FAIRE RENTRER
- **me pasó al salón** il m'a fait entrer dans le salon
- **pasaban droga** ils passaient de la drogue

8. CHANGER QQCH DE PLACE
- **pasar algo de un sitio a otro** déplacer qqch d'un endroit à un autre

9. TOLÉRER
- **¡no pienso pasarte otra impertinencia!** je ne vais pas te passer une nouvelle impertinence !
- **le pasa todos sus caprichos** elle lui passe tous ses caprices

10. ENDURER, SOUFFRIR
- **está pasando una depresión** elle est en pleine dépression
- **están pasando problemas económicos** ils ont des problèmes financiers en ce moment
- **pasar frío/hambre** avoir froid/faim, souffrir du froid/de la faim

11. PASSER AVEC SUCCÈS
- **pasó el examen de historia con muy buena nota** il a réussi son examen d'histoire avec une très bonne note
- **no ha pasado las oposiciones** il n'a pas été reçu au concours

12. DÉPASSER
- **un coche nos pasó por la derecha** une voiture nous a doublés par la droite
- **ya ha pasado los treinta** il a plus de trente ans

13. DANS DES EXPRESSIONS
- **lo pasamos muy bien en la fiesta** nous nous sommes bien amusés à la fête
- **lo pasó muy mal** il a passé un mauvais moment.

---

pasar *vi*

1. S'ÉCOULER, EN PARLANT DU TEMPS = passer
- **pasan los días** les jours passent

2. CHANGER D'ÉTAT = passer
- **pasa fácilmente de la alegría a la tristeza** il passe facilement de la joie à la tristesse

3. CHANGER DE FONCTION = passer
- **ha pasado de secretario a tesorero** de secrétaire, il est passé trésorier

4. FINIR, TERMINER = passer
- **pasó el frío** le froid est passé

5. ALLER D'UN LIEU À UN AUTRE = passer
- **pasar de largo** passer sans s'arrêter
- **¡pase!** entrez !

6. SE PRODUIRE = se passer, arriver
- **cuéntame lo que pasó** raconte-moi ce qui s'est passé
- **¿cómo pasó?** comment est-ce arrivé ?
- **pase lo que pase** quoi qu'il arrive.

■ **pasar a** *v + prép*

passer à
- **pasemos a otra cosa** passons à autre chose.

■ **pasar de** *v + prép*

1. DÉPASSER
- **pasan de veinte** ils sont plus de vingt
- **no pasa de los cuarenta** il n'a pas plus de quarante ans

2. *fam* SE DÉSINTÉRESSER
- **paso de ir al cine** je n'ai aucune envie d'aller au cinéma
- **paso de política** la politique, je n'en ai rien à faire
- **dice que pasa de él** elle dit qu'elle n'a rien à faire de lui.

■ **pasar por** *v + prép*

1. ÊTRE CONSIDÉRÉ COMME = passer pour
- **pasar por tonto** passer pour un idiot

2. AVOIR À SUPPORTER = traverser
- **está pasando por un momento difícil** il traverse un moment difficile

3. DANS DES EXPRESSIONS
 • **si puedo pasaré por tu casa** si je peux, je passerai chez toi
 • **ni se me había pasado por la imaginación** cela ne m'avait même pas traversé l'esprit.

■ **pasar sin** v + prép

SE PASSER DE, VIVRE SANS
 • **pasar sin carne** se passer de viande
 • **no puedo pasar sin hablar** je ne peux pas m'empêcher de parler.

■ **pasarse** vp

1. S'EN ALLER, NE PAS DURER = passer
 • **¿se te ha pasado el dolor?** est-ce que la douleur est passée ?
2. PASSER SON TEMPS À = passer
 • **se pasaron el día hablando** ils ont passé la journée à parler
3. MANQUER = passer
 • **se nos acaba de pasar una magnífica oportunidad/ocasión** nous venons de laisser passer une magnifique opportunité/occasion
4. POURRIR, S'ABÎMER
 • **hay que comer el pescado antes de que se pase** il faut manger le poisson avant qu'il s'abîme
 • **estas conservas se han pasado** ces conserves sont périmées
5. OUBLIER, EFFACER DE SA MÉMOIRE
 • **se me pasó decirle que no era preciso reservar** j'ai oublié de lui dire que ce n'était pas nécessaire de réserver
 • **no se le pasa nada** rien ne lui échappe
6. fam EXAGÉRER, ALLER TROP LOIN
 • **deberías pedirle perdón a Carmen, ¡esta vez te has pasado!** tu devrais demander pardon à Carmen, cette fois-ci tu es allé trop loin !
7. DANS DES EXPRESSIONS
 • **¿qué tal te lo estás pasando?** alors, tu t'amuses ?
 • **nos lo pasamos muy bien en el zoo** nous nous sommes bien amusés au zoo
 • **se lo pasó muy mal en la fiesta** elle ne s'est pas amusée du tout à la soirée.

■ **pasarse a** vp + prép

SE METTRE DANS LE CAMP ADVERSE
 • **algunos se pasaron al enemigo** certains sont passés à l'ennemi
 • **pasarse al otro bando** changer de camp.

■ **pasarse de** vp + prép

EXAGÉRER, ALLER TROP LOIN
 • **a veces te pasas de bueno** parfois, tu es trop bon
 • **¡no te pases de listo!** ne fais pas trop le malin !

pasarela nf **1.** passerelle (f) (d'embarquement) **2.** podium (m) (pour un défilé).

pasatiempo nm passe-temps (m). ■ **pasatiempos** nmpl PRESSE rubrique (f) jeux.

Pascal nm INFORM pascal (m).

Pascua nf **1.** Pâque (f) (des Juifs) **2.** Pâques (m) (des chrétiens) • **y santas Pascuas...** un point c'est tout ➲ **isla**. ■ **Pascuas** nfpl Noël (m) • **¡felices Pascuas!** joyeux Noël ! • **de Pascuas a Ramos** tous les trente-six du mois.

pase nm **1.** laissez-passer (m) **2.** projection (f) (de films, de diapositives, etc) **3.** défilé (m) (de mode) **4.** SPORT passe (f).

pasear ■ vi se promener. ■ vt promener. ■ **pasearse** vp se promener.

paseo nm promenade (f) • **dar un paseo, ir de paseo** faire une promenade, aller se promener.

pasillo nm couloir (m).

pasión nf passion (f). ■ **Pasión** nf Passion (f).

pasividad nf passivité (f).

pasivo, va adj passif(ive). ■ **pasivo** nm passif (m).

pasmado, da ■ adj **1.** ébahi(e) **2.** hébété(e). ■ nm, f • **¡no te quedes como un pasmado!** ne reste pas là à gober les mouches !

pasmar vt ébahir. ■ **pasmarse** vp s'ébahir.

pasmo nm stupéfaction (f).

pasmoso, sa adj stupéfiant(e).

paso nm **1.** passage (m) • **abrir** OU **abrirse paso** se frayer un chemin • **¡abran paso!** laissez passer ! • **ceder el paso** céder le passage • **'prohibido el paso'** 'défense d'entrer' • **paso a nivel** passage à niveau • **paso (de) cebra** passage clouté • **paso elevado** CONSTR passerelle (f) • **paso obligado** fig passage obligé • **paso peatonal** OU **de peatones** passage (pour) piétons **2.** (façon de marche) pas (m) **3.** (gén pl) (gestion) démarche (f) **4.** (mauvaise période) • **(mal) paso** mauvaise passe (f) **5.** char (m) (d'une procession) • **a cada paso** à tout moment • **a dos** OU **cuatro pasos** à deux pas • **paso a paso** pas à pas • **salir del paso** se tirer d'affaire. ■ **de paso** loc adv au passage.

pasodoble nm paso doble (m inv).

pasota adj & nmf fam je-m'en-foutiste.

pasta nf **1.** pâte (f) • **pasta dentífrica** OU **de dientes** dentifrice (m) • **ser de buena pasta** fam être bonne pâte **2.** (CULIN - spaghettis, etc) pâtes (fpl) • (- pâtisserie) petit gâteau (m) sec **3.** fam fric (m).

pastar vi paître.

pastel nm (CULIN - sucré) gâteau (m) • (- salé) tourte (f) (de viande, de légumes), pain (m) (de poissons), terrine (f) • **repartirse el pastel** fig se partager le gâteau.

pastelería nf pâtisserie (f).

pasteurizado, da [pasteuri'θaðo, ða] *adj* pasteurisé(e).

pastiche *nm* pastiche *(m)*.

pastilla *nf* **1.** pastille *(f)* **2.** tablette *(f) (de chocolat)* **3.** MÉD pilule *(f)* • **pastilla de jabón** savonnette *(f)* **4.** AUTO plaquette *(f)* **5.** INFORM puce *(f)* • **a toda pastilla** *fam* à toute pompe.

pasto *nm* **1.** pâturage *(m)* **2.** pâture *(f)* **3.** *(motif)* • **ser pasto para la crítica** alimenter la critique.

pastón *nm tfam* • **valer un pastón** valoir un fric fou.

pastor, ra *nm, f* berger *(m)*, -ère *(f)*. ■ **pastor** *nm* **1.** RELIG pasteur *(m)* **2.** chien *(m)* de berger.

pastoso, sa *adj* pâteux(euse).

pata ■ *nf* **1.** patte *(f) (d'un animal, d'une personne)* • **a cuatro patas** à quatre pattes • **a la pata coja** *fam* à cloche-pied **2.** pied *(m) (d'un meuble)* • **meter la pata** faire une gaffe • **poner/estar patas arriba** mettre/être sens dessus dessous • **tener mala pata** avoir la poisse. ■ *nm (Amér)* copain *(m)*. ■ **pata de gallo** *f* **1.** patte-d'oie *(f)* **2.** pied-de-poule *(m)*. ■ **pata negra** *nm jambon de pays de première qualité*.

patada *nf* coup *(m)* de pied • **tratar a alguien a patadas** *fam fig* traiter qqn à coups de pied dans le derrière.

patalear *vi* **1.** gigoter **2.** *(sur le sol)* trépigner.

pataleo *nm* **1.** gesticulation *(f)* **2.** *(sur le sol)* trépignement *(m)*.

pataleta *nf fam* cirque *(m)* • **armó una pataleta** il a fait tout un cirque.

patán *adj m & nm* **1.** *(ignorant)* plouc **2.** goujat.

patata *nf* pomme de terre *(f)* • **patatas fritas** frites *(fpl)* • chips *(fpl)*.

patatús *nm inv fam* • **le dio un patatús** ça lui a fichu un coup.

paté *nm* pâté *(m)*.

patear ■ *vt* **1.** donner un coup de pied à **2.** piétiner **3.** faire à pied. ■ *vi* **1.** trépigner **2.** *fam fig* se démener. ■ **patearse** *vp* **1.** *(parcourir)* • **se ha pateado la ciudad** il a fait toute la ville à pied **2.** *fam* claquer *(de l'argent)*.

patentado, da *adj* breveté(e).

patente ■ *adj* manifeste. ■ *nf* **1.** brevet *(m)* **2.** patente *(f)*.

paternal *adj* paternel(elle).

paternalismo *nm* paternalisme *(m)*.

paternidad *nf* paternité *(f)*.

paterno, na *adj* paternel(elle).

patético, ca *adj* pathétique.

patetismo *nm* pathétisme *(m)* • **escenas de gran patetismo** des scènes d'un grand pathétique.

patidifuso, sa *adj fam* soufflé(e).

patilla *nf* **1.** *(cheveux)* patte *(f)* **2.** *(barbe)* favoris *(mpl)* **3.** branche *(f) (de lunettes)*.

patín *nm* **1.** patin *(m)* • **patín de cuchilla** patin à glace • **patín de ruedas** patin à roulettes **2.** trottinette *(f)* **3.** pédalo *(m)*.

pátina *nf* patine *(f)*.

patinaje *nm* patinage *(m)*.

patinar *vi* **1.** patiner **2.** *fam fig* se planter.

patinazo *nm* **1.** glissade *(f)* **2.** dérapage *(m) (d'une voiture)* **3.** *fam fig* bourde *(f)*.

patinete *nm* trottinette *(f)*.

patio *nm* **1.** cour *(f)* **2.** patio *(m)* • **patio interior** cour intérieure • **patio de recreo** cour de récréation **3.** THÉÂTRE • **patio (de butacas)** orchestre *(m)*.

patitieso, sa *adj fam* **1.** frigorifié(e) **2.** *(surpris)* baba.

pato, ta *nm, f* canard *(m)*, cane *(f)* • **pagar el pato** *fig* payer les pots cassés.

patológico, ca *adj* pathologique.

patoso, sa *adj & nm, f fam* pataud(e).

patria *nf* ▷ **patrio**.

patriarca *nm* patriarche *(m)*.

patrimonio *nm* patrimoine *(m)* • **declarar algo patrimonio histórico** déclarer qqch monument historique.

patrio, tria *adj* de la patrie. ■ **patria** *nf* patrie *(f)*.

patriota *adj & nmf* patriote.

patriotismo *nm* patriotisme *(m)*.

patrocinador, ra ■ *adj* • **la empresa patrocinadora** le sponsor. ■ *nm, f* sponsor *(m)*.

patrocinar *vt* **1.** *(dans la publicité)* sponsoriser **2.** parrainer *(un projet)* **3.** appuyer *(une candidature)*.

patrocinio *nm* **1.** *(dans la publicité)* parrainage *(m)* • **bajo el patrocinio de** sous le patronage de **2.** appui *(m)*.

patrón, ona *nm, f* patron *(m)*, -onne *(f)*. ■ **patrón** *nm* **1.** patron *(m) (d'un bateau, d'une couturière)* **2.** *(référence)* étalon *(m)* • **patrón monetario** étalon monétaire • **patrón oro** étalon-or *(m)*.

patronal ■ *adj* patronal(e). ■ *nf* **1.** direction *(f) (d'une entreprise)* **2.** patronat *(m)*.

patronato *nm* **1.** patronage *(m)* **2.** fondation *(f) (de bienfaisance)*.

patrono, na *nm, f* patron *(m)*, -onne *(f)*.

patrulla *nf* patrouille *(f)* • **patrulla urbana** ≃ îlotiers *(mpl)*.

patrullar ■ *vt* patrouiller dans. ■ *vi* patrouiller.

patuco *nm (gén pl)* chausson *(m) (de bébé)*.

paulatino, na *adj* **1.** lent(e) **2.** progressif(ive).

pausa *nf* pause *(f)*.

pausado, da *adj* **1.** calme **2.** *(manières, voix)* posé(e).

pauta *nf* **1.** règle *(f)* **2.** ligne *(f) (sur une feuille de papier)*.

pavimentación *nf* revêtement *(m)*.

pavimento *nm* **1.** revêtement *(m)* **2.** pavé *(m)*.

pavo, va ◼ *adj fam péj* godiche. ◼ *nm, f* **1.** dindon *(m)*, dinde *(f)* ▪ **pavo real** paon *(m)* **2.** *fam péj (idiot)* âne *(m)*.

pavonearse *vp péj* prendre de grands airs ▪ **pavonearse de** se vanter de.

pavor *nm* **1.** épouvante *(f)* **2.** panique *(f) (collective)*.

paya *nf (Amér)* poème accompagné à la guitare.

payasada *nf* **1.** clownerie *(f) (d'un clown)* **2.** pitrerie *(f) (d'un enfant)* ▪ **hacer payasadas** faire le pitre.

payaso, sa ◼ *adj* ▪ **ser payaso** faire le clown. ◼ *nm, f* clown *(m)*.

payés, esa *nm, f* paysan *(m)*, -anne *(f) (en Catalogne et aux Baléares)*.

payo, ya *nm, f* gadjo *(mf)*.

paz *nf* paix *(f)* ▪ **¡déjame en paz!** laisse-moi tranquille ! ▪ **estar** *ou* **quedar en paz** être quitte ▪ **hacer las paces** faire la paix ▪ **que en paz descanse, que descanse en paz** qu'il/elle repose en paix ▪ **tu hermana, que en paz descanse, era…** ta sœur, paix à son âme, était…

pazo *nm* manoir *(m) (en Galice)*.

PC *nm (pl* **PC** *ou* **PCs) (abr de** **personal computer)** PC *(m)*.

PD, PS *(abr écrite de* **posdata)** PS.

pdo. *abrév de* **pasado.**

peaje *nm* péage *(m)*.

peana *nf* socle *(m)*.

peatón *nm* piéton *(m)*, -onne *(f)*.

peca *nf* tache *(f)* de rousseur.

pecado *nm* péché *(m)* ▪ **sería un pecado tirar toda esa comida** ce serait un crime de jeter toute cette nourriture.

pecador, ra ◼ *adj* ▪ **los hombres pecadores** les pécheurs. ◼ *nm, f* pécheur *(m)*, -eresse *(f)*.

pecaminoso, sa *adj* condamnable.

pecar *vi* pécher ▪ **pecó de prudente** il a péché par excès de prudence.

pecera *nf* **1.** aquarium *(m)* **2.** bocal *(m)* (à poissons).

pecho *nm* **1.** poitrine *(f)* **2.** poitrail *(m) (d'un animal)* **3.** sein *(m)* **4.** *fig* cœur *(m)* ▪ **dar el pecho** donner le sein **4.** *fig* cœur *(m)* ▪ **a lo hecho, pecho** ce qui est fait est fait ▪ **tomarse algo a pecho** prendre qqch à cœur.

pechuga *nf* **1.** blanc *(m) (de volaille)* **2.** *tfam* nichons *(mpl)*.

pecoso, sa *adj* ▪ **ser pecoso** avoir des taches de rousseur.

pectoral ◼ *adj* pectoral(e). ◼ *nm* sirop *(m)* pectoral.

peculiar *adj* particulier(ère).

peculiaridad *nf* particularité *(f)*.

pedagogía *nf* pédagogie *(f)*.

pedagogo, ga *nm, f* pédagogue *(mf)*.

pedal *nm* pédale *(f)*.

pedalear *vi* pédaler.

pedante *adj* & *nmf* pédant(e).

pedantería *nf* pédanterie *(f)*.

pedazo *nm* morceau *(m)* ▪ **hacer pedazos** mettre en morceaux ▪ *fig* briser.

pedestal *nm* piédestal *(m)*.

pedestre *adj* pédestre.

pediatra *nmf* pédiatre *(mf)*.

pedicuro, ra *nm, f* pédicure *(mf)*.

pedido *nm* commande *(f)* ▪ **hacer un pedido** passer une commande.

pedigrí *(pl* **pedigríes** *ou* **pedigrís), pedigree** *(pl* **pedigrees)** [peði'ɣri] *nm* pedigree *(m)*.

pedir ◼ *vt* **1.** demander ▪ **pedir a alguien que haga algo** demander à qqn de faire qqch ▪ **pedir a alguien (en matrimonio)** demander qqn en mariage ▪ **pedir prestado** emprunter **2.** avoir besoin de ▪ **esta planta pide sol** cette plante a besoin de soleil. ◼ *vi* mendier.

pedo ◼ *nm* **1.** pet *(m)* ▪ **tirarse un pedo** *vulg* péter **2.** *tfam* cuite *(f)* ▪ **cogerse un pedo** prendre une cuite. ◼ *adj inv tfam* ▪ **estar pedo** être bourré(e).

pedrada *nf* grêle *(f)* ▪ **a pedradas** à coups de pierres.

pedrea *nf* **1.** plus petit prix de la loterie nationale espagnole **2.** grêle *(f)* **3.** bataille *(f)* à coups de pierres.

pedregullo *nm (Amér)* gravier *(m)*.

pedrería *nf* pierres *(fpl)* précieuses.

pedrusco *nm* grosse pierre *(f)*.

peeling ['pilin] *nm* peeling *(m)*.

pega *nf* **1.** difficulté *(f)* ▪ **poner pegas (a)** mettre des obstacles (à) **2.** colle *(f)*.

pegadizo, za *adj* **1.** chantant(e) **2.** *fig* contagieux(euse).

pegajoso, sa *adj litt* & *fig* collant(e).

pegamento *nm* colle *(f)*.

pegar ◼ *vt* **1.** *(gén & INFORM)* coller ▪ **pegar un botón** coudre un bouton **2.** frapper **3.** battre **4.** donner *(un coup, une claque)* **5.** pousser *(un cri)* **6.** ▪ **pegar un susto** faire peur ▪ **pegar saltos** faire des bonds ▪ **pegar tiros** tirer des coups de feu **7.** *(contaminer)* ▪ **pegar algo a alguien** passer qqch à qqn. ◼ *vi* **1.** coller **2.** frapper contre **3.** *(harmoniser)* ▪ **pegar con algo** aller avec qqch ▪ **el verde y el rosa no pegan** le vert et le rose ne vont pas ensemble **4.** *(sujet : soleil)* taper. ◼ **pegarse** *vp* **1.** coller **2.** *(sujet : riz, etc)* attacher **3.** *(se cogner)* ▪ **pegarse con/contra algo** se cogner à/contre qqch **4.** se battre **5.** se donner *(des coups, des coups de poing, etc)* **6.** *fig (se transmettre)* s'attraper ▪ **se me**

pegó su acento j'ai attrapé son accent • **esta música se pega muy fácilmente** c'est un air que l'on retient très facilement **7.** *péj (personne)* • **pegarse a alguien** coller qqn, se coller à qqn.

pegatina *nf* autocollant *(m)*.

pegote *nm* **1.** *fam* fioritures *(fpl)* **2.** *fam* bricolage *(m)* **3.** *fam* blague *(f)* **4.** emplâtre *(m)* • **venir de pegote** venir comme un cheveu sur la soupe.

peinado *nm* coiffure *(f)*.

peinar *vt* **1.** peigner **2.** coiffer **3.** *fig* ratisser. ■ **peinarse** *vp* **1.** se peigner **2.** se coiffer.

peine *nm* peigne *(m)*.

peineta *nf* peigne *(m)* (de mantille).

p. ej. *(abr écrite de* **por ejemplo***)* p. ex. • **un felino, p. ej. el tigre** un félin, p. ex. le tigre.

Pekín *npr* Pékin.

pela *nf fam* peseta *(f)* • **no tengo ni una pela** je n'ai pas un rond.

peladilla *nf* dragée *(f)*.

pelado, da *adj* **1.** *(tête)* tondu(e) **2.** *(montaña, fruit)* pelé(e) **3.** *(légume, pomme de terre)* épluché(e) • **tengo la espalda pelada** j'ai le dos qui pèle **4.** *(arbre, intérieur, champ)* dénudé(e) **5.** *fam* fauché(e) **6.** *(nombre)* • **quinientos pelados** cinq cents tout rond. ■ **pelado** *nm* coupe *(f)* de cheveux.

pelagatos *nmf inv fam péj* pauvre type *(m)*, pauvre fille *(f)*.

pelaje *nm* pelage *(m)*.

pelar *vt* **1.** tondre *(les cheveux)* **2.** peler *(un fruit)* **3.** éplucher *(un légume, une pomme de terre)* **4.** plumer *(une volaille)* **5.** *fam fig (laisser sans argent)* plumer. ■ **pelarse** *vp* **1.** *(peau)* peler **2.** se faire couper les cheveux.

peldaño *nm* **1.** marche *(f)* **2.** échelon *(m)* (d'une échelle).

pelea *nf* **1.** bagarre *(f)* **2.** combat *(m)* (de boxe) **3.** dispute *(f)*.

pelear *vi* **1.** se battre **2.** se disputer. ■ **pelearse** *vp* **1.** se battre **2.** se disputer.

pelele *nm* **1.** *fam péj (personne)* marionnette *(f)* **2.** grenouillère *(f)* **3.** *(poupée)* pantin *(m)*.

peletería *nf* **1.** *(métier)* pelleterie *(f)* **2.** *(boutique)* • **en la peletería** chez le fourreur.

peliagudo, da *adj fig* épineux(euse).

pelicano, pelícano *nm* pélican *(m)*.

película *nf* **1.** film *(m)* • **película del Oeste** western *(m)* • **película de terror** *ou* **miedo** film d'épouvante • **película de vídeo** cassette *(f)* vidéo *(film)* • **de película** *fig* du tonnerre **2.** *(couche* fine & PHOTO) pellicule *(f)* **3.** *fam (histoire incroyable)* roman *(m)*.

peligro *nm* danger *(m)* • **correr peligro** courir un danger • **correr peligro de** courir le risque de • **fuera de peligro** hors de danger • **'peligro de muerte'** 'danger de mort'.

peligroso, sa *adj* dangereux(euse).

pelín *nm fam* • **un pelín** un tantinet • **es un pelín largo** c'est un poil trop long.

pelirrojo, ja *adj & nm, f* roux(rousse).

pellejo *nm* **1.** peau *(f)* • **expuso su pellejo** *fam* il a risqué sa peau **2.** envie *(f)* *(des ongles)*.

pellizcar *vt* **1.** pincer **2.** grignoter.

pellizco *nm* **1.** *(sur la peau - action)* pincement *(m)* • *(- marque)* pinçon *(m)* **2.** *(petite quantité)* • **un pellizco de sal** une pincée de sel.

pelma ■ *adj* lourd(e). ■ *nm, f* casse-pieds *(mf inv)*.

pelmazo, za *fam péj* ■ *adj* lourd(e). ■ *nmf* casse-pieds *(mf inv)*.

pelo *nm* **1.** poil *(m)* **2.** cheveu *(m)* • **el pelo** les cheveux *(d'une personne)* • le pelage *(d'un animal)* • **con pelos y señales** dans les moindres détails • **montar a caballo a pelo** monter à cru • **no tener pelos en la lengua** *fam* ne pas mâcher ses mots • **no verle el pelo a alguien** *fam* ne plus voir qqn • **se le pusieron los pelos de punta** *fam* ses cheveux se sont dressés sur sa tête • **por los pelos** de justesse • **no se mató por un pelo** il s'en est fallu d'un cheveu qu'il ne se tue • **ser (un) hombre de pelo en pecho** être un homme, un vrai • **tomar el pelo a alguien** *fam (se moquer)* se payer la tête de qqn • *(faire croire à)* faire marcher qqn. ■ **a contra pelo** *loc adv* à rebrousse-poil.

pelota ■ *nf* **1.** ballon *(m)* **2.** balle *(f)* • **pelota vasca** pelote *(f)* basque **3.** boule *(f)* • **hacer la pelota (a alguien)** *fam* cirer les pompes (à qqn). ■ *nmf fam* lèche-bottes *(mf inv)*.

pelotera *nf fam* engueulade *(f)*.

pelotón *nm* **1.** MIL & SPORT peloton *(m)* **2.** horde *(f)*.

pelotudo, da *adj (Amér) fam* crétin(e).

peluca *nf* perruque *(f)*.

peluche *nm* peluche *(f)*.

peludo, da *adj* poilu(e).

peluquería *nf* **1.** salon *(m)* de coiffure • **ir a la peluquería** aller chez le coiffeur **2.** *(métier)* coiffure *(f)*.

peluquero, ra *nm, f* coiffeur *(m)*, -euse *(f)*.

peluquín *nm* postiche *(m)*.

pelusa *nf* **1.** duvet *(m)* **2.** peluche *(f)* **3.** mouton *(m)* *(de poussière)*.

pelvis *nf inv* bassin *(m)*.

pena *nf* **1.** peine *(f)* • **dar pena** faire de la peine • **(no) valer** *ou* **merecer la pena (hacer algo)** (ne pas) valoir la peine (de faire qqch) • **no vale la pena molestarse** ce n'est pas la peine de se déranger • **pena capital** *ou* **de muerte** peine capitale *ou* de mort **2.** *(dommage)* • **es una pena** c'est dommage • **¡qué pena!** quel dommage ! **3.** *(Amér)* honte *(f)* • **me da pena** j'ai honte.

penacho nm **1.** huppe (f) **2.** aigrette (f).

penal ◼ adj pénal(e). ◼ nm maison (f) d'arrêt.

penalidad nf (gén pl) peine (f).

penalización nf pénalité (f).

penalti, penalty nm penalty (m) • **se casó de penalti** fam elle s'est mariée en cloque.

penar ◼ vt (sujet : loi) punir. ◼ vi (souffrir) peiner.

pender vi **1.** • **pender (de)** pendre (à) **2.** fig (menace, etc) • **pender sobre** peser sur **3.** fig (sentence, etc) être en suspens.

pendiente ◼ adj **1.** en suspens • **tener una asignatura pendiente** avoir une matière à rattraper • **tener una cuenta pendiente** fig avoir une affaire à régler • **estar pendiente de** être dans l'attente de (jugement, réponse, etc) **2.** (attentif) • **está muy pendiente de sus hijos** elle s'occupe beaucoup de ses enfants. ◼ nm boucle (f) d'oreille. ◼ nf pente (f).

pendón, ona nm, f fam glandeur (m), -euse (f) • **estar hecho un pendón** passer sa vie dehors. ◼ **pendón** nm **1.** bannière (f) **2.** fam traînée (f).

péndulo nm **1.** pendule (m) **2.** balancier (m).

pene nm pénis (m).

penene nmf ≃ maître (m) auxiliaire.

penetración nf pénétration (f).

penetrante adj **1.** pénétrant(e) **2.** (cri, voix) perçant(e) • **un dolor penetrante** une douleur aiguë.

penetrar ◼ vi • **penetrar (en)** pénétrer (dans) • **el frío penetra en los huesos** le froid pénètre les os. ◼ vt pénétrer.

penicilina nf pénicilline (f).

península nf **1.** péninsule (f) **2.** presqu'île (f) • **la península Ibérica** la péninsule Ibérique.

peninsular ◼ adj péninsulaire. ◼ nmf • **los peninsulares** les Espagnols du continent.

penitencia nf pénitence (f).

penitenciaría nf pénitencier (m).

penoso, sa adj **1.** (travail) pénible **2.** (événement) douloureux(euse) **3.** (spectacle) affligeant(e) **4.** (Amér) timide.

pensador, ra nm, f penseur (m), -euse (f).

pensamiento nm **1.** (gén & BOT) pensée (f) **2.** esprit (m).

pensar ◼ vi **1.** penser **2.** réfléchir • **pensar en** penser à • **dar que pensar** donner à réfléchir. ◼ vt **1.** penser **2.** réfléchir à • **piensa lo que te he dicho** réfléchis à ce que je t'ai dit. ◼ **pensarse** vp • **tengo que pensármelo** je dois y réfléchir.

pensativo, va adj pensif(ive).

pensión nf pension (f) • **media pensión** demi-pension (f) • **pensión completa** pension complète • **pensión (de jubilación)** retraite (f).

pensionista nmf **1.** (handicapé) pensionné (m), -e (f) **2.** retraité (m), -e (f) **3.** pensionnaire (mf).

pentágono nm pentagone (m).

pentagrama nm MUS portée (f).

penúltimo, ma adj & nm, f avant-dernier (ère).

penumbra nf pénombre (f) • **en penumbra** dans la pénombre.

penuria nf pénurie (f).

peña nf **1.** rocher (m) **2.** bande (f) (d'amis) **3.** club (m).

peñasco nm rocher (m).

peñón nm rocher (m). ◼ **Peñón** npr • **el Peñón (de Gibraltar)** le rocher de Gibraltar.

peón nm **1.** manœuvre (m), ouvrier (m) agricole **2.** pion (m) (aux échecs) **3.** toupie (f).

peonza nf toupie (f).

peor ◼ adj **1.** (comparatif) • **peor (que)** pire (que) • **tú eres malo pero él es peor** tu es méchant mais il est pire • **su letra es peor que la tuya** son écriture est pire que la tienne • **soy peor alumno que mi hermano** je suis plus mauvais élève que mon frère **2.** (superlatif suivi d'un nom) • **el peor** le plus mauvais • **la peor** la plus mauvaise • **el peor alumno de la clase** le plus mauvais élève de la classe • **los peores recuerdos de su vida** les plus mauvais souvenirs de sa vie. ◼ nmf • **el/la peor** le/la pire • **lo peor es que...** le pire c'est que... • **Juan es el peor del equipo** Juan est le plus mauvais de l'équipe. ◼ adv (comparatif et superlatif) • **es peor todavía** aujourd'hui il a dormi moins bien qu'hier • **si se lo dices será mucho peor** si tu le lui dis ce sera bien pire • **estar peor** aller plus mal • **peor que nunca** pire que jamais • **¡peor para él!** tant pis pour lui !

pepinillo nm cornichon (m).

pepino nm concombre (m) • **importarle algo a alguien un pepino** fam se ficher de qqch comme de l'an quarante.

pepita nf **1.** pépin (m) **2.** pépite (f).

peppermint = **pipermín**.

pequeñez nf **1.** petitesse (f) **2.** fig broutille (f).

pequeño, ña ◼ adj petit(e). ◼ nm, f (enfant) petit (m), -e (f) • **de pequeño no comía nada** quand j'étais petit, je ne mangeais rien. ◼ **pequeños** nmpl • **los pequeños** les petits.

pequinés nm (chien) pékinois (m).

pera ◼ nf poire (f) • **pedir peras al olmo** fig demander la lune • **¡este tío es la pera!** fam fig c'est quelque chose ce type ! ◼ adj inv fam snobinard(e) • **un niño pera** un fils à papa.

peral nm poirier (m).

percance nm incident (m).

percatarse vp • **percatarse (de algo)** s'apercevoir (de qqch).

percebe *nm* **1.** zool pouce-pied *(m)* **2.** *fam (personne)* cloche *(f)*.

percepción *nf* perception *(f)*.

perceptible *adj* **1.** perceptible *(par les sens)* **2.** comm recouvrable.

percha *nf* **1.** cintre *(m)* **2.** portemanteau *(m)* **3.** perchoir *(m)*.

perchero *nm* portemanteau *(m)*.

percibir *vt* percevoir.

percusión *nf* percussion *(f)*.

percutor, percusor *nm* percuteur *(m)*.

perdedor, ra *adj* & *nm, f* perdant(e).

perder ◼ *vt* **1.** perdre • **perder el conocimiento** perdre connaissance • **perder el juicio** perdre la tête • **perder el tiempo** perdre son temps • **perder la esperanza** perdre espoir • **sus malas compañías le perderán** ses mauvaises fréquentations le perdront **2.** rater, manquer *(un train, un bus, une occasion)*. ◼ *vi* **1.** perdre **2.** baisser **3.** *(air, eau)* fuir. ◼ **perderse** *vp* **1.** se perdre • **se me han perdido las gafas** j'ai perdu mes lunettes **2.** s'y perdre **3.** *(désapprouver)* • **¡tú te lo pierdes!** tant pis pour toi ! **4.** *(pour quelqu'un)* • **se pierde por ella** il ferait n'importe quoi pour elle.

perdición *nf* perte *(f)* • **eso fue su perdición** ça l'a mené à sa perte.

pérdida *nf* **1.** perte *(f)* **2.** fuite *(f)*. ◼ **pérdidas** *nfpl* **1.** mil, fin & méd pertes *(fpl)* • **pérdidas y ganancias** pertes et profits **2.** dégâts *(mpl)*.

perdidamente *adv* éperdument.

perdido, da ◼ *adj* **1.** perdu(e) **2.** *fam (sale)* • **me he puesto perdido** je me suis tout sali • **perdido de barro** couvert de boue **3.** *fam (complètement)* • **loco perdido** fou à lier • **tonto perdido** bête comme ses pieds. ◼ *nm, f* débauché *(m)*, -e *(f)*.

perdigón *nm* **1.** plomb *(m)* (de chasse) **2.** perdreau *(m)* **3.** *(salive)* postillon *(m)*.

perdiz *nf* perdrix *(f)*.

perdón *nm* pardon *(m)* • **es, con perdón, un pedazo de imbécil** c'est, si vous me permettez l'expression, un bel imbécile • **no tener perdón** être impardonnable • **¡perdón!** pardon !

perdonar *vt* **1.** pardonner • **te perdono tus críticas** je te pardonne tes critiques • **¡perdona!** excuse-moi !, pardon ! • **perdone que le moleste** excusez-moi ou pardon de vous déranger **2.** *(exempter de)* • **perdonar algo a alguien** faire grâce de qqch à qqn • *(dette, obligation)* libérer qqn de qqch.

perdonavidas *nmf inv fam* • **ir de perdonavidas** faire le matamore.

perdurable *adj* **1.** éternel(elle) **2.** durable.

perdurar *vi* **1.** *(temps, effet)* durer **2.** *(souvenir, idée, tradition)* persister **3.** *(persévérer)* • **perdurar en** persister dans.

perecedero, ra *adj* périssable.

perecer *vi* périr.

peregrinación *nf* **1.** pèlerinage *(m)* **2.** fig pérégrination *(f)*.

peregrino, na ◼ *adj* **1.** *(oiseau)* migrateur(trice) **2.** fig bizarre, étonnant(e). ◼ *nm, f* pèlerin *(m)*.

perejil *nm* persil *(m)*.

perenne *adj* **1.** vivace **2.** *(feuillage, feuille)* persistant(e) • **una planta perenne** une plante vivace **3.** perpétuel(elle).

pereza *nf* paresse *(f)*.

perezoso, sa *adj* & *nm, f* paresseux(euse).

perfección *nf* perfection *(f)*.

perfeccionar *vt* perfectionner. ◼ **perfeccionarse** *vp* se perfectionner.

perfeccionista *adj* & *nmf* perfectionniste.

perfecto, ta *adj* parfait(e).

perfidia *nf* perfidie *(f)*.

perfil *nm* **1.** *(gén & géom)* profil *(m)* • **de perfil** de profil **2.** trait *(m)*.

perfilar *vt* **1.** profiler **2.** fig affiner. ◼ **perfilarse** *vp* se profiler.

perforación *nf* **1.** *(gén & méd)* perforation *(f)* **2.** forage *(m)* *(d'un puits)*.

perforar *vt* **1.** perforer **2.** forer *(un puits)*.

perfume *nm* parfum *(m)*.

perfumería *nf* parfumerie *(f)*.

pergamino *nm* parchemin *(m)*. ◼ **pergaminos** *nmpl* titres *(mpl)* de noblesse.

pérgola *nf* pergola *(f)*.

pericia *nf* habileté *(f)*.

periferia *nf* périphérie *(f)*.

periférico, ca *adj* périphérique.

perifollos *nmpl fam* fanfreluches *(fpl)*.

perifrasis *nf inv* périphrase *(f)*.

perilla *nf* *(barbe)* bouc *(m)*.

perímetro *nm* périmètre *(m)*.

periódico, ca *adj* périodique. ◼ **periódico** *nm* journal *(m)*.

periodismo *nm* journalisme *(m)*.

periodista *nmf* journaliste *(mf)*.

periodo, período *nm* **1.** *(gén & math)* période *(f)* **2.** règles *(fpl)*.

peripecia *nf* péripétie *(f)*.

peripuesto, ta *adj fam* tiré(e) à quatre épingles.

periquete *nm* • **en un periquete** *fam* en un clin d'œil.

periquito *nm* perruche *(f)*.

peritaje *nm* expertise *(f)*.

peritar *vt* expertiser.

perito *nm* **1.** expert *(m)* • **perito mercantil** expert-comptable *(m)* • **perito tasador** commissaire-priseur *(m)* **2.** ingénieur *(m)* technique.

perjudicar *vt* 1. nuire à 2. *(moralement)* porter préjudice à • **perjudicar la salud** nuire à la santé.

perjudicial *adj* • **perjudicial (para)** nuisible (à).

perjuicio *nm* 1. préjudice *(m)* *(moral)* 2. dégât *(m)* *(matériel)* • **ir en perjuicio de** porter préjudice à.

perjurar *vi* 1. *(jurer énormément)* • **jurar y perjurar** jurer ses grands dieux 2. se parjurer.

perla *nf* perle *(f)* • **venir de perlas** *fig* bien tomber.

perlado, da *adj* 1. perlé(e) 2. *(d'eau)* • **tenía la frente perlada de sudor** des gouttes de sueur perlaient sur son front.

perlé *nm* coton *(m)* perlé.

permanecer *vi* rester, demeurer • **permanecer despierto/mudo** rester éveillé/muet.

permanencia *nf* 1. *(quelque part)* • **su permanencia en el país…** votre séjour dans le pays… • **la permanencia de las tropas en…** le maintien des troupes dans… 2. *(durée)* permanence *(f)*.

permanente ◪ *adj* permanent(e). ◪ *nf* permanente *(f)*.

permeable *adj* perméable.

permisible *adj* tolérable • **el rechazo es permisible** il est permis de refuser.

permisivo, va *adj* permissif(ive).

permiso *nm* 1. *(gén & MIL)* permission *(f)* • **con permiso, ¿me deja pasar?** pardon, pouvez-vous me laisser passer ? 2. *(document officiel)* permis *(m)* • **permiso de conducir** permis de conduire.

permitir *vt* permettre • **¿me permite?** vous permettez ? ◾ **permitirse** *vp* se permettre • **no poder permitirse algo** ne pas pouvoir se permettre qqch.

permuta, permutación *nf* permutation *(f)*.

pernicioso, sa *adj* pernicieux(euse)

pero ◪ *conj* mais • **un alumno inteligente pero vago** un élève intelligent mais paresseux • **pero ¿cómo quieres que yo lo sepa?** mais comment veux-tu que je le sache ? ◪ *nm* mais *(m)* • **no hay pero que valga** il n'y a pas de mais qui tienne • **poner peros a** trouver à redire à.

perol *nm* marmite *(f)*.

peroné *nm* péroné *(m)*.

perorata *nf* laïus *(m)*.

perpendicular *adj* & *nf* perpendiculaire.

perpetrar *vt* perpétrer.

perpetuar *vt* perpétuer. ◾ **perpetuarse** *vp* se perpétuer.

perpetuo, tua *adj* 1. perpétuel(elle) 2. éternel(elle).

perplejo, ja *adj* perplexe.

perra *nf* 1. ▷ **perro** 2. *fam* colère *(f)* • **coger una perra** faire une colère 3. *fam (argent)* • **no**

tener (ni) una perra ne pas avoir un rond 4. *fam (idée fixe)* • **está con la perra de irse** il n'a qu'une idée en tête, c'est de partir.

perrera *nf* ▷ **perrero**.

perrería *nf fam* • **¡no le hagas perrerías al niño!** n'embête pas le petit ! • **¡han hecho una perrería contigo!** ils t'ont bien arrangé !

perrero, ra *nm, f* employé *(m)*, -e *(f)* de la fourrière *(pour chiens)*. ◾ **perrera** *nf* 1. chenil *(m)* 2. fourgon *(m)* de la fourrière *(pour chiens)*.

perro, rra ◪ *nm, f* 1. chien *(m)*, chienne *(f)* • **perro callejero** chien errant • **perro lazarillo** chien d'aveugle • **perro lobo** chien-loup *(m)* • **perro pastor** chien de berger • **perro policía** chien policier 2. *fam péj (personne)* peau *(f)* de vache • **andar como el perro y el gato** s'entendre comme chien et chat • **ser perro viejo** être un vieux renard. ◪ *adj fam* de chien • **¡qué vida más perra!** quelle chienne de vie ! ◾ **perro caliente** *nm* hot dog *(m)*.

perruno, na *adj* canin(e).

persecución *nf* 1. poursuite *(f)* 2. persécution *(f)*.

perseguir *vt* 1. poursuivre 2. *fig* rechercher *(le bonheur)* 3. *(personne)* • **perseguir a alguien** persécuter qqn.

perseverante *adj* persévérant(e).

perseverar *vi* • **perseverar (en)** persévérer (dans).

persiana *nf* 1. store *(m)* 2. persienne *(f)*.

persistente *adj* 1. persistant(e) 2. *(personne)* tenace.

persistir *vi* • **persistir (en algo)** persister (dans qqch) • **persistir en hacer algo** persister à faire qqch.

persona *nf* personne *(f)* • **en persona** en personne • **persona mayor** grande personne.

personaje *nm* personnage *(m)*.

personal ◪ *adj* personnel(elle). ◪ *nm* 1. personnel *(m)* *(d'une entreprise)* 2. *fam (gens)* • **¡cuánto personal!** quel peuple ! ◪ *nf* SPORT faute *(f)* personnelle.

personalidad *nf* personnalité *(f)*.

personalizar *vi* viser quelqu'un en particulier • **sin personalizar** sans citer de nom.

personarse *vp* se présenter.

personificar *vt* personnifier.

perspectiva *nf* perspective *(f)* • **en perspectiva** en perspective.

perspicacia *nf* perspicacité *(f)*.

perspicaz *adj* perspicace.

persuadir *vt* persuader • **persuadir a alguien para que haga algo** persuader qqn de faire qqch. ◾ **persuadirse** *vp* • **persuadirse (de/de que)** se persuader (de/que).

persuasión *nf* persuasion *(f)*.

persuasivo, va adj persuasif(ive). ■ **persuasiva** nf pouvoir (m) de persuasion.

pertenecer vi ● **pertenecer a** appartenir à ● **no me pertenece hacerlo** il ne m'appartient pas de le faire.

perteneciente adj ● **perteneciente a** appartenant à ● **ser perteneciente a** appartenir à.

pertenencia nf appartenance (f). ■ **pertenencias** nfpl biens (mpl) (personnels).

pértiga nf 1. perche (f) 2. saut (m) à la perche.

pertinaz adj 1. obstiné(e) 2. persistant(e).

pertinente adj 1. pertinent(e) 2. approprié(e).

pertrechos nmpl 1. MIL équipement (m) 2. fig attirail (m).

perturbación nf 1. (gén & MÉTÉOR) perturbation (f) 2. (émotion, altération) trouble (m) ● **perturbaciones respiratorias** troubles respiratoires.

perturbado, da adj & nm, f déséquilibré(e).

perturbador, ra adj & nm, f perturbateur(trice).

perturbar vt 1. perturber 2. (impressionner, émouvoir, altérer) troubler ● **perturbar el orden público** troubler l'ordre public.

Perú npr ● **(el) Perú** (le) Pérou.

peruano, na ◼ adj péruvien(enne). ◼ nm, f Péruvien (m), -enne (f).

perversión nf perversion (f).

perverso, sa adj pervers(e).

pervertido, da nm, f pervers (m), -e (f).

pervertir vt pervertir. ■ **pervertirse** vp se pervertir.

pesa nf 1. poids (m) 2. (gén pl) SPORT haltère (m).

pesadez nf 1. lourdeur (f) 2. ennui (m) ● **¡qué pesadez de película!** quel ennui ce film ! ● **es una pesadez** c'est pénible.

pesadilla nf cauchemar (m) ● **tener pesadillas** faire des cauchemars.

pesado, da ◼ adj 1. lourd(e) 2. (travail) pénible 3. ennuyeux(euse) 4. assommant(e). ◼ nm, f casse-pieds (mf inv).

pesadumbre nf chagrin (m).

pésame nm condoléances (fpl) ● **dar el pésame** présenter ses condoléances.

pesar ◼ nm 1. chagrin (m) 2. regret (m). ◼ vt peser. ◼ vi 1. peser ● **este paquete pesa** ce paquet pèse lourd ● **le pesa tanta responsabilidad** toutes ces responsabilités lui pèsent 2. causer du chagrin 3. regretter ● **me pesa haberlo hecho** je regrette de l'avoir fait ● **mal que le pese** qu'il le veuille ou non. ■ **pesarse** vp se peser. ■ **a pesar de** loc prép malgré ● **a pesar de todo** malgré tout ● **a pesar mío** malgré moi. ■ **a pesar de que** loc conj bien que ● **saldré a pesar de que llueve** je sortirai bien qu'il pleuve. ■ **pese a** loc prép malgré ● **es muy activo pese a su edad** il est très actif malgré son âge.

pesca nf pêche (f) ● **ir de pesca** aller à la pêche ● **pesca de altura/de bajura** pêche hauturière/côtière.

pescadería nf poissonnerie (f).

pescadilla nf merlan (m).

pescado nm poisson (m) ● **pescado azul/blanco** poisson gras/maigre.

pescador, ra nm, f pêcheur (m), -euse (f).

pescar vt 1. pêcher 2. fam fig choper (une maladie) 3. fam fig dégoter (un emploi) 4. fam fig cueillir (un voleur) 5. fam fig piger.

pescuezo nm cou (m).

pesebre nm 1. mangeoire (f) 2. crèche (f) (de Noël).

pesero nm (Amér) taxi (m) collectif.

peseta nf peseta (f). ■ **pesetas** nfpl argent (m).

pesetero, ra adj rapiat(e).

pesimismo nm pessimisme (m).

pesimista adj & nmf pessimiste.

pésimo, ma ◼ superl ⊳ **malo**. ◼ adj très mauvais(e).

peso nm 1. (gén & SPORT) poids (m) ● **tiene un kilo de peso** ça pèse un kilo ● **campeón en diferentes pesos** champion dans différentes catégories ● **de peso** (important) de poids ● **peso bruto/neto** poids brut/net ● **peso muerto** poids mort 2. (monnaie) peso (m) 3. balance (f, ● **pagar algo a peso de oro** payer qqch à prix d'or.

pespunte nm point (m) arrière.

pesquero, ra adj 1. (bateau, etc) de pêche 2. (industrie) de la pêche. ■ **pesquero** nm bateau (m) de pêche.

pesquisa nf recherche (f), enquête (f).

pestaña nf 1. cil (m) 2. bord (m) 3. languette (f, (de papier).

pestañear vi cligner des yeux ● **sin pestañear** fig sans sourciller.

peste nf 1. (maladie) peste (f) 2. fam (mauvaise odeur) infection (f) 3. (grande quantité) invasion (f) 4. (gêne) ● **ser la peste** être infernal(e).

pesticida adj & nm pesticide.

pestilencia nf odeur (f) pestilentielle.

pestillo nm verrou (m) ● **correr** OU **echar e pestillo** mettre le verrou.

petaca nf 1. blague (f) (à tabac) 2. flasque (f. 3. (Amér) valise (f) 4. (Amér) bosse (f). ■ **petacas** nfpl (Amér) fam fesses (fpl).

pétalo nm pétale (m).

petanca nf pétanque (f).

petardo nm 1. pétard (m) 2. fam (ennui) ● **un pe tardo de película** un film rasoir 3. fam (joint pétard (m) 4. fam (personne laide) ● **ser un pe tardo** être moche comme un pou.

petate nm 1. balluchon (m) 2. MIL paquetage (m).

petición *nf* **1.** demande *(f)* • **a petición de** à la demande de **2.** pétition *(f)*.

petiso, sa, petizo, za *adj (Amér) fam* court(e) sur pattes.

peto *nm* **1.** plastron *(m)* **2.** salopette *(f)* **3.** bavette *(f)*.

petrificar *vt litt* & *fig* pétrifier.

petrodólar *nm* pétrodollar *(m)*.

petróleo *nm* pétrole *(m)*.

petrolero, ra *adj* pétrolier(ère). ■ **petrolero** *nm* pétrolier *(m)*.

petrolífero, ra *adj* pétrolifère.

petulante *adj* arrogant(e).

peúco *nm (gén pl)* chausson *(m) (de bébé)*.

peyorativo, va *adj* péjoratif(ive).

pez ⌧ *nm* poisson *(m)* • **pez espada** espadon *(m)* • **estar pez (en algo)** *fig* être nul(nulle) (en qqch), nager complètement (en qqch). ⌧ *nf* poix *(f)*. ■ **pez gordo** *nm fam fig* gros bonnet *(m)*.

pezón *nm* **1.** mamelon *(m)* **2.** BOT queue *(f)*.

pezuña *nf* **1.** sabot *(m)* **2.** *fam* panard *(m)*.

piadoso, sa *adj* **1.** *(qui a de la compassion)* • **ser piadoso** avoir bon cœur **2.** pieux(euse).

pianista *nmf* pianiste *(mf)*.

piano *nm* piano *(m)* • **piano de cola** piano à queue.

pianola *nf* piano *(m)* mécanique.

piar *vi* piailler.

PIB *(abr de* **producto interior bruto)** *nm* PIB *(m)*.

pibe, ba *nm, f (Amér) fam* gosse *(mf)*.

pica *nf (lance* & TAUROM*)* pique *(f)*. ■ **picas** *nfpl (aux cartes)* pique *(m)*.

picadero *nm* manège *(m) (de chevaux de bois)*.

picadillo *nm* **1.** hachis *(m) (de viande)* **2.** julienne *(f) (de légumes)*.

picado, da *adj* **1.** piqué(e) • **un cutis picado de...** un visage marqué par... • **picado de polilla** mangé aux mites **2.** *(viande, légumes)* haché(e) **3.** *(glace)* pilé(e) **4.** carié(e) **5.** *fig* vexé(e). ■ **picado** *nm* **1.** AÉRON • **descender en picado** descendre en piqué • **caer en picado** *fig* chuter **2.** CULIN hachis *(m)*.

picador, ra *nm, f* **1.** TAUROM picador *(m)* **2.** dresseur *(m)*, -euse *(f)* de chevaux **3.** *(mineur)* piqueur *(m)*.

picadora *nf* hachoir *(m)*.

picadura *nf* **1.** piqûre *(f)* **2.** marque *(f)* **3.** *(de dent)* • **tener una picadura en un diente** avoir une dent cariée **4.** tabac *(m)* haché.

picante ⌧ *adj* **1.** *(nourriture)* piquant(e) **2.** *fig (blague, histoire)* grivois(e). ⌧ *nm* cuisine *(f)* épicée.

picantería *nf (Amér)* petit restaurant *(m)*.

picapica *nm ou nf* bonbon pétillant • **polvos (de) picapica** poil *(m)* à gratter.

picaporte *nm* **1.** heurtoir *(m)* **2.** poignée *(f)*.

picar ⌧ *vt* **1.** *(gén* & TAUROM*)* piquer • **me picó una avispa** une guêpe m'a piqué • **picar la curiosidad** piquer la curiosité **2.** gratter **3.** CULIN hacher **4.** *(manger - sujet : oiseau)* picorer • *(- sujet : personne)* grignoter **5.** concasser *(de la pierre)* **6.** piler *(de la glace)* **7.** *fig* titiller **8.** *fig* vexer **9.** *(billet)* poinçonner, composter **10.** saisir *(un texte)*. ⌧ *vi* **1.** piquer **2.** *(sujet : poisson)* mordre • **¿pican?** ça mord ? **3.** gratter **4.** *(manger - sujet : oiseau)* picorer • *(- sujet : personne)* grignoter **5.** *(sujet : soleil)* brûler **6.** *fig* se faire avoir • **picar (muy) alto** viser (très) haut. ■ **picarse** *vp* **1.** se miter **2.** *(sujet : vin)* se piquer **3.** *fig* se fâcher **4.** se vexer **5.** *(sujet : mer)* s'agiter **6.** se rouiller **7.** *(dent)* • **se me ha picado una muela** j'ai une dent gâtée **8.** *fam (drogue)* se piquer.

picardía *nf* **1.** malice *(f)* **2.** espièglerie *(f)* **3.** effronterie *(f)*. ■ **picardías** *nm inv* nuisette *(f)*.

pícaro, ra *nm, f* **1.** malin *(m)*, -igne *(f)* **2.** coquin *(m)*, -e *(f)* **3.** *(obscène)* • **ser un pícaro** être grivois. ■ **pícaro** *nm héros de la littérature espagnole des XVIe et XVIIe siècles caractérisé par son espièglerie*.

picatoste *nm* croûton *(m) (pour la soupe, etc)*.

pichichi *nm, f meilleur buteur d'un championnat de football*.

pichincha *nf (Amér) fam* occase *(f)*.

pichón *nm* **1.** pigeonneau *(m)* **2.** *fam fig (appellation affectueuse)* • **oye, pichón** dis, mon lapin.

picnic *(pl* **picnics)** *nm* pique-nique *(m)*.

pico *nm* **1.** bec *(m)* **2.** coin *(m)* **3.** pointe *(f)* **4.** *(outil, montagne)* pic *(m)* **5.** *fam* caquet *(m)* • **cerrar el pico** fermer son caquet, la fermer **6.** • **y pico** et quelques • **a las cinco y pico** à cinq heures et quelques.

picor *nm* démangeaison *(f)*.

picoso, sa *adj (Amér)* piquant(e).

picotear *vt* **1.** *(sujet : oiseau)* picorer **2.** *fig* grignoter.

pictórico, ca *adj* pictural(e).

pie *nm* **1.** pied *(m)* • **a pie** à pied • **de** *ou* **en pie** debout • **de pies a cabeza** des pieds à la tête **2.** bas *(m) (d'un document écrit)* • **al pie de la página** au bas de la page **3.** THÉÂTRE • **dar pie** donner la réplique • **al pie de la letra** au pied de la lettre • **andar con pies de plomo** y aller doucement • **buscarle (los) tres pies al gato** chercher midi à quatorze heures • **con buen pie** du bon pied • **dar pie a alguien para que haga algo** donner l'occasion à qqn de faire qqch • **en pie de guerra** sur le pied de guerre • **levantarse con el pie izquierdo** se lever du pied gauche • **no tener ni pies ni cabeza** n'avoir ni queue ni tête • **pararle los pies a alguien** remettre qqn à sa place • **seguir en pie** être encore valable • être toujours debout.

piedad *nf* **1.** pitié *(f)* **2.** piété *(f)*.

piedra *nf* pierre *(f)* ● **piedra pómez** pierre ponce ● **piedra preciosa** pierre précieuse ● **quedarse de piedra** tomber de haut, ne pas en revenir.

piel *nf* 1. peau *(f)* ● **piel roja** Peau-Rouge *(mf)* ● **la piel de toro** *fig* l'Espagne *(f)* 2. cuir *(m)* ● **una cazadora de piel** un blouson en cuir 3. fourrure *(f)* ● **un abrigo de pieles** un manteau de fourrure.

piercing ['pirsiŋ] *nm* piercing *(m)*.

pierna *nf* 1. jambe *(f)* *(d'une personne)* 2. patte *(f)* *(d'un oiseau, d'un chien, etc)* 3. gigot *(m)* *(d'agneau)*.

pieza *nf* pièce *(f)* ● **pieza de recambio** OU **repuesto** pièce détachée ● **dejar/quedarse de una pieza** *fig* laisser/rester sans voix.

pifiar *vt* ● **pifiarla** *fam* gaffer.

pigmentación *nf* pigmentation *(f)*.

pigmento *nm* pigment *(m)*.

pijama *nm* pyjama *(m)*.

pijo, ja *fam* ◼ *adj* bon chic bon genre. ◼ *nm, f* minet *(m)*, -ette *(f)*.

pila *nf* 1. *(gén & ARCHIT)* pile *(f)* 2. évier *(m)* 3. *fam* montagne *(f)* ● **tiene una pila de deudas** il a une montagne de dettes.

pilar *nm* litt & fig pilier *(m)*.

píldora *nf* pilule *(f)* ● **tomar la píldora** prendre la pilule ● **dorar la píldora a alguien** dorer la pilule à qqn.

pileta *nf (Amér)* 1. évier *(m)* 2. piscine *(f)*.

pillaje *nm* pillage *(m)*.

pillar ◼ *vt* 1. attraper 2. renverser 3. *fam* surprendre ● **me pilló en pijama** il m'a surpris en pyjama 4. coincer *(quelqu'un)* 5. pincer *(un doigt)* 6. saisir *(une blague, une explication)*. ◼ *vi (se trouver)* ● **me pilla de paso** c'est sur mon chemin ● **me pilla lejos** c'est loin de chez moi. ◼ **pillarse** *vp* 1. se coincer 2. se pincer *(un doigt)*.

pillo, lla *adj* & *nm, f fam* coquin(e).

pilotar *vt* piloter.

piloto ◼ *nm* 1. pilote *(m)* ● **piloto automático** pilote automatique 2. voyant *(m)* lumineux *(d'un appareil)* 3. feu *(m)* *(d'un véhicule)*. ◼ *adj inv* 1. *(ferme, école)* pilote 2. *(appartement)* témoin.

piltrafa *nf* 1. *(gén pl)* restes *(mpl)* 2. *fam* loque *(f)*.

pimentón *nm* piment *(m)* rouge moulu.

pimienta *nf* poivre *(m)*.

pimiento *nm* piment *(m)* ● **pimiento morrón** poivron *(m)*.

pimpollo *nm* 1. rejeton *(m)* *(d'une plante)* 2. bouton *(m)* *(d'une fleur)* 3. bouton *(m)* de rose 4. *fam fig (personne attirante)* ● **¡vaya pimpollo!** quel beau brin de fille ! ● **está hecho un pimpollo** il est devenu beau gosse.

pinacoteca *nf* 1. pinacothèque *(f)* 2. galerie *(f)* *(de peinture)*.

pinar *nm* pinède *(f)*.

pinaza *nf* aiguille *(f)* *(de pin)*.

pincel *nm* 1. pinceau *(m)* 2. *fig (style)* touche *(f)*.

pinchadiscos *nmf inv* disc-jockey *(mf)*.

pinchar ◼ *vt* 1. piquer 2. crever *(une roue, un ballon)* 3. *(fixer)* ● **pinchar algo en la pared** accrocher qqch au mur 4. *fam fig* asticoter 5. *fam fig* tanner 6. *fam* mettre sur écoutes. ◼ *vi* 1. *(roue)* crever 2. *(barbe)* gratter. ◼ **pincharse** *vp* 1. se piquer 2. crever 3. se faire faire une piqûre 4. *fam (drogue)* se piquer.

pinchazo *nm* 1. piqûre *(f)* 2. crevaison *(f)*.

pinche ◼ *nmf* marmiton *(m)*. ◼ *adj (Amér) fam* satané(e).

pinchito *nm* mini-brochette de viande servie comme « tapa ».

pincho *nm* 1. épine *(f)* 2. pique *(f)* 3. portion servie comme « tapa » dans les bars ● **pincho moruno** brochette de viande de porc.

pinga *nf (Amér) vulg* quéquette *(f)*.

pingajo *nm fam péj* ● **ir hecho un pingajo** être tout déguenillé.

pingo *nm fam péj (personne)* ● **estar hecho un pingo** mener une vie de bâton de chaise ● **estar de pingo** *(voyager)* être toujours par monts et par vaux ● *(faire la fête)* être de sortie.

ping-pong, pimpón [pin'pon] *nm* ping-pong *(m)*.

pingüino *nm* pingouin *(m)*.

pinitos *nmpl* ● **hacer sus pinitos** *litt* & *fig* faire ses premiers pas.

pino *nm* pin *(m)* ● **en el quinto pino** *fam fig* à perpète.

pinta *nf* ▷ **pinto**.

pintado, da *adj* 1. peint(e) ● **'recién pintado'** 'peinture fraîche' 2. tacheté(e) 3. maquillé(e). ◼ **pintada** *nf* 1. graffiti *(m)* 2. pintade *(f)*.

pintalabios *nm inv* rouge *(m)* à lèvres.

pintar ◼ *vt* 1. peindre 2. *fig* dépeindre. ◼ *vi* 1. *(signifier, importer)* ● **aquí no pinto nada** je n'ai rien à faire ici ● **¿qué pinto yo en este asunto?** qu'est-ce que j'ai à voir là-dedans ? 2. *(stylo, feutre)* ● **pintar bien/mal** écrire bien/mal. ◼ **pintarse** *vp* 1. se maquiller 2. se voir ● **el miedo se pintaba en su cara** la peur se lisait sur son visage ● **pintárselas uno solo para algo** ne pas avoir son pareil pour qqch.

pinto, ta *adj* tacheté(e). ◼ **pinta** *nf* 1. *(pois)* ● **con pintas blancas** tacheté de blanc 2. *fig* air *(m)* ● **la comida tiene buena pinta** le repas a l'air bon ● **¡vaya pintas que lleva!** il a une de ces allures ! 3. *(unité de mesure)* pinte *(f)*. ◼ **pintas** *nmf fam* ● **estar hecho un pintas** avoir une de ces touches.

pintor, ra *nm, f* peintre *(m)* • **pintor colorista** coloriste *(mf)*.

pintoresco, ca *adj* **1.** pittoresque **2.** *fig* haut(e) en couleur.

pintura *nf* **1.** *(gén & ART)* peinture *(f)* • **pintura al óleo** peinture à l'huile **2.** *fig (description)* tableau *(m)*.

piña *nf* **1.** ananas *(m)* **2.** pomme *(f)* de pin **3.** *fig (groupe de gens)* • **reaccionar en piña** faire bloc **4.** *fam (coup)* • **dar una piña a alguien** flanquer un coup à qqn.

pinza *nf (gén pl)* **1.** pince *(f)* **2.** pince *(f)* à linge.

piñata *nf* récipient suspendu que des enfants aux yeux bandés brisent à coups de bâton pour y récupérer des friandises.

piñón *nm* pignon *(m)* • **están a partir un piñón** ils sont comme les deux doigts de la main.

pío, a *adj* **1.** pieux(euse) **2.** *(œuvre)* pie. ■ **pío** *nm* pépiement *(m)* • **no decir ni pío** *fig* ne pas piper.

piojo *nm* pou *(m)*.

piola *adj (Amér) fam* malin(Igne).

pionero, ra *nm, f* pionnier *(m)*, -ère *(f)*.

pipa *nf* **1.** pipe *(f)* **2.** pépin *(m)* **3.** graine *(f)* de tournesol **4.** tonneau *(m)* • **pasarlo** *ou* **pasárselo pipa** *fam* s'éclater.

pipermín, peppermint [piper'min] *nm* peppermint *(m)*, menthe *(f)*.

pipí *nm fam* pipi *(m)* • **hacer pipí** faire pipi.

pique ■ *v* ➤ **picar**. ■ *nm* **1.** • **tener un pique con alguien** être en froid avec qqn **2.** concurrence *(f)* • **irse a pique** *litt* & *fig* couler.

piquete *nm* **1.** piquet *(m)* **2.** *(groupe armé)* peloton *(m)* • **piquete de ejecución** peloton d'exécution.

pirado, da *adj fam* cingle(e).

piragua *nf* **1.** pirogue *(f)* **2.** SPORT canoë *(m)*.

piragüismo *nm (discipline)* canoë-kayak *(m)*.

pirámide *nf* pyramide *(f)*.

piraña *nf* piranha *(m)*.

pirarse *vp fam* se casser.

pirata ■ *adj litt* & *fig* pirate. ■ *nmf* pirate *(m)*.

piratear *vt* & *vi* pirater.

pírex, pyrex *nm* Pyrex® *(m)*.

pirindolo *nm* machin *(m)*.

Pirineos *npr* • **los Pirineos** les Pyrénées *(fpl)*.

piripi *adj fam* pompette.

piro *nm* • **darse el piro** *fam* se barrer.

pirómano, na *nm, f* pyromane *(mf)*.

piropear *vt fam* • **piropear a alguien** faire du plat à qqn.

piropo *nm fam* compliment *(m)*.

pirotecnia *nf* pyrotechnie *(f)*.

pirrarse *vp fam* • **pirrarse por algo** être fana de qqch • **pirrarse por alguien** s'enticher de qqn.

pirueta *nf* **1.** pirouette *(f)* **2.** *fig (effort)* • **hacer piruetas con** jongler avec.

piruleta *nf* sucette *(f) (plate et ronde)*.

pirulí *(pl pirulís)* *nm* sucette *(f)*.

pis *nm fam* pipi *(m)*.

pisada *nf* pas *(m)*.

pisapapeles *nm inv* presse-papiers *(m inv)*.

pisar *vt* **1.** marcher sur **2.** appuyer sur *(la pédale, l'accélérateur)* • **pisar a alguien** *litt* & *fig* marcher sur les pieds de qqn **3.** fouler *(le raisin)* **4.** *fig (aller à)* mettre les pieds à **5.** *fig (devancer)* • **pisar una idea a alguien** couper l'herbe sous le pied de qqn.

piscina *nf* piscine *(f)*.

Piscis ■ *nm inv* Poissons *(mpl)*. ■ *nmf inv* poissons *(m inv)*.

piscolabis *nm inv fam* • **tomarse un piscolabis** casser une petite croûte.

piso *nm* **1.** appartement *(m)* **2.** étage *(m)* **3.** revêtement *(m)* **4.** couche *(f)* **5.** *(Amér)* sol *(m)*.

pisotear *vt* **1.** piétiner **2.** *fig* bafouer • **pisotear a alguien** rabaisser qqn.

pisotón *nm fam* • **me dieron un pisotón** quelqu'un m'a marché dessus.

pista *nf* piste *(f)* • **pista de esquí** piste de ski • **pista de tenis** court *(m)* de tennis.

pistacho *nm* pistache *(f)*.

pisto *nm* ≃ ratatouille *(f)*.

pistola *nf (arme, pulvérisateur)* pistolet *(m)* • **pistola (de grapas)** agrafeuse *(f)*.

pistolero, ra *nm, f* tueur *(m)*, -euse *(f)*. ■ **pistolera** *nf* étui *(m)* de revolver.

pistón *nm* piston *(m)*.

pitada *nf (Amér) fam* taffe *(f)*.

pitar ■ *vt* siffler. ■ *vi* **1.** siffler **2.** *(voiture)* klaxonner **3.** *fam (fonctionner)* rouler **4.** *(Amér) fam* fumer • **salir/irse/venir pitando** sortir/partir/venir en quatrième vitesse.

pitido *nm* **1.** coup *(m)* de sifflet **2.** *(voiture)* coup *(m)* de Klaxon.

pitillera *nf* porte-cigarette *(m)*.

pitillo *nm* **1.** cigarette *(f)* **2.** *(Amér)* paille *(f) (pour boire)*.

pito *nm* **1.** sifflet *(m)* **2.** Klaxon® *(m) (d'une voiture)* **3.** *fam* clope *(f)* **4.** *fam* zizi *(m)*.

pitón *nm* **1.** corne *(f)* **2.** bec *(m) (verseur)*.

pitonisa *nf* voyante *(f)*.

pitorrearse *vp fam* • **pitorrearse (de algo/alguien)** se ficher (de qqch/qqn).

pitorreo *nm fam* rigolade *(f)*.

pitorro *nf* bec *(m) (verseur)*.

pívot *(pl pivots)* *nmf* SPORT pivot *(m)*.

pivote *nm* pivot *(m)*.

pizarra *nf* **1.** ardoise *(f)* **2.** tableau *(m) (noir)*.

pizca *nf* **1.** *fam* • **una pizca de** un petit peu de • **una pizca de sal** une pincée de sel • **no veo**

ni pizca je n'y vois que dalle • **no me gusta ni pizca** je n'aime pas ça du tout **2.** *(Amér)* récolte *(f).*

pizza ['pitsa] *nf* pizza *(f).*

pizzería [pitse'ria] *nf* pizzeria *(f).*

pl., pza. *(abr écrite de plaza)* Pl., pl.

placa *nf* **1.** plaque *(f)* • **placa solar** panneau *(m)* solaire **2.** carte *(f) (électronique).*

placenta *nf* placenta *(m).*

placentero, ra *adj* plaisant(e).

placer *nm* plaisir *(m).*

plácido, da *adj* placide.

plafón *nm* plafonnier *(m).*

plaga *nf* **1.** fléau *(m)* **2.** épidémie *(f)* **3.** *fig (grande quantité)* invasion *(f).*

plagado, da *adj* rempli(e) • **plagado de deudas** criblé de dettes.

plagar *vt* • **plagar de** remplir de • *(murs)* couvrir de.

plagiar *vt* **1.** plagier **2.** *(Amér)* kidnapper.

plagio *nm* plagiat *(m).*

plan *nm* **1.** plan *(m)* **2.** *(projet)* **¿que planes tienes?** qu'est-ce que tu comptes faire ? **3.** *fam (ticket)* • **salirle un plan a alguien** se faire draguer **4.** *fam (manière)* • **lo dijo en plan serio** il a dit ça sérieusement • **lo dijo en plan (de) broma** il a dit ça pour rire • **¡menudo plan!** *fam* tu parles d'un amusement !

plancha *nf* **1.** fer *(m)* à repasser **2.** *(action)* repassage *(m)* **3.** gril *(m)* • **a la plancha** grillé(e) **4.** plaque *(f)* **5.** planche *(f) (en bois)* **6.** *fam* gaffe *(f)* **7.** *(au football)* tacle *(m)* **8.** tôle *(f) (d'une voiture)* **9.** IMPR planche *(f).*

À PROPOS DE...

plancha

Attention ! *plancha* n'est pas une « planche » mais un « fer à repasser ».

planchado *nm* repassage *(m).*

planchar *vt* repasser.

planchista *nmf* tôlier *(m).*

plancton *nm* plancton *(m).*

planeador *nm* planeur *(m).*

planear ⬛ *vt* **1.** projeter **2.** planifier. ⬛ *vi* **1.** faire des projets **2.** planer *(dans l'air).*

planeta *nm* planète *(f).*

planetario, ria *adj* planétaire.

planicie *nf* plaine *(f).*

planificación *nf* planification *(f)* • **planificación familiar** planning *(m)* familial.

planificar *vt* planifier.

planilla *nf (Amér)* formulaire *(m).*

planisferio *nm* planisphère *(m).*

plano, na *adj* **1.** GÉOM plan(e) **2.** plat(e). ⬛ **plano** *nm* plan *(m)* **2.** *(projet)* • **primer plano** premier plan • **de plano** *fig* en plein • **el sol da de plano en la terraza** le soleil donne en plein sur la terrasse • **caerse de plano** tomber de tout son long. ⬛ **plana** *nf* **1.** page *(f)* • **una ilustración a toda plana** une illustration pleine page **2.** plaine *(f).*

planta *nf* **1.** BOT *(du pied)* plante *(f)* **2.** étage *(m)* • **planta baja** rez-de-chaussée *(m inv)* **3.** usine *(f)* • **planta depuradora** station *(f)* d'épuration • **planta incineradora** usine d'incinération.

plantación *nf* plantation *(f).*

plantado, da *adj* planté(e) • **dejar plantado a alguien** *fam* laisser tomber qqn • **ser bien plantado** *fig* être bien de sa personne.

plantar *vt* **1.** planter **2.** *fam* flanquer **3.** *fam (dire avec brusquerie)* • **le plantó cuatro frescas** il lui a sorti ses quatre vérités **4.** *fam* flanquer dehors **5.** *fam* plaquer. ⬛ **plantarse** *vp* **1.** se planter **2.** *(arriver)* • **en cinco minutos te plantas ahí** tu y es en cinq minutes **3.** *(attitude)* • **plantarse en algo** ne pas démordre de qqch **4.** *(aux cartes)* • **me planto** servi(e).

planteamiento *nm* **1.** approche *(f)* **2.** exposé *(m).*

plantear *vt* **1.** poser *(un problème, une question, etc)* **2.** envisager *(une possibilité, un changement).* ⬛ **plantearse** *vp* **1.** *(problème, question, etc)* se poser **2.** *(possibilité, changement)* envisager.

plantel *nm* **1.** pépinière *(f)* **2.** *fig* groupe *(m).*

plantilla *nf* **1.** personnel *(m) (d'une entreprise)* **2.** semelle *(f) (intérieure d'une chaussure)* **3.** *(modèle)* patron *(m).*

plantón *nm fam* • **dar un plantón** poser un lapin • **estar de plantón** poireauter.

plañidero, ra *adj fam* geignard(e).

plañir ⬛ *vt* pleurer *(une perte).* ⬛ *vi* gémir.

plaqueta *nf* plaquette *(f).*

plasmar *vt* **1.** *fig (refléter)* exprimer **2.** façonner. ⬛ **plasmarse** *vp* se concrétiser.

plasta ⬛ *adj & nmf* enquiquineur(euse). ⬛ *nf* bouillie *(f).*

plástica *nf* ⬕ **plástico**.

plástico, ca *adj* **1.** plastique **2.** parlant(e) ⬛ **plástico** *nm* **1.** plastique *(m)* **2.** *fam* cartes *(fpl)* de crédit. ⬛ **plástica** *nf* plastique *(f).*

plastificar *vt* plastifier.

plastilina *nf* pâte *(f)* à modeler.

plata *nf* **1.** argent *(m)* • **plata de ley** argent titré • **hablar en plata** *fam* parler franchement **2.** argenterie *(f)* **3.** *(Amér) fam* argent *(m).*

plataforma *nf* **1.** plate-forme *(f)* • **plataforma del 0,7%** en Espagne, mouvement en faveur de l'aide au tiers-monde **2.** *fig* tremplin *(m).*

platal *nm (Amér) fam* • **un platal** une fortune.

plátano *nm* **1.** banane *(f)* **2.** BOT bananier *(m)*, platane *(m)*.

platea *nf* THÉÂTRE parterre *(m)*.

plateado, da *adj* argenté(e).

plática *nf (Amér)* conversation *(f)*.

platicar *(Amér)* ◼ *vi* discuter. ◼ *vt* dire ◦ **te lo platico mañana** je t'en parlerai demain.

platillo *nm* **1.** soucoupe *(f)* **2.** plateau *(m) (d'une balance)* **3.** *(gén pl)* cymbale *(f)*. ◼ **platillo volante** *nm* soucoupe *(f)* volante.

platina *nf* platine *(f)*.

platino *nm* platine *(m)*. ◼ **platinos** *nmpl* vis *(fpl)* platinées.

plato *nm* **1.** assiette *(f)* ◦ **lavar los platos** faire la vaisselle ◦ **pagar los platos rotos** payer les pots cassés **2.** *(nourriture)* plat *(m)* ◦ **el plato fuerte de la historia es que...** *fig* la meilleure c'est que... ◦ **plato combinado** plat garni ◦ **primer plato** entrée *(f)* ◦ **segundo plato, plato fuerte** plat de résistance **3.** platine *(f) (pour disques)* **4.** plateau *(m) (d'une balance, d'une bicyclette)*.

plató *nm* plateau *(m)*.

platónico, ca *adj* platonique.

platudo, da *adj (Amér) fam* friqué(e).

plausible *adj* plausible.

playa *nf* **1.** plage *(f)* **2.** *(Amér) (parking)* ◦ **playa de estacionamiento** parking *(m)*.

play-back ['pleiβak] *(pl play-backs)* *nm* play-back *(m)*.

play-boy [plei'βoi] *(pl play-boys)* *nm* play-boy *(m)*.

playero, ra *adj* de plage. ◼ **playera** *nf (gén pl)* chaussures *(fpl)* en toile.

plaza *nf* **1.** place *(f)* **2.** poste *(m) (de travail)* **3.** marché *(m)* **4.** arène *(f)* ◦ **plaza de toros** arènes *(fpl)* **5.** COMM & GÉOM zone *(f)* **6.** place *(f)* forte.

plazo *nm* **1.** *(gén & COMM)* délai *(m)* ◦ **a corto/largo plazo** à court/long terme **2.** versement *(m)* ◦ **a plazos** à crédit.

plazoleta *nf* petite place *(f)*.

plebe *nf* plèbe *(f)*.

plebeyo, ya *adj & nm, f* plébéien(enne).

plebiscito *nm* plébiscite *(m)*.

plegable *adj* pliant(e).

plegar *vt* plier.

plegaria *nf* prière *(f)*.

pleito *nm* procès *(m)*.

plenario, ria *adj* plénier(ère).

plenilunio *nm* pleine lune *(f)*.

plenitud *nf* plénitude *(f)*.

pleno, na *adj* plein(e) ◦ **en pleno** *(au milieu)* en plein ◦ *(dans sa totalité)* au grand complet ◦ **en pleno día** en plein jour ◦ **en plena forma** en pleine forme. ◼ **pleno** *nm* **1.** séance *(f)* plénière ◦ **pleno de accionistas** assemblée *(f)* générale des actionnaires ◦ **pleno del congreso/**

ayuntamiento séance plénière du congrès/du conseil municipal **2.** *(aux jeux de hasard)* ◦ **acertar el pleno** avoir tous les bons numéros.

pletórico, ca *adj* ◦ **pletórico de** plein de.

pliego *nm* **1.** feuille *(f)* *(de papier)* **2.** *(document)* pli *(m)* ◦ **pliego de condiciones** cahier *(m)* des charges **3.** IMPR cahier *(m)*.

pliegue *nm* pli *(m) (document)*.

plisado *nm* **1.** *(action)* plissage *(m)* **2.** *(résultat)* plissé *(m)*.

plomería *nf (Amér)* plomberie *(f)*.

plomero *nm (Amér)* plombier *(m)*.

plomizo, za *adj* de plomb ◦ **un cielo plomizo** un ciel de plomb.

plomo *nm* **1.** plomb *(m)* ◦ **caer a plomo** *fam* tomber comme une masse **2.** *fam* casse-pieds *(mf inv)*.

plotter *(pl plotters)* *nm* INFORM traceur *(m)*.

pluma *nf* **1.** plume *(f)* ◦ **(pluma) estilográfica** stylo *(m)* (à) plume **2.** *fig* homme *(m)* de plume **3.** *(Amér)* stylo *(m)*.

plum-cake [pluŋ'keik] *(pl plum-cakes)* *nm* cake *(m)*.

plumero *nm* plumeau *(m)* ◦ **vérsele a alguien el plumero** *fam fig* voir venir qqn.

plumier *(pl plumiers)* *nm* plumier *(m)*.

plumilla *nf* plume *(f) (de stylo)*.

plumón *nm* **1.** duvet *(m)* **2.** doudoune *(f)*.

plural ◼ *adj* pluriel(elle). ◼ *nm* pluriel *(m)*.

pluralidad *nf* pluralité *(f)*.

pluralismo *nm* pluralisme *(m)*.

pluralizar *vi* généraliser.

pluriempleo *nm* cumul *(m)* d'emplois.

plus *(pl pluses)* *nm (gratification)* prime *(f)*.

pluscuamperfecto *nm* plus-que-parfait *(m)*.

plusmarca *nf* SPORT record *(m)*.

plusvalía *nf* plus-value *(f)*.

pluvial *adj* pluvial(e).

p.m. *(abr écrite de* **post meridiem***)* p.m. ◦ **abierto por las tardes de 2 a 8 p.m.** ouvert l'après-midi de 14 h à 20 h.

PM *(abr de* **policía militar***)* *nf* police militaire espagnole.

PNB *(abr de* **producto nacional bruto***)* *nm* PNB *(m)* ◦ **el PNB por habitante** le PNB par habitant.

PNV *(abr de* **Partido Nacionalista Vasco***)* *nm* parti nationaliste basque.

población *nf* **1.** population *(f)* **2.** peuplement *(m)* **3.** localité *(f)*.

poblado, da *adj* **1.** peuplé(e) **2.** *fig (barbe, sourcils)* fourni(e). ◼ **poblado** *nm* village *(m)*.

poblador, ra ◼ *adj* ◦ **los indios pobladores de América** les Indiens qui peuplent l'Amérique. ◼ *nm, f* habitant *(m)*, -e *(f)*.

poblar *vt* peupler. ■ **poblarse** *vp* se peupler.

pobre ◨ *adj* pauvre ▪ **¡pobre hombre!** pauvre homme ! ▪ **¡pobre de mí/ti** *etc* ! pauvre de moi/toi *etc* ! ◨ *nmf* pauvre *(mf)*.

pobreza *nf* pauvreté *(f)* ▪ **pobreza de** *(choses matérielles)* manque de.

pochismo *nm* *(Amér)* *fam* spanglish *(m)*.

pocho, cha *adj* **1.** *(personne)* patraque **2.** *(fruit)* blet(ette) **3.** *(Amér)* *fam* américanisé(e) *(se dit des Mexicains)*.

pocilga *nf* litt & fig porcherie *(f)*.

pocillo *nm* *(Amér)* **1.** tasse *(f)* **2.** chope *(f)*.

pócima *nf* **1.** potion *(f)* **2.** *péj (boisson)* ▪ **este cóctel es una pócima** ce cocktail est imbuvable.

poción *nf* potion *(f)*.

poco, ca ◨ *adj* peu de ▪ **poco trabajo** peu de travail ▪ **de poca importancia** de peu d'importance ▪ **dame unos pocos días** donne-moi quelques jours ▪ **las vacantes son pocas** les places sont rares. ◨ *pron* peu ▪ **han aprobado pocos** il y en a peu qui ont réussi ▪ **tengo muy pocos** j'en ai très peu ▪ **tengo amigos, pero pocos** j'ai des amis, mais j'en ai peu ▪ **unos pocos** quelques-uns ▪ **un poco (de)** un peu (de) ▪ **un poco de paciencia** un peu de patience. ■ **poco** *adv* **1.** peu ▪ **come poco** il ne mange pas beaucoup ▪ **está poco salado** ce n'est pas très salé ▪ **por poco** pour un peu ▪ **por poco lo consigo** j'ai failli réussir ▪ **por poco se desmaya** pour un peu, il s'évanouissait **2.** *(peu de temps)* ▪ **tardaré poco** je ne serai pas long ▪ **al poco de llegar** peu après son arrivée ▪ **dentro de poco** bientôt, sous peu ▪ **llegará dentro de poco** il arrivera bientôt ▪ **hace poco (tiempo)** il n'y a pas longtemps ▪ **poco a poco** peu à peu ▪ **¡poco a poco!** doucement !

podar *vt* **1.** élaguer *(un arbre)* **2.** tailler *(la vigne, un rosier)*.

poder *nm* **1.** *(autorité)* pouvoir ▪ **el partido que está en el poder** le parti (qui est) au pouvoir ▪ **los militares lograron hacerse con el poder** les militaires ont réussi prendre le pouvoir ▪ **poder adquisitivo** pouvoir d'achat ▪ **poder ejecutivo/judicial/legislativo** pouvoir exécutif/judiciaire/législatif **2.** *(capacité, puissance)* ▪ **pretendía así mostrar su poder** il prétendait ainsi montrer sa puissance ▪ **un detergente de un gran poder limpiador** un détergent très puissant **3.** *(possession)* ▪ **las pruebas están ya en poder de los jueces** les preuves sont déjà entre les mains des juges. ■ **poderes** *nmpl* **1.** *(autorités)* ▪ **poderes públicos** pouvoirs publics **2.** *(droit d'exercer certaines fonctions)* procuration ▪ **dar poderes a alguien** donner procuration à qqn ▪ **por poderes** par procuration.

poder *vt*

1. AVOIR LA POSSIBILITÉ DE = pouvoir
▪ **no podré venir a tu boda** je ne pourrrai pas venir à ton mariage
▪ **¿puedes venir un momento, por favor?** tu peux venir un moment, s'il te plaît ?
▪ **puedo pagarme el viaje** je peux me payer le voyage

2. AVOIR LE DROIT DE = pouvoir
▪ **no podemos abandonarlo** nous ne pouvons pas l'abandonner

3. EXPRIME UNE POSSIBILITÉ, UNE ÉVENTUALITÉ = pouvoir
▪ **puede estallar la guerra** la guerre peut éclater
▪ **podías habérmelo dicho** tu aurais pu me le dire.

poder *vi*
▪ **no puedo más** je n'en peux plus
▪ **disfrutamos a** *ou* **hasta más no poder** nous nous sommes amusés comme des fous
▪ **es avaro a** *ou* **hasta más no poder** il est on ne peut plus avare.

poder *v impers*
EXPRIME UNE POSSIBILITÉ, UNE ÉVENTUALITÉ
▪ **puede ser** c'est possible
▪ **no puede ser** ce n'est pas possible
▪ **puede que llueva** il va peut-être pleuvoir
▪ **¿vendrás mañana? – puede** tu viendras demain ? – peut-être
▪ **¿se puede?** on peut entrer ?

■ **poder a** *v + prép*
TENIR TÊTE
▪ **a mí no hay quien me pueda** je suis le plus fort.

■ **poder con** *v + prép*

1. ÊTRE CAPABLE DE FAIRE FACE À UNE SITUATION
▪ **poder con algo/con alguien** venir à bout de qqch/de qqn
▪ **ella sola no podrá con la corrección de pruebas** elle ne pourra pas corriger les épreuves toute seule
▪ **por mucho que lo intento, no puedo con las matemáticas** j'ai beau essayer, je n'y arrive pas en maths

2. *fam* ÊTRE CAPABLE DE SUPPORTER QQN
▪ **de verdad, ¡no puedo con Roberto!** vraiment, je ne peux pas supporter Roberto !

poderío *nm* **1.** puissance *(f)* **2.** *(territoire)* domaine *(m)*.

poderoso, sa *adj* puissant(e).

podio, podium *nm* podium *(m)*.

podólogo, ga *nm, f* podologue *(mf)*.

podrá ⮕ **poder**.

podría ⮕ **poder**.

podrido, da adj pourri(e). ■ **podrido** pp ⮕ **pudrir**.

poema nm poème (m).

poesía nf poésie (f).

poeta nm poète (m).

poético, ca adj poétique.

poetisa nf poétesse (f).

póker = **póquer**.

polaco, ca ◨ adj polonais(e). ◨ nm, f Polonais (m), -e (f). ■ **polaco** nm polonais (m).

polar adj polaire.

polarizar vt 1. (attention & PHYS) polariser 2. fig centrer (un sujet, une question, etc). ■ **polarizarse** vp ◦ **polarizarse en** se polariser sur ◦ être centré(e) sur.

polaroid® nf inv Polaroid® (m).

polca nf polka (f).

polea nf poulie (f).

polémico, ca adj polémique. ■ **polémica** nf polémique (f).

polemizar vi ◦ **polemizar (sobre)** polémiquer (sur).

polen nm pollen (m).

poleo nm menthe (f) forte.

poli fam ◨ nmf flic (m). ◨ nf ◦ **la poli** les flics (mpl).

poliamida nf polyamide (m).

polichinela nf polichinelle (m).

policía ◨ nmf policier (m), femme (f) policier. ◨ nf police (f).

policiaco, ca, policíaco, ca adj policier(ère).

policial adj 1. policier(ère) 2. (fourgon, descente, etc) de police.

polideportivo, va adj omnisports. ■ **polideportivo** nm palais (m) omnisports.

poliedro nm polyèdre (m).

poliéster nm inv polyester (m).

polietileno nm polyéthylène (m).

polifacético, ca adj éclectique.

poligamia nf polygamie (f).

polígamo, ma adj & nm, f polygame.

poligloto, ta, políglota, ta adj & nm, f polyglotte.

polígono nm 1. GÉOM polygone (m) 2. (superficie d'un terrain) zone (f) ◦ **polígono industrial** zone industrielle.

polilla nf mite (f).

polio nf polio (f).

poliomielitis nf inv poliomyélite (f).

polipiel nf similicuir (m).

pólipo nm polype (m).

Polisario (abr de **Frente Popular para la Liberación de Sakiet el Hamra y Río de Oro**) nm Front Polisario (m) (mouvement armé pour la création d'un État sahraoui indépendant dans le Sahara occidental) ◦ **el Frente Polisario** le Front Polisario.

politécnico, ca adj polytechnique ◦ ⮕ **instituto**. ■ **politécnica** nf école supérieure d'enseignement technique.

politeísmo nm polythéisme (m).

política nf ⮕ **político**.

político, ca adj 1. politique 2. (parent) ◦ **el hermano político** le beau-frère ◦ **la familia política** la belle-famille. ■ **político** nm homme (m) politique. ■ **política** nf politique (f).

politizar vt politiser. ■ **politizarse** vp 1. (débat, conflit) se politiser 2. (personne) participer à la vie politique.

polivalente adj polyvalent(e).

póliza nf 1. police (f) (d'assurances) 2. timbre (m) fiscal.

polizón nm passager (m) clandestin.

polla nf ⮕ **pollo**.

pollera nf (Amer) jupe (f)

pollería nf ◦ **en la pollería** chez le volailler.

pollito nm poussin (m).

pollo, lla nm, f 1. poussin (m) 2. (gén m) fam jeunot (m). ■ **pollo** nm poulet (m). ■ **polla** nf vulg bite (f).

polo nm 1. pôle (m) ◦ **polo negativo/positivo** pôle négatif/positif ◦ **polo norte/sur** pôle Nord/Sud 2. glace (f) (à l'eau) 3. (chemisette) polo (m) 4. (SPORT - à cheval) polo (m) ◦ (- dans l'eau) water-polo (m).

pololo, la nm, f (Amér) fam copain (m), copine (f).

Polonia npr Pologne (f).

poltrona nf (fauteuil) bergère (f).

polución nf pollution (f).

polvareda nf nuage (m) de poussière.

polvera nf poudrier (m).

polvo nm 1. poussière (f) ◦ **limpiar** OU **quitar el polvo** épousseter 2. poudre (f) ◦ **en polvo** en poudre 3. vulg (coït) ◦ **echar un polvo** tirer un coup ◦ **estar hecho polvo** fam (fatigué) être vanné ◦ (cassé) être fichu ◦ (démoralisé) ne pas aller fort ◦ **hacer polvo algo** fam bousiller qqch. ■ **polvos** nmpl (maquillage) poudre (f).

pólvora nf poudre (f).

polvoriento, ta adj poussiéreux(euse).

polvorín nm poudrière (f).

polvorón nm petit gâteau fait de pâte sablée, que l'on mange à Noël.

pomada nf pommade (f).

pomelo nm 1. pamplemoussier (m) 2. pamplemousse (m).

pómez adj ⮕ **piedra**.

pomo nm bouton (m) (de porte, de tiroir).

pompa *nf* *(ceremonial)* pompe *(f)*. ■ **pompa de jabón** *nf* *(gén pl)* bulle *(f)* de savon. ■ **pompas fúnebres** *nfpl* pompes *(fpl)* funèbres.
pompis *nm inv fam* derrière *(m)*.
pompón *nm* pompon *(m)*.
pomposo, sa *adj* pompeux(euse).
pómulo *nm* pommette *(f)*.
ponchar *vt (Amér)* crever *(un pneu)*. ■ **poncharse** *vp (Amér)* crever.
ponche *nm (boisson)* punch *(m)*.
poncho *nm* poncho *(m)*.
ponderar *vt* 1. porter aux nues 2. examiner 3. *(statísticas)* pondérer.
ponedor, ra *adj* pondeur(euse).
ponencia *nf* 1. communication *(f)* 2. rapport *(m)* 3. *(charge)* • **ocupa la ponencia de la mesa sobre...** il est le rapporteur de la table ronde sur... 4. commission *(f)*.

poner *vt*

1. PLACER = mettre
   • **¿dónde has puesto el libro?** où as-tu mis le livre ?
   • **pon vinagre en la ensalada** mets du vinaigre dans la salade
2. DISPOSER SUR LE CORPS, REVÊTIR = mettre
   • **ponle el abrigo/los guantes** mets-lui son manteau/ses gants
3. ALLUMER = mettre
   • **pon la radio/la tele/la calefacción** mets la radio/la télé/le chauffage
4. PRÉPARER = mettre
   • **pon la mesa mientras yo preparo la ensalada** mets la table pendant que je prépare la salade
5. EMPLOYER, CONTRIBUER
   • **puso toda su voluntad en ello** il y a mis toute sa volonté
   • **podrías poner un poco de tu parte** tu pourrais y mettre un peu du tien
   • **ya he puesto mi parte** j'ai déjà payé ma part
6. INSTALLER
   • **en el piso nuevo nos están poniendo el gas y la luz** ils sont en train d'installer le gaz et l'électricité dans notre nouvel appartement
   • **han puesto su casa con mucho gusto** ils ont arrangé leur maison avec beaucoup de goût
7. MONTER = ouvrir
   • **han puesto una tienda de comestibles** ils ont ouvert une épicerie
8. PROVOQUER UN ÉTAT
   • **lo que le dije la puso furiosa** ce que je lui ai dit l'a rendue furieuse
   • **poner triste** rendre triste
   • **lo pones de mal humor** tu le mets de mauvaise humeur

9. DONNER
   • **este profesor siempre nos pone muchos deberes** ce professeur nous donne toujours beaucoup de devoirs
10. AU CINÉMA, À LA TÉLÉVISION = passer
   • **esta película la ponen sólo en el Médicis** ce film passe seulement au cinéma Médicis
11. AU THÉÂTRE = jouer
   • **¿qué obra ponen en el Condal?** quelle pièce joue-t-on au théâtre Condal ?
12. DONNER UN PRÉNOM
   • **le han puesto Mario** ils l'ont appelé Mario
   • **¿qué nombre le van a poner al bebé?** quel prénom vont-ils donner au bébé ?
13. TRAITER DE
   • **no aceptaré que me pongan de mentiroso** je n'accepterai qu'on me traite de menteur
14. SUPPOSER
   • **pon** *ou* **pongamos que...** mettons *ou* admettons que...
15. EN MATHÉMATIQUES = poser
   • **pongo 6 y llevo 3** je pose 6 et je retiens 3
16. TÉLÉCOMMUNICATIONS
   • **nos puso un telegrama/un fax** il nous a envoyé un télégramme/un fax
   • **poner una conferencia** passer un appel à l'étranger
   • **¿me pones con él?** tu me le passes ?
17. ŒUF = pondre
   • **las gallinas ponen huevos** les poules pondent des œufs
18. DANS DES EXPRESSIONS
   • **poner de comer** donner à manger
   • **poner a régimen** mettre au régime
   • **poner impedimentos** mettre des bâtons dans les roues
   • **¡no pongas esa cara!** ne fais pas cette tête !
   • **poner a mal tiempo buena cara** faire contre mauvaise fortune bon cœur.

poner *vi*

ŒUF = pondre
   • **las gallinas ponen** les poules pondent.

■ **ponerse** *vp*

1. PRENDRE UNE CERTAINE POSITION = se mettre
   • **ponerse cómodo** se mettre à l'aise
   • **ponerse de pie** se mettre debout
2. DISPOSER SUR LE CORPS, REVÊTIR = mettre
   • **¡ponte el abrigo!** mets ton manteau !
   • **se puso un poco de colorete** elle a mis un peu de blush

3. PASSER D'UN ÉTAT À UN AUTRE
 • **se puso rojo de ira** il est devenu rouge de colère
 • **a menudo se ponía melancólica** elle devenait souvent mélancolique
 • **¡no te pongas así!** ne te mets pas dans cet état !
 • **¿con quién has quedado que te has puesto tan guapa!** tu t'es faite belle, avec qui as-tu rendez-vous ?

4. SANTÉ
 • **ponerse malo** OU **enfermo** tomber malade
 • **ponerse bien** se rétablir

5. TÉLÉPHONE = répondre
 • **ponerse al teléfono** répondre au téléphone

6. SE SALIR
 • **se ha puesto de barro hasta las rodillas** il s'est couvert de boue jusqu'aux genoux

7. SOLEIL = se coucher
 • **el sol se pone por el oeste** le soleil se couche à l'ouest

8. (Amér) fam AVOIR L'IMPRESSION QUE
 • **se me pone que no nos ha dicho toda la verdad** j'ai l'impression qu'il ne nous a pas dit toute la vérité

9. (Amér) fam S'ENIVRER
 • **ponérselas** OU **ponérsela** prendre une cuite

10. DANS DES EXPRESSIONS
 • **ponerse al tanto** se mettre au courant.

■ **ponerse a** *vp* + *prép*
SUIVI DE L'INFINITIF : COMMENCER À = se mettre à
 • **se puso a llorar** il s'est mis à pleurer

poni, poney ['poni] *nm* poney (m).

poniente *nm* **1.** couchant (m) **2.** vent (m) d'ouest.

pontífice *nm* pontife (m) • **sumo pontífice** souverain (m) pontife.

pop *adj* pop.

popa *nf* poupe (f).

popote *nm* (Amér) paille (f) (pour boire).

populacho *nm* péj populace (f).

popular *adj* populaire.

popularidad *nf* popularité (f).

popularizar *vt* populariser. ■ **popularizarse** *vp* devenir populaire.

popurrí (*pl* **popurrís**) *nm* pot-pourri (m).

póquer, póker *nm* poker (m).

por *prép*

1. INDIQUE LE BUT = pour
 • **lo hizo por complacerte** il l'a fait pour te faire plaisir

2. EN FAVEUR DE = pour
 • **lo hizo por ella** il l'a fait pour elle
 • **votó por mí** elle a voté pour moi

3. INDIQUE LA MANIÈRE = par
 • **lo cogieron por el brazo** ils l'ont pris par le bras
 • **por escrito** par écrit

4. INDIQUE LE MOYEN = par
 • **por mensajero/fax** par coursier/fax

5. INDIQUE LA CAUSE = à cause de
 • **se enfadó por tu culpa** elle s'est fâchée à cause de toi

6. INTRODUIT LE COMPLÉMENT D'AGENT = par
 • **el récord fue batido por el atleta** le record a été battu par l'athlète

7. INDIQUE UN MOMENT
 • **por abril** en avril OU dans le courant du mois d'avril

8. INDIQUE UN MOMENT DE LA JOURNÉE
 • **por la mañana/tarde/noche** le matin/l'après-midi/la nuit

9. INDIQUE LA DURÉE
 • **por unos días** pour quelques jours

10. INDIQUE LA POSITION, LE LIEU
 • **había papeles por el suelo** il y avait des papiers par terre
 • **había niños por todas partes** il y avait des enfants partout
 • **¿por dónde vive?** où habite-t-il ?

11. INDIQUE LE LIEU PAR OÙ L'ON PASSE = par
 • **sólo pasaba por aquí** je ne faisais que passer par là
 • **entramos en África por Tánger** nous sommes entrés en Afrique par Tanger
 • **pasar por la aduana** passer par la douane
 • **los ladrones entraron por la ventana** les voleurs sont entrés par la fenêtre

12. INDIQUE LE PRIX = pour
 • **lo ha comprado por poco dinero** il l'a acheté pour une petite somme
 • **lo tuve por 10 euros** je l'ai eu pour 10 euros

13. INDIQUE UN ÉCHANGE = contre
 • **cambió el coche por la moto** il a échangé sa voiture contre une moto

14. À LA PLACE DE = pour
 • **él lo hará por mí** il le fera pour moi

15. INDIQUE LA DISTRIBUTION, LA RÉPARTITION
 • **tocan a dos por cabeza** il y en a deux par personne
 • **100 km por hora** 100 km à l'heure
 • **huevos por docenas** des œufs à la douzaine

16. EN MATHÉMATIQUES = fois
 • **tres por tres son nueve** trois fois trois égalent neuf

17. ALLER CHERCHER
 • **baja por tabaco** descends chercher des cigarettes
 • **vino a por los libros** il est venu chercher les livres

18. INDIQUE QU'UNE ACTION EST SUR LE POINT D'ÊTRE ACCOMPLIE
• **estaba por salir** j'étais sur le point de partir
• **la mesa está por poner** la table n'est pas encore mise
• **estuve por llamarte** j'ai failli t'appeler

19. DANS DES EXPRESSIONS
• **no me cae bien, por (muy) simpático que te parezca** tu as beau le trouver sympathique, moi je ne l'aime pas
• **por mucho que llores, no arreglarás nada** tu auras beau pleurer, cela ne changera rien.

porcelana *nf* porcelaine *(f)*.

porcentaje *nm* pourcentage *(m)*.

porche *nm* porche *(m)*.

porcino, na *adj* porcin(e).

porción *nf* **1.** portion *(f)* **2.** part *(f)* *(d'un butin, d'un gâteau)*.

pordiosero, ra ◼ *adj* qui demande l'aumône. ◼ *nm, f* mendiant *(m)*, -e *(f)*.

porfía *nf* **1.** discussion *(f)* **2.** obstination *(f)*.

porfiar *vi* **1.** *(discuter)* • **siempre está porfiando** il faut toujours qu'il discute **2.** insister lourdement • **porfiar en** s'obstiner à.

pormenor *nm* *(gén pl)* détail *(m)*.

porno *adj fam* porno.

pornografía *nf* pornographie *(f)*.

pornográfico, ca *adj* pornographique.

poro *nm* pore *(m)*.

poroso, sa *adj* poreux(euse).

poroto *nm* *(Amér)* haricot *(m)*.

porque *conj* **1.** parce que **2.** pour que.

porqué *nm* • **el porqué de...** le pourquoi de...

porquería *nf* cochonnerie *(f)*.

porra ◼ *nf* **1.** massue *(f)* **2.** matraque *(f)* **3.** beignet *(m)*, ≃ chichi *(m)* • **irse** *ou* **mandar a la porra** *fam* envoyer balader. ◼ *interj* *(gén pl)* • **¡porras!** *fam* mince !, nom d'un chien !

porrada *nf fam* • **una porrada de** un tas de.

porrazo *nm* coup *(m)*.

porro *nm fam* joint *(m)*.

porrón *nm* flacon en verre pour boire le vin à la régalade.

portaaviones *nm inv* porte-avions *(m inv)*.

portada *nf* **1.** couverture *(f)* *(d'un livre, d'un magazine)* **2.** une *(f)* *(d'un journal)* **3.** façade *(f)*.

portador, ra ◼ *adj* porteur(euse). ◼ *nm, f* porteur *(m)*, -euse *(f)* • **al portador** au porteur.

portaequipajes *nm inv* **1.** AUTO coffre *(m)* à bagages **2.** galerie *(f)*.

portafolio *nm* = **portafolios**.

portafolios *nm inv* porte-document *(m)*.

portal *nm* **1.** *(pièce)* entrée *(f)* **2.** portail *(m)* **3.** crèche *(f)* *(de Noël)*.

portalámparas *nm inv* douille *(f)*.

portamaletas *nm inv* *(Amér)* coffre *(m)* à bagages.

portamonedas *nm inv* porte-monnaie *(m inv)*.

portar *vt* porter. ◼ **portarse** *vp* se comporter • **¡pórtate bien!** sois sage ! • **los niños se han portado bien** les enfants se sont bien tenus • **siempre se ha portado bien conmigo** il a toujours été très correct avec moi.

portarrollos *nm inv* **1.** *(dans une salle de bains)* porte-papier *(m)* **2.** *(dans une cuisine)* dérouleur *(m)* d'essuie-tout.

portátil *adj* **1.** portatif(ive) **2.** portable.

portavoz *nmf* porte-parole *(m inv)*.

portazo *nm* • **dar un portazo** claquer la porte.

porte *nm* **1.** *(gén pl)* *(transport)* port *(m)* • **porte(s) debido(s)/pagado(s)** port dû/payé **2.** *(prestance)* allure *(f)*.

portento *nm* prodige *(m)*.

portentoso, sa *adj* prodigieux(euse).

portería *nf* **1.** loge *(f)* *(de concierge)* • **se ocupa de la portería** c'est la gardienne de l'immeuble **2.** SPORT buts *(mpl)*.

portero, ra *nm, f* **1.** gardien *(m)*, -enne *(f)* • **portero electrónico** Interphone® *(m)* **2.** SPORT gardien *(m)* de but.

pórtico *nm* portique *(m)*.

portillo *nm* **1.** brèche *(f)* **2.** guichet *(m)*.

portorriqueño, ña = **puertorriqueño**.

portuario, ria *adj* portuaire.

Portugal *npr* Portugal *(m)*.

portugués, esa ◼ *adj* portugais(e). ◼ *nm, f* Portugais *(m)*, -e *(f)*. ◼ **portugués** *nm* portugais *(m)*.

porvenir *nm* avenir *(m)*.

posada *nf* auberge *(f)* • **dar posada** héberger.

posaderas *nfpl fam* fesses *(fpl)*.

posar *vt & vi* poser. ◼ **posarse** *vp* **1.** *(oiseau, insecte, avion)* se poser **2.** *(particule, poussière, etc)* se déposer.

posavasos *nm inv* dessous *(m)* de verre.

posdata, postdata *nf* post-scriptum *(m inv)*.

pose *nf* *(attitude)* pose *(f)*.

poseedor, ra ◼ *adj* • **ser poseedor de algo** posséder qqch. ◼ *nm, f* **1.** possesseur *(m)* **2.** détenteur *(m)*, -trice *(f)* *(d'un record, d'armes)*.

poseer *vt* posséder.

poseído, da *adj & nm, f* possédé(e).

posesión *nf* possession *(f)*.

posesivo, va *adj* possessif(ive).

poseso, sa *adj & nm, f* possédé(e).

posgraduado, da, postgraduado, da adj & nm, f titulaire d'un diplôme de troisième cycle.

posguerra, postguerra nf après-guerre (m ou f).

posibilidad nf possibilité (f) • **hay posibilidades de que...** il est possible que... • **tiene posibilidades de éxito** il a des chances de réussir.

posibilitar vt permettre.

posible adj possible • **hacer posible** rendre possible • **haré (todo) lo posible** je ferai (tout) mon possible • **lo antes posible** le plus tôt possible.

posición nf position (f) • **tiene una buena posición** il a une belle situation.

posicionarse vp se prononcer • **posicionarse a favor del aborto** se prononcer en faveur de l'avortement.

positivo, va adj positif(ive).

posmoderno, na adj & nm, f postmoderne.

poso nm dépôt (m) (d'un liquide) • **poso de café** marc (m) de café.

posoperatorio, ria = postoperatorio.

posponer vt 1. faire passer après 2. reporter.

pospuesto, ta pp ⬑ posponer.

posta ■ **a posta** loc adv exprès.

postal ⬑ adj postal(e). ⬑ nf carte (f) postale.

postdata = posdata.

poste nm poteau (m).

póster (pl **posters**) nm poster (m).

postergar vt 1. repousser 2. reléguer 3. (dans une entreprise) rétrograder.

posteridad nf postérité (f).

posterior adj 1. (dans l'espace) arrière • **la puerta posterior** la porte de derrière 2. (dans le temps) ultérieur(e).

posteriori ■ **a posteriori** loc adv a posteriori.

posterioridad nf • **con posterioridad** par la suite.

postgraduado, da = posgraduado.

postguerra = posguerra.

postigo nm 1. volet (m) 2. guichet (m).

postín nm ostentation (f) • **de postín** luxueux(euse).

postizo, za adj faux(fausse). ■ **postizo** nm postiche (m).

postmodernidad = posmodernidad.

postmoderno, na = posmoderno.

postor, ra nm, f enchérisseur (m), -euse (f).

postrar vt abattre. ■ **postrarse** vp se prosterner.

postre ⬑ nm dessert (m). ⬑ nf • **a la postre** fig en définitive.

postrero, ra adj dernier(ère).

postrimerías nfpl fin (f) • **en las postrimerías de** à la fin de.

postulado nm postulat (m).

postular vt 1. réclamer 2. collecter (des fonds, des dons).

póstumo, ma adj posthume.

postura nf 1. posture (f) • **en una postura incómoda** en mauvaise posture 2. attitude (f) 3. offre (f) (dans une vente aux enchères) 4. mise (f) (à la roulette, etc).

potable adj potable.

potaje nm 1. potage (m) 2. plat de légumes secs.

potasio nm potassium (m).

pote nm 1. pot (m) 2. fam maquillage (m).

potencia nf puissance (f).

potencial ⬑ adj potentiel(elle). ⬑ nm 1. (gén & ÉLECTR) potentiel (m) 2. GRAMM conditionnel (m).

potenciar vt favoriser • **el clima potencia la agricultura** le climat est favorable à l'agriculture.

potentado, da nm, f potentat (m).

potente adj puissant(e).

potra nf ⬑ potro.

potrero nm (Amér) herbage (m).

potro, tra nm, f poulain (m), pouliche (f). ■ **potro** nm cheval-d'arçons (m inv). ■ **potra** nf tfam pot (m) • **tener potra** avoir de la veine ou du pot.

pozo nm puits (m).

PP (abr de **Partido Popular**) nm parti politique espagnol de droite.

práctica nf ⬑ práctico.

practicante ⬑ adj pratiquant(e). ⬑ nmf 1. RELIG pratiquant (m), -e (f) 2. aide-soignant (m), -e (f).

practicar ⬑ vt SPORT faire • **practicar la natación** faire de la natation. ⬑ vi s'exercer.

práctico, ca adj pratique. ■ **práctico** nm NAUT pilote (m). ■ **práctica** nf 1. pratique (f) • **en la práctica** dans la pratique • **las prácticas** les travaux pratiques 2. stage (m) (en entreprise).

pradera nf prairie (f).

prado nm pré (m).

Praga npr Prague.

pragmático, ca adj pragmatique.

pral. (abr de **principal**) p^{al}.

praliné nm 1. chocolat (m) praliné 2. praliné (m).

preacuerdo nm accord (m) de principe.

preámbulo nm préambule (m).

precalentar vt 1. CULIN préchauffer 2. SPORT s'échauffer.

precario, ria adj précaire.

precaución nf précaution (f) • **tomar precauciones** prendre des précautions.

precaver vt prévenir.

precavido, da adj prévoyant(e).

precedente ◼ *adj* précédent(e). ◼ *nm* précédent *(m)*.

preceptivo, va *adj* obligatoire. ◼ **preceptiva** *nf* précepte *(m)*.

precepto *nm* **1.** précepte *(m)* **2.** disposition *(f)*.

preciado, da *adj* précieux(euse).

preciar *vt* apprécier. ◼ **preciarse** *vp* se vanter • **para cualquier médico que se precie...** pour un médecin qui se respecte...

precintar *vt* sceller.

precinto *nm* **1.** DR scellé *(m)* **2.** DR *(action)* pose *(f)* des scellés • **un precinto de garantía** un emballage scellé.

precio *nm* litt & fig prix *(m)* • **al precio de** au prix de • **precio de fábrica** OU **coste** prix coûtant, prix de revient • **precio de venta (al público)** prix (public) de vente.

preciosidad *nf* **1.** beauté *(f)* **2.** *(chose ou personne)* merveille *(f)*.

precioso, sa *adj* **1.** précieux(euse) **2.** ravissant(e), adorable.

precipicio *nm* précipice *(m)*.

precipitación *nf* précipitation *(f)*.

precipitado, da *adj* précipité(e).

precipitar *vt* précipiter. ◼ **precipitarse** *vp* se précipiter.

precisar *vt* **1.** préciser **2.** avoir besoin de • **precisa tu colaboración** il a besoin de ta collaboration.

precisión *nf* précision *(f)*.

preciso, sa *adj* **1.** précis(e) **2.** *(nécessaire)* • **es preciso que vengas** il faut que tu viennes.

precocinado, da *adj* précuit(e) • **un plato precocinado** un plat cuisiné.

preconcebido, da *adj* préconçu(e).

preconcebir *vt* concevoir à l'avance.

preconizar *vt* préconiser.

precoz *adj* précoce.

precursor, ra ◼ *adj* précurseur • **un signo precursor** un signe avant-coureur. ◼ *nm, f* précurseur *(m)*.

predecesor, ra *nm, f* prédécesseur *(m)*.

predecir *vt* prédire.

predestinado, da *adj* prédestiné(e).

predestinar *vt* prédestiner.

predeterminación *nf* prédétermination *(f)*.

predeterminar *vt* prédéterminer.

prédica *nf* prêche *(m)*.

predicado *nm* GRAMM prédicat *(m)*.

predicador, ra *nm, f* prédicateur *(m)*, -trice *(f)*.

predicar *vt* & *vi* prêcher.

predicción *nf* prédiction *(f)* • **la predicción del tiempo** les prévisions météorologiques.

predicho, cha *pp* ▷ **predecir**.

predilección *nf* prédilection *(f)*.

predilecto, ta *adj* préféré(e).

predisponer *vt* prédisposer.

predisposición *nf* • **predisposición (a)** prédisposition *(f)* (à).

predispuesto, ta *adj* prédisposé(e) • **ser predispuesto a** avoir une prédisposition à. ◼ **predispuesto** *pp* ▷ **predisponer**.

predominante *adj* prédominant(e).

predominio *nm* prédominance *(f)*.

preelectoral *adj* préélectoral(e).

preeminente *adj* prééminent(e).

preescolar ◼ *adj* préscolaire. ◼ *nm* maternelle *(f) (cycle)*.

prefabricado, da *adj* préfabriqué(e).

prefabricar *vt* préfabriquer.

prefacio *nm* préface *(f)*.

preferencia *nf* **1.** préférence *(f)* **2.** AUTO priorité *(f)* • **tener preferencia** avoir (la) priorité.

preferente *adj* préférentiel(elle).

preferible *adj* préférable • **es preferible echar limón a vinagre** il vaut mieux mettre du citron que du vinaigre.

preferir *vt* préférer • **preferir algo a algo** préférer qqch à qqch • **prefiere el calor al frío** elle préfère la chaleur au froid • **prefiero aburrirme a salir con ella** je préfère m'ennuyer plutôt que de sortir avec elle.

prefijo *nm* **1.** GRAMM préfixe *(m)* **2.** TÉLÉCOM • **prefijo (telefónico)** indicatif *(m)* (téléphonique).

pregón *nm* **1.** discours *(m)* **2.** avis *(m)* (au public).

pregonar *vt* **1.** rendre public **2.** fig crier sur les toits.

pregunta *nf* question *(f)* • **hacer una pregunta** poser une question.

preguntar ◼ *vt* demander. ◼ *vi* • **preguntar por alguien** *(s'intéresser)* demander des nouvelles de qqn • **preguntar por algo/alguien** *(solliciter)* demander qqch/qqn. ◼ **preguntarse** *vp* se demander.

prehistoria *nf* préhistoire *(f)*.

prehistórico, ca *adj* préhistorique.

prejubilación *nf* préretraite *(f)*.

prejubilado, da *nm, f* préretraité *(m)*, -e *(f)*.

prejubilarse *vp* partir en préretraite.

prejuicio *nm* préjugé *(m)*.

preliminar *adj* & *nm* préliminaire.

preludio *nm* prélude *(m)*.

prematrimonial *adj* prénuptial(e).

prematuro, ra *adj* prématuré(e).

premeditación *nf* préméditation *(f)*.

premeditar *vt* préméditer.

premiar *vt* récompenser.

premier *(pl* premiers*)* *nm* Premier ministre *(m)* britannique.

premio *nm* **1.** prix *(m)* • **premio Miguel de Cervantes** *prix littéraire espagnol* **2.** *(à la loterie)* lot *(m)* • **premio gordo** gros lot.

premisa *nf* hypothèse *(f)*.

premonición *nf* prémonition *(f)*.

premura *nf* **1.** *(urgence)* • **con premura** à la hâte **2.** manque *(m)*.

prenatal *adj* prénatal(e).

prenda *nf* **1.** vêtement *(m)* • **prenda de abrigo** vêtement chaud **2.** *(garantie)* gage *(m)* **3.** *(gén pl)* *(appellation affectueuse)* qualité *(f)* **4.** • **este niño es una prenda** cet enfant est un amour.

prendar *vt* charmer. ■ **prendarse** *vp* • **prendarse de** s'éprendre de.

prender ◩ *vt* **1.** saisir *(un objet, un bras, etc)* **2.** arrêter *(une personne)* **3.** accrocher, attacher **4.** épingler **5.** allumer • **prender fuego a** mettre le feu à. ◩ *vi* **1.** prendre **2.** *fig (se propager)* • **prender en** gagner • **el desaliento prendió en el equipo** le découragement a gagné l'équipe. ■ **prenderse** *vp* prendre feu.

prendido, da *adj* accroché(e) • **quedar prendido de** être sous le charme de.

prensa *nf* presse *(f)* • **prensa del corazón** presse du cœur.

prensar *vt* presser.

preñado, da *adj fig* rempli(e) • **preñado de** empreint de. ■ **preñada** *fam adj f* **1.** *(femelle)* pleine **2.** *(femme)* enceinte.

preocupación *nf* souci *(m)*.

preocupado, da *adj* inquiet(ète) • **preocupado por su hijo** inquiet pour son fils • **preocupado por saber los resultados** inquiet de connaître les résultats.

preocupar *vt* **1.** inquiéter **2.** *(importer)* • **no le preocupa lo que piensen los demás** il se moque de ce que pensent les autres. ■ **preocuparse** *vp* **1.** s'inquiéter • **preocuparse por alguien** s'inquiéter pour qqn • **preocuparse por algo** se préoccuper *ou* s'inquiéter de qqch • **¡no te preocupes!** ne t'en fais pas ! **2.** *(se charger de)* • **preocuparse de** veiller à.

preparación *nf* **1.** préparation *(f)* **2.** bagage *(m)* *(culturel)*.

preparado, da *adj* **1.** prêt(e) **2.** compétent(e). ■ **preparado** *nm* préparation *(f)*.

preparar *vt* préparer. ■ **prepararse** *vp* • **prepararse (a** *ou* **para)** se préparer (à).

preparativo, va *adj* préparatoire. ■ **preparativo** *nm* *(gén pl)* préparatifs *(mpl)*.

preparatorio, ria *adj* préparatoire.

preponderar *vi* être prépondérant(e).

preposición *nf* préposition *(f)*.

prepotente *adj* **1.** arrogant(e) **2.** tout-puissant (toute-puissante).

prerrogativa *nf* prérogative *(f)*.

presa *nf* **1.** proie *(f)* **2.** barrage *(m)*.

presagiar *vt* **1.** prédire *(l'avenir, le bonheur)* **2.** présager *(une tempête, des problèmes)*.

presagio *nm* présage *(m)*.

presbítero *nm* prêtre *(m)*.

prescindir *vi* • **prescindir de** *(renoncer à)* se passer de • *(omettre)* faire abstraction de.

prescribir ◩ *vt* prescrire. ◩ *vi* DR se prescrire • **prescribe** il y a prescription.

prescripción *nf* **1.** DR prescription *(f)* **2.** MÉD • **prescripción (facultativa)** prescription *(f)* médicale.

prescrito, ta *pp* ▷ **prescribir**.

presencia *nf* **1.** présence *(f)* • **en presencia de** en présence de **2.** *(aspect)* allure *(f)*. ■ **presencia de ánimo** *nf* présence *(f)* d'esprit.

presenciar *vt* **1.** assister à **2.** être témoin de *(crime, délit)*.

presentación *nf* présentation *(f)* • **tiene buena presentación** c'est bien présenté.

presentador, ra *nm, f* présentateur *(m)*, -trice *(f)*.

presentar *vt* présenter • **me presentó sus excusas** il m'a présenté ses excuses • **presentar a alguien** présenter qqn. ■ **presentarse** *vp* se présenter.

presente ◩ *adj* présent(e) • **el presente mes** le mois courant • **tener algo presente** ne pas oublier qqch. ◩ *nmf* personne *(f)* présente. ◩ *nm* présent *(m)*. ◩ *nf (lettre)* présente *(f)*.

presentimiento *nm* pressentiment *(m)*.

presentir *vt* pressentir.

preservar *vt* préserver.

preservativo, va *adj* de protection. ■ **preservativo** *nm* préservatif *(m)*.

presidencia *nf* présidence *(f)*.

presidencial *adj* présidentiel(elle).

presidente, ta *nm, f* président *(m)*, -e *(f)*.

presidiario, ria *nm, f* prisonnier *(m)*, -ère *(f)*.

presidio *nm* prison *(f)*.

presidir *vt* **1.** présider **2.** *sout (sujet : sentiment)* présider à.

presión *nf* pression *(f)* • **hacer presión sobre** faire pression sur • **a presión** *(bouteille, etc)*

sous pression • **presión arterial** OU **sanguí-**
nea pression artérielle • **presión fiscal** pression fiscale, poids *(m)* de l'impôt.

presionar *vt* • **presionar algo** appuyer sur
qqch • **presionar a alguien** *fig* faire pression
sur qqn.

preso, sa *adj* & *nm, f* prisonnier(ère).

prestación *nf* prestation *(f)* • **prestaciones de**
paro *allocations de chômage et aide à la forma-*
tion. ■ **prestaciones** *nfpl* performances *(fpl)*
(d'une voiture, d'une machine).

prestado, da *adj* prêté(e) • **de prestado** *(vête-*
ment) emprunté(e) • *(situation)* précaire • **pedir**
OU **tomar prestado** emprunter.

prestamista *nmf* prêteur *(m)*, -euse *(f)* (sur gages).

préstamo *nm* prêt *(m)* • **pedir un préstamo**
faire un emprunt.

prestar *vt* prêter • **prestar crédito a** croire à
• **prestar oídos** prêter l'oreille • **prestar ser-**
vicio rendre service. ■ **prestarse** *vp* **1.** se proposer • **se prestó a ayudarme** il s'est proposé
pour m'aider **2.** *(participer)* • **prestarse a** se prêter à **3.** *(être motif à)* • **esto se presta a confu-**
sión cela prête à confusion.

presteza *nf* • **con presteza** promptement.

prestidigitador, ra *nm, f* prestidigitateur *(m)*,
-trice *(f)*.

prestigio *nm* prestige *(m)*.

prestigioso, sa *adj* prestigieux(euse).

presto, ta *adj* **1.** prêt(e) **2.** prompt(e).

presumible *adj* • **es presumible que...** il est probable que...

presumido, da *adj* & *nm, f* prétentieux(euse).

presumir ■ *vt* présumer. ■ *vi* **1.** s'afficher • **pre-**
sume de guapa elle se croit belle **2.** être pré-
tentieux(euse).

presunción *nf* présomption *(f)*.

presunto, ta *adj* présumé(e) • **el presunto**
asesino l'assassin présumé.

presuntuoso, sa *adj* & *nm, f* prétentieux (euse).

presuponer *vt* présupposer.

presupuesto, ta *pp* ▷ **presuponer.** ■ **pre-**
supuesto *nm* **1.** devis *(m)* **2.** budget *(m)* **3.** pré-
supposé *(m)*.

pretencioso, sa, pretensioso, sa *adj* & *nm, f*
prétentieux(euse).

pretender *vt* **1.** *(essayer)* • **pretender hacer algo**
chercher à faire qqch **2.** *(aspirer à)* • **preten-**
der algo aspirer à qqch • **pretender hacer al-**
go avoir l'intention de faire qqch **3.** prétendre
4. postuler à OU pour *(un poste, etc)* **5.** *(courti-*
ser) • **pretender a alguien** faire la cour à qqn.

pretendido, da *adj* prétendu(e).

pretendiente ■ *nmf* • **pretendiente (a)** candidat *(m)*, -e *(f)* (à) • prétendant *(m)*, -e *(f)* (à)
(trône). ■ *nm* prétendant *(m)*.

pretensión *nm* prétention *(f)* • **sus pretensio-**
nes son excesivas ses prétentions sont exagé-
rées.

pretensioso, sa = **pretencioso.**

pretérito, ta *adj* passé(e). ■ **pretérito** *nm*
GRAMM passé *(m)* • **pretérito indefinido/per-**
fecto passé simple/composé.

pretexto *nm* prétexte *(m)*.

prevalecer *vi* prévaloir • **prevalecer sobre**
l'emporter sur.

prevaler *vi* • **prevaler (sobre)** prévaloir (sur).

prevención *nf* **1.** prévention *(f)* **2.** disposition
(f).

prevenido, da *adj* • **ser prevenido** être prévoyant • **hombre prevenido vale por dos** un
homme averti en vaut deux • **estar prevenido**
être prévenu.

prevenir *vt* **1.** *(empêcher de se produire, avertir)*
prévenir • **prevenir de** prévenir de • **prevenir**
a alguien contra algo/alguien mettre qqn en
garde contre qqch/qqn **2.** préparer **3.** prévoir.

preventivo, va *adj* préventif(ive).

prever *vt* prévoir.

previo, via *adj* préalable • **previa consulta del**
médico après consultation du médecin.

previsible *adj* prévisible.

previsión *nf* prévision *(f)*.

previsor, ra *adj* prévoyant(e).

previsto, ta *adj* prévu(e). ■ **previsto** *pp*
▷ **prever.**

prieto, ta *adj* **1.** serré(e) **2.** *(Amér)* *fam* brun(e).

prima ▷ **primo.**

primacía *nf* **1.** primauté *(f)* **2.** priorité *(f)*.

primar ■ *vi* • **primar (sobre)** primer (sur). ■ *vt*
primer.

primario, ria *adj* primaire. ■ **primarias** *nfpl*
(élections) primaires *(fpl)*.

primates *nmpl* primates *(mpl)*.

primavera *nf* *litt* & *fig* printemps *(m)*.

primaveral *adj* printanier(ère).

primer ▷ **primero.**

primera *nf* ▷ **primero.**

primerizo, za ■ *adj* **1.** débutant(e) **2.** *(femme en-*
ceinte) • **ser primeriza** attendre son premier
enfant. ■ *nm, f* débutant *(m)*, -e *(f)*.

primero, ra ■ *adj* *(devant un nom masculin singu-*
lier : **primer)** premier(ère) • **lo primero** le plus
important • **lo primero es lo primero** procédons par ordre. ■ *nm, f* premier *(m)*, -ère *(f)*
• **es el primero de la clase** c'est le premier de
la classe • **a primeros de** au début de • **a**
primeros de año en début d'année. ■ **prime-**
ro ■ *adv* **1.** d'abord • **primero acaba y luego**
ya veremos finis d'abord et on verra après

2. *(plutôt)* • **primero... que...** plutôt... que...
• **primero morir que traicionar** plutôt mourir
que trahir. ◪ *nm* **1.** premier (étage) *(m)* **2.** première année *(f)*. ■ **primera** *nf* première *(f) (vitesse, classe)* • **de primera** *fam* de première
• **en este restaurante se come de primera** on
mange super bien dans ce restaurant.

primicia *nf* primeur *(f) (d'une nouvelle)*.

primitivo, va *adj* primitif(ive).

primo, ma *nm, f* **1.** cousin *(m)*, -e *(f)* **2.** *fam
(idiot)* poire *(f)* • **hacer el primo** se faire avoir.
■ **prima** *nf* prime *(f)*. ■ **prima donna** *nf* prima
donna *(f)*.

primogénito, ta *adj* & *nm, f* aîné(e).

primor *nm (enfant)* merveille *(f)* • **¡tu bebé es
un primor!** ton bébé est un amour !

primordial *adj* primordial(e).

primoroso, sa *adj* **1.** ravissant(e) **2.** habile.

princesa *nf* princesse *(f)*.

principado *nm (territoire)* principauté *(f)*.

principal ◪ *adj* principal(e). ◪ *nm* **1.** *étage situé
au-dessus du rez-de-chaussée ou de l'entresol*
2. chef *(m)*.

príncipe *nm* prince *(m)*. ■ **príncipe azul** *nm*
prince *(m)* charmant.

principiante, ta *adj* & *nm, f* débutant(e).

principio *nm* **1.** début *(m)* • **al principio** au début • **a principios de** au début de • **en un principio** à l'origine **2.** principe *(m)* • **en principio**
en principe **3.** *(origine)* • **la falta de organización fue el principio de la quiebra** le manque
d'organisation a été à l'origine de la faillite.
■ **principios** *nmpl* principes *(mpl)*.

pringar ◪ *vt* **1.** tacher (de graisse) **2.** *fam fig (compromettre)* • **pringar a alguien en un asunto**
faire tremper qqn dans une affaire. ◪ *vi fam*
trimer. ■ **pringarse** *vp* **1.** se tacher (de graisse)
2. *fig (se compromettre)* se salir les mains.

pringoso, sa *adj* graisseux(euse).

pringue ◪ *v* ⇨ **pringar**. ◪ *nm* **1.** graisse *(f)*
2. crasse *(f)*.

priorato *nm* **1.** prieuré *(m)* **2.** *vin du Priorat
(Tarragone)*.

priori ■ **a priori** *loc adv* a priori.

prioridad *nf* priorité *(f)*.

prioritario, ria *adj* prioritaire.

prisa *nf* hâte *(f)* • **a** *ou* **de prisa** vite • **darse prisa** se dépêcher • **meter prisa a alguien** bous-
culer *ou* faire se dépêcher qqn • **tener prisa**
être pressé(e).

prisión *nf* **1.** prison *(f)* **2.** emprisonnement *(m)*.

prisionero, ra *nm, f* prisonnier *(m)*, -ère *(f)*.

prisma *nm* **1.** GÉOM & PHYS prisme *(m)* **2.** *fig (point
de vue)* angle *(m)*.

prismático, ca *adj* prismatique. ■ **prismáticos**
nmpl jumelles *(fpl)*.

privación *nf* privation *(f)*.

privado, da *adj* privé(e) • **en privado** en privé.

privar ◪ *vt* • **privar a alguien/algo de algo**
priver qqn/qqch de qqch • **privar a alguien de
hacer algo** interdire à qqn de faire qqch. ◪ *vi*
1. raffoler de • **le privan los bombones** il raffole des chocolats **2.** être à la mode **3.** *fam* picoler. ■ **privarse** *vp* • **privarse de** se priver de.

privativo, va *adj* DR privatif(ive).

privilegiado, da ◪ *adj* **1.** privilégié(e) **2.** excep-
tionnel(elle). ◪ *nm, f* **1.** privilégié *(m)*, -e *(f)*
2. surdoué *(m)*, -e *(f)*.

privilegiar *vt* privilégier.

privilegio *nm* privilège *(m)*.

pro ◪ *prép* pour. ◪ *nm* pour *(m)* • **el pro y el
contra, los pros y los contras** le pour et le
contre • **en pro de** pour, en faveur de.

proa *nf* **1.** NAUT proue *(f)* **2.** AÉRON nez *(m)*.

probabilidad *nf* probabilité *(f)*.

probable *adj* probable.

probador *nm* cabine *(f)* d'essayage.

probar ◪ *vt* **1.** prouver **2.** essayer *(un vêtement)*
3. goûter. ◪ *vi* • **probar a hacer algo** essayer
de faire qqch. ■ **probarse** *vp* essayer.

probeta *nf* éprouvette *(f)*.

problema *nm* problème *(m)*.

problemático, ca *adj* problématique. ■ **pro-
blemática** *nf* problématique *(f)*.

procedencia *nf* **1.** origine *(f)* **2.** provenance *(f)*
3. bien-fondé *(m)*.

procedente *adj* • **procedente de** *(personne)* originaire de • *(train, etc)* en provenance de • **no
ser procedente** être malvenu(e) • *(commentaire)* être déplacé(e).

proceder ◪ *nm* façon *(f)* d'agir. ◪ *vi* **1.** *(dériver)*
• **proceder de** venir de **2.** *(avoir comme origine)*
• **proceder de** *(personne)* être originaire de
• *(choses)* provenir de **3.** *(agir)* • **proceder (con)**
procéder (avec) **4.** *(commencer)* • **proceder a**
procéder à **5.** convenir.

procedimiento *nm* **1.** procédé *(m)* **2.** DR procédure *(f)*.

procesado, da *nm, f* accusé *(m)*, -e *(f)*.

procesador *nm* INFORM processeur *(m)*, système *(m)* de traitement • **procesador de textos**
système de traitement de texte.

procesar *vt* **1.** DR poursuivre **2.** INFORM traiter.

procesión *nf* **1.** *fig* & RELIG procession *(f)* **2.** *(écoulement)* • **la procesión de los días** les jours qui
s'écoulent.

proceso *nm* **1.** processus *(m)* **2.** procédé *(m)*
3. *(intervalle)* espace *(m)* • **en el proceso de** en
l'espace de **4.** DR procédure *(f)*.

proclama *nf* proclamation *(f)*.

proclamar *vt* proclamer. ■ **proclamarse** *vp*
1. se proclamer **2.** être proclamé(e).

proclive *adj* • **proclive a** enclin(e) à.

procreación *nf* procréation *(f)*.

procrear ◼ *vi* se reproduire. ◼ *vt* engendrer.

procurador, ra *nm, f* DR procureur *(m)*.

procurar *vt* **1.** s'efforcer de, essayer de **2.** procurer. ◼ **procurarse** *vp* se procurer.

prodigar *vt* prodiguer. ◼ **prodigarse** *vp* se montrer ◦ **prodigarse en** se répandre en *(attentions, cadeaux, etc)*.

prodigio *nm* prodige *(m)*.

prodigioso, sa *adj* prodigieux(euse).

pródigo, ga *adj* & *nm, f* prodigue.

producción *nf* production *(f)* ◦ **producción en serie** production en série.

producir *vt* produire. ◼ **producirse** *vp* se produire.

productividad *nf* productivité *(f)*.

productivo, va *adj* productif(ive).

producto *nm* produit *(m)*.

productor, ra *adj* & *nm, f* producteur(trice). ◼ **productora** *nf* CINÉ maison *(f)* de production.

proeza *nf* prouesse *(f)*.

prof. *(abr écrite de* **profesor***)* Pr.

profanar *vt* profaner.

profano, na *adj* & *nm, f* profane.

profecía *nf* prophétie *(f)*.

proferir *vt* proférer.

profesar ◼ *vt* **1.** professer **2.** RELIG pratiquer. ◼ *vi* prononcer ses vœux.

profesión *nf* profession *(f)*.

profesional *adj* & *nmf* professionnel(elle).

profesionalizar *vt* professionnaliser.

profesionista *adj* & *nmf (Amér)* professionnel(elle).

profesor, ra *nm, f* professeur *(m)*.

profesorado *nm* **1.** corps *(m)* enseignant **2.** professorat *(m)*.

profeta *nm* prophète *(m)*.

profetisa *nf* prophétesse *(f)*.

profetizar *vt* prophétiser.

prófugo, ga *adj* & *nm, f* fugitif(ive).

profundidad *nf* profondeur *(f)*.

profundizar ◼ *vt* approfondir. ◼ *vi* ◦ **profundizar en algo** *(question, sujet)* approfondir qqch.

profundo, da *adj* profond(e).

profusión *nf* profusion *(f)*.

progenitor, ra *nm, f* géniteur *(m)*, -trice *(f)*. ◼ **progenitores** *nmpl* géniteurs *(mpl)*.

programa *nm* **1.** *(gén &* INFORM*)* programme *(m)* **2.** TV émission *(f)*.

programación *nf* programmation *(f)*.

programador, ra *nm, f* INFORM programmeur *(m)*, -euse *(f)*. ◼ **programador** *nm* programmateur *(m)*.

programar *vt* programmer.

progre *adj* & *nmf fam* progressiste, ≃ bobo.

progresar *vi* progresser.

progresión *nf* **1.** *(gén &* MATH*)* progression *(f)* **2.** progrès *(m)* ◦ **su progresión en matemáticas…** ses progrès en mathématiques…

progresista *adj* & *nmf* progressiste.

progresivo, va *adj* progressif(ive).

progreso *nm* progrès *(m)* ◦ **hacer progresos** faire des progrès.

prohibición *nf* interdiction *(f)*.

prohibido, da *adj* interdit(e) ◦ **'prohibido aparcar'** 'défense de stationner' ◦ **'prohibido fumar'** 'défense de fumer' ◦ **'prohibida la entrada'** 'entrée interdite' ◦ **'dirección prohibida'** 'sens interdit'.

prohibir *vt* interdire ◦ **'se prohibe el paso'** 'accès interdit'.

prohibitivo, va *adj* **1.** *(panneau, etc)* d'interdiction **2.** *(prix, etc)* prohibitif(ive).

prójimo *nm* prochain *(m)*.

prole *nf* progéniture *(f)*.

proletariado *nm* prolétariat *(m)*.

proletario, ria *adj* & *nm, f* prolétaire.

proliferación *nf* prolifération *(f)*.

proliferar *vi* proliférer.

prolífico, ca *adj* prolifique.

prolijo, ja *adj* **1.** *(personne)* prolixe **2.** *(explication, description, etc)* interminable.

prólogo *nm* **1.** prologue *(m)* **2.** préface *(f)*, avant-propos *(m) (d'une œuvre)*.

prolongación *nf* **1.** prolongation *(f)* **2.** prolongement *(m) (d'une route, d'une rue, etc)* **3.** DR prorogation *(f)*.

prolongado, da *adj* prolongé(e).

prolongar *vt* prolonger.

promedio *nm* moyenne *(f)*.

promesa *nf* **1.** promesse *(f)* **2.** fig *(personne)* espoir *(m)*.

prometer ◼ *vt* promettre ◦ **prometió venir** il a promis de venir. ◼ *vi* promettre. ◼ **prometerse** *vp* se fiancer.

prometido, da ◼ *nm, f* fiancé *(m)*, -e *(f)*. ◼ *adj* ◦ **lo prometido** ma/ta etc promesse.

prominente *adj* **1.** proéminent(e) **2.** fig éminent(e).

promiscuo, cua *adj* dissolu(e).

promoción *nf* **1.** promotion *(f)* **2.** SPORT ◦ **de promoción** *(match)* de barrage.

promocionar *vt* **1.** faire la promotion de **2.** promouvoir *(dans une entreprise)*. ◼ **promocionarse** *vp* se faire valoir.

promotor, ra ◼ *adj* ◦ **la empresa promotora** le sponsor. ◼ *nm, f* promoteur *(m)*, -trice *(f)*.

promover *vt* **1.** promouvoir **2.** être à l'origine de.

promulgar *vt* promulguer.

pronombre *nm* pronom *(m)*.

pronosticar *vt* **1.** pronostiquer **2.** prévoir *(le temps)*.

pronóstico *nm* **1.** *(gén & MÉD)* pronostic *(m)* ▪ **pronóstico reservado** pronostic réservé **2.** prévision *(f) (du temps)*.

pronto, ta *adj* prompt(e) ▪ **una pronta curación** un prompt rétablissement. ▪ **pronto** ◼ *adv* **1.** vite **2.** bientôt ▪ **ven pronto** viens vite ▪ **ihasta pronto!** à bientôt ! ▪ **tan pronto como** dès que **3.** tôt ▪ **salimos pronto** nous sommes partis tôt. ◼ *nm fam* saute *(f)* d'humeur. ▪ **de pronto** *loc adv* soudain. ▪ **por lo pronto** *loc adv* pour le moment.

pronunciación *nf* prononciation *(f)*.

pronunciado, da *adj* prononcé(e).

pronunciamiento *nm* **1.** putsch *(m)* **2.** DR prononcé *(m)*.

pronunciar *vt* **1.** *(gén & DR)* prononcer **2.** souligner. ▪ **pronunciarse** *vp* **1.** *(prendre position)* ▪ **pronunciarse (sobre)** se prononcer (sur) **2.** se soulever.

propagación *nf* propagation *(f)*.

propaganda *nf* **1.** propagande *(f)* **2.** publicité *(f)*.

propagar *vt* propager. ▪ **propagarse** *vp* se propager.

propalar *vt* divulguer.

propano *nm* propane *(m)*.

propasarse *vp* **1.** dépasser les bornes **2.** *(manquer de respect à)* ▪ **propasarse (con alguien)** profiter de qqn.

propensión *nf* **1.** propension *(f)*, tendance *(f)* **2.** prédisposition *(f) (à tomber malade)*.

propenso, sa *adj* ▪ **propenso a** *(maladie)* sujet à ▪ **ser propenso a creer que...** être porté à croire que...

propiciar *vt* favoriser.

propicio, cia *adj* propice.

propiedad *nf* **1.** propriété *(f)* ▪ **propiedad privada/pública** propriété privée/publique **2.** justesse *(f)* ▪ **con propiedad** correctement.

propietario, ria *nm, f* **1.** propriétaire *(mf)* **2.** titulaire *(mf)*.

propina *nf* pourboire *(m)*.

propinar *vt* administrer *(des coups, une raclée)*.

propio, pia *adj* **1.** *(gén & GRAMM)* propre ▪ **tiene coche propio** il a sa propre voiture ▪ **por tu propio bien** pour ton bien ▪ **propio de** propre à ▪ **no es propio de él** ça ne lui ressemble pas **2.** *(approprié)* ▪ **propio para** approprié à **3.** *(naturel)* vrai(e) **4.** *(même)* ▪ **el garaje está en la propia casa** le garage est dans la maison même **5.** *(en personne)* lui-même, elle-même ▪ **el propio compositor** le compositeur lui-même **6.** *(pareil)* ressemblant(e) ▪ **es el propio retrato de su padre** c'est tout le portrait de son père.

proponer *vt* proposer. ▪ **proponerse** *vp* se proposer.

proporción *nf* proportion *(f)*.

proporcionado, da *adj* proportionné(e).

proporcionar *vt* **1.** proportionner **2.** fournir *(des informations, des données, etc)* **3.** apporter, donner *(du bonheur, de la tristesse)*.

proposición *nf* proposition *(f)*

propósito *nm* **1.** intention *(f)* ▪ **tener el propósito de** avoir l'intention de **2.** but *(m)*. ▪ **a propósito** ◼ *loc adj* approprié(e). ◼ *loc adv* **1.** exprès **2.** à propos. ▪ **a propósito de** *loc prép* à propos de.

propuesta *nf* proposition *(f)*.

propuesto, ta *pp* ⊳ **proponer**.

propugnar *vt* soutenir, défendre ▪ **propugnar una reforma** défendre une réforme.

propulsar *vt* **1.** propulser **2.** *fig (promouvoir)* encourager.

propulsión *nf* propulsion *(f)*.

propulsor, ra ◼ *adj* **1.** *(hélice, roue)* propulsif(ive) **2.** *(gaz, mécanisme)* propulseur **3.** *(force)* de propulsion. ◼ *nm, f* promoteur *(m)*, -trice *(f)*. ▪ **propulsor** *nm* AÉRON propulseur *(m)*.

prórroga *nf* **1.** prorogation *(f)* **2.** report *(m)* d'appel *(du service militaire)* **3.** SPORT prolongation *(f)*.

prorrogar *vt* **1.** proroger *(un contrat, etc)* **2.** reporter *(un délai, une décision)*.

prorrumpir *vi* ▪ **prorrumpir en** éclater en *(sanglots)* ▪ fondre en *(larmes)*.

prosa *nf* **1.** prose *(f)* **2.** *fig* monotonie *(f)*.

proscrito, ta *adj* & *nm, f* proscrit(e). ▪ **proscrito** *pp* ⊳ **proscribir**.

prosecución *nf* poursuite *(f)*.

proseguir ◼ *vt* poursuivre. ◼ *vi* continuer.

proselitismo *nm* prosélytisme *(m)*.

prospección *nf* prospection *(f)*.

prospecto *nm* **1.** prospectus *(m)* **2.** notice *(f) (de médicament)*.

prosperar *vi* **1.** prospérer **2.** réussir *(dans le travail)* **3.** *(proposition, idée)* être retenu(e).

prosperidad *nf* **1.** prospérité *(f)* **2.** réussite *(f)*.

próspero, ra *adj* prospère.

próstata *nf* prostate *(f)*.

prostíbulo *nm* maison *(f)* close.

prostitución *nf* prostitution *(f)*.

prostituir *vt* prostituer. ▪ **prostituirse** *vp* se prostituer.

prostituta *nf* prostituée *(f)*.

protagonismo *nm* rôle *(m)* principal.

protagonista *nm, f* **1.** protagoniste *(mf)* **2.** LITTÉR héros *(m)*, héroïne *(f)* **3.** THÉÂTRE & CINÉ acteur *(m)* principal, actrice *(f)* principale **4.** *(rôle)* personnage *(m)* principal.

protagonizar *vt* **1.** jouer le rôle principal dans *(une œuvre, un film)* **2.** *(événement)* faire la une de **3.** *(personne)* être l'acteur(trice) de.

protección *nf* protection *(f)*.

proteccionismo *nm* protectionnisme *(m)*.

protector, ra *adj* & *nm, f* protecteur(trice). ■ **protector** *nm* SPORT protège-dents *(m inv)*.

proteger *vt* protéger. ■ **protegerse** *vp* se protéger.

protege-slips *nm inv* protège-slip *(m)*.

protegido, da *adj* & *nm, f* protégé(e).

proteína *nf* protéine *(f)*.

prótesis *nf inv* MÉD prothèse *(f)*.

protesta *nf* protestation *(f)*.

protestante *adj* & *nmf* protestant(e).

protestar *vi* ● **protestar (contra** OU **por)** protester (contre) ● **protestar una letra** dresser un protêt.

protocolo *nm* **1.** *(gén* & INFORM*)* protocole *(m)* **2.** DR ● **protocolo (notarial)** minute *(f)*.

prototipo *nm* **1.** archétype *(m)* **2.** prototype *(m)*.

protuberancia *nf* protubérance *(f)*.

provecho *nm* **1.** profit *(m)* ● **¡buen provecho!** bon appétit ! ● **de provecho** *(personne)* valable ● *(lecture, conseil)* utile ● **sacar provecho** tirer profit, profiter **2.** efficacité *(f)*.

provechoso, sa *adj* profitable.

proveedor, ra *nm, f* fournisseur *(m)*, -euse *(f)*.

proveer *vt* **1.** fournir **2.** pourvoir *(un poste)*. ■ **proveerse** *vp* ● **proveerse de** se fournir en ● s'approvisionner en *(vivres)*.

provenir *vi* provenir ● **provenir de** *(dans l'espace)* provenir de ● *(dans le temps)* dater de.

Provenza *npr* ● **(la) Provenza** la Provence.

proverbial *adj* proverbial(e).

proverbio *nm* proverbe *(m)*.

providencia *nf* **1.** *(gén pl)* dispositions *(fpl)* **2.** DR décision *(f)* judiciaire **3.** DR ordonnance *(f)*. ■ **Providencia** *nf* Providence *(f)*.

providencial *adj litt* & *fig* providentiel(elle).

provincia *nf* **1.** province *(f)* **2.** ≃ département *(m)*. ■ **provincias** *nfpl* province *(f)*.

provinciano, na *adj* & *nm, f* *péj* provincial(e).

provisión *nf* **1.** *(gén pl)* provision *(f)* **2.** mesure *(f)*.

provisional *adj* **1.** provisoire **2.** *(président, maire)* par intérim.

provisto, ta *pp* ⊳ **proveer**.

provocación *nf* **1.** provocation *(f)* **2.** déclenchement *(m)*.

provocar *vt* **1.** provoquer **2.** *(Amér) fig (avoir envie de)* ● **¿te provoca hacerlo?** ça te dit de le faire ?

provocativo, va *adj* provocant(e).

proximidad *nf* proximité *(f)*. ■ **proximidades** *nfpl* environs *(mpl)*.

próximo, ma *adj* **1.** proche **2.** prochain(e) ● **el domingo próximo** dimanche prochain ● **el próximo año** l'année prochaine.

proyección *nf* **1.** projection *(f)* **2.** *fig (portée, importance)* rayonnement *(m)* ● **de proyección internacional** d'envergure internationale.

proyectar *vt* projeter.

proyectil *nm* projectile *(m)*.

proyecto *nm* projet *(m)* ● **proyecto de investigación** projet de recherche *(d'un groupe)* ● mémoire *(m)* *(d'une personne)*.

proyector, ra *adj* *(appareil)* de projection. ■ **proyector** *nm* projecteur *(m)*.

prudencia *nf* prudence *(f)* ● **con prudencia** *(boire, manger)* avec modération.

prudente *adj* prudent(e) ● **a una hora prudente** à une heure raisonnable.

prueba ◨ *v* ⊳ **probar**. ◨ *nf* **1.** preuve *(f)* **2.** *(douleur, examen* & SPORT*)* épreuve *(f)* ● **a prueba de** à l'épreuve de ● **a toda prueba** à toute épreuve ● **poner a prueba** mettre à l'épreuve ● tester ● **prueba de acceso a la universidad** examen *(m)* d'entrée à l'université **3.** essai *(m)* **4.** MÉD analyse *(f)* ● **prueba del embarazo/del sida** test *(m)* de grossesse/du sida.

PS = **PD**.

PSC *(abr de* **Partit dels Socialistes de Catalunya)** *nm parti socialiste catalan*.

psicoanálisis, sicoanálisis *nm inv* psychanalyse *(f)*.

psicoanalista, sicoanalista *nmf* psychanalyste *(mf)*.

psicodélico, ca, sicodélico, ca *adj* psychédélique.

psicología, sicología *nf* psychologie *(f)*.

psicológico, ca, sicológico, ca *adj* psychologique.

psicólogo, ga, sicólogo, ga *nm, f* psychologue *(mf)*.

psicomotor, ra, sicomotor, ra *adj* psychomoteur(trice).

psicópata, sicópata *nmf* psychopathe *(mf)*.

psicosis, sicosis *nf inv* psychose *(f)*.

psicosomático, ca, sicosomático, ca *adj* psychosomatique.

psicotécnico, ca, sicotécnico, ca ◨ *adj* psychotechnique. ◨ *nm, f* psychotechnicien *(m)*, -enne *(f)*. ■ **psicotécnico, sicotécnico** *nm* test *(m)* psychotechnique.

psiquiatra, siquiatra *nmf* psychiatre *(mf)*.

psiquiátrico, ca, siquiátrico, ca *adj* psychiatrique. ■ **psiquiátrico, siquiátrico** *nm* hôpital *(m)* psychiatrique.

psíquico, ca, síquico, ca *adj* psychique.

PSOE *(abr de* **Partido Socialista Obrero Español)** *nm* PSOE *(m)*, ≃ PS *(m)*.

pta. *(pl* **ptas.)** *(abr écrite de* **peseta)** pta • **1 euro equivale a 166'386 pta.s** 1 euro équivaut à 166, 386 ptas.

Pte. *(abr écrite de* **presidente)** Pt.

Pto. *abrév de* **puerto.**

púa *nf* **1.** piquant *(m) (d'une plante, d'un hérisson)* **2.** dent *(f) (d'un peigne)* **3.** MUS médiator *(m).*

pub [paβ] *(pl* **pubs)** *nm* bar *(m).*

pubertad *nf* puberté *(f).*

pubis *nm inv* pubis *(m).*

publicación *nf* publication *(f).*

publicar *vt* publier.

publicidad *nf* publicité *(f).*

publicitario, ria *adj & nm, f* publicitaire.

público, ca *adj* public(ique) • **en público** en public • **hacer público** rendre public(ique). ■ **público** *nm* public *(m).*

publirreportaje *nm* **1.** film *(m)* publicitaire **2.** PRESSE publireportage *(m).*

pucha *interj (Amér) fam* • **¡pucha(s)!** punaise !

puchero *nm* **1.** marmite *(f)* **2.** ≃ pot-au-feu *(m).* ■ **pucheros** *nmpl* • **hacer pucheros** faire la moue.

pucho *nm (Amér)* mégot *(m).*

pudding = **pudin.**

púdico, ca *adj* pudique.

pudiente *adj & nmf* nanti(e).

pudin *(pl* **púdines), pudding** ['puðin] *(pl* **puddings)** *nm* pudding *(m)* • **pudin de pescado** terrine *(f)* de poisson.

pudor *nm* **1.** pudeur *(f)* **2.** retenue *(f).*

pudoroso, sa *adj* **1.** pudique **2.** réservé(e).

pudrir *vt* pourrir. ■ **pudrirse** *vp* pourrir.

pueblerino, na *adj & nm, f* **1.** villageois(e) **2.** *péj* plouc.

pueblo *nm* **1.** village *(m)* **2.** peuple *(m).*

pueda *(etc)* ⟼ **poder.**

puente *nm* **1.** *(gén & ARCHIT)* pont *(m)* • **hacer puente** *(congé)* faire le pont **2.** *(dent)* bridge *(m).* ■ **puente aéreo** *nm* pont *(m)* aérien.

puenting *nm* saut *(m)* à l'élastique.

puerco, ca *adj* dégoûtant(e). *nm, f* **1.** *(animal)* porc *(m),* truie *(f)* **2.** *fam fig (personne - sale)* cochon *(m),* -onne *(f)* • *(- malintentionnée)* goujat *(m).*

puercoespín *nm* porc-épic *(m).*

puericultor, ra *nm, f* puériculteur *(m),* -trice *(f).*

pueril *adj fig* puéril(e).

puerro *nm* poireau *(m).*

puerta *nf* **1.** porte *(f)* **2.** SPORT buts *(mpl)* • **a las puertas de** à deux doigts de • **a puerta cerrada** à huis clos.

puerto *nm* **1.** *(gén &* INFORM*)* port *(m)* • **puerto deportivo** port de plaisance **2.** col *(m) (de montagne).*

Puerto Rico *npr* Porto Rico *(m),* Puerto Rico *(m).*

puertorriqueño, ña, portorriqueño, ña *adj* portoricain(e). *nm, f* Portoricain *(m),* -e *(f).*

pues *conj* **1.** car **2.** donc • **te decía, pues, que...** je te disais donc que... **3.** *(valeur emphatique)* eh bien • **¡pues ya está!** eh bien voilà ! • **¡pues claro!** mais bien sûr !

puesto, ta *adj* • **ir muy puesto** être bien habillé. ■ **puesto** *pp* ⟼ **poner.** *nm* **1.** *(gén &* MIL*)* poste *(de trabajo)* poste (de travail) **2.** place *(f) (dans une file, un classement)* **3.** étal *(m)* • **puesto de periódicos** kiosque *(m)* à journaux. ■ **puesta** *nf* **1.** mise *(f)* • **puesta al día/a punto/en marcha** mise à jour/au point/en marche • **puesta en escena** mise en scène **2.** *(des oiseaux)* ponte *(f).* ■ **puesta de sol** *nf* coucher *(m)* de soleil. ■ **puesto que** *loc conj* puisque.

puf *(pl* **pufs)** *nm* pouf *(m).*

púgil *nm* pugiliste *(m).*

pugna *nf litt & fig* lutte *(f).*

pugnar *vi litt & fig* se battre.

puja *nf (aux enchères)* enchère *(f)* • mise *(f).*

pujar *vi* **1.** enchérir **2.** *fig* lutter.

pulcro, cra *adj* soigné(e).

pulga *nf* puce *(f).*

pulgada *nf (mesure)* pouce *(m).*

pulgar *nm* ⟼ **dedo.**

pulgón *nm* puceron *(m).*

pulimentar *vt* polir.

pulir *vt* **1.** polir **2.** peaufiner. ■ **pulirse** *vp* engloutir.

pulmón *nm* poumon *(m).* ■ **pulmones** *nmpl fam* • **tener pulmones** avoir du coffre.

pulmonía *nf* pneumonie *(f).*

pulpa *nf* pulpe *(f).*

púlpito *nm* chaire *(f).*

pulpo *nm* **1.** poulpe *(m)* **2.** *fam (personne)* • **ser un pulpo** avoir les mains baladeuses **3.** *(élastique)* tendeur *(m).*

pulque *nm (Amér)* boisson alcoolisée à base de jus d'agave fermenté.

pulsación *nf* pulsation *(f).*

pulsador *nm* bouton *(m) (d'un mécanisme, d'un appareil).*

pulsar *vt* **1.** appuyer sur **2.** gratter **3.** sonder.

pulsera *nf* bracelet *(m).*

pulso *nm* **1.** pouls *(m)* **2.** bras *(m)* de fer **3.** *(fermeté)* • **tener buen pulso** avoir la main sûre • **a pulso** à la force du poignet **4.** *fig (prudence)* doigté *(m).*

pulular *vi* pulluler.

pulverizador, ra adj • **un aparato pulverizador** un pulvérisateur (m). ■ **pulverizador** nm pulvérisateur (m).

pulverizar vt litt & fig pulvériser.

puma nm puma (m).

punción nf ponction (f).

punición nf punition (f).

punk [paŋk, puŋk] (pl **punks** OU **punkis**) adj & nmf punk.

punta nf **1.** (gén & GÉOGR) pointe (f) • **sacar punta a un lápiz** tailler un crayon **2.** bout (m) (de la langue) **3.** croûton (m) (de pain) • **a punta de pistola** sous la menace du revolver • **a punta pala** fam à la pelle • **tener algo en la punta de la lengua** avoir qqch sur le bout de la langue.

puntada nf **1.** (couture) point (m) **2.** trou (m) (d'aiguille).

puntal nm **1.** étai (m) **2.** fig soutien (m) • **puntal de familia** soutien de famille.

puntapié nm coup (m) de pied.

puntear vt MUS • **puntear la guitarra** pincer les cordes de la guitare.

puntera nf ⊳ **puntero**.

puntería nf **1.** adresse (f) (au tir) **2.** visée (f).

puntero, ra ▣ adj • **puntero en** spécialisé dans. ▣ nm, f leader (m) • **ser el puntero** être en tête. ■ **puntera** nf bout (m) (d'une chaussure, d'une chaussette).

puntiagudo, da adj pointu(e).

puntilla nf dentelle (f) rapportée. ■ **de puntillas** loc adv sur la pointe des pieds.

puntilloso, sa adj pointilleux(euse).

punto nm **1.** point (m) • **por unos puntos a** faire un point à • **estar a punto** être au point • **llegar a punto** arriver à point • **dos puntos** deux points • **punto cardinal** point cardinal • **punto culminante** point culminant • **punto de confluencia** point (m) de rencontre • **punto de partida** point de départ • **punto (de sutura)** point (de suture) • **punto de venta** point de vente • **punto de vista** point de vue • **punto muerto** point mort • **puntos suspensivos** points de suspension • **punto y coma** point-virgule (m) **2.** lieu (m) • **punto de reunión** lieu de rencontre • point (m) de rencontre (dans un aéroport, une gare) **3.** stade (m) • **estando las cosas en este punto...** les choses en étant arrivées là... **4.** (couleur) nuance (f) **5.** (tricot) • **hacer punto** tricoter **6.** (petite quantité) pointe (f) **7.** (objectif) but (m) • **al punto** immédiatement • **poner punto final** mettre un point final. ■ **en punto** loc adv pile • **a las cinco en punto** à cinq heures pile. ■ **hasta cierto punto** loc adv jusqu'à un certain point.

puntuación nf **1.** note (f) **2.** classement (m) (à un concours, une compétition) **3.** ponctuation (f).

puntual adj **1.** ponctuel(elle) **2.** circonstancié(e).

puntualidad nf **1.** ponctualité (f) **2.** précision (f).

puntualizar vt préciser.

puntuar ▣ vt **1.** noter **2.** ponctuer. ▣ vi **1.** noter **2.** (entrer dans le compte) • **puntuar (para)** compter (pour).

punzada nf **1.** piqûre (f) • **darse una punzada** se piquer • élancement (m).

puñado nm poignée (f).

puñal nm poignard (m).

puñalada nf coup (m) de poignard.

punzante adj **1.** (objet) pointu(e) **2.** (douleur, blessure) lancinant(e) **3.** fig (humour, blague) caustique.

punzar vt **1.** piquer **2.** élancer • **punzar el corazón** pincer le cœur.

puñeta ▣ nf **1.** tfam connerie (f) **2.** manchette (f) • **mandar a hacer puñetas** fam envoyer balader. ▣ interj fam • **¡puñeta!** crotte !

puñetazo nm coup (m) de poing.

puñetero, ra ▣ adj fam (personne, chose) fichu(e) • **tu puñetero marido** ton fichu mari. ▣ nm, f tfam emmerdeur (m), -euse (f).

puño nm **1.** poing (m) **2.** poignet (m) **3.** poignée (f) • **de su puño y letra** de sa propre main • **morderse los puños de hambre** avoir l'estomac dans les talons • **morderse los puños de rabia** écumer de rage.

punzón nm poinçon (m).

pupa nf **1.** bouton (m) (sur la peau) **2.** (mal) • **hacerse pupa** se faire bobo.

pupila nf ANAT pupille (f).

pupilaje nm **1.** SCOL pension (f) **2.** location (f) d'un box.

pupilo, la nm, f **1.** élève (mf) **2.** (orphelin) pupille (mf).

pupitre nm pupitre (m).

puré nm purée (f).

pureza nf **1.** pureté (f) **2.** droiture (f).

purga nf litt & fig purge (f).

purgante ▣ adj purgatif(ive). ▣ nm purgatif (m).

purgar vt **1.** purger **2.** purifier (son âme) **3.** expier (ses péchés). ■ **purgarse** vp se purger.

purgatorio nm purgatoire (m).

purificar vt purifier.

puritano, na adj & nm, f puritain(e).

puro, ra adj **1.** pur(e) **2.** (intègre) droit(e). ■ **puro** nm cigare (m).

púrpura adj inv & nm pourpre.

purpúreo, a adj sout pourpré(e).

purpurina nf (poudre) paillettes (fpl).

purria nf fam racaille (f).

pus nm pus (m).

pusilánime *adj* pusillanime.

putear *vulg* ◼ *vt* faire chier. ◼ *vi* aller voir les putes.

puto, ta *vulg* ◼ *adj* • **este puto...** ce putain de... ◼ *nm, f* pute (*f*).

puzle, puzzle *nm* puzzle (*m*).

puzzle ['puθle] = **puzle**.

PVP (*abr écrite de* **precio de venta al público**) *nm* pvp (*m*).

PYME (*pl* **PYMEs** *ou* **PYME**) (*abr de* **Pequeña y Mediana Empresa**) *nf* PME (*f*).

pyrex® – **pírex**.

pza. = **pl.**

q, Q [zku] *nf* q (*m inv*), Q (*m inv*).

q.e.p.d. (*abr écrite de* **que en paz descanse**) RIP.

---

que *pron rel*

1. SUJET = qui
• **la moto que me gusta** la moto qui me plaît
• **ese hombre es el que me lo compró** c'est cet homme qui me l'a acheté

2. COMPLÉMENT D'OBJET DIRECT = que
• **el hombre que conociste ayer** l'homme que tu as rencontré hier
• **no ha leído el libro que le presté** il n'a pas lu le livre que je lui ai prêté
• **la señora a la que fuiste a ver** la dame que tu es allé voir

3. COMPLÉMENT D'OBJET INDIRECT = à qui
• **el joven al que di la propina** le jeune homme à qui j'ai laissé un pourboire
• **la mujer a la que se lo regalé** la femme à qui je l'ai offert

4. PRÉCÉDÉ D'UNE PRÉPOSITION, EN PARLANT D'UNE PERSONNE
• **la amiga con la que fui al cine** l'amie avec qui je suis allé au cinéma
• **ése es el chico al que hablé** c'est le jeune homme à qui j'ai parlé
• **la chica con que sueño a menudo** la fille dont je rêve souvent

5. PRÉCÉDÉ D'UNE PRÉPOSITION, EN PARLANT D'UNE CHOSE
• **el coche con el que participé en la carrera** la voiture avec laquelle j'ai participé à la course
• **es algo sin lo que no puedo vivir** c'est une chose sans laquelle je ne peux pas vivre

6. INTRODUIT UN COMPLÉMENT DE LIEU OU DE TEMPS = où
• **la playa a la que fui de vacaciones** la plage où j'ai passé mes vacances
• **nunca olvidaré el día (en) que te conocí** je n'oublierai jamais le jour où je t'ai rencontré.

---

que *conj*

1. INTRODUIT UNE SUBORDONNÉE = que
• **es importante que me escuches** il est important que tu m'écoutes
• **me ha confesado que me quiere** il m'a avoué qu'il m'aimait
• **quiero que lo hagas** je veux que tu le fasses
• **espero que te diviertas** j'espère que tu t'amuseras

2. INTRODUIT UNE COMPARAISON = que
• **es más rápido que tú** il est plus rapide que toi

3. INTRODUIT LE BUT = que
• **ven aquí que te vea** viens ici que je te voie

4. INTRODUIT LA CONSÉQUENCE = que
• **me lo pidió tantas veces que se lo di** il me l'a demandé tant de fois que je le lui ai donné

5. EXPRIME LA CAUSE
• **déjalo que está durmiendo** laisse-le, il dort

6. DANS DES PHRASES EXCLAMATIVES, POUR EXPRIMER UN VŒU
• **¡que te diviertas!** amuse-toi bien !
• **¡que tengas mucha suerte!** bonne chance !

7. INTRODUIT UNE HYPOTHÈSE = si
• **que no quieres, pues no pasa nada** si tu ne veux pas, ce n'est pas grave

8. POUR INSISTER = que
• **estaban charla que charla** ils ne faisaient que bavarder.

---

qué ◼ *adj* quel, quelle • **¿qué hora es?** quelle heure est-il ? • **¿qué libros?** quels livres ? • **¡qué día!** quelle journée ! ◼ *pron* que • **¿qué quieres?** que veux-tu ? • **no sé qué hacer** je ne sais pas quoi faire • **¿qué te dijo?** qu'est-ce qu'il t'a dit ? • **¿qué?** *(comment ?)* quoi ? ◼ *adv* **1.** *(exprime une grande quantité)* que • **¡qué tonto eres!** que tu es bête ! • **¡y qué!** et alors ! **2.** • **qué de** que de • **¡qué de gente hay aquí!** que de monde il y a ici !

quebequés, esa ◼ *adj* québécois(e). ◼ *nm, f* Québécois *(m).* -e *(f).* ◼ **quebequés** *nm* québécois *(m).*

quebradero ◼ **quebradero de cabeza** *nm (gén pl)* tracas *(m).*

quebradizo, za *adj* **1.** cassant(e) **2.** *fig (faible)* fragile.

quebrado, da *adj* **1.** *(chemin, terrain)* accidenté(e) • **la voz quebrada** la voix cassée • **una línea quebrada** une ligne brisée **2.** MATH fractionnaire **3.** LITTÉR • **un verso de pie quebrado** un vers court.

quebrantahuesos *nm inv* gypaète *(m).*

quebrantar *vt* **1.** enfreindre *(la loi)* **2.** ne pas tenir *(une promesse, sa parole)* **3.** ne pas remplir *(ses obligations)* **4.** casser **5.** *fig (affaiblir)* briser. ◼ **quebrantarse** *vp* **1.** se casser **2.** décliner, s'affaiblir.

quebranto *nm* **1.** perte *(f)* **2.** affaiblissement *(m)* **3.** détresse *(f).*

quebrar ◼ *vt* **1.** casser **2.** *(couleur)* pâlir. ◼ *vi* faire faillite. ◼ **quebrarse** *vp* **1.** se casser • **quebrarse una pierna** se casser une jambe **2.** *(couleur)* pâlir **3.** *(voix)* se briser • **se le quebró la voz** il avait la voix brisée.

quechua ◼ *adj* quechua. ◼ *nmf* • **los quechuas** les Quechuas *(mpl).* ◼ *nm* quechua *(m).*

quedar *vi*

1. SUBSISTER = rester
• **quedan tres manzanas** il reste trois pommes
• **nos quedan dos días para inscribirnos** il nous reste deux jours pour nous inscrire

2. CONTINUER À ÊTRE DANS LE MÊME ÉTAT = rester
• **el cuadro quedó sin acabar** le tableau est resté inachevé
• **queda mucho por hacer** il reste beaucoup à faire

3. DONNER UNE CERTAINE IMPRESSION
• **quedó como un imbécil** il s'est comporté comme un imbécile
• **quedar bien/mal (con alguien)** faire bonne/mauvaise impression (à qqn)
• **quedar en ridículo** se ridiculiser

4. INDIQUE UN RÉSULTAT = être
• **la tarta ha quedado perfecta** le gâteau est très réussi

5. CONVENIR, EN PARLANT DE VÊTEMENTS, DE COULEURS
• **ese color te queda muy bien** cette couleur te va très bien
• **la nueva falda te queda fatal** ta nouvelle jupe te va très mal

6. AVOIR RENDEZ-VOUS
• **hemos quedado en el cine** nous avons rendez-vous au cinéma

• **he quedado con Luisa a las diez delante del teatro** j'ai donné rendez-vous à Luisa à 22 heures devant le théâtre
• **hemos quedado para el lunes** nous nous sommes mis d'accord pour lundi

7. *fam* SE TROUVER, ÊTRE
• **queda lejos** c'est loin
• **¿por dónde queda eso?** ça se trouve où, ça ?

8. DANS DES EXPRESSIONS
• **por mí que no quede** je ferai tout mon possible
• **que no quede por falta de dinero** il ne faut pas que l'argent soit un problème.

◼ **quedar en** *v + prép*

DÉCIDER DE
• **habíamos quedado en que vendrías a buscarme** nous avions convenu que tu passerais me chercher
• **¿en qué quedamos?** alors, qu'est-ce qu'on fait ?

◼ **quedarse** *vp*

1. INDIQUE UN CHANGEMENT D'ÉTAT PROVISOIRE
• **se quedó callado/sorprendido** il est resté silencieux/surpris
• **se quedó embarazada** elle est tombée enceinte

2. INDIQUE UN CHANGEMENT D'ÉTAT PERMANENT = devenir
• **se quedó ciego** il est devenu aveugle

3. DEMEURER QUELQUE PART = rester
• **Alfonso se quedó a dormir en mi casa** Alfonso est resté dormir chez moi.

◼ **quedarse con** *vp + prép*

1. CONSERVER SUR SOI = garder
• **quédese con el cambio** gardez la monnaie

2. *tfam* SE MOQUER DE
• **¡te estás quedando conmigo!** tu te payes ma tête !

quedo, da *adj* tranquille • **con voz queda** posément. ◼ **quedo** *adv* doucement • **hablar quedo** parler tout bas.

quehacer *nm (gén pl)* travail *(m)* • **quehaceres domésticos** travaux *(mpl)* ménagers.

queja *nf* plainte *(f).*

quejarse *vp* • **quejarse (de/a)** se plaindre (de/à).

quejica *nmf péj* **1.** pleurnichard *(m),* -e *(f)* **2.** • **ser un quejica** se plaindre sans arrêt.

quejido *nm* gémissement *(m).*

quejoso, sa *adj* mécontent(e) • **estar quejoso de** se plaindre de.

quemado, da *adj* **1.** brûlé(e) **2.** *(fusible)* grillé(e)
• **estar quemado** *(n eplus pouvoir)* en avoir assez • *(être épuisé)* être mort de fatigue.

quemador *nm* brûleur *(m)*.

quemadura *nf* brûlure *(f)* • **quemadura solar**
coup *(m)* de soleil.

quemar ◼ *vt* **1.** brûler **2.** faire brûler *(un plat, le repas)* **3.** *(fusible)* fondre **4.** *(motor)* griller **5.** *fig* dilapider. ◼ *vi* **1.** *(avoir de la fièvre)* brûler **2.** *fig* user. ◼ **quemarse** *vp* **1.** brûler • **se le quemó el arroz** il a fait brûler le riz **2.** *(personne)* se brûler **3.** prendre un coup de soleil **4.** *(fusible)* être grillé(e) **5.** *fig* en avoir assez **6.** *fig* s'user.

quemarropa ◼ **a quemarropa** *loc adv* **1.** *(tirer)* à bout portant **2.** *(demander, répondre)* à brûle-pourpoint.

quemazón *nf* **1.** brûlure *(f)* **2.** démangeaison *(f)*.

quepa ⊳ **caber**.

quepo ⊳ **caber**.

querella *nf* **1.** DR plainte *(f)* • **presentar una querella** déposer une plainte **2.** querelle *(f)*.

querer *vt*

1. AVOIR ENVIE DE, SOUHAITER = vouloir
• **quiero pan** je veux du pain
• **no quiso ir** il n'a pas voulu y aller
• **no sé qué ha querido decir con eso** je ne sais pas ce qu'il a voulu dire par là
• **¿tú quieres que me enfade?** tu veux que je me fâche ?
• **quiere hacerse abogado** il veut devenir avocat

2. DEMANDER COMME PRIX = vouloir
• **¿cuánto quiere por el coche?** combien voulez-vous pour la voiture ?

3. DEMANDER AVEC AUTORITÉ, EXIGER = vouloir
• **quiero que seas tú quien se lo diga** je veux que ce soit toi qui le lui dises
• **¿quieres que lave los platos?** tu veux que je lave la vaisselle ?

4. ÉPROUVER DE L'AFFECTION OU DE L'AMOUR = aimer
• **te quiero mucho** je t'aime beaucoup

5. SUIVI DE L'INFINITIF, INTRODUIT UNE SUPPOSITION
• **parece que quiere llover** on dirait qu'il va pleuvoir

6. DANS DES EXPRESSIONS
• **como quien no quiere la cosa** mine de rien
• **lo hizo queriendo** il l'a fait exprès
• **lo he roto sin querer** je l'ai cassé sans le faire exprès
• **querer es poder** vouloir c'est pouvoir
• **quien bien te quiere te hará llorar** qui aime bien châtie bien.

querer *nm*

amour
• **eso son cosas del querer** ce sont les choses de l'amour.

◼ **quererse** *vp*

ÉPROUVER UNE AFFECTION RÉCIPROQUE = s'aimer
• **se quieren como el primer día** ils s'aiment comme au premier jour.

querido, da ◼ *adj* cher(ère). ◼ *nm, f* amant *(m)*, maîtresse *(f)* • **¡ven querida!** viens, chérie !

quesera *nf* ⊳ **quesero**.

quesería *nf* fromagerie *(f)*.

quesero, ra *adj* & *nm, f* fromager(ère). ◼ **quesera** *nf* cloche *(f)* à fromage.

queso *nm* fromage *(m)* • **queso de bola** fromage de Hollande • **queso manchego** *(fromage de brebis de la Manche)* manchego *(m)* • **queso parmesano** parmesan *(m)* • **queso rallado** fromage râpé.

quicio *nm* encadrement *(m)* *(de porte, fenêtre)*
• **estar fuera de quicio** *fig* être hors de soi
• **sacar de quicio a alguien** *fig* mettre qqn hors de soi, faire sortir qqn de ses gonds.

quiebra ◼ *v* ⊳ **quebrar**. ◼ *nf* **1.** faillite *(f)* **2.** *fig (perte)* effondrement *(m)*.

quiebro *nm* **1.** écart *(m)* **2.** SPORT feinte *(f)* **3.** MUS trille *(m)*.

quien ◼ *pron rel* **1.** *(sujet)* qui • **fue mi hermano quien me lo explicó** c'est mon frère qui me l'a expliqué • **eran sus hermanas quienes le ayudaron** ce sont ses sœurs qui l'ont aidé **2.** *(complément)* • **son ellos a quienes quiero conocer** ce sont eux que je voudrais connaître • **era de Pepe de quien no me fiaba** c'est à Pepe que je ne faisais pas confiance. ◼ *pron indéf* **1.** *(sujet)* celui qui, celle qui • **quien lo quiera que luche por ello** que celui qui le veut se batte pour l'avoir • **quienes quieran verlo que se acerquen** que ceux qui veulent le voir s'approchent **2.** *(complément)* • **apoyaré a quienes considere oportuno** je soutiendrai ceux que je jugerai bon de soutenir • **vaya con quien quiera** allez avec qui bon vous semble • **quien más quien menos** tout un chacun.

quién *pron* **1.** *(interrogatif)* qui • **¿quién es ese hombre?** qui est cet homme ? • **no sé quién viene** je ne sais pas qui vient • **¿a quiénes has invitado?** qui as-tu invité ? • **dime con quién vas a ir** dis-moi avec qui tu vas y aller • **¿quién es?** *(à la porte)* qui est là ? • *(au téléphone)* qui est à l'appareil ? **2.** *(exclamatif)* • **¡quién pudiera verlo!** si seulement je pouvais le voir !

quienquiera *(pl* **quienesquiera***)* *pron* quiconque • **quienquiera que venga...** quiconque viendra...

quieto, ta adj tranquille • **¡estate quieto!** tiens-toi tranquille !, sois sage ! • **¡quieto todo el mundo!** que personne ne bouge !

quietud nf **1.** tranquillité (f) **2.** quiétude (f).

quijada nf mâchoire (f).

quijote nm péj doux rêveur (m). ■ **Don Quijote** npr don Quichotte (m).

quijotesco, ca adj chimérique.

quilate nm carat (m).

quilla nf **1.** NAUT quille (f) **2.** bréchet (m) (d'un oiseau).

quilo = **kilo**.

quilogramo = **kilogramo**.

quilometraje = **kilometraje**.

quilométrico, ca = **kilométrico**.

quilómetro = **kilómetro**.

quimbambas nfpl • **vete a las quimbambas** va voir ailleurs si j'y suis.

quimera nf chimère (f).

quimérico, ca adj chimérique.

químico, ca ◨ adj chimique. ◨ nm, f chimiste (mf). ■ **química** nf chimie (f).

quimono, kimono nm kimono (m).

quina nf quinquina (m) • **tragar quina** fig avaler des couleuvres.

quincalla nf (objets) quincaillerie (f).

quince ◨ adj num inv quinze • **el siglo quince** le quinzième siècle. ◨ nm inv quinze (m inv). • voir aussi **seis**

quinceañero, ra ◨ adj • **un chico quinceañero** un garçon de quinze ans. ◨ nm, f adolescent (m), -e (f), garçon (m), fille (f) (de quinze ans).

quinceavo, va adj num quinzième.

quincena nf quinzaine (f).

quincenal adj bimensuel(elle).

quiniela nf **1.** bulletin (m) (de loterie) **2.** combinaison (f) (au loto) • **la quiniela** ≃ le loto sportif. ■ **quiniela hípica** nf ≃ PMU (m).

quinientos, tas adj num inv cinq cents. • voir aussi **seiscientos**

quinina nf quinine (f).

quinqué nm quinquet (m).

quinquenio nm **1.** quinquennat (m) **2.** augmentation de salaire quinquennale.

quinqui nmf fam voyou (m).

quinta nf ▷ **quinto**.

quintaesencia nf inv quintessence (f).

quintal nm quintal (m).

quinteto nm **1.** MUS quintette (m) **2.** MUS quintet (m) **3.** LITTÉR strophe de cinq vers.

quinto, ta adj num cinquième. • voir aussi **sexto** ■ **quinto** nm **1.** cinquième (m) **2.** MIL ap-

pelé (m). ■ **quinta** nf **1.** maison (f) de campagne (f) **2.** MIL promotion (f) **3.** • **somos de la misma quinta** nous sommes de la même année.

quintuplicar vt **1.** quintupler **2.** être cinq fois supérieur(e) à. ■ **quintuplicarse** vp quintupler.

quiosco, kiosco nm kiosque (m) • **quiosco de periódicos** kiosque à journaux.

quiosquero, ra nm, f marchand (m), -e (f) de journaux.

quiquiriquí (pl quiquiriquíes) nm cocorico (m).

quirófano nm bloc (m) opératoire.

quiromancia nf chiromancie (f).

quiromasaje nm chiropractie (f).

quirúrgico, ca adj chirurgical(e).

quisque nm fam • **cada** ou **todo quisque** chacun(e) • **que cada quisque se las arregle** que chacun se débrouille.

quisquilloso, sa adj **1.** pointilleux(euse) **2.** chatouilleux(euse).

quiste nm kyste (m).

quitaesmalte nm dissolvant (m) (pour ongles).

quitamanchas nm inv détachant (m).

quitanieves nm inv chasse-neige (m inv) (machine).

quitar vt **1.** enlever **2.** (déconnecter) éteindre • **quitar algo a alguien** (dépouiller, voler) prendre qqch à qqn • **quitar tiempo** prendre du temps • **de quita y pon** amovible **3.** empêcher • **quitar el sueño** empêcher de dormir • **esto no quita que...** il n'empêche que... **4.** (excepter) • **quitando el queso me gusta todo** à part le fromage, j'aime tout. ■ **quitarse** vp **1.** se pousser **2.** enlever, retirer (un vêtement) • **me quito la chaqueta** j'enlève ma veste **3.** (sujet : tache) partir.

À PROPOS DE...

quitar

Attention ! **quitar** ne signifie pas « quitter » mais « enlever ».

quitasol nm parasol (m).

quite nm SPORT (escrime) parade (f) • **estar al quite** fig se tenir prêt(e) (à aider qqn).

Quito npr Quito.

quizá, quizás adv peut-être • **quizá llueva mañana** peut-être pleuvra-t-il demain • **quizá no lo sepas** tu ne le sais peut-être pas • **quizá sí/no** peut-être que oui/non.

rR

r, R ['erre] *nf* r *(m inv)*, R *(m inv)*.

rábano *nm* radis *(m)* • **importar un rábano** *fig* s'en ficher comme de l'an quarante.

rabí *(pl* **rabíes** *OU* **rabís)** *nm* rabbin *(m)*.

rabia *nf* rage *(f)* • **me da rabia** ça m'énerve • **tenerle rabia a alguien** *fig* en vouloir à qqn.

rabiar *vi* **1.** *(sufrir)* • **está rabiando de dolor** il souffre le martyre **2.** enrager, se mettre en colère • **no me hagas rabiar** ne m'oblige pas à me mettre en colère.

rabieta *nf fam* • **tener una rabieta** piquer une crise.

rabillo *nm* • **mirar con el rabillo del ojo** *fig* regarder du coin de l'œil.

rabioso, sa *adj* **1.** (souffrir) enragé(e) **2.** *(ton, voix)* rageur (euse) **3.** furieux(euse) **4.** *(voix, couleur)* criard(e).

rabo *nm* queue *(f)*.

rácano, na *adj* & *nm, f* pingre.

RACE *(abr de* **Real Automóvil Club de España)** *nm club automobile espagnol.*

racha *nf* **1.** rafale *(f)* **2.** *(período)* vague *(f)* • **estar de racha** *fig* avoir la chance de son côté • **mala racha** mauvaise passe *(f)* • **a rachas** *fig* par à-coups.

racial *adj* racial(e).

racimo *nm* **1.** grappe *(f) (de raisin)* **2.** régime *(m) (de dattes, de bananes).*

raciocinio *nm* **1.** raison *(f)* **2.** raisonnement *(m)*.

ración *nf* **1.** part *(f)* **2.** ration *(f)* **3.** *(au restaurant)* assiette de « tapas ».

racional *adj* **1.** *(personne)* doué(e) de raison **2.** *(méthode, nombre)* rationnel(elle).

racionalizar *vt* rationaliser.

racionar *vt* rationner.

racismo *nm* racisme *(m)*.

racista *adj* & *nmf* raciste.

radar *(pl* **radares)** *nm* radar *(m)*.

radiación *nf* **1.** PHYS radiation *(f)* **2.** rayonnement *(m)*.

radiactividad, radioactividad *nf* radioactivité *(f)*.

radiactivo, va, radioactivo, va *adj* radioactif (ive).

radiador *nm* radiateur *(m)*.

radiante *adj* **1.** *(soleil, personne)* radieux(euse) • **radiante de alegría** rayonnant(e) de joie **2.** PHYS radiant(e).

radiar *vt* **1.** radiodiffuser *(des nouvelles, etc)* **2.** émettre (par radiations) *(de la lumière, de la chaleur)* **3.** PHYS irradier.

radical *adj* radical(e). *nm* radical *(m)*.

radicalizar *vt* radicaliser. ■ **radicalizarse** *vp* se radicaliser.

radicar *vi* • **radicar en** *(problème, difficulté, etc)* résider dans.

radio *nm* **1.** *(gén & GÉOM)* rayon *(m)* **2.** ANAT radius *(m)* **3.** CHIM radium *(m)*. *nf* radio *(f)* • **oír algo por la radio** entendre qqch à la radio • **por radio macuto** *fam fig* par le téléphone arabe.

radioactividad = **radiactividad**.

radioactivo, va = **radiactivo**.

radioaficionado, da *nm, f* radioamateur *(m)*.

radiocasete, radiocassette *nm* radiocassette *(f)*.

radiocontrol *nm* radiocommande *(f)*.

radiodespertador *nm* radioréveil *(m)*.

radiodifusión *nf* radiodiffusion *(f)*.

radioescucha *nmf inv* **1.** auditeur *(m)*, -trice *(f)* **2.** radio *(m) (sur un bateau, etc)*.

radiofónico, ca *adj* radiophonique.

radiografía *nf* radiographie *(f)*.

radionovela *nf* feuilleton *(m)* radiodiffusé.

radiorreloj *nm* radioréveil *(m)*.

radiotaxi *nm* radio-taxi *(m)*.

radioteléfono *nm* radiotéléphone *(m)*.

radioterapia *nf* radiothérapie *(f)*.

radioyente *nmf* auditeur *(m)*, -trice *(f)*.

RAE *(abr de* **Real Academia Española)** *nf* Académie royale de la langue espagnole, ≃ Académie *(f)* française • **el Diccionario de la RAE** le Dictionnaire de la RAE.

raer *vt* racler.

ráfaga *nf* **1.** rafale *(f)* **2.** AUTO appel *(m)* de phares.

rafting *nm* rafting *(m)*.

raído, da *adj (vêtement)* râpé(e).

raigambre *nf* **1.** tradition *(f)* • **de profunda raigambre** profondément ancré(e) **2.** souche *(f)* **3.** BOT racines *(fpl)*.

raíl, rail *nm* rail *(m)*.

raíz *(pl* **raíces)** *nf* **1.** *(gén, MATH & GRAMM)* racine *(f)* • **raíz cuadrada** racine carrée **2.** origine *(f)* • **a raíz de** à la suite de • **echar raíces** prendre racine.

raja *nf* **1.** tranche *(f) (de melon, de pastèque, etc)* **2.** rondelle *(f) (de citron, de saucisson)* **3.** fissure *(f) (dans le bois, dans un mur)* **4.** fêlure *(f) (dans du verre)*.

rajado, da *adj* & *nm, f fam* dégonflé(e).

rajar *vt* **1.** *(bois, mur)* fissurer **2.** *(verre)* fêler **3.** ◦ **el mármol está rajado** le marbre est fendu ◦ **tiene el labio rajado** il a la lèvre fendue **4.** *tfam* étriper. ◼ **rajarse** *vp* **1.** *(bois, mur)* se fissurer **2.** *(verre)* se fêler **3.** *(marbre)* se fendre **4.** *fam* se dégonfler.

rajatabla ◼ **a rajatabla** *loc adv* à la lettre.

ralea *nf péj* engeance *(f)* ◦ **de su misma ralea** du même acabit.

ralentí *nm* ralenti *(m)*.

rallado, da *adj* râpé(e). ◼ **rallado** *nm* râpage *(m)*.

rallador *nm* râpe *(f)*.

ralladura *nf (gén pl)* râpure *(f)*.

rallar *vt* râper.

rally ['rali] *(pl* **rallies**) *nm* rallye *(m)*.

RAM *(abr de* random access memory*) nf* RAM *(f)*.

rama *nf* branche *(f)*.

ramaje *nm* branchage *(m)*.

ramal *nm* **1.** embranchement *(m) (de route, de chemin de fer)* **2.** volée *(f) (d'escalier)*.

ramalazo *nm* **1.** *fam (effeminement)* ◦ **se le ve el ramalazo** il est de la jaquette **2.** crise *(f)*.

rambla *nf (avenue)* promenade *(f)*.

ramera *nf fam* catin *(f)*.

ramificación *nf* ramification *(f)*.

ramificarse *vp* ◦ **ramificarse (en)** se ramifier (en).

ramillete *nm* bouquet *(m)*.

ramo *nm* **1.** *(gén & ÉCON)* branche *(f)* **2.** bouquet *(m) (de fleurs)*.

rampa *nf* **1.** rampe *(f) (d'escalier)* **2.** côte *(f)* **3.** crampe *(f)*.

rana *nf* grenouille *(f)*.

ranchero, ra *nm, f* fermier *(m)*, -ère *(f)*. ◼ **ranchera** *nf* **1.** *chanson populaire mexicaine* **2.** AUTO break *(m)*.

rancho *nm* **1.** popote *(f)* **2.** ranch *(m)*.

rancio, cia *adj* **1.** rance **2.** *(vin)* aigre **3.** ancien(enne) ◦ **de rancio abolengo** de vieille souche.

rango *nm* rang *(m)*.

ranking ['raŋkin] *nm* classement *(m)*.

ranura *nf* **1.** rainure *(f)* **2.** fente *(f) (pour glisser une pièce)*.

rap *nm* rap *(m)*.

rapar *vt* raser.

rapaz, za *nm, f vieilli* garçonnet *(m)*, fillette *(f)*. ◼ **rapaz** *adj* voleur(euse). ◼ **rapaces** *nfpl* rapaces *(mpl)*.

rape *nm* **1.** *(poisson)* baudroie *(f)* **2.** CULIN lotte *(f)* **3.** *(cheveux)* ◦ **al rape** (à) ras.

rapé *nm (invariable en apposition)* tabac *(m)* à priser.

rapero, ra *nm, f* rappeur *(m)*, -euse *(f)*.

rapidez *nf* rapidité *(f)*.

rápido, da *adj* rapide. ◼ **rápido** ◪ *adv* vite ◦ **ino tan rápido!** pas si vite ! ◦ ◪ *nm (train)* rapide *(m)*. ◼ **rápidos** *nmpl* rapides *(mpl) (d'un cours d'eau)*.

rapiña *nf* **1.** rapine *(f)* **2.** ⮕ **ave**.

rappel ['rapel] *nm* **1.** SPORT rappel *(m)* **2.** COMM rabais *(m)* sur achats.

rapsodia *nf* rhapsodie *(f)*.

raptar *vt* enlever *(une personne)*.

rapto *nm* **1.** enlèvement *(m)* **2.** *(attaque)* accès *(m)*.

raqueta *nf* **1.** raquette *(f)* **2.** râteau *(m) (de croupier)*.

raquítico, ca ◪ *adj* **1.** MÉD rachitique **2.** *(salaire, etc)* maigre. ◪ *nm, f* MÉD rachitique *(mf)*.

rareza *nf* **1.** rareté *(f)* **2.** curiosité *(f)* **3.** bizarrerie *(f)*.

raro, ra *adj* **1.** bizarre ◦ **iqué animal más raro!** quel drôle d'animal ! **2.** rare ◦ **lo veo rara vez** je le vois rarement.

ras *nm* ◦ **a** *ou* **al ras** à ras bord ◦ **a ras de** au ras de ◦ **a ras de tierra** à ras de terre.

rasante ◪ *adj* **1.** *(lumière, tir)* rasant(e) **2.** *(vol)* en rase-mottes. ◪ *nf* inclinaison *(f)* ◦ **en cambio de rasante** en haut d'une côte.

rascacielos *nm inv* gratte-ciel *(m inv)*.

rascador *nm* **1.** grattoir *(m)* **2.** frottoir *(m) (pour allumettes)*.

rascar ◪ *vt* **1.** gratter ◦ **rasca un poco la guitarra** *fam* il gratte un peu **2.** racler *(avec une spatule)*. ◪ *vi* gratter. ◼ **rascarse** *vp* se gratter.

rasera *nf* écumoire *(f)*.

rasgar *vt* déchirer. ◼ **rasgarse** *vp* se déchirer.

rasgo *nm* **1.** trait *(m)* **2.** acte *(m) (d'héroïsme, etc)*. ◼ **rasgos** *nmpl* traits *(mpl) (d'un visage, d'une lettre)*.

rasguear *vt* gratter *(la guitare)*.

rasguñar *vt* **1.** égratigner **2.** griffer. ◼ **rasguñarse** *vp* **1.** s'égratigner **2.** se griffer.

rasguño *nm* égratignure *(f)*.

raso, sa *adj* **1.** plat(e) ◦ **en campo raso** en rase campagne **2.** plein(e) **3.** *(cuillerée, etc)* ras(e) **4.** *(ciel)* dégagé(e) **5.** *(vol)* en rase-mottes ◦ **muy raso** très bas **6.** MIL ⮕ **soldado**. ◼ **raso** *nm* satin *(m)*.

raspa *nf* arête *(f) (de poisson)*.

raspadura *nf* **1.** *(gén pl)* raclure *(f)* **2.** éraflure *(f)* **3.** grattage *(m)*.

raspar ◪ *vt* **1.** racler **2.** *(sujet : vin)* râper **3.** frôler. ◪ *vi* gratter.

rasposo, sa *adj* **1.** râpeux(euse) **2.** *(peau, vêtement)* rêche.

rastras ◼ **a rastras** *loc adv* ◦ **llevar algo/a alguien a rastras** *litt & fig* traîner qqch/qqn.

rastreador, ra *adj* ◦ **un perro rastreador** un limier.

rastrear ◼ *vt* **1.** suivre à la trace **2.** *fig* • *(sujet : personne)* ratisser • *(sujet : projecteur, faisceau lumineux)* balayer. ◼ *vi fig* enquêter.

rastrero, ra *adj* **1.** *(plante)* rampant(e) **2.** *(personne)* vil(e).

rastrillo *nm* **1.** râteau *(m)* **2.** petit marché *(m)* aux puces **3.** vente *(f)* de charité.

rastro *nm* **1.** trace *(f)* • **sin dejar rastro** sans laisser de traces **2.** marché *(m)* aux puces.

rastrojo *nm* chaume *(m)*.

rasurar *vt* raser. ◼ **rasurarse** *vp* se raser.

rata ◼ *adj* & *nmf fam* radin(e). ◼ *nf* rat *(m)*.

ratero, ra *nm, f* voleur *(m)*, -euse *(f)*.

ratificar *vt* ratifier. ◼ **ratificarse** *vp* • **ratificarse en** s'en tenir à.

rato *nm* moment *(m)* • **al (poco) rato (de)** juste après • **hace un rato** ça fait un moment • **mucho rato** longtemps • **pasar el rato** passer le temps • **pasar un mal rato** passer un mauvais moment • **a ratos** *fig* par moments.

ratón *nm* *(gén & INFORM)* souris *(f)*.

ratonera *nf* **1.** souricière *(f)* **2.** trou *(m)* de souris.

raudal *nm* **1.** torrent *(m)* **2.** *fig* flot *(m)* • **correr a raudales** couler à flots • **gana dinero a raudales** il gagne énormément d'argent.

ravioli *nm* *(gén pl)* ravioli *(m)*.

raya ◼ *v* ▷ **raer.** ◼ *nf* **1.** *(gén & ZOOL)* raie *(f)* **2.** *(éraflure, de couleur)* rayure *(f)* **3.** zébrure *(f)* *(d'un animal)* • **a rayas** à rayures **4.** pli *(m)* *(d'un pantalon)* **5.** ligne *(f)* *(de cocaïne)* **6.** *fig* limite *(f)* • **pasarse de la raya** depasser les bornes *ou* les limites **7.** tiret *(m)*.

rayado, da *adj* rayé(e). ◼ **rayado** *nm* **1.** rayures *(fpl)* **2.** tracé *(m)*.

rayar ◼ *vt* **1.** rayer **2.** tirer des traits sur. ◼ *vi* **1.** *(approcher)* • **rayar en algo** friser qqch • **raya en lo ridículo** ça frise le ridicule **2.** *(commencer à faire jour)* • **al rayar el alba** à l'aube. ◼ **rayarse** *vp* se rayer.

rayo ◼ *v* ▷ **raer.** ◼ *nm* **1.** *(gén & PHYS)* rayon *(m)* • **rayo láser/X** rayon laser/X • **rayos infrarrojos/ultravioleta** rayons infrarouges/ultraviolets • **rayos uva** UV, rayons UV **2.** *MÉTÉOR* foudre *(f)* • **ser un rayo** être rapide comme l'éclair.

rayón *nm* rayonne *(f)*.

rayuela *nf* marelle *(f)*.

raza *nf* **1.** race *(f)* • **de raza** de race **2.** *(Amér) fam* culot *(m)*.

razón *nf* **1.** *(gén & MATH)* raison *(f)* • **dar la razón a alguien** donner raison à qqn • **en razón de** *ou* **a** en raison de • **tener razón** avoir raison • **y con razón** non sans raison • **razón de ser** raison d'être **2.** renseignements *(mpl)* • **'razón aquí'** 'renseignements'. ◼ **a razón de** *loc prép* à raison de.

razonable *adj* raisonnable.

razonamiento *nm* raisonnement *(m)*.

razonar ◼ *vt* justifier. ◼ *vi* raisonner.

re *nm* ré *(m)*.

reacción *nf* réaction *(f)*.

reaccionar *vi* réagir.

reaccionario, ria *adj* & *nm, f* réactionnaire.

reacio, cia *adj* réticent(e) • **reacio a algo** réfractaire à • **reacio a** *ou* **en hacer algo** peu enclin à faire qqch • **un caballo reacio** un cheval rétif.

reactivación *nf* **1.** *ÉCON* réactivation *(f)* **2.** *ÉCON* relance *(f)*.

reactor *nm* **1.** réacteur *(m)* **2.** avion *(m)* à réaction.

readmitir *vt* **1.** réadmettre **2.** reprendre.

reafirmar *vt* réaffirmer. ◼ **reafirmarse** *vp* s'affirmer • **reafirmarse en** être conforté(e) dans *(une opinion, etc)*.

reajuste *nm* **1.** réaménagement *(m)* • **reajuste ministerial** remaniement *(m)* ministériel **2.** *ÉCON* rajustement *(m)*.

real *adj* **1.** réel(elle) **2.** royal(e).

realce ◼ *v* ▷ **realzar.** ◼ *nm* **1.** éclat *(m)* • **dar realce a** donner de l'éclat à **2.** *ART* rehaut *(m)* **3.** relief *(m)* *(d'une architecture, d'une sculpture)*.

realeza *nf* **1.** royauté *(f)* **2.** faste *(m)*.

realidad *nf* réalité *(f)* • **en realidad** en réalité • **realidad virtual** réalité virtuelle.

realista *adj* & *nmf* **1.** réaliste **2.** *POLIT* royaliste.

realización *nf* réalisation *(f)*.

realizador, ra *nm, f CINÉ & TV* réalisateur *(m)*, -trice *(f)*.

realizar *vt* **1.** réaliser **2.** faire *(un effort, un investissement)*. ◼ **realizarse** *vp* **1.** se réaliser **2.** s'épanouir *(dans son travail)*.

realmente *adv* réellement • **está realmente enfadado** il est vraiment fâché.

realquilado, da ◼ *adj* sous-loué(e). ◼ *nm, f* sous-locataire *(mf)*.

realquilar *vt* sous-louer.

realzar *vt* rehausser.

reanimar *vt* **1.** revigorer **2.** réconforter **3.** réanimer.

reanudar *vt* **1.** renouer *(une amitié, une conversation)* **2.** reprendre *(le travail, les cours)*. ◼ **reanudarse** *vp* **1.** *(amitié)* se renouer **2.** *(travail, cours)* reprendre.

reaparición *nf* réapparition *(f)*.

rearme *nm* réarmement *(m)*.

reaseguro *nm COMM* réassurance *(f)*.

reavivar *vt* raviver.

rebaja *nf* réduction *(f)*. ■ **rebajas** *nfpl* soldes *(mpl)* • **comprar algo de rebajas** acheter qqch en solde • **estar de rebajas** solder • **ir de rebajas** faire les soldes.

rebajado, da *adj* **1.** *(prix)* réduit(e) **2.** *(marchandise)* soldé(e), en solde **3.** *(personne)* rabaissé(e) **4.** ARCHIT surbaissé(e).

rebajar *vt* **1.** réduire *(un prix)* **2.** solder *(une marchandise)* • **le rebajo diez euros** je vous fais une réduction de dix euros **3.** rabaisser *(une personne)* **4.** atténuer *(l'intensité)* **5.** *(hauteur)* abaisser. ■ **rebajarse** *vp* se rabaisser • **rebajarse a hacer algo** s'abaisser à faire qqch.

rebanada *nf* **1.** tranche *(f)* *(de pain)* **2.** tartine *(f)* *(avec du beurre, etc)*.

rebanar *vt* **1.** couper (en tranches) **2.** sectionner.

rebañar *vt* saucer • **siempre rebaña la cazuela** il finit toujours les restes dans la casserole.

rebaño *nm* troupeau *(m)*.

rebasar *vt* dépasser.

rebatir *vt* réfuter.

rebeca *nf* cardigan *(m)*.

rebelarse *vp* se rebeller.

rebelde ◪ *adj* rebelle. ◪ *nm, f* **1.** rebelle *(mf)* **2.** DR condamné(e) par contumace.

rebeldía *nf* **1.** révolte *(f)* **2.** DR • **en rebeldía** par contumace.

rebelión *nf* rébellion *(f)*.

rebenque *nm* *(Amér)* fouet *(m)*.

reblandecer *vt* ramollir. ■ **reblandecerse** *vp* se ramollir.

rebobinar *vt* rembobiner.

rebosante *adj* • **rebosante (de)** débordant(e) (de).

rebosar ◪ *vt* déborder. ◪ *vi* déborder • **rebosar de** déborder de.

rebotar *vi* rebondir.

rebote *nm* rebond *(m)* • **de rebote** par ricochet.

rebozado, da *adj* CULIN pané(e).

rebozar *vt* CULIN paner.

rebuscado, da *adj* **1.** *(compliqué)* recherché(e) **2.** *(pas naturel)* affecté(e).

rebuznar *vi* braire.

recabar *vt* **1.** réclamer **2.** obtenir.

recadero, ra *nm, f* coursier *(m)*, -ère *(f)*.

recado *nm* **1.** message *(m)* **2.** *(démarche)* course *(f)*.

recaer *vi* **1.** retomber **2.** *(malade)* rechuter • **recaer en** retomber dans *(un vice, l'erreur, etc)* • **recaer sobre** *(faute, responsabilité)* retomber sur.

recaída *nf* rechute *(f)*.

recalcar *vt* insister sur • **no hace falta que me lo recalques...** tu n'as pas besoin de me le répéter...

recalcitrante *adj* récalcitrant(e).

recalentar *vt* **1.** réchauffer **2.** *(moteur)* surchauffer.

recámara *nf* **1.** dressing *(m)* **2.** *(armurerie)* magasin *(m)* **3.** *(Amér)* chambre *(f)*.

recamarera *nf* *(Amér)* *(domestique)* bonne *(f)*.

recambio *nm* pièce *(f)* de rechange • **de recambio** de rechange • **una rueda de recambio** une roue de secours.

recapacitar *vi* réfléchir.

recapitulación *nf* récapitulation *(f)*.

recapitular *vt* récapituler.

recargado, da *adj* surchargé(e).

recargar *vt* **1.** *(gén)* • **recargar (algo/a alguien de algo)** surcharger (qqch/qqn de qqch) • **recargar el café de azúcar** mettre trop de sucre dans le café **2.** recharger **3.** majorer.

recargo *nm* majoration *(f)* *(d'une dette, d'un impôt, etc)*.

recatado, da *adj* **1.** honnête **2.** réservé(e).

recato *nm* **1.** pudeur *(f)* **2.** prudence *(f)* • **no tener recato en** n'avoir aucun scrupule à.

recauchutar *vt* rechaper.

recaudación *nf* **1.** *(action)* recouvrement *(m)* **2.** *(quantité)* recette *(f)*.

recaudador, ra *nm, f* **1.** receveur *(m)*, -euse *(f)* **2.** percepteur *(m)* *(des impôts)*.

recaudar *vt* **1.** recouvrer *(les impôts, un paiement)* **2.** collecter *(des dons)*.

recelar *vi* • **recelar (de)** se méfier (de).

recelo *nm* méfiance *(f)*.

receloso, sa *adj* méfiant(e).

recepción *nf* réception *(f)*.

recepcionista *nmf* réceptionniste *(mf)*.

receptáculo *nm* réceptacle *(m)*.

receptivo, va *adj* réceptif(ive).

receptor, ra ◪ *adj* récepteur(trice). ◪ *nm, f* receveur *(m)*, -euse *(f)*. ■ **receptor** *nm* récepteur *(m)*.

recesión *nf* récession *(f)*.

receta *nf* **1.** *fig* & CULIN recette *(f)* **2.** MÉD ordonnance *(f)*.

rechazar *vt* **1.** *(gén* & MIL*)* repousser **2.** *(proposition, demande* & MÉD*)* rejeter.

rechazo *nm* **1.** refus *(m)* **2.** *fig* & MÉD rejet *(m)*.

rechinar *vi* grincer.

rechistar *vi* rechigner.

rechoncho, cha *adj fam* rondouillard(e).

rechupete ■ **de rechupete** *loc adj fam* *(plat,* • **está de rechupete** on s'en lèche les babines.

recibidor *nm* *(pièce)* entrée *(f)*.

recibimiento *nm* accueil *(m)*.

recibir *vt* **1.** recevoir • **recibir una carta/invitados** recevoir une lettre/des invités **2.** ac cueillir • **el médico recibe los lunes** le méde cin reçoit le lundi.

recibo *nm* **1.** *(action)* réception *(f)* **2.** reçu *(m* **3.** quittance *(f)* *(de loyer, etc)*.

reciclaje *nm* recyclage *(m)*.

reciclar *vt* recycler.

recién *adv* récemment • **recién edificado** récemment construit • **los recién casados** les jeunes mariés • **los recién llegados** les nouveaux venus • **un recién nacido** un nouveau-né.

reciente *adj* 1. récent(e) 2. *(pain, peinture, sang, etc)* frais(fraîche).

recinto *nm* enceinte *(f)*.

recio, cia *adj* 1. *(personne)* robuste 2. *(poutre, mur)* solide 3. *(voix, tissu)* fort(e) • **un tiempo recio** un temps rigoureux.

recipiente *nm* récipient *(m)*.

reciprocidad *nf* réciprocité *(f)* • **en reciprocidad a** en remerciement de.

recíproco, ca *adj* réciproque.

recital *nm* 1. récital *(m)* 2. concert *(m)* *(de rock)*.

recitar *vt* réciter.

reclamación *nf* réclamation *(f)*.

reclamar ◊ *vt* réclamer. ◊ *vi (protester)* • **reclamar (contra)** déposer une réclamation (contre).

reclamo *nm* 1. réclame *(f)* 2. *(oiseau, sifflet)* appeau *(m)*.

reclinar *vt (siège)* incliner • **reclinar algo contra** appuyer qqch contre. ■ **reclinarse** *vp* s'incliner • **reclinarse sobre** s'appuyer sur.

recluir *vt* enfermer. ■ **recluirse** *vp* s'enfermer, se cloîtrer.

reclusión *nf* 1. réclusion *(f)* 2. *fig (enfermement)* prison *(f)*.

recluso, sa *nm, f* prisonnier *(m)*, -ère *(f)*.

recluta *nf* recrue *(f)*.

reclutamiento *nm* recrutement *(m)* • **reclutamiento (obligatorio)** conscription *(f)*.

recobrar *vt* recouvrer *(de l'argent, la santé)* • **recobrar el aliento/conocimiento** reprendre haleine/connaissance. ■ **recobrarse** *vp* récupérer • **recobrarse de** se remettre de.

recochineo *nm fam* • **me roba y encima, con recochineo** il me vole, et par-dessus le marché, il se fiche de moi.

recodo *nm* 1. détour *(m)* *(d'un chemin)* 2. coude *(m)* *(d'une rivière)*.

recogedor *nm* pelle *(f)* *(à poussière)*.

recoger *vt* 1. ramasser 2. ranger *(une chambre, une pièce)* • **recoger la mesa** débarrasser la table 3. *(rassembler, héberger)* recueillir 4. *(aller chercher)* • **pasó a recogerme** il est passé me prendre 5. AGRIC *(obtenir)* récolter 6. retrousser *(une jupe, une robe, etc)*. ■ **recogerse** *vp* 1. *(se retirer)* aller se coucher 2. se recueillir 3. attacher *(ses cheveux)*.

recogido, da *adj* 1. *(endroit)* tranquille 2. *(cheveux)* attaché(e). ■ **recogida** *nf* 1. AGRIC récolte *(f)* 2. ramassage *(m)* *(des ordures)*.

recogimiento *nm* 1. recueillement *(m)* 2. retraite *(f)* • **vivir en total recogimiento** vivre complètement retiré(e).

recolección *nf* 1. AGRIC récolte *(f)* 2. collecte *(f)* *(de fonds)*.

recolector, ra ◊ *adj* AGRIC • **país recolector** pays producteur *(de fruits, céréales)*. ◊ *nm, f* cueilleur *(m)*, -euse *(f)*.

recomendación *nf* 1. recommandation *(f)* 2. *(gén pl)* références *(fpl)*.

recomendado, da *nm, f* • **es un recomendado de** il a été recommandé par.

recomendar *vt* recommander.

recompensa *nf* récompense *(f)*.

recompensar *vt* récompenser.

recomponer *vt* réparer.

recompuesto, ta *pp* ▷ **recomponer**.

reconciliación *nf* réconciliation *(f)*.

reconciliar *vt* réconcilier. ■ **reconciliarse** *vp* se réconcilier.

reconcomerse *vp* • **reconcomerse de** se consumer de.

recóndito, ta *adj* 1. *(caché)* retiré(e) 2. *(intime)* • **lo más recóndito de** le tréfonds de.

reconfortar *vt* réconforter.

reconocer *vt* 1. reconnaître 2. MÉD examiner. ■ **reconocerse** *vp* se reconnaître.

reconocido, da *adj* 1. *(admis)* reconnu(e) 2. reconnaissant(e).

reconocimiento *nm* 1. *(gén & MIL)* reconnaissance *(f)* 2. MÉD • **reconocimiento (médico)** examen *(m)* médical.

reconquista *nf* reconquête *(f)*. ■ **Reconquista** *nf* HIST • **la Reconquista** la Reconquista *(f)*.

CULTURE...

la Reconquista

Ce terme désigne la période durant laquelle les chrétiens d'Espagne combattirent les musulmans qui avaient envahi la péninsule Ibérique en 711. La reconquête prit fin en 1492 avec la prise de Grenade, qui entraîna l'expulsion définitive des Arabes par les Rois Catholiques. Les Arabes ont laissé de nombreuses traces de leur passage tant dans le domaine des sciences que dans celui de l'architecture ou de la vie courante.

---

reconstituyente *nm* reconstituant *(m)*.

reconstruir *vt* 1. reconstruire 2. reconstituer *(des événements)*.

reconversión *nf* reconversion *(f)*.

recopilación *nf* 1. compilation *(f)* *(de documents)* 2. rassemblement *(m)* *(de données)* 3. recueil *(m)*.

recopilar *vt* **1.** compiler *(des documents)* **2.** rassembler *(des données)*.

récord *(pl* **records)** *nm* record *(m)* • **batir/establecer un récord** battre/établir un record.

recordar *vt* **1.** rappeler • **te recuerdo que tienes que madrugar** je te rappelle que tu dois te lever tôt • **me recuerda a un amigo mío** il me rappelle un ami à moi **2.** se rappeler, se souvenir de • **recuerdo mis primeras vacaciones** je me rappelle mes premières vacances • **si mal no recuerdo** si je me souviens bien.

recordatorio *nm* **1.** rappel *(m)* **2.** image *(f)* commémorative.

recordman [re'korman, 'rekorman] *(pl* **recordmans)** *nm* recordman *(m)*.

recorrer *vt* parcourir.

recorrida *nf (Amér)* parcours *(m) (effectué)*.

recorrido *nm (trajet)* parcours *(m)*.

recortado, da *adj* découpé(e).

recortar *vt* **1.** couper **2.** découper **3.** *fig* réduire *(un salaire, un budget, etc)*. ■ **recortarse** *vp (se profiler)* se découper.

recorte *nm* **1.** *(pièce coupée)* coupure *(f)* • **recorte de prensa** coupure de presse **2.** *fig* réduction *(f) (de frais, etc)* **3.** *sport* dribble *(m)* • **hacer un recorte** dribbler.

recostar *vt* appuyer. ■ **recostarse** *vp* **1.** s'allonger **2.** se caler *(dans un fauteuil, etc)*.

recoveco *nm* **1.** recoin *(m)* **2.** détour *(m)* **3.** *fig* repli *(m) (du cœur, de l'âme)*.

recrear *vt* **1.** amuser, distraire **2.** *(reproduire)* recréer. ■ **recrearse** *vp* **1.** se distraire **2.** se délecter.

recreativo, va *adj* **1.** *(soirée, moment)* agréable **2.** *(sociéte, centre, etc)* de loisirs • **una máquina recreativa** un jeu d'arcade.

recreo *nm* **1.** loisir *(m)* **2.** *scol* récréation *(f)*.

recriminar *vt* **1.** récriminer **2.** • **recriminar a alguien por algo** reprocher qqch à qqn.

recrudecer *vi* redoubler. ■ **recrudecerse** *vp* s'intensifier.

recta *nf* ▷ **recto**.

rectal *adj* rectal(e).

rectángulo, la *adj* rectangle. ■ **rectángulo** *nm* rectangle *(m)*.

rectificar *vt* **1.** rectifier **2.** corriger.

rectitud *nf* **1.** rectitude *(f)* **2.** *fig* droiture *(f)*.

recto, ta *adj* **1.** droit(e) **2.** *(vrai)* juste **3.** *(sens)* propre. ■ **recto** *nm* rectum *(m)*. ■ *adv* tout droit. ■ **recta** *nf* droite *(f)* • **la recta final** la dernière ligne droite.

rector, ra *adj* directeur(trice). ■ *nm, f scol* recteur *(m)*. ■ **rector** *nm* relig recteur *(m)*.

recuadro *nm* encadré *(m)*.

recubrir *vt* recouvrir.

recuento *nm* dénombrement *(m)*, décompte *(m)* • **recuento de votos** dépouillement *(m)* du scrutin.

recuerdo *nm* souvenir *(m)*. ■ **recuerdos** *nmpl* • **i(dale) recuerdos a tu hermano!** bien des choses à ton frère !

recular *vi* **1.** reculer • **recular un metro** reculer d'un mètre **2.** *fam fig* se dégonfler.

recuperable *adj* récupérable.

recuperación *nf* **1.** récupération *(f) (de ce qui était perdu)* **2.** rétablissement *(m) (d'un malade)* **3.** redressement *(m) (de l'économie)* **4.** méd rééducation *(f)* **5.** scol rattrapage *(m)*.

recuperar *vt* **1.** récupérer **2.** rattraper *(des heures de travail, un examen)* • **recuperar fuerzas** reprendre des forces. ■ **recuperarse** *vp* **1.** *(malade)* **recuperarse de** se remettre de **2.** se relever *(d'une crise)*.

recurrente *adj* **1.** dr appelant(e) **2.** récurrent(e).

recurrir *vi* **1.** *(chercher de l'aide)* • **recurrir a algo/alguien** avoir recours à qqch/qqn **2.** dr faire appel.

recurso *nm* **1.** recours *(m)* **2.** dr pourvoi *(m)* • **recurso (de apelación)** appel *(m)*. ■ **recursos** *nmpl* ressources *(fpl)* • **recursos propios** fonds *(mpl)* propres.

red *nf* **1.** *(gén & inform)* réseau *(m)* • **red de carreteras** ou **red vial** réseau routier • **red de tiendas** chaîne *(f)* de magasins • **red de ventas** réseau commercial **2.** filet *(m)*.

redacción *nf* rédaction *(f)*.

redactar *vt* rédiger.

redactor, ra *nm, f* rédacteur *(m)*, -trice *(f)*.

redada *nf* coup *(m)* de filet.

redención *nf* **1.** rachat *(m)* **2.** rédemption *(f)*.

redil *nm* enclos *(m)*.

redimir *vt* **1.** racheter **2.** libérer. ■ **redimirse** *vp* **1.** *(personne)* se racheter **2.** se dispenser *(d'une obligation)*.

rédito *nm* intérêt *(m)*.

redoblar *vt* redoubler • **redoblar la vigilancia** redoubler d'attention. ■ *vi* **1.** battre le tambour **2.** *(cloches)* sonner.

redomado, da *adj* fieffé(e) • **un mentiroso redomado** un fieffé menteur.

redondear *vt* **1.** arrondir **2.** *(achever)* • **redondear con** achever par.

redondel *nm* **1.** rond *(m)* **2.** taurom arène *(f)*.

redondo, da *adj* **1.** rond(e) • **a la redonda** à la ronde **2.** *(avantageux)* excellent(e) **3.** catégorique **4.** *(chiffre, quantité)* tout rond.

reducción *nf* réduction *(f)*.

reducido, da *adj* **1.** réduit(e) **2.** *(rendement)* faible **3.** *(maison, espace)* petit(e).

reducir *vt* **1.** réduire **2.** soumettre *(des troupes, des rebelles, etc)*. ■ *vi auto* ralentir. ■ **re**

ducirse *vp* **1.** *(se limiter)* • **reducirse a** se réduire à **2.** *(équivaloir)* • **tanta palabrería se reduce a que...** tout ce verbiage revient à dire que...

reducto *nm* **1.** *fig (refuge)* bastion *(m)* **2.** fief *(m)* *(d'un groupe, d'une idéologie, etc).*

redundancia *nf* redondance *(f).*

redundante *adj* redondant(e).

redundar *vi* • **redundar en beneficio/perjuicio de alguien** tourner à l'avantage/au désavantage de qqn.

reeditar *vt* rééditer.

reelección *nf* réélection *(f).*

reembolsar, rembolsar *vt* rembourser.

reembolso, rembolso *nm* remboursement *(m).*

reemplazar, remplazar *vt* remplacer.

reemplazo, remplazo *nm* **1.** remplacement *(m)* **2.** MIL contingent *(m).*

reemprender *vt* reprendre.

reencarnación *nf* réincarnation *(f).*

reencuentro *nm* retrouvailles *(fpl).*

reestreno *nm* THÉÂTRE & CINÉ reprise *(f).*

reestructurar *vt* restructurer.

refacción *nf (gén pl) (Amér)* **1.** réparation *(f)* **2.** pièce *(f)* détachée.

refaccionar *vt (Amér)* réparer.

refaccionaria *nf (Amér)* magasin *(m)* de pièces détachées.

referencia *nf* **1.** référence *(f)* **2.** renvoi *(m)* *(à un mot)* • **con referencia a** en ce qui concerne. ■ **referencias** *nfpl* références *(fpl).*

referéndum *(pl* referendos *ou* inv*)* *nm* référendum *(m).*

referente *adj* • **referente a algo** concernant qqch.

referir *vt (raconter)* rapporter. ■ **referirse** *vp* • **referirse a** parler de • se référer à • se rapporter à • **¿a qué te refieres?** de quoi parles-tu ? • **por lo que se refiere a...** en ce qui concerne...

refilón ■ **de refilón** *loc adv* **1.** de biais • **dar de refilón** frôler **2.** *fig* en passant.

refinado, da *adj* raffiné(e).

refinamiento *nm* raffinement *(m).*

refinar *vt* raffiner.

refinería *nf* raffinerie *(f).*

reflejar *vt litt & fig* refléter. ■ **reflejarse** *vp litt & fig* se refléter.

reflejo, ja *adj* **1.** *(gén & PHYS)* réfléchi(e) **2.** *(douleur, mouvement)* réflexe. ■ **reflejo** *nm* **1.** reflet *(m)* **2.** *(réaction & MÉD)* réflexe *(m).* ■ **reflejos** *nmpl (teinture pour les cheveux)* balayage *(m).*

reflexión *nf* réflexion *(f).*

reflexionar *vi* réfléchir.

reflexivo, va *adj* réfléchi(e).

reflexoterapia *nf* réflexothérapie *(f).*

reflujo *nm* reflux *(m).*

reforma *nf* **1.** réforme *(f)* • **reforma agraria** réforme agraire **2.** rénovation *(f)* *(d'un local, d'un logement)* • **'cerrado por reformas'** 'fermé pour travaux'. ■ **Reforma** *nf* RELIG • **la Reforma** la Réforme.

reformar *vt* **1.** réformer **2.** rénover *(un local, un logement, etc).* ■ **reformarse** *vp* changer *(de comportement).*

reformatorio *nm* centre *(m)* d'éducation surveillée.

reforzar *vt* renforcer.

refractario, ria *adj* réfractaire.

refrán *nm* proverbe *(m).*

refregar *vt* **1.** frotter **2.** récurer *(des casseroles, etc)* **3.** *fig* narguer **4.** *fig (reprocher)* • **refregar algo a alguien por las narices** jeter qqch à la figure de qqn.

refrescante *adj* rafraîchissant(e).

refrescar ⬖ *vt* rafraîchir. ⬖ *vi* se rafraîchir. ■ **refrescarse** *vp* **1.** *(boire, se mouiller)* se rafraîchir **2.** *(sortir)* prendre le frais.

refresco *nm (boisson)* rafraîchissement *(m).*

refriega ⬖ *v* ⮕ **refregar.** ⬖ *nf* **1.** bagarre *(f)* **2.** MIL échauffourée *(f).*

refrigeración *nf* **1.** réfrigération *(f)* *(d'aliments)* **2.** refroidissement *(m)* *(de machines)* **3.** climatisation *(f).*

refrigerador, ra *adj* réfrigérant(e). ■ **refrigerador** *nm* **1.** réfrigérateur *(m)* **2.** refroidisseur *(m).*

refrigerar *vt* **1.** réfrigérer *(des aliments)* **2.** refroidir *(une machine)* **3.** climatiser *(un local).*

refrigerio *nm* **1.** *(boisson)* rafraîchissement *(m)* **2.** collation *(f).*

refrito, ta *adj* réchauffé(e). ■ **refrito** ⬖ *pp* ⮕ **refreír.** ⬖ *nm* CULIN • **hacer un refrito de algo** faire revenir qqch.

refuerzo *nm* **1.** *(pièce)* renfort *(m)* **2.** *(action)* renforcement *(m).* ■ **refuerzos** *nmpl* MIL renforts *(mpl).*

refugiado, da *adj* & *nm, f* réfugié(e).

refugiar *vt* donner refuge à. ■ **refugiarse** *vp* se réfugier • **refugiarse de** se mettre à l'abri de.

refugio *nm* **1.** refuge *(m)* **2.** abri *(m)* *(pour se protéger d'une attaque)* • **refugio antiaéreo/atómico** abri antiaérien/antiatomique.

refulgir *vi* resplendir.

refunfuñar *vi* ronchonner.

refutar *vt* réfuter.

regadera *nf* **1.** arrosoir *(m)* **2.** *(Amér)* douche *(f).*

regadío *nm* terres *(fpl)* irriguées.

regalado, da *adj* **1.** *(pas cher)* donné(e) • **precio regalado** prix sacrifié **2.** agréable.

regalar *vt* offrir • **le regaló flores** il lui a offert des fleurs • **regalar a alguien con algo** offrir qqch à qqn • **nos regaló con sus últimos**

poemas il nous a offert ses derniers poèmes.
■ **regalarse** *vp* • **regalarse con algo** s'offrir qqch.

regaliz *nm* réglisse (f).

regalo *nm* **1.** cadeau (m) **2.** régal (m).

regalón, ona *adj (Amér) fam* gâté(e).

regañadientes ■ **a regañadientes** *loc adv fam* en rechignant.

regañar ◨ *vt* gronder. ◨ *vi* se disputer.

regañina *nf* **1.** réprimande (f) **2.** dispute (f).

regañón, ona *adj* & *nm, f* rabat-joie (inv).

regar *vt litt* & *fig* arroser.

regata *nf* **1.** régate (f) **2.** rigole (f).

regatear ◨ *vt* **1.** marchander **2.** SPORT dribbler. ◨ *vi* **1.** marchander **2.** participer à une régate.

regateo *nm* marchandage (m).

regazo *nm* giron (m).

regeneración *nf* **1.** régénération (f) (d'un tissu, d'un organe) **2.** transformation (f) (morale d'une personne).

regenerar *vt* **1.** (tissu, organe) régénérer **2.** (personne) transformer.

regentar *vt* **1.** diriger **2.** tenir (un magasin, un café, etc).

regente ◨ *adj* régent(e). ◨ *nmf* **1.** régent (m), -e (f) **2.** gérant (m), -e (f). ◨ *nm (Amér)* maire (m).

reggae ['reɣe] *nm* reggae (m).

regidor, ra *nm, f* **1.** conseiller (m) municipal, conseillère (f) municipale **2.** THÉÂTRE, CINÉ & TV régisseur (m).

régimen (pl **regímenes**) *nm* **1.** régime (m) **2.** règlement (m) (d'un collège, d'un lycée, etc) • **estar a régimen** être au régime • **Antiguo Régimen** Ancien Régime.

regimiento *nm* régiment (m).

regio, gia *adj litt* & *fig* royal(e).

región *nf* région (f).

regir ◨ *vt* **1.** régir **2.** diriger (un pays, une nation) **3.** tenir (un commerce). ◨ *vi* **1.** (loi) être en vigueur **2.** fig (personne) • **regir muy bien** avoir toute sa tête. ■ **regirse** *vp* • **regirse por** se fier à, suivre.

registrado, da *adj* **1.** enregistré(e) **2.** (brevet, marque) déposé(e).

registrador, ra ◨ *adj* enregistreur(euse). ◨ *nm, f* préposé (m), -e (f) à un registre.

registrar ◨ *vt* **1.** enregistrer **2.** déclarer (une naissance, un décès, etc) **3.** déposer (un brevet) **4.** (inspecter) fouiller. ◨ *vi* fouiller. ■ **registrarse** *vp* **1.** s'inscrire **2.** se produire.

registro *nm* **1.** (gén, INFORM & MUS) registre (m) • **inscribir en el registro civil** inscrire à l'état civil **2.** (inspection) fouille (f) **3.** perquisition (f) (de la police) **4.** signet (m).

regla *nf* **1.** règle (f) • **en regla** en règle • **por regla general** en règle générale **2.** MATH opération (f) **3.** fam règles (fpl) (d'une femme).

reglamentación *nf* réglementation (f).

reglamentar *vt* réglementer.

reglamentario, ria *adj* réglementaire.

reglamento *nm* règlement (m).

reglar *vt* régler.

regocijar *vt* réjouir. ■ **regocijarse** *vp* • **regocijarse (con** ou **de)** se réjouir (de).

regocijo *nm* joie (f).

regodeo *nm* délectation (f).

regordete *adj* rondelet(ette).

regresar ◨ *vi* rentrer, retourner. ◨ *vt (Amér)* rendre. ■ **regresarse** *vp (Amér)* rentrer, retourner.

regresión *nf* **1.** régression (f) **2.** recul (m) (des ventes, des exportations).

regresivo, va *adj* régressif(ive).

regreso *nm* retour (m).

reguero *nm* **1.** flot (m) (d'eau, de sang) **2.** traînée (f) (de poudre).

regulación *nf* **1.** contrôle (m) **2.** réglage (m) (d'un mécanisme, d'une horloge).

regulador, ra *adj* régulateur(trice).

regular[1] ◨ *adj* **1.** (réglé, uniforme) régulier(ère) **2.** (médiocre) moyen(enne) **3.** raisonnable. ◨ *adv (santé)* comme ci comme ça. ■ **por lo regular** *loc adv* habituellement.

regular[2] *vt* **1.** régler **2.** (réglementer) contrôler.

regularidad *nf* régularité (f) • **con regularidad** régulièrement.

regularizar *vt* régulariser. ■ **regularizarse** *vp* se mettre en règle.

regusto *nm* **1.** arrière-goût (m) **2.** fig (ressemblance) air (m).

rehabilitación *nf* **1.** réhabilitation (f) **2.** MÉD rééducation (f).

rehabilitar *vt* **1.** réhabiliter **2.** rééduquer.

rehacer *vt* refaire. ■ **rehacerse** *vp* se remettre (de la fatigue, etc).

rehén (pl **rehenes**) *nm* otage (m).

rehogar *vt* CULIN faire revenir.

rehuir *vt* fuir • **rehuyó contestarme** il a refusé de me répondre.

rehusar *vt* refuser.

reimpresión *nf* réimpression (f).

reina *nf* **1.** reine (f) **2.** (aux cartes) ≃ dame (f).

reinado *nm* règne (m).

reinante *adj* **1.** (personne, monarchie) régnant(e) **2.** fig (froid, chaleur) qui règne.

reinar *vi* régner.

reincidir *vi* récidiver • **reincidir en** retomber dans (l'erreur, une faute).

reincorporar *vt* réintégrer. ■ **reincorporarse** *vp* MIL *(un poste)* • **reincorporarse a** *(service militaire)* être réincorporé dans • *(travail)* reprendre.

reino *nm* 1. royaume *(m)* 2. BIOL règne *(m)*.

Reino Unido *npr* • **el Reino Unido** le Royaume-Uni.

reinserción *nf* réinsertion *(f)*.

reintegrar *vt* 1. restituer *(de l'argent)* 2. mettre un timbre fiscal sur. ■ **reintegrarse** *vp* • **reintegrarse a** réintégrer *(un poste)* • se réinsérer dans *(la société)*.

reintegro *nm* 1. réintégration *(f)* 2. retrait *(m)* *(bancaire)* 3. remboursement *(m)* *(de frais, d'une dette)* 4. *(au loto)* remboursement *(m)* du billet 5. timbre *(m)* fiscal.

reír ◪ *vi* rire. ◪ *vt* rire de • **le ríe todas las gracias** il rit de toutes ses plaisanteries. ■ **reírse** *vp* rire • **reírse con** OU **de algo** rire de qqch • **reírse de alguien** se moquer de qqn.

reiterar *vt* 1. réaffirmer 2. réitérer *(une demande)*.

reiterativo, va *adj* répétitif(ive) • **un discurso reiterativo** un discours plein de répétitions.

reivindicación *nf* revendication *(f)*.

reivindicar *vt* revendiquer.

reivindicativo, va *adj* revendicatif(ive).

reja *nf* grille *(f)*.

rejego, ga *adj* *(Amér) fam* récalcitrant(e), qui rechigne.

rejilla *nf* 1. grillage *(m)* 2. grille *(f)* *(d'une cuisinière, d'un four)* 3. cannage *(m)*.

rejoneador, ra *nm, f* torero à cheval.

rejoneo *nm* corrida *(f)* à cheval.

rejuntarse *vp fam* se mettre à la colle.

rejuvenecer *vt* & *vi* rajeunir. ■ **rejuvenecerse** *vp* rajeunir.

relación *nf* 1. relation *(f)* • **con relación a, en relación con** en ce qui concerne • **tener relación con alguien** fréquenter qqn • **relaciones públicas** relations publiques • **relación calidad-precio** rapport *(m)* qualité-prix 2. *(énumération)* liste *(f)* 3. *(description)* récit *(m)* 4. rapport *(m)*. ■ **relaciones** *nfpl (contacts)* relations *(fpl)*.

relacionar *vt* 1. mettre en relation 2. *(raconter)* rapporter. ■ **relacionarse** *vp* • **relacionarse con alguien** fréquenter qqn.

relajación *nf* 1. relaxation *(f)* 2. *fig* relâchement *(m)*.

relajar *vt* 1. *(muscle)* décontracter 2. *fig* relâcher. ■ **relajarse** *vp (se reposer)* se détendre.

relajo *nm* *(Amér) fam* foire *(f)*.

relamer *vt* lécher. ■ **relamerse** *vp* 1. se pourlécher 2. *fig* se réjouir.

relamido, da *adj* 1. affecté(e) 2. soigné(e).

relámpago *nm* éclair *(m)*.

relampaguear *vi* étinceler.

relatar *vt* 1. relater *(un événement)* 2. raconter *(une histoire)*.

relatividad *nf* relativité *(f)*.

relativo, va *adj* 1. relatif(ive) 2. • **relativo a algo** concernant qqch.

relato *nm* 1. rapport *(m)* 2. récit *(m)*.

relax *nm inv* 1. relaxation *(f)* 2. détente *(f)* 3. petites annonces *(fpl)* spécialisées.

relegar *vt* • **relegar (a)** reléguer (à).

relente *nm* fraîcheur *(f)* nocturne.

relevante *adj* 1. éminent(e) 2. *(information)* important • **de importancia relevante** de première importance.

relevar *vt* 1. *(exempter)* • **relevar a alguien de** dispenser qqn de • **relevar a alguien de su cargo** relever qqn de ses fonctions 2. *(remplacer* & SPORT*)* relayer.

relevo *nm* 1. MIL relève *(f)* 2. SPORT relais *(m)*. ■ **relevos** *nmpl* SPORT course *(f)* de relais.

relieve *nm* relief *(m)* • **bajo relieve** bas-relief *(m)* • **poner de relieve** *fig* mettre en relief.

religión *nf* religion *(f)*.

religioso, sa *adj* & *nm, f* religieux(euse).

relinchar *vi* hennir.

reliquia *nf* 1. relique *(f)* 2. *fig* souvenir *(m)*.

rellano *nm* palier *(m)* *(dans un escalier)*.

rellenar *vt* 1. remplir 2. boucher *(des trous)* 3. farcir.

relleno, na *adj* 1. CULIN farci(e) 2. CULIN fourré(e) 3. • **estar relleno** *(personne)* être enveloppé. ■ **relleno** *nm* 1. CULIN farce *(f)* 2. garniture *(f)* *(de tarte, etc)* 3. *fig* remplissage *(m)*.

reloj *nm* 1. horloge *(f)* 2. montre *(f)* • **reloj de arena** sablier *(m)* • **reloj (de pared)** pendule *(f)* • **reloj de pulsera** montre-bracelet *(f)* • **reloj despertador** réveil *(m)* • **hacer algo contra reloj** *fig* faire qqch dans l'urgence.

relojería *nf* horlogerie *(f)*.

relojero, ra *nm, f* horloger *(m)*, -ère *(f)*.

reluciente *adj* brillant(e).

relucir *vi* briller • **sacar algo a relucir** *fam fig* remettre qqch sur le tapis.

remachar *vt* 1. river 2. *fig (insister)* appuyer.

remache *nm* 1. rivetage *(m)* 2. rivet *(m)*.

remanente *nm* 1. reste *(m)* 2. solde *(m)* positif *(d'un compte bancaire)*.

remangar, arremangar *vt* retrousser. ■ **remangarse** *vp* retrousser ses manches.

remanso *nm* nappe *(f)* d'eau dormante.

remar *vi* ramer.

rematado, da *adj* 1. achevé(e) 2. *fig* fini(e) • **ser un loco rematado** être fou à lier.

rematar ◪ *vt* 1. *(finir, tuer)* achever 2. adjuger 3. liquider 4. SPORT • **rematar el pase** tirer au but. ◪ *vi* SPORT tirer au but.

remate *nm* **1.** fin *(f)* **2.** *fig* couronnement *(m)* **3.** adjudication *(f)* *(dans une vente aux enchères)* **4.** SPORT tir *(m)* au but. ■ **de remate** *loc adv* complètement ▪ **loco de remate** fou à lier.

rembolsar = **reembolsar**.

rembolso = **reembolso**.

remedar *vt* **1.** imiter **2.** *fig* singer.

remediar *vt* **1.** remédier à *(un mal, un problème)* **2.** réparer *(un mal)* **3.** éviter *(un danger)*.

remedio *nm* **1.** solution *(f)* ▪ **como último remedio** en dernier recours ▪ **no hay** OU **queda más remedio que...** il n'y a pas d'autre solution que de... ▪ **no tiene más remedio** il n'a pas le choix ▪ **sin remedio** *(inévitablement)* forcément **2.** réconfort *(m)* **3.** *(médicament)* remède *(m)*.

rememorar *vt* remémorer.

remendar *vt* **1.** raccommoder *(à l'aide d'une pièce)*, rapiécer **2.** réparer *(une chaussure)*.

remero, ra *nm, f* rameur *(m)*, -euse *(f)*. ■ **remera** *nf (Amér)* tee-shirt *(m)*.

remesa *nf* COMM envoi *(m)*.

remeter *vt* remettre ▪ **remeter las sábanas** border le lit.

remezón *nm (Amér)* secousse *(f)* (sismique).

remiendo *nm* **1.** pièce *(f)* **2.** raccommodage *(m)* **3.** rapiéçage *(m)* **4.** *fam* rafistolage *(m)* ▪ **hacer un remiendo en algo** rafistoler qqch.

remilgado, da *adj* minaudier(ère) ▪ **ser remilgado comiendo** faire la fine bouche.

remilgo *nm* minauderie *(f)*.

reminiscencia *nf* réminiscence *(f)*.

remiso, sa *adj* réticent(e) ▪ **ser remiso a hacer algo** n'avoir guère envie de faire qqch.

remite *nm* ▪ **el remite** le nom et l'adresse de l'expéditeur.

remitente *nmf* expéditeur *(m)*, -trice *(f)*.

remitir ▪ *vt* **1.** expédier **2.** remettre **3.** transmettre. ▪ *vi* **1.** *(dans un texte)* ▪ **remitir a** renvoyer à **2.** *(diminuer)* s'apaiser **3.** *(fièvre)* baisser. ■ **remitirse** *vp* ▪ **remitirse a** s'en remettre à ▪ se reporter à.

remo *nm* **1.** rame *(f)* **2.** aviron *(m)* **3.** *(gén pl)* *(extrémités - chez l'homme)* membres *(mpl)* ▪ *(- chez l'animal)* pattes *(fpl)* ▪ *(- chez l'oiseau)* ailes *(fpl)*.

remodelar *vt* **1.** rénover **2.** remanier.

remojar *vt* **1.** faire tremper **2.** tremper *(du pain)* **3.** *fam (fêter)* arroser.

remojo *nm* ▪ **poner en remojo** faire tremper.

remolacha *nf* betterave *(f)*.

remolcador, ra *adj* remorqueur(euse) ▪ **un barco remolcador** un remorqueur ▪ **un coche remolcador** une dépanneuse. ■ **remolcador** *nm* remorqueur *(m)*.

remolcar *vt* remorquer.

remolino *nm* **1.** tourbillon *(m)* **2.** remous *(m)* **3.** *fig* foule *(f)* **4.** épi *(m)* *(dans les cheveux)*.

remolón, ona ▪ *adj* lambin(e). ▪ *nm, f* ▪ **hacerse el remolón** lambiner.

remolque *nm* **1.** remorquage *(m)* **2.** remorque *(f)*.

remontar *vt* **1.** gravir *(une pente, une montagne)* **2.** remonter *(un fleuve)* **3.** surmonter *(un obstacle, un malheur)* **4.** faire monter *(dans les airs)*. ■ **remontarse** *vp* **1.** *(oiseaux, avions)* s'élever ▪ **remontarse a** *(frais)* s'élever à **2.** *fig (dater)* ▪ **remontarse a** remonter à.

remonte *nm* remontée *(f)* mécanique.

rémora *nf* *fam fig (obstacle)* handicap *(m)*.

remorder *vt* *fig (inquiéter)* ▪ **remorderle algo a alguien** ronger qqn ▪ **me remuerde haberle reprendido** je m'en veux de l'avoir grondé.

remordimiento *nm* remords *(m)*.

remoto, ta *adj* **1.** *(dans le temps, dans l'espace)* lointain(e) **2.** *fig* minime ▪ **no tengo ni la más remota idea de ello** je n'en ai pas la moindre idée.

remover *vt* **1.** remuer **2.** déplacer *(des meubles, des objets)* **3.** fouiller dans *(le passé)*. ■ **removerse** *vp* s'agiter.

remplazar = **reemplazar**.

remplazo = **reemplazo**.

remuneración *nf* rémunération *(f)*.

remunerar *vt* **1.** rémunérer **2.** récompenser.

renacer *vi* renaître.

renacimiento *nm* renaissance *(f)*. ■ **Renacimiento** *npr* HIST ▪ **el Renacimiento** la Renaissance.

renacuajo *nm* **1.** têtard *(m)* **2.** *fam fig* bout de chou *(m)*.

renal *adj* rénal(e).

rencilla *nf* querelle *(f)*.

rencor *nm* rancune *(f)*.

rencoroso, sa *adj* & *nm, f* rancunier(ère).

rendición *nf* reddition *(f)*.

rendido, da *adj* **1.** épuisé(e) **2.** *fig (soumis)* ▪ **caer rendido ante** tomber à genoux devant ▪ **un rendido admirador** un fervent admirateur.

rendija *nf* fente *(f)*.

rendimiento *nm* rendement *(m)*.

rendir ▪ *vt* **1.** *(vaincre)* soumettre **2.** *(offrir)* rendre ▪ **rendir homenaje/culto a** rendre hommage/ un culte à **3.** épuiser. ▪ *vi* **1.** *(avoir du rendement)* être performant(e) **2.** *(commerce)* rapporter, être rentable. ■ **rendirse** *vp* **1.** ▪ **rendirse (a)** se rendre (à) ▪ **rendirse ante la evidencia** se rendre à l'évidence **2.** *(se décourager)* abandonner.

renegado, da ▪ *adj* apostat(e). ▪ *nm, f* renégat *(m)*, -e *(f)*.

renegar ◼ *vt* ◦ **negar y renegar algo** nier fermement qqch. ◼ *vi* **1.** *(répudier & RELIG)* ◦ **renegar de algo/alguien** renier qqch/qqn **2.** *fam* ronchonner.

Renfe *(abr de* **Red Nacional de los Ferrocarriles Españoles)** *nf réseau public espagnol des chemins de fer,* ≃ SNCF *(f).*

renglón *nm* **1.** ligne *(f)* **2.** poste *(m) (de dépenses).*

reno *nm* renne *(m).*

renombrar *vt* INFORM renommer.

renombre *nm* renom *(m).*

renovación *nf* **1.** renouvellement *(m)* **2.** rénovation *(f).*

renovar *vt* **1.** renouveler **2.** faire renouveler *(son permis de conduire, son passeport)* **3.** rénover **4.** donner une nouvelle dimension à.

renquear *vi* **1.** clopiner **2.** *fig* vivoter.

renta *nf* **1.** revenu *(m)* ◦ **renta fija/variable** revenu fixe/variable ◦ **renta per cápita** *OU* **por habitante** revenu par habitant **2.** rente *(f)* ◦ **vivir de las rentas** vivre de ses rentes **3.** loyer *(m).* ◼ **renta pública** *nf* dette *(f)* publique.

rentable *adj* rentable.

rentar ◼ *vt* **1.** *(être rentable)* rapporter **2.** *(Amér)* louer. ◼ *vi* rapporter.

rentista *nmf* rentier *(m),* -ère *(f).*

renuncia *nf* renoncement *(m).*

renunciar *vi* renoncer ◦ **renunciar a algo** renoncer à qqch ◦ refuser qqch.

reñido, da *adj* **1.** brouillé(e) ◦ **están reñidos** ils sont brouillés **2.** *(bataille, lutte)* serré(e) **3.** *(opposé)* ◦ **estar reñido con algo** être incompatible avec qqch.

reñir ◼ *vt* **1.** *(personne, chien)* gronder **2.** livrer *(une bataille, un combat).* ◼ *vi* se disputer.

reo, a *nm, f* inculpé *(m),* -e *(f).*

reojo *nm* ◦ **mirar de reojo** regarder du coin de l'œil.

repantingarse *vp* se vautrer *(dans un fauteuil).*

reparación *nf* réparation *(f).*

reparador, ra *adj (repos, sommeil)* réparateur (trice).

reparar ◼ *vt* réparer. ◼ *vi (avertir)* ◦ **reparar en algo** remarquer qqch ◦ **no reparar en gastos** ne pas regarder à la dépense.

reparo *nm* **1.** objection *(f)* **2.** *(gêne)* ◦ **no tener reparos en** ne pas avoir de scrupules à.

repartición *nf* répartition *(f).*

repartidor, ra ◼ *adj* distributeur(trice). ◼ *nm, f* livreur *(m),* -euse *(f).*

repartir *vt* **1.** partager **2.** livrer **3.** distribuer *(le courrier, des ordres)* ◦ **repartir justicia** rendre la justice **4.** étaler **5.** répartir.

reparto *nm* **1.** *(gén,* CINÉ & THÉÂTRE*)* distribution *(f)* **2.** partage *(m)* ◦ **reparto de beneficios** partage des bénéfices **3.** livraison *(f)* **4.** répartition *(f)* **5.** casting *(m).*

repasador *nm (Amér)* torchon *(m).*

repasar *vt* **1.** réviser, revoir **2.** recoudre.

repaso *nm* **1.** révision *(f)* **2.** *fam (réprimande)* savon *(m).*

repatear *vt fam* ◦ **me repatea...** ça me dégoûte.

repatriar *vt* rapatrier.

repecho *nm* raidillon *(m).*

repelente *adj* **1.** repoussant(e) **2.** *(enfant)* odieux(euse).

repeler *vt* **1.** repousser **2.** dégoûter.

repelús *nm* ◦ **dar repelús** donner le frisson.

repente ◼ **de repente** *loc adv* tout à coup.

repentino, na *adj* soudain(e).

repercusión *nf* répercussion *(f)* ◦ **su película tuvo gran repercusión en el público** son film a eu un grand retentissement dans le public.

repercutir *vi* ◦ **repercutir en** se répercuter sur.

repertorio *nm* répertoire *(m).*

repesca *nf fam* SCOL repêchage *(m).*

repetición *nf* répétition *(f).*

repetidor, ra ◼ *adj* ◦ **un alumno repetidor** un redoublant. ◼ *nm, f* redoublant *(m),* -e *(f).* ◼ **repetidor** *nm* ÉLECTR relais *(m).*

repetir ◼ *vt* **1.** répéter **2.** SCOL ◦ **repetir curso** redoubler **3.** *(plat)* ◦ **repetir algo** reprendre de qqch. ◼ *vi* **1.** SCOL redoubler **2.** *(aliment)* donner des renvois **3.** *(convive)* reprendre de. ◼ **repetirse** *vp* se répéter.

repicar ◼ *vt* **1.** faire sonner *(les cloches)* **2.** battre *(battre le tambour).* ◼ *vi* **1.** *(cloches)* carillonner **2.** *(tambour)* battre.

repique ◼ *v* ▷ **repicar**. ◼ *nm* carillon *(m) (des cloches).*

repiqueteo *nm* **1.** carillon *(m) (des cloches)* **2.** roulement *(m) (du tambour)* **3.** *fig* tambourinement *(m) (d'une personne, de la pluie).*

repisa *nf* **1.** tablette *(f)* **2.** console *(f).*

replantear *vt* réexaminer.

replegar *vt* replier. ◼ **replegarse** *vp* MIL se replier.

repleto, ta *adj* ◦ **repleto de** plein de ◦ **estoy repleto** je suis repu ◦ **el autobús estaba repleto** l'autobus était plein à craquer.

réplica *nf* **1.** réplique *(f)* **2.** réponse *(f)* ◦ **el derecho de réplica** le droit de réponse.

replicar *vt* répliquer.

repliegue *nm* repli *(m).*

repoblación *nf* repeuplement *(m)* ◦ **repoblación forestal** reboisement *(m).*

repoblar *vt* repeupler.

repollo *nm* chou *(m) (pommé).*

reponer *vt* **1.** remettre **2.** rétablir **3.** remplacer **4.** THÉÂTRE & CINÉ reprendre **5.** CINÉ repasser **6.** TV rediffuser **7.** répondre. ■ **reponerse** *vp* • **reponerse (de)** se remettre (de) • **tardó en reponerse** il a mis du temps à s'en remettre.

reportaje *nm* reportage *(m)*.

reportar *vt* **1.** apporter **2.** ÉCON rapporter **3.** *(Amér)* faire un rapport à.

reporte *nm (Amér)* rapport *(m)*.

repórter *nm* reporter *(m)*.

reportero, ra *nm, f* reporter *(m)*.

reposado, da *adj* **1.** posé(e) **2.** *(décision)* réfléchi(e).

reposar *vi* **1.** reposer **2.** se reposer.

reposera *nf (Amér)* chaise *(f)* longue.

reposición *nf* **1.** THÉÂTRE, CINÉ & TV reprise *(f)* **2.** TV rediffusion *(f)*.

reposo *nm* repos *(m)*.

repostar *vt* • **repostar combustible** *(suj : avion)* se ravitailler en carburant • **repostar gasolina** *(suj : voiture)* prendre de l'essence.

repostería *nf* pâtisserie *(f)*.

reprender *vt* réprimander.

reprensión *nf* réprimande *(f)*.

represa *nf* retenue *(f)* d'eau.

represalia *nf (gén pl)* représailles *(fpl)*.

representación *nf* représentation *(f)* • **en representación de** en tant que représentant de.

representante ◘ *adj* • **ser representante de algo** être représentatif(ive) de qqch. ◘ *nmf* **1.** *(gén & COMM)* représentant *(m)*, -e *(f)* **2.** agent *(m)* *(d'un artiste)*.

representar *vt* **1.** *(gén & COMM)* représenter **2.** paraître • **no representar su edad** ne pas faire son âge **3.** THÉÂTRE jouer *(une œuvre)*.

representativo, va *adj* **1.** représentatif(ive) • **representativo de** représentatif de **2.** *(symboliser)* • **ser representativo de algo** représenter qqch.

represión *nf* **1.** répression *(f)* **2.** refoulement *(m)*.

reprimenda *nf* réprimande *(f)*.

reprimir *vt* **1.** réprimer **2.** retenir *(un cri)*. ■ **reprimirse** *vp* réprimer ses envies.

reprobar *vt* réprouver.

reprochar *vt* reprocher. ■ **reprocharse** *vp* se reprocher.

reproche *nm* reproche *(m)*.

reproducción *nf* reproduction *(f)*.

reproducir *vt* **1.** reproduire **2.** *(discours)* restituer. ■ **reproducirse** *vp* se reproduire.

reproductor, ra *adj* BIOL reproducteur(trice).

reprografía *nf* reprographie *(f)*.

reptil *nm* reptile *(m)*.

república *nf* république *(f)* • **repúblicas bálticas** pays *(mpl)* Baltes.

República Checa *npr* République *(f)* tchèque.

República Dominicana *npr* République *(f)* dominicaine.

republicano, na *adj* & *nm, f* républicain(e).

repudiar *vt* **1.** repousser **2.** *(sujet : mari)* répudier.

repudio *nm* répudiation *(f)*.

repuesto, ta *adj* remis(e) *(d'une maladie, etc)*. ■ **repuesto** ◘ *pp* ▷ **reponer**. ◘ *nm* pièce *(f)* de rechange.

repugnancia *nf* répugnance *(f)*.

repugnante *adj* répugnant(e).

repugnar *vt* • **este olor me repugna** cette odeur me répugne • **me repugna este tipo de película** j'ai horreur de ce genre de film.

repujar *vt (graver)* repousser.

repulsa *nf* • **repulsa ante algo** rejet *(m)* *(de mesures, d'une politique)* • réprobation *(f)* *(de la violence, d'un crime)*.

repulsión *nf* répulsion *(f)*.

repulsivo, va *adj* repoussant(e).

reputación *nf* réputation *(f)* • **tener buena/ mala reputación** avoir bonne/mauvaise réputation.

requemado, da *adj* brûlé(e).

requerimiento *nm* **1.** requête *(f)* **2.** DR • *(ordre)* sommation *(f)* • *(avis)* mise *(f)* en demeure.

requerir *vt* exiger, demander. ■ **requerirse** *vp* falloir • **se requiere la nacionalidad española** la nationalité espagnole est exigée.

requesón *nm fromage frais*, ≃ fromage *(m)* blanc.

requisa *nf* **1.** réquisition *(f)* **2.** *(inspection)* • **pasar requisa a** faire l'inspection de.

requisito *nm* condition *(f)* requise.

res *nf* tête *(f)* de bétail.

resabio *nm* **1.** arrière-goût *(m)* **2.** *fig* mauvaise habitude *(f)*.

resaca *nf* **1.** *fam* gueule *(f)* de bois **2.** ressac *(m)*.

resalado, da *adj fam* **1.** qui a du piquant **2.** *(enfant)* très gracieux(euse).

resaltar ◘ *vi* **1.** ressortir **2.** *(personne)* se distinguer **3.** *(balcon, corniche, etc)* faire saillie. ◘ *vt* faire ressortir.

resarcir *vt* • **resarcir a alguien (de algo)** dédommager qqn (de qqch). ■ **resarcirse** *vp* • **resarcirse de** se dédommager de.

resbalada *nf (Amér)* glissade *(f)*.

resbaladizo, za *adj* **1.** glissant(e) **2.** *fig (sujet, question, etc)* délicat(e).

resbalar *vi* **1.** glisser **2.** *(sol, chaussée)* être glissant(e). ■ **resbalarse** *vp* glisser.

resbalón *nm* • **dar** OU **pegar un resbalón** glisser.

rescatar *vt* **1.** sauver **2.** récupérer *(un objet)* **3.** délivrer *(un otage, une personne séquestrée)* **4.** racheter.

rescate *nm* **1.** sauvetage *(m)* *(d'une personne en danger)* **2.** délivrance *(f)*, libération *(f)* *(d'un otage, d'une personne séquestrée)* **3.** rançon *(f)*.

rescindir *vt* résilier.

rescisión *nf* résiliation *(f)*

rescoldo *nm* **1.** dernières braises *(fpl)* **2.** *fig* restes *(mpl)* *(d'un sentiment)*.

resecar *vt* dessécher. ■ **resecarse** *vp* se dessécher.

reseco, ca *adj* **1.** desséché(e) **2.** *(peau, pain)* très sec(sèche).

resentido, da ◨ *adj* • **estar resentido con alguien** en vouloir à qqn. ◨ *nm, f* • **es un resentido** il est aigri.

resentimiento *nm* ressentiment *(m)*.

resentirse *vp* **1.** *(ne pas être bien)* • **resentirse de** se ressentir de • **su salud se resiente** sa santé s'en ressent **2.** s'offenser.

reseña *nf* compte rendu *(m)*.

reseñar *vt* faire le compte rendu de.

reserva ◨ *nf* **1.** *(gén, MIL & ÉCON)* réserve *(f)* • **con reservas** sous toutes réserves • **reserva natural** réserve naturelle **2.** réservation *(f)* *(d'hôtel, de train, etc)* **3.** discrétion *(f)*. ◨ *nmf* SPORT remplaçant *(m)*, -e *(f)*. ◨ *nm (vin)* • **un reserva del 81** un millésime 81. ■ **reservas** *nfpl (ressources, énergie)* réserves *(fpl)*.

reservado, da *adj* réservé(e). ■ **reservado** *nm* **1.** compartiment *(m)* réservé *(dans un train)* **2.** salon *(m)* particulier *(dans un restaurant)*.

reservar *vt* réserver. ■ **reservarse** *vp* se réserver • **me reservo para el postre** je me réserve pour le dessert.

resfriado, da *adj* enrhumé(e). ■ **resfriado** *nm* rhume *(m)*.

resfriar *vt* refroidir. ■ **resfriarse** *vp* prendre froid.

resfrío *nm (Amér)* rhume *(m)*.

resguardar *vt* • **resguardar de** protéger de. ■ **resguardarse** *vp* • **resguardarse de** se mettre à l'abri de.

resguardo *nm* **1.** reçu *(m)* **2.** récépissé *(m)* *(d'un envoi en recommandé)* **3.** abri *(m)*.

residencia *nf* **1.** lieu *(m)* de résidence **2.** résidence *(f)* • **residencia universitaria** résidence universitaire **3.** hôpital *(m)* **4.** *(période de formation)* internat *(m)* **5.** permis *(m)* de séjour.

residencial *adj* résidentiel(elle).

residente ◨ *adj* • **los extranjeros residentes en España** les étrangers résidant en Espagne. ◨ *nmf* **1.** résident *(m)*, -e *(f)* **2.** *(médecin)* interne *(mf)*.

residir *vi* **1.** *(vivre)* • **residir en** résider en *(pays)* • résider à *(ville)* • **reside en la calle Sargenta, número 1** il réside au numéro 1 de la rue Sargenta **2.** *(problème, difficulté, etc)* • **residir en** résider dans.

residuo *nm* résidu *(m)* • **residuos radiactivos** déchets *(mpl)* radioactifs.

resignación *nf* résignation *(f)*.

resignarse *vp* • **resignarse (a hacer algo)** se résigner (à faire qqch).

resina *nf* résine *(f)*.

resistencia *nf* résistance *(f)* • **oponer gran resistencia a** opposer une grande résistance à

resistente *adj* résistant(e).

resistir ◨ *vt* **1.** *(gén)* • **resistir (algo)** résister (à qqch) **2.** supporter. ◨ *vi* • **resistir (a)** résister (à). ■ **resistirse** *vp* • **resistir (a)** résister (à) • **no hay hombre que se le resista** aucun homme ne lui résiste • **me resisto a creerlo** je refuse à le croire • **se le resisten las matemáticas** il a beaucoup de mal en mathématiques.

resma *nf* rame *(f)* *(de papier)*.

resol *nm* réverbération *(f)* du soleil.

resollar *vi* souffler.

resolución *nf* **1.** résolution *(f)* • **para la resolución de algo** pour résoudre qqch **2.** détermination *(f)* • **de mucha resolución** résolu(e) **3.** *(gén & DR)* décision *(f)*

resolver *vt* **1.** résoudre • **con ese gol el partido estaba resuelto** avec ce but le match était gagné **2.** *(décider)* • **resolver hacer algo** résoudre de faire qqch. ■ **resolverse** *vp* **1.** être résolu(e) **2.** *(se décider)* • **resolverse a hacer algo** se résoudre à faire qqch.

resonancia *nf* **1.** *(gén & PHYS)* résonance *(f)* **2.** *fig* retentissement *(m)* *(d'une nouvelle, etc)*.

resonar *vi* résonner.

resoplar *vi* **1.** être essoufflé(e) **2.** *fig* grogner *(de mécontentement)*.

resoplido *nm* essoufflement *(m)* • **dar resoplidos** grogner.

resorte *nm* ressort *(m)* • **los resortes del poder** les rênes du pouvoir.

respaldar *vt* soutenir, appuyer. ■ **respaldarse** *vp* • **respaldarse en** s'adosser à • *fig* reposer sur.

respaldo *nm* **1.** dossier *(m)* *(d'un siège)* **2.** *fig* soutien *(m)*.

respectar *v impers* • **por** *ou* **en lo que respecta a alguien/a algo** en ce qui concerne qqn/qqch.

respectivo, va *adj* respectif(ive) • **sus respectivos padres** leurs parents respectifs.

respecto *nm* • **al respecto, a este respecto** à ce sujet • **(con) respecto a, respecto de** au sujet de, en ce qui concerne.

respetable *adj* respectable.

respetar *vt* respecter.

respeto *nm* respect *(m)* • **por respeto a** par respect pour.

respetuoso, sa *adj* respectueux(euse).

respingo *nm* *(d'un animal)* • **dar un respingo** ruer.

respingón, ona *adj* • **una nariz respingona** un nez en trompette.

respiración *nf* respiration *(f)* • **respiración asistida** respiration assistée.

respirar ◼ *vt* respirer. ◼ *vi* respirer • **no dejar respirar a alguien** *fig* ne pas laisser respirer qqn.

respiratorio, ria *adj* respiratoire.

respiro *nm* **1.** répit *(m)* • **necesitar un respiro** avoir besoin de souffler **2.** soulagement *(m)*.

resplandecer *vi* **1.** resplendir **2.** *fig (ressortir)* briller.

resplandeciente *adj* resplendissant(e).

resplandor *nm* éclat *(m)*.

responder ◼ *vt* répondre à. ◼ *vi* répondre • **responder a** *(répondre, correspondre)* répondre à • réagir à *(un traitement)* • **responder a alguien** répondre à qqn • **responder a una pregunta** répondre à une question • **responder a una necesidad** répondre à un besoin • **responder de algo/por alguien** répondre de qqch/de qqn.

respondón, ona *adj & nm, f* insolent(e).

responsabilidad *nf* responsabilité *(f)*.

responsabilizar *vt* **1.** rendre responsable **2.** faire porter la responsabilité à. ◼ **responsabilizarse** *vp* • **responsabilizarse de algo** assumer la responsabilité de.

responsable ◼ *adj* • **responsable (de)** responsable (de). ◼ *nmf* responsable *(mf)*.

respuesta *nf* réponse *(f)* • **en respuesta a** en réponse à.

resquebrajar *vt* **1.** fendiller **2.** *(mur)* fissurer **3.** *(vaisselle, glace, etc)* fêler. ◼ **resquebrajarse** *vp* **1.** se fendiller **2.** se fêler.

resquicio *nm* **1.** fente *(f)* **2.** entrebâillement *(m)* *(d'une porte)* **3.** *fig* lueur *(f)* *(d'espoir)*.

resta *nf* soustraction *(f)*.

restablecer *vt* rétablir. ◼ **restablecerse** *vp* **1.** se rétablir **2.** être rétabli(e).

restallar ◼ *vt* faire claquer. ◼ *vi* claquer.

restante *adj* restant(e) • **los restantes años de mi vida** les années qu'il me reste à vivre • **lo restante** le reste.

restar ◼ *vt* **1.** MATH soustraire **2.** *fig* • ôter, enlever *(de l'importance, le mérite à)* • affaiblir *(l'autorité)* • **restar dramatismo** dédramatiser **3.** retourner *(au tennis)*. ◼ *vi (manquer)* rester.

restauración *nf* restauration *(f)*.

restaurante *nm* restaurant *(m)*.

restaurar *vt* restaurer.

restitución *nf* restitution *(f)*.

restituir *vt* **1.** restituer • **restituir la salud** remettre sur pied **2.** *(restaurer)* • **restituir algo a** rétablir qqch dans.

resto *nm* reste *(m)*. ◼ **restos** *nmpl* restes *(mpl)*.

restregar *vt* frotter. ◼ **restregarse** *vp* se frotter *(les mains)* • **restregarse por el suelo** se traîner par terre.

restricción *nf* **1.** restriction *(f)* **2.** *(gén pl)* rationnement *(m)* *(d'eau, de nourriture, etc)*.

restrictivo, va *adj* restrictif(ive).

restringir *vt* **1.** restreindre **2.** rationner *(l'eau, la nourriture, etc)*.

resucitar *vt & vi* ressusciter.

resuello *nm* souffle *(m)* • **llegó sin un resuello** il est arrivé complètement essoufflé.

resuelto, ta *adj* résolu(e). ◼ **resuelto** *pp* ▷ **resolver**.

resulta ◼ **de resultas de** *loc prép* à la suite de.

resultado *nm* résultat *(m)*.

resultante ◼ *adj* résultant(e) • **resultante de** qui résulte de. ◼ *nf* PHYS résultante *(f)*.

resultar ◼ *vi* **1.** résulter • **¿qué resultará de todo esto?** que ressortira-t-il de tout cela ? **2.** *(être)* • **me resulta difícil** ça m'est difficile • **resultar un éxito** être réussi(e) • **nuestro equipo resultó vencedor** finalement, notre équipe a gagné • **el viaje resultó largo** le voyage a été long • **resultó ser su primo** il s'est avéré que c'était son cousin • **resultó ser inexacto** on a découvert que c'était faux • **dos personas resultaron heridas** deux personnes ont été blessées **3.** réussir • **el experimento ha resultado** l'expérience a réussi **4.** *(coûter)* revenir • **nos resultó caro** ça nous est revenu cher. ◼ *v impers* • **resulta que...** il se trouve que…

resumen *nm* résumé *(m)*.

resumir *vt* résumer. ◼ **resumirse** *vp* • **resumirse en** se résumer à.

resurgir *vi* ressurgir.

resurrección *nf* résurrection *(f)*.

retablo *nm* retable *(m)*.

retaguardia *nf* **1.** *(troupe)* arrière-garde *(f)* **2.** *(partie)* arrière *(m)*.

retahíla *nf* kyrielle *(f)*.

retal *nm* coupon *(m)* *(de tissu)*.

retar *vt* lancer un défi à • **retar a alguien a hacer algo** défier qqn de faire qqch.

retardar *vt* retarder.

rete *adv (Amér) fam* très.

retén *nm* • **retén (de bomberos)** piquet *(m)* d'incendie.

retención *nf* **1.** *(gén & MÉD)* rétention *(f)* **2.** retenue *(f)* *(sur salaire)* • **retención fiscal** prélèvement *(m)* fiscal **3.** *(gén pl)* embouteillage *(m)*.

retener *vt* retenir • **la empresa me retiene parte del salario** l'entreprise me retient une partie de mon salaire • **los piratas del aire retienen a 24 pasajeros** les pirates de l'air retiennent 24 passagers en otage.

reticente adj réticent(e).

retina nf rétine (f).

retintín nm 1. ton (m) moqueur 2. tintement (m).

retirado, da ◫ adj 1. retiré(e) 2. retraité(e), ◫ nm, f retraité (m), -e (f). ◼ **retirada** nf 1. retrait (m) 2. MIL retraite (f) • **batirse en retirada** battre en retraite.

retirar vt 1. retirer • **retirar su candidatura** retirer sa candidature • **retiro lo dicho** je retire ce que j'ai dit 2. mettre à la retraite. ◼ **retirarse** vp 1. (s'isoler, s'en aller) se retirer 2. prendre sa retraite 3. MIL battre en retraite 4. s'écarter.

retiro nm retraite (f).

reto nm défi (m).

retocar vt 1. retoucher 2. mettre la dernière main à.

retoño nm rejeton (m).

retoque nm retouche (f).

retorcer vt 1. tordre 2. fig déformer (les propos). ◼ **retorcerse** vp • **retorcerse (de)** se tordre (de).

retorcido, da adj 1. tordu(e) 2. fig alambiqué (e) 3. fig retors(e).

retórico, ca ◫ adj rhétorique • **una figura retórica** une figure de rhétorique. ◫ nm, f rhétoricien (m), -enne (f).

retornar ◫ vt rendre. ◫ vi • **retornar a** retourner à.

retorno nm (gén & INFORM) retour (m) • **retorno de carro** retour chariot.

retortijón nm (gén pl) crampe (f) (d'estomac).

retozar vi batifoler.

retractarse vp se rétracter • **retractarse de** revenir sur.

retraer vt rétracter. ◼ **retraerse** vp 1. se rétracter 2. (s'isoler) • **retraerse de** se retirer de, s'écarter de 3. se replier.

retraído, da adj (personne) renfermé(e).

retransmisión nf retransmission (f).

retransmitir vt retransmettre.

retrasado, da ◫ adj 1. en retard 2. attardé(e) (mentalement). ◫ nm, f • **retrasado (mental)** attardé (m), -e (f).

retrasar ◫ vt 1. retarder 2. reculer (l'heure, une date) 3. repousser (un voyage, un projet, etc). ◫ vi (montre) retarder. ◼ **retrasarse** vp 1. être en retard 2. prendre du retard 3. être retardé(e) 4. (montre) retarder.

retraso nm retard (m) • **llegar con retraso** arriver en retard.

retratar vt 1. photographier 2. faire le portrait de 3. fig dépeindre.

retrato nm 1. portrait (m) • **ser alguien el vivo retrato de alguien** être le portrait vivant de qqn • **retrato robot** portrait-robot (m) 2. fig (reflet) • **su novela es un retrato de la sociedad de la época** son roman est une photographie de la société de l'époque.

retrete nm toilettes (fpl).

retribución nf rétribution (f).

retribuir vt rétribuer.

retro adj rétro.

retroactivo, va adj rétroactif(ive).

retroceder vi reculer • **no retrocede ante nada** il ne recule devant rien • **retroceder en el tiempo** remonter le temps.

retroceso nm 1. recul (m) 2. aggravation (f) (d'une maladie).

retrógrado, da adj rétrograde.

retrospectivo, va adj rétrospectif(ive). ◼ **retrospectiva** nf rétrospective (f).

retrotraer vt (récit) faire remonter.

retrovisor ◫ adj ▷ **espejo**. ◫ nm rétroviseur (m).

retumbar vi 1. (bruit) retentir 2. (tonnerre) gronder 3. (canon) tonner 4. résonner.

reuma, reúma nm ou nf rhumatisme (m).

reumatismo nm rhumatisme (m).

reunificación nf réunification (f).

reunificar vt réunifier. ◼ **reunificarse** vp être réunifié(e).

reunión nf réunion (f).

reunir vt 1. réunir 2. rassembler (des données, etc). ◼ **reunirse** vp se réunir.

revalidar vt SPORT • **revalidar su título** confirmer son titre.

revalorar = **revalorizar**.

revalorizar, revalorar vt revaloriser. ◼ **revalorizarse** vp 1. prendre de la valeur 2. reprendre de la valeur.

revancha nf revanche (f).

revelación nf révélation (f).

revelado nm PHOTO développement (m).

revelador, ra adj révélateur(trice).

revelar vt 1. révéler 2. PHOTO développer. ◼ **revelarse** vp se révéler • **se reveló como un gran músico** il s'est révélé être un grand musicien.

reventa nf revente (f).

reventar ◫ vt 1. faire éclater, crever • **revientas el vestido** cette robe te boudine 2. faire sauter (avec des explosifs) 3. fam crever 4. fam démolir 5. fam (ennuyer) • **su manera de hablar me revienta** il a une façon de parler qui me tue. ◫ vi 1. éclater 2. (désirer) • **reventar por hacer algo** mourir d'envie de faire qqch 3. fam fig exploser 4. fam (mourir) crever. ◼ **reventarse** vp 1. éclater 2. fam se crever • **me reviento a trabajar** je me tue au travail.

reventón *nm* éclatement *(m)* • **tuve un reventón** mon pneu a éclaté • **darse** *ou* **pegarse un reventón** *fam* se crever.

reverberar *vi* **1.** *(lumière, chaleur)* • **reverberar sobre** se réverbérer sur **2.** *(son)* résonner.

reverdecer *vi* **1.** *(plante, champs)* reverdir **2.** *fig* se ranimer.

reverencia *nf* révérence *(f)*.

reverenciar *vt* révérer.

reverendo, da *adj* • **reverendo padre** mon révérend père. ■ **reverendo** *nm* révérend *(m)*.

reverente *adj* révérencieux(euse) • **un reverente silencio** un silence recueilli.

reversible *adj* réversible.

reverso *nm* revers *(m)* • **el reverso de la hoja** le verso.

revertir *vi* restituer • **revertir en beneficio de** tourner à l'avantage de.

revés *nm* **1.** revers *(m)* **2.** dos *(m)* *(d'une feuille de papier)* **3.** envers *(m)* *(d'un tissu)* • **los reveses de la vida** les revers de fortune • **al revés** à l'envers • **comemos primero y luego vamos al cine o lo hacemos al revés** nous mangeons d'abord et nous allons au cinéma après ou nous faisons l'inverse • **lo entiende todo al revés** il comprend tout de travers • **al revés de lo que piensas...** contrairement à ce que tu penses... • **del revés** à l'envers.

revestimiento *nm* revêtement *(m)*.

revestir *vt* **1.** *(gén)* • **revestir (de)** revêtir (de) • **revestir importancia** revêtir de l'importance **2.** *fig* camoufler *(une faute, un défaut, etc)*.

revisar *vt* **1.** réviser **2.** vérifier *(les comptes)* **3.** faire un bilan de *(santé, sa vue)* **4.** faire réviser *(une voiture)*.

revisión *nf* **1.** révision *(f)* **2.** vérification *(f)* *(des comptes)* • **revisión médica** visite *(f)* médicale.

revista ■ *v* ▷ **revestir.** ■ *nf* **1.** *(gén & THÉÂTRE)* revue *(f)* • **pasar revista a algo** passer qqch en revue • **revistas del corazón** presse *(f)* du cœur **2.** PRESSE rubrique *(f)* • **revista de libros/música** rubrique littéraire/musicale.

revistero, ra *nm, f* chroniqueur *(m)*, -euse *(f)*. ■ **revistero** *nm* porte-revues *(m inv)*.

revivir ■ *vi* **1.** revivre **2.** *fig (sentiment)* se ranimer. ■ *vt (se souvenir)* revivre.

revocar *vt* **1.** révoquer **2.** casser *(une sentence)*.

revolcar *vt* **1.** rouler **2.** faire tomber • **el niño revolcó sus juguetes en el barro** l'enfant a traîné ses jouets dans la boue. ■ **revolcarse** *vp* se rouler.

revolotear *vi* **1.** *(oiseau)* voleter **2.** *(feuille, papier, etc)* voltiger.

revoltijo, revoltillo *nm* fouillis *(m)*.

revoltoso, sa *adj* turbulent(e).

revolución *nf* **1.** *(gén & ASTRON)* révolution *(f)* **2.** TECHNOL tour *(m)*.

revolucionar *vt* **1.** bouleverser **2.** révolutionner.

revolucionario, ria *adj & nm, f* révolutionnaire.

revolver ■ *vt* **1.** remuer **2.** mettre sens dessus dessous **3.** *fig (irriter)* • **revolver el estómago** *ou* **las tripas** soulever le cœur • **revolver la sangre** retourner les sangs. ■ *vi* • **revolver en** fouiller dans.

revólver *nm* revolver *(m)*.

revuelo *nm* **1.** *(d'oiseau)* • **mirar el revuelo de los gorriones** regarder les moineaux voleter **2.** *fig (agitation)* trouble *(m)*.

revuelto, ta *adj* **1.** sens dessus dessous **2.** troublé(e) **3.** *(climat)* instable **4.** *(mer)* agité(e) **5.** *(brouillé)* • **tengo el estómago revuelto** j'ai l'estomac barbouillé. ■ **revuelto** *pp* ▷ **revolver.** ■ **revuelta** *nf* **1.** révolte *(f)* **2.** détour *(m)*.

revulsivo, va *adj fig* stimulant(e). ■ **revulsivo** *nm fig* • **servir de revulsivo a** donner un coup de fouet à.

rey *nm* roi *(m)*. ■ **Reyes** *nmpl* • **los Reyes** le roi et la reine. ■ **Reyes Magos** *nmpl* • **los Reyes Magos** les Rois mages.

CULTURE...

los Reyes Magos

En Espagne, ce sont les Rois mages qui apportent les cadeaux le 6 janvier, et non le père Noël le 24 décembre. La coutume veut que les Rois déposent des cadeaux dans les souliers des enfants, à côté desquels ces derniers ont laissé une boisson ou un aliment destinés à permettre aux Rois et à leurs montures de se restaurer. On dit que les enfants qui n'ont pas été sages ne reçoivent que du charbon.

reyerta *nf* rixe *(f)*.

rezagado, da ■ *adj* • **andar** *ou* **ir rezagado** être à la traîne. ■ *nm, f* retardataire *(mf)*.

rezar ■ *vt* réciter, dire • **rezar su oración** faire sa prière. ■ *vi* prier.

rezo *nm* prière *(f)*.

rezumar ■ *vt* **1.** laisser filtrer **2.** *fig (manifester)* déborder de. ■ *vi* suinter.

ría ■ *v* ▷ **reír.** ■ *nf* ria *(f)*.

riachuelo *nm* ruisseau *(m)*.

riada *nf* **1.** crue *(f)* **2.** inondation *(f)* **3.** *fig (multitude)* flot *(m)*.

ribera *nf* **1.** rive *(f)* **2.** rivage *(m)*.

ribete *nm* **1.** liseré *(m)* **2.** *fig (petit quelque chose)* touche *(f)* • **tiene ribetes de artista** il a un côté artiste.

ricino *nm* ricin *(m)*.

rico, ca ◼ *adj* **1.** *(gén)* ▪ **rico (en)** riche (en) **2.** délicieux(euse) **3.** *(sympathique)* adorable **4.** *fam (pour interpeller)* ▪ **¡oye rico!** écoute, mon vieux ! ◼ *nm, f* riche *(mf)* ▪ **los ricos** les riches.

rictus *nm* rictus *(m)*.

ridiculez *nf* **1.** chose *(f)* ridicule **2.** bêtise *(f)*, rien *(m)*.

ridiculizar *vt* ridiculiser.

ridículo, la *adj* ridicule. ◼ **ridículo** *nm* ridicule *(m)* ▪ **hacer el ridículo** se ridiculiser.

riego *nm* **1.** arrosage *(m)* **2.** irrigation *(f) (des champs)*.

riel *nm* rail *(m)*.

rienda *nf* **1.** rêne *(f)* ▪ **dar rienda suelta a** *fig* laisser libre cours à **2.** *(moderación)* retenue *(f)*. ◼ **riendas** *nfpl fig (direction)* rênes *(fpl)*.

riesgo *nm* risque *(m)* ▪ **a todo riesgo** tous risques.

rifa *nf* tombola *(f)*.

rifar *vt* tirer au sort. ◼ **rifarse** *vp* ▪ **rifarse algo** se disputer qqch.

rifle *nm* carabine *(f)*.

rigidez *nf* **1.** rigidité *(f)* **2.** rigueur *(f)* **3.** impassibilité *(f)*.

rígido, da *adj* **1.** rigide ▪ **volverse rígido** se solidifier **2.** figé(e).

rigor *nm* rigueur *(f)*. ◼ **de rigor** *loc adj* de rigueur.

riguroso, sa *adj* rigoureux(euse).

rimar ◼ *vi* rimer. ◼ *vt* faire rimer.

rimbombante *adj* **1.** ronflant(e) **2.** tapageur (euse).

rímel, rimmel *nm* Rimmel® *(m)*.

rincón *nm* **1.** coin *(m)* **2.** recoin *(m)*.

rinconera *nf* meuble *(m)* d'angle.

ring *nm* ring *(m)*.

rinoceronte *nm* rhinocéros *(m)*.

riña ◼ *v* ▷ **reñir.** ◼ *nf* dispute *(f)*.

riñón *nm* rein *(m)*.

riñonera *nf (petit sac)* banane *(f)*.

río *nm* **1.** fleuve *(m)* **2.** rivière *(f)* **3.** ▪ **río abajo** en aval ▪ **río arriba** en amont **4.** *fig (abondance)* flot *(m)*.

rioja *nm* vin de la région espagnole de La Rioja.

riojano, na ◼ *adj* de La Rioja. ◼ *nm, f* habitant *(m)*, -e *(f)* de La Rioja.

riqueza *nf* richesse *(f)* ▪ **tener riqueza vitamínica** être riche en vitamines.

risa *nf* rire *(m)*.

risotada *nf* éclat *(m)* de rire.

ristra *nf* chapelet *(m)* ▪ **ristra de ajos** chapelet d'ail ▪ **ristra de insultos** chapelet d'injures.

risueño, ña *adj* **1.** rieur(euse) **2.** souriant(e).

ritmo *nm* rythme *(m)*.

rito *nm* rite *(m)*.

ritual ◼ *adj* rituel(elle). ◼ *nm* rituel *(m)*.

rival *adj & nmf* rival(e).

rivalidad *nf* rivalité *(f)*.

rivalizar *vi* ▪ **rivalizar con alguien** rivaliser avec qqn ▪ **rivalizar en algo** *(generosidad, beauté, etc)* rivaliser de qqch.

rizado, da *adj* **1.** frisé(e) **2.** *(mer)* moutonneux (euse). ◼ **rizado** *nm* frisure *(f)* ▪ **hacerse un rizado** se faire friser les cheveux.

rizar *vt* friser. ◼ **rizarse** *vp* **1.** se (faire) friser **2.** *(mer)* moutonner.

rizo, za *adj* frisé(e). ◼ **rizo** *nm* **1.** boucle *(f)* ▪ **tener rizos en el pelo** avoir les cheveux bouclés **2.** *(tissu)* ▪ **rizo (esponjoso)** tissu-éponge *(m)* **3.** AÉRON looping *(m)*.

RNE *(abr écrite de* **Radio Nacional de España)** *nf* radio nationale espagnole.

robar *vt* **1.** voler **2.** *(plaire énormément)* ravir **3.** *(aux cartes, etc)* piocher **4.** *(demander cher)* ▪ **en ese restaurante te roban** ce sont des voleurs dans ce restaurant.

roble *nm* chêne *(m)* (rouvre) ▪ **estar hecho un roble** *fig* être fort comme un chêne.

robo *nm* vol *(m)*.

robot *nm (gén & INFORM)* robot *(m)*.

robótica *nf* robotique *(f)*.

robustecer *vt* fortifier. ◼ **robustecerse** *vp* prendre des forces.

robusto, ta *adj* robuste.

roca *nf* roche *(f)*.

rocalla *nf* rocaille *(f)*.

roce ◼ *v* ▷ **rozar.** ◼ *nm* **1.** frottement *(m)* **2.** frôlement *(m)* **3.** éraflure *(f)* **4.** égratignure *(f) (sur la peau)* **5.** FIN friction *(f)* **6.** *(relation)* ▪ **roce (entre)** fréquentation (de) **7.** *(brouille)* heurt *(m)* ▪ **tener un roce con alguien** s'accrocher avec qqn.

rociar ◼ *vt* **1.** asperger **2.** arroser. ◼ *v impers* ▪ **ha rociado** il y a eu de la rosée.

rocío *nm* rosée *(f)*.

rock *(pl* **rocks)**, **rock and roll** *nm* rock *(m)*.

rockero, ra = **roquero.**

rocódromo *nm* **1.** espace à l'air libre réservé aux concerts de rock **2.** centre *(m)* d'escalade.

rocoso, sa *adj* rocheux(euse).

rodaballo *nm* turbot *(m)*.

rodado, da *adj* **1.** *(circulación)* routier(ère) **2.** *(pierre)* ▷ **canto.**

rodaja *nf* **1.** tranche *(f)* **2.** rondelle *(f) (de citron, de saucisson)*.

rodaje *nm* **1.** *(gén & AUTO)* rodage *(m)* ▪ **en rodaje** en rodage **2.** CINÉ tournage *(m)*.

rodapié *nm* plinthe *(f)*.

rodar ◼ *vi* **1.** rouler **2.** CINÉ tourner **3.** *(tomber)* ▪ **rodó escaleras abajo** il a dégringolé l'escalier **4.** *(déambuler)* ▪ **rodar por** errer dans ▪ **rodar por medio mundo** rouler sa bosse. ◼ *vt* **1.** CINÉ tourner **2.** AUTO roder.

rodear *vt* 1. *(gén)* • **rodear (con)** entourer (de) 2. *(encercler)* cerner 3. faire le tour de 4. *(éluder)* • **rodear un tema** tourner autour du sujet. ■ **rodearse** *vp* • **rodearse de** s'entourer de.

rodeo *nm* 1. détour *(m)* • **no andar** *ou* **ir con rodeos** ne pas y aller par quatre chemins • **dar rodeos** *fig* tergiverser 2. rodéo *(m)*.

rodilla *nf* genou *(m)* • **de rodillas** à genoux.

rodillera *nf* genouillère *(f)*.

rodillo *nm* 1. rouleau *(m)* 2. chariot *(m)* *(de machine à écrire)*.

rodríguez *nm fam* homme qui reste en ville pour travailler pendant que sa femme et ses enfants sont en vacances d'été • **en agosto, me quedo de rodríguez** au mois d'août, je suis célibataire.

roedor, ra *adj* rongeur(euse). ■ **roedores** *nmpl* rongeurs *(mpl)*.

roer *vt* 1. ronger 2. *fig (inquiéter)* • **los remordimientos le roen la conciencia** il est rongé de remords.

rogar *vt* • **rogar a alguien (que) haga algo** prier qqn de faire qqch.

rogativa *nf (gén pl)* rogations *(fpl)*.

rojizo, za *adj* rougeâtre.

rojo, ja ■ *adj (gén & POLIT)* rouge • **el color rojo** le rouge. ■ *nm, f POLIT* rouge *(mf)*. ■ **rojo** *nm (couleur)* rouge *(m)* • **al rojo vivo** chauffé(e) au rouge • *fig* chauffé(e) à blanc.

rol *(pl* **roles)** *nm* 1. rôle *(m)* 2. rôle *(m)* d'équipage.

rollizo, za *adj* potelé(e).

rollo *nm* 1. rouleau *(m)* 2. *CINÉ* bobine *(f)* 3. *fam (discours)* • **rollo (patatero)** baratin *(m)*, tchatche *(f)* • **cascar** *ou* **soltar un rollo a alguien** tenir la jambe à qqn • **tener mucho rollo** être un moulin à paroles • **cortar el rollo a alguien** couper le sifflet à qqn 4. *fam* bobard *(m)* 5. *fam* casse-pieds *(mf inv)* 6. *fam (sujet)* • **no sé de qué va el rollo** je ne sais pas de quoi ça cause 7. *fam (ambiance)* • **hay buen rollo aquí** c'est sympa ici • **meterse en el rollo** se mettre dans le coup 8. *fam (ennui)* • **ser un rollo** être gonflant(e) • **¡qué rollo!** quelle barbe !

roll-on *nm inv* déodorant *(m)* à bille.

ROM *(abr de read only memory) nf* ROM *(f)* • **un CD-ROM** un CD-ROM *ou* CD-Rom.

Roma *npr* Rome.

romance ■ *adj* roman(e). ■ *nm* 1. *LING* roman *(m)* 2. *LITTÉR* romance *(m)* 3. idylle *(f)*.

románico, ca *adj* roman(e). ■ **románico** *nm* roman *(m)*.

romano, na ■ *adj* romain(e). ■ *nm, f* Romain *(m)*, -e *(f)*.

romanticismo *nm* romantisme *(m)*.

romántico, ca *adj* romantique.

rombo *nm* losange *(m)*.

romería *nf* 1. pèlerinage *(m)* 2. fête *(f)* patronale 3. *fig (multitude)* procession *(f)*.

romero, ra *nm, f* pèlerin *(m)*. ■ **romero** *nm* romarin *(m)*.

romo, ma *adj* 1. *(pointe)* émoussé(e) 2. *(nez)* • **ser romo** avoir le nez camus.

rompecabezas *nm inv* 1. puzzle *(m)* 2. *fig* casse-tête *(m inv)*.

rompeolas *nm inv* brise-lames *(m inv)*.

romper ■ *vt* 1. casser 2. *fig* briser • **romper el hielo** *fig* briser la glace 3. déchirer *(du papier, un tissu)* 4. abîmer *(des chaussures)* 5. user *(une chemise)* 6. rompre *(une relation, un engagement, un contrat)* • **¡rompan filas!** rompez les rangs ! • **romper el silencio** rompre le silence. ■ *vi* 1. *(relation)* • **romper (con alguien)** rompre (avec qqn) 2. *(vagues)* se briser 3. *(commencer)* • **romper a hacer algo** se mettre à faire qqch • **romper a llorar** éclater en sanglots. ■ **romperse** *vp* 1. se casser • **se ha roto una pierna** il s'est cassé une jambe • **se rompió el jarrón** le vase s'est cassé 2. *(vêtements)* s'user.

rompimiento *nm* rupture *(f)*.

ron *nm* rhum *(m)*.

roncar *vi* ronfler.

roncha *nf* 1. bouton *(m)* (sur la peau) 2. piqûre *(f)* (d'insecte).

ronco, ca *adj* 1. enroué(e) • **me he quedado ronco** je me suis cassé la voix 2. rauque.

ronda *nf* 1. *(surveillance)* ronde *(f)* 2. boulevard *(m)* périphérique 3. *fam (dans un bar)* tournée *(f)* 4. *(cyclisme, dans un jeu)* tour *(m)*.

rondar ■ *vt* 1. *(surveiller)* faire une ronde dans 2. *(malheur, maladie)* guetter 3. avoisiner 4. faire la cour à. ■ *vi* rôder.

ronquera *nf* enrouement *(m)*.

ronquido *nm* ronflement *(m)*.

ronronear *vi* ronronner.

ronroneo *nm* ronronnement *(m)*.

roña ■ *adj & nmf fam* radin(e). ■ *nf* 1. crasse *(f)* 2. *fam* radinerie *(f)* 3. gale *(f)*.

roñoso, sa ■ *adj* 1. crasseux(euse) 2. radin(e). ■ *nm, f* radin *(m)*, -e *(f)*.

ropa *nf* vêtements *(mpl)* • **quitarse la ropa** se déshabiller • **ropa blanca** linge *(m)* (blanc) • **ropa interior** sous-vêtements *(mpl)* • dessous *(mpl) (féminins)* • **ropa sucia** linge *(m)* sale.

ropaje *nm* tenue *(f)* (vestimentaire).

ropero *nm* penderie *(f)*.

roquero, ra, rockero, ra ■ *adj* rock. ■ *nm, f* rockeur *(m)*, -euse *(f)*.

rosa ■ *nf* rose *(f)* • **estar (fresco) como una rosa** être frais comme une rose. ■ *adj inv (couleur)* rose. ■ *nm (couleur)* rose *(m)*. ■ **rosa de los vientos** *nf* rose *(f)* des vents.

rosado, da *adj* 1. rose 2. ▷ **vino**. ■ **rosado** *nm* rosé *(m)*.

rosal *nm* rosier *(m)*.

rosario *nm* 1. chapelet *(m)* 2. suite *(f)* *(de malheurs)* 3. rosaire *(m)*.

rosca nf **1.** filet (m) (d'une vis) **2.** (forme cylindrique) anneau (m) **3.** CULIN couronne (f) • **pasarse de rosca** fig dépasser les bornes.

rosco nm couronne (f) (de pain, brioche, etc).

roscón nm brioche (f) en couronne • **roscón de Reyes** brioche aux fruits que l'on mange pour la fête des Rois, ≃ galette (f) des Rois.

rosetón nm rosace (f)

rosquilla nf petit gâteau sec en forme d'anneau.

rostro nm visage (m).

rotación nf **1.** rotation (f) **2.** roulement (m).

rotativo, va adj rotatif(ive). ■ **rotativo** nm journal (m). ■ **rotativa** nf rotative (f).

roto, ta ⊠ adj **1.** cassé(e) **2.** (tissu, papier) déchiré(e) **3.** fig (vie, cœur) brisé(e) **4.** fig éreinté(e). ⊠ nm, f (Amér) ouvrier (m), -ère (f). ■ **roto** ⊠ pp ⊳ **romper**. ⊠ nm accroc (m) (dans un tissu).

rotonda nf **1.** ARCHIT rotonde (f) **2.** ARCHIT rond-point (m).

rotoso, sa adj (Amér) fam déguenillé(e).

rótula nf rotule (f).

rotulador nm **1.** feutre (m) **2.** marqueur (m) **3.** surligneur (m) (fluorescent).

rótulo nm **1.** écriteau (m) **2.** enseigne (f) (commerciale).

rotundo, da adj **1.** catégorique **2.** (échec, succès) total(e).

rotura nf **1.** rupture (f) **2.** fracture (f) (d'os) **3.** déchirure (f) (dans un tissu).

roulotte [ru'lot] nf caravane (f)

rozadura nf **1.** éraflure (f) **2.** écorchure (f).

rozamiento nm **1.** frottement (m) **2.** fig (dispute) friction (f).

rozar ⊠ vt **1.** frôler **2.** érafler **3.** écorcher • **roza los cuarenta** il n'est pas loin des 40 ans **4.** fig (avoisiner) friser. ⊠ vi • **rozar con** toucher • **esa cuestión roza lo jurídico** fig cette question touche au juridique. ■ **rozarse** vp **1.** se frôler **2.** s'écorcher **3.** fig (relation) • **rozarse con alguien** fréquenter qqn.

Rte. (abr écrite de **remitente**) exp.

RTVE (abr de **Radiotelevisión Española**) nf organisme public de radiodiffusion et de télévision espagnoles.

rubéola, rubéola nf rubéole (f).

rubí (pl **rubíes** OU **rubís**) nm rubis (m).

rubio, bia adj & nm, f blond(e).

rubor nm **1.** honte (f) • **causar rubor** faire rougir **2.** rougeur (f) • **el rubor encendió su rostro** son visage s'empourpra.

ruborizar vt faire rougir. ■ **ruborizarse** vp rougir.

rúbrica nf **1.** paraphe (m) **2.** PRESSE rubrique (f) **3.** fig conclusion (f) • **poner rúbrica a algo** mettre le point final à qqch.

rubricar vt **1.** parapher **2.** fig confirmer **3.** fig conclure.

rudeza nf **1.** rudesse (f) **2.** grossièreté (f)

rudimentario, ria adj rudimentaire.

rudimentos nmpl rudiments (mpl)

rudo, da adj **1.** rude **2.** grossier(ère).

rueda ⊠ v ⊳ **rodar**. ⊠ nf **1.** roue (f) • **rueda delantera/trasera** roue avant/arrière • **rueda de repuesto** roue de secours **2.** cercle (m) **3.** ronde (f) **4.** tranche (f) **5.** rondelle (f) (de citron, de saucisson). ■ **rueda de prensa** nf conférence (f) de presse. ■ **rueda de reconocimiento** nf présentation de suspects en vue d'identification.

ruedo nm **1.** TAUROM arène (f) **2.** paillasson (m).

ruego nm (demande) prière (f).

rufián nm crapule (f).

rugby nm rugby (m).

rugido nm **1.** rugissement (m) **2.** fig hurlement (m) (d'une personne).

rugir vi **1.** rugir **2.** (ventre) gargouiller.

rugoso, sa adj **1.** rugueux(euse) **2.** fripé(e).

ruido nm bruit (m) • **mucho ruido y pocas nueces** beaucoup de bruit pour rien.

ruidoso, sa adj **1.** bruyant(e) **2.** fig tapageur(euse).

ruin adj **1.** vil(e) **2.** pingre.

ruina nf ruine (f) • **dejar en la ruina** ruiner • **estar en la ruina** être ruiné(e) • **ser la ruina de alguien** mener qqn à sa perte • **estar hecho una ruina** être une loque. ■ **ruinas** nfpl **1.** ruines (fpl) (historiques) **2.** décombres (mpl).

ruinoso, sa adj **1.** ruineux(euse) **2.** en ruine.

ruiseñor nm rossignol (m).

ruleta nf (jeu) roulette (f).

ruletear vi (Amér) conduire un taxi.

ruletero nm (Amér) chauffeur (m) de taxi.

rulo nm bigoudi (m).

ruma nf (Amér) tas (m).

Rumanía, Rumania npr Roumanie (f).

rumano, na ⊠ adj roumain(e). ⊠ nm, f Roumain (m), -e (f). ■ **rumano** nm roumain (m).

rumba nf rumba (f).

rumbo nm **1.** cap (m) • **ir con rumbo a** faire route vers **2.** fig direction (f) **3.** tournure (f) (des événements) • **con rumbo a** en direction de.

rumiante ⊠ adj ruminant(e). ⊠ nm ruminant (m).

rumiar vt & vi ruminer.

rumor nm **1.** rumeur (f) • **circula el rumor de que...** le bruit court que... **2.** (bruit - voix) brouhaha (m) • (- eau) grondement (m).

rumorearse vp • **se rumorea que...** le bruit court que...

runrún nm **1.** ronflement (m) **2.** (rumeur) bruit (m).

rupestre adj rupestre.

ruptura nf rupture (f).

rural adj **1.** rural(e) **2.** (médecin, curé) de campagne.

Rusia npr Russie (f).

ruso, sa ◼ adj russe. ◼ nm, f Russe (mf). ◼ **ruso** nm russe (m).

rústico, ca adj **1.** de campagne **2.** (propriété) rural(e) **3.** (mobilier) rustique **4.** fruste. ◼ **en rústica** loc adj broché(e).

ruta nf **1.** route (f) **2.** fig chemin (m).

rutina nf routine (f).

rutinario, ria adj routinier(ère).

S

s¹, S [ese] nf s (m inv), S (m inv).

s² (abr écrite de segundo) s.

s., sig. 1. (abr écrite de siglo) s. • **en el s. XIX** au XIXᵉ s. **2.** (abr écrite de siguiente) suiv. • **ver pág. s.** voir p. suiv.

S (abr écrite de san) St • **S Fernando** St Fernando.

SA (abr de sociedad anónima) nf SA (f).

sábado nm samedi (m) • **¿qué día es hoy? (es) sábado** quel jour sommes-nous, aujourd'hui ? (nous sommes) samedi • **cada dos sábados, un sábado sí y otro no** un samedi sur deux • **cada sábado, todos los sábados** tous les samedis • **caer en sábado** tomber un samedi • **te llamo el sábado** je t'appelle samedi • **el próximo sábado, el sábado que viene** samedi prochain • **el sábado pasado** samedi dernier • **el sábado por la mañana/la tarde/la noche** samedi matin/après-midi/soir • **en sábado** le samedi • **nací en sábado** je suis né un samedi • **este sábado** samedi dernier • samedi prochain • **¿trabajas los sábados?** tu travailles le samedi ? • **trabajar un sábado** travailler un samedi • **un sábado cualquiera** n'importe quel samedi.

sábana nf drap (m).

sabandija nf **1.** bestiole (f) **2.** fam fig (personne) minable (mf).

sabañón nm engelure (f).

sabático, ca adj sabbatique.

saber ◼ nm savoir (m). ◼ vt **1.** savoir • **ya lo sé** je le sais bien • **lo supe ayer** je l'ai su hier • **saber hacer algo** savoir faire qqch • **sabe**

montar en bici il sait faire du vélo • **hacer saber algo a alguien** faire savoir qqch à qqn • **a saber** à savoir 2. s'y connaître en • **sabe mucha física** il s'y connaît en physique • **que yo sepa** que je sache • **¡vete a saber!** fam va savoir ! • **¡iy yo que sé!** je n'en sais rien, moi ! ◼ vi **1.** (avoir un goût) • **saber a** avoir un goût de • **no saber a nada** n'avoir aucun goût • **saber bien/mal** avoir bon/mauvais goût • **saber mal a alguien** fig (déplaire) ne pas plaire à qqn • (attrister) faire de la peine à qqn **2.** (comprendre) • **saber de algo** s'y connaître en qqch **3.** (avoir des nouvelles) • **saber de alguien** avoir des nouvelles de qqn • **saber de algo** être au courant de qqch **4.** (paraître) • **eso me sabe a disculpa** j'ai l'impression que c'est une excuse. ◼ **saberse** vp savoir • **me lo sé de memoria** je le sais par cœur.

sabiduría nf **1.** savoir (m) **2.** sagesse (f).

sabiendas ◼ **a sabiendas** loc adv sciemment.

sabihondo, da = sabiondo.

sabio, bia ◼ adj savant(e) • **una sabia decisión** une sage décision. ◼ nm, f savant (m), -e (f).

sabiondo, da, sabihondo, da ◼ adj pédant(e). ◼ nm, f grosse tête (f).

sablazo nm **1.** coup (m) de sabre **2.** fam fig (argent) • **dar un sablazo a alguien** taper (de l'argent à) qqn.

sable nm sabre (m).

sablear vi fam taper (de l'argent).

sabor nm **1.** goût (m) • **un sabor a** un goût de **2.** fig (style) saveur (f).

saborear vt savourer.

sabotaje nm sabotage (m).

sabotear vt saboter.

sabrá (etc) ▷ saber.

sabroso, sa adj **1.** délicieux(euse) **2.** (proposition) intéressant(e) **3.** (quantité) substantiel(elle) **4.** fig (malicieux) savoureux(euse).

sabueso nm litt & fig limier (m).

saca nf sac (m) • **saca de correos** sac postal.

sacacorchos nm inv tire-bouchon (m).

sacapuntas nm inv taille-crayon (m).

sacar vt

1. METTRE À L'EXTÉRIEUR ▪ sortir
  • **sacó el coche del garaje** il a sorti la voiture du garage
  • **saca a pasear al perro** sors promener le chien
  • **sacó un billete del bolsillo** il a sorti un billet de sa poche

2. EXPULSER, ENLEVER
  • **lo han sacado del colegio** ils l'ont retiré du collège
  • **sacar una muela** arracher une dent

3. TROUVER SON ORIGINE DANS = tirer
- **sacar vino de la uva** tirer du vin du raisin
- **sacar aceite de las aceitunas** tirer de l'huile des olives
- **sacar una película de una novela** tirer un film d'un roman

4. PRÉLEVER = retirer
- **tengo que pasar por un cajero a sacar dinero** je dois passer au distributeur retirer de l'argent

5. TIRER UN BÉNÉFICE ÉCONOMIQUE
- **ha sacado mucho dinero de sus cuadros** il a tiré beaucoup d'argent de ses tableaux

6. REMPORTER UN PRIX, UNE RÉCOMPENSE = gagner
- **sacar el gordo** gagner le gros lot

7. ACQUÉRIR = prendre
- **ya he sacado los billetes para el concierto** j'ai déjà pris les billets pour le concert

8. FAIRE LES DÉMARCHES NÉCESSAIRES POUR OBTENIR UN DOCUMENT
- **he sacado el pasaporte en París** j'ai fait faire mon passeport à Paris

9. PHOTO = prendre
- **sacar una foto** prendre une photo

10. COPIE = faire
- **sacar una fotocopia** faire une photocopie

11. METTRE QQCH QUE L'ON POSSÈDE À DISPOSITION DE QQN = donner
- **nos sacó algo de comer** il nous a donné quelque chose à manger

12. RÉSOUDRE UN PROBLÈME PAR LA RÉFLEXION
- **sacar un problema de matemáticas/una ecuación** résoudre un problème de mathématiques/une équation
- **sacar algo en claro** ou **en limpio** tirer quelque chose au clair
- **no saques conclusiones demasiado rápidas** ne tire pas de conclusions trop hâtives

13. OBTENIR PAR LA FORCE OU LA RUSE QUE QQN DONNE QQCH = soutirer
- **me despachó sin miramientos después de haberme sacado los cuartos** il m'a renvoyé sans égards après m'avoir soutiré de l'argent

14. CRÉER, PROMOUVOIR UN PRODUIT = lancer
- **la fábrica ha sacado un nuevo modelo** l'usine a lancé un nouveau modèle

15. METTRE EN ÉVIDENCE UNE PARTIE DU CORPS
- **sacar el pecho** bomber le torse
- **sacar la lengua** tirer la langue

16. OBTENIR = avoir
- **este año Guillermo ha sacado buenas notas** cette année, Guillermo a eu de bonnes notes

17. INVITER
- **sacar a bailar** inviter à danser

18. À LA TÉLÉ = passer
- **lo sacaron en televisión** c'est passé à la télévision

19. PRENDRE L'AVANTAGE
- **sacó tres minutos a su rival** il a pris une avance de trois minutes sur son rival

20. DANS DES EXPRESSIONS
- **sacar apuntes** prendre des notes
- **sacar adelante un negocio** faire prospérer une affaire
- **sacar adelante a los hijos** bien élever ses enfants
- **sacar de banda** SPORT = faire la remise en jeu.

sacar *vi*

1. UNE BALLE = lancer
- **le toca sacar al equipo contrario** c'est l'équipe adverse qui lance

2. AU TENNIS = servir
- **Javier saca con mucha fuerza** Javier sert avec beaucoup de force.

■ **sacarse** *vp*

1. ÔTER, ENLEVER QQCH QUE L'ON A SUR SOI = enlever
- **sácate los zapatos** enlève tes chaussures

2. UN EXAMEN
- **me estoy sacando el carné (de conducir)** je suis en train de passer mon permis (de conduire)
- **acabo de sacarme el carné (de conducir)** je viens d'avoir mon permis.

sacarina *nf* saccharine (f).

sacerdote, tisa *nm, f* (paien) prêtre (m), prêtresse (f). ■ **sacerdote** *nm* RELIG prêtre (m).

saciar *vt* **1.** assouvir **2.** répondre à - **saciar la sed** étancher sa soif.

saco *nm* **1.** sac (m) - **saco de dormir** sac de couchage **2.** (Amér) veste (f).

sacramento *nm* sacrement (m).

sacrificar *vt* **1.** sacrifier **2.** abattre (des animaux). ■ **sacrificarse** *vp* - **sacrificarse (por alguien)** se sacrifier (pour qqn).

sacrificio *nm litt & fig* sacrifice (m).

sacrilegio *nm litt & fig* sacrilège (m).

sacristán, ana *nm, f* sacristain (m), sacristine (f).

sacristía *nf* sacristie (f).

sacro, cra *adj* sacré(e).

sacudida *nf* **1.** secousse (f) **2.** fig choc (m) - **sacudida eléctrica** décharge (f) (électrique).

sacudir *vt* **1.** secouer **2.** fam donner une rouste à. ■ **sacudirse** *vp* fig chasser, se débarrasser de.

sádico, ca *adj & nm, f* sadique.

sadismo *nm* sadisme (m).

sadomasoquismo *nm* sadomasochisme (m).

saeta nf 1. flèche (f) 2. aiguille (f) (d'une montre) 3. courte pièce chantée lors des processions de la Semaine sainte.

safari nm 1. safari (m) 2. parc (m) animalier.

saga nf saga (f).

sagacidad nf sagacité (f).

sagaz adj sagace.

Sagitario ◼ nm inv Sagittaire (m inv). ◼ nm, f inv sagittaire (m inv).

sagrado, da adj sacré(e).

Sahara, Sáhara npr ▪ **el (desierto del) Sahara** le Sahara.

sal nf 1. sel (m) 2. fig charme (m) 3. (dans le langage) piquant (m). ◼ **sales** nfpl sels (mpl) (pour réanimer, pour le bain).

sala nf 1. salle (f) ▪ **sala de audio** auditorium (m) ▪ **sala de espera** salle d'attente ▪ **sala de fiestas** salle de bal ▪ (à la mairie) salle des fêtes 2. (salon) ▪ **sala (de estar)** salle (f) de séjour, séjour (m) 3. DR ▪ salle (f) (d'audience) ▪ (ensemble des magistrats) chambre (f).

salado, da adj 1. salé(e) 2. trop salé(e) 3. fig drôle 4. (Amér) malchanceux(euse).

salamandra nf salamandre (f).

salami, salame nm salami (m).

salar vt saler.

salarial adj 1. salarial(e) 2. (augmentation) de salaire.

salario nm salaire (m) ▪ **salario mínimo (interprofesional)** salaire minimum, ≃ SMIC (m).

salchicha nf saucisse (f).

salchichón nm saucisson (m).

saldar vt 1. solder (un compte, un produit) 2. s'acquitter de (dette) 3. fig régler (un différend, une question). ◼ **saldarse** vp (finir) ▪ **saldarse con** se solder par.

saldo nm 1. solde (m) (d'un compte) 2. règlement (m) (d'une dette) ▪ **saldo acreedor/deudor** solde créditeur/débiteur 3. (gén pl) COMM soldes (mpl) 4. fig bilan (m).

saledizo, za adj ARCHIT en saillie.

salero nm 1. salière (f) 2. fig charme (m).

salida nf 1. (gén & INFORM) sortie (f) 2. lever (m) (du soleil) ▪ **salida de emergencia** OU **de incendios** sortie OU issue de secours 3. (de train, d'avion & SPORT) départ (m) 4. (professionnels & COMM) débouchés (mpl) ▪ **tener mucha salida** (marchandises) s'écouler facilement 5. (solution) issue (f) 6. échappatoire (f) 7. trait (m) d'esprit.

salido, da ◼ adj 1. saillant(e) ▪ **tener los ojos salidos** avoir les yeux globuleux 2. (animal) en chaleur. ◼ nm, f fam chaud lapin (m).

saliente ◼ adj 1. saillant(e) 2. fig principal(e) 3. POLIT sortant(e). ◼ nm ARCHIT saillie (f).

salino, na adj salin(e).

---

salir vi

1. QUITTER UN LIEU POUR ALLER DEHORS OU DANS UN AUTRE LIEU = sortir
   ▪ **salió a la calle** il est sorti
   ▪ **Juan sale mucho con sus amigos** Juan sort beaucoup avec ses amis
2. COMMENCER UN TRAJET = partir
   ▪ **el tren/el barco sale a las dos** le train/le bateau part à deux heures
   ▪ **el avión saldrá con retraso** l'avion décollera avec du retard
   ▪ **mañana saldremos para Valencia** demain, nous partons à Valence
   ▪ **salir corriendo** partir en courant
   ▪ **salir de viaje** partir en voyage
3. RESSORTIR = dépasser
   ▪ **esta cornisa sale demasiado** cette corniche dépasse trop
4. OBTENIR UN RÉSULTAT
   ▪ **salir bien/mal** réussir/échouer
   ▪ **el pastel te ha salido muy bien** ton gâteau est très réussi
   ▪ **el plan les ha salido mal** leur plan a échoué
   ▪ **el postre me ha salido mal** mon dessert est raté
5. POUR INSISTER SUR UN RÉSULTAT
   ▪ **salir elegido/premiado** être élu/récompensé
   ▪ **salió elegida mejor actriz** elle a été élue meilleure actrice
   ▪ **salir ganando** bien s'en tirer, y gagner
   ▪ **salir perdiendo** être désavantagé(e), y perdre
6. PARVENIR À
   ▪ **el problema no me sale** je n'arrive pas à résoudre ce problème
   ▪ **nunca me salen los crucigramas** je n'arrive jamais à faire les mots croisés
7. AVOIR UNE RELATION AMOUREUSE AVEC QQN = sortir
   ▪ **sale con su vecina** il sort avec sa voisine
   ▪ **María y Pedro están saliendo** María et Pedro sortent ensemble
8. ÊTRE PUBLIÉ = paraître, sortir
   ▪ **una revista que sale los miércoles** un magazine qui paraît le mercredi
   ▪ **la novela sale en junio** le roman sort en juin
9. ÊTRE MIS EN VENTE
   ▪ **el nuevo modelo saldrá el año que viene** le nouveau modèle sera lancé l'année prochaine
10. PARAÎTRE EN PUBLIC, DANS LES MÉDIAS
    ▪ **mi vecina salió en la tele** ma voisine est passée à la télé
    ▪ **la noticia sale en los periódicos** la nouvelle est dans les journaux
    ▪ **¡qué bien sales en la foto!** tu es très bien sur la photo !

11. SURGIR, SE PRÉSENTER
- **nos ha salido una oportunidad/ocasión estupenda** une opportunité/une occasion magnifique s'est présentée à nous
- **le ha salido un empleo muy bien pagado** on lui a proposé un emploi très bien rémunéré

12. POUSSER
- **los tulipanes empiezan a salir** les tulipes commencent à pousser

13. SOLEIL = se lever
- **el sol sale por el este** le soleil se lève à l'est

14. DIRE QQCH D'INATTENDU = sortir
- **nunca se sabe por dónde va a salir** on ne sait jamais ce qu'il va sortir

15. EN INFORMATIQUE = quitter
- **sal del programa y apaga el ordenador** quitte le programme et éteins l'ordinateur

16. DANS DES EXPRESSIONS
- **no consigo salir adelante** je n'arrive pas à m'en sortir
- **el proyecto acabó saliendo adelante** le projet a fini par aboutir.

■ **salir a** v + prép

ressembler à
- **este niño ha salido a su padre** cet enfant ressemble à son père.

■ **salir a** ou **por** v + prép

COÛTER
- **la cena nos salió por 25 euros cada uno** le dîner nous est revenu à 25 euros par personne
- **salir caro** revenir cher, coûter cher.

■ **salir de** v + prép

1. QUITTER UN LIEU POUR ALLER DEHORS OU DANS UN AUTRE LIEU = sortir de
- **salgo del hospital** je sors de l'hôpital

2. QUITTER UN ÉTAT, UNE SITUATION = sortir de
- **salir de la crisis** sortir de la crise

3. TROUVER SON ORIGINE DANS
- **la sidra sale de la manzana** on tire le cidre de la pomme
- **de la uva sale el vino** on tire le vin du raisin.

■ **salirse** vp

1. DÉBORDER
- **vigila la leche, que no se salga** surveille le lait, qu'il ne déborde pas

2. FUIR
- **el depósito se sale** le réservoir fuit

3. DANS DES EXPRESSIONS
- **salirse con la suya** parvenir à ses fins.

■ **salirse de** vp + prép

1. SORTIR D'UN ENDROIT
- **se salió de la autopista** il est sorti de l'autoroute
- **el tren se salió de la vía** le train a déraillé
- **salirse de la carretera** quitter la route
- **salirse de los límites** dépasser les limites

2. SORTIR D'UN GROUPE
- **salirse de una asociación** quitter une association

3. S'ÉCARTER, S'ÉLOIGNER
- **salirse del tema** s'écarter du sujet

4. DÉBORDER
- **el agua se salió de la bañera** la baignoire a débordé.

■ **salirse por** vp + prép

GAZ, LIQUIDE = s'échapper par
- **el aire sale por los poros** l'air s'échappe par les pores.

À PROPOS DE...

salir

Salir ne veut pas dire « salir » mais « sortir » ou « partir ».

salitre nm salpêtre (m).

saliva nf salive (f).

salmo nm psaume (m).

salmón ◼ nm saumon (m). ◼ adj & nm inv (couleur) (rose) saumon.

salmonete nm rouget (m).

salmuera nf saumure (f).

salobre adj saumâtre.

salón nm **1.** salon (m) • **salón de belleza** institut (m) de beauté **2.** salle (f) • **salón de actos** salle de conférences.

salpicadera nf (Amér) garde-boue (m inv).

salpicadero nm tableau (m) de bord.

salpicadura nf éclaboussure (f).

salpicar vt **1.** éclabousser **2.** fig parsemer.

salpimentar vt saupoudrer de sel et de poivre.

salpullido = sarpullido.

salsa nf **1.** sauce (f) **2.** jus (m) (de viande) • **salsa bechamel** ou **besamel** sauce béchamel • **salsa mayonesa** ou **mahonesa** sauce mayonnaise • **salsa rosa** sauce cocktail **3.** fig (intérêt) attrait (m) **4.** MUS salsa (f).

salsera nf saucière (f).

saltamontes nm inv sauterelle (f).

saltar ◼ vt **1.** (gén & SPORT) sauter **2.** plonger (dans l'eau) **3.** faire sauter. ◼ vi **1.** (gén & SPORT) sauter **2.** (bouton) tomber • **saltar sobre algo/alguien** sauter sur qqch/qqn • **saltar de un tema a otro** passer du coq à l'âne **3.** (se lancer)

- **saltar de 10 metros** faire un saut de 10 mètres **4.** *(se lever, réagir brusquement)* bondir **5.** *(se répandre)* jaillir **6.** exploser **7.** se casser **8.** *(sortir)*
- **saltar a** arriver sur *(un terrain, une piste, etc)*. ■ **saltarse** *vp* **1.** sauter • **se me ha saltado un botón** j'ai perdu un bouton **2.** ignorer **3.** brûler *(un feu, un stop)*.

salteado, da *adj* **1.** CULIN sauté(e) **2.** *(parsemé)*
- **la falda tiene lunares salteados** la jupe est parsemée de pois.

salteador, ra *nm, f* • **salteador (de caminos)** bandit *(m)* (de grand chemin).

saltear *vt* CULIN faire sauter.

saltimbanqui *nmf* saltimbanque *(m)*.

salto *nm* **1.** *(gén & sport)* saut *(m)* **2.** plongeon *(m)* *(dans l'eau)* • **dar** ou **pegar un salto** faire un saut • *fig (avoir peur)* faire un bond • faire un bond en avant • **salto de altura/de longitud** saut en hauteur/en longueur **3.** *fig (différence)* écart *(m)* **4.** *fig (omission)* trou *(m)* **5.** précipice *(m)* • **vivir a salto de mata** vivre au jour le jour. ■ **salto de agua** *nm* chute *(f)* d'eau.

saltón, ona *adj (dent)* en avant • **tener los ojos saltones** avoir les yeux globuleux.

salubre *adj* salubre.

salud ■ *nf* santé *(f)* • **estar bien/mal de salud** être en bonne/mauvaise santé • **beber a la salud de alguien** boire à la santé de qqn. ■ *interj* • **¡salud!** *(pour trinquer)* à la tienne/vôtre ! • *(quand quelqu'un éternue)* à tes/vos souhaits !

saludable *adj* **1.** sain(e) **2.** *fig* salutaire.

saludar *vt* saluer *(quelqu'un)* • **saluda a Ana de mi parte** dis bonjour à Ana de ma part • **le saluda atentamente** recevez l'expression de mes sentiments distingués. ■ **saludarse** *vp* se saluer • **no saludarse** *(être en froid)* ne plus se dire bonjour.

saludo *nm* salut *(m)* • **Ana te manda saludos** tu as le bonjour d'Ana • **dirigir un saludo a alguien** saluer qqn • **un saludo afectuoso** *(dans une lettre)* affectueusement.

salva *nf* MIL salve *(f)* • **una salva de aplausos** *fig* une salve d'applaudissements.

salvación *nf* **1.** *(remède)* • **no tener salvación** *(malade)* être perdu(e) • *(maladie)* être incurable **2.** secours *(m)* **3.** RELIG salut *(m)*.

salvado *nm* BOT son *(m)*.

salvador, ra ■ *adj* salvateur(trice). ■ *nm, f* sauveur *(m)*.

salvadoreño, ña ■ *adj* salvadorien(enne). ■ *nm, f* Salvadorien *(m)*, -enne *(f)*.

salvaguardar *vt* sauvegarder.

salvaje ■ *adj* **1.** sauvage **2.** violent(e). ■ *nmf* sauvage *(mf)*.

salvamanteles *nm inv* dessous-de-plat *(m inv)*.

salvamento *nm* sauvetage *(m)*.

salvar *vt* **1.** sauver **2.** franchir *(un obstacle)* **3.** surmonter *(une difficulté)* **4.** *(excepter)* • **salvando algunos detalles...** excepté quelques détails... **5.** INFORM sauvegarder *(un fichier)*. ■ **salvarse** *vp* **1.** *(se sortir de)* • **salvarse de** réchapper de **2.** RELIG sauver son âme.

salvaslip *nm* protège-slip *(m)*.

salvavidas ■ *adj inv* de sauvetage. ■ *nm inv* bouée *(f)* de sauvetage.

salvedad *nf* exception *(f)* • **con la salvedad de que...** excepté que...

salvia *nf* sauge *(f)*.

salvo, va *adj* sauf(sauve) • **estar a salvo** être en sûreté • **su honor está a salvo** son honneur est sauf • **poner algo a salvo** mettre qqch à l'abri. ■ **salvo** *adv* sauf • **salvo que llueva** sauf s'il pleut • **hablaron todos, salvo él** ils ont tous parlé sauf lui.

salvoconducto *nm* sauf-conduit *(m)*.

samba *nf* samba *(f)*.

san *adj* saint • **san José** saint Joseph.

sanar ■ *vt* guérir. ■ *vi* guérir • **no he sanado del todo** je ne suis pas tout à fait guéri.

sanatorio *nm* **1.** clinique *(f)* **2.** sanatorium *(m)*.

sanción *nf* sanction *(f)*.

sancionar *vt* sanctionner.

sandalia *nf* sandale *(f)*.

sándalo *nm* santal *(m)*.

sandez *nf* sottise *(f)*.

sandía *nf* pastèque *(f)*.

sándwich ['sanwitʃ] *(pl* **sándwiches** ou **sandwichs)** *nm* sandwich *(m)* (de pain de mie).

saneamiento *nm* assainissement *(m)*.

sanear *vt* assainir.

sangrar ■ *vi* saigner • **sangrar por la nariz** saigner du nez. ■ *vt* **1.** saigner **2.** *(arbre)* gemmer **3.** IMPR renfoncer.

sangre *nf* sang *(m)* • **llevar algo en la sangre** avoir qqch dans le sang • **no llegó la sangre al río** ça n'a pas été plus loin. ■ **sangre fría** *nf* sang-froid *(m)*.

sangría *nf* **1.** saignée *(f)* **2.** sangria *(f)* **3.** IMPR alinéa *(m)* **4.** INFORM retrait *(m)*, renfoncement *(m)*.

sangriento, ta *adj* **1.** sanglant(e) **2.** sanguinaire.

sanguijuela *nf* sangsue *(f)* • **ser una sanguijuela para alguien** *fam fig* saigner qqn à blanc.

sanguinario, ria *adj* sanguinaire.

sanguíneo, a *adj* sanguin(e).

sanidad *nf* **1.** *(service)* santé *(f)* • **trabajar en sanidad** travailler dans le secteur médical • **el ministerio de sanidad** le ministère de la Santé **2.** hygiène *(f)*.

sanitario, ria ■ *adj* sanitaire. ■ *nm, f* professionnel *(m)*, -elle *(f)* de la santé. ■ **sanitarios** *nmpl* sanitaires *(mpl)*.

San Juan *npr* San Juan.

sano, na *adj* **1.** sain(e) • **sano y salvo** sain et sauf **2.** intact(e).

San Salvador *npr* San Salvador.

San Sebastián *npr* Saint-Sébastien.

Santa Fe de Bogotá = **Bogotá**.

Santander *npr* Santander.

Santiago de Chile *npr* Santiago (du Chili).

Santiago de Compostela *npr* Saint-Jacques-de-Compostelle.

santiamén ■ en un santiamén *loc adv fam* en un clin d'œil.

santidad *nf* sainteté (f) • **una vida de santidad** une vie de saint(e).

santificar *vt* sanctifier.

santiguar *vt* faire le signe de la croix sur. ■ **santiguarse** *vp* se signer.

santo, ta ◪ *adj* **1.** saint(e) • **todo el santo día** toute la sainte journée • **hace su santa voluntad** il fait ses quatre volontés **2.** *fam* miraculeux(euse). ◪ *nm, f litt & fig* saint (m), -e (f). ■ **santo** *nm* **1.** fête (f) **2.** *fam fig* image (f) • **¿a santo de qué?** en quel honneur ? • **írsele a alguien el santo al cielo** perdre le fil (de ses pensées). ■ **santo y seña** *nm* MIL mot (m) de passe.

Santo Domingo *npr* Saint-Domingue.

santoral *nm* **1.** *recueil sur la vie des saints* **2.** martyrologe (m).

santuario *nm* sanctuaire (m).

saña *nf* **1.** rage (f) **2.** acharnement (m).

sapo *nm* crapaud (m).

saque ◪ *v* ⊳ **sacar.** ◪ *nm* **1.** SPORT coup (m) d'envoi **2.** *(au tennis, au badminton, etc)* service (m).

saquear *vt* **1.** piller, mettre à sac **2.** *fam* faire une razzia sur.

saqueo *nm* pillage (m).

sarampión *nm* rougeole (f).

sarao *nm* fête (f).

sarcasmo *nm* sarcasme (m).

sarcástico, ca *adj* sarcastique.

sarcófago *nm* sarcophage (m).

sardana *nf* sardane (f).

sardina *nf* sardine (f) • **ir como sardinas en canasta** *ou* **en lata** *fig* être serrés comme des sardines.

sardónico, ca *adj* sardonique.

sargento ◪ *nmf* **1.** MIL sergent (m) **2.** *péj (persone autoritaire)* gendarme (m). ◪ *nm* serre-joint (m).

sarna *nf* gale (f) • **sarna con gusto no pica** *fig* quand on aime ça… (on n'en voit pas les inconvénients).

sarpullido, salpullido *nm* éruption (f) cutanée.

sarro *nm* tartre (m).

sarta *nf* **1.** chapelet (m) (d'objets) **2.** série (f) (de malheurs).

sartén *nf* **1.** poêle (f) • **tener la sartén por el mango** tenir les rênes **2.** poêlée (f).

sastre, tra *nm, f* tailleur (m), couturière (f).

sastrería *nf* • **ir a la sastrería** aller chez le tailleur.

Satanás *npr* Satan.

satélite *adj & nm* satellite (m).

satén *nm* satin (m).

satinado, da *adj* satiné(e).

sátira *nf* satire (f).

satírico, ca ◪ *adj* satirique. ◪ *nm, f* **1.** persifleur (m), -euse (f) **2.** satiriste (mf).

satirizar *vt* railler, faire la satire de.

satisfacción *nf* **1.** satisfaction (f) • **tener cara de satisfacción** avoir un air satisfait **2.** *fig* luxe (m) • **darse la satisfacción de** s'offrir le luxe de.

satisfacer *vt* **1.** satisfaire **2.** honorer *(une dette)* **3.** répondre à *(une question)* • **satisfacer una duda** lever un doute **4.** remplir *(les conditions requises)*.

satisfactorio, ria *adj* satisfaisant(e).

satisfecho, cha *adj* **1.** satisfait(e) **2.** repu(e) • **darse por satisfecho** s'estimer heureux **3.** fier(fière) de soi. ■ **satisfecho** *pp* ⊳ **satisfacer.**

saturar *vt* saturer. ■ **saturarse** *vp* être saturé(e) • **saturarse de trabajo** travailler comme un fou.

sauce *nm* saule (m) • **sauce llorón** saule pleureur.

sauna *nf* sauna (m).

savia *nf* **1.** sève (f) **2.** *fig* fougue (f).

saxofón = **saxófono.**

saxofonista *nmf* saxophoniste (mf).

saxófono, saxofón, saxo ◪ *nm* saxophone (m). ◪ *nmf* saxophoniste (mf).

sazón *nf* **1.** maturité (f) • **estar en sazón** être mûr(e) **2.** goût (m). ■ **a la sazón** *loc adv* à ce moment-là, à cette époque.

sazonado, da *adj* assaisonné(e).

sazonar *vt* assaisonner.

scanner = **escáner.**

scout [es'kaut] *(pl scouts)* *nm* scout (m), -e (f).

---

se *pron pers*

1. EMPLOI RÉFLÉCHI = se
  • **se pasea** il se promène
  • **se divierte** elle s'amuse
  • **hay que lavarse todos los días** il faut se laver tous les jours
  • **se están bañando** *ou* **están bañándose** ils se baignent
  • **siéntese** asseyez-vous
  • **¡que se diviertan!** amusez-vous bien !

2. EMPLOI RÉCIPROQUE = se
- **se tutean** elles se tutoient
- **se quieren** ils s'aiment

3. ÉQUIVALENT DE LA FORME PASSIVE
- **se ha suspendido la reunión** la réunion a été suspendue
- **este producto sólo se vende aquí** ce produit n'est vendu qu'ici
- **'se alquilan habitaciones'** 'chambres à louer'

4. IMPERSONNEL = on
- **se dice que el golf es un deporte elitista** on dit que le golf est un sport élitiste
- **desde aquí se ve bien** on voit bien d'ici
- **se rumorea que el presidente va a dimitir** le bruit court que le président va démissionner
- **'se habla inglés'** 'on parle anglais'
- **'se prohíbe fumar'** 'interdiction de fumer'

5. REMPLACE LES COMPLÉMENTS INDIRECTS « LE » ET « LES »
- **cómpraselo** achète-le-lui
- **se lo dije, pero no me hicieron caso** je le leur ai dit, mais ils ne m'ont pas écouté
- **si usted quiere, yo se las mandaré** si vous voulez, je vous les enverrai.

sé ⊳ **saber.** ⊳ **ser.**

sebo *nm* **1.** *(pour le savon, les bougies)* graisse *(f)* **2.** ANAT sébum *(m)* **3.** suif *(m)*.

secador *nm* séchoir *(m)* • **secador (de pelo)** sèche-cheveux *(m inv)*.

secadora *nf* séchoir *(m)* • **secadora de ropa** sèche-linge *(m inv)*.

secante ◼ *adj* **1.** siccatif(ive) **2.** ⊳ **papel 3.** GÉOM sécant(e). ◼ *nf* GÉOM sécante *(f)*.

secar *vt* **1.** *(linge, larmes)* sécher **2.** *(plante, peau)* dessécher **3.** essuyer. ◼ **secarse** *vp* **1.** sécher **2.** *(rivière, source)* s'assécher **3.** *(plante, peau)* se dessécher • **secarse el pelo** se sécher les cheveux.

sección *nf* **1.** rayon *(m)* *(d'un magasin)* **2.** service *(m)* *(d'une entreprise)* **3.** PRESSE pages *(fpl)* • **sección deportiva** pages sportives **4.** MIL & GÉOM section *(f)* **5.** *(dessin)* coupe *(f)*.

seccionar *vt* sectionner.

secesión *nf* sécession *(f)*.

seco, ca *adj* **1.** sec(sèche) **2.** *(rivière, lac)* à sec • **lavar en seco** nettoyer à sec • **parar en seco** s'arrêter net. ◼ **a secas** *loc adv* tout court • **se llama Juan a secas** il s'appelle Juan tout court.

secretaría *nf* secrétariat *(m)*.

secretariado *nm* **1.** secrétariat *(m)* **2.** secrétariat *(m)* d'État.

secretario, ria *nm, f* secrétaire *(mf)*.

secreto, ta *adj* secret(ète) • **en secreto** en secret. ◼ **secreto** *nm* secret *(m)*.

secta *nf* secte *(f)*.

sector *nm* **1.** secteur *(m)* **2.** courant *(m)* *(d'un parti)* • **un sector de la opinión pública** une partie de l'opinion publique.

secuaz *nmf* péj acolyte *(m)*.

secuela *nf* séquelle *(f)*.

secuencia *nf* **1.** séquence *(f)* **2.** série *(f)* *(de thèmes)*.

secuestrador, ra *nm, f* **1.** ravisseur *(m)*, -euse *(f)* **2.** pirate *(m)* de l'air.

secuestrar *vt* **1.** enlever *(une personne)* **2.** détourner *(un bateau, un avion)* **3.** saisir *(un journal, une publication, des biens)*.

secuestro *nm* **1.** enlèvement *(m)* *(d'une personne)* **2.** détournement *(m)* *(d'un bateau, d'un avion)* **3.** saisie *(f)* *(d'un journal, d'une publication, de biens)*.

secular ◼ *adj* **1.** séculier(ère) **2.** séculaire. ◼ *nm* séculier *(m)*.

secundar *vt* appuyer, soutenir • **secundar a alguien** seconder qqn.

secundario, ria *adj* secondaire.

sed ◼ *v* ⊳ **ser.** ◼ *nf* litt & fig soif *(f)*.

seda *nf* soie *(f)* • **como una seda** comme sur des roulettes.

sedal *nm* ligne *(f)* *(pour pêcher)*.

sedante ◼ *adj* **1.** apaisant(e) **2.** MÉD sédatif(ive). ◼ *nm* MÉD sédatif *(m)*.

sede *nf* *(résidence, diocèse)* siège *(m)*. ◼ **Santa Sede** *npr* • **la Santa Sede** le Saint-Siège.

sedentario, ria *adj* sédentaire.

sedición *nf* sédition *(f)*.

sediento, ta *adj* assoiffé(e).

sedimentar *vt* déposer. ◼ **sedimentarse** *vp* se déposer.

sedimento *nm* **1.** dépôt *(m)* **2.** sédiment *(m)* **3.** *(gén pl)* fig traces *(fpl)*.

sedoso, sa *adj* soyeux(euse).

seducción *nf* séduction *(f)*.

seducir *vt* **1.** séduire **2.** enjôler.

seductor, ra ◼ *adj* séduisant(e). ◼ *nm, f* séducteur *(m)*, -trice *(f)*.

segador, ra *nm, f* *(agriculteur)* moissonneur *(m)*, -euse *(f)*. ◼ **segadora** *nf* **1.** *(machine)* moissonneuse *(f)* **2.** *(outil)* faucheuse *(f)*.

segar *vt* **1.** moissonner **2.** faucher **3.** fig • couper *(des têtes)* • faucher *(des vies)* • briser *(des illusions)*.

seglar *adj* & *nm* séculier.

segmentar *vt* segmenter.

segmento *nm* segment *(m)*.

Segovia *npr* Ségovie.

segregación *nf* **1.** ségrégation *(f)* **2.** sécrétion *(f)*.

segregar *vt* **1.** séparer **2.** discriminer **3.** sécréter.

seguidilla *nf* **1.** LITTÉR *strophe de quatre ou sept vers, utilisée dans les chansons populaires* **2.** MUS séguedille *(f)*.

seguido, da *adj* **1.** continu(e) **2.** de suite, d'affi-lée • **diez años seguidos** dix ans de suite • **se comió 15 pasteles seguidos** il a mangé 15 gâ-teaux d'affilée • **tener hijos seguidos** avoir des enfants rapprochés. ■ **seguido** *adv* tout droit. ■ **en seguida** *loc adv* tout de suite.

seguidor, ra *nm, f* **1.** adepte *(mf)* **2.** SPORT sup-porter *(m)*.

seguimiento *nm* suivi *(m)*.

seguir ◼ *vt* **1.** suivre • **alguien nos seguía** quel-qu'un nous suivait • **seguí tus instrucciones** j'ai suivi tes instructions • **sigue unos cursos de...** elle suit des cours de... • **la enferme-dad sigue su curso** la maladie suit son cours **2.** poursuivre. ◼ *vi* **1.** *(venir après)* • **seguir a algo** suivre qqch • **la primavera sigue al invierno** le printemps suit l'été **2.** continuer • **sigue por este camino** continue dans cette voie • **sigue haciendo frío** il continue à faire froid **3.** *(de-meurer)* • **sigue enferma/soltera** elle est tou-jours malade/célibataire. ■ **seguirse** *vp* s'en-suivre.

según ◼ *prép* **1.** *(en accord avec)* selon, d'après • **según ella, ha sido un éxito** selon elle, ça a été un succès • **según yo/tú** *etc* d'après moi/ toi *etc* **2.** *(en fonction de)* suivant, selon • **se-gún la hora que sea** suivant l'heure (qu'il se-ra) • **según los casos** selon les cas. ◼ *adv* **1.** comme • **todo permanecía según lo había dejado** tout était comme il l'avait laissé **2.** (au fur et) à mesure que • **según nos acercába-mos, el ruido aumentaba** à mesure que nous approchions, le bruit s'amplifiait **3.** *(dépendre de)* • **¿te gusta la música? según** tu aimes la musique ? ça dépend • **lo intentaré según es-té de tiempo** j'essaierai en fonction du temps que j'aurai • **según parece,...** à ce qu'il pa-raît,...

segunda *nf* ⊳ **segundo**.

segundero *nm* trotteuse *(f)* (d'une montre).

segundo, da *adj num* deuxième, second(e) • **primos segundos** cousins au second de-gré. • *voir aussi* **sexto** ■ **segundo** *nm* secon-de *(f)*. ■ **segunda** *nf* (vitesse, classe) seconde *(f)*. ■ **con segundas** *loc adv* (discours, mots) • **ir con segundas** être plein(e) de sous-entendus.

seguramente *adv* (probablement) sûrement.

seguridad *nf* **1.** *(protection)* sécurité *(f)* **2.** *(fiabili-té)* sûreté *(f)* • **de seguridad** *(ceinture, etc)* de sé-curité **3.** *(certitude, confiance)* assurance *(f)* • **con seguridad** avec certitude • **seguridad en sí mismo** confiance en soi. ■ **Seguridad Social** *nf* Sécurité *(f)* sociale.

seguro, ra *adj* sûr(e) • **tener por seguro que** être sûr(e) *ou* certain(e) que. ■ **seguro** ◼ *nm* **1.** *(contrat)* assurance *(f)* • **seguro de vida** assu-rance-vie *(f)* **2.** *(dispositif)* sûreté *(f)* **3.** cran *(m)* de sûreté *(d'un pistolet)* **4.** *fam* Sécu *(f)* **5.** *(Amér)* épingle *(f)* de nourrice. ◼ *adv* sûrement.

seis ◼ *adj num inv* six • **seis personas** six per-sonnes • **tiene seis años** il a six ans • **página seis** page six • **estamos a día seis** nous som-mes le six. ◼ *nm inv* six *(m)* • **el seis de agos-to** le six août • **calle Mayor (número) seis** six, calle Mayor • **seis por seis** six fois six • **el seis de diamantes** le six de carreau. ◼ *pron num* six • **somos seis** nous sommes six • **vinieron seis** ils sont venus à six • **las seis** tous les six. ◼ *nfpl* • **las seis** six heures • **son las seis** il est six heures.

seiscientos, tas *adj num inv* **1.** *(pour compter)* six cents • **seiscientos hombres** six cents hommes • **seiscientos veinte** six cent vingt **2.** *(pour numéroter)* six cent • **página seiscientos** page six cent.

seísmo, sismo *nm* séisme *(m)*.

selección *nf* **1.** sélection *(f)* **2.** recrutement *(m)* **3.** SPORT équipe *(f)* nationale.

seleccionador, ra ◼ *adj* de sélection. ◼ *nm, f* sélectionneur *(m)*, -euse *(f)*.

seleccionar *vt* sélectionner.

selectividad *nf* examen d'entrée à l'université, ≃ baccalauréat *(m)*.

selectivo, va *adj* sélectif(ive).

selecto, ta *adj* **1.** de choix **2.** choisi(e) • **la gen-te selecta** les gens bien.

selfservice *(pl* **selfservices)** *nm* self-service *(m)*.

sellar *vt* **1.** tamponner **2.** timbrer **3.** sceller.

sello *nm* **1.** timbre *(m)* **2.** tampon *(m)* **3.** cheva-lière *(f)* **4.** *(cachet)* sceau *(m)* **5.** *fig (caractère)* • **tener un sello personal** avoir un certain ca-chet • **tener el sello de** porter la marque de.

selva *nf* **1.** jungle *(f)* **2.** forêt *(f)*.

semáforo *nm* feu *(m)* *(de circulation)*.

semana *nf* semaine *(f)* • **entre semana** en se-maine • **semana laboral** semaine de travail. ■ **Semana Santa** *nf* Pâques *(m)* • **la Semana Santa** la Semaine sainte.

Voir encadré page suivante.

CULTURE...

la Semana Santa

La Semaine sainte s'étale du dimanche des Rameaux à Pâques. Pendant cette semaine, chacune des paroisses de la ville s'organise en confréries qui con-vergent en processions vers l'une des places de la ville. Les pénitents por-tent des cagoules et défilent en sui-vant une croix. Derrière vient le *paso*, large plate-forme, souvent décorée de manière baroque avec des scènes de la passion du Christ, portée par des dizai-nes de pénitents vêtus de longues tu-niques et coiffés de capuchons poin-tus avec deux trous pour les yeux.

la Semana Blanca
Les écoliers et les collégiens espagnols ont une semaine de vacances en février appelée *semana blanca* car c'est souvent à cette occasion qu'ils vont aux sports d'hiver, soit en famille soit avec l'école ou le collège.

semanal *adj* hebdomadaire.

semanario, ria *adj* hebdomadaire. ■ **semanario** *nm* hebdomadaire *(m)*.

semántico, ca *adj* sémantique. ■ **semántica** *nf* sémantique *(f)*.

semblante *nm (expression du visage)* mine *(f)*.

semblanza *nf* **1.** portrait *(m)* **2.** notice *(f)* biographique.

sembrado, da *adj fig (plein)* • **sembrado de trampas** semé d'embûches. ■ **sembrado** *nm* semis *(m)*.

sembrador, ra ◨ *adj (technique, procédé)* d'ensemencement. ◨ *nm, f* semeur *(m)*, -euse *(f)*. ■ **sembradora** *nf* semoir *(m)*.

sembrar *vt* **1.** semer **2.** *fig (remplir)* • **sembrar (de** *ou* **con)** couvrir (de).

semejante ◨ *adj* **1.** *(pareil)* • **semejante (a)** semblable (a) • **dos casos semejantes** deux cas semblables **2.** *(tel)* pareil(eille) • **nunca ha habido semejante cola** il n'y a jamais eu une queue pareille. ◨ *nm (gén pl)* semblable *(m)*.

semejanza *nf* ressemblance *(f)*.

semejar *vi* ressembler. ■ **semejarse** *vp* se ressembler.

semen *nm* sperme *(m)*.

semental ◨ *adj* • **un toro/burro semental** un taureau/âne étalon • **un caballo semental** un étalon. ◨ *nm* étalon *(m)*.

semestral *adj* semestriel(elle).

semestre *nm* semestre *(m)*.

semidirecto ◨ *adj* semi-direct(e). ◨ *nm* semi-direct *(m)*.

semifinal *nf* demi-finale *(f)*.

semilla *nf* **1.** graine *(f)* **2.** *fig (motif)* • **ser la semilla de algo** être à l'origine de qqch • **ser la semilla de la discordia** semer la discorde.

seminario *nm* séminaire *(m)*.

sémola *nf* semoule *(f)*.

Sena *npr* • **el Sena** la Seine.

senado *nm* sénat *(m)*. ■ **Senado** *nm* • **el Senado** le Sénat.

senador, ra *nm, f* sénateur *(m)*.

sencillez *nf* simplicité *(f)*.

sencillo, lla *adj* simple. ■ **sencillo** *nm (Amér) fam* petite monnaie *(f)*.

senda *nf* **1.** sentier *(m)* **2.** *(moyen, méthode)* voie *(f)*.

senderismo *nm* randonnée *(f)*.

sendero *nm* sentier *(m)*.

sendos, das *adj* chacun un, chacun une, chacune un, chacune une • **Pedro y Juan llevaban sendos paquetes** Pedro et Juan portaient chacun un paquet.

senectud *nf sout* vieillesse *(f)*.

Senegal *npr* • **(el) Senegal** (le) Sénégal.

senegalés, esa ◨ *adj* sénégalais(e). ◨ *nm, f* Sénégalais *(m)*, -e *(f)*.

senil *adj* sénile.

sénior ◨ *adj inv* **1.** • **¿está el Señor López sénior?** monsieur López père est-il là ? **2.** *SPORT* senior. ◨ *nm (pl* **seniors***)* senior *(mf)*.

seno *nm* **1.** sein *(m)* • **tiene grandes senos** elle a une poitrine opulente • **en el seno de** *fig* au sein de **2.** *(cavité)* poche *(f)* **3.** *MATH & ANAT* sinus *(m)*.

sensación *nf* **1.** sensation *(f)* **2.** impression *(f)*.

sensacional *adj* sensationnel(elle).

sensacionalista *adj* à sensation.

sensatez *nf* bon sens *(m)*.

sensato, ta *adj* sensé(e).

sensibilidad *nf* sensibilité *(f)*.

sensibilizar *vt* sensibiliser.

sensible *adj* **1.** *(gén &* PHOTO*)* sensible **2.** délicat(e).

sensiblero, ra *adj péj* **1.** mièvre **2.** trop sensible.

sensitivo, va *adj* sensitif(ive).

sensor *nm* capteur *(m)*.

sensorial *adj* sensoriel(elle).

sensual *adj* sensuel(elle).

sentado, da *adj* réfléchi(e) • **dar algo por sentado** considérer qqch comme acquis.

sentar ◨ *vt litt &* fig asseoir. ◨ *vi* **1.** *(vêtement, coiffure)* aller • **ese vestido te sienta bien** cette robe te va bien • **el negro le sienta fatal** le noir ne lui va pas du tout **2.** *(climat, vacances, repas, etc)* • **sentar bien/mal a alguien** réussir/ne pas réussir à qqn • **un descanso te sentará bien** ça te fera du bien de te reposer • **el clima húmedo me sienta mal** le climat humide ne me réussit pas • **las espinacas me han sentado mal** je n'ai pas digéré les épinards **3.** *(commentaire, action)* • **sentar bien** plaire • **sentar mal** déplaire. ■ **sentarse** *vp* s'asseoir.

sentencia *nf* sentence *(f)*.

sentenciar *vt* **1.** DR • **sentenciar (a)** condamner (à) **2.** *fig (avec un a priori)* • **antes de entrar al examen ya estaba sentenciado** avant même de commencer l'examen il savait qu'il n'avait aucune chance • **estar sentenciado al fracaso** être voué à l'échec.

sentido, da *adj (sentiment)* sincère • **ser muy sentido** être très susceptible. ■ **sentido** *nm* **1.** sens *(m)* • **no tiene sentido que...** ça ne ser à rien de… • **de sentido único** à sens unique • **doble sentido** double sens • **sentido común** sens commun • **sentido del humor** sens de l'humour • **sexto sentido** sixième sens **2.** connaissance (f) • **quedarse sin sentido, perder el sentido** perdre connaissance. ■ **sin sentido** nm non-sens (m inv).

sentimental adj sentimental(e).

sentimentaloide ■ adj à l'eau de rose. ■ nmf • **ser un sentimentaloide** être fleur bleue.

sentimiento nm (gen pl) **1.** sentiment (m) **2.** (peine) • **le acompaño en el sentimiento** croyez à toute ma sympathie.

sentir ■ nm sentiment (m). ■ vt **1.** (percevoir, apprécier) sentir **2.** entendre (un bruit) **3.** (experimenter) avoir (chaud, faim) • éprouver, ressentir (de la tendresse, de la pitié) • **sentir vergüenza** éprouver de la honte **4.** regretter • **lo siento (mucho)** je suis (vraiment) désolé(e) **5.** penser • **te lo digo como lo siento** je te le dis comme je le pense. ■ **sentirse** vp se sentir • **sentirse cansado** se sentir fatigué • **sentirse superior** se croire supérieur(e) • **sentirse forzado a hacer algo** se sentir obligé de faire qqch.

seña nf **1.** signe (m) • **hacer(le) señas (a alguien)** faire des signes (à qqn) **2.** consigne (f). ■ **señas** nfpl adresse (f), coordonnées (fpl).

señal nf **1.** signe (m) • **en señal de** en signe de • **dar señales de vida** fig donner signe de vie **2.** signal (m) **3.** tonalité (f) (d'une ligne téléphonique) **4.** • **señal sonora** signal sonore **5.** (empreinte cicatrice) marque (f) **6.** acompte (m), arrhes (fpl) **7.** AUTO • **señal (de tráfico)** panneau (m) (de signalisation) • **la señal de stop** le stop.

señalado, da adj important(e) • **un día señalado** un grand jour.

señalar vt **1.** (marquer, dire) signaler **2.** montrer • **no señales al señor con el dedo** ne montre pas le monsieur du doigt **3.** indiquer **4.** marquer **5.** fixer • **hemos señalado la fecha de…** nous avons fixé la date de…

señalización nf signalisation (f) • **las señalizaciones son poco claras** la signalisation n'est pas très claire.

señalizar vt signaliser.

señor, ra adj **1.** distingué(e) **2.** (en apposition) fam beau(belle). ■ **señor** nm **1.** (titre) monsieur (m) • **el señor Pérez** M. Pérez • **los señores Pérez** M. et Mme Pérez • **el señor presidente** M. le président • **Muy señor mío** (dans une lettre) Cher Monsieur • **señores, siéntense** asseyez-vous messieurs **2.** (homme) monsieur (m) **3.** gentleman (m) • **es todo un señor** c'est un vrai gentleman **4.** HIST seigneur (m) **5.** (maître) • **como el señor no está…** comme Monsieur n'est pas là… • **el señor de la casa** le maître de maison. ■ **señora** nf **1.** (titre) mada-

me (f) • **la señora Pérez** Mme Pérez • **la señora presidenta** Mme le président • **¡señoras y señores!** mesdames, mesdemoiselles, messieurs • **Estimada señora** (dans une lettre) Chère Madame • **¿señora o señorita?** madame ou mademoiselle ? **2.** (épouse) femme (f) **3.** (maîtresse de maison) • **como la señora no está…** comme Madame n'est pas là… • **la señora de la casa** la maîtresse de maison.

señorial adj **1.** majestueux(euse) **2.** seigneurial(e).

señorío nm **1.** autorité (f) **2.** distinction (f).

señorito, ta adj péj • **es muy señorito** il aime bien se faire servir. ■ **señorito** nm **1.** vieilli fils de propriétaires terriens **2.** fam péj fils (m) à papa • **el señorito** monsieur. ■ **señorita** nf **1.** demoiselle (f) (célibataire) **2.** (titre) mademoiselle (f) • **la señorita Pérez** mademoiselle Pérez **3.** (à l'école) • **¡señorita!** maîtresse !

señuelo nm **1.** appeau (m) **2.** fig leurre (m).

sep., sep, sept., sept (abr écrite de **septiembre**) sept. • **11 sep. 2001** 11 sept. 2001.

sepa ⤳ **saber**.

separación nf **1.** séparation (f) **2.** écart (m)

separado, da ■ adj **1.** (éloigné) • **estar separado de** être loin de **2.** (couple) séparé(e). ■ nm, f personne (f) séparée.

separar vt **1.** séparer • **los pantalones están separados por tallas** les pantalons sont rangés par taille **2.** (écarter) • **separar algo de** éloigner qqch de **3.** (réserver) mettre de côté. ■ **separarse** vp • **separarse (de)** se séparer (de) • (s'écarter) s'éloigner (de).

separatismo nm séparatisme (m).

separo nm (Amér) cellule (f) (de prison).

sepelio nm obsèques (fpl).

sepia nf seiche (f).

septentrional ■ adj septentrional(e). ■ nmf habitant (m), -e (f) du Nord.

septiembre, setiembre nm septembre (m) • **el 1 de septiembre** le 1er septembre • **uno de los septiembres más lluviosos de la última década** l'un des mois de septembre les plus pluvieux de la dernière décennie • **a mediados de septiembre** à la mi-septembre • **a principios/finales de septiembre** au début/a la fin du mois de septembre • **el pasado/próximo (mes de)septiembre** en septembre dernier/prochain • **en pleno septiembre** en plein mois de septembre • **en septiembre** en septembre • **este septiembre (pasado/próximo)** en septembre (dernier/prochain) • **para septiembre** en septembre • **entrará en el colegio para septiembre** il fera sa rentrée scolaire en septembre • **lo quiero para septiembre** je le veux pour le mois de septembre.

séptimo, ma, sétimo, ma adj num septième. • voir aussi **sexto**

sepulcral *adj* **1.** funéraire **2.** *fig (voix)* sépulcral(e).

sepulcro *nm* tombeau *(m)*.

sepultar *vt* **1.** inhumer **2.** *fig* ensevelir.

sepultura *nf* **1.** inhumation *(f)* • **dar sepultura** inhumer • **recibir sepultura** être inhumé(e) **2.** sépulture *(f)*.

sepulturero, ra *nm, f* fossoyeur *(m)*.

sequedad *nf* sécheresse *(f)*.

sequía *nf* sécheresse *(f)*.

séquito *nm* **1.** suite *(f)* **2.** conséquence *(f)*.

ser *nm*

être *(m)*
  • **los seres humanos** les êtres humains.

ser *vi*

1. DEVANT UN ADJECTIF, INDIQUE UN TRAIT CARACTÉRISTIQUE PERMANENT = être
  • **es muy guapo** il est très beau
  • **son muy majos** ils sont très sympas
2. POUR INSISTER SUR UNE CARACTÉRISTIQUE = être
  • **lo que me explicó era muy interesante** ce qu'il m'a expliqué était très intéressant
  • **lo importante es decidirse** l'important c'est de se décider
  • **allí fue donde nació** c'est là qu'il est né
3. DEVANT UN NOM = être
  • **soy abogado** je suis avocat
  • **es un amigo** c'est un ami
4. DEVANT UN PARTICIPE PASSÉ, POUR FORMER LA VOIX PASSIVE = être
  • **fue visto por un testigo** il a été vu par un témoin
5. POUR INDIQUER L'HEURE = être
  • **¿qué hora es?** quelle heure est-il ?
  • **son las tres de la tarde** il est trois heures de l'après-midi
6. POUR INDIQUER LA DATE = être
  • **hoy es martes** aujourd'hui, on est mardi
  • **mañana es 15 de julio** demain, c'est le 15 juillet
7. DANS DES EXPRESSIONS TEMPORELLES = être
  • **es muy tarde** il est très tard
8. POUR INDIQUER UN PRIX, UNE QUANTITÉ = être
  • **¿cuánto es?** c'est combien ?
  • **somos tres** nous sommes trois
9. AVOIR LIEU, SE DÉROULER
  • **la conferencia era esta mañana** la conférence a eu lieu ce matin
  • **¿cómo fue el accidente?** comment l'accident est-il arrivé ?
10. EN MATHÉMATIQUES = faire
  • **dos y dos son cuatro** deux et deux font quatre
11. SUIVI DE « QUE », POUR INSISTER
  • **es que ayer no vine porque estaba enfermo** si je ne suis pas venu hier, c'est parce que j'étais malade

12. DANS DES EXPRESSIONS
  • **a no ser que** à moins que
  • **de no ser por ti me hubiera ahogado** si tu n'avais pas été là, je me serais noyé
  • **no es nada** ce n'est rien
  • **se ha dado un golpe, pero no es nada** il s'est cogné, mais ce n'est rien
  • **¡no es para menos!** il y a de quoi !
  • **pinchamos y por si fuera poco nos quedamos sin gasolina** nous avons crevé et comme si ça ne suffisait pas nous sommes tombés en panne d'essence
  • **como sea** coûte que coûte.

■ **ser de** *v + prép*

1. INDIQUE L'ORIGINE = être de
  • **yo soy de Madrid** je suis de Madrid
2. INDIQUE L'APPARTENANCE
  • **ese libro es de mi hermano** ce libre est à mon frère
  • **él es del Consejo Superior** il est membre du Conseil supérieur
  • **Pedro es como de la familia** Pedro est comme un membre de la famille
3. INDIQUE LA MATIÈRE = être en
  • **el reloj es de oro** la montre est en or
4. DANS DES EXPRESSIONS
  • **es de día** il fait jour
  • **¿qué es de ti?** qu'est-ce que tu deviens ?
  • **es de desear que la situación se mejore** il serait souhaitable que la situation s'améliore
  • **era de esperar** on pouvait s'y attendre
  • **es de suponer que han tomado las precauciones necesarias** on peut supposer qu'ils ont pris toutes les précautions nécessaires.

■ **ser para** *v + prép*

1. SERVIR DE
  • **este trapo es para limpiar los cristales** c'est le chiffon qui sert à nettoyer les vitres
2. S'ADRESSER À
  • **este libro no es para niños** ce n'est pas un livre pour les enfants.

SER (*abr de* **Sociedad Española de Radiodifusión**) *nf* chaîne de radio espagnole privée.

Serbia *npr* Serbie *(f)*.

serbio, bia ◼ *adj* serbe. ◼ *nm, f* Serbe *(mf)*.

serenar *vt (personne)* apaiser. ◼ **serenarse** *vp* **1.** se calmer **2.** *(temps)* s'améliorer.

serenata *nf* **1.** MUS sérénade *(f)* **2.** • **dar serenata** ne pas laisser fermer l'œil de la nuit.

serenidad *nf* **1.** sérénité *(f)* *(d'une personne)* **2.** calme *(m)* *(de la nuit, de la mer, etc)*.

sereno, na *adj* **1.** *(personne)* serein(e) **2.** *(atmosphère, ciel)* clair(e) **3.** *(mer)* calme. ◼ **sereno** *nm* *personne qui était chargée de surveiller les rues et d'ouvrir les portes des immeubles la nuit à Madrid en particulier.*

serial *nm* feuilleton *(m)*.

serie *nf* série *(f)* • **fuera de serie** hors série. ■ **en serie** *loc adv* **1.** en série **2.** INFORM série.

seriedad *nf* sérieux *(m)* • **con seriedad** sérieusement.

serio, ria *adj* **1.** sérieux(euse) **2.** *(couleur)* sévère **3.** *(tenue)* strict(e). ■ **en serio** *loc adv* sérieusement.

sermón *nm* sermon *(m)*.

seropositivo, va *adj* & *nm, f* séropositif(ive).

serpentear *vi* serpenter.

serpentina *nf* serpentin *(m)*.

serpiente *nf* serpent *(m)*.

serranía *nf* région *(f)* montagneuse.

serrano, na ◩ *adj* **1.** montagnard(e) • **una tierra serrana** un pays montagneux **2.** ▷ **jamón.** ◩ *nm, f* montagnard *(m)*, -e *(f)*.

serrar *vt* scier.

serrín *nm* sciure *(f)*.

serrucho *nm* scie *(f)* (égoïne).

servicial *adj* serviable.

servicio *nm* **1.** *(gén & SPORT)* service *(m)* • **prestar un servicio** rendre un service • **servicio de té/de mesa** service à thé/de table • **servicio de urgencias** service des urgences • **servicio militar** service militaire • **servicio público** service public **2.** *(personnel de maison)* • **servicio (doméstico)** domestiques *(mpl)* **3.** *(tour)* garde *(f)* **4.** *(gén pl) (cabinet)* toilettes *(fpl)*.

servidor, ra ◩ *nm, f* **1.** *(moi)* • **este pastel lo ha hecho un servidor** ce gâteau c'est moi qui l'ai fait **2.** *(dans une lettre)* • **su seguro servidor** votre dévoué serviteur. ◩ *interj (à l'appel)* • **iservidor!** présent ! ■ **servidor** *nm* INFORM serveur *(m)*.

servidumbre *nf* **1.** domestiques *(mpl)* **2.** dépendance *(f)* **3.** servitude *(f)*.

servil *adj* servile.

servilleta *nf* serviette *(f) (de table)*.

servilletero *nm* **1.** porte-serviettes *(m inv)* **2.** rond *(m)* de serviette.

servir ◩ *vt* **1.** servir *(un repas, une boisson)* • **sírvanos dos cervezas** deux bières s'il vous plaît • **¿te sirvo más?** je t'en ressers ? **2.** être utile à • **¿en qué puedo servirle?** en quoi puis-je vous être utile ? ◩ *vi* servir • **una tabla le servía de mesa** une planche lui servait de table • **servir para** servir à • **no sirve para nada** ça ne sert à rien • **no sirve para estudiar** il n'est pas fait pour les études. ■ **servirse** *vp* **1.** se servir *(à manger, à boire)* • **sírvete...** sers-toi... **2.** *(profiter de)* • **servirse de** se servir de **3.** *(formule de politesse)* • **sírvase sentarse** veuillez vous asseoir.

sésamo *nm* sésame *(m)*.

sesenta ◩ *adj num inv* soixante • **los (años) sesenta** les années soixante. ◩ *nm inv* soixante *(m inv)*.

sesentavo, va *adj num* soixantième.

sesera *nf* **1.** *fam* caboche *(f)* **2.** *fam fig* jugeote *(f)*.

sesión *nf* **1.** séance *(f)* **2.** THÉÂTRE représentation *(f)* • **un cine de sesión continua** un cinéma permanent.

seso *nm (gén pl)* **1.** *(gén & CULIN)* cervelle *(f)* **2.** *fam* jugeote *(f)* • **sorber el seso** OU **los sesos a alguien** *fam* tourner la tête à qqn.

sesudo, da *adj fam* • **es sesudo** c'est une tête.

set *(pl sets)* *nm* SPORT set *(m)*.

seta *nf* champignon *(m)*.

setecientos, tas *adj num inv* sept cents.• *voir aussi* **seiscientos**

setenta *adj num inv* & *nm inv* soixante-dix.• *voir aussi* **sesenta**

setentavo, va *adj num* soixante-dixième. • *voir aussi* **sexto**

setiembre = **septiembre**.

sétimo, ma = **séptimo**.

seto *nm (clôture)* haie *(f)*.

seudónimo *nm* pseudonyme *(m)*.

Seúl *npr* Séoul.

severidad *nf* sévérité *(f)*.

severo, ra *adj* sévère.

Sevilla *npr* Séville.

sevillano, na ◩ *adj* sévillan(e). ◩ *nm, f* Sévillan *(m)*, -e *(f)*. ■ **sevillanas** *nfpl* danse folklorique apparentée au Flamenco, composée de quatre mouvements, et qui se danse en couple.

sex appeal [seksen'pil] *nm inv* sex appeal *(m inv)*.

sexista *adj* & *nmf* sexiste.

sexo *nm* sexe *(m)* • **sexo débil** sexe faible.

sexólogo, ga *nm, f* sexologue *(mf)*.

sex-shop [sek'ʃop] *(pl sex-shops)* *nm* sex-shop *(m)*.

sexteto *nm* **1.** MUS sextuor *(m)* **2.** LITTÉR sizain *(m)*.

sexto, ta *adj num* sixième • **Carlos sexto** Charles six • **el sexto piso** le sixième étage • **el sexto de la clase** le sixième de la classe • **llegó el sexto** il est arrivé sixième.

sexual *adj* sexuel(elle).

sexualidad *nf* sexualité *(f)*.

sexy *(pl sexys)* *adj* sexy.

sha [sa, ʃa] *nm* chah *(m)*.

shetland ['ʃedlan] *(pl shetlands)* *nm* shetland *(m)*.

shock = **choc**.

short ['ʃort], **shorts** ['ʃorts] *nm* short *(m)*.

show ['ʃou] *(pl shows)* *nm* show *(m)* • **montar un show** *fam* faire tout un cirque.

si¹ *(pl sis)* *nm* MUS si *(m)*.

si² *conj* **1.** si, s' *(devant un i)* • **¿y si fuéramos a verlo?** et si on allait le voir • **si viene, me voy**

s'il vient je m'en vais • **me pregunto si lo sabe** je me demande s'il le sait **2.** *(exprime l'insistance)* • **¡pero si no he hecho nada!** mais je n'ai rien fait ! • **si ya sabía yo que...** je savais bien que...

sí¹ *(pl* **síes)** *nm* oui *(m)* • **dar el sí** donner son approbation.

sí² ◼ *adv* **1.** *(affirmation)* oui **2.** *(après une réponse négative)* si • **¿vendrás? sí, iré** tu viendras ? oui, je viendrai • **¿no te lo dijo? sí, acaba de hacerlo** il ne te l'a pas dit ? si, il vient de le faire • **¡claro que sí!** mais bien sûr ! **3.** *(emploi emphatique)* • **sí que me gusta** elle me plaît vraiment • **¡a que no lo haces! ¡a que sí!** je parie que tu ne le fais pas ! chiche ! • **¿por qué lo quieres? – porque sí** pourquoi tu le veux ? parce que • **me voy de viaje – ¡(ah) sí...!** je pars en voyage – ah bon ! ◼ *pron pers* **1.** lui **2.** elle **3.** eux **4.** elles **5.** *(« usted », « ustedes »)* vous • **cuando uno piensa en sí mismo** quand on pense à soi • **decir para sí (mismo)** se dire • **de por sí** en soi.

siamés, esa ◼ *adj* siamois(e). ◼ *nm, f* **1.** *(de Siam)* Siamois *(m)*, -e *(f)* **2.** *(frère)* siamois *(m)*, -e *(f)*. ◼ **siamés** *nm* siamois *(m)*.

sibarita *adj & nmf* sybarite.

Siberia *npr* Sibérie *(f)*.

Sicilia *npr* Sicile *(f)*.

sicoanálisis = **psicoanálisis**.

sicoanalista = **psicoanalista**.

sicoanalizar = **psicoanalizar**.

sicodélico, ca = **psicodélico**.

sicología = **psicología**.

sicológico, ca = **psicológico**.

sicólogo, ga = **sicólogo**.

sicomotor = **psicomotor**.

sicópata = **psicópata**.

sicosis = **psicosis**.

sicosomático, ca = **psicosomático**.

sicotécnico, ca = **psicotécnico**.

sida *(abr de* **síndrome de inmunodeficiencia adquirida)** *nm* sida *(m)* • **el virus del sida** le virus du sida.

sidecar *nm* side-car *(m)*.

siderurgia *nf* sidérurgie *(f)*.

siderúrgico, ca *adj* sidérurgique.

sidra *nf* cidre *(m)*.

siega *nf* moisson *(f)*.

siembra ◼ *v* ▷ **sembrar**. ◼ *nf* semailles *(fpl)*.

siempre *adv* **1.** toujours • **como/desde siempre** comme/depuis toujours • **de siempre** habituel(elle) • **lo de siempre** comme d'habitude • **somos amigos de siempre** nous sommes amis depuis toujours • **para siempre** pour toujours • **para siempre jamás** à jamais **2.** *(Amér) (sans doute)* vraiment • **¿siempre nos vemos mañana?** on se voit toujours demain ? ◼ **siempre que** *loc conj* **1.** chaque fois que • **siempre que vengo** chaque fois que je viens **2.** pourvu

que, à condition que • **siempre que seas bueno** à condition que tu sois gentil. ◼ **siempre y cuando** *loc conj* pourvu que.

sien *nf* tempe *(f)*.

sierra ◼ *v* ▷ **serrar**. ◼ *nf* **1.** scie *(f)* **2.** GÉOGR sierra *(f)*, chaîne *(f)* de montagnes **3.** *(région montagneuse)* montagne *(f)* • **en la sierra** à la montagne.

siervo, va *nm, f* **1.** serf *(m)*, serve *(f)* **2.** RELIG serviteur *(m)*, servante *(f)*.

siesta *nf* sieste *(f)*.

siete ◼ *adj num inv & nm inv* sept. ◼ *nf* • **¡la gran siete!** *(Amér) fam fig* purée ! • *voir aussi* **seis**

sífilis *nf inv* syphilis *(f)*.

sifón *nm* **1.** siphon *(m)* **2.** eau *(f)* de Seltz.

sig. = **s**.

sigilo *nm* discrétion *(f)* • **con mucho sigilo** *(secrètement)* en grand secret • *(en silence)* très discrètement.

sigiloso, sa *adj* discret(ète).

sigla *nf* sigle *(m)*.

siglo *nm* siècle *(m)* • **hace siglos que no te veo** ça fait des siècles que je ne t'ai pas vu • **por los siglos de los siglos** pour la vie.

signatura *nf (dans une bibliothèque)* cote *(f)*.

significación *nf* **1.** signification *(f)* **2.** *(importance)* portée *(f)*.

significado, da *adj* important(e). ◼ **significado** *nm* signification *(f)*.

significar ◼ *vt* signifier. ◼ *vi (avoir de l'importance)* • **significa mucho para mí** cela représente beaucoup pour moi.

significativo, va *adj* **1.** significatif(ive) **2.** *(regard, geste, etc)* éloquent(e) **3.** important(e).

signo *nm* signe *(m)* • **signo de exclamación** *ou* **de admiración** point *(m)* d'exclamation • **signo de interrogación** point d'interrogation.

siguiente ◼ *adj* suivant(e) • **a la mañana siguiente** le lendemain matin • **al día siguiente** le lendemain. ◼ *nm, f* suivant *(m)*, -e *(f)* • **¡el siguiente!** au suivant ! • **lo siguiente** la chose suivante.

sílaba *nf* syllabe *(f)*.

silabear ◼ vt 1. prononcer en détachant les syllabes 2. scander *(un vers)*. ◼ vi détacher les syllabes.

silbar vt & vi siffler.

silbato nm sifflet *(m)*.

silbido, silbo nm 1. sifflement *(m)* 2. sifflet *(m) (pour huer)* 3. coup *(m)* de sifflet.

silenciador nm silencieux *(m)*.

silenciar vt 1. passer sous silence 2. étouffer *(un scandale)*.

silencio nm silence *(m)* ⋅ **estar en silencio** être silencieux(euse) ⋅ **guardar silencio (sobre algo)** garder le silence (sur qqch) ⋅ **romper el silencio** rompre le silence.

silencioso, sa adj silencieux(euse).

silicona nf silicone *(f)*.

silicosis nf inv silicose *(f)*.

silla nf 1. chaise *(f)* ⋅ **silla de ruedas** fauteuil *(m)* roulant ⋅ **silla eléctrica** chaise électrique ⋅ **silla (de montar)** selle *(f)* 2. siège *(m) (d'un prélat)*.

sillín nm selle *(f) (de bicyclette, etc)*.

sillón nm fauteuil *(m)*.

silueta nf silhouette *(f)*.

silvestre adj *(plante, etc)* sauvage.

simbólico, ca adj symbolique.

simbolizar vt symboliser.

símbolo nm symbole *(m)*.

simetría nf symétrie *(f)*.

simiente nf sout semence *(f)*.

símil nm similitude *(f)*.

similar adj ⋅ **similar (a)** semblable (à)

similitud nf similitude *(f)*.

simio, mia nm, f singe *(m)*, guenon *(f)*.

simpatía nf sympathie *(f)* ⋅ **tener** ou **sentir simpatía por** avoir de la sympathie pour.

simpático, ca adj sympathique.

simpatizante adj & nmf sympathisant(e).

simpatizar vi sympathiser ⋅ **simpatizar con** sympathiser avec *(une personne)* ⋅ adhérer à *(une théorie, etc)* ⋅ **enseguida simpaticé con ellos** nous avons tout de suite sympathisé.

simple ◼ adj 1. simple 2. simplet(ette). ◼ nmf niais *(m)*, -e *(f)*. ◼ nm sport simple *(m)*.

simplemente adv simplement.

simpleza nf 1. simplicité *(f)* d'esprit 2. bêtise *(f)*.

simplicidad nf simplicité *(f)*.

simplificar vt simplifier.

simplista adj & nmf simpliste.

simposio, simposium nm symposium *(m)*.

simulacro nm simulacre *(m)*.

simulador, ra adj simulateur(trice). ◼ **simulador** nm simulateur *(m)*.

simular vt simuler ⋅ **simular hacer algo** feindre de faire qqch.

simultáneo, a adj simultané(e).

sin prép sans ⋅ **sin sal** sans sel ⋅ **sin parar** sans arrêt ⋅ **sin alcohol** non alcoolisé(e) ⋅ **estamos sin vino** nous n'avons plus de vin ⋅ **está sin terminar/hacer** ce n'est pas fini/fait ⋅ **sin que nadie se enterara** sans que personne ne le sache. ◼ **sin embargo** loc conj cependant.

sinagoga nf synagogue *(f)*.

sincerarse vp ⋅ **sincerarse (con)** se confier (à).

sinceridad nf sincérité *(f)* ⋅ **con sinceridad** sincèrement.

sincero, ra adj sincère.

síncope nm syncope *(f)*.

sincronía nf 1. synchronisme *(m)* 2. synchronisation *(f)* 3. ling synchronie *(f)*.

sincronización nf synchronisation *(f)*.

sincronizar vt synchroniser.

sindical adj syndical(e).

sindicalismo nm syndicalisme *(m)*.

sindicalista adj & nmf syndicaliste.

sindicato nm syndicat *(m)*.

síndrome nm syndrome *(m)* ⋅ **síndrome de abstinencia** syndrome de sevrage ⋅ **síndrome de Down** trisomie *(f)* 21, syndrome de Down.

sine ◼ **sine die** loc adv indéfiniment.

sinfín nm ⋅ **un sinfín de** une infinité de ⋅ **un sinfín de problemas** des problèmes à n'en plus finir.

sinfonía nf symphonie *(f)*.

sinfónico, ca adj symphonique.

Singapur npr Singapour.

singladura nf 1. (naut - direction) route *(f)* ⋅ (- distance) parcours d'un bateau en 24 heures 2. fig *(développement)* ⋅ **empezar la singladura de algo** *(año, etc)* entamer qqch.

single ['singel] nm 45-tours *(m inv)*.

singular ◼ adj 1. *(gén & gramm)* singulier(ère) 2. unique. ◼ nm gramm singulier *(m)* ⋅ **en singular** au singulier.

singularidad nf singularité *(f)* ⋅ **tener la singularidad de** avoir la particularité de.

singularizar vt singulariser ⋅ **no quiero singularizar** je ne veux nommer personne. ◼ **singularizarse** vp se singulariser.

siniestro, tra adj 1. sinistre 2. funeste. ◼ **siniestro** nm 1. sinistre *(m)* 2. accident *(m) (de la route)*.

sinnúmero nm ⋅ **un sinnúmero de** un nombre incalculable de.

sino conj 1. mais ⋅ **no es azul, sino verde** ce n'est pas bleu mais vert ⋅ **no sólo es listo, sino también trabajador** non seulement il est intelligent, mais en plus il est travailleur 2. sauf ⋅ **nadie lo sabe sino él** personne ne le sait sauf lui ⋅ **no podemos hacer nada sino esperar** nous ne pouvons rien faire d'autre que d'attendre ⋅ **no hace sino hablar** il ne fait que parler ⋅ **no quiero sino que se haga justicia** je veux seulement que justice soit faite.

sinónimo, ma *adj* synonyme. ■ **sinónimo** *nm* synonyme (m).
sinopsis *nf inv* **1.** résumé (m) **2.** synopsis (m) (d'un film).
sinóptico, ca *adj* synoptique.
síntesis *nf inv* synthèse (f) • **en síntesis** en résumé.
sintético, ca *adj* synthétique.
sintetizador, ra *adj* de synthèse. ■ **sintetizador** *nm* synthétiseur (m).
sintetizar *vt* synthétiser.
síntoma *nm* symptôme (m).
sintonía *nf* **1.** MÚS indicatif (m) **2.** RADIO • réglage (m) • (station) fréquence (f) **3.** fig entente (f) • **estamos en sintonía** nous sommes sur la même longueur d'onde.
sintonizar ⬛ *vt* (connecter) • **sintoniza Radio Nacional** mets Radio Nacional. ⬛ *vi* **1.** • **sintonizan con Radio Nacional** vous écoutez Radio Nacional **2.** fig être sur la même longueur d'onde • **sintonizar con alguien en algo** s'entendre avec qqn sur qqch.
sinuoso, sa *adj* **1.** (chemin, etc) sinueux(euse) **2.** fig (manœuvres, comportement) tortueux(euse).
sinvergüenza ⬛ *adj* effronté(e). ⬛ *nmf* crapule (f).
sionismo *nm* sionisme (m).
siquiatra = **psiquiatra**.
siquiátrico, ca = **psiquiátrico**.
síquico, ca = **psíquico**.
siquiera ⬛ *conj* même si • **hazme este favor, siquiera sea el último** rends-moi ce service, même si c'est le dernier • **ven siquiera por pocos días** viens ne serait-ce que quelques jours. ⬛ *adv* au moins • **dime siquiera su nombre** dis-moi au moins son nom. ■ **ni (tan) siquiera** *loc conj* même pas • **ni (tan) siquiera me saludaron** ils ne m'ont même pas dit bonjour.
sirena *nf* sirène (f).
Siria *npr* Syrie (f).
sirimiri *nm* bruine (f).
sirviente, ta *nm, f* domestique (mf).
sisa *nf* **1.** • **hacer sisa** grappiller (à droite à gauche) **2.** emmanchure (f).
sisar ⬛ *vt* **1.** grappiller (à droite à gauche) **2.** échancrer. ⬛ *vi* grappiller.
sisear *vt & vi* **1.** siffler **2.** dire « chut ».
siseo *nm* sifflets (mpl).
sísmico, ca *adj* sismique.
sismo = **seísmo**.
sistema *nm* système (m) • **proceder/trabajar con sistema** procéder/travailler avec méthode • **sistema educativo** système éducatif • **sistema operativo** système d'exploitation • **sistema planetario** OU **solar** système solaire. ■ **por sistema** *loc adv* systématiquement.

Sistema Ibérico *npr* • **el Sistema Ibérico** les chaînes Ibériques.
sistemático, ca *adj* systématique.
sistematizar *vt* systématiser.
sitiar *vt* **1.** assiéger **2.** fig traquer.
sitio *nm* **1.** endroit (m) **2.** place (f) • **hacer sitio a alguien** faire de la place à qqn **3.** MIL siège (m) **4.** INFORM • **sitio web** site (m) Web **5.** (Amér) station (f) (de taxis).
situación *nf* situation (f) • **no estar en situación de pedir nada** ne pas être en position de demander quoi que ce soit.
situado, da *adj* **1.** situé(e) **2.** (aisé) • **estar bien situado** avoir une bonne situation.
situar *vt* **1.** situer **2.** placer. ■ **situarse** *vp* **1.** se situer **2.** se placer **3.** se faire une situation.
skateboard [es'keiðβor] (pl **skateboards**) *nm* skateboard (m).
skater [es'keiter] *nmf* personne qui pratique le skateboard.
skay = **escay**.
ski = **esquí**.
SL (abr de **sociedad limitada**) *nf* SARL (f).
slip [es'lip] (pl **slips**) *nm* slip (m).
slogan = **eslogan**.
SME (abr de **sistema monetario europeo**) *nm* SME (m).
smoking = **esmoquin**.
s/n (abr écrite de **sin número**) indique qu'il n'y a pas de numéro dans une adresse.
snack-bar *nm inv* snack-bar (m).
snob = **esnob**.
snowboard [es'nouβord] *nm* surf (m) des neiges.
so ⬛ *prép* • **so pena/pretexto de** sous peine/prétexte de. ⬛ *adv fam* • **iso tonto!** espèce d'idiot ! ⬛ *interj* • **iso!** ho ! (pour arrêter un cheval).
sobaco *nm* aisselle (f).

sobado, da *adj* **1.** *(vêtement, tissu)* élimé(e) **2.** *fig (thème, argument)* rebattu(e) **3.** CULIN à l'huile. ■ **sobado** *nm* brioche à l'huile.

sobar ■ *vt* **1.** tripoter **2.** pétrir *(une pâte)* **3.** fouler *(des peaux).* ■ *vi tfam* pioncer.

soberanía *nf* souveraineté *(f).*

soberano, na ■ *adj* **1.** souverain(e) **2.** *fig (raclée)* magistral(e). ■ *nm, f* souverain *(m),* -e *(f).*

soberbio, bia ■ *adj* **1.** prétentieux(euse) **2.** *tig* superbe **3.** *fig* énorme. ■ *nm, f* prétentieux *(m),* -euse *(f).* ■ **soberbia** *nf* **1.** orgueil *(m)* **2.** splendeur *(f).*

sobón, ona *adj fam* collant(e).

sobornar *vt* soudoyer.

soborno *nm* **1.** corruption *(f)* **2.** pot-de-vin *(m).*

sobra *nf* excédent *(m)* • **estar de sobra** être en trop • **lo sabes de sobra** tu le sais parfaitement • **tengo motivos de sobra para** je n'ai que trop de raisons de. ■ **sobras** *nfpl* restes *(mpl).*

sobrado, da *adj* en trop • **tener sobrada paciencia** avoir de la patience à revendre • **tener tiempo sobrado** avoir largement le temps • **andar** *ou* **estar sobrado (de dinero)** être très à l'aise financièrement.

sobrante ■ *adj* restant(e). ■ *nm* excédent *(m).*

sobrar *vi* **1.** rester • **nos sobra comida** il nous reste à manger • **sobra algo** il y a quelque chose en trop **2.** être de trop • **tú te callas porque aquí sobras** toi tais-toi parce que tu es de trop ici.

sobrasada *nf* saucisson pimenté typique de Majorque.

sobre *nm* **1.** *(pour envoyer par la poste)* enveloppe • **necesito un sobre y un sello** j'ai besoin d'une enveloppe et d'un timbre **2.** *(pour contenir)* sachet • **sopa en sobre** soupe en sachet **3.** *fam (lit)* pieu • **irse al sobre** se pieuter.

---

sobre *prép*

1. INDIQUE UNE POSITION SUPÉRIEURE AVEC CONTACT = sur

 • **el libro está sobre la mesa** le livre est sur la table

2. INDIQUE UNE POSITION SUPÉRIEURE SANS CONTACT = au-dessus de

 • **hay un cuadro sobre la chimenea** il y a un tableau au-dessus de la cheminée

 • **el pato vuela sobre el lago** le canard vole au-dessus du lac

3. INDIQUE UN THÈME = sur

 • **una conferencia sobre el desarme** une conférence sur le désarmement

4. INDIQUE UNE APPROXIMATION = vers

 • **llegarán sobre las diez** ils arriveront vers dix heures

5. INDIQUE LA RÉITÉRATION, LA RÉPÉTITION DE QQCH = sur

 • **fracaso sobre fracaso** échec sur échec.

---

sobreático *nm* ≃ chambre *(f)* de bonne.

sobrecarga *nf* surcharge *(f).*

sobrecargar *vt* surcharger.

sobrecargo *nm* NAUT subrécargue *(m).*

sobrecoger *vt* **1.** *(nouvelle, etc)* saisir d'effroi **2.** *(bruit, etc)* faire sursauter. ■ **sobrecogerse** *vp* **1.** sursauter **2.** être saisi(e) d'effroi.

sobredosis *nf inv* overdose *(f).*

sobreentender = **sobrentender**.

sobremesa *nf* moment après le repas, durant lequel les convives s'attardent à table, autour d'un café ou d'un digestif, pour bavarder ou regarder la télévision • **a la comida le siguió una larga sobremesa** à la fin du repas, on s'éternisa à table.

sobrenatural *adj* surnaturel(elle).

sobrenombre *nm* surnom *(m).*

sobrentender, sobreentender *vt* sous-entendre. ■ **sobrentenderse, sobreentenderse** *vp* être sous-entendu(e).

sobrepasar *vt* dépasser.

sobrepeso *nm* excédent *(m)* de bagages.

sobreponer, superponer *vt* superposer • **la estantería está sobrepuesta** l'étagère n'est pas fixée • **sobreponer a** *fig* faire passer avant. ■ **sobreponerse, superponerse** *vp* • **sobreponerse a algo** *fig (difficulté, etc)* surmonter qqch.

sobreproteger *vt* surprotéger.

sobrepuesto, ta, superpuesto, ta *pp* ⊳ **sobreponer.**

sobresaliente ■ *adj* **1.** saillant(e) **2.** *fig* remarquable. ■ *nm* mention *(f)* très bien.

sobresalir *vi* **1.** dépasser **2.** *fig (en importance)* • **sobresalir (entre los demás)** se distinguer *(des autres)* **3.** ARCHIT faire saillie.

sobresaltar *vt* • **sobresaltar a alguien** faire sursauter qqn. ■ **sobresaltarse** *vp* sursauter.

sobresalto *nm* sursaut *(m).*

sobrestimar *vt* surestimer.

sobresueldo *nm* • **sacar un sobresueldo** arrondir ses fins de mois.

sobretodo *nm* pardessus *(m).*

sobrevenir *vi* survenir.

sobrevivir *vi* • **sobrevivir (a)** survivre (à).

sobrevolar *vt* survoler.

sobriedad *nf* sobriété *(f).*

sobrino, na *nm, f* neveu *(m),* nièce *(f).*

sobrio, bria *adj* **1.** sobre **2.** *(repas)* frugal(e).

socarrón, ona *adj* **1.** sournois(e) **2.** *(visage, sourire)* narquois(e).

socavar *vt* **1.** creuser **2.** *fig* saper.

socavón *nm* nid-de-poule *(m).*

sociable *adj* sociable.

social *adj* social(e).

socialdemócrata *adj & nmf* social-démocrate(sociale-démocrate).

socialismo *nm* socialisme *(m).*

socialista *adj & nmf* socialiste.

sociedad *nf* société *(f)* • **de sociedad** mondain(e) • **sociedad anónima** société anonyme • **sociedad de consumo** société de consommation • **sociedad (de responsabilidad) limitada** société à responsabilité limitée.

socio, cia *nm, f* **1.** COMM associé *(m)*, -e *(f)* • **socio capitalista** commanditaire *(m)* **2.** membre *(m)* *(d'un club, d'une association)*.

sociología *nf* sociologie *(f)*.

sociólogo, ga *nm, f* sociologue *(mf)*.

socorrer *vt* secourir.

socorrismo *nm* secourisme *(m)*.

socorrista *nmf* secouriste *(mf)*.

socorro ◼ *nm* secours *(m)* • **venir en socorro de** venir au secours de. ◼ *interj* • **isocorro!** au secours !

soda *nf* soda *(m)*.

sodio *nm* sodium *(m)*.

soez *adj* grossier(ère).

sofá *nm* canapé *(m)* • **sofá cama** canapé-lit *(m)*.

sofisticación *nf* sophistication *(f)*.

sofisticado, da *adj* sophistiqué(e).

sofocar *vt* **1.** étouffer **2.** *fig* faire rougir. ◼ **sofocarse** *vp* **1.** étouffer **2.** *fig* rougir **3.** *fig* être rouge de colère.

sofoco *nm* **1.** étouffement *(m)* **2.** *fig* honte *(f)* **3.** *fig (contrariété)* • **se llevó un sofoco** il était vert de rage.

sofreír *vt* faire revenir.

sofrito, ta *pp* ⤳ **sofreír**. ◼ **sofrito** *nm* friture d'oignons et de tomates.

software ['sofwer] *nm inv* logiciel *(m)*.

soga *nf* corde *(f)*.

sois ⤳ **ser**.

soja *nf* soja *(m)*.

sol[1] *nm* MUS sol *(m)*.

sol[2] *nm* **1.** soleil *(m)* • **hace sol** il fait beau • **tomar el sol** prendre le soleil • **de sol a sol** *fam* du matin au soir • **no dejar a alguien ni a sol ni a sombra** ne pas lâcher qqn d'une semelle **2.** *fig* amour *(m)* **3.** TAUROM place côté soleil dans l'arène **4.** *(monnaie)* sol *(m)*.

solamente *adv* seulement.

solapa *nf* **1.** revers *(m)* *(d'un vêtement)* **2.** rabat *(m)* *(d'une enveloppe, d'un livre)*.

solapar *vt fig* dissimuler.

solar ◼ *adj* solaire. ◼ *nm* terrain *(m)* (à bâtir).

solárium *(pl* **soláriums***)* *nm* solarium *(m)*.

solaz *nm* **1.** distraction *(f)* **2.** soulagement *(m)*.

solazar *vt* **1.** distraire **2.** soulager.

soldada *nf* MIL solde *(f)*.

soldado *nm* soldat *(m)* • **soldado raso** simple soldat.

soldador, ra *nm, f* soudeur *(m)*, -euse *(f)*. ◼ **soldador** *nm* fer *(m)* à souder.

soldar *vt* souder.

soleado, da *adj* ensoleillé(e).

soledad *nf* solitude *(f)*.

solemne *adj* **1.** solennel(elle) **2.** *fig* monumental(e).

solemnidad *nf* solennité *(f)*.

soler *vi* • **suele cenar tarde** en général il dîne tard • **aquí suele hacer mucho frío** il fait généralement très froid ici • **solíamos ir a la playa todos los días** nous allions à la plage tous les jours.

solera *nf* **1.** *(originalité)* cachet *(m)* **2.** lie *(f)* • **de solera** élevé en fût.

solfeo *nm* solfège *(m)*.

solicitar *vt* **1.** demander *(par écrit)* **2.** solliciter **3.** *(personne)* • **estar muy solicitado** être très sollicité.

solícito, ta *adj* prévenant(e).

solicitud *nf* **1.** demande *(f)* **2.** dossier *(m)* *(d'admission, d'inscription)* **3.** empressement *(m)*.

solidaridad *nf* solidarité *(f)*.

solidario, ria *adj* solidaire.

solidarizarse *vp* se solidariser.

solidez *nf* solidité *(f)*.

solidificar *vt* solidifier. ◼ **solidificarse** *vp* se solidifier.

sólido, da *adj* solide. ◼ **sólido** *nm* solide *(m)*.

soliloquio *nm* soliloque *(m)*.

solista *adj & nmf* soliste.

solitario, ria *adj & nm, f* solitaire. ◼ **solitario** *nm* **1.** *(diamant)* solitaire *(m)* **2.** *(jeu de cartes)* réussite *(f)*.

sollozar *vi* sangloter.

sollozo *nm* sanglot *(m)*.

solo, la *adj* seul(e) • **lo haré yo solo** je le ferai tout seul • **a solas** tout seul(toute seule). ◼ **solo** ◼ *nm* MUS solo *(m)*. ◼ *adv* = **sólo**.

sólo *adv* seulement • **sólo te pido que me ayudes** je te demande seulement de m'aider • **sólo quiere verte a ti** il ne veut voir que toi • **no sólo... sino (también)...** non seulement... mais encore... • **sólo con oírlo, me saca de quicio** rien que de l'entendre, ça me met hors de moi • **quisiera ir, sólo que no puedo** j'aimerais y aller, seulement je ne peux pas.

solomillo *nm* **1.** aloyau *(m)* *(de bœuf)* **2.** filet *(m)* *(de porc)*.

soltar *vt* **1.** lâcher • **no sueltes la cuerda** ne lâche pas la corde • **soltar un perro** lâcher un chien • **suelta cada palabrota...** il sort de ces gros mots... • **no suelta ni un duro** *fam* il ne lâche pas un centime • **soltar las amarras** larguer les amarres **2.** libérer *(un oiseau)* **3.** relâcher *(un prisonnier)* **4.** détacher **5.** défaire. ◼ **soltarse** *vp* **1.** *(main)* • **el niño se soltó de la mano de su madre** l'enfant a lâché la main de sa mère **2.** se détacher **3.** *(devenir habile)* • **sol-**

tarse en se débrouiller en • **se va soltando en inglés** il commence à se débrouiller en anglais **4.** (devant un infinitif, commencer) • **soltarse a hacer algo** commencer à faire qqch.

soltero, ra adj & nm, f célibataire.

solterón, ona ◼ adj • **es un viejo solterón** il est vieux garçon. ◼ nm, f vieux garçon (m), vieille fille (f).

soltura nf aisance (f) • **hablar con soltura** s'exprimer avec aisance.

soluble adj soluble.

solución nf solution (f).

solucionar vt résoudre.

solvencia nf solvabilité (f).

solventar vt **1.** acquitter **2.** venir à bout de.

solvente adj solvable.

Somalia npr Somalie (f).

sombra nf **1.** ombre (f) • **dar sombra** faire de l'ombre • **no hay ni sombra de...** fig il n'y a pas l'ombre de... • **permanecer en la sombra** fig rester dans l'ombre • **sombra de ojos** ombre à paupières **2.** (chance) • **buena sombra** chance (f) • **tiene mala sombra** il n'a pas de chance **3.** (caractère) • **tener buena sombra** être avenant(e) • **tener mala sombra** avoir mauvais esprit **4.** TAUROM place située à l'ombre dans l'arène. ◼ **sombras** nfpl (inquiétudes) • **sólo ve sombras y problemas** il ne voit que le mauvais côté des choses.

sombrero nm chapeau (m).

sombrilla nf **1.** ombrelle (f) **2.** parasol (m).

sombrío, a adj sombre.

somero, ra adj sommaire.

someter vt soumettre. ◼ **someterse** vp se soumettre • **someterse a algo** se soumettre à qqch • (opération, interrogatoire) subir qqch.

somier (pl **somieres** OU **somiers**) nm sommier (m).

somnífero, ra adj somnifère. ◼ **somnífero** nm somnifère (m).

somos ▷ **ser**.

son ◼ v ▷ **ser**. ◼ nm **1.** son (m) **2.** façon (f) • **a su son** comme ça lui chante • **vengo en son de paz** fig je ne suis pas là pour me battre.

sonado, da adj **1.** (succès, scandale) retentissant(e) • **un evento muy sonado** un événement dont on a beaucoup parlé **2.** fam timbré(e) **3.** (étourdi) sonné(e).

sonajero nm hochet (m).

sonambulismo nm somnambulisme (m).

sonámbulo, la adj & nm, f somnambule.

sonar[1] nm sonar (m).

sonar[2] ◼ vi **1.** sonner • **así** OU **tal como suena** comme je vous le dis **2.** (mot) se prononcer • **tal como suena** comme ça se prononce **3.** être connu(e) **4.** fam avoir l'air • **suena raro** ça a l'air bizarre • **suena a falso** ça sonne faux

5. (être familier) dire quelque chose • **me suena** ça me dit quelque chose • **no me suena su nombre** son nom ne me dit rien **6.** (rumeur) • **suena por ahí que...** le bruit court que... ◼ vt moucher. ◼ **sonarse** vp se moucher.

sonda nf sonde (f).

sondear vt sonder.

sondeo nm sondage (m).

sonido nm son (m).

sonoridad nf sonorité (f)

sonoro, ra adj **1.** sonore **2.** ▷ **banda**.

sonreír vi sourire. ◼ **sonreírse** vp **1.** sourire **2.** (deux personnes) se sourire.

sonriente adj souriant(e).

sonrisa nf sourire (m).

sonrojar vt faire rougir. ◼ **sonrojarse** vp rougir.

sonrojo nm honte (f).

sonrosado, da adj (joue) rose.

sonsacar vt **1.** soutirer **2.** faire avouer.

sonso, sa = **zonzo**.

soñador, ra adj & nm, f rêveur(euse).

soñar ◼ vt rêver • **soñé que te ibas** j'ai rêvé que tu t'en allais • **ini soñarlo!** aucune chance ! ◼ vi • **soñar (con)** rêver (de).

soñoliento, ta adj somnolent(e).

sopa nf **1.** soupe (f) **2.** morceau de pain que l'on trempe dans la soupe **3.** mouillette (f) (dans l'œuf) • **encontrarse a alguien hasta en la sopa** tomber sur qqn à tous les coins de rue • **estar como una sopa** être trempé(e) comme une soupe.

sopapo nm fam claque (f).

sopero, ra adj **1.** (cuiller) à soupe **2.** (assiette) creux(euse) **3.** fig (personne) • **ser muy sopero** aimer beaucoup la soupe. ◼ **sopero** nm assiette (f) à soupe. ◼ **sopera** nf soupière (f).

sopesar vt **1.** soupeser **2.** fig peser.

sopetón ◼ **de sopetón** loc adv **1.** brutalement **2.** (dire, répondre) de but en blanc.

soplar ◼ vt **1.** souffler **2.** souffler sur **3.** gonfler **4.** fam fig (dénoncer) donner **5.** fam fig (voler) faucher. ◼ vi **1.** souffler **2.** fam (boire) descendre. ◼ **soplarse** vp fam se siffler.

soplete nm chalumeau (m).

soplido nm souffle (m).

soplo nm **1.** (gén & MÉD) souffle (m) **2.** fig (instant) • **en un soplo** en un instant • (passer) à toute vitesse **3.** fam (moucharder) • **dar el soplo** vendre la mèche.

soplón, ona nm, f fam mouchard (m), -e (f).

soponcio nm fam • **le ha dado un soponcio** ça lui a fichu un coup.

sopor nm torpeur (f).

soporífero, ra adj soporifique.

soportar vt supporter. ◼ **soportarse** vp se supporter.

soporte nm **1.** (gén & INFORM) support (m) **2.** fig soutien (m).

soprano nmf soprano (mf).

sor nf RELIG • **sor Ana** sœur Ana.

sorber vt **1.** boire • **sorber las palabras de alguien** fig boire les paroles de qqn **2.** absorber.

sorbete nm sorbet (m).

sorbo nm gorgée (f) • **(beber) a sorbos** (boire) à petites gorgées.

sordera nf surdité (f).

sórdido, da adj sordide.

sordo, da ◙ adj sourd(e). ◙ nm, f sourd (m), -e (f) • **no hay peor sordo que el que no quiere oír** il n'est pire sourd que celui qui ne veut pas entendre.

sordomudo, da adj & nm, f sourd-muet(sourde-muette).

Soria npr Soria.

sorna nf • **con sorna** sur un ton sarcastique.

sorprendente adj surprenant(e).

sorprender vt surprendre • **me sorprende que...** ça m'étonne que... • **lo sorprendimos robando** on l'a surpris en train de voler. ◙ **sorprenderse** vp être surpris(e) • **no se sorprende con nada** elle ne s'étonne de rien.

sorpresa nf surprise (f) • **de** OU **por sorpresa** par surprise.

sorpresivo, va adj (Amér) inattendu(e).

sortear vt **1.** tirer au sort **2.** éviter (un obstacle) **3.** surmonter (une difficulté).

sorteo nm tirage (m) au sort.

sortija nf bague (f).

sortilegio nm sortilège (m).

SOS (abr de save our souls) nm SOS (m) • **enviar/lanzar un SOS** envoyer/lancer un SOS • **captar/recibir una señal de SOS** capter/recevoir un signal de détresse.

sosa nf soude (f).

sosegado, da adj calme.

sosegar vt calmer. ◙ **sosegarse** vp se calmer.

soseras nmf fam godichon (m), -onne (f).

sosería nf gaucherie (f).

sosias nm inv sosie (m).

sosiego nm calme (m).

soslayo ◙ **de soslayo** loc adv **1.** de biais, de côté **2.** (regarder) du coin de l'œil.

soso, sa adj **1.** (sans sel) fade **2.** (sans charme) insipide.

sospecha nf soupçon (m).

sospechar ◙ vt • **sospechar (que)** soupçonner (que) • **sospechar algo** se douter de qqch. ◙ vi • **sospechar de alguien** soupçonner qqn.

sospechoso, sa adj & nm, f suspect(e).

sostén nm **1.** soutien (m) **2.** soutien-gorge (m).

sostener vt **1.** soutenir **2.** tenir (une conversation) **3.** entretenir (une famille, une correspondance). ◙ **sostenerse** vp se tenir • **sostenerse en pie** tenir debout.

sostenido, da adj **1.** soutenu(e) **2.** MUS dièse.

sota nf (carte à jouer) ≈ valet (m).

sotabarba nf double menton (m).

sotana nf soutane (f).

sótano nm **1.** (étage) sous-sol (m) **2.** (pièce) cave (f).

soterrar vt litt & fig enterrer, enfouir.

soufflé [su'fle] nm soufflé (m).

soviético, ca ◙ adj soviétique. ◙ nm, f Soviétique (mf).

soy ▷ ser.

spaghetti = espagueti.

sport [es'por] adj inv sport • **un traje de sport** un costume sport.

spot (pl spots) nm spot (m).

spray = espray.

sprint = esprint.

squash [es'kuaʃ] nm inv squash (m).

Sr. (abr écrite de **señor**) M, Mr.

Sra. (abr écrite de **señora**) Mme.

Sres. (abr écrite de **señores**) MM.

Srta. (abr écrite de **señorita**) Mlle.

ss. (abr écrite de **siguientes**) suiv. • **consultar pág. 67 y ss.** consulter les p. 67 et suiv.

s.s.s. abrév de **su seguro servidor**.

Sta. (abr écrite de **santa**) Ste • **Sta. Teresa** Ste Thérèse.

staff [es'taf] (pl staffs) nm **1.** staff (m) (d'une entreprise) **2.** équipe (f) (de professeurs).

stand [es'tan] (pl stands) nm stand (m).

standing nm standing (m).

starter = estárter.

status = estatus.

Sto. (abr écrite de **santo**) St • **Sto. Tomás** St Thomas.

stock (pl stocks) nm stock (m).

stop nm stop (m).

stress = estrés.

strip-tease [es'triptis] nm inv strip-tease (m).

su (pl sus) adj poss **1.** son, sa **2.** leur **3.** (à « usted », à « ustedes ») votre • **sus libros** ses livres • leurs livres • vos livres.

suave adj doux(douce).

suavidad nf douceur (f).

suavizante ◙ adj adoucissant(e). ◙ nm **1.** adoucissant (m) (pour le linge) **2.** après-shampooing (m) (pour les cheveux).

suavizar vt adoucir.

Suazilandia = Swazilandia.

subacuático, ca adj sous-marin(e).

subalquilar vt sous-louer.

subalterno, na *adj* & *nm, f* subalterne.

subasta *nf* **1.** vente (*f*) aux enchères **2.** appel (*m*) d'offres.

subastar *vt* vendre aux enchères.

subcampeón, ona *adj* & *nm, f* second(e) (*dans un championnat*).

subconsciente ◼ *adj* subconscient(e). ◼ *nm* subconsciente (*m*).

subcutáneo, a *adj* sous-cutané(e).

subdesarrollado, da *adj* sous-développé(e).

subdesarrollo *nm* sous-développement (*m*).

subdirector, ra *nm, f* sous-directeur (*m*), -trice (*f*).

subdirectorio *nm* INFORM sous-répertoire (*m*).

súbdito, ta *nm, f* **1.** sujet (*m*), -ette (*f*) **2.** ressortissant (*m*), -e (*f*).

subdividir *vt* subdiviser. ◼ **subdividirse** *vp* se subdiviser.

subestimar *vt* sous-estimer. ◼ **subestimarse** *vp* se sous-estimer.

subido, da *adj* **1.** (*gusto, olor*) fort(e) **2.** (*couleur*) vif(vive) **3.** *fam* (*en quantité*) • **estar de un imbécil subido** avoir de la bêtise à revendre • **tener el guapo subido** être en beauté • *iron* se croire beau(belle) **4.** *fam* (*audacieux*) • **ser subido (de tono)** être osé. ◼ **subida** *nf* **1.** montée (*f*) **2.** ascension (*f*) **3.** hausse (*f*).

subir ◼ *vi* **1.** monter • **subir a** monter à • faire l'ascension de (*montagne*) • monter dans (*un avion, une voiture*) **2.** augmenter (*un prix, la qualité*) **3.** (*montant, compte*) s'élever à. ◼ *vt* **1.** monter • **subir el tono** hausser le ton **2.** (*prix, poids*) augmenter **3.** augmenter le prix de (*produit*) **4.** remonter. ◼ **subirse** *vp* **1.** (*monter*) • **subirse a** monter sur (*un cheval, une chaise, etc*) • grimper à (*un arbre*) • monter dans (*une voiture, un train, un avion*) • **el taxi paró y me subí** le taxi s'est arrêté et je suis monté **2.** *fam* (*enivrer*) monter à la tête **3.** remonter (*ses chaussettes*) **4.** relever (*ses manches*) **5.** • **subirse los pantalones** remonter son pantalon.

À PROPOS DE...

subir

Subir ne signifie pas « subir » mais « monter ».

súbito, ta *adj* soudain(e).

subjetividad *nf* subjectivité (*f*).

subjetivo, va *adj* subjectif(ive).

subjuntivo, va *adj* subjonctif(ive). ◼ **subjuntivo** *nm* subjonctif (*m*).

sublevación *nf* soulèvement (*m*).

sublevamiento *nm* = **sublevación**.

sublevar *vt* **1.** (*pousser à la révolte*) soulever **2.** (*indigner*) révolter. ◼ **sublevarse** *vp* se soulever.

sublimación *nf* sublimation (*f*).

sublimar *vt* **1.** sublimer **2.** encenser.

sublime *adj* sublime.

submarinismo *nm* plongée (*f*) sous-marine.

submarinista ◼ *adj* de plongée sous-marine. ◼ *nmf* plongeur (*m*) (sous-marin), plongeuse (*f*) (sous-marine).

submarino, na *adj* sous-marin(e). ◼ **submarino** *nm* sous-marin (*m*).

subnormal *adj* & *nmf fig* & *péj* débile.

suboficial *nm* sous-officier (*m*).

subordinado, da *adj* & *nm, f* subordonné(e).

subordinar *vt* subordonner. ◼ **subordinarse** *vp* se subordonner.

subproducto *nm* sous-produit (*m*).

subrayar *vt* souligner.

subsanar *vt* **1.** résoudre **2.** réparer.

subscribir = **suscribir**.

subscripción = **suscripción**.

subscriptor, ra = **suscriptor**.

subsecretario, ria *nm, f* **1.** secrétaire (*m*) adjoint, secrétaire (*f*) adjointe **2.** sous-secrétaire (*m*).

subsidiario, ria *adj* **1.** (*aide*) subventionnel(elle) **2.** (*mesure*) complémentaire **3.** DR subsidiaire.

subsidio *nm* **1.** subvention (*f*) **2.** allocation (*f*) (*familiale, de chômage*).

subsiguiente *adj* • **subsiguiente a** consécutif(ive) à.

subsistencia *nf* **1.** subsistance (*f*) **2.** survie (*f*). ◼ **subsistencias** *nfpl* **1.** moyens (*mpl*) de subsistance **2.** vivres (*mpl*).

subsistir *vi* subsister.

substancia = **sustancia**.

substancial = **sustancial**.

substancioso, sa = **sustancioso**.

substantivo = **sustantivo**.

substitución = **sustitución**.

substituir = **sustituir**.

substituto, ta = **sustituto**.

substracción = **sustracción**.

substraer = **sustraer**.

substrato = **sustrato**.

subsuelo *nm* sous-sol (*m*).

subterráneo, a *adj* souterrain(e). ◼ **subterráneo** *nm* souterrain (*m*).

subtítulo *nm* (*gén pl*) sous-titre (*m*).

suburbio *nm* banlieue (*f*) • **los suburbios** les banlieues défavorisées.

subvencionar *vt* subventionner.

subversión *nf* subversion (*f*).

subversivo, va *adj* subversif(ive).

subyacer *vi* être sous-jacent(e).

subyugar *vt* **1.** soumettre **2.** *fig* subjuguer.

succionar vt **1.** (sujet : racines) absorber **2.** (sujet : bébé) sucer.

sucedáneo, a adj de remplacement. ■ **sucedáneo** nm succédané (m), ersatz (m).

suceder ◼ v impers (avoir lieu) arriver • **¿qué le sucede?** qu'est-ce qu'il vous arrive ? ◼ vi (venir après) • **suceder a** succéder à • **a la guerra sucedieron años terribles** des années terribles suivirent la guerre.

sucesión nf **1.** succession (f) **2.** MATH suite (f).

sucesivamente adv successivement • **y así sucesivamente** et ainsi de suite.

sucesivo, va adj successif(ive) • **en lo sucesivo** à l'avenir.

suceso nm **1.** événement (m) **2.** (gén pl) fait (m) divers.

sucesor, ra nf, f successeur (m).

suciedad nf saleté (f).

sucinto, ta adj **1.** (explication, récit, etc) succinct(e) **2.** fam fig (bikini, etc) riquiqui.

sucio, cia adj **1.** sale • **en sucio** au brouillon **2.** (couleur, travail) salissant(e) **3.** (affaire) malhonnête.

suculento, ta adj succulent(e).

sucumbir vi • **sucumbir (a)** succomber (à).

sucursal nf succursale (f).

sudadera nf **1.** (sueur) • **le ha entrado una sudadera** il a pris une suée **2.** sweat-shirt (m).

Sudáfrica npr Afrique (f) du Sud.

sudafricano, na, surafricano, na ◼ adj sud-africain(e), d'Afrique du Sud. ◼ nm, f Sud-Africain (m), -e (f).

sudamericano, na = **suramericano**.

Sudán npr Soudan (m).

sudar ◼ vi **1.** suer **2.** (mur) suinter. ◼ vt **1.** tremper de sueur **2.** fam (travailler beaucoup) • **para ganar esta carrera, vas a tener que sudarla** tu vas en baver pour gagner cette course.

sudeste, sureste adj & nm sud-est. ■ **Sudeste asiático** npr Asie (f) du Sud-Est.

sudoeste, suroeste adj & nm sud-ouest.

sudor nm **1.** sueur (f) **2.** fam (travail) • **le costó muchos sudores** il en a bavé.

sudoroso, sa, sudoriento, ta adj en sueur.

Suecia npr Suède (f).

sueco, ca ◼ adj suédois(e). ◼ nm, f Suédois (m), -e (f). ■ **sueco** nm suédois (m).

suegro, gra nm, f beau-père (m), belle-mère (f). ■ **suegros** nmpl beaux-parents (mpl).

suela nf semelle (f).

sueldo nm **1.** salaire (m) **2.** traitement (m) (d'un fonctionnaire) • **a sueldo** (tueur) à gages.

suelo nm sol (m) • **caer al suelo** tomber par terre • **por el suelo** par terre • **echar por el suelo un plan** faire tomber un projet à l'eau • **estar por los suelos** fam (produit) être donné(e) • (personne) avoir le moral à zéro • **poner** ou **tirar a alguien por los suelos** traîner qqn dans la boue.

suelto, ta adj **1.** (cheveux) détaché(e) **2.** (lacets) défait(e) **3.** (feuille) volant(e) **4.** (vêtement) ample **5.** • **andar suelto** (animal) être en liberté • (voleur, prisonnier) courir **6.** (argent) • **¿tienes algo suelto?** est-ce que tu as de la monnaie ? **7.** à l'unité, à la pièce • **la chaqueta y la falda se venden sueltas** la veste et la jupe sont vendues séparément • **tengo unos ejemplares sueltos de la revista** j'ai quelques numéros de cette revue **8.** (pas collé) • **el arroz salió suelto** le riz n'a pas collé **9.** (nœud) lâche **10.** (style) qui coule **11.** (langue) • **está muy suelto en inglés** il parle couramment anglais **12.** (diarrhée) • **tener el estómago suelto** avoir la courante. ■ **suelto** nm (petite) monnaie (f).

sueño nm **1.** sommeil (m) • **coger el sueño** s'endormir • **tener sueño** avoir sommeil **2.** (imagination, ambition) rêve (m) • **en sueños** en rêve • **tener un sueño** faire un rêve **3.** fam (jolie chose) bijou (m).

suero nm **1.** sérum (m) **2.** petit-lait (m).

suerte nf **1.** chance (f) • **por suerte** heureusement • **tener suerte** avoir de la chance • **tener mala suerte** ne pas avoir de chance **2.** hasard (m) • **de suerte** par hasard **3.** sort (m) **4.** sout sorte (f) • **de esa suerte** de la sorte • **de suerte que** de sorte que **5.** TAUROM nom donné aux actions exécutées au cours des « tercios » ou étapes de la corrida.

suéter (pl **suéteres**), **sweater** (pl **sweaters**) ['sweter] nm pull (m).

suficiencia nf **1.** aptitude (f) **2.** suffisance (f).

suficiente ◼ adj suffisant(e). ◼ nm (note) mention (f) passable.

sufragar vt **1.** supporter (des frais) **2.** financer (une campagne).

sufragio nm suffrage (m).

sufrido, da adj **1.** (résigné) • **hacerse el sufrido** faire le martyr **2.** (tissu) résistant(e) **3.** (couleur) peu salissant(e).

sufrimiento nm souffrance (f).

sufrir ◼ vt **1.** souffrir de (maladie) **2.** être victime de (accident, blessures) **3.** supporter (des peines, des malheurs) **4.** subir (une opération, des pertes). ◼ vi • **sufrir (de)** souffrir (de) • **sufrir del corazón** être malade du cœur.

sugerencia nf suggestion (f).

sugerente adj suggestif(ive).

sugerir vt suggérer.

sugestión nf suggestion (f).

sugestionar vt **1.** persuader **2.** faire peur à. ■ **sugestionarse** vp **1.** prendre peur **2.** PSYCHO faire de l'autosuggestion.

sugestivo, va adj **1.** suggestif(ive) **2.** séduisant(e).

suiche *nm (Amér)* interrupteur *(m)*.

suicida ◆ *adj* suicidaire ◆ **una operación suicida** une opération suicide. ◆ *nmf* suicidaire *(mf)*.

suicidarse *vp* se suicider.

suicidio *nm* suicide *(m)*.

suite [switt] *nf* suite *(f) (d'hôtel)*.

Suiza *npr* Suisse *(f)*

suizo, za ◆ *adj* suisse. ◆ *nm, f* Suisse *(mf) (le féminin est aussi Suissesse)*.

sujeción *nf* **1.** fixation *(f)* **2.** assujettissement *(m)*.

sujetador *nm* soutien-gorge *(m)*.

sujetar *vt* **1.** tenir **2.** retenir **3.** assujettir, soumettre **4.** maîtriser **5.** attacher. ◆ **sujetarse** *vp* ◆ **sujetarse de** *ou* **a** se tenir à ◆ **sujetarse a** se soumettre à ◆ s'astreindre à.

sujeto, ta ◆ *adj* fixé(e) ◆ **sujeto a** exposé à. ◆ **sujeto** *nm* **1.** *(gén & GRAMM)* sujet *(m)* **2.** individu *(m)*.

sulfamida *nf* sulfamide *(m)*.

sulfatar *vt* sulfater.

sulfato *nm* sulfate *(m)*.

sulfurar *vt* mettre hors de soi. ◆ **sulfurarse** *vp* être hors de soi.

sulfuro *nm* sulfure *(m)*.

sultán *nm* sultan *(m)*.

sultana *nf* sultane *(f)*.

suma *nf* **1.** somme *(f)* ◆ **en suma** en somme **2.** MATH addition *(f)*.

sumamente *adv* extrêmement.

sumando *nm* terme *(m) (d'une addition)*.

sumar *vt* **1.** MATH additionner ◆ **tres y dos suman cinco** trois plus deux font cinq **2.** s'élever à. ◆ **sumarse** *vp* ◆ **sumarse (a)** s'ajouter (à) ◆ **sumarse a** se joindre à.

sumario, ria ◆ *adj* sommaire. ◆ **sumario** *nm* **1.** DR instruction *(f)* **2.** sommaire *(m)* **3.** résumé *(m)*.

sumergible *adj* **1.** submersible **2.** *(montre, cámara)* étanche.

sumergir *vt* **1.** submerger **2.** plonger. ◆ **sumergirse** *vp* plonger ◆ **sumergirse en** *fig* se plonger dans.

sumidero *nm* **1.** puisard *(m)* **2.** bouche *(f)* d'égout.

suministrador, ra *adj & nm, f* fournisseur(euse).

suministrar *vt* fournir.

suministro *nm* **1.** fourniture *(f)* **2.** distribution *(f) (d'eau, d'électricité)*.

sumir *vt* plonger. ◆ **sumirse** *vp* ◆ **sumirse en** se plonger dans.

sumisión *nf* soumission *(f)*.

sumiso, sa *adj* soumis(e).

sumo, ma *adj* **1.** suprême **2.** extrême ◆ **con sumo cuidado** avec le plus grand soin.

suntuoso, sa *adj* somptueux(euse).

supeditar *vt* faire dépendre de ◆ **estar supeditado a** dépendre de. ◆ **supeditarse** *vp* ◆ **supeditarse a** se soumettre à.

súper ◆ *adj fam* super. ◆ *nm fam* supermarché *(m)*. ◆ *nf (essence)* super *(m)*.

superar *vt* **1.** surpasser **2.** dépasser **3.** surmonter *(un problème, une difficulté)*. ◆ **superarse** *vp* **1.** se surpasser **2.** se dépasser.

superávit *adj inv* excédent *(m)*.

superdotado, da *adj & nm, f* surdoué(e).

superficial *adj* superficiel(elle).

superficie *nf* **1.** *(gén & GÉOM)* surface *(f)* **2.** *(étendue, apparence)* superficie *(f)*.

superfluo, a *adj* superflu(e).

superior, ra ◆ *adj* RELIG supérieur(e). ◆ *nm, f* RELIG père supérieur *(m)*, mère supérieure *(f)*. ◆ **superior** ◆ *adj* **1.** supérieur(e) **2.** *fig* de premier ordre. ◆ *nm (gén pl)* supérieur *(m)* (hiérarchique).

superioridad *nf* supériorité *(f)*.

superlativo, va *adj* **1.** *(beauté, degré)* extrême **2.** GRAMM superlatif(ive).

supermercado *nm* supermarché *(m)*.

superpoblación *nf* surpeuplement *(m)*.

superponer = **sobreponer**.

superpotencia *nf* superpuissance *(f)*.

superpuesto, ta *pp* ▷ **superponer**.

superrealismo, surrealismo *nm* surréalisme *(m)*.

supersónico, ca *adj* supersonique.

superstición *nf* superstition *(f)*.

supersticioso, sa *adj* superstitieux(euse).

superventas *nm inv* **1.** *(livre)* best-seller *(m)* **2.** *(disque)* ◆ **su álbum ha sido el superventas de los últimos meses** son album est classé premier au hit-parade des ventes des trois derniers mois.

supervisar *vt* **1.** superviser **2.** contrôler, inspecter *(une entreprise, des comptes)*.

supervisor, ra *nm, f* **1.** surveillant *(m)*, -e *(f)* *(aux examens)* **2.** superviseur *(m)* **3.** inspecteur *(m)*, -trice *(f)*.

supervivencia *nf* **1.** survie *(f)* **2.** survivance *(f) (d'us et coutumes)*.

superviviente, sobreviviente *adj & nmf* survivant(e), rescapé(e).

supiera *(etc)* ▷ **saber**.

suplementario, ria *adj* supplémentaire.

suplemento *nm* **1.** *(gén & PRESSE)* supplément *(m)* **2.** accessoire *(m) (vestimentaire)*.

suplente ◆ *adj* suppléant(e) ◆ **un jugador suplente** SPORT un remplaçant. ◆ *nm, f* **1.** suppléant *(m)*, -e *(f)* **2.** THÉÂTRE doublure *(f)* **3.** SPORT remplaçant *(m)*, -e *(f)*.

supletorio, ria *adj* d'appoint. ◆ **supletorio** *nm (téléphone)* deuxième poste *(m)*.

súplica *nf* **1.** supplication *(f)* **2.** *(écrit & DR)* requête *(f)*.

suplicar *vt* 1. supplier • **suplicar a alguien que haga algo** supplier qqn de faire qqch 2. DR • **suplicar (a un tribunal)** se pourvoir (devant un tribunal).

suplicio *nm litt* & *fig* supplice *(m)* • **su vida es un suplicio** sa vie est un calvaire.

suplir *vt* 1. remplacer 2. suppléer à • **su generosidad suple su mal genio** sa générosité compense son mauvais caractère.

supo ▷ **saber**.

suponer ◼ *vt* 1. supposer • **supongamos que…** supposons ou admettons que… 2. *(significar)* représenter 3. *(croire)* imaginer • **lo suponía** je m'en doutais • **le supongo 50 años** je lui donne 50 ans. ◼ *nm* • **es un suponer** c'est une simple supposition. ◼ **suponerse** *vp* s'imaginer, supposer.

suposición *nf* supposition *(f)*.

supositorio *nm* suppositoire *(m)*.

supremacía *nf* suprématie *(f)*.

supremo, ma *adj* 1. suprême 2. *fig (moment, situation, etc)* décisif(ive).

supresión *nf* suppression *(f)*.

suprimir *vt* supprimer.

supuesto, ta *adj* 1. prétendu(e) 2. *(culpable, assassin)* présumé(e) • **un nombre supuesto** un faux nom • **por supuesto** bien sûr. ◼ **supuesto** ◼ *pp* ▷ **suponer**. ◼ *nm* hypothèse *(f)* • **en el supuesto de que…** en supposant ou admettant que…

supurar *vi* suppurer.

sur ◼ *nm* sud *(m)* • **el sur de Europa** le sud de l'Europe. ◼ *adj* 1. *(zone, frontière, etc)* sud *(inv)* 2. *(vent)* du sud. ◼ **Sur** *nm* • **el Sur** le sud.

surafricano, na = **sudafricano**.

suramericano, na, sudamericano, na ◼ *adj* sud-américain(e), d'Amérique du Sud. ◼ *nm, f* Sud-Américain *(m)*, -e *(f)*.

surcar *vt* 1. *(parcourir)* sillonner 2. creuser des sillons dans.

surco *nm* 1. *(gén & mus)* sillon *(m)* 2. ornière *(f)* 3. ride *(f) (sur la peau)*.

sureño, ña ◼ *adj* du sud. ◼ *nm, f* habitant *(m)*, -e *(f)* du Sud.

sureste = **sudeste**.

surf, surfing *nm* surf *(m)*.

surgir *vi* 1. surgir 2. jaillir.

suroeste = **sudoeste**.

surrealismo = **superrealismo**.

surtido, da *adj* 1. approvisionné(e) • **surtido en** qui offre un grand choix de 2. *(varié)* • **unas pastas surtidas** un assortiment de petits gâteaux. ◼ **surtido** *nm* 1. choix *(m) (de vêtements, de tissus)* 2. assortiment *(m) (de pâtes, de bonbons)*.

surtidor *nm* jet *(m)* d'eau • **surtidor (de gasolina)** pompe *(f)* (à essence).

surtir ◼ *vt (approvisionner)* • **surtir a alguien en** fournir qqn en • **surtir efecto** avoir de l'effet. ◼ *vi* jaillir. ◼ **surtirse** *vp (s'approvisionner)* • **surtirse de** se fournir en.

susceptible *adj* susceptible.

suscitar *vt* susciter.

suscribir, subscribir *vt* 1. souscrire 2. souscrire à *(un accord, un pacte)*. ◼ **suscribirse, subscribirse** *vp* • **suscribirse a** s'abonner à • COMM souscrire à.

suscripción, subscripción *nf* 1. abonnement *(m)* 2. COMM souscription *(f)*.

suscriptor, ra, subscriptor, ra *nm, f* 1. abonné *(m)*, -e *(f)* 2. COMM souscripteur *(m)*.

susodicho, cha *adj* susdit(e).

suspender *vt* 1. suspendre 2. SCOL • **suspender a alguien en un examen** refuser qqn à un examen • **suspender un examen** rater un examen.

suspense *nm* suspense *(m)*.

suspensión *nf* 1. *(gén & AUTO)* suspension *(f)* 2. ÉCON suppression *(f) (d'emplois)*.

suspenso, sa *adj* 1. *(suspendu)* • **suspenso de** suspendu à 2. *(candidat)* refusé(e) 3. *fig* interloqué(e). ◼ **en suspenso** *loc adv* en suspens. ◼ **suspenso** *nm* SCOL • **tener un suspenso** ne pas avoir la moyenne, être recalé(e).

suspensores *nmpl (Amér)* bretelles *(fpl)*.

suspicacia *nf* méfiance *(f)*.

suspicaz *adj* soupçonneux(euse).

suspirar *vi* soupirer • **suspirar por** *fig* soupirer après *(une personne)* • avoir une folle envie de *(voiture, voyage, etc)*.

suspiro *nm* 1. soupir *(m)* 2. *(instant)* • **en un suspiro** en un clin d'œil.

sustancia, substancia *nf* substance *(f)*. ◼ **sustancia gris** *nf* matière *(f)* grise.

sustancial, substancial *adj* 1. substantiel(elle) 2. *(mesures, changement)* important(e).

sustancioso, sa, substancioso, sa *adj* substantiel(elle).

sustantivo, va, substantivo, va *adj* GRAMM nominal(e). ◼ **sustantivo** *nm* GRAMM substantif *(m)*.

sustentar *vt* 1. soutenir 2. nourrir *(une personne, une famille)*.

sustento *nm* 1. nourriture *(f)* 2. soutien *(m)*.

sustitución, substitución *nf* remplacement *(m)*.

sustituir, substituir *vt* • **sustituir (por)** remplacer (par).

sustituto, ta, substituto, ta *nm, f* remplaçant *(m)*, -e *(f)*.

susto *nm* peur *(f)*.

sustracción, substracción *nf* 1. vol *(m)* 2. MATH soustraction *(f)*.

sustraer, substraer *vt* **1.** *(gén & MATH)* soustraire **2.** voler, subtiliser. ■ **sustraerse, substraerse** *vp* ● **sustraerse (a** OU **de)** se soustraire (à).

sustrato, substrato *nm* substrat *(m)*.

susurrar ◼ *vt* chuchoter. ◼ *vi fig (vent, eau)* murmurer.

susurro *nm* chuchotement *(m)*.

sutil *adj* **1.** subtil(e) **2.** *(tissu, ligne)* fin(e)

sutileza *nf* subtilité *(f)*.

sutura *nf* suture *(f)*.

suyo, ya ◼ *adj poss* **1.** à lui **2.** à elle **3.** à eux **4.** à elles **5.** *(« usted », « ustedes »)* à vous ● **este libro es suyo** ce livre est à lui/à elle *etc* ● **un amigo suyo** un de ses/vos amis ● **no es asunto suyo** ça ne le/la *etc* regarde pas ● **no es culpa suya** ce n'est pas (de) sa/votre faute ● **es muy suyo** *fam fig* il est spécial. ◼ *pron poss (après un article défini)* ● **el suyo** le sien *(« usted », « ustedes »)* le vôtre ● le leur ● **la suya** la sienne ● la vôtre ● la leur ● **de suyo** en soi ● **hacer de las suyas** *fam* faire des siennes ● **hacer suyo/suya** faire sien/sienne ● **lo suyo es el teatro** *fam* son truc c'est le théâtre ● **los suyos** *(sa famille)* les siens.

Swazilandia, Suazilandia *npr* Swaziland *(m)*.

sweater = **suéter**.

t¹, T [te] *nf* t *(m inv)*, T *(m inv)*.

t² *(abr écrite de* **tonelada)** t.

tabacalero, ra *adj* du tabac ● **un establecimiento tabacalero** un magasin d'articles pour fumeurs. ■ **Tabacalera** *nf régie espagnole des tabacs,* ≃ ALTADIS *(f)*.

tabaco ◼ *nm* **1.** tabac *(m)* **2.** cigarettes *(fpl)* ● **¿tienes tabaco?** tu as une cigarette ? ◼ *adj inv (couleur)* tabac.

tábano *nm* taon *(m)*.

tabarra *nf fam* barbe *(f)* ● **dar la tabarra a alguien** tanner qqn.

taberna *nf* bistrot *(m)*.

tabernero, ra *nm, f* patron *(m)*, -onne *(f)* de bistrot.

tabique *nm* cloison *(f)*.

tabla *nf* **1.** *(de bois & NAUT)* planche *(f)* **2.** plaque *(f) (de métal)* **3.** étagère *(f) (d'un meuble)* ● **tabla de planchar** planche à repasser **4.** pli *(m) (d'un vêtement)* **5.** *(schéma, graphique)* tableau *(m)* **6.** *(liste)* table *(f)* ● **tabla de materias** table des matières **7.** *assiette de charcuterie ou de fromages.* ■ **tablas** *nfpl* **1.** *(aux échecs)* ● **quedar en** OU **hacer tablas** faire partie nulle **2.** THÉÂTRE planches *(fpl)* **3.** TAUROM barrières *(fpl)*.

À PROPOS DE...

tabla

Tabla ne signifie pas « table » mais « planche ».

tablado *nm* **1.** THÉÂTRE scène *(f)* **2.** *(pour la danse)* plancher *(m)* **3.** estrade *(f)*.

tablao *nm sorte de cabaret où sont données des représentations de flamenco.*

tablero *nm* **1.** planche *(f)* ● **tablero de anuncios** tableau *(m)* d'affichage **2.** *(d'un jeu)* ● **tablero (de ajedrez)** échiquier *(m)* ● **tablero (de damas)** damier *(m)* **3.** SPORT panneau *(m)* **4.** AÉRON & AUTO ● **tablero (de mandos)** tableau *(m)* de bord.

tableta *nf* **1.** tablette *(f) (de chocolat)* **2.** MÉD comprimé *(m)*.

tablón *nm* planche *(f)* ● **tablón (de anuncios)** panneau *(m)* d'affichage.

tabú *(pl* **tabúes** OU **tabús)** ◼ *adj* tabou(e). ◼ *nm* tabou *(m)*.

tabulador *nm* tabulateur *(m)*.

tabular ◼ *vt* **1.** *(valeurs, chiffres, etc)* disposer en tableau **2.** *(texte)* tabuler. ◼ *vi* INFORM mettre des tabulations.

taburete *nm* tabouret *(m)*.

tacañería *nf* avarice *(f)*.

tacaño, ña *adj & nm, f* avare.

tacha *nf* **1.** défaut *(m)* ● **sin tacha** irréprochable **2.** punaise *(f)*.

tachar *vt* **1.** barrer *(ce qui est écrit)* ● **tachar lo que no proceda** rayer la mention inutile **2.** *fig (accuser)* ● **tachar a alguien de algo** taxer qqn de qqch.

tacho *nm (Amér)* seau *(m)*.

tachón *nm* **1.** rature *(f)* **2.** clou *(m)* de tapissier.

tachuela *nf* punaise *(f)*.

tácito, ta *adj* tacite.

taciturno, na *adj* taciturne.

taco *nm* **1.** taquet *(m)* **2.** cale *(f)* **3.** liasse *(f) (de billets)* **4.** *fam fig* gros mot *(m)* **5.** *fam fig* tas *(m)* **6.** queue *(f) (de billard)* **7.** pile *(f) (de papiers, etc)* **8.** cube *(m) (de jambon, de fromage)* **9.** SPORT crampon *(m)* **10.** *(Amér)* talon *(m)* **11.** *(Amér)* CULIN crêpe de maïs farcie. ■ **tacos** *nmpl fam (âge)* ● **tiene treinta tacos** il a trente balais.

tacón *nm* talon *(m) (de chaussure)*.

táctico, ca ◼ *adj* tactique. ◼ *nm, f* tacticien *(m)*, -enne *(f)*. ■ **táctica** *nf* tactique *(f)*.

táctil *adj* tactile.

tacto *nm* **1.** toucher *(m)* **2.** *fig* tact *(m)*.

tafetán *nm* taffetas *(m)*.

Tailandia *npr* Thaïlande *(f)*.

taimado, da *adj* **1.** rusé(e) **2.** sournois(e).

Taiwán [tai'wan] *npr* Taïwan.

tajada *nf* **1.** tranche *(f)* **2.** *fam fig* cuite *(f)*.

tajante *adj fig (ton, decisión)* catégorique.

tajar *vt* trancher.

tajo *nm* **1.** estafilade *(f)* **2.** *fam* turbin *(m)* **3.** ravin *(m)*.

Tajo *npr* • **el Tajo** le Tage.

tal *adj*

1. MARQUE L'INTENSITÉ = tel(telle)
• **lo dijo con tal seguridad que todos lo creyeron** il l'a dit avec une telle assurance que tout le monde l'a cru

2. POUR DÉSIGNER, SANS DÉFINIR AVEC PRÉCISION = tel(telle)
• **mañana a tal hora** demain à telle heure

3. DE CE GENRE
• **tal cosa jamás se ha visto** on n'a jamais vu une chose pareille
• **en tales condiciones** dans de telles conditions

4. DEVANT UN NOM PROPRE
• **te ha llamado un tal Pérez** un certain *ou* un dénommé Pérez t'a appelé.

tal *pron*

DANS DES EXPRESSIONS
• **son tal para cual** ils sont faits l'un pour l'autre
• **que si tal que si cual** *ou* **tal y cual** *ou* **tal y tal** ceci, cela
• **y tal** et ainsi de suite.

■ con tal (de) que *loc conj*

À CONDITION QUE
• **se lo daré con tal de que me deje en paz** je vais le lui donner, du moment qu'il me fiche la paix
• **con tal de no ir a la escuela, este niño es capaz de cualquier cosa** cet enfant est capable de tout pour ne pas aller à l'école.

■ qué tal *loc adv*

POUR PRENDRE DES NOUVELLES
• **¿qué tal?** comment ça va ?
• **¿qué tal la entrevista?** comment s'est passé ton entretien ?
• **¿qué tal fueron las vacaciones?** comment se sont passés tes vacances ?

■ tal (y) como *loc conj*

comme
• **todo ocurrió tal y como había predicho** tout s'est passé comme je l'avais prédit
• **tal como te decía…** comme je te le disais…
• **cuelga la ropa tal como yo lo hago** étends le linge comme moi je le fais.

■ tal cual *loc adv*

tel quel(telle quelle)
• **se lo dije tal cual, sin añadir ningún comentario** je le lui ai dit tel quel, sans ajouter de commentaire.

tala *nf* abattage *(m)* *(d'arbres)*.

taladradora *nf* **1.** perceuse *(f)* **2.** perforeuse *(f)*.

taladrar *vt* percer.

taladro *nm* **1.** perceuse *(f)* **2.** trou *(m)*.

talante *nm* **1.** humeur *(f)* **2.** *(disposición)* • **de buen talante** de bonne grâce.

talar *vt* abattre *(des arbres)*.

talco *nm* talc *(m)*.

talego *nm* **1.** sac *(m)* *(en toile)* **2.** *tfam* 1 000 pesetas **3.** *vulg* tôle *(f)*.

talento *nm* talent *(m)* • **ser un talento de la música** être doué(e) en musique.

Talgo *(abr de tren articulado ligero de Goicoechea Oriol) nm* train espagnol aux essieux à écartement variable.

talismán *nm* talisman *(m)*.

talla *nf* **1.** *(gén & ART)* taille *(f)* • **¿qué talla usas?** quelle taille fais-tu ? **2.** *fig* envergure *(f)* • **dar la talla** être à la hauteur.

tallado, da *adj* **1.** *(bois)* sculpté(e) **2.** *(pierre précieuse)* taillé(e).

tallar *vt* **1.** *(pierre)* tailler **2.** *(bois)* sculpter **3.** *(personne)* mesurer.

tallarín *nm (gén pl)* tagliatelle *(f)*.

talle *nm* **1.** *(ceinture)* taille *(f)* **2.** silhouette *(f)*.

taller *nm* **1.** atelier *(m)* **2.** garage *(m)* • **llevar el coche al taller** amener la voiture au garage.

tallo *nm* **1.** tige *(f)* **2.** pousse *(f)* **3.** brin *(m)* *(d'herbe)*.

talón *nm* **1.** *(gén & ANAT)* talon *(m)* • **un zapato sin talón** une chaussure ouverte • **talón de Aquiles** *fig* talon d'Achille **2.** chèque *(m)* • **talón bancario/conformado** chèque bancaire/certifié • **talón en blanco** chèque en blanc.

talonario *nm* carnet *(m)* de chèques, chéquier *(m)*.

Tamagotchi® *nm* Tamagotchi® *(m)*.

tamaño, ña *adj* pareil(eille) • **nunca he visto tamaño atrevimiento** je n'ai jamais vu une) pareille audace. ■ **tamaño** *nm* taille *(f)* • **de tamaño natural** grandeur nature.

tambalearse *vp* 1. chancelear 2. *(personne ivre)* tituber 3. *(bateau)* tanguer.

también *adv* 1. aussi 2. de plus.

tambor *nm* 1. tambour *(m)* 2. barillet *(m)*.

tamiz *nm* tamis *(m)*.

tamizar *vt* 1. tamiser 2. *fig* trier.

tampoco *adv* non plus • **no quiere salir, yo tampoco** il ne veut pas sortir, moi non plus • **no quiere ir al cine ni tampoco comer fuera** il ne veut ni aller au cinéma ni aller au restaurant.

tampón *nm* tampon *(m)*.

tan *adv* 1. *(tellement)* si • **tan grande/deprisa** si grand/vite • **¡qué película tan larga!** qu'est-ce qu'il est long ce film ! • **tan... que...** tellement que... • **es tan tonto que no se entera** il est tellement bête qu'il ne comprend rien 2. *(dans une comparaison)* • **tan... como...** aussi... que... • **es tan listo como su hermano** il est aussi intelligent que son frère. ■ **tan sólo** *loc adv* seulement.

tanda *nf* 1. groupe *(m)* 2. équipe *(f) (de travail)* 3. série *(f)* • **tanda de palos** volée *(f)* de coups.

tándem *(pl* **tándemes, tándems** *ou inv) nm* 1. *(bicyclette)* tandem *(m)* 2. *(couple)* duo *(m) (d'acteurs)* 3. paire *(f) (de bœufs)*.

tanga *nm* string *(m)*.

tangente ■ *adj* tangent(e). ■ *nf* tangente *(f)*.

Tánger *npr* Tanger.

tangible *adj* tangible.

tango *nm* tango *(m)*.

tanque *nm* 1. tank *(m)* 2. *(véhicule)* citerne *(f)* 3. réservoir *(m)*.

tantear ■ *vt* 1. évaluer 2. examiner de près *(un projet, des solutions)* • **tantear el terreno** tâter le terrain 3. *fig* sonder *(una persona)* 4. mesurer *(un adversaire, un rival)*. ■ *vi* 1. tâtonner 2. compter les points *(dans un jeu)*.

tanteo *nm* 1. essai *(m)* 2. score *(m)*.

tanto, ta *adj*

1. INDIQUE UNE GRANDE QUANTITÉ, UNE INTENSITÉ = tant de, tellement de
 • **¡tiene tantos libros!** il a tant de livres !
 • **¡tengo tantas ganas de verte!** j'ai tellement envie de te voir !
2. INDIQUE UNE QUANTITÉ INDÉTERMINÉE = tant de
 • **nos daban tanto dinero al día** on nous donnait tant d'argent par jour
3. INTRODUIT UNE COMPARAISON
 • **no tengo tanto dinero como tú** je n'ai pas autant d'argent que toi
 • **tenemos tanta hambre como vosotros** nous avons aussi faim que vous
4. APRÈS UN NOMBRE, INDIQUE UNE ADDITION PEU IMPORTANTE = et quelques
 • **y tantos** et quelques
 • **tiene cincuenta y tantos años** elle a cinquante ans et quelques.

tanto *pron*

1. DANS UNE COMPARAISON = autant
 • **tienes muchos vestidos, yo no tantos** tu as beaucoup de robes, moi je n'en ai pas autant
 • **había mucha gente aquí, allí no tanta** il y avait beaucoup de monde ici, il n'y en avait pas autant là-bas
 • **otro tanto** autant
 • **le ocurrió otro tanto** il lui est arrivé la même chose
2. INDIQUE UNE QUANTITÉ OU UNE DATE INDÉTERMINÉES = tant
 • **supongamos que vengan tantos...** supposons qu'il en vienne tant...
 • **a tantos de febrero** le tant du mois de février.

■ tanto *nm*

1. POINT MARQUÉ DANS UNE COMPÉTITION, UN MATCH
 • **marcar un tanto** marquer un point, marquer un but
2. *fam fig* ATOUT, AVANTAGE
 • **es un tanto a su favor** c'est un avantage qu'il a
 • **apuntarse un tanto (a favor)** marquer des points
 • **márcate un tanto y déjame salir** sois sympa et laisse-moi sortir
3. INDIQUE UNE SOMME INDÉTERMINÉE
 • **le pagan un tanto por página** on le paye tant par page
4. DANS DES EXPRESSIONS
 • **tanto por ciento** pourcentage
 • **intento ponerme al tanto de las novedades** j'essaie de me tenir au courant des nouveautés
 • **hay que estar bien al tanto, por aquí hay carteristas** il faut bien surveiller, il y a des pick-pockets dans les parages.

tanto *adv*

1. MARQUE L'ÉGALITÉ D'INTENSITÉ = autant
 • **no me sirvas tanto** ne m'en sers pas autant
2. MARQUE L'INTENSITÉ
 • **la quiere tanto que no podría vivir sin ella** il l'aime tellement qu'il ne pourrait pas vivre sans elle
 • **de eso hace tanto que ni me acuerdo** il y a si longtemps de cela que je ne m'en souviens plus
3. INTRODUIT UNE COMPARAISON = autant
 • **trabajo tanto como él** je travaille autant que lui
4. DANS DES EXPRESSIONS
 • **¡y tanto!** et comment !

■ **tantas** *nfpl*

fam INDIQUE UNE HEURE TRÈS AVANCÉE, EN PARTICULIER LA NUIT
 • **llegaron a las tantas** ils sont arrivés très tard *ou* à pas d'heure.

■ **en tanto (que)** *loc conj*

INDIQUE LA SIMULTANÉITÉ = pendant que
 • **yo pongo la mesa en tanto que tú preparas la comida** je mets la table pendant que tu prépares à manger.

■ **por (lo) tanto** *loc conj*

INDIQUE LA CONSÉQUENCE = par conséquent
 • **estaba enfermo, por lo tanto no pude ir** j'étais malade, par conséquent je n'ai pas pu y aller.

■ **tanto como** *loc conj*

DANS UNE COMPARAISON = autant que
 • **de eso sé tanto como él** j'en sais autant que lui.

■ **tanto (es así) que** *loc conj*

À TEL POINT QUE = tant et si bien que
 • **está muy seguro de su talento, tanto es así que no teme las críticas** il est très sûr de son talent, tant et si bien qu'il ne craint pas les critiques.

■ **un tanto** *loc adv*

UN PEU = quelque peu
 • **lo encuentro un tanto presumido** je le trouve quelque peu prétentieux.

tañido *nm* **1.** MUS son *(m)* **2.** tintement *(m) (de cloches).*

tapa *nf* **1.** couvercle *(m)* **2.** *petite quantité d'olives, d'anchois, de « tortilla », etc servie en apéritif* **3.** couverture *(f) (de livre)* **4.** talon *(m) (de chaussure)* **5.** *(Amér)* bouchon *(m) (de bouteille).*

tapadera *nf* **1.** couvercle *(m)* **2.** *fig* couverture *(f) (pour recouvrir quelque chose).*

tapar *vt* **1.** couvrir **2.** boucher *(une bouteille, un trou)* **3.** fermer *(un coffre, la bouche)* **4.** cacher. ■ **taparse** *vp* se couvrir • **taparse la boca** mettre la main devant sa bouche.

taparrabos, taparrabo *nm inv* cache-sexe *(m).*

tapete *nm* **1.** napperon *(m)* **2.** tapis *(m) (de jeu).*

tapia *nf* mur *(m) (de clôture).*

tapiar *vt* **1.** murer **2.** clôturer.

tapicería *nf* **1.** tapisserie *(f)* • **en la tapicería** chez le tapissier **2.** tapisseries *(fpl).*

tapiz *nm* **1.** tapisserie *(f) (pour le mur)* **2.** tapis *(m).*

tapizado *nm* tapisserie *(f).*

tapizar *vt* **1.** recouvrir *(un meuble)* **2.** tapisser *(les murs).*

tapón *nm* **1.** bouchon *(m)* **2.** *fam* nabot *(m),* -e *(f)* **3.** SPORT lancer *(m)* tapé.

taponar *vt* boucher. ■ **taponarse** *vp* se boucher.

tapujo *nm* • **hablar sin tapujos** parler clair.

taquicardia *nf* tachycardie *(f).*

taquigrafía *nf* sténographie *(f).*

taquilla *nf* **1.** guichet *(m)* **2.** casier *(m)* **3.** recette *(f).*

taquillero, ra ■ *adj* **1.** *(artiste, spectacle)* qui fait recette **2.** *(film)* qui fait beaucoup d'entrées. ■ *nm, f* guichetier *(m),* -ère *(f).*

tara *nf* tare *(f).*

tarado, da ■ *adj* **1.** défectueux(euse) **2.** taré(e). ■ *nm, f* taré *(m),* -e *(f).*

tarántula *nf* tarentule *(f).*

tararear *vt* fredonner.

tardanza *nf* retard *(m).*

tardar *vi* **1.** *(tarder)* • **tardar en hacer algo** mettre du temps à faire qqch • **tardó un año en hacerlo** il a mis un an à le faire • **tardo dos minutos** j'en ai pour deux minutes **2.** *(prendre du retard)* • **tardar en hacer algo** tarder à faire qqch • **no tardaron en venir** ils n'ont pas tardé à venir.

tarde ■ *nf* **1.** *(jusqu'à 7 heures)* après-midi *(m ou f)* **2.** *(après 7 heures)* soir *(m)* • **vendré por la tarde** je viendrai dans l'après-midi • je viendrai dans la soirée. ■ *adv* **1.** tard • **hoy saldré tarde** aujourd'hui, je sortirai tard • **tarde o temprano** tôt ou tard **2.** trop tard • **ya es tarde para...** il est trop tard pour... ■ **¡buenas tardes** *interj* • **¡buenas tardes!** *(jusqu'à 7 heures)* bonjour ! • *(après 7 heures)* bonsoir ! ■ **de tarde en tarde** *loc adv* de temps à autre • **muy de tarde en tarde** très rarement.

tardío, a *adj* tardif(ive).

tarea *nf* **1.** travail *(m)* **2.** tâche *(f)* • **tareas domésticas** tâches ménagères **3.** SCOL devoirs *(mpl).*

tarifa nf tarif (m) • **tarifa nocturna** tarif de nuit • **tarifa plana** (pour Internet) forfait (m) mensuel (avec connexions illimitées).

tarima nf estrade (f).

tarjeta nf carte (f) • **tarjeta de crédito** carte de crédit • **tarjeta monedero** porte-monnaie (m) électronique • **tarjeta postal** carte postale.

tarot nm tarot (m).

Tarragona npr Tarragone.

tarrina nf barquette (f).

tarro nm 1. pot (m) 2. tfam (tête) • **estar mal del tarro** être complètement fêlé(e).

tarta nf 1. gâteau (m) 2. tarte (f) • **una tarta de chocolate** un gâteau au chocolat.

tartaleta nf tartelette (f).

tartamudear vi bégayer.

tartamudeo nm bégaiement (m).

tartamudo, da adj & nm, f bègue.

tartana nf fam guimbarde (f).

tartera nf gamelle (f).

tarugo nm 1. fam abruti (m) 2. gros morceau (m) de bois 3. quignon (m) de pain.

tarumba adj fam • **estar tarumba** être dingue.

tasa nf 1. taux (m) • **tasa de desempleo** ou **paro** taux de chômage 2. taxe (f) • **tasa de importación** taxe à l'importation • **tasas académicas** droits (mpl) d'inscription (à l'université) 3. taxation (f).

tasación nf taxation (f).

tasar vt 1. expertiser 2. taxer.

tasca nf bistrot (m).

tatarabuelo, la nm, f trisaïeul (m), -e (f).

tatuaje nm tatouage (m).

tatuar vt & vi tatouer. ■ **tatuarse** vp se faire tatouer.

taurino, na adj taurin(e).

Tauro ◼ nm inv Taureau (m inv). ◼ nmf inv taureau (m inv).

tauromaquia nf tauromachie (f).

TAV (abr de **tren de alta velocidad**) nm train à grande vitesse espagnol, ≃ TGV (m).

taxativo, va adj strict(e).

taxi nm taxi (m).

taxidermista nmf taxidermiste (mf).

taxímetro nm compteur (m) (de taxi).

taxista nmf chauffeur (m) de taxi.

taza nf 1. tasse (f) 2. cuvette (f).

tazón nm bol (m).

te pron pers 1. te, t' (devant une voyelle) • **vengo a verte** je viens te voir • **te quiero** je t'aime • **te lo dio** il te l'a donné • **te tiene miedo** il a peur de toi • **¡mírate!** regarde-toi ! • **¡no te pierdas!** ne te perds pas ! • **te gusta leer** tu aimes lire • **te crees muy listo** tu te crois très malin 2. (impersonnel) fam on • **si te dejas pisar, estás perdido** si on se laisse marcher sur les pieds, on est perdu.

té nm thé (m).

tea nf torche (f).

teatral adj théâtral(e).

teatro nm 1. théâtre (m) 2. (feinte) • **es todo teatro** c'est de la comédie.

tebeo® nm bande (f) dessinée.

techo nm 1. plafond (m) • **techo artesonado** plafond à caissons 2. toit (m) • **bajo techo** sous un toit • **techo corredizo** toit ouvrant.

techumbre nf toiture (f).

tecla nf touche (f).

teclado nm (gén & INFORM) clavier (m) • **teclado expandido** clavier étendu • **teclado numérico** pavé (m) numérique.

teclear vi taper (sur un clavier).

tecleo nm frappe (f) (sur un clavier).

técnico, ca ◼ adj technique. ◼ nm, f technicien (m), -enne (f). ◼ **técnica** nf technique (f).

Tecnicolor® nm Technicolor® (m).

tecnócrata ◼ adj technocratique. ◼ nmf technocrate (mf).

tecnología nf technologie (f) • **tecnología punta** technologie de pointe.

tecnológico, ca adj technologique.

tecolote nm (Amér) hibou (m).

tedio nm ennui (m).

tedioso, sa adj ennuyeux(euse).

Tegucigalpa npr Tegucigalpa.

Teide npr • **el Teide** le Teide.

teja nf tuile (f).

tejado nm toit (m).

tejano, na adj en jean. ■ **tejanos** nmpl jean (m).

Tejas = **Texas**.

tejemaneje nm fam 1. manigance (f) 2. remue-ménage (m inv).

tejer ◼ vt 1. tisser 2. tricoter 3. faire au crochet 4. tresser 5. fig tramer. ◼ vi 1. tricoter 2. faire du crochet.

tejido nm tissu (m).

tejo nm 1. palet (m) 2. BOT if (m).

tejón nm ZOOL blaireau (m).

tel., teléf., tfno. (abr écrite de **teléfono**) tél.

tela nf 1. tissu (m) 2. (film, tableau) toile (f) 3. fam (chose compliquée) • **tener (mucha) tela** donner du fil à retordre • **¡vaya tela!** c'est coton ! • **tener tela de trabajo** fam avoir du pain sur la planche • **poner en tela de juicio** remettre en cause. ■ **tela metálica** nf grillage (m).

telar nm métier (m) à tisser. ■ **telares** nmpl usine (f) textile.

telaraña nf toile (f) d'araignée • **la telaraña** (Internet) la Toile.

tele *nf fam* télé *(f)*.

telearrastre *nm* remonte-pente *(m)*.

telebanca *nf* télébanque *(f)*.

telecabina *nf* télécabine *(f)*.

telecomedia *nf* sitcom *(m ou f)*.

telecompra *nf* téléachat *(m)*.

telecomunicación *nf (moyen)* télécommunication *(f)*. ■ **telecomunicaciones** *nfpl (réseau)* télécommunications *(fpl)*.

telediario *nm* journal *(m)* télévisé.

teledirigido, da *adj* téléguidé(e).

teléf. = **tel.**

telefax *nm* télécopieur *(m)*.

teleférico *nm* téléphérique *(m)*.

telefilme, telefilm *(pl* **telefilms)** *nm* téléfilm *(m)*.

telefonear *vi* téléphoner. ■ **telefonearse** *vp* s'appeler *(au téléphone)*.

telefónico, ca *adj* téléphonique. ■ **Telefónica** *nf compagnie nationale espagnole des Téléphones,* ≃ France Télécom.

telefonista *nmf* standardiste *(mf)*.

teléfono *nm* téléphone *(m)* • **colgar el teléfono** raccrocher le téléphone • **hablar a alguien por teléfono** avoir qqn au téléphone • **llamar por teléfono** téléphoner • **teléfono inalámbrico** téléphone sans fil • **teléfono móvil** téléphone portable • **teléfono público** téléphone public • **teléfono sin manos** appareil *(m)* « mains-libres ».

telegrafía *nf* télégraphie *(f)*.

telegráfico, ca *adj* télégraphique.

telégrafo *nm (moyen, appareil)* télégraphe *(m)*.

telegrama *nm* télégramme *(m)*.

telejuego *nm* jeu *(m)* vidéo.

telele *nm fam* • **le dio un telele** *(évanoui)* il a tourné de l'œil • *(surpris)* ça lui a fichu un coup.

telemando *nm* télécommande *(f)*.

telemática *nf* télématique *(f)*.

telenovela *nf* feuilleton *(m)* télévisé.

telepatía *nf* télépathie *(f)*.

telescópico, ca *adj* télescopique.

telescopio *nm* télescope *(m)*.

telesilla *nm* télésiège *(m)*.

telespectador, ra *nm, f* téléspectateur *(m)*, -trice *(f)*.

telesquí *(pl* **telesquís** *OU* **telesquíes)** *nm* téléski *(m)*.

teletexto *nm* télétexte *(m)*.

teletipo [®] *nm* Télétype [®] *(m)*.

teletrabajador, ra *nm, f* télétravailleur *(m)*, -euse *(f)*.

teletrabajo *nm* télétravail *(m)*.

televidente *nmf* téléspectateur *(m)*, -trice *(f)*.

televisar *vt* téléviser.

televisión *nf* télévision *(f)* • **ver la televisión** regarder la télévision • **televisión en color** télévision couleur.

televisor *nm* téléviseur *(m)*.

télex *nm inv* télex *(m)*.

telón *nm* THÉÂTRE & CINÉ rideau *(m)* • **telón de fondo** *fig* toile *(f)* de fond.

telonero, ra *adj* • **ser telonero** passer en première partie *(d'un spectacle, d'un concert)*.

tema *nm* **1.** sujet *(m)* **2.** MUS thème *(m)*.

temario *nm* SCOL programme *(m)*.

temático, ca *adj* thématique. ■ **temática** *nf* thème *(m)*.

temblar *vi* trembler • **temblar de frío/de miedo** trembler de froid/de peur.

tembleque *nm* tremblement *(m)*.

temblor *nm* tremblement *(m)*.

tembloroso, sa *adj* tremblant(e).

temer ◪ *vt* • **temer (algo/a alguien)** craindre (qqch/qqn) • **teme el agua/a su madre** il a peur de l'eau/de sa mère • **temo que se vaya** je crains qu'il ne s'en aille. ◪ *vi* avoir peur, craindre • **teme por sus hijos** il a peur pour ses enfants • **no temas** ne crains rien. ■ **temerse** *vp* craindre • **me temo lo peor** je crains le pire.

temerario, ria *adj* **1.** téméraire **2.** *(jugement, accusation)* hâtif(ive).

temeridad *nf* **1.** témérité *(f)* **2.** *(stupidité)* • **es una temeridad** c'est de l'inconscience.

temeroso, sa *adj* **1.** peureux(euse) **2.** effrayant (e).

temible *adj* redoutable.

temor *nm* crainte *(f)* • **por temor a** *OU* **de** par crainte de.

temperamental *adj* **1.** qui a du tempérament **2.** lunatique.

temperamento *nm* tempérament *(m)*.

temperatura *nf* température *(f)* • **tomar la temperatura a alguien** prendre la température à qqn.

tempestad *nf* tempête *(f)*.

tempestuoso, sa *adj* **1.** orageux(euse) **2.** tempétueux(euse).

templado, da *adj* **1.** *(eau, boisson, repas)* tiède **2.** *(climat, zone &* MUS*)* tempéré(e) **3.** *(personne, caractère)* modéré(e), calme.

templanza *nf* **1.** tempérance *(f)* **2.** • **tener templanza** savoir garder son calme **3.** douceur *(f)* *(d'un climat)*.

templar ◪ *vt* **1.** faire tiédir **2.** calmer *(les esprits, les nerfs)* **3.** TECHNOL tremper *(le métal, etc)* **4.** couper *(un café, un whisky)* **5.** MUS accorder **6.** resserrer *(une vis, etc).* ◼ *vi (temps, température)* s'adoucir. ◼ **templarse** *vp* **1.** *(temps, température)* se radoucir **2.** *(liquide)* tiédir.

temple *nm* **1.** *(sérénité)* • **tener temple** savoir garder son calme **2.** ART détrempe *(f)*

templete *nm* kiosque *(m) (à musique).*

templo *nm* **1.** temple *(m)* **2.** église *(f) (catholique).*

temporada *nf* **1.** saison *(f)* **2.** période *(f) (d'examen)* • **de temporada** *(fruit)* de saison • *(travail)* saisonnier(ère) • **temporada alta/baja** haute/basse saison • **temporada media** intersaison *(f)* • **una temporada** un certain temps, quelque temps.

temporal ◼ *adj* **1.** *(gén &* RELIG*)* temporel(elle) **2.** temporaire. ◼ *nm* tempête *(f).*

temporero, ra ◼ *adj* temporaire. ◼ *nm, f* travailleur *(m),* -euse *(f)* temporaire.

temporizador *nm* minuterie *(f).*

temprano, na *adj* précoce • **a horas tempranas** de bonne heure • **frutas/verduras tempranas** primeurs *(fpl).* ◼ **temprano** *adv* tôt.

ten *v* ⟶ **tener.** ◼ **ten con ten** *nm fam* doigté *(m).*

tenacidad *nf* ténacité *(f).*

tenacillas *nfpl* **1.** pincettes *(fpl)* **2.** fer *(m)* à friser **3.** pince *(f)* à sucre.

tenaz *adj* tenace.

tenaza *nf (gén pl)* **1.** tenailles *(fpl)* **2.** pince *(f) (d'un crustacé).*

tendedero *nm* étendoir *(m).*

tendencia *nf* • **tendencia (a)** tendance *(f)* (à).

tendencioso, sa *adj* tendancieux(euse).

tender ◼ *vt* **1.** étendre • **tender la ropa** étendre le linge **2.** tendre • **tender la mano** tendre la main • **tender una trampa** tendre un piège **3.** construire *(un pont, une voie ferrée).* ◼ *vi* • **tender a** tendre à • *(couleur)* tirer sur. ◼ **tenderse** *vp* s'étendre.

tenderete *nm* étalage *(m).*

tendero, ra *nm, f* **1.** petit commerçant *(m),* petite commerçante *(f)* **2.** épicier *(m),* -ère *(f).*

tendido, da *adj* **1.** étendu(e) **2.** tendu(e). ◼ **tendido** *nm* **1.** *(installation)* pose *(f)* **2.** TAUROM gradins *(mpl).*

tendón *nm* tendon *(m).*

tendrá *(etc)* ⟶ **tener.**

tenebroso, sa *adj* **1.** sombre **2.** *fig* ténébreux (euse).

tenedor[1] *nm* fourchette *(f).*

tenedor[2]**, ra** *nm, f* COMM détenteur *(m),* -trice *(f)* • **tenedor de libros** comptable *(m).*

teneduría *nf* COMM comptabilité *(f).*

tenencia *nf* détention *(f)* • **tenencia ilícita de armas** détention d'armes.

---

tener *vt*

1. INDIQUE LA POSSESSION = avoir
- **tiene un coche/mucho dinero** il a une voiture/beaucoup d'argent
- **tengo un hermano mayor** j'ai un frère aîné
- **van a tener un niño** ils vont avoir un enfant
- **tener huéspedes** avoir des invités
- **¿tiene algo que decirnos?** vous avez quelque chose à nous dire ?

2. INDIQUE UNE CARACTÉRISTIQUE = avoir
- **tiene los ojos azules** il a les yeux bleus
- **tiene buen corazón** il a bon cœur

3. INDIQUE L'ÂGE = avoir
- **¿cuántos años tienes?** quel âge as-tu ?

4. INDIQUE UNE SENSATION, UN ÉTAT = avoir
- **tengo hambre** j'ai faim
- **le tiene lástima** il a pitié de lui
- **tendrá una sorpresa** il aura une surprise

5. INDIQUE UNE OCCUPATION = avoir
- **hoy tengo clase** j'ai cours aujourd'hui

6. PORTER DANS SES MAINS, DANS SES BRAS = tenir
- **tener un niño en brazos** tenir un enfant dans ses bras

7. MESURER = faire
- **la sala tiene cuatro metros de largo** le salon fait quatre mètres de long

8. POUR DÉSIGNER
- **aquí tiene su cambio** voici votre monnaie
- **aquí me tienes** me voici

9. DANS DES PHRASES EXCLAMATIVES, POUR EXPRIMER DES VŒUX
- **¡que tengas un buen viaje!** bon voyage !
- **que tengan unas felices Navidades** joyeux Noël !

10. CONSIDÉRER
- **me tiene por tonto, pero yo me entero de todo** il me prend pour un idiot, mais moi je comprends tout
- **ten por seguro que lloverá** tu peux être sûr qu'il pleuvra

11. DANS DES EXPRESSIONS
- **tener lugar** avoir lieu
- **tener presente algo/alguien** se souvenir de qqch/qqn
- **hay que tener presente que la situación internacional es muy tensa** il ne faut pas oublier que la situation internationale est très tendue
- **tener que ver con algo/alguien** avoir à voir avec qqch/qqn
- **yo no tengo nada que ver con ese asunto/ese individuo** je n'ai rien à voir avec cette affaire/ce type

• **¿conque esas tenemos? ¿te niegas a hacerlo?** alors comme ça, tu ne veux pas le faire ?
• **no las tiene todas consigo** il n'en mène pas large
• **le ruego tenga a bien mandarme toda la información disponible** je vous prie de bien vouloir m'envoyer tous les renseignements dont vous disposeriez.

tener *v aux*

1. DEVANT UN PARTICIPE PASSÉ, INDIQUE UN RÉSULTAT
• **ya tengo hecha la mitad** j'en ai déjà fait la moitié
• **tengo leído medio libro** j'ai lu la moitié du livre
• **teníamos pensado ir al teatro** nous avions pensé aller au théâtre
2. DEVANT UN PARTICIPE OU UN ADJECTIF, MAINTENIR DANS UN CERTAIN ÉTAT
• **el ruido me ha tenido despierto toda la noche** le bruit m'a tenu éveillé toute la nuit
• **eso la tiene entretenida** ça l'occupe.

■ **tener que** *v + conj*

1. INDIQUE UNE OBLIGATION
• **tengo que irme** je dois partir, il faut que je parte
2. INDIQUE UN DEVOIR MORAL OU UNE INTENTION
• **tenemos que salir a cenar juntos** il faut que nous allions dîner ensemble.

■ **tenerse** *vp*

INDIQUE UNE POSITION
• **tente derecho** tiens-toi droit
• **el niño ya sabe tenerse de pie** l'enfant se tient déjà debout
• **el borracho no se tenía de pie** l'ivrogne ne tenait pas debout.

■ **tenerse por** *vp + prép*

SE CONSIDÉRER COMME
• **se tiene por muy listo** il se croit très malin.

Tenerife *npr* Tenerife, Ténériffe.
tenia *nf* ténia *(m)*.
teniente *nm* lieutenant *(m)*.
tenis ◼ *nm inv* tennis *(m)* • **tenis de mesa** tennis de table. ◼ *nfpl* tennis *(mpl & fpl)*.
tenista *nmf* joueur *(m)*, -euse *(f)* de tennis.
tenor *nm* MUS ténor *(m)*. ◼ **a tenor de** *loc prép* compte tenu de.
tensar *vt* tendre.
tensión *nf* tension *(f)* • **alta tensión** haute tension • **tensión (arterial)** tension (artérielle).
tenso, sa *adj* tendu(e).
tensor, ra *adj* • **los músculos tensores** les muscles tenseurs.

tentación *nf* tentation *(f)* • **ser una tentación** être tentant(e) • **tener la tentación de** être tenté(e) de.
tentáculo *nm* tentacule *(m)*.
tentador, ra *adj* tentant(e).
tentar *vt* **1.** tenter **2.** tâter.
tentativa *nf* **1.** tentative *(f)* **2.** SPORT essai *(m)* • **tentativa de asesinato** tentative de meurtre.
tentempié *nm* **1.** en-cas *(m inv)* **2.** *(jouet)* culbuto *(m)*.
tenue *adj* **1.** *(pluie, tissu)* fin(e) **2.** *(voix)* faible **3.** *(douleur)* léger(ère) **4.** *(fil, lumière)* ténu(e).
teñir *vt* • **teñir (de rojo, etc)** teindre (en rouge, etc). ◼ **teñirse** *vp* • **teñirse el pelo** se teindre les cheveux • **teñirse de rubio/moreno** se teindre en blond/brun.
teología *nf* théologie *(f)*.
teólogo, ga *nm, f* théologien *(m)*, -enne *(f)*.
teorema *nm* théorème *(m)*.
teoría *nf* théorie *(f)* • **en teoría** en théorie.
teórico, ca ◼ *adj* théorique. ◼ *nm, f* théoricien *(m)*, -enne *(f)*. ◼ **teórica** *nf* **1.** théorie *(f)* **2.** code *(m)* *(du permis de conduire)*.
teorizar *vi* théoriser.
tequila *nm ou nf* tequila *(f)*.
terapéutico, ca *adj* thérapeutique.
terapia *nf* thérapie *(f)*.
tercer ▷ **tercero.**
tercera *nf* ▷ **tercero.**
tercermundista *adj* **1.** du tiers-monde **2.** *(politique, attitude)* tiers-mondiste.
tercero, ra *adj num* (devant un substantif masculin singulier : **tercer**) troisième. • *voir aussi* **sexto** ◼ **tercero** *nm* **1.** troisième *(m)* **2.** *(SCOL - au collège)* ≃ quatrième *(f)* • *(- à l'université)* troisième année *(f)* **3.** *(médiateur)* tiers *(m)*, tierce personne *(f)*. ◼ **tercera** *nf* AUTO troisième *(f)*.
terceto *nm* MUS trio *(m)*.
terciar ◼ *vt* **1.** mettre en travers **2.** *(arme)* mettre en bandoulière **3.** couper en trois. ◼ *vi* **1.** intervenir, s'interposer **2.** *(participer)* • **terciar (en)** prendre part (à). ◼ **terciarse** *vp* se présenter • **si se tercia** si l'occasion se présente.
terciario, ria *adj* tertiaire. ◼ **terciario** *nm* GÉOL tertiaire *(m)*.
tercio *nm* **1.** tiers *(m)* **2.** nom donné à chacune des trois étapes de la corrida.
terciopelo *nm* velours *(m)*.
terco, ca *adj & nm, f* entêté(e).
tergal® *nm* Tergal® *(m)*.
tergiversación *nf* déformation *(f)* *(de propos)*.
tergiversar *vt* déformer *(les propos de qqn)*.
termal *adj* thermal(e).
termas *nfpl* thermes *(mpl)*.
termes = **termita.**
térmico, ca *adj* thermique.

terminación nf 1. achèvement (m) 2. extrémité (f) 3. GRAMM terminaison (f).

terminal ◼ adj final(e) • **en fase terminal** MÉD en phase terminale. ◼ nm INFORM terminal (m). ◼ nf 1. terminal (m) (d'un aéroport) 2. terminus (m) (d'un bus). ◼ **terminal videotex** nm terminal (m) vidéotex.

terminante adj 1. catégorique, formel(elle) 2. (preuve) concluant(e).

terminar ◼ vt terminer, finir • **terminar un trabajo** terminer un travail • **terminar la carrera** finir ses études. ◼ vi 1. se terminer, finir • **las vacaciones terminan** les vacances se terminent • **terminar con** en finir avec • **hemos terminado con este tema** nous en avons fini avec ce sujet • **terminó de conserje en...** il a fini concierge dans... • **terminar de/por hacer algo** finir de/par faire qqch • **terminar en** se terminer en • **terminó en pelea** ça s'est terminé en bagarre 2. (couple) rompre. ◼ **terminarse** vp se terminer • **se ha terminado el butano** il n'y a plus de gaz.

término nm 1. fin (f) • **poner término a algo** mettre un terme à qqch 2. (territoire) • **término (municipal)** ≃ commune (f) 3. délai (m) • **en el término de** dans un délai de 4. (lieu, position) plan (m) • **en primer término** ART & PHOTO au premier plan • **en último término** fig en dernier recours 5. (élément) • **considerar algo término por término** étudier qqch point par point 6. LING & MATH terme (m) 7. (transports) • **la estación de término** le terminus. ◼ **término medio** nm juste milieu (m) • **por término medio** en moyenne. ◼ **términos** nmpl termes (mpl) • **los términos del contrato** les termes du contrat • **en términos generales** en règle générale.

terminología nf terminologie (f).

termita nf termite (m).

termo nm Thermos® (f).

termómetro nm thermomètre (m).

termostato nm thermostat (m).

terna nf POLIT groupe de trois candidats.

ternasco nm agneau (m) de lait.

ternero, ra nm, f (animal) veau (m), génisse (f). ◼ **ternera** (viande) veau (m).

terno nm 1. fam (trio) • **son el terno infernal** c'est le trio infernal 2. (costume) complet (m).

ternura nf tendresse (f).

terquedad nf entêtement (m).

terracota nf terre (f) cuite.

terrado nm (toit) terrasse (f).

terral, tierral nm (Amér) nuage (m) de poussière.

terraplén nm terre-plein (m).

terráqueo, a adj (globe) terrestre.

terrateniente nmf propriétaire (m) terrien, propriétaire (f) terrienne.

terraza nf 1. terrasse (f) 2. balcon (m).

terremoto nm tremblement (m) de terre.

terrenal adj terrestre.

terreno, na adj terrestre. ◼ **terreno** nm 1. (gén & SPORT) terrain (m) 2. fig domaine (m).

terrestre ◼ adj terrestre. ◼ nmf terrien (m), -enne (f).

terrible adj terrible.

territorial adj territorial(e).

territorio nm territoire (m).

terrón nm 1. motte (f) (de terre) 2. morceau (m) (de sucre).

terror nm 1. terreur (f) 2. CINÉ horreur (f) • **dar terror** terrifier.

terrorífico, ca adj terrifiant(e).

terrorismo nm terrorisme (m).

terrorista adj & nmf terroriste.

terroso, sa adj terreux(euse).

terso, sa adj (peau, surface) lisse.

tersura nf douceur (f) (de la peau).

tertulia nf réunion informelle au cours de laquelle un thème particulier est abordé.

Teruel npr Teruel.

tesina nf SCOL ≃ mémoire (m) (de maîtrise).

tesis nf inv thèse (f).

tesón nm persévérance (f).

tesorería nf trésorerie (f).

tesorero, ra nm, f trésorier (m), -ère (f).

tesoro nm 1. trésor (m) • **ven aquí, tesoro** fig (appellation affectueuse) viens ici, mon trésor 2. (personne de valeur) perle (f). ◼ **Tesoro Público** nm Trésor (m) public.

test (pl tests) nm test (m).

testamentario, ria ◼ adj testamentaire. ◼ nm, f exécuteur (m), -trice (f) testamentaire.

testamento nm testament (m). ◼ **Antiguo Testamento** nm Ancien Testament (m). ◼ **Nuevo Testamento** nm Nouveau Testament (m).

testar ◼ vi faire un testament. ◼ vt tester.

testarudo, da adj & nm, f têtu(e).

testículo nm testicule (m).

testificar ◼ vt témoigner • **su contestación testifica su buena fe** sa réponse témoigne de sa bonne foi. ◼ vi témoigner.

testigo ◼ nmf témoin (m) • **testigo ocular** OU **presencial** témoin oculaire. ◼ nm SPORT témoin (m).

testimonial adj DR testimonial(e).

testimoniar vt & vi témoigner.

testimonio nm témoignage (m) • **como testimonio de** fig en témoignage de • **dar testimonio de algo** témoigner de qqch.

teta nf 1. fam nichon (m) (d'une femme) 2. tétine (f) (d'une femelle).

tétanos nm inv tétanos (m).

tetera *nf* théière *(f)*.

tetilla *nf* **1.** mamelon *(m)* *(d'un homme)* **2.** tétine *(f)* *(de biberon)*.

tetina *nf* tétine *(f)* *(de biberon)*.

tetrapléjico, ca *adj & nm, f* tétraplégique.

tétrico, ca *adj* lugubre.

Texas, Tejas *npr* Texas *(m)*.

textil *adj & nm* textile.

texto *nm* texte *(m)*.

textual *adj* textuel(elle).

textura *nf* texture *(f)*.

tez *nf* teint *(m)*.

tfno. = **tel.**

ti *pron pers (après une préposition)* toi ▪ **pienso en ti** je pense à toi ▪ **me acordaré de ti** je me souviendrai de toi.

tianguis *nm inv (Amér)* marché *(m)*.

Tíbet *npr* ▪ **el Tíbet** le Tibet.

tibia *nf* tibia *(m)*.

tibieza *nf* **1.** tiédeur *(f)* **2.** *fig* froideur *(f)*.

tibio, bia *adj* **1.** *(eau, infusion, etc)* tiède **2.** *fig (relations, sentiment, etc)* froid(e).

tiburón *nm* **1.** requin *(m)* **2.** FIN raider *(m)*.

tic *nm* tic *(m)*.

ticket = **tíquet.**

tictac *nm* tic-tac *(m inv)*.

tiempo *nm* **1.** *(gén & GRAMM)* temps *(m)* ▪ **al poco tiempo** peu de temps après ▪ **a tiempo** à temps ▪ **aún estás a tiempo de hacerlo** tu as encore le temps de le faire ▪ **a un tiempo** en même temps ▪ **con el tiempo** avec le temps ▪ **con tiempo** à l'avance ▪ **del tiempo** *(fruit)* de saison ▪ *(boisson)* à température ▪ **fuera de tiempo** trop tard ▪ **ganar tiempo** gagner du temps ▪ **perder el tiempo** perdre son temps ▪ **hace buen/mal tiempo** il fait beau/mauvais ▪ **hace tiempo que...** il y a longtemps que... ▪ **tener tiempo para** avoir le temps de ▪ **todo el tiempo** tout le temps ▪ **tomarse alguien su tiempo** prendre son temps ▪ **tiempo libre** temps libre **2.** âge *(m)* ▪ **¿qué tiempo tiene tu hijo?** quel âge a ton fils ? **3.** SPORT mi-temps *(f)*.

tienda ▪ *v* ⤳ **tender.** ▪ *nf* **1.** magasin *(m)* **2.** tente *(f)* ▪ **tienda (de campaña)** tente (de camping).

tiene ⤳ **tener.**

tierno, na *adj* tendre ▪ **pan tierno** du pain frais.

tierra *nf* **1.** *(gén & ÉLECTR)* terre *(f)* ▪ **caer a tierra** tomber à terre ▪ **tomar tierra** atterrir ▪ **tierra firme** terre ferme **2.** pays *(m)*, terre *(f)* natale. ▪ **Tierra** *npr* ▪ **la Tierra** la Terre. ▪ **Tierra Santa** *npr* Terre *(f)* sainte. ▪ **Tierra del Fuego** *npr* Terre de Feu *(f)*.

tierral = **terral.**

tieso, sa *adj* **1.** raide **2.** *fig* guindé(e).

tiesto *nm* **1.** pot *(m)* **2.** pot *(m)* de fleurs **3.** vieillerie *(f)*.

tifoideo, a *adj* typhoïde.

tifón *nm* typhon *(m)*.

tifus *nm inv* typhus *(m)*.

tigre *nm* tigre *(m)*.

tigresa *nf* tigresse *(f)*.

tijera *nf (gén pl)* ciseaux *(mpl)* ▪ **unas tijeras** une paire de ciseaux.

tijereta *nf* **1.** ZOOL perce-oreille *(m)* **2.** SPORT saut *(m)* en ciseaux.

tila *nf (infusion)* tilleul *(m)*.

tildar *vt* ▪ **tildar de** taxer de.

tilde *nf* **1.** tilde *(m)* **2.** accent *(m)* écrit.

tiliches *nmpl (Amér)* attirail *(m)*.

tilín *nm* ▪ **tilín tilín** dring dring ▪ **hacer tilín** *fam fig* taper dans l'œil.

tilo *nm* BOT tilleul *(m)*.

timar *vt* **1.** *(escroquer)* ▪ **timar cincuenta euros** escroquer de cinquante euros **2.** *fam* arnaquer, rouler.

timbal *nm* timbale *(f)* *(d'un orquestre)*.

timbrar *vt* timbrer.

timbre *nm* **1.** sonnette *(f)* ▪ **tocar el timbre** sonner **2.** timbre *(m)* *(de documents, de voix)* **3.** timbre *(m)* fiscal.

timidez *nf* timidité *(f)*.

tímido, da *adj & nm, f* timide.

timo *nm* **1.** escroquerie *(f)* **2.** *fam* arnaque *(f)*.

timón *nm* **1.** NAUT & AÉRON gouvernail *(m)* **2.** NAUT & AÉRON manche *(m)* (à balai) *(du pilote)* **3.** *fig (gouvernement)* ▪ **llevar el timón de** diriger **4.** *(Amér)* volant *(m)*.

timonel, timonero *nm* timonier *(m)*.

timorato, ta *adj* timoré(e).

tímpano *nm* ANAT & ARCHIT tympan *(m)*.

tina *nf* **1.** jarre *(f)* **2.** bac *(m)* **3.** *(Amér)* baignoire *(f)*.

tinaja *nf* jarre *(f)*.

tinglado *nm* **1.** hangar *(m)* **2.** estrade *(f)* **3.** *fig* pagaille *(f)* ▪ **armar un tinglado** *fam* faire la foire.

tinieblas *nfpl* ténèbres *(fpl)* ▪ **estar en las tinieblas** être dans le noir ▪ *fig* être dans le brouillard.

tino *nm* **1.** *(au tir, habileté)* adresse *(f)* ▪ **tener tino** avoir l'œil **2.** *fig* modération *(f)* ▪ **sin tino** sans mesure **3.** *fig* discernement *(m)*.

tinta *nf* encre *(f)* ▪ **tinta china** encre de Chine. ▪ **medias tintas** *nfpl fig* demi-mesures *(fpl)*.

tinte *nm* **1.** teinture *(f)* **2.** teinturerie *(f)* **3.** *fig* teinte *(f)*.

tintero *nm* encrier *(m)*.

tintinear *vi* tinter.

tinto, ta *adj fig (teinté)* ▪ **tinto en sangre** taché de sang. ▪ **tinto** *nm* rouge *(m)*.

tintorera *nf* requin *(m)* bleu.

tintorería *nf* teinturerie *(f)*.

tiña ◼ *v* ▷ **teñir**. ◼ *nf* MÉD teigne *(f)*.

tío, a *nm, f* **1.** oncle *(m)*, tante *(f)* **2.** *fam* mec *(m)*, nana *(f)* • **oye, tío, ¿tienes un cigarrillo?** eh, t'aurais pas une cigarette ?

tiovivo *nm* manège *(m)*.

tipazo *nm fam* • **¡vaya tipazo que tiene!** elle est sacrément bien foutue !

típico, ca *adj* typique • **el típico español** l'Espagnol type.

tipificar *vt* **1.** classer **2.** être caractéristique de • **esa chica tipifica la mujer moderna** cette fille est le type même de la femme moderne.

tiple *nmf* soprano *(mf)*.

tipo, pa *nm, f* *fam* type *(m)*, nana *(f)*. ◼ **tipo** *nm* **1.** type *(m)* • **todo tipo de** toute(s) sorte(s) de **2.** *(physiquement)* • **tener buen tipo** être bien fait(e) **3.** ÉCON taux *(m)* **4.** IMPR caractère *(m)*.

tipografía *nf* typographie *(f)*.

tipográfico, ca *adj* typographique.

tipógrafo, fa *nm, f* typographe *(mf)*.

tíquet *(pl* **tiquets)**, **ticket** ['tiket] *(pl* **tickets)** *nm* **1.** ticket *(m)* **2.** billet *(m)* *(de spectacle)*.

tiquismiquis ◼ *adj inv* & *nmf inv fam* pinailleur(euse). ◼ *nmpl* **1.** chichis *(mpl)* **2.** broutilles *(fpl)*.

tira *nf* **1.** bande *(f)* **2.** lanière *(f)* *(de cuir)* **3.** bande *(f)* dessinée • **la tira de...** *fam* une tripotée de...

tirabuzón *nm* **1.** *(boucle de cheveux)* anglaise *(f)* **2.** tire bouchon *(m)*.

tirachinas *nm inv* lance-pierre *(m)*.

tiradero *nm* *(Amér)* **1.** décharge *(f)* publique **2.** *fig* bazar *(m)*.

tirado, da *adj* *fam* **1.** *(pas cher)* donné(e) **2.** fastoche. ◼ **tirada** *nf* **1.** lancer *(m)* **2.** IMPR tirage *(m)* **3.** tirade *(f)* *(de vers)* **4.** *(distance)* • **hay una tirada** ça fait un bout de chemin • **de** *ou* **en una tirada** d'une (seule) traite.

tirador, ra *nm, f* tireur *(m)*, -euse *(f)*. ◼ **tirador** *nm* **1.** poignée *(f)* *(de tiroir, de porte)* **2.** cordon *(m)* *(d'une clochette, d'une sonnette)*. ◼ **tiradores** *nmpl* *(Amér)* bretelles *(fpl)*.

tiranía *nf* tyrannie *(f)*.

tirano, na ◼ *adj* tyrannique. ◼ *nm, f* tyran *(m)*.

tirante ◼ *adj* tendu(e) • **estar tirantes** *(personnes)* être en froid. ◼ *nm* **1.** cordon *(m)* *(d'un tablier, d'un vêtement)* **2.** ARCHIT tirant *(m)*. ◼ **tirantes** *nmpl* bretelles *(fpl)*.

tirantez *nf* tension *(f)*.

tirar ◼ *vt* **1.** jeter **2.** lancer • **tirar papeles al suelo/a la basura** jeter des papiers par terre/à la poubelle • **tirar cohetes/piedras** lancer des pétards/des pierres **3.** faire tomber **4.** renverser *(un liquide)* **5.** dilapider *(l'argent)* **6.** *(avec une arme,* SPORT & IMPR*)* tirer • **tirar un**

cañonazo tirer un coup de canon **7.** abattre *(un bâtiment)* • **tirar abajo** abattre • enfoncer *(une porte)* **8.** attirer • **me tira la vida en el campo** j'irais bien vivre à la campagne. ◼ *vi* **1.** tirer • **tirar del pelo** tirer les cheveux • **tirar de la cuerda** tirer sur la corde • **el ciclista tiraba del pelotón** le cycliste menait le peloton • **la chaqueta me tira de la manga** cette veste me serre aux manches • **el juego del tira y afloja** le marchandage **2.** *(aimer)* • **la patria/familia tira mucho** on aime toujours son pays/sa famille **3.** *(fonctionner)* marcher • **el coche no tira** la voiture n'avance pas **4.** *(se diriger)* • **tirar a la derecha** prendre à droite • **tira por este camino** prends ce chemin **5.** *fam* *(se débrouiller)* • **¡vamos tirando!** on fait aller ! **6.** *(ressembler)* • **tira a su abuela** elle ressemble à sa grand-mère • **un marrón tirando a gris** un marron qui tire sur le gris **7.** *(avoir tendance)* • **este programa tira a hortera** cette émission est un peu ringarde • **el tiempo tira a mejorar** le temps semble s'améliorer **8.** SPORT shooter. ◼ **tirarse** *vp* **1.** se jeter • **tirarse de cabeza al agua** plonger la tête la première • **se tiró del cuarto piso** il a sauté du quatrième étage **2.** s'étendre **3.** *(le temps)* passer • **se tiró el día leyendo** il a passé sa journée à lire.

tirita® *nf* pansement *(m)*.

tiritar, titiritar *vi* grelotter.

tiritera, tiritona *nf* grelottement *(m)*.

tiro *nm* **1.** *(action* & SPORT*)* tir *(m)* • **pegar un tiro a alguien** tirer sur qqn • **tiro al blanco** tir à la cible **2.** *(tir, fracas)* coup *(m)* *(de feu)* • **un fusil de cinco tiros** un fusil à cinq coups **3.** *(tir, blessure)* balle *(f)* • **un tiro en el corazón** une balle dans le cœur • **pegarse un tiro** se tirer une balle **4.** portée *(f)* • **a tiro de bala** à portée de tir **5.** tirage *(m)* *(d'une cheminée)* **6.** entrejambe *(m)* **7.** attelage *(m)* • **ni a tiros** pour rien au monde • **vestirse** *ou* **ponerse tiros largos** se mettre sur son trente et un.

tiroides *nm inv* thyroïde *(f)*.

tirón *nm* **1.** *(action)* • **dar un tirón** tirer • **dar tirones** tirer les cheveux **2.** crampe *(f)* **3.** vol *(m)* à l'arraché. • **de un tirón** *loc adv* d'un trait.

tirotear ◼ *vt* tirer sur. ◼ *vi* tirailler.

tiroteo *nm* fusillade *(f)*.

tirria *nf fam* • **tenerle tirria a alguien** ne pas pouvoir blairer qqn.

tisana *nf* tisane *(f)*.

titánico, ca *adj* *(travail)* de titan.

títere *nm* **1.** marionnette *(f)* **2.** *fig* pantin *(m)*. ◼ **títeres** *nmpl* spectacle *(m)* de marionnettes.

Titicaca *npr* • **el lago Titicaca** le lac Titicaca.

titilar, titilear *vi* **1.** trembloter **2.** *(étoile, lumière)* scintiller.

titipuchal *nm (Amér) fam* ribambelle *(f)*.

titiritar = **tiritar**.

titiritero, ra *nm,* ƒ **1.** marionnettiste *(mf)* **2.** acrobate *(mf)*.

titubeante *adj* hésitant(e).

titubear *vi* **1.** hésiter **2.** bafouiller *(en parlant)*.

titubeo *nm (gén pl)* hésitation *(f)* ◦ **sin titubeos** sans hésiter.

titulado, da *adj & nm, f* diplômé(e) ◦ **titulado en** diplômé en.

titular¹ ◼ *adj & nmf* titulaire. ◼ *nm (gén pl)* PRESSE gros titre *(m)*.

titular² *vt* intituler. ◼ **titularse** *vp* **1.** s'intituler **2.** *(se diplômer)* ◦ **titularse (en)** obtenir un diplôme (de).

título *nm* **1.** *(gén, DR & ÉCON)* titre *(m)* ◦ **a título de** à titre de **2.** SCOL diplôme *(m)* ◦ **título de bachillerato** ≃ baccalauréat *(m)*.

tiza *nf* **1.** craie *(f)* **2.** bleu *(m) (de billard)*.

tiznar *vt* tacher de noir. ◼ **tiznarse** *vp* se tacher de noir.

tizne *nm ou nf* suie *(f)*.

tizón *nm* tison *(m)*.

tlapalería *nf (Amér)* quincaillerie *(f)*.

toalla *nf* **1.** serviette *(f) (de toilette, de plage)* **2.** tissu-éponge *(m)*.

toallero *nm* porte-serviette *(m)*.

tobillera *nf* chevillère *(f)*.

tobillo *nm* cheville *(f)*.

tobogán *nm* toboggan *(m)*.

toca *nf* coiffe *(f) (de religieuse)*.

tocadiscos *nm inv* tourne-disque *(m)*.

tocado, da *adj* **1.** *(toqué)* timbré(e) **2.** *(fruit)* gâté(e). ◼ **tocado** *nm (style, coiffe)* coiffure *(f)*.

tocador *nm* **1.** *(meuble)* coiffeuse *(f)* **2.** cabinet *(m)* de toilette.

tocar ◼ *vt* **1.** toucher ◦ **no toques eso** ne touche pas à ça **2.** MUS jouer de ◦ **tocar la guitarra/ el piano** il joue de la guitare/du piano **3.** *(cloche, heure)* sonner ◦ **el reloj tocó las doce** midi a sonné à l'horloge **4.** aborder *(un sujet, un thème, etc)* **5.** *fig* porter atteinte à *(la dignité, l'honneur)* ◦ **tocar el amor propio de alguien** blesser qqn dans son amour-propre. ◼ *vi* **1.** *(être prêt)* ◦ **tocar a** OU **con (algo)** toucher qqch ◦ **tocar a su fin** toucher à sa fin **2.** *(correspondre - après un partage)* revenir ◦ *(- obligation)* ◦ **te toca hacerlo** c'est à toi de le faire **3.** *(concerner)* ◦ **por lo que a mí me toca** en ce qui me concerne ◦ **tocar de cerca** toucher de près **4.** *(destin)* gagner ◦ **le ha tocado la lotería** il a gagné à la loterie ◦ **le ha tocado sufrir mucho** il a beaucoup souffert **5.** *(moment arrivé)* ◦ **hemos comido y ahora nos toca pagar** maintenant que nous avons mangé, il faut payer. ◼ **tocarse** *vp (maisons, câbles, etc)* se toucher ◦ **tocarse el pelo** se passer la main dans les cheveux.

tocayo, ya *nm, f* homonyme *(mf)*.

tocho *nm* **1.** lingot *(m) (de fer)* **2.** *fam (livre)* pavé *(m)*.

tocinería *nf* charcuterie *(f)*.

tocino *nm* lard *(m)*. ◼ **tocino de cielo** *nm* flan riche en jaunes d'œufs.

todavía *adv* **1.** encore ◦ **todavía no** pas encore ◦ **todavía no lo sabe** il ne le sait pas encore **2.** pourtant ◦ **es malo y todavía le quiere** il est méchant et pourtant elle l'aime ◦ **... y todavía se queja** ... et par-dessus le marché, il se plaint.

todo, da ◼ *adj* **1.** tout(e) ◦ **todo el mundo** tout le monde ◦ **toda España** toute l'Espagne ◦ **todo el día** toute la journée ◦ **todos los días/los lunes** tous les jours/les lundis ◦ **un vestido todo sucio** une robe toute sale ◦ **está todo preocupado** il est très inquiet **2.** *(valeur emphatique)* ◦ **es todo un hombre** c'est un homme, un vrai ◦ **ya es toda una mujer** c'est une vraie femme maintenant ◦ **es todo un éxito** c'est un vrai succès. ◼ *pron* **1.** *(choses)* tout(e) ◦ **lo ha vendido todo** il a tout vendu ◦ **todo es culpa mía** c'est entièrement ma faute ◦ **no del todo** pas tout à fait **2.** *(gén pl) (personnes)* tous(toutes) ◦ **han venido todas** elles sont toutes venues ◦ **todos me lo dicen** tout le monde me le dit. ◼ **todo** ◼ *nm* tout *(m)*. ◼ *adv* tout, entièrement ◦ **todo lana** pure laine. ◼ **con todo** *loc adv* malgré tout, néanmoins. ◼ **sobre todo** *loc adv* surtout. ◼ **todo terreno** *nm* véhicule *(m)* tout-terrain.

todopoderoso, sa *adj* tout-puissant(toute-puissante).

toga *nf* **1.** toge *(f)* **2.** *(cheveux)* ◦ **hacerse la toga** se faire un tourbillon.

Togo *npr* Togo *(m)*.

togolés, esa ◼ *adj* togolais(e). ◼ *nm, f* Togolais *(m)*, -e *(f)*.

Tokio *npr* Tokyo.

toldo *nm* **1.** store *(m)* **2.** bâche *(f) (de camion)*.

Toledo *npr* Tolède.

tolerancia *nf* tolérance *(f)*.

tolerante *adj* tolérant(e).

tolerar *vt* tolérer.

tom. *(abr écrite de tomo)* t. ◦ **consultar tom. 3** consulter le t. 3.

toma *nf* **1.** prise *(f)* ◦ **toma de corriente** prise de courant **2.** CINÉ prise *(f)* de vues. ◼ **toma de posesión** *nf* **1.** prise *(f)* de possession **2.** POLIT investiture *(f)*.

tomadura *nf* ◦ **es una tomadura de pelo** *fam* on se fout de nous.

tomar ◼ *vt* prendre ◦ **¿qué quieres tomar?** qu'est-ce que tu prends ? ◦ **tomar por imbécil**

prendre pour un imbécile • **me tomó por mi hermano** il m'a pris pour mon frère • **tomar cariño a alguien** prendre qqn en affection • **tomar prestado** emprunter • **¡toma!** *(en donnant quelque chose)* tiens ! • *(exprime la surprise)* ah, bon ! • **tomarla** *ou* **tomarlas con alguien** *fam* prendre qqn en grippe. ◼ *vi (se diriger vers)* • **tomar a la derecha/izquierda** prendre à droite/à gauche. ◼ **tomarse** *vp* prendre • **tomarse una cerveza** prendre une bière.

tomate *nm* **1.** tomate *(f)* **2.** trou *(m) (dans une chaussette)* **3.** *fam* pagaille *(f)*.

tómbola *nf* tombola *(f)*.

tomillo *nm* thym *(m)*.

tomo *nm* tome *(m)*.

ton ◼ **sin ton ni son** *loc adv* sans rime ni raison.

tonada *nf* MUS air *(m)*.

tonalidad *nf* **1.** tonalité *(f)* **2.** teinte *(f)*.

tonel *nm* tonneau *(m)*.

tonelada *nf* tonne *(f)*.

tonelaje *nm* tonnage *(m)*.

tónico, ca *adj* tonique. ◼ **tónico** *nm* **1.** fortifiant *(m)* **2.** lotion *(f)* tonique. ◼ **tónica** *nf* **1.** ton *(m)* • **marcar la tónica** donner le ton **2.** tonique *(f)* **3.** ≃ Schweppes® *(m)*.

tonificador, ra, tonificante *adj* tonifiant(e).

tonificar *vt* tonifier.

tono *nm* **1.** *(gén & MUS)* ton *(m)* **2.** MÉD tonus *(m)* • **darse tono** *fam* rouler des mécaniques • **fuera de tono** hors de propos.

tonsura *nf* tonsure *(f)*.

tontear *vi* **1.** faire l'idiot(e) **2.** *(aguichar)* • **tontear (con alguien)** flirter (avec qqn).

tontería *nf* **1.** bêtise *(f)* • **decir cuatro tonterías** dire trois mots • **hacer una tontería** faire une bêtise **2.** bricole *(f)*.

tonto, ta ◼ *adj* bête, idiot(e). ◼ *nm, f* imbécile *(mf)* • **hacer el tonto** faire l'idiot • **hacerse el tonto** faire l'innocent • **ser un tonto** être bête. ◼ **a tontas y a locas** *loc adv* à tort et à travers.

tontorrón, ona *adj* & *nm, f* bêta(asse).

top *(pl* **tops***) nm (vêtement)* haut *(m)*.

topacio *nm* topaze *(f)*.

topadora *nf (Amér)* bulldozer *(m)*.

topar *vi (rencontrer)* • **topar con** tomber sur.

tope ◼ *adj inv (limite)* maximal(e) • **la fecha tope** la date butoir. ◼ *adv tfam* super. ◼ *nm* **1.** butoir *(m)* **2.** limite *(f)* **3.** *(obstacle)* frein *(m)* • **poner tope a algo** mettre un frein à qqch. ◼ **a tope** *loc adv (vitesse, intensité)* à fond. ◼ *loc adj fam* plein(e) à craquer.

topetazo *nm (collision)* choc *(m)* • **le dio un topetazo con el coche** il l'a tamponné.

tópico, ca *adj* **1.** banal(e) **2.** MÉD topique, à usage local. ◼ **tópico** *nm* banalité *(f)*, cliché *(m)*.

topo *nm litt* & *fig* taupe *(f)*.

topografía *nf* topographie *(f)*.

topógrafo, fa *nm, f* topographe *(mf)*.

topónimo *nm* toponyme *(m)*.

toque ◼ *v* ⊳ tocar. ◼ *nm* **1.** coup *(m)* • **toque de diana** coup de clairon • **toque de difuntos** glas *(m)* • **toque de queda** couvre-feu *(m inv)* **2.** *(nuance)* touche *(f)* • **dar los últimos toques a algo** mettre la dernière main à qqch **3.** *(avertissement)* • **dar un toque a alguien** *fam* appeler qqn • passer un coup de fil à qqn • *fig* mettre qqn en garde.

toquetear *vt fam* tripoter.

toquilla *nf* châle *(m)*.

torácico, ca *adj* thoracique.

tórax *nm inv* thorax *(m)*.

torbellino *nm* tourbillon *(m)*.

torcedura *nf* **1.** torsion *(f)* **2.** MÉD entorse *(f)*.

torcer ◼ *vt* **1.** tordre **2.** *(tourner)* • **torcer la esquina** tourner au coin de la rue. ◼ *vi* tourner. ◼ **torcerse** *vp* **1.** se tordre • **me torcí el dedo** je me suis tordu le doigt • **me tuerzo al escribir** je n'écris pas droit **2.** mal tourner.

torcido, da *adj* **1.** tordu(e) **2.** de travers.

tordo, da ◼ *adj* pommelé(e). ◼ *nm, f* cheval *(m)* pommelé, jument *(f)* pommelée. ◼ **tordo** *nm* grive *(f)*.

torear ◼ *vt* **1.** combattre **2.** *fig* • éviter *(une personne)* • esquiver *(un danger)* **3.** *fig (se moquer de)* • **torear a alguien** taquiner qqn. ◼ *vi* toréer.

toreo *nm* tauromachie *(f)*.

torero, ra *nm, f* torero *(m)* • **saltarse algo a la torera** *fig* faire fi de qqch. ◼ **torera** *nf (vêtement)* boléro *(m)*.

tormenta *nf* orage *(m)* • **acabar en tormenta** *fig* mal tourner.

tormento *nm* **1.** tourment *(m)* **2.** *(punition)* torture *(f)*.

tormentoso, sa *adj* orageux(euse).

tornado *nm* tornade *(f)*.

tornar *sout* ◼ *vt* transformer. ◼ *vi* • **tornar a** retourner à. ◼ **tornarse** *vp* devenir.

torneado, da *adj* **1.** *(poterie)* fait(e) au tour **2.** *(forme)* bien fait(e) • **tener las piernas torneadas** avoir les jambes galbées. ◼ **torneado** *nm (poterie)* tournage *(m)*.

torneo *nm* tournoi *(m)*.

tornillo *nm* vis *(f)* • **le falta un tornillo** *fam fig* il lui manque une case.

torniquete *nm* **1.** MÉD garrot *(m)* **2.** tourniquet *(m)*.

torno *nm* **1.** tour *(m) (de potier)* **2.** toupie *(f) (de charpentier)* **3.** roulette *(f) (de dentiste)* **4.** treuil *(m)*. ◼ **en torno a** *loc prép* **1.** autour de **2.** environ.

toro nm taureau (m). ■ **toros** nmpl corrida (f).

toronja nf pamplemousse (m).

torpe adj **1.** maladroit(e) **2.** (pas doué) • **ser torpe para algo** ne pas être très doué(e) pour qqch **3.** lent(e).

torpedear vt torpiller.

torpedero nm torpilleur (m).

torpedo nm torpille (f).

torpeza nf **1.** maladresse (f) **2.** lenteur (f).

torre nf **1.** tour (f) **2.** clocher (m) (d'une église) • **torre de control** tour de contrôle **3.** pavillon (m).

torrefacto, ta adj torréfié(e).

torrencial adj torrentiel(elle).

torrente nm **1.** torrent (m) **2.** fig flot (m) (de gens, de paroles).

torreta nf **1.** MIL tourelle (f) **2.** ÉLECTR pylône (m).

torrezno nm lardon (m).

tórrido, da adj torride.

torrija nf CULIN pain (m) perdu.

torsión nf torsion (f).

torso nm sout torse (m).

torta nf **1.** CULIN galette (f) **2.** fam baffe (f) • **dar** ou **pegar una torta a alguien** donner une baffe à qqn. ■ **ni torta** loc adv fam que dalle • **no veo ni torta** je n'y vois que dalle.

tortazo nm fam **1.** baffe (f) **2.** (coup) • **darse** ou **pegarse un tortazo** prendre une gamelle • se planter (en voiture).

tortícolis nf inv torticolis (m).

tortilla nf **1.** omelette (f) • **tortilla (a la) española** ou **de patatas** omelette espagnole • **tortilla (a la) francesa** omelette nature **2.** (Amér) crêpe de maïs épaisse servant de base à la cuisine mexicaine.

tórtola nf tourterelle (f).

tortolito, ta nm, f **1.** novice (mf) **2.** (gén pl) fam (amoureux) tourtereau (m).

tortuga nf tortue (f).

tortuoso, sa adj tortueux(euse).

tortura nf torture (f).

torturar vt torturer. ■ **torturarse** vp se tourmenter.

tos nf toux (f) • **tos ferina** coqueluche (f).

tosco, ca adj **1.** grossier(ère) **2.** (ustensile, construction) rudimentaire **3.** fig rustre.

toser vi tousser.

tostada nf ⊳ tostado.

tostado, da adj **1.** grillé(e) **2.** (couleur) foncé(e) **3.** (teint) hâlé(e). ■ **tostada** nf toast (m).

tostador nm grille-pain (m).

tostadora nf = tostador.

tostar vt **1.** faire griller **2.** (bronzer) brunir. ■ **tostarse** vp se faire bronzer.

tostón nm **1.** CULIN croûton (m) frit **2.** fam fig (ennui) plaie (f).

total ◼ adj total(e). ◼ nm **1.** total (m) • **en total** au total **2.** totalité (f) • **el total del grupo** la totalité du groupe. ◼ adv fam **1.** bref **2.** de toute manière • **total que me fui** bref, je suis parti • **total no podemos hacer nada** de toute manière, on ne peut rien y faire.

totalidad nf totalité (f).

totalitario, ria adj totalitaire.

totalizar vt **1.** (personne) faire le total de, totaliser **2.** (chiffres) se monter à • **los gastos totalizan 200 euros** les frais se montent à 200 euros.

tótem (pl **totems** ou **tótemes**) nm totem (m).

tóxico, ca adj toxique. ■ **tóxico** nm produit (m) toxique, toxique (m).

toxicómano, na adj & nm, f toxicomane.

toxina nf toxine (f).

tozudo, da adj & nm, f têtu(e).

traba nf fig obstacle (m) • **poner trabas a alguien** mettre des bâtons dans les roues à qqn.

trabajador, ra ◼ adj travailleur(euse). ◼ nm, f travailleur (m), -euse (f) • **trabajador eventual/temporal** travailleur occasionnel/temporaire.

trabajar ◼ vi **1.** travailler • **trabaja de** ou **como camarero** il est garçon de café **2.** CINÉ & THÉÂTRE jouer. ◼ vt travailler.

trabajo nm **1.** travail (m) **2.** emploi (m) • **hacer un buen trabajo** faire du bon travail • **trabajos manuales** travaux manuels • **trabajo temporal** travail temporaire **3.** fig efforts (mpl) • **costar mucho trabajo** demander beaucoup d'efforts.

trabajoso, sa adj **1.** laborieux(euse) **2.** pénible.

trabalenguas nm inv mot ou phrase difficile à prononcer.

trabar vt **1.** attacher **2.** assembler **3.** engager (la lutte, la conversation) • **trabar amistad con** se lier d'amitié avec **4.** entraver **5.** CULIN lier (une sauce). ■ **trabarse** vp s'emmêler • **se le trabó la lengua** sa langue a fourché.

trabazón nf fig enchaînement (m) (d'idées, d'arguments, etc).

traca nf chapelet (m) de pétards.

tracción nf traction (f) • **tracción delantera** traction avant.

tractor, ra adj moteur(trice). ■ **tractor** nm tracteur (m).

tradición nf tradition (f).

tradicional adj **1.** traditionnel(elle) **2.** (personne) traditionaliste.

tradicionalismo nm traditionalisme (m).

traducción nf traduction (f) • **traducción automática** traduction automatique • **traducción directa** version (f) • **traducción inversa** thème (m).

traducir vt • **traducir de/a** traduire (de/en). ■ **traducirse** vp • **traducirse (por)** se traduire (par).

traductor, ra nm, f traducteur (m), -trice (f).

traer vt **1.** apporter (une chose) **2.** amener (une personne) **3.** (de quelque part - chose) rapporter • (- personne) ramener **4.** (provoquer) causer **5.** (inclure) • **el periódico trae un artículo interesante** il y a un article intéressant dans le journal **6.** porter (sur soi) • **traer algo entre manos** manigancer qqch • **traer de cabeza a alguien** mener la vie impossible à qqn. ■ **traerse** vp • **el examen se las trae** fam fig l'examen n'est pas piqué des vers • **este niño se las trae** fam fig cet enfant est impossible.

traficar vi • **traficar (con** ou **en algo)** faire du trafic (de qqch).

tráfico nm **1.** circulation (f) **2.** (commerce illégal) trafic (m).

tragaluz nm lucarne (f).

traganíqueles nf inv (Amér) fam ▷ **máquina**.

tragaperras nm ou nf machine (f) à sous.

tragar vt **1.** (absorber, croire) avaler **2.** engloutir **3.** fam fig (supporter - chose) se taper • (- personne) • **no (poder) tragar a alguien** ne pas pouvoir encadrer qqn **4.** fam (consommer beaucoup - voiture) pomper • (- personne) avaler. ■ **tragarse** vp **1.** (absorber, croire) avaler **2.** engloutir **3.** fam fig (se supporter) • **no se tragan** ils ne peuvent pas s'encadrer **4.** ravaler (son orgueil, ses larmes).

tragedia nf tragédie (f).

trágico, ca adj tragique. ■ nm, f **1.** (auteur) tragique (m) **2.** (acteur) tragédien (m), -enne (f).

trago nm **1.** gorgée (f) • **de un trago** d'un trait **2.** fam verre (m) **3.** fam fig (dispute) • **pasar un mal trago** passer un mauvais quart d'heure.

tragón, ona adj & nm, f fam goinfre.

traición nf trahison (f).

traicionar vt trahir.

traicionero, ra adj & nm, f traître(esse).

traidor, ra adj & nm, f traître(esse).

trailer ['trailer] (pl **trailers**) nm **1.** CINÉ bande-annonce (f) **2.** AUTO semi-remorque (m).

traje nm robe (f) • **traje (de chaqueta)** (pour femme) tailleur (m) • (pour homme) costume (m) • **traje de baño** maillot (m) de bain • **traje de luces** habit (m) de lumière.

trajeado, da adj **1.** habillé(e) **2.** fam sapé(e).

trajín nm fam fig remue-ménage (m).

trajinar vi fam fig s'activer.

trama nf **1.** trame (f) **2.** intrigue (f) (d'une œuvre) **3.** fig machination (f).

tramar vt tramer.

tramitar vt • **tramitar algo** (passeport, permis de conduire, dossier) faire des démarches pour obtenir qqch • (vente, prêt) s'occuper de qqch.

trámite nm **1.** démarche (f) **2.** formalité (f) • **de trámite** de routine.

tramo nm **1.** tronçon (m) (de route) **2.** pan (m) (de mur) **3.** volée (f) (d'escalier).

tramoya nf THÉÂTRE machinerie (f).

trampa nf **1.** piège (m) • **hacer trampas** tricher **2.** trappe (f) **3.** fig dette (f).

trampear vi fam **1.** magouiller **2.** vivoter.

trampilla nf trappe (f).

trampolín nm **1.** tremplin (m) **2.** plongeoir (m).

tramposo, sa adj & nm, f **1.** tricheur(euse) (au jeu) **2.** mauvais payeur(mauvaise payeuse).

tranca nf **1.** barre (f) de fer (d'une porte, d'une fenêtre) **2.** trique (f) **3.** fam cuite (f) • **a trancas y barrancas** tant bien que mal.

trance nm **1.** mauvais pas (m) • **pasar (por) un mal trance** passer un mauvais moment **2.** transe (f) • **estar en trance de muerte** être à l'article de la mort.

tranquilidad nf tranquillité (f), calme (m).

tranquilizante ■ adj **1.** apaisant(e) **2.** MÉD tranquillisant(e). ■ nm MÉD tranquillisant (m).

tranquilizar vt **1.** tranquilliser, calmer **2.** rassurer. ■ **tranquilizarse** vp **1.** se tranquilliser **2.** se rassurer.

tranquillo nm fam • **coger el tranquillo a algo** prendre le coup.

tranquilo, la adj **1.** tranquille **2.** (mer, vent, commerce) calme • **(tú) tranquilo** fam (ne) t'inquiète pas **3.** insouciant(e).

transacción nf transaction (f).

transar vi (Amér) **1.** trouver un compromis **2.** céder.

transatlántico, ca, trasatlántico, ca adj transatlantique. ■ **transatlántico** nm transatlantique (m).

transbordador, trasbordador *nm* **1.** ferry *(m)* **2.** AÉRON ▪ **transbordador (espacial)** navette *(f)* spatiale.

transbordar, trasbordar ◙ *vt* transborder. ◙ *vi* changer *(de train, etc)*.

transbordo, trasbordo *nm* changement *(m)* ▪ **hacer transbordo** changer *(de train, etc)*.

transcendencia = **trascendencia**.

transcendental = **trascendental**.

transcendente = **trascendente**.

transcender = **trascender**.

transcribir, trascribir *vt* transcrire.

transcurrir, trascurrir *vi* **1.** *(temps)* s'écouler **2.** *(événement, action)* se passer.

transcurso, trascurso *nm* ▪ **en el transcurso de** au cours de *(repas, réunion)* ▪ dans le courant de *(la journée, l'année)*.

transeúnte *nm, f* **1.** passant *(m)*, -e *(f)* **2.** personne *(f)* de passage.

transexual *adj* & *nmf* transsexuel(elle).

transferencia, trasferencia *nf* **1.** virement *(m)* **2.** transfert *(m)*.

transferir, trasferir *vt* **1.** virer **2.** transférer.

transfigurar, trasfigurar *vt* transfigurer.

transformación, trasformación *nf* transformation *(f)*.

transformador, ra,   trasformador, ra *adj* **1.** transformateur(trice) **2.** *(industrie, système)* de transformation. ▪ **transformador, trasformador** *nm* ÉLECTR transformateur *(m)*.

transformar, trasformar *vt* ▪ **transformar algo/alguien en** transformer qqch/qqn en. ▪ **transformarse** *vp* **1.** se transformer **2.** être transformé(e).

tránsfuga, trásfuga *nmf* transfuge *(mf)*.

transfusión, trasfusión *nf* transfusion *(f)*.

transgénico, ca *adj* transgénique.

transgredir, trasgredir *vt* transgresser.

transgresor, ra, trasgresor, ra *nm, f* contrevenant *(m)*, -e *(f)*.

transición *nf* **1.** transition *(f)* **2.** POLIT nom donné à la période de l'histoire espagnole qui a suivi le franquisme.

transido, da *adj* **1.** transi(e) *(de froid)* **2.** accablé(e) *(de douleur)*.

transigente *adj* tolérant(e).

transigir *vi* ▪ **transigir (con)** transiger (sur).

transistor *nm* transistor *(m)*.

transitar *vi* **1.** passer **2.** *(voiture)* circuler.

tránsito *nm* **1.** circulation *(f)*, passage *(m)* **2.** transit *(m)*.

transitorio, ria *adj* transitoire.

translúcido, da, traslúcido, da *adj* translucide.

transmisible, trasmisible *adj* transmissible.

transmisión, trasmisión *nf* transmission *(f)*.

transmisor, ra *adj* **1.** *(appareil)* de transmission **2.** *(station)* émetteur(trice). ▪ **transmisor** *nm* RADIO émetteur *(m)*.

transmitir, trasmitir *vt* **1.** transmettre **2.** RADIO & TV diffuser. ▪ **transmitirse, trasmitirse** *vp* se transmettre.

transoceánico, ca *adj* transocéanique.

transparencia, trasparencia *nf* **1.** transparence *(f)* **2.** *(pour un exposé)* transparent *(m)*.

transparentarse, trasparentarse *vp* **1.** être transparent(e) **2.** fig *(se manifester)* transparaître.

transparente, trasparente *adj* **1.** transparent(e) **2.** fig *(évident)* clair(e).

transpiración, traspiración *nf* transpiration *(f)*.

transpirar, traspirar *vi* transpirer.

transponer, trasponer *vt* déplacer. ▪ **transponerse, trasponerse** *vp* **1.** s'assoupir **2.** disparaître **3.** *(soleil)* se coucher.

transportador, ra, trasportador, ra *adj* transporteur(euse). ▪ **transportador** *nm* **1.** transporteur *(m)* **2.** *(pour mesurer les angles)* rapporteur *(m)*.

transportar, trasportar *vt* transporter. ▪ **transportarse, trasportarse** *vp* ▪ **transportarse (con)** être transporté(e) (de).

transporte, trasporte *nm* transport *(m)* ▪ **transporte público** OU **colectivo** transports *(mpl)* en commun.

transportista *nmf* transporteur *(m)*.

transvase, trasvase *nm* **1.** transvasement *(m)* **2.** dérivation *(f)* *(d'une rivière)*.

transversal, trasversal ◙ *adj* transversal(e). ◙ *nf* GÉOM transversale *(f)*.

CULTURE... la transición

Ce mot s'applique à la période qui suivit la mort de Franco, caractérisée par l'instauration d'institutions politiques représentatives et par la modernisation de la législation. Fierté nationale, la continuité politique fut assurée sans remous. Les bases de la nouvelle démocratie espagnole furent jetées grâce aux premières élections législatives et à l'élaboration de la nouvelle Constitution, approuvée par référendum le 6 décembre 1978.

tranvía *nm* tramway *(m)*.

trapecio *nm* trapèze *(m)*.

trapecista *nmf* trapéziste *(mf)*.

trapero, ra *nm, f* chiffonnier *(m)*, -ère *(f)*.

trapío *nm* **1.** TAUROM fougue *(f)* **2.** sout allure *(f)*

trapisonda *nf* fam embrouille *(f)*.

trapo *nm* **1.** chiffon *(m)* • **trapo (de cocina)** torchon *(m)* **2.** TAUROM muleta *(f)* • **poner a alguien como un trapo** traiter qqn de tous les noms. ■ **trapos** *nmpl fam (vêtements)* • **hablar de trapos** parler chiffons.

tráquea *nf* trachee *(f)*.

traqueteo *nm* secousses *(fpl)* (d'un train).

tras *prép* **1.** après • **tras su intervención...** suite à son intervention... • **día tras día** jour après jour • **una mentira tras otra** mensonge sur mensonge **2.** derrière • **andar tras alguien** être à la recherche de qqn • **andar tras algo** courir après qqch.

trasatlántico, ca = **transatlántico**.

trasbordador, ra = **transbordador**.

trasbordar = **transbordar**.

trasbordo = **transbordo**.

trascendencia, transcendencia *nf* fig importance *(f)* • **tener una gran trascendencia** être d'une grande importance.

trascendental, transcendental *adj* **1.** *(importante)* • **de trascendental importancia** très important(e) • **una decisión trascendental** une décision capitale **2.** *(méditation)* transcendantal(e).

trascendente, transcendente *adj* **1.** *(fait, événement)* marquant(e) **2.** PHILO transcendant(e).

trascender, transcender *vi* **1.** se propager • **trascender a** s'étendre à • *(mécontentement)* gagner **2.** *(sentir)* • **trascender a** exhaler une odeur de **3.** *(aller plus loin)* • **trascender de** dépasser.

trascribir = **transcribir**.

trascurrir = **transcurrir**.

trascurso = **transcurso**.

trasegar *vt* **1.** déranger **2.** transvaser.

trasero, ra *adj* **1.** de derrière **2.** *(siège, roue)* arrière. ■ **trasero** *nm fam* derrière *(m)*.

trasferencia = **transferencia**.

trasferir = **transferir**.

trasfigurar = **transfigurar**.

trasfondo *nm* **1.** fond *(m)* **2.** sens *(m)* profond *(d'un mot, d'une œuvre)* **3.** POLIT arrière-plan *(m)*.

trasformación = **transformación**.

trasformador, ra = **transformador**.

trasformar = **transformar**.

trásfuga = **tránsfuga**.

trasfusión = **transfusión**.

trasgredir = **transgredir**.

trasgresor, ra = **transgresor**.

trashumante *adj* transhumant(e).

trasiego *nm* remue-ménage *(m inv)*.

traslación *nf* **1.** ASTRON translation *(f)* **2.** déplacement *(m)*.

trasladar *vt* **1.** déplacer **2.** transporter *(des voyageurs, un blessé, etc)* **3.** muter *(un empleado, un funcionario)* **4.** transférer *(une entreprise, un local, un prisionero)* **5.** reporter *(une réunion, une date)*. ■ **trasladarse** *vp* **1.** se déplacer **2.** *(entreprise, local, prisionero)* être transféré(e) • **trasladarse (de piso)** déménager.

traslado *nm* **1.** déplacement *(m)* **2.** transport *(m) (de voyageurs, de marchandises, d'un blessé, etc)* **3.** transfert *(m) (de prisioneros)* **4.** déménagement *(m)* **5.** mutation *(f) (d'un empleado, d'un funcionario)*.

traslúcido, da = **translúcido**.

trasluz *nm* • **al trasluz** par transparence.

trasmisión = **transmisión**.

trasmisor, ra = **transmisor**.

trasmitir = **transmitir**.

trasnochar *vi* se coucher à pas d'heure.

traspapelar *vt* égarer *(un papier)*. ■ **traspapelarse** *vp (papier)* s'égarer.

trasparencia = **transparencia**.

trasparentarse = **transparentarse**.

trasparente = **transparente**.

traspasar *vt* **1.** transpercer **2.** traverser *(une route, une rivière)* **3.** franchir *(une porte)* **4.** céder *(une affaire)* • **'se traspasa'** 'bail à céder' **5.** SPORT transférer *(un joueur)* **6.** fig dépasser *(les limites)* **7.** transgresser *(la loi)*.

traspaso *nm* **1.** cession *(f) (d'une affaire)* **2.** *(somme d'argent)* reprise *(f)* **3.** COMM pas-de-porte *(m inv)* **4.** SPORT transfert *(m) (d'un joueur)*.

traspié *(pl* **traspiés)** *nm* faux pas *(m)* • **dar un traspié** *litt & fig* faire un faux pas.

traspiración = **transpiración**.

traspirar = **transpirar**.

trasplantar *vt* transplanter.

trasplante *nm* greffe *(f)*.

trasponer = **transponer**.

trasportable = **transportable**.

trasportador, ra = **transportador**.

trasportar = **transportar**.

trasporte = **transporte**.

trasquilar *vt* **1.** tondre **2.** couper n'importe comment *(les cheveux)*.

trastabillar *vi (Amér)* chanceler.

trastada *nf* mauvais tour *(m)*.

traste *nm* **1.** MUS touchette *(f) (de guitare)* **2.** *(Amér) fam* derrière *(m)* • **irse al traste** fig tomber à l'eau. ■ **trastes** *nmpl (Amér)* affaires *(fpl)* • **fregar los trastes** faire la vaisselle.

trastero *nm* débarras *(m)*.

trastienda *nf* arrière-boutique *(f)*.

trasto *nm* **1.** *(chose inutile)* vieillerie *(f)* **2.** *fam fig* polisson *(m)*. ■ **trastos** *nmpl* **1.** affaires *(fpl)*

• **tirarse los trastos a la cabeza** *fam* s'engueuler **2.** matériel *(m)* **3.** accessoires *(mpl) (du torero)*.

trastocar *vt* déranger *(des papiers, etc)*. ■ **trastocarse** *vp* perdre la tête.

trastornado, da *adj* bouleversé(e) • **tener la mente trastornada** être dérangé(e).

trastornar *vt* **1.** faire perdre la tête à **2.** tourmenter **3.** bouleverser **4.** déranger. ■ **trastornarse** *vp* perdre la tête.

trastorno *nm* **1.** trouble *(m)* **2.** bouleversement *(m)* **3.** dérangement *(m)*.

trastrocar *vt* **1.** mélanger *(des papiers)* **2.** modifier *(ses plans)* **3.** déformer *(le sens)*.

trasvase = **transvase**.

trasversal = **transversal**.

tratable *adj (personne)* aimable.

tratado *nm* traité *(m)*.

tratamiento *nm* **1.** *(gén, MÉD & INFORM)* traitement *(m)* • **tratamiento de textos** traitement de texte **2.** titre *(m)*.

tratar ■ *vt* **1.** *(gén, MÉD & INFORM)* traiter **2.** *(s'adresser à)* • **tratar a alguien de tú** tutoyer qqn • **tratar a alguien de usted** vouvoyer qqn **3.** négocier *(un accord)*. ■ *vi* • **tratar de** *ou* **sobre** traiter de • **tratar con alguien** fréquenter qqn • **tratar de hacer algo** essayer de faire qqch • **tratar con algo** manipuler qqch. ■ **tratarse** *vp* **1.** se fréquenter • **tratarse con alguien** fréquenter qqn **2.** *(traiter de)* • **¿de qué se trata?** de quoi s'agit-il ? • **se trata de...** il s'agit de...

tratativas *nfpl (Amér)* formalités *(fpl)* • **estar en tratativas con** être en négociations avec.

trato *nm* **1.** traitement *(m)* • **de trato agradable** (d'un commerce) agréable **2.** fréquentation *(f)* • **no quiero tratos con ellos** je ne veux pas avoir affaire à eux **3.** *(accord)* • **cerrar** *ou* **hacer un trato** conclure un marché • **¡trato hecho!** marché conclu ! **4.** *(personne)* • **dar un trato a alguien** s'adresser à qqn.

trauma *nm* traumatisme *(m)*.

traumatizar *vt* traumatiser. ■ **traumatizarse** *vp* être traumatisé(e).

través ■ **a través de** *loc prép* **1.** en travers de **2.** à travers, au travers de **3.** par l'intermédiaire de. ■ **al través** *loc adv* en travers. ■ **de través** *loc adv* de travers.

travesaño *nm* **1.** traverse *(f)* **2.** SPORT barre *(f)* transversale.

travesía *nf* **1.** *(voyage)* traversée *(f)* **2.** *(rue)* passage *(m)*.

travestí, travestís *nmf* travesti *(m)*.

travestido, da *nm, f* = **travestí**.

travesura *nf* espièglerie *(f)*.

traviesa *nf* traverse *(f)*.

travieso, sa *adj* espiègle.

trayecto *nm* trajet *(m)*.

trayectoria *nf* **1.** trajectoire *(f) (d'un projectile, etc)* **2.** parcours *(m) (d'une personne)*.

traza *nf* **1.** *(aspect)* air *(m)* **2.** *(gén pl) (habileté)* • **darse buenas/malas trazas (para algo)** être/ ne pas être doué(e) (pour qqch).

trazado *nm* tracé *(m)*.

trazar *vt* **1.** tracer **2.** *(indiquer, décrire)* évoquer • **trazar un paralelo entre** établir un parallèle entre **3.** concevoir.

trazo *nm* trait *(m)*.

trébol *nm* trèfle *(m)*. ■ **tréboles** *nmpl (aux cartes)* trèfle *(m)*.

trece ■ *adj num inv* treize. ■ *nm inv* treize *(m inv)*. • *voir aussi* **seis**

treceavo, va *adj num* treizième. • *voir aussi* **sexto**

trecho *nm* • **un buen trecho** *(espace)* un bon bout de chemin • *(temps)* un bon bout de temps.

tregua *nf* trêve *(f)*.

treinta *adj num inv* & *nm inv* trente. • *voir aussi* **sesenta**

trekking ['trekiŋ] *nm* trekking *(m)*, trek *(m)*.

tremendo, da *adj* terrible • **tomar(se) algo a la tremenda** prendre qqch au tragique.

tremolar *vi sout (drapeau)* ondoyer.

trémulo, la *adj* • **una luz trémula** une lumière vacillante • **una voz trémula** une voix chevrotante.

tren *nm* **1.** RAIL & TECHNOL train *(m)* • **tren de alta velocidad** train à grande vitesse • **tren de aterrizaje** train d'atterrissage • **tren de carga** train de marchandises • **tren de lavado** portique *(m)* de lavage automatique • **tren expreso/semirápido** train express/semi-direct **2.** *(style)* • **tren (de vida)** train *(m)* de vie • **estar como un tren** *tfam* être canon.

trenza *nf* tresse *(f)*.

trenzar *vt* tresser.

trepa *nmf fam* • **ser un trepa** avoir les dents qui rayent le parquet.

trepador, ra ■ *adj* • **una planta trepadora** une plante grimpante. ■ *nm, f fam* • **ser un trepador** avoir les dents longues.

trepar *vi* **1.** grimper • **trepar a los árboles** grimper aux arbres **2.** *fam fig* grimper dans l'échelle sociale.

trepidar *vi* trépider.

tres ■ *adj num inv* trois • **ni a la de tres** *fig* pour rien au monde. ■ *nm inv* trois *(m)*. • *voir aussi* **seis** ■ **tres cuartos** *nm inv (manteau)* trois-quarts *(m)*. ■ **tres en raya** *nm (jeu)* marelle *(f)*.

trescientos, tas *adj num inv* trois cents. • *voir aussi* **seiscientos**

tresillo *nm* **1.** *(mobilier) salon comprenant un canapé et deux fauteuils assortis* **2.** MUS triolet
(m).

treta *nf* ruse *(f).*

triangular *adj* triangulaire.

triángulo *nm (gén & MUS)* triangle *(m).*

tribu *nf* **1.** tribu *(f)* **2.** *fam fig (famille nombreuse)*
smala *(f)* • **tribu urbana** faune *(f).*

tribulación *nf* tribulation *(f).*

tribuna *nf* tribune *(f).*

tribunal *nm* **1.** tribunal *(m)* **2.** cour *(f)* • **llevar a
alguien a los tribunales** traîner qqn devant
les tribunaux **3.** jury *(m) (d'examen).*

tributar *vt* témoigner *(du respect, de l'admiration)* • **tributar un homenaje a** rendre hommage a.

tributo *nm* **1.** *(impôt)* contribution *(f)* **2.** *fig*
contrepartie tribut *(m)* **3.** *(sentiment favorable)*
• **dedicar un tributo de admiración a alguien**
témoigner de l'admiration à qqn.

triciclo *nm* tricycle *(m).*

tricornio *nm* tricorne *(m).*

tricot *nm inv* tricot *(m).*

tricotar *vt & vi* tricoter.

tricotosa *nf* machine *(f)* à tricoter.

tridimensional *adj* tridimensionnel(elle).

trifulca *nf fam* bagarre *(f).*

trigésimo, ma *adj num* trentième. • *voir aussi*
sexto

trigo *nm* blé *(m).*

trigonometría *nf* trigonométrie *(f).*

trillado, da *adj fig* rebattu(e).

trillar *vt* AGRIC battre.

trillizos, zas *nm, f pl* triplés *(mpl),* triplées
(fpl).

trilogía *nf* trilogie *(f).*

trimestral *adj* trimestriel(elle).

trimestre *nm* trimestre *(m).*

trinar *vi* faire des trilles • **está que trina** *fig* il
est fou furieux.

trincar *fam* • *vt (arrêter)* pincer. • *vi* picoler.

trincha *nf* patte *(f) (de vêtement).*

trinchante *nm* **1.** couteau *(m)* à découper
2. fourchette *(f)* à découper.

trinchar *vt* découper.

trinchera *nf* tranchée *(f).*

trineo *nm* **1.** luge *(f)* **2.** traîneau *(m).*

Trinidad *nf* RELIG • **la (Santísima) Trinidad** la
(Sainte) Trinité.

Trinidad y Tobago *npr* Trinité-et-Tobago.

trío *nm* **1.** *(gén & MUS)* trio *(m)* **2.** *(aux cartes)* bre-
lan *(m).*

tripa *nf* **1.** tripes *(fpl)* **2.** *fam* ventre *(m).* ■ **tripas**
nfpl fig intérieur *(m) (d'une machine, d'un ob-
jet).*

tripi *nm fam* acide *(m).*

triple ■ *adj* triple. ■ *nm* triple *(m)* • **el triple de
gente** trois fois plus de gens.

triplicado *nm* triplicata *(m)* • **por triplicado** en
triple exemplaire.

triplicar *vt* tripler. ■ **triplicarse** *vp* tripler.

trípode *nm* trépied *(m).*

tríptico *nm* **1.** ART triptyque *(m)* **2.** dépliant *(m).*

tripulación *nf* équipage *(m).*

tripulante *nmf* membre *(m)* de l'équipage.

tripular *vt (conduire)* piloter.

tris *nm inv* • **estar en un tris de...** *fig* être à
deux doigts de...

triste *adj* **1.** triste **2.** *(devant un substantif)* • pauvre *(personne)* • maigre *(salaire)* **3.** *(pas le moindre)* • **ni un triste regalo** même pas un malheureux cadeau.

tristeza *nf* tristesse *(f).*

triturador *nm* **1.** broyeur *(m) (d'ordures)* **2.** dé-
chiqueteuse *(f) (de bureau).*

triturar *vt* **1.** broyer **2.** piler *(des amandes)* **3.** hacher menu *(de l'ail).*

triunfador, ra ■ *adj* victorieux(euse). ■ *nm, f*
1. vainqueur *(m) (d'une compétition)* **2.** ga-
gneur *(m),* -euse *(f) (dans la vie).*

triunfal *adj* triomphal(e).

triunfar *vi* **1.** *(vaincre)* • **triunfar (sobre)** triompher (de) **2.** réussir.

triunfo *nm* **1.** triomphe *(m)* **2.** victoire *(f) (dans
une rencontre sportive, aux élections)* **3.** réussite *(f) (dans la vie)* **4.** *(aux cartes)* atout *(m).*

trivial *adj* banal(e).

trivialidad *nf* banalité *(f).*

trivializar *vt* banaliser.

triza *nf (gén pl)* morceau *(m)* • **hacer trizas** *(objet)* casser en mille morceaux • *(personne)* mettre dans tous ses états.

trocar *vt* **1.** échanger **2.** *(transformer)* • **trocar algo en algo** transformer qqch en qqch.

trocear *vt* couper en morceaux.

troche ■ **a troche y moche** *loc adv* **1.** à tort et
à travers **2.** généreusement.

trofeo *nm* trophée *(m).*

troglodita ■ *nmf* troglodyte *(mf).* ■ *nm fam*
ours *(m)* mal léché.

trola *nf fam* • **meter trolas** raconter des sala-
des.

trolebús *nm* trolleybus *(m).*

trolero, ra *nm, f fam* menteur *(m),* -euse *(f).*

tromba *nf* trombe *(f)* • **tromba de agua** trombe
d'eau.

trombón *nm* trombone *(m).*

trombosis *nf inv* thrombose *(f).*

trompa *nf* **1.** *(gén, MUS & ANAT)* trompe *(f)* **2.** *fam*
cuite *(f)* • **coger** *OU* **pillar una trompa** prendre
une cuite.

trompazo *nm* coup *(m)*.

trompear *vt (Amér) fam* cogner. ■ **trompearse** *vp (Amér) fam* se bagarrer.

trompeta *nf* trompette *(f)*.

trompetista *nmf* trompettiste *(mf)*.

trompicón *nm* faux pas *(m)* • **a trompicones** *fig* par à-coups.

trompo *nm* toupie *(f)*.

tronado, da *adj fam* **1.** *(personne)* cinglé(e) **2.** *(radio, télé)* pété(e). ■ **tronada** *nf* coups *(mpl)* de tonnerre.

tronar ■ *v impers* tonner. ■ *vi* **1.** tonner **2.** *(cris)* résonner. ■ *vt (Amér) fam* flinguer.

tronchar *vt* **1.** casser **2.** *fig* briser. ■ **troncharse** *vp fam* • **troncharse (de risa)** être plié(e) en quatre *ou* de rire.

tronco[1] *nm* tronc *(m)* • **dormir como un tronco, estar hecho un tronco** dormir comme une souche.

tronco[2]**, ca** *f nm, f fam* pote *(m)*.

tronera ■ *nf* **1.** ARCHIT embrasure *(f)* **2.** blouse *(f)*. ■ *nm, f fam* noceur *(m)*, -euse *(f)*.

trono *nm* trône *(m)*.

tropa *nf* **1.** MIL troupe *(f)* **2.** *fig (multitude)* armée *(f)*.

tropel *nm* **1.** cohue *(f)* **2.** tas *(m)* *(de choses)*.

tropero *nm (Amér)* gardien *(m)* de vaches.

tropezar *vi* trébucher. ■ **tropezarse** *vp fam* se retrouver • **tropezarse con alguien** tomber sur qqn.

tropezón *nm* faux pas *(m)*. ■ **tropezones** *nmpl* morceaux de viande, de pain, de fromage, etc mélangés à la soupe.

tropical *adj* tropical(e).

trópico *nm* tropique *(m)* • **trópico de Cáncer/ de Capricornio** tropique du Cancer/du Capricorne.

tropiezo *nm* **1.** faux pas *(m)* **2.** *fig* difficulté *(f)*, embûche *(f)*.

troquel *nm* **1.** coin *(m)*, étampe *(f)* **2.** massicot *(m)*.

trotamundos *nmf inv* globe-trotter *(mf)*.

trotar *vi* **1.** *(cheval)* trotter **2.** *fam fig (marcher beaucoup)* cavaler.

trote *nm* **1.** trot *(m) (de cheval)* **2.** *fam (actividad intense)* • **ya no estoy para (esos) trotes** j'ai passé l'âge.

troupe ['trup, 'trupe] *nf* THÉÂTRE troupe *(f)*.

trovador *nm* troubadour *(m)*.

trozo *nm* bout *(m)* • **cortar algo en trozos** couper qqch en morceaux.

trucar *vt* **1.** truquer **2.** trafiquer *(un moteur, un mécanisme)*.

trucha *nf* truite *(f)*.

truco *nm* truc *(m)* • **coger el truco** prendre le coup.

truculento, ta *adj* terrifiant(e).

trueno *nm* **1.** tonnerre *(m)* **2.** *fig* coup *(m)* de tonnerre.

trueque ■ *v* ▷ **trocar**. ■ *nm* troc *(m)*.

trufa *nf* truffe *(f)*.

truhán, ana *nm, f* truand *(m)*.

truncar *vt* **1.** briser *(une carrière, des illusions)* **2.** faire échouer *(un plan)* **3.** tronquer *(une phrase, un texte, etc)*.

trusa *nf (Amér)* maillot *(m)* de bain.

tu *(pl* **tus)** *adj poss* ton, ta • **tus libros** tes livres.

tú *pron pers* **1.** *(sujet)* tu **2.** *(prédicat)* toi • **tú te llamas Juan** tu t'appelles Juan • **el culpable eres tú** c'est toi le coupable • **de tú a tú** d'égal à égal • **hablar** *ou* **tratar de tú a alguien** tutoyer qqn.

tubérculo *nm* tubercule *(m)*.

tuberculosis *nf inv* tuberculose *(f)*.

tubería *nf* **1.** tuyauterie *(f)* **2.** tuyau *(m)* **3.** *(tube)* conduite *(f)*.

tubo *nm* **1.** tuyau *(m) (d'écoulement)* **2.** *(récipient)* tube *(m)* • **tubo de ensayo** tube à essai • **tubo digestivo** tube digestif. ■ **tubo de escape** *nm* AUTO pot *(m)* d'échappement.

tuerca *nf* écrou *(m)*.

tuerto, ta *adj & nm, f* borgne.

tuétano *nm* moelle *(f)* • **calarse hasta los tuétanos** être trempé(e) jusqu'aux os • **hasta los tuétanos** profondément.

tufillo *nm* **1.** mauvaise odeur *(f)* **2.** CULIN fumet *(m)*.

tufo *nm* **1.** puanteur *(f)* **2.** relent *(m)*.

tugurio *nm* **1.** boui-boui *(m)* **2.** *(habitation)* taudis *(m)*.

tul *nm* tulle *(m)*.

tulipa *nf (lampe)* tulipe *(f)*.

tulipán *nm (fleur)* tulipe *(f)*.

tullido, da *adj & nm, f* **1.** *(vieux)* impotent(e) **2.** *(handicapé)* infirme.

tumba *nf* tombe *(f)* • **ser una tumba** *fig* être muet(ette) comme une tombe.

tumbar *vt* **1.** faire tomber **2.** allonger **3.** *fam* coller *(à un examen)* **4.** *fam* battre *(dans une compétition)*. ■ **tumbarse** *vp* s'allonger.

tumbo *nm* cahot *(m)* • **dando tumbos** *fig* cahincaha.

tumbona *nf* **1.** transat *(m)* **2.** chaise *(f)* longue.

tumor *nm* tumeur *(f)*.

tumulto *nm* **1.** tumulte *(m)* **2.** cohue *(f)*.

tumultuoso, sa *adj* **1.** tumultueux(euse) **2.** houleux(euse).

tuna *nf* ▷ **tuno**.

tunante, ta *nm, f* canaille (f).

tunda *nf fam* **1.** raclée (f) **2.** *fig* galère (f).

tunecino, na ◼ *adj* tunisien(enne). ◼ *nm, f* Tunisien (m), -enne (f).

túnel *nm* tunnel (m). ◼ **túnel de lavado** *nm* AUTO station (f) de lavage automatique.

Túnez *npr* **1.** Tunis **2.** Tunisie (f).

túnica *nf* tunique (f)

tuno, na *nm, f* filou (m). ◼ **tuna** *nf* MUS petit orchestre d'étudiants.

tuntún ◼ **al (buen) tuntún** *loc adv* au petit bonheur.

tupé *nm* **1.** toupet (m) **2.** banane (f) (de rocker).

tupido, da *adj* (forêt, feuillage) dense.

turba *nf* **1.** tourbe (f) **2.** *péj* (foule) peuple (m).

turbación *nf* **1.** trouble (m) **2.** embarras (m).

turbante *nm* turban (m).

turbar *vt* troubler. ◼ **turbarse** *vp* se troubler.

turbina *nf* turbine (f).

turbio, bia *adj* **1.** trouble **2.** *fig* (affaire, etc) louche.

turbodiésel ◼ *adj* turbodiesel (inv). ◼ *nm* turbodiesel (m).

turbulencia *nf* **1.** turbulence (f) **2.** tumulte (m).

turbulento, ta *adj* **1.** turbulent(e) **2.** agité(e).

turco, ca ◼ *adj* turc(turque). ◼ *nm, f* Turc (m), Turque (f). ◼ **turco** *nm* turc (m).

turismo *nm* **1.** tourisme (m) ◦ **turismo rural** tourisme vert **2.** voiture (f) de tourisme.

turista *nmf* touriste (mf).

turístico, ca *adj* touristique.

Turkmenistán *npr* Turkménistan (m).

turnarse *vp* se relayer.

turno *nm* **1.** tour (m) (d'une personne) **2.** équipe (f) (de travail).

turquesa ◼ *nf* turquoise (f). ◼ *adj inv* (couleur) turquoise. ◼ *nm* (couleur) turquoise (m).

Turquía *npr* Turquie (f).

turrón *nm* touron (m) (confiserie de Noël semblable au nougat).

tururú *interj fam* ◦ **¡tururú!** taratata !

tute *nm* **1.** jeu de cartes semblable au whist **2.** *fam fig* boulot (m) ◦ **darse un tute** donner un coup de collier.

tutear *vt* tutoyer. ◼ **tutearse** *vp* se tutoyer.

tutela *nf* tutelle (f) ◦ **tener la tutela de alguien** avoir qqn sous sa tutelle.

tutelar ◼ *adj* tutélaire. ◼ *vt* **1.** (personne) avoir la tutelle de **2.** (œuvre, etc) encourager.

tutor, ra *nm, f* **1.** (gén & DR) tuteur (m), -trice (f) **2.** (professeur - privé) précepteur (m), -trice (f) ◦ (- d'une classe) professeur (m) principal.

tutoría *nf* tutelle (f).

tutti frutti, tuttifrutti *nm* tutti frutti (m).

tutú *nm* tutu (m).

tuviera (etc) ▷ **tener.**

tuyo, ya ◼ *adj poss* à toi ◦ **este libro es tuyo** ce livre est à toi ◦ **un amigo tuyo** un de tes amis ◦ **no es asunto tuyo** ça ne te regarde pas ◦ **no es culpa tuya** ce n'est pas (de) ta faute. ◼ *pron poss* (après un article défini) ◦ **el tuyo** le tien ◦ **la tuya** la tienne ◦ **ésta es la tuya** *fam* à toi de jouer ◦ **lo tuyo es el teatro** *fam* ton truc c'est le théâtre ◦ **tú a lo tuyo** occupe-toi de tes affaires ◦ **los tuyos** (ta famille) les tiens.

TV (abr de **televisión**) *nf* TV (f).

TV3 (abr de **Televisión de Cataluña**) *nf* chaîne de télévision régionale catalane.

TVE (abr de **Televisión Española**) *nf* chaîne de télévision publique espagnole.

TVG (abr de **Televisión de Galicia**) *nf* chaîne de télévision régionale de Galice.

TVV (abr de **Televisión Valenciana**) *nf* chaîne de télévision régionale de la Communauté de Valence.

u¹ (pl **úes**), **U** [u] *nf* u (m inv), U (m inv).

u² *conj* ou. ◦ *voir aussi* **o**

ubicación *nf* emplacement (m).

ubicar *vt* **1.** placer **2.** situer. ◼ **ubicarse** *vp* se situer.

ubre *nf* **1.** mamelle (f) **2.** pis (m) (de vache).

UCI (abr de **unidad de cuidados intensivos**) *nf* USI.

Ucrania *npr* Ukraine (f).

Ud. (abr écrite de **usted**), **Vd.** ◦ **esto depende de Ud.** cela dépend de vous.

Uds. (abr écrite de **ustedes**), **Vds.** ◦ **como Uds. deseen** comme vous voudrez.

UE (*abr écrite de* **Unión Europea**) *nf* UE *(f)* • **los estados/países miembros de la UE** les états/pays membres de l'UE.

UEFA (*abr de* **Unión de Asociaciones Europeas de Fútbol**) *nf* UEFA *(f)*.

uf *interj* • **iuf!** ouf !

ufanarse *vp* • **ufanarse de** se targuer de.

ufano, na *adj* **1.** *(personne)* fier(ère) **2.** *(plante)* beau(belle).

Uganda *npr* Ouganda *(m)*.

UGT (*abr de* **Unión General de los Trabajadores**) *nf* syndicat espagnol proche du PSOE.

ujier *nm* **1.** huissier *(m)* **2.** portier *(m)*.

újule *interj* (*Amér*) • **iújule!** c'est malin !

UK (*abr écrite de* **United Kingdom**) *nm* UK.

úlcera *nf* ulcère *(m)*.

ulcerar *vt* MÉD ulcérer. ■ **ulcerarse** *vp* s'ulcérer.

ulterior *adj* ultérieur(e).

ultimador, ra *nm, f* (*Amér*) assassin *(m)*.

ultimar *vt* **1.** mettre la dernière main à **2.** conclure (*un traité, etc*) **3.** (*Amér*) assassiner.

ultimátum (*pl* **ultimatos** *ou* **inv**) *nm* ultimatum *(m)*.

último, ma ■ *adj* dernier(ère) • **su última película** son dernier film • **el último piso** le dernier étage. ■ *nm, f* • **el último** le dernier • **la última** la dernière • **llegar el último** arriver dernier • **este último** ce dernier. ■ **última** *nf* • **estar en las últimas** être à l'article de la mort • ne plus avoir beaucoup de… (*argent, provisions*) • **ir a la última** *fam* être à la dernière mode. • **por último** *loc adv* enfin, finalement.

ultra ■ *adj* d'extrême droite. ■ *nmf* • **es un ultra** il est d'extrême droite.

ultraderecha *nf* extrême droite *(f)*.

ultraizquierda *nf* extrême gauche *(f)*.

ultrajar *vt* outrager.

ultraje *nm* outrage *(m)*.

ultramar *nm* pays *(mpl)* d'outre-mer • **de ultramar** d'outre-mer.

ultramarino, na *adj* d'outre-mer. ■ **ultramarinos** *nmpl* épicerie *(f)*.

ultranza ■ **a ultranza** ■ *loc adj* convaincu(e). ■ *loc adv* à outrance.

ultrarrojo = **infrarrojo**.

ultrasonido *nm* ultrason *(m)*.

ultratumba *nf* • **de ultratumba** d'outre-tombe.

ultravioleta *adj inv* ultraviolet(ette).

ulular *vi* **1.** (*hibou*) ululer **2.** (*vent*) hurler.

umbilical *adj* ombilical(e).

umbral *nm* seuil *(m)* • **en el umbral** *ou* **los umbrales de** au seuil de.

un, una ■ *art* (*devant un substantif féminin commençant par « a » ou par « ha » tonique :* **un**) • **un hombre/amor** un homme/amour • **una mujer/mesa** une femme/table • **un águila** un aigle • **un hacha** une hache. ■ *adj* ▷ **uno**.

unánime *adj* unanime.

unanimidad *nf* unanimité *(f)* • **por unanimidad** à l'unanimité.

unción *nf* onction *(f)*.

undécimo, ma *adj num* onzième. • *voir aussi* **sexto**

UNED (*abr de* **Universidad Nacional de Educación a Distancia**) *nf* université nationale espagnole d'enseignement à distance.

Unesco (*abr de* **United Nations Educational, Scientific and Cultural Organization**) *nf* Unesco *(f)*.

ungüento *nm* onguent *(m)*.

únicamente *adv* uniquement.

Unicef (*abr de* **United Nations International Children's Emergency Fund**) *nm* Unicef *(m)*.

único, ca *adj* **1.** seul(e) • **es lo único que deseo** c'est la seule chose que je souhaite • **es hijo único** il est fils unique **2.** unique.

unicornio *nm* licorne *(f)*.

unidad *nf* unité *(f)* • **unidad central (de proceso)** unité centrale (de traitement) • **unidad de disco** lecteur *(m)* de disquette.

unido, da *adj* uni(e).

unifamiliar *adj* **1.** (*entreprise*) familial(e) **2.** (*logement*) individuel(elle).

unificar *vt* **1.** unir **2.** unifier.

uniformar *vt* **1.** uniformiser **2.** mettre un uniforme à.

uniforme *adj & nm* uniforme.

uniformidad *nf* uniformité *(f)*.

uniformizar *vt* uniformiser.

unión *nf* **1.** union *(f)* **2.** jonction *(f)*.

Unión Europea *npr* • **la Unión Europea** l'Union *(f)* européenne.

unir *vt* **1.** unir **2.** assembler (*des pièces*) **3.** (*communiquer*) relier (*des villes, etc*) **4.** lier (*une sauce, des problèmes*) **5.** rapprocher. ■ **unirse** *vp* **1.** s'unir **2.** (*routes, rivières*) se rejoindre **3.** (*ami, invité*) • **unirse a** se joindre à.

unisexo, unisex *adj inv* unisexe.

unísono ■ **al unísono** *loc adv* à l'unisson.

unitario, ria *adj* unitaire.

universal *adj* universel(elle).

universidad *nf* université *(f)*.

universitario, ria ■ *adj* universitaire. ■ *nm, f* **1.** étudiant *(m)*, -e *(f)* à l'université **2.** diplômé *(m)*, -e *(f)* de l'université.

universo *nm* univers *(m)*.

unívoco, ca *adj* univoque.

uno, una *adj*

devant un nom masculin singulier : **un**

1. ARTICLE INDÉFINI = un, une *(f)*
 • **un día volveré** je reviendrai un jour
 • **un hombre, un voto** un homme, une voix

2. AU PLURIEL, INDIQUE UNE QUANTITÉ INDÉTERMINÉE
 • **había unos coches mal aparcados** il y avait des *ou* quelques voitures mal garées

3. AU PLURIEL, INDIQUE UNE APPROXIMATION
 • **me voy unos días a Madrid** je vais passer quelques jours à Madrid
 • **vinieron unas diez personas** une dizaine de personnes sont venues
 • **cuesta unos 45 euros** cela coûte environ 45 euros.

uno *pron*

1. DÉSIGNE UN ÉLÉMENT INDÉTERMINÉ DANS UN CHOIX LARGE = un, une
 • **coge uno** prends-en un
 • **uno de ellos** l'un d'eux
 • **uno de tantos** un parmi tant d'autres
 • **como uno más** comme tout le monde
 • **unos cuantos** quelques-uns
 • **más de uno** plus d'un

2. DÉSIGNE UN ÉLÉMENT INDÉTERMINÉ DANS UN CHOIX RESTREINT = quelques-uns, quelques-unes, certains, certaines
 • **tienes muchas manzanas, dame unas** tu as beaucoup de pommes, donne-m'en quelques-unes
 • **unas son buenas, otras malas** certaines sont bonnes, d'autres mauvaises

3. *fam* DÉSIGNE UNE PERSONNE DÉTERMINÉE DE FAÇON VAGUE
 • **ayer hablé con uno que te conoce** hier j'ai parlé avec un type qui te connaît
 • **lo sé porque me lo han contado unos** je le sais parce que certaines personnes me l'ont raconté

4. POUR PARLER DE SOI DE FAÇON IMPERSONNELLE = on
 • **entonces es cuando se da uno cuenta de ya no es tan joven como antes** c'est alors qu'on se rend compte qu'on n'est plus aussi jeune qu'avant

5. DANS DES EXPRESSIONS
 • **uno a uno** un à un
 • **de uno en uno** *ou* **uno por uno** un par un
 • **uno tras otro** l'un après l'autre
 • **uno a otro** l'un l'autre.

■ **uno** *nm*

CHIFFRE = un
 • **uno y uno son dos** un et un font deux. • *voir aussi* **seis**

■ **una** *nf*

1. POUR EXPRIMER L'HEURE
 • **la una** une heure

2. DANS DES EXPRESSIONS
 • **a una** comme un seul homme, en chœur
 • **una de dos** de deux choses l'une
 • **una que otra vez** de temps à autre.

untar *vt* **1.** *(gén)* • **untar con** *(pain, tartines, etc)* tartiner de • *(corps)* enduire de • **untar una tostada con mantequilla** étaler du beurre sur une tartine **2.** *fam fig* graisser la patte à.

untuoso, sa *adj* **1.** gras(grasse) **2.** onctueux (euse).

uña *nf* **1.** ongle *(m)* **2.** griffe *(f)* **3.** sabot *(m)* • **ser uña y carne** *fig* être comme les deux doigts de la main.

uperizado, da *adj* UHT *(inv)*.

UPG *(abr de* **Unión del Pueblo Gallego***) nf* parti nationaliste galicien.

UPN *(abr de* **Unión del Pueblo Navarro***) nf* parti nationaliste navarrais.

uralita® *nf* Fibrociment® *(m)*.

uranio *nm* uranium *(m)*.

urbanidad *nf* civilité *(f)*.

urbanismo *nm* urbanisme *(m)*.

urbanización *nf* **1.** urbanisation *(f)* **2.** lotissement *(m)*.

urbanizar *vt* urbaniser.

urbano, na ■ *adj* urbain(e). ■ *nm, f* agent *(m)* de police.

urbe *nf* grande ville *(f)*.

urdir *vt* tramer.

urgencia *nf* urgence *(f)* • **con urgencia** d'urgence • **una urgencia de** un besoin urgent de. ■ **urgencias** *nfpl* MÉD urgences *(fpl)*.

urgente *adj* urgent(e).

urgir *vi* • **urge que** il est urgent que • **me urge** j'en ai besoin rapidement • **me urge hacerlo** il faut que je le fasse le plus vite possible.

urinario, ria *adj* urinaire. ■ **urinario** *nm* urinoirs *(mpl)*.

urna *nf* **1.** urne *(f)* **2.** vitrine *(f)* *(de musée)*.

urólogo, ga *nm, f* urologue *(mf)*.

urraca *nf* pie *(f)*.

urticaria *nf* urticaire *(f)*.

Uruguay *npr* • **(el) Uruguay** (l')Uruguay *(m)*.

uruguayo, ya ■ *adj* uruguayen(enne). ■ *nm, f* Uruguayen *(m)*, -enne *(f)*.

USA *(abr écrite de* **United States of America***) npr* USA *(mpl)*.

usado, da *adj* **1.** usagé(e) **2.** *(voiture)* d'occasion **3.** *(mot)* usité(e) **4.** usé(e).

usar *vt* **1.** utiliser, se servir de **2.** porter *(des vêtements, des lunettes)* • **en invierno usa**

medias en hiver, elle porte des collants.
■ **usarse** *vp* **1.** s'utiliser **2.** *(mot, expression)* s'employer **3.** *(vêtement)* se porter.

uso *nm* **1.** *(gén & LING)* usage *(m)* **2.** utilisation *(f)* **3.** *(gén pl) (coutume)* • **usos y costumbres** les us et coutumes.

usted *pron pers* vous • **me gustaría hablar con usted** j'aimerais vous parler • **¿cómo están ustedes?** comment allez-vous ? • **de usted, de ustedes** à vous • **hablar** OU **tratar de usted a alguien** vouvoyer qqn.

usual *adj* habituel(elle).

usuario, ria *nm, f* **1.** usager *(m) (des transports, des services, etc)* **2.** utilisateur *(m)*, -trice *(f) (d'une machine, d'un ordinateur, etc)*.

usufructo *nm* usufruit *(m)*.

usufructuario, ria *adj & nm, f* usufruitier(ère).

usura *nf* usure *(f)*.

usurero, ra *nm, f* usurier *(m)*, -ère *(f)*.

usurpar *vt* usurper.

utensilio *nm* ustensile *(m)*.

útero *nm* utérus *(m)*.

útil ◨ *adj* utile. ◨ *nm (gén pl)* outils *(mpl)*.

utilidad *nf* **1.** utilité *(f)* **2.** profit *(m)*.

utilitario, ria *adj* fonctionnel(elle). ■ **utilitario** *nm* **1.** AUTO petite voiture *(f)* **2.** INFORM utilitaire *(m)*.

utilización *nf* utilisation *(f)*.

utilizar *vt* utiliser.

utopía *nf* utopie *(f)*.

utópico, ca *adj* utopique.

uva *nf* raisin *(m)* • **tener mala uva** *fig* avoir un sale caractère. ■ **uvas** *nfpl* • **las doce uvas** *grains de raisin que l'on mange le soir du 31 décembre.*

UVI *(abr de unidad de vigilancia intensiva) nf* USI *(f)*.

uy *interj* • **¡uy!** *(exprime la douleur)* aïe ! • *(exprime la surprise)* oh !

Uzbekistán *npr* Ouzbékistan *(m)*.

v, V ['uβe] *nf* v *(m inv)*, V *(m inv)*. ■ **v doble** *nf* w *(m inv)*.

v. = **vid.**

va ▷ **ir**.

vaca *nf* **1.** *(animal)* vache *(f)* **2.** *(viande)* bœuf *(m)*. ■ **vacas locas** *nfpl fig* • **la enfermedad de las vacas locas** la maladie de la vache folle.

vacaciones *nfpl* vacances *(fpl)* • **estar/irse de vacaciones** être/partir en vacances.

vacante ◨ *adj* vacant(e). ◨ *nf* poste *(m)* vacant.

vaciar *vt* **1.** vider **2.** évider **3.** ART mouler.

vacilación *nf* **1.** hésitation *(f)* **2.** vacillement *(m)*.

vacilante *adj* **1.** hésitant(e) **2.** *(lumière)* vacillant(e) **3.** *(pas)* chancelant(e).

vacilar ◨ *vi* **1.** hésiter **2.** *(lumière)* vaciller **3.** chanceler **4.** *fam* crâner. ◨ *vt fam (se moquer de)* faire marcher • **¡no me vaciles!** ne te fiche pas de moi !

vacilón, ona *adj & nm, f fam* **1.** crâneur(euse) **2.** farceur(euse). ■ **vacilón** *nm (Amér)* fête *(f)*.

vacío, a *adj* **1.** vide **2.** *(phrase, discours, etc)* creux(euse) **3.** *(personne)* superficiel(elle) **4.** *(pas occupé)* libre. ■ **vacío** *nm* vide *(m)* • **al vacío** sous vide • **caer al vacío** tomber dans le vide.

vacuna *nf* vaccin *(m)*.

vacunar *vt* vacciner. ■ **vacunarse** *vp* se faire vacciner.

vacuno, na *adj* bovin(e). ■ **vacuno** *nm* • **el vacuno** les bovins *(mpl)*.

vadear *vt* passer à gué.

vado *nm* **1.** bateau *(m) (de trottoir)* • **'vado permanente'** 'sortie de véhicules' **2.** gué *(m)*.

vagabundear *vi* vagabonder • **vagabundear (por)** errer (dans).

vagabundo, da *nm, f* vagabond *(m)*, -e *(f)*.

vagancia *nf* **1.** fainéantise *(f)* **2.** vagabondage *(m)*.

vagar *vi* • **vagar (por)** errer (dans) • **vagar (por)** flâner (dans).

vagina *nf* vagin *(m)*.

vago, ga ◨ *adj* **1.** feignant(e) **2.** flou(e), vague. ◨ *nm, f* feignant *(m)*, -e *(f)*.

vagón *nm* wagon *(m)*.

vagoneta *nf* wagonnet *(m)*.

vaguedad *nf* imprécision *(f)* • **responder con vaguedades** rester dans le vague.

vahído *nm* étourdissement *(m)*.

vaho *nm* **1.** vapeur *(f)* **2.** buée *(f)* *(sur les vitres)*.

vaina *nf* **1.** étui *(m)* **2.** fourreau *(m)* *(d'une épée, d'un sabre)* **3.** BOT cosse *(f)* *(des petits pois, etc)* **4.** *(Amér)* fam fig embêtement *(m)*.

vainilla *nf* **1.** vanille *(f)* **2.** vanillier *(m)*.

vaivén *nm* va-et-vient *(m inv)* • **los vaivenes** fig les hauts et les bas.

vajilla *nf* vaisselle *(f)*.

vale ◧ *nm* **1.** bon *(m)* • **vale de regalo** chèque-cadeau *(m)* **2.** billet *(m)* gratuit **3.** reçu *(m)* **4.** *(Amér)* fam pote *(m)*. ◧ *interj* ➪ **valer**.

valedero, ra *adj* valable.

Valencia *npr* Valence.

valenciano, na ◧ *adj* valencien(enne). ◧ *nm, f* Valencien *(m)*, -enne *(f)*. ■ **valenciano** *nm* valencien *(m)*.

valentía *nf* **1.** courage *(m)* **2.** haut fait *(m)*.

valer ◧ *vi* **1.** valoir **2.** *(prix)* coûter • **¿cuánto vale?** combien ça coûte ? • **no vale nada** ça ne vaut rien • **este libro vale por mil** ce livre en vaut mille • **más vale que te vayas** il vaut mieux que tu t'en ailles • **hacerse valer** se faire valoir • **es un chico que vale** c'est un garçon bien **3.** *(servir, être utile)* • **valer para algo** servir à qqch • **¿para qué vale?** à quoi ça sert ? **4.** être valable • **eso aún vale** c'est encore valable • **¿vale?** d'accord ? • **¡vale!** d'accord !, OK ! ◧ *vt* valoir • **vale la pena** ça (en) vaut la peine. ■ **valerse** *vp* **1.** *(se servir de)* • **valerse de algo/de alguien** se servir de qqch/de qqn **2.** *(s'en tirer)* • **valerse por sí mismo** se débrouiller tout seul.

valeroso, sa *adj* courageux(euse).

valía *nf* valeur *(f)*.

validar *vt* valider.

validez *nf* validité *(f)* • **dar validez a algo** valider qqch.

válido, da *adj* valable.

valiente ◧ *adj* courageux(euse) • **¡valiente jefe!** iron tu parles d'un chef ! ◧ *nm, f* brave *(mf)*.

valija *nf* valise *(f)* • **valija diplomática** valise diplomatique.

valioso, sa *adj* précieux(euse).

valla *nf* **1.** clôture *(f)* **2.** SPORT haie *(f)*.

vallar *vt* clôturer *(un terrain)*.

valle *nm* vallée *(f)*.

valor *nm* **1.** valeur *(f)* **2.** courage *(m)* **3.** fam *(personne prometteuse)* • **un joven valor** un jeune talent. ■ **valores** *nmpl* FIN valeurs *(fpl)*.

valoración *nf* évaluation *(f)*.

valorar *vt* **1.** évaluer • **estar valorado en** être estimé à **2.** apprécier *(le mérite, des qualités)*.

vals *(pl* **valses)** *nm* valse *(f)*.

valuar *vt* évaluer, estimer.

válvula *nf* **1.** *(gén & ÉLECTR)* valve *(f)* **2.** TECHNOL soupape *(f)*. ■ **válvula de escape** *nf* fig soupape *(f)* de sécurité.

vampiresa *nf* fam vamp *(f)*.

vampiro *nm* vampire *(m)*.

vanagloriarse *vp* • **vanagloriarse (de)** se vanter (de).

vandalismo *nm* vandalisme *(m)*.

vanguardia *nf* avant-garde *(f)*.

vanidad *nf* vanité *(f)*.

vanidoso, sa *adj* & *nm, f* vaniteux(euse).

vano, na *adj* **1.** vain(e) • **en vano** en vain **2.** vaniteux(euse).

vapor *nm* **1.** vapeur *(f)* • **al vapor** CULIN à la vapeur • **de vapor** *(machine, bateau)* à vapeur • *(bain)* de vapeur **2.** bateau *(m)* à vapeur, vapeur *(m)*.

vaporizador *nm* vaporisateur *(m)*.

vaporoso, sa *adj* **1.** vaporeux(euse) **2.** *(bain, etc)* de vapeur.

vapulear *vt* **1.** rouer de coups **2.** houspiller **3.** fustiger.

vaquero, ra ◧ *adj* en jean. ◧ *nm, f* vacher *(m)*, -ère *(f)*. ■ **vaqueros** *nmpl* jean *(m)*.

vara *nf* **1.** bâton *(m)* **2.** tige *(f)* **3.** MUS coulisse *(f)* *(de trombone)* **4.** TAUROM pique *(f)*.

variable *adj* **1.** variable **2.** *(caractère, humeur)* changeant(e).

variación *nf* **1.** *(gén & MUS)* variation *(f)* **2.** fig changement *(m)*.

variante ◧ *adj* variable. ◧ *nf* **1.** *(différence, version)* variante *(f)* **2.** déviation *(f)* *(d'une route, etc)* **3.** *(au loto sportif)* pari sur un match nul ou sur la victoire de l'équipe adverse.

variar ◧ *vt* **1.** changer **2.** varier. ◧ *vi* varier • **para variar** iron pour changer.

varicela *nf* varicelle *(f)*.

varicoso, sa *adj* variqueux(euse).

variedad *nf* variété *(f)*. ■ **variedades** *nfpl* variétés *(fpl)*.

varilla *nf* **1.** baguette *(f)* **2.** AUTO jauge *(f)* **3.** baleine *(f)* *(de parapluie, de corset)*.

varillaje *nm* baleines *(fpl)* *(de parapluie, de corset)*.

vario, ria *adj* varié(e). ■ **varios, rias** ◧ *adj pl* **1.** divers(es) **2.** plusieurs. ◧ *pron pl* plusieurs.

variopinto, ta *adj* **1.** bigarré(e) **2.** fig varié(e).

varita *nf* baguette *(f)* • **varita mágica** baguette magique.

variz *nf* *(gén pl)* varice *(f)* • **tener varices** avoir des varices.

varón *nm* **1.** homme *(m)* **2.** garçon *(m)*.

varonil *adj* **1.** viril(e) **2.** *(vêtement, parfum)* pour homme.

Varsovia *npr* Varsovie.

vasallaje *nm* vassalité *(f)*.

vasallo, lla *nm, f* vassal *(m)*, -e *(f)*.

vasco, ca ◧ *adj* basque. ◧ *nm, f* Basque *(mf)*. ■ **vasco, vascuence** *nm* basque *(m)*.

vascular *adj* vasculaire.

vasectomía *nf* vasectomie *(f)*.

vaselina *nf* vaseline *(f)*.

vasija *nf* pot *(m)*.

vaso *nm* **1.** verre *(m)* **2.** ANAT & BOT vaisseau *(m)* ⸱ **vasos capilares/sanguíneos** vaisseaux capillaires/sanguins.

vástago *nm* **1.** descendant *(m)* **2.** BOT rejet *(m)* **3.** tige *(f)*.

vasto, ta *adj* vaste.

váter *(pl* **váteres**)**, wáter** ['bater] *(pl* **wáteres**) *nm* W-C *(mpl)*.

vaticano, na *adj* du Vatican. ■ **Vaticano** *npr* ⸱ **el Vaticano** le Vatican.

vaticinar *vt* prédire.

vatio, watio ['batjo] *nm* watt *(m)*.

vaya ⬧ *v* ⊳ **ir**. ⬧ *interj* **1.** *(exprime la surprise)* ⸱ **¡vaya!** ça alors ! **2.** *(exprime la contrariété)* ⸱ **¡vaya con las huelgas otra vez!** zut! encore des grèves ! **3.** *(valeur emphatique)* ⸱ **¡vaya moto!** ouah! la moto ! ⸱ **¡vaya tontería!** quelle idiotie !

VB *abrév de* **visto bueno**.

Vd. = **Ud.**

Vda. *(abrév écrite de* **viuda**) vve ⸱ **Blanca Rosa Muñoz Vda. de Márquez** Blanca Rosa Muñoz, vve Márquez.

Vds. = **Uds.**

ve *v* ⊳ **ir**.

véase = **verse**.

vecinal *adj (relations, etc)* de voisinage ⸱ **un camino vecinal** un chemin vicinal.

vecindad *nf* voisinage *(m)*.

vecindario *nm* **1.** voisins *(mpl)*, voisinage *(m)* **2.** habitants *(mpl)*.

vecino, na ⬧ *adj* **1.** voisin(e) **2.** *(habitant)* ⸱ **ser vecino de** être domicilié à. ⬧ *nm, f* **1.** voisin *(m)*, -e *(f)* **2.** habitant *(m)*, -e *(f)*.

vector *nm* vecteur *(m)*.

vectorial *adj* vectoriel(elle).

veda *nf* **1.** interdiction *(f)*, défense *(f) (de chasser, pêcher)* **2.** fermeture *(f) (de la chasse, pêche)* ⸱ **levantar la veda** déclarer l'ouverture de la chasse ⸱ déclarer l'ouverture de la pêche.

vedado, da *adj* interdit(e). ■ **vedado** *nm* ⸱ **vedado (de caza)** réserve *(f)* de chasse.

vedar *vt* interdire.

vedette [be'det] *nf* vedette *(f) (du spectacle)*.

vega *nf* plaine *(f)* fertile.

vegetación *nf* végétation *(f)*.

vegetal ⬧ *adj* végétal(e). ⬧ *nm* végétal *(m)*.

vegetar *vi* végéter.

vegetariano, na *adj* & *nm, f* végétarien(enne).

vehemencia *nf* **1.** véhémence *(f)* **2.** impulsion *(f)*.

vehemente *adj* **1.** véhément(e) **2.** impulsif(ive).

vehículo *nm* véhicule *(m)*.

veinte ⬧ *adj num inv* vingt ⸱ **el siglo veinte** le vingtième siècle. ⬧ *nm inv* vingt *(m inv)*. ⸱ *voir aussi* **sesenta**

veinteavo, va *adj num* vingtième.

veintena *nf* vingtaine *(f)*.

veinticinco *adj num inv* & *nm inv* vingt-cinq.

veinticuatro *adj num inv* & *nm inv* vingt-quatre.

veintidós *adj num inv* & *nm inv* vingt-deux.

veintinueve *adj num inv* & *nm inv* vingt-neuf.

veintiocho *adj num inv* & *nm inv* vingt-huit.

veintiséis *adj num inv* & *nm inv* vingt-six.

veintisiete *adj num inv* & *nm inv* vingt-sept.

veintitrés *adj num inv* & *nm inv* vingt-trois.

veintiuno, na *adj num (devant un nom :* **veintiún**) vingt et un(e) ⸱ **el siglo veintiuno** le vingt et unième siècle. ■ **veintiuno** *nm inv* vingt et un *(m inv)*.

vejación *nf* humiliation *(f)*.

vejamen *nm* = **vejación**.

vejestorio *nm péj* vieux fossile *(m)*.

vejez *nf* vieillesse *(f)*.

vejiga *nf* vessie *(f)*.

vela *nf* **1.** bougie *(f)* **2.** NAUT voile *(f)* **3.** *(état)* veille *(f)* ⸱ **estar en vela** être éveillé(e) ⸱ **pasar la noche en vela** passer une nuit blanche. ■ **velas** *nfpl fam (morve)* chandelles *(fpl)* ⸱ **estar a dos velas** *fig* être fauché(e).

velada *nf* **1.** veillée *(f)* **2.** soirée *(f) (en société)*.

velado, da *adj* voilé(e).

velar ⬧ *vi* ⸱ **velar (por)** veiller (sur). ⬧ *vt* **1.** veiller *(un malade, un mort)* **2.** *(occulter & PHOTO)* voiler. ■ **velarse** *vp* PHOTO être voilé(e).

velcro® *nm* Velcro® *(m)*.

veleidad *nf* **1.** inconstance *(f)* **2.** velléité *(f)*.

velero, ra *adj* à voiles. ■ **velero** *nm* voilier *(m)*.

veleta ⬧ *nf* girouette *(f)*. ⬧ *nmf fam* girouette *(f)*.

vello *nm* duvet *(m)*.

velloso, sa *adj* duveteux(euse).

velo *nm* voile *(m)* ⸱ **correr** *OU* **echar un (tupido) velo sobre** jeter un voile sur. ■ **velo del paladar** *nm* voile *(m)* du palais.

velocidad *nf* vitesse *(f)* ⸱ **de alta velocidad** à grande vitesse ⸱ **velocidad punta** vitesse de pointe.

velódromo *nm* vélodrome *(m)*.

veloz *adj* rapide.

ven ⊳ **venir**.

vena *nf* veine *(f)* ⸱ **tener vena de pintor** avoir des dispositions pour la peinture ⸱ **si le da la vena lo hará** si ça lui chante, il le fera.

vencedor, ra ⬧ *adj* victorieux(euse). ⬧ *nm, f* vainqueur *(m)*.

vencer ⬧ *vt* **1.** vaincre **2.** surmonter *(une difficulté, un obstacle)* **3.** battre **4.** SPORT mener ⸱ **vencer por tres puntos** mener par trois points ⸱ **vencer a alguien a algo** battre qqn à qqch. ⬧ *vi* **1.** *(contrat, délai)* expirer **2.** *(dette,*

paiement) arriver à échéance. ■ **vencerse** *vp*
• **vencerse (con el peso)** s'affaisser (sous le poids).

vencido, da ◪ *adj* **1.** vaincu(e) • **darse por vencido** s'avouer vaincu **2.** périmé(e) **3.** COMM arrivé(e) à échéance. ◪ *nm, f* vaincu *(m)*, -e *(f)*.

vencimiento *nm* **1.** expiration *(f) (d'un contrat, d'un délai)* **2.** échéance *(f) (d'une dette, d'un paiement)* **3.** affaissement *(m)*.

venda *nf* bandage *(m)*.

vendaje *nm* bandage *(m)*.

vendar *vt* bander.

vendaval *nm* vent *(m)* violent.

vendedor, ra *nm, f* vendeur *(m)*, -euse *(f)*.

vender *vt* vendre. ■ **venderse** *vp* se vendre • **'se vende'** 'à vendre'.

vendimia *nf* **1.** vendange *(f)* **2.** *(período)* vendanges *(fpl)*.

vendrá *(etc)* ⊳ **venir**.

Venecia *npr* Venise.

veneno *nm* **1.** poison *(m)* **2.** venin *(m) (d'un animal)*.

venenoso, sa *adj* **1.** *(champiñón)* vénéneux (euse) **2.** *(serpent)* venimeux(euse).

venerable *adj* vénérable.

veneración *nf* vénération *(f)*.

venerar *vt* vénérer.

venéreo, a *adj* vénérien(enne).

venezolano, na ◪ *adj* vénézuélien(enne). ◪ *nm, f* Vénézuélien *(m)*, -enne *(f)*.

Venezuela *npr* Venezuela *(m)*.

venga ⊳ **venir**.

venganza *nf* vengeance *(f)*.

vengar *vt* venger. ■ **vengarse** *vp* • **vengarse (de)** se venger (de).

vengativo, va *adj* vindicatif(ive).

vengo ⊳ **venir**.

venia *nf* permission *(f)*.

venial *adj* **1.** *(pécado)* véniel(elle) **2.** *(faute, délit)* mineur(e).

venida *nf* venue *(f)*.

venidero, ra *adj* à venir.

---

venir *vi*

1. ALLER À L'ENDROIT OÙ SE TROUVE LE LOCUTEUR = venir, arriver
• **no quiero que Laura venga** je ne veux pas que Laura vienne
• **¿quién vino a la fiesta?** qui est venu à la fête ?
• **¿has venido en coche o andando?** tu es venu en voiture ou à pied ?
• **¿vienes tú o voy yo?** c'est toi qui viens ou c'est moi ?
• **vinieron a las doce** ils sont venus à midi
• **ya vienen los turistas** les touristes arrivent

2. INDIQUE UNE CARACTÉRISTIQUE
• **el texto viene en inglés** le texte est en anglais
• **desde unos quince días, viene muy preocupado** depuis une quinzaine de jours, il est très inquiet
• **los cambios vienen motivados por la presión de la oposición** les changements sont dus aux pressions de l'opposition

3. DEVANT UN GÉRONDIF, INDIQUE QUE L'ACTION COMMENCÉE DANS LE PASSÉ SE POURSUIT AU MOMENT OÙ ELLE EST EXPRIMÉE
• **las peleas vienen sucediéndose desde hace tiempo** les bagarres se succèdent depuis un certain temps déjà

4. APPARAÎTRE
• **su foto viene en primera página** sa photo est en première page

5. SENTIR MONTER
• **me viene sueño** je commence à avoir sommeil
• **le vinieron ganas de reír** il eut envie de rire

6. CONVENIR = arranger
• **me viene bien/mal** ça m'arrange/ne m'arrange pas
• **me viene mejor mañana** ça m'arrange mieux demain

7. EN PARLANT DE VÊTEMENTS, ALLER, CONVENIR
• **¿qué tal te viene?** comment ça te va ?
• **el abrigo le viene pequeño** ce manteau est trop petit pour lui
• **venir clavado a alguien** aller comme un gant à qqn

8. DANS DES EXPRESSIONS
• **el año que viene** l'année prochaine.

■ **venir a** *v + prép*

1. SUIVI DE L'INFINITIF, ÊTRE ÉQUIVALENT À = revenir à
• **viene a ser lo mismo** ça revient au même
• **venir a ser** revenir à
• **el viaje nos vino a costar unos 1.000 euros** le voyage nous est revenu à environ 1 000 euros

2. DANS DES EXPRESSIONS
• **¿a qué viene esto?** qu'est-ce que c'est que ça ?
• **venir a parar en** se solder par
• **el negocio vino a menos** son affaire a coulé
• **una familia venida a menos** une famille déchue *ou* ruinée
• **venir al pelo** *ou* **venir rodado** *fam* tomber à pic.

■ **venir con** *v + prép*

venir
• **no me vengas con historias** ne viens pas me raconter d'histoires.

■ **venir de** *v + prép*

TROUVER SON ORIGINE = venir de
• **esta palabra viene del latín** ce mot vient du latin.

■ **venirse** *vp*

1. SE DÉPLACER EN DIRECTION DU LOCUTEUR OU DE L'INTERLOCUTEUR = venir
• **se ha venido solo** il est venu seul
2. DANS DES EXPRESSIONS
• **el edificio amenaza con venirse abajo** l'immeuble menace de s'écrouler
• **la tienda se vino abajo** son magasin a coulé
• **sus proyectos se han venido abajo** ses projets sont tombés à l'eau.

venta *nf* 1. vente *(f)* • **estar a la** ou **en venta** être en vente • **venta al contado/a plazos** vente au comptant/à crédit 2. auberge *(f)*.

ventaja *nf* avantage *(m)* • **llevar ventaja a alguien** avoir de l'avance sur qqn.

ventajoso, sa *adj* avantageux(euse).

ventana *nf* 1. *(gén & inform)* fenêtre *(f)* 2. ANAT • **las ventanas (de la nariz)** les narines *(fpl)*.

ventanal *nm* baie *(f)* vitrée.

ventanilla *nf* 1. guichet *(m)* 2. fenêtre *(f)* *(d'un train, d'une enveloppe)* 3. vitre *(f)* *(d'une voiture)* 4. hublot *(m)* *(d'un avion)*.

ventilación *nf* aération *(f)*, ventilation *(f)*.

ventilador *nm* ventilateur *(m)*.

ventilar *vt* 1. aérer, ventiler 2. tirer au clair. ■ **ventilarse** *vp* 1. être aéré(e) 2. *fam (terminer)* liquider.

ventisca *nf* tempête *(f)* de neige.

ventolera *nf* rafale *(f)* *(de vent)*.

ventosa *nf* ventouse *(f)*.

ventosidad *nf* *(gén pl)* vents *(mpl)*.

ventoso, sa *adj* venteux(euse).

ventrílocuo, cua *nm, f* ventriloque *(mf)*.

ventura *nf* 1. chance *(f)* • **buena/mala ventura** bonne/mauvaise fortune 2. hasard *(m)* • **a la (buena) ventura** au hasard 3. félicité *(f)*.

Venus *npr* ASTRON & MYTHOL Vénus.

ver *vt*

1. PERCEVOIR PAR LES YEUX = voir
• **desde casa vemos el mar** de chez nous, on voit la mer
• **hacía mucho tiempo que no te veía por aquí** ça faisait longtemps que je ne t'avais pas vu par ici
2. ASSISTER COMME SPECTATEUR
• **¿has visto esa película?** as-tu vu ce film ?
• **Pablo se pasa el día viendo la tele** Pablo passe ses journées à regarder la télé

3. SE TROUVER EN PRÉSENCE DE QQN, RENDRE VISITE À QQN = voir
• **fue a ver a unos amigos** il est allé voir des amis
4. SE RENDRE COMPTE, CONCEVOIR = voir
• **ya veo lo que quieres decir** je vois bien ce que tu veux dire
• **veo que estás de mal humor** je vois que tu es de mauvaise humeur
• **veo que tendré que irme sola** je vois qu'il faudra que je parte seule
5. SE FAIRE UNE OPINION DE = voir
• **cada cual tiene su manera de ver las cosas** chacun a sa façon de voir les choses
• **esto lo veremos más adelante** nous verrons ça plus tard
6. DANS DES EXPRESSIONS
• **¡hay que ver lo tonto que es!** qu'est-ce qu'il peut être bête !
• **no poder ver algo/a alguien (ni en pintura)** *fam* ne pas pouvoir voir qqch/qqn (en peinture)
• **por lo visto** ou **que se ve** apparemment
• **¡te he visto venir!** je t'ai vu venir !

ver *vi*

DANS DES EXPRESSIONS
• **¿qué es esto ? ¿a ver?** qu'est-ce que c'est ? fais voir ?
• **¡a ver, niños! ¿qué pasa aquí?** voyons, les enfants ! qu'est-ce qui se passe ici ?
• **¿y encima te ha invitado al restaurante? – ¡a ver!** et en plus il t'a invité au restaurant ? – évidemment !
• **a ver qué pasa** on verra bien
• **dejarse ver** se montrer
• **eso está por ver** ça reste à voir
• **ya veremos** on verra.

ver *nm*

APPARENCE = allure
• **estar de buen ver** avoir belle allure.

■ **verse** *vp*

1. SE FRÉQUENTER = se voir
• **nos vemos a veces** on se voit de temps en temps
2. S'IMAGINER SOI-MÊME = se voir
• **él ya se ve instalado en el despacho del presidente** il se voit déjà installé dans le bureau du président
• **ya me veo haciendo su maleta** je me vois déjà en train de faire sa valise
3. DANS DES TOURNURES IMPERSONNELLES
• **nunca se ha visto nada igual** on n'a jamais vu une chose pareille
• **¡habráse visto!** *fam* ça, par exemple !
4. INSTRUCTION DANS UN LIVRE, UN DOCUMENT = voir
• **'véase anexo 1'** 'voir annexe 1'.

vera *nf* **1.** bord *(m)* **2.** *fig (côté)* • **a la vera de** aux côtés de, auprès de.

veracidad *nf* véracité *(f)*.

veraneante ◼ *adj* en vacances. ◼ *nm, f* estivant *(m)*, -e *(f)*

veranear *vi* • **veranear (en)** passer ses grandes vacances (à).

veraneo *nm* grandes vacances *(fpl)*, vacances *(fpl)* d'été.

veraniego, ga *adj* **1.** *(climat, saison, etc)* estival(e) **2.** *(vêtement, robe)* d'été.

verano *nm* été *(m)*.

veras ◼ **de veras** *loc adv* **1.** vraiment **2.** sérieusement.

veraz *adj* véridique.

verbal *adj* verbal(e).

verbena *nf* **1.** *fête populaire nocturne* • **la verbena de San Juan** la fête de la Saint-Jean **2.** BOT verveine *(f)*.

verbo *nm* verbe *(m)*.

verdad *nf* vérité *(f)* • **a decir verdad, la verdad es que** à vrai dire, en fait • **es verdad que...** c'est vrai que • **está bueno, ¿verdad?** c'est bon, n'est-ce pas ? ◼ **verdades** *nfpl* • **cantarle** *ou* **decirle a alguien cuatro verdades** *fig* dire ses quatre vérités à qqn. ◼ **de verdad** ◼ *loc adv* **1.** sérieusement **2.** vraiment. ◼ *loc adj (authentique)* vrai(e).

verdadero, ra *adj* **1.** vrai(e) **2.** véritable.

verde ◼ *adj* **1.** *(gén & POLIT)* vert(e) **2.** *fig (obscène)* cochon(onne) **3.** *fig (inexpérimenté)* jeune **4.** *(projets)* prématuré(e) • **poner verde a alguien** descendre qqn (en flammes). ◼ *nm (couleur)* vert *(m)*. • **Verde** *nm* POLIT • **los Verdes** les Verts *(mpl)*.

verdor *nm* **1.** couleur *(f)* verte, verdure *(f)* **2.** verdeur *(f)*.

verdoso, sa *adj* verdâtre.

verdugo *nm* **1.** bourreau *(m)* **2.** cagoule *(f)*.

verdulería *nf* • **ir a la verdulería** aller chez le marchand de légumes.

verdulero, ra *nm, f* marchand *(m)*, -e *(f)* de légumes. ◼ **verdulero** *nm* bac *(m)* à légumes *(d'un réfrigérateur)*.

verdura *nf* légume *(m)*.

vereda *nf* **1.** sentier *(m)* **2.** *(Amér)* trottoir *(m)*.

veredicto *nm* verdict *(m)*.

vergonzoso, sa ◼ *adj* **1.** honteux(euse) **2.** timide. ◼ *nm, f* timide *(mf)*.

vergüenza *nf* honte *(f)* • **¿no te da vergüenza hacer eso?** tu n'as pas honte de faire cela ? • **me da vergüenza cantar** j'ai honte de chanter • **sentir vergüenza ajena** avoir honte pour qqn **2.** dignité *(f)*. ◼ **vergüenzas** *nfpl* parties *(fpl)* honteuses.

verídico, ca *adj* **1.** véridique **2.** *fig* réel(elle) • **un hecho verídico** un fait réel.

verificar *vt* **1.** vérifier **2.** tester *(un appareil, une machine, etc)*. ◼ **verificarse** *vp* **1.** avoir lieu **2.** effectuer **3.** *(prédiction, etc)* se réaliser.

verja *nf* grille *(f)*.

vermú, vermut *(pl* vermuts*)* *nm* **1.** vermouth *(m)* **2.** apéritif *(m)* **3.** *(Amér)* CINÉ & THÉÂTRE matinée *(f)*.

vernáculo, la *adj* vernaculaire.

verosímil *adj* vraisemblable.

verruga *nf* verrue *(f)*.

versado, da *adj* • **versado (en)** versé (dans).

versar *vi* • **versar sobre** traiter de, porter sur.

versátil *adj* **1.** *(personne)* versatile **2.** *(machine)* polyvalent(e).

versículo *nm* **1.** RELIG verset *(m)* **2.** LITTÉR vers *(m)* libre.

versión *nf* version *(f)* • **en versión original** en version originale.

verso *nm* **1.** vers *(m)* **2.** poème *(m)*.

vértebra *nf* vertèbre *(f)*.

vertebrado, da *adj* vertébré(e). ◼ **vertebrados** *nmpl* vertébrés *(mpl)*.

vertebral *adj* vertébral(e).

vertedero *nm* **1.** décharge *(f)* **2.** déversoir *(m)*.

verter ◼ *vt* **1.** renverser **2.** verser **3.** • **verter (a)** traduire (en) **4.** *fig* • exprimer *(des idées, des pensées)* • débiter *(des calomnies, etc)*. ◼ *vi (rivière)* • **verter a** se jeter dans. ◼ **verterse** *vp* se renverser.

vertical ◼ *adj* vertical(e). ◼ *nf* GÉOM verticale *(f)*.

vértice *nm* sommet *(m)*.

vertido *nm* déchet *(m)*.

vertiente *nf* **1.** versant *(m)* *(d'une montagne)* **2.** pente *(f)* *(d'un toit)* **3.** *fig* aspect *(m)* *(d'un problème, etc)* **4.** *(Amér)* source *(f)*.

vertiginoso, sa *adj* vertigineux(euse).

vértigo *nm* **1.** vertige *(m)* • **dar vértigo** *litt & fig* donner le vertige **2.** *fig* rythme *(m)* effréné *(d'une ville, de la vie, etc)*.

vesícula *nf* vésicule *(f)*.

vespertino, na *adj* **1.** vespéral(e) **2.** *(journal)* du soir.

vestíbulo *nm* **1.** hall *(m)* *(d'un bâtiment, d'un hôtel)* **2.** entrée *(f)* *(d'un bureau)*.

vestido, da *adj* habillé(e). ◼ **vestido** *nm* **1.** vêtement *(m)* **2.** robe *(f)*.

vestidura *nf* *(gén pl)* **1.** vêtement *(m)* **2.** RELIG habit *(m)* • **se rasga las vestiduras** *fam fig* il en fait tout un plat.

vestigio *nm* **1.** vestige *(m)* **2.** *fig* trace *(f)*.

vestimenta *nf* vêtements *(mpl)*.

vestir ◼ *vt* **1.** habiller **2.** porter *(sur soi)* **3.** *fig (sentiment, défaut)* • **vestía su maldad de ingenuidad** il cachait sa méchanceté sous le masque de l'innocence. ◼ *vi* **1.** *(être vêtu)* • **vestir (de)** être habillé(e) (en) **2.** *(être élégant)* • **vestir**

mucho faire très habillé **3.** *fig* faire bien. ■ **vestirse** *vp* s'habiller • **vestirse de hada** se déguiser en fée.

vestuario *nm* **1.** *(gén & sport)* vestiaire *(m)* **2.** loge *(f)* *(d'acteur)* **3.** garde-robe *(f)* **4.** théâtre costumes *(mpl)*.

Vesubio *npr* • **el Vesubio** le Vésuve *(m)*.

veta *nf (filon, marbrure)* veine *(f)*.

vetar *vt* mettre son veto à.

veteranía *nf* ancienneté *(f)* *(d'une personne)*.

veterano, na ◪ *adj* **1.** *(qui a de l'ancienneté)* ancien(enne) **2.** vieux(vieille) *(soldat)* **3.** chevronné(e). ◪ *nm, f* mil & sport vétéran *(m)*.

veterinario, ria *adj & nm, f* vétérinaire. ■ **veterinaria** *nf* médecine *(f)* vétérinaire.

veto *nm* veto *(m)* • **poner veto a algo** mettre son veto à qqch.

vez *nf* **1.** fois *(f)* • **¿has estado allí alguna vez?** tu y es déjà allé ? • **a la vez (que)** en même temps *(que)* • **cada vez (que)** chaque fois *(que)* • **cada vez más** de plus en plus • **cada vez menos** de moins en moins • **cada vez la veo más feliz** je la trouve de plus en plus heureuse • **de una vez** d'un seul coup • **de una vez para siempre** *ou* **por todas** une (bonne) fois pour toutes • **muchas veces** plusieurs fois • souvent • **otra vez** encore une fois • **pocas veces, rara vez** rarement • **por última vez** une dernière fois • **una vez** une fois • **una vez más** une fois de plus • **una y otra vez** à plusieurs reprises **2.** tour *(m)* • **pedir la vez** demander son tour • **érase una vez...** il était une fois… ■ **a veces** *loc adv* parfois. ■ **de vez en cuando** *loc adv* de temps en temps. ■ **en vez de** *loc prép* au lieu de. ■ **tal vez** *loc adv* peut-être. ■ **una vez que** *loc conj* une fois que.

VHF *(abr de* **very high frequency)** *nf* VHF *(f)*.

VHS *(abr de* **video home system)** *nm* VHS *(m)* • **el sistema VHS** le système VHS.

vía ◪ *nf* voie *(f)* • **por vía aérea** par avion • **por vía marítima** par bateau • **por vía terrestre** par voie de terre • **vía de comunicación** voie de communication • **vía férrea** voie ferrée • **vía pública** voie publique • **vía única** voie à sens unique • **vías respiratorias** voies respiratoires • **dar vía libre** laisser le champ libre. ◪ *prép* **1.** vía Bruselas via Bruxelles **2.** par • **vía satélite** par satellite • **vía fax** par fax. ■ **Vía Láctea** *npr* Voie *(f)* lactée. ■ **en vías de** *loc prép* **1.** en voie de *(développement, d'extinction, etc)* **2.** en cours de *(négociation, etc)*.

viabilidad *nf* **1.** viabilité *(f)* **2.** faisabilité *(f)*.

viable *adj fig* viable.

viaducto *nm* viaduc *(m)*.

viajante *nmf* voyageur *(m)* de commerce.

viajar *vi* voyager.

viaje *nm* **1.** voyage *(m)* • **¡buen viaje!** bon voyage ! • **ir de viaje** partir en voyage • **viaje de ida** aller *(m)* • **viaje de vuelta** retour *(m)* • **via-**

je de ida y vuelta voyage aller-retour • **viaje de novios** voyage de noces **2.** *fam fig* beigne *(f)*.

viajero, ra ◪ *adj* • **una persona viajera** un grand voyageur • **un ave viajera** un oiseau migrateur. ◪ *nm, f* voyageur *(m)*, -euse *(f)* • **¡viajeros al tren!** en voiture !

vial *adj* routier(ère).

viario, ria *adj* routier(ère).

víbora *nf* vipère *(f)*.

vibración *nf* vibration *(f)*.

vibrante *adj* **1.** vibrant(e) **2.** *(scène, spectacle)* émouvant(e) **3.** *(voix, etc)* ému(e).

vibrar *vi* vibrer.

vibratorio, ria *adj* vibratoire.

vicaría *nf* **1.** vicariat *(m)* **2.** presbytère *(m)*.

vicario *nm* vicaire *(m)*.

vicepresidente, ta *nm, f* vice-président *(m)*, -e *(f)*.

viceversa *adv* • **y viceversa** et vice versa.

viciado, da *adj (air, atmosphère, etc)* vicié(e).

viciar *vt* **1.** corrompre **2.** gâter *(en enfant)* **3.** *fig* • vicier *(l'air)* • *(aliment)* frelater **4.** déformer. ■ **viciarse** *vp* **1.** • **viciarse (con algo)** être dépendant(e) (de qqch) **2.** se déformer.

vicio *nm* **1.** *(perversion & dr)* vice *(m)* **2.** manie *(f)* **3.** défaut *(m)* *(physique)* **4.** *fam fig (gâterie)* • **tener mucho vicio** être très gâté(e).

vicioso, sa ◪ *adj* **1.** défectueux(euse) **2.** vicieux(euse). ◪ *nm, f* vicieux *(m)*, -euse *(f)*.

vicisitud *nf* instabilité *(f)*. ■ **vicisitudes** *nfpl* vicissitudes *(fpl)*.

víctima *nf* victime *(f)* • **ser víctima de** être victime de.

victoria *nf* victoire *(f)* • **cantar alguien victoria** *fig* crier victoire.

victorioso, sa *adj* victorieux(euse).

vid *nf* vigne *(f)*.

vid., v. *(abr de* **véase)** v. • **vid. cap. VII** v. chap. VII.

vida *nf* **1.** vie *(f)* • **de por vida** à vie • **en vida de** du vivant de • **¡en mi vida he visto cosa igual!** je n'ai jamais vu une chose pareille ! • **estar con vida** être en vie • **ganarse la vida** gagner sa vie • **pasar a mejor vida** quitter ce monde • **perder la vida** perdre la vie **2.** durée *(f)* de vie.

vidente *nm, f* voyant *(m)*, -e *(f)*.

vídeo, video ◪ *nm* **1.** *(technique)* vidéo *(f)* **2.** film *(m)* vidéo • **vídeo doméstico** film vidéo amateur **3.** *(appareil - pour visionner)* magnétoscope *(m)* • *(- pour filmer)* caméra *(f)* vidéo **4.** bande *(f)* vidéo. ◪ *adj inv* vidéo.

videoarte *nm* art *(m)* vidéo.

videocámara *nf* Caméscope® *(m)*.

videocasete *nm* cassette *(f)* vidéo, vidéocassette *(f)*.

videoclip *nm* vidéo-clip *(m)*.

videoclub (pl **videoclubs** OU **videoclubes**) nm vidéoclub (m).

videoconferencia nf vidéoconférence (f), visioconférence (f).

videojuego nm jeu (m) vidéo.

videotexto, videotex nm inv vidéotex (m).

vidriero, ra nm, f vitrier (m). ■ **vidriera** nf **1.** baie (f) vitrée **2.** porto (f) vitrée **3.** vitrail (m).

vidrio nm **1.** verre (m) **2.** (gén pl) objet (m) en verre **3.** carreau (m).

vidrioso, sa adj **1.** (matière, aspect) fragile **2.** fig (thème, sujet) épineux(euse) **3.** fig (yeux) vitreux(euse).

vieira nf coquille (f) Saint-Jacques.

viejo, ja ⬛ adj vieux(vieille) » **un hombre viejo** un vieil homme » **hacerse viejo** se faire vieux. ⬛ nm, f **1.** (petit) vieux (m), (petite) vieille (f) » **viejo verde** vieux cochon (m) **2.** fam (parents) » **mis viejos** mes vieux **3.** (Amér) fam (appellation affectueuse) » **¡viejo!** mon vieux ! ■ **Viejo de Pascua** nm (Amér) Père (m) Noël.

Viena npr Vienne.

viene ⟶ **venir**.

viento nm **1.** vent (m) » **hace viento** il y a du vent » **contra viento y marea** contre vents et marées » **ir viento en popa** marcher merveilleusement bien **2.** câble (m) » **beber los vientos por** brûler de désir pour » **gritar algo a los cuatro vientos** crier qqch sur tous les toits » **irse** OU **largarse con viento fresco** fam débarrasser le plancher » **mis esperanzas se las llevó el viento** mes espoirs se sont envolés.

vientre nm ventre (m).

viera ⟶ **ver**.

viernes nm inv vendredi (m). » voir aussi **sábado** ■ **Viernes Santo** nm vendredi (m) saint.

Vietnam npr » **(el) Vietnam** (le) Viêt Nam.

viga nf poutre (f).

vigencia nf validité (f) (d'une loi, etc) » **estar/entrar en vigencia** être entrer en vigueur.

vigente adj **1.** (loi) en vigueur **2.** (mode, etc) actuel(elle).

vigésimo, ma adj num vingtième.

vigía ⬛ nf tour (f) de guet. ⬛ nmf **1.** guetteur (m) **2.** NAUT vigic (f).

vigilancia nf **1.** surveillance (f) **2.** service (m) de surveillance.

vigilante ⬛ nmf gardien (m), -enne (f) » **vigilante nocturno** veilleur (m) de nuit. ⬛ adj vigilant(e).

vigilar ⬛ vt **1.** surveiller **2.** assurer la surveillance de (banque, musée, etc). ⬛ vi faire attention.

vigilia nf **1.** veille (f) » **las preocupaciones lo tienen en continua vigilia** les soucis l'empêchent de dormir **2.** RELIG vigile (f) » **comer de vigilia** faire maigre.

Vigo npr Vigo.

vigor nm **1.** vigueur (f) » **estar en vigor** (loi, etc) être en vigueur **2.** (force - morale) courage (m) » (- physique) énergie (f).

vigorizar vt **1.** fortifier **2.** fig réconforter.

vigoroso, sa adj vigoureux(euse).

vikingo, ga ⬛ adj viking. ⬛ nm, f » **los vikingos** les Vikings (mpl).

vil adj **1.** méprisable **2.** vil(e).

vileza nf bassesse (f).

villa nf **1.** ville (f) **2.** villa (f).

villancico nm chant (m) de Noël.

villano, na nm, f **1.** roturier (m), -ère (f) **2.** scélérat (m), -e (f).

vilo ■ **en vilo** loc adv en l'air » **estar en vilo** être sur des charbons ardents » **estar en vilo por saber algo** mourir d'impatience de savoir qqch » **pasar la noche en vilo** ne pas fermer l'œil de la nuit.

vinagre nm vinaigre (m).

vinagrera nf (flacon) vinaigrier (m). ■ **vinagreras** nfpl huilier (m).

vinagreta nf CULIN vinaigrette (f)

vinculación nf lien (m).

vincular vt **1.** lier **2.** DR rendre inaliénable. ■ **vincularse** vp se lier.

vínculo nm lien (m).

vinícola adj vinicole.

vinicultura nf viniculture (f).

viniera (etc) ⟶ **venir**.

vino nm vin (m) » **vino blanco/rosado/tinto** vin blanc/rosé/rouge » **vino dulce/seco** vin doux/sec.

vina nf vigne (f).

viñedo nm vignoble (m).

viñeta nf **1.** dessin (m) (d'une bande dessinée) **2.** illustration (f) (d'un livre).

viola nf viole (f).

violación nf **1.** violation (f) (de la loi, des droits) **2.** (abus sexuel) viol (m).

violador, ra nm, f violeur (m), -euse (f).

violar vt violer.

violencia nf **1.** (agressivité, force) violence (f) **2.** (gêne) » **me causa violencia pedirle dinero** cela me gêne de lui demander de l'argent.

violentar vt gêner. ■ **violentarse** vp être gêné(e).

violento, ta adj **1.** violent(e) **2.** (gêné) » **estar/sentirse violento** être/se sentir gêné » **ser violento** être gênant.

violeta ⬛ nf (fleur) violette (f). ⬛ adj inv (couleur) violet(ette). ⬛ nm (couleur) violet (m).

violín nm (instrument) violon (m).

violinista nmf violoniste (mf).

violón nm (instrument) contrebasse (f).

violoncelista = **violonchelista**.

violoncelo = **violonchelo**.

violonchelista, violoncelista nmf violoncelliste (mf).

violonchelo, violoncelo *nm (instrument)* violoncelle *(m)*.

viperino, na *adj* **1.** de vipère **2.** *(critique, commentaire)* venimeux(euse).

viraje *nm* **1.** virage *(m)* **2.** *fig* tournant *(m)*.

virar *vt* & *vi* virer.

virgen *adj* & *nf* vierge. ■ **Virgen** *nf* • **la Virgen** la Vierge.

virginidad *nf* virginité *(f)*.

virgo *nm* virginité *(f)*. ■ **Virgo** ◼ *nm inv* Vierge *(f inv)*. ◼ *nmf inv* vierge *(f inv)*.

virguería *nf fam* • **ser una virguería** être du cousu main.

viril *adj* viril(e).

virilidad *nf* virilité *(f)*.

virrey *nm* vice-roi *(m)*.

virtual *adj* **1.** virtuel(elle) **2.** potentiel(elle).

virtud *nf* vertu *(f)* • **tener la virtud de** avoir la vertu de • avoir le don de. ■ **en virtud de** *loc prép* en vertu de.

virtuoso, sa ◼ *adj* vertueux(euse). ◼ *nm, f* virtuose *(mf)*.

viruela *nf* **1.** variole *(f)* **2.** pustule *(f)*.

virulé ■ **a la virulé** *loc adj* de travers • **ojo a la virulé** œil au beurre noir.

virulencia *nf* virulence *(f)*.

virus *nm inv (gén & INFORM)* virus *(m)*.

viruta *nf* copeau *(m)*.

visado *nm* visa *(m)*.

víscera *nf* viscère *(m)*.

visceral *adj* **1.** viscéral(e) **2.** *(caractère)* impulsif(ive).

viscoso, sa *adj* visqueux(euse). ■ **viscosa** *nf* viscose *(f)*.

visera *nf* **1.** visière *(f)* **2.** casquette *(f)* **3.** AUTO pare-soleil *(m)*.

visibilidad *nf* visibilité *(f)*.

visible *adj* visible.

visigodo, da ◼ *adj* wisigothique. ◼ *nm, f* Wisigoth *(m)*, -e *(f)*.

visillo *nm (gén pl)* rideau *(m)*.

visión *nf* **1.** vision *(f)* **2.** apparition *(f)* *(d'un saint, de la Vierge)* • **ver visiones** avoir des visions **3.** vue *(f)* • **visión de conjunto** vue d'ensemble **4.** *(lucidité)* sens *(m)*.

visionar *vt* visionner.

visionario, ria *adj* & *nm, f* visionnaire.

visita *nf* **1.** visite *(f)* • **tener visitas** avoir de la visite **2.** visiteur *(m)*, -euse *(f)* **3.** MÉD • **visita (médica)** consultation *(f)* • **pasar visita** examiner (les malades).

visitante *adj* & *nmf* visiteur(euse).

visitar *vt* **1.** rendre visite à *(un ami, un parent)* **2.** visiter *(un client, un endroit)* **3.** *(sujet : médecin)* examiner.

vislumbrar *vt* **1.** apercevoir, distinguer **2.** *fig* entrevoir.

vislumbre *nm ou nf* **1.** lueur *(f)* **2.** signe *(m)*.

visón *nm* vison *(m)*.

visor *nm* **1.** PHOTO viseur *(m)* **2.** onglet *(m)* *(d'un dossier)*.

víspera *nf* **1.** *(jour précédent)* veille *(f)* • **en vísperas de** à la veille de **2.** *(gén pl)* vêpres *(fpl)*.

vista ◼ *v* ⊳ **ver.** ◼ *nf* **1.** vue *(f)* **2.** yeux *(mpl)* • **a primera** *ou* **simple vista** à première vue • **estar a la vista** être en vue • **operar a alguien de la vista** opérer qqn des yeux **3.** regard *(m)* • **fijar la vista en algo** fixer qqch **4.** DR audience *(f)* • **conocer a alguien de vista** connaître qqn de vue • **hacer la vista gorda** *fig* fermer les yeux • **¡hasta la vista!** à la prochaine ! • **perder de vista** perdre de vue • **saltar a la vista** sauter aux yeux. ■ **vistas** *nfpl (panorama)* vue *(f)* • **con vistas al mar** avec vue sur la mer. ■ **a la vista** *loc adj* **1.** *(en évidence)* en vue **2.** *fig (intentions)* clair(e) **3.** FIN à vue. ■ **con vistas a** *loc prép* dans l'intention de • **una reforma con vistas a...** une réforme visant à... ■ **en vista de** *loc prép* vu, compte tenu de. ■ **en vista de que** *loc conj* étant donné que.

vistazo *nm* coup *(m)* d'œil • **echar** *ou* **dar un vistazo** jeter un coup d'œil.

visto, ta *adj* • **estar bien/mal visto** être bien/mal vu. ■ **visto** *pp* ⊳ **ver.** ■ **visto bueno** *nm* • **'visto bueno (y conforme)'** 'lu et approuvé'. ■ **por lo visto** *loc adv* apparemment. ■ **visto que** *loc conj* vu que, puisque.

vistoso, sa *adj* voyant(e).

visual ◼ *adj* visuel(elle). ◼ *nf* ligne *(f)* de mire.

visualizar *vt* **1.** visualiser **2.** imaginer **3.** INFORM afficher.

vital *adj* **1.** vital(e) **2.** *(personne)* plein(e) de vitalité.

vitalicio, cia *adj* **1.** *(rente, pension)* viager(ère) **2.** *(charge, etc)* à vie. ■ **vitalicio** *nm* **1.** viager *(m)* **2.** assurance-vie *(f)*.

vitalidad *nf* vitalité *(f)*.

vitamina *nf* vitamine *(f)*.

vitaminado, da *adj* vitaminé(e).

vitamínico, ca *adj* • **un complejo vitamínico** un complexe vitaminé.

viticultor, ra *nm, f* viticulteur *(m)*, -trice *(f)*.

viticultura *nf* viticulture *(f)*.

vitorear *vt* acclamer.

vítreo, a *adj (matière)* vitreux(euse).

vitrina *nf (meuble)* vitrine *(f)*.

vitro ■ **in vitro** *loc adv* in vitro.

vituperar *vt* **1.** blâmer **2.** décrier *(une œuvre, etc)*.

viudedad *nf* **1.** veuvage *(m)* **2.** pension *(f)* de veuve.

viudo, da *adj* & *nm, f* veuf(veuve).

viva ◼ *nm* vivat *(m)*. ◼ *interj* • **¡viva!** hourra ! • **¡viva España!** vive l'Espagne !

vivac = **vivaque.**

vivacidad *nf* vivacité *(f)*.

vivales *nmf inv* petit malin *(m)*, petite maligne *(f)*.

vivamente *adv* **1.** vivement **2.** *(raconter, décrire)* de façon vivante.

vivaque, vivac *nm* bivouac *(m)*.

vivaz *adj* **1.** *(personne)* vif(vive) **2.** *(plante)* vivace.

vivencia *nf (gén pl)* expérience *(f)* (vécue), vécu *(m)*.

víveres *nmpl* vivres *(mpl)*.

vivero *nm* **1.** pépinière *(f)* **2.** vivier *(m) (de poissons, de mollusques)*.

viveza *nf* vivacité *(f)*.

vividor, ra *nm, f* **1.** *péj* bon vivant *(m)* **2.** *fig* parasite *(m)*.

vivienda *nf* logement *(m)*.

viviente *adj* vivant(e).

vivir ◼ *vt (expérimenter)* vivre. ◼ *vi* **1.** vivre **2.** habiter • **vivo en Barcelona** j'habite à Barcelone • **vivir para ver** qui vivra verra.

vivito *adj* • **estar vivito y coleando** *fam fig* se porter comme un charme.

vivo, va ◼ *adj* **1.** vif(vive) • **un olor vivo** une odeur forte • **una ciudad viva** une ville pleine de vie **2.** *(existant, expressif)* vivant(e) • **estar vivo** être en vie. ◼ *nm, f (gén pl)* vivant *(m)*. ◼ **en vivo** *loc adv* **1.** *(émission)* en direct **2.** *(personne)* en chair et en os.

vizconde, esa *nm, f* vicomte *(m)*, vicomtesse *(f)*.

vocablo *nm* mot *(m)*.

vocabulario *nm* vocabulaire *(m)*.

vocación *nf* vocation *(f)*.

vocacional *adj* • **ser vocacional** être une vocation.

vocal ◼ *adj* vocal(e). ◼ *nm, f* membre *(m) (d'une assemblée, d'un conseil)*. ◼ *nf* LING voyelle *(f)*.

vocalizar *vi* **1.** articuler **2.** faire des vocalises, vocaliser.

vocativo *nm* vocatif *(m)*.

vocear ◼ *vt* **1.** crier **2.** proclamer **3.** vendre à la criée **4.** crier sur les toits. ◼ *vi* crier.

vociferar *vi* vociférer.

vodka ['boθka] *nm ou nf* vodka *(f)*.

vol. *(pl* **vols.***) (abr écrite de* **volumen***)* vol.

volado, da *adj fam* • **estar volado** être dingue. ◼ **volada** *nf (d'oiseau)*.

volador, ra *adj* volant(e).

volandas ◼ **en volandas** *loc adv* • **coger en volandas** soulever.

volante ◼ *adj* volant(e). ◼ *nm* **1.** volant *(m)* • **estar** *ou* **ir al volante** être au volant **2.** lettre *(f) (d'un médecin)*.

volar ◼ *vt (faire exploser)* faire sauter. ◼ *vi* **1.** volar • **volar a** *(altitude)* voler à • *(destination)* voler vers • **echar(se) a volar** s'envoler • **2.** *fam (disparaître)* s'évaporer • **el tiempo vuela** on ne voit pas passer le temps **3.** *fig* se dépêcher • **me**

voy volando je me dépêche • **hacer algo volando** faire qqch en vitesse. ◼ **volarse** *vp* s'envoler • **se me voló el sombrero** mon chapeau s'est envolé.

volátil *adj* **1.** versatile **2.** volatil(e).

volatilizar *vt* volatiliser. ◼ **volatilizarse** *vp* se volatiliser.

vol-au-vent = **volován**.

volcán *nm* volcan *(m)*.

volcánico, ca *adj* volcanique.

volcar ◼ *vt* **1.** renverser **2.** vider **3.** verser. ◼ *vi* **1.** *(véhicule)* se retourner **2.** *(bateau)* chavirer. ◼ **volcarse** *vp* **1.** se renverser **2.** *(bateau)* chavirer **3.** se démener • **volcarse con** *ou* **en** se dévouer à.

volea *nf* SPORT volée *(f)*.

voleibol *nm* volley-ball *(m)*.

voleo *nm* volée *(f)* • **a** *ou* **al voleo** SPORT à la volée • *fam (arbitrairement)* au petit bonheur.

volován *(pl* **volovanes***)*, **vol-au-vent** [bolo'βan] *(pl* **vol-au-vents***) nm* CULIN vol-au-vent *(m)*.

volquete *nm* camion *(m)* à benne.

voltaje *nm* voltage *(m)*.

voltear *vt* **1.** retourner **2.** faire sauter en l'air *(un enfant)* **3.** faire sonner à toute volée *(des cloches)* **4.** *(Amér)* renverser. ◼ **voltearse** *vp (Amér)* **1.** se retourner **2.** se renverser.

voltereta *nf* **1.** culbute *(f)* **2.** *(en gymnastique)* roulade *(f)* • **dar volteretas** faire des galipettes.

voltio *nm* volt *(m)*.

voluble *adj* **1.** *(personne)* versatile **2.** BOT volubile.

volumen *nm* volume *(m)* • **a todo volumen** à fond • **subir/bajar el volumen** monter/baisser le son • **volumen de negocios** *ou* **ventas** chiffre *(m)* d'affaires.

voluminoso, sa *adj* volumineux(euse).

voluntad *nf* volonté *(f)* • **a voluntad** à volonté • **buena/mala voluntad** bonne/mauvaise volonté • **contra la voluntad de alguien** contre la volonté de qqn • **por mi/tu** etc **propia voluntad** de mon/ton etc plein gré • **por voluntad propia** selon sa volonté • **voluntad de hierro** volonté de fer.

voluntariado *nm* bénévolat *(m)*.

voluntario, ria *adj & nm, f* volontaire. ◼ **voluntario** *nm* MIL volontaire *(m)*.

voluntarioso, sa *adj* • **ser voluntarioso** avoir de la volonté.

voluptuoso, sa *adj* voluptueux(euse).

---

volver *vt*

1. METTRE À L'ENVERS = retourner
• **volved la hoja del examen** retournez votre copie
• **volvió la carta y... ¡era un as!** il a retourné la carte et... c'était un as !

2. UNE PARTIE DU CORPS = tourner
 • **volver la cabeza/la espalda** tourner la tête/le dos
3. TRANSFORMER DE FAÇON DÉFINITIVE = rendre
 • **aquello lo volvió loco** ça l'a rendu fou
 • **el éxito lo ha vuelto orgulloso** le succès l'a rendu prétentieux.

volver *vi*

1. RETOURNER À L'ENDROIT D'OÙ L'ON VIENT
 • **vuelve, no te vayas** reviens, ne t'en va pas
 • **no pienso volver allí** je n'ai pas l'intention de retourner là-bas
2. DANS DES EXPRESSIONS
 • **volver en sí** revenir à soi.

■ **volver a** *v* + *prép*

SUIVI DE L'INFINITIF, EXPRIME LA RÉITÉRATION, LA RÉPÉTITION
 • **no lo he vuelto a ver** je ne l'ai jamais revu
 • **volver a hacer** refaire
 • **volver a leer** relire
 • **vuelve a llover** il recommence à pleuvoir
 • **no vuelvas a pronunciar esa palabra** ne prononce plus jamais ce mot.

■ **volverse** *vp*

1. CORPS = se retourner
 • **me volví para verla mejor** je me suis retourné pour mieux la voir
2. SE TRANSFORMER DE FAÇON DÉFINITIVE = devenir
 • **se ha vuelto muy antipática** elle est devenue très antipathique
3. DANS DES EXPRESSIONS
 • **me di cuenta de que había olvidado la cartera y tuve que volverme atrás** je me suis rendu compte que j'avais oublié mon portefeuille et j'ai dû revenir en arrière
 • **llegados a este punto del proyecto no es posible volverse atrás** arrivés à ce point du projet, ce n'est plus possible de faire machine en arrière.

■ **volverse a** *vp* + *prép*

1. REVENIR D'OÙ L'ON VIENT = rentrer
 • **me vuelvo a casa** je rentre chez moi
2. REPRENDRE LE FIL D'UNE HISTOIRE, D'UN SUJET = revenir à
 • **volvamos a nuestro tema** revenons à notre sujet.

■ **volverse (contra)** *vp* + *prép*

se retourner contre
 • **la opinión pública se volvió contra él** l'opinion publique s'est retournée contre lui.

vomitar *vt* & *vi* vomir.
vomitera *nf* vomi *(m)* • **entrarle a alguien una vomitera** avoir des vomissements.

vómito *nm* **1.** vomissement *(m)* **2.** vomi *(m)*.
voraz *adj* **1.** vorace **2.** *(passion, etc)* dévorant(e).
vos *pron pers* **1.** *(Amér)* tu **2.** *vieilli* vous.
vosotros, tras *pron pers* vous.
votación *nf* **1.** vote *(m)* • **por votación** par voie de scrutin **2.** élection *(f)*.
votante *nmf* votant *(m)*, -e *(f)*.
votar ◼ *vt* voter. ◼ *vi* voter • **votar en blanco** voter blanc • **votar por** voter pour • être pour.
voto *nm* **1.** voix *(f)* **2.** vote *(m)* • **contar los votos** faire le décompte des voix • **voto de censura/de confianza** vote de censure/de confiance • **tiene mi voto de confianza** j'ai toute confiance en lui **3.** droit *(m)* de vote **4.** *(demande & RELIG)* vœu *(m)*.
voy ⟶ **ir.**
voz *nf* **1.** *(gén & GRAMM)* voix *(f)* • **alzar** OU **levantar la voz a alguien** élever la voix devant qqn • **a media voz** à mi-voix • **en voz alta/baja** à voix haute/basse • **no tener ni voz ni voto** ne pas avoir voix au chapitre • **voz de la conciencia** voix de la conscience • **voz en off** voix off **2.** cri *(m)* • **a voces** en criant • **dar voces** pousser des cris **3.** rumeur *(f)* • **corre la voz de que…** le bruit court que… **4.** mot *(m)* • **llevar la voz cantante** mener la danse.
vudú *nm* *(invariable en apposition)* vaudou *(m)*.
vuelco *nm* **1.** chute *(f)* **2.** *fig* revirement *(m)* • **dar un vuelco** *(voiture)* se retourner • **le dio un vuelco el corazón** *fig* ça lui a fait un coup au cœur.
vuelo *nm* **1.** *(gén & AÉRON)* vol *(m)* • **al vuelo** *(attraper)* au vol • *fig (comprendre)* du premier coup • **alzar** OU **emprender** OU **levantar el vuelo** s'envoler • *fig* voler de ses propres ailes • **vuelo chárter/regular** vol charter/régulier • **vuelo libre/sin motor** vol libre/sans moteur **2.** *(d'un vêtement)* • **una falda con (mucho) vuelo** une jupe (très) large.
vuelta *nf* **1.** *(gén & SPORT)* tour *(m)* • **dar media vuelta** faire demi-tour • **dar la vuelta al mundo** faire le tour du monde • **dar vueltas** tourner • **dar una vuelta** faire un tour • **vuelta ciclista** tour cycliste **2.** retour *(m)* • **a la vuelta** au retour • **estar de vuelta** être de retour **3.** *(argent restant)* monnaie *(f)* • **dar la vuelta** rendre la monnaie **4.** tournant *(m)* **5.** *(face opposée)* dos *(m)* • **dar la vuelta a algo** retourner qqch • **darle la vuelta a la página** tourner la page • **dar(se) la vuelta** se retourner **6.** *(changement)* renversement *(m)* **7.** revers *(m)* *(d'un pantalon, etc)* • **a la vuelta de la esquina** au coin de la rue • **a vuelta de correo** par retour du courrier • **dar la vuelta a la tortilla** *fam* renverser la vapeur • **darle vueltas a algo** tourner et retourner qqch dans sa tête • **no tiene vuelta de hoja** c'est comme ça et pas autrement • **poner a alguien de vuelta y me-**